W9-CEH-540

Vos ressources numériques en ligne !

Un ensemble d'outils numériques spécialement conçus pour vous aider dans l'acquisition des connaissances liées à

SOINS INFIRMIERS – PÉRINATALITÉ

- Les rubriques « Ressources » complètes et détaillées
- Les cartes conceptuelles
- Les annexes générales et les annexes aux chapitres
- Les sections « À retenir »
- Le glossaire interactif
- Le Guide de stage
- Les solutionnaires du manuel
- Des vidéos
- Des activités interactives

Accédez à ces outils en un clic !

www.cheneliere.ca/lowdermilk

PER-F96166D4

CHENELIÈRE ÉDUCATION

SOINS INFIRMIERS

PÉRINATALITÉ

Deitra Leonard Lowdermilk, RNC, PhD, FAAN
Shannon E. Perry, RN, CNS, PhD, FAAN
Kitty Cashion, RN, BC, MSN

ÉDITION FRANÇAISE

DIRECTION SCIENTIFIQUE

Françoise Courville • Francine de Montigny
Isabelle Milette • Viola Polomeno

DIRECTION PÉDAGOGIQUE

Yvon Brassard

Soins infirmiers
Périnatalité

Traduction et adaptation de: *Maternity Nursing* de Deitra Leonard Lowdermilk RNC, PhD, FAAN, Shannon E. Perry, RN, CNS, PhD, FAAN and Mary Catherine Cashion, RC, BC, MSN © 2010 by Mosby, Inc., an affiliate of Elsevier Inc. (ISBN 978-0-323-06661-7)

This edition of *Maternity Nursing* 8e by Deitra Leonard Lowdermilk RNC, PhD, FAAN, Shannon E. Perry, RN, CNS, PhD, FAAN and Mary Catherine Cashion, RC, BC, MSN is published by arrangement with Elsevier Inc.

Coordination éditoriale: André Vandal
Édition: Sarah Bigourdan, Maryse Dion Tremblay, Brigitte Gendron, Nancy Lachance, Karine Nadeau, Martine Rhéaume
Coordination: Martine Brunet et Mélanie Nadeau
Recherche iconographique: Rachel Irwin, Mélanie Nadeau, Patrick St-Hilaire
Traduction: Marie Dumont, Catherine Ego, Christiane Foley, Louise Gaudette, Anne-Marie Mesa, Lucie Morin, Julie Paradis, Laurence Perron, Marie Préfontaine
Révision linguistique: Anne-Marie Trudel
Correction d'épreuves: Zérofôte
Conception graphique: Dessine-moi un mouton
Adaptation de la conception graphique originale: Nicolas Leclair (Protocole communication d'affaires)
Conception de la couverture: Micheline Roy
Adaptation de la couverture originale: Josée Brunelle
Impression: TC Imprimeries Transcontinental

Coordination éditoriale du matériel complémentaire Web: Martine Rhéaume et André Vandal
Coordination du matériel complémentaire Web: David Bouchet

Catalogage avant publication de Bibliothèque et Archives nationales du Québec et Bibliothèque et Archives Canada

Vedette principale au titre:

Soins infirmiers: périnatalité

Traduction de la 8e éd. de: Maternity nursing.
Comprend des réf. bibliogr. et un index.
Pour les étudiants du niveau collégial.

ISBN 978-2-7650-3408-7

1. Soins infirmiers en obstétrique. 2. Soins infirmiers en pédiatrie. 3. Périnatalité. I. Lowdermilk, Deitra Leonard. II. Perry, Shannon E. III. Cashion, Kitty. IV. Milette, Isabelle, 1974- .

RG951.M3714 2012 618.2'0231 C2012-940156-0

5800, rue Saint-Denis, bureau 900
Montréal (Québec) H2S 3L5 Canada
Téléphone : 514 273-1066
Télécopieur : 514 276-0324 ou 1 888 460-3834
info@cheneliere.ca

ISBN 978-2-7650-3408-7

Dépôt légal: 1er trimestre 2012
Bibliothèque et Archives nationales du Québec
Bibliothèque et Archives Canada

Imprimé au Canada

1 2 3 4 5 ITIB 16 15 14 13 12

Nous reconnaissons l'aide financière du gouvernement du Canada par l'entremise du Fonds du livre du Canada (FLC) pour nos activités d'édition.

Gouvernement du Québec – Programme de crédit d'impôt pour l'édition de livres – Gestion SODEC.

Dans cet ouvrage, le féminin est utilisé comme représentant des deux sexes, sans discrimination à l'égard des hommes et des femmes, et dans le seul but d'alléger le texte.

Des marques de commerce sont mentionnées ou illustrées dans cet ouvrage. L'Éditeur tient à préciser qu'il n'a reçu aucun revenu ni avantage conséquemment à la présence de ces marques. Celles-ci sont reproduites à la demande de l'auteur ou de l'adaptateur en vue d'appuyer le propos pédagogique ou scientifique de l'ouvrage.

Tous les sites Internet présentés sont étroitement liés au contenu abordé. Après la parution de l'ouvrage, il pourrait cependant arriver que l'adresse ou le contenu de certains de ces sites soient modifiés par leur propriétaire, ou encore par d'autres personnes. Pour cette raison, nous vous recommandons de vous assurer de la pertinence de ces sites avant de les suggérer aux élèves.

La pharmacologie évolue continuellement. La recherche et le développement produisent des traitements et des pharmacothérapies qui perfectionnent constamment la médecine et ses applications. Nous présentons au lecteur le contenu du présent ouvrage à titre informatif uniquement. Il ne saurait constituer un avis médical. Il incombe au médecin traitant et non à cet ouvrage de déterminer la posologie et le traitement appropriés de chaque patient en particulier. Nous recommandons également de lire attentivement la notice du fabricant de chaque médicament pour vérifier la posologie recommandée, la méthode et la durée d'administration, ainsi que les contre-indications.

Les cas présentés dans les mises en situation de cet ouvrage sont fictifs. Toute ressemblance avec des personnes existantes ou ayant déjà existé n'est que pure coïncidence.

Chenelière Éducation, Elsevier, les auteurs, les adaptateurs et leurs collaborateurs se dégagent de toute responsabilité concernant toute réclamation ou condamnation passée, présente ou future, de quelque nature que ce soit, relative à tout dommage, à tout incident — spécial, punitif ou exemplaire —, y compris de façon non limitative, à toute perte économique ou à tout préjudice corporel ou matériel découlant d'une négligence, et à toute violation ou usurpation de tout droit, titre, intérêt de propriété intellectuelle résultant ou pouvant résulter de tout contenu, texte, photographie ou des produits ou services mentionnés dans cet ouvrage.

Le matériel complémentaire mis en ligne dans notre site Web et qui requiert un code d'accès est réservé aux résidants du Canada, et ce, à des fins d'enseignement uniquement.

L'achat en ligne est réservé aux résidants du Canada.

AVANT-PROPOS

Chenelière Éducation vous présente la nouvelle édition française de l'ouvrage de Dietra Leonard Lowdermilk, Shannon E. Perry et Kitty Cashion, *Soins infirmiers – Périnatalité*. Cette édition est la traduction de la 8e édition de l'ouvrage américain, *Maternity Nursing*, paru en 2010.

Comme ses prédécesseurs de la collection *Soins infirmiers, Périnatalité* est le résultat de la contribution d'une vaste équipe de spécialistes d'ici, chercheuses, enseignantes, praticiennes et universitaires, qui s'est assurée de la rigueur scientifique des contenus et de leur pertinence quant aux pratiques courantes en milieu clinique.

Conformément aux orientations de la collection *Soins infirmiers*, déjà solidement démontrées dans *Soins infirmiers – Fondements généraux* de Potter et Perry, et dans *Soins infirmiers – Médecine Chirurgie* de Lewis *et al.*, ce nouveau titre de la collection renforce le développement du jugement clinique en proposant aux étudiantes de nombreuses occasions d'exercer leur pensée critique à partir de situations cliniques auxquelles elles pourront faire face dans leur pratique. Ces situations cliniques sont également une occasion de maîtriser les étapes de la démarche de soins et de mieux comprendre l'usage des plans thérapeutiques infirmiers.

Complété par un guide d'études qui propose de nombreuses situations d'apprentissage, *Soins infirmiers – Périnatalité* offre aux enseignantes et aux étudiantes un riche support d'apprentissage qui reflète l'état actuel des connaissances. Le site d'accompagnement www.cheneliere.ca/lowdermilk, avec, notamment, ses vidéos et ses ECOS, bonifie cet ensemble pédagogique et scientifique qui répond aux besoins d'un enseignement moderne et stratégique.

Françoise Courville

Francine de Montigny

Isabelle Milette

Viola Polomeno

Yvon Brassard

REMERCIEMENTS

Cette nouvelle édition de *Soins infirmiers – Périnatalité* est le fruit de la collaboration et de la compétence d'une équipe de 45 expertes du milieu clinique, sous la direction scientifique de 4 chercheuses chevronnées. À cette équipe imposante s'ajoute celle de la rédaction pédagogique. Sans la détermination de toutes ces personnes, *Soins infirmiers – Périnatalité* ne serait pas cet ouvrage remarquable que vous avez entre les mains.

Une tâche de cette envergure exige une contribution sans faille de traductrices, de réviseures et de correctrices dont la collaboration est essentielle à la production d'un ouvrage de qualité.

Enfin, il faut aussi compter sur une équipe d'éditrices et de chargées de projet, à la rigueur et au professionnalisme éprouvés, pour assurer l'édition d'un ouvrage répondant aux exigences les plus élevées.

À tous, Chenelière Éducation tient à exprimer ses remerciements les plus sincères.

ÉQUIPE DE RÉDACTION

DIRECTION SCIENTIFIQUE

FRANÇOISE COURVILLE, inf., M. Sc. IBCLC
Professeure agrégée et directrice des programmes de 2e cycle en sciences infirmières au Département des sciences de la santé, module des sciences infirmières de l'Université du Québec à Chicoutimi, elle y enseigne les cours en périnatalité. Elle a poursuivi des recherches cliniques sur l'allaitement maternel au cours des 20 dernières années.

FRANCINE DE MONTIGNY, inf., Ph. D. (psychologie)
Professeure titulaire au département des sciences infirmières de l'Université du Québec en Outaouais (UQO), elle est titulaire de la Chaire de recherche du Canada sur la santé psychosociale des familles. Détentrice d'un postdoctorat en psychologie du développement humain de l'Université du Québec à Trois-Rivières, elle est également professeure associée au département de psychologie de cette université, ainsi qu'à l'école des sciences infirmières de l'Université d'Ottawa. Chercheuse boursière du Fonds de recherche en santé du Québec pour ses travaux portant sur la naissance et la mort d'un enfant, elle dirige le Centre d'études et de recherche en intervention familiale (CERIF) de l'UQO et le groupe de recherche sur la santé mentale des hommes en période périnatale et les soins et services de santé.

ISABELLE MILETTE, IPSNN, Ph. D.
Infirmière praticienne spécialisée en néonatalogie, instructrice en réanimation néonatale et spécialiste certifiée en soins du développement, elle évolue présentement au CHU Sainte-Justine et assure aussi la présidence de sa compagnie d'enseignement, de développement et d'implantation de programmes de formation, *Les soins du développement SENC*. Elle est également auteure d'un livre, ainsi que de nombreux résumés et articles de recherche sur le sujet des soins du développement et de la prévention du bruit aux soins intensifs.

VIOLA POLOMENO, inf., Ph. D.
Professeure adjointe à l'École des sciences infirmières de l'Université d'Ottawa, elle est aussi chercheuse à l'Institut de recherche de l'Hôpital Montfort à Ottawa. En collaboration avec ce dernier, elle assume la coresponsabilité de l'Unité de recherche interdisciplinaire sur la santé des familles et dirige le Groupe de recherche sur la sexopérinatalité. Spécialisée dans l'intervention conjugale, familiale et sexuelle, elle maintient une pratique clinique en éducation périnatale.

DIRECTION PÉDAGOGIQUE

YVON BRASSARD, inf., M. Éd., D.E.
Pendant près de 30 ans, il a travaillé dans le milieu de l'enseignement des soins infirmiers au niveau collégial. Il a également donné de nombreuses conférences et activités de formation sur la rédaction des notes d'évolution au dossier, sujet sur lequel il a écrit deux volumes. Coauteur d'un ouvrage sur les méthodes de soins, adaptateur de *Soins infirmiers – Fondements généraux*, il assume depuis plusieurs années la direction pédagogique de la collection *Soins infirmiers*, des guides d'études et des activités interactives qui l'accompagnent.

ÉQUIPE DE RÉDACTION PÉDAGOGIQUE

SYLVIE ARCHAMBAULT, inf., B. Sc.
KARINE CARPENTIER, inf., B. Sc.
CAROLINE HARVEY, inf., B. Sc., M. Éd.
NATHALIE SANTERRE, inf., B. Sc.

CONSEILLÈRE SCIENTIFIQUE

LOUISE-ANDRÉE BRIEN, inf., M. Sc.
Professeure invitée à la Faculté des sciences infirmières de l'Université de Montréal, elle est responsable des cours liés aux soins critiques pour le programme de baccalauréat en sciences infirmières. Détentrice d'une certification en neurosciences du Centre universitaire de santé McGill et d'une maîtrise en sciences infirmières (option formation) de l'Université de Montréal, elle s'intéresse aussi à la formation infirmière et interprofessionnelle en soins de fin de vie auprès de clientèles non oncologiques.

ADAPTATION DE L'ÉDITION FRANÇAISE

MYRIAM ASRI, inf., M. Sc. (administration de la santé)
Professeure clinicienne au Département des sciences infirmières de l'Université du Québec à Trois-Rivières, elle a une expérience clinique obstétricale à l'Hôpital général juif et à l'Hôpital Royal Victoria de Montréal de même qu'une expérience clinique au Centre de santé Inuulitsivik de Puvirnituq. Elle a également été conseillère à la qualité clinique au CSSS Nicolet – Bécancour – Yamaska. Actuellement, elle est impliquée dans la formation clinique des étudiants au Centre d'apprentissage et de simulation en sciences infirmières de même que dans la supervision des stages et la formation des préceptrices de stage.

LINDA BELL, inf., Ph. D.
Professeure à l'École des sciences infirmières de l'Université de Sherbrooke, elle a une vaste expérience clinique en périnatalité, notamment en salle d'accouchement, en postpartum et en santé communautaire. Ses travaux de recherche portent sur le développement des compétences parentales, l'attachement parents-enfant et l'allaitement maternel.

DALILA BENHABEROU-BRUN, inf., M. Sc.
Infirmière diplômée d'état (IDE) de France en 1988, elle obtient ensuite un baccalauréat en sciences de l'Université de Montréal, puis une maîtrise en sciences biomédicales de cette même université. Après avoir travaillé comme infirmière puis comme coordonnatrice en recherche clinique au Centre universitaire de santé McGill, elle est, depuis 2005, rédactrice indépendante, spécialisée en santé.

MANON BRISEBOIS, inf., B. Sc.
Infirmière diplômée du Cégep de Chicoutimi en 1988, elle a travaillé en milieu hospitalier et en CHSLD. Elle obtient le titre d'infirmière clinicienne diplômée de l'Université du Québec à Chicoutimi en 1999. Elle travaille au maintien à domicile et à Info-Santé au CSSS de Chicoutimi et, depuis 2003, elle travaille en santé sexuelle et préventive des infections transmissibles sexuellement et par le sang ainsi qu'en planification des naissances, en contraception et interruption volontaire de grossesse. Depuis peu, elle exerce en clinique jeunesse (santé sexuelle et préventive, contraception, santé mentale et toxicomanie), toujours au CSSS de Chicoutimi.

BRIGITTE CAMDEN, Dt. P.
Détentrice d'un baccalauréat en nutrition de l'Université McGill en 1990, elle possède 12 années d'expérience en santé communautaire, dont 10 ans auprès des femmes enceintes issues de milieux défavorisés dans le quartier Pointe-Saint-Charles et à Saint-Jérôme. Elle a mis en place un groupe de soutien à l'allaitement au début des années 2000. Son intérêt pour la prévention l'a dirigée vers un poste en développement pour la clientèle jeunesse au CSSS de Saint-Jérôme, où elle travaille à instaurer de nouvelles pratiques en milieux scolaires et communautaires pour les jeunes de 6 à 21 ans.

CATHERINE CANTIN, M. Sc., IPSNN
Diplômée en 2006 de l'Université Laval comme infirmière bachelière et travaillant à l'unité des soins intensifs néonataux du CHU Sainte-Justine, elle obtient son diplôme de l'Université McGill en 2010 à titre d'infirmière praticienne spécialisée en néonatalogie. Elle s'implique activement au sein de l'unité des soins intensifs néonataux afin d'améliorer la qualité des soins infirmiers offerts aux familles.

NATHALIE CARON, inf., B. Sc., M. Sc. (c)
Chef d'administration de programme dans la direction des services généraux, santé publique du CSSS du Nord de Lanaudière, elle travaille depuis 12 ans avec les familles dans les services de première ligne en exerçant diverses fonctions auprès de ces dernières. Elle est également détentrice d'un diplôme d'études supérieures spécialisées et est candidate à la maîtrise en développement des organisations – gestion et développement des organisations à l'Université Laval.

KARINE CARPENTIER, inf., B. Sc.
Enseignante depuis 11 ans en technique de soins infirmiers au Cégep de Lévis-Lauzon, elle donne les cours de périnatalité en deuxième année de ce programme. Détentrice d'un baccalauréat spécialisé en soins de l'enfant et de la famille de l'Université du Québec à Trois-Rivières, elle est une passionnée de tout ce qui touche la périnatalité et l'allaitement.

CHRISTINE GERVAIS, inf., Ph. D. (c)
Christine Gervais est infirmière clinicienne à l'urgence du CHU Sainte-Justine, chargée de cours à l'Université du Québec en Outaouais (UQO) et professionnelle de recherche au sein de la Chaire de recherche sur la santé psychosociale des familles (UQO). Elle est chercheuse au Centre d'études et de recherche en intervention familiale de cette même université. Boursière du ministère de l'Éducation, du Loisir et du Sport, elle termine des études doctorales en psychologie-recherche à l'Université du Québec à Trois-Rivières, en ciblant l'implantation et l'évaluation d'implantation de l'*Initiative amis des pères* au sein des familles, une intervention de soutien à l'engagement paternel.

CLAIRE GODIN, inf., B. Sc. MAP (c)
Titulaire d'un baccalauréat en sciences infirmières de l'Université McGill en 1988, elle a par la suite terminé ses études de deuxième cycle à l'École nationale d'administration publique en 2009. Elle a activement participé à titre de représentante de l'Ordre des infirmières et des infirmiers du Québec à la révision de la *Politique de périnatalité 2008 – 2018* et comme consultante dans l'élaboration du guide *Mieux vivre avec notre enfant de la grossesse à deux ans*, volet prénatal. De 2007 à 2010, elle a agi à titre de conseillère clinicienne à la Direction des soins infirmiers et chargée de cours à l'Université du Québec en Outaouais. Elle est présentement directrice du regroupement clientèle Famille Enfance Jeunesse et Services à la collectivité du CSSS de Saint-Jérôme.

MARTINE GUAY, inf., B. Sc.
Après avoir obtenu une licence en droit et réussi une première carrière au sein de la fonction publique fédérale, notamment en gestion, elle retourne aux études pour devenir infirmière. Depuis, elle a travaillé comme infirmière de recherche pour l'École de sciences infirmières de l'Université McGill, et elle exerce sa nouvelle profession dans l'unité de soins intensifs en néonatalogie de l'hôpital Royal Victoria du CUSM. Elle s'intéresse particulièrement aux soins du développement pour les nouveau-nés prématurés ou malades, ainsi qu'à la cessation tabagique pour leurs parents.

MARJOLAINE HÉON, inf., Ph. D.
Professeure adjointe à la Faculté des sciences infirmières de l'Université de Montréal, elle y mène des activités d'enseignement et de recherche. Détentrice d'un doctorat en sciences infirmières de cette université, elle est membre du Groupe de recherche interuniversitaire en interventions en sciences infirmières du Québec (GRIISIQ). Ses principaux champs de recherche sont le développement et l'évaluation d'interventions infirmières visant à soutenir l'allaitement des nouveau-nés prématurés.

MARIE LACOMBE, inf., Ph. D.
Détentrice d'un doctorat en sciences infirmières de l'Université de Montréal, elle est professeure au département des sciences infirmières de l'Université du Québec à Rimouski, au campus de Lévis. Elle est responsable du programme court en périnatalité. Ses champs de recherche sont axés sur la périnatalité, plus particulièrement sur l'allaitement maternel, la dépression postpartum et les interactions mère-enfant.

CAROL-ANNE LANGLOIS, inf., M. Sc.
Infirmière clinicienne dans les services de première ligne, elle est aussi coordonnatrice des partenariats internationaux du Centre d'études et de recherche en intervention familiale (CERIF) de l'Université du Québec en Outaouais (UQO). Diplômée du certificat en travail social, du baccalauréat et de la maîtrise en sciences infirmières de l'UQO, elle s'intéresse aux thèmes touchant l'interruption de grossesse, la santé des femmes, la santé familiale et la santé mentale.

LUCIE LEMELIN, inf., Ph. D. (c)
Professeure au département des sciences infirmières de l'Université du Québec en Outaouais (UQO), elle est candidate au doctorat en sciences cliniques à l'Université de Sherbrooke. Elle est membre du Centre d'études et de recherche en intervention familiale (CERIF) de l'UQO favorisant la recherche, la réflexion et l'intervention sur la santé des jeunes familles. Ses champs d'intérêt sont la promotion de la santé des enfants, des adolescents et de leur famille.

LINDA LEMIRE, inf., Ph. D. (c)
Conseillère clinique spécialisée en périnatalité et pédiatrie au CSSS de Trois-Rivières, elle y a entre autres implanté un programme innovateur de soulagement de la douleur chez les nouveau-nés. Elle est également chargée de cours en sciences infirmières à l'Université du Québec à Trois-Rivières (UQTR). Détentrice d'une maîtrise en sciences infirmières de l'Université Laval et candidate au doctorat en psychologie à l'UQTR, son expertise de recherche se centre sur la douleur du nouveau-né et l'évaluation de programmes cliniques. Elle a par ailleurs effectué un stage doctoral au Karolinska Institut à Stockholm en Suède, axé sur les recherches effectuées par les chercheuses du Département de la santé des femmes et des enfants.

KIM LORTIE, inf., M. Sc.
Titulaire d'un diplôme de baccalauréat et d'une maîtrise en sciences infirmières de l'Université d'Ottawa, elle y enseigne à temps partiel et y a un statut de professeure clinique depuis 2009. Elle travaille également en périnatalité comme infirmière autorisée au Centre familial de naissance de l'Hôpital Montfort à Ottawa. Elle s'intéresse plus spécifiquement à l'éducation continue et à la promotion et au soutien de l'allaitement maternel en milieu hospitalier.

DENISE MOREAU, inf., Ph. D.
Professeure à l'École des sciences infirmières de l'Université d'Ottawa, elle est également chercheuse à l'Unité de recherche interdisciplinaire sur la santé des familles de l'Institut de recherche de l'Hôpital Montfort à Ottawa. Ses champs d'intérêt et activités de recherche gravitent autour de la santé des femmes dans leur transition à la maternité. Ses plus récents travaux portent sur l'allaitement et la santé maternelle en milieu francophone minoritaire. Elle a également dirigé la conception d'un cédérom portant sur l'évaluation physique et psychosociale postnatale.

JULIE POIRIER, inf., M. Sc., DSSS
Détentrice d'une maîtrise en sciences infirmières de l'Université Laval, elle est candidate IPSPL au CSSS de Beauce. Elle donne des cours à l'Université du Québec à Rimouski, dont celui sur l'examen clinique de l'adulte et celui sur l'examen clinique de la femme enceinte et du nouveau-né. Elle a été présidente du comité Jeunesse de l'Ordre des infirmières et des infirmiers du Québec pendant sept ans. Elle a travaillé au sein du ministère de la Défense nationale comme infirmière-chef du Centre d'instruction d'été des Cadets de l'Armée Valcartier pendant huit ans.

GENEVIÈVE POULIOT-GAGNÉ, inf., M. Sc.
Spécialisée en allaitement maternel, elle détient un baccalauréat et une maîtrise en sciences infirmières à l'Université du Québec à Chicoutimi, où elle est chargée d'enseignement et superviseure de stages (premier cycle). Infirmière clinicienne en santé maternelle et infantile au CSSS Domaine-du-Roy, elle est impliquée dans le comité régional intersectoriel en allaitement maternel (Saguenay – Lac-Saint-Jean) et agit comme formatrice dans le cadre de l'initiative Hôpitaux amis des bébés.

MARIÈVE PROULX, M. Sc., IPSNN
Détentrice d'un baccalauréat multidisciplinaire de l'Université de Montréal et d'une maîtrise en science appliquée de l'Université McGill (2008), elle est infirmière praticienne spécialisée en néonatalogie au CHU Sainte-Justine. Active au sein du comité des soins du développement, elle s'intéresse aussi à la continuité des soins, à l'amélioration de la qualité de la pratique clinique et à la gestion de la douleur chez les nouveau-nés.

MARGARIDA RIBEIRO DA SILVA, M. Sc., IPSNN
Infirmière praticienne spécialisée en néonatalogie depuis 2007, elle pratique à l'Hôpital Royal Victoria et à l'Hôpital de Montréal pour enfants du Centre universitaire de santé McGill. En 2008, elle implante un programme de formation en soins du développement à l'Hôpital Royal Victoria pour le personnel qui s'occupe de la clientèle prématurée. Elle siège aussi au comité d'examen de certification des infirmières praticiennes spécialisées en néonatalogie depuis 2008.

CHANTAL VERDON, inf., Ph. D. (c)
Professeure au département des sciences infirmières à l'Université du Québec en Outaouais – Campus de Saint-Jérôme, elle est également membre régulière à titre de chercheuse au CERIF de cette université. Elle termine un doctorat à l'Université Laval en sciences infirmières. Ses champs d'expertise portent sur la périnatalité, l'approche familiale, le deuil et la relation dans le contexte professionnel.

ÉQUIPE DE CONSULTATION

Karina Daigle, inf., M. Sc.
Dominique Darveau, inf., B. Sc.
Julie Diotte, inf., B. Sc.
Lise Dumont, inf., B. Sc.
Myrianne Ferland, inf, B. Sc.
Marie Gagné, inf., B. Sc.
Valérie Gagnon, inf., B. Sc.
Caroline Lamond, inf., B. Sc., M. Éd.
Véronique Larouche, inf., M. Sc. (c)
Francine L'Heureux, Dt. P.
Marie-Claude Masson, inf., B. Sc.
Isabelle Morel, inf., B. Sc.
Isabelle Morin, inf., B. Sc.
Dorice Ouellet, inf., B. Sc.
Jacinthe Pelletier, inf., B. Sc.
Marie-Claude Perreault, inf., B. Sc.
Doris Poitras, inf., B. Sc.
Marie-Hélène Robichaud, inf., B. Sc.
Marie-Josée Trépanier, IA, inf., B. Sc., M. Éd, ICP (c)

ÉQUIPE DE RÉDACTION DE L'ÉDITION AMÉRICAINE

DIRECTION

DEITRA LEONARD LOWDERMILK, RNC, PhD, FAAN
Clinical Professor Emerita, School of Nursing
University of North Carolina at Chapel Hill
Chapel Hill, North Carolina

SHANNON E. PERRY, RN, CNS, PhD, FAAN
Professor Emerita, School of Nursing
San Francisco State University
San Francisco, California

KITTY CASHION, RN, BC, MSN
Clinical Nurse Specialist
University of Tennessee Health Science Center
College of Medicine
Department of Obstetrics & Gynecology
Division of Maternal-Fetal Medicine
Memphis, Tennessee

COLLABORATION

KATHRYN RHODES ALDEN, EdD, MSN, RN, IBCLC
Clinical Associate Professor, School of Nursing
University of North Carolina at Chapel Hill
Chapel Hill, North Carolina

PAT MAHAFFEE GINGRICH, RNC, MSN, WHNP
Clinical Assistant Professor, School of Nursing
University of North Carolina at Chapel Hill
Chapel Hill, North Carolina

EDWARD L. LOWDERMILK, BS, RPh
Clinical Pharmacist
Piedmont Health Services
Siler City, North Carolina

DIANA L. MCCARTY, RNC, MSN
Clinical Assistant Professor, School of Nursing
University of North Carolina at Chapel Hill
Chapel Hill, North Carolina

BARBARA PASCOE, RN, BA, MA
Director, The Family Place
Concord Hospital
Concord, New Hampshire

JULIE WHITE, RN, MSN
Clinical Instructor, Graduate Entry Program
College of Nursing, Maternal/Child Department
University of Illinois at Chicago
Chicago, Illinois

CARACTÉRISTIQUES DE L'OUVRAGE

Traduction de la 8e édition américaine

Cette édition de *Soins infirmiers – Périnatalité* de Deitra Leonard Lowdermilk, Shannon E. Perry et Kitty Cashion est l'adaptation de la toute dernière édition américaine parue en 2010. De ce fait, elle reflète les plus récentes avancées dans le domaine des sciences infirmières. À l'instar de la version américaine, cette édition en langue française a été réalisée en portant une attention particulière aux pratiques professionnelles du milieu ainsi qu'à la lisibilité du texte afin d'en faciliter la compréhension et le transfert en milieu clinique.

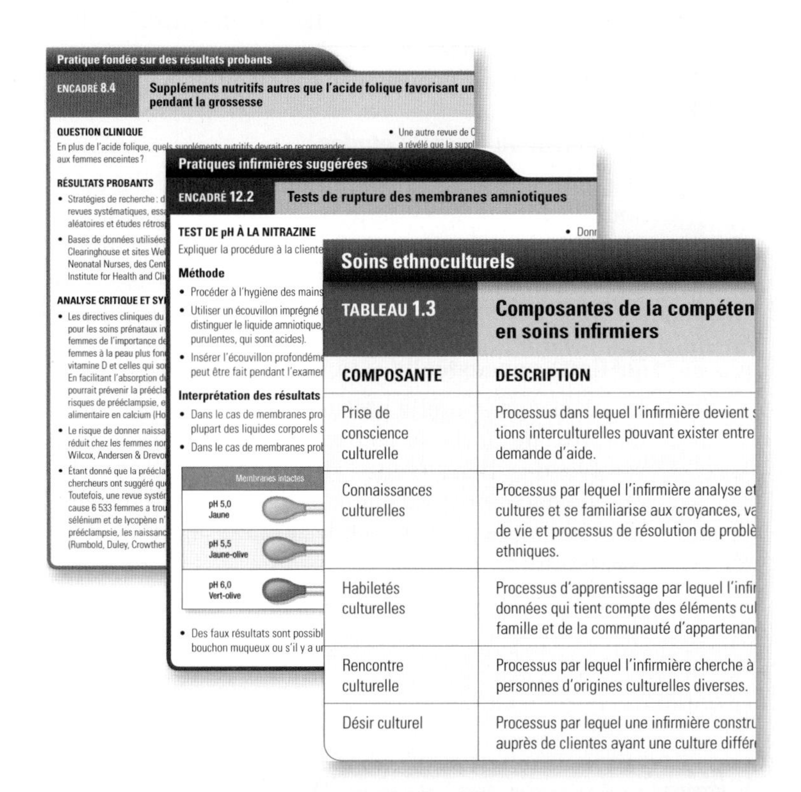

Tableaux et encadrés spécifiques

La liste intégrale des tableaux et des encadrés spécifiques regroupés par sujet permet un repérage rapide. Elle comprend :

- Cheminement clinique
- Conseil juridique
- Enseignement à la cliente et à ses proches
- Examens paracliniques
- Guide d'enseignement
- Mise en œuvre d'une démarche de soins
- Pharmacothérapie
- Plan de soins et de traitements infirmiers
- Pratique fondée sur des résultats probants
- Pratiques infirmières suggérées
- Signes de complications possibles
- Soins ethnoculturels
- Soins d'urgence

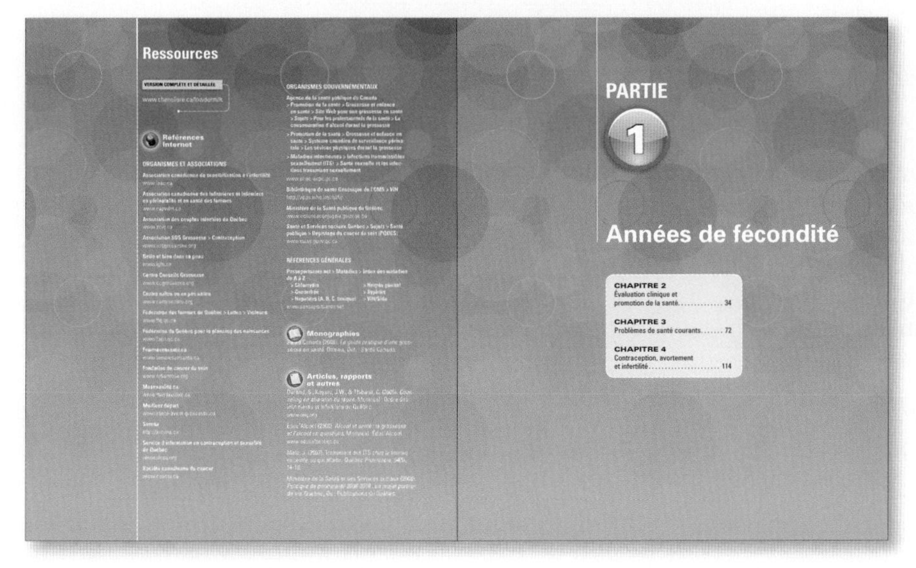

OUVERTURE DE PARTIE

Les chapitres du manuel sont regroupés en six parties thématiques, de la conception aux premiers jours du nouveau-né.

Ressources

Cette rubrique offre à la lectrice désirant approfondir ses connaissances un éventail de ressources complémentaires pertinentes liées aux thèmes abordés : sites Internet, ouvrages de référence, articles scientifiques, vidéos, etc. Une version plus détaillée peut être consultée au www.cheneliere.ca/lowdermilk, où un seul clic donne accès aux sites mentionnés.

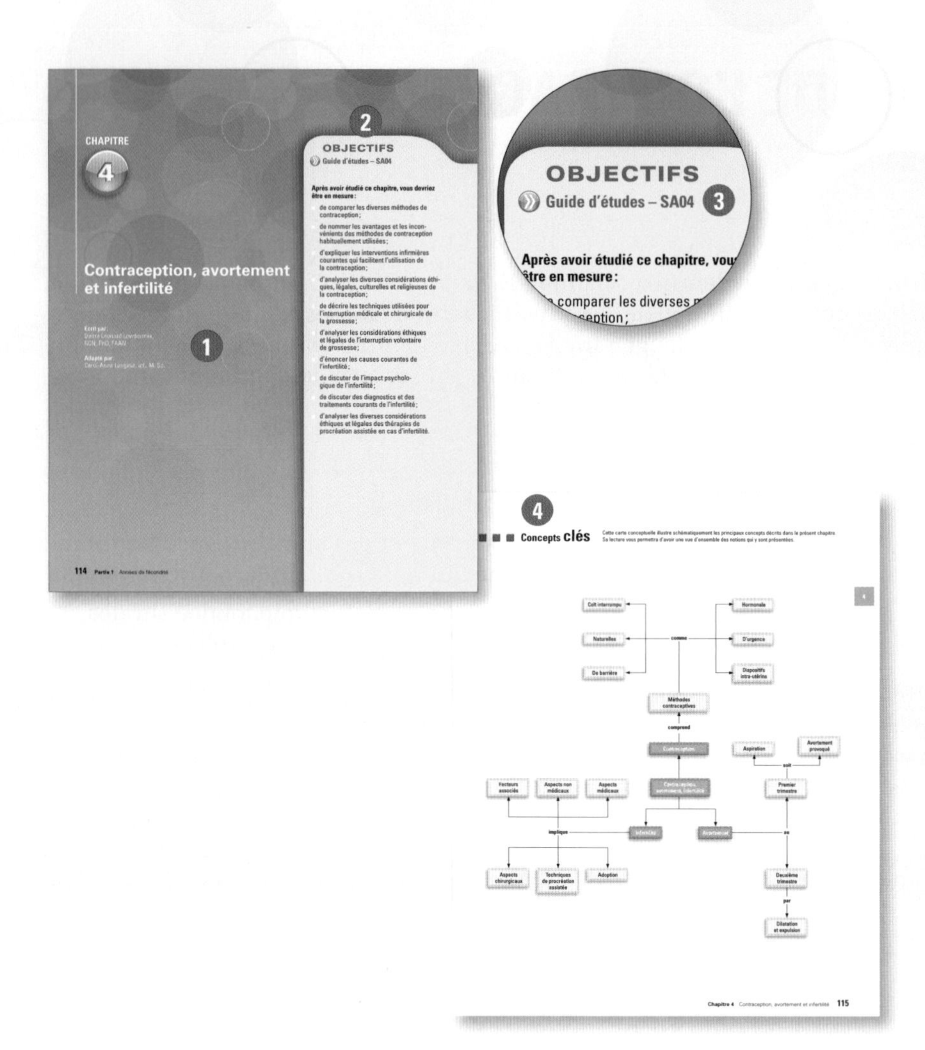

OUVERTURE DE CHAPITRE

❶ Nom des auteures et des adaptatrices

Le nom des auteures de l'édition américaine et des adaptatrices du chapitre de l'édition en langue française figurent sur la page d'ouverture du chapitre. Les adaptatrices sont toutes issues du milieu des soins infirmiers québécois et canadien (professeures, chercheuses, cliniciennes).

❷ Objectifs d'apprentissage

Les objectifs d'apprentissage mettent en évidence les aspects essentiels abordés dans le chapitre. La lectrice repère ainsi les principales connaissances et compétences qu'elle acquerra en étudiant le chapitre.

❸ Renvoi au *Guide d'études*

Des activités sont proposées dans le *Guide d'études*, sous la forme de situations d'apprentissage ou de révisions éclair. Ces exercices favorisent l'appropriation des connaissances et le développement du jugement clinique.

❹ Carte conceptuelle

La carte conceptuelle présentée au début de chaque chapitre permet à la lectrice d'avoir une vue d'ensemble des liens et des nombreux concepts clés qu'elle découvrira au cours de sa lecture. Cette carte peut être utile pour réviser les notions apprises dans le chapitre.

FERMETURE DE CHAPITRE

À retenir

En lien direct avec les objectifs d'apprentissage énoncés en début de chapitre, cette rubrique présente, sous forme de liste à puces, les notions importantes abordées dans le chapitre. Une version reproductible est offerte au www.cheneliere.ca/lowdermilk. Il s'agit d'un outil efficace que l'étudiante appréciera pour réviser la matière en préparation aux examens.

DÉVELOPPEMENT DU JUGEMENT CLINIQUE

❶ Capsules de jugement clinique

Ces capsules proposent de courtes mises en situation amenant la lectrice à mettre en relation ses connaissances, la théorie ainsi que la pratique clinique. L'exercice que requiert la formulation des réponses à ces questions favorise le développement des compétences en matière de pensée critique. Le solutionnaire peut être consulté au www.cheneliere.ca/lowdermilk.

❶ **Jugement clinique**

Madame Miranda Marconi est âgée de 34 ans. Elle est à 39 1/7 semaines de grossesse (G1 P0 A0), et elle est en phase active de son travail depuis quelques heures. Vous effectuez l'évaluation fœtale à l'aide d'un moniteur électronique fœtal sur une période de 10 minutes. La F.C.F. moyenne est de 136 batt./min.

Est-ce que la F.C.F. se trouve dans la norme ? Justifiez votre réponse.

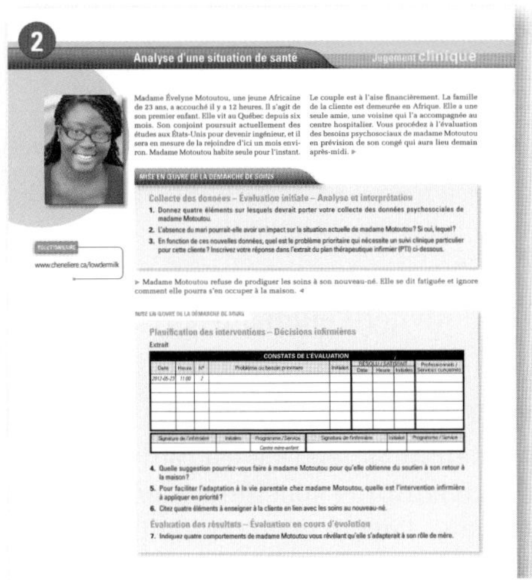

2 **Analyse d'une situation de santé** — Jugement clinique

Madame Évelyne Motoutou, une jeune Africaine de 23 ans, a accouché il y a 12 heures. Il s'agit de son premier enfant. Elle vit au Québec depuis six mois. Son conjoint poursuit actuellement des études aux États-Unis pour devenir ingénieur, et il sera en mesure de la rejoindre d'ici un mois environ. Madame Motoutou habite seule pour l'instant. Le couple est à l'aise financièrement. La famille de la cliente est demeurée en Afrique. Elle a une seule amie, une voisine qui l'a accompagnée au centre hospitalier. Vous procédez à l'évaluation des besoins psychosociaux de madame Motoutou en prévision de son congé qui aura lieu demain après-midi. ▶

MISE EN ŒUVRE DE LA DÉMARCHE DE SOINS

Collecte des données – Évaluation initiale – Analyse et interprétation

1. Donnez quatre éléments sur lesquels devrait porter votre collecte des données psychosociales de madame Motoutou.
2. L'absence du mari pourrait-elle avoir un impact sur la situation actuelle de madame Motoutou ? Si oui, lequel ?
3. En fonction de ces nouvelles données, quel est le problème prioritaire qui nécessite un suivi clinique particulier pour cette cliente ? Inscrivez votre réponse dans l'extrait du plan thérapeutique infirmier (PTI) ci-dessous.

SOLUTIONNAIRE
www.cheneliere.ca/lowdermilk

▶ Madame Motoutou refuse de prodiguer les soins à son nouveau-né. Elle se dit fatiguée et ignore comment elle pourra s'en occuper à la maison. ◀

MISE EN ŒUVRE DE LA DÉMARCHE DE SOINS

Planification des interventions – Décisions infirmières

Extrait

CONSTATS DE L'ÉVALUATION

Date	Heure	N°	Problème ou besoin prioritaire	Initiales	RÉSOLU / SATISFAIT Date	Heure	Initiales	Professionnels / Services concernés
2012-05-23	11:00	2						

Signature de l'infirmière	Initiales	Programme / Service	Signature de l'infirmière	Initiales	Programme / Service
		Centre mère-enfant			

4. Quelle suggestion pourriez-vous faire à madame Motoutou pour qu'elle obtienne du soutien à son retour à la maison ?
5. Pour faciliter l'adaptation à la vie parentale chez madame Motoutou, quelle est l'intervention infirmière à appliquer en priorité ?
6. Citez quatre éléments à enseigner à la cliente en lien avec les soins au nouveau-né.

Évaluation des résultats – Évaluation en cours d'évolution

7. Indiquez quatre comportements de madame Motoutou vous révélant qu'elle s'adapterait à son rôle de mère.

480 Partie 4 Période postnatale

❷ Analyse d'une situation de santé et plan thérapeutique infirmier (PTI)

À la fin de chaque chapitre, un cas clinique réaliste est présenté permettant l'intégration de notions présentées dans le chapitre. À l'aide de questions, les étudiantes sont amenées à développer leur jugement clinique en expérimentant les étapes de la démarche de soins. Elles doivent ensuite préparer ou modifier, s'il y a lieu, un plan thérapeutique infirmier (PTI). Le solutionnaire est présenté au www.cheneliere.ca/lowdermilk.

3 APPLICATION DE LA PENSÉE CRITIQUE

Dans l'application de la démarche de soins auprès de madame Motoutou, l'infirmière a recours à un ensemble d'éléments (connaissances, expériences antérieures, normes institutionnelles ou protocoles, attitudes professionnelles) pour analyser la situation de santé de la cliente et en comprendre les enjeux. La **FIGURE 14.8** illustre le processus de pensée critique suivi par l'infirmière afin de formuler son jugement clinique. Elle résume les principaux éléments sur lesquels l'infirmière s'appuie en fonction des données de cette cliente, mais elle n'est pas exhaustive.

FIGURE 14.8

À retenir

VERSION REPRODUCTIBLE
www.cheneliere.ca/lowdermilk

- Les soins postnataux sont axés sur la famille et s'élaborent à partir d'un concept qui met l'accent sur sa santé physique et psychosociale.
- Les croyances et les pratiques ethnoculturelles influent sur la façon d'agir de la mère et de la famille en période postnatale.
- Les méthodes d'enseignement et de counseling sont conçues de manière à encourager le sentiment de compétence de la mère en matière de prise en charge personnelle et celui des parents pour les soins au nouveau-né.
- Les interventions infirmières courantes de la période postnatale se concentrent sur la prévention du saignement excessif, de l'infection et du globe vésical ; sur le soulagement non pharmacologique et pharmacologique du malaise et de la douleur associés à l'épisiotomie, aux déchirures ou à l'allaitement ; sur l'instauration de mesures qui favorisent ou qui empêchent la lactation.
- La composition et le fonctionnement de toute la famille doivent être pris en considération pour répondre aux besoins psychosociaux de la nouvelle mère.
- Les visites de suivi de santé mère-enfant, les visites à domicile, les suivis téléphoniques, les services de référence téléphoniques, les groupes de soutien et l'orientation vers des ressources communautaires sont des moyens qui s'avèrent efficaces pour faciliter l'adaptation physiologique et psychologique de la mère et de la famille durant la période postnatale.

Chapitre 14 Soins infirmiers de la famille pendant le quatrième trimestre 481

❸ Application de la pensée critique

La figure *Application de la pensée critique* met en évidence le processus de pensée critique appliqué au cas présenté dans l'analyse d'une situation de santé. Elle démontre l'interrelation entre les connaissances, les expériences, les normes et les attitudes qui permettent à l'infirmière d'exercer son jugement clinique.

AUTRES ÉLÉMENTS DISTINCTIFS

❶ Tableaux, encadrés et figures

Que ce soit pour illustrer un concept, fournir un complément d'information ou résumer des notions, des centaines d'encadrés, de tableaux et de figures facilitent l'apprentissage.

❷ Soins et traitements infirmiers

Ces rubriques mettent en évidence les interventions infirmières requises en lien avec une pathologie ou une situation particulière.

❸ Rappelez-vous

Ces rubriques présentées en marge proposent un rappel des connaissances déjà acquises par l'étudiante, lui permettant ainsi de les associer au sujet abordé dans le chapitre.

❹ Alertes cliniques

Ces alertes attirent l'attention de l'étudiante sur une information particulièrement importante pour sa propre sécurité ou celle de la cliente.

❺ Termes en gras et mots définis en marge

Les termes en caractères gras dans le texte indiquent qu'ils sont définis dans le glossaire, à la fin du manuel. Les mots surlignés en jaune sont définis en marge afin de faciliter la compréhension immédiate du texte. Ils figurent également dans le glossaire.

❻ Exergues

Certaines phrases du texte sont mises en exergue afin d'insister sur leur importance et d'inviter l'étudiante à réfléchir sur sa pratique.

❼ Renvois aux autres chapitres

Lorsque le contexte le demande, la lectrice est redirigée vers d'autres chapitres qui décrivent plus spécifiquement des notions abordées sommairement dans le texte courant.

❽ Pictos *i*

Ces pictogrammes invitent l'étudiante à approfondir ses connaissances, qu'il s'agisse de références supplémentaires, d'associations professionnelles, de regroupements ou encore de sites Internet.

❾ Renvois aux vidéos

Ces renvois invitent l'étudiante à consulter des vidéos illustrant certaines techniques de soins, d'examen physique et d'enseignement à la cliente présentées au www.cheneliere.ca/lowdermilk.

❿ Renvois au Web

Ces renvois dirigent la lectrice vers des tableaux, des figures, des encadrés et des annexes présentés au www.cheneliere.ca/lowdermilk, lui permettant ainsi d'approfondir ses connaissances sur le sujet abordé.

⓫ Références

Les sources utilisées pour appuyer les notions ont été actualisées. Ces références assurent la rigueur scientifique des contenus et permettent d'approfondir la matière. Elles sont répertoriées par chapitre et présentées sur le site www.cheneliere.ca/lowdermilk.

REPÉRAGE FACILE

Un texte aéré, une hiérarchie de titres logique et une utilisation pédagogique de la couleur sont autant de moyens utilisés pour faciliter la lecture et la navigation dans le texte et le chapitre. Les couleurs des tableaux et des encadrés thématiques permettent de faire le lien avec les composantes et les champs de compétences décrits dans la *Mosaïque des compétences cliniques de l'infirmière – Compétences initiales de l'OIIQ.*

Bleu	Tableaux et encadrés généraux
Vert	Composante professionnelle/Interventions cliniques Processus thérapeutiques
Bleu acier	Composante professionnelle/Interventions cliniques Planifications des soins
Rouge	Composante fonctionnelle/ Champ opérationnel
Orangé	Composante fonctionnelle/ Scientifique
Ocre	Composante fonctionnelle/ Éthique – Juridique
Violet	Composante fonctionnelle/ Relationnel

Bleu

ENCADRÉ 1.6 Contribution des infirmières québécoises aux soins destinés aux femmes et aux nouveau-nés

SOINS PRÉCONCEPTIONNELS

L'infirmière intervient auprès des futurs parents dès la période préconceptionnelle, en particulier dans le cadre de cliniques de planning familial, afin de leur conseiller de réduire les facteurs de risque, tels que la consommation de tabac, d'alcool et de drogues, et de promouvoir de bonnes habitudes de vie ainsi que la prise d'acide folique pour prévenir les malformations du tube neural chez le fœtus.

SUIVI DE GROSSESSE

Dans le cadre du suivi de grossesse normale ou à risque, la contribution de l'infirmière vise à évaluer et à surveiller l'état de santé physique et mentale de la femme enceinte, à la soulager de certains malaises courants de la grossesse, à détecter des complications affectant son bien-être et celui du fœtus (p. ex., l'hypertension gravidique, le travail prématuré, la violence conjugale) et à donner l'éducation prénatale. L'évaluation et la [...] de l'évaluation maternell[...] tant en ambulatoire qu'e[...]

TRAVAIL ET ACCOU[...]

Les activités d'évaluation[...] le travail et l'accoucheme[...] de santé de la femme et [...] de la parturiente commen[...] le dépistage des risques [...] cède à l'examen physique[...]

utérin, la position du fœtus, les contractions et l'évolution du travail. Elle assure le monitorage électronique des contractions et le monitorage fœtal électronique. La surveillance qu'elle exerce permet de détecter les complications pendant le travail (p. ex., la procidence du cordon, la détresse fœtale, l'arrêt de progression du travail) et d'intervenir. Aussi, l'infirmière peut être appelée à ajuster l'ocytocine selon une ordonnance, à pratiquer un accouchement précipité et à procéder à la réanimation cardiorespiratoire de la mère ou du nouveau-né.

POSTPARTUM IMMÉDIAT ET EN COMMUNAUTÉ

En postpartum immédiat, l'infirmière procède à l'examen initial du nouveau-né et à la surveillance de signes précoces de complications, entre autres les difficultés respiratoires et la tachycardie transitoire du nouveau-né, ainsi que chez la nouvelle accouchée (p. ex., une hémorragie, l'hypotension, la tachycardie). Compte tenu des courts séjours hospitaliers en obstétrique, le travail de l'infirmière en communauté [...]

TABLEAU 3.2 Préparations à l'état frais des frottis examinés aux fins de diagnostic de l'infection vaginale

INFECTION	TEST	CONSTATS POSITIFS
Vaginose bactérienne	• Frottis et solution salée normale • Test à la potasse (mélange de sécrétions vaginales et d'hydroxyde de potassium)	• Présence de cellules indicatrices (cellules épithéliales vaginales recouvertes de bactéries) • Odeur de poisson pourri
Candidose vulvovaginale	• Frottis additionné d'hydroxyde de potassium (mélange de quelques gouttes de solution d'hydroxyde de potassium et de secrétions vaginales sur la lame)	• Présence d'hyphes et de filaments pseudo-mycéliens (bourgeons et branches de la levure)
Trichomonase	• Frottis humide salin (mélange de quelques gouttes de solution salée normale et de sécrétions vaginales sur la lame)	• Présence de nombreux protozoaires à globule blanc

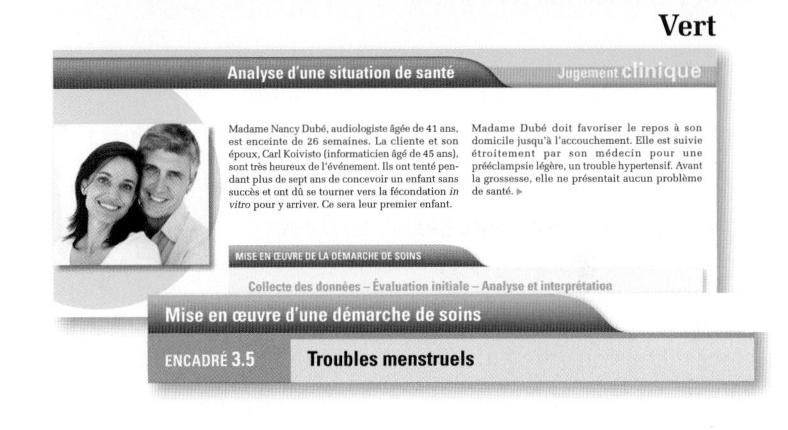

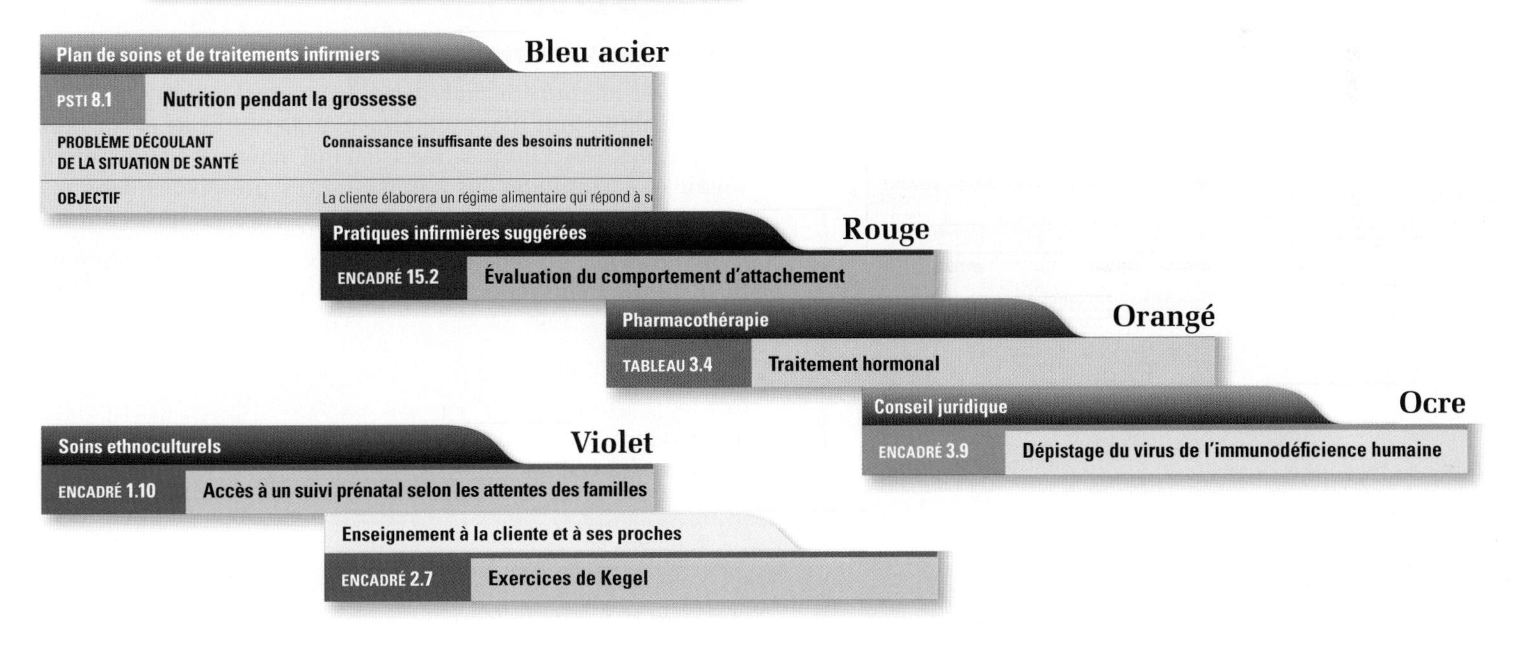

FIN DU MANUEL

❶ Glossaire

Répertoriant pas moins de 400 définitions, le glossaire permet une recherche rapide de mots clés.

❷ Références

Les références bibliographiques utilisées pour appuyer les notions abordées dans le manuel sont répertoriées par chapitre. Elles permettent d'approfondir les notions présentées et témoignent de la rigueur scientifique des contenus.

❸ Index

Un index de plus de 5000 termes permet de repérer rapidement l'information recherchée.

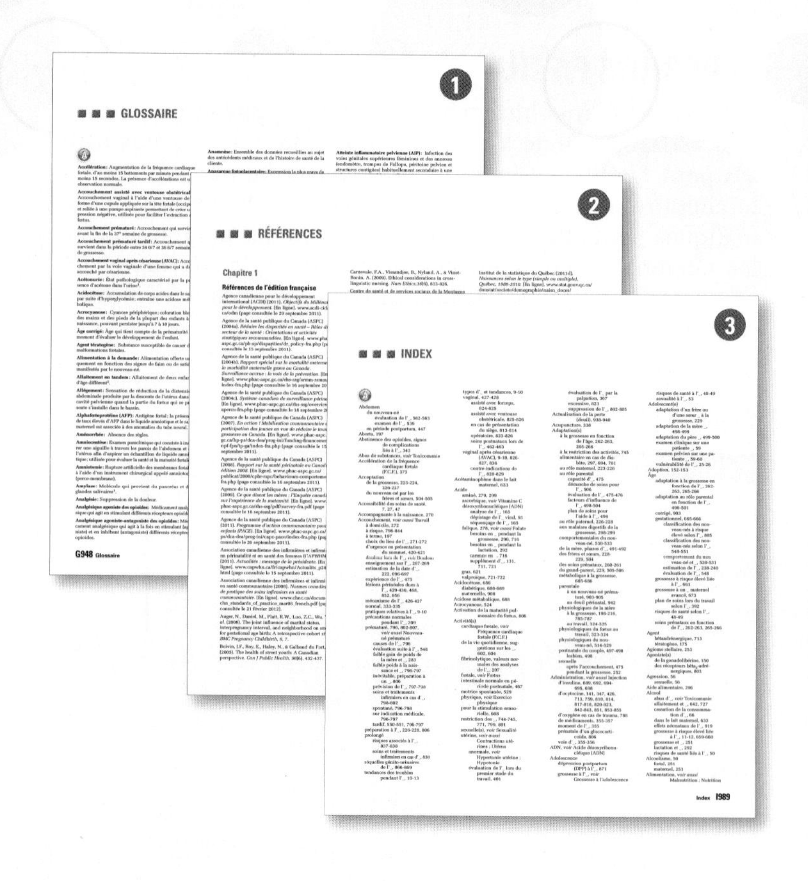
■ ■ ■ GLOSSAIRE

G948 Glossaire

■ ■ ■ RÉFÉRENCES

Chapitre 1

Références de l'édition française

■ ■ ■ INDEX

Index 1989

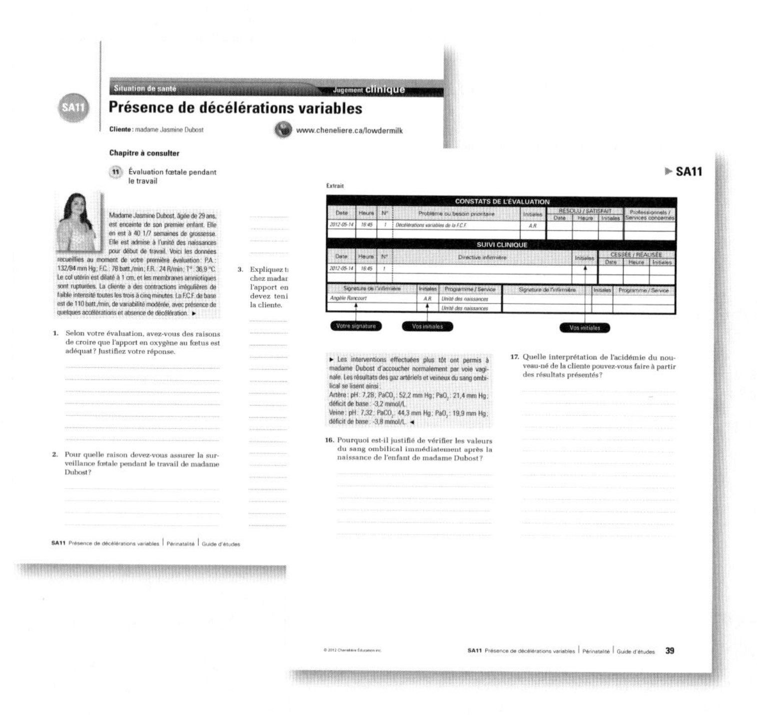
Situation de santé — Jugement clinique

SA11 Présence de décélérations variables

Cliente : madame Jasmine Dubost

www.cheneliere.ca/lowdermilk

Chapitre à consulter

11 Évaluation fœtale pendant le travail

1. Selon votre évaluation, avez-vous des raisons de croire que l'apport en oxygène au fœtus est adéquat ? Justifiez votre réponse.

2. Pour quelle raison devez-vous assurer la surveillance fœtale pendant le travail de madame Dubost ?

SA11 Présence de décélérations variables | Périnatalité | Guide d'études

Extrait

CONSTATS DE L'ÉVALUATION

SUIVI CLINIQUE

16. Pourquoi est-il justifié de vérifier les valeurs du sang ombilical immédiatement après la naissance de l'enfant de madame Dubost ?

17. Quelle interprétation de l'acidémie du nouveau-né de la cliente pouvez-vous faire à partir des résultats présentés ?

SA11 Présence de décélérations variables | Périnatalité | Guide d'études 39

GUIDE D'ÉTUDES

Sous la direction d'Yvon Brassard

Le *Guide d'études* accompagne le manuel et propose une série de situations d'apprentissage et de révisions éclair présentant des cas cliniques réalistes qui amènent l'étudiante à revoir et à appliquer les connaissances présentées dans les chapitres correspondants. Le solutionnaire est présenté au www.cheneliere.ca/lowdermilk.

TABLEAUX ET ENCADRÉS SPÉCIFIQUES

Cheminement clinique

Conseil juridique

Enseignement à la cliente et à ses proches

Examens paracliniques

Guide d'enseignement

Mise en œuvre d'une démarche de soins

Pharmacothérapie

Plan de soins et de traitement infirmiers

Pratique fondée sur des résultats probants

Pratiques infirmières suggérées

Signes de complications possibles

Soins d'urgence

Soins ethnoculturels

TABLE DES MATIÈRES

CHAPITRE 3
Problèmes de santé courants

CHAPITRE 4
Contraception, avortement et infertilité

CHAPITRE 11
Évaluation fœtale pendant le travail

CHAPITRE 12
Soins infirmiers de la famille pendant le travail et l'accouchement

CHAPITRE 13
Changements physiologiques de la mère

CHAPITRE 14
Soins infirmiers de la famille pendant le quatrième trimestre

CHAPITRE 15
Adaptation au rôle de parents

CHAPITRE 16
Adaptations physiologiques et comportementales du nouveau-né

CHAPITRE 17
Évaluation et soins du nouveau-né et de la famille

CHAPITRE 18
Nutrition et alimentation du nouveau-né

PARTIE 6 Complications périnatales . . . 655

CHAPITRE 19
Évaluation de la grossesse à risque élevé

SOINS ET TRAITEMENTS INFIRMIERS

CHAPITRE 20
Grossesse à risque : maladies préexistantes

SOINS ET TRAITEMENTS INFIRMIERS

CHAPITRE 21
Grossesse à risque : états gestationnels

CHAPITRE 22
Travail et accouchement à risque

CHAPITRE

Les soins infirmiers périnataux au XXIe siècle : une pratique adaptée à la culture, à la famille et à la communauté

Écrit par :
Shannon E. Perry, RN, CNS, PhD, FAAN

Adapté par :
Nathalie Caron, inf., B. Sc.
Dalila Benhaberou-Brun, inf., M. Sc.

OBJECTIFS

 Guide d'études – SA01

Après avoir étudié ce chapitre, vous devriez être en mesure :

- de décrire les tendances et les problèmes contemporains en matière de soins infirmiers destinés à la mère et au nouveau-né ;
- de comparer les données statistiques sélectionnées ;
- d'expliquer la gestion des risques et les normes de pratique en matière de prestation de soins infirmiers ;
- de discuter des problèmes juridiques et éthiques relatifs aux soins périnataux ;
- d'énoncer les objectifs de la politique québécoise de périnatalité 2008-2018 ;
- de décrire les caractéristiques principales des types de familles contemporaines ;
- de déterminer les principaux facteurs qui influent sur la santé de la famille ;
- d'expliquer l'impact de la culture sur les familles qui attendent un enfant ;
- de comparer les soins offerts dans la collectivité et les soins de santé communautaire (centrés sur la population et sur les groupes) ;
- d'énumérer les indicateurs de l'état de santé de la collectivité et leur pertinence par rapport à la santé périnatale ;
- de préciser la place des soins à domicile dans le continuum de soins destinés à la mère et au nouveau-né.

Concepts clés

Cette carte conceptuelle illustre schématiquement les principaux concepts décrits dans le présent chapitre. Sa lecture vous permettra d'avoir une vue d'ensemble des notions qui y sont présentées.

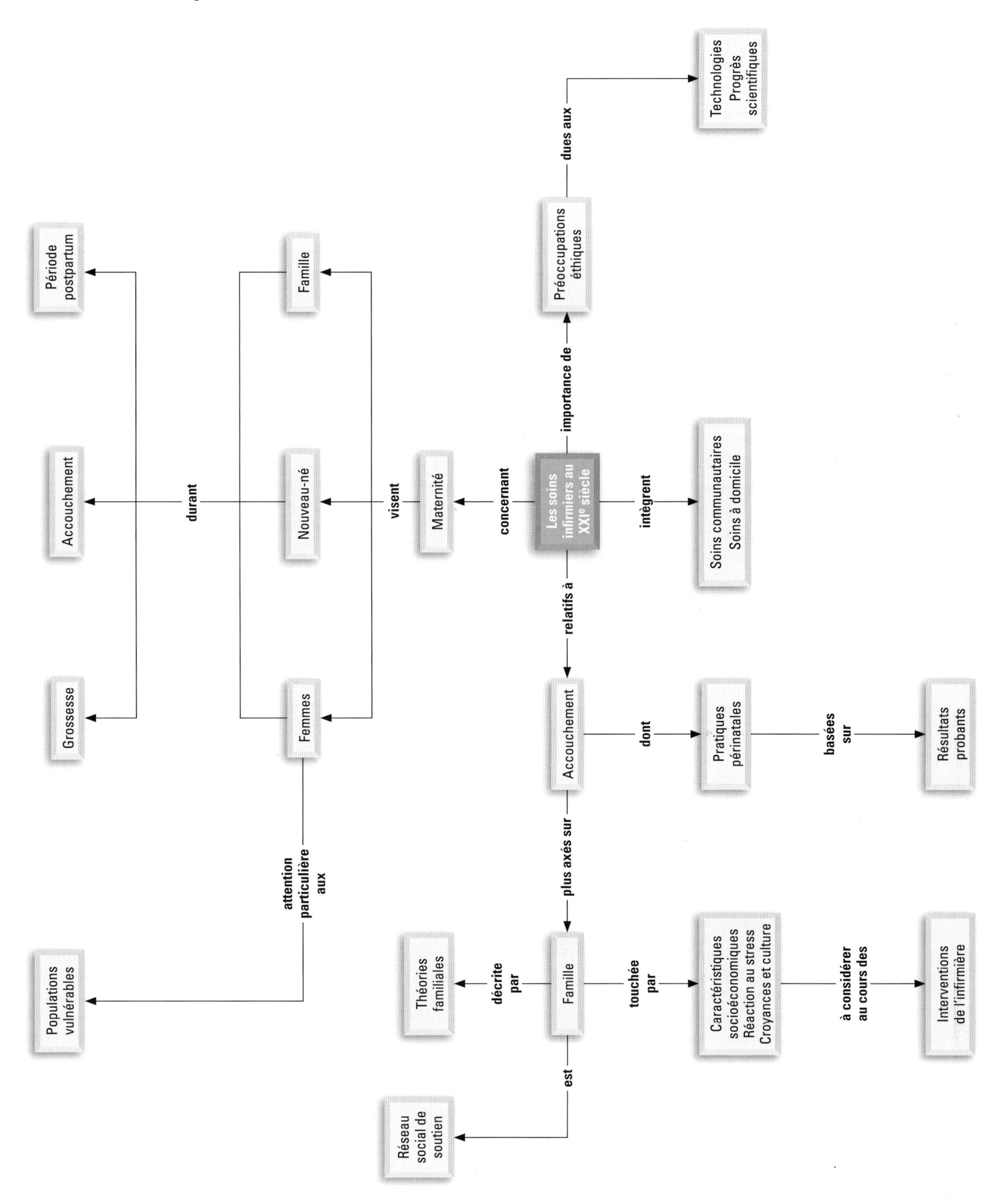

Les soins infirmiers périnataux comprennent les soins destinés à la femme et à sa famille avant la conception, puis tout au long de la grossesse et de l'accouchement, ainsi que pendant les semaines qui suivent la naissance de l'enfant. Au cours de la période prénatale, les infirmières, les infirmières praticiennes en soins de première ligne et les sages-femmes prodiguent des soins aux femmes dans les cliniques, les groupes de médecine familiale, les centres de santé et de services sociaux, les unités de médecine familiale, les maisons de naissance ou encore en consultation externe de centre hospitalier. Elles donnent également de l'enseignement aux familles afin de les aider à se préparer à la naissance (rencontres prénatales). Les infirmières techniciennes et cliniciennes s'occupent des familles qui attendent un enfant pendant le travail et l'accouchement dans les hôpitaux, dans les maisons de naissance et à domicile, et elles donnent des soins complexes en interdisciplinarité dans les hôpitaux. Les infirmières praticiennes spécialisées en néonatalogie donnent des soins spécialisés aux grands prématurés dans les unités de néonatalogie. Celles qui possèdent une formation spéciale peuvent fournir des soins intensifs aux nouveau-nés à risque élevé dans des unités de soins spécialisés et aux mères à risque élevé dans des unités antepartum, dans les unités de soins obstétricaux intensifs ou à la maison. Les infirmières prodiguent des soins à la mère et au nouveau-né, et elles informent la famille sur la grossesse, le processus du travail, l'accouchement et le rétablissement, l'allaitement et les compétences parentales. Elles assurent la continuité des soins tout au long du cycle de la grossesse.

1.1 Cadre général

Les soins périnataux ont beaucoup évolué au cours du dernier siècle, tant du point de vue scientifique que philosophique **ENCADRÉ 1.1**.

Les politiques adoptées sur le plan international par l'Organisation des Nations unies accordent la priorité à l'élimination de la pauvreté, l'éducation et les soins, en particulier aux mères et aux nouveau-nés. Au Canada et au Québec, plusieurs politiques et programmes encadrent les soins qui leur sont destinés.

1.1.1 Programme national de santé publique 2003-2012

Au Québec, le Programme national de santé publique 2003-2012 donne une vue générale des activités réalisées, ou qui le seront, par l'ensemble des acteurs locaux, régionaux et nationaux pour améliorer la santé et le bien-être de la population québécoise (Ministère de la Santé et des Services sociaux [MSSS], 2008a). Il vise principalement la surveillance de l'état de santé de la population, la promotion de la santé, la prévention des facteurs de risque et des traumas ainsi que la protection de la santé. Parmi les objectifs révisés de ce programme, les données concernant l'allaitement maternel au Québec et l'initiative Hôpitaux amis des bébés visant à augmenter le taux d'allaitement dans la province sont encourageantes (MSSS, 2001) ▶ 18. En effet, en 2006, le Québec était considéré comme le chef de file en allaitement maternel au Canada, avec un taux de 85,1 % à la naissance, comparativement au taux d'allaitement de 1995, qui dépassait tout juste les 50 %. C'est donc au Québec que les améliorations qui font suite à l'initiative Hôpitaux amis des bébés sont les plus importantes. Même si le taux d'allaitement à la naissance est élevé, les objectifs de la durée et d'exclusivité de l'allaitement n'ont toutefois pas encore été atteints (Institut de la statistique du Québec, 2006 ; Semenic, 2011).

Les Services intégrés en périnatalité et pour la petite enfance (SIPPE) à l'intention de familles vivant en contexte de vulnérabilité découlent de ce programme national. Ils visent les femmes et les familles qui présentent des problèmes particuliers, dont l'alimentation est déficiente et dont le revenu est inférieur au seuil de pauvreté avant impôt.

Programme OLO

Les femmes admissibles et dont le revenu est faible peuvent obtenir des aliments gratuitement auprès des centres de santé et de services sociaux (CSSS) dès la 8e semaine de grossesse, et elles reçoivent des coupons alimentaires à partir de la 12e semaine. Par le programme OLO (œuf, lait, orange), la future mère se voit offrir un œuf, un litre de lait et un verre de jus d'orange par jour, ainsi que des vitamines et des minéraux permettant de favoriser les meilleures conditions pendant la grossesse. La Fondation OLO, créée en 1991, assure aussi le suivi des femmes par des professionnels qualifiés (nutritionnistes, infirmières, médecins, travailleurs sociaux et psychologues).

Programme Naître égaux – Grandir en santé

Ce programme, intégré aux SIPPE, s'adresse aux femmes et aux familles à faibles revenus pendant la grossesse et après la naissance, notamment lorsqu'un nouveau-né souffre d'un handicap important. Concrètement, les familles admissibles bénéficient d'un suivi effectué par une équipe composée de plusieurs professionnels de la santé, dont une infirmière, un médecin, un travailleur social ou un psychologue et une nutritionniste. Ce soutien aux familles comptant des enfants âgés de zéro à cinq ans a pour objectif de réduire les causes de la pauvreté, qui expliquent les inégalités sanitaires et sociales. Des conseils sur la grossesse, l'accouchement, l'allaitement et les besoins du nouveau-né sont prodigués. Le but ultime est de protéger le développement de l'enfant.

18

L'initiative Hôpitaux amis des bébés est expliquée dans le chapitre 18, *Nutrition et alimentation du nouveau-né.*

Au Sommet du millénaire pour le développement, tenu à Montréal en septembre 2000, 189 nations ont adopté une déclaration contenant les objectifs du millénaire pour le développement. Trois de ces huit objectifs traitent particulièrement des femmes et des enfants. Il est possible de les consulter au www.acdi-cida.gc.ca/odm.

ENCADRÉ 1.1 Étapes historiques en matière de soins destinés à la mère et au nouveau-né

1847 — Édimbourg, Écosse : James Young Simpson utilise de l'éther pour effectuer une version podalique interne et un accouchement ; première utilisation d'anesthésie obstétricale rapportée.

1861 — Ignaz Semmelwies rédige *The Cause, Concept, and Prophylaxis of Childbed Fever* (Causes, concept et prophylaxie de la fièvre puerpérale).

1886 — Québec : création du Conseil d'hygiène dans le but d'enrayer les maladies infectieuses.

1904 — Montréal : ouverture du Children's Memorial Hospital ; il s'agit du premier hôpital bilingue au Québec dont l'unique mandat est de soigner les enfants malades.

1907 — Montréal : ouverture de l'Hôpital Sainte-Justine, premier hôpital francophone pour enfants au Québec, par la Dre Irma Levasseur et par madame Justine Lacoste-Beaubien.

1908 — Ottawa : des représentantes de 16 associations d'infirmières se réunissent pour fonder l'Association canadienne nationale des infirmières diplômées (ACNID) qui deviendra en 1924 l'Association des infirmières et infirmiers du Canada (AIIC).

1916 — Brooklyn, New York : Margaret Sanger crée la première clinique anticonceptionnelle.

— Montréal : création de la première association de gardes-malades, la Graduate Nurses' Association of the Province of Quebec.

1918 — Légalisation des condoms aux États-Unis.

1920 — Université McGill, Montréal : ouverture de l'École des sciences infirmières.

1926 — Québec : adoption de la Loi sur la pasteurisation du lait.

— Québec : création des premières unités sanitaires.

1928 — Découverte de la pénicilline pour traiter les infections bactériennes.

1929 — Invention et brevetage du tampon hygiénique (avec applicateur).

1932 — Hamilton, Ontario : ouverture de la première clinique canadienne de planification des naissances.

1933 — Utilisation du thiopental sodique comme anesthésiant pendant l'accouchement.

— Grantly Dick-Read publie *Natural Childbirth*.

1934 — Montréal : les sœurs grises fondent l'institut Marguerite-d'Youville, affilié à l'Université de Montréal.

1935 — Début de l'utilisation des sulfamides dans le traitement de la fièvre puerpérale.

1941 — Introduction du test de Papanicolaou (test Pap).

1946 — Québec : loi qui autorise l'exercice exclusif de la profession de gardes-malades aux personnes accréditées par l'Association des gardes-malades enregistrées.

1950 — Invention des couches jetables.

1953 — L'anesthésiste Virginia Apgar publie l'indice d'Apgar permettant l'évaluation du nouveau-né.

1956 — Découverte selon laquelle l'oxygène cause la fibroplasie rétrolentale (maintenant appelée rétinopathie des prématurés).

1958 — Glasgow, Écosse : Ian Donald, médecin, est le premier à rapporter l'utilisation clinique des ultrasons pour examiner le fœtus (échographie).

1959 — Les études cytologiques démontrent que le syndrome de Down est lié à une forme de non-disjonction maintenant appelée trisomie 21.

1960 — États-Unis : création de la International Childbirth Education Association.

— États-Unis : la Food and Drug Administration (FDA) approuve la pilule anticonceptionnelle.

1962 — Université de Montréal : fondation de la Faculté des sciences infirmières.

— Découverte selon laquelle la thalidomide entraîne des déficiences de naissance.

1967 — Production de la gammaglobuline anti-D.

1967 — Au Québec : les cégeps se voient confier la formation des infirmières au niveau collégial.

1968 — Arrivée du vaccin contre la rubéole.

1969 — États-Unis : création de la Nurses Association of the American College of Obstetricians and Gynecologists renommée Association of Woman's Health, Obstetric and Neonatal Nurses (AWHONN) en 1993.

— Les femmes ont accès à la mammographie.

1970 — Le gouvernement du Québec promulgue la Loi sur l'assurance-maladie.

1973 — Québec : première politique de périnatalité.

1975 — La International Childbirth Education Association publie la *Pregnant Patient's Bill of Rights* (la charte des droits de la femme enceinte).

1976 — Adoption du Code de déontologie des infirmières et infirmiers du Québec.

— La FDA approuve les dispositifs intra-utérins en tant que méthode anticonceptionnelle.

1978 — Royaume-Uni : naissance de Louise Brown, premier bébé-éprouvette.

1987 — L'Organisation mondiale de la santé (OMS) et d'autres organismes internationaux lancent l'initiative Maternité sans risque.

— Création de la Fondation de recherche en sciences infirmières du Québec par l'Ordre des infirmières et infirmiers du Québec (OIIQ).

1988 — Légalisation de l'avortement au Canada.

1990 — Début de l'intégration des sages-femmes dans le réseau québécois de la santé.

1991 — États-Unis : création de la Society for Advancement of Women's Health Research.

— Création du Conseil des infirmières et infirmiers (CII) dans chaque établissement du réseau de la santé et des services sociaux du Québec.

1992 — Début des « Journées annuelles de périnatalité » de l'Association pour la santé publique du Québec.

1993 — Approbation du condom féminin par la FDA.

— Création du programme de doctorat en sciences infirmières de l'Université McGill et de l'Université de Montréal.

— Au Québec, deuxième politique de périnatalité.

— Université George Washington, Washington : clonage d'embryons humains.

1994 — Lignes directrices relatives à la zidovudine afin de réduire la transmission du virus de l'immunodéficience humaine (VIH) de la mère au fœtus.

1996 — Montréal : création du Réseau mère-enfant du Centre hospitalier universitaire Sainte-Justine.

1997 — Élaboration des priorités nationales de santé publique au Québec.

— Le Depo-ProveraMD est approuvé par Santé Canada.

1998 — Santé Canada recommande l'ajout d'acide folique à la farine blanche, à la semoule de maïs et aux pâtes alimentaires enrichies vendus aux Canada (*Gazette du Canada*, 1998).

— La FDA approuve la première pilule contraceptive d'urgence (pilule du lendemain) destinée à prévenir la grossesse chez les femmes qui ont eu des relations sexuelles non protégées.

1999 — Hôpital Brome-Missisquoi-Perkins, Cowansville : premier établissement à obtenir sa certification de l'initiative Hôpitaux amis des bébés au Québec.

— Québec : adoption d'une loi instituant la profession de sage-femme qui permet son exercice dans tous les lieux de naissance.

2000 — Version préliminaire du séquençage et de l'analyse du génome humain.

2001 — Établissement des lignes directrices en matière d'allaitement maternel au Québec.

— Création de commissions infirmières régionales pour chaque agence de santé et de services sociaux du Québec.

2002 — Québec : Loi modifiant le Code des professions et d'autres dispositions législatives dans le domaine de la santé (projet de loi no 90).

ENCADRÉ 1.1 **Étapes historiques en matière de soins destinés à la mère et au nouveau-né *(suite)***

2003 — Lancement du programme AMPRO^{OB} au Canada.
— Lancement au Québec du Programme national de santé publique 2003-2012.
— Québec : ouverture du Centre mère-enfant du Centre hospitalier de l'Université Laval, desservant l'est du Québec.
2004 — Québec : Adoption d'un règlement sur l'accouchement à domicile par le conseil des ministres.
2006 — Le vaccin contre le virus du papillome humain (VPH) devient accessible.
2007 — Ordonnance collective provinciale québécoise en contraception hormonale.
2008 — Lancement du programme AMPRO^{OB} au Québec.
— Troisième politique québécoise de périnatalité.
2009 — Cadre légal pour la pratique des infirmières praticiennes spécialisées.
2011 — Ottawa : création de l'Association canadienne des infirmières et infirmiers en périnatalité et en santé des femmes.

RAPPELEZ-VOUS...

Promouvoir la santé et le bien-être suppose que l'on agisse sur les déterminants de la santé, à savoir les facteurs personnels, sociaux, économiques et environnementaux qui conditionnent l'état de santé des personnes ou des populations.

1.1.2 Politique québécoise de périnatalité 2008-2018

Le gouvernement du Québec s'est doté d'une politique de périnatalité visant principalement « la modernisation du réseau de la santé et des services sociaux » et favorisant « le continuum de services périnataux à l'ensemble de la population » (MSSS, 2008b). Ce document, composé de trois parties, revoit en premier lieu les fondements de la politique périnatale (convictions, valeurs et éthique). La deuxième partie décrit les éléments d'une nouvelle organisation générale des services à la mère et à l'enfant durant les **périodes prénatale**, **pernatale** et **postnatale**, mais aussi aux personnes vulnérables. Dans la troisième partie, la situation des enfants et celle de leur famille est remise au centre du débat social. Finalement, la politique de périnatalité propose plusieurs axes prioritaires entre 2008 et 2011 dont l'accessibilité au suivi prénatal, l'information prénatale, les services offerts par les sages-femmes, l'allaitement ou encore la prématurité. Une évaluation de cette politique est prévue en 2013.

Jugement clinique

Madame Katherine Allard, âgée de 26 ans et enceinte de 16 semaines, s'est séparée de son conjoint il y a 2 mois. Elle occupe un emploi à temps partiel dans une boutique d'artisanat. Celui-ci lui rapporte un faible revenu. Madame Allard bénéficie du programme OLO offert par son CSSS. Elle est aussi suivie par une nutritionniste et par une travailleuse sociale.

Quelles sont les raisons qui justifient son admissibilité au programme OLO ?

1.2 Tendances et problèmes contemporains

1.2.1 Les soins de santé au Canada

Les modifications apportées au système de prestation de soins de santé représentent une occasion pour les infirmières de modifier leur pratique et d'améliorer leurs façons d'offrir des soins grâce à la gestion de ceux-ci, au système de prestations intégrées et à la redéfinition des rôles. La participation du client aux décisions concernant les soins augmente, l'information est accessible dans Internet, et les soins sont offerts dans un environnement hautement technologique (Tiedje, Price & You, 2008).

Les infirmières ont joué un rôle capital dans l'élaboration de stratégies visant à améliorer le bien-être des femmes et de leurs enfants.

Les infirmières ont joué un rôle capital dans l'élaboration de stratégies visant à améliorer le bien-être des femmes et de leurs enfants. Elles ont été à la tête des efforts visant à mettre en place les lignes directrices sur la pratique clinique et à s'appuyer sur une approche basée sur des résultats probants. Par l'entremise de leurs associations professionnelles, notamment l'AIIC et l'OIIQ, les infirmières ont une voix pour établir des standards et exercer une influence sur les politiques en matière de santé en participant activement à l'éducation du public et des décideurs. En outre, une toute nouvelle association a vu le jour en 2011 : l'Association canadienne des infirmières et infirmiers en périnatalité et en santé des femmes (Association canadienne des infirmières et infirmiers en périnatalité et en santé des femmes [CAPWHN], 2011) **ENCADRÉ 1.2**. La création d'un organisme intégralement canadien pour la profession infirmière est le moyen par excellence de veiller aux besoins des familles, des femmes et des nouveau-nés canadiens.

Augmentation des coûts de santé

Au Québec, le système de santé est sous la responsabilité du MSSS ; il occupe une grande partie du budget du gouvernement, et l'augmentation des coûts est importante d'année en année. En 2009-2010, le coût total du système de santé était d'un peu moins de 32 milliards de dollars, soit 5,5 % d'augmentation par rapport au budget de 2008-2009, qui avoisinait 30 milliards de dollars (MSSS, 2011). Plus de la moitié du budget est attribuée à la rémunération des employés. Cependant, l'augmentation des naissances, mais surtout les complications qui peuvent en résulter, dont la prématurité et la morbidité néonatale, pourrait expliquer en partie l'augmentation des coûts dans les dernières années, tant au Québec qu'au Canada (Garcia, 2010 ; Institut canadien d'information sur la santé, 2009). En 2000, le Québec comptait quelque 72 010 naissances et, en 2010, le nombre est passé à 88 300, soit une hausse de 16 290 naissances (22,6 %) en 10 ans (Institut de la statistique du Québec, 2011a).

Accès au système de santé et suivi prénatal

Au Canada, les soins de santé sont gratuits et offerts à tous, mais ils ne s'avèrent pas toujours facilement accessibles, notamment à cause de la pénurie de médecins de famille et du manque de personnel infirmier. En plus du lieu géographique, les disparités en santé seraient notamment liées au statut socioéconomique, à l'identité autochtone et au sexe (Agence de la santé publique du Canada [ASPC], 2004a). Les femmes enceintes ont accès à une équipe interdisciplinaire (p. ex., un médecin, une sage-femme, une accompagnante à la naissance, une infirmière, une nutritionniste, une travailleuse sociale) pour assurer leur suivi. Au Québec en 2010, les médecins ont assuré environ 98 % des suivis de grossesse et les sages-femmes, environ 3 %. Le nombre limité de maisons de naissance et la difficulté d'accès à une sage-femme font en sorte qu'environ 10 % des couples n'obtiennent pas les services prénataux, pernataux et postnataux qu'ils désirent recevoir (MSSS, 2008b).

La pratique des sages-femmes a pris de l'ampleur au cours de la dernière décennie au Canada. L'Association canadienne des sages-femmes vise à ouvrir la voie et à assurer un soutien à la profession de sage-femme en tant que profession réglementée qui joue un rôle important dans les soins de santé. Cette association nationale fait partie de la Confédération internationale des sages-femmes, composée de 83 associations membres en provenance de 90 pays des Amériques, de l'Europe, de l'Afrique et de l'Asie. Le Consortium canadien des ordres de sages-femmes est un réseau d'organismes de réglementation de la pratique de sage-femme dans certaines provinces, à savoir la Colombie-Britannique, l'Alberta, la Saskatchewan, le Manitoba, l'Ontario, la Nouvelle-Écosse et le Québec, ainsi que dans les Territoires du Nord-Ouest. Au Québec, les sages-femmes doivent adhérer à l'Ordre des sages-femmes du Québec (OSFQ) ; en 2009-2010, on en dénombrait 139 dans la province (OSFQ, 2011a). Elles obéissent à leur propre code de déontologie et à leur philosophie de pratique ; elles sont régies par la Loi sur les sages-femmes depuis 1999 (Loi sur les sages-femmes, L.R.Q., c. S-0.1).

Les sages-femmes pratiquent en **maison de naissance** et en centre hospitalier. En 2007, six centres hospitaliers au Québec offraient la possibilité d'accoucher avec une sage-femme. Depuis juin 2004, l'adoption du Règlement sur les normes de pratique et conditions d'exercice lors de l'accouchement à domicile, puis en 2005, l'obtention d'une entente concernant l'assurance responsabilité des sages-femmes pour l'accouchement à domicile rendaient cette option possible (MSSS, 2008b). Actuellement, le Québec compte 13 maisons de naissance, réparties dans presque toutes les régions (OSFQb, 2011b). Les sages-femmes y travaillent en équipe de deux pour répondre aux besoins des mères. La maison de naissance est un endroit où peut s'effectuer le suivi complet de maternité d'une femme enceinte, depuis le début de la grossesse jusqu'à plusieurs semaines après l'accouchement **TABLEAU 1.1**. On y effectue un maximum de 300 naissances par année. Les futures mères peuvent y côtoyer d'autres familles. L'approche est de plus en plus centrée sur la famille, les pères, les partenaires, les grands-parents, les amis. Ils peuvent être présents pendant le travail et l'accouchement.

ENCADRÉ 1.2 **Objectifs de l'Association canadienne des infirmières et infirmiers en périnatalité et en santé des femmes**

- Faciliter le réseautage ainsi que le partage des idées et des connaissances parmi les membres de la profession infirmière en périnatalité et en santé des femmes.
- Promouvoir les pratiques fondées sur des résultats probants par la participation du personnel infirmier à l'élaboration de normes, de politiques, de lignes directrices, d'énoncés de politique et de programmes visant la périnatalité et la santé des femmes.
- Appuyer le concept de l'apprentissage à vie pour le personnel infirmier en périnatalité et en santé des femmes en favorisant et en offrant des occasions de formation continue interprofessionnelle et en sciences infirmières.
- Offrir des occasions de mentorat, de leadership, de formation et de recherche au personnel infirmier travaillant auprès des femmes, des nouveau-nés et des familles.
- Soutenir les choix éclairés ainsi que les soins dans une perspective familiale pour les femmes, les nouveau-nés et les familles au Canada.
- Travailler en partenariat avec d'autres organismes qui visent l'atteinte de buts semblables.
- Promouvoir la périnatalité et la santé des femmes en collaborant avec le public et les groupes de consommateurs.

Source : Adapté de l'Association canadienne des infirmières en périnatalité et en santé des femmes (2012).

1.2.2 Fécondité et natalité

Les tendances relatives à la fécondité et au taux de natalité reflètent les besoins des femmes en matière de soins de santé. L'**ENCADRÉ 1.3** définit la terminologie biostatistique utile pour analyser les soins de santé destinés à la femme et au nouveau-né. Au Québec en 2010, le taux moyen de natalité était de 11,2 naissances par 1 000 habitants globalement (Institut de la statistique du Québec, 2011a). La même année, le taux le plus élevé de naissances se situait dans le groupe d'âge de 25 à 29 ans (11,3 pour 1 000). La proportion de naissances vivantes issues de mères âgées de 35 à 39 ans est passée de 2,7 pour 1 000 en 2000 à 4,8 pour 1 000 en 2010 (Institut de la statistique du Québec, 2011b). Le taux de fécondité était de 1,68 au Canada en 2008 (Statistique Canada, 2011). Au Québec, il est passé de 1,68 en 2007 à 1,70 en 2010 (Institut de la statistique du Québec, 2011c).

TABLEAU 1.1 Rôle prénatal, pernatal et postnatal des sages-femmes

VISITES	DURÉE	DÉROULEMENT
Suivi prénatal		
• Première visite	• Environ 60 minutes	• Histoire de santé • Examens sanguins, urinaires et gynécologiques • Échographie selon le stade de la grossesse • Dépistage prénatal au besoin
• Visites mensuelles • Visites toutes les deux semaines (entre 32 et 36 semaines de grossesse) • Visites toutes les semaines (entre 36 semaines et l'accouchement)	• Entre 30 et 50 minutes	• Examen physique – Pression artérielle (P.A.) – Poids – Mesures abdominales – Palpation • Discussions et observations
Accouchement		
• La sage-femme est prévenue quand le travail est commencé.	• Toute la durée du travail • Environ trois heures après la naissance	• Évaluation physique • Points de suture si nécessaire • Soutien à l'allaitement • Documents officiels
Suivi postnatal		
• Visite à domicile 24 heures après la naissance, au 3e jour et au 5e jour • Visite entre la 3e et la 5e semaine (avant la 6e semaine)	• Variable	• Dépistage des maladies métaboliques (dans la 1re semaine) • Évaluation physique et psychologique de la mère • Évaluation physique du nouveau-né

ENCADRÉ 1.3 Terminologie biostatistique concernant la mère et le nouveau-né

Avortement : Intervention au cours de laquelle l'embryon ou le fœtus, à 20 semaines de gestation, pesant 500 g ou moins, mesurant 25 cm ou moins, est retiré ou expulsé de l'utérus.

Taux de natalité : Nombre de naissances vivantes par an pour 1 000 personnes.

Taux de fécondité : Nombre de naissances par 1 000 femmes âgées de 15 à 44 ans inclus, calculé sur une base annuelle.

Taux de mortalité infantile : Nombre de morts de nourrissons âgés de moins de un an pour 1 000 naissances vivantes.

Taux de mortalité maternelle : Nombre de morts maternelles dues à l'accouchement et aux complications de la grossesse, à la puerpéralité (les 42 jours suivant la fin de la grossesse) pour 100 000 naissances vivantes.

Taux de mortalité néonatale : Nombre de nouveau-nés morts âgés de moins de 28 jours pour 1 000 naissances vivantes.

Taux de mortalité périnatale : Nombre de mortinaissances et de morts néonatales pour 1 000 naissances vivantes.

Mortinaissance : Nouveau-né qui, à la naissance, ne manifeste aucun signe de vie comme la respiration, la pulsation cardiaque ou les mouvements musculaires volontaires.

L'âge avancé de la mère est à l'origine du taux plus élevé de prématurité, de retard de croissance intra-utérin (RCIU), de mortalité périnatale et de morbidité néonatale. Le taux de mortalité maternelle est plus élevé chez la mère plus âgée (ASPC, 2008).

Le manque de coordination des services de prévention des grossesses chez les adolescentes a de lourdes conséquences. Les jeunes filles qui se trouvent enceintes ont recours à l'avortement ; il en résulte que le nombre de naissances vivantes diminue depuis les années 1990. Cela demeure un problème de santé publique, surtout en ce qui a trait aux conséquences chez la mère comme chez l'enfant. Au Canada, le taux de grossesse chez les jeunes filles âgées de 15 à 19 ans était de 27,1 pour 1 000 (ASPC, 2007). Au Québec, ce taux chez les jeunes filles de 18-19 ans était de 23,1 pour 1 000 et de 4 pour 1 000 chez les 14 à 17 ans pour la période de 2001 à 2003 (Institut national de santé publique du Québec [INSPQ], 2009). En 2003, plus de la moitié des grossesses (53,5 %) chez les adolescentes canadiennes se sont terminées par un avortement, avec une proportion un peu plus élevée au Québec (66 %) (ASPC, 2007). La proportion des naissances vivantes chez les adolescentes âgées de 10 à 19 ans diminue depuis quelques années ; il est en effet passé de 1,3 pour 1 000 en 2000 à 0,9 pour 1 000 en 2010. Le recul le plus important de 18 % est noté chez les adolescentes de 14 à 17 ans (MSSS, 2008a).

1.2.3 Pratiques relatives à l'accouchement

Les soins prénataux permettent de favoriser une meilleure issue de la grossesse grâce à une évaluation précoce des risques et à la promotion de comportements sains comme l'amélioration de l'alimentation et l'arrêt tabagique ▶ 8. Au Canada, la couverture universelle des soins de santé et, au Québec, le programme national de santé publique et la politique de périnatalité visant l'adoption de meilleures habitudes de vie et l'*empowerment*, soit l'augmentation de la responsabilisation et du pouvoir d'agir des familles (y compris celles à risque), sont des mesures qui aident à mettre en place de meilleures pratiques.

Pour la majorité des femmes québécoises qui accouchent en centre hospitalier, la durée de séjour est habituellement de 48 heures après un accouchement vaginal et de 96 heures après un accouchement par césarienne. Des accompagnantes à la naissance peuvent aussi être présentes pour permettre un suivi en continu durant tout le travail et l'accouchement. Le père peut participer à celui-ci, par exemple en saisissant le nouveau-né dès son expulsion ou en coupant le cordon ombilical **FIGURE 1.1**. Le nouveau-né est placé en contact peau à peau sur la mère, qui est ainsi encouragée à l'allaiter immédiatement après la naissance. Les parents cohabitent avec leur nouveau-né durant toute la durée du séjour. Si le nouveau-né doit être séparé de ses parents pour des causes médicales, ceux-ci sont encouragés à participer aux soins de leur enfant à la pouponnière ou à l'unité des soins intensifs. Durant le séjour, de l'enseignement est fourni aux parents sur l'allaitement, les soins au nouveau-né et à la mère, et ce, pour leur permettre de rentrer à la maison de façon sécuritaire.

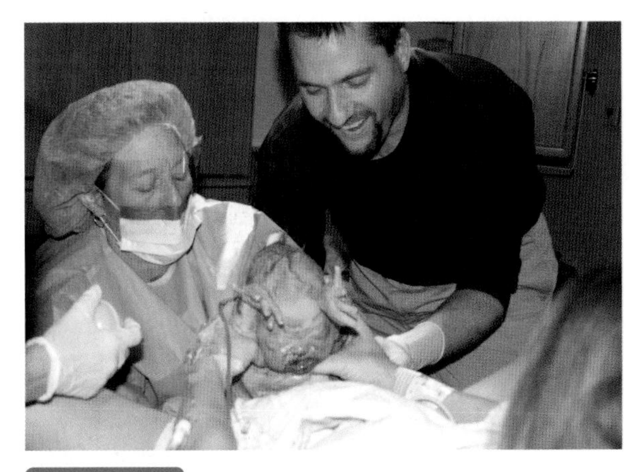

FIGURE 1.1
Le père « attrape » son fils naissant. La mère se penche pour faciliter l'expulsion du nouveau-né.

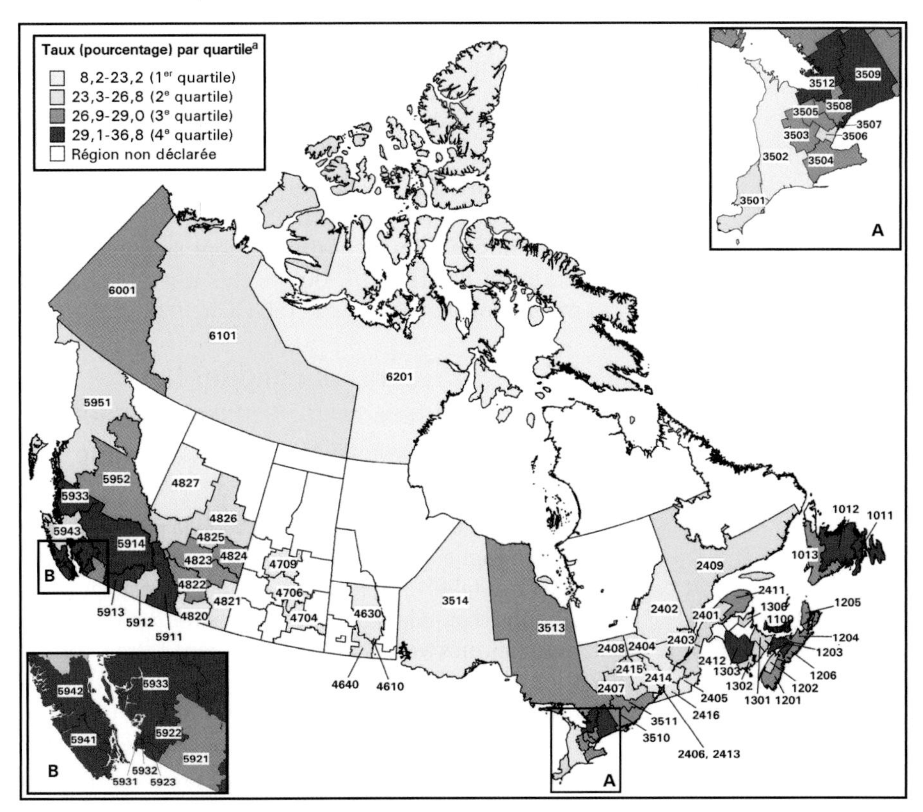

[a] Les résultats sont présentés en fonction de la région de résidence des patientes et non de l'établissement où l'hospitalisation a eu lieu. Dans le cas de l'Île-du-Prince-Édouard (1100), du Yukon (6001), des Territoires du Nord-Ouest (6101) et du Nunavut (6201), les données affichées sur la carte représentent l'ensemble de la province ou du territoire. Seules les régions de déclaration sont présentées sur la carte.

FIGURE 1.2
Taux total de césariennes, selon la région sanitaire de déclaration, au Canada, en 2005-2006

Types d'accouchement

La très grande majorité des accouchements se fait par voie vaginale. Pourtant, le taux de naissance par césarienne au Canada est passé de 17,6 % en 1995-1996 à 26,3 % en 2005-2006 avec de grandes variations régionales **FIGURE 1.2**. Ainsi, le Québec possédait l'un des taux les plus faibles comparativement à la Colombie-Britannique (22,9 % par rapport à 30,4 %) (Institut canadien d'information sur la santé, 2007).

Le taux de césarienne global est plus élevé que l'objectif de 23,9 % souhaité par le plan américain Healthy People 2020. Cela s'explique par un âge plus avancé chez les mères, une augmentation de l'indice de masse corporelle (IMC) avant la grossesse et du nombre d'enfants par grossesse (jumeaux, triplets), le changement des techniques obstétricales (surveillance électronique accrue du fœtus, mauvaise présentation du fœtus, analgésie épidurale et diminution de l'application de forceps à la partie moyenne du bassin) (MSSS, 2008b). Le taux de césarienne itérative (répétée) est passé de 64,7 % en 1995-1996 à 81,9 % en 2005-2006 (Institut canadien d'information sur la santé, 2007). Le taux d'accouchement par voie vaginale après césarienne

8

Les interventions infirmières concernant l'alimentation de la femme enceinte sont abordées dans le chapitre 8, *Nutrition de la mère et du fœtus.*

Healthy People 2020 est un plan s'étalant sur 10 ans qui vise l'amélioration de la santé des Américains. On peut consulter ses objectifs au www.healthypeople.gov.

(AVAC) a donc par le fait même diminué. Pourtant, les directives de pratique clinique émises en 2005 suggèrent d'offrir l'AVAC aux parturientes préalablement informées des avantages et des risques et qui veulent se soumettre à un essai de travail (Société des obstétriciens et gynécologues du Canada [SOGC], 2011a).

Le poids à la naissance et la durée de la grossesse sont déterminants pour évaluer les risques de morbidité et de mortalité chez les nouveau-nés.

1.2.4 Problèmes pendant la grossesse et l'accouchement

Faible poids de naissance et naissance prématurée

Le poids à la naissance et la durée de la grossesse sont déterminants pour évaluer les risques de morbidité et de mortalité chez les nouveau-nés. Ainsi, les soins aux nouveau-nés qui pèsent moins de 2 500 g et aux nouveau-nés venus au monde avant terme constituent des défis majeurs. De plus, les naissances multiples sont associées à la venue au monde de nouveau-nés de faible poids à l'accouchement.

De 2000 à 2010, le taux de naissances multiples est passé de 2,5 à 3,1 % au Québec (Institut de la statistique du Québec, 2011d). Cette hausse s'explique entre autres par une augmentation des grossesses à risque et par le recours à la procréation assistée (stimulation ovarienne, insémination artificielle, fécondation *in vitro*, transfert d'embryons et diagnostic génétique préimplantatoire) ▶ 4. Même si le gouvernement du Québec a adopté une loi encadrant les activités cliniques et de recherche en matière de procréation assistée en juin 2009, les règlements qui précisent la couverture des services n'ont été adoptés qu'en juillet 2010. Seuls trois cycles de fécondation *in vitro* sont offerts gratuitement aux femmes en âge de procréer. Par la suite, le régime public n'assume plus les frais encourus (MSSS, 2010a).

4

La procréation assistée est abordée dans le chapitre 4, *Contraception, avortement et infertilité*.

Au Canada, la proportion des naissances de nouveau-nés de faible poids (inférieur à 2 500 g) était de 5,9 % en 2004 et de 6 % en 2007. La proportion des nouveau-nés de très faible poids de naissance (inférieur à 1 500 g) était de 1 % en 2007 (Statistique Canada, 2008). Au Québec, en 2008, le taux de nouveau-nés de moins de 1 500 g était très similaire, à savoir 0,9 % (Institut de la statistique du Québec, 2011e).

La proportion de **prématurés** (c.-à-d. de nouveau-nés venus au monde avant la 37e semaine de gestation) était de 7,8 % en 2000 et de 7,6 % en 2008. Durant la même période, il faut noter que la proportion de nouveau-nés venus au monde à moins de 36 semaines de gestation est passée de 7,8 % en 2000 à 8,1 % en 2008, alors que le taux des nouveau-nés venus au monde à moins de 32 semaines de gestation est resté stable à 1,1 % (ASPC, 2008).

Mortalité infantile et périnatale

L'indicateur commun de l'adéquation des soins prénataux et de la santé d'une nation dans son ensemble est le taux de mortalité infantile. Au Canada, il était de 5,1 % en 2007 (Statistique Canada, 2007a). Les anomalies congénitales sont les causes les plus courantes, suivies par la prématurité et le faible poids à la naissance, puis par les détresses respiratoires (Éco-Santé Québec, 2010). Au Québec, le taux de mortalité infantile et périnatale a diminué depuis 30 ans, passant de 31,5 décès pour 1 000 naissances vivantes en 1961 à 4,0 décès en 2008 (MSSS, 2010b) **FIGURE 1.3**.

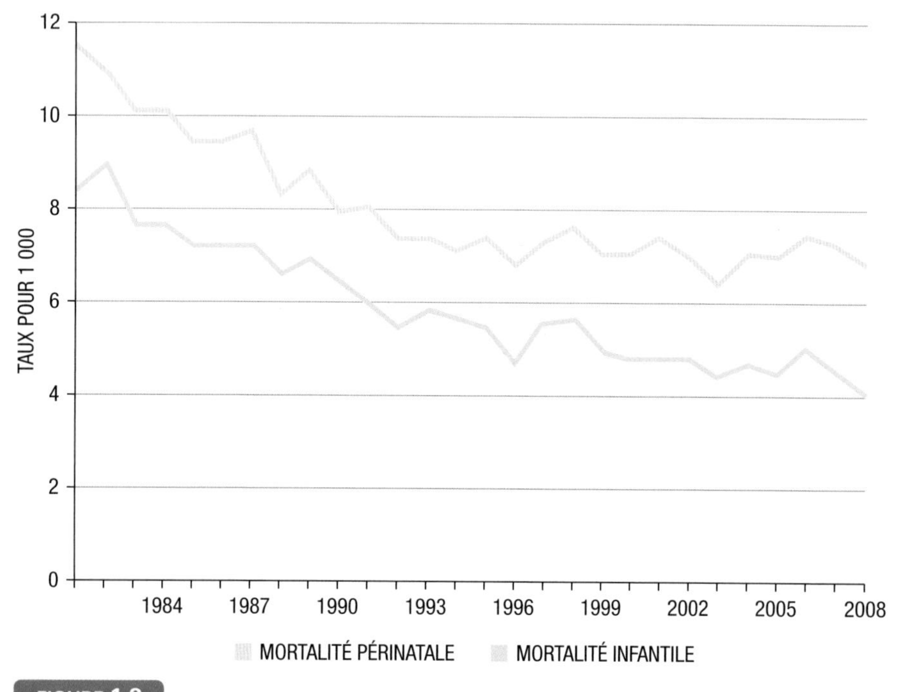

FIGURE 1.3
Mortalité infantile et mortalité périnatale au Québec, de 1981 à 2008

Les facteurs sociaux tels que le faible niveau de scolarité, la pauvreté, le jeune âge maternel ou l'âge maternel avancé, ou le manque de suivi prénatal semblent plus fréquemment associés à une augmentation de la mortalité infantile. La mauvaise nutrition, le tabagisme et la consommation de drogues et d'alcool contribuent également au taux de mortalité infantile. C'est pour cette raison qu'au Québec, à partir des années 1990, sont apparus des programmes de suivis prénataux et postnataux (Naître égaux – Grandir en santé et le Programme de soutien aux jeunes parents). Depuis 2004, les SIPPE ciblent spécifiquement les femmes enceintes sous-scolarisées, pauvres ou âgées de moins de 20 ans au moment de l'accouchement. Ils ont pour but « à long terme de diminuer la transmission intergénérationnelle des problèmes de santé et des problèmes sociaux, dont l'abus et la négligence envers les enfants » (INSPQ, 2010). Le suivi de ces familles se fait par les intervenants de première ligne de CSSS, en collaboration avec les autres organismes du réseau de la santé et des services sociaux et les organismes communautaires. L'INSPQ conclut qu'il est pertinent d'intervenir auprès des familles vivant en contexte de vulnérabilité. Pour ce faire, les visites à domicile se révèlent efficaces.

Le nombre de grossesses à risque élevé a augmenté, ce qui signifie que plus de femmes sont à risque d'issue défavorable de la grossesse.

Mortalité maternelle

Le cinquième objectif du Sommet du millénaire pour le développement est d'améliorer la santé maternelle et de diminuer le taux de mortalité maternelle de 75 % entre 1990 et 2015 (Agence canadienne pour le développement international, 2011). Dans le monde, environ 1 400 femmes meurent chaque jour à cause de problèmes liés à la grossesse ou à l'accouchement, l'hémorragie étant la principale cause (OMS, 2007). Les taux de mortalité maternelle varient énormément entre les pays en voie de développement et les pays développés. Au Canada, la Société des obstétriciens et gynécologues du Canada (SOGC) travaille depuis plus de 10 ans à diminuer les risques associés à la maternité et à améliorer la santé néonatale dans plusieurs pays du monde. Le mandat de la SOGC « est de promouvoir l'excellence dans la pratique de l'obstétrique-gynécologie et la santé des femmes par le leadership, la défense des droits, la collaboration, la prise de contact et l'éducation » (SOGC, 2010a). Au cours des années 1990, le taux annuel canadien de mortalité maternelle était de 5,5 pour 100 000 naissances vivantes (ASPC, 2008) alors qu'en Afrique subsaharienne, il était supérieur à 1 000 pour 100 000 naissances vivantes (OMS, 2007). Les principales causes de mortalité liées à la grossesse au Canada sont l'embolie pulmonaire, l'hypertension, la grossesse ectopique, l'hémorragie et l'infection (ASPC, 2004b).

Augmentation des grossesses à risque élevé

Le nombre de grossesses à risque élevé a augmenté, ce qui signifie que plus de femmes sont à risque d'issue défavorable de la grossesse (nouveau-né prématuré, de faible poids ou de très faible poids de naissance, avec anomalies congénitales, présentant des symptômes de sevrage de drogues ou d'alcool, ou encore souffrant de problèmes d'apprentissage à l'âge scolaire). Plusieurs causes sont reconnues.

| Obésité | Santé Canada rapporte que le tiers des femmes canadiennes aurait un IMC supérieur à 25 au début de leur grossesse, l'IMC d'une personne de poids normal se situant entre 18,5 et 24,9. Les femmes obèses courent plus de risque d'accoucher par césarienne, d'accoucher de nouveau-nés de poids élevé pour leur âge gestationnel ou dont le poids de naissance est plus élevé que la normale (Santé Canada, 2010). Le gain de poids recommandé varie selon l'IMC avant la grossesse **TABLEAU 1.2**. L'obésité et la grossesse sont associées à une augmentation de l'utilisation des services de santé et à une durée d'hospitalisation plus longue (Chu *et al.* 2008). Il est toutefois déconseillé de perdre du poids pendant la grossesse.

| Alcool | Au Canada, 10,5 % des femmes rapportent avoir consommé de l'alcool de façon occasionnelle pendant leur grossesse, alors qu'au

RAPPELEZ-VOUS…

Les CSSS ont pour mission d'offrir des services de nature préventive et de faire la promotion de la santé.

TABLEAU 1.2 **Taux de gain de poids et gain de poids total recommandés dans les grossesses simples en fonction de l'indice de masse corporelle avant la grossesse**

CATÉGORIE DE L'IMC AVANT LA GROSSESSE	TAUX MOYEN[a] DE GAIN DE POIDS PENDANT LES 2e ET 3e TRIMESTRES	INTERVALLE DE GAIN DE POIDS TOTAL RECOMMANDÉ[b]
IMC < 18,5 Poids insuffisant	0,5 kg/semaine	12,5-18 kg
IMC 18,5-24,9 Poids normal	0,4 kg/semaine	11,5-16 kg
IMC 25,0-29,9 Excès de poids	0,3 kg/semaine	7-11,5 kg
IMC ≥ 30[c] Obésité	0,2 kg/semaine	5-9 kg

[a] Valeurs arrondies.
[b] Les calculs entourant le gain de poids recommandé supposent un gain de 0,5 à 2 kg pendant le premier trimestre.
[c] Un intervalle de gain de poids plus faible peut être conseillé chez les femmes ayant un IMC de 35 ou plus avant la grossesse. On recommande de leur offrir des conseils personnalisés.
Source : Santé Canada (2010).

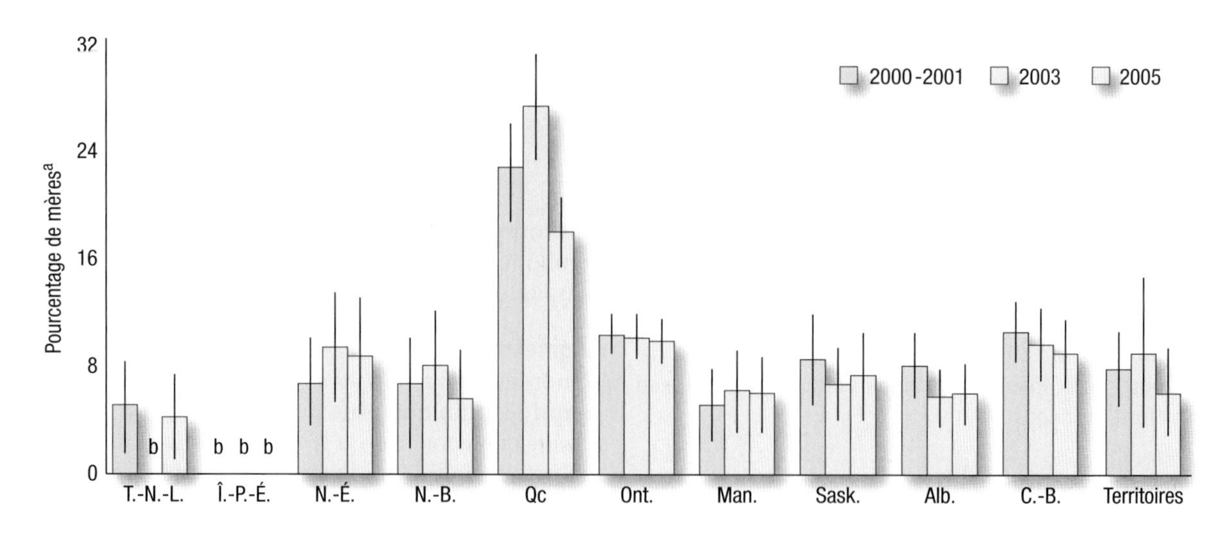

[a] Femmes ayant déclaré avoir consommé de l'alcool durant la grossesse qui ont accouché au cours des cinq années précédant l'enquête; les dénominateurs excluent les réponses « ne sais pas » et « non déclaré », ainsi que les refus de répondre.

[b] Les estimations ne sont pas indiquées parce que l'échantillonnage comptait moins de 10 sujets.

FIGURE 1.4

Taux de consommation d'alcool par la mère durant la grossesse, selon la province/région au Canada, en 2000-2001, 2003 et 2005

Québec, cette proportion est de 22 % **FIGURE 1.4**. Ces résultats comportent toutefois des limites, car les données sont rapportées par les femmes elles-mêmes. Il existe un lien entre la consommation d'alcool et le revenu. En fait, 93,2 % des femmes vivant sous le seuil de la pauvreté ont rapporté ne pas avoir consommé d'alcool pendant leur grossesse, alors que 88,2 % des femmes dont le revenu est au-dessus du seuil de pauvreté ont dit ne pas avoir consommé d'alcool durant celle-ci.

Cette consommation est également plus importante chez les femmes âgées de 35 à 39 ans, suivies du groupe des 40 ans et plus et des 30 à 34 ans (ASPC, 2009). Depuis quelques années déjà, Santé Canada et l'ASPC recommandent aux femmes enceintes d'éviter toute consommation d'alcool. Celle-ci est associée aux fausses couches, à un faible poids de naissance et à un ensemble de troubles causés par l'alcoolisation fœtale, dont le plus grave est le syndrome d'alcoolisation fœtale **ENCADRÉ 1.4**. Selon l'Enquête sur la santé dans les collectivités canadiennes, menée en 2005, la proportion de femmes enceintes ayant consommé de l'alcool s'établissait à 10,5 % en 2005 comparativement à 12,2 % en 2000-2001 (ASPC, 2009).

Tabac La consommation de tabac par la femme enceinte est associée aux RCIU, à la prématurité, aux avortements spontanés, aux mortinaissances et finalement au **syndrome de mort subite du nourrisson** (ASPC, 2008). La consommation de tabac est aussi liée à des conséquences à plus long terme, telles que les troubles de déficit de l'attention et d'hyperactivité. Cependant, la consommation de tabac par la femme enceinte tend à diminuer. En 2000-2001, 17,7 % des femmes ayant accouché dans les cinq années précédentes déclaraient avoir fumé au cours de la grossesse comparativement à 13,4 % en 2005 (ASPC, 2008).

Drogues Dans les trois mois précédant leur grossesse, 6,7 % des femmes rapportent avoir consommé des drogues de rue. Une fois la grossesse connue, cette proportion diminue à 1 %. Néanmoins, les données varient d'une province à l'autre, la proportion la plus élevée étant au Nunavut, où 9 % des femmes disent avoir fait usage de drogues durant leur grossesse. Cette consommation a un lien avec le niveau socioéconomique. En effet, les femmes vivant sous le seuil de pauvreté rapportent plus

Jugement clinique

Marianne Thibodeau, âgée de 19 ans, est enceinte de 20 semaines. Elle étudie à temps partiel pour terminer sa quatrième secondaire. Elle avait abandonné l'école il y a cinq ans pour travailler comme assistante dans le salon de coiffure appartenant à sa mère. Elle y travaille toujours à temps complet et obtient un salaire décent. Marianne fait très attention à son alimentation. Elle privilégie les fruits et les légumes aux confiseries et gourmandises. Elle ne consomme ni drogue ni alcool. Toutefois, elle ne parvient pas à cesser de fumer malgré ses nombreuses tentatives. Cette jeune femme est bien suivie par son médecin de famille et par les infirmières du CSSS.

Nommez trois facteurs de risque présents chez Marianne associés à une augmentation du risque de mortalité infantile.

ENCADRÉ 1.4 Ensemble des troubles causés par l'alcoolisation fœtale

Le diagnostic de troubles causés par l'alcoolisation fœtale est lié :

- au syndrome d'alcoolisation fœtale ;
- au syndrome d'alcoolisation fœtale partiel ;
- aux troubles neurologiques du développement liés à l'alcool ;
- aux malformations congénitales liées à l'alcool ;
- à la dysmorphologie faciale.

d'usage de drogues avant et pendant la grossesse. Cette consommation varie également selon l'âge de la mère, le groupe des 15 à 24 ans étant plus susceptible de consommer des drogues avant la grossesse (25 % chez les 15 à 19 ans et 16,2 % chez les 19 à 24 ans) et pendant la grossesse dans une proportion de 3,4 % pour les deux groupes d'âge. La plus basse proportion est notée chez le groupe des 30 à 34 ans, dont 3,1 % auraient consommé des drogues de rue avant la grossesse et 0,3 % durant la grossesse (ASPC, 2009).

Naissances multiples Ces grossesses sont associées à des risques pour la mère et pour les nouveau-nés. Chez la mère, il y a un plus grand risque de souffrir d'anémie, de prééclampsie, d'un travail prématuré et de devoir avoir recours à une césarienne. Quant aux nouveau-nés, ils courent un risque d'avoir un faible poids de naissance, de naître prématurément ou de mourir au cours de la période périnatale. La fécondation *in vitro* est en partie responsable de cette augmentation, qui est associée à l'âge avancé de la mère (SOGC, 2010b).

Conditions médicales particulières de la mère Deux des conditions médicales les plus fréquemment rapportées dans les grossesses à risque sont l'hypertension et le diabète gestationnel, toutes deux associées à l'obésité ▶ 20. Au Québec, les cliniques GARE (grossesse à risque élevé) répondent aux besoins particuliers de ces mères et de leur fœtus. Le plus grand service GARE au Canada se trouve à l'hôpital Sainte-Justine, à Montréal.

1.3 Pratique infirmière en périnatalité au Québec

L'infirmière en périnatalité partage sa pratique avec les autres professionnels (médecin, sage-femme, infirmière praticienne spécialisée [IPS] en néotatalogie). Sa contribution aux soins à la mère et au nouveau-né a été définie dans quatre types d'activités (OIIQ, 2011):

1. les soins préconceptionnels;
2. le suivi de grossesse;
3. le travail et l'accouchement;
4. la période postpartum immédiate et le travail en communauté.

Pour réaliser ces activités, l'infirmière se base sur sa formation et son expérience, ainsi que sur des recherches récentes.

1.3.1 Base de données Cochrane sur la grossesse et l'accouchement

La Cochrane Collaboration, qui comprend la base de données Cochrane sur la grossesse et l'accouchement, surveille les recensions systématiques à jour des essais aléatoires contrôlés sur les soins de santé, et elle les diffuse. Les prémisses du projet sont que ces types d'études fournissent des données les plus fiables concernant les effets des soins.

Les résultats probants de ces études devraient encourager les praticiens à mettre en place des mesures utiles et à abandonner celles qui sont inutiles ou nocives. Les études appartiennent à six catégories:

1. le type de soins bénéfiques;
2. le type de soins susceptibles d'être bénéfiques;
3. le type de soins représentant un compromis entre un effet bénéfique et un effet négatif;
4. le type de soins dont l'efficacité est inconnue;
5. le type de soins peu probables d'être bénéfiques;
6. le type de soins qui risquent d'être inefficaces ou dangereux.

20

Les problèmes de santé maternelle qui représentent un facteur de risque accru pendant la grossesse sont décrits dans le chapitre 20, *Grossesse à risque: maladies préexistantes.*

1.3.2 Pratique fondée sur des résultats probants

La prestation de soins basés sur des résultats probants obtenus grâce à la recherche et aux essais cliniques est de plus en plus privilégiée **ENCADRÉ 1.5**.

Pratique fondée sur des résultats probants

ENCADRÉ 1.5 Chercher les résultats probants et les évaluer

QUESTION CLINIQUE

Dans les chapitres de ce manuel se trouvent des encadrés intitulés *Pratique fondée sur des résultats probants*, qui illustrent la façon dont une infirmière peut mener une recherche afin de répondre à une question clinique.

RÉSULTATS PROBANTS

La curiosité et l'accès à une bibliothèque virtuelle ou réelle sont les deux éléments dont l'infirmière a besoin pour s'assurer que sa pratique repose sur des résultats probants.

Une revue de littérature peut révéler jusqu'à trois niveaux de résultats probants.

1. Le premier consiste en des études primaires, dont les plus solides sont les essais aléatoires contrôlés. Les études reposant sur une bonne méthodologie, même celles de petite envergure, viennent ajouter à la connaissance du sujet.
2. Ces études primaires peuvent être combinées au deuxième niveau de résultats probants. Lorsqu'il effectue une analyse systématique, comme celle comprise dans la base de données Cochrane, le chercheur utilise des méthodes pour repérer tous les sujets pertinents concernant une question particulière. Si les données sont suffisamment similaires, elles peuvent être rassemblées dans une méta-analyse. Si les résultats sont solides, certaines analyses serviront de base aux recommandations pour la pratique et permettront d'orienter les enquêtes futures.
3. Au troisième niveau, les organisations professionnelles comme la Healthcare Research and Quality (AHRQ) (www.ahrq.gov) ou la Academy of Breastfeeding Medicine (www.bfmed.org) peuvent décider de s'intéresser à une question sur la pratique générale en triant tous les résultats probants primaires et secondaires et en consultant des cliniciens expérimentés. Après un examen rigoureux, le comité d'experts de l'organisation rédige une déclaration concertée. Les recommandations relatives aux pratiques exemplaires reposent sur les épaules de ceux qui effectuent les analyses systématiques, eux-mêmes dépendants des chercheurs qui mènent les études primaires.

Si l'organisation professionnelle est bien respectée et si le processus demeure rigoureux, les lignes directrices de la déclaration concertée font autorité. Les personnes et les établissements peuvent choisir de les adopter en toute confiance.

ENCADRÉ 1.6 **Contribution des infirmières québécoises aux soins destinés aux femmes et aux nouveau-nés**

SOINS PRÉCONCEPTIONNELS

L'infirmière intervient auprès des futurs parents dès la période préconceptionnelle, en particulier dans le cadre de cliniques de planning familial, afin de leur conseiller de réduire les facteurs de risque, tels que la consommation de tabac, d'alcool et de drogues, et de promouvoir de bonnes habitudes de vie ainsi que la prise d'acide folique pour prévenir les malformations du tube neural chez le fœtus.

SUIVI DE GROSSESSE

Dans le cadre du suivi de grossesse normale ou à risque, la contribution de l'infirmière vise à évaluer et à surveiller l'état de santé physique et mentale de la femme enceinte, à la soulager de certains malaises courants de la grossesse, à détecter des complications affectant son bien-être et celui du fœtus (p. ex., l'hypertension gravidique, le travail prématuré, la violence conjugale) et à donner l'éducation prénatale. L'évaluation et la surveillance du développement fœtal sont indissociables de l'évaluation maternelle. Aussi, l'infirmière peut effectuer le suivi de grossesse tant en ambulatoire qu'en centre hospitalier.

TRAVAIL ET ACCOUCHEMENT

Les activités d'évaluation et de surveillance de l'infirmière sont importantes pendant le travail et l'accouchement. Afin de prévoir les répercussions d'un problème sur l'état de santé de la femme et du fœtus, l'évaluation physique, culturelle et psychosociale de la parturiente commence dès son arrivée à l'unité des naissances, de même que le dépistage des risques élevés, tels les saignements intermittents. Lorsqu'elle procède à l'examen physique de la parturiente, l'infirmière évalue, entre autres, le col utérin, la position du fœtus, les contractions et l'évolution du travail. Elle assure le monitorage électronique des contractions et le monitorage fœtal électronique. La surveillance qu'elle exerce permet de détecter les complications pendant le travail (p. ex., la procidence du cordon, la détresse fœtale, l'arrêt de progression du travail) et d'intervenir. Aussi, l'infirmière peut être appelée à ajuster l'ocytocine selon une ordonnance, à pratiquer un accouchement précipité et à procéder à la réanimation cardiorespiratoire de la mère ou du nouveau-né.

POSTPARTUM IMMÉDIAT ET EN COMMUNAUTÉ

En postpartum immédiat, l'infirmière procède à l'examen initial du nouveau-né et à la surveillance de signes précoces de complications, entre autres les difficultés respiratoires et la tachycardie transitoire du nouveau-né, ainsi que chez la nouvelle accouchée (p. ex., une hémorragie, l'hypotension, la tachycardie). Compte tenu des courts séjours hospitaliers en obstétrique, le travail de l'infirmière en communauté devient primordial pour évaluer l'état de santé de la mère et du bébé, déceler les signes de complications (p. ex., un ictère néonatal, une plaie de césarienne infectée, la dépression postpartum), effectuer des tests de dépistage, tel le dépistage des troubles métaboliques d'origine génétique, surveiller l'état nutritionnel du nouveau-né, soutenir l'allaitement et évaluer l'adaptation parentale. De plus, l'infirmière intervient, de façon continue et privilégiée, auprès des parents vivant en contexte de vulnérabilité (p. ex., une grossesse à l'adolescence, la monoparentalité, la maltraitance, la négligence, la violence conjugale, la toxicomanie, un milieu défavorisé), afin d'atténuer les facteurs de risque pour la santé et le développement de l'enfant.

Source : OIIQ (2011).

1.3.3 Normes de pratique

Au pays, les normes en matière de pratique des soins infirmiers en périnatalité ont été établies par plusieurs organisations incluant l'OIIQ, l'OSFQ, l'AIIC, la SOGC ou encore le Collège des médecins de famille du Canada. Ces normes de pratique reflètent les connaissances actuelles, représentent les niveaux de savoirs reconnus et peuvent être utilisées pour déterminer de meilleures pratiques cliniques **ENCADRÉ 1.6**.

Conjointement avec le Collège des médecins du Québec, l'OIIQ a précisé le rôle de l'IPS en néonatalogie auprès du nouveau-né à terme souffrant d'une pathologie ou du prématuré (OIIQ & Collège des médecins du Québec, 2006) **ENCADRÉ 1.7**.

Le Joanna Briggs Institute (www.joannabriggs.edu.au) est un organisme international de recherche et de développement qui utilise une approche collaborative pour évaluer les résultats probants provenant de diverses sources. Basé à l'Université d'Adelaide en Australie, l'Institut collabore avec des hôpitaux et des centres de recherche partout dans le monde, notamment au Canada.

Gestion du risque

La gestion du risque est un processus évolutif qui détermine les risques, établit les pratiques préventives, élabore les mécanismes de déclaration et définit les procédures de gestion des poursuites en justice. Les infirmières devraient connaître les concepts de gestion du risque et leurs conséquences sur la pratique. Ces concepts peuvent être considérés comme un système de freins et de contrepoids qui garantit des soins de qualité élevée au client depuis la préconception jusqu'après la naissance. La gestion efficace du risque minimise le risque de blessures pour le client. Chaque établissement met au point ses propres procédures de gestion du risque basées sur les normes et les directives reconnues. Les procédures et les lignes directrices doivent être révisées périodiquement.

Conseil juridique

ENCADRÉ 1.7 **Norme de diligence**

Lorsqu'une infirmière n'est pas certaine de la façon d'exécuter une procédure, elle doit consulter les lignes directrices émises par son ordre professionnel. Les infirmières québécoises peuvent consulter les méthodes de soins infirmiers informatisées de l'Association québécoise d'établissements de santé et de services sociaux (www.aqesss.qc.ca).

En 2001, Santé Canada a recommandé ce qui suit :

- mettre en place des mesures organisationnelles et stratégiques encourageant les initiatives dans le domaine de la sécurité des clients ;
- acquérir des compétences, diffuser le savoir et mettre en œuvre des systèmes visant à améliorer la sécurité ;
- mettre sur pied des systèmes de déclaration plus efficaces ;
- accroître la sensibilisation et établir des priorités en vue d'améliorer la sécurité des clients au Canada.

Le programme AMPRO[OB] (Approche multidisciplinaire en prévention des risques obstétricaux), élaboré par la SOGC, a été implanté au Québec en 2008. Soutenu par le MSSS dans ses stratégies de mise en œuvre de la politique périnatale, ce programme vise la sécurité des clientes, le perfectionnement professionnel et l'amélioration de la performance des professionnels de la santé et des administrateurs des unités obstétricales hospitalières. La structure du programme est basée sur les principes éprouvés des organisations hautement fiables, notamment: la sécurité en tant que priorité, la communication efficace, le travail d'équipe, la mise de côté de la hiérarchie en situation d'urgence, la répétition des urgences et l'apprentissage réflectif (MSSS, 2010c).

Le Canada a également mis en place le Système canadien de surveillance périnatale pour améliorer la santé des femmes enceintes, des mères et des nouveau-nés (ASPC, 2004c). L'ASPC a établi quelque 52 indicateurs de santé périnatale et publie périodiquement un « Rapport sur la santé périnatale au Canada ». La troisième édition date de 2008 et dresse un portrait national de 29 indicateurs de santé périnatale. Le rapport est divisé en deux sections, dont la première porte sur les déterminants de santé maternelle, fœtale et infantile, et la seconde, sur les répercussions de ces déterminants sur la santé maternelle, fœtale et infantile. Certaines de ces conséquences impliquent entre autres pratiques les soins médicaux et infirmiers prodigués dans les établissements de santé. Les décès attribuables à des causes obstétricales directes (complications obstétricales, interventions, omissions, traitements incorrects ou enchaînement d'événements) sont les plus fréquents au pays (ASPC, 2008).

Au Canada, l'Institut canadien pour la sécurité des patients a vu le jour à la suite d'une recommandation d'un comité national sur la sécurité des clients dans leur rapport intitulé *Accroître la sécurité du système* et dont l'objectif est de promouvoir des solutions innovatrices et de faciliter la collaboration entre les gouvernements et les partenaires pour le bénéfice ultime des clients. Dès 2002, le gouvernement du Québec a légiféré sur l'obligation des établissements de santé de divulguer les accidents survenus et de mettre en place des activités de gestion de risques liées à la prestation des soins de santé (Loi modifiant la Loi sur les services de santé et les services sociaux concernant la prestation sécuritaire de services de santé et de services sociaux, Projet de loi nº 113, 2002, c. 71).

1.3.4. Enjeux éthiques et cadre de recherche

Enjeux éthiques

Le recours accru aux technologies de pointe et les progrès scientifiques se sont traduits par une multiplication des préoccupations et des débats entourant l'éthique. Par exemple, grâce à la technologie de la reproduction, les femmes qui ne pensaient jamais être capables d'enfanter peuvent désormais le faire, y compris celles qui sont ménopausées ou postménopausées. Les rares ressources dont on dispose devraient-elles être consacrées à permettre aux femmes âgées de devenir enceintes? Donner naissance à un enfant à un âge avancé justifie-t-il les risques encourus? Les parents âgés devraient-ils être encouragés à concevoir un enfant alors qu'ils ne vivront peut-être pas assez longtemps pour le voir atteindre l'âge adulte? Une femme séropositive devrait-elle avoir accès aux services de procréation médicalement assistée? Il faut se pencher sur les questions relatives au consentement éclairé et sur l'allocation des ressources en ce qui a trait aux innovations comme les chirurgies fœtales *in utero*, à la fœtoscopie, à l'insémination thérapeutique, au génie génétique, à la recherche sur les cellules souches, à la maternité de substitution, aux chirurgies relatives à la fertilité, aux bébés-éprouvette, à la recherche sur les fœtus et au traitement des nouveau-nés de très faible poids à la naissance. L'arrivée des contraceptifs à action prolongée a entraîné des choix moraux et des dilemmes politiques pour les professionnels de la santé et les législateurs (c.-à-d. devrait-on obliger certaines femmes [toxicomanes, à faibles revenus ou séropositives] à prendre des contraceptifs?). Compte tenu du potentiel extrêmement bénéfique de la transplantation de tissu fœtal, quel type de recherche est éthique? Quels sont les droits de l'embryon? Le clonage des humains devrait-il être permis? En outre, l'accès aux analyses génétiques pose la question du dépistage systématique durant la grossesse et au choix des parents d'y mettre un terme ou de la poursuivre. Les discussions et les débats entourant ces enjeux se poursuivront pendant de nombreuses années. Les infirmières et les clients ainsi que les scientifiques, les médecins, les avocats, les législateurs et les éthiciens doivent y participer.

RAPPELEZ-VOUS...

Dans le processus de résolution d'un dilemme éthique, il importe d'utiliser une démarche systématique dans laquelle les enjeux et les conséquences sont analysés et soupesés. Le processus de décision ne doit pas seulement reposer sur les émotions provoquées par le débat.

Cadre de recherche

La recherche joue un rôle vital dans les sciences infirmières relatives à la maternité. Elle permet de valider le fait que les soins infirmiers produisent des résultats positifs. Les soins de santé entourant la maternité et les femmes constituent de nombreux domaines de recherche possibles. Le clinicien peut diagnostiquer des problèmes liés aux soins et à la santé des femmes et des nourrissons. Les infirmières doivent promouvoir le financement des études et effectuer des recherches sur la santé des femmes et la maternité, surtout en ce qui a trait à l'efficacité des stratégies pour les soins infirmiers chez ces clientes.

Les clients périnataux font partie des personnes vulnérables en recherche. La participation à la recherche peut provoquer un stress supplémentaire pour la femme enceinte. Par exemple, l'obtention d'échantillons de liquide amniotique ou la cordocentèse présentent des risques pour le fœtus.

ENCADRÉ 1.8 **Principes directeurs de la politique des trois principaux Conseils canadiens**

- Le respect de la dignité humaine
- Le respect du consentement libre et éclairé
- Le respect des personnes vulnérables
- Le respect de la vie privée et des renseignements personnels
- Le respect de la justice et de l'intégration
- L'équilibre des avantages et des inconvénients
- La réduction des inconvénients
- L'optimalisation des avantages

Source : Adapté de Instituts de recherche en santé du Canada, Conseil de recherches en sciences naturelles et en génie du Canada & Conseil de recherches en sciences humaines du Canada (1998).

L'infirmière doit protéger les droits des sujets humains en tout temps. Pour ce faire, la recherche est encadrée sur le plan international (International Conference on Harmonization, 2005) et à l'échelle nationale par les politiques des trois principaux conseils canadiens, soit le Conseil de recherches en sciences humaines du Canada, les Instituts de recherche en santé du Canada et le Conseil de recherches en sciences naturelles et en génie du Canada. Les principes directeurs de la politique des trois Conseils sont énoncés dans l'**ENCADRÉ 1.8**.

Au Québec, l'article 21 du Code civil protège les sujets vulnérables, notamment les mineurs et ceux incapables de donner un consentement, comme les enfants et les fœtus (Code civil du Québec, art. 21). Des organismes subventionnaires comme la Fondation de recherche en sciences infirmières du Québec ou encore le Groupe de recherche interuniversitaire en interventions en sciences infirmières du Québec et des chaires soutiennent activement la recherche dans le domaine infirmier.

1.4 Famille et contexte communautaire et culturel

La famille et son contexte culturel jouent un rôle important dans la définition du travail des infirmières en maternité. Malgré le stress et les contraintes de la vie moderne, la famille forme un réseau social qui agit comme un système de soutien potentiel auprès de ses membres. Les comportements de recherche d'aide des familles et les relations qu'elles entretiennent avec les dispensateurs de service sont influencés par les références culturelles des familles quant aux valeurs et aux croyances en ce qui a trait à la santé. Inversement, la culture du personnel de soins est également un facteur qui entre en ligne de compte dans la relation établie avec les familles (Gervais & Robichaud, 2009). Ces facteurs auront un effet certain sur la santé des familles, de même que sur leur perception de l'aide offerte. La tendance actuelle dans la pratique auprès des familles est de miser sur le bien-être et sur l'augmentation du pouvoir d'agir de celles-ci pour leur permettre de diriger leur vie et de faire leurs propres choix (De Montigny & Lacharité, 2008).

La famille et son contexte culturel jouent un rôle important dans la définition du travail des infirmières en maternité.

1.4.1 Famille et société

Le contexte social de la famille peut être considéré en lien avec les tendances sociales et démographiques qui définissent la population dans son ensemble. Des données récentes sur l'immigration et sur la composition ethnique de la population canadienne et québécoise reflètent une augmentation croissante de la diversité (Institut de la statistique du Québec, 2011f). Cette diversité est actuellement très visible chez les jeunes familles, les nouveaux arrivants étant souvent de jeunes adultes en âge de procréer (Vissandjee, Desmeules, Cao, Abdool & Kazanjian, 2004).

Chaque famille établit des frontières entre elle et la société. Les personnes sont conscientes de la différence entre les « membres de la famille » et les « étrangers » ou les personnes n'ayant pas de lien de parenté. Les perceptions des familles et les choix qu'elles font d'établir ou d'ouvrir certaines frontières auront un impact sur plusieurs aspects de leur vie, dont l'expérience de la parentalité (Hudon, Fortin, Haggerty, Lambert & Poitras, 2011). Certaines familles s'isolent de la collectivité extérieure ; d'autres disposent d'un grand réseau communautaire vers lequel elles peuvent se tourner pour obtenir de l'aide en cas de stress. Bien que les frontières existent dans chaque famille, les membres établissent des canaux à travers lesquels ils interagissent avec la société. Ces canaux visent à s'assurer que la famille reçoit sa part des ressources sociales.

1.4.2 Organisation et structure familiales

La **famille nucléaire** a pendant longtemps représenté la famille traditionnelle canadienne dans laquelle les parents et leurs enfants vivaient à titre d'unités indépendantes, partageaient les rôles, les responsabilités et les ressources économiques **FIGURE 1.5**. Dans la société contemporaine, cette structure familiale ne représente qu'un nombre relativement peu élevé de familles. La **famille binucléaire** est un dérivé de la famille nucléaire traditionnelle résultant du divorce. Les enfants de parents remariés deviennent membres des ménages nucléaires maternels et paternels. En confiant la garde partagée aux parents, les tribunaux leur confèrent des responsabilités et des droits égaux envers leurs enfants mineurs.

Les familles recomposées (c.-à.-d celles formées à la suite d'un divorce et

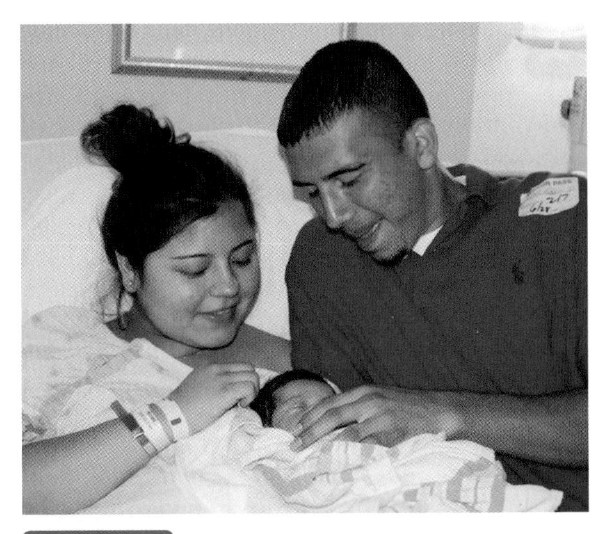

FIGURE 1.5
La famille nucléaire est composée de deux parents et de leur enfant à charge.

d'un remariage), sont composées de membres non apparentés (beaux-parents, enfants du conjoint et frères et sœurs par alliance) qui se joignent pour créer un nouveau ménage. Ces groupes familiaux comprennent fréquemment un parent biologique ou adoptif dont le partenaire n'a pas adopté l'enfant.

De nombreuses familles nucléaires vivent avec d'autres membres de la famille dans le même ménage. Ces membres de la **famille élargie** peuvent être des grands-parents, des tantes ou des oncles ou d'autres personnes liées par le sang **FIGURE 1.6**. Pour certains groupes culturels, le réseau familial et la famille élargie représentent des ressources importantes au chapitre de la prévention en santé physique et mentale.

Les familles monoparentales comprennent un parent biologique non marié ou adoptif qui peut vivre avec d'autres adultes. La **famille monoparentale** peut résulter de la perte du partenaire à cause de son décès, d'un divorce, d'une séparation ou d'un abandon, d'une grossesse planifiée ou non, de l'adoption d'un enfant par un homme ou une femme non mariée. Au Québec en 2006, les familles monoparentales représentaient 27,8 % des familles (Ministère de la Famille et des Aînés, 2011). Cette structure familiale est devenue un choix courant. Parfois, la famille monoparentale a tendance à être vulnérable sur le plan économique et social (Contoyannis & Li, 2011). Les mères de famille monoparentale sont plus susceptibles de vivre dans la pauvreté et de présenter de moins bons résultats périnataux que les autres, comme la prématurité (Auger *et al.*, 2008).

FIGURE 1.6
La famille élargie comprend la famille nucléaire et les autres personnes apparentées par le sang.

Les autres configurations familiales, qui sont moins bien documentées, comprennent des enfants vivant dans une famille où les parents cohabitent sans être mariés. Depuis 1995, le nombre d'enfants nés hors mariage a passé la barre des 50 % pour atteindre 63 % en 2010 (Institut de la statistique du Québec, 2011g). Depuis 2002, la Charte des droits et libertés de la personne autorise l'adoption d'enfants par des gais et des lesbiennes et, depuis 2004, leur mariage. Même s'il n'existe pas de statistiques officielles, un nombre croissant d'enfants vivent dans des familles homosexuelles soit par adoption, soit qu'ils soient issus d'unions hétérosexuelles antérieures.

1.4.3 Évaluation de la famille

La famille joue un rôle central dans les soins de santé ; elle représente la principale cible de la prestation de soins offerts par les infirmières qui s'occupent des mères et des nouveau-nés. Les principaux concepts des soins centrés sur le client et la famille sont la dignité et le respect, le partage de l'information, la participation et la collaboration (Johnson *et al.*, 2008). Traiter le client et la famille avec respect et dignité signifie les écouter, respecter leurs opinions et leurs choix. Les professionnels de la santé partagent l'information avec les familles de façon positive, utile, opportune, complète et exacte. La famille reçoit du soutien pour participer aux soins et à la prise de décision.

En ce qui concerne le cadre de référence de l'évaluation familiale, le modèle approprié pour une infirmière en périnatalité est celui qui est axé sur la promotion de la santé plutôt que sur les soins relatifs à la maladie. L'infirmière peut aider la famille à faible risque à promouvoir une grossesse et un accouchement sains et à intégrer le nouveau-né dans la famille. La famille à risques périnataux élevés a des besoins en matière de soins axés sur la maladie, et l'infirmière peut les combler tout en faisant la promotion de la santé de la famille. Les modèles les plus connus axés sur la famille sont le Calgary Family Analysis Model (CFAM), suivi du Calgary Family Intervention Model (CFIM), tous deux définis en 1994 et récemment réédités (Wright, 2009). Le fonctionnement de la famille est exposé dans les sphères cognitive, affective et comportementale. Ces modèles visent à comprendre les valeurs et les croyances des membres de la famille, leurs forces et leurs faiblesses, leurs émotions et leur compréhension de la situation. Ultimement, la CFAM permettra d'émettre une théorie familiale et d'orienter les interventions infirmières (CFIM) pour rehausser la compétence familiale afin de résoudre un problème de santé.

1.4.4 Théories familiales

Une théorie familiale peut être utilisée pour décrire les familles et la façon dont l'unité familiale réagit aux événements intérieurs et extérieurs à celle-ci. Chaque théorie comprend certaines hypothèses concernant la famille et présente des forces et des limites. La plupart des infirmières utilisent une combinaison de théories dans leur travail auprès des familles. L'application des concepts théoriques peut guider leur évaluation et leurs interventions.

Comme de nombreuses variables influent sur les rapports humains, l'infirmière doit comprendre comment la plupart des membres de la famille interagiront et communiqueront entre eux. La plupart des familles auront leurs propres croyances sur la santé. Dans certains cas, leurs croyances entreront en conflit avec les principes de gestion des soins de santé qui prédominent dans le système de santé occidental et plus particulièrement le système nord-américain.

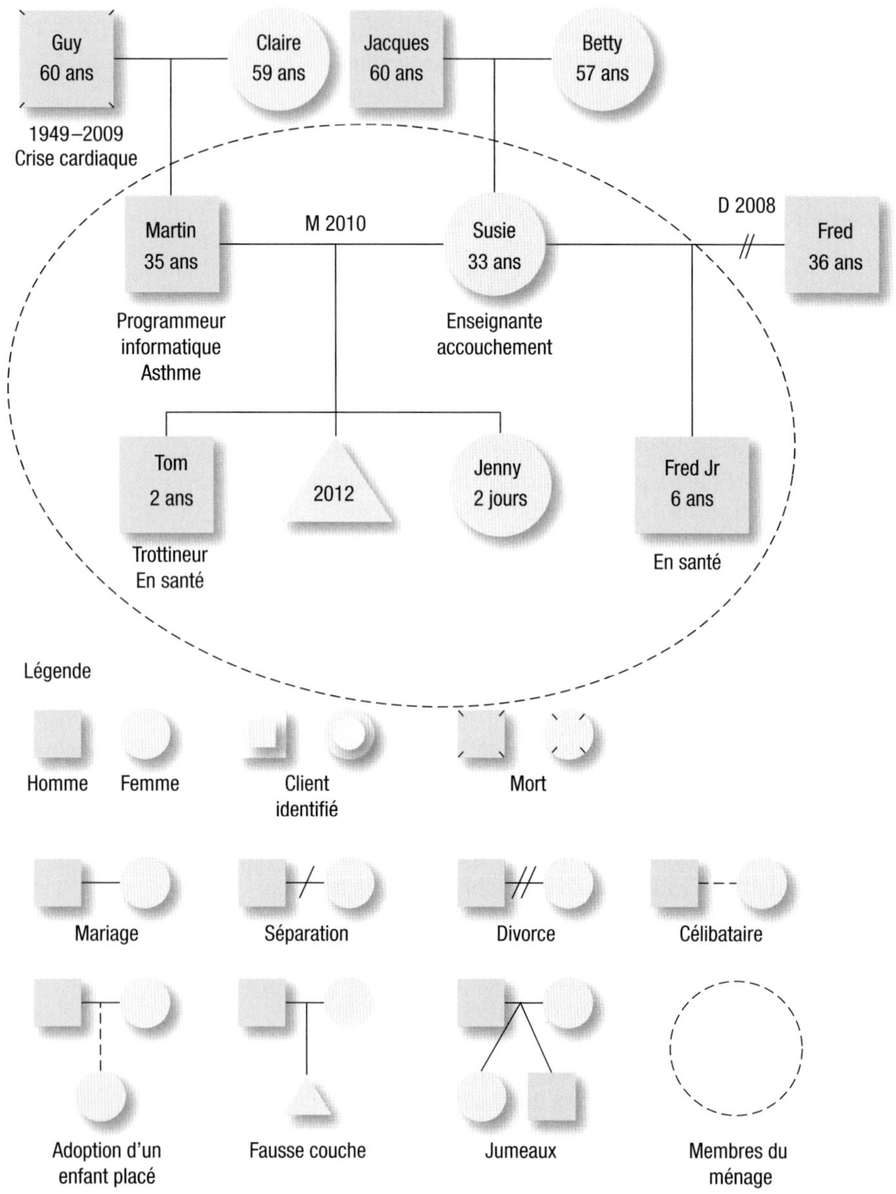

1.4.5 Représentations graphiques des familles

Le **génogramme** familial (format d'arbre généalogique décrivant les relations des membres de la famille sur au moins trois générations) **FIGURE 1.7** fournit des renseignements utiles sur la structure familiale, les étapes de la vie familiale ainsi que sur le fonctionnement de la famille ; il peut être inscrit dans le dossier de la cliente pour que les intervenants y aient accès facilement.

L'écocarte, qui inclut un génogramme, est combinée à une représentation graphique des relations sociales du client et de la famille avec les ressources externes ; elle peut aussi aider l'infirmière à comprendre son environnement social et à déterminer les systèmes de soutien auxquels elle a accès **FIGURE 1.8** (Rempel, Neufeld & Kushner, 2007).

FIGURE 1.7
Exemple d'un génogramme familial

1.5 Facteurs culturels liés à la santé familiale

1.5.1 Contexte culturel de la famille

Les valeurs, les attitudes et les croyances qui découlent de la culture ont une incidence sur les perceptions de la maladie ainsi que sur les comportements en matière de recherche de soins et sur les réactions au traitement. Lorsqu'ils fournissent des soins, les professionnels de la santé doivent évaluer l'impact de ces influences et élaborer des stratégies d'intervention efficaces. La sensibilité aux réalités culturelles, la compassion et la conscience cruciale des **dynamiques familiales** et des agents stressants sociaux qui ont des répercussions sur la prise de décision liée à la santé sont des composantes essentielles d'un plan de soins efficace (MSSS, 2010d).

La compréhension des concepts de l'ethnocentrisme et du relativisme culturel peut aider les infirmières à prendre soin des familles dans une société

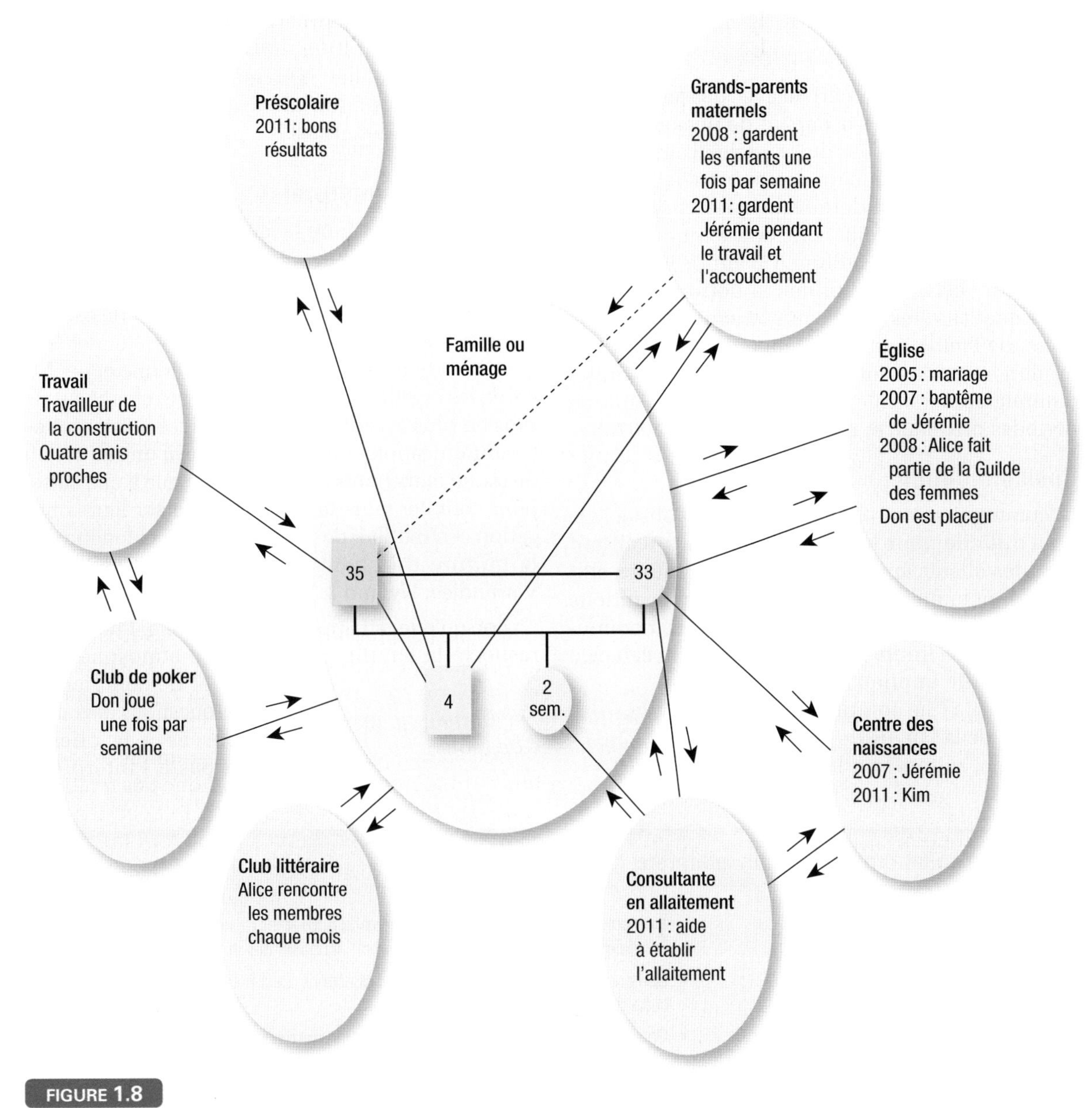

FIGURE 1.8
Exemple d'écocarte. L'écocarte décrit les relations sociales et les divers types de soutien accessibles.

multiculturelle. Selon cette perspective biomédicale, la grossesse et l'accouchement sont considérés comme un processus qui comporte des risques inhérents, et la meilleure façon de les gérer consiste à utiliser les connaissances scientifiques et les technologies de pointe.

L'**ethnocentrisme** renvoie à la tendance à penser que la façon de faire les choses dans sa propre culture est la meilleure. La pratique des soins de santé qui prévaut au Canada est basée sur les croyances et les pratiques des membres de la culture dominante, principalement les Blancs d'ascendance européenne.

La perspective médicale s'oppose directement au système de croyances de nombreuses cultures. Plusieurs femmes considèrent traditionnellement la naissance comme un processus parfaitement normal gérable avec une participation minimale de la part des intervenants de la santé.

Le **relativisme culturel** est l'opposé de l'ethnocentrisme. Il renvoie au fait de chercher à connaître les normes d'une autre culture et de les appliquer aux activités qui la concernent. L'infirmière reconnaît que les personnes de diverses origines culturelles comprennent les mêmes situations et objets différemment. En d'autres mots, la culture détermine le point de vue. Le relativisme culturel ne signifie pas que l'infirmière doive accepter les croyances et les valeurs d'une autre culture. Au contraire, elle reconnaît que le comportement des autres personnes peut se baser sur une logique différente de la sienne. Le relativisme culturel affirme l'unicité et la valeur de chaque culture.

1.5.2 Croyances et pratiques relatives à la grossesse

Les infirmières qui travaillent avec des familles qui attendent un enfant s'occupent de personnes provenant de nombreuses cultures et de divers groupes ethniques. Pour fournir des soins adaptés à la culture, l'infirmière doit évaluer les croyances et les pratiques des clients. Elle doit tenir compte de tous les aspects de la culture, y compris la communication, l'espace personnel, la notion du temps ainsi que les rôles de chacun lorsqu'elle travaille avec une famille qui attend un enfant. Le MSSS a produit un guide d'intervention auprès des familles d'immigration récente, destiné aux intervenants en périodes prénatale et postnatale (MSSS, 2007a).

Communication

La communication représente souvent l'obstacle le plus difficile pour les infirmières qui travaillent avec des clients appartenant à divers groupes ethniques, notamment avec les clients amérindiens dont elles parlent rarement la langue. La communication ne se limite pas uniquement à un échange de mots. Elle implique au contraire : 1) la compréhension de la langue de la personne, y compris les variations subtiles en matière de signification et les divers dialectes ; 2) la reconnaissance des différences individuelles ; 3) l'interprétation exacte du volume du discours ainsi que la signification du toucher et des gestes.

La communication ne se limite pas uniquement à un échange de mots.

Recours aux interprètes

Les discordances entre la langue des clients (p. ex., la langue inuite, espagnole, russe, chinoise) et celle des professionnels de la santé représentent un obstacle important qui entrave l'efficacité des soins. Compte tenu de la diversité des cultures et des langues au sein de la population canadienne et québécoise, les organismes de soins de santé cherchent de plus en plus à s'adjoindre les services d'interprètes (communication orale d'une langue à une autre) ou de traducteurs (mots écrits d'une langue à une autre) pour combler leurs lacunes et respecter leurs obligations en matière de soins adaptés à la langue et à la culture du client **ENCADRÉ 1.9** (Carnevale, Vissandjee, Nyland & Vinet-Bonin, 2009).

Lorsqu'elle fait appel à un interprète, l'infirmière respecte la famille en créant une atmosphère de respect et de confidentialité. Les questions devraient être posées à la cliente et non pas à l'interprète.

ENCADRÉ 1.9 Étapes favorisant la collaboration avec un interprète

ÉTAPE 1 : AVANT LA RENCONTRE

- Passer brièvement en revue les déclarations et les questions à poser. Dresser la liste des éléments clés d'information que l'on aimerait obtenir ou dont on a besoin.
- Se renseigner sur la culture afin d'être en mesure d'avoir une conversation informelle avec l'interprète.

ÉTAPE 2 : RENCONTRER L'INTERPRÈTE

- Se présenter et avoir une conversation informelle. C'est le moment de vérifier si l'interprète parle bien le français. Peu importe sa maîtrise de la langue ou son âge, faire preuve de respect.
- Souligner le fait que l'on souhaite que la cliente pose des questions parce que, dans certaines cultures, les personnes pensent que cela ne se fait pas.
- S'assurer que l'interprète est à l'aise avec les termes techniques que l'on doit utiliser. Si ce n'est pas le cas, prendre le temps de les lui expliquer.

ÉTAPE 3 : PENDANT LA RENCONTRE

- Poser les questions et expliquer les déclarations (voir l'étape 1).
- S'assurer que l'interprète sait quelles parties de la rencontre sont les plus importantes. Le temps dont on dispose avec l'interprète demeure limité, et il est nécessaire de garder du temps à la fin pour les questions de la cliente.
- Essayer d'avoir une idée de ce qui est transmis. Peu importe la langue, si l'interprète utilise beaucoup plus ou beaucoup moins de mots que soi, il faut être attentif à ce qui se passe.
- Arrêter de parler de temps en temps et demander à l'interprète : Comment ça va ? Il se peut que l'on n'obtienne pas de réponse précise, mais l'on aura souligné un profond désir de se concentrer sur ce qui est en train de se passer. S'il y a un problème de langue : 1) parler lentement ; 2) utiliser les gestes (p. ex., compter sur ses doigts ou pointer les parties du corps) ; 3) utiliser des illustrations.
- Demander à l'interprète d'expliquer les questions. Cela peut être difficile, mais cette démarche en vaut la peine.
- Détecter les problèmes culturels qui peuvent interférer avec ses propres demandes ou ses instructions.
- Utiliser l'interprète pour résoudre les problèmes ou au moins pour avoir une idée des solutions possibles.

ÉTAPE 4 : APRÈS LA RENCONTRE

- Parler à l'interprète et essayer d'avoir une idée de ce qui a bien été et de ce qui pourrait être amélioré. Cela aidera à être plus efficace avec lui ou avec un de ses collègues.

NE PAS OUBLIER

- La rencontre repose sur la collaboration avec l'interprète. Il faut parler et écouter.
- L'interprète peut être le conjoint, l'enfant, le petit-fils ou la petite-fille, le frère ou la sœur de la cliente. Il faut être conscient que l'interprète peut être un adulte ou un enfant et adapter les questions en conséquence.
- Les diversités culturelles et situationnelles doivent demeurer à l'esprit (p. ex., une personne qui vit en ville sera probablement différente de quelqu'un qui vient d'un camp de réfugiés).
- Le fait qu'une jeune femme dise quoi faire à un homme plus âgé peut poser problème à l'infirmière et à l'interprète féminin. Ce n'est pas le moment de définir de nouvelles relations entre les sexes. Il faut savoir que dans certaines cultures, il est difficile pour une femme d'aborder certains sujets lorsque le mari ou le père est présent.

L'infirmière devra s'assurer que l'interprète respecte les principes de confidentialité. L'endroit idéal pour fournir des services d'interprétation est un lieu tranquille. De plus, l'infirmière devrait avoir accès à du matériel pédagogique adapté à la culture et à la langue de la cliente, facile à lire et contenant du texte et des graphiques adéquats afin d'aider la femme et sa famille à comprendre l'information relative aux soins.

Espace personnel

Les traditions culturelles définissent l'espace personnel approprié aux diverses interactions sociales. Bien que les besoins varient d'une personne et d'une situation à l'autre, les dimensions physiques réelles des zones de confort diffèrent selon la culture. Les actions, comme le toucher, peuvent diminuer le sentiment de sécurité de la cliente et augmenter son anxiété. À l'inverse, le respect des distances permet à la femme de maîtriser son espace personnel et de renforcer son autonomie, augmentant ainsi son sentiment de sécurité (Saint Pierre & Vinit, 2006).

Notion du temps

La notion du temps illustre à quel point la culture influe sur les comportements en matière de santé. Les personnes appartenant à certains groupes culturels peuvent être relativement plus orientées vers le passé, le présent ou le futur que les autres. Celles qui sont axées sur le passé s'efforcent de maintenir les traditions ou le statu quo et sont peu motivées à formuler des objectifs. À l'inverse, les personnes qui sont principalement centrées sur le présent ne planifient pas et ne réfléchissent pas aux expériences passées ou futures. Les personnes tournées vers l'avenir se concentrent sur l'atteinte des objectifs à long terme.

La notion du temps de la famille qui attend un enfant peut influer sur les soins infirmiers. Par exemple, il peut être difficile de demander à la famille d'emmener le nourrisson à la clinique pour un suivi (événements futurs). Une famille orientée vers l'avenir est plus susceptible de se présenter pour les visites de suivi conformément à ce qui a été planifié. Toutefois, quelle que soit sa notion du temps, chaque famille est préoccupée par le bien-être de son nouveau-né.

Rôles familiaux

Les rôles familiaux comprennent les attentes et les comportements liés à la position du membre dans la famille. La classe sociale et les normes culturelles influent aussi sur ces rôles ; les attentes envers les hommes et les femmes sont différentes et souvent clairement déterminées par les normes sociales. La culture peut avoir un impact sur la participation active de l'homme à la grossesse et à l'accouchement. Les intervenants qui offrent des soins entourant la maternité au Canada s'attendent toutefois à ce que les pères y participent. Cette situation peut créer certains conflits entre l'infirmière et les familles traditionnelles qui ont des conceptions différentes des rôles et qui considèrent généralement l'accouchement comme une affaire de femmes. D'après le rapport du MSSS (2007a), il semblerait que le père immigrant modifierait son rôle pour s'adapter au contexte culturel québécois, « s'occupant plus du bébé qu'il ne l'aurait fait dans son pays d'origine ». Cela s'explique probablement par le fait de l'isolement et de la perte du réseau familial. L'infirmière devrait faire preuve de sensibilité lorsqu'elle travaille avec chaque famille et prendre soin d'évaluer les rôles familiaux dans les diverses situations.

1.5.3 Acquisition d'une compétence culturelle

Acquérir la **compétence culturelle** signifie reconnaître et respecter la diversité linguistique, ethnique et culturelle et en être conscient. Les professionnels compétents sur le plan culturel agissent d'une manière qui répond aux besoins du client et qui respecte les façons de faire et les traditions qui peuvent être très différentes des leurs. Dans la société actuelle, les infirmières doivent acquérir plus que des compétences techniques. À chaque étape de leur formation et tout au long de leur vie professionnelle, les infirmières doivent participer à un processus continu d'élaboration et de peaufinage des attitudes et des comportements qui favoriseront les soins culturellement compétents **ENCADRÉ 1.10**.

RAPPELEZ-VOUS…

Certains moyens peuvent favoriser la communication avec la cliente : décider avec elle de la façon dont elle pourra signaler son désir de communiquer (lampe, cloche d'appel) ; créer un tableau, des images ou des cartes de communication ; traduire une liste des mots de la langue d'origine en français pour ses demandes courantes.

Soins ethnoculturels

ENCADRÉ 1.10 Accès à un suivi prénatal selon les attentes des familles

Afin de favoriser un suivi prénatal conforme aux attentes des couples et des familles de diverses cultures, il convient d'offrir un espace d'expression aux parents.

- Comment prépare-t-on une naissance dans leur pays d'origine ? Quels rituels y sont reliés ?
- Quelles sont les perceptions entretenues dans leur communauté à propos des soins prénataux au Québec ?
- Comment réagissent-ils aux examens du suivi de grossesse ?
- Considèrent-ils que ces examens comportent un risque pour la grossesse ?
- Quelles sont les contraintes religieuses ou sociales qui interdisent certaines pratiques de soins ?
- Comment perçoit-on un enfant handicapé dans leur pays ?
- Comment voit-on la naissance d'une fille et celle d'un garçon ?
- Dans le pays d'origine, existe-t-il des formules similaires aux rencontres prénatales d'ici ? Que pensent-ils des rencontres qui sont offertes ici ?
- Quels obstacles empêchent les parents d'y participer (p. ex., le climat, la langue, la culture, le statut) ?
- Quels changements faciliteraient la participation d'un plus grand nombre de parents aux rencontres (p. ex., des groupes homogènes, des horaires plus souples, une halte-garderie pour les autres enfants) ?
- Est-ce que le conjoint (ou toute autre personne significative) se sent à l'aise d'accompagner la femme à ces rencontres ?

Source : MSSS (2007a).

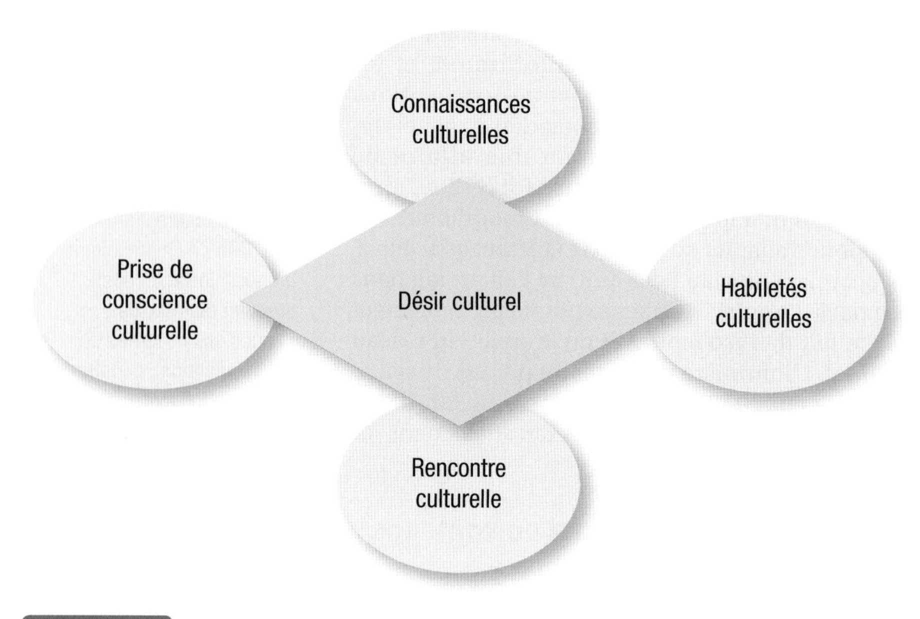

FIGURE 1.9
Modèle Campinha-Bacote de compétences culturelles en soins infirmiers

Soins ethnoculturels

TABLEAU 1.3 Composantes de la compétence culturelle en soins infirmiers

COMPOSANTE	DESCRIPTION
Prise de conscience culturelle	Processus dans lequel l'infirmière devient sensible aux types d'interactions interculturelles pouvant exister entre l'intervenant et le migrant en demande d'aide.
Connaissances culturelles	Processus par lequel l'infirmière analyse et parvient à connaître les cultures et se familiarise aux croyances, valeurs, pratiques, styles de vie et processus de résolution de problèmes des divers groupes ethniques.
Habiletés culturelles	Processus d'apprentissage par lequel l'infirmière effectue une collecte de données qui tient compte des éléments culturels de la personne, de sa famille et de la communauté d'appartenance.
Rencontre culturelle	Processus par lequel l'infirmière cherche à interagir directement avec des personnes d'origines culturelles diverses.
Désir culturel	Processus par lequel une infirmière construit sa motivation en travaillant auprès de clientes ayant une culture différente de la sienne.

Source : Centre de santé et de services sociaux de la Montagne (2007).

En plus des questions entourant le respect et la promotion de la dignité humaine, le développement des compétences culturelles est aussi important pour l'obtention de résultats en matière de santé. Les infirmières qui ont une relation efficace avec les clients sont capables de les motiver à adopter des comportements favorisant la santé.

Le changement majeur qui s'est produit en matière de prestation de soins de santé est l'insistance accrue sur la diminution de la durée des séjours hospitaliers.

1.5.4 Intégration de la compétence culturelle au plan de soins et aux traitements infirmiers

Dans de nombreuses cultures, les membres d'une famille prennent la plupart des décisions pour les clients ; en conséquence, la relation centrale entre l'infirmière et le client est gérée directement par la famille. L'infirmière doit reconnaître l'importance culturelle de la famille en ce qui a trait au soutien du client, à son influence sur la prise de décision et au maintien de l'intégrité culturelle dans l'interaction entourant les soins **FIGURE 1.9** et **TABLEAU 1.3**.

Les soins infirmiers offerts dans des contextes culturels multiples englobent la culture du client, de l'infirmière, du système de santé ainsi que la culture élargie de la société. Si l'infirmière exclut l'un de ces groupes ou éléments culturels de son évaluation et de sa réflexion, les objectifs des soins ne sont pas atteints et deviennent inadaptés à la culture.

1.6 Soins communautaires et soins à domicile

1.6.1 Contexte de soins

Le changement majeur qui s'est produit en matière de prestation de soins de santé est l'insistance accrue sur la diminution de la durée des séjours hospitaliers afin de réduire le fardeau financier des organismes et des régimes d'assurance. Cette réduction a eu pour effet de transférer la plupart des soins de courte durée aux services de soins infirmiers à domicile dans les collectivités, ce qui démontre la nécessité d'offrir des soins communautaires complets adaptés aux mères, aux nouveau-nés et aux familles.

Les soins de santé offerts dans la collectivité sont les soins individuels ou les services destinés à des groupes ou à des collectivités, ainsi que des expériences de prévention primaire à tertiaire et des visites à domicile. L'autogestion indépendante, les soins ambulatoires, les soins à domicile, les hospitalisations à faible risque ou les soins spécialisés intensifs peuvent être appropriés à divers moments du continuum de soins selon les besoins de l'unité familiale individuelle.

Dans le cas des soins offerts dans la collectivité, l'agrégat (groupe de personnes qui partagent des caractéristiques communes) et la population sont l'objet de l'intervention. Les professionnels de la santé doivent non seulement déterminer les priorités en matière de santé, mais aussi établir des plans de soins efficaces qui peuvent être appliqués dans une clinique, dans un centre de santé communautaire ou au domicile du client. Ce système de prestation de services offerts à domicile et dans la collectivité présente des défis uniques pour les infirmières en périnatalité et en maternité.

1.6.2 Promotion de la santé communautaire

Les pratiques exemplaires relatives aux initiatives de santé communautaire impliquent la compréhension des relations et des ressources communautaires et la participation des leaders de la collectivité. Au cours des dernières années, il y a eu une insistance croissante sur la promotion de la santé dans les collectivités, et il est désormais admis que pour de nombreux problèmes de santé, l'atteinte des objectifs de santé publique repose sur les efforts collaboratifs de divers réseaux communautaires (Cottrell, Girvan & McKenzie, 2006). Ces efforts sont particulièrement pertinents en ce qui a trait à la santé de la mère et du nouveau-né, qui peut être atteinte par de multiples problèmes de santé publique comme la grossesse à l'adolescence ou la toxicomanie.

Évaluation de la collectivité

L'évaluation de la collectivité est un processus complexe et bien défini permettant de déterminer les caractéristiques uniques des populations et leurs besoins particuliers afin de planifier et d'évaluer les services de santé pour la collectivité dans son ensemble. Le but de ce processus est de cerner les besoins en matière de services directs et de défense des intérêts de l'agrégat ou du groupe ciblé et d'améliorer la santé de la collectivité.

L'évaluation de la santé de la collectivité consiste à colliger des données, à les analyser et à les utiliser pour éduquer et mobiliser les collectivités, à établir des priorités, à réunir des ressources et à planifier des actions afin d'améliorer la santé publique. Il existe de nombreux modèles et cadres de référence de l'évaluation de la collectivité, mais le processus exact dépend souvent de l'étendue et de la nature de l'évaluation à effectuer, du temps et des ressources dont on dispose et de la façon dont l'information sera utilisée (OIIQ, 2010).

Collecte et sources des données sur la santé de la collectivité

Les mesures de la santé communautaire comprennent l'accès aux soins, le niveau de service offert par les professionnels de la santé et d'autres facteurs sociaux et économiques. Il est important de tenir compte des données relatives à la personne, à la collectivité, à l'organisation et aux politiques ainsi que des interactions entre ces facteurs pour fournir un cadre global afin de promouvoir la santé de la collectivité.

Un modèle d'évaluation de la collectivité est souvent utilisé pour fournir un guide complet de la collecte des données **FIGURE 1.10**.

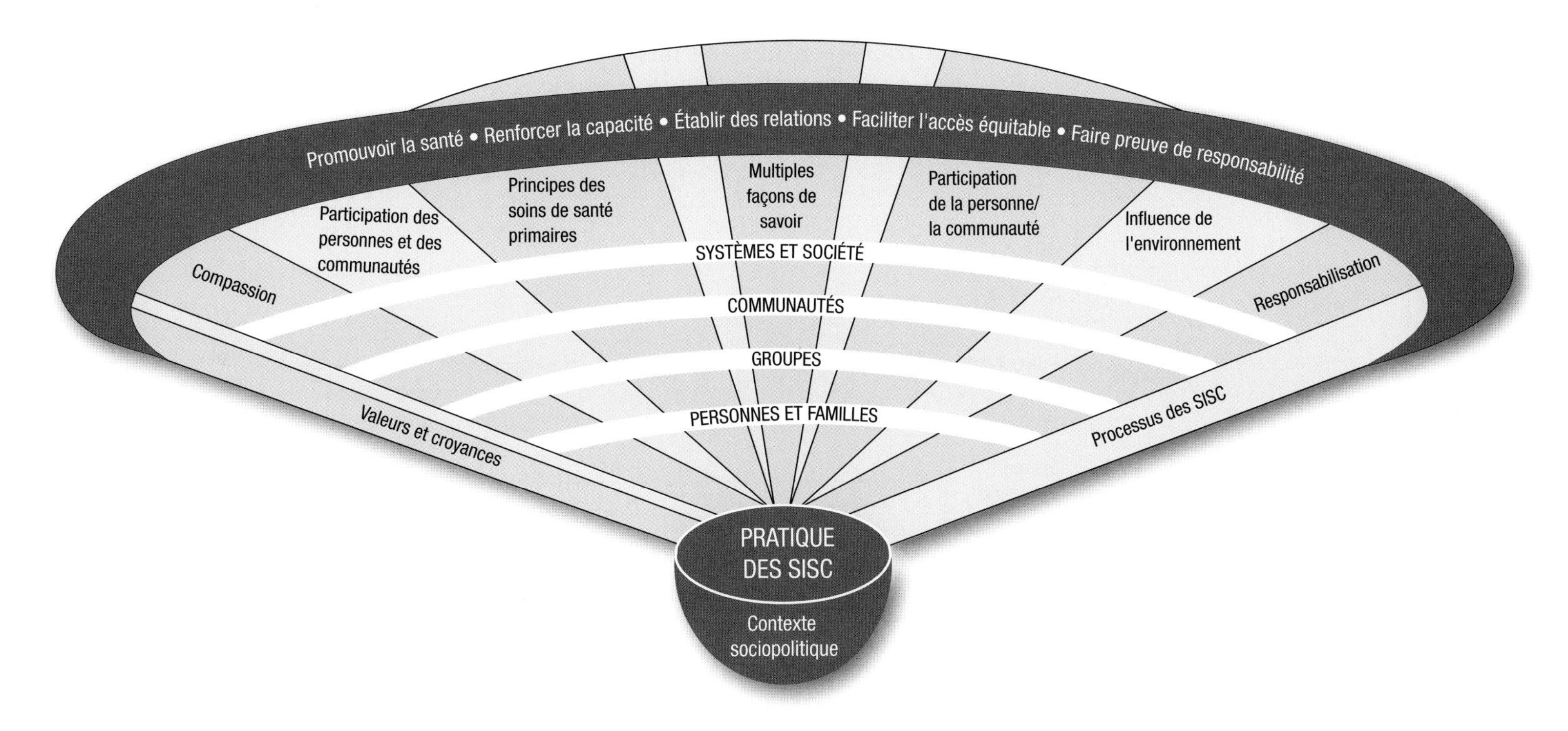

FIGURE 1.10
Modèle d'évaluation de la collectivité

Nouveau-né ayant un poids insuffisant à la naissance : Nouveau-né qui pèse moins de 2 500 g à la naissance.

Continuum de soins : Divers services cliniques offerts à une personne ou à un groupe qui reflètent les soins prodigués pendant une seule hospitalisation ou les soins offerts pour des problèmes de santé multiples tout au long de la vie.

Les indicateurs communautaires de la santé périnatale les plus essentiels ont trait à l'accès aux soins, à la mortalité maternelle et infantile, aux **nouveau-nés ayant un poids insuffisant à la naissance**, aux soins prénataux pendant le premier trimestre, au taux de mammographie, de test de Papanicolaou et d'autres tests de dépistage similaires.

La disponibilité des soins de santé est non seulement associée à l'accessibilité aux unités offrant des services de santé, aux hôpitaux, aux cliniques publiques et aux autres sources de soins, mais aussi aux soins eux-mêmes. Dans de nombreuses régions où les établissements et les professionnels de la santé sont disponibles, les barrières géographiques et les problèmes de transport rendent les soins inaccessibles pour certaines populations. C'est particulièrement le cas dans les régions rurales ou éloignées.

L'information obtenue grâce aux secteurs de recensement au sein d'une collectivité aide à déterminer les sous-populations qui ont des besoins différents de ceux de la collectivité élargie. Par exemple, cela permet de reconnaître facilement les femmes à risque de recevoir des soins prénataux inadéquats à cause de leur âge et de leur appartenance à un groupe ethnique ou culturel, et de cibler adéquatement les services d'approche.

Les autres sources utiles d'information sont les hôpitaux et les organismes de santé. L'infirmière en santé périnatale peut aussi étudier les rapports sur les programmes de santé communautaire existants, les dossiers sur les dépistages préventifs et les autres données non officielles. Le programme d'action communautaire pour les enfants a été mis en place en 1993 par l'ASPC pour favoriser le développement des enfants âgés de zéro à six ans (ASPC, 2011).

L'analyse et la synthèse des données obtenues grâce aux processus d'évaluation aident à produire un portrait complet de l'état de santé de la collectivité, de ses besoins et des types de problèmes ainsi que de ses forces et des ressources dont elle dispose pour régler les problèmes cernés. Les buts de ce processus sont de classer les besoins de la collectivité en matière de santé par ordre de priorité et d'établir un plan d'action afin de résoudre les problèmes. Il peut être utile de comparer les données portant sur la santé de la collectivité aux statistiques provinciales ou nationales pour cibler les populations appropriées ainsi que les interventions visant à améliorer l'état de santé.

1.6.3 Soins à domicile

La prestation de **soins de santé à domicile** est une composante importante dans le **continuum de soins** périnataux **FIGURE 1.11**. La demande croissante de soins de santé à domicile repose sur plusieurs facteurs :

- l'intérêt envers d'autres types de méthodes d'accouchement ;
- la diminution de la durée des séjours hospitaliers ;
- les nouvelles technologies qui facilitent les évaluations et les traitements à domicile.

Étant donné que les coûts des soins de santé continuent à augmenter, la demande concernant les méthodes de prestation de soins novateurs, économiques et offerts dans la collectivité s'accroît. L'intégration des services cliniques modifie l'approche de soins en faveur d'un continuum de services de plus en plus basé dans la collectivité.

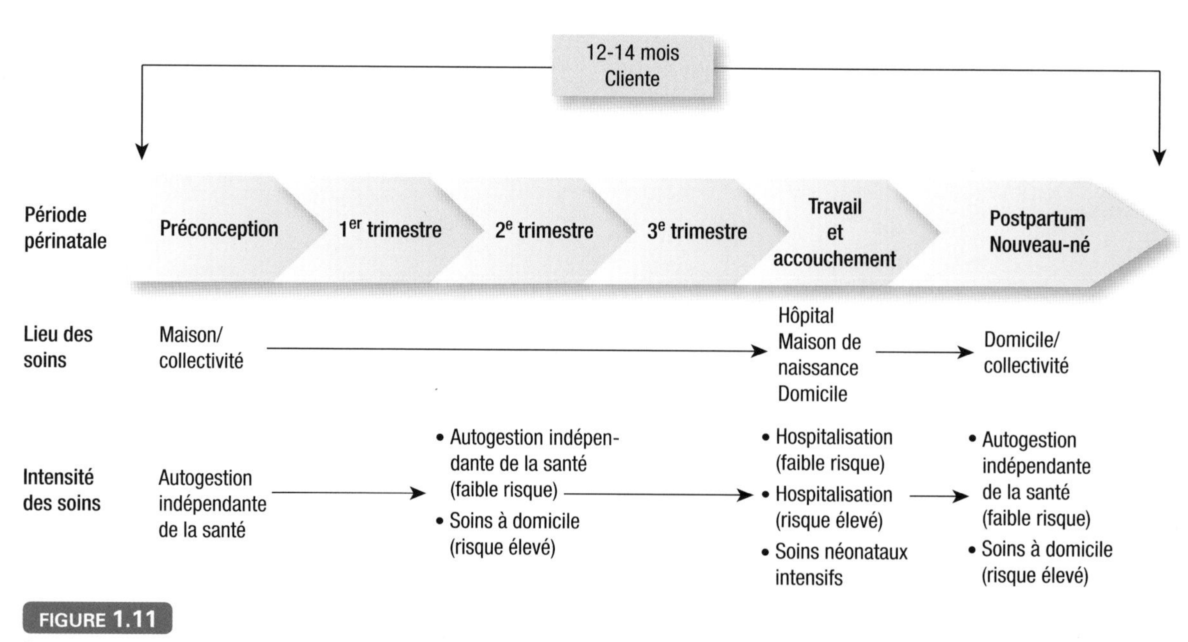

FIGURE 1.11
Continuum de soins périnataux

Ainsi, les CSSS ont pour mandat d'offrir des services en période prénatale (préparation à l'accouchement) et postnatale (services aux jeunes familles). Un appel téléphonique est fait 24 heures après le retour à la maison, et une visite à domicile est planifiée dans les 72 heures (MSSS, 2010c). Au Québec, les infirmières des CSSS assurent ce suivi. Les sages-femmes peuvent également faire le suivi postnatal de la mère et du nouveau-né jusqu'à six semaines après l'accouchement.

Parmi les multiples actions prévues par le MSSS dans le cadre de son Plan d'action en santé et bien-être des femmes 2010-2013 (MSSS, 2010d), la prévention et le dépistage de la dépression chez les femmes en période postpartum, communément appelée dépression postpartum ou *baby blues*, sont prévus, ainsi que le counseling en matière d'allaitement. De plus, des professionnelles animent des rencontres concernant les soins aux nouveau-nés ou l'alimentation.

Par l'entremise de services téléphoniques d'aide (ligne 811 Info-Santé), les conseils infirmiers et les évaluations sont des moyens utiles de gérer les problèmes de santé non urgents à la suite de l'accouchement. L'information donnée par téléphone permet de répondre aux questions immédiates relatives à des besoins particuliers. Les infirmières procurent aux nouveaux parents du soutien, des encouragements et des notions de base sur l'éducation des enfants. Financés par le gouvernement, ces services font appel à des infirmières gestionnaires de cas, spécialement formées. Pour des questions de responsabilité, les infirmières répondent aux questions en se basant sur des protocoles infirmiers qui assurent la qualité et l'uniformité de l'information. Les protocoles sont basés sur des documents scientifiques. Concrètement, l'infirmière pose des questions aux nouveaux parents pour cerner la problématique. Le cas échéant, elle leur indique ce qu'il faut faire ou, à défaut, elle les oriente vers une ressource du système de santé disponible et adaptée. Le service Info-Santé est accessible jour et nuit, sept jours sur sept (MSSS, 2007b).

1.7 Populations vulnérables dans la collectivité

L'évaluation de la santé de la population comprend les indicateurs liés aux divers groupes et cultures, particulièrement les membres privés de leurs droits ou « vulnérables ». Les disparités en matière de santé touchent certains groupes ethniques ou d'autres types de groupes minoritaires de façon disproportionnée.

Les femmes représentent 51 % de la population canadienne (Ressources humaines et Développement des compétences Canada, 2006). Elles constituent un groupe très diversifié et extrêmement à risque en ce qui a trait à la santé. Un des principaux facteurs qui compromettent celle-ci est l'absence d'une accessibilité uniforme à des soins de santé de qualité acceptable, ce qui peut prendre la forme de régions mal desservies sur le plan médical ou de l'incapacité à obtenir les services nécessaires, particulièrement les services de base comme les soins prénataux. Dans certaines zones rurales ou éloignées, il y a peu d'obstétriciens, de pédiatres, d'infirmières ou de sages-femmes, et les femmes doivent parfois parcourir des centaines de kilomètres pour obtenir ce type de soins. Elles ont souvent des revenus plus faibles que les hommes et sont moins scolarisées ; on les considère donc comme étant à risque élevé. La mortalité des enfants dont la mère n'a pas terminé son secondaire est presque deux fois plus élevée que celle des autres femmes. La politique de périnatalité du gouvernement a d'ailleurs mis l'accessibilité du suivi prénatal précoce au sein de ses priorités (MSSS, 2008b).

Les femmes souffrant de problèmes de santé sous-jacents sont particulièrement à risque élevé de mauvais résultats obstétricaux, à la fois pour elles et pour leur nouveau-né. Elles sont les clientes à qui les infirmières en périnatalité travaillant dans la collectivité fourniront des soins. Leurs besoins sont complexes et requièrent un niveau élevé d'expertise et de compétence. Au sein du groupe élargi des femmes vulnérables, un nombre considérable de sous-groupes présentent des défis pour l'infirmière en périnatalité qui travaille dans la collectivité.

1.7.1 Adolescentes

Même si elles sont généralement considérées comme étant en bonne santé, les adolescentes, surtout celles qui appartiennent aux minorités ou aux familles à faible revenu ou perturbées, sont plus susceptibles d'avoir des relations sexuelles et d'autres comportements à risque élevé à un plus jeune âge que les autres, ce qui entraîne des conséquences immédiates et à long terme sur la santé. La grossesse à l'adolescence représente plusieurs risques, dont le faible gain de poids, l'anémie, la mortalité maternelle et fœtale, un plus grand risque de prématurité, de faible poids de naissance et de mortalité néonatale. Toutes ces données ne tiennent pas compte des conséquences sociales de la grossesse

Jugement clinique

Il est 2 h du matin. Madame Sonia Dessalines, âgée de 29 ans et enceinte de 10 semaines, a de la difficulté à s'endormir, car elle est inquiète. Elle ressent depuis la veille une légère douleur abdominale et a présenté une perte d'un filament de sang en soirée. Madame Dessalines se demande si elle devrait aller consulter un médecin dès le matin ou suivre l'évolution de son malaise et surveiller s'il y a présence d'autres saignements.

À quelle ressource madame Dessalines devrait-elle s'adresser dans l'immédiat pour répondre à son questionnement ? Justifiez votre réponse.

telles que l'abandon des études, l'isolement social et le risque accru de violence conjugale (ASPC, 2007).

Bien que les adolescentes craignent de devenir enceintes, nombre d'entre elles ont tout de même des relations sexuelles non protégées. Elles utilisent diverses sources pour s'informer sur la santé (c.-à-d. les médias, les amis et les cours d'éducation sexuelle) ; pourtant, elles sont souvent mal informées, surtout au sujet des infections transmissibles sexuellement (ITS) et de la transmission du VIH. Le taux d'ITS est plus élevé chez les adolescentes et les jeunes femmes adultes que chez les autres femmes. Les deux tiers des cas de chlamydia et la moitié des cas de gonorrhées touchent les 15 à 24 ans (MSSS, 2010b).

Ces facteurs ont des conséquences majeures sur les résultats périnataux et soulignent l'importance d'offrir des programmes adaptés à cette population. L'Unité des infections transmissibles sexuellement et par le sang a mis en place des services d'information et de prévention de ce type d'infections (INSPQ, 2008).

1.7.2 Femmes issues de l'immigration et réfugiées

Le dernier recensement canadien précise qu'environ 18 % de la population canadienne est née à l'étranger, soit un peu plus de cinq millions d'individus. Parmi les minorités visibles (environ quatre millions), on dénombre une majorité de Chinois et de Sud-Asiatiques (plus des deux tiers) (Statistique Canada, 2007b). Le nombre de femmes nées hors du pays et qui accouchent au Québec a augmenté au cours des 30 dernières années. En 2010, sur les quelque 88 000 naissances enregistrées, environ 3 500 l'ont été d'une mère née à l'étranger (soit près de 4 %) et plus de 15 000 de parents nés tous les deux à l'étranger (soit environ 17 %). Ces taux n'atteignaient pas 10 % dans les années 1980 (Institut de la statistique du Québec, 2011f). Quel que soit leur statut au Canada (p. ex., des résidentes, des réfugiées), ces femmes et leurs familles, nouvellement arrivées, ont des droits en matière de santé.

Les droits des nouveaux arrivants en matière de santé sont décrits dans le tableau 1.1W, présenté au www.cheneliere.ca/lowdermilk.

Selon Munoz & Chirgwin (2007), les nouveaux arrivants ont pour principal défi d'apprendre à connaître le système de santé québécois. Les professionnels de la santé doivent être vigilants et savoir qu'il existe des pistes de solution pour surmonter les obstacles d'accès aux soins **TABLEAU 1.4**.

La mutilation génitale des femmes englobe l'ablation partielle ou totale des organes génitaux externes pour des raisons culturelles ou non thérapeutiques (Banks *et al.*, 2006). Partout dans le monde, mais surtout en Afrique, de nombreuses femmes sont soumises à ce type d'intervention. On estime qu'à l'échelle mondiale, plus de 100 millions de petites filles et de femmes l'ont subie (OMS, 2006). Étant donné le nombre croissant d'immigrants provenant de certains pays d'Afrique et d'autres pays pratiquant cette mutilation génitale, les infirmières canadiennes vont rencontrer de plus en plus de femmes qui ont subi cette intervention. Ces femmes sont beaucoup plus susceptibles que les autres d'éprouver des problèmes obstétricaux qui se traduisent par 1 ou 2 morts périnatales supplémentaires pour 100 naissances. Le Conseil international des infirmières et d'autres professionnels de la santé ont dénoncé ces interventions parce qu'elles mettent en danger la santé de la femme et parce qu'elles violent les droits de la personne. Les infirmières qui travaillent en centre de naissance et en santé communautaire doivent être conscientes de cette nouvelle réalité québécoise. Elles devront souvent relever le défi de fournir des soins appropriés sur les plans culturel et linguistique et de traiter de nombreux problèmes de santé.

1.7.3 Femmes itinérantes

Bien que leur nombre exact ne soit pas connu, les femmes sans-abri représentent une nouvelle réalité au pays. Comme les femmes sont de plus en plus touchées par la pauvreté, l'itinérance augmente chez les familles et les enfants, surtout dans la population rurale. En Alberta, une loi (Protection of Children Involved in Prostitution Act) a été promulguée pour protéger les jeunes, particulièrement les femmes aux prises avec la vulnérabilité inhérente à la prostitution de rue. En plus de souffrir d'extrême pauvreté, ces femmes courent un risque accru de maladies et de blessures ; nombre d'entre elles ont été victimes de violence familiale, d'agression et de viols.

Bien qu'on en sache peu sur les grossesses chez cette population, la grossesse et l'accouchement à un jeune âge sont fortement corrélés au fait de se retrouver à la rue (Boivin, Roy, Haley & Galbaud du Fort, 2005 ; Smid, Bourgois & Auerswald, 2010) **FIGURE 1.12**. En plus des facteurs de risques liés à la nutrition inadéquate, au gain de poids inadéquat, à l'anémie, aux problèmes de saignements et aux naissances avant terme, les femmes sans-abri font face à de multiples obstacles en matière de soins prénataux : transport, distances et temps d'attente. La plupart des femmes itinérantes sous-utilisent les services prénataux. Le milieu non sécuritaire et le mode de vie à risque élevé entraînent souvent des résultats périnataux défavorables.

1.7.4 Personnes ayant une faible littératie

Les personnes et les groupes dont la scolarité est inférieure au diplôme d'études secondaires ou qui ne parlent pas le français ou l'anglais ne possèdent

Soins ethnoculturels

TABLEAU 1.4 **Pistes de solutions aux obstacles que rencontrent les nouveaux arrivants pour accéder aux soins**

OBSTACLE	CLIENT	PROFESSIONNEL DE LA SANTÉ	ÉTABLISSEMENT
Barrière de la langue	• Cours de langue et d'alphabétisation (p. ex., par des organismes communautaires, des programmes provinciaux)	• Connaissance de quelques mots dans la langue de la clientèle	• Matériel audiovisuel dans les langues les plus parlées dans le quartier • Personnel parlant ces langues • Interprètes professionnels
Croyances et normes culturelles différentes	• Apprentissage de la culture du pays d'accueil et du fonctionnement du système de santé	• Formation interculturelle • Connaissance de base des principales cultures	• Formation interculturelle • Atmosphère d'ouverture au multiculturalisme
Manque d'information	• Orientation vers des organismes communautaires, des programmes provinciaux, le CSSS	• Immigration Canada, Programme régional d'accueil et d'intégration des demandeurs d'asile (PRAIDA)	• Matériel audiovisuel • Ateliers d'information pour groupes ciblés avec interprète
Problèmes liés au sexe du médecin	• Demande pour voir un homme ou une femme médecin	• Vérification de la pertinence de la préférence • Orientation si nécessaire	• Services donnés par des intervenants des deux sexes
Mode de consultation de préférence au service sans rendez-vous	• Demande d'un médecin traitant et consultation sur rendez-vous	• Incitation à la prise de rendez-vous pour des problèmes chroniques • Orientation au service de consultation sans rendez-vous pour des problèmes urgents	• Excellent soutien infirmier et administratif pour le suivi des clients
Retard au rendez-vous ou absence	• Apprentissage du concept (occidental) du suivi médical • Partage des tâches domestiques permettant aux mères de se rendre au rendez-vous	• Compréhension des obstacles socioéconomiques, culturels et linguistiques qui contribuent aux retards ou aux absences • Brève entrevue en cas de retard du client pour lui expliquer les conséquences qui en découlent et lui donner un autre rendez-vous	• Rappels la veille du rendez-vous quand d'autres membres de la famille sont présents pour servir d'interprète • Relance en cas d'absence

Source : Munoz & Chirgwin (2007).

FIGURE 1.12
L'itinérance constitue une situation propice à une grossesse à un jeune âge.

souvent pas les compétences nécessaires pour chercher de l'aide médicale et fonctionner adéquatement dans le milieu de la santé. Les obstacles relatifs à la communication peuvent avoir un impact sur l'accès aux soins, surtout lorsqu'il s'agit de prendre un rendez-vous, de demander des services et de trouver un moyen de transport.

La littératie en matière de santé englobe diverses capacités allant de la lecture d'une fiche de rendez-vous à l'interprétation des instructions médicales. Les disparités en matière de soins préventifs, de dépistage précoce du cancer et de recours aux services de santé, particulièrement chez les femmes appartenant aux minorités, sont aussi liées aux obstacles langagiers (Ferguson, 2008). Un faible niveau de scolarité est associé à des taux plus élevés de prématurité et de mortalité infantile (Auger *et al.*, 2008). Les mécanismes qui expliquent que la sous-scolarisation finit par avoir une incidence sur la santé des nouveau-nés et des enfants sont complexes, mais il semble que certaines variables entrent en cause comme le jeune âge de la mère, la pauvreté et l'adoption de certains facteurs de risque comme le tabagisme et la consommation d'alcool. Il faut considérer la littératie en matière de santé comme une composante des soins adaptés à la culture et à la langue du client. Il faut couramment évaluer les compétences culturelles et linguistiques pour être capable de reconnaître un problème et répondre aux besoins des personnes dont la littératie est limitée.

1.7.5 Femmes amérindiennes, inuites et métisses du Canada

Parce que près de la moitié des femmes amérindiennes, inuites et métisses ont moins de 25 ans et qu'elles vivent en régions éloignées, qu'elles ont des taux anormalement élevés d'infections gynécologiques, de grossesses à risque et de nouveau-nés prématurés, de grossesses à l'adolescence et de mortalité maternelle, cette partie de la population est considérée comme étant très vulnérable. La SOGC a émis de nouvelles directives visant principalement à améliorer la disponibilité et l'accessibilité de services de santé maternelle et infantile répondant plus précisément aux besoins précis de ces jeunes femmes (SOGC, 2011b).

Analyse d'une situation de santé — Jugement clinique

Madame Nancy Dubé, audiologiste âgée de 41 ans, est enceinte de 26 semaines. La cliente et son époux, Carl Koivisto (informaticien âgé de 45 ans), sont très heureux de l'événement. Ils ont tenté pendant plus de sept ans de concevoir un enfant sans succès et ont dû se tourner vers la fécondation *in vitro* pour y arriver. Ce sera leur premier enfant. Madame Dubé doit favoriser le repos à son domicile jusqu'à l'accouchement. Elle est suivie étroitement par son médecin pour une prééclampsie légère, un trouble hypertensif. Avant la grossesse, elle ne présentait aucun problème de santé. ▶

MISE EN ŒUVRE DE LA DÉMARCHE DE SOINS

Collecte des données – Évaluation initiale – Analyse et interprétation

1. Nommez un facteur de risque présent chez madame Dubé et pouvant contribuer à augmenter le risque de morbidité ou de mortalité maternelles et infantiles.
2. Relevez au moins deux questions d'ordre éthique soulevées par la situation de madame Dubé.
3. Quelle est la problématique qui permet de catégoriser la grossesse de madame Dubé comme étant une grossesse à risque élevé?

SOLUTIONNAIRE

www.cheneliere.ca/lowdermilk

▶ Les semaines s'écoulent, et le grand moment arrive enfin. Vers 18 h, le 4 décembre 2012, madame Dubé est admise à l'unité mère-enfant, car le travail est déjà commencé. ▶

MISE EN ŒUVRE DE LA DÉMARCHE DE SOINS

4. À ce stade-ci de la situation, quel premier problème prioritaire mériterait d'être inscrit au plan thérapeutique infirmier (PTI) de madame Dubé afin d'assurer un suivi clinique de son état de santé?

Extrait

CONSTATS DE L'ÉVALUATION								
Date	Heure	N°	Problème ou besoin prioritaire	Initiales	RÉSOLU / SATISFAIT			Professionnels / Services concernés
					Date	Heure	Initiales	
2012-12-04	18:00	1						

SUIVI CLINIQUE							
Date	Heure	N°	Directive infirmière	Initiales	CESSÉE / RÉALISÉE		
					Date	Heure	Initiales

Signature de l'infirmière	Initiales	Programme / Service	Signature de l'infirmière	Initiales	Programme / Service
		Unité mère-enfant			

▶ Madame Dubé accouche par voie vaginale à 23 h, après 36 3/7 semaines de grossesse, d'une petite fille de 2 654 g prénommée Lily-Rose. Vous installez le nouveau-né et la mère en contact peau à peau et apportez du soutien au cours de l'allaitement maternel. Pendant celui-ci, la cliente se sent un peu malhabile, mais elle applique rapidement les conseils émis par le personnel infirmier et prend plus d'assurance. Les séances d'allaitement vont de mieux en mieux. ▶

MISE EN ŒUVRE DE LA DÉMARCHE DE SOINS

Planification des interventions – Décisions infirmières

5. Les interventions du personnel infirmier rejoignent-elles un axe prioritaire de la politique québécoise de périnatalité 2008-2018 ? Justifiez votre réponse.

▶ Madame Dubé n'a présenté aucune manifestation d'hypertension au cours du travail et de l'accouchement ni en période postpartum. Les valeurs de sa P.A. se maintiennent aux alentours de 120-128/75-84 mm Hg. Quant à Lily-Rose, elle se porte très bien et ne présente aucune complication. La cliente et Lily-Rose reçoivent leur congé de l'hôpital 36 heures après l'accouchement.

Il est 11 h. Avant le départ, l'infirmière questionne madame Dubé sur son réseau de soutien. Elle apprend que la cliente est bien entourée par sa famille. Ses parents sont mariés depuis 1971. Sa mère, Francine, âgée de 63 ans et retraitée, est très présente pour elle et demeure à quelques coins de rue de chez elle. À part une hypertension artérielle (HTA) légère, celle-ci est en pleine forme. Son père Pierre, âgé de 64 ans et conducteur de véhicules lourds à temps partiel, est très enthousiaste d'être enfin grand-père. Ce dernier n'est suivi par son médecin que pour une hypercholestérolémie.

Du côté de monsieur Koivisto, ses parents sont divorcés depuis une quinzaine d'années. Il n'a plus de liens avec son père et entretient une bonne relation avec sa mère Jocelyne qui s'est remariée il y a huit ans. Celle-ci demeure à environ 30 minutes de leur quartier. L'époux de la cliente est en bonne santé malgré des antécédents d'asthme. ◀

MISE EN ŒUVRE DE LA DÉMARCHE DE SOINS

Collecte des données – Évaluation initiale – Analyse et interprétation

6. Réalisez le génogramme de madame Dubé et de Lily-Rose avant leur départ de l'hôpital.

7. De quel type de structure familiale la famille Dubé-Koivisto fait-elle partie ? Justifiez votre réponse.

Évaluation des résultats – Évaluation en cours d'évolution

8. En fonction de toutes les données connues, ajustez l'extrait du PTI de madame Dubé.

9. Après le retour à domicile, quel sera le suivi dont bénéficieront Nancy et Lily-Rose dans une optique de continuité des soins ?

Extrait

CONSTATS DE L'ÉVALUATION								
Date	Heure	N°	Problème ou besoin prioritaire	Initiales	RÉSOLU / SATISFAIT			Professionnels / Services concernés
					Date	Heure	Initiales	
2012-12-04	18:00	1						
2012-12-04	23:00	2						

SUIVI CLINIQUE							
Date	Heure	N°	Directive infirmière	Initiales	CESSÉE / RÉALISÉE		
					Date	Heure	Initiales
2012-12-04	23:00	2					

Signature de l'infirmière	Initiales	Programme / Service	Signature de l'infirmière	Initiales	Programme / Service
		Unité mère-enfant			

APPLICATION DE LA PENSÉE CRITIQUE

Dans l'application de la démarche de soins auprès de madame Dubé, l'infirmière a recours à un ensemble d'éléments (connaissances, expériences antérieures, normes institutionnelles ou protocoles, attitudes professionnelles) pour analyser la situation de santé de la cliente et en comprendre les enjeux. La **FIGURE 1.13** illustre le processus de pensée critique suivi par l'infirmière afin de formuler son jugement clinique. Elle résume les principaux éléments sur lesquels l'infirmière s'appuie en fonction des données de cette cliente, mais elle n'est pas exhaustive.

VERS UN JUGEMENT CLINIQUE

CONNAISSANCES

- Facteurs de risque de morbidité et de mortalité maternelles ou infantiles
- Programmes de soins québécois, politique québécoise de périnatalité 2008-2012
- Réalisation d'un génogramme
- Types de structures familiales

EXPÉRIENCES

- Travail dans une unité postpartum
- Expérience personnelle d'un suivi de grossesse et d'accouchement

NORME

- Protocoles et ordonnances collectives pour la nouvelle accouchée et le nouveau-né

ATTITUDE

- Ne pas démontrer de jugement de valeur en raison de l'âge avancé de la cliente

PENSÉE CRITIQUE

ÉVALUATION

- Signes vitaux, particulièrement la P.A.
- Comportements de la cliente avec son nouveau-né au moment du contact peau à peau et pendant l'allaitement
- Réseau de soutien de la cliente
- Composition de la famille de la cliente pour construire le génogramme

JUGEMENT CLINIQUE

FIGURE 1.13

À retenir

VERSION REPRODUCTIBLE

www.cheneliere.ca/lowdermilk

- Les soins entourant la maternité comprennent les soins dispensés aux femmes, à leur nouveau-né et à leur famille pendant la grossesse, l'accouchement et la période postpartum.
- Les infirmières qui s'occupent des femmes peuvent participer activement à l'organisation du système de santé afin qu'il soit adapté aux besoins de la femme contemporaine.
- Les pratiques relatives à l'accouchement sont devenues plus axées sur la famille et permettent d'autres types de soins.
- La pratique périnatale se base de plus en plus sur des résultats probants.
- Les préoccupations éthiques se sont multipliées avec l'utilisation accrue de la technologie et les progrès scientifiques.
- La famille est un réseau social qui constitue un système de soutien important pour ses membres.
- Les théories familiales sont utiles pour comprendre le fonctionnement familial.
- Les caractéristiques socioéconomiques de la famille, sa réaction au stress et sa culture sont des facteurs clés qui influent sur sa santé.
- Les croyances et les pratiques d'une culture envers la reproduction sont enchâssées dans ses structures économiques, religieuses, familiales et politiques.
- Pour fournir des soins de qualité aux femmes pendant les années où elles peuvent enfanter et par la suite, les infirmières devraient être conscientes des croyances et des pratiques culturelles importantes pour les familles.
- Une collectivité est définie comme une entité basée dans une localité et composée de systèmes ou d'institutions sociétales, de groupes officieux et d'agrégats qui sont interdépendants et dont la fonction est de répondre à une grande variété de besoins collectifs.
- Nécessairement, la plupart des changements visant à améliorer la santé de la collectivité supposent des partenariats entre les clients et les professionnels de la santé.
- Les méthodes de collecte des données utiles pour l'infirmière qui travaille dans la collectivité comprennent l'analyse des données existantes, les entrevues et l'observation des participants.
- Les services téléphoniques offrant des conseils, des évaluations ou des services infirmiers sont des façons d'offrir des soins qui facilitent l'éducation continue du client, le soutien et la prise de décision.
- Les populations vulnérables sont des groupes de personnes à risque accru de problèmes physiques, mentaux, sociaux ou de santé.

Ressources

VERSION COMPLÈTE ET DÉTAILLÉE

www.cheneliere.ca/lowdermilk

Références Internet

ORGANISMES ET ASSOCIATIONS

Association canadienne de sensibilisation à l'infertilité
www.iaac.ca

Association canadienne des infirmières et infirmiers en périnatalité et en santé des femmes
www.capwhn.ca

Association des couples infertiles du Québec
www.aciq.ca

Association SOS Grossesse > Contraception
www.sosgrossesse.org

Belle et bien dans sa peau
www.lgfb.ca

Centre Conseils Grossesse
www.ccgrossesse.org

Centre naître ou ne pas naître
www.centrenaitre.org

Fédération des femmes du Québec > Luttes > Violence
www.ffq.qc.ca

Fédération du Québec pour le planning des naissances
www.fqpn.qc.ca

Femmesensanté.ca
www.femmesensante.ca

Fondation du cancer du sein
www.rubanrose.org

Masexualité.ca
www.masexualite.ca

Meilleur départ
www.sante-avant-grossesse.ca

Seréna
http://serena.ca

Service d'information en contraception et sexualité de Québec
www.sicsq.org

Société canadienne du cancer
www.cancer.ca

ORGANISMES GOUVERNEMENTAUX

Agence de la santé publique du Canada
> Promotion de la santé > Grossesse et enfance en santé > Site Web pour une grossesse en santé > Sujets > Pour les professionnels de la santé > La consommation d'alcool durant la grossesse

> Promotion de la santé > Grossesse et enfance en santé > Système canadien de surveillance périnatale > Les sévices physiques durant la grossesse

> Maladies infectieuses > Infections transmissibles sexuellement (ITS) > Santé sexuelle et les infections transmises sexuellement

www.phac-aspc.gc.ca

Bibliothèque de Santé Génésique de l'OMS > VIH
http://apps.who.int/rhl/fr/

Ministère de la Santé publique du Québec
www.violenceconjugale.gouv.qc.ca

Ministère de la Santé et des Services sociaux du Québec > Sujets > Santé publique > Dépistage du cancer du sein (PQDCS)
www.msss.gouv.qc.ca

RÉFÉRENCES GÉNÉRALES

Passeportsanté.net > Maladies > Index des maladies de A à Z
- **> Chlamydia**
- **> Gonorrhée**
- **> Hépatites (A, B, C, toxique)**
- **> Herpès génital**
- **> Syphilis**
- **> VIH/Sida**

www.passeportsante.net

Monographies

Santé Canada (2008). *Le guide pratique d'une grossesse en santé*. Ottawa, Ont. : Santé Canada.

Articles, rapports et autres

Durand, S., Keyser, J.W., & Thibault, C. (2006). *Counseling en abandon du tabac*. Montréal : Ordre des infirmières et infirmiers du Québec.
www.oiiq.org

Éduc'Alcool (2008). *Alcool et santé : la grossesse et l'alcool en questions*. Montréal : Éduc'Alcool.
www.educalcool.qc.ca

Malo, J. (2007). Traitement des ITS chez la femme enceinte ou qui allaite. *Québec Pharmacie, 54*(5), 14-19.

Ministère de la Santé et des Services sociaux du Québec (2008). *Politique de périnatalité 2008-2018 : un projet porteur de vie*. Québec, Qc : Publications du Québec.

PARTIE 1

Années de fécondité

CHAPITRE

Évaluation clinique et promotion de la santé

Écrit par :
Deitra Leonard Lowdermilk,
RNC, PhD, FAAN

Adapté par :
Lucie Lemelin, inf., Ph. D. (c)
Chantal Verdon, inf., Ph. D. (c)

OBJECTIFS

 Guide d'études – SA02

Après avoir étudié ce chapitre, vous devriez être en mesure :

- de décrire les structures et les fonctions du système reproducteur féminin ;
- de comparer les cycles hypothalamo-hypophysaire, ovarien et endométrial des menstruations ;
- de définir les quatre phases du cycle de la réaction sexuelle ;
- d'indiquer les raisons pour lesquelles les femmes s'adressent au réseau de la santé, y compris avant une grossesse ;
- de préciser les enjeux culturels et d'accessibilité, ainsi que les obstacles financiers et culturels qui peuvent empêcher les femmes de consulter un spécialiste de la santé ;
- d'expliquer les facteurs susceptibles d'augmenter les risques pour la santé ;
- de décrire les étapes à suivre pour établir les antécédents médicaux de la femme et pratiquer l'examen physique ;
- d'indiquer les mesures à prendre pour adapter l'évaluation et l'examen aux femmes présentant des besoins particuliers ;
- de décrire la méthode de collecte des échantillons nécessaires à la réalisation du test de Papanicolaou ;
- d'expliquer les mesures de prévention correspondant aux risques les plus courants.

Concepts clés

Cette carte conceptuelle illustre schématiquement les principaux concepts décrits dans le présent chapitre. Sa lecture vous permettra d'avoir une vue d'ensemble des notions qui y sont présentées.

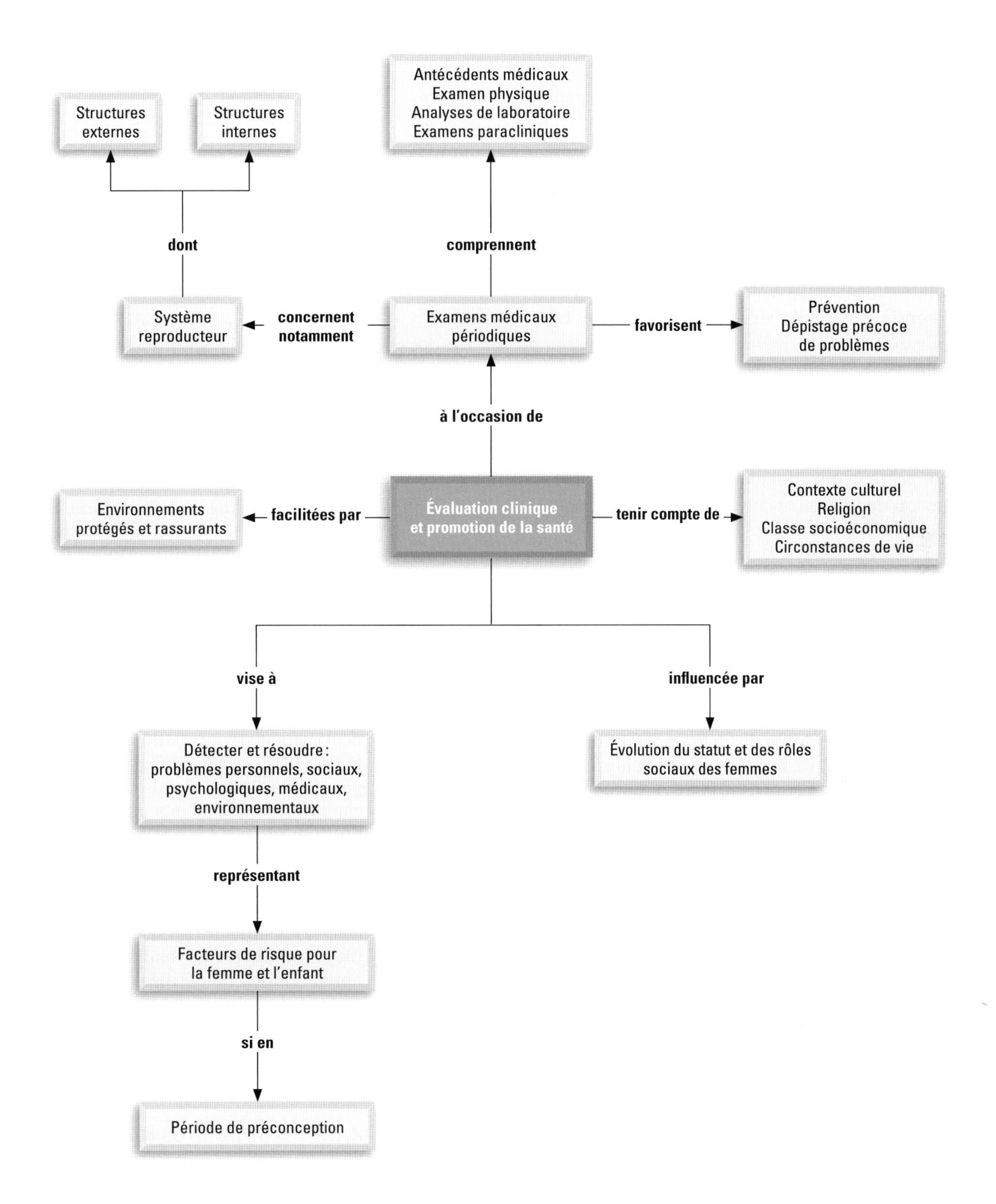

Le système reproducteur des femmes subit de nombreux changements physiologiques au cours de la vie de celles-ci. En ce sens, les femmes vivent de nombreux questionnements qui entraînent un besoin d'information et d'accompagnement par un professionnel de la santé. Nombreuses sont les femmes qui s'adressent pour la première fois aux professionnels du réseau de la santé en raison d'un problème ou de questions se rapportant à leur système reproducteur: grossesse, menstruations irrégulières, contraception ou maladie ponctuelle (p. ex., une infection vaginale, une infection transmissible sexuellement).

En plus de procurer à la femme les soins de santé nécessaires, le professionnel doit alors évaluer et déterminer ses besoins dans l'optique d'un suivi qui se déploiera toute sa vie durant. Ce chapitre décrit l'anatomie et la physiologie féminines, y compris le cycle menstruel. Il porte également sur la collecte des données, l'évaluation de santé, le dépistage, ainsi que sur la prévention des maladies chez les femmes en âge de procréer. Il dresse le bilan des facteurs pouvant influer sur la décision de certaines femmes de consulter un professionnel de la santé et de ceux susceptibles d'augmenter les risques pour la santé des femmes en âge d'être enceintes. Enfin, ce chapitre propose des pistes de solution pour prévenir les principaux problèmes de santé éprouvés par les femmes en fonction de leur étape de vie.

2.1 Système reproducteur de la femme

2.1.1 Structures externes

Les organes génitaux externes féminins forment la vulve. Ils regroupent toutes les structures visibles extérieurement et comprises entre le pubis et le périnée **FIGURE 2.1**. Le mont de Vénus est un coussin adipeux situé sur la surface antérieure de la symphyse pubienne. À la puberté, il se couvre de poils épais et bouclés. Les grandes lèvres forment deux replis arrondis de tissu adipeux couverts de peau qui s'étendent vers le bas et l'arrière à partir du mont de Vénus. À la puberté, ces replis richement vascularisés se couvrent de poils sur leurs surfaces externes. Ils protègent les structures vulvaires internes. Replis tissulaires plats et rougeâtres dissimulés entre les grandes lèvres, les deux petites lèvres se rejoignent sur l'avant pour former le prépuce clitoridien (capuchon couvrant le clitoris) et le frein (repli tissulaire sous le clitoris). Derrière l'entrée du vagin, dans la ligne médiane, les petites lèvres se rejoignent pour former la fourchette (commissure postérieure des petites lèvres ou commissure vulvaire postérieure), une structure tissulaire mince et aplatie. Situé sous le prépuce clitoridien, le clitoris est une petite structure constituée de tissu érectile et contenant de très nombreuses terminaisons nerveuses sensitives.

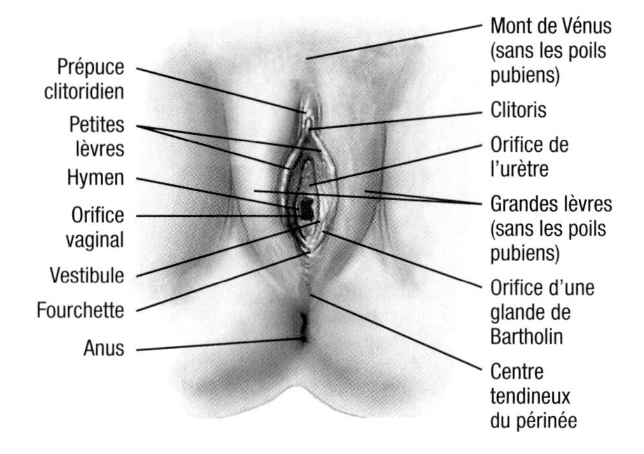

FIGURE 2.1
Organes génitaux externes féminins

Le vestibule du vagin est une région oblongue (en forme d'amande), fermée par les petites lèvres. Il contient les ouvertures de l'urètre, des glandes de Skene, du vagin et des glandes de Bartholin. L'urètre n'est pas un organe reproducteur; il est mentionné ici uniquement en raison de son emplacement anatomique. En général, il est situé à environ 2,5 cm en dessous du clitoris. Les glandes de Skene se situent de part et d'autre de l'urètre et sécrètent un mucus qui contribue à la lubrification vaginale. L'ouverture du vagin se trouve dans la partie inférieure du vestibule; sa dimension et sa forme varient d'une femme à l'autre. L'hymen, une membrane constituée de tissus conjonctifs, entoure l'ouverture du vagin. Les glandes de Bartholin **FIGURE 2.1** se trouvent sous les muscles constricteurs du vagin, de part et d'autre de l'ostium (orifice) vaginal, dans la partie postérieure; en général, l'orifice des conduits des glandes de Bartholin n'est pas visible. Sous l'effet de l'excitation sexuelle, ces glandes sécrètent un mucus transparent qui lubrifie l'ostium vaginal.

Le périnée est une zone musculaire couverte de peau qui s'étend de la fourchette (commissure postérieure des petites lèvres) jusqu'à l'anus, et il couvre les structures pelviennes. Le périnée constitue la base du centre tendineux du périnée (noyau fibreux central du périnée), une masse triangulaire servant de point d'ancrage pour les muscles, les fascias et les ligaments du bassin. Les organes pelviens sont soutenus par des muscles et des ligaments formant un filet de contention.

2.1.2 Structures internes

Les structures internes de l'appareil reproducteur féminin sont constituées notamment du vagin, de l'utérus, des trompes de Fallope et des ovaires. Le vagin est une structure tubulaire rétractable fibromusculaire qui s'étend de la vulve jusqu'à l'utérus, entre la vessie et le rectum. Chez les femmes en âge de procréer, le revêtement muqueux qui tapisse la paroi vaginale forme des plis transversaux : ce sont les rides vaginales, qui permettent au vagin de s'élargir au moment de l'accouchement. La baisse du taux d'**œstrogènes** qui survient après l'accouchement, durant l'allaitement et à la **ménopause** induit une sécheresse et un amincissement des parois du vagin ainsi qu'un aplanissement des rides vaginales. Les sécrétions vaginales sont acides (pH compris entre 4 et 5), ce qui atténue le risque d'infection. Le vagin est à la fois la voie d'écoulement du flux menstruel, l'organe féminin de la copulation, et il constitue une partie de la filière pelvigénitale (filière d'expulsion du fœtus) pour les accouchements par voie vaginale. Le col de l'utérus débouche dans le dôme supérieur du vagin. Il est entouré de petites poches : les culs-de-sac antérieur, postérieur et latéraux. Les organes pelviens internes peuvent être examinés par palpation à travers les parois minces de ces culs-de-sac.

L'utérus est un organe musculaire en forme de poire renversée situé sur la ligne médiane de la cavité pelvienne, entre la vessie et le rectum, au-dessus du vagin. Il est soutenu par quatre paires de ligaments : les ligaments cardinaux (ligaments de Mackenrodt), utérosacrés, ronds et larges de l'utérus. Un ligament antérieur ainsi qu'un

Trompe de Fallope
Ligament ovarien (ligament utéro-ovarien)
Ligament rond
Ligament utérosacré
Ligament cardinal (ligament de Mackenrodt)
Ligament antérieur

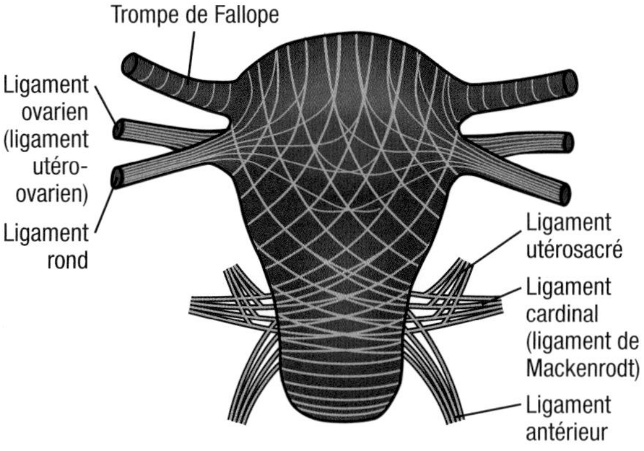

FIGURE 2.2
Représentation schématique des axes directionnels des fibres musculaires utérines, qui prolongent celles des ligaments soutenant l'utérus

ligament postérieur maintiennent également l'utérus **FIGURE 2.2**. Le cul-de-sac de Douglas est une cavité profonde, un repli du ligament postérieur situé derrière le col de l'utérus.

L'utérus se compose essentiellement de deux zones : une partie triangulaire supérieure (corps de l'utérus) et une partie cylindrique inférieure (col de l'utérus) **FIGURE 2.3**. En forme de coupole, le haut de l'utérus s'appelle le fundus utérin (fonds

Œstrogènes : Groupe d'hormones sexuelles stéroïdiennes impliquées entre autres dans le développement des follicules des ovaires, du corps jaune et du placenta.

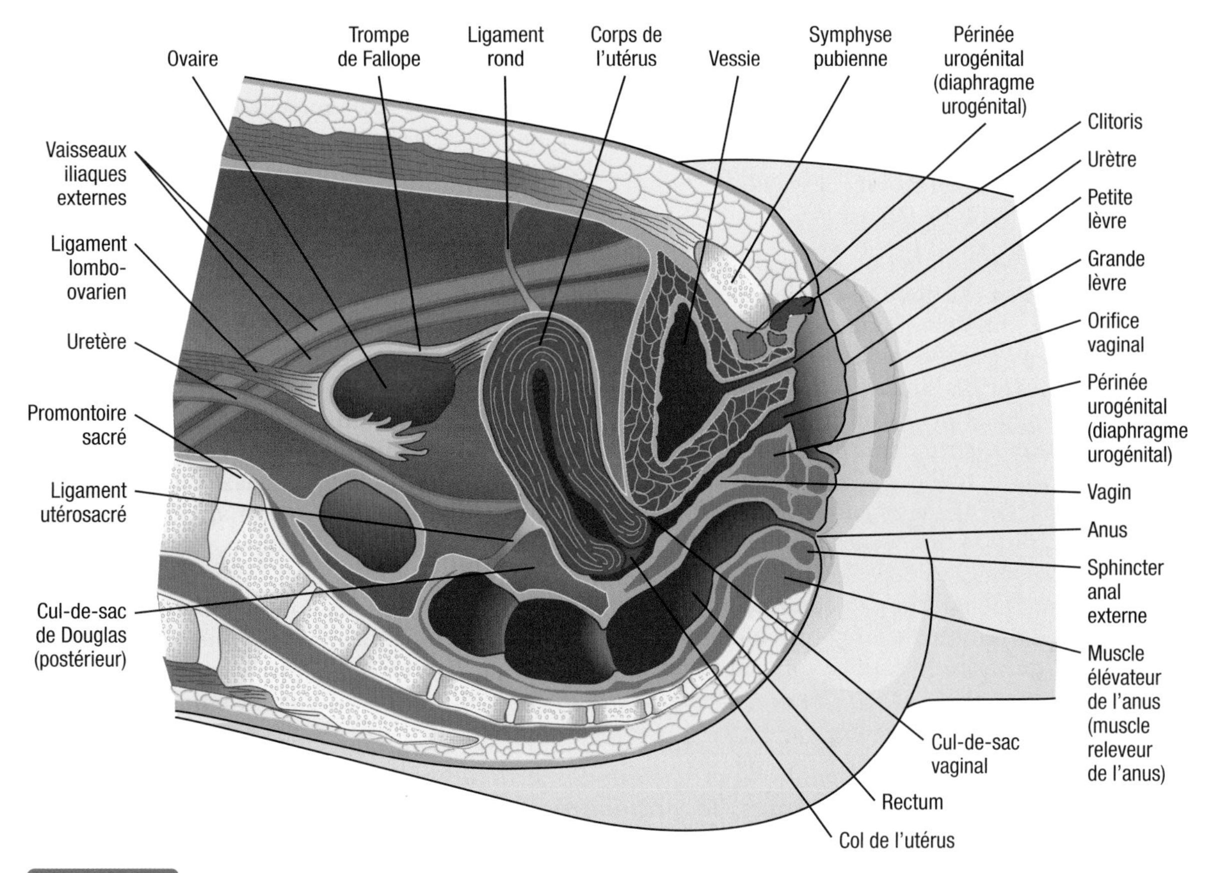

FIGURE 2.3
Vue sagittale médiane des organes pelviens féminins (femme allongée sur le dos)

de l'utérus) : c'est là que les trompes de Fallope s'insèrent à l'intérieur de celui-ci. L'isthme est la portion inférieure de l'utérus : ce court resserrement sépare le corps de l'utérus du col.

L'utérus assure de nombreuses fonctions. Il accueille l'ovule fécondé (qui s'y implante pour toute la durée de la grossesse) et le nourrit jusqu'à l'accouchement. À la naissance, c'est également l'utérus qui expulse le fœtus. Sous l'influence des hormones, l'utérus est également responsable des menstruations lorsqu'il n'y a pas fécondation.

La paroi utérine compte trois couches : l'endomètre, le myomètre et une partie du péritoine. Hautement vascularisé, l'endomètre se compose lui-même de trois épaisseurs. Ses deux couches externes sont éliminées au moment de la menstruation. Le myomètre se compose de couches superposées de muscle lisse disposées selon trois axes : longitudinal, transversal et oblique **FIGURE 2.3**. Les fibres longitudinales de la couche externe du myomètre sont logées pour la plupart dans le fundus et participent à l'expulsion du fœtus au moment de l'accouchement. La couche intermédiaire se compose de fibres disposées selon les trois axes et formant une structure en « 8 » qui encercle de grands vaisseaux sanguins. Ces fibres contribuent à la constriction vasculaire après l'accouchement et permettent ainsi de limiter le saignement. La plupart des fibres circulaires de la couche interne du myomètre sont logées autour des points d'insertion des trompes de Fallope dans l'utérus et entourent l'orifice cervical interne (ostium interne du col). Elles ferment le col de l'utérus pendant la grossesse et empêchent le flux menstruel de refluer vers les trompes de Fallope pendant les règles.

Composé essentiellement de tissu conjonctif fibreux et de tissu élastique, le col de l'utérus peut ainsi s'élargir considérablement au moment de l'accouchement par voie vaginale. L'orifice cervical interne est l'ouverture située entre la cavité utérine et le canal endocervical (qui la relie au vagin). L'ouverture étroite et circulaire qui sépare l'endocol (ouverture interne du col de la cavité utérine) du vagin s'appelle l'orifice cervical externe ; cet orifice circulaire est plus petit chez les femmes qui n'ont jamais été enceintes. Le col de l'utérus est une structure ferme au toucher (un peu comme le bout du nez) portant en son centre un petit renfoncement, une fossette, qui marque l'orifice cervical externe.

L'exocol est tapissé d'une couche d'épithélium pavimenteux. La muqueuse du canal cervical, elle, est recouverte d'épithélium prismatique (épithélium cylindrique simple) et contient de nombreuses glandes sécrétant du mucus en réponse à l'action des hormones ovariennes. La **jonction pavimentocylindrique** constitue le point de raccordement des deux types de cellules et se situe généralement dans l'orifice cervical, juste à l'entrée. C'est souvent dans cette jonction vagino-cervicale que l'on relève les altérations néoplasiques ; c'est également dans la jonction pavimentocylindrique que sont prélevées les cellules pour le **test de Papanicolaou** (frottis vaginaux) **ENCADRÉ 2.5**.

Les trompes de Fallope (ou trompes utérines) s'insèrent dans le fonds de l'utérus (fundus utérin). Longues de 8 à 14 cm, elles sont soutenues par les ligaments larges. Les trompes de Fallope permettent le passage des ovules depuis les ovaires jusqu'à l'utérus.

Les ovaires sont des organes oblongs (c.-à-d. en forme d'amande) situés de part et d'autre de l'utérus, en dessous des trompes de Fallope et derrière elles. Chez la femme en âge de procréer, les ovaires mesurent environ 3 cm de long, 2 cm de hauteur et 1 cm de profondeur. Ils rétrécissent après la ménopause. Les ovaires assurent deux fonctions : l'**ovulation** et la sécrétion d'hormones telles que les œstrogènes, la **progestérone** et l'hormone androgène.

2.1.3 Bassin ou ceinture pelvienne

Le bassin assure trois fonctions principales : la protection des structures pelviennes, la protection du fœtus en croissance pendant la grossesse, et l'ancrage des structures pelviennes de soutien. Le bassin compte quatre os : les deux os iliaques (c.-à-d. les hanches, qui se composent de l'ilion, de l'ischion et du pubis), le sacrum, et le coccyx **FIGURE 2.4**. Séparant les os du bassin, la symphyse pubienne, l'articulation sacrococcygienne et les deux articulations sacro-iliaques sont faites de cartilage et de ligaments. Le bassin compte deux zones : le grand bassin et le petit bassin **FIGURE 2.5**. Le grand bassin est la partie supérieure : il commence au début de la **ligne innominée** (bord pelvien). Le petit bassin correspond au canal osseux inférieur : cette structure courbe débute sous la ligne innominée, de la cavité pelvienne et du canal (détroit inférieur) par lequel le fœtus est expulsé au cours de l'accouchement par voie vaginale. Les dimensions et la forme du bassin peuvent varier d'une femme à l'autre, généralement selon son âge, son appartenance ethnique ou les lésions qu'elle a pu subir au cours de son existence. L'ossification pelvienne est achevée vers l'âge de 20 ans.

Le bassin assure trois fonctions principales : la protection des structures pelviennes, la protection du fœtus en croissance pendant la grossesse et l'ancrage des structures pelviennes de soutien.

Ligne innominée : Crête oblique s'étendant sur la face interne de l'os coxal ; elle commence en avant de la surface auriculaire et se termine par la crête pectinéale. Elle marque la limite inférieure de la fosse iliaque interne.

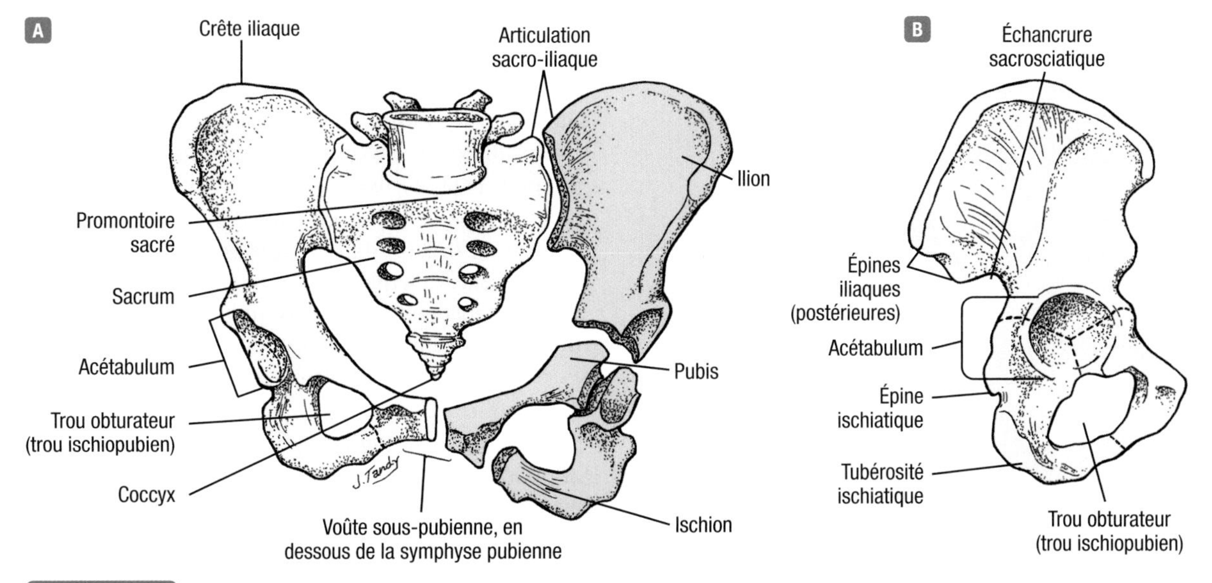

FIGURE 2.4

Bassin féminin adulte. A Vue antérieure. B Vue externe de l'os iliaque (fusionné).

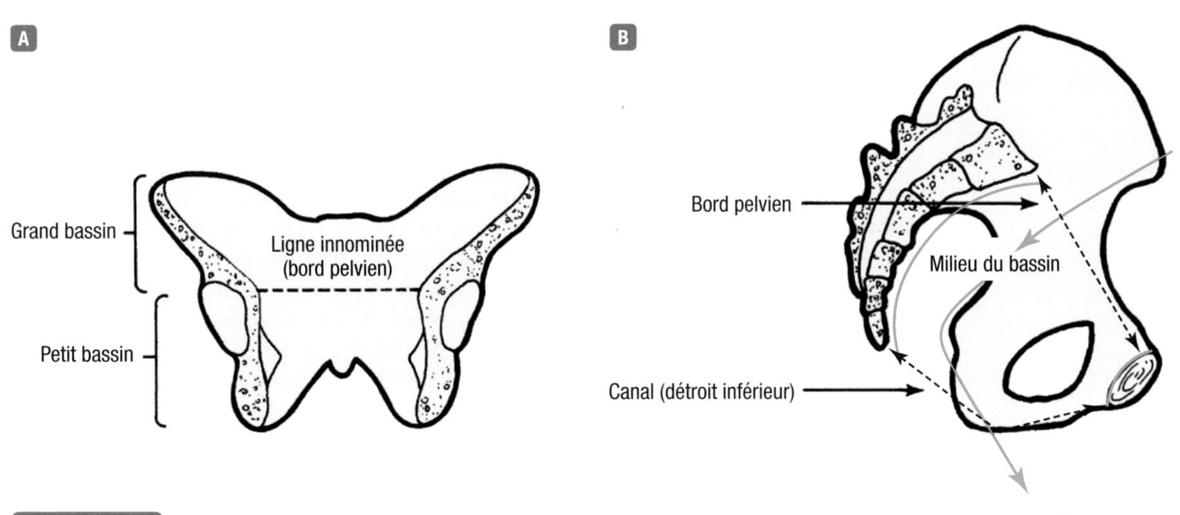

FIGURE 2.5

Bassin féminin adulte. A Le grand bassin est creux. B La cavité du petit bassin est un canal formant une courbe irrégulière (flèches).

2.1.4 Seins

Les seins sont deux glandes mammaires situées entre la deuxième et la sixième côte **FIGURE 2.6**. Environ les deux tiers du sein couvrent le muscle grand pectoral, entre le sternum et la ligne axillaire et se terminent par le prolongement axillaire du sein. Le tiers inférieur du sein couvre le muscle grand dentelé. Formés de tissu conjonctif, les fascias attachent le sein aux muscles.

Chez les femmes pleinement développées et en bonne santé, les deux seins sont à peu près semblables en volume et en forme; ils ne sont cependant pas toujours parfaitement symétriques. Le volume et la forme des seins dépendent de l'âge de la femme, de son patrimoine génétique et de son poids. Le contour doit en être lisse, sans rétractions, ni fossettes (renfoncements) ni masses. Les œstrogènes stimulent la croissance des seins par l'accumulation de tissus adipeux dans cette région du corps, par le développement du stroma (augmentation du volume et de l'élasticité de cette trame conjonctive) et par l'agrandissement du vaste réseau des conduits mammaires. À l'adolescence, les dépôts adipeux et la croissance du tissu fibreux contribuent aussi à l'augmentation du volume des glandes mammaires. Les œstrogènes stimulent également la vascularisation des tissus mammaires. À la puberté, l'élévation du taux de progestérone induit la maturation de ces tissus, plus précisément les lobules et les structures acineuses.

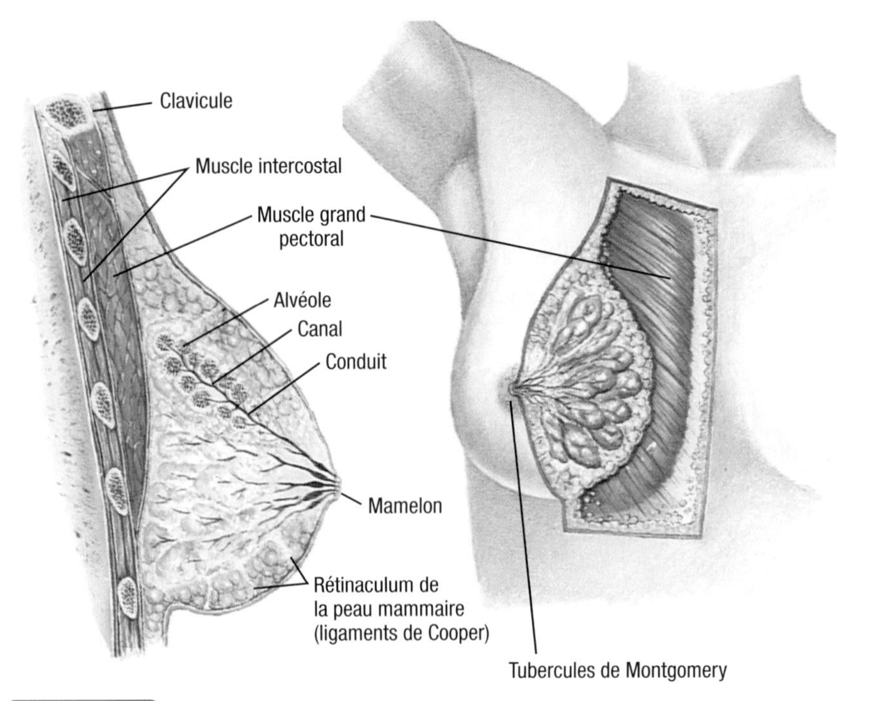

FIGURE 2.6
Anatomie du sein, emplacement et principales structures

Jugement clinique

Madame Louise Imbeault, âgée de 50 ans, vous demande si l'AES est une pratique encore valide, compte tenu de l'information qui circule à ce propos dans les médias.

Que devriez-vous lui répondre ?

Colostrum : Liquide laiteux, riche en anticorps, présent dans les cellules acineuses des seins, du début de la grossesse jusqu'aux premiers jours de la période postnatale.

Vidéo

Visionnez la vidéo *Enseignement de l'autoexamen des seins* au www.cheneliere.ca/lowdermilk.

Chaque sein se compose de lobes divisés en lobules, qui sont des agglomérations d'acinus. Un acinus est une vésicule qui se situe à l'extrémité d'une glande composée et qui déverse ses sécrétions dans la lumière d'un canal étroit. Les acinus sont tapissés de cellules épithéliales sécrétant le **colostrum** et le lait. En dessous de l'épithélium se trouve le myoépithélium, qui se contracte pour expulser le lait des acinus.

Les canaux qui émergent des agglomérations d'acinus formant les lobules fusionnent entre eux pour former des conduits plus larges par lesquels s'écoule le contenu des lobes. Les conduits sortant des lobes convergent vers le mamelon (papille mammaire), qui est entouré de l'aréole. L'anatomie de ces conduits est similaire dans les deux seins, mais peut différer d'une femme à l'autre. Des tissus adipeux protecteurs entourent les structures glandulaires et les conduits. Les rétinaculum de la peau mammaire (ou ligaments de Cooper) séparent et soutiennent les structures et les conduits glandulaires. Les rétinaculum de la peau mammaire soutiennent les glandes mammaires tout en leur permettant de rester mobiles sur la paroi thoracique. Le mamelon, une structure ronde, forme généralement une petite surélévation orientée légèrement vers le haut et le côté. Il contient de 4 à 20 orifices correspondant à autant de conduits de la lactation. Le mamelon est entouré de tissus fibromusculaires et couvert d'une peau froissée qu'on appelle l'aréole. À l'exception des périodes de grossesse ou de lactation, aucun liquide ne s'écoule généralement du mamelon.

Le mamelon et l'aréole qui l'entoure sont généralement d'une couleur plus foncée que le reste du sein. La texture fripée de l'aréole est attribuable aux glandes sébacées se trouvant juste sous la peau, les tubercules de Montgomery. Ces glandes sébacées sécrètent un liquide gras qui sert à lubrifier le mamelon.

La glande mammaire est hautement vascularisée. La peau qui recouvre les seins est irriguée par un réseau lymphatique superficiel important desservant toute la paroi thoracique et prolongeant les vaisseaux lymphatiques superficiels du cou et de l'abdomen. Les vaisseaux lymphatiques tissent également un réseau très dense dans les zones plus profondes des seins. La principale voie lymphatique profonde se dirige sur le côté, vers l'aisselle.

Chez la femme en âge de procréer, le volume et la nodularité des seins (présence plus ou moins importante de nodules) fluctuent selon les cycles ovariens. Dans les trois ou quatre jours précédant les règles, l'élévation des taux d'œstrogènes et de progestérone augmente la vascularisation des seins, stimule la croissance des canaux et des acinus et favorise la rétention hydrique. Par conséquent, nombreuses sont les femmes qui observent un gonflement ainsi qu'une sensibilité accrue de leurs seins juste avant leurs menstruations. Après les règles, la prolifération cellulaire commence à régresser ; la taille des acinus se met à diminuer, et l'eau excédentaire emmagasinée s'élimine. Avec le temps, au fil des stimulations hormonales répétées, de petites zones noduleuses persistantes peuvent se former avant et pendant les menstruations, quand les changements qui interviennent dans les glandes mammaires atteignent leur apogée. Les modifications physiologiques du volume et de l'activité mammaires atteignent leur niveau minimal environ cinq à sept jours après la fin des menstruations. De nombreuses études ont été effectuées, et aucune preuve scientifique ne permet d'affirmer que l'autoexamen des seins (AES) fait, à lui seul, reculer le taux de mortalité **ENCADRÉ 2.1**. C'est pourquoi la Société canadienne du cancer invite les femmes à bien connaître leurs seins et à faire preuve de vigilance quant aux changements qu'elles pourraient observer et à les signaler à leurs professionnels de la santé. Elle recommande l'examen clinique des seins (ECS) et la mammographie comme outils de dépistage du cancer du sein (Société canadienne du cancer, 2011a).

De nombreuses études ont été effectuées, et aucune preuve scientifique ne permet d'affirmer que l'autoexamen des seins (AES) fait, à lui seul, reculer le taux de mortalité.

Pratique fondée sur des résultats probants

ENCADRÉ 2.1 **Recommandations concernant l'autoexamen des seins**

QUESTION CLINIQUE

La pratique de l'AES chez les femmes diminue-t-elle réellement le nombre des décès attribuables au cancer du sein par rapport à la non-pratique?

RÉSULTATS PROBANTS

- Stratégies: lignes directrices des organismes professionnels; méta-analyses; comptes rendus systématiques; essais cliniques aléatoires; études de cohortes non aléatoires; analyses rétrospectives depuis 2006
- Bases de données: Cumulative Index to Nursing and Allied Health Literature, Cochrane, Medline, National Guideline Clearinghouse et les sites Web des organismes suivants: Association of Women's Health, Obstetric and Neonatal Nurses, American College of Obstetricians and Gynecologists, American Cancer Society et National Cancer Institute

ANALYSE CRITIQUE ET SYNTHÈSE DES DONNÉES

- Idéalement, les tests de dépistage du cancer du sein devraient permettre de détecter la maladie à un stade précoce et guérissable de son développement, ce qui ferait reculer son taux de mortalité. En outre, le dépistage devrait être hautement spécifique: produire peu de résultats faussement positifs et nécessiter par conséquent peu d'examens paracliniques inutiles.
- Le dépistage du cancer du sein consistait jusqu'à tout récemment en un AES mensuel, un ECS annuel et une mammographie effectuée tous les ans ou tous les 2 ans à partir de l'âge de 40 ans. De toutes ces méthodes diagnostiques, la mammographie s'est avérée la plus efficace: une méta-analyse de 7 études représentant un demi-million de femmes montre qu'elle a fait reculer le taux de mortalité de 15 à 20 % (Gotzsche & Nielsen, 2006).
- Plusieurs facteurs limitent cependant le recours à la mammographie: son coût; le désagrément qu'elle suscite pour la femme; la disponibilité géographique; l'accessibilité à des spécialistes qualifiés pour interpréter les clichés; l'exposition aux radiations; un taux élevé de résultats faussement positifs.
- La mammographie s'accompagne généralement d'un ECS pratiqué par un spécialiste. Depuis les années 1970, la profession médicale enseignait également aux femmes à pratiquer l'AES, qu'elle considérait comme une technique de dépistage peu exigeante sur le plan technique et susceptible de favoriser la détection de certaines tumeurs à leurs stades de développement précoces, et donc, plus réceptives aux traitements. Cette théorie a cependant été mise en cause par une méta-analyse désormais classique de 2 essais cliniques aléatoires regroupant 388 535 femmes en Russie et à Shanghai: elle n'a relevé aucune différence dans les taux de mortalité attribuables au cancer entre les groupes auxquels la technique de l'AES avait été enseignée et les groupes témoins, qui n'avaient pas reçu cette formation (Kosters & Gotzsche, 2008).
- En outre, par rapport à celles du groupe témoin, les femmes qui pratiquaient l'AES se révélaient deux fois plus exposées aux biopsies inutiles (ne révélant que des masses bénignes). Les auteurs soulignent que l'AES est peu ou mal pratiqué, mais ajoutent qu'il n'est pas exclu qu'il ait fait baisser le taux de mortalité dans certains pays.
- Aucune preuve scientifique ne permet d'affirmer que l'AES fait, à lui seul, reculer le taux de mortalité; la Société canadienne du cancer (2011a) encourage néanmoins les femmes à bien connaître leurs seins et à faire preuve de vigilance quant aux changements qu'elles pourraient observer et à les signaler à leurs professionnels de la santé.

RECOMMANDATIONS POUR LA PRATIQUE INFIRMIÈRE

- L'AES est une technique simple et peu coûteuse susceptible d'aider certaines femmes à détecter rapidement les changements qui pourraient se produire dans leurs seins. Il n'est toutefois pas certain qu'elle fasse baisser le taux de mortalité.
- Par ailleurs, l'AES et l'ECS peuvent donner lieu à des tests inutiles. Un groupe de travail du programme Breast Health Global Initiative préconise une meilleure sensibilisation à la santé des seins. Ensemble, l'information et l'AES pourraient constituer les meilleurs outils de dépistage dans les régions à faibles ressources (Smith *et al.*, 2006).
- L'infirmière devrait proposer aux femmes qui le souhaitent de leur enseigner la technique. Certaines femmes ne sont cependant pas à l'aise avec l'AES ou elles craignent la procédure.
- Les équipes médicales et infirmières devraient inciter toutes les femmes à suivre les recommandations: ECS annuel et mammographie selon l'âge et les antécédents médicaux.

RÉFÉRENCES

Kosters, J.P., & Gotzsche, P.C. (2008). Regular self-examination or clinical examination for early detection of breast cancer. *International Journal of Epidemiology*, 37(6), 1217-1218.

Auto-examen des seins (2003). [En ligne]. www.breastselfexam.ca/french/ (page consultée le 24 mai 2011).

Société canadienne du cancer (2011a). *Encyclopédie canadienne du cancer. Stratégies de réduction des risques pour le cancer du sein.* [En ligne]. http://info.cancer.ca/cce-ecc/SearchDetails.aspx?Lang=F&If=recommandations%2520sein&cceid=192 (page consultée le 24 mai 2011).

Gotzsche, P.C., & Nielsen, M. (2006). Screening for breast cancer with mammography. *The Cochrane Database of Systematic Reviews 2006*, n° 4, CD0001877.

Kosters, J.P., & Gotzsche, P.C. (2003). Regular self-examination or clinical examination for early detection of breast cancer. *Cochrane Database of Systematic Reviews, 4*, CD 003373.

Smith, R., Caleffi, M., Albert, U., Chen, T., Duffy, S., *et al.* (2006). Breast care in limited-resource countries: Early detection and access to care. *Breast Journal, 12*(supp. 1), S16-S20.

2.1.5 Menstruations

Ménarche et puberté

D'une portée plutôt générale, le terme **puberté** désigne toute la période de transition entre l'enfance et la maturité sexuelle. Dès leur jeune âge, les filles sécrètent de petites quantités relativement constantes d'œstrogènes; ces sécrétions augmentent notablement entre les âges de 8 et 11 ans. Le terme **ménarche** désigne la première menstruation: en Amérique du Nord, elle survient généralement vers l'âge de 13 ans.

Quoique le cas soit rare, il arrive qu'une préadolescente tombe enceinte en raison d'une puberté précoce. Cependant, la plupart des grossesses avant l'âge adulte surviennent après l'âge habituel des premières règles. Toutes les jeunes filles devraient savoir que la grossesse devient possible dès qu'elles commencent à avoir leurs menstruations.

Cycle menstruel

Les premières règles sont généralement irrégulières, imprévisibles, indolores et anovulatoires (c'est-à-dire qu'elles ne s'accompagnent pas de la

RAPPELEZ-VOUS...

L'infirmière doit prodiguer de l'enseignement sur la sexualité et fournir une aide psychologique en jouant un rôle clé dans la prévention des grossesses à l'adolescence.

Jugement clinique

Au cours d'une entrevue, Marie-Ève Bonneau, âgée de 15 ans, vous fait part de ses questions sur la normalité de ses règles, autant au sujet de leur durée que de la quantité de sang perdue.

Quelles informations devriez-vous transmettre à Marie-Ève à ce sujet ?

production d'un ovule). Dès que les ovaires commencent à sécréter suffisamment d'œstrogènes cycliques pour assurer la maturation des ovules, les menstruations deviennent le plus souvent régulières et ovulatoires. Le **cycle menstruel** est le produit d'interactions complexes entre des événements survenant simultanément dans l'endomètre, l'hypothalamus, l'hypophyse et les ovaires. Le cycle menstruel prépare l'utérus en vue d'une éventuelle grossesse. Si l'ovule n'est pas fécondé, la femme n'est pas enceinte, et le flux menstruel se déclenche. Le saignement utérin périodique, qui commence environ 14 jours après l'ovulation, s'appelle la menstruation (ou règles). La durée moyenne du cycle menstruel est de 28 jours, mais les fluctuations sont très courantes. Par convention, le premier jour du saignement est considéré comme le premier jour du cycle menstruel (jour 1 des règles) **FIGURE 2.7**. La durée moyenne du flux menstruel s'établit à cinq jours (il dure généralement de un à huit jours). Le volume moyen du saignement est de 50 ml (entre 20 et 80 ml), mais il est, lui aussi, sujet à d'importantes variations (Fehring, Schneider & Raviele, 2006 ; Gudmundsdottir *et al.*, 2009). La régularité du cycle menstruel dépend, entre autres facteurs, de l'âge de la femme, de son état émotionnel et physique, ainsi que de son environnement.

Cycle hypothalamo-hypophysaire

Les taux sanguins d'œstrogènes et de progestérone baissent vers la fin du cycle menstruel normal. Sous l'effet du recul des taux de ces hormones ovariennes, l'hypothalamus sécrète la gonadolibérine (Gn-RH), une hormone qui stimule la sécrétion d'hormones folliculostimulantes (FSH) par le lobe antérieur de l'hypophyse (glande pituitaire antérieure), ce qui déclenche la formation des follicules de De Graaf ovariens, qui produisent des œstrogènes. Les taux d'œstrogène commencent à régresser, et la Gn-RH hypothalamique déclenche la libération, par le lobe antérieur de l'hypophyse, de l'hormone lutéinisante (LH). Le 12e jour se caractérise par une augmentation marquée du taux de LH et par un petit pic de la sécrétion œstrogénique qui précèdent d'environ 24 à 36 heures l'expulsion de l'ovule (ovulation) par le follicule de De Graaf. Le taux de LH culmine vers le 13e ou le 14e jour du cycle (qui en compte 28). Si la fécondation et l'implantation de l'ovule fécondé ne se sont pas produites à ce moment-là, le corps jaune régresse. Les taux de progestérone et d'œstrogène baissent, la menstruation se déclenche, et l'hypothalamus se remet à sécréter de la Gn-RH. Ce processus constitue le cycle hypothalamo-hypophysaire.

Cycle ovarien

Les follicules de De Graaf primaires contiennent des ovocytes immatures (ovules au tout début de leur développement). Avant l'ovulation, la FSH et les œstrogènes déclenchent la maturation de follicules, entre 1 et 30 dans chacun des 2 ovaires. Toutefois, un seul d'entre eux réagit à l'augmentation préovulatoire du taux de LH. L'ovocyte poursuit sa maturation, l'ovulation se déclenche, et le follicule vide commence à se transformer en corps jaune. Cette phase folliculaire (phase préovulatoire) du cycle ovarien varie en durée d'une femme à l'autre ; à elle seule, elle détermine presque toutes les fluctuations observées dans la durée du cycle ovarien (Fehring *et al.*, 2006). Dans environ 1 cycle menstruel sur 100, plus de un follicule réagit à l'augmentation du taux de LH et, par conséquent, plus d'un ovocyte complète sa maturation et franchit l'étape de l'ovulation.

Après l'ovulation, les taux d'œstrogènes baissent. Chez 90 % des femmes, l'hémorragie de privation (saignement) qui survient alors est si minime qu'elle passe inaperçue. Chez 10 % des femmes, elle est suffisamment importante pour être constatée : il s'agit alors d'un saignement intermenstruel.

La phase lutéale commence immédiatement après l'ovulation et se termine avec le déclenchement de la menstruation. Cette phase postovulatoire du cycle ovarien dure généralement 14 jours (entre 13 et 15 jours). Le corps jaune atteint l'apogée de son activité fonctionnelle huit jours après l'ovulation et sécrète à la fois des œstrogènes et de la progestérone. C'est au moment de cet apogée de l'activité lutéale que l'ovule fécondé s'implante dans l'endomètre. S'il ne s'implante pas, le corps jaune régresse, les taux de stéroïdes baissent, et la menstruation se déclenche.

Cycle endométrial

Le cycle endométrial compte quatre phases. Dans la phase menstruelle, la vasoconstriction périodique des couches supérieures de l'endomètre provoque l'expulsion des deux tiers fonctionnels de cette muqueuse (ses couches compactes et spongieuses). La couche basale reste alors en place. Ces couches commencent à se reformer vers la fin du cycle, à partir de cellules provenant des vestiges glandulaires (des cellules stromales de la couche basale).

La phase proliférative se caractérise par une croissance rapide qui s'étend approximativement du cinquième jour jusqu'à l'ovulation. La surface endométriale se reconstitue complètement en quatre jours environ, ou juste avant la fin du saignement. À partir de ce moment, son épaisseur se multiplie par 8 à 10 ; cette croissance se stabilise à l'ovulation. La phase proliférative est régulée par la stimulation œstrogénique attribuable aux follicules ovariens.

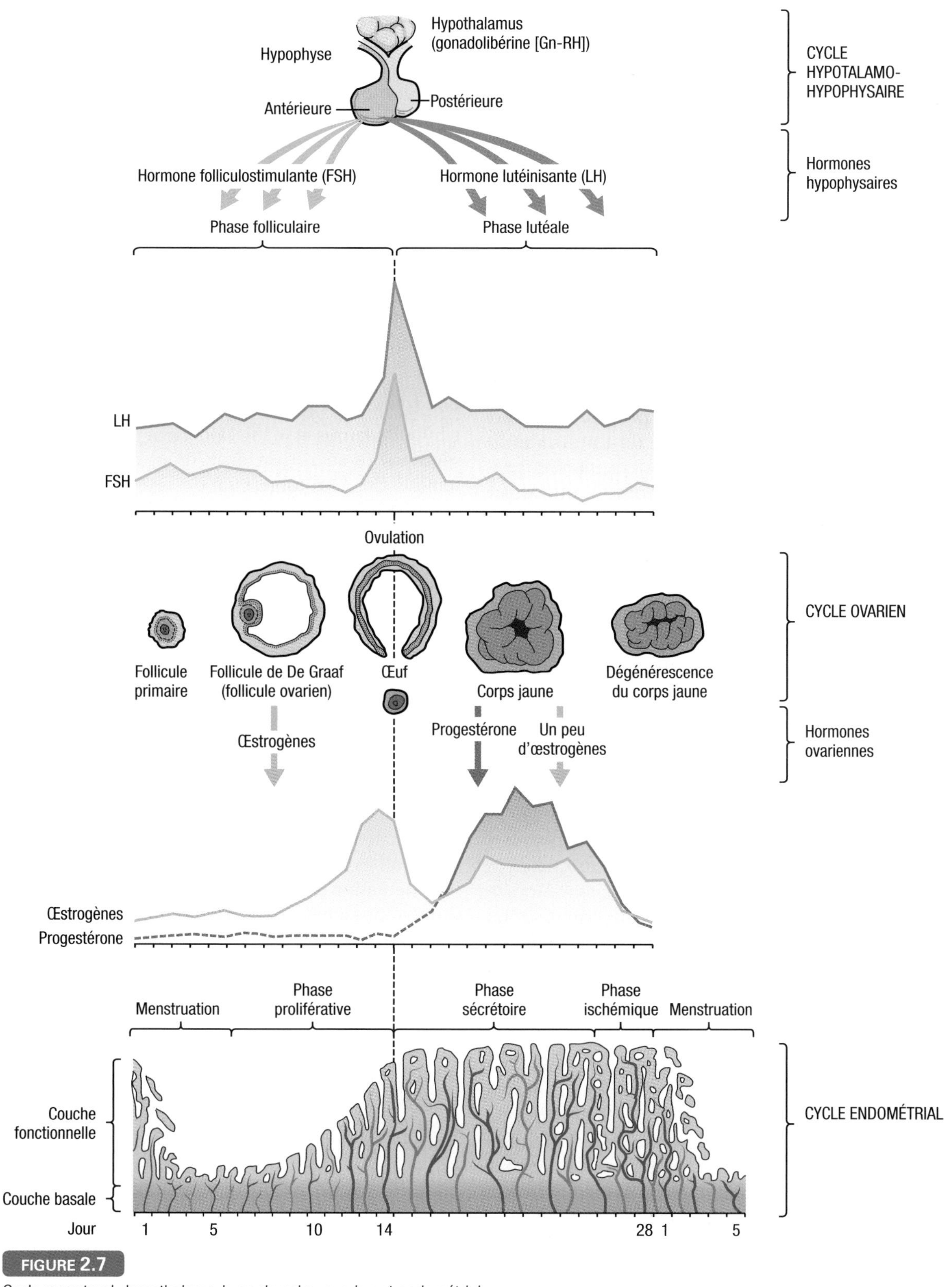

FIGURE 2.7

Cycle menstruel : hypothalamo-hypophysaire, ovarien et endométrial

La phase sécrétoire s'étend de l'ovulation jusqu'à trois jours environ avant la période menstruelle suivante. Après l'ovulation, l'organisme sécrète des quantités plus importantes de progestérone. Ayant atteint sa pleine maturité, l'endomètre sécrétoire présente l'épaisseur d'un velours doux et lourd. Il se gorge de sang et de sécrétions glandulaires qui offrent un lieu d'implantation protecteur et nourrissant à l'ovule fécondé, si la fécondation s'est faite.

L'implantation de l'ovule fécondé se produit généralement de 7 à 10 jours après l'ovulation. Si l'ovule n'est pas fécondé ou qu'il ne s'implante pas, le corps jaune, qui sécrète des œstrogènes et de la progestérone, dégénère. La baisse rapide des taux de progestérone et d'œstrogène provoque des spasmes des artères spiralées. Dans la phase ischémique, l'afflux sanguin qui irriguait l'endomètre fonctionnel s'interrompt, ce qui déclenche une nécrose. Les couches fonctionnelles se séparent de la couche basale, et l'hémorragie menstruelle commence, marquant le jour 1 du cycle suivant.

Autres changements cycliques

Quand l'axe hypothalamo-hypophyso-ovarien fonctionne normalement, les autres tissus réagissent à ces changements de manière prévisible. Avant l'ovulation, la température corporelle basale de la femme est souvent inférieure à 37 °C; après l'ovulation, l'élévation des taux de progestérone fait monter sa température. Le col de l'utérus et le mucus cervical évoluent également de manière prévisible. Avant et après l'ovulation, le mucus est épais et visqueux, ce qui entrave la pénétration du sperme. Au moment de l'ovulation, il devient transparent et plus fluide: l'apparence et la texture de cette glaire cervicale rappellent celles du blanc d'œuf. Elle peut par ailleurs s'étirer, une caractéristique appelée la filance de la glaire cervicale. Certaines femmes ressentent une douleur dans le bas du ventre à l'ovulation: c'est le syndrome intermenstruel.

Les réactions corporelles chez l'homme et la femme pour chacune des quatre phases du cycle de la réaction sexuelle sont présentées dans le tableau 2.1W sur le site www.cheneliere.ca/lowdermilk.

RAPPELEZ-VOUS...

Il existe des changements physiologiques normaux et prévisibles chez la personne âgée. Ces changements ne constituent pas des processus pathologiques, mais ils peuvent rendre ces personnes plus vulnérables à certains problèmes de santé courants.

Climatère

Le **climatère** est la phase transitoire caractérisée par le déclin de la fonction ovarienne et de la production hormonale. Il s'étend sur plusieurs années, du début du recul préménopausique de la fonction ovarienne jusqu'à la fin des symptômes correspondants, pendant la postménopause. La ménopause est la dernière période menstruelle de la vie de la femme. Contrairement à la ménarche, elle ne peut être constatée avec certitude qu'un an après la cessation des menstruations. L'âge moyen de la ménopause naturelle s'établit à 51 ou 52 ans; la ménopause peut cependant survenir entre 35 et 60 ans. Cette dernière menstruation est précédée de la **périménopause**, qui se définit par le déclin de la fonction ovarienne. Le nombre des ovules diminue graduellement, et les cycles menstruels deviennent anovulatoires, ce qui rend les règles irrégulières. Les ovaires cessent de sécréter des œstrogènes; à terme, les menstruations disparaissent. Cette périménopause dure environ cinq ans (entre deux et huit ans) (Speroff & Fritz, 2005).

2.1.6 Prostaglandines

Les **prostaglandines** (PG) sont des acides gras oxygénés considérés comme des hormones. Elles se classent dans plusieurs catégories désignées par des lettres (PGE, PGF), des chiffres (PGE_2) et des lettres grecques ($PGF_{2\alpha}$). La plupart des organes du corps humain sécrètent des PG, mais surtout l'endomètre. Le sang menstruel est très riche en PG. Ces hormones déterminent en partie la contractilité des muscles lisses et les modulations de l'activité hormonale. De manière indirecte, la PG intervient dans l'ovulation, la fertilité et les modifications touchant le col de l'utérus et le mucus cervical. Ainsi, elle joue un rôle dans la réceptivité aux spermatozoïdes, la motilité de l'utérus et des trompes de Fallope, l'élimination des couches endométriales externes (menstruation), l'expulsion du fœtus avant terme (avortement spontané ou induit) et le déclenchement du travail (à terme ou avant terme).

2.1.7 Réaction sexuelle

L'hypothalamus et le lobe antérieur de l'hypophyse régulent la sécrétion de FSH et de LH chez la femme. Ces hormones sont destinées aux ovaires, qui produisent les ovules et sécrètent les œstrogènes et la progestérone. Un mécanisme de rétroaction faisant intervenir des sécrétions hormonales ovariennes, hypothalamiques et adénohypophysaires participe également à la régulation de la production des cellules sexuelles et des stéroïdes (hormones sexuelles).

La stimulation sexuelle induit une vasocongestion (une congestion des vaisseaux sanguins, généralement veineux) qui déclenche la lubrification vaginale et l'engorgement ainsi que le gonflement des parties génitales. Cette congestion veineuse s'observe également, quoique dans une moindre mesure, dans les seins et les autres régions du corps. L'excitation sexuelle se caractérise par la myotonie (augmentation de la tension musculaire), qui se traduit par des contractions rythmiques volontaires et involontaires. Par exemple, la poussée du bassin, les contractions faciales et les spasmes des mains et des pieds (spasmes carpopédaux) sont des myotonies induites par l'excitation sexuelle.

Le **cycle de la réaction sexuelle** compte quatre phases: l'excitation, le plateau, l'orgasme et la résolution. Ces quatre phases s'enchaînent de manière progressive, sans que l'on puisse discerner de démarcation claire entre elles. Les réactions corporelles se suivent selon un ordre bien précis. Le moment, l'intensité et la durée du cycle dépendent de la personne et des circonstances.

2.2 Consultation d'un professionnel de la santé

Aujourd'hui, les soins infirmiers et médicaux proposés aux femmes dépassent largement la sphère strictement génésique (celle de la reproduction). L'approche holistique vise en effet à combler tous les besoins de la femme, à toutes les étapes de sa vie. L'évaluation de la santé de la femme et le dépistage reposent sur une analyse multisystème visant le maintien et l'amélioration du bien-être.

Pendant la collecte des données et l'évaluation, l'infirmière doit souligner auprès de la cliente l'importance de sa prise en charge personnelle et des mesures qu'elle peut mettre en œuvre pour préserver ou améliorer son état de santé et son bien-être.

L'évaluation clinique comprend une anamnèse et un examen physique. La démarche commence par un relevé exhaustif des antécédents médicaux, suivi de l'examen physique. Pendant la collecte des données et l'évaluation, l'infirmière doit souligner auprès de la cliente l'importance de sa prise en charge personnelle et des mesures qu'elle peut elle-même mettre en œuvre pour préserver ou améliorer son état de santé et son bien-être. Les soins infirmiers consistent notamment à collecter les données, à évaluer l'état de santé de la femme, à planifier les interventions, à informer la cliente, à la conseiller, ainsi qu'à mettre en relief ses forces quant à ses saines habitudes de vie et, si nécessaire, à la diriger vers d'autres ressources.

2.2.1 Raisons de consulter un professionnel de la santé

Conseils avant la conception

Avant la grossesse, l'infirmière doit procurer à la femme et à son partenaire l'information dont ils ont besoin pour prendre des décisions éclairées en matière de reproduction **FIGURE 2.8.** Les rencontres qui ont lieu au cours de la période de préconception consistent notamment à indiquer au couple les moyens d'éviter les grossesses non désirées, à lui expliquer comment atténuer les risques et à préconiser les comportements les plus susceptibles d'améliorer le bien-être de la femme et, le cas échéant, du fœtus qu'elle portera (Moos, 2006).

Tous les professionnels de la santé qui exercent en soins périnataux doivent mettre en place un protocole d'évaluation et de dépistage en période de préconception auprès de toutes leurs clientes en âge de procréer (Johnson *et al.*, 2006). Au Québec, la politique de périnatalité prévoit cette mesure ; toutefois, le manque de ressources humaines peut faire varier l'accessibilité aux services. La promotion de la santé maternelle et infantile doit commencer avant cette période critique que constitue le développement des organes fœtaux et qui s'étend du 17e au 56e jour suivant la fécondation. À la fin de la huitième semaine de la grossesse et à la fin du premier trimestre, les principales anomalies structurelles pouvant toucher le fœtus se sont déjà développées. Or, nombreuses sont les femmes qui ne se savent pas enceintes au début de leur grossesse et qui ne consultent donc pas en soins prénataux avant que le premier trimestre ne soit déjà bien entamé. De ce fait, le fœtus, alors en pleine croissance, risque d'être exposé à des dangers environnementaux intra-utérins à ce stade particulièrement délicat de son développement.

Les soins liés à la période de préconception revêtent une importance toute particulière pour les femmes qui ont déjà vécu des problèmes de grossesse, par exemple, une fausse couche ou une naissance avant terme. Bien que ces problèmes ne soient pas toujours d'origine évidente, ils peuvent généralement être détectés et traités de manière à ne pas se reproduire au cours des grossesses ultérieures. Les soins visant la prévention en période de préconception permettent également d'éviter un certain nombre de malformations fœtales, par exemple chez les femmes susceptibles d'être exposées à des agents tératogènes (médicaments, virus, produits chimiques) ou présentant une maladie héréditaire. Les rencontres préalables à la grossesse permettent d'informer la femme et son conjoint sur les conséquences possibles de ces maladies et agents. Elles peuvent donc prévenir certains dangers menaçant le fœtus ou permettre au couple de prendre une décision éclairée quant aux risques auxquels la femme est exposée si elle devient enceinte (Atrash, Johnson, Adams, Cordero & Howse, 2006).

Il est souhaitable d'établir un plan de soins avant la conception qui cible les femmes en âge de procréer, de la ménarche jusqu'à la ménopause, à chacune de leurs interactions avec le système de santé, et non seulement à l'occasion des consultations en santé féminine (gynécologique) ou maternelle. La mise en œuvre de suivis de soins optimaux auprès de toutes les femmes qui consultent, qu'elles souhaitent vivre une grossesse

FIGURE 2.8
L'infirmière fournit au couple qui désire avoir un enfant toute l'information nécessaire afin qu'il prenne une décision éclairée.

RAPPELEZ-VOUS...

L'examen physique doit être adapté à chaque cliente. En présence d'une maladie aiguë dont les symptômes sont décelés, par exemple, l'infirmière peut décider de se concentrer uniquement sur les systèmes anatomiques en cause.

Jugement clinique

Vous recevez madame Corinne Bégin, âgée de 24 ans, à la clinique du CSSS. Elle présente une détresse psychologique marquée en raison de son incapacité à devenir enceinte.

Est-ce une réaction appropriée à sa situation ? Justifiez votre réponse.

ou non, peut davantage favoriser le bien-être de la cliente et de sa famille. Les principaux volets des soins liés à la période de préconception sont présentés à l'**ENCADRÉ 2.2**.

Grossesse

Les femmes s'adressent généralement à un professionnel de la santé au moment d'une grossesse, soit qu'elles demandent un diagnostic, soit qu'elles aient besoin de soins précis. Le retard des menstruations constitue généralement le premier signe d'une grossesse possible. Les femmes devraient commencer à bénéficier de soins prénataux dans les 12 premières semaines de la grossesse, surtout si elles n'ont pas reçu de soins ou d'enseignement en période de préconception.

Contraception et infertilité

Au Canada, près de la moitié des grossesses constatées chaque année ne sont pas planifiées ; certaines surviennent même en dépit de l'utilisation d'un moyen de contraception (Statistique Canada, 2008). Chez les adolescentes canadiennes, le taux de grossesse non planifié est aussi important (Société canadienne de pédiatrie, 2011). L'enseignement se révèle incontournable pour permettre aux femmes de prendre des décisions éclairées en matière de planification familiale, c'est-à-dire des décisions qui se fondent véritablement sur des choix et sur une analyse coûts/avantages de la situation. Les femmes qui s'adressent à un professionnel de la santé pour s'informer sur les moyens de contraception peuvent également bénéficier à cette occasion de conseils quant à l'utilisation adéquate de la méthode choisie.

Par ailleurs, certaines femmes consultent un professionnel de la santé parce qu'elles souhaitent être enceintes. Au Québec comme ailleurs dans le monde, des couples souffrent d'infertilité, à un degré ou à un autre. L'infertilité peut constituer une source de souffrance émotionnelle pour de nombreux couples ; l'incapacité à donner naissance à des enfants se traduit dans certains cas par un sentiment d'échec et peut imposer un stress considérable à la relation entre les conjoints. La prévention de l'infertilité doit s'inscrire dans le cadre des soins de santé de routine mis en œuvre ; les rencontres de préconception s'avèrent particulièrement propices à la transmission de cette information.

Troubles menstruels

L'irrégularité des règles et les autres problèmes menstruels constituent une source majeure d'inquiétude pour les femmes ; ces problèmes les amènent souvent à s'adresser à un professionnel de la santé.

ENCADRÉ 2.2 Principaux volets des soins en période de préconception

ENSEIGNEMENT GÉNÉRAL

- Alimentation
  - Poids optimal
  - Habitudes alimentaires saines, y compris la consommation d'acide folique
- Exercice physique et repos
- Consommation nulle ou faible de tabac, d'alcool et de drogue
- Pratiques sexuelles responsables
- Contraception
- Satisfaction des besoins familiaux et sociaux (p. ex., un réseau de soutien, un emploi, l'accessibilité au logement)

ÉVALUATION DES FACTEURS DE RISQUE

- Maladies chroniques
  - Diabète, maladie cardiaque, hypertension, asthme, maladie thyroïdienne, maladie rénale, anémie, maladie mentale
- Maladies infectieuses
  - VIH/sida[a], autres infections transmissibles sexuellement (ITS), maladies évitables par la vaccination (p. ex., la rubéole ou l'hépatite B)
- Antécédents médicaux génésiques (relatifs à la reproduction)
  - Grossesses ou grossesses non planifiées ; évolution et issue des grossesses
  - Infertilité
- Maladies ou affections génétiques ou héréditaires (p. ex., la drépanocytose [anémie falciforme ou maladie de Herrick], le syndrome de Down, la fibrose kystique)
- Traitements pharmacologiques ou médicaux
  - Médicaments délivrés sur ordonnance (en particulier ceux qui sont contre-indiqués pendant la grossesse) ; médicaments offerts en vente libre ; exposition à des radiations
- Comportements et facteurs de risque personnels et environnementaux
  - Surcharge ou insuffisance pondérale ; troubles de l'alimentation
  - Situation familiale et relations néfastes avec le conjoint/partenaire, y compris violence conjugale
  - Manque d'appui de la famille et d'autres systèmes de soutien
  - Manque de réceptivité quant à l'éventualité d'une grossesse (p. ex., l'âge, les objectifs de vie, le stress)
  - Milieu et environnement néfastes (à la maison, au travail)
  - Dangers et menaces pour la sécurité
  - Exposition à des produits chimiques toxiques ou à des radiations

INTERVENTIONS

- Enseignement et conseil préventifs
  - Traitement des problèmes médicaux et résultats obtenus
  - Traitements pharmacologiques
  - Vaccinations (p. ex., contre la rubéole, la tuberculose, l'hépatite)
- Alimentation, suivi du poids
- Exercice physique
- Diriger vers des ressources spécialisées en génétique
- Diriger vers des ressources spécialisées en planification familiale

[a] VIH : Virus de l'immunodéficience humaine ; sida : syndrome d'immunodéficience acquise.

Certains troubles menstruels sont particulièrement courants, notamment l'aménorrhée, l'algoménorrhée (dysménorrhée), le syndrome prémenstruel, l'endométriose, la ménorragie et la métrorragie ▶ 3.

Périménopause

Bien que la fertilité baisse considérablement à la périménopause, la grossesse reste possible, et les femmes ont avantage à maintenir le recours à un moyen de contraception si elles ne veulent pas être enceintes. La plupart des femmes qui consultent un professionnel de la santé à ce stade s'inquiètent de l'irrégularité des saignements qui accompagne souvent la périménopause. D'autres s'interrogent plutôt sur les symptômes vasomoteurs, comme les bouffées de chaleur et le rougissement cutané. Toutes les femmes devraient alors recevoir une information factuelle sur les symptômes de la périménopause et bénéficier d'un examen complet suivi de dépistages périodiques.

2.2.2 Facteurs pouvant influer sur la consultation d'un professionnel de la santé

Accessibilité

Au Canada et plus particulièrement au Québec, l'accessibilité aux services de santé pour la population, et par conséquent pour les femmes, peut représenter un défi de taille. En regard de cette problématique, l'Ordre des infirmières et infirmiers du Québec (OIIQ) a formulé, en 2006, des recommandations au gouvernement du Québec quant à la poursuite de la mise sur pied des groupes de médecine de famille (GMF) ; l'Ordre a aussi recommandé que le nombre d'infirmières cliniciennes en GMF soit augmenté et que des infirmières praticiennes spécialisées en soins de première ligne soient formées et disponibles à la population afin d'augmenter l'accessibilité aux services de santé (OIIQ, 2006).

Enjeux culturels

La diversité ethnique et culturelle est croissante, et la santé des groupes minoritaires représente aujourd'hui un enjeu important. Les professionnels de la santé doivent tenir compte des différences culturelles qui peuvent influer sur les traitements dans certains groupes de femmes **ENCADRÉ 2.3**. Par ailleurs, les femmes elles-mêmes doivent discuter avec leurs professionnels de la santé des croyances et des pratiques pouvant orienter leur prise en charge personnelle des soins ou leur réceptivité quant aux interventions proposées (Callister, 2005). Par exemple, certaines cultures définissent la pudeur d'une manière telle que les femmes hésitent à se déshabiller devant des inconnus ou en présence d'un professionnel de la santé de sexe masculin ; sauf nécessité absolue, elles évitent par conséquent les examens physiques. À cet effet, certains centres hospitaliers québécois demandent

3

Les divers troubles menstruels sont présentés dans le chapitre 3, *Problèmes de santé courants*.

RAPPELEZ-VOUS...

Bien que l'on perçoive les soins comme étant naturellement axés sur le client, l'infirmière doit se rappeler que sa propre culture peut influer sur la façon dont elle perçoit les clients, sur la manière dont les clients la perçoivent et sur les soins qu'elle leur prodigue.

Soins ethnoculturels

ENCADRÉ 2.3 Cas d'excision

- L'excision se pratique dans de nombreux groupes ethniques, culturels et religieux du monde entier. Par exemple, trois millions de jeunes filles sont victimes, chaque année, de mutilation sexuelle génitale sur le continent africain (Organisation mondiale de la santé [OMS], 2010). Bien que cette mutilation soit généralement effectuée chez les petites filles, certaines collectivités la pratiquent aussi chez les adolescentes ou chez les femmes adultes. L'excision est généralement reconnue comme une violation des droits humains des filles et des femmes, et l'OMS ainsi que d'autres organismes plaident inlassablement pour l'abandon de cette pratique (OMS, 2009).
- L'excision consiste à couper une partie du clitoris, voire l'ensemble du clitoris, ainsi que les petites lèvres. Dans certains cas, les grandes lèvres sont cousues ensemble par-dessus l'urètre et l'orifice vaginal. Cette pratique ne présente aucun avantage sur le plan de la santé.
- L'étendue de la zone touchée par l'excision détermine en partie la gravité des complications qu'elle peut entraîner. Les plus courantes sont les hémorragies, des douleurs, la formation de cicatrices, de chéloïdes ou de kystes, ainsi que les infections. L'urine et le sang menstruel s'écoulant difficilement, l'excision peut provoquer des infections pelviennes chroniques, des douleurs dorsales et pelviennes ainsi que des infections urinaires chroniques. Quand l'orifice vaginal a été fermé, une opération chirurgicale s'avère nécessaire dans certains cas pour permettre l'examen vaginal, les relations sexuelles ou l'accouchement.
- Aux États-Unis et au Canada, comme dans la plupart des autres pays occidentaux, les infirmières sont appelées à soigner un nombre croissant de femmes en provenance du Moyen-Orient, de l'Asie ou de l'Afrique, les régions du monde dans lesquelles l'excision reste la plus répandue. Elles doivent être conscientes des besoins particuliers de ces femmes, notamment si celles-ci souhaitent maintenir ou restaurer les effets de l'excision après l'accouchement (p. ex., l'obturation vaginale).

RECOMMANDATIONS POUR LA PRATIQUE INFIRMIÈRE

- Traiter les femmes victimes de mutilations génitales avec sensibilité.
- Acquérir des connaissances professionnelles concernant les mutilations génitales chez la femme et les pratiques culturelles associées.
- Renseigner les femmes à risque au sujet des mutilations génitales, pour protéger leurs filles.
- Fournir des renseignements écrits à ces femmes dans leur langue maternelle.

RÉFÉRENCES

Turner, D. (2007). Female genital cutting : Implications for nurses. *Nursing for Women's Health, 11*(4), 366-372.

Momoh, C. (2010). *Trends in Urology Gynaecology & Sexual Health. Female genital mutilation*. [En ligne]. http ://onlinelibrary.wiley.com/doi/10.1002/tre.142/pdf (page consultée le 25 mai 2011).

London Safeguarding Children Board (2009). *London Female Genital Mutilation Resource Pack*. [En ligne]. www.londonscb.gov.uk/files/2010/resources/fgm/london_fgm_resource_pack.pdf (page consultée le 25 mai 2011).

à la femme en début de grossesse de signer un consentement visant à spécifier qu'en acceptant de recevoir des soins de l'établissement nommé dans ce document, elle consent à ce que ces soins soient offerts tant par un professionnel de la santé de sexe féminin que masculin selon la disponibilité au moment des soins requis (p. ex., à l'accouchement). Certaines femmes s'en remettent à leur mari pour les décisions importantes, y compris celles qui touchent leur propre santé. En proposant un consentement clair à la personne concernée dès la première rencontre, une discussion quant à l'adhésion à ce dernier pourra être entamée entre les conjoints, et une décision commune pourra en ressortir. Diverses convictions religieuses dictent des stratégies d'intervention bien précises en matière de santé, par exemple en ce qui concerne la contraception ou la transfusion sanguine. Certains groupes culturels préfèrent les médecines traditionnelles, l'homéopathie ou la prière à la médecine scientifique occidentale ; d'autres associent plusieurs approches.

Jugement clinique

Gladys Sioui, âgée de 14 ans, est enceinte. Elle vous consulte, car elle souhaite mener sa grossesse à terme.

Sur le plan psychologique, sur quel élément particulier portera votre évaluation ?

2.3 Risques pour la santé des femmes pendant les années de fertilité

Tératogène : Se dit d'une substance ou d'un procédé qui provoque des malformations fœtales lorsque la mère y est exposée.

Le maintien ou l'atteinte d'un état de santé optimal constitue un objectif important pour toutes les femmes. Pour le concrétiser, il convient notamment de détecter les problèmes et les risques éventuels, et de mettre en place des séances d'information et d'autres interventions nécessaires pour les régler ou les atténuer. Cette approche se révèle particulièrement cruciale pour les femmes en âge de procréer, car les risques auxquels elles sont alors exposées touchent non seulement leur propre bien-être, mais aussi celui du fœtus ou de l'enfant si elles deviennent enceintes. Les soins prénataux constituent les premières interventions de prévention mises en œuvre après la conception. La promotion de la santé ainsi que la prévention des problèmes de santé doivent cependant s'amorcer avant la grossesse, car de nombreux risques maternels peuvent être détectés et éliminés ou, à tout le moins, atténués, avant la conception.

2.3.1 Âge

Adolescence

L'adolescence se caractérise notamment par le développement progressif des caractères sexuels et par la maturation de divers traits développementaux, par exemple l'affirmation de l'identité, l'acquisition des préférences sexuelles, l'émancipation par rapport au cercle familial et la détermination des objectifs professionnels. Certains de ces changements peuvent causer beaucoup de stress aux adolescentes ; l'infirmière doit donc faire preuve d'une grande sensibilité envers elles. Les adolescentes consultent généralement pour des procédures de dépistage (le test de Papanicolaou commence à être pratiqué dès que l'adolescente est active sexuellement) ou en raison d'un problème particulier (maladie passagère, accident ou autre). Les problèmes gynécologiques les plus fréquents à cet âge sont les suivants : irrégularité menstruelle ou dysménorrhée, vaginite, leucorrhée, ITS, contraception, grossesse.

Grossesses à l'adolescence

Chez les jeunes filles âgées de moins de 16 ans, la grossesse provoque souvent un stress qui s'ajoute à ceux de cette période particulièrement délicate du développement **FIGURE 2.9**. Du point de vue émotionnel, les adolescents sont généralement égocentriques et impulsifs ; les convictions et les actes de leurs camarades du même âge revêtent une importance primordiale à leurs yeux. Particulièrement désireux de se doter d'une identité personnelle indépendante, certains négligent de prendre en considération les conséquences éventuelles de leurs comportements. Leurs processus mentaux accordent souvent peu de place à la planification de l'avenir.

Certaines adolescentes peuvent ne pas disposer des moyens financiers nécessaires pour faire face à une grossesse ; elles manquent parfois de maturité et ne sont pas toujours attentives à prendre les moyens nécessaires pour éviter les risques **tératogènes** ou solliciter les soins prénataux, l'information et le suivi dont elles auraient besoin. Les enfants de mères adolescentes sont parfois exposés à un risque accru de négligence ou de maltraitance, leur mère ne possédant pas les connaissances indispensables en matière de

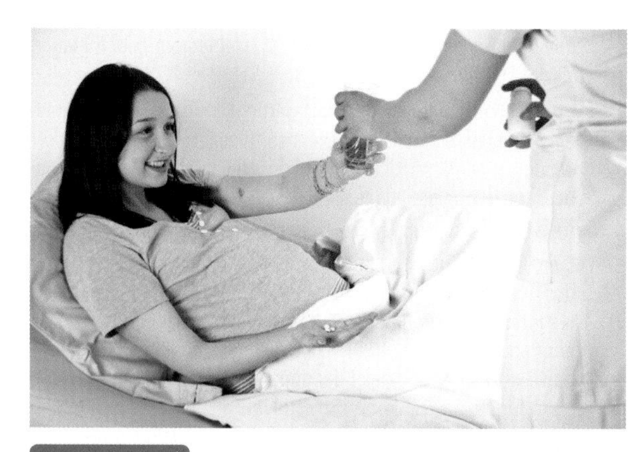

FIGURE 2.9
L'adolescente enceinte peut compter sur l'infirmière pour lui offrir un soutien particulier.

croissance, de développement et, d'une manière générale, de soins parentaux (Ministère de la Santé et des Services sociaux [MSSS], 2008a).

Début de l'âge adulte jusqu'à la quarantaine

En général, les femmes âgées de 20 à 40 ans ont des besoins en matière de contraception, de suivi d'examens mammaires et gynécologiques, ainsi que de soins pendant la grossesse. Cette étape de la vie oblige souvent la femme à cumuler les responsabilités familiales, domestiques et professionnelles, ce qui augmente considérablement son niveau de stress. Le maintien d'un état de santé optimal exige la mise en place de dépistages gynécologiques et mammaires particuliers, mais aussi d'interventions ciblées de promotion d'un mode de vie sain:

- une alimentation adéquate;
- de l'exercice physique régulier;
- l'abandon du tabagisme;
- l'abandon ou la réduction de la consommation d'alcool;
- un repos régénérateur;
- une baisse du niveau de stress;
- la mise en communication avec des spécialistes pour les autres maladies et problèmes de santé.

Les motifs de consultation les plus fréquents chez les femmes du début de l'âge adulte à la quarantaine sont les vaginites, les infections urinaires, les fluctuations menstruelles, l'obésité, les difficultés relatives à la sexualité ou aux relations interpersonnelles et la grossesse.

Maternité après 35 ans

Les femmes âgées de plus de 35 ans sont soumises à des facteurs de risque particuliers pouvant influer négativement sur leurs grossesses. Ainsi, le diabète de type 2 (diabète non insulinodépendant) peut ne pas s'être encore manifesté à l'âge de 22 ans, mais s'accompagner de tous les symptômes après 35 ans. D'autres maladies ou affections chroniques ou invalidantes s'accentuent avec le temps et peuvent accroître les risques chez la femme enceinte (MSSS, 2008a). À cet âge, le risque d'anomalie génétique chez l'enfant s'accentue (p. ex., le syndrome de Down). Toutefois, la Société des obstétriciens et gynécologues du Canada recommande que les Canadiennes de tous âges aient accès au dépistage prénatal et qu'elles puissent bénéficier, selon les résultats, d'une évaluation par un service de génétique (MSSS, 2008a) ▶ 5.

Les femmes âgées de plus de 35 ans sont soumises à des facteurs de risque particuliers pouvant influer négativement sur leurs grossesses.

Fin de la période de fécondité

Dans leurs dernières années de fécondité, la plupart des femmes vivent d'importants changements, et elles réorganisent leurs priorités. Souvent, elles ont concrétisé leurs objectifs en matière d'éducation, de cheminement de carrière, de mariage et de fondation d'une famille et elles disposent d'un peu plus de temps, ce qui leur permet de s'intéresser à de nouvelles activités. Les femmes et leurs familles vivent alors plus de défis organisationnels dus à l'évolution des divers stades de développement qui se caractérise entre autres par le départ des enfants. Les maladies chroniques se manifestent également avec plus d'intensité. La plupart des problèmes gynécologiques des dernières années de fécondité se rapportent à la périménopause, comme l'irrégularité menstruelle et les symptômes vasomoteurs. L'évaluation clinique et les examens de dépistage restent d'une importance cruciale, car certaines maladies deviennent plus fréquentes avec l'âge, notamment le cancer des ovaires et du sein.

2.3.2 Facteurs sociaux et culturels

Le niveau socioéconomique ainsi que l'appartenance ethnique déterminent en partie le risque de maladie et l'espérance de vie. Ainsi, la drépanocytose est plus fréquente chez les personnes originaires d'Afrique (OMS, 2006a); la maladie de Tay-Sachs, chez les Juifs ashkénazes (OMS, 2011); l'alactasie (intolérance au lactose) adulte, chez les Chinois; la bêtathalassémie chez les Méditerranéens (OMS, 2006b); et la fibrose kystique, chez les Européens du Nord. Les traits culturels et religieux jouent également un rôle important dans l'adoption de saines habitudes de vie, et ils influent sur les facteurs de risque. Dans certains groupes de population, les valeurs et les points de vue relatifs à la santé et à la maladie donnent lieu à des pratiques très différentes de celles généralement observées dans les sociétés occidentales judéochrétiennes, et ce, dans plusieurs domaines: alimentation (tabous ou prescriptions), hygiène, adaptation au climat, modalités des consultations en santé, réceptivité envers certains examens ou procédures paracliniques. Ces spécificités culturelles peuvent aussi ébranler les pratiques habituelles du système de santé.

Ainsi qu'en témoigne l'état de santé des mères et des nouveau-nés, la classe socioéconomique a aussi des incidences majeures sur la santé. Les populations démunies affichent en général des taux plus élevés de mortalité maternelle et périnatale, ainsi que de naissances prématurées ou de faible poids (Martin *et al.*, 2008). L'arrivée d'un enfant a des conséquences sociales très importantes pour les mères de famille monoparentale ou en situation de pauvreté: elles peuvent s'appauvrir graduellement et se retrouver de plus en plus

RAPPELEZ-VOUS...

La Charte d'Ottawa (OMS, 1986) reconnaît l'influence des conditions sociales sur la santé en énumérant les conditions préalables à celle-ci, définies comme étant les «conditions indispensables à la santé»: la paix, un abri, l'instruction, la nourriture, un revenu, un écosystème stable, des ressources durables, la justice sociale et l'équité.

5

Le chapitre 5, *Génétique, conception et développement fœtal*, traite notamment du dépistage prénatal des maladies génétiques.

exposées à divers problèmes de santé. D'une manière générale, les femmes sont tiraillées entre de multiples rôles qui leur imposent une charge de travail excessive, des conflits d'horaires et de priorités ainsi qu'un surcroît de stress qui intensifient le risque de problèmes psychologiques, malgré le rôle croissant des pères dans l'éducation des enfants.

2.3.3 Consommation de substances psychoactives

Jugement clinique

Madame Kelly Prescott, âgée de 23 ans, est enceinte de 5 semaines. Elle dit consommer régulièrement du café.

Devrait-elle s'abstenir d'en boire? Justifiez votre réponse.

Bien que leur vente soit légale, la cigarette, l'alcool et, dans une moindre mesure, la caféine peuvent induire une dépendance et représenter un danger non négligeable pour la santé, en particulier celle des femmes enceintes, des fœtus et des nouveau-nés. La consommation de drogues et de médicaments est de plus en plus marquée dans notre société, et ce, dans toutes les tranches d'âge, chez tous les groupes ethniques et dans toutes les classes socioéconomiques. La toxicomanie au sens large (consommation excessive de l'un ou l'autre des produits toxiques cités précédemment) est considérée comme une maladie biopsychosociale que plusieurs facteurs de risque favoriseraient, notamment la prédisposition biogénétique, le manque de résilience par rapport au stress et l'insuffisance du soutien social. La consommation excessive de drogues ou de médicaments touche moins les femmes que les hommes, mais le ratio des femmes augmente actuellement de manière importante (Santé Canada, 2008a). La toxicomanie chez la femme enceinte cause des problèmes graves pour la femme elle-même, mais également pour le fœtus ou l'enfant, dont un retard de croissance ou de développement ainsi que le risque de dépendance. Très souvent, la consommation excessive de ces produits dangereux, légaux ou non, est constatée au cours d'un examen réalisé en clinique prénatale ou en unité d'obstétrique.

Tabac

La cigarette constitue l'une des principales causes évitables de maladies et de décès. Les recherches relèvent des liens entre le tabagisme et les maladies cardiovasculaires, plusieurs types de cancers (notamment celui des poumons et du col de l'utérus), les maladies pulmonaires chroniques et des issues négatives de grossesse. Le tabac contient de la nicotine, laquelle induit une dépendance physique et psychologique (Santé Canada, 2010a). La cigarette nuit à la fertilité chez la femme et chez l'homme, peut abaisser l'âge de la ménopause, et elle augmente le risque d'ostéoporose après la ménopause. La fumée passive (fumée secondaire) présente les mêmes dangers. Elle intensifie les risques chez les fumeurs et les non-fumeurs. La consommation de tabac pendant la grossesse entrave la perfusion placentaire et constitue l'une des causes bien connues des naissances de faible poids (Kliegman, 2006).

Jugement clinique

Vous poursuivez votre discussion avec madame Prescott. Elle vous révèle prendre un anxiolytique depuis presque trois ans.

Comment devriez-vous réagir devant ce fait?

Caféine

La caféine est un stimulant présent dans les boissons les plus consommées dans notre société : café, thé, boissons gazeuses. Elle peut causer de l'anxiété et perturber le sommeil, et donc, entraver certaines fonctions corporelles et altérer l'humeur. La caféine peut causer certaines arythmies cardiaques, et elle interagit négativement avec plusieurs médicaments, dont le lithium. Les recherches n'attribuent pas de malformations congénitales dues à la caféine ; elles constatent par contre un lien entre les consommations importantes (plus de 450 mg par jour ou 4 tasses de café filtre) de ce stimulant et l'augmentation du risque de fausse couche (Weng, Odouli & Li, 2008).

Alcool

Dans la population féminine canadienne, le taux d'alcoolisme le plus élevé est celui des femmes âgées de 15 à 24 ans (Santé Canada, 2010b). Ce sont toutefois les femmes de 21 à 34 ans qui sont les plus exposées aux problèmes de santé propres à la consommation d'alcool. La plupart d'entre elles associent le début d'alcoolisme à un traumatisme (Santé Canada, 2008b) ou à un événement particulièrement stressant. Les femmes qui boivent de manière excessive sont souvent déprimées ; elles sont plus fréquemment blessées dans des accidents de la route et présentent un taux de tentative de suicide plus élevé que la population féminine en général. Elles sont par ailleurs soumises à un risque particulièrement exacerbé de dommages hépatiques attribuables à la consommation d'alcool (Le Réseau canadien pour la santé des femmes, 2010).

Médicaments

Psychotropes

En Amérique du Nord, un pourcentage relativement restreint de la population féminine fait usage de stimulants, de somnifères, de tranquillisants ou d'analgésiques. Ces médicaments peuvent alléger certains problèmes tels que l'insomnie, l'anxiété et la douleur. Cependant, comme ce sont des psychotropes (c'est-à-dire qu'ils modifient l'activité mentale), ils risquent d'induire une dépendance psychologique et physique comparable à celle des drogues s'ils ne sont pas utilisés correctement. Le recours aux psychotropes à moyen ou à long terme doit toujours faire l'objet d'une évaluation comparant les risques aux avantages escomptés. Tous ces médicaments ont une incidence sur le fœtus. S'ils sont pris pendant la grossesse, leur utilisation doit être encadrée par un suivi très minutieux.

La dépression constitue le problème de santé mentale le plus courant chez les femmes. Elle peut être traitée au moyen d'un éventail très large de médicaments (National Women's Health Resource Center, 2006a). Tous ces psychotropes pouvant avoir des conséquences pour le fœtus, ils doivent être utilisés sous surveillance étroite pendant la grossesse.

Drogues

La consommation de drogues entraîne des risques importants pour leurs consommateurs, surtout pour les femmes enceintes. La cocaïne, l'héroïne et la marijuana sont particulièrement dangereuses **TABLEAU 2.1.**

Pour leur part, les stimulants tels que les amphétamines (*speed*) ou les méthamphétamines (*crystal meth*, *crystal*, *meth*, *ice*) induisent des signes et des symptômes similaires à ceux de la cocaïne. Les sédatifs (tranquillisants, anxiolytiques, pentobarbital, sécobarbital) permettent d'atténuer les effets stimulants des drogues. Les hallucinogènes altèrent les perceptions et le fonctionnement corporel. La phencyclidine (aussi appelée PCP ou poussière d'ange ou poudre d'ange) et le diéthylamide de l'acide lysergique (LSD) produisent de fortes altérations sensorielles généralement accompagnées d'agitation, d'euphorie, de paranoïa et de comportements antisociaux. Leur consommation peut provoquer des récurrences (hallucinations récidivantes brèves), la psychose chronique et les comportements violents (Stuart & Laraia, 2005) en plus d'entraîner des risques de santé pour le fœtus.

Jugement clinique

Madame Alex Lemay, âgée de 29 ans, se présente pour une rencontre prénatale au CSSS. Elle envisage de devenir enceinte. Alors que vous procédez à votre évaluation, elle affirme fumer 1 g de marijuana chaque jour. Selon elle, cela ne peut avoir un impact plus important que de fumer un paquet de cigarettes par jour.

Quels éléments d'information devrez-vous intégrer dans l'enseignement que vous donnerez à madame Lemay ?

2.3.4 Alimentation

Le maintien d'une alimentation équilibrée et saine s'avère indispensable à l'obtention et au maintien d'un état de santé optimal. Il contribue à prévenir les maladies et peut même atténuer certains problèmes de santé. À l'inverse, les

TABLEAU 2.1 Types de drogues et leurs effets généraux sur la femme enceinte et sur le fœtus

TYPE DE DROGUE	FAÇON DE CONSOMMER	EFFETS GÉNÉRAUX	EFFETS SUR LA FEMME ENCEINTE ET SON FŒTUS
Cocaïne	La cocaïne peut être aspirée par les narines, fumée ou injectée.	• Il s'agit d'un puissant stimulant du système nerveux central qui procure un sentiment de plaisir ou de bien-être très marqué (induit une dépendance très forte.) • La cocaïne perturbe tous les systèmes de l'organisme importants. • Elle provoque un stress cardiovasculaire pouvant entraîner une crise cardiaque ou un accident vasculaire cérébral (AVC) ; diverses maladies du foie ; une hyperstimulation du système nerveux central susceptible de se traduire par des convulsions ; et même, dans certains cas, la perforation de la cloison nasale. Les cocaïnomanes s'alimentent généralement mal et souffrent souvent d'ITS (Santé Canada 2008c).	Elle accroît le risque de fausse couche, de naissance prématurée ou de nouveau-né de faible poids, de décollement placentaire et de mort fœtale. Certaines recherches lui attribuent également un taux plus élevé d'anomalies congénitales (March of Dimes Foundation, 2006a).
Héroïne	L'héroïne est un opioïde qui se consomme généralement par injection, mais il peut aussi être fumé ou aspiré par les narines.	• Elle provoque l'euphorie, la détente, le soulagement de la douleur et une apathie caractérisée par une rupture de la personne avec la réalité, une distorsion du jugement et la somnolence. Les héroïnomanes sont soumis à un risque accru d'infection par le VIH et l'hépatite B, C et D, essentiellement parce qu'ils utilisent parfois des seringues contenant du sang contaminé.	Elle entrave la croissance fœtale et favorise la rupture prématurée des membranes, le déclenchement du travail avant terme et la prématurité.
Marijuana	La marijuana provient d'une plante (le cannabis) et se consomme généralement fumée en cigarette, mais elle peut aussi être incorporée à la nourriture et ingérée.	• Elle induit un état d'euphorie grisant qui altère les perceptions sensorielles.	Sa fumée traverse aisément la barrière placentaire et fait augmenter le taux de monoxyde de carbone dans le sang maternel, ce qui diminue l'approvisionnement en oxygène du fœtus. La marijuana peut provoquer des anomalies fœtales (Stuart & Laraia, 2005).

recherches relèvent des liens entre les piètres habitudes alimentaires, les troubles de l'alimentation et l'obésité, d'une part, et l'extrême faiblesse (asthénie) et la maladie, d'autre part.

Carences nutritionnelles

Les problèmes de santé manifestes attribuables à une carence nutritionnelle sont devenus plutôt rares en Amérique du Nord. Les carences et les déséquilibres nutritionnels peuvent néanmoins causer des difficultés importantes chez certaines personnes et dans certaines familles, par exemple, une insuffisance ou un excès pondéral, la malabsorption (mauvaise assimilation des nutriments), l'apathie, la fatigue extrême, la vulnérabilité exacerbée aux virus du rhume et aux autres infections mineures, la constipation, les caries dentaires, des cheveux ternes et des ongles friables. Tous ces problèmes signalent la nécessité d'examiner plus à fond l'alimentation de la personne. Par ailleurs, les déséquilibres alimentaires peuvent induire des problèmes de santé plus graves, surtout s'ils favorisent l'obésité ou s'ils résultent d'une consommation trop importante de matières grasses ou de cholestérol.

RAPPELEZ-VOUS...

Les outils de dépistage nutritionnels incluent des données objectives comme la taille, le poids corporel et les variations de poids du client, les diagnostics des pathologies principales et autres comorbidités.

D'autres comportements alimentaires peuvent également constituer des facteurs de risque. Ainsi, une consommation insuffisante de calcium peut induire l'ostéoporose; un apport sodique excessif aggrave certaines formes d'hypertension; une prise massive de vitamines risque de provoquer des effets indésirables dans plusieurs systèmes de l'organisme. Les programmes d'amincissement à la mode et les régimes yoyos (alternance répétée de pertes et de prises de poids) causent des déséquilibres nutritionnels et, parfois, des problèmes médicaux plus sérieux encore. Ils ne permettent pas de maintenir un poids santé à long terme. À l'adolescence, la grossesse entraîne des besoins nutritionnels particuliers, car elle ajoute des besoins métaboliques à ceux de cette période du développement caractérisée par une croissance et une maturation de tous les organes; or, les adolescents ont plutôt tendance à mal s'alimenter.

L'anorexie, la boulimie et les troubles de l'alimentation non spécifiés de forme moins sévères touchent jusqu'à 100 000 femmes et filles au Québec (www.anebquebec.com).

Obésité

En Amérique du Nord, l'obésité est en forte progression depuis 20 ans. Selon les estimations, au Canada, 23 % des femmes âgées de plus de 20 ans seraient obèses (indice de masse corporelle [IMC] supérieur ou égal à 30), et 30 % seraient préobèses (IMC compris entre 25,9 et 29) (Statistique Canada, 2004a). L'IMC mesure le poids des adultes par rapport à leur taille; il s'obtient en divisant le poids en kilogrammes par le carré de la taille en mètres ▶ 8.

8

Il est question d'obésité dans le chapitre 8, *Nutrition de la mère et du fœtus*.

L'obésité et l'embonpoint (préobésité) constituent des facteurs de risque reconnus pour le diabète, les maladies cardiaques, les AVC, l'hypertension, les maladies vésiculaires, l'arthrose, l'apnée obstructive du sommeil ainsi que plusieurs types de cancer: du sein, de l'utérus, du rein, de la vessie, cancer colorectal (Coalition québécoise sur la problématique du poids, 2011). En outre, les recherches relèvent un lien entre l'obésité et l'hypercholestérolémie, l'irrégularité menstruelle, l'hirsutisme (pilosité excessive sur le corps et le visage), l'incontinence à l'effort, la dépression, les complications de la grossesse, l'accroissement du risque chirurgical et le décès prématuré (baisse de l'espérance de vie) (Maisonneuve & Rey, 2011). Les complications de la grossesse associées à l'obésité sont notamment la macrosomie (poids très élevé à la naissance), le diabète gestationnel (diabète de grossesse), l'hypertension, la naissance avant terme et la césarienne. Chez la femme enceinte, l'obésité morbide induit par ailleurs un risque accru d'hypotrophie fœtale et de mort fœtale *in utero* (intra-utérine) (Karrigan & Kingdon, 2010).

Anorexie

Entretenant une vision erronée de leur propre corps, certaines femmes se trouvent constamment trop grosses, et ce, quel que soit leur poids. Elles ont alors tendance à s'astreindre à des régimes alimentaires extrêmement stricts et à multiplier à l'excès les séances d'exercice physique. Ce trouble alimentaire chronique, l'anorexie, est cependant le plus rare de tous. Il s'accompagne généralement de dépression. Les femmes touchées peuvent aller jusqu'à l'inanition, qui déclenche des anomalies métaboliques et endocriniennes. Si leur état nutritionnel n'est pas ramené à la normale assez rapidement, elles peuvent souffrir de complications majeures telles que l'arythmie cardiaque, la myocardiopathie (ou cardiomyopathie) et l'insuffisance cardiaque congestive (ou insuffisance cardiaque œdémateuse). Dans les cas extrêmes, l'anorexie mène à la mort. Elle se manifeste généralement à l'adolescence, le plus souvent chez des jeunes filles présentant par ailleurs un trouble de la personnalité plus ou moins marqué. Elles maigrissent pendant plusieurs mois; leurs règles cessent (aménorrhée), et elles s'inquiètent à l'excès de leur image corporelle. L'anorexie exige la mise en place d'interventions médicales et psychiatriques (Wolfe, 2005).

Boulimie

La boulimie se définit par une alternance d'épisodes clandestins de gloutonnerie indépendante de la volonté et de mesures visant à empêcher la prise de poids: vomissements provoqués, consommation de laxatifs ou de diurétiques, mise en œuvre d'un régime alimentaire très strict, jeûne, programme d'exercice physique très rigoureux. La boulimie commence généralement à se manifester au début de l'âge adulte (entre l'âge de 18 et de 25 ans) et touche essentiellement les femmes. Ses complications les plus courantes sont la déshydratation, le déséquilibre électrolytique, des anomalies gastro-intestinales, des problèmes dentaires et l'arythmie cardiaque (Wolfe, 2005).

2.3.5 Condition physique et exercice

L'exercice physique fait reculer la probabilité de plusieurs maladies ainsi que divers facteurs de risque exacerbés par l'obésité et la sédentarité. À ce titre, il favorise le maintien d'un bon état de santé. Il se révèle particulièrement efficace pour prévenir les maladies cardiovasculaires et atténuer certaines affections chroniques telles que l'hypertension, l'arthrite, le diabète, les problèmes respiratoires et l'ostéoporose. L'exercice physique aide aussi à faire baisser le niveau de stress et à maintenir un poids santé. Les femmes qui font régulièrement du sport signalent qu'elles améliorent leur image corporelle, leur estime de soi ainsi que leur humeur. Les exercices aérobiques stimulent l'oxygénation des muscles sollicités et font par conséquent intervenir tout le système cardiovasculaire. Les exercices anaérobiques, par exemple le soulèvement de poids, augmentent la masse musculaire sans solliciter le système cardiovasculaire. Les femmes cherchant généralement à améliorer à la fois leur santé cardiovasculaire et osseuse, les exercices aérobiques avec mise en charge sont ceux qu'elles tendent à privilégier: par exemple, la marche, la course à pied, les sports de raquette, la danse. Pratiqué de manière excessive ou exténuante, l'exercice physique peut toutefois induire des déséquilibres hormonaux susceptibles de provoquer l'aménorrhée. Les lésions constituent également un risque potentiel à ne pas négliger.

2.3.6 Stress

Chez les femmes, le stress s'explique souvent par le fait qu'elles doivent assumer de front de multiples rôles parfois conflictuels – responsabilités professionnelles, financières, parentales, domestiques. Certaines femmes vivent dans des situations qui ne leur laissent guère de marge de manœuvre et ne leur permettent pas d'orienter leur quotidien dans le sens qu'elles souhaitent. Tout le monde vit un certain stress: il est normal et présente même plusieurs avantages. Cependant, le stress excessif déclenche à la longue des réactions physiques pouvant se révéler néfastes: l'accélération du rythme cardiaque, l'élévation de la pression artérielle (P.A.), le ralentissement de la digestion, l'augmentation des sécrétions de certains neurotransmetteurs et de certaines hormones, des tensions musculaires, l'affaiblissement du système immunitaire. Par conséquent, le stress permanent favorise le développement ou l'aggravation de plusieurs maladies cliniques telles que les crises d'asthme ou d'arthrite, les infections ou les rhumes à répétition, les perturbations gastro-intestinales, les problèmes cardiovasculaires et l'infertilité. La toxicomanie, l'alcoolisme, le tabagisme, la pharmacodépendance ainsi que divers signes psychologiques peuvent aussi témoigner d'un niveau de stress trop élevé: par exemple, de l'anxiété, de l'irritabilité, des troubles alimentaires, la dépression, l'insomnie.

2.3.7 Pratiques sexuelles

Les grossesses non désirées ainsi que les ITS constituent deux des principaux risques potentiels de l'activité sexuelle non protégée. Ils sont particulièrement élevés chez les adolescents et les jeunes adultes, qui amorcent leur vie sexuelle de plus en plus jeunes. Des enquêtes réalisées auprès des adolescents révèlent que des motivations très diverses peuvent les inciter aux relations sexuelles, dont les pressions des pairs, le désir d'aimer et d'être aimé, le goût pour l'expérimentation, la volonté d'augmenter son estime de soi, le plaisir. Néanmoins, nombreux sont les adolescents et les adolescentes qui ne possèdent pas encore des capacités décisionnelles et une échelle de valeurs et de priorités suffisamment bien établies pour franchir cette étape; la plupart manquent par ailleurs de connaissances sur la contraception et les ITS, et ont tendance à se croire à l'abri des grossesses non désirées et de ces infections.

Toute collecte de données doit recueillir des renseignements sur les pratiques sexuelles ainsi que sur les antécédents médicaux qui pourraient y être liés.

Si certaines ITS peuvent se guérir au moyen d'antibiotiques, nombreuses sont celles qui provoquent des problèmes graves et qui peuvent laisser des séquelles importantes: infertilité, grossesse ectopique, taux élevés de morbidité et de mortalité natales, cancers génitaux, sida, voire la mort (Agence de la santé publique du Canada, 2008) ▶ 3. Il convient par ailleurs de rappeler qu'aucune méthode de contraception n'offre une protection complète.

3

Les diverses méthodes de contraception sont présentées dans le chapitre 3, *Problèmes de santé courants*.

2.3.8 Problèmes médicaux

La plupart des femmes en âge de procréer affichent en général un bon état de santé. Toutefois, certains problèmes médicaux survenant pendant la grossesse peuvent avoir des effets néfastes pour la mère comme pour le fœtus. En particulier, plusieurs facteurs de risque doivent faire l'objet d'une attention plus soutenue: toutes les formes de diabète, les infections urinaires, les maladies de la glande thyroïde, l'hypertension liée à la grossesse, les maladies cardiaques, les convulsions. Les incidences sur le fœtus sont variables et comprennent l'hypotrophie fœtale, la macrosomie, l'anémie, la prématurité, l'immaturité et la mort fœtale. Les conséquences sur la mère peuvent également se révéler très graves ▶ 20.

20

Les maladies susceptibles de provoquer des effets néfastes sur la mère et le fœtus sont traitées dans le chapitre 20, *Grossesse à risque : maladies préexistantes*.

2.3.9 Troubles gynécologiques influant sur la grossesse

Divers problèmes gynécologiques peuvent provoquer l'infertilité, les fausses couches, l'accouchement prématuré ou les problèmes fœtaux et néonataux, et ils doivent à ce titre être considérés comme des facteurs de risque importants pour la grossesse. Ce sont notamment les maladies inflammatoires du bassin, l'endométriose, les ITS et autres infections vaginales, les fibromes utérins et les difformités utérines (utérus bicorne ou autre). Les cancers gynécologiques et autres ont également une incidence importante sur la santé des femmes. Les facteurs de risque varient d'un type de cancer à l'autre **TABLEAU 2.2**.

2.3.10 Facteurs de risque environnementaux

À la maison et en milieu de travail comme dans la collectivité en général, les facteurs de risque environnementaux peuvent également détériorer l'état de santé des femmes, et ce, à tout âge. Ils sont particulièrement susceptibles de compromettre la fertilité, d'entraver le développement du fœtus, ainsi que le développement mental et physique ultérieur de l'enfant, et de favoriser la mort fœtale. Certains d'entre eux touchent toute la population, notamment les polluants aériens, par exemple la fumée de cigarette, le monoxyde de carbone, le smog, les particules en suspension (poussières, cendres, amiante) et les émanations des solvants de nettoyage. C'est également le cas de la pollution sonore, des pesticides, des adjuvants chimiques et des lacunes hygiéniques ou nutritionnelles associées aux aliments préparés. Les travailleurs sont par ailleurs exposés à des problèmes de santé et de sécurité attribuables au stress ou aux déficiences ergonomiques de leur poste de travail. Pour bien cerner et comprendre les problèmes de santé publique relatifs à l'environnement, les risques doivent faire l'objet d'une évaluation continue.

7

Le chapitre 7, *Soins infirmiers de la famille pendant la grossesse*, traite entre autres de la violence conjugale durant la grossesse.

2.3.11 Violence envers les femmes

Dans toutes les régions du monde, la violence envers les femmes constitue un problème de santé majeur. Au Canada en 2007, on déclarait 335 700 situations de violence conjugale aux autorités policières ; de ce nombre, 83 % des victimes étaient des femmes, ce qui représente annuellement plusieurs millions de dollars en frais médicaux et judiciaires (Statistique Canada, 2011). La violence touche les femmes de tous les groupes ethniques, niveaux d'instruction, milieux socioéconomiques et de toutes les appartenances religieuses. Les crimes violents envers les femmes ne sont pas systématiquement signalés, pour plusieurs raisons, dont la peur, le manque d'information et la stigmatisation des situations de violence. De ce fait, les statistiques pourraient sous-estimer considérablement l'ampleur du phénomène.

La violence touche les femmes de tous les groupes ethniques, niveaux d'instruction, milieux socioéconomiques et de toutes les appartenances religieuses.

La prise de position de l'OIIQ à propos de la violence conjugale peut être consultée sur le site Internet de l'Ordre au www.oiiq.org/sites/default/files/186-tdm.pdf.

Par la nature même de leur pratique, les infirmières en soins périnataux et en santé de la femme occupent une position privilégiée pour détecter les cas de violence, procurer aux victimes des soins efficaces et attentifs, participer à des activités de prévention et intervenir auprès des décideurs du système de soins de santé et des politiques publiques pour lutter contre la violence. D'ailleurs, l'OIIQ a émis en 2004 une prise de position sur la violence conjugale quant au rôle et à la responsabilité de l'infirmière.

Violence du partenaire sexuel

Violence du partenaire sexuel, femme violentée, sévices infligés à la conjointe, violence conjugale, violence familiale : autant de termes qui désignent un même schème comportemental d'agression et de coercition pouvant se caractériser notamment par des attaques physiques, sexuelles et psychologiques ainsi que par une contrainte financière ; il est généralement imposé à une femme par un homme dans le cadre du mariage ou d'une autre relation hétérosexuelle, intime et significative. Les chercheurs privilégient généralement le terme violence du partenaire sexuel (Krieger, 2008).

Dans une relation intime, la violence se résume rarement à un épisode isolé : elle suit plutôt un cheminement bien précis et plusieurs fois répété qui commence par l'intimidation ou les menaces et qui s'intensifie jusqu'à l'agression physique ou sexuelle (avec blessures ou lésions à plus ou moins long terme). Plusieurs dimensions se retrouvent d'un cas à l'autre : privation financière, sévices sexuels, intimidation, isolement, harcèlement, et maintien de la victime (et de ses enfants, le cas échéant) dans la terreur permanente. La grossesse marque souvent le début ou l'intensification de la violence (Krieger, 2008) ▶ 7.

Caractéristiques des femmes violentées

Les femmes victimes de sévices de la part de leur partenaire sexuel proviennent de toutes les catégories sociales ; l'appartenance ethnique et religieuse, le milieu social, l'âge et le niveau d'instruction ne constituent pas non plus des facteurs significatifs de risque ou de protection. Les femmes violentées pensent parfois qu'elles sont responsables de leur situation et se reprochent de ne pas être de « bonnes conjointes ». La plupart d'entre elles affichent une

TABLEAU 2.2 Cancers gynécologiques et autres

TYPE DE CANCER	FACTEURS DE RISQUE	SIGNES ET SYMPTÔMES	COMMENTAIRES
Col de l'utérus	• Infection par le virus du papillome humain (VPH) : cause la plus fréquente • Précocité des relations sexuelles ; tabagisme ; infection par le VIH ; autres ITS (p. ex., la chlamydia) ; partenaires sexuels multiples	• Petites pertes ou saignements vaginaux anormaux	• Avant de devenir cancéreuses, les cellules du col de l'utérus subissent des changements et deviennent anormales. Il s'agit d'un état précancéreux, appelé dysplasie du col de l'utérus. • La dysplasie du col de l'utérus n'est pas un cancer. Cet état précancéreux, qui n'est pas rare, peut toutefois évoluer vers un cancer en l'absence de traitement. Il faut savoir que la plupart des femmes qui présentent une dysplasie ne développeront pas un cancer du col de l'utérus.
Endomètre (ou utérus)	• Facteurs de risque œstrogéniques : nulliparité, œstrogénothérapie non compensée, infertilité, ménarche précoce ou ménopause tardive • Obésité • Hypertension • Diabète • Antécédents familiaux de cancer du sein ou de l'ovaire	• Saignements utérins anormalement abondants	• La pilule anticonceptionnelle et la grossesse semblent offrir une certaine protection contre le cancer de l'endomètre. • Cette maladie touche plus fréquemment les femmes blanches ou ménopausées.
Ovaire	• Antécédents familiaux de cancer du sein ou de l'ovaire • Nulliparité ou grossesses tardives • ↑ risque avec l'âge	• Gonflement de l'abdomen accompagné de symptômes digestifs diffus et persistants	• Dans cette catégorie de cancers, c'est celui qui provoque le nombre le plus élevé de décès.
Vulve, vagin, trompes de Fallope	• Liens révélés par des recherches entre les cancers de la vulve et du vagin, d'une part, et le VPH et le virus *herpes simplex*, d'autre part • Cancer des trompes de Fallope : cause inconnue à ce jour	• Lésions : premier signe du cancer vulvaire • Cancers du vagin ou des trompes de Fallope : asymptomatiques ou se manifestant par des saignements vaginaux	• Ces cancers sont relativement rares.
Poumons	• Tabagisme (principal facteur de risque) • Exposition à certains produits industriels ou produits chimiques organiques (p. ex., le radon ou l'amiante) • Radiations	• Toux persistante • Présence de sang dans les expectorations • Douleurs thoraciques • Pneumonie ou bronchite récidivante	• Ce cancer cause actuellement le plus de décès chez les femmes.
Sein	• Antécédents familiaux • Mutations génétiques héréditaires (gènes BRCA1 et BRCA2) • Ménarche précoce • Ménopause tardive • Nulliparité ou grossesses tardives • Prise d'œstrogènes après la ménopause (facteur de risque possible) • ↑ risque avec l'âge	• Anomalie visible à la mammographie avant sa détection par un spécialiste ou par la femme elle-même	• Ce cancer provoque le plus de décès dans la population féminine après celui du poumon.
Côlon	• Antécédents personnels ou familiaux de cancer colorectal ou de polypes colorectaux • Maladie inflammatoire de l'intestin • Alimentation riche en matières grasses et pauvre en fibres • ↑ risque avec l'âge	• Saignements rectaux • Présence de sang dans les selles • Modification des habitudes d'élimination intestinale	• Ce cancer cause le plus de décès dans la population féminine après ceux du poumon et du sein.

Sources : Adapté de American Cancer Society (2009) ; Société canadienne du cancer (2010, mise à jour 2011).

faible estime de soi et ont parfois connu la violence du partenaire sexuel dans leur famille. L'isolement social semble par ailleurs caractériser la plupart des femmes violentées ; il peut s'expliquer, par exemple, par la stigmatisation, la peur ou les restrictions imposées par le conjoint.

Cycle de la violence : la dynamique comportementale

La théorie du **cycle de la violence** affirme que les sévices ne sont jamais aléatoires ni constants, mais qu'ils se déploient au contraire au gré de cycles itératifs **FIGURE 2.10**. Les comportements violents évoluent en quatre phases cycliques :

1. le climat de tension ;
2. la période de crise avec présence de violences physiques ;
3. la justification où l'agresseur vit des remords et cherche à s'excuser ;
4. la « lune de miel » où l'agresseur se montre particulièrement aimant et attentionné et parle d'aller chercher de l'aide extérieure.

Cette « lune de miel » dure jusqu'à ce qu'un stress ou un autre facteur déclenche un nouveau conflit et une autre intensification des tensions qui débouchent, à leur tour, sur des violences physiques. Avec le temps, les phases de l'escalade des tensions et de la violence physique tendent à s'allonger ; inversement, la phase de l'apaisement raccourcit jusqu'à la disparition complète de celle de la « lune de miel ».

4

La contraception d'urgence est décrite dans le chapitre 4, *Contraception, avortement et infertilité*.

Sévices sexuels et viol

En 2004, on dénombrait dans une enquête que 3 % des femmes canadiennes avaient vécu une agression sexuelle au cours des 12 derniers mois (Statistique Canada, 2004b). La plupart des femmes victimes d'agression ou de sévices sexuels souffrent d'un syndrome de stress post-traumatique (ou état de stress posttraumatique). Les conséquences psychopathologiques les plus courantes sont un trouble dissociatif de l'identité, un trouble de la personnalité limite ou un trouble d'anxiété généralisée. Pendant la grossesse, en période postnatale et dans les suivis à domicile faits par les infirmières des CSSS, ces troubles peuvent être décelés. En dehors de ces périodes, c'est généralement dans le cadre de suivis avec un professionnel de la santé que le syndrome de stress posttraumatique, la dysfonction sexuelle, la dépression, l'anxiété et l'alcoolisme ou la toxicomanie sont détectés chez les femmes.

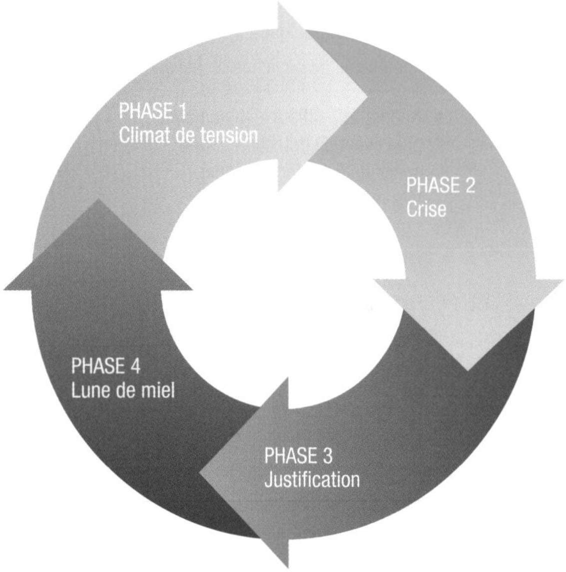

Le viol est un acte sexuel violent représentant une agression. Cette notion est juridique et non médicale ; dans son sens le plus strict, le viol consiste en la pénétration forcée (sans le consentement de la femme) du pénis dans le vagin. L'agression sexuelle, une expression qui désigne également le viol, renvoie aussi à un acte de violence, mais dans une acception plus large : contrairement au viol *stricto sensu*, l'agression sexuelle peut consister, par exemple, en attouchements, baisers, accolades, caresses, rapports sexuels et autres actes à caractère sexuel qui sont pratiqués contre le gré de la victime ou qui la mettent mal à l'aise.

Plusieurs interventions médicales s'imposent en cas de viol : le traitement des lésions physiques, la mise en œuvre d'un traitement prophylactique des ITS, la prévention de la grossesse (contraception d'urgence) ▶ 4. Les services d'urgence et des soins ambulatoires appliquent généralement des protocoles bien précis pour l'examen, la collecte des preuves (y compris des photographies des lésions), le traitement et l'information destinée aux victimes de violence quant aux ressources qui s'offrent à elles dans la collectivité.

PHASE 1
Climat de tension

PHASE 2
Crise

PHASE 3
Justification

PHASE 4
Lune de miel

FIGURE 2.10
Cycle de la violence

2.4 Évaluation clinique de l'état de santé de la femme

2.4.1 Anamnèse

Au cours de sa première consultation, la femme doit généralement remplir un formulaire avant l'examen physique. Ce document récapitule ses données sociodémographiques et ses antécédents de santé. L'infirmière doit vérifier que certains renseignements de base y sont bien indiqués : le nom de la cliente, son âge, son état matrimonial, son origine ethnique, son adresse, ses numéros de téléphone, sa profession et la date de la visite.

L'**anamnèse** doit se dérouler sans précipitation, dans un cadre privé et détendu où la cliente se sent à l'aise **FIGURE 2.11**. L'infirmière s'adresse à la femme par son titre de civilité et son nom (p. ex., « Madame Chang ») et se présente elle-même par son propre titre de civilité et son nom. Elle formule ses questions avec délicatesse, de manière que son interlocutrice ne se sente ni jugée ni brusquée. L'examen physique doit parfois être mené en fonction du milieu culturel de la cliente **ENCADRÉ 2.4**. Par exemple, certaines femmes préfèrent être examinées par une autre femme plutôt que par un homme ; d'autres refusent de se déshabiller complètement pour l'examen. L'infirmière doit toujours rester consciente de la vulnérabilité de la femme et lui assurer l'entière confidentialité des renseignements à son sujet. Nombreuses sont les femmes qui ne possèdent pas toute l'information souhaitable, qui entretiennent des idées fausses sur le corps et la santé ou qui craignent de sembler ignorantes si elles posent des questions sur la sexualité ou sur la reproduction. L'infirmière insistera sur le fait que toutes les questions sont bonnes à poser. Le relevé des antécédents de santé commence par une question ouverte, par exemple : Qu'est-ce qui vous amène ici ? D'autres questions ouvertes suivront, par exemple : Y a-t-il autre chose ? Pouvez-vous préciser cela ? Il faut se rappeler que même si la femme et l'infirmière parlent la même langue, diverses croyances peuvent entraver la communication entre elles.

2.4.2 Femmes ayant des besoins particuliers

En raison de troubles physiques ou de problèmes émotionnels, certaines femmes présentent des besoins particuliers. Quelles que soient leurs limitations visuelles, auditives, affectives ou physiques, toutes les femmes doivent être également respectées et participer à la collecte des données ainsi qu'à l'examen physique dans toute la mesure de leurs capacités. L'évaluation et l'examen peuvent toujours être adaptés en fonction des besoins particuliers des clientes, quels qu'ils soient.

La communication avec les femmes présentant un handicap auditif ne pose généralement aucune difficulté. La plupart des personnes malentendantes peuvent lire sur les lèvres ou écrire, souvent les deux ; pour l'infirmière responsable de la collecte des données, l'adaptation se résume en général à parler lentement, en prononçant distinctement chaque mot et en veillant à ce que son visage reste constamment visible pour la cliente. Si celle-ci a du mal à lire sur les lèvres, elle pourra recourir à un interprète. Les femmes présentant un handicap visuel doivent être accompagnées jusqu'à la salle d'examen ; le cas échéant, leur chien-guide y sera également admis. Comme pour toutes les femmes, chacune des étapes de l'examen physique doit être expliquée en détail avant sa mise en œuvre. Par exemple, avant de toucher la cliente, l'infirmière lui dira : Je vais maintenant placer un brassard sur votre bras droit pour prendre votre pression artérielle. Elle peut aussi demander à la femme si elle souhaite toucher les instruments qui seront utilisés pour son examen : dans certains cas, cette première prise de contact atténue l'anxiété chez les personnes handicapées visuelles.

Pour les clientes qui présentent un handicap physique, la position gynécologique traditionnelle de l'examen pelvien se révèle souvent inconfortable, parfois impossible. Si l'établissement ne dispose pas d'équipement de ce type, plusieurs

Anamnèse : Ensemble des données recueillies au sujet des antécédents médicaux et de l'histoire de santé de la cliente.

FIGURE 2.11
Une infirmière collecte les données (anamnèse) auprès d'une femme dans le cadre de son examen physique annuel.

Soins ethnoculturels

ENCADRÉ 2.4 Incidence de la culture sur les relations interpersonnelles

RYTHME ET MODE CONVERSATIONNELS
Le silence peut témoigner du respect que l'on éprouve envers l'interlocuteur ou du fait qu'on l'a bien entendu. Dans certaines cultures, il est impoli de répondre directement : « Non ! » Dans ce cas, le silence peut exprimer l'opposition ou le refus. La répétition d'un propos ou le fait de parler fort peut signifier que l'on considère l'information comme très importante ou que l'on est en colère.

ESPACE PERSONNEL
L'espace personnel dépend en partie du milieu culturel dont est issue la personne. Un client qui se tient « trop loin » aura l'air froid ou méfiant ; inversement, une personne qui se tient « trop près » peut passer pour agressive.

CONTACT VISUEL
Soutenu ou fuyant, le regard est en partie déterminé par les conventions culturelles. Pour éviter d'envahir indûment l'espace personnel de l'autre, et pour lui témoigner du respect, certaines cultures évitent le contact visuel direct.

TOUCHER
Les normes encadrant le toucher entre êtres humains varient aussi considérablement d'un groupe culturel à l'autre. Dans certaines cultures, les contacts physiques avec des personnes du même sexe (se prendre dans les bras, se tenir par la main) choquent moins que les contacts avec des personnes non apparentées de l'autre sexe.

PONCTUALITÉ
Dans certaines cultures, la prolongation des conversations jusqu'à leur terme naturel prime sur la ponctualité. Mieux vaut arriver en retard à son rendez-vous suivant qu'écourter l'échange avec l'interlocuteur précédent ! Dans d'autres, la vie est réglée par les horloges : le temps chronologique a préséance sur le temps « personnel ».

Source : Adapté de Mattson (2000).

solutions sont possibles : la femme peut s'allonger sur le côté ou sur le dos avec les jambes en V, en M ou en losange (Piotrowski & Snell, 2007) **FIGURE 2.12**. L'infirmière peut demander à la cliente de lui préciser la position qu'elle adopte généralement au cours de ses examens physiques. Si la cliente n'a jamais subi un examen pelvien ou qu'elle n'a pas encore trouvé une position qui lui semble confortable, il est possible de lui montrer une illustration des diverses possibilités et de lui demander laquelle lui semblerait *a priori* la plus commode dans son cas. Le soutien offert par l'infirmière et ses paroles rassurantes peuvent aider la femme à se détendre et ainsi faciliter l'examen.

Femmes victimes de violence

Chaque fois qu'une femme s'adresse au système de soins de santé, l'infirmière doit se demander si elle est, ou non, victime de violence. Elle doit garder à l'esprit la possibilité que cette femme ait été brutalisée. La qualité de l'aide apportée dépend notamment de la sensibilité dont l'infirmière fait preuve pour relever les indices éventuels de sévices, de la justesse de l'interprétation qu'elle donne de ces indices et des interventions qu'elle met en œuvre. L'infirmière doit par conséquent bien connaître les lois qui s'appliquent aux cas de violence et de maltraitance dans la région où elle exerce sa profession.

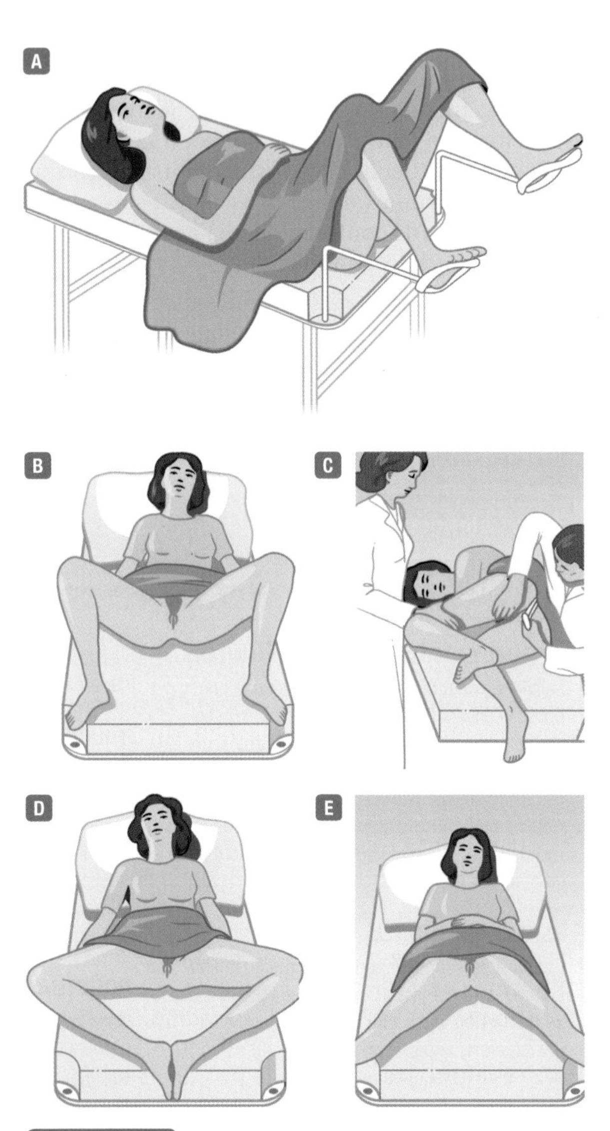

FIGURE 2.12

Position gynécologique classique et positions recommandées pour les femmes présentant un handicap physique. **A** Position gynécologique. **B** Position en M. **C** Position latérale. **D** Position en losange. **E** Position en V.

L'infirmière joue un rôle crucial dans la lutte contre la violence infligée aux femmes et dans la prévention des lésions et des blessures d'origine violente. Elle peut commencer par rappeler aux femmes que la violence constitue une atteinte à leurs droits et les aider à accéder aux services juridiques et aux programmes de protection. Il reste par ailleurs essentiel d'inciter les établissements de santé à implanter des programmes de dépistage de la violence du partenaire sexuel et d'interventions ciblées. D'autres mesures peuvent également aider les femmes à éviter d'entrer ou de rester dans une relation violente : la promotion des cours d'affirmation de soi et d'autodéfense ; leur mise en communication avec des groupes d'entraide ou de soutien qui favorisent l'estime de soi, la confiance en soi et l'autonomie ; la promotion de séances d'information ou de formations favorisant le développement d'une meilleure autonomie ou, à tout le moins, une capacité accrue de se prendre en charge. De nombreux organismes peuvent informer les femmes à cet égard.

Les cliniques, les services d'urgence des hôpitaux, les postes de police et les refuges pour femmes violentées mettent généralement à la disposition des visiteurs de petites cartes indiquant les principaux numéros d'urgence : pour obtenir des conseils en cas de violence, pour connaître la loi au sujet de la protection personnelle ou pour trouver des refuges. Ces numéros doivent être accessibles sur les lieux de l'examen. La collecte des données sur d'éventuelles violences peut être réalisée dans le cadre de l'anamnèse ou lorsque l'infirmière remplit le formulaire sur les antécédents de santé **FIGURE 2.13**. Si la femme est accompagnée de son partenaire masculin, il doit être invité à quitter la pièce : la femme pourrait en effet hésiter à parler devant lui des violences qu'elle subit ou il pourrait être tenté de répondre aux questions à sa place afin de se protéger lui-même.

La peur, la culpabilité et la gêne peuvent empêcher la femme de parler de la violence conjugale ou familiale qu'elle subit. Certains éléments d'information du relevé des antécédents et les lésions constatées à l'examen physique doivent toutefois éveiller la suspicion. Les régions du corps les plus souvent marquées par des lésions d'origine violente sont la tête, le cou, la poitrine, l'abdomen, les seins

DÉPISTAGE DE LA VIOLENCE

1. Avez-vous déjà subi des violences émotionnelles ou physiques de la part de votre partenaire ou d'une autre personne importante pour vous ?

OUI ☐ NON ☐

2. Au cours des 12 derniers mois, avez-vous été frappée ou giflée, ou avez-vous reçu d'autres coups physiques (quel qu'en soit l'auteur) ?

OUI ☐ NON ☐

OUI : Par qui ? ______________________

Nombre de fois : ______________________

Indiquez la région des coups reçus sur l'illustration anatomique.

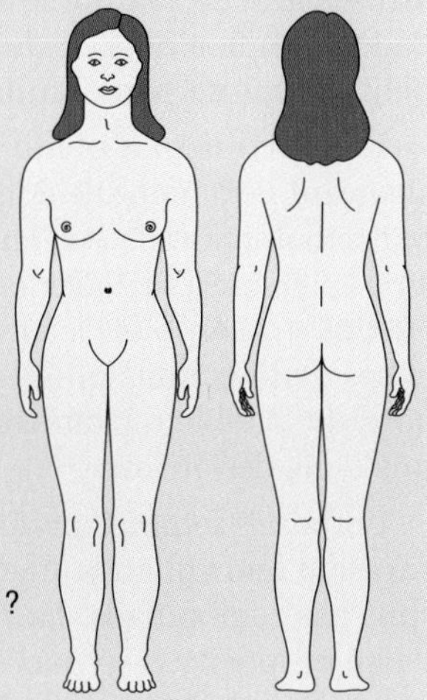

3. Au cours des 12 derniers mois, vous a-t-on contrainte d'avoir des relations sexuelles ?

OUI ☐ NON ☐

OUI : Par qui ? ______________________

Nombre de fois : ______________________

4. Avez-vous peur de votre partenaire ou d'une autre personne que vous avez mentionnée précédemment ?

OUI ☐ NON ☐

FIGURE 2.13
Formulaire de dépistage de la violence

et les bras. Les brûlures et les ecchymoses en forme de main, de ceinture, de corde ou d'autre arme potentielle ainsi que les lésions traumatiques multiples doivent également faire l'objet d'une vigilance particulière.

Adolescentes

Les questions qui s'appliquent aux femmes adultes doivent également être posées aux adolescentes. L'infirmière doit en outre se montrer particulièrement attentive envers les indices de comportements à risque, de trouble alimentaire ou de dépression. Une fois qu'un lien de confiance a été établi avec l'adolescente, l'idéal consiste à lui parler seule à seule, après avoir invité son ou ses parents, son ami ou amie ou son partenaire à quitter la pièce. Les questions doivent lui être posées avec délicatesse et de manière qu'elle ne se sente pas jugée (Seidel, Ball, Dains & Benedict, 2006).

2.4.3 Collecte des données

Comme mentionné plus haut, toutes les femmes doivent généralement remplir un formulaire à leur première consultation, avant l'examen physique. La cliente doit notamment fournir des données sociodémographiques ainsi que certaines indications sur ses antécédents de santé. Ce document fournit à l'infirmière une base à partir de laquelle elle pourra compléter l'information pendant l'anamnèse. La plupart de ces formulaires demandent des renseignements dans les domaines suivants :

- données sociodémographiques ;
- motif de la consultation ;
- état de santé actuel ou antécédents des maladies actuelles ;
- antécédents médicaux ;
- antécédents familiaux ;
- bilan des systèmes physiologiques ;
- évaluation fonctionnelle (activités de la vie quotidienne).

2.4.4 Examen physique

Pour l'examen physique, la femme doit se déshabiller et revêtir une chemise d'hôpital en toute intimité. Les données objectives sont recueillies et consignées par système ou par région du corps. Un bilan général de santé se révèle un bon moyen d'amorcer l'examen. Les observations sont notées de manière détaillée.

2.4.5 Examen pelvien

En général, les femmes sont intimidées par le volet gynécologique de l'examen physique. L'infirmière peut adopter ici une approche empathique qui favorise l'instauration d'une relation de partenariat entre elle et la cliente. Dans le cas des adolescentes, en particulier, il est important de bien les préparer à leur premier examen au spéculum, car cette nouvelle expérience peut leur laisser une perception négative qui se répercutera sur leurs examens ultérieurs. Les procédures de l'examen doivent être expliquées en compagnie de l'adolescente avant

L'infirmière doit être consciente de ses responsabilités de divulgation en cas de constat de violence et connaître les services de la collectivité qui viennent en aide aux femmes victimes de violence ou d'agression sexuelle.

L'encadré 2.1W présente les antécédents médicaux et le bilan des systèmes physiologiques à évaluer ; il est présenté sur le site www.cheneliere.ca/lowdermilk.

Vidéo

Visionnez la vidéo *Examen pelvien* au www.cheneliere.ca/lowdermilk.

L'examen physique est traité dans le chapitre 23 du manuel de Potter, P. A., & Perry, A. G. (2010). *Soins infirmiers : fondements généraux* (3e éd.). Montréal : Chenelière Éducation.

qu'elle ne se déshabille. Des graphiques ou des illustrations pourront être utilisés pour lui montrer exactement ce qui va se passer. Tout l'équipement doit être prêt avant le début de l'examen afin d'éviter les interruptions. Le cas échéant, les spéculums pédiatriques de 1 à 1,5 cm de large peuvent être utilisés afin de réduire le malaise au minimum. Si l'adolescente a déjà eu des relations sexuelles, un petit spéculum pour adulte peut convenir.

Il est pertinent d'inviter la femme à vider sa vessie avant l'examen : cela facilite la procédure ainsi que la palpation des organes pelviens. L'infirmière aide la cliente à se placer en position gynécologique **FIGURE 2.12A** pour l'examen pelvien : ses hanches et ses genoux sont pliés, et ses fesses arrivent au bord de la table d'examen ; ses pieds sont maintenus dans des étriers.

Certaines femmes préfèrent garder leurs chaussures ou leurs chaussettes, surtout si les étriers ne sont pas rembourrés. La plupart se sentent mal à l'aise en position gynécologique. Pendant l'examen, l'infirmière aide la femme à se détendre au moyen de techniques de relaxation, par exemple la respiration profonde. Les distractions peuvent également être mises à contribution ; des illustrations ou des photographies placées au plafond de la salle, au-dessus de la tête de la table, peuvent faire diversion.

La plupart des femmes n'aiment pas discuter quand elles sont en position gynécologique. Elles préfèrent généralement qu'on leur fournisse les explications relatives à la procédure au fur et à mesure et qu'on leur indique le genre de sensation qu'elles sont susceptibles d'éprouver. En général, les femmes aiment mieux ne pas avoir à répondre à des questions quand elles sont dans cette position. Il est alors préférable d'attendre qu'elles se soient relevées et qu'elles se trouvent au même niveau que l'infirmière. Quand elles se font poser des questions pendant la procédure, la plupart des femmes se raidissent, surtout si elles ne peuvent pas voir les yeux de la personne qui les examine.

Inspection externe

Assise au pied de la table, l'infirmière procède à l'inspection des parties génitales externes et à l'examen au spéculum. La tête de la femme repose sur un oreiller afin de l'aider à se détendre et de faciliter la communication avec l'infirmière. Le drap est placé de manière que le contact visuel soit maintenu entre elles. Les organes génitaux externes sont inspectés sous un éclairage adéquat ; pour les jeunes femmes, l'objectif de cette procédure est notamment de vérifier la maturité sexuelle, y compris celle du clitoris, des lèvres et du périnée. Après un accouchement ou autre trauma, des cicatrices peuvent s'être formées dans cette région du corps.

Palpation externe

L'infirmière procède ensuite à l'examen par palpation. Elle doit alors porter des gants non stériles. Avant de toucher la femme, elle lui explique les interventions auxquelles elle procédera et ce que la cliente devrait probablement ressentir (p. ex., une pression). L'infirmière peut toucher la femme dans une zone moins sensible, par exemple l'intérieur de la cuisse, pour l'informer du fait que l'examen génital va commencer. Cette précaution met généralement les femmes plus à l'aise. L'infirmière écarte les lèvres pour exposer les structures vestibulaires : le méat urinaire, les glandes de Skene, l'orifice vaginal et les glandes de Bartholin **FIGURE 2.14**. Pour évaluer le fonctionnement des glandes de Skene, l'infirmière introduit un doigt dans le vagin et « masse » la zone de l'urètre. Tout écoulement provenant de l'urètre ou des glandes de Skene doit faire l'objet d'une culture. Le cas échéant, les masses et l'érythème observés sur ces structures doivent également être analysés de manière plus précise. En général, les orifices des glandes de Skene ne sont pas visibles. Ils deviennent cependant proéminents en cas d'infection (p. ex., la gonorrhée). Tout au long de l'examen, l'infirmière doit se rappeler les données relevées au cours de l'anamnèse, par exemple, « *Sensation de brûlure à la miction* ».

L'infirmière procède ensuite à l'examen de l'orifice vaginal. La présence de protubérances hyménales est normale. L'infirmière déplace son index vers la partie postérieure de l'orifice. Son pouce étant à l'extérieur du vagin, vis-à-vis de la partie postérieure des grandes lèvres, elle comprime la zone des glandes de Bartholin, aux positions 8 heures et 4 heures, et relève les enflures, écoulements et sensibilités.

Pour examiner le soutien des parois antérieures et postérieures du vagin, l'infirmière écarte ensuite les lèvres avec le majeur et l'index et demande à la femme de « pousser ». Tout renflement constaté sur la paroi antérieure (urétrocèle ou cystocèle) ou postérieure (rectocèle) doit être consigné et évalué à la

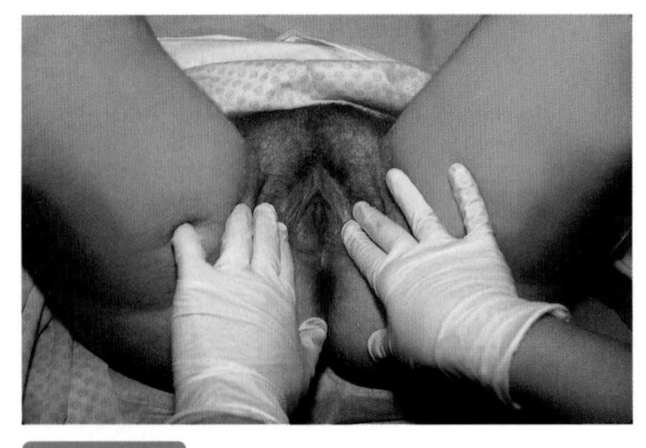

FIGURE 2.14
Examen externe. Séparation des lèvres.

lumière des antécédents, par exemple, la constipation ou une difficulté de miction.

Le périnée (la zone comprise entre le vagin et l'anus) fait l'objet d'un examen visant à relever les cicatrices d'anciennes lacérations ou d'épisiotomies, les amincissements, fistules, masses, lésions et inflammations. L'examen de l'anus permet de détecter les hémorroïdes et les protubérances hémorroïdales et de vérifier l'intégrité du sphincter anal. Les lésions, masses, abcès et tumeurs de la région anale doivent également être constatés et consignés. Si la femme a déjà eu des ITS, l'infirmière pourra prélever un échantillon pour culture dans le canal anal (canal postérieur). Pendant toute la durée de l'examen génital, elle doit rester attentive aux odeurs susceptibles de témoigner d'une infection ou d'une hygiène insatisfaisante.

Autoexamen de la vulve

À l'occasion de l'examen pelvien, l'infirmière pourra souligner l'importance de pratiquer régulièrement l'autoexamen de la vulve (ou autoexamen génital) et enseigner cette procédure à la cliente. Toutes les femmes actives sexuellement ou âgées de plus de 18 ans devraient, à titre préventif, pratiquer régulièrement l'autoexamen de la vulve afin de relever des signes d'ITS ou des signes cancéreux ou précancéreux. La première fois, l'examen peut être mis en œuvre par l'infirmière, et la femme utilise alors un miroir. Un schéma simplifié de l'anatomie de la vulve pourra lui être remis ; l'infirmière lui conseillera d'effectuer l'examen le soir même afin de mémoriser la procédure. La femme doit pratiquer l'examen en position assise, sous un éclairage adéquat. Elle tient un miroir d'une main ; de l'autre, elle expose les tissus entourant l'orifice vaginal externe. Ensuite, elle examine de manière systématique le mont de Vénus, le clitoris, l'urètre, les grandes lèvres, le périnée et la zone périanale ; elle examine la vulve par palpation et relève tous les changements survenus depuis le dernier examen, en particulier les modifications pigmentaires et les anomalies comme des ulcères, des renflements, des verrues, des boursouflures ou des lésions.

Examen interne

Le spéculum vaginal se compose de deux plaques et d'une poignée ; il en existe de très nombreux modèles. Il sert à examiner visuellement le dôme vaginal et le col de l'utérus **ENCADRÉ 2.5**. L'infirmière introduit délicatement le spéculum lubrifié dans le vagin jusqu'au dôme vaginal, en position fermée. Les deux plaques sont alors écartées et bloquées en position ouverte pour permettre à l'infirmière d'examiner visuellement le col de l'utérus : sa position, sa couleur, la présence de lésions, de saignements ou d'écoulements **FIGURE 2.15**. Certaines observations dénotent des anomalies et doivent faire l'objet d'une analyse plus poussée : ulcérations, masses, inflammations, proéminence excessive du dôme vaginal. D'autres anomalies doivent également être consignées, par exemple, une « crête de coq » (protubérance surplombant le col de l'utérus et rappelant la crête des coqs), un capuchon ou une collerette autour du col (anomalie présente chez les femmes dont les mères ont pris du diéthylstilbestrol [DES] pendant la grossesse), des polypes.

Collecte d'échantillons

La collecte d'échantillons pour analyse cytologique constitue un volet important de l'examen gynécologique **ENCADRÉ 2.6**. En effet, les échantillons recueillis pendant l'examen pelvien permettent généralement de diagnostiquer les infections, notamment à *Candida albicans*, à *Trichomonas vaginalis*, aux streptocoques bêtahémolytiques, à *Neisseria gonorrhoeae*, à *Chlamydia trachomatis*, par le virus *herpes simplex* ainsi que les vaginoses bactériennes ▶ 3. Une fois les diagnostics établis, les traitements peuvent être entrepris.

3

Les ITS sont présentées en détail au chapitre 3, *Problèmes de santé courants*

Test de Papanicolaou (« test Pap »)

L'analyse des cellules prélevées dans le col de l'utérus à l'examen pelvien permet de détecter les risques précancéreux ou cancéreux. La collecte et l'analyse de ces échantillons s'appelle le test de Papanicolaou (« test Pap » ou frottis vaginaux) **ENCADRÉ 2.5**.

Examen vaginal

Une fois les échantillons recueillis, l'infirmière fait tourner le spéculum pour examiner visuellement le vagin. Les plaques du spéculum sont débloquées et partiellement resserrées. En retirant le spéculum, l'infirmière le fait tourner pour inspecter les parois vaginales et noter sa couleur, la présence de lésions, de rides, de fistules ou de renflements.

Palpation bimanuelle

L'infirmière doit se tenir debout pour effectuer cette partie de l'examen. Pour procéder à l'examen interne, elle place une petite quantité de lubrifiant sur l'index et le majeur de sa main gantée. Son pouce est placé en abduction et son annulaire ainsi que son auriculaire sont repliés vers la paume afin d'éviter la contamination et les traumas tissulaires **FIGURE 2.16**.

L'infirmière palpe le vagin pour repérer les signes de distension, de lésion et de sensibilité. Elle vérifie également la position, la forme, la consistance, la motilité et les lésions éventuelles du col de l'utérus. Enfin, elle palpe le cul-de-sac entourant le col de l'utérus.

Son autre main est placée sur l'abdomen de la cliente, à mi-chemin entre le nombril et la symphyse pubienne ; elle exerce une pression descendante vers la main qui réalise l'examen interne.

Pratiques infirmières suggérées

ENCADRÉ 2.5 **Test de Papanicolaou (« test Pap »)**

- Vérifiez, avant la collecte des échantillons vaginaux, que la cliente n'a pas utilisé de douche vaginale, n'a pas pris de médicaments par voie vaginale et n'a pas eu de relations sexuelles dans les 24 à 48 heures précédentes (Gingrich, 2004). Si la femme est en période de menstruation, le test doit être remis à plus tard. Le milieu du cycle menstruel constitue la période idéale pour effectuer le test Pap.
- Expliquez à la cliente l'objectif du test et les sensations qu'elle éprouvera probablement au moment de la collecte des échantillons, par exemple, une pression, mais pas de douleur.
- Aidez la cliente à s'allonger en position gynécologique. Insérez le spéculum dans le vagin.
- Prélevez les échantillons cytologiques avant l'examen digital du vagin et avant le prélèvement des échantillons bactériologiques endocervicaux. Si nécessaire, l'excès de sécrétions cervicales pourra être retiré au moyen d'une tige de coton avant la collecte des échantillons.
- Recueillez les échantillons au moyen d'un dispositif conçu spécialement pour les prélèvements endocervicaux : papette, brosse Cytobrush[MC] ou Cervix-Brush[MC] ou autre type d'écouvillon (voir figures ci-après). Pour un prélèvement à deux échantillons, insérez la brosse Cytobrush[MC] dans le canal et faites-la tourner de 90 à 180°, puis frottez délicatement toute la jonction vaginocervicale au moyen d'une spatule. Les autres types d'écouvillons doivent être insérés et tournés de 360° cinq fois de suite. Ils permettent de prélever en même temps des échantillons endocervicaux et exocervicaux. Si la cliente a subi une hystérectomie totale, prenez un échantillon des tissus du vagin. Les zones qui semblent présenter des anomalies à l'examen visuel doivent faire l'objet d'une colposcopie et d'une biopsie. Pour la méthode à une seule lamelle, l'échantillon de la spatule doit être étalé en premier. Il faut ensuite étaler l'échantillon prélevé avec la Cytobrush (en roulant la brosse dans la direction opposée à celle qui a permis de prélever l'échantillon), car il risque moins de sécher ; la lamelle doit ensuite être vaporisée avec un agent de conservation dans les cinq secondes.
- Utilisez le test Pap ThinPrep[MC] au besoin : il s'agit d'une méthode de conservation des cellules en milieu liquide qui permet de réduire les saignements, la sécrétion de mucus et l'inflammation. Les échantillons s'obtiennent selon la procédure décrite plus haut, à ceci près qu'il est inutile de frotter le col de l'utérus avec une tige de coton avant le prélèvement. Le dispositif de prélèvement (brosse, spatule ou écouvillon) doit être rincé dans une fiole de solution de conservation fournie par le laboratoire. La fiole scellée contenant la solution est ensuite envoyée au laboratoire qui sera chargé de l'interprétation des résultats. Un dispositif de traitement des échantillons filtre le contenu et dépose une mince couche de cellules cervicales sur une lamelle qui est ensuite examinée au microscope. Les tests AutoPap[MC] et PapNet[MC] sont similaires au ThinPrep[MC]. Si les résultats de l'analyse cytologique sont anormaux, les méthodes en milieu liquide permettent d'effectuer un test de dépistage de l'ADN du VPH sur le même échantillon (Gingrich, 2004)
- Étiquetez les lamelles ou la fiole en y indiquant le nom de la cliente et le lieu du prélèvement. Sur le formulaire d'accompagnement des échantillons, indiquez le nom de la cliente, son âge, le nombre de ses grossesses ainsi que le motif du prélèvement cytologique.
- Envoyez rapidement les échantillons au laboratoire de pathologie qui procédera à la coloration et à l'analyse des échantillons. Son rapport écrit précisera les anomalies constatées, y compris la présence de cellules cancéreuses.
- Informez la cliente du fait qu'elle pourrait avoir à subir de nouveau les mêmes tests si les échantillons ne sont pas interprétables.
- Recommandez à la cliente de passer régulièrement des examens de dépistage des cancers cervical et vaginal. La Société canadienne du cancer (2010) recommande aux femmes qui sont actives sexuellement de passer un test de Papanicolaou tous les un à trois ans. La fréquence est déterminée par les résultats aux tests précédents. Les femmes sont invitées à passer ce test même si elles n'ont pas de relations sexuelles (ACOG *et al.*, 2004).
- Inscrivez la date de l'examen dans le dossier de la cliente.

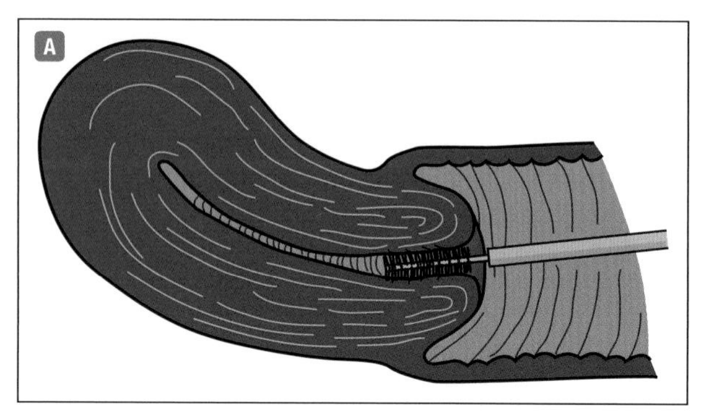

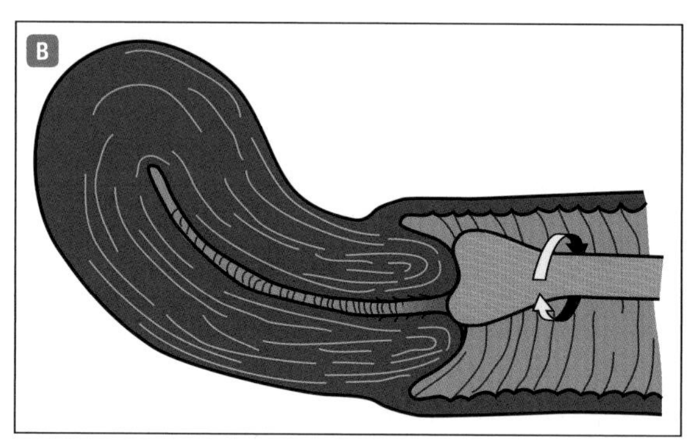

Test de Papanicolaou. **A** Prélèvement de cellules du col de l'utérus au moyen d'une brosse Cytobrush[MC]. **B** Prélèvement de cellules à la jonction vaginocervicale au moyen d'une spatule de bois.

Sources : Adapté de American Cancer Society (2009) ; Gingrich (2004) ; Société canadienne du cancer (2010) ; Stenchever, M., Droegemueller, W., Herbst, A., & Mishell, D. (2001).

Celle-ci exerce une pression ascendante afin de permettre la palpation des structures reproductrices. L'évaluation de l'utérus porte sur sa position, sa taille, sa forme, sa consistance, sa régularité, sa motilité, les masses éventuelles et les sensibilités.

La main posée sur l'abdomen se déplace vers la droite et vers le bas pour permettre la palpation du cul-de-sac latéral droit par l'autre main. L'infirmière évalue également les annexes utérines : position, taille, sensibilité, masses éventuelles. Elle reprend la procédure du côté gauche de l'abdomen.

Avant de retirer ses doigts de la cavité vaginale, elle demande à la femme de serrer son vagin le plus fortement possible. Si sa réponse musculaire est faible, elle lui conseillera de pratiquer les **exercices de Kegel**.

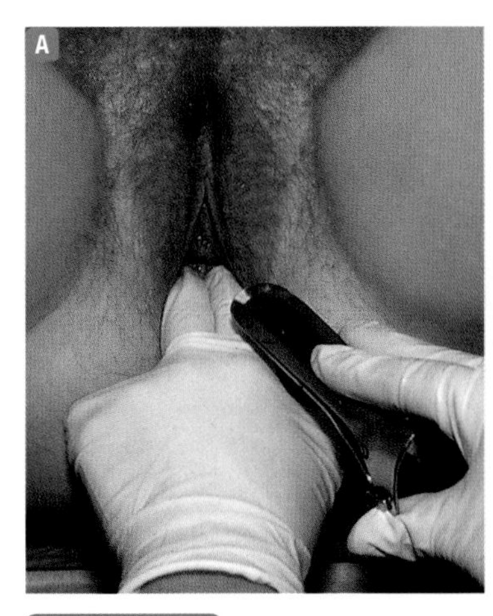

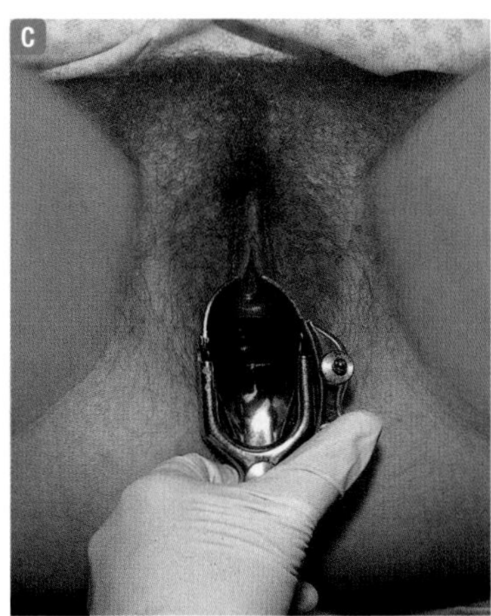
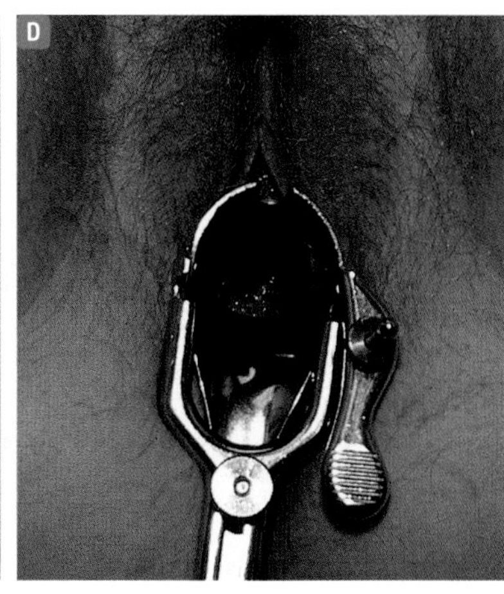

FIGURE 2.15
Insertion du spéculum pour l'examen vaginal. A Ouverture de l'orifice. B Insertion oblique du spéculum. C Insertion finale du spéculum. D Écartement des plaques du spéculum.

Palpation rectovaginale

Pour éviter la contamination du rectum par des microorganismes vaginaux (p. ex., à *N. gonorrhoeae*), l'infirmière met un gant non stérile propre, remet du lubrifiant sur ses doigts puis réintroduit son index dans le vagin en introduisant son majeur dans le rectum **FIGURE 2.17**. Cette pénétration digitale s'avère plus facile si la femme « pousse » vers le bas. L'infirmière reprend la procédure de l'examen abdominovaginal. L'examen rectovaginal permet d'évaluer la cloison rectovaginale, la surface postérieure de l'utérus et la région comprise entre le col de l'utérus et les annexes utérines. L'infirmière retire son index et le replie contre sa paume afin de pouvoir tourner son majeur de 360°. Elle peut ainsi palper le rectum pour détecter une sensibilité et des masses éventuelles.

Une fois l'examen rectal terminé, il convient d'aider la femme à se rasseoir, de lui remettre des mouchoirs en papier ou des débarbouillettes humides pour se nettoyer, puis de la laisser se rhabiller à l'abri des regards. En général, la cliente retourne dans le bureau de l'infirmière pour discuter avec elle de ses observations et entendre ses recommandations de traitement et ses conseils ▶ 7.

7

L'examen pelvien pendant la grossesse est présenté en détail dans le chapitre 7, *Soins infirmiers de la famille pendant la grossesse.*

Pratiques infirmières suggérées

ENCADRÉ 2.6 Examen gynécologique

- Lavez-vous soigneusement les mains. Préparez les instruments nécessaires (voir figure ci-contre). Demandez à la cliente de vider sa vessie avant l'examen ; le cas échéant, prélevez un échantillon urinaire à l'écoulement, après nettoyage des parties génitales.
- Aidez la cliente à se détendre. Invitez-la à placer ses mains sur sa poitrine au niveau du diaphragme et à respirer lentement et profondément.
- Invitez la cliente à participer activement à l'examen, si elle manifeste de l'intérêt envers la procédure. Par exemple, vous pourrez placer un miroir de manière qu'elle puisse voir la zone examinée.
- Relevez les problèmes qui peuvent survenir et traitez-en les signes, par exemple l'hypotension en position allongée.
- Réchauffez à l'eau chaude le spéculum qui sera utilisé, si vous ne disposez pas d'un spéculum préchauffé.
- Mettez des gants stériles.
- Demandez à la cliente de « pousser » vers le bas au moment de l'insertion du spéculum.
- Recueillez les échantillons cytologiques, par exemple ceux du test de Papanicolaou.
- Placez une petite quantité de lubrifiant à base d'eau sur l'index et le majeur d'une de vos mains gantées avant d'effectuer l'examen bimanuel. Une fois l'examen terminé, retirez vos gants et procédez à l'hygiène des mains.
- Aidez la cliente à se rasseoir à la fin de l'examen, puis à se relever.
- Procurez-lui des mouchoirs en papier pour essuyer le lubrifiant sur son périnée.
- Laissez la cliente se rhabiller à l'abri des regards.

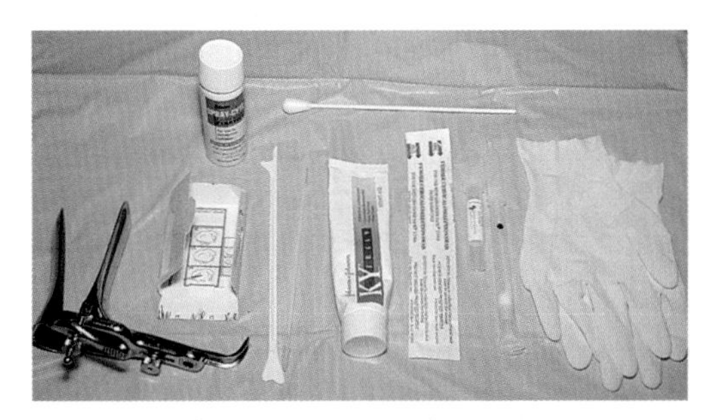

Matériel utilisé pour l'examen gynécologique

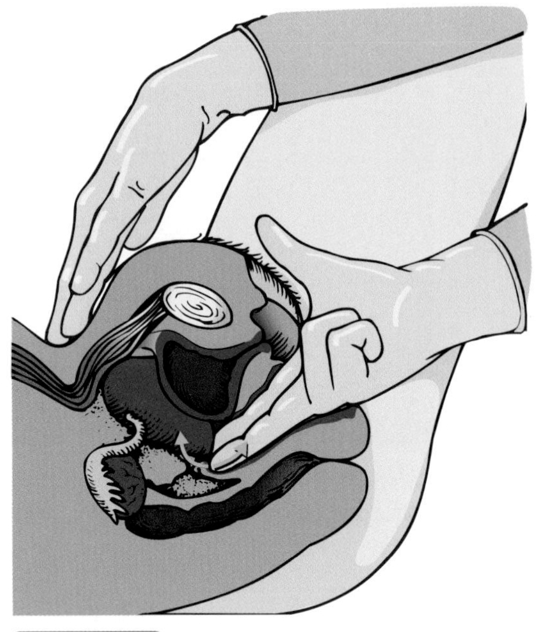

FIGURE 2.16
Palpation bimanuelle de l'utérus

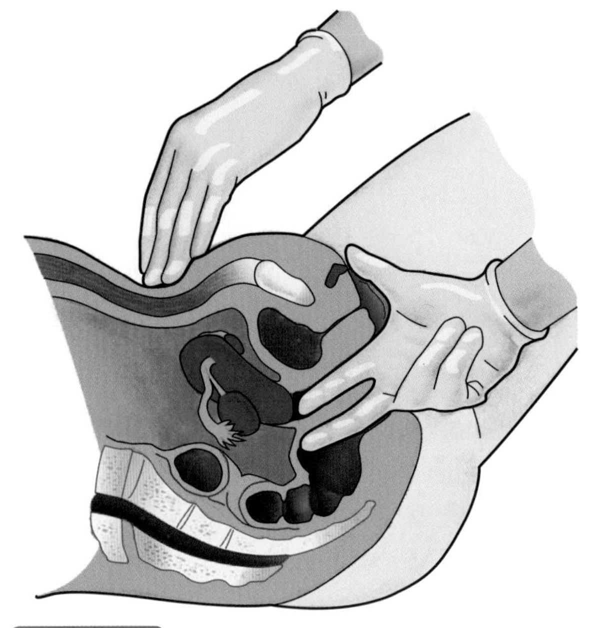

FIGURE 2.17
Examen rectovaginal

2.4.6 Analyses de laboratoire et examens paracliniques

C'est au praticien, à l'infirmière praticienne spécialisée ou à l'infirmière (dans le cadre de protocoles) de déterminer la nécessité des analyses de laboratoire et des examens paracliniques suivants: hémogramme (analyse sanguine avec numération globulaire) ou hémoglobine et hématocrite; cholestérolémie; glycémie à jeun; analyse d'urine (dépistage bactérien); sérologie de dépistage de la syphilis (test Venereal Disease Research Laboratory [VDRL] ou test rapide de la réagine plasmatique [test RPR]) et autres tests de dépistage des ITS; mammographie; réaction de Mantoux (intradermoréaction à la tuberculine); test auditif; électrocardiogramme; radiographie thoracique; dépistage des hémorragies occultes dans les selles; sigmoïdoscopie flexible; ostéodensitométrie (teneur minérale des os). Les résultats des analyses et des examens paracliniques sont généralement transmis par lettre ou par téléphone. L'infirmière peut inciter les femmes à passer un test de dépistage des drogues et du VIH, en particulier pour les groupes à risque élevé; ces tests doivent toutefois faire l'objet d'un consentement éclairé de la part de la cliente, et leurs résultats sont généralement transmis en personne.

Le *Guide alimentaire canadien* fournit toute l'information nécessaire pour bien s'alimenter: www.hc-sc.gc.ca/fn-an/food-guide-aliment/index-fra.php.

2.5 Prévention des problèmes de santé chez la femme

Pour qu'une femme adopte des comportements sains, il ne suffit pas qu'elle soit bien informée. Il faut aussi qu'elle soit convaincue de posséder une certaine maîtrise sur sa vie et qu'elle sache que les saines habitudes, y compris les examens de santé réguliers, constituent pour elle un bon investissement. Elle doit par conséquent mesurer l'intérêt de la prévention, du dépistage précoce et du traitement, mais aussi sa propre capacité à mettre en œuvre des pratiques efficaces de prévention et de promotion de la santé.

2.5.1 Alimentation

Une saine alimentation passe par le maintien d'une bonne diversité alimentaire. La femme doit en outre savoir que certains aliments sont préférables aux autres: les aliments faibles en gras saturés et en cholestérol, et pauvres en sodium et en sucre, les produits céréaliers entiers, les fruits et les légumes.

Il faut boire au moins quatre à six verres d'eau chaque jour en plus des autres boissons (p. ex., les jus de fruit). Le café, le thé, les boissons gazeuses et l'alcool doivent être consommés avec modération. Enfin, il est souhaitable de limiter sa consommation de viande rouge ou transformée (Société canadienne du cancer, 2011b).

La plupart des femmes ne reconnaissent pas l'importance du calcium pour leur santé et peuvent donc en consommer en quantité insuffisante. En cas d'alimentation carencée en calcium, l'administration de suppléments calciques peut s'avérer nécessaire; le carbonate de calcium est préférable aux autres formes, car il contient généralement plus de calcium élémentaire. En période préconceptionnelle, il s'avère aussi important d'assurer à la femme un apport en acide folique sous forme de supplément. Cette supplémentation vise la prévention de certaines anomalies congénitales. De plus, une supplémentation en fer est parfois aussi recommandée (MSSS, 2008a) ▶ 8.

L'évaluation de l'alimentation peut se faire au moyen d'un formulaire standard; la méthode du bilan sur 24 heures s'avère efficace et rapide. Ensuite, l'infirmière discutera avec la cliente de ses préférences et aversions alimentaires (y compris les pratiques culturelles), des volumes de ses portions habituelles et de ses habitudes nutritionnelles. Elle en tiendra compte dans sa stratégie de conseil. Dans certains cas, elle lui conseillera de suivre un programme de perte de poids ou de s'adresser à des groupes d'entraide spécialement orientés vers ce genre de soutien.

2.5.2 Exercice

Des conseils sur l'activité physique et l'exercice doivent être donnés aux femmes de tous âges, dans divers milieux: les contextes scolaires, professionnels, ainsi que dans les établissements de soins ou les CSSS. Santé Canada et la Société canadienne de physiologie de l'exercice recommandent de faire 150 minutes d'exercice modéré par semaine à raison de 10 minutes par séance (Société canadienne de physiologie de l'exercice, 2011). Il n'est pas nécessaire de s'astreindre à une activité exténuante pour en retirer des avantages notables pour la santé: l'essentiel est de bouger régulièrement. Les activités physiques suivantes se révèlent particulièrement bénéfiques quand elles sont pratiquées régulièrement: la marche à un rythme relativement soutenu, la randonnée pédestre, monter et descendre des escaliers, les exercices aérobiques, la course à pied, la bicyclette, l'aviron (rameur), la natation, le soccer, et le basketball. L'infirmière doit encourager toutes les femmes, quel que soit leur âge, à bouger quotidiennement pour maintenir leur poids et préserver ou améliorer leur état de santé. Elle leur proposera des activités susceptibles de leur plaire **FIGURE 2.18**.

FIGURE 2.18
L'exercice physique fait partie intégrante des stratégies de maintien ou de promotion de la santé. Le vélo stationnaire est une activité modérée à soutenue particulièrement agréable.

Exercices de Kegel

Les exercices de Kegel, ou exercices de musculation du plancher pelvien, ont été mis au point pour renforcer les muscles qui soutiennent le plancher pelvien et, ainsi, prévenir ou atténuer l'incontinence urinaire. Ils se révèlent également très bénéfiques pendant la grossesse et après l'accouchement. En renforçant les muscles du plancher pelvien, ces exercices améliorent le soutien des organes logés dans le bassin et la maîtrise des muscles entourant le vagin et l'urètre (Berzuk, 2007).

L'association des infirmières en gynécologie, obstétrique et néonatalité des États-Unis a réalisé un bilan des résultats de recherches sur l'incontinence féminine. Les stratégies d'information sur les exercices de Kegel qui ont été compilées par cette équipe sont présentées à l'**ENCADRÉ 2.7**.

2.5.3 Gestion du stress

Puisqu'il est impossible, voire non souhaitable, d'éviter complètement le stress, il faut apprendre à le gérer. L'infirmière doit faire appel à ses habiletés relationnelles pour être à l'écoute de la cliente et mieux la connaître en vue de situer des éléments de stress perceptibles et ainsi reconnaître des facteurs de risque pouvant influencer le vécu de celle-ci.

Les femmes sont plus sujettes que les hommes à la dépression (MSSS, 2008b). L'infirmière doit rester attentive aux symptômes de troubles mentaux graves, par exemple la dépression ou l'anxiété et, si nécessaire, diriger la femme vers un professionnel en santé mentale. Elle doit également redoubler de vigilance envers les femmes qui vivent des événements majeurs, comme un divorce ou une séparation, un deuil, une maladie grave ou une perte d'emploi.

Dans la plupart des cas, l'infirmière peut offrir du réconfort, de l'information et des conseils concernant les ressources disponibles, par exemple des groupes de soutien. La plupart des établissements de soins organisent de tels groupes pour aider les femmes à prévenir le stress ou à mieux le gérer. L'infirmière peut également informer les femmes sur les interactions entre, d'une part, l'alimentation, le repos, la détente, l'exercice physique et le divertissement, et, d'autre part, l'aptitude à affronter le stress. L'infirmière pourra accompagner ces femmes au moyen de divers conseils pratiques tels que prendre régulièrement des pauses, réserver du temps pour les amis, acquérir des centres d'intérêt en dehors du travail ou de la maison, se fixer des objectifs réalistes et apprendre à s'accepter. Quand une crise développementale ou situationnelle s'annonce, les conseils de prévention peuvent aider les femmes à prévoir des stratégies de gestion des événements stressants qui pourraient survenir.

8

Les pratiques alimentaires adéquates pour la femme enceinte sont décrites dans le chapitre 8, *Nutrition de la mère et du fœtus*.

RAPPELEZ-VOUS...

Des comportements sains comme la pratique d'une activité physique régulière, l'adoption de bonnes habitudes alimentaires et le fait d'éviter de fumer sont associés à une meilleure santé.

Enseignement à la cliente et à ses proches

ENCADRÉ 2.7 **Exercices de Kegel**

DESCRIPTION ET JUSTIFICATION

Les exercices de Kegel permettent de renforcer les muscles qui soutiennent le plancher pelvien. Ils consistent à enchaîner des contractions et décontractions des muscles soutenant la vessie et l'urètre. Le renforcement de ces muscles pelviens permet aux femmes de prévenir ou d'atténuer l'incontinence urinaire.

TECHNIQUE GÉNÉRALE

- La cliente doit d'abord sentir les muscles à renforcer, puis apprendre à les contracter correctement. Pour ce faire, elle pourra par exemple faire comme si elle tentait de prévenir l'expulsion d'un gaz intestinal. Invitez-la à travailler ainsi le resserrement des muscles entourant son vagin et le haut de son bassin. Elle devrait sentir ses muscles tirer vers l'intérieur et vers le haut. Pour maîtriser l'exercice, elle peut également faire comme si elle essayait d'interrompre l'écoulement de l'urine ou de reproduire les contractions ascendantes du vagin autour du pénis pendant la relation sexuelle.
- La cliente doit éviter de « pousser » pendant ces exercices. Or, pour qu'elle comprenne comment éviter la poussée, il faut lui enseigner justement ce qu'est la sensation de poussée. Demandez-lui d'inspirer, de retenir sa respiration, puis d'abaisser ses muscles abdominaux comme pour forcer l'expulsion des selles. Vous pouvez ensuite lui apprendre à éviter la poussée en expirant doucement et en gardant la bouche ouverte chaque fois qu'elle contracte ses muscles pelviens.

INSTRUCTIONS PRÉCISES

- Chacune des contractions doit être aussi intense que possible, sans toutefois contracter l'abdomen, les cuisses ou les fesses.
- Les contractions doivent être maintenues au moins 10 secondes. Dans certains cas, la cliente commencera par des contractions de 2 secondes seulement, puis augmentera graduellement leur durée jusqu'à 10 secondes, à mesure que ses muscles se renforceront.
- La cliente doit rester détendue pendant au moins 10 secondes entre les contractions, de manière à restaurer son tonus musculaire pour atteindre de nouveau l'intensité maximale à la contraction suivante.
- La cliente devrait sentir la traction ascendante dans les trois couches musculaires : c'est le signe que la contraction atteint le haut de son bassin.

AUTRES CONSEILS

- Au début, la cliente devrait réserver environ 15 minutes par jour aux exercices de Kegel.
- Elle pourra prévoir des aide-mémoire pour ne pas oublier ses exercices : par exemple, une note sur le miroir de sa salle de bains, sur son réfrigérateur, son téléviseur ou son calendrier.
- Les directives relatives aux exercices de Kegel recommandent d'enchaîner entre 24 et 100 contractions par jour ; toutefois, des séances de 24 à 45 contractions quotidiennes peuvent déjà produire des résultats positifs.
- La position la plus adéquate pour apprendre à faire les exercices de Kegel consiste à s'allonger sur le dos, les genoux pliés. Ils peuvent également se pratiquer à quatre pattes. Une fois que la cliente maîtrise la technique, elle peut également effectuer ces exercices dans d'autres positions, par exemple assise ou debout.

Source : Adapté de Marques, Stothers & Macnab (2010).

Le MSSS offre des ressources en ligne (www.dependances.gouv.qc.ca/index.php?aide-et-ressources) afin d'informer les personnes qui souhaitent se libérer d'une dépendance et de les appuyer dans ce processus.

Les jeux de rôles, la relaxation, la rétroaction biologique, la méditation, la désensibilisation, la visualisation, l'affirmation de soi, le yoga, l'adoption d'un bon régime alimentaire, l'exercice physique et le maintien d'un poids santé sont autant de techniques et de moyens que les infirmières peuvent conseiller aux femmes pour les aider à affronter les difficultés du quotidien. En général, faute de temps, il est impossible de procurer des conseils exhaustifs dans le cadre des rencontres individuelles. L'infirmière a néanmoins avantage à connaître ces ressources pour mieux intervenir auprès des femmes, pour les conseiller et les diriger vers les intervenants ou les centres appropriés. Il est important d'assurer un suivi minutieux de toutes les femmes éprouvant de la difficulté à gérer leur stress.

Jugement clinique

Quelle stratégie devez-vous déployer auprès de madame Lemay pour l'aider à cesser sa consommation de drogue ?

2.5.4 Cessation de la consommation de substances psychoactives

Quel que soit leur âge, toutes les femmes ont intérêt à cesser de fumer : elles en retirent des avantages significatifs et immédiats. Mais ce n'est pas une mince affaire ! La plupart des gens doivent s'y reprendre à plusieurs fois avant d'abandonner la cigarette pour de bon **ENCADRÉ 2.8**. Certains n'y arrivent jamais. Les femmes qui souhaitent se libérer de la cigarette peuvent être dirigées vers un programme d'abandon du tabagisme qui mettra à leur disposition des méthodes individualisées. À tout le moins, elles devraient prendre connaissance des outils disponibles auprès des centres d'abandon du tabagisme. Pendant la grossesse, la plupart des femmes sont souvent très déterminées à arrêter de fumer ou, à tout le moins, à réduire leur consommation de tabac. Les risques pour le fœtus peuvent être atténués, voire prévenus, si la femme arrête de fumer le plus tôt possible (Santé Canada, 2009).

Pour les femmes qui consomment de l'alcool en quantités excessives ou des drogues, la stratégie d'intervention consistera par exemple à stimuler leur estime de soi et à leur enseigner de nouvelles compétences qui les aideront à résister à la tentation. Il faut par ailleurs diriger la cliente vers des ressources spécialisées : l'infirmière doit établir la communication entre la cliente et la personne-ressource, puis assurer un suivi pour vérifier que la femme s'est effectivement présentée au rendez-vous. Des groupes ou d'autres instances de soutien peuvent également lui être recommandés.

ENCADRÉ 2.8 **Guide pour la promotion de l'abandon du tabagisme**

AMORCE
- À quel âge la cliente a-t-elle commencé à fumer?
- Combien de cigarettes fume-t-elle par jour? À quand remonte sa dernière cigarette?
- A-t-elle déjà essayé d'arrêter de fumer?

CONTEXTE
- Pourquoi n'a-t-elle pas réussi à arrêter de fumer jusqu'ici? Ou, le cas échéant, pourquoi a-t-elle recommencé?
- A-t-elle dans son entourage des personnes qui pourraient l'aider?
- Vit-elle avec une personne qui fume?
- A-t-elle des amis ou des proches qui ont réussi à arrêter de fumer?

CONSEILS
Pour convaincre la cliente d'arrêter de fumer, lui indiquer les effets du tabagisme sur la grossesse et sur le fœtus, sur sa propre santé et sur les personnes de son entourage.

ENCADREMENT
- Procurer à la cliente le soutien dont elle a besoin; lui remettre de la documentation et des outils qu'elle pourra utiliser par elle-même.
- Inciter la cliente à fixer la date à laquelle elle arrêtera de fumer.
- Diriger la cliente vers un programme de cessation du tabagisme, si elle le souhaite, ou l'informer sur les produits de remplacement de la nicotine. Attention! Ils ne sont pas recommandés pendant la grossesse.
- Enseigner les techniques de réduction du stress et inciter la cliente à les mettre en œuvre.

SUIVI
- Prendre les dispositions nécessaires pour vérifier si la cliente a arrêté de fumer.
- Prévoir un suivi de votre conversation: appel téléphonique, lettre, visite en clinique.
- Appeler la cliente vers la date à laquelle elle avait prévu arrêter. À chacune de ses visites prénatales, lui demander si elle fume encore.
- Féliciter la cliente si elle réussit à se libérer de la cigarette; si elle «rechute», lui offrir un soutien ciblé.
- Le cas échéant, la diriger vers une thérapie plus intensive.

Source: Adapté de American College of Obstetricians and Gynecologists (2005).

2.5.5 Pratiques sexuelles responsables

La prévention des ITS repose sur la réduction des comportements à risque par l'information et par la mise en place de schèmes comportementaux mieux adaptés. Les comportements à risque sont notamment les partenaires sexuels multiples ou occasionnels et les pratiques sexuelles potentiellement dangereuses. La consommation d'alcool ou de drogue constitue également un comportement à risque, car elle perturbe le jugement et incite aux actes irréfléchis.

Les femmes en âge de procréer doivent être informées sur la prévention des ITS, mais aussi sur la contraception et la planification familiale ▶ 4.

2.5.6 Fréquence des examens médicaux

Les examens médicaux périodiques consistent à établir les antécédents médicaux, à effectuer l'examen physique, à informer et à conseiller la cliente, ainsi qu'à mettre en œuvre les examens paracliniques et les analyses de laboratoire nécessaires. Ils constituent le socle de toute stratégie globale de promotion de la santé, de prévention des maladies, de dépistage précoce des problèmes et de mise en communication avec des ressources spécialisées. Ces examens doivent être adaptés selon l'âge de la cliente et les facteurs de risque auxquels elle est exposée. Dans la plupart des cas, ils se déroulent dans le cabinet d'un professionnel des soins de santé, dans une clinique ou dans un hôpital. Cependant, certaines dimensions de l'examen médical peuvent maintenant être réalisées dans d'autres contextes, par exemple, à l'occasion d'événements communautaires sur la santé. Les recommandations en matière d'examens médicaux pour les femmes âgées de plus de 18 ans sont présentées au **TABLEAU 2.3**.

2.5.7 Prévention des risques pour la santé

Très souvent, les mesures de sécurité les plus simples sont négligées. Les lésions et les blessures constituent pourtant un risque de santé majeur dans toutes les tranches d'âge. La connaissance des dangers potentiels et la mise en œuvre des directives de sécurité contribuent largement à le réduire. L'infirmière doit fréquemment rappeler l'importance des mesures de sécurité les mieux connues, par exemple, porter systématiquement sa ceinture de sécurité dans les véhicules en marche et protéger sa peau du rayonnement ultraviolet en portant des vêtements adaptés et en appliquant un écran solaire.

4 Les ITS, la contraception et la planification familiale sont présentées dans le chapitre 4, *Contraception, avortement et infertilité*.

TABLEAU 2.3	Recommandations relatives aux examens médicaux pour les femmes âgées de plus de 18 ans
INTERVENTION	**RECOMMANDATIONS**[a]
Examen physique	
P.A.	À chaque visite, mais au moins tous les deux ans
Taille et poids	À chaque visite, mais au moins tous les deux ans
Examen gynécologique	Entre 1 à 3 ans jusqu'à l'âge de 70 ans ; recommandé pour toutes les femmes qui ont déjà eu des relations sexuelles
Examen des seins	Tous les 2 ans de 40 ans à 49 ans ; tous les ans de 50 ans à 69 ans
Examen clinique	Tous les 3 ans de 20 à 39 ans ; tous les ans après 40 ans
Risque élevé	Tous les ans dès l'âge de 18 ans en cas d'antécédents de cancer du sein préménopausique chez une parente au premier degré
Groupes à risque	
Examen cutané	Antécédents familiaux de cancer de la peau ou exposition intensive au soleil : tous les ans à partir de 40 ans ; tous les 3 ans de 20 à 40 ans ; autoexamens mensuels également recommandés
Examen buccal	Antécédents de lésions buccales, tabagisme ou consommation excessive d'alcool : au moins une fois l'an
Examens paracliniques et analyses de laboratoire	
Cholestérolémie (taux de lipoprotéines à jeun)	Tous les 5 ans à partir de 35 ans
Risque élevé	En fonction des résultats de l'examen clinique : plus fréquemment en cas de risque d'anomalie cardiaque ou lipidique
Test de Papanicolaou[b]	Premier test : après le début des relations sexuelles ; puis une fois l'an pour le test de Papanicolaou traditionnel. À partir de 30 ans et après 3 tests consécutifs ayant donné des résultats normaux : tous les 2 ou 3 ans ; après l'âge de 70 ans et en l'absence de résultats anormaux durant au moins 10 ans : le dépistage peut être interrompu ; il peut également être interrompu après une hystérectomie totale pratiquée pour un motif autre que le cancer.
Mammographie[c]	Tous les 2 ans à partir de 50 ans jusqu'à 69 ans
Dépistage du cancer du côlon	Dépistage des hémorragies occultes dans les selles tous les 2 ans à partir de 50 ans ; intervalles plus rapprochés en cas d'antécédents familiaux de polypes ou de cancer du côlon
Groupes à risque	
Glycémie à jeun	Tous les ans en cas d'antécédents familiaux de diabète ou de diabète gestationnel (diabète de grossesse) ou pour les femmes obèses ; tous les 3 à 5 ans pour toutes les femmes de plus de 45 ans
Test d'audition	Tous les 3 ans à partir de 50 ans ; tous les ans pour les personnes exposées à un niveau de bruit élevé ou présentant des signes de détérioration auditive
Dépistage des ITS	Selon les besoins pour les femmes ayant plusieurs partenaires sexuels
Réaction de Mantoux (intradermoréaction à la tuberculine)	Tous les ans pour les femmes ayant des contacts avec des personnes porteuses de la tuberculose ou appartenant à une catégorie à risque pour l'exposition à la maladie
Biopsie endométriale	À la ménopause pour les femmes à risque pour le cancer de l'endomètre
Vision	Tous les 2 ans de 40 à 64 ans ; tous les ans après 65 ans
Ostéodensitométrie (teneur minérale des os)	Toutes les femmes de plus de 65 ans ; le cas échéant, dépistages périodiques pour les femmes plus jeunes exposées à un risque d'ostéoporose

TABLEAU 2.3	Recommandations relatives aux examens médicaux pour les femmes âgées de plus de 18 ans *(suite)*
INTERVENTION	**RECOMMANDATIONS**[a]
Vaccination	
Tétanos/diphtérie	Rappel : tous les 10 ans après la première immunisation ; au Québec, la dernière immunisation se fait entre 14 et 16 ans.
Rougeole, rubéole, oreillons	Ce vaccin est donné pendant l'enfance à 12 et à 18 mois. Une femme qui reçoit le vaccin doit éviter de devenir enceinte au cours du mois suivant la vaccination (MSSS, 2011).
Hépatite A	Au Québec, ce vaccin est administré en milieu scolaire en 4e année du primaire ; il est combiné à celui de l'hépatite B.
Hépatite B	Au Québec, ce vaccin est administré depuis 2008 en milieu scolaire en 4e année du primaire.
Grippe *Influenza*	Tous les ans de 6 à 23 mois et à partir de 60 ans ou pour les personnes des groupes à risque (p. ex., celles souffrant de maladies chroniques, d'immunosuppression, de dysfonctionnement rénal) ; depuis 2010, aux femmes enceintes en bonne santé qui sont au 2e ou au 3e trimestre de la grossesse (13 semaines ou plus).
VPH	Au Québec, ce vaccin est administré depuis 2008 en milieu scolaire en 4e année du primaire. Le vaccin s'adresse aux filles âgées de 9 à 26 ans qui n'ont jamais été exposées au VPH.

[a] Sauf indication contraire, l'intervention doit être mise en œuvre tous les un à trois ans à titre de mesure préventive de routine.

[b] Société canadienne du cancer (2010).

[c] L'intérêt de la mammographie chez les femmes âgées de 40 à 49 ans ne fait pas consensus parmi les chercheurs et les cliniciens ; plusieurs recommandations concurrentes sont toutefois mentionnées ici. Toutes les clientes auraient avantage à discuter de leur cas particulier avec leur professionnel de la santé.

Source : MSSS (2011).

Analyse d'une situation de santé

Jugement clinique

Maude Boucher, âgée de 17 ans, est enceinte de 14 semaines. Elle se présente au CSSS. Vous remarquez qu'elle est émaciée et a des cernes sous les yeux. Ses parents habitent à l'extérieur de la région, et elle n'a que peu de contacts avec eux. Maude vit seule en appartement. Elle travaille dans un petit atelier de cordonnerie. Elle ignore qui est le père de l'enfant. Elle ne se protège pas pendant les rapports sexuels. Toutefois, elle souhaite mener cette grossesse à terme. ▶

MISE EN ŒUVRE DE LA DÉMARCHE DE SOINS

Collecte des données – Évaluation initiale – Analyse et interprétation

1. Vous souhaitez évaluer les habitudes alimentaires de Maude. Comment procéderiez-vous ?
2. Quels autres facteurs représentent des risques pour la santé de Maude et celle de son fœtus ? Nommez-en au moins quatre.
3. Que devez-vous évaluer quant à ses pratiques sexuelles ?
4. D'après les données de la mise en contexte, quel problème anticipez-vous chez Maude ?

SOLUTIONNAIRE

www.cheneliere.ca/lowdermilk

▶ Maude vous rencontre toutes les deux semaines. Au cours d'une de ces rencontres, elle vous confie vivre de l'anxiété par rapport à la naissance de son enfant au point de faire de l'insomnie. ◀

MISE EN ŒUVRE DE LA DÉMARCHE DE SOINS

Planification des interventions – Décisions infirmières

5. D'après la bonne réponse à la question 4, que devriez-vous suggérer à Maude pour qu'elle ait le soutien nécessaire pendant le déroulement de sa grossesse ?
6. Quelle approche serait appropriée pour consolider votre alliance thérapeutique avec Maude et maintenir la relation d'aide ?

Évaluation des résultats – Évaluation en cours d'évolution

7. Au cours de vos rencontres subséquentes avec Maude, que vous faudra-t-il évaluer plus précisément? Relevez au moins quatre points d'évaluation.

APPLICATION DE LA PENSÉE CRITIQUE

Dans l'application de la démarche de soins auprès de Maude, l'infirmière a recours à un ensemble d'éléments (connaissances, expériences antérieures, normes institutionnelles ou protocoles, attitudes professionnelles) pour analyser la situation de santé de la cliente et en comprendre les enjeux. La **FIGURE 2.19** illustre le processus de pensée critique suivi par l'infirmière afin de formuler son jugement clinique. Elle résume les principaux éléments sur lesquels l'infirmière s'appuie en fonction des données de cette cliente, mais elle n'est pas exhaustive.

VERS UN JUGEMENT CLINIQUE

CONNAISSANCES

- Facteurs de risque associés à la grossesse à l'adolescence
- Ressources communautaires de la région
- Organismes d'aide gouvernementaux
- Particularités de l'évaluation et des interventions en santé communautaire

EXPÉRIENCES

- Travail auprès des adolescentes
- Connaissances personnelles par rapport à la grossesse

NORMES

- Charte des droits et libertés de la personne
- Loi en lien avec la Direction de la protection de la jeunesse (DPJ)

ATTITUDES

- Ouverture et acceptation des valeurs de Maude
- Écoute respectueuse

PENSÉE CRITIQUE

ÉVALUATION

- Pratiques sexuelles à risque
- État psychologique en raison d'une grossesse à 17 ans
- Risques pour sa grossesse liés à son travail
- Ressources personnelles d'aide et réseau de soutien (peu de contact avec les parents qui habitent à l'extérieur de la région)
- Signes de fatigue (elle est émaciée et a des cernes sous les yeux)
- Démarches entreprises en vue d'un retrait préventif
- Ressources financières (elle travaille dans un atelier de cordonnerie)

JUGEMENT CLINIQUE

FIGURE 2.19

À retenir

VERSION REPRODUCTIBLE

www.cheneliere.ca/lowdermilk

- Le système reproducteur féminin se compose de structures externes et internes.
- Un mécanisme d'interactions entre l'hypothalamus, l'hypophyse et les gonades assure le déploiement du cycle menstruel. La normalité du cycle menstruel dépend du bon fonctionnement de ce mécanisme.
- Les seins et les structures reproductrices des femmes réagissent de manière prévisible à l'évolution de leurs taux hormonaux au fil de leur vie.
- Le myomètre utérin est une structure servant à expulser le fœtus et à favoriser l'hémostase après l'accouchement.
- Les prostaglandines jouent un rôle décisif dans les fonctions reproductrices, et elles déterminent en partie la contractilité des muscles lisses et l'évolution des taux hormonaux.
- Plusieurs facteurs influent sur la capacité d'une personne à prendre conscience de ses besoins en matière de santé et quant à sa manière de se positionner à l'égard du système de soins de santé et des traitements proposés ; par exemple, son contexte culturel, sa religion, sa classe socioéconomique, ses circonstances de vie particulières, son stade de développement et, d'une manière générale, sa spécificité individuelle.
- L'évolution du statut et des rôles sociaux des femmes a une incidence importante sur leurs besoins en santé et sur leur capacité à faire face aux difficultés.
- Les environnements protégés et rassurants se révèlent plus propices aux évaluations ainsi qu'à l'enseignement : la femme ne s'y sent pas jugée, mais, au contraire, traitée avec délicatesse ; elle sait par ailleurs que la confidentialité de son interaction avec le professionnel de la santé sera entièrement respectée.
- Les soins en période de préconception visent notamment à détecter et, si possible, à résoudre les problèmes sociaux, personnels, médicaux, psychologiques et environnementaux susceptibles de porter préjudice à la mère ou au fœtus.
- Les facteurs de risque pour la santé de la femme en sont tout autant pour celle de son fœtus ou de son enfant.
- Au Canada, la violence infligée aux femmes constitue un problème de santé et de société majeur.
- Les examens médicaux périodiques consistent à établir les antécédents médicaux, à effectuer l'examen physique et à mettre en œuvre les examens paracliniques et les analyses de laboratoire nécessaires ; ils constituent le socle de toute stratégie globale de promotion de la santé, de prévention des maladies, de dépistage précoce des problèmes et de mise en communication avec des ressources spécialisées.
- Les interventions de promotion de la santé et de prévention des risques incitent les femmes à prendre en main leur propre bien-être, les informent à cet égard et leur indiquent des ressources précises ; elles les aident par conséquent à déployer pleinement leur potentiel de bien-être et de santé.

CHAPITRE

Problèmes de santé courants

Écrit par:
Deitra Leonard Lowdermilk,
RNC, PhD, FAAN

Adapté par:
Geneviève Pouliot-Gagné, inf., M. Sc.
Manon Brisebois, inf., B. Sc.

OBJECTIFS

 Guide d'études – SA03, SA19

Après avoir étudié ce chapitre, vous devriez être en mesure:

- de décrire les signes et les symptômes des problèmes menstruels courants;
- d'élaborer un plan de soins infirmiers en cas de dysménorrhée primaire;
- de préciser le contenu de l'enseignement à propos du syndrome prémenstruel;
- d'établir le lien entre la physiopathologie et les symptômes de l'endométriose;
- de proposer des traitements parallèles en cas de problèmes menstruels;
- de décrire la prévention des infections transmissibles sexuellement et par le sang;
- de distinguer les infections bactériennes transmissibles sexuellement des infections virales transmissibles sexuellement et par le sang sur les plans des signes, des symptômes, du dépistage et de la prise en charge;
- de différencier les signes, les symptômes et la prise en charge de certaines infections vulvovaginales;
- de préciser les effets de l'infection par le virus de l'immunodéficience humaine sur la grossesse et sur le suivi de la femme enceinte séropositive;
- d'expliquer les principes de la prévention de l'infection, incluant les précautions usuelles et les précautions universelles pour les procédures effractives en prévision d'une intervention sécuritaire auprès de la clientèle;
- d'énumérer les caractéristiques physiopathologiques de certaines affections mammaires bénignes et des diverses formes de cancer du sein féminin;
- de déterminer les effets émotionnels de la tumeur bénigne et de la tumeur maligne;
- de comparer entre elles les options thérapeutiques en présence d'une masse au sein.

Concepts clés

Cette carte conceptuelle illustre schématiquement les principaux concepts décrits dans le présent chapitre. Sa lecture vous permettra d'avoir une vue d'ensemble des notions qui y sont présentées.

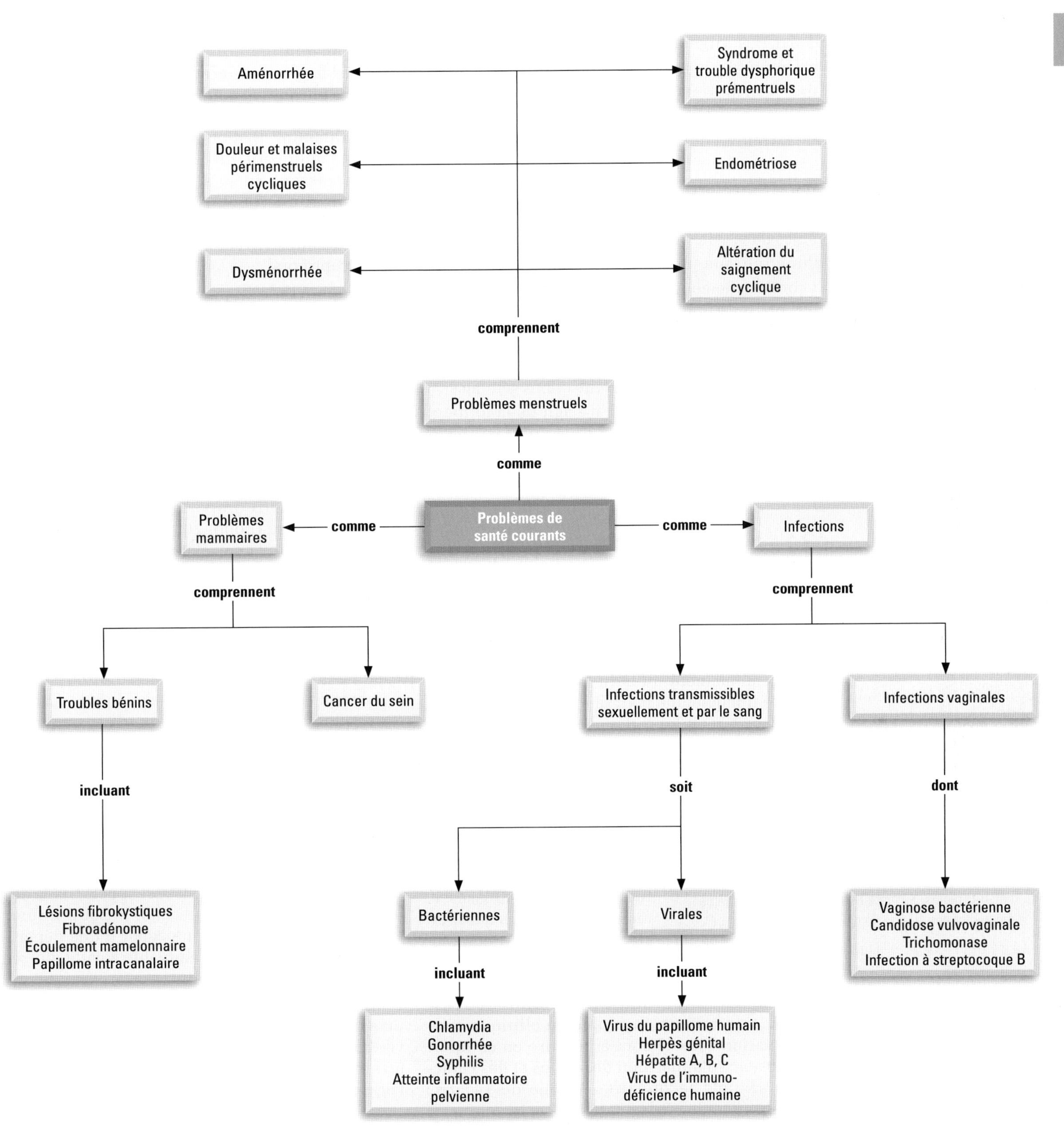

Il est fort probable que la femme, au cours de sa vie, éprouve des problèmes d'ordre menstruel ou gynécologique qui se manifesteront par des saignements, de la douleur ou un écoulement quelconque. Peu importe son âge, la femme peut également souffrir d'affections mammaires bénignes ou malignes, dont les symptômes seront des écoulements mamelonnaires, de la douleur ou la présence d'une masse dans une région du sein. En outre, elle contractera peut-être une infection génito-urinaire qui pourra ou non être liée à des pratiques sexuelles à risque. Ces affections pourront générer de l'inquiétude et même perturber la qualité de vie de la femme sur les plans physique, psychologique, affectif et social. De nombreuses femmes dans cette situation chercheront à obtenir les conseils ou les soins d'une infirmière ou d'un autre professionnel de la santé. L'infirmière doit continuellement actualiser ses connaissances sur ces sujets pour être en mesure de répondre de façon compétente aux besoins en santé des femmes. Le présent chapitre porte sur les problèmes menstruels courants, les affections mammaires bénignes, les infections transmissibles sexuellement et par le sang ainsi que les autres infections génitales. Il couvre également le cancer du sein, étant donné qu'il s'agit de la forme de cancer la plus répandue chez les Canadiennes (Agence de la santé publique du Canada, 2010b).

3.1 Problèmes menstruels

Les femmes ont habituellement un cycle menstruel régulier durant près de 40 ans. Dès l'apparition des premiers cycles et tout au long de sa vie, toute manifestation inhabituelle ou qui dévie du processus généralement attendu pourra devenir une source d'inquiétude pour la femme. Entre autres, l'aménorrhée ou les règles abondantes peuvent la préoccuper grandement.

2

Le cycle hypothalamo-hypophysaire et les autres cycles menstruels sont décrits dans le chapitre 2, *Évaluation clinique et promotion de la santé*.

3.1.1 Aménorrhée

Jugement clinique

Chloé Simard, âgée de 12 ans, n'a pas encore eu ses premières règles. Sa mère est inquiète, car elle-même a été menstruée à l'âge de neuf ans.

La mère de Chloé a-t-elle raison de s'inquiéter ? Justifiez votre réponse.

L'**aménorrhée**, un terme qui désigne l'absence ou l'interruption des règles, est habituelle durant la grossesse, mais elle constitue aussi un signe clinique qui caractérise divers troubles. Bien que les critères selon lesquels l'aménorrhée est considérée comme un problème clinique peuvent varier, ceux-ci sont à prendre en compte : 1) l'absence d'apparition des règles et des caractères sexuels secondaires à l'âge de 14 ans ; 2) l'absence de règles à l'âge de 16 ans et demi, malgré une croissance et un développement normaux (aménorrhée primaire) ; 3) l'interruption des règles durant une période de 6 à 12 mois (aménorrhée secondaire) (Speroff & Fritz, 2005).

L'aménorrhée constitue l'un des signes classiques de l'anorexie mentale.

L'aménorrhée peut découler d'une défaillance de l'axe hypothalamo-hypophyso-gonadique ▶ 2. Elle peut provenir également d'une anomalie anatomique, d'un trouble endocrinien comme l'hypothyroïdie ou l'hyperthyroïdie, d'une maladie chronique comme le diabète de type 1, d'un traitement médicamenteux (p. ex., la phénytoïne [Dilantin^MD]), d'un trouble de l'alimentation (p. ex., l'anorexie), de la consommation de certaines boissons énergisantes à base de ginseng (Benhaberou-Brun, 2010 ; Clauson, Shields, McQueen & Persad, 2008), de l'exercice physique intense, d'un stress émotionnel ou de l'usage d'un contraceptif oral.

L'aménorrhée hypogonadotrophique est la manifestation d'un problème de l'axe hypothalamo-hypophysaire central. Dans de rares cas, une lésion hypophysaire ou l'incapacité d'origine génétique à produire la folliculostimuline (ou hormone folliculostimulante) (FSH) et la lutéostimuline (ou hormone lutéinisante) (LH) sont en cause. Le plus souvent, elle est due à la suppression hypothalamique provoquée par deux grands facteurs : le stress (physique ou émotionnel) ou une perte importante et soudaine de masse adipeuse (Lobo, 2007d). Les recherches démontrent que la corrélation entre le stress, le poids et l'aménorrhée est fondée (Meczekalski, Podfigurna-Stopa, Warenik-Szymankiewicz & Genazzini, 2008). L'aménorrhée due à l'exercice physique peut survenir chez l'athlète ou la femme qui s'entraîne vigoureusement ou qui pratique un sport favorisant la perte de la masse adipeuse. De nombreux facteurs entrent en jeu, dont les caractéristiques corporelles (taille, poids et pourcentage de tissu adipeux), le type, l'intensité et la fréquence de l'exercice physique, l'état nutritionnel et la présence d'agents stressants émotionnels ou physiques (Lobo, 2007d). L'aménorrhée constitue aussi l'un des signes classiques de l'anorexie mentale. Le complexe formé par un trouble de l'alimentation, l'aménorrhée et l'altération de la densité minérale osseuse est appelé triade de la femme athlète (Lebrun, 2007). Cette forme d'aménorrhée peut s'accompagner d'une déperdition calcique osseuse semblable à celle qui se produit après la ménopause.

L'évaluation commence par une anamnèse et un examen physique approfondis. Il importe de vérifier d'abord si la femme est enceinte. Les éléments précis de l'évaluation sont en fonction de l'âge (adolescence, début de la période adulte ou période périménopausique) et de l'apparition préalable ou non des règles.

SOINS ET TRAITEMENTS INFIRMIERS

Aménorrhée

L'infirmière joue un rôle important auprès de la cliente dont l'aménorrhée est causée par une perturbation hypothalamique, du fait que nombre des facteurs causals sont potentiellement réversibles (p. ex., le stress, la perte de poids due à un motif d'origine autre qu'organique). Elle peut aider la cliente à trouver un facteur susceptible d'avoir provoqué cette forme d'aménorrhée et planifier avec elle les mesures nécessaires pour diminuer le stress, évaluer la prise de certains médicaments qui interfèrent avec les règles, rétablir un poids santé ou mettre un terme à l'abus d'alcool ou d'autres drogues, le cas échéant.

La gymnastique respiratoire et la relaxation sont des mesures simples mais efficaces de réduction du stress. La rétroaction biologique, aussi appelée *biofeedback* (forme de thérapie du corps et de l'esprit), l'acupuncture et la massothérapie peuvent également se révéler utiles. Dans certains cas, la psychothérapie sera indiquée.

Si l'exercice physique intense s'avère être en cause, il est suggéré de diminuer l'intensité ou la durée de l'entraînement dans la mesure du possible ou de prendre du poids s'il y a lieu, bien que cette option soit peu attrayante pour la femme qui se soumet à un programme d'exercice vigoureux. Les jeunes athlètes féminines ont parfois du mal à saisir les répercussions d'une faible densité osseuse ou de l'ostéoporose ; l'infirmière peut souligner le lien entre la basse densité osseuse et la fracture de fatigue. Quand le taux d'œstrogènes demeure bas, l'œstrogénothérapie de même que la prise d'un supplément calcique aux fins de prévention de l'ostéoporose sont parfois nécessaires (Lobo, 2007d).

3.1.2 Douleur et malaises périmenstruels cycliques

Une équipe formée de chercheurs en sciences infirmières, dans le cadre d'un projet de l'Association of Women's Health, Obstetric and Neonatal Nurses (AWHONN) est à l'origine du concept de syndrome de douleur et de malaises périmenstruels cycliques (AWHONN, 2003 ; Collins *et al.*, 2002). Le syndrome englobe la dysménorrhée, le **syndrome prémenstruel (SPM)** et le trouble dysphorique prémenstruel ainsi qu'un groupe de symptômes survenant avant et après le déclenchement des règles. Ces problèmes de santé peuvent avoir d'énormes répercussions sur la qualité de vie de la femme. Les trois principales affections de ce syndrome sont abordées ci-après.

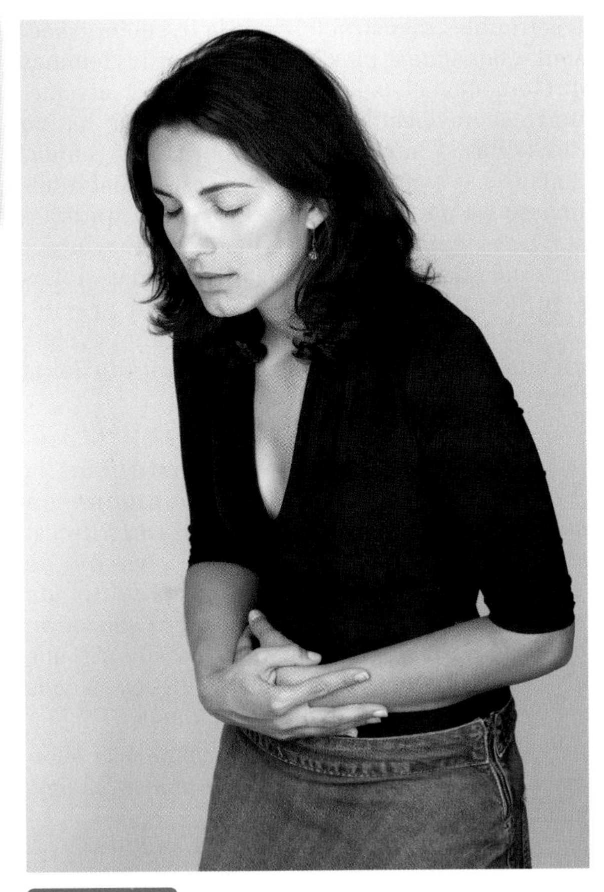

FIGURE 3.1
Les règles sont douloureuses pour la plupart des femmes âgées de 17 à 24 ans.

3.1.3 Dysménorrhée

La **dysménorrhée**, qui désigne la douleur peu avant ou durant les règles, est l'un des troubles gynécologiques les plus fréquents chez la femme, quel que soit son âge. De nombreuses adolescentes sont affligées de dysménorrhée durant les trois premières années de l'apparition des règles. Pour la plupart des jeunes femmes âgées de 17 à 24 ans, les règles sont douloureuses **FIGURE 3.1**. Près de 75 % des femmes ressentent un certain malaise dans la période menstruelle, alors qu'environ 15 % sont aux prises avec de la dysménorrhée grave (Lentz, 2007b) ; il demeure difficile, toutefois, de déterminer dans quelle mesure cela perturbe leur vie. Pour 10 % des femmes affligées de dysménorrhée, la douleur serait à ce point intense qu'elle les empêche de fonctionner comme à l'habitude durant un à trois jours chaque mois.

La dysménorrhée est l'un des troubles gynécologiques les plus fréquents chez la femme, quel que soit son âge.

Les troubles menstruels, dont la dysménorrhée, sont relativement plus fréquents chez les femmes qui fument et chez les femmes obèses. La dysménorrhée grave est associée à l'apparition hâtive des règles, à la nulliparité et au stress (Lentz, 2007b). Les symptômes se manifestent habituellement au déclenchement des règles, quoique certaines femmes se sentent indisposées durant plusieurs heures avant le début de celles-ci. Les symptômes, dans leur nature et leur gravité, varient d'une femme à une autre et d'un cycle à un autre. Ils peuvent persister durant plusieurs heures à plusieurs jours.

En règle générale, la douleur se fait sentir dans la région sus-pubienne ou abdominale basse. Elle est qualifiée de vive ou de sourde et lancinante, de crampes ou de la sensation d'étau. Dans certains cas, elle irradie au bas du dos ou dans le haut des cuisses.

Jugement clinique

Marie Rondeau, 16 ans, est menstruée depuis trois ans. À chacune de ses menstruations, elle souffre d'énormes douleurs qui l'empêchent régulièrement d'aller à l'école au moins une journée.

Est-ce normal ? Justifiez votre réponse.

Il est d'usage de classer la dysménorrhée selon deux formes : la dysménorrhée primaire et la dysménorrhée secondaire.

Dysménorrhée primaire

La dysménorrhée primaire est associée à l'ovulation et à la sécrétion de prostaglandines au moment des règles. À la phase lutéale et à la menstruation subséquente, la prostaglandine F_2 alpha ($PGF_{2\alpha}$) est sécrétée. La sécrétion excessive de $PGF_{2\alpha}$ accroît l'amplitude et la fréquence des contractions utérines, ainsi que le vasospasme des artérioles utérines. L'ischémie locale qui en résulte provoque des crampes abdominales basses cycliques. La réaction systémique à la présence de $PGF_{2\alpha}$ se manifeste par de la dorsalgie, de la faiblesse, de la sudation, un malaise digestif (anorexie, nausées, vomissements, diarrhée) et des symptômes du système nerveux central (étourdissements, syncope, céphalées, manque de concentration). La douleur s'installe dès le début des règles et ne s'estompe qu'en 8 à 48 heures (Lentz, 2007b).

10

La théorie du portillon est expliquée dans le chapitre 10, *Gestion de la douleur.*

La dysménorrhée primaire est plus fréquente chez l'adolescente et la jeune femme que chez la femme plus âgée, et son incidence diminue avec l'âge. Elle survient habituellement de 6 à 12 mois après l'apparition des règles lorsque l'ovulation est établie. Le saignement anovulatoire, courant dans les quelques mois ou années suivant l'apparition des règles, est indolore. Comme la présence d'œstrogènes et de progestérone est essentielle dans la dysménorrhée primaire, celle-ci ne se produit qu'en cas d'ovulation. Des facteurs psychogènes peuvent influer sur l'intensité des symptômes, mais leur apparition demeure liée uniquement à l'ovulation.

SOINS ET TRAITEMENTS INFIRMIERS

Dysménorrhée primaire

La gravité de la dysménorrhée primaire et de la réaction individuelle aura un impact sur son traitement. L'information et le soutien sont des éléments importants des soins et des traitements infirmiers. La menstruation étant si étroitement liée à la reproduction et à la sexualité, les troubles menstruels comme la dysménorrhée peuvent avoir des conséquences néfastes sur la sexualité et l'estime de soi. L'infirmière est en mesure de rétablir les faits devant les mythes et la désinformation qui ont cours à propos des règles et de la dysménorrhée. Elle doit chercher à renforcer l'attitude positive de la cliente à l'égard de la sexualité et de l'estime de soi.

Dans bien des cas, plusieurs options s'offrent pour soulager le malaise menstruel et les douleurs associées, de sorte que la cliente a la possibilité de choisir ce qui lui convient le mieux. L'application de chaleur (sac d'eau chaude ou bain chaud) atténue les crampes en produisant une vasodilatation et une relaxation musculaire, réduisant ainsi au minimum l'ischémie utérine. Le massage du bas du dos peut diminuer la douleur en réduisant la tension dans les muscles paravertébraux et en augmentant le flux sanguin pelvien. De légers effleurages rythmés à la surface de l'abdomen peuvent être bénéfiques selon le principe de la théorie du portillon ▶ 10.

L'exercice physique, qui favorise la vasodilatation et diminue ainsi l'ischémie, contribue à soulager le malaise menstruel. Il stimule également la sécrétion d'endorphines (plus précisément les bêtaendorphines), bloque la sécrétion des prostaglandines et dirige la circulation sanguine loin des viscères pour ainsi atténuer la congestion pelvienne. L'infirmière peut proposer des exercices simples comme le balancement ou la rotation du bassin, ou la contraction intermittente des muscles abdominopelviens.

Outre le maintien d'une alimentation équilibrée et saine, des mesures diététiques particulières peuvent contribuer à atténuer certains symptômes systémiques de la dysménorrhée. Réduire l'apport de sel et de sucre raffiné de 7 à 10 jours avant la date prévue des règles permettra de diminuer la rétention hydrique. L'asperge, le jus de canneberges, la pêche, le persil et le melon d'eau sont des diurétiques naturels qui peuvent être utiles pour diminuer l'œdème et la gêne qu'il occasionne. Augmenter l'apport de calcium peut aider à réduire la douleur causée par les spasmes et les contractions musculaires (Khalid, Abdul-Razzak, Ayoub, Abu-Taleb & Obeidat, 2010). Diminuer la consommation de viande rouge peut également contribuer à atténuer les symptômes dysménorrhéiques.

Les médicaments employés dans le traitement de la dysménorrhée primaire comprennent les inhibiteurs de la synthèse des prostaglandines, principalement les anti-inflammatoires non stéroïdiens (AINS) (Lentz, 2007b) **ENCADRÉ 3.1**. Ils sont le plus efficaces lorsque leur administration commence plusieurs jours avant le déclenchement des règles ou au moins à ce moment-là. Tous les AINS risquent de causer des effets gastro-intestinaux indésirables, notamment des nausées, des vomissements ou l'indigestion. La femme qui prend un AINS doit savoir que des selles foncées peuvent être un signe de saignement digestif. Les médicaments contenant de l'acétaminophène sont moins efficaces dans le traitement de la dysménorrhée, car celle-ci, à l'opposé des AINS, n'agit pas sur les prostaglandines.

Le contraceptif oral inhibe l'ovulation, et il peut réduire l'ampleur du flux menstruel, ce qui diminue la sécrétion des prostaglandines et atténue ainsi la dysménorrhée. Des résultats probants corroborent son efficacité dans le traitement de ce symptôme (Lentz, 2007b). Il peut remplacer l'AINS lorsque la femme affligée de dysménorrhée primaire souhaite une contraception orale. Il cause par contre des effets indésirables, et il se peut que la femme pour qui la contraception est inutile ne souhaite pas l'utiliser pour traiter sa dysménorrhée. Dans certains cas, le contraceptif oral est contre-indiqué.

Les approches parallèles et complémentaires gagnent en popularité. Ainsi, une femme peut avoir recours à la rétroaction biologique, à la neurostimulation transcutanée, au hatha yoga, à la désensibilisation, à l'hypnose, au reiki, à l'acupuncture, à la relaxation, au toucher thérapeutique et à la méditation pour soulager le malaise menstruel, quoique rien de probant ne confirme leur efficacité réelle (Dehlin & Schuiling, 2006; Lentz, 2007b).

Les extraits de plantes médicinales ont depuis longtemps leur place dans le soulagement des troubles menstruels, y compris de la dysménorrhée. La phytothérapie peut être utile dans le traitement de la dysménorrhée; il faut savoir, toutefois, que ces remèdes ne sont pas sans effets néfastes potentiels et qu'ils peuvent provoquer des interactions médicamenteuses. Il importe de choisir des préparations offertes par des entreprises réputées et de savoir que leur efficacité réelle n'a pas encore été démontrée (Dehlin & Schuiling, 2006).

Pharmacothérapie

ENCADRÉ 3.1 Anti-inflammatoires non stéroïdiens employés dans le traitement de la dysménorrhée

MÉDICAMENT	
Diclofénac potassique (Voltaren rapide[MD])	Acide méfénamique
Ibuprofène (Motrin[MD])	Naproxène (Naprosyn[MD])
Kétoprofène	Célécoxib (Celebrex[MD])

Sources: Adapté de Facts and Comparisons (2009); Lentz (2007b); U.S. Food and Drug Administration (2008b).

Dysménorrhée secondaire

La dysménorrhée secondaire désigne une douleur menstruelle qui apparaît plus tard que la dysménorrhée primaire, en règle générale après l'âge de 25 ans. Elle est associée à des anomalies pelviennes, dont l'adénomyose, l'**endométriose**, l'**atteinte inflammatoire pelvienne (AIP)**, le polype endométrial, le myome sous-muqueux ou interstitiel (fibromyome) ou le port d'un stérilet. La douleur surgit quelques jours avant le déclenchement des règles, mais elle peut apparaître à l'ovulation et persister durant les premiers jours des règles ou s'installer après leur déclenchement. Par opposition avec la dysménorrhée primaire, la dysménorrhée secondaire se caractérise par une douleur sourde dans le bas de l'abdomen qui irradie dans le dos ou les cuisses. Le ballonnement ou la sensation de plénitude pelvienne sont souvent présents. Le traitement a pour objectif l'élimination de la cause pathologique. Plusieurs mesures destinées à soulager la douleur dans la dysménorrhée primaire sont également utiles pour traiter celle de la dysménorrhée secondaire.

En cas d'échec d'un AINS, on peut en essayer un autre. Si le second AINS demeure inefficace après une période de six mois, le contraceptif oral combiné constitue une option de rechange. Les AINS sont contre-indiqués en présence d'allergie ou d'hypersensibilité à l'acide acétylsalicylique (Aspirin[MD]).

3.1.4 Syndrome et trouble dysphorique prémenstruels

De 30 à 80 % des femmes sont aux prises avec des sautes d'humeur ou des symptômes somatiques (ou les deux) durant leur cycle menstruel (Lentz, 2007b). Il est difficile d'en arriver à une définition universelle du SPM étant donné la diversité des symptômes qui se manifestent dans cet état et l'existence de deux syndromes distincts: le SPM et le trouble dysphorique prémenstruel.

Le SPM désigne une affection complexe et méconnue qui englobe un ou plusieurs symptômes physiques et psychologiques (il en existe plus de 100) qui surgissent de manière périodique au moment de la phase lutéale du cycle menstruel, soit juste avant les règles, à un degré tel qu'ils peuvent, avant de disparaître, perturber le mode de vie ou le travail de la femme. Ces symptômes ont trait à la rétention hydrique (ballonnement abdominal, sensation de plénitude pelvienne, œdème des membres inférieurs, sensibilité mammaire et gain de poids), au comportement ou à l'état émotionnel (état dépressif, crises de larmes, irritabilité, attaque de panique et difficulté à se concentrer, **labilité émotionnelle**) ou à l'appétit (besoin de sucré ou de salé, appétit accru, frénésie alimentaire); à cela peuvent s'ajouter les céphalées, la fatigue et la dorsalgie **ENCADRÉ 3.2**.

RAPPELEZ-VOUS...

Les approches parallèles et complémentaires en santé reflètent des soins infirmiers holistiques qui tiennent compte à la fois du corps, de l'âme et de l'esprit.

Le tableau 3.1W présente la phytothérapie des troubles menstruels. Il peut être consulté sur le site www.cheneliere.ca/lowdermilk.

ENCADRÉ 3.2 **Critères diagnostiques du syndrome et du trouble dysphorique prémenstruels**

Le diagnostic de SPM est établi en fonction des critères suivants.

- Apparition des symptômes caractéristiques du SPM à la phase lutéale et disparition dans les premiers jours du début des règles ;
- Absence de symptômes durant la phase folliculaire ;
- Récurrence cyclique des symptômes ;
- Répercussions néfastes des symptômes sur certains aspects du mode de vie ;
- Exclusion d'autres diagnostics probables.

Quant au diagnostic de trouble dysphorique prémenstruel, il est posé selon les critères suivants.

- Il y a présence d'au moins cinq symptômes d'ordre émotionnel et physique durant la semaine précédant les règles et absence de symptômes durant la phase folliculaire.
- Il y a présence de l'un des symptômes suivants : irritabilité, humeur dépressive, anxiété ou labilité émotionnelle.
- Les symptômes perturbent grandement le travail ou les relations interpersonnelles.
- Les symptômes ne proviennent pas de l'exacerbation d'une autre maladie ou d'un autre trouble.
- L'évaluation prospective quotidienne durant au moins deux cycles menstruels est nécessaire pour valider la conformité aux critères.

Sources : American College of Obstetrics and Gynecology [ACOG], 2000 ; American Psychiatric Association [APA], 2000 ; AWHONN, 2003.

Jugement clinique

Mathilde Roux, âgée de 14 ans, vient de commencer à être menstruée. Elle a entendu parler du SPM, et cela l'inquiète un peu.

Nommez au moins huit signes et symptômes que Mathilde pourrait remarquer si elle présentait un tel problème.

Le trouble dysphorique prémenstruel est une variante plus grave du SPM qui touche de 3 à 8 % des femmes et qui se caractérise par de l'irritabilité marquée, de la **dysphorie**, des sautes d'humeur, de l'anxiété, de la fatigue, des modifications de l'appétit et le sentiment d'être dépassée (Lentz, 2007b).

Les causes du SPM et du trouble dysphorique prémenstruel sont inconnues, mais des facteurs biologiques, psychologiques et même socioculturels ont été étudiés sans conclusions significatives. En fait, ce ne sont pas des affections simples, mais plutôt un ensemble de problèmes différents (Lentz, 2007b).

SOINS ET TRAITEMENTS INFIRMIERS

Syndrome et trouble dysphorique prémenstruels

Le SPM et le trouble dysphorique prémenstruel soulèvent autant la controverse quant à leur existence, leur diagnostic et leurs causes, que pour leur traitement. L'anamnèse approfondie et le compte rendu journalier des symptômes et des changements d'humeur durant plusieurs cycles peuvent être utiles pour orienter le plan de soins et de traitements. Toute mesure qui contribue à renforcer le sentiment d'emprise de la femme affligée du SPM aura un impact favorable.

L'enseignement est un aspect important de la prise en charge du SPM. L'infirmière peut décrire le lien entre la fluctuation cyclique du taux d'œstrogènes et la variation du taux de sérotonine et préciser que cette dernière est un neurotransmetteur qui favorise l'adaptation au stress habituel de la vie et que les diverses stratégies de prise en charge contribuent au maintien du taux de cette substance.

L'infirmière peut conseiller à sa cliente des modalités d'autogestion qui amélioreront son état. Les techniques de réduction du stress ont leur place dans le traitement symptomatique (Lentz, 2007b). Le counseling individuel ou en groupe d'entraide est également utile.

Pour certaines femmes, des thérapies complémentaires et parallèles se sont révélées efficaces dans le traitement symptomatique du SPM. Des modifications du régime alimentaire et l'exercice physique sont des mesures de base utiles dans certains cas. L'infirmière peut sensibiliser et motiver la cliente à adopter de saines habitudes de vie : l'abandon du tabac, ne serait-ce que temporairement, la réduction de la consommation de sucre raffiné (moins de cinq cuillerées à soupe par jour), de sel (moins de 3 g par jour), de viande rouge (au plus 90 g par jour), d'alcool (moins de 30 ml par jour) et de boissons contenant de la caféine. Elle encourage la cliente à opter pour des grains entiers, des légumes, des graines et des noix, des fruits et de l'huile végétale. De petits repas fréquents (trois repas légers ou moyens et trois petites collations riches en glucides complexes et en fibres) peuvent contribuer à atténuer les symptômes (Lentz, 2007b). Un diurétique naturel (voir la prise en charge de la dysménorrhée, plus haut) permettra également de diminuer la rétention hydrique. Des suppléments nutritifs peuvent contribuer au soulagement symptomatique. Le calcium, à raison de 1 000 à 1 200 mg par jour, le magnésium, à raison de 300 à 400 mg par jour, et la vitamine B_6 à raison de 100 à 150 mg par jour, sont modérément efficaces, entraînent peu d'effets indésirables et demeurent sûrs. D'autres extraits végétaux (p. ex., la valériane, le gingembre, l'aubépine) sont utilisés depuis longtemps dans le traitement du SPM.

Tous s'entendent sur les bienfaits de l'exercice physique périodique (exercice en aérobie à trois ou quatre reprises dans la semaine), particulièrement à la phase lutéale, dans le traitement symptomatique du SPM (Lentz, 2007b). Le programme mensuel optimal prévoit la variation de l'intensité et du type d'exercices selon les symptômes. La femme qui s'entraîne à intervalles réguliers souffre moins d'anxiété prémenstruelle que la femme inactive. Des chercheurs estiment que l'exercice en aérobie stimule la sécrétion d'endorphines bêta qui viennent contrer les symptômes dépressifs et améliorer l'humeur. Le yoga, l'acupuncture, l'hypnose, la chiropractie, l'ostéopathie et la massothérapie semblent exercer des effets bénéfiques sur la femme atteinte de SPM, mais la recherche devra en déterminer l'efficacité véritable.

Lorsque ces stratégies ne procurent pas de soulagement symptomatique en un ou deux mois, le traitement médicamenteux est amorcé dans la plupart des cas. De nombreux médicaments sont employés dans le traitement du SPM, mais aucun n'en atténue à lui seul tous les symptômes. Ces médicaments sont les diurétiques, les inhibiteurs des prostaglandines (AINS), la progestérone et le contraceptif oral. Chez les femmes dont le SPM est très prononcé, l'usage d'un inhibiteur sélectif du recaptage de la sérotonine comme la fluoxétine (Prozac[MD]) peut s'avérer efficace (Brown, O'Brien, Marjoribanks & Wyatt, 2009). Il a pour effet de contrecarrer les symptômes émotionnels, particulièrement les symptômes dépressifs (Lentz, 2007b).

3.1.5 Endométriose

L'endométriose se caractérise par la présence et la croissance de tissu endométrial hors de l'utérus. Elle peut siéger dans les ovaires, le cul-de-sac de Douglas, les ligaments utérins, la cloison rectovaginale, le côlon sigmoïde, le péritoine pelvien, le col de l'utérus ou la région inguinale **FIGURE 3.2**. Les lésions endométriales peuvent se retrouver dans le vagin, dans les cicatrices chirurgicales abdominales, sur la vulve, le périnée et la vessie et dans des zones éloignées de la région pelvienne, telle la cavité thoracique, la vésicule biliaire et le cœur. L'endométriome est un kyste endométrial dans l'ovaire.

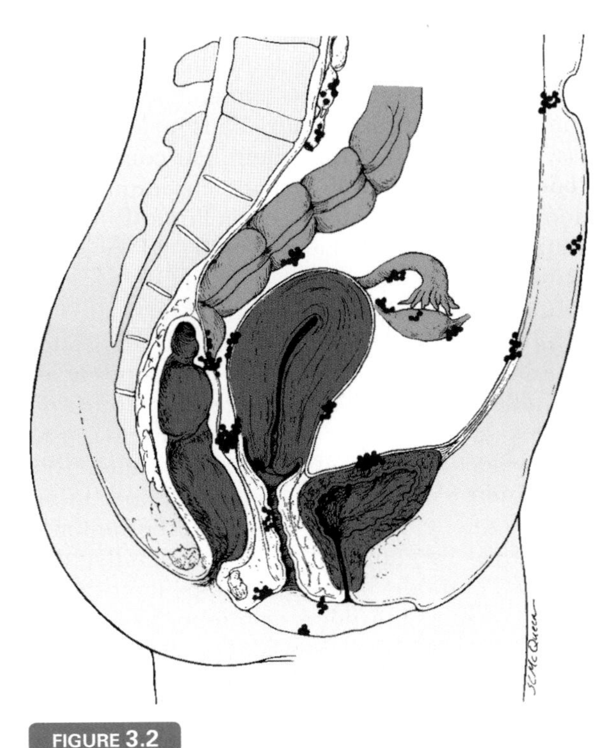

FIGURE 3.2
Zones d'endométriose

Ce tissu endométrial renferme des tubes glandulaires et du chorion, et il réagit à la stimulation hormonale cyclique comme le fait l'endomètre utérin, mais souvent à contretemps. Aux phases folliculaire et lutéale du cycle, le tissu endométrial croît. Pendant les règles ou tout de suite après, il saigne et occasionne ainsi une réaction inflammatoire qui provoque de la fibrose et des adhérences aux organes adjacents.

Affection gynécologique fréquente, l'endométriose afflige de 6 à 10 % des femmes en âge de procréer (Lobo, 2007b). Bien que le trouble se manifeste habituellement durant la trentaine ou la quarantaine, il survient chez près de 10 % des adolescentes et entraîne de la douleur pelvienne incapacitante et un saignement vaginal anormal (ACOG, 2005). La maladie frappe sans distinction les femmes blanches et les femmes noires, mais elle est légèrement plus prévalente chez les Asiatiques, et une tendance familiale peut expliquer sa présence (Lobo, 2007b). L'endométriose peut empirer avec le temps ou passer inaperçue en l'absence de symptômes, et elle disparaît à la ménopause.

La cause de l'endométriose fait l'objet de plusieurs hypothèses, mais l'étiologie et les caractéristiques pathologiques de l'affection demeurent méconnues. L'une des théories généralement admises et la plus actuelle est celle de la migration tubaire ou de la menstruation rétrograde. Cette théorie veut que le tissu endométrial soit répandu ou déplacé mécaniquement durant la menstruation de l'utérus aux trompes de Fallope, puis dans la cavité péritonéale et qu'il s'incruste ainsi sur les ovaires et sur d'autres organes.

Les symptômes varient d'une femme à une autre ; certaines demeurent asymptomatiques, d'autres sont aux prises avec des symptômes invalidants. L'intensité symptomatique peut varier au fil du temps, et elle n'est pas forcément corrélée avec l'étendue de la maladie. Les symptômes majeurs sont la dysménorrhée, l'infertilité et la **dyspareunie profonde** (douleur apparaissant au cours des rapports sexuels). Il peut y avoir également de la douleur pelvienne non cyclique, une sensation de lourdeur pelvienne ou de la douleur irradiant aux cuisses. De nombreuses femmes présentent des symptômes intestinaux, dont la diarrhée, la douleur à la défécation et la constipation découlant de l'évitement de la défécation douloureuse. Le saignement anormal (hyperménorrhée, **ménorragie** ou microrragie prémenstruelle) et la douleur pendant l'exercice physique due aux adhérences figurent parmi les symptômes peu fréquents (Lobo, 2007b).

SOINS ET TRAITEMENTS INFIRMIERS

Endométriose

Le traitement est fonction de la gravité des symptômes et des objectifs de la femme ou du couple. La cliente qui ne ressent aucune douleur et qui ne souhaite pas avoir d'enfant n'a pas besoin d'être traitée. L'AINS est indiqué chez la femme qui n'éprouve qu'une douleur légère et qui souhaite avoir un enfant. Le contraceptif oral avec un faible rapport œstrogènes/progestérone est un choix judicieux chez la cliente qui subit une grande douleur et qui peut repousser le moment d'avoir des enfants puisqu'il aura pour effet de rétrécir le tissu endométrial. Toutefois, la douleur et les autres symptômes reviennent en force dans bien des cas à l'arrêt de ce traitement.

Lorsque la femme exprime le désir d'avoir un enfant un jour, les agonistes hormonaux, qui bloquent l'ovulation et diminuent la sécrétion œstrogénique endogène et la croissance subséquente des lésions endométriales, sont indiqués. Ainsi, les agonistes de la gonadolibérine (Gn-RH) (leuprolide, nafaréline [Synarel^MD]) et les analogues androgènes (acétate de goséréline [Zoladex^MD], danazol) peuvent être utiles. Les agonistes de la Gn-RH agissent en bloquant la sécrétion des gonadostimulines hypophysaires. S'ensuit une baisse notable de la stimulation ovarienne par FSH et LH, donc du fonctionnement ovarien. L'hypoœstrogénie cause des bouffées de chaleur presque à tout coup, comme elle peut parfois entraîner une légère perte de masse osseuse, laquelle est réversible dans les 12 à 18 mois de la cessation du traitement médicamenteux. Le leuprolide à raison de 3,75 mg en injection intramusculaire (I.M.) une fois par mois ou la nafaréline à la dose de 200 mcg en vaporisation nasale deux fois par jour sont efficaces et bien tolérés. Les deux médicaments réduisent les lésions endométriales et atténuent la douleur pelvienne attribuable à l'endométriose. Les effets indésirables courants de ces médicaments s'apparentent à ceux de la ménopause naturelle, soit des bouffées de chaleur et de la sécheresse vaginale. Les céphalées et la myalgie sont présentes dans certains cas. Ces médicaments ne sont pas indiqués à l'adolescence, car l'hypoœstrogénie qu'ils provoquent peut altérer la minéralisation osseuse (ACOG, 2005).

Le danazol est un stéroïde synthétique exerçant une activité androgénique modeste qui bloque la sécrétion de FSH et de LH, instaurant ainsi un état anovulatoire entraînant la diminution de la sécrétion d'œstrogènes et de progestérone et la régression du tissu endométrial. Il produit des effets indésirables incommodants, dont un effet masculinisant chez la femme (gain de poids, œdème, réduction de la taille des seins, peau grasse, hirsutisme et modification de la voix) qui disparaît à l'interruption du traitement. L'aménorrhée, les bouffées de chaleur, la sécheresse vaginale, l'insomnie et la baisse de la libido sont d'autres effets indésirables. Certaines femmes seront aux prises avec des migraines, des étourdissements, de la fatigue et des symptômes dépressifs. Il y aura une baisse de la densité osseuse, partiellement réversible seulement, dans certains cas. Le danazol est contre-indiqué lorsqu'une grossesse est soupçonnée, et il doit s'accompagner d'une forme de contraception étant donné que l'ovulation peut se produire. Le danazol peut causer le pseudohermaphrodisme chez le fœtus féminin. Il est contre-indiqué en présence d'hépatopathie, et il devrait être utilisé avec circonspection en présence de maladie cardiaque ou rénale.

Le taux de grossesse est comparable après le traitement aux agonistes de la Gn-RH ou au danazol (Lobo, 2007b).

Quand les symptômes sont graves, intenses ou invalidants, l'intervention chirurgicale s'avère nécessaire. L'étendue de l'intervention et la technique chirurgicale seront déterminées en fonction de l'âge de la femme, de son désir d'avoir des enfants et du siège de la maladie. L'hystérectomie totale accompagnée de la salpingo-ovariectomie bilatérale représente le seul traitement définitif chez la femme qui ne tient pas à avoir des enfants. Lorsque la maladie n'a pas causé d'infertilité, l'ablation du tissu endométrial avec le souci de préserver la fonction de reproduction par la chirurgie ou le traitement au laser est indiquée chez la cliente en âge de procréer qui veut des enfants (Lobo, 2007b).

Sauf après une hystérectomie totale accompagnée de la salpingo-ovariectomie bilatérale, l'endométriose peut réapparaître dans 40 à 50 % des cas, quel que soit le traitement. Par conséquent, l'endométriose est une maladie chronique occasionnant de la douleur tenace ou l'infertilité pour beaucoup de femmes. Le counseling et l'enseignement sont des éléments essentiels du plan de soins et de traitements infirmiers (PSTI). L'infirmière doit examiner avec sa cliente les options thérapeutiques, évaluer les risques et les bienfaits potentiels. Elle doit également offrir du soutien, car la douleur pelvienne est une sensation subjective qui peut être traumatisante. Si la dyspareunie est présente au point de perturber la vie sexuelle, il peut y avoir lieu d'orienter la cliente vers un counseling plus spécialisé. Un groupe d'entraide, le cas échéant, peut être bénéfique. Les soins infirmiers mentionnés à la partie sur la dysménorrhée sont utiles dans la prise en charge de la douleur pelvienne chronique due à l'endométriose **PSTI 3.1**.

L'endométriose est une maladie chronique occasionnant de la douleur tenace ou l'infertilité pour beaucoup de femmes.

Plan de soins et de traitement infirmiers

PSTI 3.1 Endométriose

PROBLÈME DÉCOULANT DE LA SITUATION DE SANTÉ	**Douleur menstruelle aiguë** liée à l'endométriose
OBJECTIF	La cliente mentionnera une diminution de l'intensité et de la fréquence de la douleur pendant le cycle menstruel.
RÉSULTAT ESCOMPTÉ	**INTERVENTIONS INFIRMIÈRES ET JUSTIFICATIONS**
• Utilisation appropriée de moyens pharmacologiques et non pharmacologiques de soulagement de la douleur	**Traitement de la douleur** • Évaluer le siège, la forme et la durée de la douleur et préciser davantage les manifestations du malaise (PQRSTU) afin de cerner la gravité de la dysménorrhée. • Encourager la prise d'analgésique selon les recommandations afin d'atténuer la douleur. • Donner de l'information sur le médicament à effet hormonal prescrit pour bloquer l'ovulation afin que la cliente puisse faire un choix éclairé. • Enseigner à la cliente des méthodes non pharmacologiques, comme l'application de chaleur, pour stimuler la circulation sanguine dans la région pelvienne.
PROBLÈME DÉCOULANT DE LA SITUATION DE SANTÉ	**Connaissances insuffisantes** sur le traitement de l'endométriose
OBJECTIF	La cliente décrira les méthodes d'autogestion et les traitements prescrits.
RÉSULTATS ESCOMPTÉS	**INTERVENTIONS INFIRMIÈRES ET JUSTIFICATIONS**
• Description du processus pathogénique de l'endométriose • Description des options thérapeutiques	**Enseignement** • Évaluer les connaissances de la cliente sur l'endométriose et son traitement afin de déterminer l'étendue et l'exactitude de son savoir sur le sujet. • Transmettre de l'information sur la maladie et son traitement à la cliente afin que celle-ci soit en mesure d'intervenir à titre de partenaire dans le plan de soins.
PROBLÈME DÉCOULANT DE LA SITUATION DE SANTÉ	**Perte d'estime de soi** due à l'infertilité
OBJECTIF	La cliente exprimera des sentiments positifs à l'égard d'elle-même.
RÉSULTATS ESCOMPTÉS	**INTERVENTIONS INFIRMIÈRES ET JUSTIFICATIONS**
• Ouverture à discuter de l'infertilité • Capacité de s'adresser à des ressources de soutien aidantes	**Soutien relationnel** • Établir une communication thérapeutique afin de valider les sentiments de la cliente et de lui offrir du soutien. • Évaluer son réseau de soutien pour déterminer les ressources aidantes. • Au besoin, diriger la cliente vers un groupe d'entraide ou un intervenant spécialisé afin d'éviter l'isolement.
PROBLÈME DÉCOULANT DE LA SITUATION DE SANTÉ	**Anxiété** à la perspective d'une intervention chirurgicale effractive potentielle
OBJECTIF	La cliente exprimera une diminution de son anxiété.
RÉSULTATS ESCOMPTÉS	**INTERVENTIONS INFIRMIÈRES ET JUSTIFICATIONS**
• Description adéquate de l'intervention • Mention d'une perception de soutien accru	**Enseignement et soutien** • Donner l'occasion de discuter de ses sentiments afin de cerner la source de l'anxiété. • Revenir sur l'information transmise afin de s'assurer que les attentes demeurent réalistes, de réfuter des mythes ou de corriger des inexactitudes. • Offrir un soutien émotionnel afin de favoriser l'expression verbale des sentiments.
PROBLÈME DÉCOULANT DE LA SITUATION DE SANTÉ	**Risque de complications** en raison du caractère évolutif de la maladie
OBJECTIF	La cliente maintiendra un état de santé satisfaisant.
RÉSULTAT ESCOMPTÉ	**INTERVENTIONS INFIRMIÈRES ET JUSTIFICATIONS**
• Signalement de tout changement de son état au professionnel de la santé	**Enseignement** • Insister sur la nécessité de mentionner tout changement de l'état de santé afin d'amorcer le traitement dans les plus brefs délais. • Décrire les signes et les symptômes à mentionner au professionnel de la santé afin que les interventions appropriées soient mises en œuvre. • Décrire les effets indésirables des médicaments afin d'ajuster la médication au besoin. • Encourager la communication continue avec le professionnel de la santé afin de promouvoir la confiance en lui et le suivi.

3.1.6 Altération du saignement cyclique

La quantité, la durée, la périodicité ou la régularité du saignement menstruel cyclique peuvent changer. Les changements qui suscitent de l'inquiétude chez la femme sont les règles espacées ou rares (**oligoménorrhée**), les règles abondantes (ménorragie) ou le saignement survenant entre les règles (**métrorragie**).

Le traitement varie selon la cause et l'impact sur la qualité de vie. L'infirmière a le rôle d'informer et de rassurer la cliente. Ainsi, elle devrait lui mentionner que le contraceptif oral peut occasionner une diminution du saignement menstruel et causer du saignotement au milieu du cycle. Le progestatif, en injection I.M., peut aussi causer du saignotement au milieu du cycle. Un épisode de saignement abondant peut être le signe d'une fausse couche en début de grossesse ou d'une grossesse ectopique. Ce saignement est souvent confondu avec des règles plus abondantes qu'à l'habitude, peut-être tardives, et il s'accompagne de douleur abdominale et d'une gêne pelvienne. Si l'on soupçonne une grossesse, il est indiqué d'effectuer un test de grossesse et une analyse sérique de l'hématocrite et du taux d'hémoglobine.

Les tumeurs utérines, qu'il s'agisse de polype endométrial, d'un adénocarcinome ou du cancer de l'endomètre, sont souvent à l'origine de la ménorragie et de la métrorragie. Le **léiomyome** (fibromyome ou myome) utérin est une tumeur bénigne formée de tissu musculaire lisse d'origine inconnue et est une cause courante de ménorragie. Près d'une femme sur quatre en âge de procréer en aura ; le fibromyome est plus fréquent chez les femmes noires que chez les femmes blanches et les femmes d'origine asiatique ou latino-américaine (Katz, 2007).

Le traitement de la ménorragie est en fonction de la cause du saignement. S'il s'agit du moyen contraceptif (p. ex., le stérilet), l'infirmière répond aux interrogations de sa cliente en lui transmettant de l'information factuelle, la rassure et examine avec elle d'autres moyens contraceptifs. Si le saignement provient d'un léiomyome, les décisions d'ordre thérapeutique seront prises en tenant compte de l'ampleur de l'incapacité et du malaise occasionnés par la tumeur et des projets de grossesse de la femme. Le traitement peut être de nature médicale ou chirurgicale. L'examen fréquent permet de surveiller la croissance du léiomyome, le cas échéant, et de détecter et de corriger l'anémie s'il y a lieu. L'infirmière conseille à la cliente aux prises avec de la métrorragie d'éviter l'acide acétylsalycilique, qui a tendance à prolonger le saignement. Les objectifs du traitement médical consistent à atténuer les symptômes, à faire régresser la tumeur et à réduire son apport sanguin (Katz, 2007). L'agoniste de la Gn-RH permet d'atteindre ces objectifs. La myomectomie (ablation du léiomyome) peut être une solution pour la femme qui veut avoir des enfants. Il faut souligner que cette intervention est particulièrement difficile lorsque plusieurs tumeurs doivent être enlevées. Pour la cliente qui ne souhaite pas préserver sa capacité de procréer ou pour celle qui présente des symptômes graves (anémie marquée, douleur intense, perturbation considérable de la qualité de vie), l'embolisation de l'artère utérine (intervention qui interrompt l'apport sanguin au fibromyome), l'ablation endométriale (chirurgie au laser ou électrocoagulation) ou l'hystérectomie (ablation de l'utérus) sont des options thérapeutiques à envisager.

ENCADRÉ 3.3 Causes potentielles du saignement utérin anormal

ANOVULATION
- Dysfonctionnement hypothalamique
- Syndrome des ovaires polykystiques

TROUBLES LIÉS À LA GROSSESSE
- Risque de fausse couche ou fausse couche spontanée
- Présence de produits résiduels après l'interruption volontaire de la grossesse
- Grossesse ectopique

INFECTIONS GÉNITALES
- Cervicite à chlamydia
- AIP

TUMEURS
- Hyperplasie endométriale
- Cancer du col de l'utérus et cancer de l'endomètre
- Polype endométrial
- Tumeur hormono-active (rare)
- Léiomyome
- Tumeur vaginale (rare)

TRAUMA
- Blessure génitale (accidentelle, sexuelle, trauma lié au coït)
- Corps étranger
- Troubles de la coagulation primaires

MALADIES SYSTÉMIQUES
- Diabète
- Hypothyroïdie et hyperthyroïdie
- Insuffisance organique grave (rénale ou hépatique)

CAUSES IATROGÈNES
- Hormonothérapie (contraceptif oral, hormonothérapie substitutive)
- Médicament exerçant une action œstrogénique
- Extraits végétaux (ginseng)

Sources : Adapté de American College of Nurse-Midwives (ACNM) (2002) ; Katz (2007).

Ménométrorragie

Le saignement utérin anormal désigne tout saignement utérin qui, par sa quantité, sa durée ou le moment de sa survenue, ne correspond pas au saignement menstruel habituel. Les causes potentielles de ce saignement figurent dans l'**ENCADRÉ 3.3**.

La **ménométrorragie** est une forme de saignement utérin anormal, à savoir un saignement utérin abondant en l'absence de cause organique (génitale ou autre) (Lobo, 2007a). L'anovulation est la cause la plus fréquente de la ménométrorragie. En l'absence de pic de sécrétion de LH ou lorsque le corps jaune ne produit pas suffisamment de progestérone pour soutenir l'endomètre, celui-ci amorce le processus de la menstruation. La ménométrorragie survient le plus souvent au début ou à la fin de la période de procréation (peu après l'apparition des règles ou à la veille de la ménopause).

L'hémorragie utérine dysfonctionnelle accompagne toute affection caractérisée par l'anovulation chronique associée à la sécrétion continuelle d'œstrogènes, notamment l'obésité, l'hyperthyroïdie et l'hypothyroïdie, le syndrome des ovaires polykystiques et les troubles endocriniens dont il est question aux sections sur l'aménorrhée et l'oligoménorrhée.

Le diagnostic de ménométrorragie n'est posé que lorsque toutes les autres causes de saignement menstruel anormal ont été écartées (Lentz, 2007a).

L'œstrogénothérapie orale (P.O.) ou intraveineuse (I.V.) représente le traitement médical le plus efficace de l'épisode de saignement aigu caractéristique de la ménométrorragie, mais un curetage peut être envisagé si l'hémorragie n'est pas maîtrisée en 12 à 24 heures. Le traitement médicamenteux P.O. se compose d'œstrogènes et de progestérone, et il est maintenu durant au moins trois mois **ENCADRÉ 3.4**. Quand la contraception est souhaitée, la femme maintient le contraceptif oral. Si la

Pratique fondée sur des résultats probants

ENCADRÉ 3.4 **Règles abondantes ou ménorragie : traitements destinés à améliorer la qualité de vie**

QUESTIONS CLINIQUES

- Quels sont les traitements offerts en cas de ménorragie ?
- Quel est le meilleur traitement entre la chirurgie et l'administration de médicaments ?

RÉSULTATS PROBANTS

- Stratégies de recherche : lignes directrices d'associations professionnelles, méta-analyses, études systématiques, essais cliniques comparatifs et à répartition aléatoire, études prospectives sans répartition aléatoire, études rétrospectives et études systématiques d'analyses qualitatives depuis 2006.
- Choix des bases de données : Cumulative Index to Nursing and Allied Health Literature (CINAHL), Cochrane, Medline, National Guideline Clearinghouse, Turning Research Into Practice (TRIP) Database et National Institute for Clinical Excellence (NICE).

ANALYSE CRITIQUE ET SYNTHÈSE DES DONNÉES

- En général, la ménorragie désigne des règles anormalement abondantes dont le volume correspond à plus de 80 ml. Une étude systématique d'analyses qualitatives révèle que les femmes aux prises avec des règles anormalement abondantes les qualifient de problématiques sur les plans physique, social et affectif (Garside, Britten & Stein, 2008). Les auteurs mentionnent que l'incertitude, la gêne, le sentiment que les inquiétudes ne sont pas prises en compte à leur juste mesure, l'hygiène compliquée en période menstruelle et la crainte de l'anémie ou du cancer que suscite la ménorragie génèrent du stress et de l'anxiété chez la femme.
- Le traitement de la ménorragie peut être de nature médicale ou chirurgicale. Au chapitre des médicaments figure le danazol, dérivé synthétique de la molécule de testostérone modifiée, qui a des propriétés antiœstrogéniques et antiprogestatives. Une métaanalyse d'essais cliniques comparatifs et à répartition aléatoire constate que le danazol est plus efficace que la progestérone, que l'AINS, que le contraceptif oral (Beaumont *et al.*, 2007) ou que l'acide tranexamique (Lethaby, Irvine & Cameron, 2008). Il présente cependant le désavantage de provoquer des effets indésirables qui peuvent être intolérables dont la masculinisation, des symptômes apparentés à ceux de la ménopause, un gain de poids et l'acné. Les lignes directrices du National Institute of Health and Clinical Excellence (NICE) publiées en 2007 recommandent le stérilet au lévonorgestrel (stérilet hormonal comportant un réservoir contenant un progestatif libéré en permanence en très petite quantité dans la cavité utérine pour stopper le développement de l'endomètre) comme traitement médicamenteux de premier choix. En traitement de deuxième intention, NICE préconise l'acide tranexamique, l'AINS ou la pilule combinée. Le traitement de troisième intention se compose d'un progestatif en administration P.O. ou parentérale.
- Les modalités du traitement chirurgical sont déterminées en fonction de la gravité des symptômes et de la nécessité de préserver la fertilité, le cas échéant. L'hystérectomie est une intervention efficace, mais qui comporte le plus grand risque chirurgical. L'ablation endométriale ou résection de la membrane utérine peut s'effectuer selon l'une ou l'autre de plusieurs techniques mécaniques ou thermiques. Cette chirurgie classique ne nécessite pas l'hospitalisation, et le risque de complications postopératoires est moindre. Ces deux interventions éliminent la possibilité de grossesse. Si l'hémorragie est causée par un fibromyome et que la femme souhaite avoir des enfants, l'embolisation par l'artère utérine en vue de bloquer l'apport sanguin au fibrome ou la myomectomie (ablation de la tumeur) sont des choix judicieux. Les lignes directrices de NICE ne recommandent pas le curetage en cas de ménorragie.

RECOMMANDATIONS POUR LA PRATIQUE INFIRMIÈRE

- La femme affligée de ménorragie peut hésiter longtemps avant de consulter un médecin par gêne ou incertitude. L'infirmière devrait s'informer périodiquement à propos du cycle menstruel de la cliente, notamment du volume et de la durée des règles et de la présence de caillots. Elle évalue également la présence d'anémie. Si la femme se dit préoccupée par le saignement menstruel, l'infirmière devrait approfondir l'entretien pour connaître ses antécédents en matière de règles et de grossesse et savoir si elle souhaite avoir un premier enfant ou d'autres enfants. L'infirmière peut préciser les paramètres (durée et quantité) des règles normales. Habituellement, la présence de caillots est le signe de règles abondantes. S'il s'agit effectivement de ménorragie, l'infirmière interroge la cliente à propos de ses préoccupations et de ses craintes.
- Le médecin présentera les options thérapeutiques, mais la femme et son conjoint peuvent désirer s'adresser à une autre personne-ressource pour obtenir des réponses à leurs questions. Si le traitement a pour conséquence l'infertilité, il peut être utile de recommander du counseling ou la participation à un groupe comme l'Association des couples infertiles du Québec (ACIQ) (www.aciq.ca) qui offrira du soutien.

RÉFÉRENCES

Beaumont, H., Augood, C., Duckitt, K., & Lethaby, A. (2007). Danazol for heavy menstrual bleeding. *Cochrane Database of Systematic Reviews, 3,* CD 001017.

Garside, R., Britten, N., & Stein, K. (2008). The experience of heavy menstrual bleeding : A systematic review and meta-ethnography of qualitative studies. *J Adv Nurs, 63*(6), 550-562.

Lethaby, A., Irvine, G., & Cameron, I. (2008). Cyclical progesterones for heavy menstrual bleeding. *Cochrane Database of Systematic Reviews, 1,* CD 001016.

National Institute for Health and Clinical Excellence (NICE) (2007). *Heavy menstrual bleeding (NICE Clinical Guideline 44).* [En ligne]. www.nice.org.uk/Guidance/CG44/ (page consultée le 19 octobre 2011).

contraception n'est pas nécessaire, on interrompt le contraceptif oral afin d'évaluer le schéma de saignement utérin. Si les règles ne reprennent pas, un progestatif (p. ex., la médroxyprogestérone à raison de 10 mg par jour durant les 10 jours précédant la date prévue des règles) peut être prescrit pour autant que la cliente ne soit pas enceinte. Ce traitement a pour objectif de mettre un terme à l'état anovulatoire découlant de l'hyperstimulation œstrogénique endogène de l'endomètre que rien ne vient freiner, susceptible d'entraîner des lésions tissulaires atypiques (Lobo, 2007a). Si l'hormonothérapie ne parvient pas à maîtriser l'hémorragie, l'ablation de l'endomètre par laser peut être envisagée (Lobo, 2007a).

Les responsabilités de l'infirmière consistent à discuter des options thérapeutiques avec la cliente, à lui offrir du counseling et de l'information et à l'adresser aux spécialistes appropriés, s'il y a lieu.

SOINS ET TRAITEMENTS INFIRMIERS

Problèmes menstruels

Les prises en charge médicale et infirmière des problèmes menstruels ont déjà été abordées. Certains aspects de la démarche de soins infirmiers sont examinés dans l'**ENCADRÉ 3.5**.

Mise en œuvre d'une démarche de soins

ENCADRÉ 3.5 **Troubles menstruels**

COLLECTE DES DONNÉES – ÉVALUATION INITIALE

La collecte des données de l'infirmière porte sur les éléments suivants :

- Relever les antécédents d'ordre menstruel, gynécologique, sexuel et contraceptif.
- Évaluer la façon dont la cliente perçoit son état, ses influences culturelles ou ethniques, son mode de vie et ses mécanismes d'adaptation.
- Déterminer l'intensité de la douleur et le volume du saignement, ainsi que leurs répercussions sur les activités de la vie quotidienne.
- Noter les médicaments, offerts en vente libre ou sous ordonnance, utilisés pour atténuer le malaise. Le journal des symptômes, s'il y a lieu, dans lequel la cliente consigne son état émotionnel, son comportement, ses symptômes physiques, son régime alimentaire, l'exercice physique et ses périodes de repos et de sommeil, constitue un outil utile.

ANALYSE ET INTERPRÉTATION DES DONNÉES

Les problèmes découlant de la situation de santé peuvent inclure :

- Risque de stratégies d'adaptation individuelle inefficaces lié :
  - à l'insuffisance des connaissances sur la cause du trouble ;
  - aux répercussions émotionnelles et physiologiques du trouble.
- Connaissances insuffisantes concernant :
  - l'autogestion ;
  - les traitements offerts ;
- Risque de perturbation de l'image corporelle lié au :
  - trouble menstruel ;
  - dysfonctionnement sexuel.
- Risque de perturbation de l'estime de soi lié à :
  - la perception de son trouble menstruel ;
  - l'infertilité.
- Douleur aiguë ou chronique liée au trouble menstruel.

RÉSULTATS ESCOMPTÉS

La planification des soins est établie dans le but d'atteindre les résultats suivants :

- Expression de sa connaissance de l'anatomie de l'appareil génital, de la cause du trouble, du traitement médicamenteux et l'utilisation d'un journal.
- Compréhension et acceptation de sa réaction émotionnelle et de sa réaction physique durant son cycle menstruel.
- Fixation d'objectifs personnels bénéfiques sur les plans affectifs et physique.
- Choix de mesures thérapeutiques appropriées.
- Adaptation à son état si la guérison est impossible.

INTERVENTIONS INFIRMIÈRES

Les interventions infirmières requises pour l'atteinte des résultats escomptés comprennent, notamment :

- Prendre en compte les symptômes de la cliente.
- Corréler l'information quant à l'état physique, à l'état émotionnel, aux sensations subjectives et aux changements physiologiques.
- Encourager la cliente dans l'expression de ses sentiments à propos de son état.
- Transmettre d'information sur les options thérapeutiques, pharmacologiques et autres, afin que la cliente (ou le couple) puisse prendre des décisions éclairées.
- Fournir de l'information sur des groupes d'entraide locaux.

ÉVALUATION DES RÉSULTATS – ÉVALUATION EN COURS D'ÉVOLUTION

La démarche de soins a été fructueuse si la cliente fait état de l'amélioration de sa qualité de vie, de ses aptitudes à l'autogestion de ses symptômes, ainsi que de la perception de son estime de soi et de son image corporelle.

3.2 Infections

L'infection génitale, susceptible de se produire n'importe quand au cours de l'existence d'une femme, est souvent la cause de problèmes gynécologiques importants tels que des douleurs chroniques pelviennes, une grossesse ectopique ou l'infertilité tubaire (Ministère de la Santé et des Services sociaux [MSSS], 2010). Les coûts économiques directs des infections peuvent être considérables, tout autant que leurs coûts indirects. L'infection génitale chez la femme peut avoir des conséquences physiques, sociales, psychologiques ou familiales négatives, notamment l'infertilité, de l'anxiété, la détérioration de sa relation de couple ou la perte de l'estime de soi (MSSS, 2006).

3.2.1 Infections transmissibles sexuellement et par le sang

L'infection transmissible sexuellement et par le sang (ITSS) est une maladie ou un syndrome infectieux transmis au cours d'un contact sexuel **ENCADRÉ 3.6** ou d'un contact direct avec du sang d'une personne infectée. Ce terme s'applique à plus d'une douzaine d'infections dues à des microorganismes qui se propagent par contact sexuel ou par contact sanguin et aux dizaines de syndromes cliniques qu'elles causent. Les ITSS figurent parmi les problèmes de santé les plus courants au Canada et au Québec, où le taux d'incidence d'ITSS a doublé au cours des 10 dernières années (MSSS, 2009a). Ce chapitre présente les ITSS les plus fréquentes chez la femme ▶ 21.

ENCADRÉ 3.6 Infections transmissibles sexuellement et par le sang

BACTÉRIENNES
- Chlamydia
- Gonorrhée
- Syphilis
- Chancre mou
- Lymphogranulomatose vénérienne
- Mycoplasme génital
- Streptocoque du groupe B

VIRALES
- Virus du papillome humain (VPH)
- Virus *herpes simplex* (VHS) de type 1 et 2
- Virus de l'hépatite A (VHA), de l'hépatite B (VHB) et de l'hépatite C (VHC)
- Virus de l'immunodéficience humaine (VIH)
- Cytomégalovirus

PROTOZOAIRE
- Trichomonase

PARASITAIRES
- Pédiculose (pas forcément transmise sexuellement)
- Gale (pas forcément transmise sexuellement)

Prévention

La prévention primaire est un moyen efficace pour réduire les conséquences négatives des ITSS. La prévention secondaire permet de poser le diagnostic et de mettre en œuvre le traitement de l'infection dans les plus brefs délais. Ainsi, le diagnostic et le traitement peuvent empêcher la survenue de complications personnelles et la transmission de l'infection. Pour prévenir la propagation des ITSS, la femme à risque de contracter ou de transmettre une telle infection doit modifier son comportement. L'évaluation comporte entre autres des questions sur l'état de santé de la personne, sur ses antécédents d'ITSS, sur les comportements sexuels jugés à risque, sur les signes et symptômes d'ITSS et sur la consommation de drogues ou d'alcool **ENCADRÉ 3.7**. L'infirmière évalue l'état de santé de la cliente, cherche les facteurs de risque d'ITSS et en mesure le degré **TABLEAU 3.1**. Elle évalue aussi les besoins

21

Le chapitre 21, *Grossesse à risque : états gestationnels*, examine les répercussions des ITSS sur la femme et sur le fœtus pendant la grossesse.

ENCADRÉ 3.7 Évaluation de la femme à risque de contracter ou ayant contracté une infection transmissible sexuellement et par le sang

PROBLÈMES DE SANTÉ

Signes et symptômes présents :
- Leucorrhée (aspect, quantité, odeur)
- Lésions cutanées (éruptions)
- *Rash* cutané
- Dysurie
- Fièvre
- Prurit, sensation de brûlure vulvovaginale
- Dyspareunie, douleurs abdominales basses, saignement vaginal postcoïtal
- Malaises généraux (fatigue, perte d'entrain)

ANTÉCÉDENTS MÉDICAUX
- Antécédents en matière d'ITSS (elle-même ou son partenaire)
- Allergies, particulièrement aux médicaments, au latex (condom)

ANTÉCÉDENTS MENSTRUELS
- Date des dernières menstruations (possibilité de grossesse non planifiée)

ANTÉCÉDENTS PERSONNELS ET SOCIAUX (ANTÉCÉDENTS SEXUELS)
- Orientation sexuelle (homosexuelle, hétérosexuelle, bisexuelle)
- Nombre de partenaires (par le passé : 12 derniers mois ; présentement : 2 derniers mois)
- Pratiques sexuelles (orale, vaginale et anale)
- Fréquence des activités sexuelles
- Mesures de protection contre les ITSS (condom, abstinence, dépistage)

MODE DE VIE
- Usage de drogues P.O., par voie I.V. ou nasale (la cliente ou son partenaire)
- Tabagisme
- Consommation d'alcool
- Alimentation non équilibrée
- Stress, fatigue

TABLEAU 3.1 **Facteurs de risque spécifique selon l'infection transmissible sexuellement et par le sang**

ITSS	FACTEURS DE RISQUE
Infection à *chlamydia trachomatis*	• Moins de 25 ans • Plus de un partenaire sexuel pendant la dernière année • Antécédents d'ITSS
Infection gonococcique	• De 15 à 24 ans • Sexe masculin • Statut socioéconomique faible • Jeunes de la rue • Relations sexuelles non protégées avec un partenaire originaire d'une région à haute endémicité • Travailleur ou travailleuse du sexe ainsi que leurs clients • Homme ayant des relations sexuelles avec d'autres hommes (HARSAH)
Syphilis	• Personne originaire d'une région à haute endémicité • Personne ayant voyagé dans une région endémique ou ayant des partenaires sexuels provenant d'une telle région • Travailleur ou travailleuse du sexe ainsi que leurs clients • HARSAH, particulièrement avec des partenaires inconnus (bars, Internet, saunas), notamment dans les grands centres urbains • Personnes ayant de multiples partenaires sexuels anonymes ou inconnus, et plus particulièrement au sein de noyaux de transmetteurs
VIH/syndrome d'immunodéficience acquise (sida)	• Utilisation de drogues par injection (partage de la drogue, du matériel de préparation ou d'injection) • Personne ayant des antécédents d'hépatite B, d'hépatite C ou d'autres ITSS • Personne ayant voyagé dans des régions à haute endémicité (exposition sexuelle non protégée, exposition percutanée ou autre) ou ayant des partenaires sexuels provenant de ces régions • Personne ayant des relations anales non protégées, réceptives en particulier • Personne ayant de multiples partenaires sexuels • Travailleur ou travailleuse du sexe ainsi que leurs clients • HARSAH • Utilisation irrégulière ou erronée des méthodes de protection barrière en latex • Exposition percutanée (tatouage, perçage, électrolyse ou acupuncture dans des conditions non stériles) • Transfusion de sang ou de produits sanguins dans un pays où les procédures d'assurance de la qualité sont déficientes ou inconnues
Hépatite B	• Plus de 35 ans • Utilisation de drogues par injection (partage de drogue, du matériel de préparation ou d'injection) • Personne ayant voyagé dans une région à haute endémicité ou ayant des partenaires sexuels provenant d'une telle région • Personne ayant de multiples partenaires sexuels • Jeunes de la rue • Travailleur ou travailleuse du sexe ainsi que leurs clients • HARSAH • Exposition percutanée (tatouage, perçage, électrolyse ou acupuncture dans des conditions non stériles) • Transfusion de sang ou de produits sanguins dans un pays où les procédures d'assurance de la qualité sont déficientes ou inconnues • Personne exposée à du sang, détenue ou déficiente intellectuelle vivant en établissement, personne vivant sous le même toit qu'un porteur du VHB ou qu'une personne ayant une infection aiguë, nourrisson de mère porteuse du virus

TABLEAU 3.1 Facteurs de risque spécifique selon l'infection transmissible sexuellement et par le sang *(suite)*

ITSS	FACTEURS DE RISQUE
Hépatite C	• Utilisation de drogues par injection (partage de la drogue, du matériel de préparation ou d'injection), même si cela ne s'est produit qu'une seule fois • Utilisation de drogues par voie intranasale • Exposition percutanée (tatouage, perçage, électrolyse ou acupuncture dans des conditions non stériles) • Transfusion de sang ou de produit sanguin dans un pays où les procédures d'assurance de la qualité sont déficientes ou inconnues

Source : Service d'information en contraception et sexualité de Québec (2008).

de la femme, les indications de dépistage et de traitement, et s'assure de la gratuité de certains médicaments. Finalement, elle effectue le counseling individualisé (MSSS, 2006). Parler de prévention primaire suppose pour l'infirmière de discuter ouvertement des pratiques et des comportements sexuels à risque de contracter une ITSS et de la transmettre. Pour ce faire, l'infirmière peut aider la cliente à comprendre les risques associés aux diverses activités sexuelles, à prendre des décisions éclairées quant à l'adoption et au maintien de mesures préventives et sécuritaires contre les ITSS et à faire face à la réticence de leurs partenaires (Agence de la santé publique du Canada [ASPC], 2010a).

Pour être motivée à adopter des mesures préventives, la femme doit prendre conscience qu'elle (ou son partenaire) a des pratiques et des comportements sexuels à risque d'ITSS et être persuadée que l'infection pourrait avoir de graves conséquences pour sa santé. Malheureusement, la plupart des gens ont tendance à sous-estimer leur propre risque d'infection. Par conséquent, nombreuses sont les femmes qui ne se perçoivent pas comme étant à risque de contracter une ITSS. Bien que la plupart des Québécois et des Canadiens aient reçu une éducation en matière de santé sexuelle et de promotion d'une pratique sexuelle sécuritaire (à l'école ou à la maison), de faux renseignements ou une méconnaissance quant aux ITSS persistent. L'infirmière travaillant en santé sexuelle et préventive a toutes les compétences pour rétablir les faits sur la transmission et les symptômes des ITSS et sur les pratiques et comportements sexuels qui accroissent le risque de contracter une infection.

Les mesures de prévention primaire sont les actions individuelles destinées à éviter une ITSS. L'infirmière accompagne la femme dans sa compréhension et son appropriation de mesures de prévention adéquates.

Stratégies de prévention et de réduction des risques

L'infirmière planifie et encourage les stratégies de prévention et de réduction des risques. Par un counseling personnalisé axé sur la cliente, par une approche de réduction des méfaits et par l'éducation sur les pratiques et les comportements sexuels, elle permet à la cliente d'accepter sa propre sexualité et d'adopter des comportements à risques réduits. Ensemble, durant le counseling, elles abordent les sujets traitant de pratiques sexuelles sécuritaires, dont l'abstinence, les contacts sexuels à bas risque, la monogamie, l'utilisation de divers types de méthodes barrières de contraception et la vaccination (ASPC, 2010a).

Dans la prévention, rien n'est plus important que de connaître son partenaire (son vécu sexuel, sa consommation de drogues, le nombre de partenaires dans le passé). Discuter ensemble des antécédents respectifs sexuels et en matière d'ITSS permet de cerner le risque véritable et de trouver des solutions pour une pratique sexuelle sécuritaire basée sur le respect de l'autre et l'engagement mutuel. Également, limiter le nombre de partenaires abaisse le risque de contracter une ITSS.

L'infirmière énumère les pratiques sexuelles à faible risque et celles à risque élevé. La masturbation mutuelle ne comporte pas un grand risque pourvu que les liquides corporels (sperme, sécrétion vaginale, sang) ne touchent que de la peau intacte. Les caresses, les baisers, les accolades et les câlins, le massage et le toucher des organes génitaux sont des comportements à bas risque, tandis que les pratiques sexuelles orale, vaginale et anale (anus-bouche ou anus-main-bouche) représentent des comportements sexuels à haut risque qui devraient être évités sans l'utilisation du condom et avec un partenaire peu ou pas connu.

Divers types de méthodes barrières réduisent considérablement le risque de contracter une ITSS : le condom masculin en latex ou en polyuréthane, la digue dentaire et le condom féminin en polyuréthane. La femme est encouragée à avoir en tout temps avec elle une de celles-ci (dans son sac à main, la poche avant d'un vêtement ou le tiroir d'un bureau) et à les utiliser. Leur efficacité repose sur un usage adéquat et constant (ASPC, 2010a).

L'infirmière décrit les types de condoms et leurs tailles, elle en précise la gamme de prix et où se les

RAPPELEZ-VOUS...

Le but des mesures préventives primaires est d'éviter l'apparition de la maladie.

4

La façon de mettre et d'utiliser un condom est abordée dans le chapitre 4, *Contraception, avortement et infertilité.*

procurer (au Québec, des condoms en latex sont distribués gratuitement dans les milieux scolaires secondaire, collégial et universitaire, dans les CSSS, les centres pour jeunes et auprès de tous les autres organismes communautaires travaillant avec une clientèle à risque). Il faut souligner l'importance d'opter pour le condom synthétique (latex ou polyuréthane) de préférence à celui fait de membrane naturelle, aussi appelé peau de mouton, car celui-ci ne protège pas les partenaires contre certaines infections virales telles que l'hépatite et le VIH. Il est nécessaire de vérifier la date de péremption des condoms, de les conserver dans un lieu frais et sec pour éviter leur exposition à une chaleur ou à un froid extrême et de s'assurer qu'ils sont à l'abri de la lumière directe (ASPC, 2010a). Le condom ne doit être utilisé qu'une seule fois, et il faut le jeter après chaque acte sexuel ▶ 4. L'infirmière encourage l'utilisation simultanée du condom et de contraceptifs, pour une prévention efficace de transmission d'ITSS et de grossesse non planifiée (ASPC, 2010a).

Le condom devrait aussi être utilisé au cours des fellations. Pour les autres contacts buccogénitaux (cunnilingus, anulingus), la digue dentaire est recommandée (ASPC, 2010a). La digue dentaire est un carré de latex. Un condom non lubrifié coupé sur toute sa longueur fait office de digue dentaire.

Le condom féminin est un capuchon vaginal en polyuréthane, qui comporte un anneau flexible à chaque extrémité. Il est porté à l'intérieur du vagin et constitue une barrière mécanique efficace empêchant le passage des virus, y compris le VIH, selon des études en laboratoire (ASPC, 2010a). Quelques études cliniques évaluent l'efficacité du condom féminin dans la protection contre les infections transmissibles sexuellement et par le sang (ITSS). Cependant, il n'est plus disponible au Canada (Fédération du Québec pour le planning des naissances, 2010). Les *Lignes directrices canadiennes sur les infections transmissibles sexuellement* (ASPC, 2010a) émettent également une mise en garde au sujet du spermicide nonoxynol-9, car il peut augmenter le risque d'infection par le VIH et par les ITS en modifiant ou en lésant la muqueuse génitale ou anale favorisant ainsi une porte d'entrée à l'infection.

L'infirmière incite la femme à avoir des relations sexuelles sécuritaires et à utiliser simultanément une protection contre les ITSS et un contraceptif en tout temps. Elle encourage la cliente à la prudence dans les situations risquées, par exemple lorsqu'elle a consommé de l'alcool ou de la drogue, ou au cours de relations avec des personnes peu connues ou avec qui il est difficile d'aborder le sujet des ITSS.

La vaccination est une autre méthode de prévention efficace de certaines ITSS, dont les hépatites A et B et l'infection au VPH. Le vaccin contre les hépatites A et B et contre le VPH sont recommandés chez la femme qui présente un risque élevé d'ITSS. Au Québec, il existe un programme gratuit de vaccination contre les hépatites A et B et contre le VPH, réalisé annuellement en milieu scolaire. En quatrième année du primaire, la vaccination comprend une protection contre l'hépatite A et B qui est administrée en deux doses selon un calendrier préétabli. Le vaccin contre le VPH protège les filles contre quatre types de VPH et est administré en quatrième année du primaire et en troisième secondaire **FIGURE 3.3**. Ce vaccin comprend trois doses et est recommandé aux filles âgées de 9 à 26 ans (MSSS, 2009). Le Comité consultatif national de l'immunisation recommande également ce vaccin aux garçons âgés de 9 à 26 ans (ASPC, 2010a).

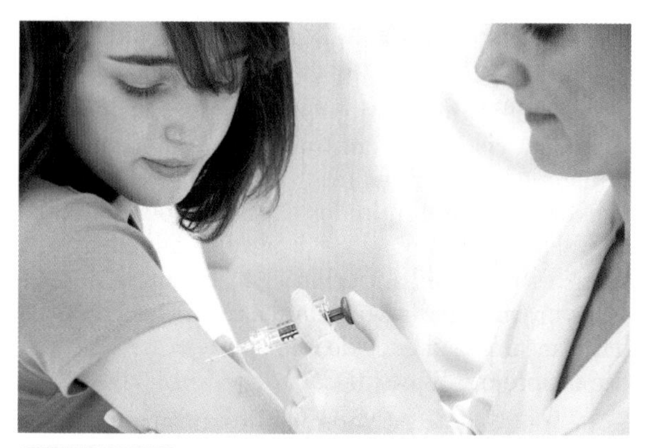

FIGURE 3.3
Le vaccin contre le VPH est administré aux filles dès la quatrième année du primaire.

3.2.2 Infections bactériennes transmissibles sexuellement

Infection à chlamydia

L'infection à *C. trachomatis* demeure l'ITS la plus couramment signalée au Canada et au Québec, particulièrement chez les jeunes âgés de 15 à 24 ans (ASPC, 2007a ; MSSS, 2010). Le nombre de cas rapporté au Canada et ailleurs dans le monde est en hausse depuis 1997 (ASPC, 2010a). L'infection est silencieuse et hautement dévastatrice dans bien des cas ; les séquelles et les complications sont très graves. Chez la femme, l'infection à chlamydia est difficile à diagnostiquer, car les symptômes, quand ils se manifestent, ne sont pas propres à l'infection. Le traitement de la chlamydia n'assure pas l'immunité à l'infection, donc il y a possibilité de réinfection. Le risque d'AIP augmente avec le nombre de réinfections, ayant pour conséquence des douleurs chroniques pelviennes, l'infertilité tubaire ou une grossesse ectopique. L'AIP est la plus grave complication de l'infection à chlamydia. On estime que de 15 à 20 % des femmes ayant contracté une telle infection et n'ayant pas été traitées souffriront d'une AIP (MSSS, 2010). En outre, la cervicite à chlamydia provoque de l'inflammation qui cause des microlésions à la muqueuse du col, ce qui hausse le risque de contracter l'infection par le VIH.

La femme âgée de 15 à 24 ans sexuellement active est celle qui est le plus à risque de contracter une infection à chlamydia, alors que le taux d'infection est le plus bas dans le groupe des femmes de plus de 30 ans. Les comportements risqués, notamment les relations sexuelles avec plusieurs partenaires et le fait de ne pas utiliser de méthodes barrières, accroissent le risque de contracter une infection à chlamydia.

Examen clinique et examens paracliniques

Outre la collecte de données sur les facteurs de risque présents, l'infirmière évalue les signes et les symptômes. L'infection est habituellement asymptomatique ; cependant, des signes et des symptômes peuvent apparaître, dont le saignement vaginal anormal en dehors des menstruations ou après les rapports sexuels, la leucorrhée mucoïde ou purulente, des douleurs abdominales basses, de la dyspareunie ou la dysurie (ASPC, 2010a). Le saignement découle de l'inflammation et de l'érosion de l'épithélium prismatique cervical.

Les résultats d'analyse de la chlamydia dépendent fortement du type d'analyse offert, de la qualité du prélèvement, des conditions d'entreposage et de transport des échantillons ainsi que de l'expertise du laboratoire. La culture est la méthode privilégiée dans certaines situations (ASPC, 2010a).

SOINS ET TRAITEMENTS INFIRMIERS

Infection à chlamydia

Les lignes directrices canadiennes recommandent le traitement à la doxycycline chez la femme, à raison de 100 mg en administration P.O. deux fois par jour durant sept jours, ou le traitement à l'azithromycine en une seule dose de 1 g en administration P.O. (ASPC, 2010a). L'azithromycine en dose unique assure un meilleur respect du traitement, surtout chez les jeunes femmes ou lorsque l'observance thérapeutique est problématique. Au Québec, l'azithromycine 1 g en dose unique P.O. est privilégiée par rapport à la doxycycline pour les infections simples autant chez l'adolescente, la femme enceinte ou celle qui allaite (MSSS, 2006). Comme l'infection à chlamydia est asymptomatique dans la plupart des cas, il importe de respecter rigoureusement les consignes du traitement malgré l'absence de symptômes. Tous les partenaires sexuels exposés devraient être informés et traités **ENCADRÉ 3.8**. Une fois le traitement terminé, il est inutile de vérifier si l'infection est toujours présente à moins que des symptômes persistent (Centers for Disease Control and Prevention [CDC], 2006).

Conseil juridique

ENCADRÉ 3.8 Déclaration obligatoire d'une infection transmissible sexuellement et par le sang

La chlamydia, la gonorrhée, la syphilis, l'hépatite A, l'hépatite B, l'hépatite C et l'infection par le VIH sont des infections à déclaration obligatoire aux départements de santé publique locaux dans toutes les provinces et tous les territoires du Canada (ASPC, 2010a). Il importe de mentionner à la cliente qu'un épidémiologiste (ou une infirmière du Service de dépistage et de prévention) communiquera avec elle pour remplir un formulaire d'enquête épidémiologique, tout en la rassurant de la confidentialité de cette enquête.

Au Québec, le programme de gratuité des médicaments pour le traitement des ITSS assure l'accès gratuit à la médication prescrite aux personnes chez qui une ITSS bactérienne à déclaration obligatoire (ou un syndrome clinique associé) a été diagnostiquée ainsi qu'à leurs partenaires sexuels (MSSS, 2006).

Les lignes directrices canadiennes recommandent que toutes les personnes infectées par la bactérie *C. trachomatis* soient soumises à un nouveau test de dépistage au bout de six mois après la détection de l'infection (ASPC, 2010a). Cette recommandation s'appuie sur le fait que ces personnes sont à risque de réinfection si elles n'ont pas modifié leurs comportements sexuels.

Gonorrhée

La bactérie *Neisseria gonorrhoeae* est à l'origine de la gonorrhée, une infection dont l'incidence a doublé entre 1997 et 2006 et qui demeure la deuxième ITS la plus couramment signalée au Canada (ASPC, 2007a, 2010a). La transmission de l'infection se fait par contact sexuel oral, vaginal et anal. Enfin, il y a un risque de transmission de la femme infectée qui accouche à son nouveau-né par contact direct avec les microorganismes du col de l'utérus ; chez le nouveau-né, l'infection prend la forme d'une ophtalmie purulente ▶ 24.

24 Le traitement des complications néonatales liées aux infections du complexe TORCH est traité dans le chapitre 24, *Nouveau-né à risque*.

Les facteurs de risque de la gonorrhée chez la femme sont sensiblement les mêmes que pour l'infection à chlamydia **TABLEAU 3.1**. Dans bien des cas, la femme est asymptomatique, mais des signes et symptômes peuvent survenir : des pertes vaginales anormales (jaune verdâtre), un saignement vaginal après les relations sexuelles, de la douleur ou un malaise urinaire, un mal de gorge, parfois un prurit, un **ténesme** et un écoulement ou un saignement anal (MSSS, 2006). Les principales séquelles de la gonorrhée chez la femme sont l'AIP, l'infertilité, le risque de grossesse ectopique, une douleur pelvienne chronique, un syndrome de Reiter et une infection gonococcique disséminée (ASPC, 2010a).

Ténesme : Contracture spasmodique douloureuse du sphincter anal ou vésical, s'accompagnant de brûlures, de tension et d'un besoin impérieux et continu d'aller à la selle ou d'uriner.

Examen clinique et examens paracliniques

Les signes et symptômes cliniques ne sont pas suffisants pour établir un diagnostic de gonorrhée.

La culture demeure l'examen paraclinique de référence. Le prélèvement est cervical, vaginal, urétral ou urinaire, rectal, pharyngé ou ophtalmique, selon les pratiques sexuelles et les facteurs de risque de la femme parce qu'une ITSS ne survient pas forcément seule ; la culture de *C. trachomatis*, l'analyse sérologique de détection de la syphilis et le test de dépistage du VIH sont également proposés (ASPC, 2010a).

SOINS ET TRAITEMENTS INFIRMIERS

Gonorrhée

Le traitement pour l'infection urétrale, endocervicale, rectale, pharyngée (sauf chez les femmes enceintes ou qui allaitent) est la céfixime 400 mg P.O. en dose unique ou la ceftriaxone 125 mg par voie I.M. en dose unique. Il est aussi recommandé de traiter en même temps l'infection à *C. trachomatis*, à moins que les résultats du test de chlamydia soient disponibles et négatifs. Pour les femmes enceintes ou qui allaitent, ainsi que pour les infections ophtalmiques, le traitement diffère.

L'infection à gonorrhée est une maladie très contagieuse. Les partenaires récents des deux derniers mois devraient être examinés et traités. Dans la plupart des cas, l'échec thérapeutique tient à la réinfection ; la femme doit connaître ce risque ainsi que les conséquences de la réinfection, notamment les principales séquelles, dont l'AIP et l'infertilité. L'infirmière offre un counseling axé sur des pratiques sexuelles sécuritaires utilisant le condom et propose un dépistage du VIH à toutes les personnes atteintes de gonorrhée.

Syphilis

La syphilis est causée par la bactérie *Treponema pallidum*. Parmi les trois ITS bactériennes à déclaration obligatoire, la syphilis infectieuse est la moins fréquente (ASPC, 2010a). Les taux signalés de syphilis infectieuse au Canada sont demeurés stables entre 1998 et 2001, puis ont considérablement augmenté au cours des trois années suivantes. Chez les femmes, l'augmentation la plus importante se rapporte au groupe d'âge de 25 à 29 ans. Depuis 2004, les taux semblent se stabiliser, mais ils demeurent élevés (ASPC, 2007a). Le principal mode de transmission est par contact sexuel vaginal, anal ou orogénital (ASPC, 2010a). Si la femme enceinte est infectée, la transmission transplacentaire peut survenir n'importe quand durant la grossesse ou à l'accouchement.

Maladie complexe, la syphilis peut se répandre dans tout l'organisme et être mortelle en l'absence de traitement. L'infection évolue selon des phases distinctes caractérisées par des manifestations cliniques et des symptômes particuliers. La syphilis primaire se manifeste par une lésion principale, le chancre syphilitique, qui apparaît de 3 à 90 jours après la transmission de l'infection ; une papule indolore apparaît au site d'inoculation, puis la lésion s'érode et prend la forme d'un ulcère net, induré et superficiel dont la taille va de plusieurs millimètres à quelques centimètres **FIGURE 3.4A**. La syphilis secondaire, qui s'installe de deux semaines à six mois après l'apparition du chancre, se caractérise par une éruption maculopapuleuse symétrique à la paume des mains et à la plante des pieds et par une lymphadénopathie généralisée (ASPC, 2010a). À cette phase, la fièvre, les céphalées et le malaise peuvent être présents. La vulve, le périnée ou l'anus peuvent se couvrir de condylomes vénériens (lésions verruqueuses infectieuses) **FIGURE 3.4B**. En l'absence de traitement, la maladie aborde une phase de latence asymptomatique dans la plupart des cas. S'il n'y a toujours pas de traitement, elle évoluera vers la phase tertiaire dans près du tiers des cas. Cette phase peut être marquée par des complications neurologiques, cardiovasculaires, musculosquelettiques ou multisystémiques.

Examen clinique et examens paracliniques

Le diagnostic repose sur l'examen microscopique des lésions primaires et secondaires et sur l'analyse

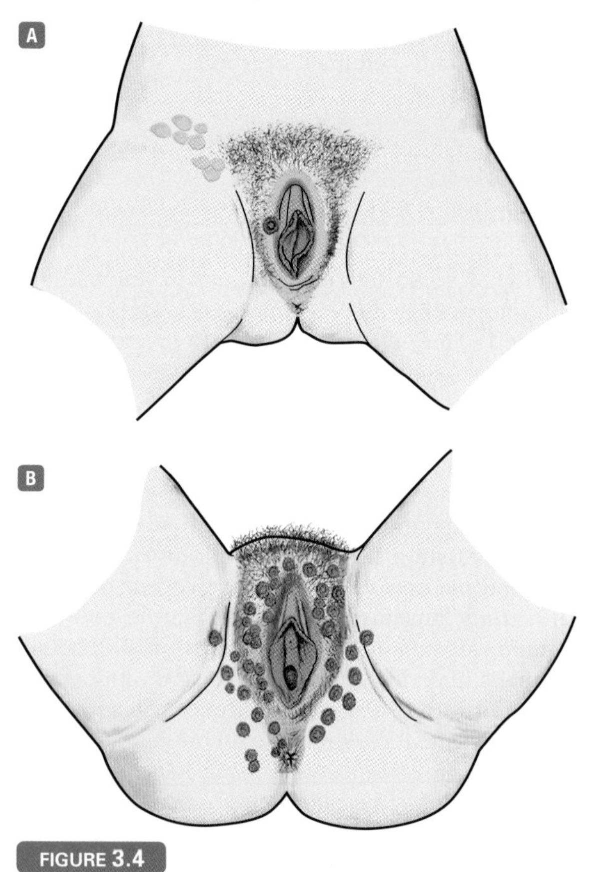

FIGURE 3.4
Syphilis. **A** Stade primaire : chancre et adénopathie inguinale. **B** Stade secondaire : condylomes vénériens.

sérologique. Il est préférable de procéder à la sérologie six semaines après l'exposition à l'infection ou après un contact sexuel à risque. Lorsque la maladie est au stade primaire précoce ou en période d'incubation, les résultats sont parfois négatifs. Comme la séroconversion se produit habituellement environ six semaines après la transmission, il convient de prévoir de nouvelles analyses un ou deux mois plus tard en présence d'une lésion génitale suspecte et d'un résultat sérologique négatif. Le dépistage de la chlamydia, de la gonorrhée et du VIH est proposé simultanément.

La syphilis peut se répandre dans tout l'organisme et être mortelle en l'absence de traitement.

SOINS ET TRAITEMENTS INFIRMIERS

Syphilis

Le médicament de choix dans le traitement de la syphilis, quel que soit son stade, est la pénicilline (ASPC, 2010a). La dose recommandée est de 2,4 millions d'unités de pénicilline G benzathine en injection I.M.

L'infirmière insiste sur l'importance de l'analyse sérologique, qui varie de 3 à 24 mois après le traitement afin d'évaluer la réponse thérapeutique en l'absence de symptômes. L'abstinence sexuelle est de mise jusqu'à la fin du traitement, à la disparation de tous les signes de syphilis primaire ou secondaire et à la démonstration sérologique de la guérison. La femme devrait informer tous ses partenaires au cours de la dernière année du risque d'infection et du fait qu'il s'agit d'une maladie à déclaration obligatoire. Selon le stade de l'infection, la période de traçabilité est de trois mois à un an (ASPC, 2010a). L'infirmière discute aussi avec la cliente des mesures préventives pour éviter la réinfection.

Atteinte inflammatoire pelvienne

L'AIP est une maladie infectieuse qui siège le plus fréquemment dans les trompes de Fallope (salpingite) ou l'utérus (endométrite) et, plus rarement, dans les ovaires ou la membrane péritonéale. De multiples organismes sont en cause, plus de un dans la plupart des cas. Le tiers des cas est attribuable à *C. trachomatis*. Outre le gonocoque et la chlamydia, une vaste gamme de bactéries peuvent causer une AIP selon un processus pathologique tout aussi varié; l'infection peut être aiguë, subaiguë ou chronique et se manifester par divers symptômes. Environ 100 000 cas d'AIP avec symptômes se produisent annuellement au Canada, mais comme ces affections ne sont pas signalées à l'échelle nationale, leur nombre exact demeure inconnu. On estime que de 10 à 15 % des femmes en âge de procréer ont déjà présenté un épisode d'AIP. L'occurence de séquelles à long terme dues aux AIP (infertilité, grossesse ectopique, douleur pelvienne chronique) est directement liée au nombre d'épisodes de cette atteinte (ASPC, 2010a).

Dans la plupart des cas, l'infection découle de la propagation ascendante de microorganismes du vagin ou du col de l'utérus à l'appareil génital haut. L'ascension des microorganismes se produit le plus souvent à la fin ou tout juste après les menstruations chez la femme infectée. L'AIP peut également survenir après une interruption volontaire de grossesse, une chirurgie pelvienne ou un accouchement.

Les facteurs de risque sont les mêmes que pour une ITS, à savoir des antécédents d'AIP ou d'ITS dans le passé, des rapports sexuels avec un partenaire atteint d'une urétrite non traitée, la mise en place récente d'un stérilet ou la nulliparité.

La femme qui a fait plus de un épisode d'AIP présente un risque accru de grossesse ectopique, d'infertilité et de douleur pelvienne chronique. L'AIP peut provoquer de la dyspareunie, le pyosalpinx (présence de pus dans la trompe de Fallope), un abcès tuboovarien et des adhérences pelviennes.

Les symptômes de l'AIP varient selon que l'infection est aiguë, subaiguë ou chronique, quoique la douleur soit toujours présente. Celle-ci peut être sourde, prendre la forme de crampes, se produire à intermittence (subaiguë) ou être intense, tenace et incapacitante (aiguë). L'infection peut également donner lieu à de la fièvre, à des frissons, à des nausées et des vomissements, la leucorrhée abondante et colorée, des symptômes d'une infection urinaire ou à un saignement irrégulier. La douleur abdominale fait habituellement partie du tableau clinique (Eckert & Lentz, 2007b).

Examen clinique et examens paracliniques

Diagnostiquer l'AIP n'est pas une mince affaire en raison de la grande diversité des symptômes. En effet, selon les lignes directrices canadiennes, les symptômes des AIP peuvent ressembler à ceux d'autres troubles gynécologiques, gastro-intestinaux, urinaires ou musculosquelettiques (ASPC, 2010a). Les critères diagnostiques qui justifient le traitement chez la jeune femme sexuellement active et à risque d'ITS en l'absence de toute autre cause sont les suivants: sensibilité abdominale basse, **sensibilité annexielle** bilatérale et sensibilité du col de l'utérus. Parmi les critères diagnostiques figurent également la température buccale égale ou supérieure à 38,3 °C, l'écoulement vaginal ou cervical anormal, des analyses sérologiques anormales et des résultats positifs à *N. gonorrhoeae* ou à *C. trachomatis*.

RAPPELEZ-VOUS...

La période d'incubation d'une infection correspond à l'intervalle entre l'entrée d'un agent pathogène dans l'organisme et l'apparition des premiers symptômes.

ALERTE CLINIQUE

L'antibiothérapie à la pénicilline peut provoquer une réaction de Jarisch-Herxheimer, une réaction fébrile aiguë accompagnée de céphalées, de frissons et de tremblements qui se produit généralement dans les 2 heures qui suivent le traitement et qui s'atténuera dans les 24 heures (ASPC, 2010a). Le traitement de la réaction est symptomatique; il comprend l'administration d'un analgésique et d'un antipyrétique.

Sensibilité annexielle: Sensibilité ou douleur ressentie dans les structures extra-utérines (trompes, ligaments, ovaires).

SOINS ET TRAITEMENTS INFIRMIERS

Atteinte inflammatoire pelvienne

L'intervention infirmière la plus importante est sans doute la prévention. La prévention primaire englobe l'enseignement sur les mesures à adopter pour éviter de contracter une ITS, tandis que la prévention secondaire consiste à empêcher l'infection génitale basse de se propager à l'appareil génital haut. L'infirmière insiste sur la nécessité d'adopter des comportements sécuritaires comme les pratiques à risques réduits et le recours à une méthode barrière telle que l'utilisation du condom. Chez les jeunes femmes actives sexuellement, un dépistage des ITS est recommandé périodiquement, même en l'absence de symptômes.

Le choix du traitement se porte généralement sur un antibiotique à large spectre, et les objectifs du traitement consistent à maîtriser l'infection aiguë et à prévenir les séquelles à long terme (ASPC, 2010a). Divers schémas thérapeutiques sont possibles et recommandés selon la gravité des symptômes. Le traitement ambulatoire consiste en l'administration de ceftriaxone 250 mg I.M. en dose unique et de doxycycline 100 mg P.O. deux fois par jour pendant 14 jours. À ce traitement, il est fortement recommandé d'ajouter du métronidazole 500 mg P.O. deux fois par jour pendant 14 jours. Un analgésique est ajouté pour atténuer la douleur. L'antibiothérapie parentérale est recommandée en l'absence d'amélioration clinique au traitement ambulatoire, et la femme est hospitalisée (ASPC, 2010a). L'alitement en position Fowler est alors recommandé, ce qui demande des soins infirmiers appropriés à la cliente alitée.

Durant la phase aiguë de la maladie, les examens pelviens sont réduits au minimum. En période de rétablissement, la femme devrait restreindre ses activités, se reposer le plus possible et veiller à ce que son régime alimentaire soit équilibré. Les clientes bénéficiant d'un traitement ambulatoire devraient être suivies étroitement et subir de nouveau un examen deux ou trois jours après le début du traitement (ASPC, 2010a).

L'enseignement et la promotion de la santé sont un élément central de la prise en charge efficace de l'AIP. L'infirmière informe la cliente sur la nature de la maladie, l'encourage à suivre les recommandations thérapeutiques et préventives, et elle insiste sur l'importance de respecter le traitement médicamenteux jusqu'à la fin même si les symptômes ont disparu. Elle conseille à la cliente d'éviter la pénétration jusqu'à ce que le traitement soit terminé et elle lui offre du counseling contraceptif. Elle préconise une méthode barrière telle que le condom ou le diaphragme.

La perspective ou la réalité de l'infertilité peuvent être dévastatrices et ternir l'image de soi. Parce que l'AIP est si étroitement liée à la sexualité, à l'image corporelle et à la conception de soi, il est essentiel d'offrir un accompagnement à la femme qui en est atteinte. La diriger vers un groupe d'entraide ou des services de counseling peut être utile.

3.2.3 Infections virales transmissibles sexuellement et par le sang

Virus du papillome humain

L'infection causée par le VPH, appelée également condylome acuminé ou verrues génitales, constitue l'ITS virale la plus courante. Le MSSS (2010) estime qu'en Amérique du Nord, 70 % des personnes actives sexuellement contracteront le VPH au cours de leur vie. Sa prévalence atteint 29 % chez les adolescentes et les jeunes adultes, mais il touche aussi tous les groupes d'âge (ASPC, 2010a). Le VPH compte plus de 130 types différents ; parmi eux, 40 sont susceptibles d'infecter les muqueuses anogénitales, donc d'être transmis sexuellement. Les types 6 et 11, considérés à bas risque et plus fréquents, provoquent la formation de condylomes acuminés (ou verrues génitales), alors que les types 16, 18, 31, 33 et 35, considérés à haut risque, ont aussi un potentiel oncogène selon toute probabilité (ASPC, 2010a). Ces derniers sont associés à des cancers de la région anogénitale (col utérin, vulve, pénis, anus) (MSSS, 2010).

Chez la femme, les condylomes (ou verrues génitales) peuvent se former sur la vulve, le vagin, l'anus ou le col de l'utérus **FIGURE 3.5**. Aussi, ces lésions peuvent se retrouver dans la bouche, entre autres sur les lèvres, la langue, les muqueuses des joues, l'épiglotte, le larynx. Habituellement, la boursouflure papillaire est souple et de petite taille (de 2 à 3 mm de diamètre et de 10 à 15 mm de hauteur), et elle se retrouve seule ou en groupes. L'infection de longue date peut avoir l'apparence d'un chou-fleur. Dans les zones humides, comme l'orifice externe du vagin, les lésions semblent s'effiler en de multiples points. Dans la région vaginale, il est fréquent que les lésions soient multiples. Les papules plates de 1 à 4 mm de diamètre résident le plus souvent au col de l'utérus. Dans bien des cas, les lésions ne sont visibles qu'au grossissement. En règle générale, la verrue est de la couleur de la peau ou légèrement plus foncée chez la femme blanche, noire chez la femme à la peau noire et brunâtre chez la femme d'origine asiatique. Le condylome acuminé est indolore dans la plupart des cas, mais il

En Amérique du Nord, 70 % des personnes actives sexuellement contracteront le VPH au cours de leur vie.

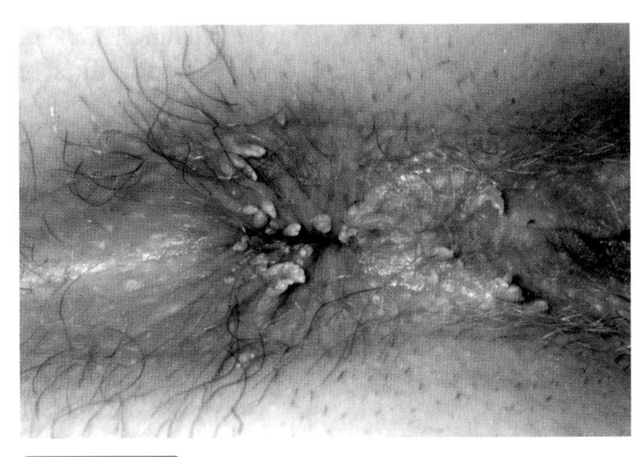

FIGURE 3.5
Infection due au virus du papillome humain (entre la vulve et l'anus)

peut occasionner une certaine gêne, particulièrement s'il est très gros. Il peut s'enflammer et s'ulcérer.

Examen clinique et examens paracliniques
La détection et le typage du VPH sont possibles, mais ils ne sont pas pratique courante. Le diagnostic se fonde sur l'anamnèse, l'évaluation des signes et des symptômes, le test de Papanicolaou (le test Pap ou cytologie cervicale) et l'examen physique. Au Québec, le test Pap annuel est recommandé jusqu'à l'obtention de deux tests normaux consécutifs, puis tous les trois ans si le test demeure négatif (Santé Canada, 1998). Le dépistage de l'ADN viral s'ajoute au test de Pap afin de détecter les types de VPH susceptibles de causer le cancer chez la femme âgée de plus de 30 ans ou celle dont les résultats du test de Pap sont anormaux (American Cancer Society [ACS], 2009b) ▶ 2. Au Canada et au Québec, les tests d'ADN du VPH ne sont pas offerts dans toutes les régions (ASPC, 2010a, 2011). L'examen histologique du prélèvement effectué à la biopsie constitue le seul examen paraclinique définitif.

SOINS ET TRAITEMENTS INFIRMIERS

Virus du papillome humain

Chez la femme jeune infectée par le VPH, les verrues peuvent disparaître au bout d'un moment (résolution complète en deux ans) avec ou sans traitement. Le cas échéant, le traitement recommandé consiste en l'application topique de la solution ou du gel de podofilox 0,5 % ou de crème d'imiquimod 5 %, ou de podophylline 10-25 % (ASPC, 2010a). Le traitement peut également passer par la cryothérapie, l'électrocautérisation ou le laser. Aucun n'est mieux que l'autre et aucun n'élimine le VPH. L'ablation des verrues et la diminution des signes et des symptômes représentent les objectifs thérapeutiques, car il n'existe pas de traitement permettant d'enrayer le VPH (ASPC, 2010a). Il est probable que la femme doive consulter à plusieurs reprises et mettre à l'essai plusieurs traitements avant que les condylomes (verrues) disparaissent complètement.

S'assurer de réduire au minimum la friction et l'irritation en portant un sous-vêtement de coton et des vêtements lâches peut également atténuer la gêne. L'infirmière préconise des habitudes de vie saines pour le bien du système immunitaire, notamment, et offre à sa cliente des conseils à propos du régime alimentaire, du repos, de la réduction du stress, ainsi que sur le tabagisme ou l'exposition à la fumée de cigarette, sur la sexualité sécuritaire et sur l'exercice physique.

Le counseling est essentiel. L'infirmière s'intéresse à l'impact du diagnostic sur la femme. Selon les besoins d'information, elle explique l'évolution naturelle de la maladie en insistant sur les différences entre les types de VPH et leurs associations causales (types à bas risque et à haut risque), discute du risque de récurrence ou de nouvelle infection, encourage la cliente à s'autoexaminer et à consulter un professionnel de la santé s'il y a des lésions, la rassure sur le fait que ce virus est courant et qu'il est presque impossible de déterminer le moment où elle l'a acquis et qui le lui a transmis, que le risque de cancer du col est assez faible s'il s'agit d'un type à bas risque. Aussi, elles discutent ensemble du port du condom en latex pour se protéger et protéger ses partenaires, de la vaccination contre le VPH, du dépistage régulier (test Pap) et d'un suivi médical rigoureux s'il s'agit d'un type à haut risque (ASPC, 2010a).

Jugement clinique

La mère de Léonie Gendron vous contacte à propos de la vaccination massive contre le VPH. Sa fille, âgée de 10 ans, doit être vaccinée à l'école dans les prochains jours contre cette infection, et elle veut savoir si ce problème de santé est si fréquent.

Que devrait-elle connaître à ce sujet ?

2

L'importance du test Pap et le mode de collecte des échantillons nécessaires à son établissement sont traités dans le chapitre 2, *Évaluation clinique et promotion de la santé*.

Herpès génital

Inconnu avant le milieu du siècle dernier, l'herpès génital dû au VHS est désormais l'une des ITS les plus fréquentes. On estime qu'en Amérique du Nord, 20 % des adultes contracteront l'herpès génital (MSSS, 2010). Au Canada, l'incidence annuelle de l'herpès génital au VHS de type 1 (VHS1) et au VHS de type 2 (VHS2) est inconnue, mais l'incidence et la prévalence de l'infection génitale au VHS1 sont en hausse dans le monde entier. Les femmes sont plus à risque que les hommes, particulièrement celles dans la tranche d'âge de 15 à 34 ans (ASPC, 2010a). La prévalence s'accroît chez la femme qui a plusieurs partenaires sexuels. L'infection récurrente est courante.

L'infection, causée par deux sous-types antigéniques du VHS (types 1 et 2), prend la forme d'une éruption vésiculaire cutanée et érythémateuse douloureuse siégeant dans la région génitale. L'infection à VHS2 est habituellement transmise sexuellement alors que l'infection à VHS1 se transmet selon d'autres modes. Bien que le VHS1 soit le plus souvent à l'origine d'une gingivostomatite et de l'herpès labial buccal (feu sauvage) et que le VHS2 provoque des lésions génitales, ni l'un ni l'autre ne sont confinés à leur région respective.

En général, l'infection herpétique initiale (ou primo-infection) se caractérise par des symptômes systémiques et des symptômes circonscrits, et elle dure environ trois semaines. Les manifestations de la maladie sont habituellement plus graves chez la femme que chez l'homme. Dans bien des cas, les premiers symptômes à apparaître après l'incubation sont le malaise génital et la douleur névralgique généralisée. Les symptômes systémiques surgissent hâtivement et culminent en trois ou quatre jours suivant l'émergence des lésions, puis disparaissent en trois ou quatre jours **FIGURE 3.6**. Les ulcères persistent durant 4 à 15 jours avant la formation de la croûte. De nouvelles lésions peuvent surgir jusqu'au 10e jour de la maladie.

Les symptômes systémiques courants de l'infection primaire sont la fièvre, la myalgie et les céphalées. Le premier épisode d'herpès génital est marqué de plusieurs lésions dont l'évolution va de la macule, à la papule, à la vésicule, à la pustule, puis à l'ulcère qui s'encroûtera puis guérira sans laisser de cicatrice. L'ulcère est extrêmement douloureux à la pression, et l'infection primaire peut se manifester par des lésions bilatérales. Le prurit et la sensibilité inguinale liée aux gonflements des ganglions de l'aine peuvent être présents. La femme aux prises avec un œdème vulvaire étendu ne pourra s'asseoir que difficilement. La cervicite est également fréquente à l'infection initiale s'il y a invasion à l'intérieur du vagin, de même qu'un écoulement vaginal parfois purulent. Il est possible que des lésions apparaissent ailleurs en raison de l'auto-inoculation. La rétention urinaire et la dysurie sont présentes si le système nerveux autonome est stimulé par l'intermédiaire de la racine nerveuse sacrée ou en raison de la présence de lésions génitales généralisées à la vulve et aux muqueuses.

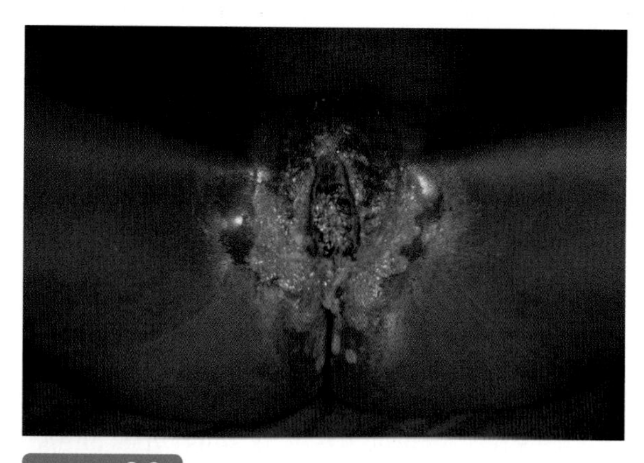

FIGURE 3.6
Herpès génital

La femme qui traverse des épisodes d'herpès génital récurrent ne présentera habituellement que des symptômes locaux d'intensité moindre que ceux de l'épisode initial. Les symptômes systémiques ne réapparaissent pas, bien que le picotement génital avant-coureur soit fréquent. Les lésions récurrentes, unilatérales et d'intensité moins marquée, persistent durant 7 à 10 jours sans période d'élimination virale prolongée. La lésion prend d'abord la forme d'une vésicule, et elle évolue rapidement à l'ulcère. Après quelques jours, les plaies s'assèchent, et une croûte se forme, ce qui annonce le début de la guérison de la lésion cutanée. Cependant, même si les symptômes commencent à disparaître, le virus peut être encore présent et transmissible. La cervicite est très rare dans les épisodes récurrents.

Examen clinique et examens paracliniques

Même si l'anamnèse et l'examen physique peuvent laisser entrevoir la possibilité d'une infection herpétique, la culture est actuellement la méthode d'analyse la plus souvent utilisée dans les laboratoires au Canada et au Québec. La sérologie sert à déterminer s'il s'agit d'une infection récente, à détecter la présence d'anticorps et à déterminer le typage du virus (ASPC, 2010a).

SOINS ET TRAITEMENTS INFIRMIERS

Herpès génital

L'herpès génital est une maladie chronique récurrente incurable à ce jour et le counseling est une composante importante de la prise en charge de la femme qui reçoit un diagnostic d'infection à VHS (ASPC, 2010a). Les médicaments en administration P.O. utiles dans le traitement de la première infection à VHS sont l'acyclovir, le famciclovir et le valacyclovir. Ils peuvent être prescrits également dans le traitement épisodique ou suppresseur de l'herpès récurrent. On préconise l'acyclovir en administration I.V. lorsque la maladie est grave (ASPC, 2010a). La prise en charge de l'infection à VHS est orientée en fonction de traitements précis de l'infection primaire et de la récurrence, de la prévention (c.-à-d. reconnaître les facteurs déclencheurs, réduire le risque de transmission au partenaire ou au moment de l'accouchement), des mesures propices au maintien d'une bonne hygiène de vie et du soutien psychologique.

Le nettoyage des lésions à l'aide d'une solution salée contribuera à prévenir l'infection secondaire. L'infection bactérienne, le cas échéant, est traitée par l'antibiothérapie appropriée. Le bain de siège à l'eau tiède additionnée de bicarbonate de soude, l'application de froid et le séchage à l'aide d'un séchoir à cheveux au réglage à air froid ou l'assèchement par tapotement à l'aide d'une serviette douce favoriseront le bien-être lorsque les lésions sont actives. Il en va de même du port de sous-vêtements de coton et de vêtements amples.

L'herpès génital est une maladie chronique récurrente incurable à ce jour et le counseling est une composante importante de la prise en charge de la femme qui reçoit un diagnostic d'infection à VHS.

Les analgésiques tels l'acide acétylsalicylique, l'ibuprofène ou l'acétaminophène atténueront la douleur et les symptômes systémiques de l'infection. Parce que les muqueuses où siègent les lésions herpétiques sont très sensibles, il importe d'user de circonspection dans le choix d'un produit en application topique. L'onguent qui n'a pas d'effet antiviral, particulièrement s'il renferme de la cortisone, est contre-indiqué. Une mince couche de pommade à la lidocaïne peut apporter un certain soulagement, en particulier lorsque la marche est difficile.

Le counseling et l'enseignement sont des éléments primordiaux de la démarche de soins en cas d'infection herpétique. L'infirmière précise les causes, les signes et les symptômes, le mode de transmission et le traitement de l'infection. Elle décrit le phénomène de l'excrétion du virus et mentionne la probabilité de transmettre l'infection durant cette période, d'où la nécessité de s'abstenir de tout contact sexuel du début de la phase prodromique à la guérison complète des lésions. Le condom peut être inefficace à prévenir la transmission, particulièrement de l'homme à la femme. Il n'est pas question cependant d'éviter toute forme d'intimité, mais plutôt le contact avec les lésions. L'infirmière enseigne le repérage visuel et tactile des lésions à l'aide d'un miroir sous une bonne source d'éclairage en passant un linge humide ou le doigt recouvert d'un doigtier sur les lèvres. Elle veille à ce que sa cliente sache qu'elle doit éviter de partager des articles intimes (p. ex., une débarbouillette, une serviette humide) lorsque les lésions sont actives. Du savon ordinaire et de l'eau suffisent pour se nettoyer les mains après avoir été en contact avec les lésions.

Le stress, les changements hormonaux, notamment ceux associés aux menstruations ou à la grossesse, l'irritation ou la friction liée aux relations sexuelles, une maladie fébrile ou une maladie chronique, le manque de sommeil, une perturbation émotionnelle, une mauvaise alimentation et l'exposition au soleil sont des facteurs qui peuvent déclencher la récurrence de l'herpès génital (ASPC, 2007c). En tenant un journal, la femme pourra cerner les agents stressants qui provoquent la récurrence de l'herpès et ainsi les éviter dans la mesure du possible. Des techniques de réduction du stress, le yoga ou la méditation peuvent s'avérer utiles dans certains cas. Se soustraire à la chaleur excessive, ne pas s'exposer au soleil, bannir le bain chaud et appliquer un lubrifiant au moment des relations sexuelles pour réduire la friction sont des mesures également utiles. L'utilisation quotidienne d'acyclovir, de famciclovir ou de valacyclovir à des dosages différents aux fins de suppression virale freine la transmission sexuelle. Les lignes directrices canadiennes recommandent l'administration de ces médicaments pendant une durée maximale de un an (ASPC, 2010a).

Les répercussions émotionnelles d'une ITS incurable comme l'herpès génital sont considérables. Le diagnostic suscitera beaucoup d'émotions, et les préoccupations psychologiques les plus fréquentes sont la crainte de transmission, la peur d'être jugée ou rejetée par son partenaire, la solitude, la dépression et la perte d'estime de soi ainsi que l'anxiété relative aux conséquences éventuelles sur la grossesse (ASPC, 2010a). La femme doit pouvoir exprimer ses sentiments et en discuter afin de s'adapter à la maladie. L'herpès génital aura des conséquences sur sa sexualité, ses pratiques sexuelles et ses relations amoureuses présentes et futures. La cliente peut avoir besoin d'aide pour soulever la question avec son partenaire actuel ou futur, et l'infirmière l'accompagne à cet effet.

Hépatites

Les sujets examinés ici sont les hépatites A, B et C. Il ne sera pas question des hépatites D et E, plus courantes chez les utilisateurs de drogues injectables et chez les receveurs de multiples transfusions sanguines. Les hépatites sont des infections virales du foie, et le mode de transmission du virus diffère selon le type. Le risque d'infection est particulièrement important dans les pays tropicaux.

Hépatite A

L'hépatite A **FIGURE 3.7**, due au VHA, se propage principalement par la voie fécale-orale, c'est-à-dire par l'eau ou des aliments contaminés par les matières fécales. L'ingestion d'aliments contaminés, particulièrement les mollusques, les crustacés et l'eau polluée, ou par le contact d'une personne avec une autre (par un objet ou des aliments manipulés par une personne infectée ou par relations sexuelles incluant les relations orogénitales) sont les principaux modes de transmission de cette infection. Elle se manifeste par des symptômes brusques d'allure grippale tels que le malaise, la fatigue, l'anorexie, les nausées, la fièvre et la douleur au quadrant supérieur droit de l'abdomen. D'autres symptômes tels que les crampes d'estomac, la diarrhée et l'ictère (jaunissement de la peau et du blanc des yeux) peuvent se produire (Fondation canadienne du

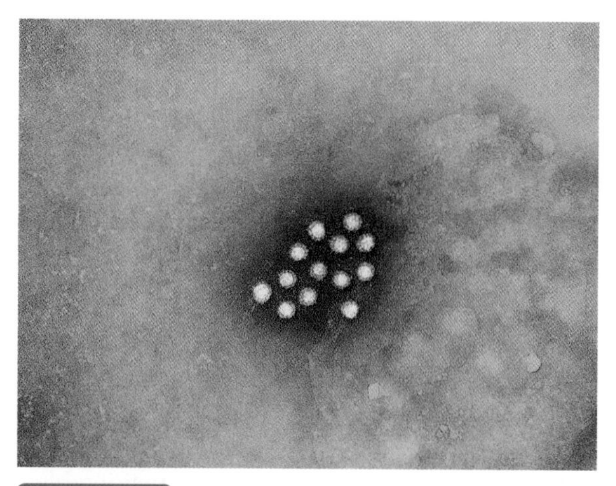

FIGURE 3.7
Virus de l'hépatite A au microscope électronique

RAPPELEZ-VOUS...

L'évolution d'une infection exige la présence des éléments suivants : un agent infectieux, un réservoir pour sa croissance, une porte de sortie du réservoir, un mode de transmission, une porte d'entrée dans un hôte et un hôte réceptif.

foie, 2006). Le test sérologique de détection des anticorps immunoglobulines M (IgM anti-VHA) confirme l'infection en phase aiguë. Étant donné que l'hépatite A est spontanément résolutive, qu'elle n'évolue pas vers l'infection chronique, le traitement se compose habituellement de mesures de soutien. L'hospitalisation peut être nécessaire en cas de déshydratation consécutive aux nausées et aux vomissements ou d'infection fulminante. Il faut porter une attention particulière s'il y a usage de médicaments susceptibles d'altérer la fonction hépatique ou qui sont métabolisés par le foie. Il n'y a pas lieu de restreindre l'alimentation ni les activités. Cependant, le repos et une bonne hydratation sont de mise. Renforcer les mesures d'hygiène par le lavage méticuleux des mains aussi souvent que nécessaire demeure une mesure très importante afin d'éviter la propagation de l'infection. Le *Protocole d'immunisation du Québec* permet de vacciner en prévention les femmes qui courent un risque accru d'infection. Le vaccin est administré en deux doses sur une période de 6 à 12 mois. En postexposition, l'injection I.M. d'immunoglobulines peut être administrée en plus du vaccin, particulièrement chez le nourrisson de moins de un an ou chez la femme immunodéprimée (MSSS, 2009b).

Hépatite B

L'hépatite B, une ITSS courante, est beaucoup plus contagieuse que l'infection due au VIH. Elle est causée par le VHB (ASPC, 2010a). Le virus est présent dans le monde entier, mais sa prévalence est supérieure en particulier dans les pays en voie de développement (Asie, Afrique) (ASPC, 2010a). Trois marqueurs caractérisent l'infection : les anticorps anti-HBs dirigés contre les antigènes de surface de l'hépatite B, les anticorps anti-HBe dirigés contre les antigènes de l'hépatite B et les anticorps anti-HBc dirigés contre le noyau de l'hépatite B. Le dépistage de la maladie active ou chronique ou de l'immunité contre la maladie se fonde entre autres sur le repérage de ces trois anticorps. Le VHB se transmet par contact sexuel ou sanguin.

Au Canada, les taux d'incidence les plus élevés se trouvent dans le groupe d'âge des 30 à 39 ans. L'hépatite B chronique touche surtout les immigrants et les Inuits, mais sa prévalence est cependant beaucoup plus élevée en Asie, en Afrique, en Europe de l'Est et en Amérique latine qu'au Canada (ASPC, 2010a). La personne qui a des antécédents d'hépatopathie aiguë ou chronique, qui travaille ou subit un traitement dans une unité de dialyse ou qui a des contacts familiaux ou sexuels avec une personne sous hémodialyse présente un risque accru elle aussi. De même, celle qui travaille ou réside dans un établissement hébergeant des personnes aux fonctions cognitives perturbées est considérée à risque en raison du fait qu'elle peut être en contact avec la salive, le sang d'une personne infectée ; la personne qui a reçu de nombreuses transfusions sanguines est aussi à risque. Enfin, le fait d'avoir plusieurs partenaires sexuels et l'utilisation de drogues injectables haussent le risque de contracter l'hépatite B.

Le VHB est présent dans le sang, la salive, les sécrétions vaginales et le sperme. Les toxicomanes qui partagent des seringues sont à risque élevé, ainsi que les travailleurs de la santé et les travailleurs de la sécurité publique exposés aux contacts sanguins et aux piqûres accidentelles avec des aiguilles. La transmission mère-enfant s'observe surtout lorsque la mère est atteinte de l'hépatite en phase aiguë à la fin du troisième trimestre de la grossesse, durant l'accouchement ou immédiatement après celui-ci par contact avec des sécrétions vaginales, du sang, du liquide amniotique, de la salive ou le lait maternel contenant les antigènes de surface de l'hépatite B. Le VHB peut également être transmis au cours d'une insémination artificielle. Bien que le virus puisse se transmettre par la transfusion sanguine, l'incidence de cette transmission a baissé considérablement depuis que le dépistage des anticorps anti-HBs dans le sang prélevé est devenu obligatoire au Canada et au Québec.

L'hépatite B est une infection virale du foie souvent asymptomatique, mais qui peut être fulminante et à l'issue mortelle. Les symptômes d'apparition hâtive sont la fatigue, l'éruption cutanée, l'**arthralgie**, l'anorexie, les nausées, les vomissements, les céphalées, la fièvre et la douleur abdominale légère et diffuse. Par la suite, les selles décolorées, l'urine foncée, la douleur abdominale qui s'intensifie et l'ictère sont les symptômes marquants. De 5 à 10 % des cas d'hépatite B se caractérisent par la présence persistante des antigènes de surface de l'hépatite B ; ces personnes deviennent des porteuses chroniques du VHB et peuvent transmettre le virus tout au long de leur vie.

Arthralgie : Douleur située dans les articulations sans modification de l'apparence de la jointure. Cette douleur est intensifiée quand le client mobilise l'articulation en cause.

Examen clinique et examens paracliniques La femme à risque élevé de contracter l'hépatite B devrait être soumise au dépistage périodique et recevoir la vaccination contre cette infection. Le dépistage du VHB se fait par ponction veineuse afin de dépister les marqueurs sérologiques spécifiques de l'hépatite B. Les tests sérologiques dans des cas aigus ou chroniques soupçonnés devraient inclure les tests d'analyse de la fonction hépatique (ASPC, 2010a).

SOINS ET TRAITEMENTS INFIRMIERS

Hépatite B

Il n'y a pas encore de traitement précis de l'hépatite B. En général, le rétablissement est spontané en six mois. Toute femme porteuse de l'hépatite B chronique devrait être orientée vers un spécialiste pour un suivi subséquent. Un traitement à l'interféron alpha peut-être prescrit (ASPC, 2010a). Il est conseillé de se reposer le plus possible, d'opter pour un régime alimentaire riche en protéines et faible en gras et d'accroître l'apport liquidien. Les drogues, l'alcool et les médicaments métabolisés par le foie sont à proscrire. Lorsque l'exposition au VHB est certaine, l'administration d'immunoglobulines contre l'hépatite B et la vaccination sont indiquées dans les 14 jours du contact sexuel ou sanguin le plus récent afin de prévenir l'infection (ASPC, 2010a).

La vaccination est le meilleur moyen de protection contre l'hépatite B. Au Québec, un programme gratuit de vaccination contre l'hépatite B est réalisé annuellement en milieu scolaire en quatrième année du primaire avec le vaccin combiné contre les hépatites A et B (MSSS, 2009b). La vaccination contre l'hépatite B est également recommandée en l'absence d'immunité chez la femme qui a plusieurs partenaires sexuels, l'utilisatrice de drogue injectable, la détenue en milieu carcéral, la femme qui consulte pour une ITSS, la travailleuse de l'industrie du sexe, la femme dont le partenaire fait usage de drogues injectables ou qui a des comportements sexuels à risque et la femme qui occupe un emploi à risque élevé. Selon le calendrier régulier et idéal, le vaccin contre l'hépatite B est administré en trois doses étalées sur une période de six mois. Les deux premières doses sont administrées à un mois d'intervalle, et la troisième dose est donnée cinq mois après la deuxième (MSSS, 2009b). L'injection I.M. s'effectue dans le muscle deltoïde chez l'adulte.

L'enseignement à la cliente englobe toute l'information concernant l'hépatite B, à savoir ses modes de transmission, les manifestations et les symptômes physiques susceptibles de survenir, les complications et les séquelles possibles, la période de contagiosité, la durée de l'infection, l'exposition périnatale et l'immunité. L'infirmière insiste sur la nécessité d'offrir l'immunoprophylaxie aux membres de la famille et aux partenaires sexuels. Elle conseille à la cliente atteinte d'hépatite B ou porteuse du VHB de porter une attention particulière à son hygiène personnelle : procéder à l'hygiène des mains après être allée à la toilette, jeter tampons, serviettes hygiéniques et pansements dans un sac de plastique, garder pour soi rasoir, brosse à dents, aiguilles et articles de manucure. La cliente doit également être informée de ne pas donner de sang, de tissus ni d'organes, de recouvrir d'un pansement toute blessure, plaie, coupure et éraflure et d'adopter un comportement sexuel sécuritaire en tout temps. La femme incite son partenaire non vacciné et exempt d'hépatite à porter un condom, et elle évite d'échanger de la salive (p. ex., en s'embrassant, en partageant ustensiles et vaisselle) ; elle veille à nettoyer immédiatement à l'eau savonneuse tout écoulement sanguin sur toute surface ou sur tout objet et de les désinfecter avec une solution composée d'eau et d'eau de Javel et de rincer à fond, car le virus peut survivre de une à deux semaines sur les surfaces inertes (MSSS, 2010). Enfin, elle doit préciser son état à tous les professionnels de la santé qu'elle consulte.

Hépatite C

L'hépatite C, causée par le VHC, est devenue un grave problème de santé. Elle représente près de 50 % des hépatites virales chroniques. La prévalence de l'infection chronique à l'hépatite C est beaucoup plus élevée en Asie, en Afrique et dans la région méditerranéenne qu'au Canada (ASPC, 2010a). Cependant, au Canada, le nombre de cas a augmenté de façon fulgurante dans les dernières décennies, autant chez les hommes que les femmes (ASPC, 2007b). Au Québec, depuis 1991, près de 32 000 cas ont été déclarés (MSSS, 2010). La prévalence du VHC chez les populations amérindiennes du Canada est particulièrement élevée. Une ITSS comme l'hépatite B ou le VIH, les nombreux partenaires sexuels, des antécédents de transfusion sanguine et l'utilisation de drogues injectables comptent parmi les facteurs de risque. Le VHC se transmet principalement par contact sanguin et touche surtout les utilisatrices ou ex-utilisatrices de drogues par injection ; il se transmet surtout à l'occasion du partage de matériel d'injection et, dans une moindre mesure, de matériel d'inhalation. Près des deux tiers des personnes qui font usage de drogues par injection seraient infectés par le VHC (MSSS, 2010). L'infection peut également se transmettre par relation sexuelle s'il y a présence de sang dans le sperme, dans les sécrétions vaginales (au cours

Près des deux tiers des personnes qui font usage de drogues par injection seraient infectés par le VHC.

des menstruations) ou par l'intermédiaire de la salive teintée de sang ou l'urine. Au Canada et au Québec, grâce au dépistage systématique des produits sanguins, le risque de contracter le VHC à la suite d'une transfusion sanguine ou d'une greffe a presque disparu.

La plupart des cas sont asymptomatiques, donc les personnes atteintes ne connaissent pas leur état de porteur ou certaines présentent des symptômes généraux d'allure grippale comme ceux de l'hépatite A. C'est la présence d'anticorps anti-VHC qui permet de confirmer l'infection. Environ 15 à 25 % des personnes infectées guérissent en éliminant naturellement le virus. Le principal traitement de l'hépatopathie découlant de l'hépatite C chronique consiste en l'administration d'interféron alpha, seul ou associé à la ribavirine, pendant 6 à 12 mois ; son efficacité reste variable, et le traitement est coûteux. Il n'existe pas de vaccin contre l'hépatite C à l'heure actuelle. La cirrhose et le cancer du foie sont les principales complications de cette infection et constituent actuellement les deux premières indications de transplantation hépatique (greffe du foie) (MSSS, 2010).

Virus de l'immunodéficience humaine

Le VIH est un rétrovirus qui se transmet principalement par les liquides biologiques (sperme, sang, sécrétions vaginales). La multiplication du virus entraîne une destruction progressive des cellules immunitaires. Le sida se caractérise par l'immunosuppression profonde découlant de l'infection par le VIH.

En 2009, au Québec, 616 infections par le VIH ont été déclarées ; 17 % de ces cas étaient des femmes (MSSS, 2010). L'épidémie de l'infection à VIH/sida qui sévit au Canada a récemment changé d'aspect depuis ses débuts. Elle touche maintenant des groupes de personnes de plus en plus variés, dont les femmes. Les estimations montrent qu'il existe une hausse du nombre et du pourcentage de femmes qui vivent avec le VIH/sida. Plus de 25 % des rapports de tests VIH positifs en 2004 se rapportaient à des femmes, comparativement à moins de 10 % avant 1995, et c'est le groupe d'âge des 15 à 19 ans qui affiche l'augmentation la plus importante. Les femmes amérindiennes constituent également un pourcentage croissant, car près de 50 % des rapports de tests VIH positifs déclarés parmi les Canadiens amérindiens se rapportaient à des femmes comparativement à la femme blanche, à moins de 20 %. Le pourcentage de Canadiennes d'origine africaine atteintes du VIH ou du sida est aussi en hausse, alors que près de 50 % des rapports de tests positifs dans ce groupe se rapportent à des femmes. Au Québec, les femmes originaires d'un pays endémique représentent 45 % de l'ensemble des cas diagnostiqués, suivi des utilisatrices de drogues injectables (23 %), des contacts hétérosexuels à risque (14 %) et des autres contacts hétérosexuels non protégés sans autre facteur de risque reconnu (14 %). L'exposition hétérosexuelle et l'utilisation de drogues injectables sont donc les deux comportements à risque majeurs pour contracter l'infection par le VIH chez la femme (ASPC, 2010a ; MSSS, 2009a).

Les infections liées au sida les plus fréquentes sont la pneumonie bactérienne récurrente, dont la pneumonie à *Pneumocystis jiroveci*, la candidose œsophagienne, bronchique, trachéenne ou pulmonaire et le syndrome cachectique. D'autres infections virales, comme l'infection herpétique (VHS) ou la cytomégalovirose peuvent être présentes. L'AIP est plus grave en présence du VIH que dans les autres cas.

Une fois le VIH introduit dans l'organisme, la séroconversion se produit en 6 à 12 semaines. Bien que la personne infectée puisse être asymptomatique durant cette période, la séroconversion s'accompagne habituellement d'une réaction virémique d'allure grippale qui se manifeste par de la fièvre (plus de 80 % des cas), de l'anthralgie ou de la myalgie, des éruptions cutanées, de l'adénopathie, des maux de gorge, de la fatigue, des céphalées, des ulcères buccaux ou génitaux, une perte pondérale de plus de 5 kg, des nausées, des vomissements ou de la diarrhée.

Les analyses sanguines peuvent mettre au jour une leucopénie, une thrombopénie, de l'anémie et l'augmentation de la vitesse de sédimentation globulaire. Le VIH a une forte affinité pour les protéines de surface du lymphocyte T. Des études épidémiologiques démontrent que la baisse de la numération des lymphocytes T CD4 est assurément corrélée avec l'incidence accrue des infections liées au sida et des décès dans de nombreux groupes de personnes infectées par le VIH.

SOINS ET TRAITEMENTS INFIRMIERS

Virus de l'immunodéficience humaine

Le dépistage des facteurs de risque du VIH (ainsi que l'enseignement et le counseling à ce propos et sur les indications du dépistage) et la détection du VIH sont des responsabilités infirmières importantes. Nombre de comportements ont pour effet d'accroître le risque d'infection par le VIH, dont l'utilisation de drogues injectables, le choix d'un partenaire sexuel à risque élevé, les nombreux partenaires sexuels et des antécédents d'ITSS à plusieurs reprises. Dès la première consultation de la cliente dans le système de santé, l'infirmière l'informe, oralement ou par écrit, des facteurs de risque d'infection par le VIH et lui demande si elle estime être à risque. Lorsque l'infirmière relève un comportement à risque, il est indiqué d'évaluer la possibilité de l'exposition au VIH (ASPC, 2010a). La cliente devrait savoir qu'elle n'a pas à divulguer les motifs pour lesquels elle se juge à risque.

Le dépistage des facteurs de risque du VIH (ainsi que l'enseignement et le counseling à ce propos et sur les indications du dépistage) et la détection du VIH sont des responsabilités infirmières importantes.

Dépistage

En règle générale, le constat d'infection par le VIH repose sur les résultats des tests de détection d'anticorps anti-VIH 1 anti-VIH 2 et des antigènes p24. Le test de détection d'anticorps est effectué d'abord dans le cadre d'un test de dépistage par essai immuno-enzymatique. Le résultat du test de dépistage réactif est confirmé par un autre test, tel le Western Blot effectué avec le même échantillon (ASPC, 2010a). Quand le résultat positif du test de détection d'anticorps est confirmé par un autre test, le diagnostic d'infection par le VIH est établi, et la personne infectée pourrait transmettre l'infection à autrui. Les anticorps anti-VIH sont détectables dans les trois mois de l'infection dans 95 à 97 % des cas. Six mois après l'exposition, ce pourcentage augmente à 99 % (MSSS, 2006). Bien que le résultat négatif du test de détection d'anticorps indique habituellement l'absence d'infection, la possibilité d'une infection récente ne peut être exclue. Étant donné que les anticorps anti-VIH traversent la barrière placentaire, le diagnostic d'infection par le VIH chez l'enfant de moins de 18 mois repose sur la détection du VIH dans le sang ou sur la détection d'antigènes (CDC, 2006).

Au Canada et au Québec, il existe trois options pour le dépistage du VIH et la déclaration des cas : nominatif (le test est demandé en utilisant le nom de la personne testée), non nominatif (le test est demandé en utilisant un code ou des initiales de la personne testée ; seul le demandeur du test connaît l'identité de la personne testée et peut lier le résultat à son dossier médical) et anonyme (le test est demandé à l'aide d'un code unique à caractère non nominatif, de sorte que le résultat du test n'est pas lié au dossier médical) (ASPC, 2010a ; MSSS, 2006). Les tests rapides suscitent beaucoup de discussion, et il est recommandé que tous les tests réactifs de dépistage réalisés à l'aide de trousses de dépistage rapide soient confirmés par d'autres tests (p. ex., le Western Blot) afin d'éviter les faux positifs ou les faux négatifs. Au Canada, les tests de dépistage rapides du VIH sont autorisés depuis 2005. Cependant, ils ne sont pas offerts dans toutes les provinces et tous les territoires, et certains ont été retirés du marché en raison de défauts de fabrication. Depuis 2006, aucun gouvernement provincial n'a financé l'utilisation d'un test rapide dans les cliniques de santé publique. Les trousses de dépistage rapide s'emploient avec un spécimen de sang capillaire prélevé au bout du doigt ou avec de la salive, selon la trousse. À l'heure actuelle, la sensibilité et la spécificité des tests sont d'environ 99 % (ASPC, 2007c, 2010a).

Le counseling à propos du dépistage du VIH fait partie des bonnes pratiques infirmières. Il se déroule en deux volets, l'un avant le test, l'autre après. Le volet précédant le test comporte l'évaluation du risque personnalisé, la discussion sur la portée des résultats positif ou négatif (répercussions affectives, juridiques et médicales), l'obtention du consentement éclairé au prélèvement et la conception d'un plan réaliste de réduction du risque et de prévention de l'infection. Le volet consécutif au test comprend la divulgation du résultat, l'évaluation de sa portée et le renforcement des messages de prévention. L'infirmière doit tenir compte de l'âge et des besoins de la personne qui subit les tests, et elle est tenue de documenter les séances de counseling (ASPC, 2010) **ENCADRÉ 3.9**.

À moins qu'il ne s'agisse d'un test rapide, le résultat du test de dépistage est connu en une à trois semaines. Cette attente peut être une source d'anxiété qui doit être prise en compte dans les interventions de l'infirmière. Le résultat, quel qu'il soit, doit être divulgué en personne, et il importe de préciser à la cliente que cette procédure est préférable. Dans la mesure du possible, la personne qui a offert le counseling avant le test devrait être celle qui transmet le résultat de celui-ci à la cliente. L'infirmière s'efforce de cerner la réaction de la femme au résultat en lui demandant comment elle se sent. La séance de counseling en cas de résultat négatif est l'occasion de faire de l'enseignement sur le VIH. L'infirmière peut insister sur les mesures de prévention en matière d'ITSS et encourager la cliente à les adopter. Elle

Conseil juridique

ENCADRÉ 3.9 Dépistage du virus de l'immunodéficience humaine

Si les résultats du test de dépistage du VIH sont consignés au dossier, tous ceux qui y ont accès pourront en prendre connaissance. L'infirmière doit mentionner ce fait à sa cliente avant que celle-ci se soumette au dépistage. Le consentement éclairé est un préalable à l'exécution du test de dépistage (ASPC, 2010a). Cette recommandation s'applique à toutes les personnes, incluant les femmes qui sont enceintes. Par contre, dans certaines provinces et certains territoires du Canada, le test de dépistage du VIH est considéré comme un test prénatal de routine. La femme enceinte est donc informée que le test sera effectué, mais son consentement est implicite à moins qu'elle émette clairement un refus. Au Québec, un consentement verbal est suffisant ; cependant, la femme qui a donné son consentement au début d'une intervention de dépistage peut le révoquer, même verbalement, en tout temps (MSSS, 2006).

lui rappelle en outre que si elle pense avoir été exposée au VIH dans les six derniers mois, elle devrait se soumettre au dépistage de nouveau et qu'en présence de comportements risqués, elle devrait le subir périodiquement.

Le counseling consécutif au test dont le résultat est positif doit se dérouler en toute confidentialité sans aucune intrusion extérieure. L'infirmière veille à ce que la cliente comprenne la portée du résultat positif, et elle aborde la notion de la fiabilité du résultat. Elle insiste de nouveau sur l'importance de la réduction du risque. Elle adresse la cliente à un médecin et elle détermine la nécessité d'un soutien psychosocial ou psychiatrique. L'infirmière ne saurait trop insister sur l'importance de l'évaluation médicale dans les plus brefs délais afin d'amorcer la pharmacothérapie prophylactique.

À la première consultation de la femme infectée par le VIH, l'infirmière détermine l'étendue de ce que celle-ci connaît à propos de cette infection. Elle vérifie que la cliente est bel et bien sous les soins d'un médecin traitant ou d'un établissement spécialisé dans la prise en charge de l'infection à VIH/sida. Il peut y avoir lieu de la diriger également vers des services psychologiques et de lui indiquer les ressources offertes en matière d'aide financière, d'aide juridique et de prévention du suicide. Un programme de désintoxication devrait être suggéré à la femme qui consomme des drogues injectables, avec son consentement. La prévention de la transmission de l'infection aux partenaires et l'utilisation de mesures contraceptives font partie des aspects importants du counseling.

À la cliente séropositive souhaitant obtenir de l'information sur les moyens contraceptifs, l'infirmière recommande la contraception hormonale, le stérilet et le condom au latex (ou polyuréthane) ou la ligature des trompes (si la femme ne désire plus ou pas d'enfant) ou la vasectomie du partenaire et le condom au latex. L'infirmière propose l'abstinence sexuelle à la femme dont le partenaire refuse de porter un condom.

À ce jour, l'infection par le VIH est incurable. Par contre, le traitement offert aux personnes atteintes a considérablement diminué le taux de mortalité lié à la maladie, et cette infection est maintenant reconnue comme une maladie chronique. Des infections rares ou peu courantes sont associées à l'infection par le VIH. La prise en charge, le traitement et le suivi peuvent être très complexes. La surveillance gynécologique régulière de la femme séropositive devrait comprendre l'examen pelvien et le test Pap, qui est essentiel en raison de la fréquence grandement accrue d'anomalies dysplasique et de cancer du col causés entre autres par le VPH. Les lignes directrices canadiennes recommandent un test Pap au moment du diagnostic (à moins que celui-ci ait été effectué au cours des 6 à 12 derniers mois), 6 mois après le premier frottis, puis une fois par année selon les résultats des frottis initiaux (ASPC, 2010a). En outre, le dépistage de la syphilis, des hépatites virales, de l'infection à gonorrhée, de l'infection à chlamydia et d'autres infections vaginales, ainsi que le traitement s'il y a lieu, sont indiqués en cas d'infection par le VIH. La prévention générale (p. ex., l'abandon du tabac, une alimentation équilibrée et une bonne hygiène de vie) revêt tout autant d'importance que la thérapie antirétrovirale. Le traitement médical de l'infection par le VIH ou du sida n'est pas abordé ici en raison de l'évolution rapide des modalités et des options thérapeutiques.

Virus de l'immunodéficience humaine et grossesse

Le dépistage du VIH et le counseling à ce sujet devraient être offerts à toutes les femmes qui consultent pour la première fois en période prénatale. La thérapie antivirale combinée (ou traitement rétroviral hautement actif) durant la période intrapartum et pendant les six semaines suivant la naissance permet de faire passer le taux de transmission verticale (mère-enfant) de 25 % à moins de 1 % (ASPC, 2010a).

La femme séropositive enceinte devrait être traitée par une association d'antirétroviraux tout au long de la grossesse, soit immédiatement ou entre la 14e et la 18e semaine de gestation, selon la numération des CD4 et la charge virale (ASPC, 2010a). L'aplasie médullaire constitue son principal effet indésirable, d'où la nécessité d'évaluer les taux d'hématocrite, la leucocytémie et la numération plaquettaire périodiquement (Perinatal HIV Guidelines Working Group, 2008). Les lignes directrices canadiennes mentionnent que la prise en charge précoce est le meilleur gage de réussite en matière de suppression virale, qu'un spécialiste du traitement du VIH pendant la grossesse devrait être consulté et que la cliente devrait recevoir un counseling quant aux effets secondaires potentiels du traitement, à l'importance d'une adhésion stricte et à la nécessité d'un suivi médical étroit (ASPC, 2010a). De plus, il est recommandé d'effectuer chaque mois, au minimum, des prélèvements sanguins incluant la numération des CD4 et de la charge virale. La femme séropositive devrait être vaccinée contre le VHB, le pneumocoque, l'*Haemophilus influenzæ* de type B et le virus de la grippe. Le counseling porte sur l'alimentation, le sommeil, le repos, l'exercice physique et la réduction du stress qui influent sur le système immunitaire, ainsi que sur l'utilisation du condom pour réduire au minimum le risque d'exposition future si le partenaire est séropositif.

À la période pernatale, le traitement antirétroviral est recommandé afin de prévenir la transmission verticale du VIH. Lorsque la charge virale est indécelable au moment de l'accouchement, un accouchement vaginal est généralement recommandé, à moins qu'une césarienne soit nécessaire pour des raisons obstétricales. Par ailleurs, toutes les femmes infectées par le VIH devraient se faire administrer de la zidovudine par voie I.V. du début du travail jusqu'à l'accouchement, ou avant que la césarienne ne soit pratiquée (ASPC, 2010a). L'on devrait éviter d'appliquer une électrode au cuir chevelu du fœtus ainsi que de prélever du sang à cet endroit, car ces interventions peuvent entraîner l'inoculation du virus au fœtus. Il en va de même de l'utilisation des forceps ou de la ventouse obstétricale. Les lignes directrices canadiennes mentionnent que si le diagnostic est établi à la fin de la grossesse, pendant le travail ou à l'accouchement, la césarienne est privilégiée, une médication en prophylaxie est administrée par voie I.V. à la mère, et le nouveau-né reçoit rapidement un traitement antiviral P.O. jusqu'à six semaines après sa naissance (ASPC, 2010a). Aussi, l'allaitement est contre-indiqué, étant donné que le VIH peut se transmettre par le lait maternel.

La femme séropositive asymptomatique peut traverser une période postnatale sans problème, alors que la femme symptomatique en immunodéficience court un risque accru d'infection urinaire, de vaginite, d'endométrite et de cicatrisation compromise durant cette période. L'hygiène périnéale revêt beaucoup d'importance. La femme séropositive pour qui le traitement antirétroviral n'a commencé que durant la grossesse devrait subir des examens à la période postnatale afin de déterminer la pertinence de poursuivre le traitement (Perinatal HIV Guidelines Working Group, 2008). Après son premier bain, le nouveau-né peut être en compagnie de sa mère. Au moment de la planification du congé, l'infirmière prévoit la prestation de soins et de services de soutien; elle doit aussi adresser la mère et le nouveau-né vers des services médicaux spécialisés dans le traitement de l'infection par le VIH, du sida et des maladies connexes aux fins de surveillance et de suivi intensifs (Lachat, Scott & Relf, 2006).

3.2.4 Infections vaginales

Les pertes vaginales et le prurit vulvovaginal figurent parmi les principaux motifs de consultation des femmes.

Les pertes vaginales et le prurit vulvovaginal figurent parmi les principaux motifs de consultation des femmes. De fait, les pertes vaginales représentent le symptôme gynécologique dont elles se plaignent le plus. L'écoulement vaginal caractéristique de l'infection diffère des sécrétions normales. Celles-ci, désignées par le terme leucorrhée, sont claires ou légèrement opaques et elles jaunissent une fois sèches; l'écoulement est quelque peu gluant, ne cause pas d'irritation et dégage une odeur peu prononcée; il est acide (pH de 4 à 5). L'ampleur de la leucorrhée varie selon les phases du cycle menstruel; elle est abondante à l'ovulation et juste avant le déclenchement des règles. Elle prend de l'ampleur durant la grossesse également. Elle renferme des lactobacilles et des cellules épithéliales. La leucorrhée est présente tant que l'apport œstrogénique, endogène ou exogène, se maintient.

La vaginose bactérienne, la candidose vulvovaginale et la trichomonase sont les principales infections vaginales. La vulvovaginite, inflammation simultanée de la vulve et du vagin, peut être causée par l'infection ou la leucorrhée abondante, susceptible d'entraîner la macération tissulaire. La vulvovaginite peut avoir pour origine des irritants chimiques, des allergènes ou un corps étranger.

Jugement clinique

La mère de Maïté Létourneau vous consulte, car elle a remarqué que sa fille, âgée de 11 ans, a des pertes vaginales plus abondantes depuis qu'elle a commencé à être menstruée.

Est-il normal que Maïté ait des pertes vaginales à son âge ? Justifiez votre réponse.

Vaginose bactérienne

La vaginose bactérienne est la cause la plus fréquente des pertes vaginales anormales, bien que 50 % des femmes soient asymptomatiques. Elle n'est habituellement pas considérée comme transmissible sexuellement. Pendant la grossesse, la vaginose bactérienne est associée entre autres à la rupture prématurée des membranes et à la naissance prématurée (ASPC, 2010a). Son étiologie précise demeure inconnue. Il s'agit d'un syndrome caractérisé par le remplacement des lactobacilles acidifiants par des bactéries anaérobies en grande quantité (p. ex., *Gardnerella*, *Mobiluncus*). La présence de ces bactéries anaérobies entraîne une hausse des amines vaginales et la perturbation du pH vaginal habituellement acide. Il se produit une desquamation des cellules épithéliales recouvertes d'innombrables bactéries (cellules indicatrices). À la volatilisation des amines, l'odeur caractéristique de la vaginose bactérienne se fait sentir (odeur de poisson).

De nombreuses femmes atteintes d'une vaginose bactérienne se plaignent de cette « odeur de poisson pourri », qui peut être particulièrement notable après le rapport hétérosexuel étant donné que le sperme déclenche la sécrétion des amines vaginales. Le cas échéant, les pertes dues à la vaginose sont abondantes, aqueuses, blanches, grises ou laiteuses. Certaines femmes seront aux prises avec une légère irritation ou du prurit.

Examen clinique et examens paracliniques

L'anamnèse sélective peut être utile pour distinguer la vaginose bactérienne d'autres infections vaginales lorsque la femme est symptomatique. L'infirmière s'enquiert du diagnostic et du traitement auprès de la cliente qui a présenté des

TABLEAU 3.2 **Préparations à l'état frais des frottis examinés aux fins de diagnostic de l'infection vaginale**

INFECTION	TEST	CONSTATS POSITIFS
Vaginose bactérienne	• Frottis et solution salée normale • Test à la potasse (mélange de sécrétions vaginales et d'hydroxyde de potassium)	• Présence de cellules indicatrices (cellules épithéliales vaginales recouvertes de bactéries) • Odeur de poisson pourri
Candidose vulvovaginale	• Frottis additionné d'hydroxyde de potassium (mélange de quelques gouttes de solution d'hydroxyde de potassium et de secrétions vaginales sur la lame)	• Présence d'hyphes et de filaments pseudo-mycéliens (bourgeons et branches de la levure)
Trichomonase	• Frottis humide salin (mélange de quelques gouttes de solution salée normale et de sécrétions vaginales sur la lame)	• Présence de nombreux protozoaires à globule blanc

symptômes semblables par le passé, car le traitement est inapproprié dans bien des cas en raison d'un diagnostic erroné.

L'examen microscopique des sécrétions vaginales est incontournable **TABLEAU 3.2**.

SOINS ET TRAITEMENTS INFIRMIERS

Vaginose bactérienne

Le métronidazole (Flagyl[MD]) en administration P.O. s'avère le traitement le plus efficace de la vaginose bactérienne (ASPC, 2010a), quoique des médicaments en administration vaginale (p. ex., le gel de métronidazole ou la crème de clindamycine) soient également prescrits. Les effets indésirables du métronidazole sont nombreux, notamment le goût métallique désagréable, la langue épaisse, des nausées et des malaises gastro-intestinaux. Durant le traitement par le métronidazole, la consommation d'alcool est à bannir, et ce, jusqu'à 24 heures après la fin du traitement oral pour ne pas subir d'effets indésirables importants, dont l'effet antabuse (bouffées vasomotrices, dyspnée, palpitations et hypotension artérielle), le malaise généralisé, les nausées et vomissements et les céphalées. Les symptômes digestifs sont fréquents même en l'absence de prise d'alcool. En général, il n'est pas recommandé de traiter les partenaires sexuels. L'infirmière doit mentionner à la cliente que la crème à la clindamycine est à base d'huile, ce qui peut nuire à l'efficacité du condom en latex ou du diaphragme. Aussi, l'infirmière informera la cliente que près de 15 à 30 % des femmes présentent une vaginose bactérienne récurrente de un à trois mois après le traitement (ASPC, 2010a).

Candidose vulvovaginale

Selon les lignes directrices canadiennes, près de 75 % des femmes présentent au moins un épisode de candidose vulvovaginale durant leur vie, et de 5 à 10 % des femmes en présenteront plus de un (ASPC, 2010a). L'infection est asymptomatique chez 20 % des femmes. Chez la cliente en santé, la candidose est bénigne en général, alors qu'elle se montre plus grave et tenace chez la femme séropositive. Les lésions génitales sont souvent douloureuses, et les ulcères qui fusionnent commandent, dans certains cas, une prophylaxie plus énergique et à plus long terme. Cependant, le traitement de la candidose est généralement le même chez les femmes atteintes d'infection par le VIH que chez celles qui ne le sont pas (ASPC, 2010a).

Le champignon *Candida albicans* est le plus couramment en cause ; plus de 90 % des mycoses féminines lui seraient attribuables, et il n'est habituellement pas considéré comme étant transmissible sexuellement (ASPC, 2010a). De nombreux facteurs connus prédisposent la femme aux mycoses, dont l'antibiothérapie, particulièrement lorsqu'elle fait appel à un antibiotique à large spectre, mais aussi la grossesse, le diabète non maîtrisé et l'obésité. Le régime alimentaire riche en sucre raffiné ou en édulcorants artificiels, la corticothérapie et l'hormonothérapie ainsi que l'immunosuppression sont également des facteurs prédisposants à l'infection. Le port de vêtements serrés et les sous-vêtements et collants faits d'une matière non absorbante et synthétique créent un environnement propice à l'éclosion d'une mycose vaginale par la rétention d'humidité aux organes génitaux.

Le prurit vulvaire, qui s'étend parfois au vagin, constitue le principal symptôme de l'infection à levures. La démangeaison peut être à peine perceptible comme elle peut devenir intense et perturber le repos et les activités ; elle peut surgir durant ou après les rapports sexuels. Une sensation de sécheresse est présente dans certains cas. Dans d'autres, ce sera la miction douloureuse au moment où l'urine s'écoule le long de la vulve, en raison habituellement de l'excoriation produite par le grattage. Les pertes sont épaisses, blanches, grumeleuses et ont l'apparence du fromage cottage. Elles peuvent s'agglutiner sur les parois vaginales, le col de l'utérus et les lèvres. En règle générale, non seulement la vulve, mais également les commissures labiales, le vagin et le col de l'utérus sont rouges et enflés. Bien que la mycose ne se distingue pas par une odeur particulière, une odeur de levure ou de moisi se fait parfois sentir.

Examen clinique et examens paracliniques

L'anamnèse permet non seulement de relever les symptômes, leur apparition et leur évolution, mais également de cerner les facteurs prédisposants.

L'examen physique doit comprendre l'examen de la vulve et du vagin à l'aide du spéculum. Habituellement, le médecin prescrit l'examen de frottis.

SOINS ET TRAITEMENTS INFIRMIERS

Candidose vulvovaginale

Bon nombre de préparations antifongiques destinées au traitement de l'infection à *C. albicans* sont offertes sur le marché. Il y a indication de traiter seulement les femmes qui sont symptomatiques. Les lignes directrices canadiennes recommandent les médicaments offerts en vente libre, dont les ovules ou les crèmes intravaginaux à base d'azoles, ou les médicaments P.O. en dose unique chez la femme dont la candidose vulvovaginale est sans complication (ASPC, 2010a). Le traitement de la candidose récurrente est plus spécifique; parfois, l'acide borique intravaginal et la nystatine s'avèrent efficaces pour un traitement d'entretien ou pour une candidose causée par une espèce non *albicans* ou si les symptômes sont récurrents. Le fluconazole et l'acide borique sont contre-indiqués chez la femme enceinte. Les lactobacilles (produits laitiers comme le yogourt, la poudre, les comprimés, les capsules ou les suppositoires) et l'ail auraient une certaine efficacité dans la prévention et le traitement de la candidose vulvovaginale, quoique la recherche sur ce sujet ne soit pas concluante et que les lignes directrices de pratique clinique ne recommandent rien à ce propos (Eckert & Lentz, 2007a). Lorsque la femme soupçonne la présence d'une infection à levures, elle devrait consulter un médecin qui confirmera le diagnostic et qui prescrira le traitement. Par la suite, si elle est de nouveau aux prises avec une mycose, elle pourra sans doute prendre en charge l'infection en consultant un pharmacien ou se procurer un médicament offert en vente libre indiqué dans ce cas. Elle devrait cependant savoir qu'après quelques récurrences, ou si l'infection est chronique, il vaut mieux consulter le médecin de nouveau. Lorsque les pertes vaginales sont particulièrement épaisses et abondantes, le débridement à l'aide d'un coton-tige avant l'application de la préparation vaginale s'avère utile.

Lorsque les lèvres et la vulve sont très irritées et enflées, causant une gêne omniprésente, le bain de siège peut apporter un certain bien-être en diminuant l'inflammation, encore plus si l'on mélange de la poudre Aveeno[MD] avec l'eau. S'abstenir de porter des sous-vêtements pendant le sommeil peut contribuer également à atténuer les symptômes et à prévenir la récurrence. Il est essentiel de se conformer aux modalités du traitement pour éradiquer le microorganisme pathogène; le traitement se poursuit durant la période de menstruation. Le tampon est à proscrire dans cette période parce qu'il absorbera la crème ou le gel médicamenté. Il est recommandé de ne pas avoir de relations sexuelles durant le traitement dans la mesure du possible; si l'abstinence sexuelle est impossible, le partenaire devrait porter un condom pour empêcher la transmission de la mycose. En effet, les partenaires sexuels présentent parfois des manifestations ou des symptômes de l'infection (démangeaison, petites ulcérations, desquamation particulièrement sur le gland) à la suite de relations sexuelles avec une femme atteinte de candidose vulvovaginale. L'indication d'utiliser le condom est justifiée; cependant, les ovules et certaines crèmes à base d'huile peuvent nuire à l'efficacité de celui-ci et du diaphragme **ENCADRÉ 3.10**.

Guide d'enseignement

ENCADRÉ 3.10 Prévention de l'infection génitale

- Adoptez des mesures d'hygiène génitale.
- Optez pour des sous-vêtements et des collants dont l'entrejambe est en coton.
- Évitez de porter des pantalons serrés (en particulier le jeans serré).
- Privilégiez le recouvrement de tissu au recouvrement de vinyle pour les sièges d'automobile.
- Ne portez pas trop longtemps des sous-vêtements humides (maillot de bain, léotard, collant ou cuissard).
- Évitez l'utilisation de sels ou de produits moussants pour le bain.
- Bannissez le papier hygiénique coloré ou parfumé.
- Demandez au partenaire d'utiliser le condom.
- Urinez avant et après le rapport sexuel.
- Diminuez la consommation de sucre.
- Bannissez la douche vaginale et le désodorisant aérosol féminin.

Trichomonase

La trichomonase est due au protozoaire *Trichomonas vaginalis*. Le mode de transmission est principalement sexuel. Les lignes directrices canadiennes mentionnent que la trichomonase est associée à un risque accru d'acquisition et de transmission du VIH chez la femme (ASPC, 2010a).

Malgré que l'infection à *T. vaginalis* puisse être asymptomatique, les pertes vaginales jaunes, beiges, écumeuses et abondantes sont courantes. L'inflammation vulvaire, vaginale ou vulvovaginale peut être présente, de même que l'irritation et le prurit. La dysurie et la dyspareunie font souvent partie du tableau clinique. En règle générale, les pertes vaginales s'accroissent durant et après les règles. Le col de l'utérus et les parois vaginales sont marqués de minuscules pétéchies dans moins de 10 % des cas, et le col peut saigner au contact. Quand l'infection est grave, la vaginite et la cervicite (parfois la vulvite également) s'intensifient. Par contre, l'infection est asymptomatique dans 10 à 50 % des cas (ASPC, 2010a).

RAPPELEZ-VOUS...

Dans la prévention des infections, les pratiques de base tiennent compte du risque de transmission par contact avec des clients asymptomatiques et avec des éléments contaminés de l'environnement. Elles s'appliquent en tout temps, à tous les clients et à toutes les techniques de travail.

Examen clinique et examens paracliniques

Il importe de relever les symptômes actuels et les antécédents sexuels, de déterminer si la cliente a présenté des symptômes semblables par le passé et, le cas échéant, la nature du traitement de ces symptômes et de savoir si son ou ses partenaires ont été traités et si elle a eu des relations sexuelles par la suite avec d'autres partenaires.

L'examen vaginal à l'aide d'un spéculum est de mise même si cela est désagréable pour la cliente. L'examen physique mettra au jour les signes classiques. Le protozoaire flagellé est nettement visible à l'examen du frottis salin à l'état frais. Étant donné que la trichomonase est une ITS, il est indiqué de procéder au dépistage d'autres ITS une fois que le diagnostic est confirmé.

SOINS ET TRAITEMENTS INFIRMIERS

Trichomonase

Le métronidazole, à raison de une seule dose de 2 g P.O., est le traitement indiqué, ou le metronidazole 500 mg P.O. deux fois par jour pendant sept jours ; il est aussi recommandé de ne pas consommer d'alcool tout au long du traitement et jusqu'à 24 heures après la fin de celui-ci (ASPC, 2010a). Même si le partenaire est habituellement asymptomatique, il devrait être traité de la même façon que la femme, parce qu'il est porteur du microorganisme qui réside dans l'urètre ou la prostate. L'infirmière insiste sur l'importance de traiter le partenaire. Si tel n'était pas le cas, l'infection resurgirait fort probablement. Dans certaines régions du Canada, la trichomonase est une maladie à déclaration obligatoire aux départements de santé publique (ASPC, 2010a), mais pas au Québec.

La femme affligée d'une trichomonase doit connaître le mode de transmission sexuel de l'infection et savoir que le microorganisme peut être présent sans que des symptômes se manifestent, et ce, durant plusieurs mois, et qu'il est impossible de déterminer le moment précis où elle a été infectée.

Streptocoque de groupe B

Le streptocoque de groupe B fait partie de la flore vaginale normale de la femme qui n'est pas enceinte, et il n'y a pas lieu de la traiter. En revanche, sa présence durant la grossesse est préoccupante en raison du risque accru d'accouchement prématuré et de transmission au nouveau-né ▶ 24.

24

Le traitement et les complications possibles du streptocoque de groupe B en période néonatale sont abordés dans le chapitre 24, *Nouveau-né à risque*.

3.2.5 Prévention chez les professionnels de la santé

La prévention des infections est essentielle afin de protéger les professionnels de la santé et de prévenir les infections nosocomiales, quel que soit le microorganisme pathogène. Le risque de transmission au travail varie selon l'infection. Même si le risque est faible, comme c'est le cas avec le VIH, le fait qu'il y en ait un justifie l'adoption de précautions raisonnables. Tous les organismes de santé mettent en place des mesures de prévention de la contamination d'origine aérienne. Les antécédents médicaux et l'examen médical ne permettent pas de détecter avec fiabilité la présence du VIH ou d'autres microorganismes pathogènes transmissibles par le sang. C'est pourquoi les précautions courantes s'appliquent dans la prestation des soins en ce qui a trait au sang, aux liquides organiques, aux sécrétions et aux *excreta* (à l'exception de la sueur), à la peau non intacte et aux membranes muqueuses.

3.3 Problèmes mammaires

3.3.1 Problèmes bénins

Lésions fibrokystiques

Au cours de leur vie adulte, près de 50 % des femmes seront aux prises avec un problème mammaire. Les anomalies fibrokystiques constituent le problème mammaire bénin le plus courant. Ces anomalies se produisent à divers degrés chez des femmes en bonne santé. Leur étiologie est toujours inconnue. Une hypothèse veut qu'un excès œstrogénique et un déficit progestatif durant la phase lutéale du cycle menstruel soient à l'origine de ces anomalies.

Les **lésions fibrokystiques** se présentent sous la forme d'une masse sensible ou non au toucher, dans les deux seins (Valea & Katz, 2007). Il peut s'agir d'un kyste isolé également. Habituellement, les symptômes, à savoir une douleur sourde avec une sensation de lourdeur et de plénitude et une sensibilité au quadrant supérieur externe des seins, apparaissent une semaine avant le déclenchement des règles et disparaissent une semaine après la fin de celles-ci. L'examen physique peut révéler une masse de nodules, donnant l'impression d'une « assiette de petit pois ». Le kyste plus imposant laisse plutôt l'impression d'un ballon rempli d'eau. C'est la femme dans la vingtaine pour qui la douleur est la plus vive. La femme dans la trentaine éprouvera de la douleur et de la sensibilité au toucher dans la période prémenstruelle, et les nodules seront nombreux et de petite taille. La femme dans la quarantaine est généralement épargnée de la douleur intense même si les kystes restent sensibles à la palpation ; leur taille régresse avec le temps (Crochetiere, 2005).

L'évaluation de la masse mammaire peut commencer par l'échographie afin de savoir si elle est remplie de liquide ou si elle est formée d'une masse pleine. L'aspiration est indiquée en présence d'un kyste rempli de liquide. Par la suite, la femme est soumise à une surveillance périodique afin de détecter l'apparition d'autres kystes. En présence d'une masse pleine, la mammographie peut être pratiquée. Quel que soit son âge, la femme subira une cytoponction (ou biopsie à l'aiguille fine) qui consiste à aspirer du liquide ou des cellules pour déterminer la nature de la masse. Une biopsie au trocart suivra dans certains cas afin de prélever suffisamment de tissu en prévision de l'examen histopathologique (Société canadienne du cancer, 2011a ; Valea & Katz, 2007).

La prise en charge est fonction de la gravité des symptômes. Il peut s'agir de modifier le régime alimentaire et de le suppléer par un apport vitaminique. Bien que la recherche sur ce sujet ne soit pas unanime, la diminution, voire l'interruption de la consommation de méthylxanthines (p. ex., le cola, le café, le thé, le chocolat) et du tabagisme est préconisée (Valea & Katz, 2007).

De telles mesures, ainsi que l'apport en vitamine E et la diminution de celui en sel peu après la période de menstruation, peuvent atténuer les symptômes. Par ailleurs, la prise d'un analgésique ou d'un AINS, le port d'un soutien-gorge ferme et l'application de chaleur ou de froid sur les seins sont des moyens de soulager la douleur. La consommation d'huile d'onagre sera utile dans certains cas, malgré l'absence de résultats probants à cet égard (Pruthi *et al.*, 2010). Les contraceptifs oraux, le danazol, la bromocriptine et le tamoxifène sont, quant à eux, d'efficacité variable (Valea & Katz, 2007).

L'exérèse chirurgicale des nodules ne se pratique qu'en de rares cas. Si les nodules sont nombreux, les incisions devront être multiples, et l'intervention, longue et complexe, n'offre pas de garantie que d'autres nodules ne se formeront pas.

Fibroadénome

La tumeur mammaire bénigne la plus courante après la tumeur fibrokystique est le **fibroadénome**. C'est la tumeur isolée la plus fréquente à l'adolescence, quoiqu'elle puisse se former chez la femme dans la trentaine. Le fibroadénome est discret, habituellement solitaire, et il fait moins de 3 cm de diamètre (Valea & Katz, 2007). À l'occasion, il peut être sensible à la palpation durant le cycle menstruel. Sa taille augmente durant la grossesse, alors qu'elle diminue avec l'âge. Son étiologie est inconnue.

Le diagnostic repose sur l'anamnèse et sur l'examen physique. La mammographie, l'échographie ou l'imagerie par résonance magnétique (IRM) sont utiles pour déterminer la cause de la tumeur. La cytoponction permet de cerner la maladie sous-jacente, le cas échéant. Si la tumeur est suspecte ou si les symptômes sont graves, l'excision chirurgicale peut s'avérer nécessaire. Lorsque l'intervention chirurgicale n'est pas indiquée, l'observation périodique de la tumeur par l'examen physique ou la mammographie constitue l'essentiel de la prise en charge. La femme peut examiner elle-même ses seins en effectuant l'autoexamen des seins (AES) entre les consultations professionnelles ▶ 2.

2

Les recommandations à propos de l'AES sont décrites dans le chapitre 2, Évaluation clinique et promotion de la santé.

Écoulement mamelonnaire

L'écoulement mamelonnaire est fréquent. Bien qu'il soit de nature physiologique dans la plupart des cas, l'évaluation approfondie s'impose tout de même étant donné qu'il peut traduire un trouble endocrinien important ou une tumeur maligne dans une petite proportion des cas.

Autre forme d'écoulement mamelonnaire bénin, la galactorrhée, un écoulement laiteux et visqueux, bilatéral et spontané, est un phénomène normal durant la grossesse. Elle peut découler de l'élévation du taux de prolactine provoquée par un trouble thyroïdien, une tumeur hypophysaire ou une intervention chirurgicale ou un trauma thoracique. Établir le profil pharmacologique de la cliente se révèle essentiel. Certains médicaments (p. ex., les antidépresseurs tricycliques), des analgésiques opioïdes, des antihypertenseurs et des contraceptifs oraux peuvent entraîner une galactorrhée (Lobo, 2007c).

Au chapitre des examens paracliniques à effectuer figurent la prolactinémie, l'examen microscopique d'un prélèvement de l'écoulement de chacun des seins, l'examen de la fonction thyroïdienne, le test de grossesse et la mammographie (Lobo, 2007c).

L'ectasie mammaire, qui consiste en l'inflammation des canaux des glandes mammaires sous le mamelon, survient le plus souvent à la périménopause. L'écoulement mamelonnaire est épais, visqueux et blanc, brun, vert ou mauve. La douleur cuisante, la démangeaison ou la présence d'une masse palpable sous le mamelon sont courantes. L'évaluation passe par la mammographie, l'aspiration et la culture de l'écoulement. Habituellement, le traitement est symptomatique : analgésie légère, application de compresses chaudes sur le sein ou port d'un soutien-gorge ferme. En présence d'une masse ou d'un abcès, le traitement comprendra l'excision locale du ou des canaux enflammés. Il est important de conseiller à la cliente de poursuivre son allaitement, le cas échéant, même durant le traitement (Mercier, Fortin & Santerre, 2010).

Papillome intracanalaire

Le papillome intracanalaire est une tumeur bénigne rare, d'étiologie inconnue, qui se forme dans la partie terminale des canaux émergeant dans la zone

Les recommandations de la Société canadienne du cancer concernant le dépistage du cancer du sein chez les femmes ne présentant pas de symptômes sont décrites dans le tableau 3.2W, au www.cheneliere.ca/lowdermilk.

aréolaire. En général, il survient chez la femme âgée de 30 à 50 ans. La tumeur est trop petite pour être palpable, et elle se caractérise par un écoulement mamelonnaire séreux, sanguignolent ou sanglant. Après avoir écarté la possibilité d'une tumeur maligne, on procède à l'excision chirurgicale des parties touchées des canaux et des seins (Valea & Katz, 2007).

Le **TABLEAU 3.3** compare les tumeurs mammaires bénignes sous l'angle de leurs manifestations.

TABLEAU 3.3 Comparaison des tumeurs mammaires bénignes sous l'angle de leurs manifestations

LÉSIONS FIBROKYSTIQUES	FIBROADÉNOME	ECTASIE MAMMAIRE	PAPILLOME INTRACANALAIRE
Plusieurs masses	Masse isolée	Masse sous le mamelon	Simple ou multiple
Nodulaires	Circonscrite	Contour flou	Contour flou
Palpables	Palpable	Palpable	Non palpable
Mobiles	Mobile	Immobile	Immobile
Rondes, lisses	Ronde, lobulaire	Irrégulière	Petite, en forme de ballon
Fermes ou molles	Ferme	Ferme	Ferme ou molle
Sensibilité variable au long du cycle menstruel	Habituellement asymptomatique	Douloureuse, sensation de brûlure, démangeaison	Habituellement insensible
Bilatérales	Unilatérale	Unilatérale	Unilatérale
Présence ou absence d'écoulement mamelonnaire	Pas d'écoulement mamelonnaire	Écoulement mamelonnaire épais et poisseux	Écoulement mamelonnaire séreux ou sanglant

SOINS ET TRAITEMENTS INFIRMIERS

Problèmes mammaires bénins

L'AES et les données à recueillir sont décrits dans l'annexe 3.1W, présentée au www.cheneliere.ca/lowdermilk.

L'anamnèse est centrée sur le relevé des facteurs de risque de maladie mammaire, sur les aspects relatifs à la grosseur et sur les pratiques de promotion de la santé. Les facteurs de risque de cancer du sein sont abordés plus loin dans ce chapitre. Il est également essentiel de savoir si la douleur est présente, si les symptômes s'intensifient au moment des règles, si la cliente fait usage d'un contraceptif oral ou si elle fume, ce qu'elle mange et boit. Il importe en outre que l'infirmière évalue son état émotionnel, notamment son degré de stress, ses craintes et ses préoccupations, ainsi que ses stratégies d'adaptation au stress. La symétrie des seins, les caractéristiques des masses (taille, nombre, consistance et mobilité) et la présence d'écoulement mamelonnaire sont évalués à l'examen physique. L'infirmière discute également de la périodicité et des aspects de l'examen mammaire, y compris l'examen physique et la mammographie. Si la femme porte des prothèses mammaires, il sera sans doute nécessaire d'adapter la visualisation et de prendre certaines précautions afin de ne pas les rompre à la mammographie.

L'infirmière doit également favoriser l'expression verbale des craintes et des préoccupations à propos du traitement et du pronostic, répondre aux préoccupations de la cliente quant au traitement proposé, notamment les particularités du régime alimentaire, la pharmacothérapie, les mesures de soutien, la gestion du stress et la chirurgie. Elle enseigne la technique d'AES à la femme qui désire la mettre en pratique. L'infirmière décrit également de façon approfondie les stratégies de gestion de la douleur et évalue la maîtrise réelle de celle-ci en plus de favoriser la discussion sur les sentiments à propos de l'image corporelle. Finalement, elle dirige la cliente vers un groupe d'entraide ou une ressource de gestion du stress, le cas échéant, afin qu'elle s'adapte aux répercussions à long terme de son problème mammaire bénin.

3.3.2 Cancer du sein

Au Canada, le cancer du sein est l'un des types de cancer les plus fréquents chez les femmes. Selon l'ASPC, plus de 22 000 femmes contractent un cancer du sein chaque année, et près de 5 000 en meurent; on estime aussi qu'une Canadienne sur neuf est susceptible d'avoir cette forme de cancer au cours de sa vie (ASPC, 2010b). Aucune méthode de prévention précise n'a encore été proposée. La détection au stade précoce améliore le pronostic et la survie, d'où l'importance de la sensibilisation sur les facteurs de risque, le dépistage et la détection précoce.

Bien que l'étiologie exacte du cancer du sein ne soit pas élucidée, des chercheurs ont cerné des facteurs qui accroissent le risque de tumeur maligne; ces facteurs paraissent dans l'**ENCADRÉ 3.11**. L'âge constitue le plus important indicateur prévisionnel de cancer du sein; en effet, le risque augmente avec l'âge.

Le lien possible entre l'hormonothérapie et le cancer du sein fait l'objet d'un débat acharné depuis un certain temps déjà; plusieurs études de grande envergure, dont le projet de recherche *Women's Health Initiative*, constatent que le risque de cancer du sein augmente lorsque la femme est soumise au traitement œstroprogestatif (Rossouw *et al.*, 2002). Toutefois, le lien entre l'hormonothérapie et le cancer du sein n'est pas encore prouvé (Valea & Katz, 2007).

Les études entreprises sous l'égide du National Cancer Institute pour examiner l'évolution de l'état de santé à long terme des femmes porteuses de prothèses mammaires concluent que la prothèse mammaire en silicone ne hausse pas le risque de cancer du sein (Deapen, 2007 ; Nelson, 2000).

Bien que la plupart des cancers du sein ne soient pas liés à des facteurs génétiques, la découverte des gènes BRCA1 et BRCA2 illustre la place de l'hérédité et des mutations génétiques dans l'apparition de cette maladie. Le cancer du sein est héréditaire dans une proportion allant de 5 à 10 % des cas seulement. La présence d'anomalies des gènes BRCA1 et BRCA2 fait grimper le risque jusqu'à 80 % (ACS, 2009a, 2009b). Parmi les autres mutations prédisposant au cancer du sein figurent les mutations du gène ATM, du gène suppresseur de tumeurs p53, du gène PTEN et du gène CHEK2 (ACS, 2009a, 2009b).

Bien que les facteurs de risque ne soient pas les seuls aspects d'importance en pratique clinique, il y a lieu de soumettre les femmes à risque au dépistage périodique et de leur proposer de modifier les facteurs de risque susceptibles de l'être, notamment l'obésité et la consommation d'alcool (ACS, 2009b).

Prévention

La prévention consiste à entreprendre des démarches pour diminuer les risques de cancer. La Société canadienne du cancer (2011b) recommande de suivre les lignes directrices sur le dépistage du cancer, de limiter sa consommation d'alcool, d'être active et de maintenir un poids santé, de discuter avec son médecin des bienfaits et des risques de l'hormonothérapie substitutive, de ne pas fumer et d'éviter d'être exposée à la fumée secondaire. Pour les femmes à risque élevé, les stratégies de prévention peuvent inclure la chimioprévention, la mastectomie et l'ovariectomie prophylactiques. La chimioprévention consiste en l'utilisation de médicaments afin de prévenir l'apparition de la maladie ou de réduire le risque. Le tamoxifène et le raloxifène contrecarrent les effets des œstrogènes sur les tissus mammaires. Des études démontrent que ces deux médicaments peuvent réduire le risque de cancer du sein (Freedman *et al.*, 2011 ; Heidi *et al.*, 2009).

La chirurgie prophylactique (mastectomie bilatérale, ovariectomie) peut elle aussi réduire le risque de cancer du sein, mais elle devrait être réservée à la femme qui présente un risque très élevé (ACS, 2009a ; Société canadienne du cancer, 2011c). De plus, certains choix de vie peuvent constituer des facteurs de protection du cancer du sein, tels que l'allaitement maternel et la grossesse, en particulier à un jeune âge (avant l'âge de 30 ans).

ENCADRÉ 3.11 — Facteurs de risque de cancer du sein[a]

FACTEURS DE RISQUE INVARIABLES

- Âge (50 ans ou plus)
- Antécédents de cancer du sein
- Antécédents familiaux de cancer du sein, particulièrement une mère ou une sœur (d'autant plus important s'il se manifeste avant la ménopause)
- Mutations génétiques des gènes BRCA1 et BRCA2
- Antécédents de cancer ovarien, de cancer endométrial, de cancer du côlon ou de cancer thyroïdien
- Haute densité du tissu mammaire
- Apparition hâtive des premières règles (avant l'âge de 12 ans)
- Ménopause tardive (après 55 ans)
- Antécédents d'hyperplasie épithéliale mammaire bénigne
- Origine ethnique (incidence la plus grande chez les femmes blanches)

MODE DE VIE ET FACTEURS DE RISQUE MODIFIABLES

- Nulliparité ou première grossesse après 30 ans
- Hormonothérapie substitutive (œstroprogestative)
- Obésité après la ménopause
- Consommation d'alcool : plus de un verre par jour
- Mode de vie sédentaire

[a] La probabilité de survenue du cancer du sein s'accroît avec le nombre de facteurs de risque présents chez une même femme.

Sources : Adapté de ACS (2009a, 2009b).

Examen clinique et examens paracliniques

Au Canada, des mesures systématiques de dépistage du cancer du sein constituent une initiative visant à la détection précoce en l'absence de symptômes (ASPC, 2009). L'examen clinique par un professionnel de la santé et la mammographie de dépistage sont utiles dans la détection précoce du cancer du sein **FIGURE 3.8**.

Les mammographies de dépistage effectuées dans les centres désignés du *Programme québécois de dépistage du cancer du sein* sont gratuites (MSSS, 2011a). Il s'agit d'une radiographie des seins qui permet la détection de masses de petite taille, dont certaines sont souvent non palpables. Les statistiques montrent que 90 % des masses sont détectées par les femmes elles-mêmes. Seulement de 20 à 25 % de ces tumeurs sont malignes. Plus de la moitié des masses sont situées dans le quadrant supérieur externe du sein. Le symptôme le plus

Les considérations éthiques liées au dépistage du cancer du sein sont décrites à l'encadré 3.1W, présenté au www.cheneliere.ca/lowdermilk.

La physiopathologie et les manifestations cliniques, de même que les interventions infirmières auprès d'une personne atteinte du cancer du sein sont traitées de façon exhaustive dans le tome 3 de Lewis, S.L., Dirksen, S.R., *et al.* (2011). *Soins infirmiers : médecine chirurgie*. Montréal : Chenelière Éducation.

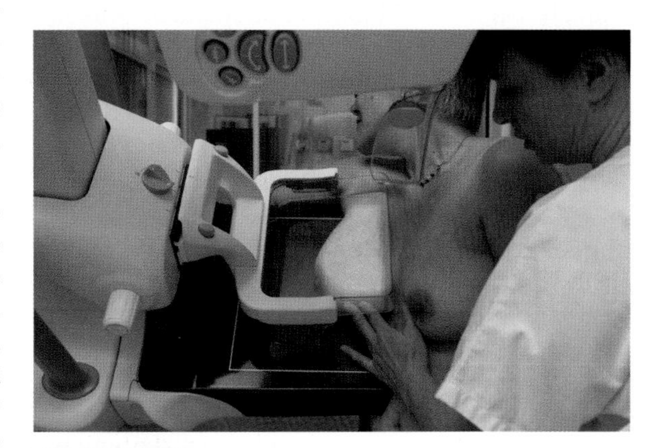

FIGURE 3.8
Mammographie

courant est un nodule ou un épaississement localisé du sein. Le nodule peut être ferme et fixe ou mou et spongieux, d'un contour précis ou irrégulier. S'il est attaché à la peau, il donnera lieu à du capitonnage. Il peut y avoir également un écoulement de liquide clair ou sanguinolent par le mamelon.

La détection au stade précoce et le traitement hâtif abaissent le risque de mortalité du fait que le cancer se limite à une zone réduite et que la proportion des nodules a tendance à être faible. Il faut toutefois savoir que divers facteurs peuvent influer sur la décision de la femme de se soumettre au dépistage du cancer du sein. L'infirmière doit explorer ces facteurs (p. ex., ses croyances, ses valeurs, la désinformation) et faciliter la discussion pour être en mesure d'aider la cliente à surmonter les obstacles qui l'empêchent d'obtenir des soins.

Lorsqu'une anomalie suspecte est décelée à la mammographie ou qu'une masse est détectée, la cytoponction, la biopsie au trocart ou la biopsie chirurgicale viendra confirmer le diagnostic (Société canadienne du cancer, 2011a) **FIGURE 3.9**. L'échographie peut être utile dans l'évaluation d'une anomalie localisée visible à la mammographie (ACS, 2009b). Il est essentiel d'offrir de l'information précise sur les avantages et les inconvénients de ces interventions afin que la cliente soit en mesure de choisir de façon éclairée l'intervention la plus appropriée dans son cas (MSSS, 2011b).

L'examen histopathologique révélera la présence de cellules cancéreuses et l'étendue de la maladie, le cas échéant. L'un ou l'autre des examens suivants permettra de savoir si la maladie s'est répandue: radiographie pulmonaire, scintigraphie osseuse, tomodensitométrie, IRM et tomographie par émission de positons (ACS, 2009a).

Dans l'évaluation du cancer du sein, il importe de savoir si des récepteurs des œstrogènes ou des récepteurs de la progestérone sont présents sur les cellules cancéreuses. Il se peut que seuls des récepteurs œstrogéniques ou seuls des récepteurs progestatifs soient présents ou qu'il n'y en ait pas du tout. Lorsque la tumeur contient des récepteurs hormonaux, le cancer est dit hormonodépendant soit aux œstrogènes, soit à la progestérone, selon la nature des récepteurs. Si le cancer est hormonodépendant, la réponse thérapeutique s'avère meilleure, et la survie est plus longue en général que dans les autres cas de cancer du sein (ACS, 2009a).

À l'examen du prélèvement effectué à la biopsie, on peut également rechercher le gène HER2/neu. Ce protooncogène, qui favorise une croissance cellulaire rapide, est présent en quantité excessive dans près de 50 % des cancers. Les cancers positifs au HER2/neu sont plus dévastateurs par rapport aux autres formes de cancer, et ils sont moins sensibles aux traitements de chimiothérapie ou hormonaux. Le dépistage de HER2/neu permet de déterminer une stratégie thérapeutique mieux ciblée, donc plus efficace (ACS, 2009a).

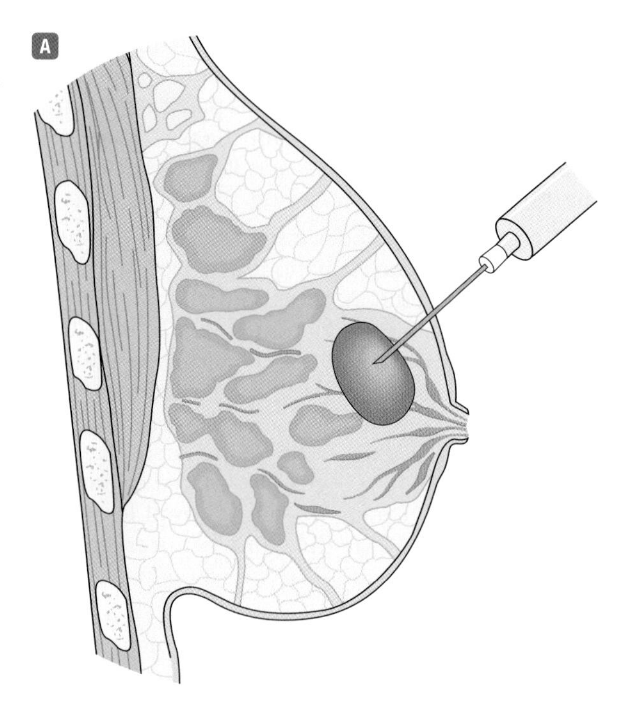

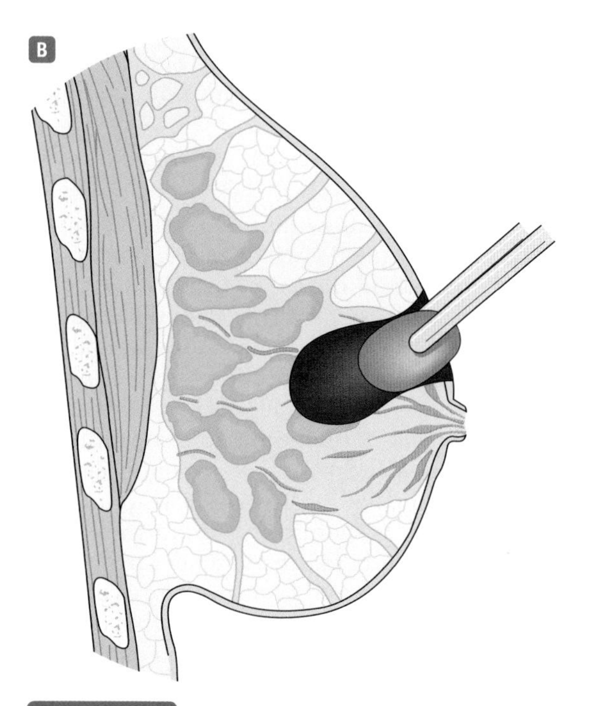

FIGURE 3.9
Diagnostic. A Cytoponction ou biopsie à l'aiguille fine. B Biopsie chirurgicale.

Traitement médical

Le traitement optimal du cancer du sein est toujours l'objet d'une controverse. L'extension ganglionnaire, la taille de la tumeur, la présence de récepteurs hormonaux et le caractère fulgurant de la maladie sont des aspects à prendre en considération dans le choix du traitement. Devant les diverses options

ENCADRÉ 3.12 **Aspects à considérer avant de prendre une décision**

1. De quel type de cancer s'agit-il (envahissant ou non envahissant)?
2. À quel stade en est le cancer (à quel point s'est-il répandu)?
3. Le cancer est-il hormonodépendant (de croissance plus lente peut-être)?
4. Quels sont les autres tests recommandés?
5. Quelles sont les options thérapeutiques, leurs avantages et désavantages, les effets indésirables?
6. Quel genre de cicatrice laissera la chirurgie, le cas échéant?
7. En cas de mastectomie, la reconstruction mammaire est-elle possible (au moment de l'intervention ou par la suite)?
8. Quelle est la durée du séjour hospitalier? Quels seront les soins postopératoires nécessaires?
9. En cas de radiothérapie ou de chimiothérapie, quelle sera la durée du traitement? Quels en sont les effets escomptés?
10. Quelles sont les ressources de soutien communautaires offertes?

Source: Adapté de ACS (2009c).

thérapeutiques, la décision peut être difficile. L'**ENCADRÉ 3.12** énumère des aspects à considérer avant de prendre cette décision. La plupart des médecins recommandent la **tumorectomie** ainsi que la dissection des ganglions lymphatiques axillaires, particulièrement l'exérèse du ganglion sentinelle aux fins de stadification (DiSaia & Creasman, 2007). Le traitement est soit classique, soit radical. Les interventions chirurgicales recommandées dans la plupart des cas sont la tumorectomie et la **mastectomie radicale modifiée**. La chirurgie classique, comme la tumorectomie ou la quadrantectomie consiste en l'ablation de la tumeur et des tissus avoisinants **FIGURES 3.10A** et **3.10B**. Le prélèvement ganglionnaire aux fins d'examen est habituellement effectué au moment de l'intervention chirurgicale, et la radiothérapie succède à la chirurgie à titre de traitement complémentaire (DiSaia & Creasman, 2007). Ces interventions représentent le traitement primaire du cancer de stade précoce (I ou II). La survie après la tumorectomie équivaut à celle que procure la mastectomie radicale modifiée (DiSaia & Creasman, 2007).

La mastectomie simple **FIGURE 3.10C** consiste en l'ablation du sein où siège la tumeur, tandis que la mastectomie radicale modifiée désigne l'ablation du sein avec la peau et l'aponévrose du grand pectoral et la dissection axillaire. La **mastectomie totale élargie**, rarement exécutée, consiste en l'ablation de la glande mammaire, des muscles grand et petit pectoraux et de tous les groupes ganglionnaires axillaires **FIGURE 3.10D**. Après la chirurgie, le traitement se poursuit par l'irradiation, la chimiothérapie ou l'hormonothérapie (ACS, 2009a). La nécessité du traitement subséquent est déterminée d'après le stade de la maladie, l'âge de la femme, l'absence ou non de ménopause, les préférences de la cliente et la présence de récepteurs hormonaux. Ce traitement a pour but de réduire le risque de récidive en l'absence de métastases.

En règle générale, la radiothérapie consécutive à la chirurgie est recommandée dans les cas de cancer de stade I ou II. Le traitement hormonal au tamoxifène est recommandé pour son action œstrogénique chez la femme âgée de plus de 50 ans

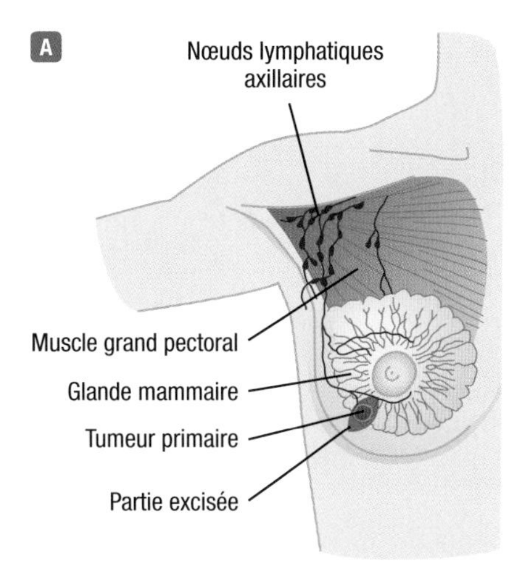

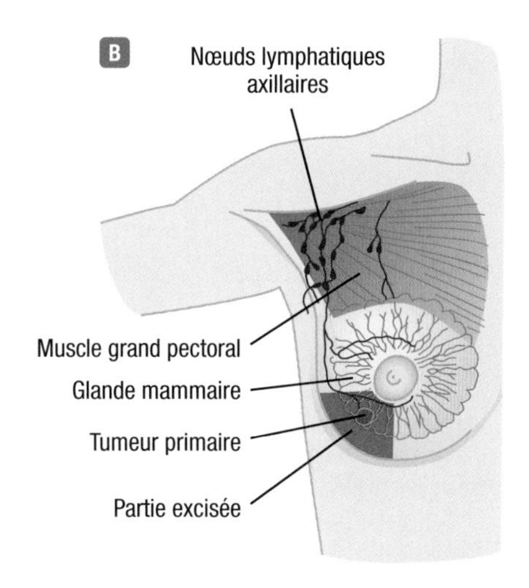

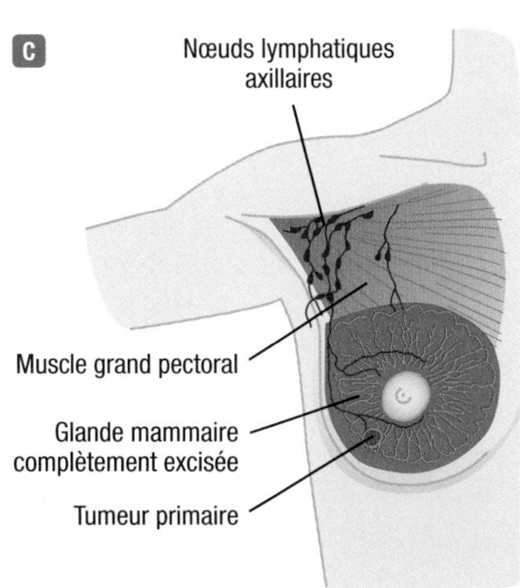

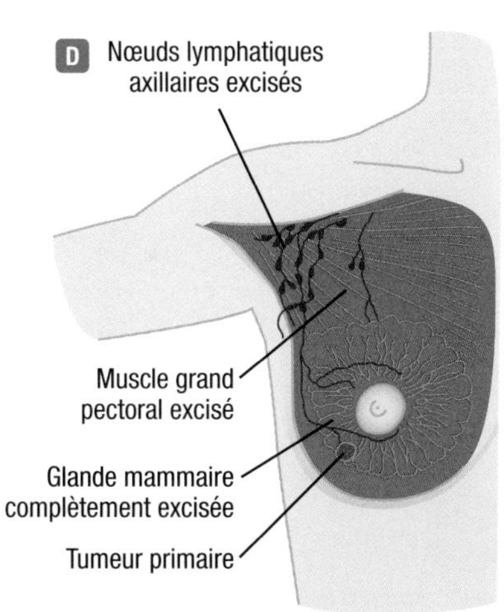

FIGURE 3.10

Traitements chirurgicaux du cancer du sein. **A** Tumorectomie (chirurgie mammaire classique). **B** Quadrantectomie (exérèse segmentaire). **C** Mastectomie totale (simple). **D** Mastectomie radicale.

durant au moins 5 ans (DiSaia & Creasman, 2007) **TABLEAU 3.4**. La chimiothérapie est proposée à la femme non ménopausée dont le cancer a envahi les ganglions lymphatiques. Lorsque la tumeur est à un stade encore plus évolué, le traitement se compose en général de la chirurgie suivie de la chimiothérapie, de la radiothérapie ou de ces deux modalités thérapeutiques (Valea & Katz, 2007).

Pharmacothérapie

TABLEAU 3.4 Traitement hormonal

ACTION	INDICATION	POSOLOGIE ET VOIE D'ADMINISTRATION	EFFETS INDÉSIRABLES	CONSIDÉRATIONS INFIRMIÈRES
Tamoxifène (Nolvadex[MD])				
Activité anti-œstrogènes, se fixe aux récepteurs hormonaux à la surface des cellules cancéreuses empêchant ainsi les hormones sécrétées naturellement de se lier aux récepteurs.	• Traitement adjuvant du cancer du sein au stade précoce chez les femmes présentant des récepteurs positifs aux œstrogènes, traitement du cancer du sein hormonosensible localement avancé ou métastatique • Utilisation en prévention non approuvée au Canada	De 20 à 40 mg par jour en administration P.O. La dose supérieure à 20 mg est fractionnée en deux prises (matin et soir).	• Effets indésirables courants : – Bouffées de chaleur – Nausées – Vomissements – Saignement ou écoulement vaginal – Irrégularité menstruelle – Rash • Effet indésirable rare : chute des cheveux • Effets indésirables graves : – Thrombose veineuse profonde – Risque accru de cancer de l'endomètre – Accident vasculaire cérébral	• Le médicament est administré avec ou sans nourriture. • En cas d'un oubli de dose, prendre le médicament dès que possible ; éviter de doubler la dose en une prise. • Employer une méthode contraceptive, barrière ou non hormonale recommandée chez la femme non ménopausée en raison du potentiel tératogène du tamoxifène.
Raloxifène (Evista[MD])				
Activité modulatrice sélective des récepteurs œstrogéniques, soit agoniste, soit antagoniste.	• Prévention et traitement de l'ostéoporose chez les femmes postménopausées • Réduction du risque de cancer du sein envahissant après la ménopause en présence d'ostéoporose (indication courante, mais non approuvée au Canada) • Réduction du risque de cancer du sein envahissant après la ménopause en présence de risque élevé (indication courante, mais non approuvée au Canada)	60 mg par jour en administration P.O.	• Effets courants : – Bouffées de chaleur – Nausées – Vomissements – Œdème périphérique – Arthralgie – Sudation • Possibilité d'effets indésirables graves ou mettant la vie en péril • Médicament contre-indiqué en présence d'antécédents de thromboembolie veineuse	• Le médicament est administré avec ou sans nourriture. • En cas d'un oubli de dose, il faut prendre le médicament dès que possible ; éviter de doubler la dose en une prise. • En cas de douleur ou de sensation de chaleur aux jambes, d'enflure des mains ou des pieds, de douleur thoracique soudaine ou d'essoufflement ou de changement brusque de la vision, conseiller à la cliente de communiquer avec son médecin. • L'administration concomitante de 1 200 mg de calcium et de 400 à 800 unités internationales de vitamine D est recommandée si l'apport alimentaire quotidien est insuffisant.

Le programme *Belle et bien dans sa peau* de l'Association canadienne des cosmétiques, produits de toilette et parfums offre des conseils et l'accès à des ateliers gratuits, dans l'optique de redonner confiance à la femme atteinte du cancer du sein en s'occupant notamment de la gestion de son apparence. Leur site Internet contient de nombreux renseignements à cet effet : www.lgfb.ca.

SOINS ET TRAITEMENTS INFIRMIERS

Chirurgie mammaire en traitement du cancer du sein

En cas de chirurgie, l'hospitalisation n'est pas forcément nécessaire, cela dépend de la nature de l'intervention chirurgicale. Les soins et l'enseignement infirmiers sont centrés sur la période périopératoire. Avant l'opération, l'infirmière évalue l'état de préparation psychologique de la cliente et ses besoins précis en donnant de l'information sur l'intervention et sur ce à quoi elle doit s'attendre après la chirurgie.

S'il y a lieu, l'infirmière aborde la question de la reconstruction mammaire, de ses risques et de ses avantages, avant la chirurgie. La reconstruction par autogreffe (greffe de tissu musculaire et cutané provenant du dos, de l'abdomen ou des hanches de la cliente) et la prothèse mammaire de gel de silicone ou de solution saline sont les options à ce chapitre (Djohan, Gage et Bernard, 2008 ; U.S. Food and Drug Administration, 2006). La reconstruction mammaire peut s'effectuer au moment de la chirurgie ou par la suite. Il peut y avoir lieu de discuter également de la prothèse externe partielle ou totale, notamment de l'endroit où se les procurer, et des soutiens-gorge adaptés. La section provinciale Soutien/Services de la Société canadienne du cancer et la Fondation canadienne du cancer du sein peuvent être des sources d'information utiles et offrir conseils, trucs et suggestions quant au port de la prothèse.

Les soins infirmiers postopératoires sont axés sur le rétablissement. La cliente qui a subi l'intervention à l'unité de chirurgie d'un jour peut habituellement regagner son domicile quelques heures après l'intervention. La mastectomie radicale modifiée impose généralement un séjour hospitalier de 24 à 48 heures. L'infirmière évite de solliciter le bras du côté opéré (p. ex., pour la prise de la pression artérielle, une injection, un prélèvement sanguin). Si un drain a été posé, l'infirmière devra l'examiner et le vidanger, comme elle devra remplacer le pansement au site d'incision. Si des exercices du bras sont indiqués, il est suggéré de les amorcer le plus tôt possible après l'intervention. Avant son congé, la cliente se voit habituellement remettre des directives d'autogestion. La période d'enseignement est brève, aussi est-il important de transmettre de la documentation que la femme et sa famille pourront consulter à la maison et proposer des ressources à contacter en cas de besoin.

La femme peut être troublée par les modifications de son apparence après la chirurgie. C'est pourquoi elle et son conjoint doivent obtenir de l'information sur ce sujet avant l'intervention. Les deux doivent pouvoir exprimer leurs sentiments, leur inquiétude et leurs préoccupations pour arriver à une certaine acceptation du changement. L'infirmière peut encourager la discussion et leur transmettre de l'information sur les ressources communautaires et les groupes d'entraide.

Analyse d'une situation de santé

Jugement clinique

Madame Nathalie Neil, âgée de 32 ans, essaie de concevoir depuis 13 mois, sans succès. Elle se plaint de douleur abdominale très incommodante à chacune de ses menstruations. Son cycle menstruel est irrégulier : il varie de 28 à 35 jours. Elle commence à être découragée de ne pas devenir enceinte. Le médecin soupçonne que la cliente est atteinte d'endométriose. ▶

MISE EN ŒUVRE DE LA DÉMARCHE DE SOINS

Collecte des données – Évaluation initiale – Analyse et interprétation

1. À quels endroits visibles pourriez-vous observer du tissu endométrial ?
2. Nommez au moins six symptômes à rechercher en lien avec l'endométriose au cours de l'anamnèse de madame Neil.
3. Quel problème infirmier d'ordre psychologique pouvez-vous anticiper chez madame Neil ?

SOLUTIONNAIRE

www.cheneliere.ca/lowdermilk

▶ Il y a deux jours, au cours de son AES mensuel, madame Neil a découvert une bosse dans son sein gauche. Sa mère est décédée du cancer du sein il y a trois ans. Le médecin a demandé que la cliente subisse une mammographie. ◀

MISE EN ŒUVRE DE LA DÉMARCHE DE SOINS

4. Relevez les deux facteurs de risque du cancer du sein présents chez madame Neil.
5. Quelles sont les caractéristiques de la masse au sein gauche de la cliente que vous devez vérifier ?

Planification des interventions – Décisions infirmières

6. Madame Neil vous demande si elle devra subir d'autres examens pour détecter une tumeur au sein. Que devez-vous lui expliquer à ce sujet ?

Évaluation des résultats – Évaluation en cours d'évolution

7. Indiquez deux points à évaluer dans l'état de santé de madame Neil à l'occasion d'une visite ultérieure.

APPLICATION DE LA PENSÉE CRITIQUE

Dans l'application de la démarche de soins auprès de madame Neil, l'infirmière a recours à un ensemble d'éléments (connaissances, expériences antérieures, normes institutionnelles ou protocoles, attitudes professionnelles) pour analyser la situation de santé de la cliente et en comprendre les enjeux. La **FIGURE 3.11** illustre le processus de pensée critique suivi par l'infirmière afin de formuler son jugement clinique. Elle résume les principaux éléments sur lesquels l'infirmière s'appuie en fonction des données de cette cliente, mais elle n'est pas exhaustive.

VERS UN JUGEMENT CLINIQUE

CONNAISSANCES

- Signes et symptômes de l'endométriose
- Localisation anatomique du tissu endométrial
- Conséquences possibles de l'endométriose sur la fertilité
- Facteurs de risque du cancer du sein
- Méthodes diagnostiques du cancer du sein
- Caractéristiques d'une masse au sein
- Différences entre une masse au sein bénigne et maligne
- Méthode d'autoexamen des seins
- Statistiques sur le faible taux de tumeurs malignes découvertes par les femmes au moment de l'autoexamen des seins

EXPÉRIENCES

- Travail auprès de femmes atteintes d'endométriose
- Travail auprès de femmes ayant eu un cancer du sein
- Expérience personnelle d'endométriose
- Expérience personnelle de cancer du sein
- Expérience auprès de femmes ayant un problème d'infertilité

NORME

- Suivi d'une femme ayant une masse au sein

ATTITUDES

- Être à l'écoute des craintes de la cliente devant un problème potentiel d'infertilité
- Être à l'écoute des craintes de la cliente à la suite de la découverte d'une masse à son sein

PENSÉE CRITIQUE

ÉVALUATION

- Signes et symptômes d'endométriose
- Localisation du tissu endométrial au cours de l'inspection des organes génitaux externes
- Préoccupations quant à une infertilité possible
- Caractéristiques de la masse au sein gauche (localisation exacte, dimensions, douleur à la palpation du sein)
- Facteurs de risque de cancer du sein (antécédent familial et nulliparité)

JUGEMENT CLINIQUE

FIGURE 3.11

À retenir

VERSION REPRODUCTIBLE

www.cheneliere.ca/lowdermilk

- Les troubles menstruels altèrent la qualité de vie de la femme et de sa famille.
- Le SPM apparaît à la phase lutéale du cycle menstruel et disparaît au déclenchement des règles.
- Le SPM se caractérise par des manifestations psychologiques et physiologiques.
- L'endométriose s'accompagne de dysménorrhée, d'infertilité et, parfois, d'irrégularités menstruelles et de dyspareunie.
- La diminution des comportements sexuels à risque et l'adoption de pratiques sexuelles sécuritaires sont les éléments fondamentaux des stratégies de prévention des ITSS.
- L'infection à chlamydia représente l'ITS la plus courante au Canada et au Québec et est la principale cause d'AIP.
- On assiste à une recrudescence de la syphilis au Québec et au Canada.
- L'infection causée par le VPH est l'infection virale la plus fréquente.
- Le VIH se transmet par les liquides organiques, principalement le sang, le sperme et les sécrétions vaginales.
- La stratégie de prévention la plus efficace de la transmission du VIH de la mère au nouveau-né passe par le traitement antirétroviral durant la grossesse et l'accouchement et par le traitement médical du nouveau-né.
- La femme jeune sexuellement active qui adopte des comportements sexuels risqués (partenaires multiples, aucune utilisation du condom) est celle qui court le plus grand risque de contracter une ITSS ou l'infection par le VIH.
- Au Canada et au Québec, les ITSS entraînent une morbidité et une mortalité importantes et ont de lourdes répercussions économiques, sociales, familiales et psychologiques.
- Les personnes atteintes d'une ITSS et les femmes aux prises avec des infections vaginales sont en droit d'obtenir des soins de santé efficaces offerts avec compassion et sans subir de jugement moral.
- La tumeur mammaire, bénigne ou maligne, peut avoir des répercussions physiques et affectives, tant pour la femme que pour sa famille.
- Au Canada, une femme sur neuf aura à combattre un cancer du sein.
- L'examen des seins par un professionnel de la santé et la mammographie de dépistage sont les moyens recommandés pour détecter le cancer du sein au stade précoce.
- La chirurgie mammaire classique et la biopsie des ganglions axillaires suivies de la radiothérapie constituent le traitement primaire du cancer du sein de stade I ou II.
- Le tamoxifène est un traitement adjuvant courant du cancer du sein hormonodépendant (œstrogènes).

CHAPITRE

Contraception, avortement et infertilité

Écrit par :
Deitra Leonard Lowdermilk,
RCN, PhD, FAAN

Adapté par :
Carol-Anne Langlois, inf., M. Sc.

OBJECTIFS

Guide d'études – SA04

Après avoir étudié ce chapitre, vous devriez être en mesure :

- de comparer les diverses méthodes de contraception ;
- de nommer les avantages et les inconvénients des méthodes de contraception habituellement utilisées ;
- d'expliquer les interventions infirmières courantes qui facilitent l'utilisation de la contraception ;
- d'analyser les diverses considérations éthiques, légales, culturelles et religieuses de la contraception ;
- de décrire les techniques utilisées pour l'interruption médicale et chirurgicale de la grossesse ;
- d'analyser les considérations éthiques et légales de l'interruption volontaire de grossesse ;
- d'énoncer les causes courantes de l'infertilité ;
- de discuter de l'impact psychologique de l'infertilité ;
- de discuter des diagnostics et des traitements courants de l'infertilité ;
- d'analyser les diverses considérations éthiques et légales des thérapies de procréation assistée en cas d'infertilité.

Concepts clés

Cette carte conceptuelle illustre schématiquement les principaux concepts décrits dans le présent chapitre. Sa lecture vous permettra d'avoir une vue d'ensemble des notions qui y sont présentées.

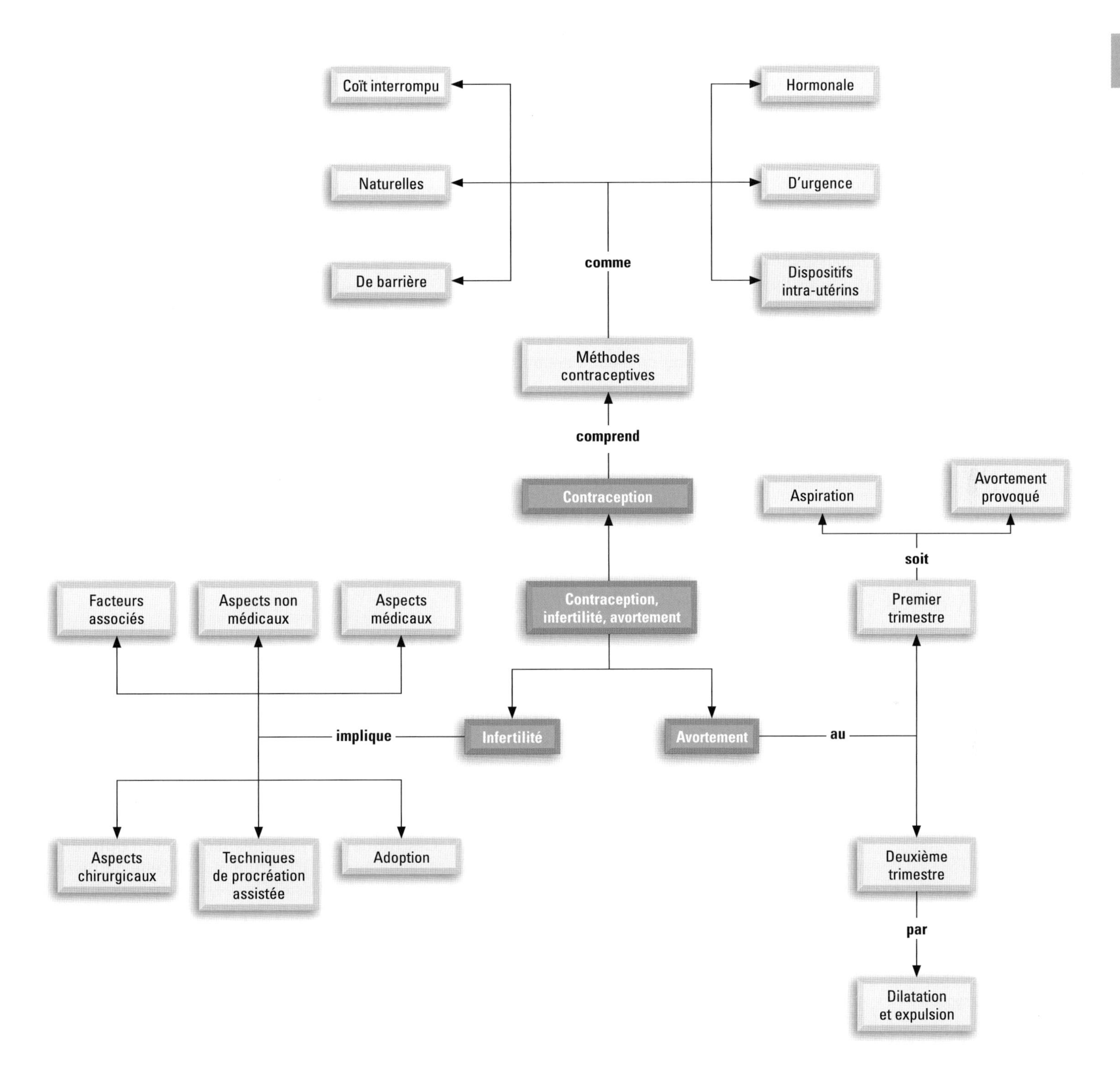

Ce chapitre traite des diverses facettes de la reproduction, notamment du contrôle délibéré de la fécondité, de l'interruption de la grossesse et de la diminution de la fertilité. Le rôle de l'infirmière a pris une grande ampleur dans ces domaines au cours des dernières années, et l'expertise de celle-ci y est maintenant reconnue. Qu'il s'agisse d'informer et d'accompagner les clients de tous âges ou de clarifier et de faciliter des soins et des services, l'infirmière devient une actrice de premier plan. Comme dans tous les autres volets de la profession, l'infirmière devra posséder les connaissances et les habiletés propres à ce champ d'activité clinique, une capacité d'analyse critique et un jugement clinique, dans le but de proposer des interventions cohérentes avec les besoins de la clientèle. Ainsi, en matière de contraception, l'enseignement au client s'ajoute à l'évaluation des besoins, afin que la femme ou le couple choisisse une méthode de contraception qui leur convient et qu'ils en fassent une utilisation adéquate. Lorsqu'une cliente consulte pour une interruption de grossesse, l'infirmière l'accompagne dans son choix et tout au long de l'intervention. Elle doit aussi connaître les options qui s'offrent aux couples qui ont de la difficulté à concevoir un enfant, notamment les traitements de procréation assistée. Puisque ces aspects sont directement liés à la sexualité de la cliente et de son partenaire, l'infirmière doit, en tout temps, faire preuve d'ouverture et d'aisance dans ses interventions auprès d'eux.

4.1 | Contraception

La **contraception** est la prévention délibérée de la grossesse pendant les rapports sexuels. La régulation des naissances renvoie au dispositif ou à la méthode utilisée pour diminuer le risque de concevoir ou de porter un enfant. La planification familiale consiste à décider consciemment du moment de la conception ou de la prévention de la grossesse tout au long des années de reproduction. Étant donnée la grande diversité de possibilités de régulation des naissances, la femme peut utiliser plusieurs méthodes contraceptives différentes à diverses étapes de ses années de fertilité. L'infirmière interagit avec la femme pour comparer et mettre en opposition les possibilités auxquelles elle a accès, leur fiabilité, les coûts relatifs, le degré d'aise et la volonté du partenaire d'utiliser une méthode particulière de régulation des naissances. Les femmes qui ont recours à une méthode contraceptive peuvent tout de même concevoir, simplement parce qu'elles n'ont pas choisi la méthode la mieux adaptée pour elles ou parce qu'elles ne l'utilisent pas de façon constante ou correcte et parce qu'aucune méthode contraceptive n'est efficace à 100%, l'abstinence mise à part. Des instructions adéquates sur la façon d'employer une méthode contraceptive et sur le moment d'utiliser une méthode de secours ou un contraceptif d'urgence pourraient diminuer les risques de grossesse non désirée (Stewart, Trussell & Van Look, 2007).

Afin de favoriser un environnement sécuritaire pour la consultation, il est conseillé de rencontrer la cliente dans un lieu privé où elle peut interagir ouvertement, de réduire les distractions au minimum et de montrer des exemples de dispositifs contraceptifs afin de donner un enseignement interactif **FIGURE 4.1**. Le contraceptif idéal est sécuritaire, aisé à obtenir, économique, facile à utiliser et rapidement réversible. Bien qu'aucune méthode ne satisfasse tous ces objectifs, des progrès importants ont été effectués en matière de nouvelles technologies contraceptives au cours des 30 dernières années (Worth Health Organization [WHO], 2009).

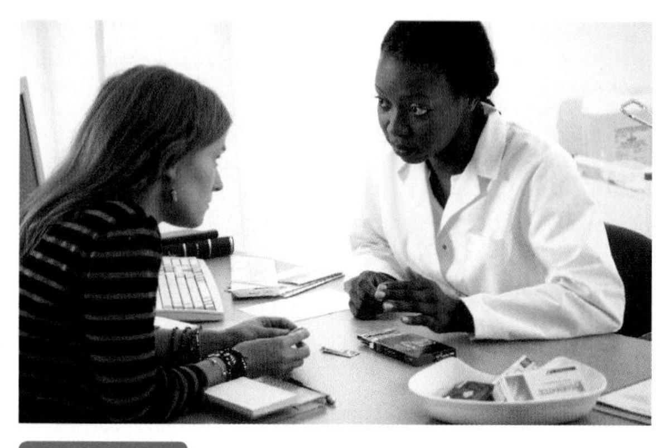

FIGURE 4.1
Une infirmière conseille une cliente sur les méthodes contraceptives.

Le contraceptif idéal est sécuritaire, aisé à obtenir, économique, facile à utiliser et rapidement réversible.

Les sites Internet suivants offrent une information juste quant à la sexualité et à la contraception et dont les clientes et les couples peuvent bénéficier à la suggestion de l'infirmière.

masexualité.ca : www.masexualite.ca/fr

Fédération du Québec pour le planning des naissances : www.fqpn.qc.ca/index.php

SOINS ET TRAITEMENTS INFIRMIERS

Contraception

Interventions cliniques

La famille, les amis, les médias, le ou les partenaires, l'appartenance religieuse et les professionnels de la santé influencent la perception que la femme peut avoir des possibilités de contraception. Ces influences externes façonnent l'opinion de chaque femme. L'infirmière aide cette dernière en soutenant sa décision, basée sur sa situation personnelle **ENCADRÉ 4.1**. Depuis la mise sur pied d'un modèle provincial d'ordonnance collective de contraception hormonale en 2006, les infirmières habilitées à le faire peuvent maintenant instaurer une contraception hormonale pour une période de six mois. Cette initiative découle de la collaboration entre le Collège des médecins du Québec (CMQ), l'Ordre des infirmières et infirmiers du Québec (OIIQ), l'Ordre des pharmaciens du Québec, le ministère de la Santé et des Services sociaux

Mise en œuvre d'une démarche de soins

ENCADRÉ 4.1 **Contraception**

COLLECTE DES DONNÉES – ÉVALUATION INITIALE

Afin d'aider une femme a choisir une méthode contraceptive, l'infirmière doit recueillir des données sur ses antécédents de santé ainsi que sur ces valeurs culturelles et religieuses.

- Demander à la cliente la raison pour laquelle elle consulte, ses besoins et la méthode de contraception souhaitée ou envisagée.
- Déterminer les connaissances de la cliente sur la contraception ainsi que l'adhésion de son partenaire sexuel à une méthode particulière.
- Recueillir des données sur l'anamnèse de la situation de santé actuelle (antécédents gynécologiques et obstétricaux, dernier examen gynécologique, dernier test de Papanicolaou [test Pap], cycle menstruel), les habitudes de vie (consommation de drogues, d'alcool ou de tabac, alimentation, niveau d'activité physique), la fréquence du coït, le nombre de partenaires sexuels, le recours à des moyens contraceptifs, les types utilisés, la régularité d'utilisation (observance) de la contraception ainsi que les objections de la cliente ou celles de son partenaire par rapport aux méthodes contraceptives.
- Vérifier si la cliente est à l'aise et si elle est d'accord pour toucher ses organes génitaux et sa glaire cervicale.
- Découvrir les idées erronées ainsi que les facteurs religieux et culturels. Prêter attention aux réactions verbales et non verbales de la cliente lorsqu'elle entend parler des diverses méthodes de contraception.
- Tenir compte des projets de la cliente en matière de procréation.
- Si l'infirmière possède les connaissances requises : procéder à un examen gynécologique, effectuer des prélèvements pour des analyses de laboratoire et remettre le formulaire requis pour que la cliente puisse obtenir la contraception choisie en pharmacie, selon l'ordonnance collective provinciale, s'il y a lieu.

ANALYSE ET INTERPRÉTATION DES DONNÉES

Les problèmes découlant de la situation de santé liés à la contraception peuvent inclure :

- Conflits décisionnels liés à :
  - d'autres possibilités de contraception ;
  - l'accord du partenaire quant à la méthode contraceptive.
- Craintes liées aux effets secondaires de la méthode contraceptive.
- Risques d'infection liés :
  - aux rapports sexuels non protégés ;
  - à l'utilisation de certaines méthodes contraceptives ;
  - à l'atteinte à l'intégrité de la peau ou des tissus à la suite d'une chirurgie ou à l'insertion d'un dispositif intra-utérin (DIU).
- Modèles de sexualité inefficaces liés à la crainte d'une grossesse.
- Douleur aiguë liée à la phase postopératoire d'une stérilisation chirurgicale.
- Risques de détresse spirituelle liés à la divergence entre les croyances religieuses ou culturelles et le choix de la méthode contraceptive.

RÉSULTATS ESCOMPTÉS

La planification des soins est établie dans le but d'atteindre les résultats suivants :

- Verbaliser sa compréhension des méthodes contraceptives.
- Verbaliser sa compréhension de tous les renseignements nécessaires pour accorder un consentement éclairé.
- Exprimer son aise et sa satisfaction à l'égard de la méthode choisie.
- Utiliser la méthode contraceptive correctement et de façon constante.
- Ne pas présenter de séquelles négatives à la suite de l'utilisation de la méthode contraceptive choisie.
- Prévenir une grossesse non planifiée ou planifier une grossesse.

INTERVENTIONS INFIRMIÈRES

Les interventions infirmières requises pour l'atteinte des résultats escomptés comprennent, notamment :

- Enseigner adéquatement l'utilisation de la méthode contraceptive choisie.
- Demander à la cliente de faire une démonstration pour évaluer sa compréhension.
- Remettre des instructions écrites et donner des numéros de téléphone au cas où les personnes auraient des questions.
- Si la cliente et son partenaire ont des difficultés à comprendre les instructions écrites, leur proposer des illustrations et leur donner un numéro de téléphone à composer si nécessaire.
- Offrir à la cliente la possibilité de revenir en consultation pour obtenir davantage de renseignements.

ÉVALUATION DES RÉSULTATS – ÉVALUATION EN COURS D'ÉVOLUTION

Les soins sont efficaces lorsque les résultats escomptés axés sur la cliente ou le couple sont atteints : la cliente et son partenaire se renseignent sur les diverses méthodes de contraception ; la grossesse a lieu uniquement lorsqu'elle est planifiée ; et la méthode de contraception choisie n'entraîne pas de complications pour le couple.

(MSSS) et l'Institut national de santé publique du Québec (INSPQ). Elle permet d'augmenter l'accessibilité à la contraception hormonale pour les femmes québécoises et ainsi de réduire le taux de grossesses non désirées (OIIQ, 2010).

Le consentement libre et éclairé est une composante essentielle de l'éducation du client en matière de contraception ou de stérilisation. Les critères suivants doivent être respectés pour qu'un consentement soit légalement valide : la personne doit être mentalement et physiquement apte à prendre une décision au sujet du traitement ; le consentement doit être donné de façon volontaire, et aucune mesure incitative ne doit être utilisée pour son obtention ; la personne qui donne son consentement doit très bien comprendre les procédures, les risques et les bienfaits du traitement auquel elle consent. L'infirmière a la responsabilité d'étayer l'information fournie et de s'assurer que les clients comprennent bien cette information. Afin de s'assurer du consentement éclairé de ceux-ci dans un contexte de contraception, l'infirmière devrait donc être en mesure de discuter des avantages, des inconvénients et des modes d'action associés à chacunes des méthodes contraceptives, des moyens de prévention des infections transmissibles sexuellement et par le sang (ITSS) et de compléter l'information (p. ex., avec de la documentation écrite) selon les besoins des clients.

RAPPELEZ-VOUS…

Au Québec, toute personne adulte ou mineure âgée de 14 ans et plus et apte mentalement peut donner son consentement.

Taux d'échec

Le taux d'échec de la méthode contraceptive désigne le pourcentage de grossesses accidentelles prévues durant la première année d'utilisation, même lorsque la méthode est employée correctement et systématiquement. L'efficacité des contraceptifs varie d'un couple à l'autre et dépend des propriétés de la méthode et des caractéristiques de l'utilisateur (WHO, 2009). Les taux d'échec diminuent au fil du temps, soit parce que l'utilisateur acquiert de l'expérience et applique la méthode de façon plus appropriée, soit parce que ceux pour qui la méthode est moins efficace cessent de l'utiliser.

4.2 Méthodes contraceptives

4.2.1 Coït interrompu

Le coït interrompu (retrait du partenaire) exige que le partenaire masculin retire complètement son pénis du vagin de la femme et l'éloigne de ses organes génitaux extérieurs avant d'éjaculer. En théorie, les spermatozoïdes sont peu susceptibles d'atteindre l'ovule et d'entraîner une fécondation. Bien que l'efficacité du coït interrompu dépende principalement de la capacité de l'homme de se retirer au bon moment, cette méthode présente des avantages concrets par rapport à l'absence de contraception. Par contre, les adolescents et les hommes qui souffrent d'éjaculation précoce ont souvent de la difficulté à interrompre le coït. Toutefois, cette méthode est immédiatement accessible, gratuite, n'entraîne pas de modification hormonale et ne nécessite pas de produits chimiques. Son efficacité demeure semblable à celle des méthodes dites de barrière (Kowal, 2007). Le pourcentage de femmes qui auront une grossesse non désirée au cours de la première année d'utilisation normale de la méthode de retrait (taux d'échec) est d'environ 27 % (Trussell, 2007). Certaines religions et cultures interdisent cette technique. Le coït interrompu ne protège pas adéquatement contre les infections transmissibles sexuellement (ITS) ni contre l'infection par le virus de l'immunodéficience humaine (VIH).

ALERTE CLINIQUE

Il faut s'assurer que la cliente dispose d'une méthode contraceptive de secours et qu'elle a facilement accès à des contraceptifs d'urgence pendant la phase initiale d'apprentissage d'une nouvelle méthode afin de prévenir une conception non intentionnelle. Au Québec, les femmes peuvent avoir accès à une contraception orale d'urgence (COU) en se présentant dans les pharmacies, les CSSS et certains centres de santé des femmes ou en consultant un médecin ou une infirmière.

ENCADRÉ 4.2 Pièges potentiels des méthodes naturelles de contraception

- Diminution de la spontanéité sexuelle
- Surveillance quotidienne rigoureuse
- Formation nécessaire
- Risque de grossesse pendant les périodes de séances de formation
- Risque de grossesse élevée les jours où il y a possibilité de fécondation

Source: Adapté de Hatcher *et al.* (2007).

4.2.2 Méthodes naturelles

Les **méthodes de contraception naturelle** dépendent de la détermination du début et de la fin de la période fertile du cycle menstruel. L'éducation des femmes qui veulent utiliser la méthode naturelle concernant le cycle menstruel porte sur les trois phases de celui-ci.

1. Infécondité : avant l'ovulation ;
2. Fécondité : environ cinq à sept jours autour de la moitié du cycle, y compris plusieurs jours avant, pendant l'ovulation et le jour suivant ;
3. Infécondité : après l'ovulation.

Bien que chez de nombreuses femmes, l'ovulation soit souvent imprévisible, enseigner à la cliente l'observation directe des modèles de fertilité lui donne du pouvoir. Il existe près de 12 catégories de méthodes naturelles. Chacune utilise une combinaison de graphiques, de notes, de calcul, d'outils, d'observation et l'abstinence (planification familiale naturelle) ou les méthodes dites de barrière pendant la période féconde du cycle menstruel pour prévenir la grossesse (Jennings & Arevalo, 2007). Les femmes peuvent avoir recours aux graphiques et aux calculs associés à ces méthodes pour augmenter la probabilité de détecter le moment optimal des relations sexuelles afin de concevoir.

Les méthodes naturelles comportent de nombreux avantages, notamment des coûts faibles ou inexistants, l'absence de produits chimiques, d'hormones et de modification du flux menstruel. Cependant, elles présentent des inconvénients. Certaines personnes ont de la difficulté à s'astreindre à prendre des notes et à participer à des séances de formation parfois longues afin de se renseigner sur la méthode. Les méthodes naturelles diminuent aussi la spontanéité du coït. De plus, les influences externes comme la maladie peuvent modifier la température du corps de la femme et ses sécrétions vaginales. L'efficacité des méthodes naturelles est moindre chez les femmes dont les cycles sont irréguliers (particulièrement chez les adolescentes qui n'ont pas de modèle ovulatoire régulier) (Jennings & Arevalo, 2007) **ENCADRÉ 4.2**. Ces méthodes n'offrent pas de protection contre les ITS ni contre l'infection par le VIH. Le taux d'échec moyen de la plupart des méthodes naturelles est de 25 % au cours de la première année d'utilisation (Trussell, 2007).

Les méthodes naturelles supposent l'utilisation de plusieurs techniques pour déterminer les jours où la fécondité risque d'être élevée. La discussion suivante porte sur les techniques les plus courantes et sur celles qui sont les plus prometteuses pour l'avenir.

La planification familiale naturelle (PFN) consiste à éviter les rapports sexuels pendant les périodes fécondes. Elle est la seule méthode contraceptive acceptable pour l'Église catholique. Les méthodes PFN combinent les graphiques des signes et des symptômes du cycle menstruel et l'abstinence pendant les périodes fécondes. Les signes et les symptômes les plus couramment utilisés sont les saignements menstruels, la glaire cervicale et la température basale (Jennings & Arevalo, 2007).

L'ovule humain peut être fécondé de 16 à 24 heures au plus tard après l'ovulation, tandis que des spermatozoïdes en mouvement peuvent se retrouver dans l'utérus et les trompes de Fallope jusqu'à 60 heures après le coït. Cependant, leur capacité à féconder l'ovule ne dure probablement que de 24 à 48 heures. Il est peu probable qu'une grossesse survienne si le couple s'abstient d'avoir des rapports sexuels pendant quatre jours avant et trois ou quatre jours après l'ovulation (périodes fécondes). Les rapports sexuels non protégés pendant les autres jours du cycle (période sécuritaire) ne devraient pas entraîner une grossesse. Cependant, cette méthode présente deux principaux problèmes : 1) il est impossible de prédire le moment exact de l'ovulation ; 2) certains couples ont de la difficulté à s'abstenir pendant plusieurs jours avant et après l'ovulation. Les femmes ayant un cycle menstruel irrégulier sont celles qui courent les plus grands risques d'échec avec la méthode PFN.

Méthode du calendrier ou du rythme

La pratique de la méthode du calendrier est basée sur le nombre de jours de chaque cycle à compter du premier jour des menstruations. La femme détermine la période fertile après avoir noté précisément la durée de ses cycles menstruels pendant six mois. Le début de la période fertile est établi en soustrayant 18 jours de la durée du cycle le plus court. La fin de la période fertile est déterminée en soustrayant 11 jours de la durée de la période la plus longue (Jennings & Arevalo, 2007). Si le cycle le plus court est de 24 jours et le plus long est de 30 jours, la formule suivante s'applique :

cycle le plus court : 24 – 18 = 6e jour ;
cycle le plus long : 30 – 11 = 19e jour.

Pour éviter la grossesse, le couple devra s'abstenir pendant la période fertile, c'est-à-dire du 6e au 19e jour. Si la femme a des cycles très réguliers de 28 jours chacun, ses jours féconds sont les suivants :

cycle le plus court : 28 – 18 = 10e jour ;
cycle le plus long : 28 – 11 = 17e jour.

Pour éviter la grossesse, le couple devra s'abstenir du 10e au 17e jour parce que l'ovulation se produit le 14e jour, plus ou moins 2 jours.

Les femmes ayant un cycle menstruel irrégulier sont celles qui courent les plus grands risques d'échec avec la méthode PFN.

Méthode des jours fixes

La méthode des jours fixes est essentiellement une forme modifiée de la méthode du calendrier comprenant un nombre fixe de jours de fécondité pour chaque cycle, à savoir, du 8e au 19e jour. La femme commence à compter à partir du premier jour de ses menstruations. Les femmes qui utilisent cette méthode évitent les relations sexuelles non protégées entre le 8e et le 19e jour. Bien que cette méthode soit utile pour les femmes ayant un cycle de 26 à 30 jours, elle n'est pas fiable pour celles dont les cycles sont plus longs ou plus courts. Le taux moyen d'échec de cette méthode est de 14 % pendant la première année d'utilisation (Jennings & Arevalo, 2007).

Le site Internet de Seréna Canada (www.serena.ca) contient des renseignements sur la PFN et présente le calendrier des séances d'information sur le sujet. Cet organisme offre aussi des rencontres d'évaluation et de suivi.

Méthode des deux jours

L'algorithme des deux jours est basé sur la surveillance et la consignation des sécrétions cervicales afin de déterminer la période féconde (Jennings & Arevalo, 2007). Cette méthode semble plus facile à enseigner, à apprendre et à utiliser que les autres méthodes naturelles. La femme doit se poser deux questions chaque jour : 1) Ai-je remarqué des sécrétions aujourd'hui ? 2) Ai-je remarqué des sécrétions hier ? Si la réponse à l'une des questions est positive, elle devrait éviter le coït ou utiliser une autre méthode de planification des naissances. Si la réponse aux deux questions est négative, sa probabilité de grossesse est très faible (Germano & Jennings, 2006).

Méthode de l'ovulation

La méthode de détection de l'ovulation grâce à la glaire cervicale (également appelée méthode Billings et modèle de Creighton) suppose que la femme reconnaisse et interprète les changements cycliques dans la quantité et la texture de la glaire cervicale qui caractérisent son propre modèle de transformation **ENCADRÉ 4.3**. La **glaire cervicale** qui accompagne l'ovulation est nécessaire à la viabilité et à la motilité du sperme. Elle modifie le pH du milieu en neutralisant l'acidité afin d'accroître la compatibilité et de faciliter la survie du sperme. Sans glaire cervicale adéquate, le coït n'entraîne pas la conception. La femme vérifie la quantité et la caractéristique de la glaire sur la vulve ou à l'intérieur du vagin avec les doigts ou un mouchoir en papier chaque jour pendant plusieurs mois pour apprendre à connaître son cycle. Pour assurer une évaluation juste de ces transformations, la glaire cervicale ne doit pas contenir de sperme, de mousse ni de gel contraceptif, de sang ni de pertes attribuables à une infection vaginale pendant au moins un cycle entier. Les autres facteurs qui rendent difficile la reconnaissance des

Glaire cervicale : Sécrétion muqueuse alcaline, translucide et filante, des glandes du col utérin, apparaissant périodiquement au moment de l'ovulation sous l'influence de la folliculine et disparaissant sous celle de la progestérone (ou des norstéroïdes contraceptifs), protégeant les spermatozoïdes de l'acidité vaginale et indispensable à leur ascension.

ENCADRÉ 4.3 Caractéristiques de la glaire cervicale

MISE EN SITUATION

- Montrer des graphiques illustrant le cycle menstruel ainsi que les transformations de la glaire cervicale.
- Demander à la cliente de s'exercer avec un blanc d'œuf cru.
- Lui fournir un graphique et un registre permettant de consigner la température basale si elle n'en possède pas.
- Lui expliquer qu'il est préférable d'évaluer les caractéristiques de la glaire cervicale lorsque celle-ci n'est pas mélangée à du sperme, à des mousses ou à des gels contraceptifs ou encore à des pertes attribuables à des infections. Lui dire de ne pas se donner de douche vaginale avant l'évaluation.

CONTENU RELATIF À LA GLAIRE CERVICALE

- Expliquer à la cliente (au couple) les transformations de la glaire cervicale au cours du cycle menstruel :
  1. Glaire postmenstruelle : rare.
  2. Glaire préovulatoire : trouble, jaune ou blanche, collante.
  3. Pendant l'ovulation : claire, humide, collante, glissante.
  4. Glaire féconde après l'ovulation : épaisse, trouble, collante.
  5. Postovulation, glaire postfertile : rare.
- Juste avant l'ovulation, la glaire aqueuse, peu épaisse, claire, devient plus abondante et épaissit **FIGURE A**. Elle ressemble à un lubrifiant et peut être étirée jusqu'à plus de 5 cm entre le pouce et l'index ; cette propriété de la glaire est appelée filance **FIGURE B**, et sa présence indique la période de fécondité maximale. Les spermatozoïdes déposés dans ce type de glaire peuvent survivre jusqu'à l'ovulation.

TECHNIQUE D'ÉVALUATION

- Insister sur le fait qu'il est impératif de bien se laver les mains avant et après l'autoévaluation.
- Indiquer que l'évaluation doit commencer le dernier jour du flux menstruel.
- Suggérer d'évaluer la glaire plusieurs fois par jour pendant plusieurs cycles. On peut prélever la glaire à partir de l'orifice vaginal ; il est donc inutile de se rendre jusqu'au col de l'utérus.
- Conseiller de noter les résultats sur la même feuille que celle de la température basale.

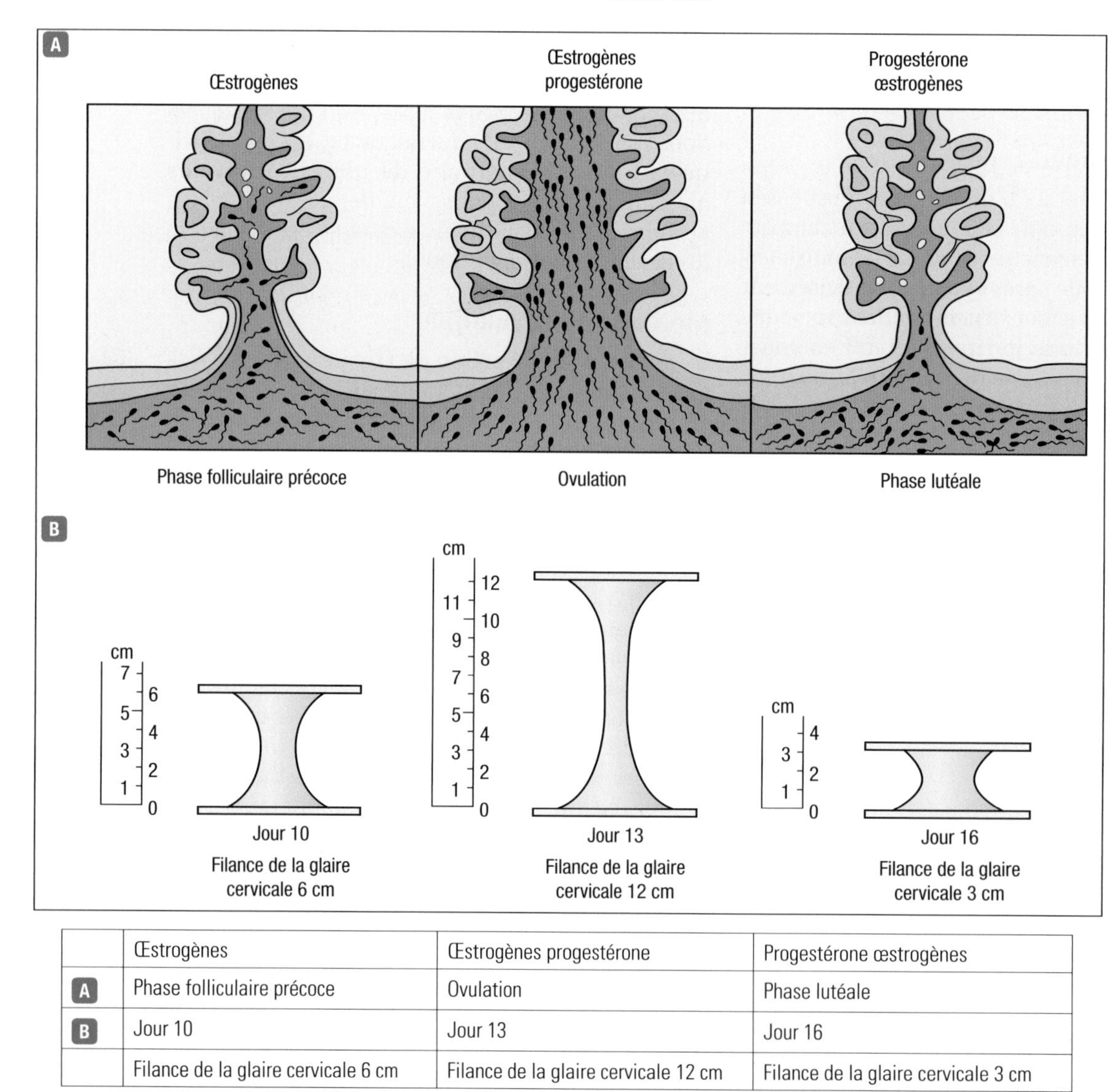

	Œstrogènes	Œstrogènes progestérone	Progestérone œstrogènes
A	Phase folliculaire précoce	Ovulation	Phase lutéale
B	Jour 10	Jour 13	Jour 16
	Filance de la glaire cervicale 6 cm	Filance de la glaire cervicale 12 cm	Filance de la glaire cervicale 3 cm

transformations de la glaire sont les douches et les déodorants vaginaux, la phase d'excitation sexuelle (qui amincit la glaire) et certains médicaments comme les antihistaminiques (qui assèchent la glaire). Les rapports sexuels sont considérés comme sécuritaires sans restriction à partir du quatrième jour après le dernier jour où la glaire est humide, claire et glissante (postovulation) (Jennings & Arevalo, 2007).

Méthode symptothermique

La méthode symptothermique est un outil que la femme utilise pour mieux connaître sa fécondité lorsqu'elle surveille les symptômes physiologiques et psychologiques qui marquent les phases de son cycle. Cette méthode en combine au moins deux autres, généralement celle des transformations de la glaire cervicale (méthode de l'ovulation) et de la température basale avec une prise de conscience des symptômes secondaires liés aux phases du cycle. Les symptômes secondaires sont l'augmentation de la libido, la petite perte de sang, le syndrome intermenstruel, la plénitude ou la sensibilité pelvienne et la plénitude vulvaire. La femme apprend à palper son col utérin pour évaluer les changements de texture, de position et de dilatation qui indiquent l'ovulation. Pendant la période préovulatoire, le col utérin s'adoucit, s'ouvre, remonte dans le vagin et devient plus humide. Pendant la période postovulatoire, il retombe, devient ferme et se referme. La femme prend note des jours où des relations sexuelles, des événements inhabituels se sont produits, ou le moment où une maladie survient **FIGURE 4.2**. La méthode du calendrier et celle de la glaire cervicale aident à estimer le début de la période fertile ; les transformations de la glaire cervicale ou de la température basale aident à en déterminer la fin **ENCADRÉ 4.4**.

Coffret d'analyse de l'ovulation à domicile

Toutes les méthodes précédemment abordées estiment le moment approximatif de la prochaine ovulation, mais aucune ne peut prouver que l'ovulation se produit **FIGURE 4.3**. Le test d'urine permettant de prédire l'ovulation détecte l'afflux soudain de l'hormone lutéinisante (LH) qui se produit environ 12 à 24 heures avant l'ovulation. Dans le cas du coffret d'analyse, contrairement à la méthode de la température basale, la maladie, les bouleversements émotionnels et l'activité physique n'ont pas d'effet sur le test. Ce coffret contient suffisamment de matériel pour plusieurs jours de tests pendant chaque cycle. Un ruban comportant des changements de couleur faciles à lire indique les réponses positives ou l'afflux de LH. Le mode d'emploi des coffrets d'analyse d'urine varie selon le fabricant. Le test de prédiction de l'ovulation grâce à l'analyse de la salive utilise de la salive séchée non mousseuse pour montrer les modèles de fécondité. Les coffrets de prédiction de l'ovulation sont offerts dans la grande majorité des pharmacies et ne nécessitent pas une ordonnance médicale. De plus amples recherches sont nécessaires pour déterminer l'efficacité de l'utilisation de ces tests pour la prévention de la grossesse.

Jugement clinique

Océane Thibault, âgée de 16 ans, aimerait être capable de reconnaître le moment de son ovulation, car c'est ce qui l'a beaucoup inquiétée lors d'une précédente relation sexuelle non protégée.

Expliquez-lui comment prévoir l'ovulation avec le test de la glaire cervicale.

Le ClearBlue Early Fertility Monitor^MD^ est un appareil portatif de surveillance de la fertilité hormonale qui utilise des bandes tests pour mesurer les métabolites d'œstrogènes et de LH dans l'urine. Le moniteur comporte trois indications de quantité : basse, élevée et maximale. Cette méthode intègre l'utilisation du moniteur afin d'enseigner la PFN et de sensibiliser l'utilisateur à la fécondité. Des recherches se poursuivent afin de vérifier son efficacité en matière de prévention de la grossesse (Fehring, Schneider, Raviele & Barron, 2007 ; Tomlinson, Marshall & Ellis, 2008).

4.2.3 Méthodes dites de barrière

Les contraceptifs dits de barrière sont de plus en plus appréciés, non seulement comme méthode contraceptive, mais aussi comme mesure de protection contre la propagation d'ITS comme le virus du papillome humain (VPH) et le virus *herpes simplex*. Certains condoms masculins et certaines méthodes vaginales offrent une barrière physique contre plusieurs ITS, et plusieurs condoms masculins protègent contre le VIH (Cates & Raymond, 2007 ; Warner & Steiner, 2007). Les spermicides sont une barrière chimique contre le sperme.

Spermicides

Les spermicides réduisent la motilité du sperme ; les produits chimiques attaquent le corps et les flagelles du sperme, ce qui l'empêche d'atteindre l'orifice externe du col de l'utérus. Le nonoxynol-9 (N-9), le produit chimique spermicide le plus couramment utilisé au Canada, est un surfactant qui détruit la membrane cellulaire des spermatozoïdes. Cependant, les données suggèrent que l'utilisation fréquente (plus de deux fois par jour) du N-9 ou son utilisation comme lubrifiant pendant les relations sexuelles annales peut augmenter la transmission du VIH et des ITS et provoquer des lésions (Cates & Raymond, 2007 ; Santé Canada, 2010). Les femmes ayant des comportements à haut risque qui augmentent leur probabilité de contracter le VIH et d'autres ITS doivent éviter d'utiliser les produits spermicides contenant du N-9, y compris les condoms lubrifiés, les diaphragmes et les capes cervicales auxquels ce produit a été ajouté (WHO, 2009). Il est aussi possible que les partenaires présentent une allergie au N-9 qui se manifeste par une irritation du vagin ou de la peau du pénis. Dans un

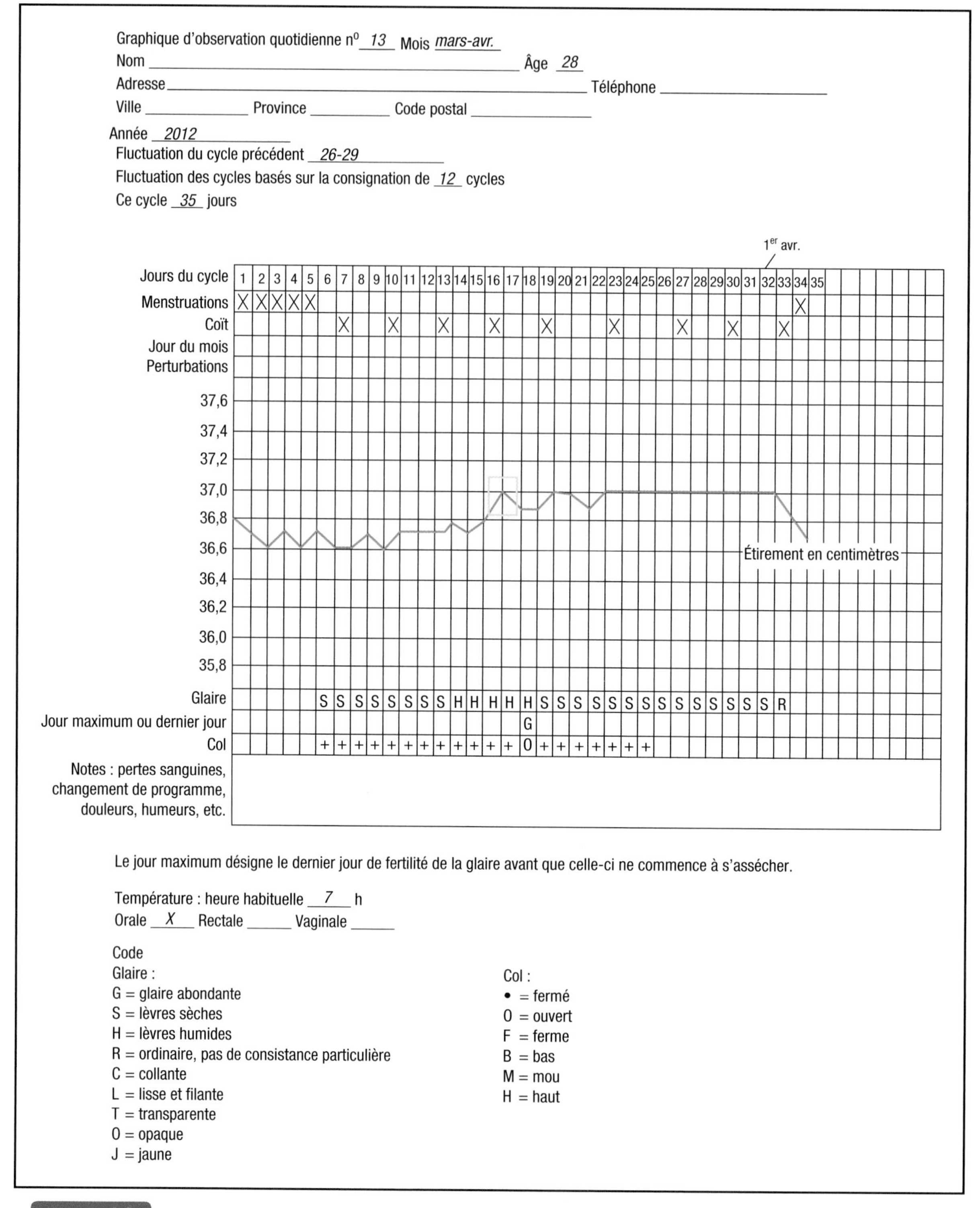

Graphique d'observation quotidienne n° _13_ Mois _mars-avr._

Nom ____________ Âge _28_

Adresse ____________ Téléphone ____________

Ville ________ Province ________ Code postal ________

Année _2012_

Fluctuation du cycle précédent _26-29_

Fluctuation des cycles basés sur la consignation de _12_ cycles

Ce cycle _35_ jours

Jours du cycle	Menstruations	Coït	Jour du mois	Perturbations	Glaire	Jour maximum ou dernier jour	Col
1	X						
2	X						
3	X						
4	X						
5	X						
6					S		+
7		X			S		+
8					S		+
9					S		+
10		X			S		+
11					S		+
12					S		+
13		X			S		+
14					H		+
15					H		+
16		X			H		+
17					H		+
18					H	G	0
19		X			S		+
20					S		+
21					S		+
22					S		+
23		X			S		+
24					S		+
25					S		+
26					S		
27		X			S		
28					S		
29					S		
30		X			S		
31					S		
32 (1er avr.)					S		
33		X			R		
34	X						
35							

Notes : pertes sanguines, changement de programme, douleurs, humeurs, etc.

Le jour maximum désigne le dernier jour de fertilité de la glaire avant que celle-ci ne commence à s'assécher.

Température : heure habituelle _7_ h

Orale _X_ Rectale ____ Vaginale ____

Code

Glaire :
G = glaire abondante
S = lèvres sèches
H = lèvres humides
R = ordinaire, pas de consistance particulière
C = collante
L = lisse et filante
T = transparente
O = opaque
J = jaune

Col :
• = fermé
0 = ouvert
F = ferme
B = bas
M = mou
H = haut

FIGURE 4.2

Exemple d'un graphique symptothermique rempli. La température basale consignée montre une baisse et une augmentation nette au moment de l'ovulation.

tel cas, les partenaires devraient cesser l'utilisation de produits contenant du N-9 et se renseigner sur les autres options possibles (Fédération canadienne pour la santé sexuelle, 2008). Les spermicides intravaginaux commercialisés sans ordonnance sont des mousses, des comprimés, des suppositoires, des crèmes, des pellicules et des gels **FIGURE 4.4**. Il existe des applicateurs à dose unitaire suffisamment réduits pour être transportés dans un petit sac à main. L'efficacité des spermicides dépend de leur

FIGURE 4.3
Exemples de tests de prévision de l'ovulation

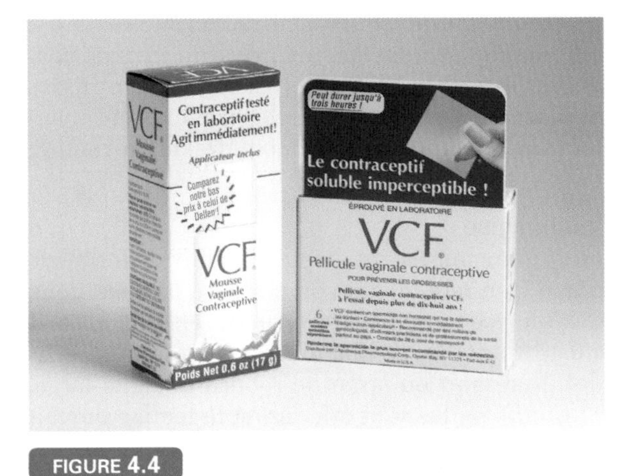

FIGURE 4.4
Spermicides

utilisation adéquate et systématique. Le spermicide devrait être inséré profondément dans le vagin afin d'entrer en contact avec le col de l'utérus. Certains spermicides devraient être insérés au moins 15 minutes avant l'acte sexuel, mais pas plus d'une heure avant. Les spermicides doivent être réappliqués avant chaque rapport sexuel, même si le couple utilise une méthode dite de barrière. Les études indiquent que l'utilisation unique des spermicides entraîne des taux d'efficacité variés. Le taux d'échec moyen de cette méthode employée seule est de 29 % (Trussell, 2007).

Condoms

Le condom masculin est une gaine mince et étirable qui couvre le pénis avant le contact génital, oral ou anal et qu'on enlève après avoir retiré le pénis de l'orifice de la partenaire après l'éjaculation **FIGURE 4.5A**. Les condoms sont composés de caoutchouc latex, de polyuréthane (plastique mince et solide) ou de membranes naturelles (tissu animal). En plus de fournir une barrière physique contre les spermatozoïdes, les condoms non spermicides en latex protègent également contre les ITS (notamment la gonorrhée, la chlamydia, la syphilis, l'hépatite B et la trichomonase, mais de façon partielle contre le virus *herpes simplex* et le VPH) et contre la transmission du VIH. Les condoms lubrifiés avec du N-9 ne sont pas recommandés pour prévenir les ITS ou le VIH, car ce produit spermicide peut provoquer de l'irritation et des lésions sur les parois du vagin et du rectum, augmentant ainsi les risques d'infection (Centers for Disease Control and Prevention, 2006 ; Santé Canada, 2010). Bien que l'infirmière se doive d'informer la cliente de ce fait, elle peut aussi rassurer le couple qu'il est toujours préférable d'employer un condom lubrifié au N-9 que de ne pas en utiliser (Santé Canada, 2010 ; Société des obstétriciens et gynécologues du Canada [SOGC], 2010). Les condoms en latex se déchirent lorsqu'ils sont employés avec les lubrifiants à base d'huile et devraient uniquement être utilisés avec des lubrifiants à base d'eau ou de silicone (Warner & Steiner, 2007). À cause du nombre croissant de personnes allergiques au latex, les fabricants de condoms ont commencé à utiliser le polyuréthanne, un matériau plus mince et plus solide. Des recherches sont en cours afin de déterminer l'efficacité des condoms en polyuréthane comme protection contre les ITS et le VIH.

Un faible pourcentage de condoms est fabriqué à partir de cæcum d'agneau (membranes naturelles). Les condoms en membrane naturelle n'apportent pas la même protection que les condoms en latex contre les ITS et le VIH. En effet, ils contiennent de petits pores qui permettraient le passage de virus comme celui de l'hépatite B, de l'*herpes simplex* et du VIH. Ces condoms, peu utilisés, sont toutefois appréciés pour leur résistance aux lubrifiants et pour leur absence de latex (Santé Canada, 2010).

RAPPELEZ-VOUS...

Au Québec, la chlamydia est l'ITS la plus répandue.

ALERTE CLINIQUE

Il faut interroger toutes les personnes sur la possibilité d'allergie au latex. Les condoms en latex sont contre-indiqués chez celles ayant une sensibilité à cette matière.

Guide d'enseignement

ENCADRÉ 4.4 Évaluation de la température basale

- La température basale doit être prise avec un thermomètre étalonné tous les matins à la même heure avant le lever.
- La température doit être notée tous les jours sur un graphique et il faut relier les points **FIGURE 4.2**.
- La température peut être prise de façon orale, vaginale ou rectale pourvu que ce soit toujours de la même façon.
- La température peut baisser légèrement vers le moment de l'ovulation (0,05 °C), mais ce n'est pas le cas pour de nombreuses femmes.
- La température est susceptible d'augmenter de 0,4 à 0,8 °C vers le moment de l'ovulation, et elle reste élevée jusqu'aux prochaines menstruations.
- Les rapports sexuels doivent être évités trois jours avant l'élévation de la température et pendant les six jours où la température est inférieure à la température basale.
- L'infection, la fatigue, le fait de dormir moins de trois heures par nuit, de se réveiller tard ainsi que l'anxiété peuvent entraîner des fluctuations de température et modifier le modèle attendu.
- Les éléments comme un décalage horaire, la consommation d'alcool et la prise de médicaments antipyrétiques la veille, ainsi que le fait de dormir dans un lit d'eau chauffé doivent également être notés sur le diagramme, parce que chaque facteur influe sur la température basale.

Source : Adapté de Jennings & Arevalo (2007).

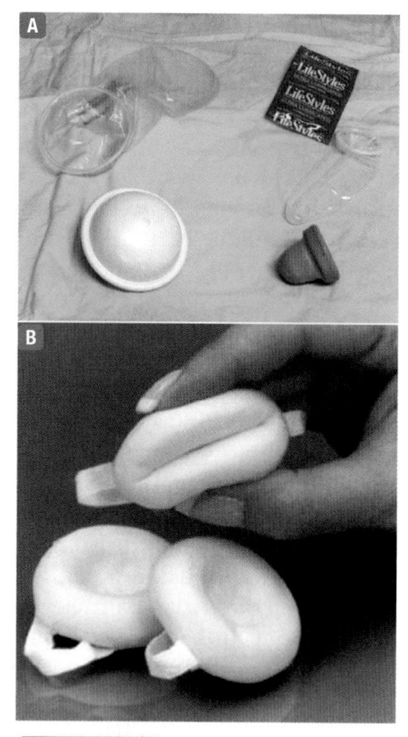

FIGURE 4.5

A Barrières mécaniques. À partir du haut dans le sens des aiguilles d'une montre : condom féminin, condom masculin, cape cervicale, diaphragme. B Éponge contraceptive.

Jugement clinique

Expliquez à Océane les points positifs du condom comme méthode de contraception.

La présence ou l'absence d'un bout-réservoir constitue une différence fonctionnelle touchant la forme du condom masculin **FIGURE 4.5A**. Pour accroître la stimulation vaginale, certains condoms sont cannelés ou présentent une surface texturée, nervurée ou rugueuse. Une matière plus mince augmente la transmission de la chaleur et la sensibilité ; un choix de couleurs et de saveurs peut rendre le condom plus acceptable et plus attrayant (Trussell, 2007). Certains condoms sont lubrifiés avec une gelée humide ou une poudre sèche. Le taux d'échec moyen au cours de la première année d'utilisation du condom masculin est de 15 % (Trussell, 2007). Pour prévenir les grossesses non désirées et la transmission d'ITSS, les personnes doivent utiliser les condoms de façon adéquate et systématique. L'infirmière peut se servir des instructions comme celles qui figurent dans l'**ENCADRÉ 4.5** pour son enseignement au client.

Le condom féminin est un capuchon vaginal lubrifié fabriqué en polyuréthane qui comporte un anneau flexible à chaque extrémité **FIGURE 4.5.A**. L'extrémité fermée de la gaine est insérée dans le vagin et ancrée autour du col de l'utérus ; l'anneau ouvert couvre les lèvres. La femme dont le partenaire refuse d'utiliser un condom masculin peut se servir de cette barrière mécanique protectrice. Les gouttes permettant la réhumidification ou les lubrifiants à base d'huile ou d'eau aident à diminuer le bruit distrayant qui accompagne le va-et-vient du pénis. Le condom féminin est offert en une seule taille, ne doit être utilisé qu'une fois et est vendu sans ordonnance. Il ne faut pas utiliser de condoms masculins en même temps, parce que la friction des deux gaines peut augmenter la probabilité de déchirure (Female Health Company, 2008). Le taux moyen d'échec du condom féminin au cours de la première année d'utilisation est de 21 % (Trussell, 2007).

Diaphragme, cape cervicale et éponge contraceptive

Les diaphragmes, les capes cervicales et les éponges contraceptives sont des barrières souples en latex ou en silicone qui couvrent le col de l'utérus et qui empêchent les spermatozoïdes de migrer vers l'ovule et de le fertiliser. Ces barrières sont utilisées avec une gelée ou une crème spermicide et constituent une méthode supplémentaire de prévention de la grossesse.

Diaphragme

Le diaphragme est un dispositif creux en forme de dôme ; son rebord, qui comporte un fil métallique flexible, recouvre le col de l'utérus **FIGURE 4.5A**. Il existe trois types de diaphragme : le ressort hélicoïdal, le ressort en arc et le rebord à bague large. Plusieurs tailles sont offertes, et la femme devrait utiliser la plus grande possible sans toutefois en sentir la présence. Une ordonnance est nécessaire pour tous les types de diaphragmes, mais des recherches sont en cours sur les produits en vente libre (Cates & Raymond, 2007). Le taux moyen d'échec du diaphragme combiné au spermicide est de 16 % au cours de la première année d'utilisation (Trussell, 2007). Son efficacité diminue lorsqu'il est utilisé sans spermicide (Trussell, 2007). Les femmes à risque élevé de contracter le VIH devraient éviter d'utiliser les spermicides N-9 avec le diaphragme (Cates & Raymond, 2007).

L'infirmière informe la cliente qu'elle doit subir un examen gynécologique annuel au cours duquel l'ajustement adéquat du diaphragme est vérifié. La femme devrait inspecter le dispositif avant chaque utilisation et le remplacer au moins tous les deux ans. Il doit être réajusté en cas de fluctuation de poids de 20 %, après toute chirurgie abdominale ou pelvienne, à la suite d'une grossesse menée à terme, d'une fausse couche ou d'un avortement qui se produit après 14 semaines de gestation (Planned Parenthood, 2008). Étant donné qu'il existe plusieurs types de diaphragmes sur le marché, l'infirmière se servira des instructions qui accompagnent chacun pour montrer à la cliente comment utiliser et entretenir le sien **ENCADRÉ 4.6**.

Certaines femmes sont réticentes à insérer et à retirer le diaphragme. Il peut être inséré jusqu'à six heures avant le rapport sexuel. Le diaphragme et le

ENCADRÉ 4.5 **Condoms masculins**

MÉCANISMES D'ACTION

Le condom est placé sur le pénis en érection avant la pénétration ou la perte de liquide séminal préejaculatoire. Utilisé correctement, il empêche les spermatozoïdes de pénétrer dans le col de l'utérus. Le condom recouvert de spermicide immobilise rapidement le sperme éjaculé, ce qui augmente l'efficacité contraceptive.

TAUX D'ÉCHEC

- Utilisateurs types : 15 %
- Utilisateurs réguliers qui respectent le mode d'emploi : 2 %

AVANTAGES

- Sans danger
- Aucun effet secondaire
- Faciles à obtenir
- Prévention ou amélioration des changements précancéreux du col de l'utérus chez la femme dont le partenaire utilise des condoms
- Méthode contraceptive masculine non chirurgicale

INCONVÉNIENTS

- Le rapport sexuel doit être interrompu pour mettre le condom.
- Les sensations peuvent être diminuées.
- Si le condom n'est pas utilisé correctement, le sperme qui s'échappe peut entraîner une grossesse.
- À l'occasion, le condom peut se déchirer pendant l'acte sexuel.
- Certaines personnes peuvent être allergiques au latex.
- Les préservatifs ne sont pas toujours à portée de main au moment opportun.

PROTECTION CONTRE LES ITS

Si un condom est utilisé pendant toute la durée du rapport sexuel et qu'aucun contact non protégé entre les organes génitaux ne survient, un condom en latex, imperméable aux virus, peut agir comme mesure de protection contre les ITS. Cependant, il est possible de contracter le VPH et l'hépatite B même au cours d'une utilisation optimale du condom masculin (Steben, 2007)

SOINS INFIRMIERS

- Enseigner à l'homme à :
  - utiliser un nouveau condom (vérifier la date d'expiration) pour chaque relation sexuelle ou chaque activité entre partenaires qui comporte un contact avec le pénis ;
  - ouvrir délicatement l'enveloppe, car les ongles peuvent perforer le condom ;
  - placer le condom sur le pénis en érection avant le contact intime ;
  - placer le condom sur le gland **FIGURE A** et le dérouler complètement jusqu'à la base du pénis **FIGURE B** ;
  - laisser un espace vide au bout **FIGURE A** ; chasser l'air qui s'y trouve en exerçant une légère pression vers la base du pénis.

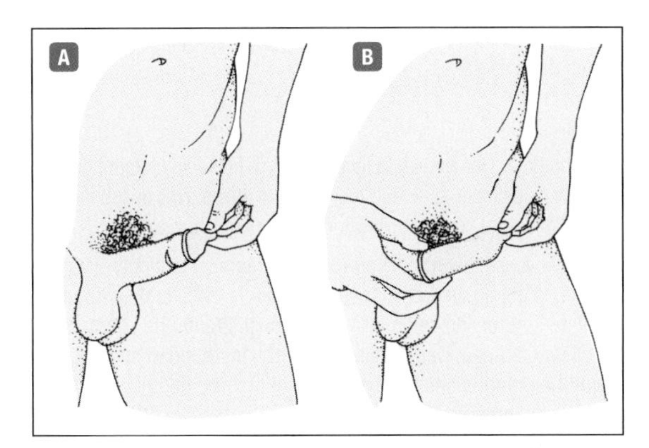

- Au besoin, utiliser des lubrifiants à base d'eau comme la gelée K-Y. Ne pas utiliser de produits à base de pétrole parce qu'ils peuvent entraîner des déchirures du condom.
- Après l'éjaculation, retirer doucement le pénis encore en érection du vagin en tenant la base du condom ; l'enlever et le jeter.
- Ranger les condoms inutilisés dans un endroit frais et sec.
- Ne pas utiliser les condoms qui sont collants, friables ou manifestement endommagés.

gel froid réduisent temporairement la réaction vaginale à la stimulation sexuelle si l'insertion du diaphragme est faite immédiatement avant la relation. Certaines femmes ou certains couples n'aiment pas utiliser de spermicide parce que c'est salissant. Ces inconvénients ainsi que l'oubli d'insérer le dispositif une fois les préliminaires commencés sont les causes les plus courantes de l'échec de cette méthode. Les effets secondaires sont l'irritation des tissus causée par le contact avec le spermicide. Le diaphragme ne constitue pas un bon choix pour les femmes qui ont un faible tonus musculaire vaginal ou qui souffrent d'infections récurrentes des voies urinaires. Pour être bien placé, il doit reposer derrière la symphyse pubienne et couvrir complètement le col de l'utérus. Pour diminuer le risque de pression urétrale, la femme devrait vider sa vessie avant d'insérer le diaphragme et immédiatement après le rapport sexuel. Le diaphragme est contre-indiqué chez les femmes souffrant de **relâchement pelvien** (prolapsus utérin) ou d'une cystocèle importante. Les femmes allergiques au latex ne devraient pas utiliser de diaphragme fabriqué avec cette matière.

Bien qu'un petit nombre de cas aient été signalés, le syndrome de choc toxique peut être associé à l'utilisation du diaphragme contraceptif et de la cape cervicale (Cates & Raymond, 2007). L'infirmière devrait montrer à la cliente comment réduire les risques de syndrome de choc toxique. Ces mesures comprennent le retrait du diaphragme de six à huit heures après l'acte sexuel. Il ne faut pas utiliser ce dispositif ni la cape cervicale pendant les menstruations. De plus, il est conseillé d'apprendre à reconnaître les signes annonciateurs du syndrome de choc toxique et de surveiller leur apparition.

Cape cervicale

Il existe trois types de cape cervicale : deux de taille variée et un de taille unique. Elles sont composées de caoutchouc ou de silicone sans latex, leur dôme

Relâchement pelvien : Relâchement des muscles et des éléments fibroligamentaires pelviens qui se traduit par une chute en avant et vers le bas des organes pelviens (vessie, rectum) ; conséquence possible de l'accouchement.

Guide d'enseignement

ENCADRÉ 4.6 **Utilisation et entretien du diaphragme**

INSPECTION

Inspecter soigneusement le diaphragme avant chaque utilisation. Voici la meilleure façon de procéder :

- Tenir le diaphragme près d'une source de lumière. L'étirer soigneusement de tous les côtés et s'assurer qu'il ne comporte pas de trous. Attention, les ongles peuvent perforer le diaphragme.
- Une autre façon de détecter les trous les plus minuscules consiste à le remplir d'eau avec précaution. Tout problème sera immédiatement détecté.
- Des plissements du diaphragme, particulièrement près de l'anneau, pourraient cacher des défectuosités.
- Si des défectuosités sont présentes, ne pas utiliser le diaphragme et consulter un professionnel de la santé.

PRÉPARATION

- Rincer le diaphragme pour enlever la fécule de maïs (mise au moment de le ranger). Pour être efficace, le diaphragme doit toujours être utilisé avec un lubrifiant spermicide. Le diaphragme à lui seul ne peut prévenir efficacement la grossesse.
- Toujours vider la vessie avant d'insérer le diaphragme. Appliquer environ deux cuillères à thé de gel ou de crème spermicide sur le côté du diaphragme qui repose contre le col de l'utérus (ou selon les instructions). Étendre le spermicide sur toute la surface et sur l'anneau. Cette mesure facilite l'insertion et contribue à mieux sceller le col. De nombreuses femmes appliquent aussi du gel ou de la crème sur l'autre côté du diaphragme **FIGURE A**.

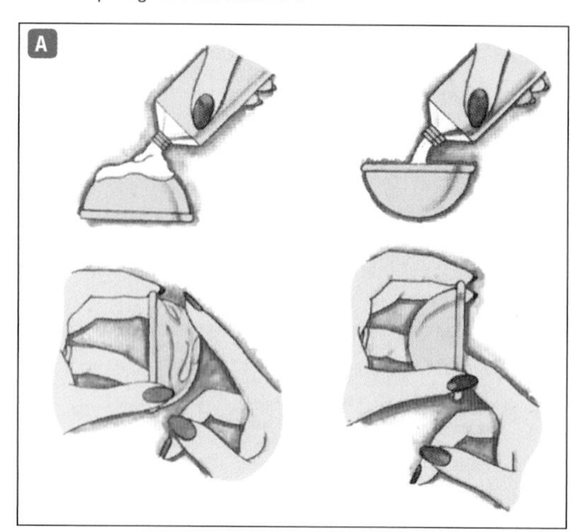

POSITIONS POUR L'INSERTION

- Accroupie : la position accroupie est la plus courante, et la plupart des femmes l'estiment satisfaisante.
- Jambe surélevée : l'autre position consiste à déposer le pied gauche (si l'on utilise la main droite pour l'insertion) sur un tabouret bas et à se pencher pour insérer le diaphragme.
- Assise sur une chaise : une autre méthode pratique consiste à s'asseoir sur le bord d'une chaise.
- Semi-assise : certaines femmes préfèrent insérer le diaphragme lorsqu'elles sont en position semi-inclinée dans le lit.

INSERTION

- Le diaphragme peut être inséré jusqu'à six heures avant le rapport sexuel. Tenir le diaphragme entre le pouce et les doigts. Le dôme peut être placé vers le haut ou vers le bas, selon les instructions du professionnel de la santé. Placer l'index sur le bord extérieur de l'anneau comprimé **FIGURE B**.

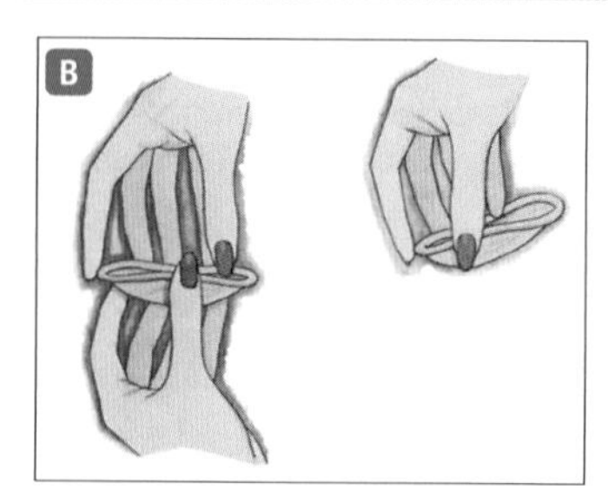

- Utiliser les doigts de l'autre main pour écarter les lèvres et les petites lèvres, cela contribuera à guider l'installation du diaphragme. Insérer le diaphragme dans le vagin. Le diriger à l'intérieur et vers le bas aussi loin qu'il se rendra derrière la symphyse pubienne **FIGURE C**.

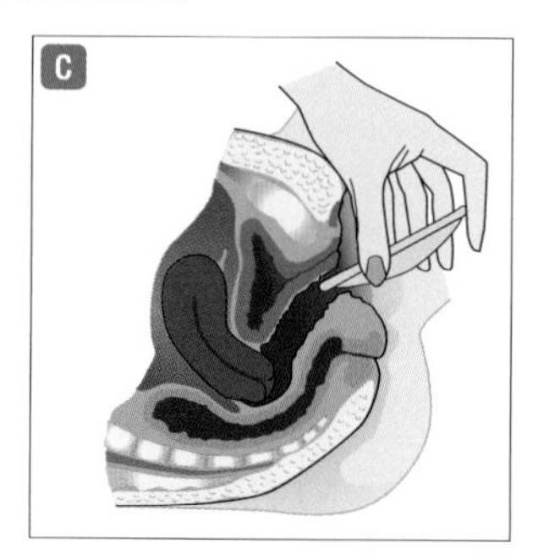

- Placer l'avant du bord derrière l'os pubien pour que le caoutchouc adhère à la paroi antérieure du vagin **FIGURE D**.

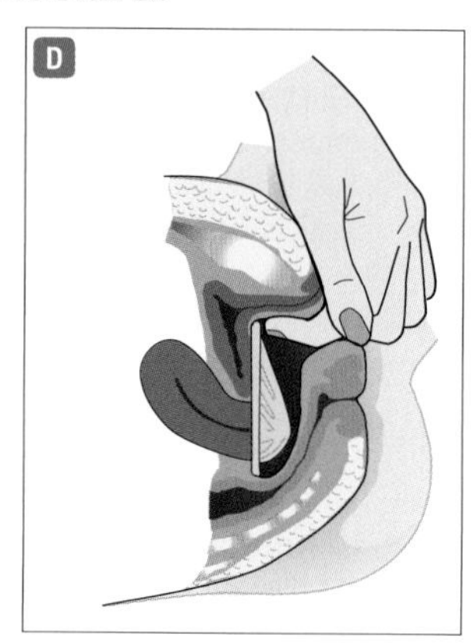

- Palper le col de l'utérus à travers le diaphragme pour s'assurer que celui-ci est bien en place et que le dôme de caoutchouc recouvre le col **FIGURE E**.

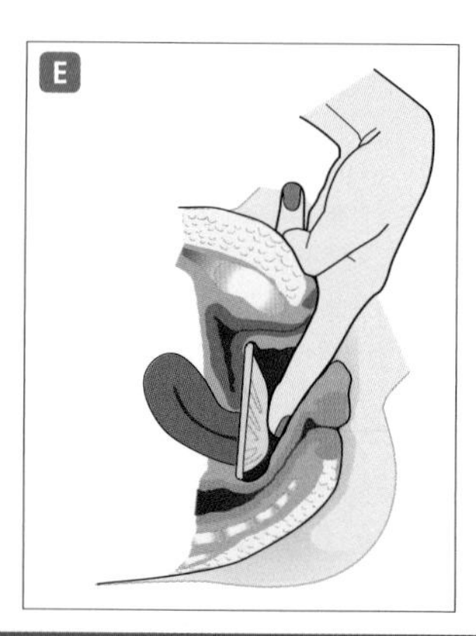

ENCADRÉ 4.6 Utilisation et entretien du diaphragme *(suite)*

RETRAIT

- La seule façon adéquate de retirer le diaphragme est d'insérer l'index par-dessus le bord supérieur du diaphragme et légèrement sur le côté. Ensuite, tourner la paume de la main vers le bas et vers l'arrière, en accrochant fermement l'index à l'intérieur du bord supérieur, ce qui supprime l'effet de succion.
- Tirer le diaphragme vers le bas et vers l'extérieur. Cette technique évite de le déchirer avec les ongles. Il ne faut pas retirer le diaphragme en tentant d'attraper le bord à partir du dessous du dôme **FIGURE F**.

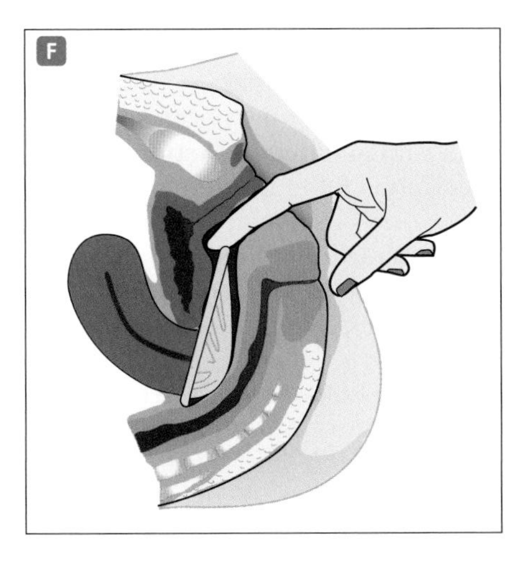

RENSEIGNEMENTS GÉNÉRAUX

Peu importe le moment du mois, il faut utiliser le diaphragme à chaque rapport sexuel. Le diaphragme doit rester en place pendant au moins six heures après le dernier rapport. S'il est retiré avant la période de six heures, les risques de grossesse augmentent considérablement. S'il y a plusieurs rapports sexuels répétés, il faut rajouter du spermicide avant chaque rapport.

ENTRETIEN

- Il faut éviter d'utiliser les produits à base d'huile, comme certains lubrifiants pour le corps, d'huile minérale, d'huile pour bébé, de lubrifiants vaginaux ou de préparation pour les vaginites. Ces produits peuvent fragiliser le caoutchouc.
- L'entretien du diaphragme en prolonge la durée. Après chaque utilisation, laver le diaphragme à l'eau tiède avec un savon doux. Ne pas utiliser de savon détergent, de savon contenant du cold-cream ou de la gelée de pétrole parce qu'ils peuvent altérer le caoutchouc.
- Après le nettoyage, bien sécher le diaphragme. Éponger l'eau et l'humidité avec une serviette. Saupoudrer le diaphragme de fécule de maïs. Ne pas utiliser de talc parfumé, de poudre pour le corps ou pour bébé ou de produits similaires parce qu'ils peuvent altérer le caoutchouc.
- Lorsqu'un applicateur est utilisé, le laver avec du savon doux et de l'eau tiède, puis le rincer et le sécher complètement.
- Placer le diaphragme dans l'étui de plastique. Ne pas le ranger près d'un radiateur, d'une source de chaleur ou dans un endroit exposé à la lumière pendant une période prolongée.

est souple et leur bord est ferme **FIGURE 4.5A**. La cape doit bien s'ajuster autour du col utérin et du cul-de-sac vaginal. Il est recommandé de la laisser en place au moins 6 heures après la dernière relation sexuelle, mais pas plus de 48 heures. Le sceau constitue une barrière physique pour le sperme tandis que le spermicide à l'intérieur de la cape ajoute un écran chimique. La période prolongée pendant laquelle la femme peut la porter constitue un atout.

Les directives d'insertion et d'utilisation de la cape cervicale ressemblent énormément à celles qui s'appliquent au diaphragme contraceptif. Cependant, la cape cervicale peut être insérée plusieurs heures avant l'acte sexuel sans qu'il soit nécessaire d'ajouter du spermicide plus tard ni en cas de rapports sexuels répétés. De plus, la cape requiert une moins grande quantité de spermicide que le diaphragme. L'angle de l'utérus, le tonus musculaire du vagin et la forme du col utérin peuvent nuire à l'ajustement et à l'utilisation de la cape cervicale. Un ajustement correct requiert du temps, des efforts et des habiletés tant de la part de la cliente que de celle du professionnel de la santé. La femme doit vérifier la position de la cape avant et après chaque rapport sexuel **ENCADRÉ 4.7**.

Étant donné le risque de syndrome de choc toxique associé à l'utilisation de la cape cervicale, il est recommandé d'utiliser une autre forme de contraception au cours des menstruations et pendant une période d'au moins six semaines après l'accouchement. La cape devrait être réajustée après toute chirurgie gynécologique, à la suite d'un accouchement ou d'une fluctuation de poids importante. Autrement, la taille devrait être vérifiée au moins une fois par an.

Les femmes auxquelles la cape cervicale ne convient pas sont celles dont les résultats du test Pap sont anormaux, celles auxquelles aucune taille de cape ne permet un ajustement adéquat et celles qui éprouvent des difficultés au moment de l'insertion et du retrait du dispositif. Les clientes ayant des antécédents de syndrome de choc toxique, d'infections vaginales ou cervicales et celles qui présentent une allergie à la cape en latex ou aux spermicides sont aussi de mauvaises candidates.

Éponge contraceptive

L'éponge vaginale est petite, ronde, composée de polyuréthane et imprégnée de spermicide N-9 **FIGURE 4.5B**. L'extrémité placée près du col utérin est concave pour un meilleur ajustement. Le côté opposé possède une boucle de polyester pour faciliter son retrait.

La femme humidifie l'éponge avec de l'eau avant de l'insérer. Même en cas de rapports sexuels répétés,

Il faut être attentive aux signes de syndrome de choc toxique chez les femmes qui utilisent un diaphragme ou une cape cervicale. Les signes les plus courants sont les démangeaisons de type coup de soleil, la diarrhée, les étourdissements, les évanouissements, la faiblesse, le mal de gorge, des douleurs musculaires et articulatoires, une fièvre soudaine élevée et des vomissements (Planned Parenthood, 2008).

Guide d'enseignement

ENCADRÉ 4.7 **Utilisation de la cape cervicale**

- Pousser la cape à l'intérieur du vagin jusqu'à ce qu'elle couvre le col utérin.

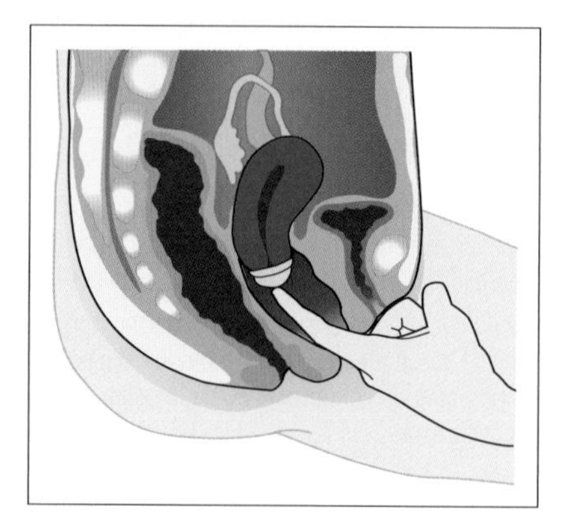

- Presser le bord contre le col utérin pour sceller la cape cervicale.

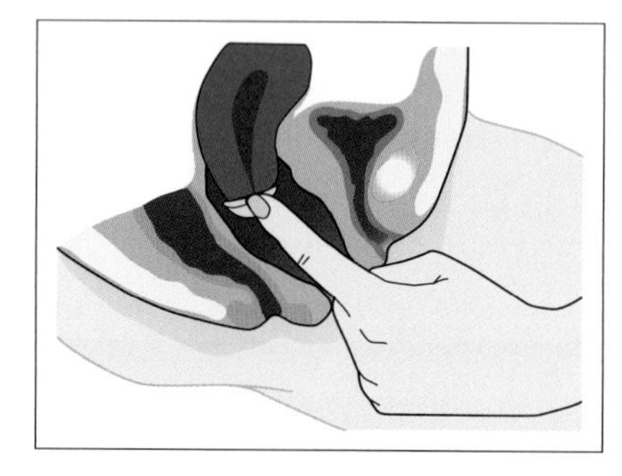

- Pour la retirer, pousser le bord de la cape vers la hanche droite ou gauche de façon à la déloger du col utérin, puis la retirer.

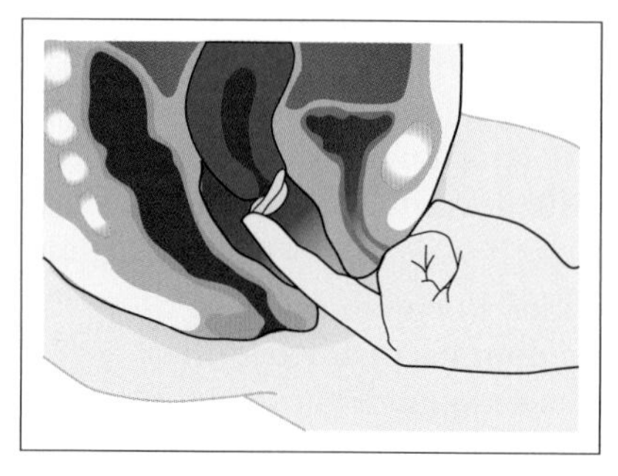

- La femme peut adopter plusieurs positions pour insérer la cape cervicale. Voir les quatre positions indiquées pour l'insertion du diaphragme.

l'éponge offre une protection pendant 24 heures. Elle devrait être laissée en place pendant au moins six heures après le dernier rapport sexuel. Le port de l'éponge pendant plus de 24 à 30 heures peut entraîner des risques de syndrome de choc toxique (Cates & Raymond, 2007).

Le taux d'échec de cette méthode au cours de la première année d'utilisation est de 16 % chez les femmes nullipares et de 32 % chez les femmes multipares (Trussell, 2007).

4.2.4 Méthodes hormonales

Aujourd'hui au Canada, il existe plus d'une trentaine de formules contraceptives hormonales. Le **TABLEAU 4.1** en décrit les grandes catégories. Les préparations comprennent une combinaison d'**œstrogènes** et d'agents progestatifs. Elles sont administrées par voie orale (P.O.), transdermique vaginale, sous forme d'injection intramusculaire (I.M.) ou par voie intra-utérine.

Contraceptifs contenant une combinaison d'œstrogènes et de progestatif

Contraceptifs oraux

Le cycle menstruel normal est maintenu grâce à un mécanisme de rétroaction. Le corps sécrète une hormone folliculostimulante (FSH) et de la LH en réaction au niveau fluctuant d'œstrogènes et de progestérone ovarienne. L'ingestion régulière de pilules contraceptives d'hormones associées supprime l'action de l'hypothalamus et de l'hypophyse antérieure menant à une sécrétion insuffisante de FSH et de LH; en conséquence, il n'y a pas de maturation des follicules, et l'ovulation est supprimée.

Les préparations d'hormones stéroïdiennes associées entraînent d'autres effets contraceptifs. Ces substances modifient la maturation de l'endomètre, rendant celui-ci impropre à la nidation. Les pilules contraceptives d'hormones associées ont également un effet direct sur l'endomètre : de un à quatre jours après l'ingestion du dernier comprimé, l'endomètre se détache et saigne à cause de l'absence d'hormones. Les saignements sont généralement moins abondants que ceux des menstruations normales et durent uniquement deux ou trois jours. Certaines femmes n'ont aucun saignement. La glaire cervicale reste épaisse à cause de l'effet du progestatif (Nelson, 2007).

À cause de l'effet du progestatif, la glaire n'offre pas un milieu aussi favorable à la pénétration des spermatozoïdes que la glaire mince et liquide propre à la période de l'ovulation. L'effet possible de la motilité utérine et tubaire provoquée par les pilules contraceptives d'hormones associées n'est pas clair.

Les pilules monophasiques contiennent des doses fixes d'œstrogènes et de progestatif. Les pilules multiphasiques (p. ex., les contraceptifs oraux biphasiques et triphasiques) modifient la quantité de progestatif et, parfois, la quantité d'œstrogènes pendant chaque cycle. Ces préparations réduisent la quantité totale d'hormones durant un seul cycle sans sacrifier l'efficacité contraceptive (Nelson, 2007). Pour maintenir des niveaux hormonaux adéquats pour la contraception et améliorer le respect du traitement, les femmes devraient prendre les pilules contraceptives d'hormones associées au même moment chaque jour.

Pharmacothérapie

TABLEAU 4.1 **Contraception hormonale**

COMPOSITION	VOIE D'ADMINISTRATION	DURÉE DE L'EFFET
Combinaison d'œstrogènes et de progestatifs (diverses doses et formules d'hormones synthétiques)	P.O.	24 heures; cycle étendu – 12 semaines
	Transdermique	7 jours
	Insertion d'un anneau vaginal	3 semaines
Noréthindrone	P.O.	24 heures
Acétate de médroxyprogestérone	I.M.	3 mois
Lévonorgestrel	DIU	Jusqu'à 5 ans

Avantages Le geste de prendre la pilule n'est pas directement lié à l'acte sexuel, ce qui facilite l'acceptation de cette méthode. L'impossibilité d'une grossesse améliore fréquemment les réactions sexuelles. Certaines femmes trouvent également pratique de savoir quand se produiront leurs prochaines menstruations.

Les données sur les avantages non contraceptifs des contraceptifs oraux sont basées sur des études concernant de fortes doses (50 mg d'œstrogènes). Il existe peu de données sur les avantages non contraceptifs des contraceptifs oraux faiblement dosés (moins de 35 mg d'œstrogènes) (Nelson, 2007). Les avantages non contraceptifs pour la santé des pilules d'hormones associées comprennent une diminution des menstruations et de l'anémie ferriprive, la régulation de la ménorragie et des cycles irréguliers et la réduction de l'incidence de la **dysménorrhée** et du syndrome prémenstruel. Les contraceptifs oraux procurent aussi une protection contre le cancer de l'endomètre et des ovaires, réduisent l'incidence des maladies bénignes du sein et améliorent l'acné. Ils protègent aussi contre la formation de kystes ovariens fonctionnels et contre la salpingite et diminuent le risque de grossesse ectopique. Ils sont considérés comme un choix sans risque pour la femme non fumeuse jusqu'à la ménopause. Pendant la périménopause, l'utilisation de contraceptifs oraux permet aux femmes de profiter de cycles menstruels réguliers, de cycles hormonaux réguliers et des autres effets positifs sur la santé associés à la prise des contraceptifs oraux (Nelson, 2007).

Les femmes qui désirent prendre des pilules contraceptives d'hormones associées doivent subir un examen médical avant la prescription de celles-ci, puis une fois par année. L'examen comprend la consignation des antécédents médicaux et familiaux, du poids et de la pression artérielle, l'examen général et pelvien ainsi qu'un dépistage du cancer cervical (test Pap). Un suivi régulier effectué par un professionnel de la santé est aussi nécessaire pour détecter les troubles non liés à la contraception, ce qui permet de commencer le traitement en temps opportun. La plupart des professionnels de la santé évaluent la cliente trois mois après le début de la prise des pilules contraceptives d'hormones associées afin de déceler toute complication.

Les contraceptifs oraux protègent contre le cancer de l'endomètre et des ovaires, réduisent l'incidence des maladies bénignes du sein. Ils diminuent les risques de formation de kystes ovariens fonctionnels, de salpingite et de grossesse ectopique.

Le début de la prise de contraceptifs oraux peut se faire de trois façons.

1. Immédiatement: prendre la première pilule le jour même du rendez-vous clinique et utiliser une autre méthode contraceptive pendant les sept jours suivants.
2. Le premier jour des menstruations: prendre la première pilule le premier jour du cycle menstruel (menstruations).
3. Commencer un dimanche: prendre la première pilule le premier dimanche qui suit le début des menstruations (Nelson, 2007).

Dysménorrhée: Douleur ressentie avant ou pendant la menstruation.

Si le mode d'emploi est strictement respecté, les contraceptifs oraux inhibent l'ovulation, et la grossesse ne peut donc pas avoir lieu. Le taux d'efficacité moyen atteint presque 100 %. Les échecs (c'est-à-dire la grossesse) sont majoritairement causés par l'omission d'une pilule ou plus. Le taux d'échec moyen attribuable à l'omission est de 8 % (Trussell, 2007).

La prise de contraceptifs oraux suit divers modèles. Le traitement consiste généralement à prendre une pilule active pendant trois semaines, puis une pilule placébo pendant sept jours. Aujourd'hui, certains régimes comprennent moins de pilules placébos et plus de pilules actives, bien qu'il soit nécessaire d'effectuer davantage de

Infection vaginale à levure: Infection des muqueuses du vagin causée par un champignon. Le *candida albicans* est le champignon le plus fréquemment en cause, d'où le nom de candidose souvent utilisé pour désigner cette infection.

recherches sur l'efficacité et l'innocuité de ces régimes. L'autre modèle d'utilisation est le cycle étendu – la prise de pilules en continu pendant des périodes plus longues, ce qui réduit la fréquence des menstruations (c.-à-d., le saignement de retrait). La période étendue peut être courte, comme à l'occasion de vacances ou d'un voyage, ou plus longue. Par exemple, la femme peut prendre des pilules actives pendant deux mois suivis de sept pilules placébo à la fin de la deuxième plaquette ou prendre une pilule à utilisation étendue approuvée par Santé Canada. L'une de ces pilules est à base de lévonorgestrel/éthinylestradiol (Seasonale[MD]). Elle contient des œstrogènes et un progestatif. La femme prend une pilule active pendant 12 semaines, puis une pilule inactive pendant 1 semaine. Les menstruations se produisent à la 13e semaine du cycle. La pilule active ne protège pas contre les ITSS, et les risques pour la santé sont semblables à ceux des pilules contraceptives d'hormones associées. Le lévonorgestrel/éthinylestradiol est uniquement vendu sur ordonnance, et les femmes doivent le prendre tous les jours, peu importe la fréquence des rapports sexuels. Étant donné que les menstruations de la femme qui prend cette pilule sont moins fréquentes, cette dernière devrait envisager la possibilité de grossesse en cas d'absence de menstruations la 13e semaine. Le taux moyen d'échec au cours de la première année d'utilisation est inférieur à 5 % (U.S. Food and Drug Administration [FDA], 2009). Cette utilisation en continu des contraceptifs oraux est de plus en plus répandue au Canada.

Inconvénients et effets secondaires Depuis la mise en marché des contraceptifs hormonaux, les fabricants ont réduit considérablement la quantité d'agents progestatifs contenue dans chaque comprimé. Ce facteur est important, parce que les effets indésirables sont jusqu'à un certain point liés au dosage.

Il faut vérifier l'état pathologique des femmes qui envisagent d'utiliser les contraceptifs oraux. Les contre-indications sont les antécédents ou la présence de troubles thromboemboliques, les maladies vasculaires cérébrales ou les coronaropathies, la cardiopathie valvulaire, le cancer du sein ou les autres tumeurs estrogénodépendantes, l'altération de la fonction hépatique et les tumeurs du foie. Les femmes âgées de plus de 35 ans qui fument (plus de 15 cigarettes par jour) ou celles qui souffrent d'hypertension artérielle grave ou de céphalée avec des symptômes neurologiques focaux ne devraient pas utiliser les pilules contraceptives d'hormones associées. Les chirurgies entraînant une immobilisation prolongée ou toute chirurgie des jambes ainsi que le diabète (présent depuis plus de 20 ans) accompagné d'affections vasculaires constituent également des contre-indications (Nelson, 2007).

Certains effets secondaires des pilules contraceptives d'hormones associées sont attribuables aux œstrogènes, au progestatif ou aux deux. Les graves effets indésirables documentés des doses élevées d'œstrogènes et de progestatif comprennent les accidents vasculaires cérébraux, l'infarctus du myocarde, la thromboembolie, l'hypertension, les problèmes de vésicule biliaire et les tumeurs hépatiques. Les effets secondaires courants de l'excès d'œstrogènes sont les nausées, la sensibilité des seins, l'**infection vaginale à levure**, la rétention d'eau et le chloasma. Les effets secondaires courants d'une déficience en œstrogènes sont les saignements au début du cycle (entre le 1er et le 14e jour), l'**hypoménorrhée**, la nervosité et la vaginite atrophique qui rend les rapports sexuels douloureux (dyspareunie). Les effets secondaires d'un excès de progestatif sont l'augmentation de l'appétit, la fatigue, la dépression, la sensibilité des seins, l'infection vaginale à levure, la peau et les cheveux gras, l'hirsutisme et l'aménorrhée. Les effets secondaires de la déficience en progestatif sont les saignements vaginaux légers à la fin du cycle et la métrorragie (du 15e au 21e jour), les menstruations abondantes présentant des caillots et une diminution du volume des seins. Un des effets secondaires les plus courants des pilules contraceptives d'hormones associées est les saignements irréguliers (Nelson, 2007).

En cas d'effets secondaires, surtout s'ils sont incommodants, il pourra être nécessaire de changer de produit, de médicament ou de méthode contraceptive. Le produit le mieux adapté à une femme est celui qui contient la dose la plus faible d'hormones qui empêchent l'ovulation et dont les effets secondaires sont les moins nombreux et les moins nocifs. Il est impossible de déterminer le dosage approprié pour une femme en particulier. Les éléments à considérer sont l'utilisation antérieure de ces contraceptifs, leurs effets secondaires, les antécédents en matière de menstruation et les interactions médicamenteuses (Nelson, 2007).

Les médicaments suivants pris simultanément avec des contraceptifs oraux peuvent réduire l'efficacité de ces derniers (Nelson, 2007):

- anticonvulsants: barbituriques, oxcarbazépine, phénytoïne, phénobarbital, felbamate, carbamazépine, primidone et topiramate;
- antifongiques systémiques: griséofulvine;
- médicaments antituberculeux: rifampicine et rifabutine;
- inhibiteur de protéase anti-VIH.

Il n'existe pas de données pharmacocinétiques solides montrant un lien entre les antibiotiques à large spectre et la modification des taux hormonaux chez les utilisatrices de contraceptifs oraux, bien qu'une interaction antibiotique puisse se produire (Nelson, 2007). Une métaanalyse d'études portant sur l'incidence du cancer du sein chez les utilisatrices actuelles ou passées âgées de 35 à 64 ans n'a pas révélé d'augmentation significative de ce type de cancer chez ces personnes (Marchbanks *et al.*, 2002).

Après l'arrêt de la contraception orale, les femmes redeviennent généralement rapidement fécondes (Nelson, 2007). Plusieurs d'entre elles ovulent le mois suivant. Celles qui cessent d'en prendre parce qu'elles prévoient devenir enceintes demandent généralement si elles devraient attendre avant de tenter de concevoir. Des études indiquent que leur nouveau-né n'est pas plus à risque de déficience de naissance que ceux des femmes de la population générale, même si la conception a eu lieu au cours du premier mois suivant l'arrêt du médicament. Cependant, les femmes qui planifient une grossesse devraient commencer à consommer des suppléments d'acide folique au moins trois mois avant d'arrêter la contraception (Nelson, 2007).

SOINS ET TRAITEMENTS INFIRMIERS

Contraceptifs hormonaux

Interventions cliniques

Comme il existe de nombreuses préparations différentes de contraceptifs hormonaux oraux, l'infirmière examine le feuillet qui accompagne le produit, elle lit la posologie avec la cliente et s'assure que celle-ci comprend bien la posologie particulière de la préparation qui lui est prescrite. Les instructions en cas d'omission de un ou de plusieurs comprimés varient également **FIGURE 4.6**. En tout temps, s'il y a omission de un ou de plusieurs comprimés, les femmes québécoises peuvent communiquer avec la ligne Info-Santé (jour et nuit) pour confirmer la conduite à tenir afin d'assurer leur contraception.

Le saignement de retrait a tendance à être de courte durée et peu abondant lorsque la cliente prend des pilules combinées. Il se peut que la femme n'observe pas d'écoulement de sang frais du

Les médicaments offerts en vente libre, ainsi que certains suppléments à base de plantes médicinales (p. ex., le millepertuis commun), peuvent altérer l'efficacité des contraceptifs oraux. Il faut demander aux clientes si elles en consomment lorsqu'elles envisagent d'utiliser cette méthode contraceptive.

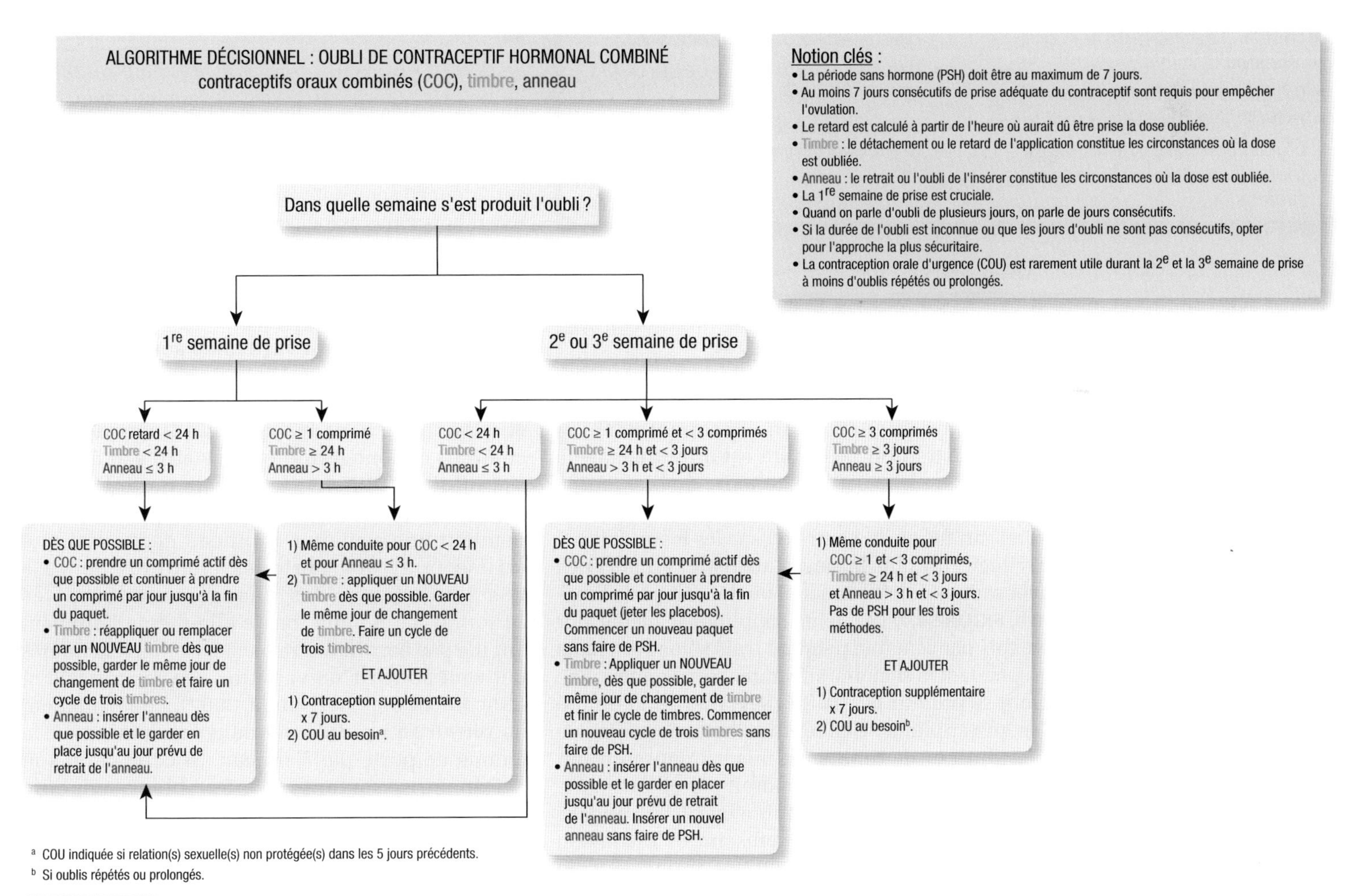

FIGURE 4.6
Diagramme pour l'omission de pilules contraceptives

tout. Une goutte de sang ou une légère tache sur le tampon ou sur les sous-vêtements peuvent être considérées comme des menstruations.

Environ 68 % des femmes qui commencent à prendre des contraceptifs oraux continuent à les utiliser un an plus tard (Trussell, 2007). L'infirmière devrait donc recommander à la cliente une seconde méthode contraceptive, lui montrer comment s'en servir et s'assurer qu'elle est à l'aise avec cette méthode. La plupart des femmes cessent de prendre des contraceptifs oraux pour des raisons non médicales.

L'infirmière passe également en revue les signes de complications possibles liées à l'utilisation des contraceptifs oraux **ENCADRÉ 4.8**. Les contraceptifs oraux ne protègent pas contre les ITSS. Une méthode dite de barrière comme les condoms et les spermicides devrait être utilisée pour se protéger.

ENCADRÉ 4.8 Signes de complications liés aux contraceptifs oraux

Aviser la cliente qui éprouve l'un des symptômes suivants d'arrêter la prise du contraceptif oral et de consulter son professionnel de la santé immédiatement.

- Douleurs abdominales pouvant indiquer un problème lié au foie ou à la vésicule biliaire
- Douleurs thoraciques ou essoufflement pouvant indiquer une embolie pulmonaire ou cardiaque
- Céphalée (soudaine ou persistante) pouvant être causée par un accident vasculaire cérébral (AVC) ou par de l'hypertension
- Problèmes de vision pouvant indiquer un AVC ou de l'hypertension
- Douleurs intenses à la jambe pouvant indiquer un processus thromboembolique

Timbre contraceptif transdermique

Le timbre contraceptif transdermique n'est disponible que sur ordonnance. Il libère des taux continus de norelgestromin (progestatif) et d'éthinylestradiol. Le timbre est appliqué sur la peau intacte sur la partie extérieure du bras, sur le haut du torse (à l'avant et à l'arrière, sauf sur les seins), sur le bas du ventre ou sur les fesses (sites à privilégier durant la saison estivale) à l'abri des rayons ultra-violets (du soleil ou des salons de bronzage) **FIGURE 4.7**. La cliente l'applique le même jour une fois par semaine pendant trois semaines, mais pas pendant la semaine suivante. Le saignement de retrait se produit pendant la semaine où le timbre n'est pas appliqué. Une réaction cutanée passagère à l'endroit où le timbre est mis est courante ; on suggère donc de changer d'endroit périodiquement. La femme peut laisser le timbre en place pendant son bain, sous la douche, à la piscine et lorsqu'elle fait de l'exercice (Nanda, 2007). Son mécanisme d'action, son efficacité, ses contre-indications, les réactions cutanées et les effets secondaires qu'il provoque sont semblables à ceux de la pilule contraceptive d'hormones associées. Le problème

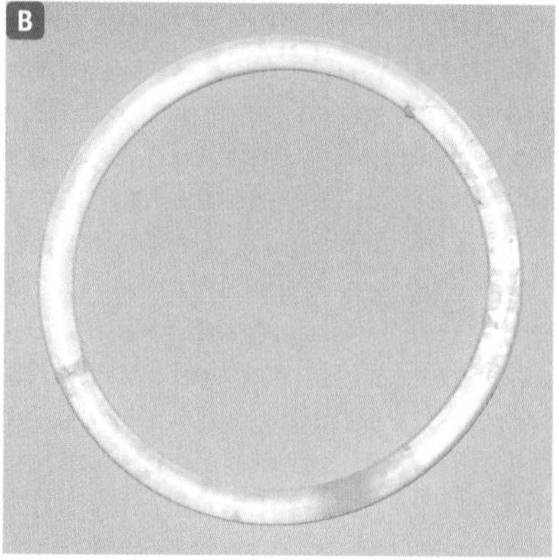

FIGURE 4.7
A Timbre hormonal transdermique.
B Anneau contraceptif vaginal.

de santé grave que la femme peut connaître est le risque accru de thrombophlébite, parce que les taux globaux d'œstrogènes dans le sang peuvent être supérieurs à ceux entraînés par la pilule contraceptive d'hormones associées (Courtney, 2006). Le taux moyen d'échec pendant la première année d'utilisation est de 8 % (Trussell, 2007).

Anneau contraceptif vaginal

L'anneau contraceptif vaginal ne peut être obtenu que sur ordonnance. C'est un anneau flexible (composé de copolymère d'acétate de vinyle-éthylène) fixé dans le vagin, qui libère des taux continus d'étonogestrel (progestatif) et d'éthinylestradiol **FIGURE 4.7**. La femme porte l'anneau vaginal pendant trois semaines, puis l'enlève pendant une semaine. L'anneau peut aussi être utilisé pour des périodes étendues de 49 à 364 jours (avec des changements tous les 21 jours). La femme insère elle-même l'anneau, qui n'a pas besoin d'être ajusté. Certaines femmes peuvent souffrir de vaginites, de leucorrhée et d'inconfort vaginal (Nanda, 2007). Le saignement de retrait se produit pendant la semaine où la femme ne porte pas l'anneau. Si celle-ci ou son partenaire se sentent inconfortables pendant le coït, l'anneau peut être temporairement retiré du vagin, mais jamais pendant plus de trois heures pour qu'il reste efficace durant le reste de la période de trois semaines. Le mécanisme d'action, d'efficacité, les contre-indications et les effets secondaires sont semblables à ceux de la pilule contraceptive d'hormones associées. Le taux moyen d'échec de l'anneau contraceptif vaginal est de 8 % pendant la première année d'utilisation (Trussell, 2007).

Contraceptifs uniquement à base de progestatif

Les méthodes uniquement à base de progestatif empêchent la fécondité en inhibant l'ovulation, en épaississant et en diminuant la quantité de glaire cervicale, en amincissant l'endomètre et en modifiant les cils dans les trompes de Fallope (Raymond, 2007).

Contraceptif oral à progestatif seul (minipilule)

Le taux d'échec des pilules uniquement à base de progestatif chez l'utilisatrice générale est d'environ 8 % pendant la première année d'utilisation (Trussell, 2007). L'efficacité augmente si ces pilules sont prises correctement. Étant donné qu'elles ne contiennent qu'une très faible dose de progestatif, les femmes doivent les prendre à la même heure tous les jours (Raymond, 2007). Les utilisatrices se plaignent souvent de saignements vaginaux irréguliers. Ce type de contraceptif oral est particulièrement recommandé pour les femmes âgées de plus de 35 ans, ayant une contre-indication ou ayant présenté des effets secondaires liés aux œstrogènes, aux fumeuses, aux femmes atteintes de migraines avec des symptômes neurologiques ou à celles qui allaitent (SOGC, 2004b).

Contraceptif injectable à progestatif seul

Une dose de 150 mg d'acétate de médroxyprogestérone-retard, (DMPA [*depot-medroxyprogesterone acetate*] ou Depo-Provera^MD^) est administrée par voie I.M. dans le muscle deltoïde ou du grand fessier. Une aiguille indicatrice de calibre 21 à 23 et de 2,5 à 4 cm de long est utilisée. Le DMPA est administré pendant les 5 premiers jours du cycle menstruel, puis toutes les 12 semaines ou tous les 3 mois.

Les avantages du DMPA sont une efficacité contraceptive comparable à celle des contraceptifs oraux d'hormones associées, ses effets durables et le fait de n'avoir besoin que de quatre injections par année. Le DMPA peut être utilisé par les femmes qui allaitent, mais le moment de son administration après l'accouchement fait encore l'objet de controverses (Goldberg & Grimes, 2007). Au bout de un an, les effets secondaires sont une diminution de la densité osseuse, un gain de poids, une modification lipidique, une augmentation des thromboses veineuses et de la thromboembolie, de petites pertes vaginales sanglantes et irrégulières, une diminution de la libido et des modifications dans les seins. L'autre inconvénient est l'absence de protection contre les ITSS. Le délai nécessaire pour recouvrer la fécondité est de 6 à 12 mois après l'arrêt du DMPA (Goldberg & Grimes, 2007). Le taux d'échec moyen est de 3 % au cours de la première année d'utilisation (Trussell, 2007). L'observance du traitement étant facilitée par la voie injectable du DMPA, cela pourrait expliquer le taux d'échec plus faible pour cette forme en comparaison avec celui des contraceptifs oraux.

4.2.5 Contraception d'urgence

La contraception orale d'urgence (COU) est accessible dans plus de 100 pays; dans environ un tiers de ceux-ci, on peut se la procurer sans ordonnance. Au Québec, les femmes de tous âges peuvent obtenir la COU sans ordonnance dans les pharmacies communautaires ou par les services d'un centre de santé (CSSS, clinique sans rendez-vous, clinique de santé des femmes, infirmière scolaire). Au Canada, deux types de méthodes de contraception d'urgence sont disponibles et approuvées: les méthodes hormonales et le dispositif intra-utérin (DIU) de cuivre. Les méthodes hormonales peuvent être des comprimés de progestatif (Plan B^MD^ et NorLevo^MD^) ou la méthode Yuzpe (de deux à cinq comprimés d'une combinaison d'œstrogènes et de progestatif) (SOGC, 2003, 2010). Les femmes devraient prendre la contraception d'urgence le plus tôt possible (c.-à-d. dans les 24 à 48 heures) et ne pas attendre plus de 120 heures après un rapport sexuel non protégé ou un accident relatif à la contraception (p. ex., un condom déchiré, un anneau ou une cape cervicale déplacés, un contraceptif oral oublié ou un retard pour l'injection) afin de prévenir une grossesse non désirée (American College of Obstetricians and Gynecologists, 2005). Si elle est prise avant l'ovulation, la contraception d'urgence empêche cette dernière en inhibant le développement folliculaire. Si elle est prise après l'ovulation, l'effet sur la production d'hormones ovariennes ou sur l'endomètre demeure faible.

Le **TABLEAU 4.2** présente le régime de médicaments oraux à base d'œstrogènes-progestatif recommandée pour la contraception d'urgence (méthode Yuzpe). Quant aux COU à progestatif seul, ils doivent idéalement être utilisés moins de 72 heures après la relation sexuelle non protégée. Pour le Plan-B^MD^ comme pour le NorLevo^MD^, les deux comprimés peuvent être pris simultanément ou à intervalle de 12 heures.

SOINS ET TRAITEMENTS INFIRMIERS

Contraception d'urgence

Interventions cliniques

Afin de minimiser les effets secondaires des nausées qui se produisent avec les taux élevés d'œstrogènes et de progestatif, l'infirmière conseillera aux clientes de prendre un antiémétique une heure avant chaque dose. Les femmes pour lesquelles les œstrogènes sont contre-indiqués devraient utiliser une contraception d'urgence à base de progestatif seulement. Il n'y a pas de contre-indication médicale pour la contraception d'urgence, sauf la

La durée d'utilisation accrue du DMPA peut entraîner une perte en teneur minérale des os. Le DMPA ne devrait pas être utilisé comme méthode contraceptive à long terme (p. ex., plus de deux ans) à moins que les autres méthodes contraceptives soient inadéquates.

Pour savoir où obtenir la COU, les femmes peuvent consulter le site www.masexualité.ca, communiquer avec la ligne québécoise Info-Santé (811) ou la ligne d'assistance canadienne pour la santé sexuelle (1 888 270-7444).

Après l'injection I.M. de progestatif (p. ex., le Depo-Provera^MD^), on doit s'abstenir de masser l'endroit de l'injection, car ce geste risque de hâter l'absorption et de raccourcir la période d'efficacité du produit.

Pharmacothérapie

TABLEAU 4.2 Pilules contraceptives d'urgence et dosage

MARQUE	PREMIÈRE DOSE (DANS LES 12 HEURES)	DEUXIÈME DOSE (12 HEURES PLUS TARD)
Progestatif seulement		
Plan B[MD a]	• Deux comprimés blancs en une dose. • En cas de vomissements dans les deux heures qui suivent, une dose additionnelle peut être prise.	
NorLevo[MD b]	• Deux comprimés blancs en une dose. • En cas de vomissements dans les trois heures suivant la prise de NorLevomd, la cliente doit s'assurer que les deux comprimés se trouvent dans les matières vomies. Si et seulement si les comprimés s'y trouvent, une dose additionnelle (deux comprimés) est recommandée sur-le-champ.	
Contraceptifs oraux combinés[b]		
Alesse[MD]	• Cinq pilules roses	• Cinq pilules roses
Aviane[MD]	• Cinq pilules oranges	• Cinq pilules oranges
Min-Ovral[MD]	• Quatre pilules blanches	• Quatre pilules blanches
Ovral[MD]	• Deux pilules blanches	• Deux pilules blanches
Portia[MD]	• Quatre pilules roses	• Quatre pilules roses
Seasonale[MD]	• Quatre pilules roses	• Quatre pilules roses
Triquilar[MD]	• Quatre pilules jaunes	• Quatre pilules jaunes

[a] Peuvent être prises en même temps ou à intervalle de 12 heures (un premier comprimé, puis un deuxième 12 heures plus tard).
[b] Fortement suggéré dans la mesure ou les nausées sont beaucoup plus fréquentes avec la méthode Yuzpe.
Source : SOGC (2003).

La contraception d'urgence ne protège pas la femme contre la grossesse si elle a des rapports sexuels non protégés pendant les jours ou les semaines qui suivent le traitement. Étant donné que la pilule contraceptive d'urgence peut retarder l'ovulation, il faut avertir la cliente qu'elle devra utiliser une méthode de contraception fiable afin de prévenir une grossesse non désirée.

grossesse, les saignements vaginaux anormaux non diagnostiqués ou l'hypersensibilité au produit (Stewart *et al.*, 2007). Si les menstruations ne commencent pas dans les 21 jours suivant la prise de la pilule contraceptive d'urgence, la femme devrait consulter pour vérifier si elle est enceinte (p. ex., en faisant un test de grossesse à la pharmacie ou à son CSSS) (Stewart *et al.*, 2007). La contraception d'urgence s'avère inefficace si la femme est enceinte, étant donné que la pilule ne perturbe pas une grossesse implantée. Le risque de grossesse est réduit de 59 à 94 % si la femme prend la pilule contraceptive d'urgence (Stewart *et al.*, 2007).

Le DIU en cuivre (voir plus loin) représente une autre méthode de contraception d'urgence. Il devrait être inséré dans les huit jours qui suivent un rapport sexuel non protégé (Stewart *et al.*, 2007). Cette méthode n'est suggérée que pour les femmes qui souhaitent bénéficier d'une contraception à long terme. Le risque de grossesse est réduit jusqu'à 99 % avec l'insertion d'urgence du DIU en cuivre.

L'infirmière devra donner des conseils sur la contraception à toutes les femmes qui demandent une contraception d'urgence et aborder la modification des comportements sexuels à risque afin de prévenir les ITS et les grossesses non désirées (Lever, 2005).

Jugement clinique

Océane se demande si la contraception orale d'urgence fonctionnera même si sa relation sexuelle non protégée remonte à deux jours.

Que doit-elle savoir à ce sujet ?

4.2.6 Dispositifs intra-utérins

Le DIU est un petit dispositif en forme de T qui comporte des bras flexibles permettant de l'insérer dans la cavité utérine **FIGURE 4.8**. Lorsque le professionnel de la santé formé insère le DIU dans le fond de l'utérus, les bras s'ouvrent près des trompes de Fallope afin de maintenir le dispositif en place ; cela entraîne un effet négatif sur la motilité des spermatozoïdes et irrite la muqueuse de l'utérus. Deux fils pendent depuis la base de la tige, passent par le col de l'utérus jusqu'au vagin afin de permettre à la

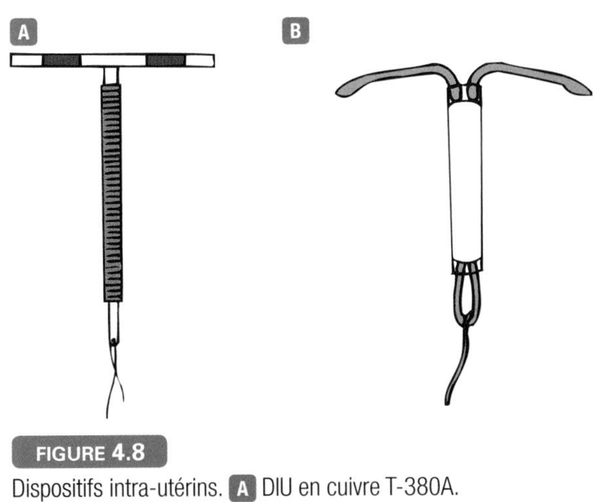

FIGURE 4.8
Dispositifs intra-utérins. A DIU en cuivre T-380A. B DIU libérant du lévonorgestrel.

femme de les sentir et de s'assurer que le dispositif n'a pas été expulsé (Grimes, 2007). Avant l'insertion du DIU, la femme devrait faire un test de grossesse pour s'assurer qu'elle n'est pas enceinte, recevoir un traitement pour la dysplasie, faire une culture cervicale pour s'assurer qu'elle n'a pas d'ITS et, enfin, signer un formulaire de consentement. Les avantages de cette méthode contraceptive sont la protection à long terme contre la grossesse et le retour immédiat à la fécondité lorsque le dispositif est retiré. Les inconvénients sont le risque accru d'atteinte inflammatoire pelvienne peu de temps après l'insertion, l'expulsion non intentionnelle du dispositif, l'infection et la possibilité de perforation utérine **ENCADRÉ 4.9**. Les DIU n'offrent pas de

4

Pratique fondée sur des résultats probants

ENCADRÉ 4.9 **Méthode contraceptive idéale : les dispositifs intra-utérins**

QUESTIONS CLINIQUES

- Quels sont les avantages et les inconvénients de l'utilisation des DIU comme méthode contraceptive ?
- Quel est le meilleur DIU ?

RÉSULTATS PROBANTS

- Stratégies de recherche : lignes directrices des organisations professionnelles, métaanalyses, recensions systématiques, essais aléatoires contrôlés, études prospectives non aléatoires et études rétrospectives depuis 2006.
- Recherche dans les bases de données : CINAHL, Cochrane, Medline, National Guideline Clearinghouse, PubMed Central Canada, Santécom (base de données de l'Institut national de santé publique du Québec), Scopus, TRIP Database et Royal College of Obstetrics & Gynaecology et dans les sites Web à l'aide des mots suivants : associations sur la santé des femmes, obstétrique, infirmière en néonatalogie.

ANALYSE CRITIQUE ET SYNTHÈSE DES DONNÉES

- Le DIU est une méthode contraceptive sécuritaire, rentable, très fiable et réversible. C'est un choix intéressant pour de nombreuses femmes, mais il reste sous-utilisé. Le DIU en cuivre est la méthode contraceptive par excellence depuis des dizaines d'années, sa durée d'action est la plus longue (il est approuvé pour 10 ans), et elle est la plus efficace (Kulier, Gülmezoglu, Hofmeyr, Cheng & Campana, 2007). Il en existe plusieurs modèles en Europe, mais au Canada, les DIU en cuivre approuvés sont le NOVA-T et le Flexi-T. Leur mécanisme d'action est principalement la prévention de la fécondation. Plus récemment, le DIU à lévonorgestrel Mirena[MD] (DIU-LNG), qui libère de faibles taux de progestatif, est devenu très apprécié à la fois comme contraceptif et comme traitement dans le cas de saignements menstruels abondants ou de dysménorrhée grave (Royal College of Obstetrics & Gynaecology Faculty of Sexual and Reproductive Health Care, 2007). L'action du DIU-LNG consiste principalement en une perturbation hormonale de l'endomètre, ce qui empêche la nidation. Le DIU-LNG est approuvé pour une utilisation de cinq ans, après quoi il faut le remplacer.
- Le DIU est recommandé pour les femmes, peu importe leur parité (nombre d'enfants mis au monde), leur âge ou leurs antécédents de grossesse ectopique ou d'atteinte inflammatoire pelvienne. Selon les lignes directrices du Royal College of Obstetricians and Gynaecologists (2007), le DIU est la méthode de choix pour les femmes souffrant de diabète, de cancer du sein, de maladies cardiovasculaires ainsi que pour celles qui sont à risque de thrombophlébite. C'est la meilleure méthode contraceptive pour les femmes souffrant d'anémie, de thalassémie, de drépanocytose ou de saignements abondants. L'insertion peut se faire à n'importe quel moment, pourvu que la femme ne soit pas enceinte.
- Le DIU en cuivre est aussi recommandé comme méthode de contraception d'urgence efficace. Inséré peu de temps après le rapport sexuel non protégé, il prévient la nidation. Il peut ensuite être laissé en place afin que la femme bénéficie d'une contraception continue (Cheng, Gülmezoglu, Piaggo, Ezcurra & Van Look, 2008).

RECOMMANDATIONS POUR LA PRATIQUE INFIRMIÈRE

- Le DIU est la méthode contraceptive idéale pour de nombreuses femmes tout au long de leurs années fécondes, mais plusieurs ne sont pas bien renseignées à son sujet. Les doutes concernant sa sécurité ont depuis longtemps été dissipés. Le DIU serait bénéfique pour les adolescentes qui ont des difficultés notoires avec la contraception (p. ex., des échecs répétés à la contraception qui ont mené à plus d'une interruption volontaire de grossesse).
- Tous les types de DIU peuvent être insérés quatre semaines après l'accouchement et constituent une méthode contraceptive réversible permettant d'espacer les grossesses.
- À 40 ans, une femme peut utiliser un DIU en cuivre. À 45 ans, elle peut se faire insérer un DIU-LNG qui lui fournira une contraception tout au long de la ménopause. L'infirmière devrait conseiller la femme sur son mode d'action et obtenir ses antécédents médicaux complets.
- Les femmes devraient savoir qu'il existe un risque faible (2 sur 1 000) de perforation au moment de l'insertion. Une information rigoureuse basée sur des résultats probants permet aux femmes de faire le meilleur choix concernant la contraception pour elles et pour leur famille.

RÉFÉRENCES

Cheng, L., Gülmezoglu, A., Piaggo, G., Ezcurra, E., & Van Look, P. (2008). Interventions for emergency contraception. *Cochrane Database of Systematic Reviews, 1,* CD 001324.

Kulier, R., O'Brien P., Helmerhorst, F., Usher-Patel, M., & d'Arcangues, C. (2007). Copper containing, framed intra-uterine devices for contraception. *Cochrane Database of Systematic Reviews, 3,* CD 005347.

Royal College of Obstetrics & Gynaecology Faculty of Sexual and Reproductive Healthcare (2007). *Clinical guidance: Intrauterine contraception.* [En ligne]. www.fsrh.org/pdfs/CEUGuidanceIntrauterineContraceptionNov07.pdf (page consultée le 1er novembre 2011).

ENCADRÉ 4.10 Dispositif intra-utérin : complications possibles

- Douleurs abdominales intenses, relations sexuelles douloureuses
- Menstruations tardives ou absence de menstruations ; perte de sang ou saignement anormal
- Perte vaginale anormale
- Malaise, fièvre ou frisson
- Absence de l'un des fils, ou alors un fil plus court ou plus long
- Présence du dispositif à l'extérieur du col de l'utérus ou dans le vagin

protection contre le VIH ni contre les autres ITS. Il y a un lien entre la nulliparité et le risque accru d'expulsion (Grimes, 2007).

Santé Canada a approuvé deux types de DIU : ceux en cuivre (Nova-T et Flexi-T) et le Mirena[MD] (DIU-LNG). Le cuivre contenu dans le Nova-T et le Flexi-T agit principalement comme un spermicide en créant une inflammation de l'endomètre, empêchant ainsi la fécondation (Grimes, 2007). Les femmes ont parfois plus de saignements et de crampes au cours de la première année suivant l'insertion, mais elles peuvent prendre des anti-inflammatoires non stéroïdiens (AINS) pour soulager leur douleur. Le taux moyen d'échec au cours de la première année d'utilisation est d'environ 0,8 % (Trussell, 2007).

Mirena[MD] est un système intra-utérin hormonal qui libère du lévonorgestrel à partir de son réservoir vertical. Efficace pendant cinq ans ou plus, il empêche la motilité du spermatozoïde, irrite la muqueuse de l'utérus et a certains effets anovulants (Grimes, 2007). Ce dispositif améliore généralement les crampes utérines et les saignements, bien qu'au cours des premiers mois qui suivent son insertion, les saignements irréguliers soient courants. Le taux moyen d'échec au cours de la première année d'utilisation est d'environ 0,2 % (Trussell, 2007).

Jugement clinique

Vous parlez de contraception avec Océane, et elle vous dit qu'elle aimerait se faire installer un stérilet Mirena[MD] comme sa mère l'a fait. Mais celle-ci lui a dit qu'elle ne peut sûrement pas en avoir un, car elle n'a jamais eu d'enfant.

Sa mère a-t-elle raison ? Justifiez votre réponse.

SOINS ET TRAITEMENTS INFIRMIERS

Dispositif intra-utérin

Interventions cliniques

L'infirmière devra enseigner à la cliente comment vérifier la présence des fils du DIU après les menstruations pour s'assurer qu'il n'a pas été expulsé. Si la femme devient enceinte pendant que le DIU est en place, une échographie permettra de confirmer que la grossesse n'est pas ectopique. Le retrait rapide du DIU contribue à diminuer le risque de fausses couches spontanées ou d'accouchement prématuré. La femme devrait rapporter tout signe de maladie ressemblant à la grippe, ce qui peut indiquer une fausse couche septique (Grimes, 2007). Certaines femmes allergiques au cuivre ont une éruption cutanée, ce qui nécessite le retrait du DIU en cuivre. L'infirmière indique aux clientes les signes de complications possibles énumérées dans l'**ENCADRÉ 4.10**.

4.2.7 Stérilisation

La stérilisation désigne l'intervention chirurgicale destinée à rendre une personne infertile. La plupart des interventions comprennent l'occlusion des canaux servant de passage à l'ovule et au sperme **FIGURE 4.9**. Dans le cas de la femme, les trompes de Fallope sont obturées et dans celui de l'homme, il s'agit des canaux déférents. Seul l'enlèvement chirurgical des ovaires (ovariectomie) ou de l'utérus (hystérectomie) garantira une stérilité absolue à la femme. Le taux d'échec de la plupart des autres interventions relatives à la stérilisation est inférieur à 1 % (Trussell, 2007).

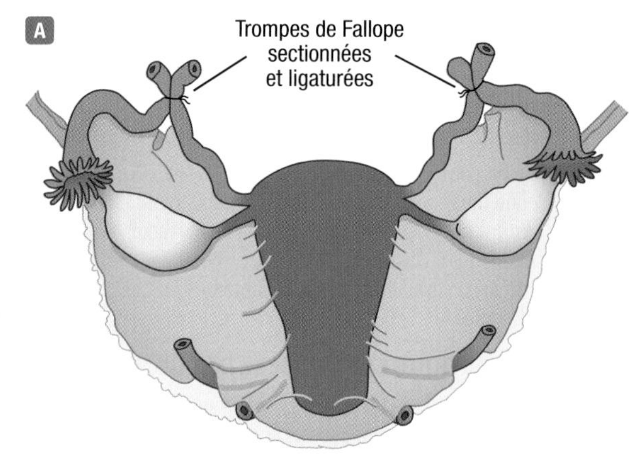

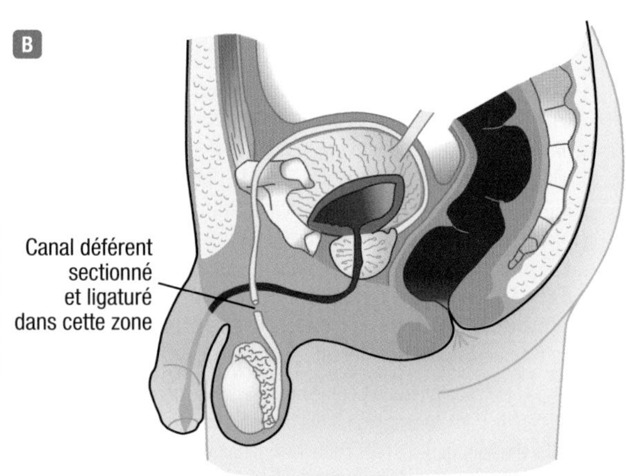

FIGURE 4.9
Stérilisation. A Trompes de Fallope sectionnées et ligaturées (ligature des trompes). B Canal déférent sectionné et ligaturé (vasectomie).

Stérilisation de la femme

La stérilisation de la femme peut être effectuée après un accouchement (dans les 48 heures), en même temps qu'un avortement ou à intervalle (pendant n'importe quelle phase du cycle menstruel). Dans ce cas, le professionnel de la santé doit s'assurer que la femme n'est pas enceinte (Pollack, Thomas & Barone, 2007). La stérilisation à intervalle est effectuée de façon sécuritaire en consultation externe.

Choix de l'approche et méthodes d'occlusion

Les deux méthodes de stérilisation de la femme sont l'intervention transabdominale et l'intervention transcervicale. La première méthode se pratique par minilaparotomie ou par laparoscopie. La minilaparotomie est le plus souvent employée après un accouchement vaginal. La méthode par laparoscopie est la stérilisation à intervalle la plus courante, et elle se pratique en consultation externe. La méthode transcervicale utilise les techniques hystéréoscopiques.

Les méthodes d'occlusion des trompes comprennent la ligature des trompes seulement ou combinée avec la résection des trompes (cautérisation bipolaire), l'application de bagues (anneau de Fallope en silastic ou anneau de Yoon) ou de pinces (pince de Hulka-Clemens ou de Filshie) et une injection de matière obturatrice dans les trompes (Pollack *et al.*, 2007).

Pour la méthode de la minilaparotomie, la femme est admise le matin de l'opération, à jeun depuis minuit. Une sédation préopératoire est administrée. L'intervention peut être effectuée avec une anesthésie locale, régionale ou générale. Pour la minilaparoscopie, une petite incision verticale est pratiquée dans la paroi abdominale sous l'ombilic. En cas de laparoscopie, il y a deux incisions: une petite sous l'ombilic pour la laparoscopie et une au-dessus de la symphyse pubienne pour obturer ou ligaturer les trompes. La femme peut éprouver une sensation de tiraillement, mais pas de douleur. L'opération dure 20 minutes. La femme reçoit son congé plusieurs heures plus tard si elle est remise de l'anesthésie et si l'intervention est faite en consultation externe. Si l'intervention a lieu après l'accouchement, la femme peut généralement quitter l'hôpital la journée suivante. Tout malaise abdominal peut habituellement être soulagé au moyen d'un analgésique non opioïde (p. ex., l'acétaminophène). Après quelques jours, la cicatrice est presque invisible **ENCADRÉ 4.11**. Comme pour toute chirurgie, il existe toujours une possibilité de complications liées à l'anesthésie, d'infection, d'hémorragie et de traumas aux autres organes.

Les techniques hystéroscopiques sont encore considérées comme expérimentales. Elles consistent en l'injection de dispositifs intratubaires dans les trompes afin d'entraîner une obstruction. Un des dispositifs nouvellement utilisés au Canada est le système Essure, une méthode de stérilisation à intervalle (non préconisée pour la période postnatale) (SOGC, 2004a). Un professionnel de la santé formé insère un petit cathéter dans le vagin et le col de l'utérus afin de placer les petits implants métalliques contenant des fibres en polyester dans chaque trompe. Ce dispositif stimule la formation de tissu cicatriciel, ce qui aboutit à une occlusion des trompes empêchant ainsi la conception (Pollack *et al.*, 2007). Les avantages sont la nature non hormonale de la contraception et la capacité de pratiquer l'insertion dans le cabinet de consultation sans anesthésie. L'analgésie est recommandée pour diminuer le malaise léger à modéré lié aux spasmes tubaires. Cette méthode transcervicale convient particulièrement aux femmes obèses ou à celles ayant des adhérences abdominales parce qu'elle élimine la nécessité d'une chirurgie abdominale. Comme l'intervention n'est pas immédiatement efficace, la femme et son partenaire doivent utiliser une autre forme de contraception jusqu'à ce que l'obturation complète des trompes soit prouvée (Theroux, 2008). L'occlusion tubaire peut prendre jusqu'à trois mois pour être complète. Un hystérosalpingographie confirmera le succès de la méthode. Les inconvénients sont l'expulsion des implants et la perforation. Après l'occlusion complète, le taux moyen d'échec pendant la première année est inférieur à 1 % (Essure, 2009). L'efficacité à long terme et l'innocuité ne sont pas connues (Pollack *et al.*, 2007).

Guide d'enseignement

ENCADRÉ 4.11 Après une ligature des trompes

- Il n'y a aucun changement sur le plan hormonal.
- Vos règles seront à peu près les mêmes qu'avant la stérilisation.
- Vous risquez d'éprouver de la douleur au moment de l'ovulation.
- L'ovule se désintègre à l'intérieur de la cavité abdominale.
- Il est très improbable que vous deveniez enceinte.
- Il ne devrait y avoir aucun changement sur le plan du fonctionnement sexuel. Il est même possible que vous retiriez plus de plaisir des rapports sexuels parce que vous ne craignez plus de devenir enceinte.
- La stérilisation n'offre pas de protection contre les ITSS ; vous pouvez donc avoir à utiliser le condom.

Réversion d'une ligature des trompes

La réversion d'une ligature des trompes (réanastomose) est techniquement réalisable, sauf après une fulguration laparoscopique. Toutefois, le renversement de la stérilisation est coûteux, difficile (exigeant une microchirurgie) et incertain **ENCADRÉ 4.12**. Le taux de réussite varie selon l'étendue de la destruction et de l'enlèvement des trompes. Le risque

Conseil juridique

ENCADRÉ 4.12 Stérilisation de la femme

- La procédure de stérilisation chez les femmes doit être considérée comme permanente en raison du taux d'échec lié à l'inversion, des coûts qui y sont associés et des risques chirurgicaux qui se révèlent plus importants que pour la stérilisation elle-même. Aussi, la SOGC rapporte que la probabilité d'exprimer du regret à l'égard du choix de la stérilisation en période de poststérilisation, s'accroît au fil des années (SOGC, 2004a). Ainsi, l'obtention d'un consentement libre et éclairé s'avère essentielle. Les praticiens doivent se référer aux lois fédérales et provinciales quant au consentement médical.
- Il est impératif que le médecin ou l'équipe traitante rencontre la femme pour discuter du choix de la stérilisation. Cette séance doit permettre à la cliente de questionner librement les intervenants et de recevoir tous les éléments d'information pertinents quant à la chirurgie et aux risques qui en découlent dans un cadre respectueux.
- Le consentement éclairé doit comprendre une explication des risques, des avantages, des autres solutions et une déclaration qui décrit la stérilisation comme étant une méthode de contraception permanente et irréversible. Il peut s'avérer utile de laisser une période de quelques semaines entre la première rencontre d'information avec le médecin et la chirurgie afin d'offrir un moment de réflexion à la cliente quant à la stérilisation comme méthode de contraception.
- Le consentement éclairé doit se faire dans la langue de la personne ou il faut lui fournir un interprète pour lui lire le formulaire de consentement.
- Le consentement libre exprime que la cliente ne doit subir aucune contrainte de la part d'un tiers quant à son choix de contraception. La femme doit aussi être légalement compétente à prendre une décision quant à cette procédure chirurgicale et à fournir un consentement éclairé (SOGC, 2004a).

de grossesse ectopique après une réanastomose tubaire est de 1 à 7 % (Pollack *et al.*, 2007). En comparaison, dans la population nord-américaine en général, le risque estimé de grossesse ectopique est de 2 % (Desaulniers, 2004).

Stérilisation masculine

La vasectomie consiste à sceller, ligaturer ou couper chaque canal déférent pour que les spermatozoïdes ne puissent plus passer des testicules au pénis (FDA, 2009). C'est la méthode de stérilisation masculine la plus facile et la plus couramment utilisée. La vasectomie peut être pratiquée sous anesthésie locale en consultation externe. La douleur, les saignements, l'infection et les autres complications postchirurgicales sont les inconvénients de cette intervention (FDA, 2009). On considère qu'il s'agit d'une méthode de stérilisation permanente parce que la reconstruction échoue généralement.

Il existe deux méthodes de pénétration scrotale : la méthode classique et celle appelée sans bistouri. Le chirurgien localise les canaux déférents et les immobilise à travers le scrotum. Chaque canal est ligaturé ou cautérisé **FIGURE 4.9B**. Les chirurgiens utilisent diverses techniques pour obturer le canal déférent : ligature avec sutures, division, cautérisation, application de clips, excision d'un segment du canal, interposition des fascias ou une combinaison de ces méthodes (Pollack *et al.*, 2007).

Après l'opération, l'infirmière enseigne des autosoins à l'homme afin de favoriser une reprise des activités quotidiennes sans danger. Pour diminuer l'œdème et la sensation d'être inconfortable, une application de froid intermittente sur le scrotum dans les quelques heures suivant l'intervention est recommandée. Un soutien du scrotum peut aussi être utilisé. Étant donnée la sensibilité du scrotum, on recommande environ deux jours d'inactivité modérée. Les points de suture peuvent être enlevés entre cinq et sept jours après l'intervention. L'homme peut recommencer à avoir des rapports sexuels quand il se sent prêt ; cependant, la stérilité n'est pas immédiate. Certains spermatozoïdes demeurent dans les portions proximales des canaux déférents après la vasectomie. Généralement, les spermatozoïdes mettent plusieurs mois avant de disparaître des canaux ; il faut donc conseiller aux hommes d'utiliser une autre forme de contraception pendant 12 semaines. Le **spermogramme** est également recommandé (Pollack *et al.*, 2007).

La vasectomie ne perturbe aucunement la libido, l'érection (capacité d'atteindre et de maintenir une érection) ni le volume de l'éjaculat. La production endocrine de testostérone continue, et, en conséquence, les caractéristiques sexuelles secondaires ne sont pas touchées. La production de spermatozoïdes se poursuit, mais ceux-ci sont incapables de quitter l'épididyme et sont lysés par le système immunitaire. Les complications suivant une vasectomie sont peu fréquentes et habituellement sans gravité. Parmi celles-ci figurent un hématome, des bleus, une infection de la plaie, une épididymite ou une réaction allergique à l'agent anesthésique (Pollack *et al.*, 2007). On observe aussi, mais plus rarement, des granulomes douloureux provoqués par l'accumulation de sperme. Le taux d'échec moyen au cours de la première année de stérilisation de l'homme est de 0,15 % (Trussell, 2007).

Reconstruction des canaux

La microchirurgie visant à réanastomoser les voix spermatiques (rétablir la continuité des canaux) peut réussir dans 75 à 100 % des cas ; cependant, le taux de fertilité n'est qu'environ de 38 à 89 % par la suite (Pollack *et al.*, 2007). Le taux de réussite est inversement proportionnel au temps écoulé après l'intervention.

Pour plus d'information sur le consentement libre et éclairé, consultez les sites Web de l'Association canadienne de protection médicale et du Curateur public du Québec aux adresses suivantes :
www.cmpa-acpm.ca
www.curateur.gouv.qc.ca

SOINS ET TRAITEMENTS INFIRMIERS

Stérilisation

Interventions cliniques

L'infirmière joue un rôle important en aidant les gens à prendre une décision qui satisfait à toutes les exigences du consentement éclairé. Elle communique aussi l'information sur les solutions de rechange à la stérilisation, comme les autres méthodes de contraception. L'infirmière peut fournir une rétroaction aux personnes qui envisagent la stérilisation, et elle les aide à explorer leurs sentiments et leurs motivations à cet égard. Elle consigne cette information qui fonde, éventuellement, la recommandation d'une consultation dans une clinique de planification familiale ou auprès d'un autre professionnel de la santé.

Toute l'information doit être communiquée en ce qui a trait aux diverses interventions, qu'il s'agisse du degré de malaise ou de douleur auquel on peut s'attendre ou des soins nécessaires. Plusieurs personnes craignent l'effet qu'aura la stérilisation sur leur vie sexuelle. Elles ont besoin d'être rassurées quant aux éléments hormonaux et psychologiques à la base de la fonction sexuelle et quant à l'absence de conséquences biologiques sur les capacités sexuelles qu'aura une obturation des trompes de Fallope ou une vasectomie (Pollack *et al.*, 2007).

Parmi les soins préopératoires, on prévoit l'évaluation générale de la santé, qui comprend une évaluation psychologique, un examen physique et des examens paracliniques. L'infirmière contribue à l'évaluation de la santé, répond aux questions et obtient la confirmation que la cliente ou le client comprend les instructions imprimées (p. ex., aucune ingestion par la bouche après minuit). Toute hésitation ou crainte marquée à l'égard de la procédure est signalée au médecin.

Les soins postopératoires à prodiguer dépendent de l'intervention (p. ex., une laparoscopie, une laparotomie ou une vasectomie). Toutefois, les soins généraux incluent le réveil après l'anesthésie, les signes vitaux, l'hydratation et l'équilibre hydroélectrique et électrolytique (*ingesta* et *excreta*, valeurs de laboratoire), la prévention ou le dépistage et le traitement immédiat d'une infection ou d'une hémorragie, la gestion des malaises ainsi que l'évaluation de la réaction émotive à la suite de l'intervention et du réveil.

La planification du congé dépend également du type d'intervention. En général, la personne reçoit des renseignements écrits qui comprennent les instructions sur l'observation et la communication des symptômes et des signes de complications, le type de rétablissement auquel elle peut s'attendre et la date et l'heure d'un rendez-vous de suivi.

4.2.8 Allaitement : méthode de l'allaitement maternel et de l'aménorrhée

La méthode de l'allaitement maternel et de l'aménorrhée (MAMA) est une méthode contraceptive temporaire très efficace. Elle est plus prisée dans les pays sous-développés et dans les sociétés traditionnelles où l'allaitement sert à prolonger l'intervalle entre les naissances.

Lorsque le nourrisson tète le sein, l'organisme de la femme libère une montée d'hormone prolactine qui inhibe la production d'œstrogènes et qui supprime l'ovulation et le retour des menstruations. La MAMA fonctionne mieux si la mère allaite exclusivement ou presque exclusivement, si elle n'a pas eu de menstruations depuis son accouchement et si le nourrisson est âgé de moins de six mois. Les boires fréquents à des intervalles de moins de quatre heures pendant la journée et de six heures maximum pendant la nuit, la longue durée de chaque boire et l'absence de suppléments administrés au biberon ou la limitation des suppléments donnés à la cuillère ou dans une tasse améliorent l'efficacité de cette méthode. Le taux d'échec moyen est de 2 % (Kennedy & Trussell, 2007).

Pour soutenir les femmes dans leur choix de la MAMA, il est possible de consulter les sites de Seréna : www.fr.serena.ca et de la Ligue La Leche : www.allaitement.ca

L'infirmière doit avertir la cliente que la perturbation du modèle d'allaitement ou l'administration de suppléments alimentaires au nourrisson peut augmenter le risque de grossesse.

4.2.9 Tendances pour l'avenir

Le choix des méthodes contraceptives est plus limité aux États-Unis et au Canada que dans certains autres pays industrialisés. Le manque de fonds pour la recherche, la réglementation gouvernementale et les valeurs conflictuelles concernant la contraception ont été cités comme autant d'obstacles à des méthodes nouvelles et améliorées. Toutefois, les moyens de contraception offerts s'améliorent, et de nouvelles méthodes sont mises au point.

En Europe, des doses plus faibles de contraceptifs oraux combinés (15 mcg d'ethinylestradiol) sont offertes. Des méthodes dites de barrière féminine (nouveau condom féminin, diaphragme et capes adaptés à la cliente et nouvelles éponges vaginales) sont testées. Les méthodes hormonales vaginales, y compris les anneaux vaginaux contenant uniquement du progestatif et les suppositoires quotidiens à base de progestatif, font l'objet de recherches. Les chercheurs sont également en train d'évaluer deux nouveaux DIU et microbicides spermicides. Les méthodes masculines hormonales font également l'objet d'études, y compris les injections hormonales (testostérone), les antagonistes de la gonadolibérine (Gn-RH), les composés antispermatiques, les méthodes immunologiques et les vaccins contraceptifs (Gabelnick, Schwartz & Darrock, 2007).

4.3 Avortement provoqué

L'avortement provoqué est l'interruption volontaire de la grossesse à n'importe quel moment de la gestation ▶ 21. En Amérique du Nord et dans certains pays d'Europe, si l'avortement est effectué à la demande de la femme, l'expression « interruption

21

Le chapitre 21, *Grossesse à risque : états gestationnels* traite entre autres de l'avortement spontané.

4

volontaire de la grossesse» est utilisée. Si l'avortement est pratiqué pour des raisons de santé ou de maladie maternelle ou fœtale, l'expression «avortement thérapeutique» peut aussi s'appliquer. De nombreux facteurs contribuent à la décision d'une femme de subir un avortement. Les indications (uniques à chaque femme) peuvent être: 1) la préservation de la vie ou de la santé physique et mentale de la mère; 2) une malformation du fœtus; 3) les suites d'un acte de violence sexuelle (viol ou inceste); 4) la demande de la femme. La régulation des naissances, ce qui touche la sexualité humaine ainsi que les principes de vie et de mort représentent certains des éléments les plus émotifs des soins de santé et constituent la question sociale la plus controversée des 50 dernières années. Il existe des règlements pour protéger la mère des complications possibles de l'avortement.

Dans la plupart des pays, l'avortement est réglementé et l'accès aux services est restreint.

Dans la plupart des pays, l'avortement est réglementé, et l'accès aux services est restreint. Au Canada, de nombreux bouleversements législatifs concernant l'interruption de grossesse ont eu lieu entre les années 1960 et 1990. C'est en janvier 1988 que l'avortement est décriminalisé pour l'ensemble des provinces et des territoires (Association canadienne pour la liberté de choix [ACLC] et Fédération du Québec pour le planning des naissances [FQPN], 2010). La Cour suprême du Canada déclare inconstitutionnel et abroge l'article 251 du Code criminel (maintenant l'article 287 du Code criminel à la suite de la refonte de 1985) dans le cadre d'un procès impliquant la figure emblématique de la lutte pour le libre accès à des services d'avortement, le Dr Henry Morgentaler (*R.* c. *Morgentaler*, [1988] 1 R.C.S. 30).

L'année suivante, l'importante cause de Daigle contre Tremblay, visant à reconnaître au père le droit d'empêcher une femme de recourir à l'avortement et à définir le droit du fœtus à la vie, sera le premier de nombreux soubresauts juridiques canadiens sur le thème de l'avortement (Dunn, 2008). Dans «l'affaire Chantal Daigle», la Cour suprême déclarera que le statut juridique de «personne» ne peut être conféré au fœtus (n'étant pas né et vivant) et que comme le père n'a aucun intérêt sur le fœtus qu'il a engendré, la femme seule a le pouvoir de mettre ou non un terme à sa grossesse (Dunn, 2008; *Tremblay* c. *Daigle*, [1989] 2 R.C.S. 530). Preuve que ce sujet préoccupe les parlementaires, entre 1988 et 2008, cinq projets de loi (C-43, C-291, C-338, C-484 et C-537), une motion (M-83), deux causes et un arrêt ont tenté de restreindre l'accès ou à recriminaliser en partie ou en totalité la pratique de l'avortement au Canada (Dunn, 2008).

Le Canada est désormais un des seuls pays du monde qui ne possède pas de règlement concernant l'avortement. Bien que l'avortement soit possible tout au long de la grossesse (Santoro, 2004), les établissements de santé n'offrent pas tous des services au-delà du premier trimestre (certaines provinces restreignent aussi l'accès en n'offrant aucun service sur leur territoire). Certaines femmes canadiennes doivent donc se diriger vers un établissement d'une ville voisine, voire dans une autre province ou aux États-Unis pour avoir accès à des services d'interruption de grossesse au-delà de ce terme **ENCADRÉ 4.13**.

4.3.1 Prévalence de l'avortement

À l'échelle mondiale, la prévalence de l'avortement comme issue à une grossesse est en déclin depuis les 10 dernières années, passant de 46 millions en 1995 à 42 millions en 2003 (Institut Guttmacher et Organisation mondiale de la santé [OMS], 2011). Par ailleurs, bien que les taux d'avortement semblent plus élevés dans les pays en voie de développement que dans les pays dits développés (35 millions comparés à 7 millions), cela ne s'explique que par la distribution de la population sur la planète. En fait, la susceptibilité pour une femme de recourir à une interruption de grossesse est la même, peu importe l'endroit où elle vit: en 2003, dans l'ensemble des pays en voie de développement, 29 femmes sur 1 000 avaient vécu un avortement et 26 femmes sur 1 000 dans les pays développés (Institut Guttmacher et OMS, 2011). Aussi, selon les derniers rapports de l'Institut Guttmacher et de l'OMS (2011), des 42 millions d'avortements estimés annuellement à l'échelle mondiale, 21,6 millions seraient pratiqués dans des conditions jugées dangereuses et seraient responsables d'environ 13 % des décès maternels (OMS, 2004 ; Institut Guttmacher et OMS, 2011). Au Canada, 91 310 avortements provoqués ont eu lieu en 2006, ce qui correspond à un taux de 13 femmes sur 1 000 (Statistique Canada, 2006). Au Québec, c'est dans 51 établissements (centres hospitaliers, CSSS, cliniques privées, centre de santé des femmes) que les 28 080 avortements ont été pratiqués en 2005 (ACLC et FQPN, 2010; Institut de la statistique du Québec, 2006).

Conseil juridique

ENCADRÉ 4.13 Avortement provoqué

Les infirmières doivent connaître les services offerts dans leur province et dans leur région administrative afin de mieux diriger et conseiller les clientes qui en ont besoin. De nombreux établissements privés ou publics imposent des limites à leurs services selon l'âge gestationnel du fœtus.

4.3.2 Décision concernant l'avortement

La femme qui doit décider de se faire avorter est souvent ambivalente. Elle a besoin d'obtenir de l'information et de discuter de ses sentiments relatifs à la grossesse et à l'avortement et de l'impact de son choix sur son avenir. Elle a besoin de prendre sa décision sans subir de contrainte (Simmonds & Likis, 2005). De nombreuses cliniques offrent maintenant des services de consultation individuelle ou en groupe avant l'intervention afin de clarifier le choix de la cliente et de lui présenter toutes les options possibles. Ces rencontres dirigées majoritairement par des infirmières se déroulent parfois la journée même de l'intervention ou quelques jours avant celle-ci. Les professionnels de la santé qui accompagnent les femmes et leurs proches en demande de services d'avortement peuvent aussi les adresser au besoin à des services de soutien psychologique dans la communauté.

L'infirmière et les autres professionnels de la santé abordent souvent la situation avec les mêmes valeurs et convictions morales que celles de la femme enceinte. Il est relativement facile de projeter ses propres conflits et doutes sur des femmes qui sont déjà inquiètes et extrêmement sensibles. Peu importe l'opinion personnelle de l'infirmière sur l'avortement, lorsqu'elle offre des soins à la cliente qui cherche à se faire avorter, sa responsabilité est de la conseiller sur ses possibilités ou de l'orienter vers les ressources appropriées (Simmonds & Likis, 2005).

Diverses associations ou regroupement d'infirmières (Association of Women's Health, Obstetric and Neonatal Nurses [AWHONN], 1999; Association des infirmières et infirmiers du Canada, 2008) continuent à soutenir le droit de l'infirmière de choisir de participer à un avortement en respectant ses croyances personnelles, morales, éthiques ou religieuses. L'AWHONN stipule aussi que « l'infirmière a l'obligation professionnelle d'informer son employeur au moment de l'embauche de toutes les attitudes et croyances qui peuvent interférer avec les fonctions essentielles de son travail ».

4.3.3 Avortement au premier trimestre

Les méthodes d'avortement précoce (moins de neuf semaines de gestation) consistent en l'aspiration chirurgicale et en des méthodes médicales (méthotrexate avec misoprostol).

Aspiration

L'aspiration (curetage par ventouse ou par succion) est l'intervention la plus courante pratiquée au premier trimestre (Strauss et *al.*, 2007). L'avortement par aspiration est généralement réalisé sous anesthésie locale dans un centre de santé (clinique, consultation externe ou hôpital). La procédure d'aspiration qui permet de pratiquer l'interruption volontaire de grossesse précoce (le moment idéal se situe entre 8 et 12 semaines après la dernière menstruation) dure généralement moins de 5 minutes.

L'évaluation initiale consiste à obtenir les antécédents, à préciser l'âge approximatif de la grossesse, à procéder à un examen clinique et à des tests en laboratoire au besoin (p. ex., le dépistage d'ITS, un test de grossesse, la détermination du Rho (D), l'hématocrite). Un sédatif léger est administré par P.O. ou I.V. Un examen bimanuel est pratiqué avant l'intervention pour évaluer la taille et la position utérine. Le professionnel de la santé insère un spéculum et applique un agent anesthésique local sur le col de l'utérus. Le col est dilaté si nécessaire, et une canule connectée à la succion est insérée dans la cavité utérine. Les produits de la conception sont évacués de l'utérus (Paul & Stewart, 2007).

Pendant l'intervention, l'infirmière ou le médecin explique à la femme à quoi elle peut s'attendre (p. ex., des crampes semblables aux douleurs menstruelles, le bruit que fait la machine à succion). L'infirmière évalue les signes vitaux de la femme et administre la médication. Après son aspiration, le contenu de l'utérus doit être soigneusement inspecté pour s'assurer que toutes les parties du fœtus et suffisamment de tissu placentaire ont été évacués. Après l'avortement, la femme demeure allongée sur la table jusqu'à ce qu'elle soit capable de se lever. Puis, elle reste dans la salle de récupération ou dans la salle d'attente pendant 30 à 60 minutes afin de s'assurer qu'elle ne souffre pas de crampes ou de saignements excessifs; ensuite, elle reçoit son congé.

Normalement, le saignement qui suit l'opération est semblable à des règles abondantes, et les crampes sont rarement très douloureuses. Un saignement vaginal excessif et une infection comme l'endométrite ou la salpingite sont les complications les plus courantes de l'avortement électif (avortement provoqué). Les produits non délivrés de la conception sont la principale cause du saignement vaginal. L'évacuation du contenu de l'utérus, un massage utérin et l'administration d'ocytocine peuvent être nécessaires. Les AINS comme l'ibuprofène peuvent soulager les douleurs postavortement.

Les instructions suivant l'avortement varient selon les professionnels de la santé; par exemple, les tampons ne devraient pas être utilisés pendant au moins sept jours ou devraient être évités pendant une période allant jusqu'à trois semaines, et les partenaires peuvent recommencer à avoir des rapports sexuels la première ou la deuxième semaine suivant l'avortement. La femme peut prendre une douche quotidienne. Les consignes sont de surveiller un saignement excessif et les autres signes de complications, et d'éviter les injections vaginales de tout type **ENCADRÉ 4.14**.

Pour accompagner les clientes et les couples dans leur processus décisionnel, les infirmières peuvent consulter ou suggérer les ressources suivantes.

National Abortion Federation (NAF) : www.prochoice.org/fr/

Fédération du Québec pour le planning des naissances : www.fqpn.qc.ca/index.php

Quelques cliniques de planning des naissances :

Clinique des femmes de l'Outaouais : www.cliniquedesfemmes.com

Clinique médicale Fémina : www.clinique-femina.com

Clinique Morgentaler : www.morgentaler.ca

Centre de santé des femmes de Montréal : www.csfmontreal.qc.ca

Centre de santé des femmes de l'Estrie : www.csfestrie.qc.ca

ENCADRÉ 4.14 Avortement provoqué

Il faut communiquer avec le professionnel de la santé si l'un des signes suivants est présent :

- Température supérieure à 38 °C
- Frissons
- Saignements supérieurs à deux serviettes saturées en deux heures ou saignements abondants durant plusieurs jours
- Pertes vaginales nauséabondes
- Douleurs abdominales intenses, crampes ou maux de dos
- Sensibilité abdominale (lorsqu'une pression est appliquée)
- Absence de retour des règles dans les six semaines suivantes

Source : Adapté de Paul & Stewart (2007).

La femme peut s'attendre à une reprise de ses règles entre quatre et six semaines après l'intervention. Si elle ne l'a pas déjà fait au cours de la rencontre de counseling précédant l'avortement, l'infirmière communique l'information sur les diverses méthodes contraceptives. Certaines d'entre elles, comme l'insertion d'un DIU, peuvent être utilisées immédiatement après l'avortement. Les méthodes hormonales peuvent être entreprises dès la semaine suivante (Paul & Stewart, 2007).

Avortement induit par médication

L'avortement médical précoce est répandu en Europe et au Canada depuis plus de 15 ans, mais aux États-Unis, il s'agit d'une procédure relativement nouvelle. Les médicaments utilisés pour provoquer l'avortement médical sont le méthotrexate et le misoprostol. Ils sont tous considérés comme étant inoffensifs et efficaces. Les médicaments combinés sont plus efficaces que les agents uniques (Kulier, Gülmezoglu, Hofmeyr, Cheng & Compana, 2004). Pour des résultats optimaux, la médication devrait être utilisée pour des grossesses de moins de 56 jours (CMQ, 2004).

Le méthotrexate est un médicament cytotoxique qui provoque l'avortement précoce en bloquant l'acide folique dans les cellules fœtales, les empêchant ainsi de se diviser. Le misoprostol est un analogue de prostaglandine qui agit directement sur le col de l'utérus en le ramollissant et en le dilatant ainsi que sur le muscle utérin pour stimuler les contractions.

Méthotrexate et misoprostol

Bien qu'il n'existe pas de protocole standard, le méthotrexate est administré P.O. ou par voie I.M. jusqu'à sept semaines après les dernières règles. Le placement vaginal du misoprostol par la femme à la maison suit de trois à sept jours plus tard. La cliente retourne ensuite consulter afin de confirmer que l'avortement a réussi. Si ce n'est pas le cas, elle recevra une dose supplémentaire de misoprostol ou, si elle le préfère, elle pourra choisir un avortement par aspiration. Un suivi supplémentaire est planifié si nécessaire (Paul & Stewart, 2007).

Quel que soit le régime d'avortement médical, la femme a généralement des saignements et des crampes. Les effets secondaires des médicaments sont les nausées, les vomissements, la diarrhée, les maux de tête, les étourdissements, la fièvre et les frissons. Ces effets sont attribués au misoprostol et se résorbent généralement quelques heures après la prise du médicament. Des analgésiques légers (p. ex., l'acétaminophène, l'ibuprofène) peuvent soulager la douleur (Paul & Stewart, 2007). Les signes de complication devraient être rapportés immédiatement au professionnel de la santé. Toutes les femmes dont le Rho (D) est négatif reçoivent de la gammaglobuline anti-Rho (D).

4.3.4 Avortement au deuxième trimestre

L'avortement au deuxième trimestre est associé à une augmentation des complications par rapport à l'avortement au premier trimestre. Après la préparation du col de l'utérus par le misoprostol ou les tiges laminaires, les techniques les plus fréquemment pratiquées sont la dilatation et l'expulsion (aspiration ou évacuation chirurgicale) et l'induction du travail (CMQ, 2004).

Dilatation et expulsion

La dilatation et l'expulsion peuvent être pratiquées jusqu'à la 20e semaine de gestation, bien qu'elle ait généralement lieu entre la 13e et la 16e semaine (Paul & Stewart, 2007). Le col de l'utérus a besoin d'être dilaté davantage parce que les produits de la conception sont plus grands. Souvent, les dilatateurs osmotiques (p. ex., la laminaire) sont insérés plusieurs heures ou jours avant l'intervention, ou le misoprostol est appliqué sur le col de l'utérus. L'intervention est semblable à l'aspiration vaginale sauf que le médecin utilise une canule plus large et que d'autres instruments peuvent être nécessaires pour retirer le fœtus et le placenta. Les soins infirmiers consistent en la surveillance des signes vitaux, le soutien émotionnel, l'administration d'analgésiques et le suivi postopératoire. Toutes les femmes Rh négatif reçoivent de la gammaglobuline anti-Rho (D). Les inconvénients de la dilatation et de l'expulsion sont la possibilité d'effets nocifs à long terme sur le col de l'utérus (Paul & Stewart, 2007).

SOINS ET TRAITEMENTS INFIRMIERS

Avortement

Interventions cliniques

La femme a besoin d'aide pour comprendre les diverses solutions et conséquences de l'avortement à la fois pour elle et pour les personnes significatives qui l'entourent. Elle éprouve souvent de la difficulté à exprimer ses sentiments réels (p. ex., la signification de l'avortement maintenant et dans l'avenir, et le type de soutien que ses amis et ses pairs peuvent manifester ou le regret qu'ils peuvent exprimer). L'infirmière adoptera une approche calme et factuelle (p. ex., en lui disant: Oui, je sais que vous êtes enceinte. Parlons des choix qui s'offrent à vous.). Il est essentiel d'écouter ce que la cliente a à dire et de l'encourager à s'exprimer. Les réponses neutres du style « Oh », « Hum », les encouragements non verbaux comme un signe de la tête pour signifier son accord tacite, le maintien du contact visuel et le fait de toucher la personne aident à établir un environnement ouvert et accueillant. Les techniques de communication comme la clarification, la reformulation et le reflet, les questions ouvertes et la rétroaction sont utiles et permettent de continuer à se concentrer de façon réaliste sur la situation et d'aborder ouvertement le problème de la cliente. À partir du moment où cette dernière a pris une décision, elle a besoin de savoir qu'elle recevra un soutien continu. L'infirmière devra la renseigner sur les diverses interventions, les malaises ou la douleur qu'elle pourrait ressentir et le type de soins nécessaires. Elle devra aussi discuter des sentiments que la cliente pourrait éprouver après l'avortement, y compris la dépression, la culpabilité, le regret et le soulagement. Il est parfois nécessaire de fournir des renseignements sur les ressources communautaires qui offrent du counseling postavortement (Simmonds & Likis, 2005). Si la famille ou les amis ne peuvent pas être mis à contribution, il est essentiel de prévoir un moment dans le plan de soins où le personnel infirmier fournira le soutien nécessaire.

Les études indiquent qu'après l'avortement, la plupart des femmes se déclarent soulagées, mais certaines ressentent une détresse temporaire ou des sentiments partagés. Les jeunes femmes, celles qui ne bénéficient pas de beaucoup de soutien social, celles qui sont multipares ou qui ont des antécédents de problème psychiatrique peuvent ressentir de la culpabilité et de l'anxiété. Comme les symptômes peuvent différer d'une femme à l'autre, l'infirmière évaluera les clientes pour vérifier si elles ont de la peine et faciliter le processus de deuil grâce à l'écoute active, à des soins et à un soutien exempts de jugement (Paul & Stewart, 2007).

4.4 | Infertilité

L'**infertilité** est un problème médical sérieux qui perturbe la qualité de vie et qui est problématique pour 10 à 15 % des couples en âge de procréer (American Society for Reproductive Medicine [ASRM], 2009a; Nelson & Marshall, 2007). Au Canada, on estime que 8,5 % des couples ont vécu un problème d'infertilité (Procréation assistée Canada [PAC], 2010). Le terme infertilité implique la subfertilité, à savoir la durée prolongée nécessaire à la conception, par opposition à la stérilité, qui signifie l'incapacité de concevoir. Normalement, un couple fertile a environ 20 % de chances de concevoir un enfant à chaque cycle ovulatoire. On qualifie l'infertilité de primaire si la femme n'a jamais été enceinte et de secondaire si elle l'a déjà été.

La prévalence de l'infertilité est relativement stable dans la population générale, mais elle augmente avec l'âge de la femme, surtout après 40 ans (Lobo, 2007). Les causes probables sont la tendance à remettre la procréation à plus tard, à un moment où la fertilité décroît naturellement et où la prévalence de maladies comme l'endométriose et le dysfonctionnement ovulatoire augmente. On ne sait pas si l'infertilité masculine augmente ou si elle devient plus facile à déceler parce que le diagnostic s'est amélioré; cette question fait l'objet de controverse.

Le diagnostic et le traitement de l'infertilité exigent un investissement physique et émotif considérable de même que des frais importants pendant une longue période. Souvent, les hommes et les femmes perçoivent l'infertilité différemment, les femmes subissant plus de stress à cause des tests et des traitements. L'attitude, la sensibilité et l'empathie des membres de l'équipe de soins qui participent à l'évaluation et au traitement de l'infertilité établissent les bases sur lesquelles reposera la capacité du couple d'affronter les interventions et les traitements qu'il doit subir.

Le 5 août 2010, le gouvernement du Québec a confirmé l'entrée en vigueur de la loi et des deux règlements sur les activités cliniques en matière de procréation assistée. Cette annonce permet à toutes les femmes québécoises en âge de procréer (y compris les femmes homosexuelles) de recevoir un soutien financier tout au long de leur démarche de procréation assistée, mais aussi de diminuer les risques associés aux grossesses multiples. Le ministère de la Santé et des Services sociaux du Québec s'engage à payer « tous les frais relatifs aux activités médicales et aux médicaments liés à la stimulation ovarienne, à l'insémination artificielle et à trois cycles de fécondation *in vitro* » (MSSS, 2010).

4.4.1 Facteurs associés à l'infertilité

Chez l'homme et chez la femme, de nombreux facteurs contribuent à la fertilité normale. Le plus important est celui de l'appareil génital, qui doit être normalement constitué chez les deux partenaires. Le fonctionnement normal de l'axe hypothalamique-pituitaire-gonadique intact soutient la gamétogénèse, c'est-à-dire la formation de spermatozoïdes et d'ovules. Bien que les spermatozoïdes demeurent viables dans l'appareil

Les couples souffrant d'infertilité peuvent consulter les ressources suivantes.

Association canadienne de sensibilisation à l'infertilité : www.iaac.ca/fr/

Canadian Fertility and Andrology Society: www.cfas.ca

Procréation assistée Canada : www.ahrc-pac.gc.ca

Association des couples infertiles du Québec : www.aciq.ca

Centre de reproduction McGill : www.mcgillivf.com/f/mcgillivf.asp?s=

Resolve (site américain) : www.resolve.org

reproducteur de la femme pendant au moins 48 heures, il est probable que seuls quelques-uns d'entre eux conservent leur potentiel de fécondation pendant plus de 24 heures. L'ovule demeure viable pendant environ 24 heures, mais la durée de fécondation optimale n'est que de 1 à 2 heures (Cunningham *et al.*, 2005). Le moment où ont lieu les rapports sexuels est donc crucial.

Conceptus : Produit de conception. Ovule fécondé et, plus tard, embryon, fœtus, placenta et membranes.

Après la fécondation, le **conceptus** doit voyager dans les trompes, dériver jusqu'à l'utérus et s'implanter dans un délai de 7 à 10 jours dans l'endomètre que les hormones auront préparé. Il doit se développer normalement, de manière fiable et naître dans un état favorable à la vie extra-utérine.

La modification de l'un ou de plusieurs de ces processus, structure ou fonction entraîne dans une certaine mesure une diminution de la fécondité. Généralement, chez environ 20 % des couples, la cause de l'infertilité demeurera inexpliquée ou idiopathique. Chez les 80 % des couples dont l'origine de l'infertilité est identifiable, le facteur féminin est en cause dans environ 40 à 55 % des cas, le facteur masculin explique 30 à 40 % des cas, et 15 à 20 % des cas sont liés à des facteurs inexpliqués ou inhabituels (Lobo, 2007 ; Nelson & Marshall, 2007) **ENCADRÉS 4.15** et **4.16**.

ENCADRÉ 4.15 Facteurs influant sur la fertilité féminine

FACTEURS OVARIENS

- Anomalies développementales
- Anovulation primaire
- Trouble hormonal pituitaire ou hypothalamique
- Trouble de la glande surrénale
- Hyperplasie surrénale congénitale
- Anovulation secondaire
- Perturbation de l'axe hypothalamo-hypophysaire ovarien
- Aménorrhée consécutive à l'arrêt de la pilule contraceptive orale
- Insuffisance ovarienne prématurée
- Taux accru de prolactine

FACTEURS UTÉRINS TUBULAIRES ET PÉRITONÉAUX

- Anomalies développementales
- Diminution de la motilité des trompes
- Inflammation des trompes
- Adhérences tubaires
- Tumeurs endométriales ou myométriales
- Syndrome d'Asherman (adhérence utérine ou tissus cicatriciels)
- Endométriose
- Cervitite chronique
- Glaire cervicale hostile ou inadéquate

AUTRES FACTEURS

- Déficience nutritionnelle (p. ex., l'anémie)
- Dysfonctionnement thyroïdien
- Problème idiopathique

ENCADRÉ 4.16 Facteurs influant sur la fertilité masculine

TROUBLES STRUCTURAUX OU HORMONAUX

- Cryptorchidisme
- Hypospadias
- Varicocèle
- Lésion obstructive des canaux déférents ou de l'épididyme
- Faible taux de testostérone
- Hypopituitarisme
- Troubles endocriniens
- Atteinte testiculaire causée par les oreillons
- Éjaculation rétrograde

AUTRES FACTEURS

- ITS
- Anticorps antispermatiques
- Exposition du scrotum à des températures élevées
- Carences nutritionnelles
- Exposition au danger du milieu de travail comme les radiations ou les substances toxiques
- Abus d'alcool ou d'autres drogues
- Modification du sperme (fumée de cigarette, héroïne, marijuana, nitrite de pentyle, chloroéthane, méthaqualone)
- Diminution de la libido (héroïne, méthadone, inhibiteurs spécifiques du recaptage de la sérotonine et barbituriques)
- Impotence (alcool, médicaments contre l'hypertension)
- Problème idiopathique

SOINS ET TRAITEMENTS INFIRMIERS

Infertilité

Interventions cliniques

Certaines données nécessaires à l'étude de la diminution de la fertilité sont de nature personnelle et délicate. L'obtention de ces données peut être perçue comme une atteinte à la vie privée. Les tests et les examens sont parfois douloureux et désagréables, et, dans certains cas, ils altèrent le côté romantique des rapports sexuels. Les clients ont besoin d'une très grande motivation pour supporter l'investigation médicale. Les considérations religieuses, culturelles et ethniques sont des facteurs importants parce qu'elles peuvent entraver les tests et les traitements **ENCADRÉ 4.17**.

Puisque plusieurs facteurs touchent les deux partenaires, la recherche de la cause de la diminution de la fécondité est menée systématiquement et simultanément auprès de l'homme et de la femme. Les deux doivent être désireux de trouver une solution au problème. L'investigation médicale nécessite du temps (de trois à quatre mois) et coûte très cher. De plus, elle suscite une multitude d'émotions et entraîne des tensions pour les deux partenaires (ASRM, 2009b) **ENCADRÉ 4.18**, **PSTI 4.1**.

Examens paracliniques

L'étude de base de la fertilité féminine comprend l'évaluation du col, de l'utérus, des trompes, du péritoine et la documentation de l'ovulation. Les examens paracliniques sont l'évaluation de la concentration sanguine de progestérone, de l'excrétion de LH dans l'urine, l'**hystérosalpingographie**, l'**échographie transvaginale**, la biopsie de l'endomètre et la laparoscopie (Lobo, 2007 ; Nelson & Marshall, 2007 ; Speroff & Fritz, 2005). L'infirmière peut atténuer l'anxiété associée aux examens paracliniques en expliquant aux clients la raison pour laquelle ils les subissent et le choix du moment où ils doivent les passer **TABLEAU 4.3**. L'**ENCADRÉ 4.19** résume les résultats des examens favorables à la fécondité.

Soins ethnoculturels

ENCADRÉ 4.17

Considérations religieuses et culturelles sur la fertilité

CONSIDÉRATIONS RELIGIEUSES

- Le professionnel de la santé doit toujours garder à l'esprit les dispositions du droit civil ainsi que les prescriptions religieuses touchant la sexualité.
- Par exemple, l'homme et la femme juifs orthodoxes peuvent être confrontés à des problèmes de gestion et d'investigation de l'infertilité en raison des lois religieuses qui régissent les rapports conjugaux. En effet, selon la loi juive, le couple orthodoxe ne peut avoir de rapports sexuels durant les règles et la période de sept jours suivante (jours préparatoires). La femme prend ensuite un bain rituel (*mikvah*) avant la reprise des rapports. Les problèmes de fécondité peuvent survenir lorsque la femme a un cycle court, c'est-à-dire un cycle de 24 jours ou moins, où l'ovulation se produirait le 10e jour ou avant.
- L'Église catholique estime que l'embryon est un être humain depuis le premier moment de son existence et que les techniques comme la fécondation *in vitro*, l'insémination thérapeutique par don de sperme et la congélation d'embryons sont inacceptables.
- D'autres groupes religieux peuvent aussi entretenir des préoccupations éthiques concernant les tests et les traitements liés à l'infertilité. Par exemple, la plupart des confessions protestantes et musulmanes appuient généralement la gestion de l'infertilité si la fécondation *in vitro* ou l'insémination est faite à partir du sperme du mari et si le nombre de fœtus n'est pas réduit. Ces groupes n'appuient pas toujours la maternité de substitution et le recours aux donneurs de sperme ou d'ovules.
- Les scientifiques chrétiens ne permettent pas les interventions chirurgicales ni la fécondation *in vitro*, mais ils autorisent l'insémination par don du sperme du mari.
- Le professionnel de la santé doit chercher à comprendre la spiritualité de la femme et son effet sur sa perception des soins, surtout en ce qui a trait à l'infertilité. Les femmes peuvent vouloir un traitement d'infertilité et s'interroger sur le diagnostic proposé ainsi que sur l'intervention thérapeutique à cause de proscriptions religieuses. Le professionnel de la santé devrait les encourager à consulter leur prêtre, ministre du culte, rabbin ou autre chef spirituel pour obtenir des conseils.

CONSIDÉRATIONS CULTURELLES

- Toutes les cultures du monde continuent à utiliser des symboles et des rites pour célébrer la fertilité. Le rite qui subsiste de nos jours est la coutume de lancer du riz aux nouveaux mariés. D'autres symboles et rites de fertilité comprennent la remise de cigares, de bonbons ou de crayons par un nouveau père et des réceptions-cadeaux pour bébés en prévision de la naissance d'un enfant.
- Dans plusieurs cultures, on a l'habitude de tenir la femme responsable de l'infertilité. L'incapacité d'une femme à concevoir est alors perçue comme étant due à ses péchés, aux mauvais esprits ou au fait qu'elle n'est tout simplement pas à la hauteur. Dans certaines cultures, la virilité d'un homme n'est reconnue qu'au moment où il démontre sa capacité de se reproduire en ayant au moins un enfant.

Source : Adapté de D'Avanzo (2008).

Mise en œuvre d'une démarche de soins

ENCADRÉ 4.18

Infertilité

COLLECTE DES DONNÉES – ÉVALUATION INITIALE

Les actions à entreprendre pour évaluer l'infertilité féminine sont les suivantes :

- Obtenir une anamnèse qui comprend la durée de l'infertilité, les événements obstétriques passés, les antécédents menstruels et sexuels détaillés, les problèmes médicaux et chirurgicaux, l'exposition aux risques pour les fonctions de reproduction à la maison et au travail, la consommation d'alcool et d'autres drogues, ainsi que le stress émotionnel.
- Procéder à l'examen physique général complet suivi d'une évaluation précise de l'appareil reproducteur.
- Obtenir les données des tests d'urine et de sang de base ainsi que les résultats d'autres examens paracliniques.

Les actions à entreprendre pour évaluer l'infertilité masculine sont les suivantes :

- Obtenir une anamnèse complète qui comprend les carences nutritionnelles, les maladies chroniques ou débilitantes, les traumas, l'exposition aux risques environnementaux comme les radiations, la chaleur et les substances toxiques, la consommation de tabac, d'alcool et de marijuana.
- Procéder à un examen physique.
- Commencer l'évaluation diagnostique par des tests non effractifs comme l'analyse du sperme et une échographie.

ANALYSE ET INTERPRÉTATION DES DONNÉES

Les problèmes découlant de la situation de santé peuvent inclure :

- Anxiété liée au résultat inconnu du bilan diagnostique.
- Image corporelle perturbée ou diminution de l'estime de soi liée à la difficulté de procréer.
- Risque de stratégies d'adaptation individuelle ou familiale compromise lié :
  - à des méthodes utilisées pour l'investigation de la diminution de la fertilité ;
  - aux solutions de rechange au traitement : vivre sans enfant ou en adopter.
- Processus familial interrompu à cause d'attentes non comblées relatives à la grossesse.
- Douleur aiguë liée aux effets des examens paracliniques (ou à une intervention).
- Habitudes sexuelles inefficaces liées à une perte de libido consécutive aux restrictions médicales imposées.
- Connaissances insuffisantes concernant :
  - les facteurs de risques préalables à la conception ;
  - les facteurs entourant l'ovulation ;
  - les facteurs entourant la fertilité.

ENCADRÉ 4.18 Infertilité *(suite)*

RÉSULTATS ESCOMPTÉS

La planification des soins est établie dans le but d'atteindre les résultats suivants :

- Le couple exprime verbalement sa compréhension de l'anatomie et de la physiologie de l'appareil reproducteur.
- Le couple exprime verbalement sa compréhension du traitement touchant à toute anomalie détectée au moyen de divers tests et examens (p. ex., une infection, des trompes utérines bloquées, une allergie au sperme et une varicocèle) et est en mesure de prendre une décision éclairée à propos du traitement.
- Le couple exprime verbalement sa compréhension de son potentiel de conception.
- Le couple surmonte son sentiment de culpabilité et son besoin d'attribuer le blâme.
- Le couple parvient à concevoir un enfant ou, dans l'incapacité de concevoir, il décide d'une solution de rechange acceptable pour les deux partenaires (vivre sans enfant ou en adopter).

INTERVENTIONS INFIRMIÈRES

Les interventions infirmières requises pour l'atteinte des résultats escomptés comprennent, notamment :

- Aider le couple à exprimer ses sentiments par rapport à son infertilité.
- Expliquer ou renforcer la nécessité des examens paracliniques et les résultats des tests.
- Fournir du soutien pendant les étapes du diagnostic et du traitement.
- Mettre en place les interventions thérapeutiques demandées.
- Enseigner au couple les activités permettant de réduire le stress et l'encourager à les pratiquer.
- Fournir de l'information sur les ressources communautaires accessibles.
- Orienter le couple vers du counseling ou un suivi, si nécessaire.

ÉVALUATION DES RÉSULTATS – ÉVALUATION EN COURS D'ÉVOLUTION

L'évaluation de l'efficacité des soins du couple infertile est basée sur les problèmes énoncés **PSTI 4.1.**

Plan de soins et de traitements infirmiers

PSTI 4.1 Infertilité

PROBLÈME DÉCOULANT DE LA SITUATION DE SANTÉ	**Connaissances insuffisantes** liées à l'absence de compréhension du processus de reproduction et de la conception comme le révèlent les questions des clients
OBJECTIF	Les clients exprimeront verbalement une bonne compréhension du processus de reproduction.
RÉSULTATS ESCOMPTÉS	**INTERVENTIONS INFIRMIÈRES ET JUSTIFICATIONS**
• Compréhension des composantes du processus de reproduction • Connaissance des problèmes courants menant à l'infertilité • Compréhension des tests courants et de l'importance de les subir en temps opportun	• Évaluer le degré actuel de compréhension des clients concernant les facteurs qui favorisent la conception afin de déterminer les lacunes ou les idées fausses relatives à leur base de connaissances. • Procurer de l'information de façon réconfortante concernant les facteurs qui favorisent la conception, y compris les facteurs courants qui mènent à l'infertilité du partenaire masculin ou féminin afin d'améliorer les connaissances des clients et de favoriser leur confiance envers les professionnels de la santé. • Déterminer et décrire les tests d'infertilité de base et les raisons pour lesquelles on les planifie de façon précise afin d'améliorer la phase diagnostic du bilan sur l'infertilité.
PROBLÈME DÉCOULANT DE LA SITUATION DE SANTÉ	**Stratégies d'adaptation individuelle inefficaces** liées à l'incapacité de concevoir d'après les déclarations de la cliente et du partenaire
OBJECTIF	La cliente et son partenaire sauront s'adapter aux résultats.
RÉSULTATS ESCOMPTÉS	**INTERVENTIONS INFIRMIÈRES ET JUSTIFICATIONS**
• Repérage par la cliente et son partenaire des agents stressants situationnels • Détermination par la cliente et son partenaire des méthodes d'adaptation positives afin de faire face aux tests et aux résultats inconnus	• Fournir des occasions de discuter avec le couple des événements et de ses préoccupations grâce à la communication thérapeutique afin de connaître ses sentiments et sa perception des agents stressants. • Évaluer le soutien dont le couple bénéficie, y compris sa capacité à se soutenir l'un l'autre pendant le processus afin de déterminer les obstacles aux stratégies d'adaptation efficaces. • Déterminer des groupes de soutien et orienter le couple si nécessaire afin d'améliorer son adaptation en parlant de son expérience avec des couples éprouvant des problèmes similaires.
PROBLÈME DÉCOULANT DE LA SITUATION DE SANTÉ	**Perte d'espoir** liée à l'incapacité de concevoir comme le montrent les déclarations de la femme et du partenaire
OBJECTIF	La cliente et son partenaire verbaliseront un plan réaliste afin de diminuer leur sentiment de désespoir.
RÉSULTAT ESCOMPTÉ	**INTERVENTIONS INFIRMIÈRES ET JUSTIFICATIONS**
• Deuil de l'espoir de concevoir un enfant naturellement	• Soutenir le couple lorsqu'il doit faire le deuil de sa fertilité pour lui permettre d'assumer ses sentiments. • Évaluer les comportements indiquant une possibilité de dépression, de colère et de frustration pour prévenir une crise imminente. • Orienter le couple vers des groupes de soutien pour promouvoir un lien commun avec d'autres couples lorsqu'il exprime ses sentiments et ses préoccupations.

Examens paracliniques

TABLEAU 4.3 Examens touchant la diminution de la fécondité

TEST OU EXAMEN	PÉRIODE (JOURS DU CYCLE MENSTRUEL)	JUSTIFICATION
Hystérosalpingographie	7-10 jours	Détermine les anomalies structurelles des trompes et de l'utérus
Test postcoïtal[a]	1-2 jours avant l'ovulation	Détermine les facteurs cervicaux et les anomalies du sperme ainsi que les interactions avec la glaire cervicale
Laparoscopie	Variable, avant l'ovulation	Détermine l'obstruction des trompes ou les adhérences péritonéales
Réaction antigène-anticorps des spermatozoïdes[a]	Variable, ovulation	Détermine l'interaction entre les spermatozoïdes et la glaire cervicale par des tests immunologiques
Épreuve de la progestine	Ovulation	Évalue l'ovulation
Afflux de LH dans l'urine (trousse d'analyse de l'ovulation à domicile)	Quotidien, commence deux ou trois jours après le moment prévu d'afflux de LH	Détermine l'afflux de LH ; documente l'ovulation
Ultrasonographie transvaginale	Variable	Détermine les anomalies utérines structurelles
Évaluation sérique du taux plasmatique de progestérone	20-25 jours (ou une semaine avant les menstruations)	Vérifie la normalité de la production de progestérone par le corps jaune (milieu de la phase lutéale)
Température basale[a]	Graphique pour le cycle complet	Documente l'évaluation de l'élévation de la température en réponse à la progestérone
Biopsie endométriale[a]	21-27 jours	Vérifie la réaction endométriale à la progestérone et l'adéquation de la phase lutéale (fin de la phase lutéale ; fin de la phase de sécrétion) ; documente l'ovulation
Analyse du sperme	N'importe quand	Décèle les anomalies du sperme
Évaluation de la pénétration des spermatozoïdes	Après deux jours, mais pas plus qu'une semaine d'abstinence	Évalue la capacité des spermatozoïdes de pénétrer un ovule

[a] N'est plus utilisé de façon courante.

Sources : Adapté de Nelson & Marshall (2007) ; Speroff & Fritz (2005).

ENCADRÉ 4.19 Sommaire des résultats favorables à la fécondité

- Le développement folliculaire, l'ovulation et le développement lutéal sont favorables à la grossesse :
  - La température basale (preuve par inférence des cycles ondulatoires) est biphasique, avec une élévation de température qui dure de 12 à 14 jours avant les menstruations.
  - Les caractéristiques de la glaire cervicale changent comme il se doit au cours des phases du cycle menstruel.
  - Une visualisation laparoscopique des organes pelviens confirme le développement folliculaire et lutéal.
- La phase lutéale est favorable à la grossesse :
  - Les taux plasmatiques de progestérone sont adéquats.
  - Les résultats de la biopsie endométriale révèlent que les prélèvements correspondent au jour du cycle.
- Les facteurs cervicaux sont réceptifs aux spermatozoïdes au moment prévu de l'ovulation :
  - L'ouverture cervicale est dégagée.
  - La glaire cervicale est transparente, aqueuse, abondante et collante, sa vigilance et son arborisation (motifs de fougères) sont adéquates.
  - L'examen du col ne révèle ni lésion ni infection.
  - Les résultats du test postcoïtal sont satisfaisants (nombre adéquat de spermatozoïdes vivants, normaux et dotés de motilité présents dans la glaire cervicale).
  - Aucune immunité au sperme constatée.
- L'utérus et les trompes de Fallope sont aptes à la grossesse :
  - L'ouverture de l'utérus et des trompes a été constatée par :
    - l'introduction de teinture dans la cavité péritonéale.
    - la cavité utérine et les trompes sont de taille et de forme adéquates, sans anomalies.
  - L'examen laparoscopique confirme le développement normal des organes génitaux internes et l'absence d'adhérence, d'infection, d'endométriose et d'autres lésions.
- Les structures reproductives du partenaire masculin sont normales :
  - Il n'y a pas de signe d'anomalie du pénis, d'atrophie des testicules ou de varicocèle (dilatation variqueuse des veines du cordon spermatique).
  - Il n'y a pas de signe d'infection de la prostate, des vésicules séminales ou de l'urètre.
  - Le plus grand diamètre des testicules dépasse 4 cm.
- Le liquide séminal est favorable à la grossesse :
  - Les spermatozoïdes (nombre par millilitres) sont en nombre suffisant dans l'éjaculat.
  - La plupart de ces spermatozoïdes ont une morphologie normale.
  - La plupart des spermatozoïdes sont dotés de motilité et bougent vers l'avant.
  - Il n'existe pas d'auto-immunité.
  - Le liquide séminal est normal.

Le test de base de la fertilité masculine est l'analyse du sperme. Une analyse complète du sperme, l'étude des effets de la glaire cervicale sur celui-ci en ce qui a trait à la motilité et à la survie et l'évaluation de l'habilité des spermatozoïdes de pénétrer l'ovule fournissent l'information de base. Le sperme est recueilli à la suite de l'éjaculation dans un contenant propre ou une gaine de plastique qui ne contient pas d'agents spermicides. L'échantillon est habituellement produit grâce à la masturbation après deux à cinq jours d'abstinence. Le sperme est envoyé au laboratoire dans un contenant scellé dans les deux heures qui suivent l'éjaculation. L'exposition à la chaleur ou au froid extrême doit être évitée. L'**ENCADRÉ 4.20** énumère les valeurs généralement acceptées basées sur les critères de l'OMS relativement aux caractéristiques du sperme. Si les résultats se situent dans la catégorie fertile, il n'est pas nécessaire de procéder à une autre évaluation du sperme. Si ce n'est pas le cas, il faut répéter le test. Si les résultats se situent encore dans la catégorie hypofertile, une évaluation plus approfondie est nécessaire pour déterminer la nature du problème (Nelson & Marshall, 2007).

D'autres tests sont effectués au besoin et comprennent les analyses hormonales de la testostérone, de la gonadotrophine, de la FSH et de la LH, l'estimation de la pénétration des spermatozoïdes pour évaluer leur capacité à pénétrer l'ovule, ainsi que la biopsie des testicules (Nelson & Marshall, 2007).

Le test postcoïtal est la méthode traditionnelle permettant de déterminer l'infertilité due aux facteurs cervicaux, mais aucune donnée probante n'indique qu'il s'agit d'un outil clinique valide; il n'est donc pas nécessaire pour la plupart des couples (Nelson & Marshall, 2007; Speroff & Fritz 2005).

Interventions infirmières

La gestion des clients éprouvant des problèmes d'infertilité comprend les interventions psychosociales, non médicales, médicales et chirurgicales. Des traitements de procréation assistée peuvent être indiqués. Les interventions infirmières constituent un aspect important des soins.

Interventions psychosociales

En Amérique du Nord, les sentiments rattachés à la diminution de la fécondité sont nombreux et complexes. À l'origine de certains de ces sentiments se trouvent des croyances sans fondement, des superstitions et des renseignements erronés sur les causes de l'infertilité. D'autres sentiments sont provoqués par la nécessité de subir de nombreux examens et par l'impression d'être différent des autres.

L'infertilité est reconnue comme un agent stressant important qui peut avoir un effet sur l'estime de soi, les relations conjugales, la famille et les amis ainsi que sur la carrière. Le couple a souvent besoin d'aide pour distinguer les concepts de réussite et d'échec liés au traitement de l'infertilité des concepts de réussite et d'échec personnels. Il est crucial de reconnaître l'importance de l'infertilité en tant que perte et d'assumer ses sentiments pour être en mesure de resituer ce problème dans son contexte, même si le traitement réussit (Forbus, 2005; Paterno, 2008).

Les réactions psychologiques au diagnostic d'infertilité peuvent nuire aux échanges et à l'intimité physique et sexuelle du couple. Les prescriptions et les interdictions imposées pour réussir à concevoir peuvent créer une tension qui affecte la sexualité du couple. Celui-ci peut faire état d'une diminution du désir, de dysfonction orgasmique ou de troubles érectiles au milieu du cycle.

Pour être à l'aise avec la sexualité d'un couple, l'infirmière doit être à l'aise avec sa propre sexualité. Elle pourra ainsi aider le couple à comprendre pourquoi l'acte intime de faire l'amour doit être partagé avec les professionnels de la santé. L'infirmière doit posséder des connaissances factuelles et à jour sur les pratiques sexuelles humaines et être capable d'accepter les préférences et les activités des autres sans porter de jugement. Elle doit être apte à mener une entrevue, adopter une approche personnalisée à des fins thérapeutiques et être attentive aux signaux non verbaux des autres, et aussi être au courant des principes religieux et socioculturels des couples.

L'infirmière doit évaluer le soutien dont le couple dispose. Elle devrait aussi s'intéresser aux personnes prêtes à fournir de l'aide, à leurs relations avec le couple, à leur âge, à leur disponibilité ainsi qu'au soutien culturel ou religieux accessible. Les professionnels de la santé mentale possédant une expérience en traitement de l'infertilité peuvent aussi aider le couple (ASRM, 2009b).

Si le couple parvient à concevoir un enfant, l'infirmière doit garder à l'esprit que

ENCADRÉ 4.20 Analyse du sperme[a]

- Volume du sperme de 1,5 à 5 ml
- pH du sperme de 7,2 ou plus
- Viscosité > 3 (échelle de 0 à 4)
- Densité du sperme > 20 millions/mm
- Nombre total de spermatozoïdes > 40 millions par éjaculat
- Morphologie normale > 30 % (forme ovale et normale)
- Motilité (facteur important dans l'évaluation du sperme), pourcentage de spermatozoïdes qui avancent, estimé en rapport avec les spermatozoïdes anormalement mobiles et non mobiles à moins de 50 %
- Agglutination du sperme < 2 (échelle de 0 à 3)

[a] Ces valeurs ne sont pas absolues; elles sont seulement relatives à l'évaluation finale du couple en tant qu'unité de procréation unique. Les valeurs sont aussi différentes selon la source utilisée comme référence.

Source: Adapté de WHO (1999).

les préoccupations et les problèmes des partenaires peuvent subsister. De nombreux couples sont fous de joie à l'annonce de la grossesse, mais certains ne le sont pas. Quelques-uns réorganisent leur vie, leur image de soi et leurs objectifs personnels en acceptant leur infertilité. Le couple peut avoir l'impression que ceux qui ont travaillé avec lui pour trouver la cause de la diminution de la fécondité et la traiter s'attendent à ce qu'il soit heureux de la grossesse. Les partenaires peuvent être étonnés d'éprouver du ressentiment, car la grossesse dont ils rêvaient nécessite maintenant un nouveau changement d'objectif, d'aspiration et d'identité. L'ambivalence normale envers la grossesse peut être perçue comme un rejet du choix original de devenir parents. Le couple choisit parfois l'avortement à ce moment-là. D'autres couples craignent l'avortement spontané. Si le couple souhaite mener la grossesse à terme, il devra recevoir le même soutien que les autres couples qui attendent un enfant. De plus, les antécédents de diminution de la fécondité sont considérés comme un facteur de risque pour une grossesse.

Pour être à l'aise avec la sexualité d'un couple, l'infirmière doit être à l'aise avec sa propre sexualité.

Si le couple ne conçoit pas, l'infirmière offrira de l'aide relative à l'adoption, à l'insémination artificielle, à d'autres techniques de procréation ou à l'acceptation d'une vie sans enfants. Une liste d'organismes, de groupes de soutien et d'autres ressources dans la collectivité peut être utile.

4.4.2 Aspects non médicaux

Un simple changement de mode de vie peut être efficace pour traiter les hommes hypofertiles. Seuls des lubrifiants solubles à l'eau devraient être utilisés, car de nombreux lubrifiants d'usage courant sont dotés de propriétés spermicides ou contiennent des spermicides. Les bains chauds quotidiens ou le sauna peuvent maintenir les testicules à une température trop élevée pour assurer une spermatogenèse efficace.

Il existe un traitement pour les femmes présentant des réactions immunologiques au sperme. L'utilisation de condoms pendant 6 à 12 mois réduira la production d'anticorps féminins chez la plupart des femmes qui ont une concentration élevée d'anticorps antispermatiques. Une fois la réaction sérique atténuée, le condom peut être utilisé pendant les relations sexuelles, sauf au moment prévu de l'ovulation. Environ un tiers des couples qui éprouvent ce problème conçoivent en procédant de cette façon.

Les changements relatifs à la nutrition et aux habitudes peuvent augmenter la fertilité de l'homme et de la femme. Par exemple, un régime équilibré, l'exercice, la diminution de la consommation d'alcool et le fait de ne pas abuser des drogues ainsi que la gestion du stress sont également efficaces.

Plantes médicinales

Aucune étude clinique ne prouve que les remèdes à base de plantes favorisent la fertilité ou sont sans danger au début de la grossesse. Les femmes devraient uniquement en consommer lorsqu'ils sont prescrits par le médecin ou par une infirmière ou une sage-femme experte en herboristerie. La relaxation, l'ostéopathie, la gestion du stress (p. ex., l'aromathérapie, le yoga), le counseling sur la nutrition et l'exercice ont augmenté les taux de grossesse chez certaines femmes (Tiran & Mack, 2000). Les remèdes à base de plantes qui favoriseraient la fertilité en général sont les fleurs de trèfle rouge, les feuilles d'orties, l'*Angelica sylvestris chinensis*, le millepertuis, le gattilier et le chamaelire doré (Dennehy, 2006 ; Weed, 1986). La vitamine C, le calcium et le magnésium peuvent favoriser la fertilité et la conception (Tiran & Mack, 2000). Les vitamines E et C, le glutathion et le coenzyme Q10 sont des antioxydants dont les effets bénéfiques sur la fertilité masculine ont été prouvés (Sheweita, Tilmisany & Al-Sawaf, 2005). Les plantes médicinales à éviter lorsqu'on tente de concevoir sont la racine de réglisse, la mille-feuille, l'armoise, l'éphédra, le fenouil, l'hydraste du Canada, la lavande, le genièvre, la graine de lin, la menthe pouliote, la passiflore, le cerisier tardif, la cascara, la sauge, le thym et la pervenche (Sampey, Bourque & Wren, 2004).

4.4.3 Aspects médicaux

L'intervention pharmacologique de la fertilité féminine vise souvent à traiter la dysfonction ovulatoire soit en stimulant l'ovulation, soit en l'améliorant afin que plus d'ovocytes deviennent matures. Les médicaments les plus courants sont les suivants : citrate de clomiphène, gonadotrophine humaine de ménopause (hMG) et Gn-RH (Lobo, 2007 ; Nelson & Marshall, 2007). La metformine (substance sensibilisante à l'insuline) est utilisée pour traiter les femmes ayant un cycle anovulatoire et souffrant du syndrome des ovaires polykystiques. La bromocriptine est utilisée pour le traitement de l'anovulation associée à l'hyperprolactinémie. La thyréostimuline est indiquée si la femme souffre d'hypothyroïdie. Les agonistes de la Gn-RH ou le danazol peuvent être utilisés pour traiter l'endométriose ; la progestérone peut être employée pour traiter les anomalies de la phase lutéale (ASRM, 2006b ; Lobo, 2007 ;

Nelson & Marshal, 2007). Le **TABLEAU 4.4** décrit les médicaments courants prescrits dans le traitement de l'infertilité.

La pharmacothérapie peut être indiquée pour traiter l'infertilité masculine. Il est possible de corriger les problèmes relatifs aux glandes surrénales ou à la glande thyroïde au moyen de médicaments. Les infections sont traitées rapidement avec des produits antimicrobiens. La FSH, la hMG et le clomiphène sont parfois utilisés pour stimuler la spermatogenèse chez les hommes souffrant d'hypogonadisme (Nelson & Marshall, 2007).

Le professionnel de la santé en soins primaires doit fournir une information exhaustive sur les médicaments prescrits. Toutefois, l'infirmière doit être prête à répondre aux questions du client et à confirmer sa compréhension du médicament, de son administration, de ses effets secondaires potentiels et des résultats attendus.

4.4.4 Aspects chirurgicaux

Des interventions chirurgicales peuvent régler des problèmes qui sont à la source de l'infertilité féminine. Les tumeurs ovariennes doivent être excisées. Dans tous les cas possibles, le tissu ovarien fonctionnel est laissé intact. Des adhérences de tissu cicatriciel causées par des infections chroniques peuvent couvrir une bonne partie ou la totalité des ovaires. Ces adhérences nécessitent habituellement une opération chirurgicale pour libérer et exposer l'ovaire de façon que l'ovulation puisse avoir lieu.

L'hystérosalpingographie est utile pour détecter une obstruction des trompes de Fallope et pour les dégager **FIGURE 4.10**. Au cours d'une laparoscopie, des adhérences délicates peuvent être divisées et enlevées, et des implants endométriaux peuvent être détruits par électrocoagulation ou à l'aide du laser **FIGURE 4.11**. La laparotomie et même la microchirurgie sont parfois nécessaires pour

Pharmacothérapie

TABLEAU 4.4 Infertilité

MÉDICAMENT	ACTION
Modulateur sélectif des récepteurs œstrogéniques	
• Clomiphène (Clomid^MD, Serophene^MD)	Stimule l'hypothalamus à ↑ la production de Gn-RH, ce qui ↑ la sécrétion de LH et de FSH ; le résultat final est une stimulation de l'ovulation.
Ménotropines (gonadotrophines humaines de ménopause [hMG])	
• Ménotropines – Repronex^MD – Menopur^MD – Humegon^MD (n'existe plus au Canada)	Produits faits de parts égales de FSH et de LH stimulant la croissance et la maturation des follicules dans les ovaires.
• Lutropine – Luveris^MD	Produit dont la LH est recombinante, qui stimule la sécrétion d'androgènes par les cellules thécales et joue un rôle important dans le développement folliculaire induit par la FSH.
Antagonistes de l'hormone de stimulation folliculaire (FSH)	
• Urofollitropine (Bravelle^MD) • Follitropine (Gonal-f^MD, Puregon^MD)	Stimule la croissance et la maturation des follicules en imitant les effets de la FSH naturellement produite par le corps.
Antagonistes de la gonadolibérine (Gn-RH)	
• Cétrorélix (Cetrotide^MD) • Ganirélix (Orgalutran^MD)	Prévient les pics de LH prématurés (et donc l'ovulation prématurée) chez les femmes subissant une stimulation des ovaires.
Agonistes de la gonadolibérine (Gn-RH)	
• Leuprolide (Lupron^MD) • Nafaréline (Synarel^MD) • Buséréline (Suprefact^MD)	Supprime la sécrétion de LH et de FSH lorsque pris de manière continue. Peuvent aussi servir au traitement de l'endométriose.
Gonadotrophine chorionique humaine (hCG)	
• Ovidrel^MD	Provoque l'ovulation en stimulant l'expulsion d'ovocytes par les follicules.

Source : Lewis, Dirksen, Heitkemper, Bucher & Camera (2011).

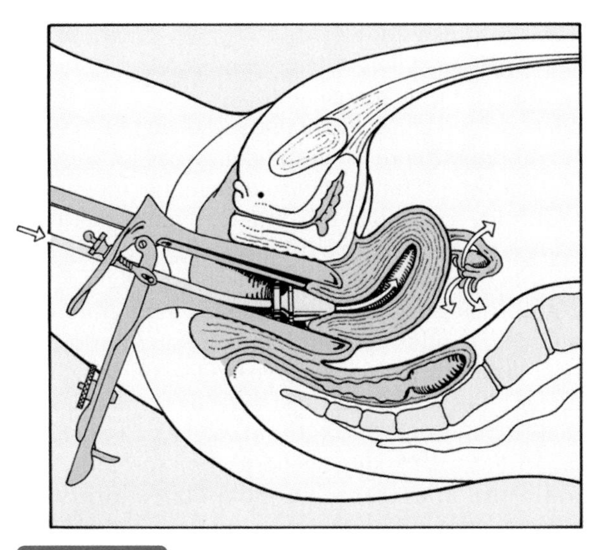

FIGURE 4.10

Hystérosalpingographie. La substance de contraste circule dans la sonde intra-utérine et sort par la trompe de Fallope.

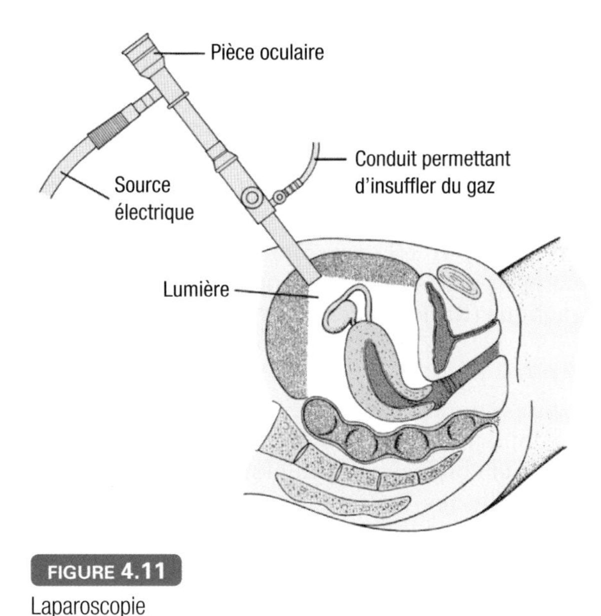

FIGURE 4.11

Laparoscopie

procéder à une réparation importante de la trompe endommagée. Le pronostic dépend de la mesure dans laquelle l'ouverture et la fonction des trompes peuvent être rétablies.

L'excision chirurgicale de tumeurs ou de fibromyomes touchant l'endomètre ou l'utérus améliore souvent les possibilités de concevoir et de mener une grossesse à terme. Le traitement chirurgical des tumeurs utérines ou des malformations qui aboutit à une grossesse exige souvent une césarienne vers la fin de la période gestationnelle afin de prévenir la rupture utérine résultant de la faiblesse de la région où se produit la cicatrisation.

Les interventions chirurgicales sont également effectuées pour traiter les problèmes qui causent l'infertilité masculine. La réparation chirurgicale de la varicocèle (varicosité dans le réseau de veines qui drainent le testicule) réussit relativement bien à augmenter le nombre de spermatozoïdes, mais pas le taux de fécondité.

4.4.5 Autres solutions pour la procréation

Techniques de procréation assistée

Des progrès remarquables ont marqué la médecine de procréation. Cependant, seulement 3 428 naissances vivantes sont attribuables aux techniques de procréation assistée, selon les dernières statistiques disponibles au Canada en 2007 (PAC, 2011). Ces techniques soulèvent des enjeux d'ordre éthique et juridique **ENCADRÉ 4.21**. Le manque d'information ou les renseignements erronés sur les taux de réussite, les risques et les avantages des autres traitements possibles empêchent les couples de prendre une décision éclairée. L'infirmière peut fournir de l'information afin que le couple soit conscient des probabilités exactes d'une grossesse et d'une naissance vivante. En 2005, le taux de réussite des techniques de procréation assistée était de 42 % pour les grossesses et de 35 % pour les naissances vivantes (Wright *et al.*, 2008).

Parmi les techniques de procréation assistée figurent la fécondation *in vitro* et le transfert d'embryons (FIVETE), le transfert intrafallopien de gamètes (TIFG) **FIGURE 4.12**, le transfert intrafallopien de zygotes (TIFZ), le transfert d'ovules (don d'ovocytes), l'adoption d'embryon, l'accueil d'embryon, la maternité de substitution, l'insémination thérapeutique avec sperme de donneur (ITD), l'injection intracytoplasmique de spermatozoïdes et l'éclosion assistée. Le **TABLEAU 4.5** décrit ces procédures et les indications possibles des techniques de procréation assistée **ENCADRÉ 4.22**.

Complications

À part les risques associés à la laparoscopie et à l'anesthésie générale, les techniques de procréation

ENCADRÉ 4.21 Questions à considérer par le couple infertile avant d'entreprendre un traitement

- Nombre maximum d'embryons à implanter
- Risque de grossesse multiple
- Possibilité de devoir réduire le nombre de fœtus
- Possibilité de requérir un don d'ovocytes, de sperme ou d'embryons, ou de faire appel à une mère gestatrice (mère porteuse)
- Congélation d'embryons pour usage ultérieur
- Risque possible d'effets à long terme sur la femme, l'enfant et la famille causés par les médicaments et le traitement

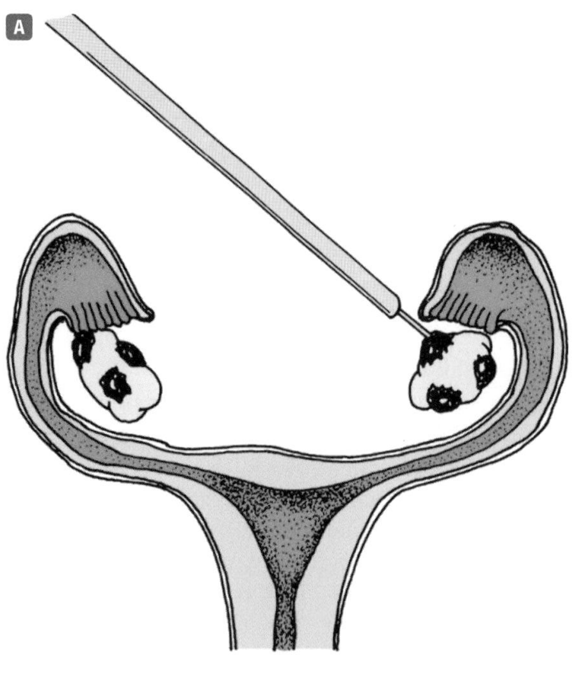

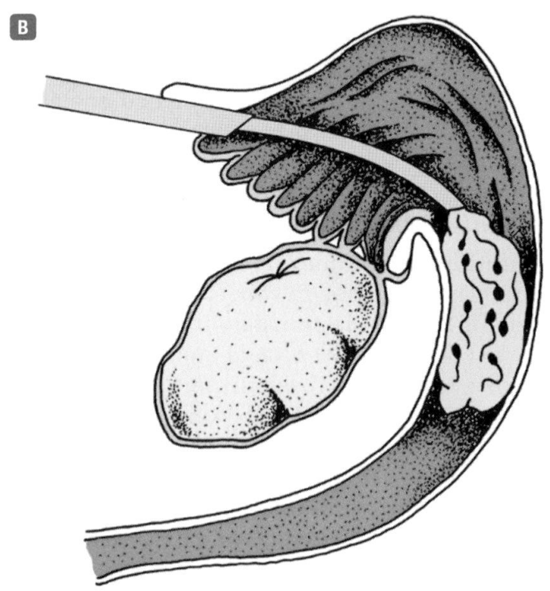

FIGURE 4.12

Transfert intrafallopien de gamètes. A La laparoscopie permet de localiser le follicule mûr, et le liquide contenant l'ovule est extrait. B Le spermatozoïde et l'ovule sont placés séparément dans la trompe de Fallope où la fécondation se produit.

assistée présentent peu de risques. L'aspiration transvaginale à l'aiguille est la plus courante et ne requiert qu'une analgésie locale ou I.V. On n'observe pas davantage d'anomalies congénitales chez les embryons conçus au moyen de ces techniques que chez ceux conçus naturellement. Les grossesses multiples sont plus probables qu'avec la méthode naturelle et sont liées à des risques accrus à la fois pour la mère et pour les nourrissons (Wright *et al.*, 2008). Les grossesses ectopiques sont plus fréquentes, et elles comportent un risque important pour la mère. L'IDT n'augmente pas les complications maternelles périnatales ; la même fréquence d'anomalies (environ 5 %) et de complications obstétriques (de 5 à 10 %) qui accompagne l'insémination naturelle (par rapports sexuels) s'applique également à l'IDT.

Diagnostic génétique préimplantatoire

Le diagnostic génétique préimplantatoire est une forme de test génétique précoce visant à détecter les embryons qui ont de graves défauts génétiques avant l'implantation grâce à une des techniques de procréation assistée et d'empêcher les couples de courir le risque de devoir mettre fin à la grossesse pour des raisons génétiques. Il peut également améliorer les chances de concevoir à l'aide de ces techniques chez les couples ayant un faible pronostic. Les couples ont besoin d'obtenir des conseils sur les possibilités et les choix qui s'offrent à eux ainsi que sur les conséquences de ces choix lorsqu'ils envisagent de procéder à une analyse génétique (Kuliev & Verlinsky, 2008).

Adoption

Certains couples choisissent de fonder une famille en adoptant des enfants qui ne sont pas les leurs sur le plan biologique. Toutefois, étant donné l'accessibilité des méthodes de contraception, de l'avortement et le nombre croissant de mères célibataires qui gardent leur bébé, l'adoption de nourrissons blancs est extrêmement limitée. Les nourrissons appartenant à une minorité ethnique, ceux qui ont des besoins spéciaux, les enfants plus âgés et les enfants de l'adoption internationale constituent d'autres possibilités.

Conseil juridique

ENCADRÉ 4.22 Cryopréservation d'embryons humains

Les couples qui font congeler les embryons excédentaires pour un transfert ultérieur doivent être bien informés avant de consentir à l'intervention afin de prendre des décisions sur la destruction des embryons en cas de mort, de divorce ou parce qu'il ne désire plus les conserver plus tard.

TABLEAU 4.5	Techniques de procréation assistée	
PROCÉDURE	**DÉFINITION**	**INDICATIONS**
Fécondation *in vitro* et transfert d'embryons (FIVETE)	Les ovules de la femme sont prélevés de ses ovaires, fécondés avec des spermatozoïdes en laboratoire, puis après un développement normal, l'embryon est transféré dans l'utérus de la femme.	Affection ou occlusion des trompes de Fallope ; infertilité masculine grave ; endométriose ; infertilité inexpliquée ; facteur cervical ; infertilité immunologique.
Transfert intrafallopien de gamètes (TIFG)	Les ovocytes sont prélevés dans les ovaires, placés dans un cathéter avec du sperme doté de motilité et lavé, puis transférés immédiatement dans la frange de la trompe de Fallope. La fécondation se produit dans la trompe de Fallope.	Même que pour la FIVETE, sauf que les trompes doivent être normales et ouvertes, et il doit y avoir absence de pathologies tubaires dans au moins une trompe.
FIVETE et TIFG avec don de sperme	Le processus est identique à celui décrit ci-dessus, sauf dans les cas où la fertilité du partenaire est gravement compromise et que le sperme d'un donneur peut être utilisé. Lorsque le sperme d'un donneur est utilisé, la femme doit être candidate à la FIV et au TIFG.	Infertilité masculine grave ; azoospermie ; indications pour la FIVETE ou le TIFG.
Transfert interfallopien de zygotes (TIFZ)	Ce processus est semblable à la FIVETE. Après la FIV, les ovules sont placés dans une trompe de Fallope au cours du stade zygote.	Même que pour le TIFG.
Don d'ovocytes	Les ovules sont donnés par procédure de FIV, puis ils sont inséminés. Les embryons sont transférés dans l'utérus de la receveuse, qui est préparée au moyen d'un traitement hormonal d'œstrogènes et de progestérone.	Ménopause précoce ; ovariectomie ; absence congénitale des ovaires ; troubles autosomiques ou liés au sexe ; absence de fécondation après plusieurs tentatives de FIV en raison d'anomalies subtiles des ovocytes ou de l'interaction avec les spermatozoïdes.
Don d'embryons (adoption d'un embryon)	Transfert d'un embryon donné dans l'utérus d'une femme infertile au moment opportun (normal ou provoqué) du cycle menstruel.	Infertilité non résolue par des techniques moins effractives ; absence d'ovaires ; azoospermie ou très faible numération des spermatozoïdes.
Mère gestatrice (accueil de l'embryon) ; mère porteuse	Un couple se soumet à un cycle de FIV, et un ou plusieurs embryons sont transférés dans l'utérus d'une autre femme (mère gestatrice), qui a signé une entente contractuelle avec le couple pour porter le fœtus à terme. La mère gestatrice n'a pas de lien génétique avec l'enfant. Le principe de la mère porteuse consiste à inséminer une femme avec le sperme du partenaire de la femme stérile puis à la laisser porter le fœtus jusqu'à la naissance.	Absence congénitale de l'utérus ou hystérectomie ; défaillances reproductives de l'utérus ; myomes ; adhérences utérine ou autres anomalies congénitales ; état pathologique qui pourrait mettre la vie de la femme en danger au cours de la grossesse, comme le diabète, les troubles immunologiques ou une maladie grave du cœur, du rein ou du foie.
Insémination thérapeutique avec sperme de donneur (ITD)	Le sperme d'un donneur est utilisé pour inséminer la femme.	Azoospermie ou très faible numération des spermatozoïdes ; le couple a une anomalie génétique ; le partenaire masculin a des anticorps antispermatiques.
Injection intracytoplasmique de spermatozoïdes	Un seul spermatozoïde est choisi, puis injecté directement dans l'ovule afin d'obtenir une fécondation. Technique utilisée avec la FIV.	Même que pour l'ITD.
Éclosion assistée	La zone pellucide est fragilisée chimiquement ou mécaniquement pour créer une ouverture afin que l'embryon puisse s'éclore et s'implanter dans l'utérus.	Avortements spontanés à répétition ; techniques destinées à hausser les taux d'implantation chez la femme ayant éprouvé plusieurs tentatives infructueuses de FIV ; âge de procréation avancé.

Source : Adapté de ASRM (2009a).

Les couples qui choisissent d'adopter un enfant ont décidé que le fait d'être parents et d'avoir un enfant est plus important que le processus réel de la grossesse. La naissance n'est qu'un aspect mineur de la parentalité. Parfois, on insiste tellement sur la grossesse et le fait de transmettre ses propres gènes à un enfant que la raison pour laquelle on veut en avoir devient floue. L'adoption met l'accent sur le fait d'avoir un enfant et de l'élever. La question que les couples envisageant l'adoption devraient se poser est la suivante : Qu'est-ce qui est important pour nous, devenir parents ou vivre l'expérience de la grossesse et de l'accouchement ? L'infirmière devrait être en mesure de donner de l'information sur les possibilités d'adoption et d'orienter les couples vers les ressources communautaires qui peuvent leur fournir de l'aide (ASRM, 2006a).

Analyse d'une situation de santé

Jugement clinique

Madame Josiane Lebœuf, 32 ans et son conjoint monsieur Maxence Thibault, 34 ans, essaient en vain de concevoir depuis un an. La cliente n'a jamais eu d'enfant et n'a jamais fait de fausse couche, elle est menstruée aux 28 jours, et ses règles durent environ 5 jours. Elle n'a aucune douleur menstruelle. Son conjoint n'a jamais eu d'enfant. Le couple se présente en consultation externe pour pouvoir subir les examens qui s'imposent en cas d'infertilité, car il désire ardemment avoir un enfant. ▶

SOLUTIONNAIRE

www.cheneliere.ca/lowdermilk

MISE EN ŒUVRE DE LA DÉMARCHE DE SOINS

Collecte des données – Évaluation initiale – Analyse et interprétation

1. Quels sont les examens qui devront être faits en premier pour évaluer la fertilité de madame Lebœuf?
2. Madame Lebœuf vous dit qu'elle utilisait la méthode symptothermique depuis six mois pour savoir si elle ovulait. Quel signe, présent dans les graphiques symptothermiques qu'elle vous a apportés, vous montre qu'elle ovule chaque mois?
3. Pour ce qui est de monsieur Thibault, quel est le test de base qu'il devra subir?
4. En examinant les graphiques symptothermiques, vous voyez que madame Lebœuf ovule chaque mois. Quels tests devrait-elle maintenant subir?

▶ À la suite de tous les examens subis, le diagnostic tombe : madame Lebœuf est infertile, mais elle ne peut se faire à l'idée d'une vie sans enfant. ▶

MISE EN ŒUVRE DE LA DÉMARCHE DE SOINS

Planification des interventions – Décisions infirmières

5. De quelles solutions pouvez-vous discuter avec elle?

▶ Madame Lebœuf et son conjoint ont beaucoup discuté, et ils décident d'essayer la procréation assistée. ◀

MISE EN ŒUVRE DE LA DÉMARCHE DE SOINS

Évaluation des résultats – Évaluation en cours d'évolution

6. Dans la poursuite de l'évaluation de la situation du couple, trouvez au moins quatre points que madame Lebœuf et monsieur Thibault doivent considérer avant d'entreprendre un traitement d'infertilité.
7. Ils ont vaguement entendu parler d'un soutien financier du gouvernement pour la procréation assistée. Dites-leur en plus sur ce soutien financier.

APPLICATION DE LA PENSÉE CRITIQUE

Dans l'application de la démarche de soins auprès de madame Lebœuf et de monsieur Thibault, l'infirmière a recours à un ensemble d'éléments (connaissances, expériences antérieures, normes institutionnelles ou protocoles, attitudes professionnelles) pour analyser la situation de santé des clients et en comprendre les enjeux. La **FIGURE 4.13** illustre le processus de pensée critique suivi par l'infirmière afin de formuler son jugement clinique. Elle résume les principaux éléments sur lesquels l'infirmière s'appuie en fonction des données de ces clients, mais elle n'est pas exhaustive.

VERS UN JUGEMENT CLINIQUE

CONNAISSANCES

- Pertinence des examens effractifs et non effractifs devant être effectués chez les couples ayant des difficultés à concevoir
- Méthode symptothermique pour la surveillance de l'ovulation
- Solutions à l'infertilité : procréation assistée, adoption
- Aide psychologique au couple ayant reçu le diagnostic d'infertilité

EXPÉRIENCES

- Expérience personnelle de l'usage de la méthode symptothermique
- Travail auprès de personnes infertiles ou ayant eu recours à la procréation assistée ou à l'adoption
- Expérience d'une personne de son entourage ayant reçu le diagnostic d'infertilité
- Expérience d'une personne de son entourage ayant eu recours à la procréation assistée ou à l'adoption
- Expérience personnelle d'infertilité
- Expérience personnelle de procréation assistée ou d'adoption

NORME

- Protocoles d'évaluation de l'infertilité

ATTITUDES

- Être à l'écoute des craintes du couple
- Être présente tout au long du processus de procréation assistée

PENSÉE CRITIQUE

ÉVALUATION

- Lecture des graphiques symptothermiques
- Résultats des examens effractifs et non effractifs
- Évaluation des réactions psychologiques à l'annonce du diagnostic d'infertilité
- Évaluation du besoin d'aide psychologique

JUGEMENT CLINIQUE

FIGURE 4.13

À retenir

VERSION REPRODUCTIBLE

www.cheneliere.ca/lowdermilk

- Il existe plusieurs méthodes contraceptives dont les taux d'efficacité varient et qui comportent divers avantages et inconvénients.
- L'infirmière doit aider les couples à choisir la ou les méthodes contraceptives qui leur conviennent le mieux.
- Des contraceptifs efficaces sont offerts en vente libre ou sur ordonnance.
- Diverses techniques permettent d'améliorer l'efficacité de l'abstinence périodique chez les couples motivés qui préfèrent cette méthode contraceptive naturelle.
- La contraception hormonale comprend la prévention précoïtale et postcoïtale par l'observation de diverses modalités ; elle exige un enseignement complet à la cliente.
- Les méthodes contraceptives d'urgence devraient être utilisées le plus tôt possible après un rapport sexuel non protégé et au plus tard 120 heures après.
- Les méthodes dites de barrière comme le diaphragme et la cape cervicale constituent un moyen contraceptif sûr et efficace pour les femmes ou les couples motivés à les utiliser correctement et avec constance.
- L'utilisation correcte simultanée de spermicide et du condom en latex offre une protection contre la grande majorité des ITS.
- L'avortement électif effectué au premier trimestre comporte moins de risques que l'avortement effectué au second trimestre.
- Les complications les plus courantes de l'avortement électif comprennent l'infection, les produits de la conception non délivrés et un saignement vaginal excessif.
- L'avortement électif entraîne rarement d'importantes séquelles psychologiques.
- L'infertilité est l'incapacité de concevoir et de porter un enfant à terme au moment choisi par le couple.
- L'infertilité touche entre 10 et 15 % des adultes sains. Le taux d'infertilité augmente chez les femmes de plus de 40 ans.
- Au Canada, dans 70 % des cas d'infertilité, la cause peut être liée aux facteurs relatifs à l'homme et à la femme ; 30 % des cas sont liés à des causes inexpliquées.
- Les facteurs étiologiques courants de l'infertilité comprennent une production réduite de sperme, des troubles de l'ovulation, l'obturation des trompes et l'endométriose.
- Les autres techniques de procréation pour fonder une famille comprennent la FIVETE, le TIFG, le TIFZ, le don d'ovocytes, le don d'embryons, l'IDT, la maternité de substitution (mère porteuse) et l'adoption.

Ressources

VERSION COMPLÈTE ET DÉTAILLÉE

www.cheneliere.ca/lowdermilk

Références Internet

ORGANISMES ET ASSOCIATIONS

Association des obstétriciens et gynécologues du Québec > Santé de la femme > Sujets d'intérêts > Dépistage prénatal
www.gynecoquebec.com

Association SOS Grossesse
www.sosgrossesse.org

Fédération Jumeaux et plus
www.jumeaux-et-plus.fr

Fédération québécoise pour le planning des naissances > Autres dossiers > Fiches thématiques > Diagnostic prénatal
www.fqpn.qc.ca

Fondation de l'Ataxie Charlevoix-Saguenay
www.arsacs.com

Ordre des sages-femmes du Québec
www.osfq.org

Société des obstétriciens et gynécologues du Canada > Renseignements sur la santé des femmes > Grossesse
- **> Naissances multiples**
- **> Alimentation saine, exercice physique et gain pondéral avant et pendant la grossesse**

www.sogc.org/index_f.asp

ORGANISMES GOUVERNEMENTAUX

Agence de la santé publique du Canada > Promotion de la santé > Santé de l'enfant > L'enfance et de l'adolescence > Programmes et initiatives > Programme de lutte contre l'ensemble des troubles causés par l'alcoolisation fœtale (ETCAF)
www.phac-aspc.gc.ca

Santé Canada
- **> Science et recherche > Biotechnologie > Au sujet de la biotechnologie > Projet du génome humain**
- **> Aliments et nutrition > Nutrition et saine alimentation**

www.hc-sc.gc.ca

RÉFÉRENCES GÉNÉRALES

Soinsinfirmiers.com > Modules Cours > Gynécologie Maternité > Les grossesses multiples
www.soins-infirmiers.com

Monographies

Institut national de santé publique du Québec (2011). *Mieux vivre avec notre enfant de la grossesse à deux ans*. Québec, Qc : Publications du Québec.

Schuurmans, N., Senikas, V., & Lalonde, A.B. (2009). *Partir du bon pied : de la préconception à la naissance de votre bébé*. Mississauga, Ont. : Wiley.

Séguin, G. (2009). *Jumeaux, mission possible !* Montréal : Éditions du CHU Sainte-Justine.

Articles, rapports et autres

Santerre, N. (2009). *La femme enceinte : besoins et soins pour chacun des trimestres*. [En ligne]. www.infiressources.ca/fer/depotdocuments/Guide_pratique_Femme_enceinte_H09_Cegep_Baie-Comeau-Lecture_continue.pdf (page consultée le 31 mai 2011).

Multimédia

Magrossesse.com > Conception > La fécondation > La fécondation en 3D
http://magrossesse.com

Santépratique.fr > Ma famille > Être enceinte > Évolution du fœtus mois par mois
www.santepratique.fr

PARTIE

Grossesse

CHAPITRE

Génétique, conception et développement fœtal

Écrit par :
Shannon E. Perry, RN, CNS, PhD, FAAN

Adapté par :
Marjolaine Héon, inf., Ph. D.

OBJECTIFS

 **Guide d'études – SA05**

Après avoir étudié ce chapitre, vous devriez être en mesure :

- d'expliquer les concepts clés de la génétique humaine ;
- de décrire les rôles élargis de l'infirmière en génétique et en counseling génétique ;
- d'examiner les aspects éthiques du dépistage génétique ;
- de discuter du but, des principaux résultats et des impacts possibles du Projet génome humain ;
- de discuter de l'état actuel de la thérapie génique (transfert de gènes) ;
- de reconnaître les effets possibles des agents tératogènes pendant les périodes vulnérables du développement embryonnaire et fœtal ;
- d'expliquer le mécanisme de la fécondation ;
- de décrire le développement, la structure et les fonctions du placenta ;
- de décrire la composition et les fonctions du liquide amniotique ;
- de nommer trois organes ou tissus qui se développent à partir de chacun des trois feuillets embryonnaires primitifs ;
- d'expliquer les principales modifications se produisant pendant la croissance et le développement de l'embryon et du fœtus.

Concepts clés

Cette carte conceptuelle illustre schématiquement les principaux concepts décrits dans le présent chapitre. Sa lecture vous permettra d'avoir une vue d'ensemble des notions qui y sont présentées.

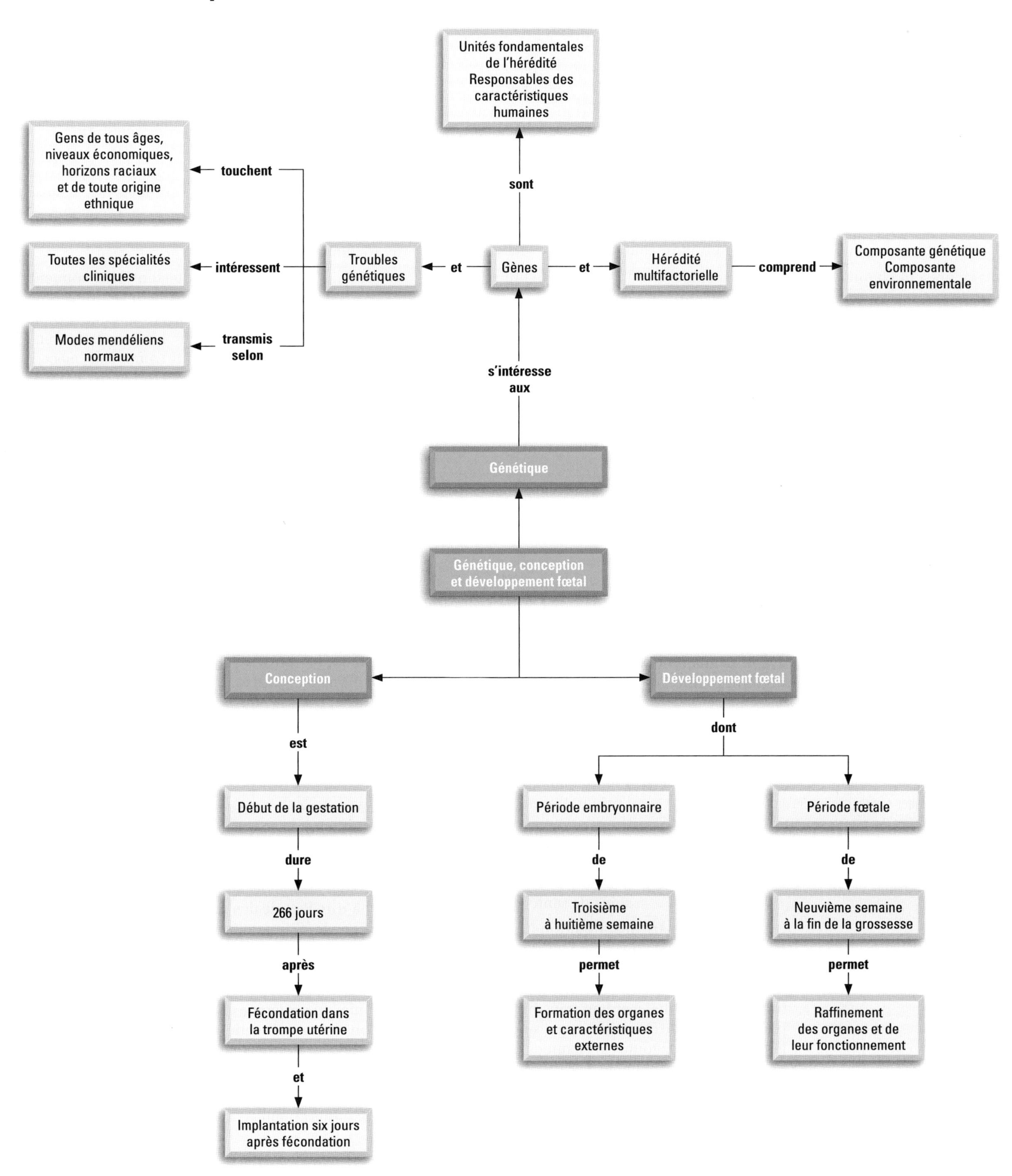

5

Les infirmières qui œuvrent en périnatalité et qui possèdent une solide base de connaissances en génétique jouissent d'une position privilégiée pour soigner, conseiller et soutenir les clients et les familles aux prises avec un trouble génétique. Elles peuvent notamment contribuer au counseling avant la grossesse, au dépistage prénatal de même qu'au dépistage chez le nouveau-né. Une connaissance de base de la génétique et une compréhension du processus de la conception et des étapes du développement fœtal sont ainsi incontournables pour toute infirmière qui offre des soins obstétricaux et gynécologiques. En effet, ces notions lui permettent d'assurer un suivi prénatal complet et éclairé.

Le présent chapitre aborde les concepts clés de la génétique humaine, le Projet génome humain, de même que le potentiel de pratique et les rôles élargis de l'infirmière en génétique et en counseling génétique. Le dépistage prénatal et les questions éthiques que ces sujets soulèvent y sont abordés sous l'angle de la pratique infirmière. Ce chapitre présente également un aperçu du mécanisme de la conception, de la division cellulaire jusqu'à l'implantation. Les étapes du développement normal de l'embryon et du fœtus y sont aussi expliquées.

5.1 | Génétique

La **génétique**, à savoir l'étude des gènes isolés ou de groupes de gènes et de leurs effets sur les organismes, est un facteur contributif de presque toutes les maladies qui touchent l'être humain. En obstétrique, les questions génétiques se présentent avant, pendant et après la grossesse. En raison de l'intérêt public grandissant pour ce domaine, de l'accroissement des pressions commerciales et des opportunités qu'offre le Web aux individus, aux familles et aux communautés de participer à l'orientation et à la conception de leurs soins de santé en génétique, les services génétiques deviennent rapidement partie intégrante des soins de santé courants.

Jugement clinique

Dans quelques années, Eugénie Letendre, une jeune fille âgée de 16 ans, aimerait bien avoir des enfants. Cependant, elle est consciente que, dans sa famille, il existe quelques cas de la maladie de Tay-Sachs. Elle vous demande s'il existe des mesures préventives à considérer pour éviter que ses enfants en soient atteints.

Que devriez-vous lui répondre à ce sujet?

Pour la plupart des affections génétiques, il n'existe pas de mesures thérapeutiques ou préventives, ou elles sont très limitées. Par conséquent, la façon la plus efficace de réduire l'incidence de ces troubles est d'empêcher leur transmission. Il est de pratique courante de vérifier la présence de troubles héréditaires chez toutes les femmes enceintes afin de déceler les problèmes possibles.

La façon la plus efficace de réduire l'incidence des affections génétiques est d'empêcher leur transmission.

Les troubles génétiques touchent les personnes de tous les âges, de toutes les classes socioéconomiques et de tous les horizons ethniques. Ils ont un impact non seulement sur les individus, mais aussi sur leur famille, sur les communautés et sur la société. Les progrès accomplis dans le dépistage génétique et les traitements fondés sur la génétique ont modifié les soins fournis aux personnes atteintes. L'amélioration des capacités de détection a conduit à des diagnostics plus précoces et a permis à des personnes qui autrement n'auraient pas survécu à l'enfance d'atteindre l'âge adulte. Les aberrations génétiques qui entraînent une maladie sont présentes dès la naissance, mais il est possible qu'elles ne se développent cliniquement qu'après plusieurs années, voire jamais.

Certains troubles se manifestent plus souvent chez des groupes ethniques en particulier. Par exemple, il en est ainsi pour la maladie de Tay-Sachs chez les Juifs ashkénazes, les Canadiens français de l'est de la vallée du Saint-Laurent au Québec, les Cajuns de la Louisiane et les amish de la Pennsylvanie; la bêtathalassémie dans des groupes de la Méditerranée, du Moyen-Orient, du Caucase du Sud, de l'Asie Centrale, de l'Inde et de l'Extrême-Orient, de même que dans les groupes dont l'héritage est africain; la drépanocytose chez les personnes d'origine africaine; l'alphathalassémie dans les groupes provenant de l'Asie du Sud-Est, du sud de la Chine, des Philippines, de la Thaïlande, de la Grèce et de Chypre; le déficit en lactase chez les Chinois et les Thaïlandais adultes; les anomalies du tube neural chez les Irlandais, les Écossais et les Gallois; la phénylcétonurie chez les Irlandais, les Écossais, les Scandinaves, les Islandais et les Polonais; la fibrose kystique chez les Caucasiens, les Juifs ashkénazes et les Latino-Américains; et la maladie de Niemann-Pick de type A chez les Juifs ashkénazes (Hamilton & Wynshaw-Boris, 2009; Solomon, Jack & Feero, 2008) **ENCADRÉ 5.1**.

5.1.1 Génomique

La **génomique** s'intéresse aux fonctions et aux interactions de tous les gènes dans un organisme. C'est l'étude de la structure entière de l'ADN. De nouveaux domaines qui intègrent les connaissances en génomique voient le jour, comme la **nutrigénétique**, c'est-à-dire l'étude des effets des variations génétiques sur le régime alimentaire et la santé et des conséquences pour les sous-groupes sensibles; la nutrigénomique, à savoir l'étude de l'effet des nutriments sur la santé dans l'optique des altérations du **génome**, du protéome et du métabolome et l'observation des modifications physiologiques qui en résultent; et la **pharmacogénétique/pharmacogénomique**, qui est l'étude des variations héréditaires du métabolisme des médicaments et des réactions aux médicaments. Les soins de santé en génomique comprennent une évaluation, un diagnostic et un traitement qui reposent sur la connaissance du fonctionnement des gènes. Ils sont très individualisés parce que les options de traitement se fondent sur les réactions phénotypiques de la personne. L'information génétique comprend les données sur la personne elle-même en plus des renseignements obtenus sur ses parents par le sang.

5.1.2 Génétique et soins infirmiers

Les troubles génétiques couvrent toutes les spécialités et les lieux de la pratique clinique, dont l'école, la clinique, le cabinet médical, l'hôpital, les centres de santé mentale et les établissements de santé communautaire. Étant donné que les répercussions possibles sur les familles et la communauté sont importantes, la collecte de l'information génétique, la technologie et le dépistage génétique doivent être intégrés aux services de soins de santé, et la génétique doit faire partie de l'enseignement et de la pratique des soins infirmiers **ENCADRÉ 5.2**.

Bien que le diagnostic et le traitement des troubles génétiques exigent des habiletés médicales, les infirmières en pratique avancée assument des rôles importants en conseillant les clients au sujet des affections héréditaires ou influencées par les gènes. Les infirmières ayant des connaissances spécialisées en génétique et en génomique interviennent dans plusieurs champs des soins infirmiers obstétricaux et gynécologiques : counseling avant la grossesse et diagnostic génétique préimplantatoire pour les clientes qui risquent de transmettre un trouble génétique, dépistage prénatal, soins prénataux pour les clientes souffrant de troubles psychiatriques ayant une composante génétique, comme le trouble bipolaire et la schizophrénie, dépistage chez le nouveau-né, soins aux familles qui ont perdu un fœtus ou un enfant atteint d'une affection génétique, dépistage et soins des enfants atteints d'une affection génétique et de leur famille et interventions auprès des femmes atteintes d'affections génétiques qui requièrent des soins spécialisés pendant la grossesse.

Ce sont habituellement les infirmières qui prodiguent les soins de suivi et qui maintiennent le contact avec les clients. Les infirmières en santé communautaire peuvent reconnaître les groupes à risques élevés de maladies au sein de la

Soins ethnoculturels

ENCADRÉ 5.1 Ataxie récessive spastique autosomique de Charlevoix-Saguenay

L'ataxie récessive spastique autosomique de Charlevoix-Saguenay (ARSACS) est une maladie héréditaire neuromusculaire qui se caractérise par une dégénérescence de la moelle épinière et par une atteinte évolutive des nerfs périphériques (Dystrophie musculaire Canada, 2007). Cette maladie, généralement diagnostiquée chez l'enfant vers l'âge de deux à cinq ans, entraîne un manque d'équilibre à la marche, de la spasticité dans les jambes, de l'ataxie dans les bras et de la dysarthrie (Dystrophie musculaire Canada, 2007).

L'ARSACS est une génopathie qui a été initialement décrite au cours des années 1970 dans les régions de Charlevoix et du Saguenay–Lac-Saint-Jean où sa prévalence demeure élevée : dans ces régions, 1 personne sur 22 est porteuse du gène récessif responsable de cette maladie (De Braekeleer *et al.*, 1993).

La prévalence élevée de cette maladie héréditaire est intimement liée à l'histoire de peuplement de ces deux régions du Québec qui a favorisé une population génétiquement homogène (Duplantie, 2010). Le risque que deux parents porteurs donnent naissance à un enfant atteint est de l'ordre de 1 grossesse sur 4 (25 %).

Le gène de l'ARSACS a été localisé en 1999 sur le chromosome 13 (Richter *et al.*, 1999) puis a été identifié en 2000 par des chercheurs québécois (Engert *et al.*, 2000). La Fondation de l'Ataxie Charlevoix-Saguenay (www.arsacs.com) a été créée en 2006 afin de soutenir la recherche scientifique portant sur cette maladie. Un projet pilote a également été mis sur pied à l'hiver 2010 dans la région du Saguenay–Lac-St-Jean afin de dépister quatre maladies héréditaires récessives, dont l'ARSACS, chez les femmes enceintes et leur conjoint (Duplantie, 2010).

Sources : Adapté de De Braekeleer *et al.* (1993) ; Duplantie (2010) ; Dystrophie musculaire Canada (2007) ; Engert *et al.* (2000) ; Richter *et al.* (1999).

RAPPELEZ-VOUS...

Le premier rôle de l'infirmière est de prodiguer des soins directs. Elle aide ainsi les personnes à composer avec des situations de santé et de maladie. Dans une perspective de santé holistique, les soins infirmiers soutiennent la personne et sa famille.

ENCADRÉ 5.2 Répercussions possibles des maladies génétiques sur la famille et la communauté

- Coût financier pour la famille
- Réduction de la taille prévue de la famille
- Perte de mobilité géographique
- Restriction des perspectives d'avenir pour les frères et sœurs
- Perte de l'intégrité familiale
- Diminution des possibilités d'avancement et de la flexibilité professionnelle
- Isolement social
- Modifications du mode de vie
- Réduction de l'apport des familles à leur communauté
- Perturbation de la relation de couple
- Image de soi de la famille menacée
- Nécessité d'affronter des attitudes intolérantes de la part d'autrui
- Effets psychologiques
- Stress et incertitudes quant au traitement
- Problèmes de santé physique
- Perte des rêves et des aspirations
- Coûts sociaux de l'institutionnalisation ou des soins à domicile ou dans la communauté
- Coûts sociaux attribuables aux problèmes additionnels et aux besoins des autres membres de la famille
- Coût des soins de longue durée
- Modifications des dispositions concernant le logement et les conditions de vie

Source : Adapté de Lashley (2005).

Le site Web de la National Newborn Screening & Genetics Resource Center (http://genes-r-us.uthscsa.edu) présente la liste des maladies dépistées chez les nouveau-nés dans les provinces et les territoires canadiens.

population, en plus d'offrir des soins aux personnes, aux familles et aux groupes. Ces infirmières représentent un lien essentiel dans le suivi des nouveau-nés chez qui le dépistage pourrait s'avérer nécessaire.

L'orientation vers les organismes appropriés est une partie essentielle de la gestion des suivis. De nombreux organismes et fondations (p. ex., la Fondation canadienne de la fibrose kystique, l'Association canadienne de la dystrophie musculaire) aident à fournir des services et des équipements pour les enfants atteints. Il existe également de nombreux groupes de parents à l'intérieur desquels la famille peut partager ses expériences et profiter du soutien d'autres familles ayant des problèmes semblables.

La fonction des soins infirmiers qui est probablement la plus importante consiste à fournir un soutien émotionnel à la famille couvrant tous les aspects du processus de counseling. Les sentiments suscités par la menace réelle ou imaginée imposée par un trouble génétique sont aussi variés que les personnes qui ont recours au counseling. Leurs réponses peuvent comprendre tout un éventail de réactions au stress comme l'apathie, le déni, la colère, l'hostilité, la peur, l'embarras, le chagrin et la perte de l'estime de soi.

Jugement clinique

Le médecin de monsieur Josh Simpson et de madame Juliana De Marco vient de leur annoncer que leur fils, âgé de 10 mois, est atteint de fibrose kystique. Ils sont très surpris d'apprendre cette nouvelle et répètent qu'ils sont responsables des problèmes de santé qu'affrontera leur enfant toute sa vie.

Que pensez-vous de leur réaction ?

Au Canada, l'Association des infirmières et infirmiers du Canada (AIIC) reconnaît l'importance pour les infirmières de comprendre les aspects fondamentaux de la génétique (AIIC, 2005). Bien que les possibilités de formation et de perfectionnement en génétique pour les infirmières soient limitées, l'AIIC est d'avis qu'une base de connaissances en génétique devrait être partagée par l'ensemble des infirmières **ENCADRÉ 5.3**. Comme les infirmières jouissent d'une position privilégiée, elles doivent mettre à profit leurs compétences et leurs connaissances en génétique afin d'évaluer les antécédents familiaux des clients et des familles, de leur prodiguer des soins génétiques, de leur enseigner la promotion de la santé et la réduction des risques, de les conseiller et de les orienter vers d'autres services génétiques (AIIC, 2005).

ENCADRÉ 5.3 Base de connaissances en génétique

Selon l'AIIC, toutes les infirmières canadiennes devraient posséder des connaissances de base en génétique puisqu'elles œuvrent dans divers contextes de soins auprès de clients et de familles pouvant être aux prises avec une maladie génétique. L'AIIC propose un cadre inspiré des compétences de base en génétique approuvées par la National Coalition for Health Professional Education in Genetics.

- Terminologie de la génétique humaine
- Tendances et variations de l'hérédité biologique
- Valeur de l'identification des variations génétiques associées aux maladies
- Importance des antécédents familiaux (trois générations) pour évaluer la prédisposition aux maladies
- Rôle des facteurs génétiques dans le maintien de la santé et la prévention des maladies
- Différence entre le diagnostic clinique et la prédisposition génétique
- Rôle des facteurs comportementaux, sociaux et environnementaux dans la modification ou l'orientation de la génétique
- Influence de l'origine ethnique, de la culture, des facteurs économiques et des croyances en matière de santé
- Avantages, limites et risques possibles de la communication d'information génétique
- Éventail des méthodes génétiques de traitement des maladies
- Ressources disponibles pour aider les clients à la recherche de services d'information génétique
- Éléments constituants du processus de counseling génétique
- Indications justifiant l'acheminement vers des généticiens et le recours à des tests génétiques ou à des interventions géniques
- Enjeux éthiques, légaux et sociaux liés aux tests génétiques et à la consignation d'information génétique
- Historique de l'abus de l'information génétique

Source : Adapté de AIIC (2005).

5.1.3 Anamnèse génétique et services de counseling génétique

Le fait de déterminer l'existence d'un trouble héréditaire chez les membres d'un couple ou chez qui que ce soit dans leur famille fait partie de la pratique normale en obstétrique. L'objectif du dépistage est de détecter ou de définir le risque d'apparition d'une maladie dans les populations à faible risque et de déterminer les personnes pour qui un examen paraclinique serait approprié. Le meilleur test génétique applicable aux soins avant la grossesse est de recueillir une anamnèse complète couvrant trois générations et comprenant les renseignements sur l'origine ethnique (Solomon *et al.*, 2008). Les infirmières peuvent également recueillir les antécédents génétiques à l'aide d'une liste de vérification **ENCADRÉ 5.4**.

Les personnes et les familles peuvent avoir recours au counseling génétique ou y être adressées pour une grande variété de raisons, et ce, à toutes les périodes de leur vie. Certaines recherchent de l'information avant ou au cours de la grossesse ou encore à la suite de la naissance d'un enfant affligé d'une anomalie congénitale ou d'une affection que l'on suppose d'origine génétique ; d'autres veulent obtenir des renseignements après avoir appris l'existence d'une affection génétique dans leurs antécédents familiaux. Indépendamment des circonstances ou de la période de la vie, le counseling génétique devrait être offert et disponible aux personnes et aux familles qui s'interrogent au sujet de la génétique et de leur santé.

Le counseling génétique peut alors être offert au cabinet médical ou il peut s'avérer nécessaire de diriger le client vers un généticien. Les services de counseling les plus efficaces sont associés aux

ENCADRÉ 5.4 Vérification des facteurs de risque de troubles génétiques

Un examen approfondi des antécédents génétiques avant la conception permet de déceler les couples à risque. Lorsque la femme et son conjoint savent déjà, avant la conception, qu'ils risquent d'avoir un enfant atteint de malformation congénitale ou de désordre génétique, ils sont davantage en mesure de choisir d'autres avenues en matière de grossesse (y compris la contraception, l'insémination artificielle, l'adoption, un test effractif ou le hasard).

OBJECTIFS

- Établir une généalogie de trois générations.
- Passer en revue la liste suivante des facteurs de risque et indiquer par un crochet les réponses positives. Le terme « famille » comprend les parents par le sang ou ceux du partenaire. Les parents par le sang sont un enfant (ou un enfant à naître), le père, la mère, les frères et sœurs, les grands-parents, les oncles et tantes, les neveux et nièces ainsi que les cousins et cousines.

Âge

☐ Serez-vous âgée de 35 ans ou plus au terme prévu de votre grossesse?

☐ Le père de l'enfant aura-t-il 50 ans ou plus au terme prévu de votre grossesse?

Origines ethniques

☐ Si vous ou votre partenaire êtes d'origine méditerranéenne, asiatique ou africaine, est-ce que l'un d'entre vous ou un membre de vos familles est atteint de thalassémie (trouble héréditaire qui entraîne de l'anémie)?

☐ Si vous ou le père de l'enfant êtes d'origine juive est-européenne, canadienne-française ou cajun, existe-t-il des antécédents familiaux de maladie de Tay-Sachs?

☐ Si vous ou le père de l'enfant êtes d'origine juive est-européenne, existe-t-il des antécédents familiaux de maladie de Canavan?

☐ Si vous ou le père de l'enfant êtes d'origine africaine, existe-t-il des antécédents familiaux de drépanocytose ou de trait drépanocytaire?

Antécédents familiaux

☐ Existe-t-il des antécédents familiaux d'anomalies du tube neural?

☐ Est-ce que vous ou le père de l'enfant avez déjà eu un enfant ayant une anomalie du tube neural?

☐ Existe-t-il des antécédents familiaux de cardiopathie congénitale?

☐ Existe-t-il des antécédents familiaux de syndrome de Down?

☐ Est-ce que vous ou le père de l'enfant avez déjà eu un enfant atteint du syndrome de Down?

☐ Existe-t-il des antécédents familiaux d'hémophilie?

☐ Existe-t-il des antécédents familiaux de dystrophie musculaire?

☐ Existe-t-il des antécédents familiaux de fibrose kystique?

☐ Existe-t-il des antécédents familiaux de maladie de Huntington?

☐ Y a-t-il un membre de votre famille ou de celle du père de l'enfant qui souffre de déficience intellectuelle?

☐ Si oui, cette personne a-t-elle passé un test de dépistage du syndrome du chromosome X fragile?

☐ Existe-t-il quelque autre maladie génétique, trouble chromosomique ou anomalie congénitale chez vous, le père de l'enfant, quelqu'un de vos familles ou l'un de vos enfants?

☐ Souffrez-vous d'un trouble métabolique, comme le diabète de type 1 ou de type 2 ou la phénylcétonurie?

☐ Avez-vous déjà eu des problèmes de grossesse (fausses couches ou enfant mort-né)?

Source : Adapté de American College of Obstetricians and Gynecologists (2005).

grandes universités et aux centres médicaux d'importance. Ces établissements offrent aussi les services de soutien (p. ex., des laboratoires de biochimie et de cytologie), habituellement fournis par un groupe de spécialistes sous la gouverne d'un médecin formé en génétique médicale. Les professionnels de la santé devraient être au fait des personnes qui assurent le counseling génétique et des établissements qui offrent ce service dans leur champ de pratique.

Estimation du risque

La plupart des familles ayant des antécédents de maladie génétique cherchent une réponse à la question suivante : quelle est la probabilité que notre prochain enfant soit atteint de cette maladie? La réponse peut avoir des répercussions importantes pour chacun des membres de la famille et pour celle-ci en tant qu'entité ; c'est pourquoi les professionnels de la santé doivent être en mesure d'y répondre aussi précisément que possible en temps opportun.

Pour un couple qui n'a pas encore d'enfant, mais qu'on sait à risque d'avoir un nouveau-né atteint d'une maladie génétique, l'infirmière évaluera le risque d'occurrence de la maladie. Si le couple a déjà un ou plusieurs enfants souffrant d'une maladie génétique, elle évaluera le risque de récurrence de la maladie. Dans les deux cas, le risque dépend du mode de transmission héréditaire de la maladie génétique en question. S'il s'agit de maladies génétiques causées par un facteur soumis à la ségrégation pendant la division

Jugement clinique

Madame Pamela Simons, Américaine âgée de 29 ans, et son mari, monsieur Zohar Steiner, Juif ashkénaze âgé de 32 ans d'origine allemande, désirent avoir un enfant. Une personne est atteinte d'une maladie héréditaire dans la famille de monsieur Steiner, mais celui-ci ne peut la préciser. Il est prêt à subir tous les tests génétiques pour déterminer le risque qu'il soit lui aussi porteur de cette maladie.

Dans l'anamnèse génétique du couple, devriez-vous considérer l'origine ethnique de monsieur Steiner? Justifiez votre réponse.

cellulaire (gènes et chromosomes), le risque peut être estimé avec un degré élevé de précision en appliquant les principes de la génétique mendélienne.

> *Il est important de bien expliquer aux familles que chaque grossesse est un événement indépendant.*

Dans le cas d'un trouble autosomique dominant, les risques d'occurrence et de récurrence sont tous deux de 50 % : la probabilité qu'un prochain enfant soit atteint est de 1 sur 2. Le risque de récurrence pour les troubles autosomiques récessifs est de 25 %, ou 1 sur 4. Pour les troubles liés au sexe (liés au chromosome X), la récurrence dépend du sexe de l'enfant. Les chromosomes transloqués ont un risque élevé de récurrence. Les chromosomes dits transloqués sont des chromosomes non homologues qui ont échangé du matériel génétique (Mosby, 2009).

Jugement clinique

Madame Amanda Romeiro, âgée de 26 ans, est mère de deux enfants. Son dernier-né est atteint de galactosémie. On lui a expliqué qu'il s'agit d'une maladie autosomique récessive et que cela survenait une fois sur quatre. Comme elle a déjà un enfant présentant cette maladie, elle croit qu'il n'y a pas de danger que son prochain enfant en souffre.

Quelle information devez-vous fournir à madame Romeiro concernant les risques qu'un prochain enfant soit atteint de galactosémie ?

Le risque de récurrence des troubles multifactoriels peut s'estimer empiriquement. Un risque empirique ne se calcule pas selon la théorie génétique, mais plutôt grâce à l'expérience et à l'observation du trouble dans d'autres familles. Les risques de récurrence sont déterminés en appliquant au cas que l'on considère la fréquence d'un trouble similaire dans d'autres familles.

Les troubles qui résultent d'une occurence isolée risquant peu de se présenter au cours d'une grossesse subséquente n'entraîneraient pas plus de risque que celui associé à la grossesse elle-même (estimé à 1 sur 30). Ces troubles comprennent les infections maternelles (p. ex., la rubéole, la toxoplasmose), la consommation de drogues ou de médicaments par la mère, la plupart des anomalies chromosomiques ou un trouble qui résulterait d'une nouvelle mutation.

Interprétation du risque

Le principe qui doit guider le counseling génétique est celui de la non-directivité. Selon ce principe, le droit de la personne ou de la famille conseillée de prendre des décisions autonomes doit être respecté. Les conseillers en génétique qui adoptent une approche non directive évitent de faire des recommandations, et ils tentent de transmettre l'information génétique d'une manière exempte de parti pris. La première étape d'un counseling non directif est de prendre conscience des valeurs et des croyances du client. Une autre étape importante consiste à reconnaître comment celles-ci peuvent avoir une influence ou faire obstacle à la communication de l'information génétique.

Les conseillers expliquent l'estimation des risques et fournissent l'information appropriée sur la nature du trouble, l'importance des risques dans ce cas précis, les conséquences probables et, le cas échéant, les solutions de rechange possibles. La décision d'amorcer une grossesse ou de la poursuivre doit être laissée à la famille. Une fonction importante des soins infirmiers est de renforcer l'information donnée aux familles et d'adapter celle-ci à leur degré de compréhension.

Il est important de bien expliquer aux familles que chaque grossesse est un événement indépendant. Par exemple, dans le cas des troubles monogéniques, où la probabilité qu'un enfant soit touché est de 25 %, le risque demeure le même, peu importe le nombre d'enfants atteints déjà présents dans la famille. Les familles pourraient tirer la conclusion erronée que la présence d'un enfant atteint garantit que les trois suivants seront exempts du trouble. Mais « le hasard n'a pas de mémoire ». Le risque demeure de un sur quatre à chaque grossesse. Par ailleurs, dans une famille comprenant un enfant atteint d'un trouble aux causes multifactorielles, le risque augmente avec chaque nouvel enfant qui naît avec l'affection.

Considérations éthiques

Idéalement, il faudrait connaître les conditions qui pourraient avoir un effet sur la grossesse avant même le début de celle-ci (Solomon *et al.*, 2008). Les personnes pourraient alors prendre les décisions concernant leur reproduction en toute connaissance de cause, décisions qui pourraient comprendre l'adoption, la maternité de substitution ou l'utilisation du sperme d'un donneur ou de l'ovule d'une donneuse. Toutefois, la plupart des tests génétiques s'effectuent en période prénatale afin de dépister les troubles génétiques chez le fœtus (Wapner, Jenkins & Khalek, 2009). Lorsqu'on découvre qu'un fœtus est atteint, les parents peuvent se préparer à la naissance de cet enfant ou envisager d'interrompre la grossesse. D'autres demandes de dépistage génétique concernent les maladies à déclenchement tardif. Au Canada, la Loi sur la procréation assistée précise : « Nul ne peut sciemment, dans l'intention de créer un être humain, accomplir un acte ou fournir, prescrire ou administrer quelque chose pour obtenir – ou augmenter les chances d'obtenir – un embryon d'un sexe déterminé ou pour identifier le sexe d'un embryon *in vitro*, sauf pour prévenir, diagnostiquer ou traiter des maladies ou des anomalies liées au sexe. » (Loi sur la procréation assistée, L.C. 2004, c. 2, art. 5(1)e).

Une éthique de responsabilité sociale devrait guider les conseillers en génétique au moment de leurs interactions avec les clients et les amener à reconnaître que les gens font leurs choix en intégrant leurs valeurs et croyances personnelles à leur nouvelle connaissance du risque génétique et des traitements médicaux.

D'autres questions éthiques sont liées à l'autonomie, au respect de la vie privée et à la confidentialité. Devrait-on réaliser un dépistage génétique quand il n'existe pas de traitement pour la maladie? À quel moment les membres à risque d'une famille devraient-ils être avertis? Quand devrait-on réaliser des tests présymptomatiques? Certaines personnes qui pourraient tirer profit du dépistage génétique ne s'y soumettent pas, craignant la discrimination basée sur le risque d'être atteint d'un trouble génétique. Aux États-Unis, où l'assurance santé relève en majeure partie du domaine privé, plusieurs États ont adopté des règlements interdisant la discrimination par les compagnies d'assurances. Au Canada, aucun texte de loi visant à prohiber la discrimination génétique n'existe actuellement. Toutefois, un projet de loi privé à cet effet, appuyé par la Coalition canadienne pour l'équité génétique, a été déposé au Parlement du Canada en avril 2010. Il faut demeurer prudent tant que des balises n'auront pas été mises en place pour le dépistage génétique. Il importe de peser soigneusement les bénéfices du dépistage par rapport à ses inconvénients possibles. L'American Academy of Pediatrics (2001) et le Canadian College of Medical Geneticists (2003) déconseillent le dépistage génétique chez les enfants pour les maladies qui ont un déclenchement tardif et pour lesquelles il n'existe pas de traitement.

Le dépistage génétique préimplantatoire est offert dans un nombre restreint d'établissements. Dans cette procédure, les tests sont effectués sur les **embryons** avant l'implantation par fécondation *in vitro* (Wapner et *al.*, 2009). Le dépistage préimplantatoire permet d'éliminer des troubles précis dans le cas de grossesses conçues par cette méthode de fécondation. Des travaux se poursuivent pour appliquer des tests aux cellules fœtales et aux acides nucléiques recueillis dans un échantillon de sang maternel afin de poser des diagnostics prénataux non effractifs (Wapner *et al.*, 2009).

Embryon : Nom donné au produit de la conception du 15e jour de développement jusqu'à la 8e semaine environ après la fécondation.

5.1.4 Projet génome humain

Le Projet génome humain était un projet international financé par les deniers publics et coordonné par les National Institutes of Health et par le ministère de l'Énergie des États-Unis (Department of Energy). Bien que sa contribution ait été modeste, le Canada a participé à ce projet qui s'est échelonné sur une période de 13 ans (1990-2003) et qui visait à cartographier et à séquencer le génome humain. Non seulement ce projet a-t-il conduit à une longue liste de découvertes stupéfiantes en génétique, mais il a également contribué à stimuler et à favoriser le travail de milliers de scientifiques partout dans le monde. Moins de 24 heures après le séquençage d'un fragment d'ADN par les chercheurs du Projet génome humain, les résultats étaient dirigés vers une banque de données publique (www.ncbi.nlm.nih.gov/genome/guide/human); aucune restriction sur son utilisation ou sa redistribution ne fut promulguée.

Il importe de peser soigneusement les bénéfices du dépistage par rapport à ses inconvénients possibles.

Les deux découvertes centrales des efforts initiaux pour séquencer et analyser le génome humain sont; 1) que tous les êtres humains sont identiques à 99,9 % en ce qui concerne leur ADN; 2) qu'environ 30 000 à 40 000 gènes (fragments ou séquences d'ADN qui contiennent l'information nécessaire pour fabriquer les protéines) constituent le génome humain (International Human Genome Sequencing Consortium, 2001). La découverte qui prouve que les êtres humains sont identiques à 99,9 % pour ce qui est de leur ADN devrait contribuer à décourager l'utilisation de la science pour justifier la mise en place de frontières raciales précises autour de certains groupes de personnes. La grande majorité du 0,1 % de variations génétiques se trouve à l'intérieur des populations et non entre elles. Que les êtres humains ne possèdent que de 30 000 à 40 000 gènes, à peine deux fois plus que les nématodes (18 000) ou les mouches (13 000), était une découverte inattendue. Auparavant, les scientifiques estimaient que le génome humain comprenait de 80 000 à 150 000 gènes. On croyait alors que l'espèce humaine était plus évoluée et plus sophistiquée que les autres en raison d'un nombre plus élevé de gènes.

Les premiers travaux de séquençage et d'analyse du génome humain se sont avérés inestimables pour l'identification des gènes mis en cause dans les maladies et pour l'élaboration de tests génétiques. On a identifié plus de 100 gènes en cause dans des maladies comme la maladie de Huntington, le cancer du sein, le cancer du côlon, la maladie d'Alzheimer, l'achondroplasie et la fibrose kystique **ENCADRÉ 5.5**. Des tests génétiques pour 1 672 affections héréditaires sont disponibles sur le marché, dont 1 379 sont des tests cliniques et 293, des tests de recherche (www.genetics.org).

Dépistage génétique

Le dépistage génétique consiste à analyser l'ADN humain, l'acide ribonucléique (ARN), les **chromosomes** (amas filiformes de gènes et d'autre ADN dans le noyau de la cellule) ou les protéines pour déceler des anomalies liées à une affection héréditaire. Les tests génétiques utilisés permettent alors d'examiner directement l'ADN et l'ARN qui constituent un gène (tests directs ou moléculaires), de chercher des marqueurs cohérités avec un gène qui cause une affection génétique (analyses de liaison), d'examiner les

RAPPELEZ-VOUS...

Il existe deux types d'acides nucléiques, les acides ribonucléiques (ARN) et désoxyribonucléiques (ADN), que l'on distingue selon la nature du sucre qui les compose et par leur activité biologique.

Pratique fondée sur des résultats probants

ENCADRÉ 5.5 **Évaluation du risque génétique pour le cancer du sein**

QUESTIONS CLINIQUES

- L'évaluation du risque génétique pour le cancer du sein est-elle bénéfique pour les femmes?
- Maintenant que les femmes peuvent savoir si elles sont porteuses des mutations BRCA1 ou BRCA2, que peuvent-elles faire de cette information?

RÉSULTATS PROBANTS

- Stratégies de recherche: directives des organismes professionnels, revues systématiques, essais cliniques aléatoires, études prospectives non aléatoires et études rétrospectives depuis 2006.
- Bases de données consultées: CINAHL, Cochrane, Medline, National Guideline Clearinghouse, Agency for Healthcare Research and Quality Database et sites Web de l'Association of Women's Health, Obstetric, and Neonatal Nurses et de l'American Cancer Society.

ANALYSE CRITIQUE ET SYNTHÈSE DES DONNÉES

- Les femmes qui désirent obtenir une évaluation du risque qu'elles courent d'avoir le cancer du sein disposent maintenant d'un nouvel outil puissant: le dépistage génétique. La mutation BRCA1 peut prédisposer une femme au cancer du sein, alors que la mutation BRCA2 peut augmenter le risque de cancer du sein ou de l'ovaire ou des deux. Une estimation précise des risques peut assurer un meilleur bien-être psychologique et réduire l'inquiétude. Dans une revue systématique rapportée par la base de données Cochrane, les femmes qui ont eu une évaluation de leur risque génétique disent ressentir moins de détresse, avoir une perception plus précise du risque et une meilleure connaissance du cancer du sein et de la génétique (Sivell, Iredale, Gray & Coles, 2007).
- Les femmes présentant un risque élevé de cancer du sein ou de l'ovaire ont le choix entre une chirurgie prophylactique et des dépistages plus fréquents. Une étude portant sur 517 femmes, non atteintes de cancer, mais porteuses de la mutation BRCA1 ou BRCA2, a révélé que les femmes étaient plus enclines à subir une mastectomie prophylactique et une ovariectomie si un membre de leur famille proche avait eu un cancer du sein ou de l'ovaire (Metcalfe *et al.*, 2008a). Une étude plus restreinte réalisée sur 272 femmes porteuses du gène montre que les prédicteurs du recours à une chirurgie prophylactique étaient l'âge (moins de 60 ans) et des antécédents de cancer du sein ou de l'ovaire; la plupart des femmes prenaient leur décision en une période dont la durée médiane était de quatre mois (Beattie, Crawford, Lin, Vittinghoff & Ziegler, 2009).
- Les femmes qui ont déjà eu un cancer du sein peuvent maintenant évaluer le risque de récurrence de ce cancer. Une étude du Hereditary Breast Cancer Clinical Study Group révèle que dans une cohorte internationale de 927 femmes touchées par un cancer du sein héréditaire, celles de l'Amérique du Nord étaient beaucoup plus susceptibles de subir une mastectomie prophylactique que les Européennes (Metcalfe *et al.*, 2008b). La même étude révèle que la probabilité d'opter pour la mastectomie prophylactique controlatérale était plus élevée chez les femmes plus âgées et chez les femmes qui avaient choisi la mastectomie plutôt que la chirurgie mammaire classique au moment du diagnostic initial.

RECOMMANDATIONS POUR LA PRATIQUE INFIRMIÈRE

Les femmes à risque pour le cancer du sein et de l'ovaire peuvent obtenir une évaluation du risque génétique qui peut les aider à prendre leur décision et à améliorer leur bien-être psychologique. Les différences régionales observées dans le choix de la mastectomie et de l'ovariectomie prophylactiques peuvent indiquer une différence d'opinions médicales, des préférences culturelles ou dépendre de la disponibilité des soins médicaux et des coûts. Le rôle que joue l'âge dans la prise de décision n'était pas clair. Peut-être les jeunes femmes à risque génétique élevé pourraient-elles choisir des dépistages fréquents, s'occuper de leurs enfants, puis subir une chirurgie prophylactique. Beaucoup plus de données probantes et de directives éthiques seront nécessaires pour aider les femmes à décider si elles vont subir le test de dépistage du gène et à quel moment elles le feront.

RÉFÉRENCES

Beattie, M.S., Crawford, B., Lin, F., Vittinghoff, E., & Ziegler, J. (2009). Uptake, time course, and predictors of risk-reducing surgeries in BRCA carriers. *Genetic Testing and Molecular Biomarkers, 13*(1), 51-56.

Metcalfe, K.A., *et al.* (2008a). Family history as a predictor of uptake of cancer preventive procedures by women with a BRCA1 or BRCA2 mutation. *Clinical Genetics, 73*(5), 479-499.

Metcalfe, K.A., *et al.* (2008b). Predictors of contralateral prophylactic mastectomy in women with a BRCA1 or BRCA2 mutation: The Hereditary Breast Cancer Clinical Group Study Group. *J Clin Oncol, 26*(7), 1093-1097.

Sivell, S., Iredale, R., Gray, J., & Coles, B. (2007). Cancer genetic risk assessment for individuals at risk of familial cancer. *Cochrane Database of Systematic Reviews, 2*, CD 003721.

Autosomique récessif: Mode de transmission d'une maladie génétique où un gène doit être présent chez les deux parents pour que la maladie soit transmise à l'enfant.

protéines produites par des gènes (tests biochimiques) ou d'observer les chromosomes (tests cytogénétiques).

La plupart des tests génétiques actuellement offerts en clinique concernent des troubles monogéniques chez des clients qui présentent des symptômes cliniques ou qui ont des antécédents familiaux de maladie génétique. Certains de ces tests génétiques sont des tests prénataux utilisés pour déterminer le statut génétique du fœtus dans le cas d'une grossesse à risque pour une affection génétique. Les options courantes de dépistage prénatal comprennent l'étude du sérum maternel (test hématologique pour évaluer si une femme enceinte présente un risque accru de porter un fœtus affligé d'une anomalie du tube neural ou d'une anomalie chromosomique comme le syndrome de Down) et des examens effractifs (amniocentèse et prélèvement des villosités choriales). D'autres tests visant le dépistage des porteurs sont utilisés pour découvrir quelles personnes ont la mutation génique d'une affection, sans en présenter les symptômes parce qu'il s'agit d'une affection dont le mode de transmission est **autosomique récessif** (p. ex., la fibrose kystique, la drépanocytose et la maladie de Tay-Sachs) (Peach & Hopkin, 2007).

Des tests prédictifs sont utilisés pour préciser le statut génétique des membres asymptomatiques d'une famille. Ces tests sont soit des tests présymptomatiques, soit des tests qui évaluent la prédisposition. Dans un test présymptomatique, si la mutation génique est présente, les symptômes apparaîtront de façon certaine si la personne vit assez longtemps (p. ex., la maladie de Huntington).

Un test qui évalue la prédisposition est différent en ceci qu'un résultat positif révélant que la mutation est présente (p. ex., la BRCA1) n'indique pas un risque de 100 % d'être atteint de la maladie (p. ex., le cancer du sein).

En plus de leur utilité pour évaluer les troubles monogéniques, les tests génétiques servent au dépistage dans l'ensemble d'une population (p. ex., le dépistage systématique de la phénylcétonurie et d'autres erreurs innées du métabolisme chez les nouveau-nés) ainsi que pour l'évaluation de maladies complexes communes, comme le cancer et les affections cardiovasculaires. Les tests génétiques sont également utilisés pour les recherches de paternité, l'identification des victimes de la guerre ou d'autres tragédies et pour le profilage des criminels.

Pharmacogénomique

L'une des applications cliniques les plus immédiates du Projet génome humain est peut-être la pharmacogénomique, soit l'utilisation de l'information génétique pour adapter la thérapie médicamenteuse de façon individualisée. D'ici 2020, la pharmacogénomique pourrait faire partie intégrante de la pratique normale pour un grand nombre de maladies et de médicaments. Les chercheurs espèrent qu'en déterminant les variantes communes des gènes associés à la probabilité d'une réaction bonne ou mauvaise à un médicament donné, il deviendrait possible d'individualiser les prescriptions médicamenteuses en se fondant sur la constitution génétique unique de chaque personne. Le bénéfice principal attendu de la pharmacogénomique serait de réduire les effets indésirables des médicaments.

Thérapie génique (transfert de gènes)

L'objectif de la thérapie génique est de réparer des gènes défectueux responsables de l'apparition d'une maladie. La technique la plus courante consiste à introduire un gène normal à un point précis du génome pour remplacer un gène non fonctionnel. Un grand optimisme existait au début des années 1990 quant à la possibilité d'utiliser l'information génétique pour apporter des solutions rapides à une longue liste de problèmes de santé. Bien que cet optimisme initial au sujet de la thérapie génique n'ait probablement jamais été pleinement justifié, la mise au point de méthodes plus sûres et plus efficaces de transfert de gènes conférera vraisemblablement un rôle important à la thérapie génique dans le traitement de certaines maladies. Les défis majeurs consistent à cibler le bon gène au bon endroit dans les bonnes cellules, d'assurer l'expression du gène au moment opportun et de réduire au minimum les effets indésirables. Aucun produit de thérapie génique humain n'a encore été approuvé par la Food and Drug Administration pour la vente aux États-Unis ni par la Direction des produits biologiques et des thérapies génétiques de Santé Canada pour la vente au Canada. Les recherches actuelles portent sur le traitement de la cécité héréditaire, des tumeurs cancéreuses du poumon, du mélanome, des troubles myéloïdes, de la surdité, de la drépanocytose et d'autres troubles hématologiques.

Le bénéfice principal attendu de la pharmacogénomique serait de réduire les effets indésirables des médicaments.

Implications éthiques, légales et sociales

En raison de l'inquiétude répandue concernant le mauvais usage de l'information recueillie grâce aux recherches génétiques, 5 % du budget du Projet génome humain étaient consacrés à l'étude des implications éthiques, légales et sociales de la recherche sur le génome humain.

Deux importants programmes furent créés pour déterminer, analyser et étudier les implications éthiques, légales et sociales de la recherche sur le génome humain en même temps qu'étaient étudiées les questions de la science fondamentale. Au cours de la dernière décennie, les volets prioritaires de ces programmes ont été le respect de la vie privée ainsi que l'usage et l'interprétation équitables de l'information génétique, l'intégration clinique des nouvelles technologies génétiques, les préoccupations entourant la recherche en génétique, comme la possibilité de discrimination et de stigmatisation, ainsi que l'éducation des professionnels et de la population en général concernant la génétique, les soins de santé en génétique et les implications éthiques, légales et sociales de la recherche sur le génome humain.

Ces deux programmes se préoccupent de la possibilité que l'information génétique puisse être utilisée de façon discriminatoire contre des individus ou à des fins d'eugénisme. Il est très difficile de s'assurer du consentement éclairé d'une personne tant qu'on ignore certains des résultats du dépistage génétique, ainsi que les bénéfices et les risques qu'il entraîne. Voici quelques-unes de ces considérations éthiques : qu'est-ce qui est normal et qu'est-ce qui représente une incapacité, et qui est en mesure de le définir ? Existe-t-il des incapacités ou des maladies qui doivent être prévenues ou guéries ? À qui ces thérapies onéreuses seront-elles accessibles et qui en paiera les coûts ? Il est de la responsabilité collective des professionnels de la santé, des éthiciens et de la société de maintenir la vigilance quant au mésusage possible de l'information génétique.

La Société des obstétriciens et gynécologues du Canada a conçu une brochure sur le diagnostic prénatal destinée au grand public. Elle est présentée au www.sogc.org/health/pdf/prenatal_f.pdf.

RAPPELEZ-VOUS...

Les cellules somatiques englobent toutes les cellules, sauf les cellules sexuelles. Les cellules somatiques humaines possèdent 23 paires de chromosomes, soit 46 chromosomes. Elles sont dites diploïdes.

Le MSSS a conçu un dépliant sur le Programme québécois de dépistage prénatal de la trisomie 21 destiné aux femmes enceintes et aux couples. Ce document est accessible au www.msss.gouv.qc.ca/sujets/santepub/depistage-prenatal/index.php?Documentation.

5.1.5 Facteurs influant sur la décision de se soumettre au dépistage génétique

La décision de se soumettre au dépistage génétique est rarement un geste autonome qui se fonde uniquement sur les besoins et les préférences de la personne qui subira ces tests. Au contraire, cette décision s'appuie souvent sur des sentiments de responsabilité et de loyauté envers d'autres personnes. Par exemple, une femme qui suit un traitement pour le cancer du sein peut se soumettre au test de détection de la mutation BRCA1/BRCA2 non pas pour savoir si elle est porteuse de cette mutation, mais parce que ses deux sœurs, non atteintes, lui ont demandé de subir le test et qu'elle se sent un devoir de responsabilité envers elles. Une femme pilote de ligne aérienne possédant des antécédents familiaux de maladie de Huntington, qui ne désire pas découvrir si elle porte la mutation génique associée à cette maladie, peut subir le test de recherche de la mutation parce qu'elle a le sentiment d'avoir des obligations envers sa famille, son employeur et les passagers de l'avion.

Les décisions concernant le dépistage génétique sont modelées et, dans plusieurs cas, limitées par des facteurs tels que les normes sociales, les lieux où les soins sont donnés et le statut socioéconomique. Au Canada, la plupart des femmes enceintes passent maintenant au moins une échographie, plusieurs subissent des analyses à marqueurs multiples, et un nombre grandissant d'entre elles se soumettent à d'autres types de tests prénataux. Au Québec, le ministère de la Santé et des Services sociaux (MSSS) a implanté depuis 2010 un programme d'accès gratuit de dépistage prénatal de la trisomie 21 destiné aux femmes enceintes (MSSS, 2011). L'éventail des options de dépistage prénatal disponibles pour une femme enceinte et sa famille peut varier de façon notable en fonction de l'endroit où la cliente reçoit ses soins prénataux et selon son statut socioéconomique. Il est possible que certains types de tests prénataux (p. ex., le prélèvement des villosités choriales et l'hybridation *in situ* en fluorescence [la technique de FISH]) ne soient pas offerts dans les communautés plus petites et les établissements ruraux. Certains types de tests génétiques sont chers et généralement non couverts par l'assurance maladie. Voilà pourquoi ces tests peuvent n'être accessibles qu'à un nombre relativement restreint de personnes et de familles : celles qui ont les moyens financiers de les payer.

Les différences culturelles et ethniques ont aussi un impact majeur sur les décisions concernant le dépistage génétique. Lorsque le diagnostic prénatal fut initialement offert, celles qui y avaient principalement recours étaient des femmes blanches, bien informées, d'un statut social moyen à élevé, qui avaient librement choisi de se soumettre aux tests. Aujourd'hui, l'utilisation répandue du dépistage génétique a rendu les tests prénataux accessibles à de nouveaux groupes de femmes, dont celles qui n'avaient pas envisagé précédemment d'avoir recours à des services de génétique.

5.1.6 Génétique clinique

Transmission héréditaire

Le développement humain est un processus complexe qui repose sur le déchiffrage systématique des directives qui se trouvent dans le matériel génétique de l'ovule et du spermatozoïde. Le développement à partir de la conception jusqu'à la naissance d'un nouveau-né normal et en santé se déroule sans incident dans la plupart des cas ; il arrive toutefois que certaines anomalies du code génétique de l'embryon entraînent une malformation ou un trouble congénital (présent à la naissance). La science de la génétique cherche à expliquer les causes sous-jacentes des troubles congénitaux et les modes par lesquels les affections héréditaires se transmettent de génération en génération.

5.1.7 Gènes et chromosomes

Le matériel héréditaire compris dans le noyau de chaque cellule somatique détermine les caractéristiques physiques d'une personne. Ce matériel, l'ADN, forme des brins filiformes appelés chromosomes. Chaque chromosome se compose de nombreux segments plus courts d'ADN désignés sous le nom de gènes. Les gènes ou les combinaisons de gènes renferment l'information codée qui détermine les caractéristiques uniques d'une personne. Le code consiste en une séquence linéaire précise des molécules qui se combinent pour former les brins d'ADN. Les gènes n'agissent jamais isolément ; ils interagissent toujours avec d'autres gènes et avec leur environnement.

Toutes les cellules somatiques normales de l'être humain renferment 46 chromosomes arrangés en 23 paires de chromosomes homologues ; un chromosome de chaque paire d'homologues provient de chacun des parents. Il y a 22 paires d'autosomes qui régissent la plupart des traits de l'organisme et une paire de **chromosomes sexuels** qui déterminent le sexe et certains autres caractères. Le gros chromosome féminin est appelé X, et le petit chromosome masculin, Y. Quand un chromosome X et un chromosome Y sont présents, l'embryon se développe en un garçon. Quand deux chromosomes X sont présents, l'enfant sera une fille.

Dans les chromosomes homologues (sauf les chromosomes X et Y chez l'homme), le nombre et la disposition des gènes sont identiques. Autrement dit, si un autosome contient un gène pour la couleur des cheveux, son homologue possède aussi un tel gène, situé au même endroit sur le chromosome

Déplacement

des structures abdominales internes et du diaphragme de l'utérus

Étapes

du développement humain depuis les dernières menstruations jusqu'à la naissance

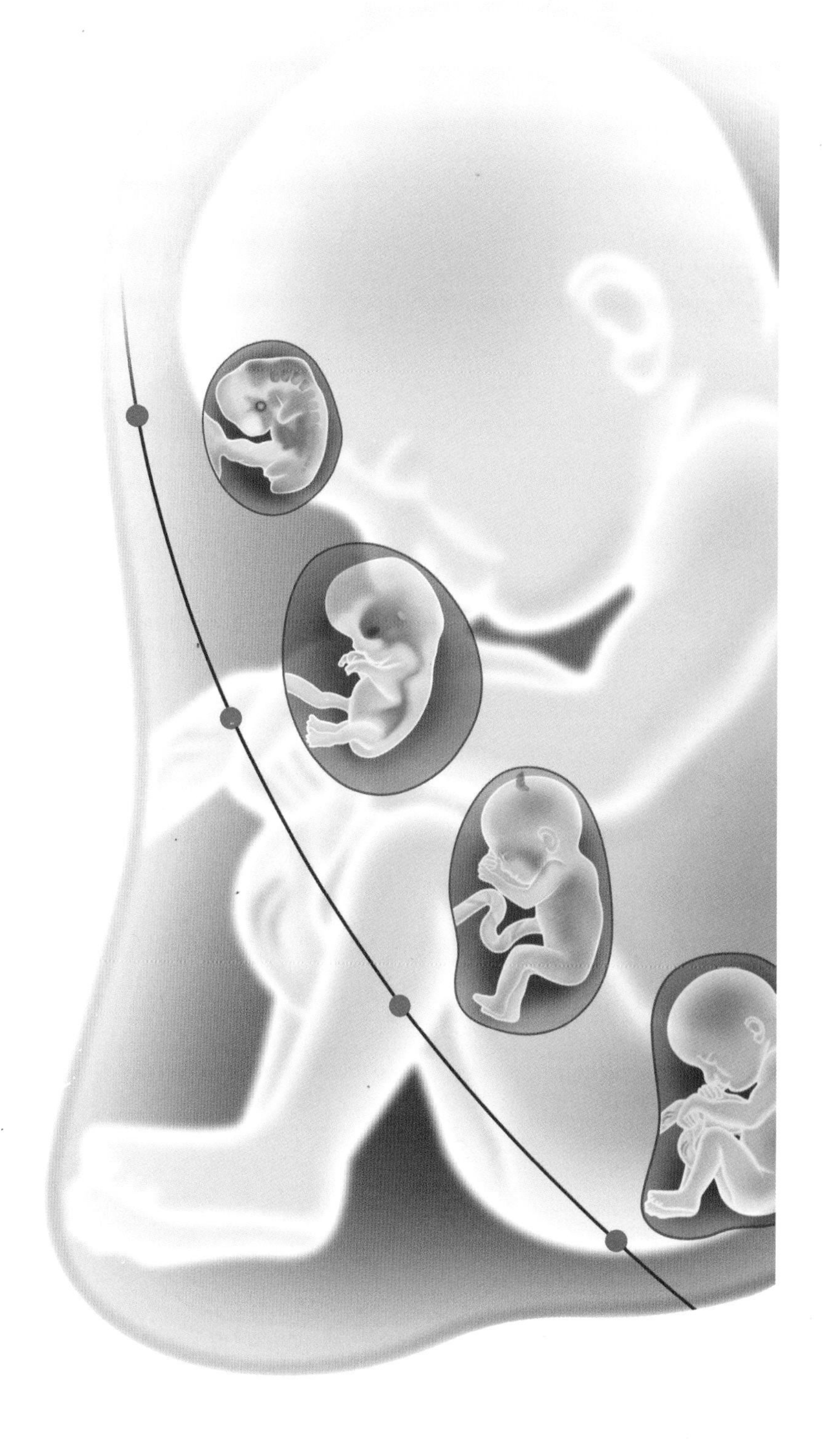

8 semaines	12 semaines	16 semaines
·mé ; nez aplati, yeux bien écartés ; doigts bien ·evée ; queue presque disparue ; yeux, oreilles, ·naissables	Apparition des ongles ; apparence humaine ; tête dressée, mais d'une taille disproportionnée ; peau rose et délicate	Tête toujours prédominante, apparence humaine du visage ; yeux, oreilles et nez proches de leur apparence typique ; rapport bras/jambe proportionné ; présence de cheveux
	6-9 cm ; 19 g	11,5-13,5 cm ; 100 g
en développement ; intestin grêle enroulé ·ombilical ; plis palatins présents ; foie	Sécrétion de bile ; fusion palatine complétée ; intestins retirés du cordon et adoption de leur position caractéristique	Méconium dans l'intestin ; certaine sécrétion enzymatique ; anus ouvert
·ication – occiput, mandibule et humérus ; ·rtains mouvements ; muscles définitifs du ·et de la tête bien représentés	Bonne délimitation de certains os, poursuite de l'ossification ; ossification des arches et des corps vertébraux, de la région cervicale (supérieure) à la région sacrée (inférieure) ; indication de couches de muscle lisse dans les viscères creux	Distinction des principaux os dans l'ensemble du corps ; apparition des cavités articulaires ; détection possible de mouvements musculaires
·osition finale des principaux vaisseaux ·ance des globules rouges énucléés	Formation du sang dans la moelle osseuse	Muscle cardiaque bien développé ; formation active de sang dans la rate
·és pleurales et cardiaques ; ramification des ·s fermées par des bouchons épithéliaux	Acquisition de la forme définitive des poumons ; apparition des cordes vocales	Apparition de fibres élastiques dans les poumons ; apparition des bronchioles terminales et respiratoires
·premiers tubules sécréteurs ; séparation ·urètre du rectum	Capacité des reins de sécréter de l'urine ; expansion de la vessie pour former un sac	Position définitive des reins ; atteinte de leur forme et de leur organisation typiques
·es typiques dans le cortex cérébral ; différen- ·rébral, des méninges, des foramens ventri- ·du liquide cérébrospinal ; prolongement de ·ur toute la longueur de la colonne vertébrale	Configuration structurale de l'encéphale presque complétée ; renflements cervical et lombaire sur la moelle épinière ; formation complétée des foramens du quatrième ventricule ; succion présente	Délimitation des lobes cérébraux ; certaine importance du cervelet
·plexus choroïdes primordiaux ; ventricules ·ort au cortex ; progression du développement ; ·des yeux ; formation de l'oreille interne ; fusion	Première indication de bourgeons du goût ; organisation caractéristique de l'œil complétée	Différenciation des organes des sens généraux
·entre les testicules et les ovaires ; organes ·sexués, mais commençant à se différencier	Possibilité de reconnaître le sexe ; organes sexuels internes et externes propres au sexe du fœtus	Testicules en position pour descendre dans le scrotum ; vagin ouvert

Étapes

du développement humain depuis les dernières menstruations jusqu'à la naissance

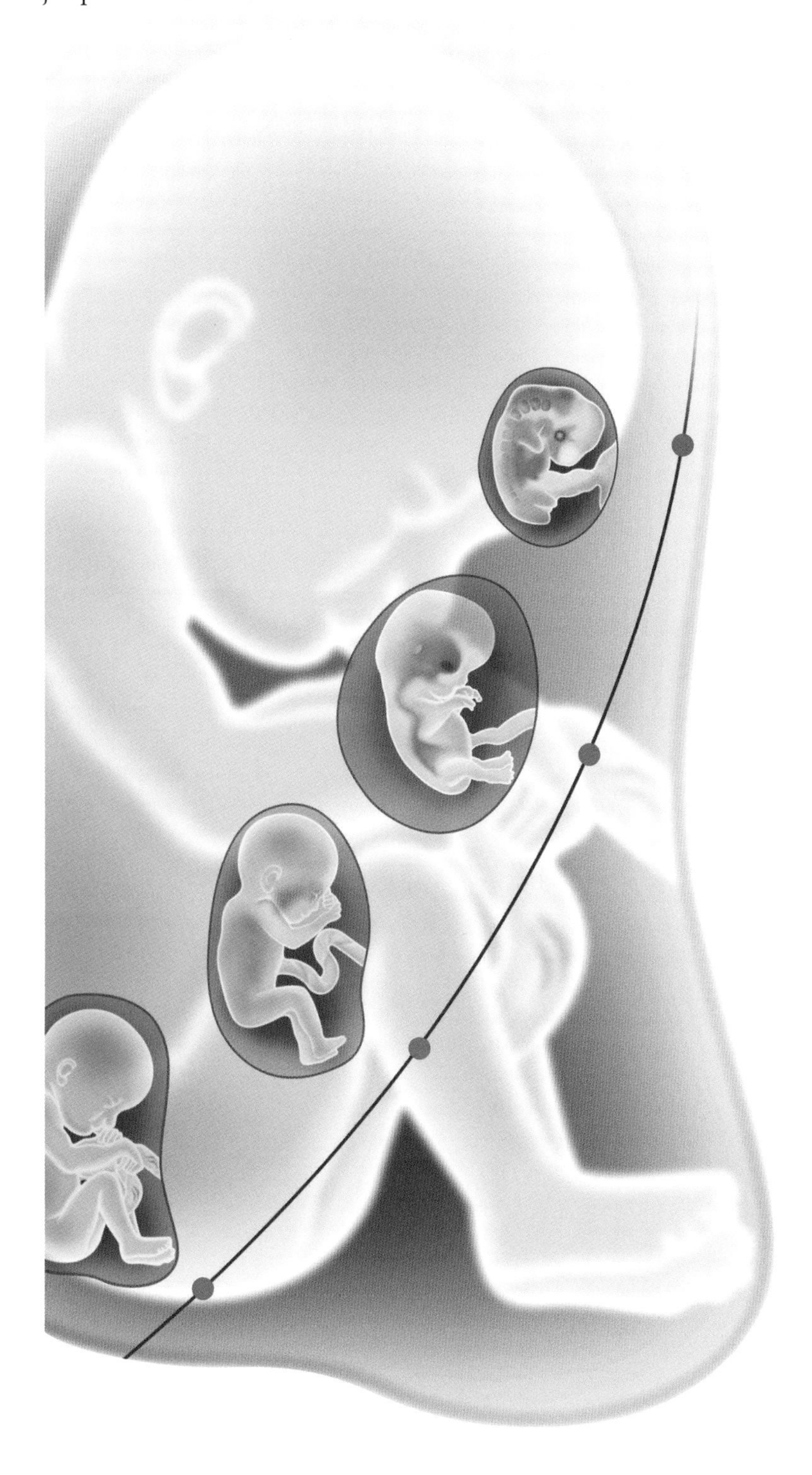

4 semaines	
Apparence externe Corps fléchi, incurvé ; bourgeons des bras et des jambes présents ; tête à angle droit par rapport au corps 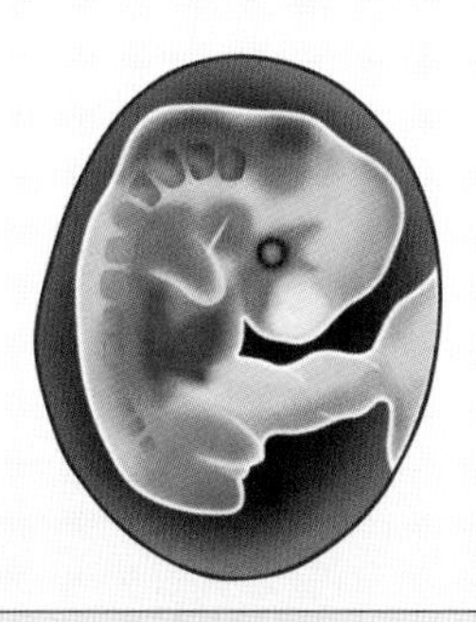	Corps assez bien f formés ; tête plus nez et bouche recc
Longueur vertex-coccyx ; poids 0,4-0,5 cm ; 0,4 g	2,5-3 cm ; 2 g
Système digestif Estomac fusiforme, en position médiane ; foie bien apparent ; œsophage court ; intestin formé d'un tube court	Villosités intestir à l'intérieur du co très volumineux
Système musculosquelettique Présence de tous les somites (structures embryonnaires du mésoderme qui forment la colonne vertébrale et la musculation segmentaire)	Premier signe d'os fœtus capable de tronc, des membre
Système cardiovasculaire Développement du cœur, avec deux cavités visibles ; début des battements cardiaques ; crosse aortique et principales veines complétées	Adoption de la dis sanguins ; prédom dans le sang
Système respiratoire Apparition des bourgeons bronchiques primaires	Formation des cavi bronchioles ; narine
Système urinaire Apparition de bourgeons urétéraux rudimentaires	Différenciation des de la vessie et de
Système nerveux Courbure mésencéphalique bien marquée ; pas de courbure pontique ou de courbure cervicale ; fermeture de la gouttière neurale	Apparition de cellu ciation du cortex c culaires, circulatio la moelle épinière
Organes sensoriels Apparition de l'œil et de l'oreille sous forme de vésicule optique et d'otocyste	Développement de volumineux par rap convergence rapid des paupières
Système reproducteur Apparition de la crête génitale (cinquième semaine)	Distinction possibl génitaux externes

4 mois

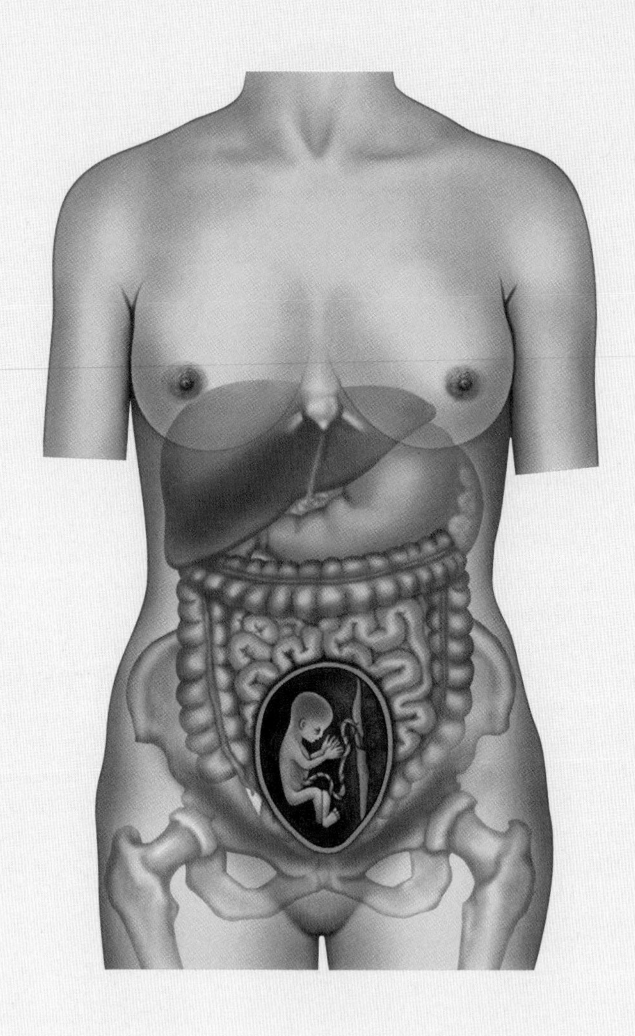

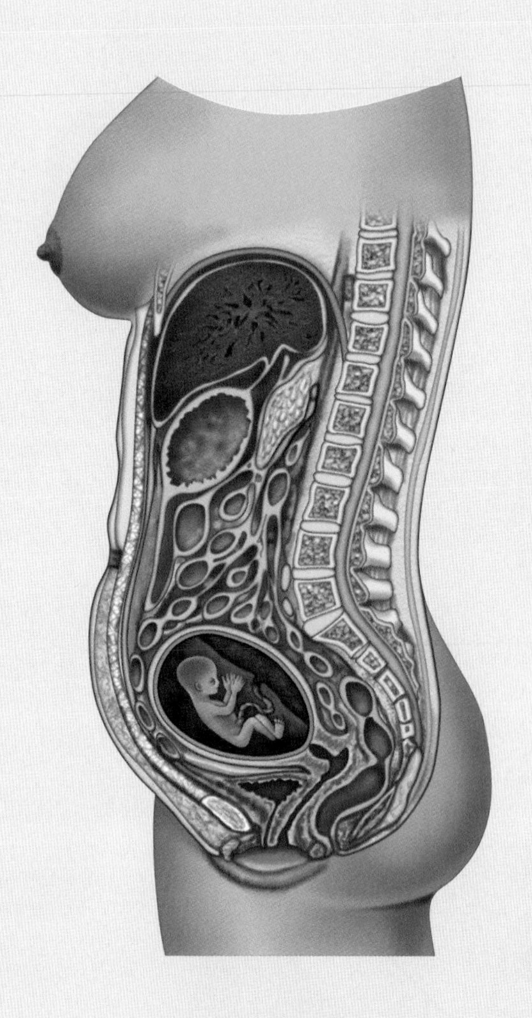

6 mois

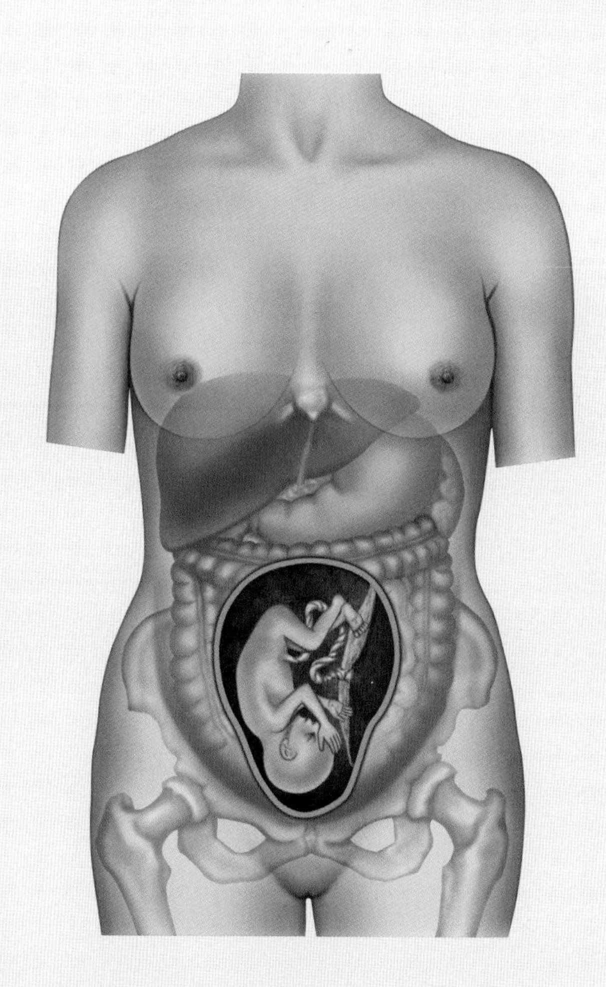

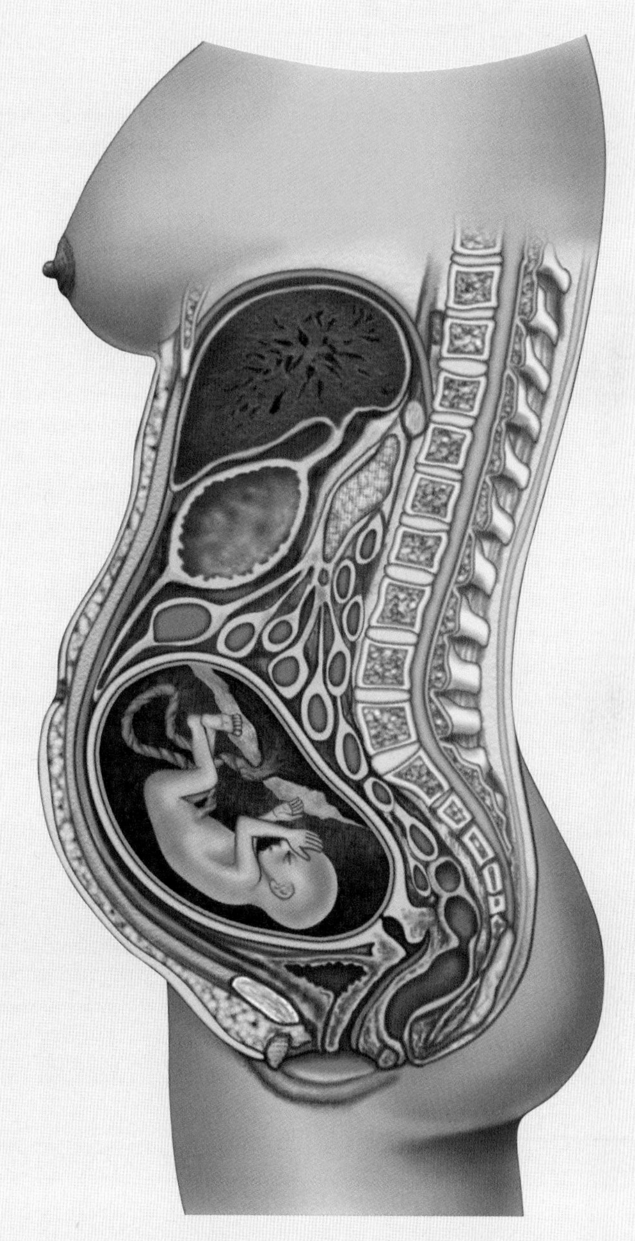

	30 à 31 semaines	36 et 40 semaines
	Début du dépôt de la graisse sous-cutanée; apparence plus arrondie; peau rose et lisse; adoption de la position de naissance	36 semaines: peau rose, corps arrondi; disparition générale du lanugo; corps généralement potelé 40 semaines: peau lisse et rose; vernix caseosa peu abondant; quantité modérée à abondante de poils; lanugo sur les épaules et la partie supérieure du corps seulement; cartilages du nez apparents
	31 cm; 1 800-2 100 g	36 semaines : 35 cm; 2 200-2 900 g 40 semaines : 40 cm; 3 200 g
	—	—
es;	Ossification des quatrièmes phalanges moyennes; primordium des dents permanentes visibles; peut tourner la tête sur le côté	36 semaines : centres d'ossification distaux des fémurs présents; mouvements soutenus, définis; assez bon tonus; peut tourner et lever la tête 40 semaines : actif, mouvements soutenus; bon tonus; peut lever la tête
	—	—
	Rapport L/S = 1,2:1	36 semaines : rapport L/S = 2:1 40 semaines : ramifications pulmonaires complétées aux deux tiers seulement
	—	36 semaines : fin de la formation de nouveaux néphrons
ons; ole	—	36 semaines : terminaison de la moelle épinière au niveau de la troisième vertèbre lombaire (L_3); cycle veille/sommeil défini 40 semaines : début de la myélinisation de l'encéphale; cycle veille/sommeil structuré avec des périodes de vigilance; crie lorsqu'il a faim ou est inconfortable; fort réflexe de succion
les	Sens du goût présent; perception des sons en dehors du corps de la mère	—
	Descente des testicules dans le scrotum	40 semaines : testicules logés dans le scrotum; grandes lèvres bien développées

20 semaines	24 semaines	28 semaines
Apparition du vernix caseosa et du lanugo ; allongement considérable des jambes ; apparition des glandes sébacées	Corps mince, mais assez bien proportionné ; peau rouge et ridée ; vernix caseosa présent ; formation des glandes sudoripares	Corps mince, moins ridé et moins rouge ; apparition des
16-18,5 cm ; 300 g	23 cm ; 600 g	27 cm ; 1 100 g
Dépôt d'émail et de dentine ; côlon ascendant reconnaissable	–	–
Ossification du sternum ; mouvements fœtaux suffisamment forts pour que la mère les sente	–	Ossification du talus (astragale) ; mouvements faibles, fuga tonus minimal
–	↑ formation du sang dans la moelle osseuse ; ↓ dans le foie	–
Nouvelle ouverture des narines ; début des premiers mouvements ressemblant à la respiration	Présence des conduits et des sacs alvéolaires ; apparition de lécithine dans le liquide amniotique (semaines 26 à 27)	Formation de lécithine sur les surfaces alvéolaires
–	–	–
Encéphale grossièrement formé ; début de la myélinisation de la moelle épinière ; terminaison de celle-ci au niveau de la première vertèbre sacrée (S1)	Cortex cérébral formé des couches typiques ; fin de la prolifération neuronale dans le cortex cérébral	Apparition rapide des fissures cérébrales et des circonvolu cycle veille/sommeil indéfini ; pleurs faibles ou absents ; fa réflexe de succion
Ossification du nez et des oreilles	Audition possible	Nouvelle ouverture des paupières ; formation complétée de couches de la rétine, réceptives à la lumière ; pupilles capa de réagir à la lumière
–	Atteinte de l'anneau inguinal par les testicules dans leur descente vers le scrotum	–

9 mois

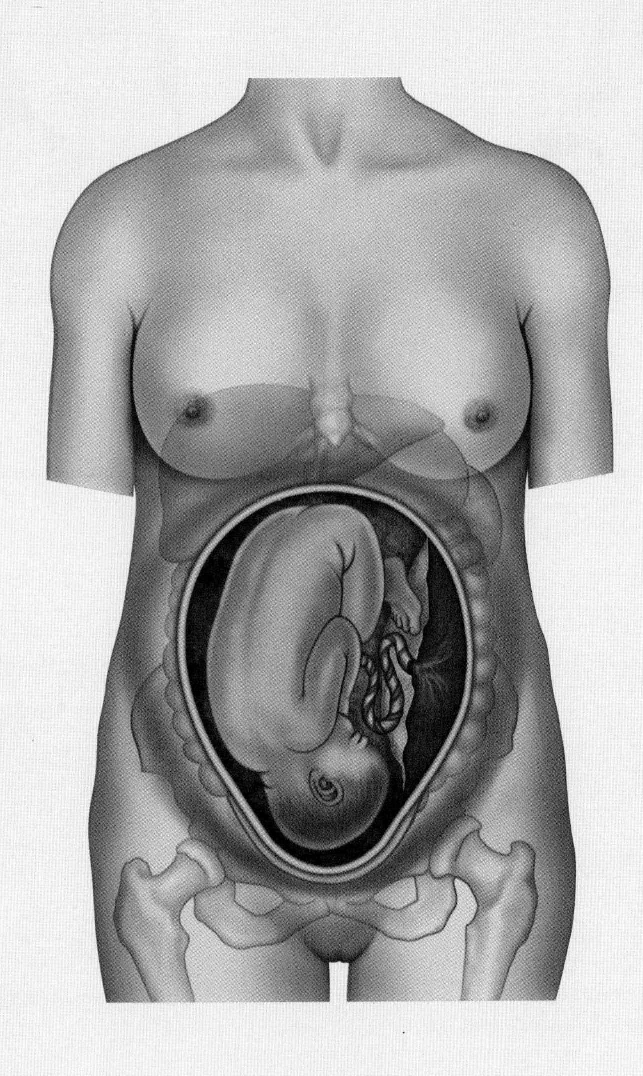

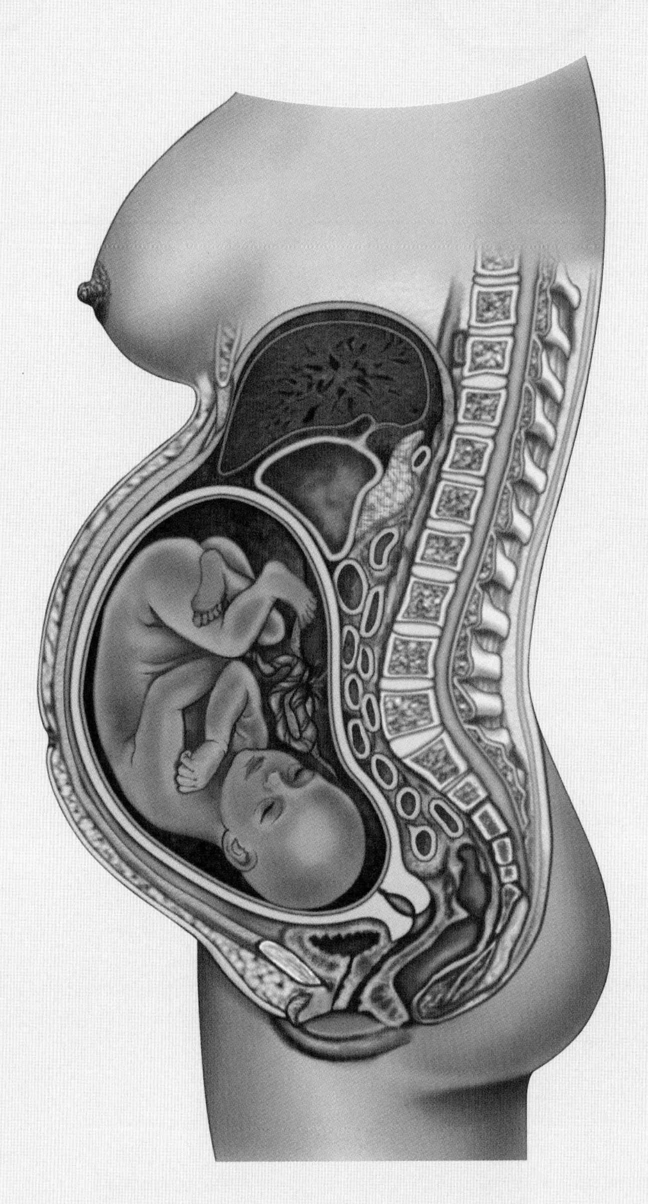

(son locus). Bien que les deux gènes codent la couleur des cheveux, ils peuvent coder des couleurs différentes. On donne le nom d'allèles à des gènes occupant les locus correspondants sur deux chromosomes homologues et qui codent les diverses formes ou variations du même trait. Une personne qui a deux copies du même allèle pour un trait donné est homozygote pour ce trait. Si elle a deux allèles différents, elle est hétérozygote pour le trait.

On utilise généralement le terme génotype pour désigner la constitution génétique d'un individu pour ce qui est d'une paire de gènes donnée, mais le génotype fait parfois référence à l'ensemble de la constitution génétique de la personne ou à tous les gènes que celle-ci peut transmettre aux générations suivantes. Le phénotype correspond à l'expression observable du génotype d'une personne, comme ses attributs physiques, un trait biochimique ou moléculaire et même une caractéristique psychologique. On considère qu'un trait ou un trouble est dominant s'il s'exprime ou apparaît dans le phénotype lorsqu'une seule copie du gène est présente. Il est considéré comme récessif s'il ne s'exprime que lorsque deux copies du gène sont présentes.

5.1.8 Anomalies chromosomiques

On estime à 0,6 % la fréquence de survenue des aberrations chromosomiques chez les nouveau-nés. Environ 62 % des fausses couches et 10 % des morts fœtales et des cas de mortalité périnatale sont causés par des anomalies chromosomiques (Hamilton & Wynshaw-Boris, 2009). Les erreurs aboutissant à des anomalies chromosomiques peuvent se produire pendant la **mitose** ou la **méiose** et toucher les autosomes comme les chromosomes sexuels. Même en l'absence de malformations structurales évidentes, de légers défauts dans les chromosomes peuvent entraîner des problèmes pendant le développement fœtal.

Le **caryotype** est l'illustration de l'arrangement caractéristique du nombre, de la forme et de la taille des chromosomes d'un individu. Pour le réaliser, il est possible d'utiliser les cellules de n'importe quel tissu de l'organisme, tant qu'elles sont nucléées et capables de se diviser (cela exclut les globules rouges et les cellules musculaires et nerveuses). Les cellules les plus fréquemment utilisées sont les globules blancs et les cellules fœtales présentes dans le liquide amniotique. Les cellules sont mises en croissance dans un milieu de culture ; leur division est bloquée au stade de la métaphase, puis on les dépose sur une lame. Cette technique brise les membranes cellulaires et étale les chromosomes, ce qui rend leur visualisation plus aisée. Les cellules sont colorées à l'aide de colorants spéciaux (p. ex., le colorant de Giemsa) qui génèrent des motifs en forme de bandes qui facilitent l'analyse parce qu'ils sont constants d'une personne à une autre. Après avoir photographié les chromosomes étalés ou les avoir numérisés à l'aide d'un ordinateur, leur image est découpée, et ils sont disposés selon un ordre numérique précis en fonction de leur longueur et de leur forme. Les autosomes sont numérotés de 1 à 22, du plus grand au plus petit, et les chromosomes sexuels sont désignés par les lettres X et Y. Chaque chromosome se divise en deux bras, désignés par « p » (bras court) et « q » (bras long). Le caryotype féminin est représenté par 46, XX et le caryotype masculin par 46, XY. La **FIGURE 5.1** montre les chromosomes d'une cellule somatique et un caryotype. Le caryotype peut être utilisé pour découvrir le sexe d'un enfant et la présence d'anomalies chromosomiques grossières.

Mitose : Mécanisme de division des cellules somatiques par lequel les deux nouvelles cellules produites ont le même nombre de chromosomes que la cellule mère.

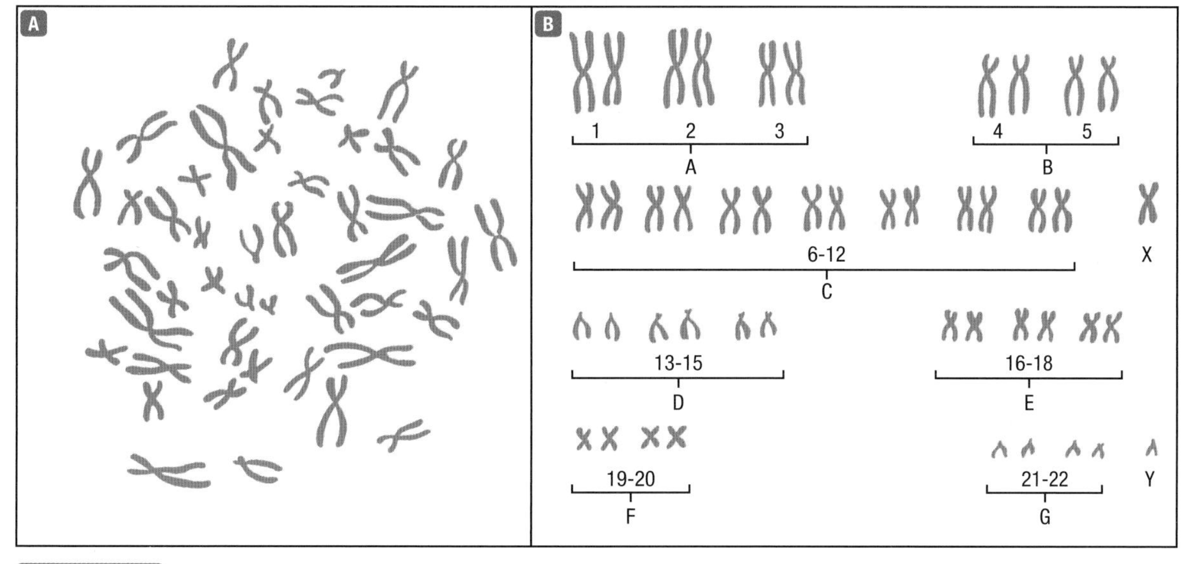

FIGURE 5.1
Chromosomes pendant la division cellulaire. **A** Photomicrographie. **B** Disposition des chromosomes dans un caryotype.

Anomalies autosomiques

Les anomalies autosomiques consistent en des différences dans le nombre ou la structure des autosomes (paires 1 à 22) qui résultent d'une répartition inégale du matériel génétique pendant la formation des **gamètes** (ovules et spermatozoïdes).

Anomalies du nombre de chromosomes

L'euploïdie correspond au nombre normal de chromosomes. Les déviations par rapport à ce nombre correct de chromosomes, qui est le nombre diploïde (2N ou 46 chromosomes), peuvent être de deux types : 1) la polyploïdie, où la déviation correspond à un multiple exact du nombre haploïde de chromosomes (un jeu de chromosomes [23 chromosomes]) ; 2) l'aneuploïdie, dans laquelle la déviation n'est pas un multiple exact du nombre haploïde. Une cellule triploïde (3N), qui a 69 chromosomes, représente un exemple de polyploïdie. Une cellule tétraploïde (4N) en constitue un autre exemple, avec ses 92 chromosomes.

L'aneuploïdie est l'anomalie chromosomique la plus courante chez l'être humain. Elle se présente dans au moins 5 % de toutes les grossesses reconnues cliniquement, et il s'agit de la principale cause reconnue des interruptions de grossesse. C'est aussi une des principales causes génétiques de la déficience intellectuelle. Les deux cas les plus courants d'aneuploïdie sont la monosomie et la trisomie. La **monosomie** se présente quand un gamète normal s'unit à un gamète auquel il manque un chromosome. Les individus monosomiques n'ont que 45 chromosomes dans chacune de leurs cellules. Les données disponibles concernant l'origine des monosomies autosomiques sont limitées, car un embryon ne survit jamais s'il lui manque un autosome.

Le produit de l'union d'un gamète normal avec un gamète contenant un chromosome surnuméraire est une **trisomie**. Les cas de trisomie sont plus fréquents que les monosomies. Les individus trisomiques ont 47 chromosomes dans chacune de leurs cellules. La plupart des trisomies sont dues à l'absence de disjonction pendant la première division méiotique, c'est-à-dire qu'une des paires de chromosomes ne parvient pas à se séparer. L'une des cellules issues de cette division renferme alors deux chromosomes de cette paire, et l'autre cellule n'en contient aucun.

L'anomalie trisomique la plus fréquente est le syndrome de Down ou trisomie 21 (47, XX + 21, fille atteinte du syndrome de Down ; 47, XY + 21 pour un garçon). Bien que le risque d'avoir un enfant atteint du syndrome de Down augmente avec l'âge de la mère (environ 1 naissance sur 1 200 pour une femme de 25 ans, 1 sur 350 pour une femme de 35 ans et 1 sur 30 pour une femme de 45 ans), des femmes de tous âges peuvent accoucher d'un enfant trisomique. Dans 80 % des cas, la mère d'un enfant atteint du syndrome de Down avait moins de 35 ans au moment de l'accouchement (National Down Syndrome Society, 2006) **PSTI 5.1**.

Plan de soins et de traitements infirmiers

PSTI 5.1 Famille ayant un enfant atteint du syndrome de Down

PROBLÈME DÉCOULANT DE LA SITUATION DE SANTÉ	**Connaissances insuffisantes des parents** quant au syndrome de Down
OBJECTIF	Le couple exprimera une meilleure compréhension du syndrome de Down.
RÉSULTATS ESCOMPTÉS	**INTERVENTIONS INFIRMIÈRES ET JUSTIFICATIONS**
• Description de la physiologie du syndrome de Down • Description de l'implication de la génétique dans le développement du syndrome	**Enseignement – syndrome de Down** • Évaluer les connaissances de base du couple en ce qui concerne les signes cliniques et les symptômes du syndrome de Down et des modes de transmission héréditaire afin de corriger toute idée erronée et d'établir la base du plan d'enseignement. • Compléter l'information pendant toute l'évaluation génétique afin de donner au couple une image réaliste des anomalies du nouveau-né et d'aider leur prise de décision en cas de grossesse future.
PROBLÈME DÉCOULANT DE LA SITUATION DE SANTÉ	**Sentiment d'impuissance des parents** lié à la naissance d'un enfant trisomique
OBJECTIF	Les parents exprimeront une capacité à faire face aux défis d'avoir un enfant atteint du syndrome de Down.
RÉSULTATS ESCOMPTÉS	**INTERVENTIONS INFIRMIÈRES ET JUSTIFICATIONS**
• Attitude d'ouverture • Capacité de s'adresser à des ressources de soutien et à mettre en œuvre des stratégies d'adaptation appropriées	**Augmentation du sentiment de compétence parentale** • Aider les parents à dresser une liste de leurs forces et des stratégies d'adaptation qui leur ont été utiles dans des situations antérieures afin de favoriser l'utilisation de stratégies appropriées pendant cette crise circonstancielle. • Favoriser l'expression des sentiments en utilisant la communication thérapeutique afin de fournir des éclaircissements et un soutien émotionnel.

PSTI 5.1	**Famille ayant un enfant atteint du syndrome de Down *(suite)***
	• Donner de l'information précise au sujet du syndrome de Down afin de réduire le sentiment de culpabilité et d'augmenter graduellement les sentiments positifs d'estime de soi. • Utiliser la communication thérapeutique au cours des discussions avec le couple pour lui fournir l'occasion d'exprimer ses préoccupations. • Diriger la famille vers les groupes de soutien, les services sociaux ou la psychothérapie pour favoriser les actions et la prise de décisions. • Diriger la famille vers un spécialiste du développement de l'enfant pour renforcer les attentes réalistes concernant les différences cognitives et comportementales d'un enfant atteint du syndrome de Down.
PROBLÈME DÉCOULANT DE LA SITUATION DE SANTÉ	**Faible estime de soi** liée au diagnostic de trouble héréditaire, révélée par les sentiments de culpabilité et de honte exprimés par les parents
OBJECTIF	Les parents exprimeront des sentiments positifs concernant la naissance d'un enfant atteint du syndrome de Down.
RÉSULTATS ESCOMPTÉS	**INTERVENTIONS INFIRMIÈRES ET JUSTIFICATIONS**
• Mention d'une perception de soutien accru • Confiance dans l'annonce du diagnostic aux proches • Maintien de relations sociales satisfaisantes	**Recadrage** • Aider les parents à voir et à décrire les aspects normaux du nouveau-né pour favoriser la création de liens affectifs. • Assurer les parents que les renseignements concernant le nouveau-né demeureront confidentiels afin de les aider à conserver une certaine maîtrise de la situation et de leur donner du temps pour assumer leurs sentiments. • Discuter avec les parents et faire un jeu de rôle sur les façons dont ils pourraient informer la famille et les amis du diagnostic du nouveau-né et de son pronostic, afin de mettre en relief les aspects positifs de l'enfant et de diminuer l'isolement social potentiel. • Donner de l'information sur le développement attendu de l'enfant afin d'aider la famille à se préparer à faire face à des problèmes comportementaux ou à des déficiences intellectuelles.
PROBLÈME DÉCOULANT DE LA SITUATION DE SANTÉ	**Détresse spirituelle** liée à la naissance d'un enfant trisomique
OBJECTIF	Les parents exprimeront être plus sereins devant la naissance d'un enfant trisomique.
RÉSULTAT ESCOMPTÉ	**INTERVENTIONS INFIRMIÈRES ET JUSTIFICATIONS**
• Recherche d'aide auprès de personnes pouvant offrir un soutien spirituel (membres de la famille, prêtre, ministre, rabbin, etc.)	• Être à l'écoute des indices révélant les sentiments des parents (Pourquoi cela nous arrive-t-il ?) afin de reconnaître les messages indiquant une détresse spirituelle. • Admettre les préoccupations spirituelles des parents et encourager l'expression de leurs sentiments afin d'aider à construire une relation thérapeutique. • Suggérer aux parents de discuter avec le représentant de leur religion afin qu'ils aient accès à des ressources spirituelles compétentes. • Faciliter l'interaction avec les membres de la famille et les autres personnes pouvant apporter du soutien afin d'encourager l'expression des préoccupations et la recherche de réconfort.
PROBLÈME DÉCOULANT DE LA SITUATION DE SANTÉ	**Risque d'isolement social** lié aux responsabilités associées aux soins prodigués à temps plein à un nouveau-né atteint du syndrome de Down
OBJECTIF	Les parents maintiendront des relations sociales satisfaisantes.
RÉSULTAT ESCOMPTÉ	**INTERVENTIONS INFIRMIÈRES ET JUSTIFICATIONS**
• Capacité de s'adresser à des ressources de soutien aidantes parmi les proches, le réseau social ou la communauté	• Fournir l'occasion aux parents d'exprimer leurs sentiments concernant les soins à apporter à un nouveau-né atteint du syndrome de Down afin de faciliter la communication efficace et la confiance. • Discuter avec les parents de leurs attentes quant aux soins à apporter au nouveau-né afin de déterminer leurs préoccupations. • Aider les parents à déterminer des ressources familiales, sociales ou communautaires aidantes, afin de leur permettre d'adopter une routine satisfaisante à la maison. • Trouver les références appropriées pour les soins à domicile afin de permettre un répit aux parents. • Diriger les parents vers des groupes de soutien de parents d'enfants trisomiques afin d'assurer le soutien, la compréhension et la communication de stratégies d'adaptation.

Les autres trisomies autosomiques observées sont la trisomie 18 (syndrome d'Edwards) et la trisomie 13 (syndrome de Patau). Habituellement, les nouveau-nés porteurs de trisomie 18 et de trisomie 13 accusent une déficience intellectuelle de majeure à profonde. Le pronostic des deux affections est très mauvais, et la grande majorité des nouveau-nés atteints décèdent après quelques jours. Toutefois, un pourcentage important d'entre eux survivra jusqu'à l'âge de six mois à un an. Certains enfants atteints de trisomie 18 ou de trisomie 13 ont même vécu au-delà de l'âge de 10 ans.

La non-disjonction peut aussi se produire au cours de la mitose. Si cela survient tôt au cours du développement, quand les lignées cellulaires sont en formation, la personne sera composée d'un mélange de cellules dont certaines auront un nombre normal de chromosomes, alors que d'autres auront un chromosome manquant ou un chromosome surnuméraire. Cet état porte le nom de **mosaïcisme**. Le mosaïcisme qui touche les autosomes se manifeste le plus souvent comme une autre forme du syndrome de Down. Environ 1 ou 2 % des individus atteints du syndrome de Down souffrent aussi de mosaïcisme.

Anomalies de la structure chromosomique

Des anomalies structurales peuvent toucher tous les chromosomes. Ces anomalies comprennent notamment la translocation et la délétion. La translocation se produit quand il y a un échange de matériel entre deux chromosomes. L'exposition à certaines drogues ou à des médicaments, à des virus ou à des radiations peut provoquer des translocations, mais elles se manifestent souvent sans raison apparente. Ainsi, plutôt que de posséder deux paires normales de chromosomes, une personne aura un chromosome normal dans chaque paire et un troisième chromosome formé par la fusion des deux autres chromosomes. Tant que tout le matériel génétique est conservé par la cellule, la personne n'en est pas touchée, mais elle est porteuse d'une translocation qu'on dit équilibrée. Dans le cas d'une translocation non équilibrée, un gamète reçoit l'un des deux chromosomes normaux d'une paire et l'unité formée par les deux chromosomes fusionnés. Si ce gamète s'unit à un gamète normal, le zygote produit aura une copie excédentaire dans l'une des deux paires de chromosomes concernées, ce qui aura souvent des effets cliniques graves.

S'il y a délétion d'un segment de chromosome et que ce segment se fixe à un autre chromosome, les gamètes produits pourront avoir des copies excédentaires ou manquantes de certains gènes. Les effets cliniques produits seront légers ou importants, selon la quantité de matériel génétique en cause. La délétion du bras court du chromosome 5 (aussi appelée syndrome du cri du chat) et la délétion du bras long du chromosome 18 (aussi appelée syndrome De Grouchy) sont deux des affections les plus fréquentes.

Anomalies des chromosomes sexuels

Plusieurs anomalies des chromosomes sexuels sont causées par la non-disjonction durant la gamétogenèse chez l'un ou l'autre des parents. L'anomalie la plus fréquente chez les femmes est le syndrome de Turner ou monosomie X (45, X). Les organes génitaux externes de la femme atteinte sont juvéniles, et ses ovaires ne sont pas développés. Elle est habituellement de petite taille et a le cou palmé. Son intelligence peut être limitée. La plupart des embryons atteints sont perdus spontanément par fausse couche **FIGURE 5.2.**

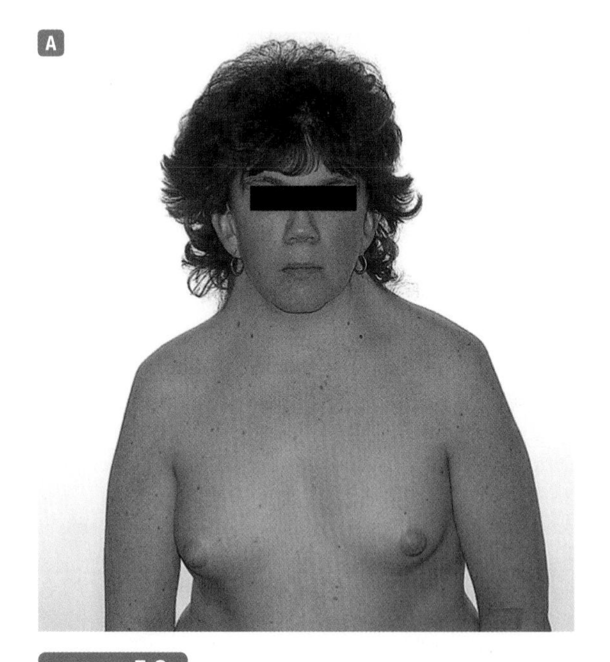

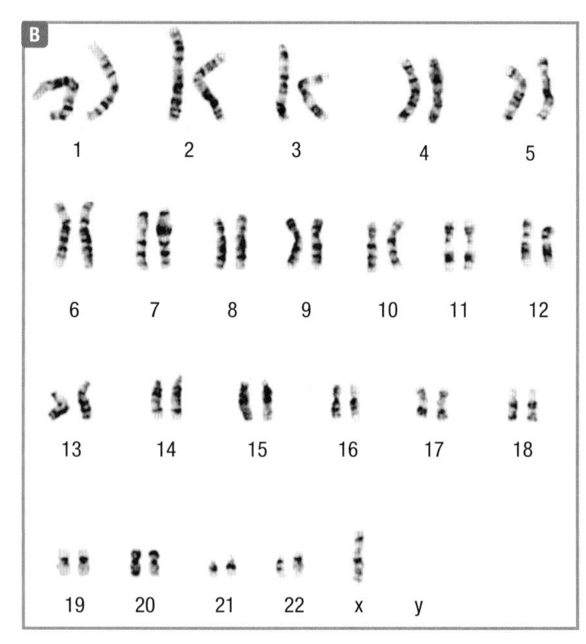

FIGURE 5.2

A Femme atteinte du syndrome de Turner. B Caryotype du syndrome de Turner.

Chez les garçons, la déviation la plus courante est le syndrome de Klinefelter ou trisomie XXY. Les caractères sexuels secondaires de l'homme atteint sont peu développés, et ses testicules demeurent petits. Il est stérile, généralement grand, a une allure efféminée et il peut présenter un retard intellectuel. Les hommes qui ont le syndrome de Klinefelter en mosaïque peuvent être fertiles **FIGURE 5.3**.

5.1.9 Modes de transmission héréditaire

Les caractéristiques héréditaires sont celles qui peuvent être transmises à la descendance. Les modes de transmission du matériel génétique à la génération suivante dépendent du nombre de gènes en cause dans l'expression du trait. Beaucoup de caractéristiques phénotypiques résultent de l'action simultanée de deux ou de plusieurs gènes placés sur des chromosomes différents (hérédité multifactorielle); d'autres sont régis par un seul gène (hérédité monofactorielle). On ne peut déterminer les anomalies du gène par les techniques de laboratoire classiques, comme l'établissement du caryotype. Les spécialistes en génétique (p. ex., les généticiens, les conseillers en génétique et les infirmières ayant des connaissances spécialisées en génétique) prédisent plutôt la probabilité de présence d'un gène anormal à partir de l'occurrence connue du caractère dans la famille de la personne et du mode de transmission héréditaire de ce caractère.

Hérédité multifactorielle

Les malformations congénitales les plus communes, comme les fentes labiales et palatines et les anomalies du tube neural, sont le résultat d'une hérédité multifactorielle, soit une combinaison de facteurs génétiques et environnementaux. La gravité de chaque malformation peut aller de légère à majeure selon le nombre de gènes déterminant l'anomalie qui sont présents ou selon l'importance de l'influence environnementale. Les troubles multifactoriels ont tendance à former des familles. Une anomalie du tube neural peut aller du spina bifida (malformation des vertèbres de la région lombaire entraînant une déficience neurologique légère ou nulle) jusqu'à l'anencéphalie (absence de développement de l'encéphale), toujours fatale. Certaines malformations touchent un sexe plus que l'autre. Par exemple, la sténose du pylore et la fente labiale sont plus communes chez les garçons, alors que la fente palatine est plus fréquente chez les filles.

Hérédité monofactorielle

Lorsqu'un unique gène régit un trait particulier, un trouble ou une anomalie, on parle d'un mode de transmission mendélien monofactoriel ou

A
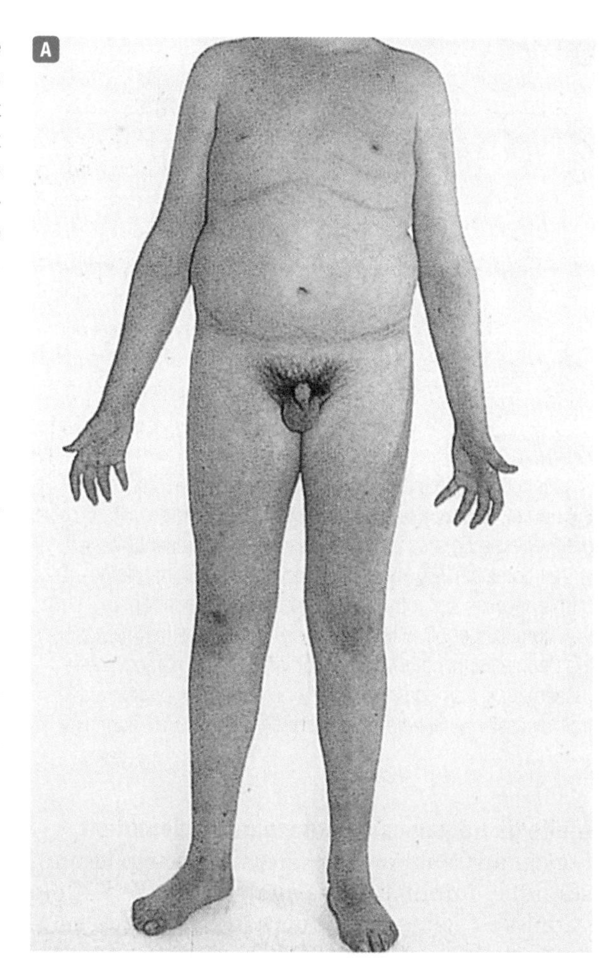

B
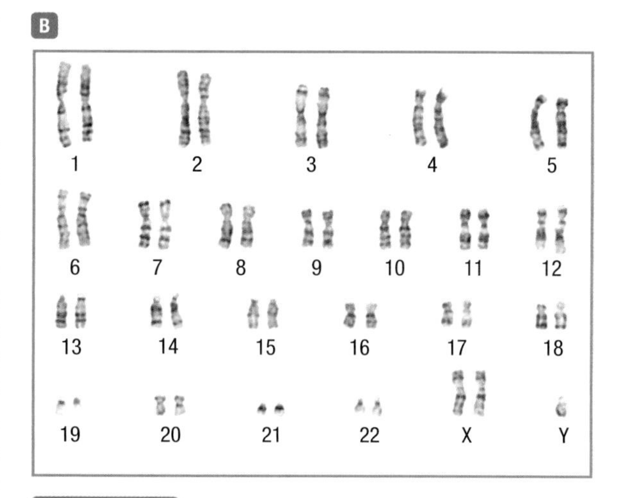

FIGURE 5.3
A Homme atteint du syndrome de Klinefelter. B Caryotype du syndrome de Klinefelter.

monogénique. Le nombre d'anomalies monofactorielles dépasse de loin celui des anomalies chromosomiques. Les troubles monogéniques peuvent se transmettre selon le mode autosomique dominant, le mode autosomique récessif ou être liés au sexe (liés au chromosome X); dans ce dernier cas, les troubles peuvent être dominants ou récessifs **FIGURE 5.4**.

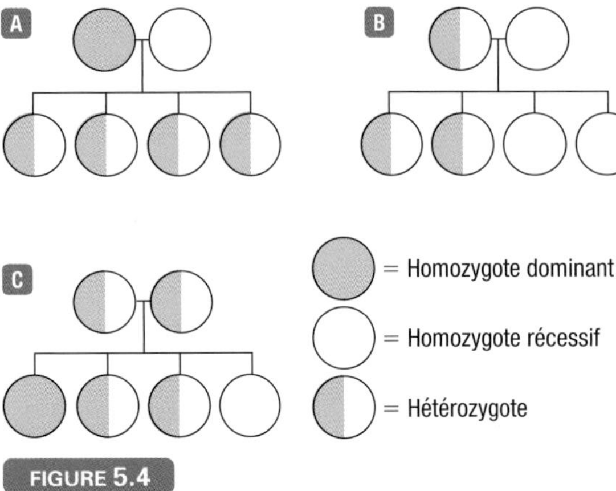

FIGURE 5.4

Progéniture possible dans trois types de croisements. A Parent homozygote dominant et parent homozygote récessif. Enfants : tous hétérozygotes et présentant le trait dominant. B Parent hétérozygote et parent homozygote récessif. Enfants : 50 % hétérozygotes montrant le trait dominant et 50 % homozygotes montrant le trait récessif. C Deux parents hétérozygotes. Enfants : 25 % homozygotes présentant le trait dominant ; 25 % homozygotes présentant le trait récessif ; 50 % hétérozygotes présentant le trait dominant.

Mode de transmission autosomique dominant

Lorsqu'un trouble se transmet selon le mode autosomique dominant, une seule copie de l'allèle variant est nécessaire pour son expression phénotypique. La variante allélique peut apparaître en résultat d'une mutation, soit un changement spontané et permanent de la structure normale du gène. Dans ce cas, le trouble apparaît pour la première fois dans la famille. Mais habituellement, le sujet atteint provient d'une famille dans laquelle le trouble est présent depuis de nombreuses générations **FIGURES 5.4B** et **5.4C**. On peut alors observer un mode vertical de transmission (il n'y a pas de saut de générations ; si une personne est atteinte d'un trouble autosomique dominant comme la maladie de Huntington, l'un de ses parents en est nécessairement atteint). Les hommes et les femmes sont touchés de la même manière.

Les troubles autosomiques dominants ne s'expriment pas toujours avec des symptômes de la même intensité. Par exemple, une femme affligée d'un trouble autosomique dominant peut ne présenter que peu de symptômes et ne pas connaître son diagnostic avant d'avoir donné naissance à un enfant gravement atteint. Il est impossible de prédire si un enfant sera touché par une anomalie mineure ou importante. Le syndrome de Marfan, la neurofibromatose, la myotonie atrophique, l'arthroophtalmopathie héréditaire progressive (syndrome de Stickler), le syndrome de Treacher-Collins et l'achondroplasie (nanisme) sont des exemples de troubles autosomiques dominants communs.

Mode de transmission autosomique récessif

Dans les troubles qui se transmettent selon le mode autosomique récessif, les deux gènes de la paire doivent être anormaux pour que le trouble s'exprime. Les individus hétérozygotes n'ont qu'un seul allèle variant, et ils ne sont pas touchés cliniquement parce que leur gène normal masque l'allèle variant : ce sont des porteurs du caractère récessif. Étant donné que ces caractères récessifs sont transmis d'une génération à l'autre dans la même famille, on observe un nombre de cas plus élevé du trouble dans les unions consanguines (personnes étroitement apparentées). Pour que le trait s'exprime, deux porteurs doivent fournir chacun un allèle variant à la progéniture **FIGURE 5.4C**. La probabilité d'apparition du trait est de 25 % pour chaque enfant. Un enfant normal sur le plan clinique peut être porteur du gène. À l'opposé du mode vertical observé pour les troubles autosomiques dominants, les troubles autosomiques récessifs se transmettent selon un mode horizontal ; c'est-à-dire qu'il est présent habituellement chez un ou plusieurs membres d'une fratrie, mais pas dans les générations précédentes. Les hommes et les femmes sont atteints de la même manière. La plupart des erreurs innées du métabolisme, comme la phénylcétonurie, la galactosémie, la maladie des urines à odeur de sirop d'érable (syndrome de Menkes), la maladie de Tay-Sachs, la drépanocytose et la fibrose kystique sont des troubles autosomiques récessifs.

Hérédité liée au sexe, gène dominant

Les troubles dominants liés au sexe touchent les hommes et les femmes hétérozygotes. Les femmes atteintes le sont généralement moins gravement que les hommes en raison de l'inactivation du chromosome X, et elles risquent davantage de transmettre l'allèle variant à leur progéniture. La probabilité qu'une femme hétérozygote transmette l'allèle variant à chacun de ses enfants est de 50 %. L'allèle variant est souvent létal pour les hommes atteints puisque, à la différence des femmes, ils ne possèdent pas de gène normal. Il n'est donc pas fréquent d'observer l'union d'un homme atteint avec une femme non atteinte. Il y a relativement peu de troubles dominants liés au sexe. Le rachitisme vitaminorésistant et le syndrome du chromosome X fragile en sont deux exemples.

Hérédité liée au sexe, gène récessif

Les gènes anormaux des troubles récessifs liés au sexe sont portés par le chromosome X. Les femmes peuvent être hétérozygotes ou homozygotes pour ces traits parce qu'elles ont deux chromosomes X, alors que les hommes sont hémizygotes parce qu'ils n'ont qu'un chromosome X qui porte ces gènes, sans allèle correspondant sur le chromosome Y. Par conséquent, les troubles récessifs liés au sexe s'observent plus souvent chez l'homme, où le gène anormal est porté par l'unique chromosome X. L'hémophilie, le daltonisme, la dystrophie musculaire progressive type Duchenne sont des troubles récessifs liés au chromosome X.

L'homme reçoit de sa mère qui le porte sur l'un de ses chromosomes X l'allèle associé à la maladie. La probabilité qu'une femme porteuse (hétérozygote pour le trait) transmette l'allèle associé à la maladie à chacun de ses enfants est de 50 %. Un homme atteint peut transmettre l'allèle à ses filles, mais non à ses fils. Les filles seront alors porteuses du trait si elles reçoivent le gène normal sur le chromosome X provenant de leur mère. Elles ne seront atteintes que si les deux chromosomes X qu'elles reçoivent de leurs parents portent l'allèle associé à la maladie.

5.1.10 Erreurs innées du métabolisme

Plus de 350 erreurs innées du métabolisme ont été identifiées. Pris individuellement, ces troubles demeurent relativement rares, mais ils semblent fréquents s'ils sont considérés collectivement (1 cas sur 5 000 naissances vivantes). Comme il a déjà été souligné, la plupart des erreurs innées du métabolisme se transmettent selon un mode autosomique récessif. Une erreur innée du métabolisme apparaît lorsqu'une mutation génique réduit l'efficacité d'une enzyme codée par le gène touché à un point tel que le métabolisme normal ne peut plus se dérouler. L'action de l'enzyme défectueuse interrompt la séquence normale de réactions chimiques à partir du point où elle agit normalement. Il peut en résulter une accumulation d'un produit nocif, comme la phénylalanine dans la phénylcétonurie, ou l'absence d'un produit nécessaire, comme l'absence de mélanine causée par le manque de tyrosinase dans l'albinisme. Le dépistage des porteurs et le diagnostic sont maintenant disponibles pour un nombre croissant d'erreurs innées du métabolisme. En outre, plusieurs États américains et la moitié des provinces canadiennes (excluant le Québec) ont entrepris le dépistage d'erreurs innées du métabolisme précises dans le cadre de leurs programmes élargis de dépistage chez les nouveau-nés, grâce à la spectrométrie de masse en tandem. Toutefois, nombre de décès causés par des erreurs innées du métabolisme sont dus à des variantes enzymatiques pour lesquelles de nombreux programmes de dépistage chez le nouveau-né ne comprennent pas de test ▶ 17.

5.1.11 Facteurs non génétiques agissant sur le développement

Les troubles congénitaux ne sont pas tous héréditaires. Le terme congénital signifie que l'affection est présente à la naissance. Certaines malformations congénitales peuvent résulter de l'action d'**agents tératogènes**, c'est-à-dire de substances présentes dans l'environnement ou de l'exposition à certains facteurs, qui entraînent une incapacité fonctionnelle ou structurale. À l'opposé des autres formes d'anomalies du développement, celles qui sont causées par des agents tératogènes peuvent, en théorie, être totalement évitables. Parmi les agents tératogènes connus pour l'être humain figurent certains médicaments et produits chimiques, certaines infections, l'exposition à des radiations et certaines affections maternelles comme le diabète et la phénylcétonurie **TABLEAU 5.1**. Les effets d'un agent tératogène sur les organes et sur les parties d'un embryon sont le plus marqués pendant ses périodes de différenciation rapide. Cela se produit au cours de la période embryonnaire, plus précisément du 15e au 60e jour. Pendant les deux premières semaines du développement, les agents tératogènes ont peu ou pas d'effet sur l'embryon ou alors ils ont des effets si importants qu'ils provoquent une fausse couche. La croissance et le développement de l'encéphale se poursuivent pendant la période fœtale de sorte que les agents tératogènes peuvent avoir des conséquences graves sur le développement mental pendant toute la gestation **FIGURE 5.5**.

En plus de la constitution génétique et de l'influence des agents tératogènes, le caractère adéquat de la nutrition maternelle influe sur le développement de l'embryon et du fœtus. Ceux-ci doivent obtenir les nutriments dont ils ont besoin

Jugement clinique

Monsieur Guy Béland, âgé de 23 ans, est atteint de daltonisme. Il ignore qu'il s'agit d'une maladie à gène récessif liée au sexe. Il accuse son père de lui avoir transmis cette affection.

A-t-il raison d'accuser son père ? Justifiez votre réponse.

17

La ponction au talon, utile dans les tests de dépistage des maladies métaboliques, est présentée dans le chapitre 17, *Évaluation et soins du nouveau-né et de la famille*.

TABLEAU 5.1 Étiologie des malformations chez l'humain

ÉTIOLOGIE	PROPORTION DES NAISSANCES VIVANTES
Produits chimiques, médicaments, drogues, radiations, hyperthermie	1 %
Problèmes mécaniques (déformations) : maladie des brides amniotiques, contraintes du cordon ombilical, écart entre la taille de l'utérus et le contenu utérin	2 %
Agents infectieux : rubéole, toxoplasmose, syphilis, herpès, maladie des inclusions cytomégaliques, varicelle, encéphalite équine du Venezuela	3 %
Affection maternelle : alcoolisme, diabète, endocrinopathies, phénylcétonurie, tabagisme, problèmes nutritionnels	4 %
Environnementale	10 %
Génétique : troubles monogéniques ; anomalies chromosomiques	20-25 %
Inconnue : polygénique ou multifactorielle (interactions gènes-environnement) ; erreurs « spontanées » du développement ; autres causes inconnues	65-70 %

Source : Adapté de Hudgins & Cassidy (2006).

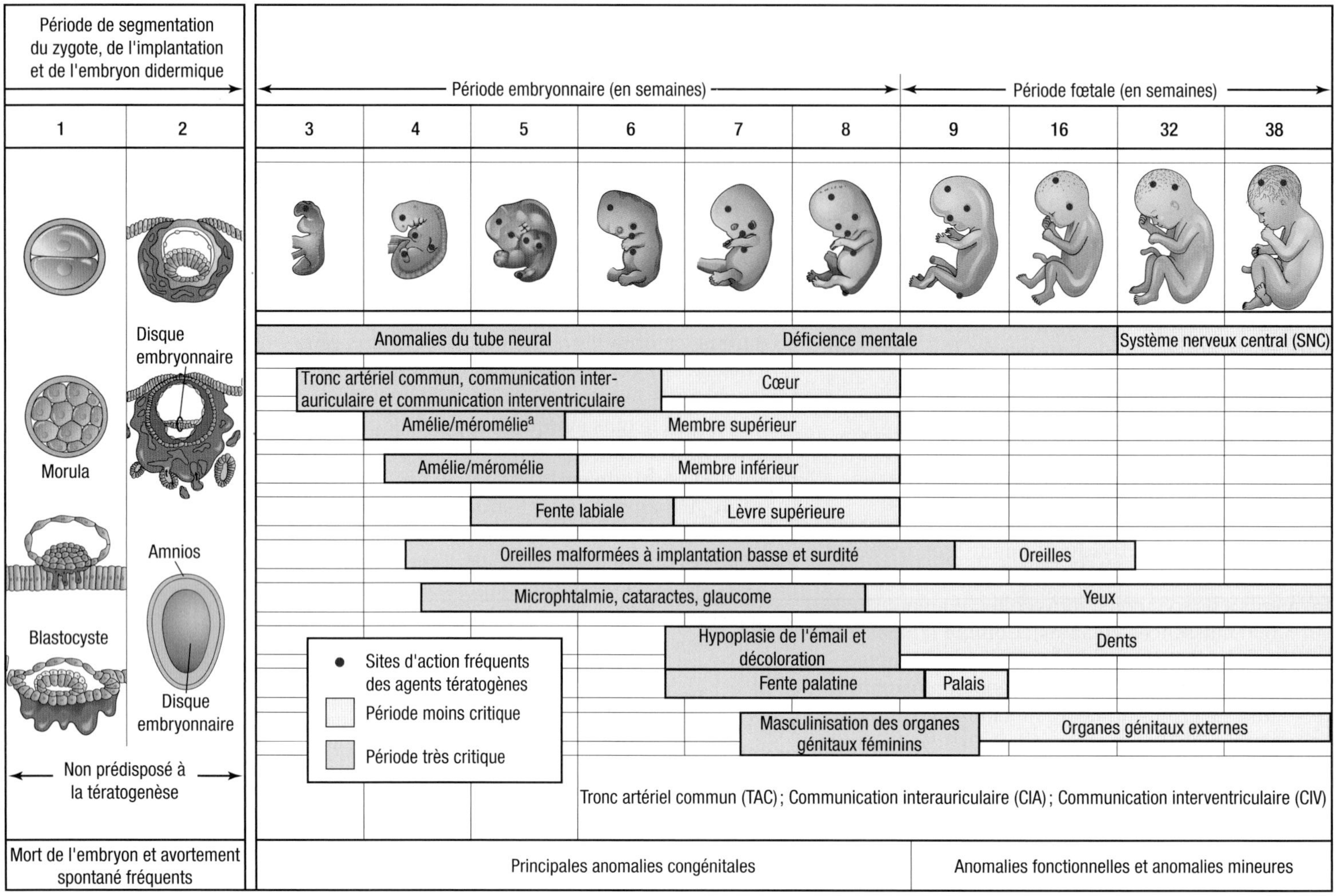

Période de segmentation du zygote, de l'implantation et de l'embryon didermique

Période embryonnaire (en semaines) | Période fœtale (en semaines)

1 | 2 | 3 | 4 | 5 | 6 | 7 | 8 | 9 | 16 | 32 | 38

Disque embryonnaire

Morula

Amnios

Blastocyste

Disque embryonnaire

Non prédisposé à la tératogenèse

Anomalies du tube neural

Déficience mentale

Système nerveux central (SNC)

Tronc artériel commun, communication interauriculaire et communication interventriculaire

Cœur

Amélie/méromélie[a]

Membre supérieur

Amélie/méromélie

Membre inférieur

Fente labiale

Lèvre supérieure

Oreilles malformées à implantation basse et surdité

Oreilles

Microphtalmie, cataractes, glaucome

Yeux

Hypoplasie de l'émail et décoloration

Dents

Fente palatine

Palais

Masculinisation des organes génitaux féminins

Organes génitaux externes

● Sites d'action fréquents des agents tératogènes

Période moins critique

Période très critique

Tronc artériel commun (TAC) ; Communication interauriculaire (CIA) ; Communication interventriculaire (CIV)

Mort de l'embryon et avortement spontané fréquents

Principales anomalies congénitales

Anomalies fonctionnelles et anomalies mineures

[a] Amélie : absence totale de un ou de plusieurs membres ; méromélie : absence partielle de un ou de plusieurs membres (la main ou le pied est présent).

FIGURE 5.5

Périodes critiques du développement humain.

Le site Online Mendelian Inheritance in Man® (OMIM®) offre une grande base de données concernant les gènes, les traits génétiques et les troubles héréditaires. Elle peut être consultée au www.omim.org.

Jugement clinique

Lors de sa première visite médicale, le médecin a prescrit de l'acide folique à madame Mireille Hétu. Âgée de 30 ans, elle est enceinte de son premier enfant. Elle se demande en quoi la prise de cette vitamine est nécessaire puisqu'elle s'alimente bien.

Que devriez-vous lui dire pour qu'elle accepte de prendre cette vitamine ?

à partir de l'alimentation de la mère ; ils ne peuvent accéder aux réserves maternelles. La malnutrition pendant la grossesse entraîne la naissance de nouveau-nés de faible poids vulnérables à l'infection. La malnutrition perturbe aussi le développement de l'encéphale pendant la deuxième moitié de la gestation et peut entraîner des troubles d'apprentissage chez l'enfant. L'apport insuffisant d'acide folique est lié à des anomalies du tube neural. Au Québec, le programme OLO vise à pallier la malnutrition durant la grossesse en offrant gratuitement aux femmes enceintes à faibles revenus des aliments essentiels (œufs, lait et jus d'orange) de même que des suppléments de minéraux et de vitamines (MSSS, 2010).

Génétique comportementale

Le domaine de la génétique comportementale humaine tente de comprendre les influences de la génétique et de l'environnement sur les variations du comportement humain (McInerney, 2008). Le comportement fait intervenir de multiples gènes. L'étude du comportement et des gènes requiert l'analyse de familles et de populations afin de comparer ceux qui ont le trait avec ceux qui ne l'ont pas. Le résultat est une estimation de la variation attribuable à des facteurs génétiques dans la population. Les conclusions de cette recherche ont des implications politiques et sociales importantes. Par exemple, quelles seraient les conséquences sociales de la détermination d'un diagnostic génétique pour des traits comme l'intelligence, la criminalité ou l'homosexualité ? La prudence est indiquée quand il s'agit d'accepter des découvertes en génétique comportementale tant qu'il n'existe pas une corroboration scientifique substantielle.

5.2 Conception

5.2.1 Division cellulaire

Les cellules se reproduisent par deux mécanismes différents: la mitose et la méiose. Les cellules somatiques se divisent par mitose pour donner deux cellules de la même constitution génétique que la cellule mère. La cellule fait d'abord une copie de son ADN puis elle se divise, chaque cellule fille recevant une copie du matériel génétique. La division mitotique permet la croissance et le développement ainsi que le remplacement des cellules.

La méiose est le processus par lequel les cellules germinales se divisent et réduisent de moitié leur nombre de chromosomes afin de produire les gamètes (ovules et spermatozoïdes). Chaque paire de chromosomes homologues renferme un chromosome provenant de la mère et un venant du père, et la méiose produit des cellules qui contiennent un exemplaire de chacune des 23 paires de chromosomes. Étant donné que ces cellules ne contiennent que 23 chromosomes, soit la moitié du matériel génétique d'une cellule somatique normale, elles sont dites haploïdes. Le nombre diploïde de chromosomes humains (46 ou 23 paires) est rétabli lorsqu'un gamète femelle (œuf ou ovule) et un gamète mâle (spermatozoïde) s'unissent pour former le **zygote**.

5.2.2 Gamétogenèse

L'**ovogenèse**, à savoir le processus de formation des ovules, débute pendant la vie fœtale de la femme. Toutes les cellules qui pourraient se diviser par méiose pendant la vie d'une femme sont contenues dans ses ovaires à la naissance. La plus grande partie de ce qu'on évalue à deux millions d'ovocytes de premier ordre (les cellules qui subiront la première division méiotique) dégénère spontanément. Seulement de 400 à 500 ovules arriveront à maturité pendant les quelque 35 années de la vie reproductive d'une femme. Les ovocytes de premier ordre entreprennent la première division méiotique (c.-à-d. qu'ils répliquent leur ADN) pendant la vie fœtale, mais ils restent bloqués à ce stade jusqu'à la puberté **FIGURE 5.6A**. À partir de ce moment, chaque mois environ, un ovocyte de premier ordre atteint sa maturité et complète la première division méiotique, produisant deux cellules inégales: l'ovocyte de deuxième ordre et un petit globule polaire. Chacun renferme 22 autosomes et un chromosome sexuel X.

La deuxième division méiotique commence au moment de l'ovulation, mais l'ovule ne complète pas cette seconde division à moins d'être fécondé. À la fécondation, un deuxième globule polaire et le zygote sont produits **FIGURE 5.6C**. Les trois globules polaires dégénèrent. S'il n'y a pas fécondation, l'ovule dégénère également.

Quand un garçon atteint la puberté, ses testicules enclenchent le processus de la spermatogenèse. Les cellules qui subissent la méiose chez l'homme sont les spermatocytes. Le spermatocyte de premier ordre, qui subit la première division méiotique, renferme un nombre diploïde de chromosomes. La cellule a déjà copié son ADN avant sa division, de sorte que quatre allèles de chaque gène sont présents. Étant donné que les copies sont liées ensemble (c.-à-d. un allèle avec sa copie dans chaque chromosome), on considère toujours que la cellule est diploïde et non tétraploïde.

Pendant la première division méiotique, deux spermatocytes de deuxième ordre haploïdes sont formés. Chacun renferme 22 autosomes et 1 chromosome sexuel: l'un contient le chromosome X (et sa copie) et l'autre, le chromosome Y (et sa copie). Pendant la deuxième division méiotique, les copies se sépareront l'une de l'autre, de sorte qu'on obtiendra deux cellules (des spermatides) contenant un chromosome X et deux cellules ayant un chromosome Y; ces quatre spermatides se transformeront en spermatozoïdes viables **FIGURE 5.6B**.

5.2.3 Processus de la conception

La **conception** marque le début de la grossesse. Il ne s'agit pas d'un événement isolé, mais bien d'un processus séquentiel qui comprend la formation des gamètes (ovules et spermatozoïdes), l'ovulation (libération de l'ovule), l'union des gamètes (la fécondation qui conduit à la formation du zygote) et l'implantation du zygote dans l'utérus.

Ovule

Chez la femme, la méiose se déroule dans des follicules ovariens et produit un œuf (ou ovule). Chaque cycle, un ovule entouré d'une quantité de cellules de soutien atteint sa maturité. À l'ovulation, l'ovule est libéré par le follicule ovarien qui se rompt. À ce moment, les taux élevés d'œstrogènes augmentent la motilité des trompes utérines, de sorte que leurs cils peuvent capturer l'ovule et le propulser dans la trompe vers la cavité utérine, car l'ovule ne peut se déplacer de lui-même.

Deux couches protectrices entourent l'ovule **FIGURE 5.7**. La plus interne est une couche épaisse, acellulaire, appelée zone pellucide. La couche externe, appelée corona radiata, se compose de cellules allongées.

Spermatozoïdes

Pendant le coït, l'éjaculation expulse normalement dans le vagin environ 5 ml de sperme contenant jusqu'à 200 à 500 millions de spermatozoïdes. Ceux-ci nagent grâce au mouvement flagellaire de leur queue. Certains spermatozoïdes peuvent atteindre le site de la fécondation en cinq minutes, mais le trajet dure en moyenne de quatre à six heures. Les spermatozoïdes restent viables dans

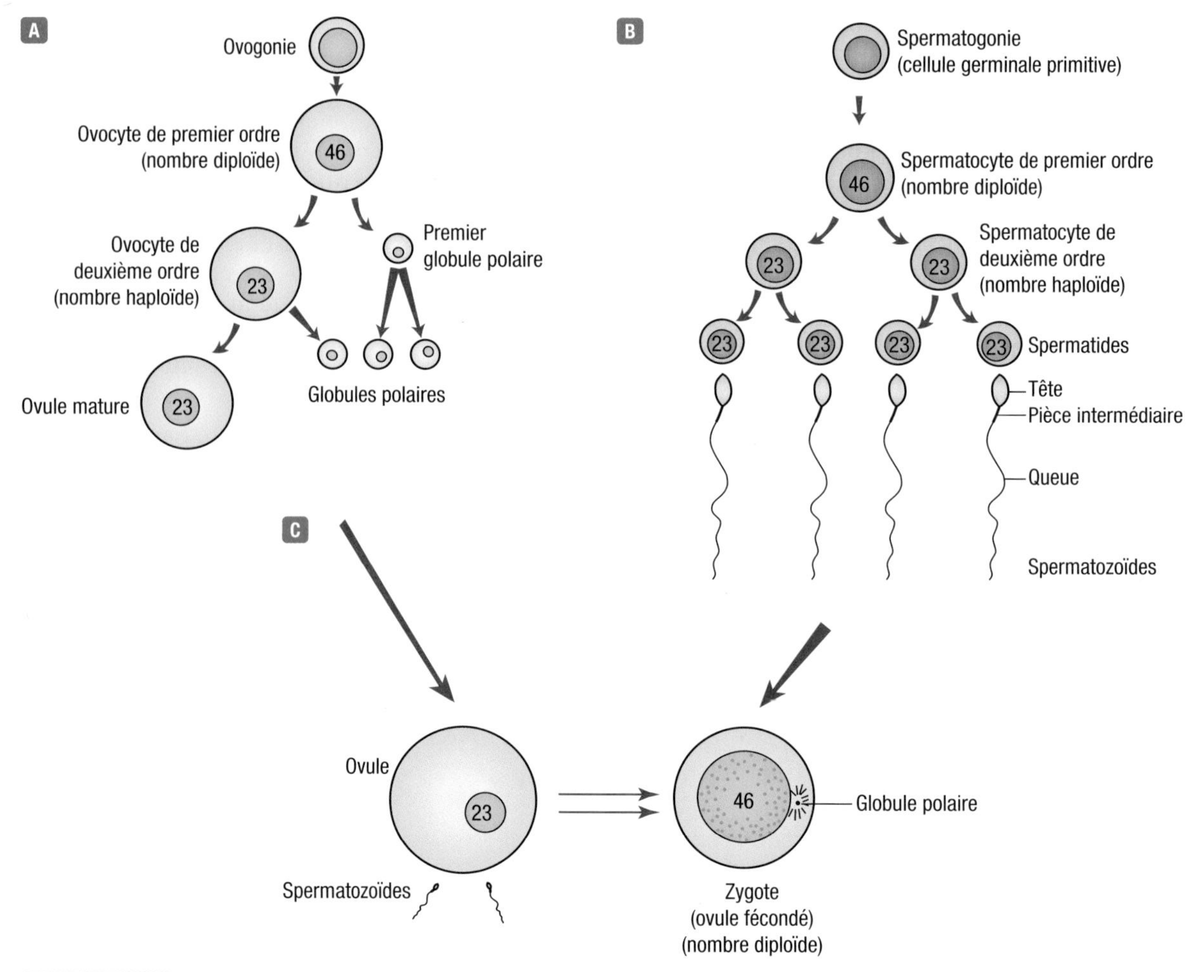

FIGURE 5.6

Gamétogenèse. A Ovogenèse. La gamétogenèse chez la femme produit un ovule mature et trois globules polaires. B Spermatogenèse. Pendant la gamétogenèse chez l'homme, chaque spermatocyte de premier ordre donne naissance à quatre gamètes matures, les spermatozoïdes. C La fécondation conduit à la formation d'un zygote unicellulaire et au rétablissement du nombre diploïde de chromosomes. Noter la différence relative de taille entre l'ovule et les spermatozoïdes.

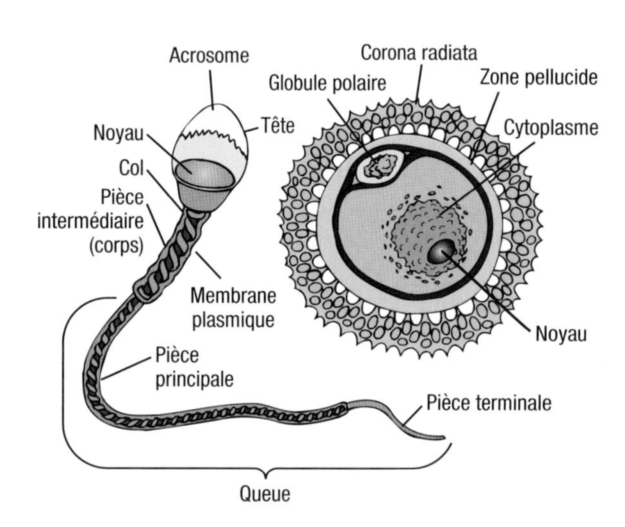

FIGURE 5.7

Les ovules peuvent être fécondés jusqu'à environ 24 heures après l'ovulation. S'il n'est pas fécondé par un spermatozoïde, l'ovule dégénère et est résorbé.

les voies génitales de la femme pendant deux ou trois jours en moyenne. La plupart des spermatozoïdes se perdent dans le vagin, dans le mucus cervical ou dans l'endomètre, ou encore ils pénètrent dans la trompe qui ne contient pas d'ovule.

Pendant que les spermatozoïdes progressent dans les voies reproductrices de la femme, des enzymes sont produites pour faciliter leur capacitation. Celle-ci est une transformation physiologique qui retire l'enveloppe protectrice de la tête des spermatozoïdes. De petites perforations se forment alors sur l'acrosome (la coiffe du spermatozoïde) et permettent aux enzymes (p. ex., l'hyaluronidase) de s'échapper **FIGURE 5.7**. Ces enzymes sont nécessaires pour que les spermatozoïdes puissent pénétrer les couches protectrices de l'ovule avant la fécondation.

5.2.4 Fécondation

La **fécondation** se produit dans l'ampoule (le tiers externe) de la trompe utérine. Quand un spermatozoïde réussit à pénétrer la membrane qui entoure l'ovule, le spermatozoïde et l'ovule se trouvent tous deux enfermés à l'intérieur de cette membrane qui devient impénétrable pour les autres spermatozoïdes ; ce phénomène porte le nom de réaction corticale. La deuxième division méiotique de l'ovocyte de deuxième ordre se termine alors, et le noyau de l'ovule devient le pronucléus femelle. La tête du spermatozoïde grossit pour devenir le pronucléus mâle, et sa queue dégénère. Les pronucléus fusionnent, et les chromosomes se combinent, rétablissant ainsi le nombre diploïde (46) de chromosomes **FIGURE 5.8**. La fécondation, c'est-à-dire la formation du zygote qui est la première cellule du nouvel individu, est ainsi réalisée.

Une reproduction cellulaire mitotique appelée segmentation commence alors que le zygote se déplace le long de la trompe utérine jusqu'à l'utérus. Ce parcours demande trois ou quatre jours. Étant donné que l'œuf fécondé se divise rapidement sans augmentation de taille, des cellules de plus en plus petites, appelées blastomères, sont produites à chaque division. Une boule massive de 16 cellules appelée **morula** est produite en trois jours, toujours entourée par la zone pellucide protectrice **FIGURE 5.9A**. Un nouveau développement se produit pendant que la morula flotte librement dans l'utérus. Du liquide passe à travers la zone pellucide pour pénétrer dans les espaces intercellulaires séparant les blastomères, les divisant en deux parties : le trophoblaste (qui est à l'origine du placenta) et l'embryoblaste (qui donne naissance à l'embryon). À mesure que les espaces remplis de liquide fusionnent, une cavité qui portera le nom de blastocœle se creuse dans la masse de cellules. Quand le blastocœle est suffisamment développé, l'ensemble de la structure de l'embryon est désigné sous le nom de **blastocyste FIGURE 5.10**. Les cellules souches proviennent de la masse interne de cellules du blastocyste, l'embryoblaste. Les cellules périphériques qui entourent le blastocœle forment le trophoblaste.

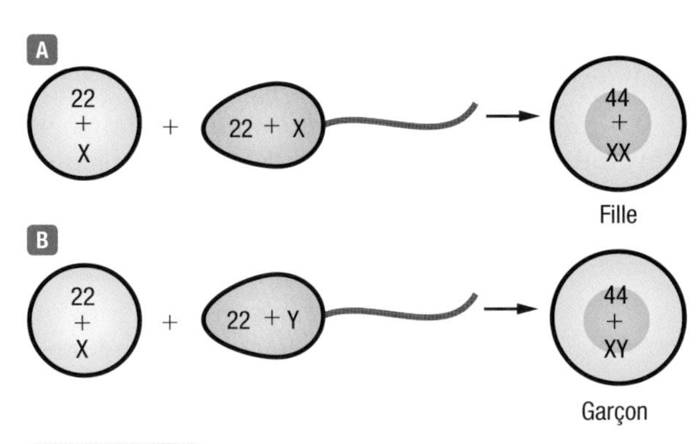

FIGURE 5.8

Fécondation. **A** Ovule fécondé par un spermatozoïde contenant un chromosome X pour former un zygote femelle. **B** Ovule fécondé par un spermatozoïde contenant un chromosome Y pour former un zygote mâle.

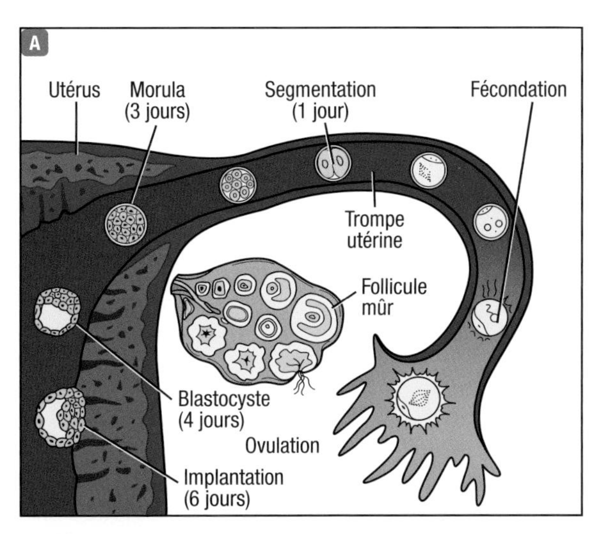

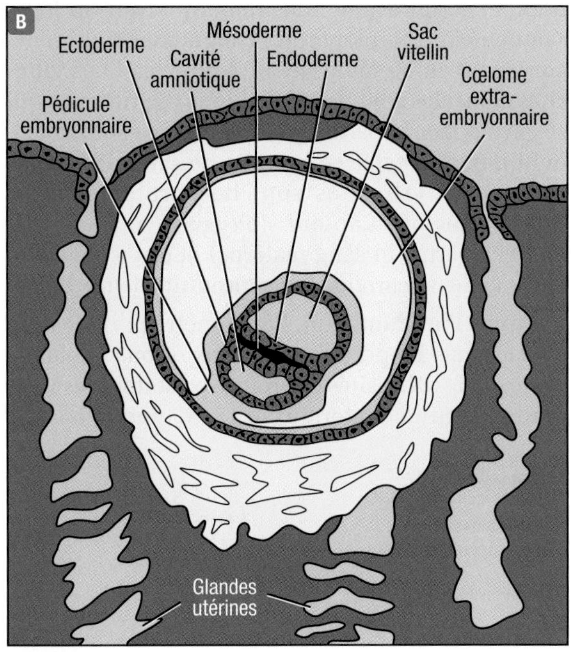

FIGURE 5.9

A Premières semaines du développement humain. Développement du follicule dans l'ovaire, ovulation, fécondation et trajet du zygote dans la trompe utérine jusqu'à l'utérus, où se réalise l'implantation. **B** Blastocyste enfoui dans l'endomètre. Formation des feuillets embryonnaires.

5.2.5 Implantation

La zone pellucide se désagrège, et le trophoblaste s'attache à l'endomètre, généralement dans la partie antérieure ou postérieure du fundus utérin. De 6 à 10 jours après la fécondation, le trophoblaste sécrète des enzymes qui lui permettent de s'enfouir dans l'endomètre jusqu'à ce que tout le blastocyste soit recouvert

Jugement clinique

Anabel Racicot, âgée de 14 ans, se présente au bureau de santé de l'école. Elle et son amie Cathy Brunet ont des points de vue différents sur la fécondation. Anabel croit que les spermatozoïdes restent vivants longtemps après l'éjaculation alors que Cathy pense que le risque de fécondation est présent seulement la journée de l'ovulation.

Qui d'Anabel ou de Cathy a raison ? Précisez votre réponse.

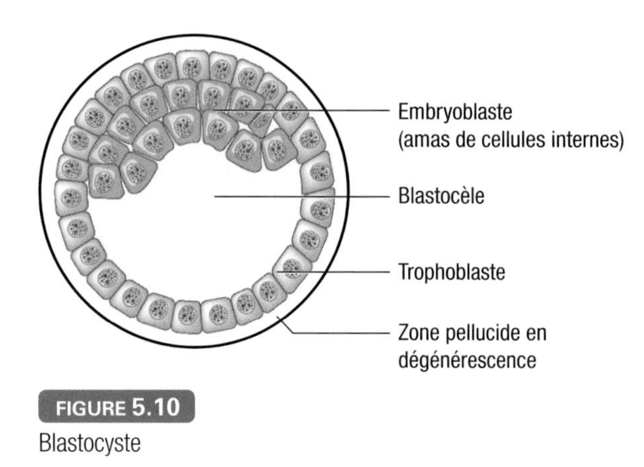

FIGURE 5.10
Blastocyste

FIGURE 5.9B. Ce processus porte le nom d'**implantation**. Les vaisseaux sanguins de l'endomètre s'érodent, et certaines femmes remarqueront un léger saignement d'implantation (saignements mineurs survenant au moment prévu des règles). Les **villosités choriales** sont des projections digitiformes qui se développent à partir du trophoblaste et qui s'étendent dans les espaces remplis de sang de l'endomètre. Ces villosités sont des prolongements vasculaires qui captent l'oxygène et les nutriments à partir du sang maternel et qui y évacuent le dioxyde de carbone et les produits de déchet.

Après l'implantation, l'endomètre porte le nom de caduque. La portion située juste sous le blastocyste, où les villosités choriales exploitent les vaisseaux sanguins maternels, est la **caduque basale**. La portion qui recouvre le blastocyste est la caduque capsulaire, et celle qui tapisse le reste de l'utérus est la caduque pariétale **FIGURE 5.11**.

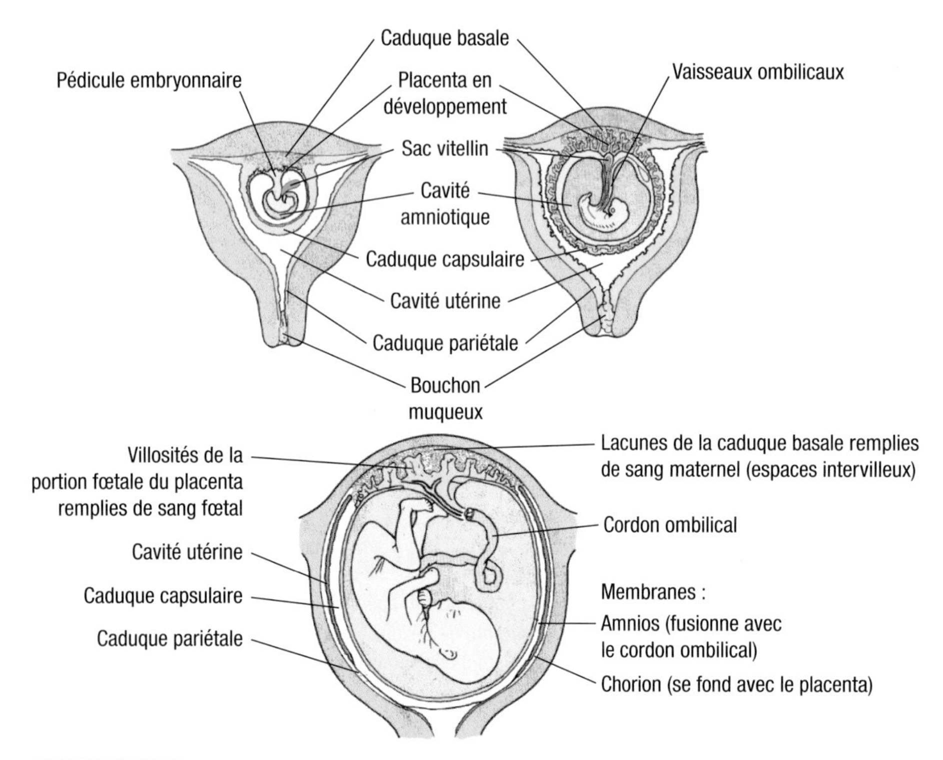

FIGURE 5.11
Développement des membranes fœtales. Noter l'oblitération graduelle de la cavité utérine à mesure que la caduque capsulaire et la caduque pariétale se rejoignent. Remarquer également l'amincissement de la paroi utérine. Le chorion et l'amnios sont apposés l'un à l'autre, mais il est possible de les séparer.

5.3 Embryon et fœtus

La grossesse dure environ 10 mois lunaires, c'est-à-dire 9 mois de calendrier, 40 semaines ou 280 jours. La durée de la grossesse est calculée à partir du premier jour des dernières règles jusqu'au jour de l'accouchement. Mais la fécondation se fait environ deux semaines après la date des dernières menstruations. Par conséquent, l'âge postconceptionnel du fœtus est de deux semaines de moins, et la gestation dure effectivement 266 jours ou 38 semaines. C'est l'âge postconceptionnel qui est utilisé lorsqu'on décrit le développement fœtal.

Le développement intra-utérin se divise en trois périodes : la période préembryonnaire, la période embryonnaire et la période fœtale **FIGURE 5.5**. La période préembryonnaire s'étend de la fécondation jusqu'au 14e jour. Elle correspond à la segmentation, à la formation du blastocyste, au développement initial des membranes embryonnaires et à l'établissement des feuillets embryonnaires primitifs.

5.3.1 Feuillets embryonnaires primitifs

Pendant la troisième semaine qui suit la fécondation, le disque embryonnaire se différencie en trois feuillets embryonnaires primitifs : l'ectoderme, le mésoderme et l'endoderme **FIGURE 5.9B**. Tous les tissus et les organes de l'embryon croîtront à partir de ces feuillets.

L'ectoderme, ou couche supérieure du disque embryonnaire, donne naissance à l'épiderme, aux glandes (adénohypophyse, glandes cutanées et glandes mammaires), aux ongles et aux cheveux, aux systèmes nerveux central et périphérique, au cristallin de l'œil, à l'émail des dents et au plancher de la cavité amniotique.

Le mésoderme, ou couche intermédiaire, se développe pour former les os et les dents, les muscles (squelettiques, lisses et cardiaque), le derme et le tissu conjonctif, le système cardiovasculaire et la rate, ainsi que le système urogénital.

L'endoderme, ou couche inférieure, est à l'origine du recouvrement épithélial des voies respiratoires et digestives, de même que de l'oropharynx, du foie et du pancréas, de l'urètre, de la vessie et du vagin. L'endoderme forme le toit du sac vitellin.

5.3.2 Période embryonnaire

La période embryonnaire s'étend du 15e jour jusqu'à la 8e semaine environ après la fécondation, alors que l'embryon mesure à peu près 3 cm du sommet de la tête (vertex) au coccyx. La période embryonnaire est le stade le plus critique de la formation des organes et des principales caractéristiques externes. Les régions en développement qui sont le siège de divisions cellulaires rapides sont les plus vulnérables aux malformations dues aux agents tératogènes environnementaux. À la fin de la huitième semaine, tous les systèmes sont en place, de même que les structures externes, et l'embryon a une apparence incontestablement humaine **FIGURE 5.5**.

La période embryonnaire est le stade le plus critique de la formation des organes et des principales caractéristiques externes.

5.3.3 Membranes

Au moment de l'implantation, deux membranes embryonnaires qui entoureront l'embryon commencent à se former. Le chorion se forme à partir du trophoblaste et porte les villosités choriales à sa surface. Celles-ci s'enfouissent dans la caduque basale, et leur taille et leur complexité s'accroissent à mesure que les extensions vasculaires se développent dans le placenta. Le chorion recouvre la portion fœtale du placenta, et il renferme les principaux vaisseaux sanguins ombilicaux qui se ramifient à sa surface. À mesure que l'embryon croît, la caduque capsulaire s'étire. Les villosités choriales de ce côté s'atrophient et dégénèrent, laissant une membrane chorionique lisse.

La membrane cellulaire interne, l'amnios, se développe à partir des cellules internes du blastocyste. La cavité qui se forme entre l'embryoblaste et la couche externe de cellules (le trophoblaste) est la cavité amniotique. À mesure que celle-ci s'agrandit, l'amnios se développe du côté opposé au blastocyste **FIGURE 5.9B** et **FIGURE 5.11**. L'embryon ramène l'amnios autour de lui pour former un sac rempli de liquide. L'amnios devient l'enveloppe du cordon ombilical, et il recouvre le chorion sur la surface fœtale du placenta. À mesure que l'embryon grossit, l'amnios s'agrandit pour loger l'embryon puis le fœtus et le liquide amniotique qui les entoure. L'amnios finit par entrer en contact avec le chorion qui entoure le fœtus.

5.3.4 Liquide amniotique

Au début de la grossesse, la cavité amniotique puise son liquide par diffusion à partir du sang maternel. La quantité de liquide s'accroît d'une semaine à l'autre et, au terme de la grossesse, il y a normalement de 800 à 1 200 ml d'un liquide transparent. Le volume de liquide amniotique varie constamment. Le fœtus avale du liquide et celui-ci entre et sort de ses poumons. Le fœtus urine dans le liquide, ce qui en augmente considérablement le volume.

Le liquide amniotique assume de nombreuses fonctions pour l'embryon et le fœtus. Il aide à maintenir une température corporelle constante. Il constitue une source orale de liquide et il recueille les déchets. Il forme un coussin protégeant le fœtus contre les traumas en absorbant et en dispersant les forces extérieures. Il permet la liberté de mouvement nécessaire pour le développement musculosquelettique. Le liquide empêche aussi l'embryon de s'emmêler dans les membranes, ce qui facilite la croissance symétrique du fœtus. Si l'embryon s'emmêle dans les membranes, il peut y avoir amputation de certains membres ou d'autres malformations à cause de la constriction imposée par les brides amniotiques.

Jugement clinique

Madame Emmanuelle Tanguay, âgée de 29 ans, a fait plusieurs tentatives pour avoir un enfant et, encore une fois, elle est certaine que son test de grossesse sera négatif puisqu'elle constate un léger saignement au moment prévu de ses règles. D'après elle, ce saignement semble toutefois différent de celui qu'elle a habituellement pendant ses menstruations.

Devez-vous en conclure que madame Tanguay n'est pas enceinte ? Justifiez votre réponse.

Le volume de liquide amniotique est un facteur important dans l'évaluation du bien-être du fœtus. La présence de moins de 300 ml de liquide amniotique (oligoamnios) est liée à des anomalies rénales chez le fœtus. Le fait d'avoir plus de 2 L de liquide amniotique (polyhydramnios) est associé à des malformations gastro-intestinales et à d'autres malformations.

Jugement clinique

Joan Barclay, âgée de 17 ans, est enceinte de 39 semaines. Elle croit qu'elle aura un gros bébé puisque son ventre est très volumineux.

Que devriez-vous lui dire pour lui expliquer que son nouveau-né ne sera pas nécessairement gros ?

Le liquide amniotique contient de l'albumine, de l'urée, de l'acide urique, de la créatinine, de la lécithine, de la sphingomyéline, de la bilirubine, du fructose, des graisses, des leucocytes, des protéines, des cellules épithéliales, des enzymes et des poils de lanugo. L'étude des cellules fœtales présentes dans le liquide amniotique et prélevées par amniocentèse fournit beaucoup de renseignements sur le fœtus. Les épreuves génétiques (caryotype) permettent de connaître le sexe de celui-ci ainsi que le nombre et la structure de ses chromosomes. D'autres tests, comme la détermination du rapport lécithine/sphingomyéline, renseignent sur la santé ou la maturité du fœtus.

Le site The Visible Embryo, au www.visembryo.com, montre une illustration du développement normal et anormal de l'embryon humain.

5.3.5 Sac vitellin

En même temps que la cavité amniotique et l'amnios sont en train de se former, une autre cavité se forme dans le blastocyste, de l'autre côté du disque embryonnaire en développement **FIGURE 5.9B**. Cette cavité s'entoure d'une membrane et forme le sac vitellin, qui aide à transférer à l'embryon les nutriments et l'oxygène provenant de la mère qui ont diffusé à travers le chorion. Des vaisseaux sanguins se forment pour faciliter le transport. Les cellules sanguines et le plasma sont fabriqués dans le sac vitellin pendant la deuxième et la troisième semaine. À la fin de la troisième semaine, le cœur primitif commence à battre et à faire circuler le sang à travers l'embryon, le pédicule embryonnaire, le chorion et le sac vitellin.

Pendant la quatrième semaine, l'embryon se replie sur lui-même, et une partie du sac vitellin se trouve incorporée dans son corps pour former le tube digestif primitif. Des cellules germinales primordiales naissent dans le sac vitellin et migrent vers l'embryon. Les restes réduits du sac vitellin dégénèrent et, à la cinquième ou à la sixième semaine, ils se sont séparés de l'embryon.

5.3.6 Cordon ombilical

Quatorze jours après la fécondation, le disque embryonnaire, le sac amniotique et le sac vitellin sont rattachés aux villosités choriales par le pédicule embryonnaire. Pendant la troisième semaine, les vaisseaux sanguins se développent pour approvisionner l'embryon avec les nutriments maternels et l'oxygène. Pendant la cinquième semaine, les deux extrémités de l'embryon se sont repliées sur elles-mêmes, ce qui amène le pédicule embryonnaire du côté ventral de l'embryon. Le pédicule se trouve alors comprimé des deux côtés par l'amnios et forme le cordon ombilical, plus étroit **FIGURE 5.11**. Deux artères transportent le sang de l'embryon jusqu'aux villosités choriales, et une veine rapporte le sang à l'embryon. Dans environ 1 % des cas, le cordon ombilical ne renferme que deux vaisseaux : une artère et une veine. Cet événement est parfois lié à des malformations congénitales.

La longueur du cordon s'accroît rapidement. Au terme de la grossesse, il mesure 2 cm de diamètre, et sa longueur va de 30 à 90 cm (55 cm en moyenne). Il s'enroule sur lui-même en spirale et fait des boucles autour de l'embryon ou du fœtus. Il est rare qu'il forme un vrai nœud, mais de faux nœuds produits par des replis peuvent compromettre la circulation vers le fœtus. Du tissu conjonctif portant le nom de gelée de Wharton évite la compression des vaisseaux sanguins à l'intérieur du cordon ombilical et assure l'alimentation continue de l'embryon ou du fœtus. Il peut y avoir une compression du cordon s'il se retrouve entre la tête du fœtus et le bassin ou s'il s'enroule autour du corps du fœtus. L'expression circulaire du cordon signifie que le cordon s'enroule autour du cou du fœtus.

Étant donné que le placenta se forme à partir des villosités choriales, le cordon ombilical est habituellement situé en position centrale. Il est moins fréquent d'observer une localisation périphérique, à laquelle on donne le nom d'insertion marginale du cordon placentaire. Les vaisseaux sanguins rayonnent à partir du centre vers toutes les parties du placenta **FIGURE 5.12B**.

5.3.7 Placenta

Structure

Le placenta commence à se former au moment de l'implantation. Dans la troisième semaine après la fécondation, les cellules trophoblastiques des villosités choriales continuent à envahir la caduque basale. À mesure que les capillaires utérins sont exploités, les artères spiralées de l'endomètre se remplissent de sang maternel. Les villosités choriales poussent dans ces espaces, formées de deux couches de cellules : le syncytium externe et le cytotrophoblaste interne. Une troisième couche se développe pour former des cloisons d'ancrage qui diviseront la caduque en des zones distinctes appelées cotylédons. Dans chacun des 15 à 20 cotylédons, les villosités choriales se ramifient, et il se forme un système complexe de vaisseaux sanguins fœtaux. Chaque cotylédon est une unité fonctionnelle. L'ensemble de ces structures forme le placenta **FIGURE 5.12**.

La circulation mère-placenta-embryon est en place au 17e jour, quand le cœur embryonnaire commence à battre. À la fin de la troisième semaine, le sang embryonnaire circule entre l'embryon et les villosités choriales. Dans les espaces intervilleux, le sang maternel fournit l'oxygène et les nutriments aux capillaires embryonnaires situés dans les villosités **FIGURE 5.13**. Les produits de déchet et le dioxyde de carbone diffusent des capillaires embryonnaires au sang maternel.

Le rôle du placenta est de permettre les échanges métaboliques. Ceux-ci demeurent minimes au début parce que les deux couches cellulaires de la membrane des villosités sont trop épaisses. La perméabilité augmente à mesure que le cytotrophoblaste s'amincit et disparaît ; au cinquième mois, il ne reste que la simple couche de syncytium entre le sang maternel et les capillaires fœtaux. Le syncytium est la couche fonctionnelle du placenta. À la huitième semaine, il est possible de pratiquer des tests génétiques sur un échantillon des villosités choriales prélevé par une biopsie par aspiration ; toutefois, des malformations des membres ont été associées au prélèvement de villosités choriales s'il est effectué avant la 10e semaine. La structure du placenta est complétée à la 12e semaine. Il poursuit sa croissance jusqu'à la 20e semaine, alors qu'il couvre environ la moitié de la surface utérine. Il continue ensuite à s'épaissir. Les villosités poursuivent leurs ramifications à l'intérieur du placenta, augmentant ainsi sa surface fonctionnelle d'échanges.

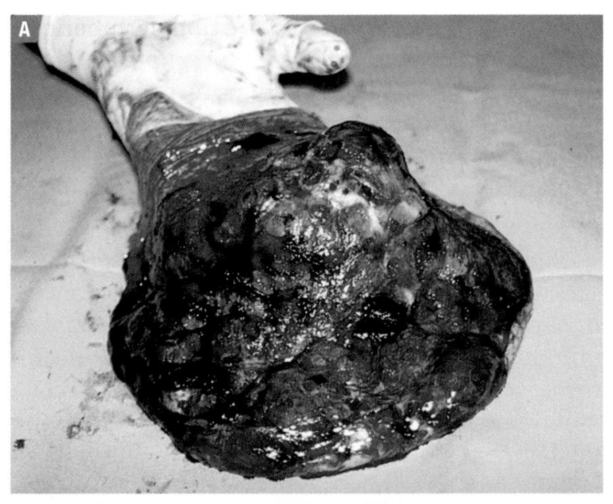

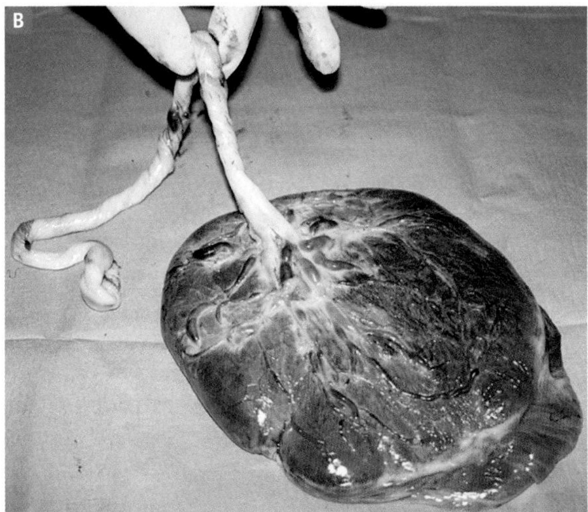

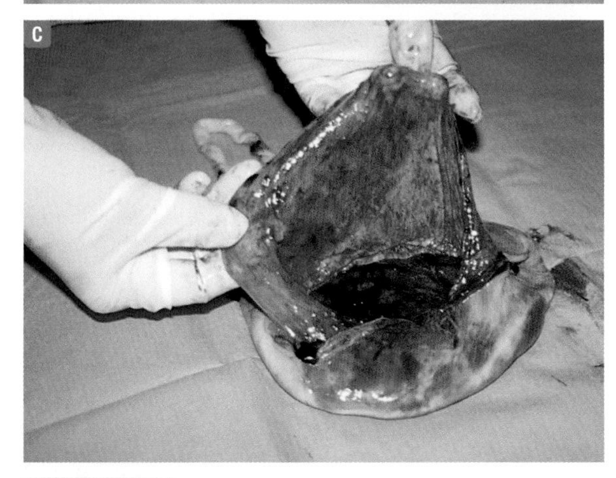

FIGURE 5.12

Placenta au terme de la grossesse. A Surface maternelle (ou utérine), montrant les cotylédons et les sillons. B Surface fœtale (ou amniotique), montrant les vaisseaux sanguins qui courent sous l'amnios et qui convergent pour former les vaisseaux ombilicaux. C L'amnios et le chorion lisse sont disposés de façon à montrer qu'ils sont fusionnés et continus avec les marges du placenta.

Fonctions

L'une des fonctions précoces du placenta est d'agir comme une glande endocrine en produisant quatre hormones qui sont nécessaires au maintien de la grossesse et au soutien de l'embryon ou du fœtus. Ces hormones sont produites par le syncytium.

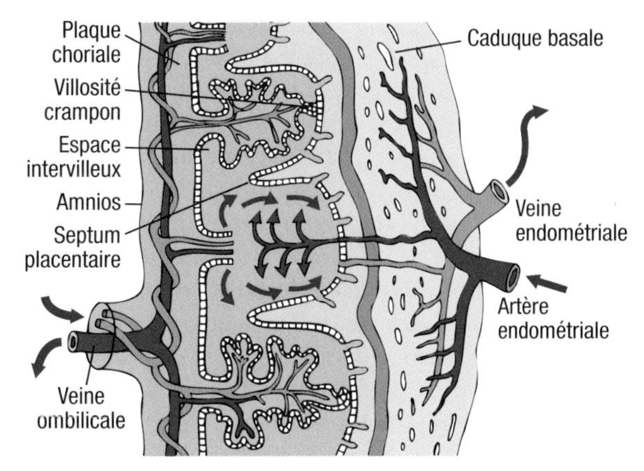

FIGURE 5.13

Représentation schématique du placenta montrant comment il fournit oxygène et nutriments à l'embryon et comment il retire ses produits de déchet. Le sang désoxygéné quitte le fœtus par les artères ombilicales et pénètre dans le placenta, où il est oxygéné. Le sang oxygéné quitte le placenta par la veine ombilicale qui emprunte le cordon ombilical pour le ramener au fœtus.

La gonadotrophine chorionique humaine (hCG) est une hormone protéique qu'il est possible de déceler dans le sérum de la mère de 7 à 10 jours après la fécondation, peu de temps après l'implantation. Cette hormone est à la base des tests de grossesse. La hCG maintient le fonctionnement du corps jaune de l'ovaire, ce qui assure la continuité de l'approvisionnement en œstrogènes et en progestérone, hormones essentielles pour le maintien de la grossesse. Une fausse couche se produit si le corps jaune cesse de fonctionner avant que le placenta puisse produire des quantités suffisantes d'œstrogènes et de progestérone. La hCG atteint son taux maximal entre 50 à 70 jours, puis elle commence à décroître.

L'hormone lactogène placentaire (ou hormone chorionique somatomammotrophique) est une autre hormone protéique produite par le placenta. C'est une substance semblable à l'hormone de croissance ; elle stimule le métabolisme maternel afin qu'il fournisse les nutriments nécessaires pour la croissance du fœtus. Cette hormone augmente la résistance à l'insuline, facilite le transport du glucose à travers la membrane placentaire et stimule l'augmentation du volume des seins maternels en préparation pour la lactation.

Le placenta en vient à produire plus de progestérone, une hormone stéroïdienne, que le corps jaune ne le fait pendant les quelques premiers mois de la grossesse. La progestérone assure le maintien de l'endomètre, diminue la contractilité de l'utérus, et elle stimule le métabolisme maternel et la croissance des alvéoles mammaires.

Sept semaines après la fécondation, le placenta produit la plus grande partie des œstrogènes, qui sont aussi des hormones stéroïdiennes. Le principal œstrogène sécrété par le placenta est l'œstriol, alors que les ovaires produisent surtout de l'œstradiol. Le dosage des taux d'œstriol est une analyse clinique permettant de vérifier le fonctionnement du placenta. Les œstrogènes stimulent la croissance de l'utérus et le débit sanguin utéroplacentaire. Ils provoquent une prolifération du tissu glandulaire des seins et stimulent la contractilité du myomètre. La production placentaire d'œstrogènes augmente considérablement vers la fin de la grossesse. Selon une hypothèse, le déclenchement du travail serait dû à la diminution du taux sanguin de progestérone et à l'élévation des taux d'œstrogènes.

Les fonctions métaboliques du placenta sont la respiration, la nutrition, l'excrétion et l'emmagasinage. L'oxygène diffuse du sang maternel à travers la membrane placentaire jusqu'au sang fœtal, et le dioxyde de carbone diffuse dans la direction opposée. Le placenta sert ainsi de poumon pour le fœtus.

24
L'iso-immunisation est discutée dans le chapitre 24, *Nouveau-né à risque*.

Les glucides, les protéines, le calcium et le fer sont entreposés dans le placenta afin d'être facilement accessibles pour combler les besoins du fœtus. L'eau, les sels inorganiques, les glucides, les protéines, les graisses et les vitamines passent de la circulation sanguine de la mère, à travers la membrane placentaire, jusque dans le sang du fœtus, assurant sa nutrition. L'eau et la plupart des électrolytes de poids moléculaire inférieur à 500 diffusent facilement à travers la membrane. Les pressions hydrostatique et osmotique facilitent le mouvement de l'eau et de certains solutés. La diffusion facilitée et le transport actif contribuent au transport du glucose, des acides aminés, du calcium, du fer et de substances de poids moléculaire plus élevé. Les acides aminés et le calcium sont transportés contre leur gradient de concentration, du sang maternel au sang fœtal.

La concentration de glucose dans le sang fœtal est inférieure à celle du sang maternel en raison de l'utilisation métabolique rapide qu'en fait le fœtus. Les besoins du fœtus exigent des concentrations de glucose supérieures à ce que la simple diffusion peut lui fournir. C'est pourquoi le glucose maternel passe dans la circulation fœtale par transport actif.

La pinocytose est le mécanisme utilisé pour le transfert de grosses molécules comme l'albumine et les gammaglobulines à travers la membrane placentaire. Ce mécanisme amène au fœtus les immunoglobulines maternelles qui lui confèrent une immunité passive précoce.

Les produits de déchet du métabolisme du fœtus traversent la membrane placentaire pour passer du sang fœtal au sang maternel. Les reins de la mère élimineront ces produits. Nombre de virus peuvent traverser la membrane placentaire et infecter le fœtus. Certaines bactéries et des protozoaires infectent d'abord le placenta, puis le fœtus. Des drogues ou des médicaments peuvent aussi traverser la membrane placentaire et nuire au fœtus. La caféine, l'alcool, la nicotine, le monoxyde de carbone et d'autres substances toxiques présentes dans la fumée de cigarette, de même que des médicaments vendus sur ordonnance et certaines drogues (p. ex., la marijuana, la cocaïne), traversent facilement le placenta **ENCADRÉ 5.6**.

Bien qu'il n'existe pas de contact direct entre le sang fœtal des vaisseaux des villosités choriales et le sang maternel des espaces intervilleux, une unique couche cellulaire les sépare, et des déchirures se produisent occasionnellement dans cette membrane placentaire. Des érythrocytes fœtaux s'échappent alors dans la circulation maternelle, et la mère peut produire des anticorps contre les globules rouges du fœtus. C'est souvent de cette façon qu'une femme Rh négatif devient sensibilisée aux érythrocytes Rh positif de son fœtus ▶ 24.

Le fonctionnement du placenta repose sur la pression sanguine maternelle assurant la circulation. Le sang artériel de la mère, sous pression dans les petites artères spiralées de l'utérus, jaillit dans les espaces intervilleux **FIGURE 5.13**. Tant que du sang artériel riche continue d'arriver, une pression s'exerce sur le sang qui est déjà présent dans les espaces intervilleux et le pousse vers les veines utérines de faible pression qui le draineront. À la fin de la grossesse, 10 % du débit cardiaque (D.C.) maternel sont destinés à l'utérus.

S'il y a une entrave à la circulation vers le placenta, celui-ci ne peut plus approvisionner l'embryon ou le fœtus. La vasoconstriction, causée par

ENCADRÉ 5.6 **Expositions toxiques pour le développement chez l'être humain**

- Acide valproïque
- Aminoptérine
- Androgènes
- Anticoagulants coumariniques
- Carbamazépine
- Cocaïne
- Cytomégalovirus
- Diéthylstilbestrol
- Éthanol (> 1 consommation/jour)
- Étrétinate
- Fumée de cigarette
- Hyperthermie
- Inhibiteurs de l'enzyme de conversion de l'angiotensine
- Iode radioactif
- Iodures
- Isotrétinoïne
- Lithium
- Méthimazole
- Méthylmercure
- Parvovirus B19
- Pénicillamine
- Phénytoïne
- Plomb
- Radiations ionisantes (> 10 rad)
- Rubéole
- Syphilis
- Tétracycline
- Thalidomide
- Toxoplasmose
- Triméthadione
- Varicelle

exemple par l'hypertension ou par la consommation de cocaïne, diminue le débit sanguin utérin. Une chute de la pression artérielle de la mère ou une réduction de son D.C. entraînent aussi une diminution du débit sanguin utérin.

Quand une femme est allongée sur le dos et que le poids de l'utérus comprime sa veine cave, le retour sanguin à l'oreillette droite s'en trouve réduit **FIGURE 5.14**. La circulation placentaire peut aussi être compromise si la mère pratique des exercices excessifs qui détournent son sang de l'utérus vers les muscles. La circulation optimale se réalise quand la femme est allongée sur le côté (décubitus latéral). La réduction de la circulation utérine peut entraîner un retard de croissance intra-utérin pour le fœtus et produire un nouveau-né qui est petit pour son âge gestationnel.

Les contractions de Braxton-Hicks semblent amplifier le mouvement du sang dans les espaces intervilleux, favorisant ainsi la circulation placentaire. Toutefois, des contractions prolongées ou des intervalles trop courts entre les contractions pendant le travail peuvent réduire le débit sanguin vers le placenta.

5.3.8 Période fœtale

La période fœtale va de la neuvième semaine (quand l'embryon devient reconnaissable en tant qu'être humain) jusqu'à la fin de la grossesse. Les modifications survenant pendant cette période ne sont pas aussi spectaculaires parce qu'il s'agit du perfectionnement des structures et du fonctionnement. Le **fœtus** est moins vulnérable aux agents tératogènes, sauf ceux qui touchent le fonctionnement du SNC.

La viabilité fait référence à la capacité du fœtus de survivre à l'extérieur de l'utérus. Autrefois, l'âge le plus jeune auquel on pouvait espérer une survie fœtale était de 28 semaines après la conception. Grâce à la technologie moderne et aux progrès des soins prodigués à la mère et aux nouveau-nés, la viabilité est maintenant possible environ 20 semaines après la conception (22 semaines depuis le premier jour des dernières règles; poids du fœtus de 500 g ou plus). Les limites de la survie hors de l'utérus sont imposées par le fonctionnement du SNC et par la capacité d'oxygénation des poumons.

Système respiratoire

Le développement du système respiratoire commence pendant la vie embryonnaire et se poursuit au cours de toute la vie fœtale et pendant l'enfance. Le développement des voies respiratoires s'amorce à la 4e semaine et se poursuit jusqu'à la 17e semaine par la formation du larynx, de la trachée, des bronches et des bourgeons pulmonaires. Entre la 16e et la 24e semaine, les bronches et les bronchioles terminales grossissent, les structures vasculaires et les alvéoles primitives se forment. De la 24e semaine à la naissance, des alvéoles supplémentaires se développent. Des cellules alvéolaires spécialisées, les pneumocytes de type I et de type II, sécrètent des surfactants pulmonaires pour tapisser l'intérieur des alvéoles. Après 32 semaines, il y a suffisamment de surfactant dans les alvéoles formées pour offrir au nouveau-né de bonnes chances de survie.

Jugement clinique

Madame Joëlle Lemire, âgée de 27 ans, est enceinte de 36 semaines de son premier enfant, et celui-ci prend de plus en plus de place dans son abdomen. Au cours de sa visite médicale, elle vous confie que seule la position couchée sur le dos lui procure quelques heures de sommeil.

Quelle intervention devriez-vous effectuer auprès de madame Lemire pour vous assurer que la circulation fœtale n'est pas compromise par la position sur le dos de la cliente?

Surfactants pulmonaires

La recherche de surfactants pulmonaires (phospholipides tensioactifs) dans le liquide amniotique est utilisée pour déterminer le degré de maturité des poumons du fœtus ou leur capacité de fonctionner après la naissance. La lécithine est le surfactant alvéolaire dont la présence est la plus critique pour l'expansion des poumons après la naissance. Elle est décelable à la 21e semaine environ, et sa quantité augmente après la 24e semaine. Les quantités d'un autre phospholipide pulmonaire, la sphingomyéline, demeurent constantes. Il est, par conséquent, indiqué d'utiliser la mesure de la quantité de lécithine par rapport à la sphingomyéline, le rapport L/S, pour déterminer la maturité des poumons du fœtus. Quand le rapport L/S atteint 2:1, on considère que les poumons ont atteint leur maturité, ce qui se produit approximativement après 35 semaines de gestation.

Certaines affections maternelles qui provoquent une réduction du débit sanguin placentaire de la mère, comme l'hypertension, le dysfonctionnement du placenta, l'infection ou l'usage de corticostéroïdes, accélèrent la maturation des poumons. Ce processus est apparemment causé par l'hypoxie fœtale résultante qui impose une contrainte au fœtus et augmente ses taux sanguins de corticostéroïdes qui accélèrent le développement des alvéoles et du surfactant.

Des affections comme le diabète gestationnel et la glomérulonéphrite chronique peuvent retarder la maturation des poumons du fœtus. L'utilisation intrabronchique de surfactant synthétique pour le traitement de la détresse respiratoire du nouveau-né a grandement amélioré les chances de survie des prématurés.

Des mouvements respiratoires chez le fœtus sont observés par échographie dès la 11e semaine. Ces mouvements pourraient favoriser le développement des muscles de la paroi thoracique et réguler le volume de liquide des poumons. Les poumons du fœtus produisent un liquide qui dilate leurs espaces aériens. Ce liquide s'écoule dans le liquide amniotique ou est avalé par le fœtus.

Une illustration animée de la circulation fœtale est présentée à l'adresse www.embryology.ch/francais/pcardio/umstellung01.html.

La sécrétion de liquide pulmonaire diminue avant la naissance. Le mécanisme normal de la naissance permet l'expulsion d'environ le tiers du liquide. Les enfants nés par césarienne ne bénéficient pas de cette expulsion forcée par la pression ; c'est pourquoi ils peuvent éprouver plus de difficultés respiratoires à la naissance. Normalement, le liquide qui demeure dans les poumons à la naissance est réabsorbé dans la circulation sanguine du nouveau-né en deux heures environ.

Système cardiovasculaire

Le système cardiovasculaire est le premier système à fonctionner chez l'être humain en développement. La formation des vaisseaux sanguins et des cellules sanguines débute dans la troisième semaine et permet l'approvisionnement de l'embryon en oxygène et en nutriments provenant de la mère. À la fin de la troisième semaine, le cœur tubulaire commence à battre, et le système cardiovasculaire primitif relie l'embryon, le pédicule embryonnaire, le chorion et le sac vitellin. Pendant la quatrième et la cinquième semaine, le cœur se transforme en un organe composé de quatre cavités. À la fin de la période embryonnaire, son développement est complet.

Les poumons du fœtus ne participant pas aux échanges de gaz respiratoires, une voie circulatoire spéciale, le conduit artériel, dévie le sang des poumons. Le sang riche en oxygène provenant du placenta s'écoule rapidement vers l'abdomen du fœtus par la veine ombilicale **FIGURE 5.14**. Quand celle-ci rejoint le foie, elle se divise en deux branches. L'une d'elles distribue du sang oxygéné au foie, mais la plus grande partie du sang passe par le conduit veineux (d'Arantius) pour rejoindre la veine cave inférieure. Ce sang se mélange alors avec le sang désoxygéné qui revient des jambes et de l'abdomen du fœtus et qui se dirige vers l'oreillette droite. La plus grande partie du sang qui arrive à l'oreillette droite passe directement dans l'oreillette gauche en empruntant le foramen ovale qui perce la cloison entre les oreillettes. Là, il se mélange avec la petite quantité de sang désoxygéné qui revient des poumons fœtaux par les veines pulmonaires.

Le sang s'écoule ensuite dans le ventricule gauche et est pompé dans l'aorte, où les artères qui irriguent le cœur, la tête, le cou et les bras reçoivent la plus grande partie de ce sang riche en oxygène. Ce mode de distribution des quantités plus élevées d'oxygène et de nutriments à la tête, au cou et aux bras favorise le développement céphalocaudal (de la tête vers le coccyx) de l'embryon et du fœtus.

Le sang désoxygéné revenant de la tête et des bras pénètre dans l'oreillette droite par la veine cave supérieure et se dirige vers le bas dans le ventricule droit, d'où il est pompé dans le tronc pulmonaire. Une petite partie du sang se dirige vers le tissu pulmonaire qui oppose une résistance, mais la plus grande partie suit le chemin de moindre résistance en empruntant le conduit artériel qui rejoint l'aorte distalement au point de sortie des artères qui distribuent le sang oxygéné à la tête et aux bras. Ce sang pauvre en oxygène se mêle à celui qui reste dans l'aorte à ce niveau ; il circule ensuite de l'aorte abdominale aux artères iliaques communes puis aux artères iliaques internes et externes. Le sang des artères iliaques internes se dirige par la suite vers les artères ombilicales qui en acheminent la majeure partie vers le placenta par le cordon ombilical. Là, le sang cède ses déchets et son dioxyde de carbone en échange de nutriments et d'oxygène. Le sang qui reste dans les artères iliaques circule dans l'abdomen et les jambes du fœtus et finit par revenir au cœur par la veine cave inférieure.

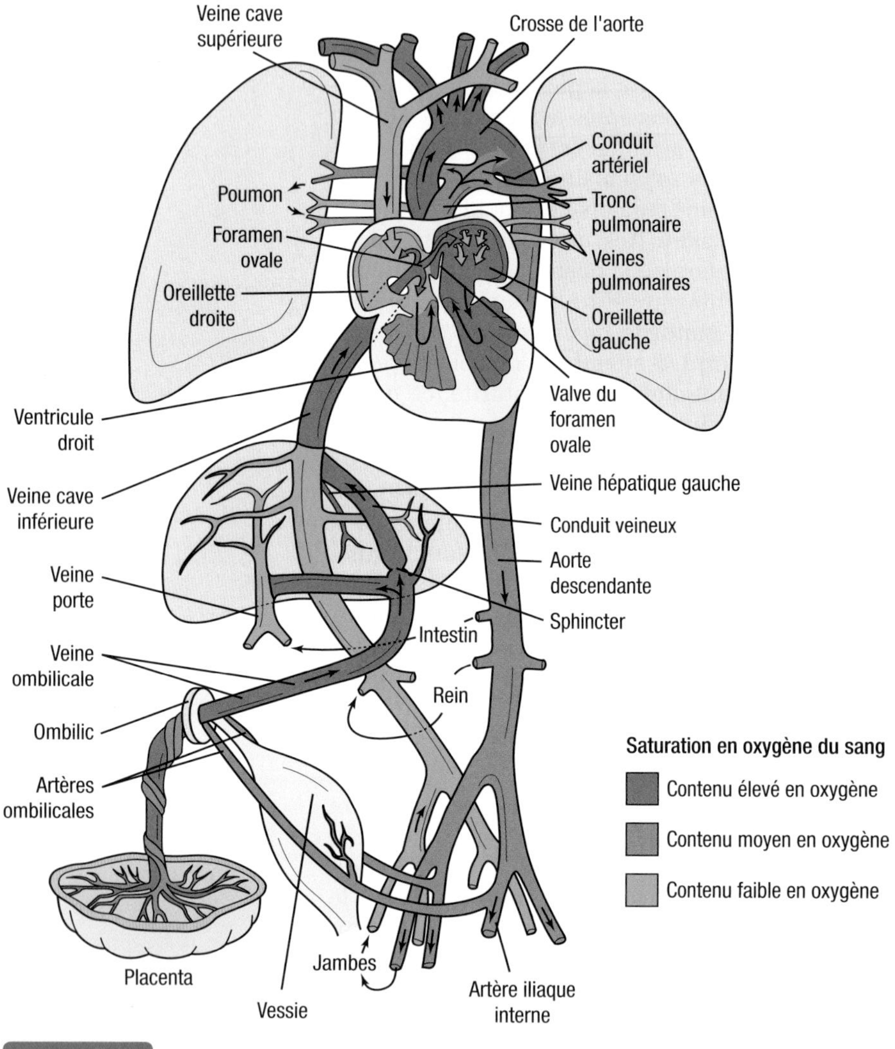

FIGURE 5.14

Représentation schématique de la circulation fœtale. Les couleurs indiquent la saturation du sang en oxygène, et les flèches montrent le trajet du sang entre le placenta et le cœur. Les organes ne sont pas représentés à l'échelle. Remarquer les trois dérivations qui permettent à la plus grande partie du sang de contourner le foie et les poumons : 1) le conduit veineux ; 2) le foramen ovale ; 3) le conduit artériel. Le sang faiblement oxygéné retourne au placenta par les artères ombilicales pour y puiser l'oxygène et les nutriments.

Les trois particularités suivantes permettent au fœtus de se procurer suffisamment d'oxygène à partir du sang maternel :

- l'hémoglobine fœtale transporte de 20 à 30 % plus d'oxygène que l'hémoglobine maternelle ;
- la concentration en hémoglobine du fœtus est d'environ 50 % plus élevée que celle de la mère ;
- la fréquence cardiaque (F.C.) du fœtus est de 110 à 160 battements par minute, de sorte que son D.C. par unité de poids corporel est plus élevé que celui d'un adulte.

Système hématopoïétique

L'hématopoïèse, soit la formation du sang, se réalise dans le sac vitellin **FIGURE 5.9B** à partir de la troisième semaine. Les cellules souches hématopoïétiques s'implantent dans le foie du fœtus pendant la cinquième semaine, et l'hématopoïèse y commence pendant la sixième semaine. Ce phénomène explique la taille relativement importante du foie entre la septième et la neuvième semaine. Les cellules souches ensemencent la moelle osseuse du fœtus, la rate, le thymus et les nœuds lymphatiques entre la 8e et la 11e semaine.

Les facteurs antigéniques qui déterminent les groupes sanguins sont présents sur les érythrocytes peu après la sixième semaine. C'est pour cette raison qu'une femme Rh négatif risque d'acquérir une iso-immunisation dans toute grossesse qui dure plus de six semaines après la fécondation.

Système hépatique

Le foie et les voies biliaires se développent à partir de l'intestin antérieur pendant la quatrième semaine de gestation. L'hématopoïèse y commence pendant la sixième semaine, et le foie doit alors être volumineux. Le foie embryonnaire est saillant et occupe la plus grande partie de la cavité abdominale. La bile, un constituant du méconium, commence à se former au cours de la 12e semaine.

Le glycogène est entreposé dans le foie fœtal à partir de la 9e ou de la 10e semaine. Au terme de la grossesse, les réserves de glycogène sont deux fois plus importantes que celles de l'adulte. Le glycogène est la principale source d'énergie pour le fœtus et pour le nouveau-né soumis à la contrainte imposée par l'hypoxie utérine, la perte de l'approvisionnement maternel en glucose, l'effort de la respiration et le froid. Le fer est aussi entreposé dans le foie du fœtus. Si l'apport maternel est suffisant, le fœtus peut emmagasiner suffisamment de fer pour subvenir à ses besoins pendant cinq mois après la naissance.

Pendant la vie fœtale, le foie n'est pas tenu de conjuguer la bilirubine pour en assurer l'excrétion parce que le placenta se charge d'éliminer la bilirubine libre. Par conséquent, l'enzyme glucuronyltransférase nécessaire pour la conjugaison est présente dans le foie fœtal en quantités moindres que celles qui sont exigées après la naissance. Cela prédispose le nouveau-né, et plus particulièrement le prématuré, à l'hyperbilirubinémie ▶ 17.

Le foie du fœtus ne peut synthétiser les facteurs de coagulation II, VII, IX et X en raison de l'absence de synthèse de vitamine K dans son intestin stérile. Cette déficience de la coagulation persiste pendant plusieurs jours après la naissance et justifie l'administration prophylactique de vitamine K au nouveau-né.

Système digestif

Pendant la quatrième semaine, l'embryon passe d'une forme presque droite à une forme incurvée quand ses deux extrémités se replient vers sa surface ventrale. Une portion du sac vitellin se trouve ainsi incorporée dans toute la longueur du corps et forme l'intestin primitif (système digestif).

L'intestin antérieur est à l'origine du pharynx, d'une partie des voies respiratoires inférieures, de l'œsophage, de l'estomac, de la première moitié du duodénum, du foie, du pancréas et de la vésicule biliaire. Ces structures se forment pendant la cinquième et la sixième semaine. Les malformations pouvant survenir dans ces régions comprennent l'atrésie de l'œsophage, la sténose hypertrophique du pylore, la sténose ou l'atrésie du duodénum et l'atrésie des voies biliaires.

L'intestin moyen donne la moitié distale du duodénum, le jéjunum et l'iléum, le cæcum et l'appendice, ainsi que la moitié proximale du côlon. L'anse intestinale primitive se projette dans le cordon ombilical entre la 5e et la 10e semaine. L'omphalocèle est une malformation qui apparaît si l'intestin moyen ne réintègre pas la cavité abdominale, de sorte que les intestins font saillie dans l'ombilic. Le diverticule de Meckel est la malformation la plus fréquente de l'intestin moyen. Il se présente lorsqu'un vestige du canal vitellin qui n'a pas dégénéré reste attaché à l'iléum pour former un sac aveugle.

L'intestin postérieur donne naissance à la moitié distale du côlon, au rectum et à des parties du canal anal, de la vessie et de l'urètre. Les malformations anorectales sont les anomalies les plus courantes du système digestif.

Le fœtus avale du liquide amniotique à partir du cinquième mois. La vidange gastrique et le péristaltisme intestinal sont présents. La nutrition du fœtus et l'élimination sont des fonctions du placenta. À mesure que le fœtus approche du terme, ses produits de déchet s'accumulent dans l'intestin sous forme de méconium, une substance à l'apparence goudronneuse allant d'un vert sombre au noir. Cette substance est normalement éliminée par le rectum en 24 heures après la naissance. Il arrive parfois, s'il y a une présentation du siège ou une hypoxie fœtale, que du méconium se retrouve dans le liquide amniotique. Si le méconium n'est pas évacué après la naissance, cela peut indiquer qu'il

17

Le traitement de l'hyperbilirubinémie chez le nouveau-né est décrit dans le chapitre 17, *Évaluation et soins du nouveau-né et de la famille*.

Le site National Institutes of Health Stem Cell Information présente des renseignements au sujet des cellules souches : http://stemcells.nih.gov.

24

L'imperforation anale et les autres maladies congénitales sont décrites et illustrées dans le chapitre 24, *Nouveau-né à risque*.

y a une atrésie le long du tube digestif, une imperforation de l'anus ou un iléus méconial, auquel cas un bouchon solide de méconium bloque le passage (observé chez les nouveau-nés atteints de fibrose kystique) ▶ 24.

Le taux métabolique du fœtus est relativement bas, mais le nouveau-né a des besoins importants pour sa croissance et son développement. À partir de la neuvième semaine, le fœtus synthétise du glycogène afin de l'entreposer dans son foie. Entre la 20e et la 30e semaine, il commence à accumuler des réserves de tissu adipeux brun en préparation du stress imposé par le froid extra-utérin. La thermorégulation du nouveau-né exige un métabolisme accru et une oxygénation adéquate.

Le système digestif atteint sa maturité à la 36e semaine. Les enzymes digestives sont présentes en quantité suffisante pour permettre la digestion, à l'exception de l'amylase et de la lipase pancréatiques. Le nouveau-né ne peut donc digérer efficacement les amidons et les graisses, et il produit peu de salive.

Système urinaire

Les reins se forment pendant la cinquième semaine et commencent à fonctionner environ quatre semaines plus tard. L'urine est évacuée dans le liquide amniotique et représente une partie importante de son volume. L'oligoamnios est une indication de dysfonctionnement rénal. Étant donné que le placenta fait fonction d'organe excréteur et maintient l'équilibre hydroélectrolytique du fœtus, celui-ci n'a pas besoin de reins fonctionnels tant qu'il est dans l'utérus. À la naissance toutefois, les reins doivent remplir immédiatement leurs fonctions d'excrétion et de régulation de l'équilibre acidobasique.

Il est possible de diagnostiquer *in utero* une malformation rénale. Une chirurgie fœtale correctrice ou palliative peut réparer la malformation avec succès ; sinon, il faut planifier un traitement qui sera mis en œuvre immédiatement après la naissance.

Au terme de la grossesse, les reins du fœtus sont complètement formés. Le taux de filtration glomérulaire est toutefois faible, et les reins n'ont pas la capacité de concentrer l'urine. C'est ce qui rend le nouveau-né plus vulnérable à l'hyperhydratation et à la déshydratation.

La plupart des nouveau-nés urinent dans les 24 heures qui suivent la naissance. L'ingestion de liquide amniotique cessant et le métabolisme des nutriments n'étant plus assumé par le placenta, les mictions sont espacées pendant les premiers jours de la vie, jusqu'à ce que l'apport hydrique augmente.

Jugement clinique

Madame Félicia Morales, âgée de 23 ans, va accoucher dans quelques heures. On sait qu'il y a peu de liquide amniotique dans l'utérus de la cliente. Après l'accouchement, le médecin vous demande de surveiller les mictions du nouveau-né.

Quelle est la raison de cette demande ?

Système nerveux

Le système nerveux se développe à partir de l'ectoderme pendant la troisième semaine qui suit la fécondation. Un tube neural ouvert se forme pendant la quatrième semaine. Il se ferme d'abord au niveau de ce qui deviendra la jonction entre l'encéphale et la moelle épinière, laissant ses deux extrémités ouvertes. L'embryon se replie sur lui même à ce moment, ce qui forme à cette jonction une courbure dans le tube neural. L'extrémité crâniale du tube neural se referme, puis son extrémité caudale. Pendant la cinquième semaine, des taux de croissance différents provoquent d'autres courbures du tube neural et définissent trois régions cérébrales : le cerveau antérieur, le cerveau moyen et le cerveau postérieur.

Le cerveau antérieur se développe pour donner les yeux (nerf crânien II) et les hémisphères cérébraux. La formation de toutes les régions du cortex cérébral se poursuit pendant la vie fœtale et au cours de l'enfance. Le système olfactif (nerf crânien I) et le thalamus tirent aussi leur origine du cerveau antérieur. Les nerfs crâniens III et IV (oculomoteur et trochléaire) se forment à partir du cerveau moyen. Le cerveau postérieur est à l'origine du bulbe rachidien, du pont, du cervelet et des autres nerfs crâniens. Des ondes cérébrales peuvent être enregistrées par électroencéphalographie dès la huitième semaine.

La moelle épinière se forme à partir de la longue extrémité du tube neural. Une autre structure ectodermique, la crête neurale, se développe pour former le système nerveux périphérique. À la huitième semaine, des fibres nerveuses parcourent l'ensemble du corps. À la 11e ou à la 12e semaine, le fœtus fait des mouvements respiratoires, bouge tous ses membres et change de position dans l'utérus. Il peut sucer son pouce, nager dans le liquide amniotique et faire des culbutes ; certains de ces mouvements provoquent parfois la formation de nœuds dans le cordon ombilical. Les mouvements deviennent plus rapides entre la 16e et la 20e semaine, quand ils sont suffisamment forts pour être perçus par la mère. La femme multipare perçoit ces mouvements plus tôt que la primipare. La mère devient aussi consciente des cycles veille/sommeil du fœtus.

Perception sensorielle

Le fœtus fait des mouvements intentionnels en réaction à un toucher ferme transmis à travers l'abdomen de sa mère. Étant donné qu'il a des sensations, le fœtus doit être anesthésié en cas d'intervention intra-utérine effractive.

Les fœtus réagissent au son à partir de la 24e semaine. Divers types de musique provoquent des mouvements différents. Le fœtus peut être apaisé par le son de la voix de sa mère. Une stimulation acoustique peut être utilisée pour provoquer une modification de la F.C. du fœtus. Celui-ci s'habitue aux bruits qu'il entend à répétition. L'audition est complètement fonctionnelle à la naissance **FIGURE 5.15**.

Le fœtus est capable de distinguer les goûts. Pendant le cinquième mois, quand le fœtus avale du liquide amniotique, il déglutira plus rapidement si un édulcorant a été ajouté au liquide. Le fœtus réagit aussi aux changements de température. L'introduction d'une solution froide dans le liquide amniotique peut l'amener à hoqueter.

Le fœtus peut voir. La rétine des yeux a des cônes et des bâtonnets dès le septième mois. Une lumière vive dirigée vers le ventre de la mère à la fin de la grossesse provoque des mouvements brusques du fœtus. Pendant ses périodes de sommeil, des périodes de mouvements oculaires rapides semblables à celles des enfants et des adultes lorsqu'ils rêvent ont pu être observées.

Arrivé à terme, l'encéphale du fœtus a environ le quart de la taille de celui d'un adulte. Le développement neurologique se poursuit ensuite. Les agents stressants touchant le fœtus et le nouveau-né (p. ex., la mauvaise alimentation chronique ou l'hypoxie, les drogues, les toxines environnementales, un trauma, la maladie) causent des dommages au SNC longtemps après la fin de la période embryonnaire pendant laquelle les autres systèmes sont vulnérables aux malformations. Une agression neurologique peut entraîner une infirmité motrice cérébrale, une atteinte neuromusculaire, une déficience intellectuelle et des troubles d'apprentissage.

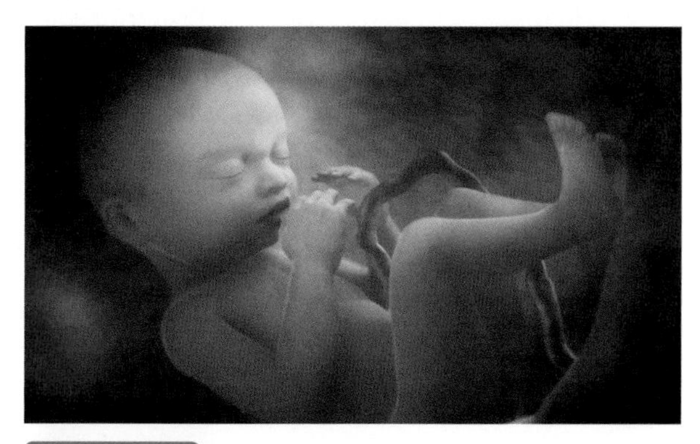

FIGURE 5.15
À partir de la 24e semaine de grossesse, le fœtus est assez développé pour réagir aux sons.

Système endocrinien

La glande thyroïde se développe en même temps que les structures de la tête et du cou pendant la troisième et la quatrième semaine. La sécrétion de thyroxine débute pendant la huitième semaine. La thyroxine maternelle ne traverse pas facilement le placenta ; par conséquent, si un fœtus ne fabrique pas d'hormones thyroïdiennes, il sera atteint à la naissance d'hypothyroïdie congénitale. Si celle-ci n'est pas traitée, elle peut provoquer une déficience intellectuelle majeure. La détection de l'hypothyroïdie fait généralement partie des tests pratiqués au moment du dépistage de la phénylcétonurie après la naissance.

Le cortex surrénal se forme pendant la sixième semaine et produit des hormones à compter de la huitième ou de la neuvième semaine. À mesure que le terme de la grossesse approche, le fœtus fabrique plus de cortisol. On croit que cette hormone contribue au déclenchement du travail en diminuant la progestérone maternelle et en stimulant la production de prostaglandines.

Le pancréas se forme à partir de l'intestin antérieur de la cinquième à la huitième semaine. Les îlots de Langerhans se développent pendant la 12e semaine, et l'insuline est produite à compter de la 20e semaine. Chez l'enfant d'une femme dont le diabète n'est pas maîtrisé, l'hyperglycémie maternelle entraîne l'hyperglycémie fœtale, ce qui provoque une hyperinsulinémie et l'hyperplasie des cellules insulaires. Le fœtus est alors atteint de macrosomie (poids de naissance élevé). L'hyperinsulinémie bloque également la maturation des poumons, ce qui rend le nouveau-né susceptible de souffrir de détresse respiratoire ; il risque également de faire de l'hypoglycémie quand la source maternelle de glucose disparaît à la naissance. La gestion maternelle du taux de glucose avant et pendant la grossesse réduit au minimum les problèmes pour le fœtus et le nouveau-né.

Appareil reproducteur

La différenciation sexuelle commence chez l'embryon pendant la septième semaine. Il est impossible de différencier les organes génitaux externes féminins et masculins jusqu'après la neuvième semaine. Les caractéristiques distinctives apparaissent autour de la 9e semaine et sont complètement définies à la 12e semaine. Des testicules se forment si un chromosome Y est présent. À la fin de la période embryonnaire, la testostérone est sécrétée, et elle entraîne la formation d'organes génitaux masculins. À la 28e semaine, les testicules commencent à descendre dans le scrotum. Après la naissance, de faibles taux de testostérone sont encore sécrétés jusqu'à la poussée pubertaire.

Le fœtus de sexe féminin, avec ses deux chromosomes X, développe des ovaires et des organes génitaux externes féminins. À la 16e semaine, l'ovogenèse a débuté. À la naissance, les ovaires renferment la réserve d'ovocytes pour toute la vie de la femme. La plus grande partie de la production d'hormones féminines ne commence qu'à la puberté. L'endomètre fœtal réagit toutefois aux hormones maternelles, et il peut y avoir une métrorragie de privation ou un écoulement vaginal (pseudo-menstruation) à la naissance quand il y a retrait des hormones maternelles. Le taux élevé d'œstrogènes maternels stimule aussi l'engorgement mammaire et la sécrétion de liquide (lait des nouveau-nés) chez les nouveau-nés des deux sexes.

Système musculosquelettique

Les os et les muscles se développent à partir du mésoderme dès la quatrième semaine de la période embryonnaire. À ce moment, le muscle cardiaque bat déjà. Le mésoderme adjacent au tube neural forme la colonne vertébrale et les côtes. Les parties de la colonne vertébrale croissent l'une vers l'autre pour entourer la moelle épinière en développement. L'ossification, c'est-à-dire la formation des os, débute. Si la fusion osseuse ne se fait pas normalement, des formes variées de spina-bifida peuvent se présenter. Une anomalie importante touchant plusieurs vertèbres permet aux membranes et à la moelle épinière de faire saillie dans le dos, entraînant des déficits neurologiques et des malformations squelettiques.

Les os plats de la tête croissent au cours de la période embryonnaire, et leur ossification se poursuit pendant toute l'enfance. À la naissance, des sutures de tissu conjonctif sont présentes aux endroits où les os du crâne se rejoignent. Les zones où plus de deux os se rejoignent (appelées fontanelles) sont particulièrement marquées. Les sutures souples et les fontanelles permettent aux os du crâne de se modeler ou de se déplacer pendant l'accouchement pour faciliter le passage de la tête à travers la filière pelvigénitale.

Les os des épaules, des bras, des hanches et des jambes apparaissent dans la sixième semaine sous la forme d'un squelette continu sans articulations. La différenciation se déroule ensuite et produit des os et des articulations distincts. L'ossification se poursuivra pendant toute l'enfance pour permettre la croissance. Les muscles se contractent spontanément à partir de la septième semaine. Les mouvements des bras et des jambes sont visibles à l'échographie, même si la mère ne les perçoit pas avant un moment qui se situe entre la 16e et la 20e semaine.

Système tégumentaire

L'épiderme apparaît d'abord à la quatrième semaine comme une couche unique de cellules dérivées de l'ectoderme. À la septième semaine, deux couches de cellules se sont formées. Les cellules de la couche superficielle de l'épiderme se détachent et se mêlent avec les sécrétions des glandes sébacées pour former l'enduit blanc et caséeux appelé **vernix caseosa** qui protège la peau du fœtus. À 24 semaines, le vernix est épais, mais il sera peu abondant au moment de la naissance.

La couche basale de l'épiderme est une couche germinative qui remplace les cellules perdues. Jusqu'à la 17e semaine, la peau est mince et ridée, et elle laisse voir les vaisseaux sanguins sous-jacents. La peau s'épaissit ensuite, et toutes les couches sont présentes à la naissance. Après 32 semaines, à mesure que de la graisse sous-cutanée se dépose sous le derme, l'apparence de la peau devient moins ridée et moins rouge.

À la 16e semaine, les crêtes épidermiques sont présentes sur la paume des mains, les doigts, la plante des pieds et les orteils. Les dessins qu'elles forment sont uniques à chaque fœtus.

Les poils se forment à partir des bulbes pileux de l'épiderme qui se projettent dans le derme. Les cellules du bulbe pileux se kératinisent pour former la tige du poil. À mesure que les cellules de la base de la tige du poil prolifèrent, le poil pousse jusqu'à la surface de l'épithélium. Des poils très fins appelés **lanugo** apparaissent d'abord à la 12e semaine sur les sourcils et la lèvre supérieure. À 20 semaines, ils couvrent tout le corps. À ce moment, les cils, les sourcils et les cheveux commencent à pousser. À 28 semaines, les poils du cuir chevelu sont plus longs que le lanugo, qui s'éclaircit et qui peut avoir disparu à la naissance.

Les ongles se développent à compter de la 10e semaine à partir de l'épiderme épaissi de l'extrémité des doigts et des orteils. Ils poussent lentement. Les ongles atteignent l'extrémité des doigts à 32 semaines et celle des orteils à 36 semaines.

Système immunitaire

L'albumine et la globuline sont présentes chez le fœtus durant le troisième trimestre. L'IgG est la seule immunoglobuline qui traverse le placenta ; elle confère une immunité acquise passive contre des toxines bactériennes précises. Le fœtus fabrique des immunoglobulines IgM à la fin du premier trimestre. Ces immunoglobulines sont produites en réaction aux antigènes des groupes sanguins, aux organismes entériques Gram négatifs et à certains virus. Le fœtus ne produit pas d'immunoglobulines IgA ; toutefois, le colostrum, qui est le précurseur du lait maternel, en contient de grandes quantités, et il peut conférer une immunité passive au nouveau-né allaité.

L'enfant né à terme peut combattre l'infection, mais pas aussi efficacement qu'un enfant plus âgé. Le prématuré court beaucoup plus de risques d'infection. Un résumé du développement embryonnaire et fœtal est proposé dans l'encart inséré dans ce chapitre.

5.3.9 Grossesses multiples

Jumeaux

Les grossesses gémellaires se produisent dans 1 naissance sur 43 (Benirschke, 2009). Au Canada, le nombre de grossesses multiples a augmenté de façon soutenue depuis le début des années 1980 (Procréation assistée Canada, 2011). Cet accroissement est attribué à l'âge plus avancé de la mère à la naissance et au recours à la procréation médicalement assistée.

Jumeaux dizygotes

Lorsque deux ovules matures sont produits dans un cycle ovarien, les deux ont la possibilité d'être fécondés par des spermatozoïdes différents. Il en résulte deux zygotes, et des jumeaux qu'on dit dizygotes **FIGURE 5.16**. Dans tous les cas, il y a alors deux amnios, deux chorions et deux placentas qui peuvent fusionner. Ces jumeaux dizygotes (ou jumeaux fraternels) peuvent être du même sexe ou de sexes différents, et ils ne sont pas plus semblables sur le plan génétique que des frères ou sœurs nés à l'occasion de grossesses différentes. La gémellité dizygote s'observe dans une même famille, plus fréquemment chez les femmes d'origine africaine que chez les Blanches, et moins souvent chez les femmes d'origine asiatique. Sa fréquence augmente avec l'âge maternel (à partir de 35 ans), avec le nombre d'enfants que la femme a déjà eus et avec l'usage de médicaments inducteurs de l'ovulation.

Jumeaux monozygotes

Les jumeaux monozygotes (ou vrais jumeaux) se développent à partir d'un unique ovule fécondé qui se divise par la suite **FIGURE 5.17**. Ils sont du même sexe et partagent le même génotype. Si la division se produit peu de temps après la fécondation, il se développe deux embryons, deux amnios, deux chorions et deux placentas qui peuvent fusionner. Il arrive plus fréquemment que la division se fasse entre quatre et huit jours après la fécondation, ce qui produit deux embryons, deux amnios, un chorion et un placenta. Rarement, la division se produit après le huitième jour qui suit la fécondation. Dans ce cas, les deux embryons se retrouvent à l'intérieur d'un amnios et d'un chorion communs, avec un seul placenta. Cette situation entraîne souvent des problèmes circulatoires parce que les cordons ombilicaux peuvent s'emmêler, et l'un des fœtus, ou les deux, peut mourir. Si la division se produit très tardivement, il est possible que la segmentation soit incomplète et qu'on se trouve en présence de jumeaux conjoints ou siamois **FIGURE 5.17C**. Le taux de gémellité monozygote se situe entre 3,5 et 4 par 1 000 naissances (Benirschke, 2009). Aucun lien entre la gémellité monozygote et l'origine ethnique, l'hérédité, l'âge de la mère ou le nombre d'enfants qu'elle a eu n'a été découvert jusqu' à présent. L'usage de médicaments inducteurs de l'ovulation augmente le nombre de gémellités monozygotes.

Autres grossesses multiples

La fréquence de grossesses multiples mettant en cause trois fœtus ou plus a augmenté avec l'usage de médicaments inducteurs de l'ovulation et avec la fécondation *in vitro*. Les naissances triples se produisent environ 1 fois toutes les 1 341 naissances (Benirschke, 2009). Elles peuvent résulter de la division d'un zygote suivie de la division subséquente de l'un des deux préembryons, ce qui produit des triplés identiques. Les triplés peuvent aussi venir de deux zygotes dont l'un s'est divisé, ce qui donne un couple de vrais jumeaux et un jumeau fraternel, ou encore venir de trois zygotes. De telles possibilités existent aussi pour les quadruplés, les quintuplés, les sextuplés, etc.

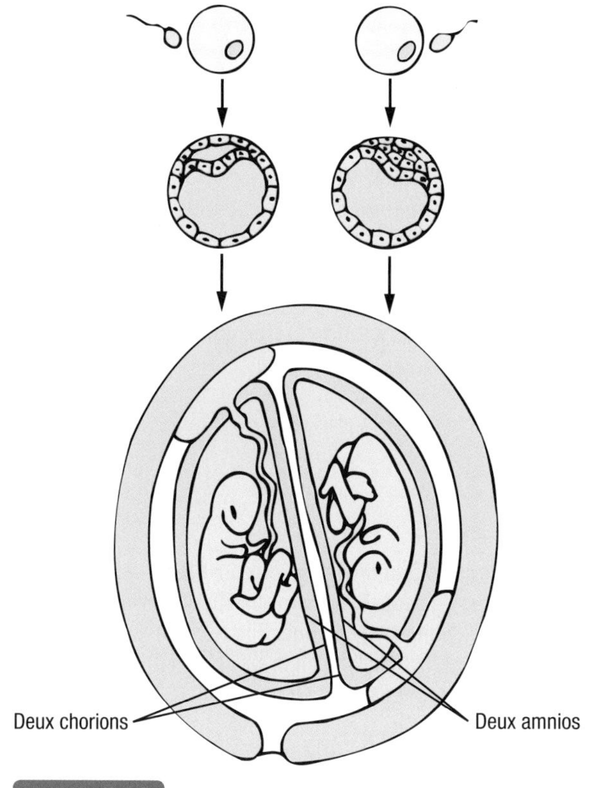

FIGURE 5.16
Formation de jumeaux dizygotes, montrant la fécondation de deux ovules, deux implantations, deux placentas, deux chorions et deux amnios

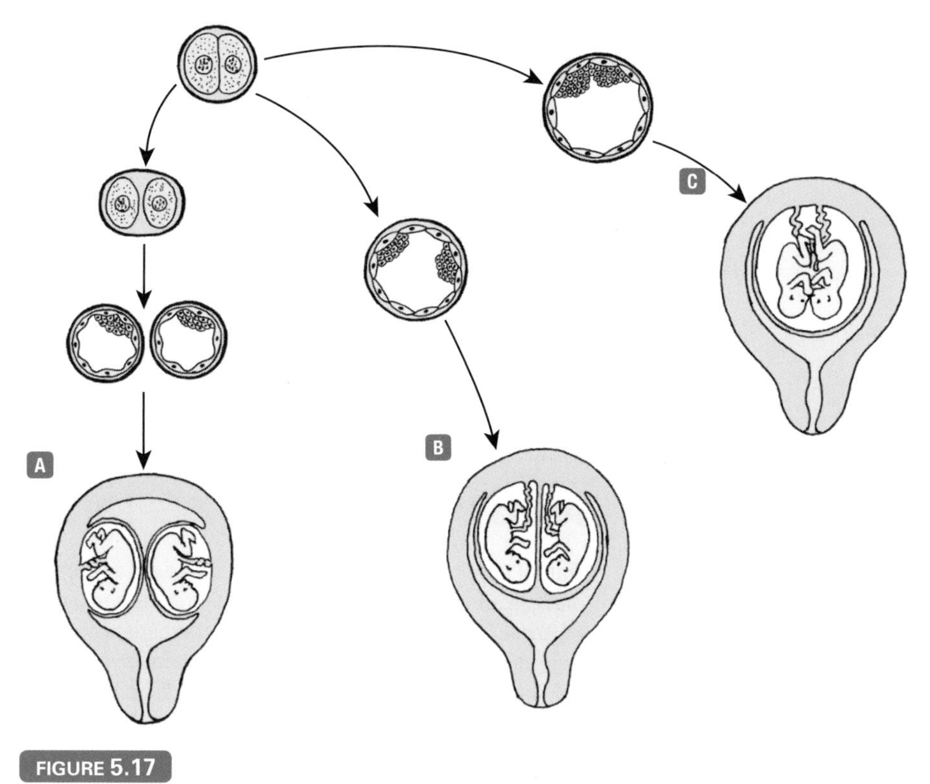

FIGURE 5.17
Formation de jumeaux monozygotes. **A** Les blastomères se séparent, les deux blastocystes s'implantent, et il y a formation de deux placentas et de deux ensembles de membranes. **B** Un blastocyste avec deux embryoblastes, un placenta fusionné, un chorion et des amnios séparés. **C** Un blastocyste avec séparation incomplète de l'embryoblaste produisant des jumeaux siamois.

Analyse d'une situation de santé

Jugement clinique

Madame Christina Grecu, d'origine roumaine, et monsieur Géraud Lefort, immigré français, sont âgés respectivement de 28 ans et de 29 ans. Ils sont en couple depuis deux ans. Puisque le frère de Christina est atteint de la dystrophie musculaire de Duchenne, ils désirent obtenir une estimation du risque qu'ils encourent d'avoir un enfant atteint de cette maladie avant de prendre la décision de fonder leur propre famille. Ils se présentent à la clinique de leur quartier pour un dépistage génétique. ▶

MISE EN ŒUVRE DE LA DÉMARCHE DE SOINS

Collecte des données – Évaluation initiale – Analyse et interprétation

1. Nommez les quatre éléments dont vous devez tenir compte au moment de l'évaluation des antécédents familiaux de madame Grecu.
2. Quel test pourra confirmer si madame Grecu est porteuse de la dystrophie musculaire de Duchenne ?
3. Vous expliquez au couple que la maladie dont souffre le frère de madame Grecu est liée au sexe, sur un gène récessif. Sur quel chromosome pourra-t-on découvrir la mutation ?

SOLUTIONNAIRE

www.cheneliere.ca/lowdermilk

▶ Le résultat du test de dépistage génétique indique que madame Grecu est hétérozygote pour le trait de la dystrophie musculaire de Duchenne. ◀

MISE EN ŒUVRE DE LA DÉMARCHE DE SOINS

4. Quelle réaction madame Grecu peut-elle présenter concernant la probabilité de transmettre la dystrophie musculaire de Duchenne à ses enfants ?

Planification des interventions – Décisions infirmières

5. Au cours des rencontres avec le couple Grecu-Lefort, quelle serait la meilleure attitude à adopter pour accompagner les conjoints dans la prise de décision d'avoir ou non des enfants ?
6. Nommez deux interventions qui permettraient à madame Grecu de réduire son sentiment de culpabilité et d'augmenter graduellement les sentiments positifs d'estime de soi.

Évaluation des résultats – Évaluation en cours d'évolution

7. À l'occasion d'une éventuelle visite subséquente, que sera-t-il important de vérifier concernant l'état psychologique de madame Grecu ?

APPLICATION DE LA PENSÉE CRITIQUE

Dans l'application de la démarche de soins auprès de madame Grecu et de monsieur Lefort, l'infirmière a recours à un ensemble d'éléments (connaissances, expériences antérieures, normes institutionnelles ou protocoles, attitudes professionnelles) pour analyser la situation de santé des clients et en comprendre les enjeux. La **FIGURE 5.18** illustre le processus de pensée critique suivi par l'infirmière afin de formuler son jugement clinique. Elle résume les principaux éléments sur lesquels l'infirmière s'appuie en fonction des données de ces clients, mais elle n'est pas exhaustive.

VERS UN JUGEMENT CLINIQUE

CONNAISSANCES
- Terminologie de la génétique humaine
- Tendances de l'hérédité biologique et variations
- Valeur de l'identification des variations génétiques associées aux maladies
- Importance des antécédents familiaux (trois générations) pour évaluer la prédisposition aux maladies
- Rôle des facteurs génétiques dans le maintien de la santé et la prévention des maladies
- Principe guidant le counseling génétique
- Considérations éthiques en regard de la génétique
- Mode de transmission d'une maladie génétique

EXPÉRIENCES
- Expérience personnelle d'utilisation de test de dépistage génétique
- Expérience d'utilisation des divers tests de dépistage génétiques
- Expérience dans l'interprétation des tests de dépistage génétiques
- Expérience auprès de personnes ou de familles aux prises avec une maladie héréditaire
- Expérience en counseling génétique

NORME
- Respect de l'article 15 du Code de déontologie de l'Ordre des infirmières et infirmiers du Québec portant sur l'intégrité professionnelle; des articles 28, 29 et 30 concernant la relation de confiance; et des articles 40 et 41 relatifs à l'information et au consentement

ATTITUDE
- Avoir une attitude non directive

PENSÉE CRITIQUE

ÉVALUATION
- Antécédents familiaux et génétiques de madame Grecu
- Origines ethniques
- Réaction de madame Grecu quant à la possibilité de transmettre la dystrophie musculaire de Duchenne
- Estime de soi de madame Grecu
- Soutien de l'entourage

JUGEMENT CLINIQUE

FIGURE 5.18

5

À retenir

VERSION REPRODUCTIBLE

www.cheneliere.ca/lowdermilk

- Les maladies génétiques touchent des gens de tous les âges, de toutes les classes socioéconomiques et de tous les horizons ethniques.
- Les troubles génétiques intéressent toutes les spécialités cliniques.
- Les infirmières en pratique avancée assument des rôles importants dans le counseling génétique.
- Les gènes sont les unités fondamentales de l'hérédité, responsables de toutes les caractéristiques humaines. Ils composent 23 paires de chromosomes: 22 paires d'autosomes et une paire de chromosomes sexuels.
- Les troubles génétiques se transmettent selon les modes mendéliens normaux, avec ségrégation et assortiment indépendant des chromosomes; ils peuvent être dominants ou récessifs, liés ou non au sexe.
- L'hérédité multifactorielle comprend à la fois une composante génétique et une composante environnementale.
- La mitose est le mécanisme par lequel les cellules somatiques se divisent pour assurer la croissance et le développement de l'organisme, ainsi que le remplacement de ses cellules.
- La méiose est le mécanisme par lequel les gamètes sont formés pour assurer la reproduction.
- La gestation humaine est d'environ 280 jours après le début des dernières règles, soit 266 jours après la fécondation.
- La fécondation se fait dans la trompe utérine dans les 24 heures qui suivent l'ovulation. Le zygote subit des divisions mitotiques pour créer une morula composée de 16 cellules.
- L'implantation commence six jours après la fécondation.
- Les organes et les caractéristiques externes se forment pendant la période embryonnaire, c'est-à-dire de la troisième à la huitième semaine après la fécondation.
- Pendant la période fœtale, la structure des organes et leur fonctionnement se raffinent, et le fœtus devient apte à la survie extra-utérine.
- Le processus de développement humain comprend des périodes critiques au cours desquelles l'embryon ou le fœtus est vulnérable aux agents tératogènes environnementaux.
- Le nombre de grossesses multiples a augmenté de façon soutenue depuis le début des années 1980.

CHAPITRE 6

Anatomie et physiologie de la grossesse

Écrit par :
Deitra Leonard Lowdermilk, RNC, PhD, FAAN

Adapté par :
Marie Lacombe, inf., Ph. D.
Julie Poirier, inf., M. Sc.
Karine Carpentier, inf., B. Sc.

OBJECTIFS

 Guide d'études – SA06, RE01

Après avoir étudié ce chapitre, vous devriez être en mesure :

- de décrire la gravidité et la parité à l'aide des systèmes à deux et à cinq chiffres ;
- d'expliquer les divers types de tests de grossesse, ainsi que le moment approprié pour les passer et l'interprétation des résultats ;
- de distinguer les signes présomptifs, probables et positifs de grossesse ;
- de comparer les caractéristiques de l'abdomen, de la vulve et du col utérin de la femme nullipare et de la femme multipare ;
- d'expliquer les adaptations anatomiques et physiologiques à la grossesse attendues chez la mère pour chacun des systèmes de l'organisme ;
- de comparer les valeurs normales des examens de laboratoire de l'adulte et de la femme enceinte ;
- de nommer les hormones maternelles produites pendant la grossesse, leurs organes cibles et leurs principaux effets pendant la grossesse.

Concepts clés

Cette carte conceptuelle illustre schématiquement les principaux concepts décrits dans le présent chapitre. Sa lecture vous permettra d'avoir une vue d'ensemble des notions qui y sont présentées.

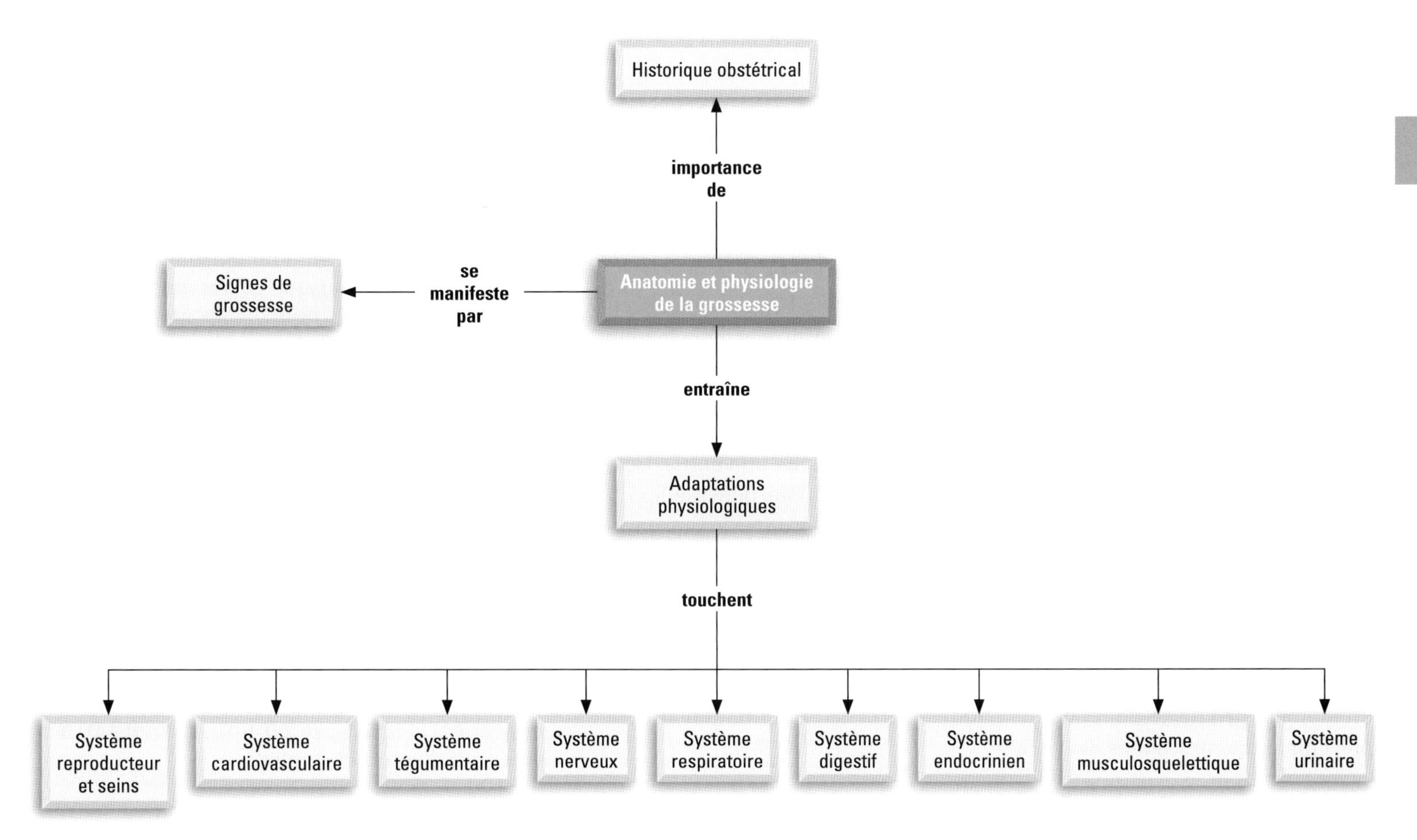

L'objectif des soins en périnatalité est d'assurer une grossesse saine dont l'issue sera sûre physiquement et satisfaisante sur le plan affectif pour la mère, l'enfant et la famille. Pour atteindre cet objectif, l'infirmière doit se familiariser avec le système reproducteur féminin ainsi qu'avec les changements anatomiques et physiologiques de la femme enceinte, et ce, au cours des divers stades de l'évolution de la grossesse. Bien que la grossesse ne soit pas pathologique, la supervision et la surveillance médicales régulières sont de première importance. En effet, « dans le cadre du suivi de grossesse normale ou à risque, la contribution de l'infirmière vise à évaluer et à surveiller l'état de santé physique et mentale de la femme enceinte, à la soulager de certains malaises courants de la grossesse, à détecter des complications affectant son bien-être et celui du fœtus et à donner l'éducation prénatale. » (Ordre des infirmières et infirmiers du Québec, 2011)

Par ailleurs, l'infirmière doit travailler étroitement avec l'équipe interdisciplinaire, car elle est souvent la principale intervenante auprès de la femme enceinte (Colin, 2004). Pour accompagner et conseiller sa clientèle de façon compétente, l'infirmière devra posséder des connaissances approfondies pour assurer une prise en charge adaptée au cheminement de la femme au cours des divers stades de la grossesse, en incluant les éléments préventifs. Cela implique aussi que la cliente est informée des complications potentielles ou des problèmes qui peuvent surgir pour qu'elle puisse consulter le plus rapidement possible si tel est le cas, même si, dans la majorité des cas, la grossesse se déroule bien. L'infirmière doit être en mesure d'amener la femme à reconnaître la relation entre son état physique et la planification des soins qu'elle requiert afin de prendre des décisions éclairées quant à son propre processus de soins. Elle doit dans une certaine mesure faire des suivis réguliers un moment privilégié pour aborder et transmettre de l'information afin de prévenir les complications.

6.1 Gravidité et parité

Gonadotrophine chorionique humaine (hCG) : Hormone produite par les villosités choriales ; marqueur biologique des tests de grossesse.

La compréhension des termes utilisés pour décrire la grossesse et la femme enceinte est essentielle pour l'étude des soins en maternité. L'**ENCADRÉ 6.1** présente ces termes et leur définition.

L'infirmière recueille les données concernant la gravidité et la parité pendant les entretiens d'anamnèse et elle les note au dossier. Il est important de procéder à une collecte et à une consignation précise de ces éléments d'information afin de préparer un plan de soins individualisé pour chaque femme enceinte.

Jugement clinique

Madame Aurélie Boulard, âgée de 24 ans, est enceinte de 24 semaines de son troisième enfant. Vous lisez ceci dans son dossier médical : P3 G3 A0.

Qu'est-ce que cela signifie ?

Deux systèmes couramment utilisés pour résumer les antécédents obstétricaux sont décrits ici. La gravidité et la parité peuvent s'exprimer à l'aide de trois chiffres : le premier représente le nombre de grossesses de la femme (gravida [G]), y compris la grossesse en cours, et le deuxième indique le nombre de grossesses qui se sont poursuivies jusqu'à 20 semaines de gestation ou plus (para [P]). On peut y ajouter un troisième chiffre qui indique le nombre d'avortements (aborta [A]), s'il y a lieu. Par exemple, si la femme a eu des jumeaux à 36 semaines lors d'une première grossesse, la parité serait toujours comptée comme une seule naissance (gravida [G] 1, para [P] 1) (Cunningham *et al.*, 2005). Si elle devenait enceinte une seconde fois, elle serait G2 P1 jusqu'à ce qu'elle accouche, par exemple à 38 semaines ; elle deviendrait alors G2 P2. Un autre système, composé de cinq chiffres séparés par des tirets, est couramment utilisé dans les services de gynécologie-obstétrique. Il fournit plus de données sur les antécédents obstétricaux de la femme, mais l'information sur la parité est moins précise puisque ce système renseigne sur les naissances et non sur les grossesses qui atteignent 20 semaines de gestation (Beebe, 2005). Le premier chiffre représente la gravidité, le second, le nombre total d'accouchements à terme, le troisième indique le nombre d'accouchements prématurés, le quatrième précise le nombre d'avortements (avortements spontanés ou interruptions volontaires de grossesse) et le cinquième chiffre est le nombre d'enfants actuellement vivants. Le sigle GTPAL (*gravidity, term, preterm, abortions, living children*) peut être utile pour se souvenir de ce système de notation. Par exemple, si une femme enceinte pour la première fois accouche à 34 semaines et que son enfant survit, la notation représentant ces renseignements est 1-0-1-0-1. À sa prochaine grossesse, la notation sera 2-0-1-0-1. Le **TABLEAU 6.1** en fournit d'autres exemples.

6.2 Tests de grossesse

La détection hâtive de la grossesse permet de mettre les soins en place plus rapidement. La **gonadotrophine chorionique humaine (hCG)** est le marqueur biochimique le plus précoce de la grossesse ; les tests de grossesse se fondent sur sa reconnaissance ou sur celle de sa sous-unité bêta. La hCG bêta est produite dès le jour de l'implantation, et l'on peut la détecter entre le 7e et le 10e jour après la fécondation (Blackburn, 2007). Le taux de hCG atteint un maximum entre 60 à 70 jours de gestation environ, puis il diminue jusqu'au 80e jour de celle-ci. Il demeure ensuite stable jusqu'à la 30e semaine approximativement, puis augmente graduellement jusqu'au terme de la grossesse. Les taux de hCG supérieurs à la normale peuvent indiquer une grossesse anormale (p. ex., un fœtus atteint du syndrome de Down) ou une grossesse multiple ; l'augmentation trop lente du taux de hCG ou sa

ENCADRÉ 6.1 Définitions liées à la description de la grossesse

Aborta : nombre total de grossesses terminées avant que le fœtus ne soit rendu au stade de viabilité (< 20 semaines)

Accouchement à terme : situation dans laquelle la grossesse se termine entre la fin de la 37e semaine de gestation et la 42e semaine

Gravide : adjectif qui qualifie une femme enceinte

Gravidité (gravida) : nombre total de grossesses incluant la grossesse actuelle

Grossesse prolongée ou post-terme : grossesse qui dépasse 42 semaines de gestation

Multigeste gravide : femme qui a été enceinte deux fois ou plus

Multipare : femme qui a poursuivi au moins deux grossesses jusqu'au stade de viabilité

Nulligeste : femme qui n'a jamais été enceinte

Nullipare : femme qui n'a pas poursuivi une grossesse avec un ou des fœtus au-delà de 20 semaines de gestation

Parité (para) : nombre total de grossesses menées jusqu'au stade de viabilité du ou des fœtus (20 semaines). Que le fœtus soit né vivant ou mort-né (fœtus qui ne montre pas de signe de vie à la naissance) n'a pas d'effet sur la parité

Prématurité : situation dans laquelle la grossesse dure plus de 20 semaines de gestation, mais moins de 37 semaines

Primigeste : femme enceinte pour la première fois

Primipare : femme dont une grossesse avec un ou des fœtus a atteint 20 semaines de gestation

Viabilité : capacité de vivre hors de l'utérus ; il n'existe pas de limite claire en ce qui concerne l'âge gestationnel ou le poids, mais il est rare qu'un fœtus survive s'il n'a pas atteint 22 à 24 semaines de gestation ou s'il pèse moins de 500 g

Source : Adapté de Cunningham *et al.* (2005).

TABLEAU 6.1 Antécédents obstétricaux décrits par le système à cinq chiffres (GTPAL) et par le système à trois chiffres (G/P/A)

CONDITION	G (GRAVIDA)	T (ACCOUCHEMENTS À TERME)	P (ACCOUCHEMENTS PRÉMATURÉS)	A (AVORTEMENTS ET FAUSSES COUCHES)	L (ENFANTS VIVANTS)	G/P/A (GRAVIDA/PARA/ABORTA)
Une femme est enceinte pour la première fois.	1	0	0	0	0	1/0/0
Elle mène sa grossesse jusqu'à 35 semaines, et l'enfant survit.	1	0	1	0	1	1/1/0
Elle devient de nouveau enceinte.	2	0	1	0	1	2/1/0
Sa 2e grossesse se termine par une fausse couche à 12 semaines.	2	0	1	1	1	2/1/1
À sa 3e grossesse, elle accouche à 39 semaines.	3	1	1	1	2	3/2/1
Elle est enceinte pour la 4e fois et accouche de jumeaux à 36 semaines.	4	1	2	1	4	4/3/1

diminution peut signaler une fausse couche imminente (Cunningham *et al.*, 2005).

Des tests de grossesse urinaires et sériques sont réalisés dans des cliniques, des CSSS et des laboratoires privés. Certains tests de grossesse urinaires peuvent également se faire à domicile. Un échantillon de 7 à 10 ml de sang veineux est prélevé pour les tests sériques. Parce que le taux urinaire de hCG varie dans le courant d'une journée, la plupart des tests urinaires sont plus fiables lorsqu'on les effectue sur un échantillon de la première urine du matin. En effet, celle-ci contient approximativement le même taux de hCG que le sang. Les tests urinaires sont moins coûteux que les tests sériques, et ils fournissent des résultats plus rapidement.

De nombreux tests urinaires de grossesse sont offerts sur le marché **FIGURE 6.1**. Il est impossible de tous les décrire ici en raison de leur grande variété. L'infirmière devrait donc prendre connaissance du mode d'emploi du fabricant pour chacun d'eux.

RAPPELEZ-VOUS…

La concentration de l'urine est normalement plus élevée le matin ou lorsque le volume de liquide est faible. Plus on boit de liquide, moins l'urine est concentrée.

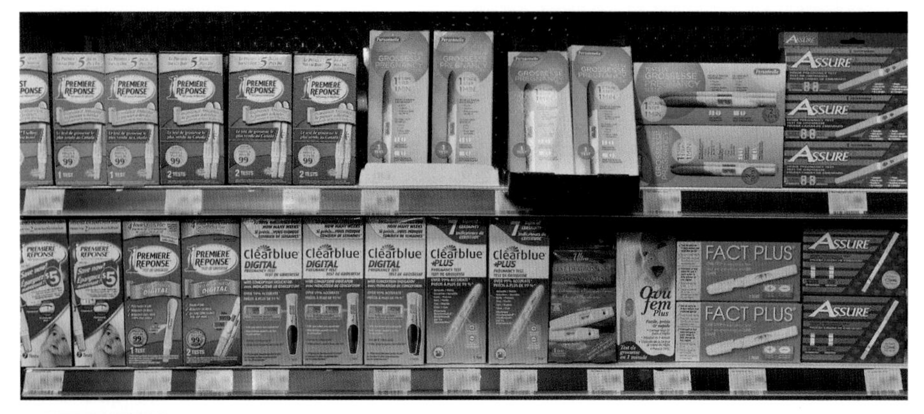

FIGURE 6.1
Beaucoup de tests urinaires de grossesse sont offerts en vente libre.

Guide d'enseignement

ENCADRÉ 6.2 Tests de grossesse à domicile

- Respectez le mode d'emploi du fabricant.
- Passez en revue la liste, fournie par le fabricant, des aliments, médicaments et autres substances qui peuvent influer sur les résultats du test.
- Utilisez un échantillon de la première urine du matin.
- Si le test réalisé à la date prévue des règles est négatif, passez-en un de nouveau une semaine plus tard si celles-ci ne sont pas déclenchées.
- Contactez le fabricant pour toute question au sujet du test lui-même.
- Contactez un professionnel de la santé afin d'assurer un suivi si le résultat du test est positif ou s'il est négatif et que les règles ne surviennent pas dans un délai raisonnable.

La méthode immunoenzymatique à double détermination d'anticorps (test ELISA) est la plus couramment employée pour établir la grossesse. Elle utilise un anticorps monoclonal spécifique (anti-hCG) couplé à des enzymes pour lier la hCG de l'urine. La technologie ELISA est à la base de la plupart des tests de grossesse urinaires effectués à domicile et offerts en vente libre. Pour ces tests effectués en une étape, la femme dépose généralement de l'urine sur une bandelette ou sur un applicateur dont l'extrémité est absorbante, puis elle lit les résultats. La trousse est accompagnée du mode d'emploi pour prélever l'échantillon, appliquer la procédure et lire les résultats. Un simple changement de couleur ou une lecture numérique annonce un résultat positif. La plupart des fabricants de trousses fournissent un numéro de téléphone sans frais pour les utilisatrices qui ont des préoccupations ou des questions au sujet de la procédure du test ou des résultats **ENCADRÉ 6.2**. L'erreur la plus fréquente commise en effectuant un test de grossesse à domicile consiste à le faire trop tôt au cours de la grossesse (Pagana & Pagana, 2006).

Les femmes qui utilisent un test de grossesse à domicile devraient être avisées que l'exactitude de ces tests peut varier et qu'il faut faire preuve de prudence dans l'interprétation des résultats.

L'interprétation des résultats des tests urinaires de grossesse exige un certain jugement. Il est nécessaire de considérer le type de test ainsi que son degré de sensibilité (capacité de détecter de faibles taux d'une substance) et de spécificité (capacité de discerner l'absence d'une substance) en même temps que les antécédents de la femme. Ceux-ci comprennent la date de ses dernières menstruations normales, la longueur habituelle de son cycle et les résultats des tests de grossesse précédents. Il est important de savoir si la cliente fait usage de drogues et de connaître les médicaments qu'elle prend, car des médicaments comme les anticonvulsivants et les tranquillisants peuvent entraîner des résultats faussement positifs, alors que les diurétiques et la prométhazine peuvent générer des résultats faussement négatifs (Pagana & Pagana, 2006). Le prélèvement incorrect de l'échantillon, des tumeurs produisant des hormones et des erreurs de laboratoire peuvent aussi entraîner des résultats erronés.

Cole et ses collaborateurs (2005) rapportent que, selon le test utilisé, des taux de hCG aussi faibles que 6,3 milliunités internationales/ml peuvent être détectés dès la date à laquelle les menstruations étaient prévues. Ces chercheurs ont trouvé que la plupart des tests de grossesse offerts en vente libre évalués dans leur étude étaient moins sensibles (de 25 à 100 milliunités internationales/ml) et ne décelaient qu'un faible pourcentage de grossesses le jour même de la date prévue des menstruations, même si la plupart des produits prétendaient être efficaces à 99 %. Par ailleurs, Tomlinson, Marshall et Ellis (2008) ont montré que les consommatrices interprétaient les lectures numériques de faibles taux de hCG (c.-à-d. 25 milliunités internationales/ml) avec plus d'exactitude que les lectures non numériques.

Les femmes qui utilisent un test de grossesse à domicile devraient être avisées que l'exactitude de ces tests peut varier et qu'il faut faire preuve de prudence dans l'interprétation des résultats. Si des questions surgissent, il est approprié de procéder à une évaluation plus poussée ou de reprendre le test.

6.3 Adaptations à la grossesse

Les adaptations physiologiques de la mère sont attribuables aux hormones de la grossesse et aux pressions mécaniques exercées par l'utérus qui grossit et qui empiète sur les tissus environnants. Ces adaptations permettent de préserver la physiologie normale de la femme, de combler les besoins métaboliques que la grossesse impose à son organisme et de procurer un milieu nourricier pour le développement et la croissance du fœtus. Des problèmes peuvent toutefois surgir, même si la grossesse est un phénomène normal.

6.3.1 Signes de grossesse

Certaines des adaptations physiologiques constituent des signes et des symptômes de la grossesse. Ceux-ci se répartissent en trois catégories couramment utilisées : les signes présomptifs (changements précis ressentis par la femme, p. ex., l'aménorrhée, la fatigue, des nausées et vomissements, des modifications des seins), les signes probables (changements observés par un professionnel de la santé, p. ex., le **signe de Hegar**, le **ballottement** fœtal, des tests de grossesse) et les signes positifs (signes attribuables uniquement à la présence du fœtus, p. ex., l'audition des bruits du cœur fœtal, la visualisation du fœtus, la palpation des mouvements fœtaux). Le **TABLEAU 6.2** résume ces signes de la grossesse et les associe au moment où ils pourraient se présenter ainsi que les autres causes qui peuvent provoquer leur apparition.

Signe de Hegar : Ramollissement du segment inférieur de l'utérus classifié comme signe probable de grossesse ; il peut être présent pendant le deuxième et le troisième mois de la grossesse et il est reconnaissable à la palpation au cours d'un examen bimanuel.

6

TABLEAU 6.2 Signes de grossesse

MOMENT D'APPARITION (ÂGE GESTATIONNEL)	SIGNE	AUTRES CAUSES POSSIBLES
Signes présomptifs		
3-4 semaines	Modifications des seins	Changements prémenstruels, contraceptifs oraux
4 semaines	Aménorrhée	Stress, exercice vigoureux, ménopause précoce, problèmes endocriniens, malnutrition
4-14 semaines	Nausées, vomissements	Virus gastro-intestinal, intoxication alimentaire
6-12 semaines	Pollakiurie	Infection, tumeurs pelviennes
4-12 semaines	Fatigue	Stress, maladie
16-20 semaines	Mouvements fœtaux	Gaz, péristaltisme
Signes probables		
5 semaines	Signe de Goodell	Congestion pelvienne
6-8 semaines	Signe de Chadwick	Congestion pelvienne
6-12 semaines	Signe de Hegar	Congestion pelvienne
4-12 semaines	Test de grossesse positif (sérique)	Môle hydatiforme, choriocarcinome
4-12 semaines	Test de grossesse positif (urinaire)	Résultats faux-positifs pouvant être causés par une infection pelvienne, des tumeurs
16 semaines	Contractions de Braxton-Hicks	Myomes, autres tumeurs
16-28 semaines	Ballottement fœtal	Tumeurs, polypes du col utérin
Signes positifs		
5-6 semaines	Visualisation du fœtus par un examen échographique en temps réel	Aucune
6 semaines	Bruits du cœur fœtal décelés par l'examen échographique	Aucune
8-17 semaines	Bruits du cœur fœtal décelés par un stéthoscope pour échographie doppler	Aucune
17-19 semaines	Bruits du cœur fœtal décelés par un stéthoscope fœtal ou doppler	Aucune
19-22 semaines	Palpation des mouvements fœtaux	Aucune
Grossesse avancée	Mouvements fœtaux visibles	Aucune

6.3.2 Système reproducteur et seins

Utérus

Changements de taille, de forme et de position

La croissance phénoménale de l'utérus pendant le premier trimestre est stimulée par les taux élevés d'œstrogènes et de progestérone. L'hypertrophie initiale de l'utérus résulte de l'accroissement de sa vascularité et de la dilatation de ses vaisseaux sanguins, de l'hyperplasie (production de nouvelles fibres musculaires et de tissu fibroélastique) et de l'hypertrophie (grossissement des fibres musculaires et du tissu fibroélastique existants), ainsi que du développement de la caduque. À 7 semaines de gestation, la taille de l'utérus atteint celle d'un gros œuf de poule, à 10 semaines, celle d'une orange (le double de sa taille d'avant la grossesse) et à 12 semaines, il a la taille d'un pamplemousse (palpable au-dessus de la symphyse pubienne). Après le troisième mois, l'accroissement de taille de l'utérus est surtout attribuable à la pression mécanique du fœtus qui se développe.

À mesure que l'utérus grossit, il change aussi de forme et de position. Au moment de la fécondation, l'utérus a la forme d'une poire inversée. Pendant le deuxième trimestre, alors que ses parois musculaires se renforcent et deviennent plus élastiques, il prend une forme sphérique ou globulaire. Plus tard, à mesure que le fœtus s'allonge, l'utérus devient plus gros et plus ovoïde, et il s'élève hors de la cavité pelvienne jusque dans la cavité abdominale.

La grossesse peut être apparente après la 14e semaine, bien que cela dépende dans une certaine mesure de la taille et du poids de la femme. L'augmentation de volume de l'abdomen peut être moins apparente chez la nullipare ayant un bon tonus abdominal **FIGURE 6.2**. La posture influence aussi le type et l'importance de l'augmentation de taille de l'abdomen. Dans une grossesse normale, l'utérus grossit à un rythme prévisible. On peut le palper au-dessus de la symphyse pubienne entre la 12e et la 14e semaine de la grossesse environ **FIGURE 6.3**. Il continue ensuite de s'élever graduellement et il parvient au niveau de l'ombilic vers 20 semaines de gestation, puis il augmente de façon progressive correspondant à l'âge gestationnel, plus ou moins 2 cm ; au terme de la grossesse, il atteint presque la pointe du sternum. Entre la 38e et la 40e semaine, la hauteur du fond de l'utérus s'abaisse, alors que le fœtus commence à descendre et à s'engager dans le bassin (**allégement**). En général, l'allégement se produit environ deux semaines avant le déclenchement du travail chez la nullipare et au début du travail chez la multipare.

On détermine l'augmentation de volume de l'utérus en mesurant la hauteur utérine, une mesure couramment utilisée pour estimer l'âge de la grossesse. Plusieurs variables peuvent toutefois réduire l'exactitude de cette estimation : la position du fond

Allégement : Sensation de réduction de la distension abdominale produite par la descente de l'utérus dans la cavité pelvienne quand la partie du fœtus qui se présente s'installe dans le bassin.

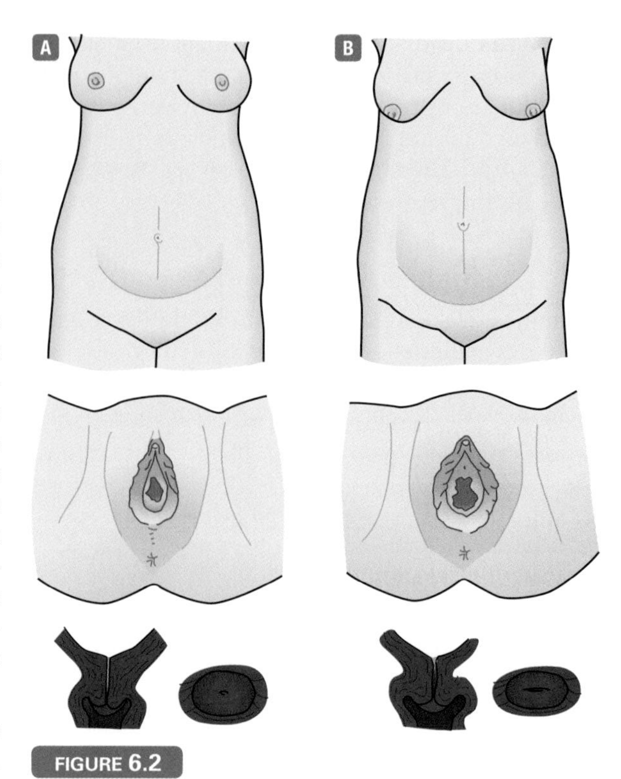

FIGURE 6.2
Comparaison de l'abdomen, de la vulve et du col utérin au même stade de la grossesse. A Nullipare. B Multipare.

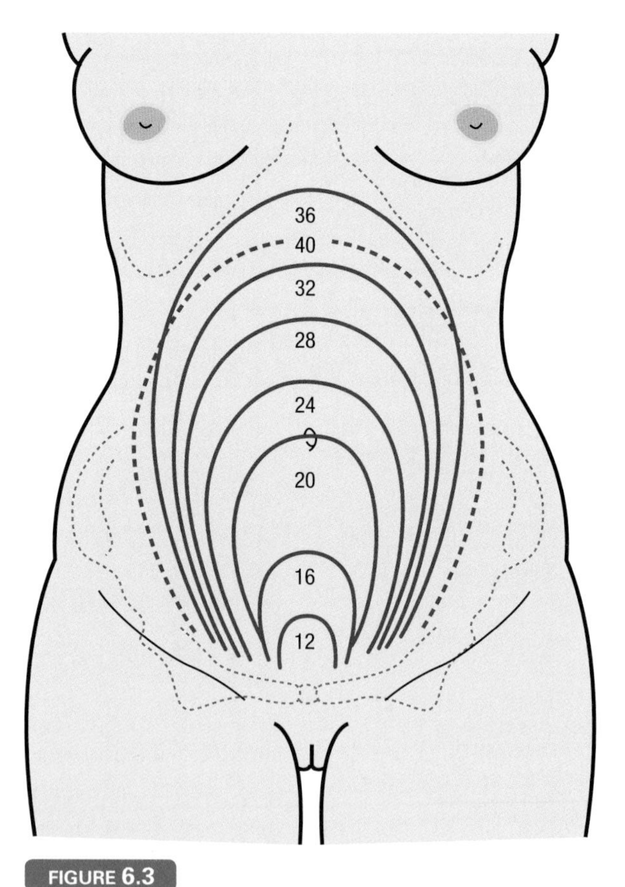

FIGURE 6.3
Hauteur du fond de l'utérus selon les semaines de gestation (un seul fœtus). La ligne pointillée indique la hauteur après l'allégement.

de l'utérus ou du fœtus, la quantité de liquide amniotique, la présence de plus de un fœtus, l'obésité maternelle et la technique d'examen.

L'utérus pivote normalement vers la droite à mesure qu'il s'élève, probablement en raison de la présence du côlon sigmoïde et du rectum du côté gauche, mais l'hypertrophie considérable des ligaments ronds le maintient sur la ligne médiane. L'utérus finit par toucher la paroi abdominale antérieure, et il déplace les intestins de part et d'autre de l'abdomen **FIGURE 6.4**. Quand une femme enceinte se tient debout, la plus grande partie de son utérus repose contre la paroi abdominale antérieure, ce qui contribue à modifier son centre de gravité.

À environ six semaines de gestation, il se produit un ramollissement du segment inférieur de l'utérus (isthme de l'utérus) et sa compressibilité s'accroît; c'est le signe de Hegar **FIGURE 6.5**. Ce changement résulte de l'antéflexion exagérée de l'utérus pendant les trois premiers mois de la grossesse. Dans cette position, le fond utérin pèse sur la vessie et provoque de fréquentes envies d'uriner chez la femme.

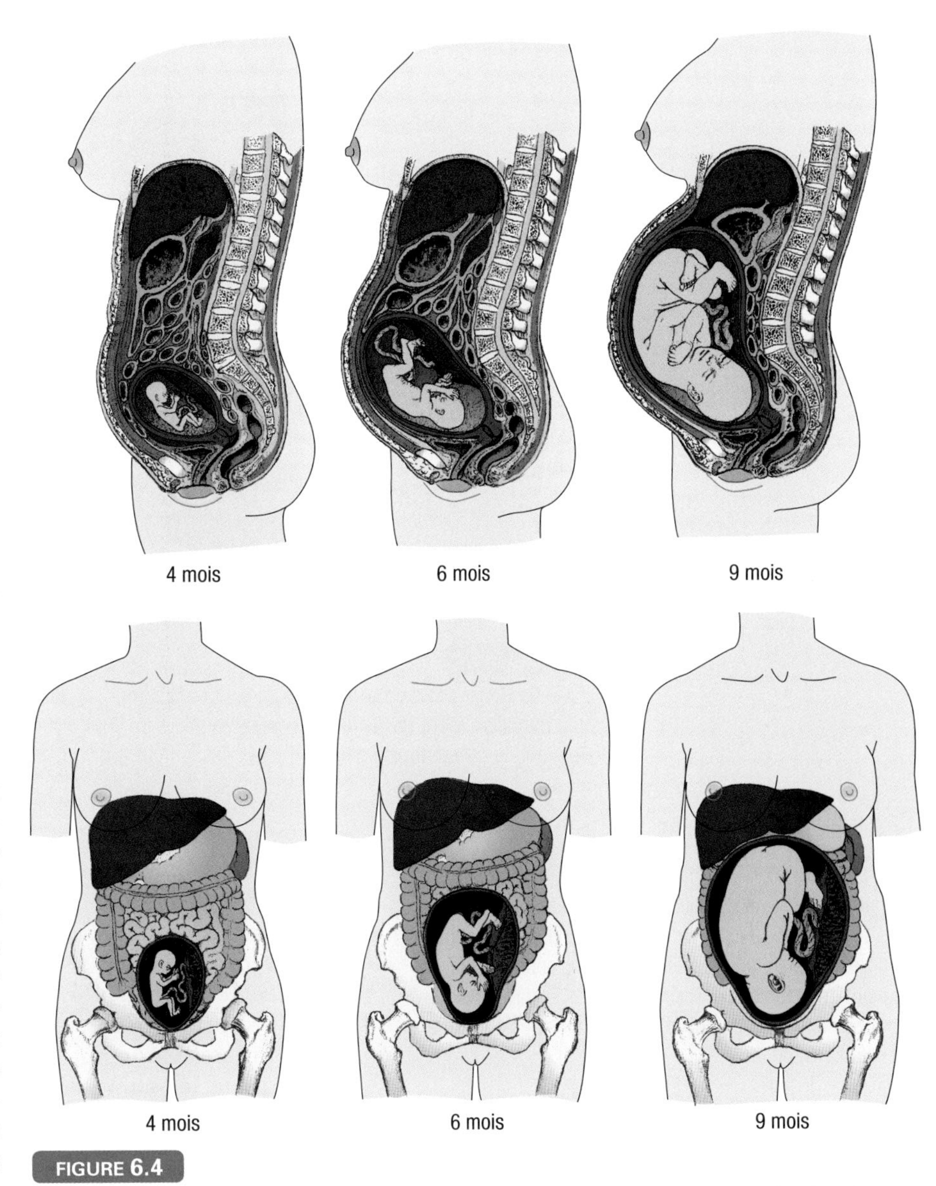

FIGURE 6.4

Déplacement du diaphragme et des structures internes de l'abdomen par l'augmentation de volume de l'utérus, à quatre, six et neuf mois de gestation

Modifications de la contractilité

Peu après le quatrième mois de la grossesse, il est possible de sentir des contractions utérines à travers la paroi abdominale. On les appelle **contractions de Braxton-Hicks**. Les contractions de Braxton-Hicks sont irrégulières et indolores, et elles se produisent de façon intermittente pendant toute la grossesse. Elles facilitent la circulation sanguine utérine à travers les espaces intervilleux du placenta et favorisent de ce fait l'approvisionnement en oxygène du fœtus. Bien que les contractions de Braxton-Hicks ne soient pas douloureuses, certaines femmes les trouvent ennuyeuses. Après la 28e semaine, ces contractions deviennent beaucoup plus nettes, mais elles augmentent généralement avec la marche ou l'exercice et diminuent pendant les périodes de repos. Il est possible de confondre les contractions de Braxton-Hicks avec le vrai travail; toutefois, leur intensité et leur fréquence n'augmentent pas, et elles ne provoquent pas de dilatation du col utérin.

Circulation utéroplacentaire

L'irrigation du placenta repose sur le débit sanguin maternel vers l'utérus, débit qui augmente rapidement en même temps que la taille de l'utérus. Même si le débit sanguin utérin se multiplie par 20, le rythme de croissance de l'unité fœtoplacentaire est encore plus rapide. Par conséquent, une plus grande quantité d'oxygène est extraite du sang utérin pendant la dernière partie de la grossesse (Cunningham *et al.*, 2005). Dans une grossesse à terme normale, un sixième du volume sanguin total de la mère se trouve dans le système vasculaire utérin. Le débit sanguin de l'utérus s'élève en moyenne à 500 ml/min, et la consommation d'oxygène de l'utérus gravide augmente pour satisfaire les besoins du fœtus. Une faible pression artérielle (P.A.) maternelle, les contractions de l'utérus et la position de décubitus dorsal de la mère sont trois facteurs connus qui contribuent à réduire le débit sanguin. La stimulation œstrogénique peut élever le débit sanguin utérin. L'exploration par échographie doppler peut être utilisée pour mesurer la vitesse du flux sanguin utérin, en particulier dans les grossesses à risque, comme en présence d'hypertension, d'un retard de croissance intra-utérin, d'un diabète gestationnel ou de grossesse multiple. Ces états sont associés à une diminution de l'irrigation

Les contractions de Braxton-Hicks sont irrégulières et indolores, et elles se produisent de façon intermittente pendant toute la grossesse.

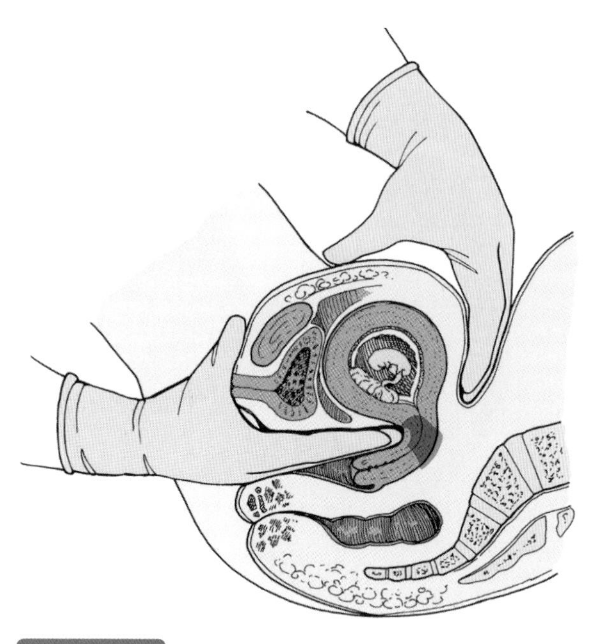

FIGURE 6.5
Signe de Hegar. Examen bimanuel pour vérifier la compressibilité et le ramollissement de l'isthme (segment inférieur de l'utérus) alors que le col est toujours ferme.

Jugement clinique

Madame Carminda Losano, âgée de 28 ans, est enceinte de 18 semaines de son premier enfant. Elle se présente à l'urgence parce qu'elle dit ressentir des contractions qui l'inquiètent beaucoup. À vos questions, elle répond que ce qu'elle ressent est inconfortable, mais pas douloureux et plutôt irrégulier.

Que devriez-vous dire à madame Losano ?

placentaire (Blackburn, 2007). À l'aide d'un appareil à ultrasons ou d'un stéthoscope obstétrical, le professionnel de la santé peut entendre le **souffle utérin** (bruit produit par le sang dans les artères utérines, synchronisé avec le pouls maternel) ou le **souffle funiculaire** (bruit du sang qui s'engouffre dans les vaisseaux ombilicaux, synchronisé avec la fréquence cardiaque [F.C.] du fœtus).

Modifications du col utérin

Il est possible d'observer le **signe de Goodell**, qui est un ramollissement de l'extrémité du col utérin, au début de la sixième semaine environ quand le col est normal, sans cicatrice. Ce signe est provoqué par la vascularité accrue ainsi que par une légère hypertrophie et par l'hyperplasie (augmentation du nombre de cellules) du muscle et de son tissu conjonctif riche en collagène, tissu qui devient lâche, œdémateux, très élastique et plus volumineux. Les glandes situées près de l'orifice externe du col prolifèrent sous l'épithélium stratifié squameux et donnent au col l'aspect velouté caractéristique de la grossesse. Le col devient friable, ce qui peut causer de légers saignements après des rapports sexuels avec pénétration profonde ou après un examen vaginal. Les hormones de grossesse font en sorte d'externaliser ou d'extérioriser la jonction squamocylindrique du col. Cette jonction est également le site de prélèvement de cellules pour le dépistage du cancer du col de l'utérus. En raison de tous ces changements, il peut s'avérer plus difficile d'interpréter un test de Papanicolaou pendant la grossesse. Il est toutefois important de procéder à ce test chez toutes les femmes enceintes parce qu'environ 3 % des cancers du col sont diagnostiqués durant la grossesse (Copeland & Landon, 2007).

L'orifice externe du col de la nullipare est arrondi. Des lacérations du col se produisent presque toujours au cours de l'accouchement. Mais avec ou sans lacération, le col devient plus ovale dans le plan horizontal après chaque accouchement, et son orifice externe se présente comme une fente transversale **FIGURE 6.2B**.

Changements associés à la présence du fœtus

Le ballottement est une technique utilisée pour palper une structure qui flotte en la poussant doucement et en sentant son rebond. Dans la technique utilisée pour palper le fœtus, le professionnel de la santé place un doigt dans le vagin et frappe doucement vers le haut, ce qui fait lever le fœtus. Quand celui-ci retombe ensuite, le doigt ressent un léger choc **FIGURE 6.6**. Il est possible de provoquer ces mouvements passifs du fœtus lorsque celui-ci n'est pas engagé dans la filière pelvienne, à savoir entre la 16e et la 18e semaine.

La femme multipare peut ressentir pour la première fois les mouvements du fœtus entre la 14e et la 16e semaine. La femme nullipare peut ne pas percevoir ces sensations avant la 18e semaine ou plus tard. Le mouvement fœtal est souvent décrit comme une palpitation difficile à distinguer du péristaltisme. L'intensité et la fréquence des mouvements fœtaux augmentent graduellement.

Vagin et vulve

Les hormones de la grossesse préparent le vagin à l'étirement qu'il subira pendant le travail et l'accouchement en provoquant l'épaississement de sa muqueuse, le relâchement du tissu conjonctif, l'hypertrophie des muscles lisses et l'allongement du dôme vaginal. L'accroissement de la vascularité

FIGURE 6.6
Ballottement fœtal interne (18 semaines)

donne une coloration violet bleuâtre à la muqueuse vaginale et au col utérin. Cette coloration, qui constitue le **signe de Chadwick**, peut être évidente dès la sixième semaine, mais se remarque facilement à la huitième semaine de la grossesse (Blackburn, 2007).

La **leucorrhée** est un écoulement mucoïde blanc ou jaunâtre non odorant. Cet abondant liquide muqueux est produit en réaction à la stimulation cervicale par les œstrogènes et la progestérone. La présence de nombreuses cellules de l'épithélium vaginal exfoliées causée par l'hyperplasie normale de la grossesse explique la coloration blanchâtre du liquide. Cet écoulement vaginal n'est jamais prurigineux ou teinté de sang. Le mucus qui remplit le canal endocervical est responsable de la formation du **bouchon muqueux** **FIGURE 6.7**. Celui-ci sert de barrière contre l'invasion bactérienne pendant la grossesse.

Pendant la grossesse, le pH des sécrétions vaginales est plus acide que chez la femme non gravide, allant environ de 3,5 à 6 (normale de 4 à 7), en raison de la production accrue d'acide lactique (Cunningham *et al.*, 2005). Bien que cet environnement acide procure davantage de protection contre certains organismes, l'acidité vaginale rend la femme enceinte plus vulnérable à d'autres infections, en particulier les infections à levure parce que le milieu riche en glycogène est plus sensible à *Candida albicans* (Duff, Sweet & Edwards, 2009).

La vascularité accrue du vagin et des autres viscères pelviens provoque une augmentation marquée de la sensibilité. Celle-ci peut engendrer un degré élevé d'intérêt sexuel et d'excitation, surtout pendant le deuxième trimestre de la grossesse. La congestion vasculaire plus importante associée au relâchement des parois vasculaires et à la lourdeur de l'utérus peut occasionner de l'œdème et des varices de la vulve, qui se règlent normalement pendant la période postnatale.

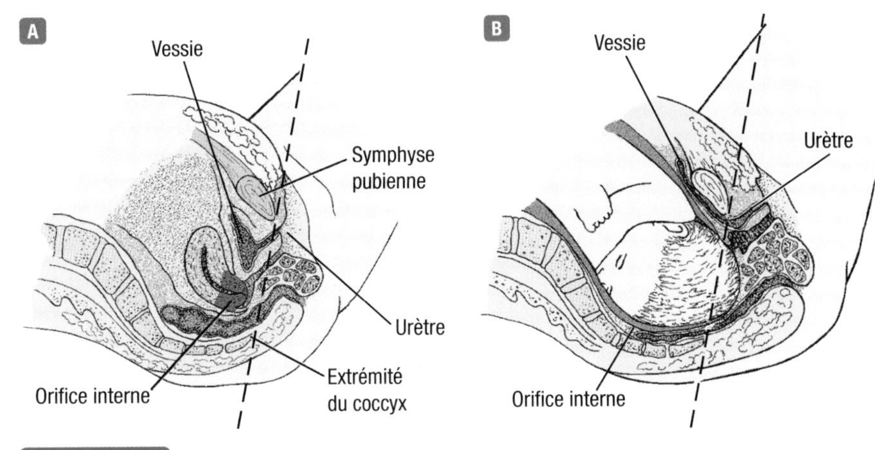

FIGURE 6.8

A Plancher pelvien de la femme non enceinte. B Plancher pelvien à la fin de la grossesse. Remarquer l'hypertrophie et l'hyperplasie marquées sous la ligne pointillée reliant l'extrémité du coccyx et la marge inférieure de la symphyse pubienne. Noter l'élongation de la vessie et de l'urètre résultant de la compression. Il y a plus de dépôts graisseux.

Les structures externes du périnée sont hypertrophiées pendant la grossesse en raison de la vascularisation accrue, de l'hypertrophie du noyau fibreux central du périnée et des dépôts graisseux **FIGURE 6.8**. Les grandes lèvres de la nullipare sont rapprochées et masquent l'orifice vaginal externe ; celles de la femme multipare sont séparées et béantes à la suite de l'accouchement et après une lésion périnéale ou vaginale.

Jugement clinique

Madame Boulard a remarqué une augmentation très marquée de ses pertes vaginales. Elle ne se rappelle pas en avoir eu autant à ses autres grossesses. Elle ajoute que ses pertes sont blanchâtres et non odorantes.

Citez deux autres caractéristiques à évaluer par rapport à ses leucorrhées.

Seins

La plénitude et la lourdeur des seins, leur sensibilité accrue et une sensation de fourmillement se manifestent pendant les premières semaines de la grossesse en réaction aux taux plus élevés

Bouchon muqueux : Amas de sécrétions cervicales, généralement sanguinolent, qui scelle le col de l'utérus pendant la grossesse et qui aide à prévenir l'infection de l'utérus.

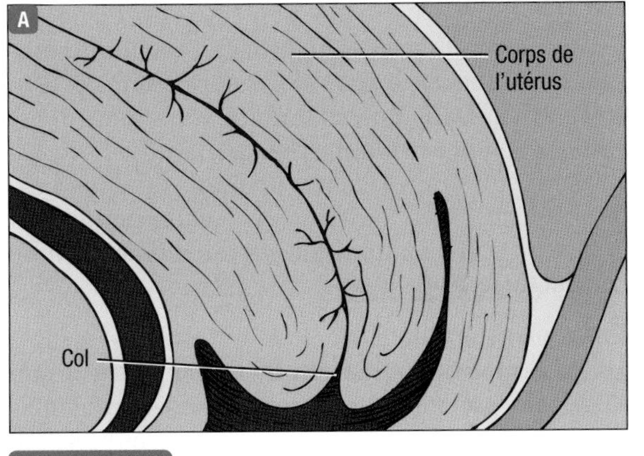

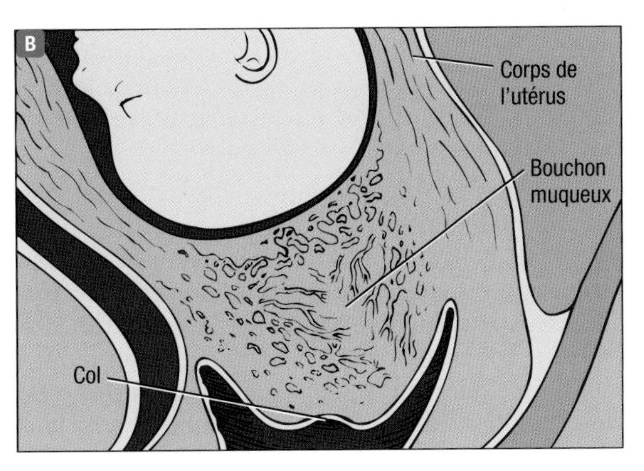

FIGURE 6.7

A Col utérin de la femme non enceinte. B Col utérin pendant la grossesse.

d'œstrogènes et de progestérone. La sensibilité des seins va du picotement léger à la douleur aiguë. Les mamelons et les aréoles deviennent plus pigmentés (plus foncés), des aréoles secondaires rosâtres qui s'étendent au-delà des aréoles primaires peuvent se développer, et les mamelons deviennent plus érectiles. Des glandes sébacées hypertrophiées, comprises dans les aréoles primaires et appelées **tubercules de Montgomery**, peuvent s'observer autour des mamelons **FIGURE 6.9**. Ces glandes sébacées pourraient avoir un rôle protecteur en maintenant la lubrification des mamelons pour l'allaitement.

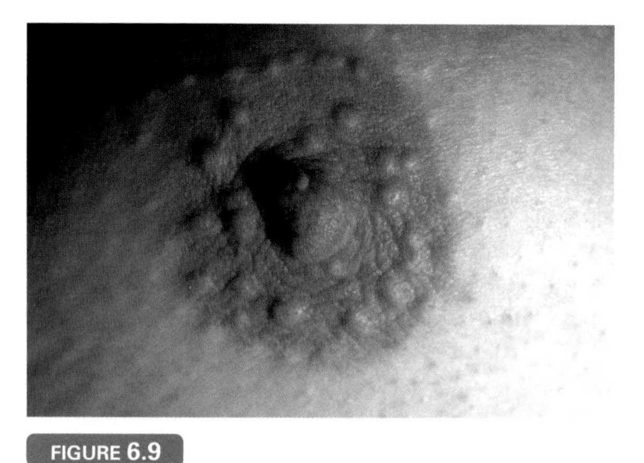

FIGURE 6.9

Les glandes qui deviennent apparentes sur les aréoles des seins pendant la grossesse se nomment tubercules de Montgomery.

L'apport sanguin plus important aux vaisseaux sous-cutanés provoque leur dilatation. Habituellement à peine visibles, ils deviennent apparents et s'entrelacent souvent en un réseau bleuté sous la surface de la peau. La congestion veineuse des seins est plus remarquable chez la primigeste. Des vergetures peuvent aussi apparaître. Pendant le deuxième et le troisième trimestre, la croissance des glandes mammaires est responsable de l'hypertrophie progressive des seins. Les taux élevés d'hormones lutéales et placentaires pendant la grossesse favorisent la prolifération des canaux galactophores et du tissu alvéolaire des lobules, de sorte que la palpation des seins révèle la présence généralisée de nodules. Le tissu glandulaire déplace le tissu conjonctif, ce qui modifie la texture des seins qui devient plutôt ferme et congestionnée.

Bien que le développement fonctionnel des glandes mammaires soit complété au milieu de la grossesse, la lactation est inhibée jusqu'à la baisse des taux d'œstrogènes qui survient après l'accouchement. Au troisième mois de la gestation, les cellules acinaires peuvent contenir une matière sécrétoire claire et visqueuse (le précolostrum). Le **colostrum**, ce liquide crémeux allant du blanc jaunâtre à l'orangé qui précède le lait, peut être extrait des mamelons dès la 16e semaine de grossesse (Blackburn, 2007) ▶ 18.

20

Les soins à la femme enceinte atteinte de maladie cardiaque sont abordés dans le chapitre 20, *Grossesse à risque : maladies préexistantes.*

Colostrum : Liquide laiteux, riche en anticorps, présent dans les cellules acineuses des seins, du début de la grossesse jusqu'aux premiers jours de la période postnatale.

18

La lactation est présentée en détail dans le chapitre 18, *Nutrition et alimentation du nouveau-né.*

6.3.3 Changements des systèmes généraux de l'organisme

Système cardiovasculaire

Les adaptations maternelles à la grossesse exigent des changements importants du système circulatoire, tant sur le plan anatomique que physiologique. Les adaptations cardiovasculaires préservent la physiologie normale de la femme et comblent les besoins métaboliques imposés à son organisme par la grossesse ainsi que ceux associés au développement et à la croissance du fœtus.

On observe une légère hypertrophie du cœur pendant la grossesse, sans doute consécutive à l'augmentation du volume sanguin et du débit cardiaque (D.C.). Le cœur reprend sa taille normale après l'accouchement. À mesure que l'utérus qui grossit déplace le diaphragme vers le haut, le cœur est soulevé et pivote vers l'avant et vers la gauche **FIGURE 6.10**. Le pouls apical, à savoir l'endroit où la pulsation cardiaque atteint son intensité maximale, est déplacé vers le haut et le côté d'environ 1 à 1,5 cm. L'importance du déplacement dépend de l'âge de la grossesse ainsi que de la taille et de la position de l'utérus.

Les modifications de la taille et de la position du cœur et l'augmentation du volume sanguin et du D.C. contribuent aux changements auscultatoires de la grossesse. On perçoit en effet à ce moment un dédoublement plus audible des bruits du cœur B1 et B2, et le bruit B3 est facilement perçu après 20 semaines de grossesse. En outre, on peut entendre les souffles systolique et diastolique au-dessus du foyer pulmonaire. Ces bruits sont transitoires et disparaissent peu de temps après l'accouchement (Cunningham *et al.*, 2005).

Entre la 14e et la 20e semaine, la F.C. augmente d'environ 10 à 15 battements par minute (batt./min) et reste ainsi élevée jusqu'au terme de la grossesse. Des sensations de palpitations peuvent survenir. Près du terme d'une grossesse gémellaire, la F.C. maternelle peut être jusqu'à 40 % supérieure à celle de la femme non enceinte (Blackburn, 2007).

Le rythme cardiaque peut être perturbé. La femme enceinte peut connaître de l'arythmie sinusale, ainsi que des extrasystoles auriculaires et ventriculaires. Dans ce cas, aucun traitement n'est nécessaire pour la femme bien portante sans maladie cardiaque sous-jacente ; un étroit suivi médical et obstétrical sera toutefois nécessaire pendant la grossesse d'une femme déjà atteinte d'une maladie cardiaque ▶ 20.

Pression artérielle

La P.A. (mesurée à l'artère brachiale) varie selon l'âge, le degré d'activité, la présence de problèmes de santé et le rythme circadien, ainsi qu'en fonction d'autres facteurs, dont la consommation d'alcool, le tabagisme et la douleur. Des facteurs additionnels

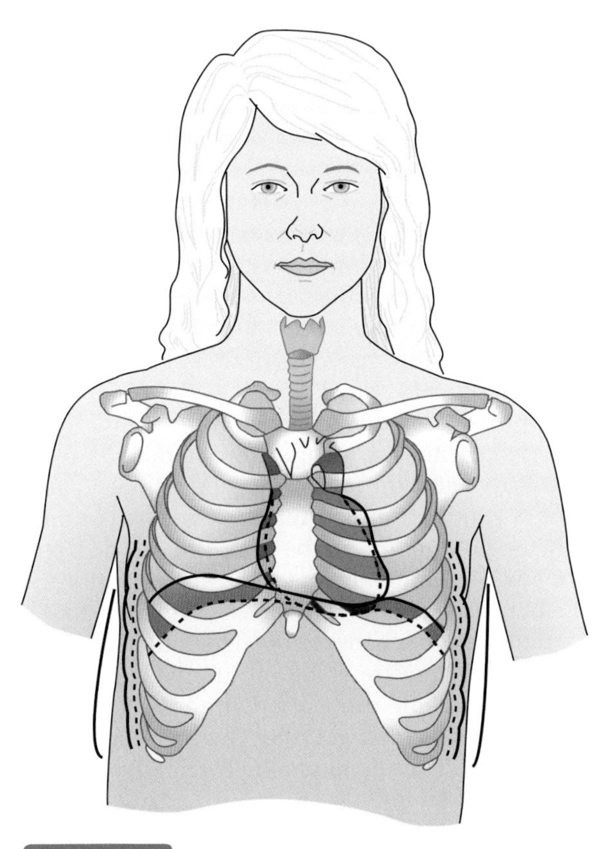

FIGURE 6.10
Modifications de la position du cœur, des poumons et de la cage thoracique pendant la grossesse. La ligne pointillée indique la position normale; la ligne continue, le changement qui survient pendant la grossesse.

entrent en jeu pendant la grossesse: l'anxiété de la mère, sa position au moment de la prise de la mesure ainsi que la taille et le type de sphygmomanomètre utilisé (Pickering *et al.*, 2005).

L'anxiété de la mère peut donner des lectures plus élevées de la P.A. Si le cas se présente, il faut reprendre la mesure après avoir donné à la cliente le temps de se reposer.

La position de la mère influe sur les lectures. La P.A. brachiale est plus élevée quand la femme est assise, plus basse quand elle est allongée sur le côté et elle atteint des valeurs intermédiaires quand la cliente est couchée sur le dos, sauf chez certaines femmes atteintes du syndrome utérocave. Par conséquent, à chaque visite prénatale, il faut mesurer la P.A. dans le même bras alors que la femme est assise, le dos et le bras supportés. Son bras doit aussi être élevé au niveau de l'oreillette droite (Pickering *et al.*, 2005; Sibai, 2007) (au cinquième espace intercostal). En plus des valeurs obtenues, il faut noter au dossier la position de la cliente et le bras utilisé.

Il est absolument nécessaire de disposer d'un brassard de la bonne taille pour obtenir des mesures précises. La longueur du caoutchouc du brassard doit être d'au moins 60% et au plus de 100% de la circonférence du bras et sa largeur, au plus de 40% du diamètre du bras. On utilise par exemple un brassard pour adulte (16 par 30 cm) si la circonférence du bras est de 27 à 34 cm. Un brassard trop petit donne des résultats faussement élevés, alors qu'un brassard trop grand procure des résultats faussement faibles (Pickering *et al.*, 2005).

Il faut également user de prudence en comparant les lectures auscultatoires et oscillatoires de la P.A., car des écarts peuvent se présenter selon la méthode utilisée. Les moniteurs automatisés peuvent donner des résultats imprécis chez les femmes qui font de l'hypertension (Gordon, 2007).

La pression systolique demeure généralement la même qu'avant la grossesse, mais elle peut diminuer légèrement à mesure que celle-ci progresse. La pression diastolique commence à diminuer dans le premier trimestre, continue à baisser jusqu'aux semaines 24 à 32, puis elle augmente graduellement pour revenir au niveau d'avant la grossesse en approchant du terme (Blackburn, 2007). Pendant la seconde moitié de la grossesse, il se produit une certaine compression de la veine cave dès que la femme est allongée à plat sur le dos. La diminution de la pression systolique causée par cette compression peut être de plus de 30 mm Hg chez certaines femmes. Dans ce cas, un réflexe de bradycardie se déclenche après quatre ou cinq minutes, le D.C. réduit de moitié, et la femme se sent mal. Cet état porte le nom de choc postural (Cunnningham *et al.*, 2005) ▶ 12.

La compression des veines iliaques et de la veine cave inférieure par l'utérus cause une augmentation de la pression veineuse dans les jambes et y réduit le débit sanguin (sauf quand la femme est en position latérale). Ces changements contribuent à l'hypotension orthostatique, à l'apparition de veines variqueuses dans les jambes (varices) et au développement d'hémorroïdes pendant la dernière partie de la grossesse **FIGURE 6.11**.

Volume et composition du sang

Le degré d'augmentation du volume sanguin varie considérablement. Pendant la grossesse, le volume sanguin s'accroît d'environ 1500 ml et est donc de 40 à 45% supérieur à celui d'une femme qui n'est pas enceinte (Cunningham *et al.*, 2005). Ce volume supplémentaire se compose de 1 000 ml de plasma et de 450 ml de globules rouges. Le volume sanguin commence à augmenter entre la 10e et la 12e semaine environ, il atteint un maximum autour des semaines 32 à 34, puis il diminue légèrement à la 40e semaine. L'accroissement du volume est plus important dans une grossesse multiple que dans une grossesse où il n'y a qu'un seul fœtus (Blackburn, 2007). L'augmentation du volume sanguin représente un mécanisme protecteur essentiel pour satisfaire les besoins sanguins de l'important système vasculaire de l'utérus hypertrophié, pour hydrater suffisamment les tissus maternels et fœtaux quand la femme

RAPPELEZ-VOUS...

Le rythme circadien est un cycle biologique diurne-nocturne qui est réparti sur 24 heures. Les fluctuations de la température corporelle, de la F.C., de la P.A., de la sécrétion hormonale, de l'acuité sensorielle et de l'humeur dépendent du maintien des rythmes circadiens.

12

Le choc postural et les moyens d'y remédier sont expliqués dans le chapitre 12, *Soins infirmiers de la famille pendant le travail et l'accouchement*.

FIGURE 6.11
Hémorroïdes

Jugement clinique

Madame Boulard recommence à avoir des hémorroïdes. Elle en a eu à chacune de ses grossesses, mais elles sont disparues après l'accouchement.

Indiquez deux conséquences que la cliente pourrait présenter en raison de l'apparition de ces hémorroïdes.

est debout ou allongée, et pour établir une réserve hydrique permettant de compenser la perte sanguine de l'accouchement et de la période postnatale. La vasodilatation périphérique maintient la P.A. dans la normale en dépit de l'accroissement du volume sanguin pendant la grossesse.

Pendant la grossesse, la production de globules rouges s'accélère d'un pourcentage qui dépend de la quantité de fer disponible (normale: 4,2-5,4 millions de cellules/mm^3). La masse des globules rouges augmente d'environ 20 à 30 % (Blackburn, 2007).

Étant donné que l'expansion du plasma excède l'augmentation de production des globules rouges, il y a une réduction des valeurs normales de l'hémoglobine (normale: 120-160 g/L de sang) et de l'hématocrite (normale: 37-47 %). Cet état d'hémodilution porte le nom d'anémie physiologique. La réduction est plus remarquable pendant le deuxième trimestre qu'aux autres moments, alors que l'expansion du volume sanguin est plus rapide que la production de globules rouges. Un taux d'hémoglobine qui tombe sous 110 g/L doit être considéré comme anormal et est souvent attribuable à une anémie ferriprive (Samuels, 2007). La numération leucocytaire augmente pendant le deuxième trimestre et atteint un maximum pendant le troisième trimestre. Cette hausse est surtout attribuable aux granulocytes; la numération des lymphocytes demeure approximativement la même pendant toute la grossesse. Le **TABLEAU 6.3** dresse la liste des valeurs normales des analyses de laboratoire pendant la grossesse.

Débit cardiaque

À la 32e semaine, le D.C. s'est élevé de 30 à 50 % par rapport à celui d'avant la grossesse; à 40 semaines de gestation, il est redescendu à 20 %

TABLEAU 6.3 Valeurs normales des analyses de laboratoire[a] chez la femme non enceinte et la femme enceinte

VALEURS	NON ENCEINTE	ENCEINTE
Valeurs hématologiques		
Formule sanguine complète (FSC)		
Hémoglobine (g/L)	120-160	> 110
Hématocrite (%)	37-47	> 33
Volume globulaire (par ml)	1 400	1 650
Volume plasmatique (par ml)	2 400	↑ 40-60 %
Numération des globules rouges (millions par mm^3)	4,2-5,4	5,0-6,25
Numération des leucocytes (total par mm^3)	5 000-10 000	5 000-15 000
Neutrophiles (%)	40-60	60-85
Lymphocytes (%)	20-40	15-40
Vitesse de sédimentation des hématies (mm/h)	< 20	Élevée aux deuxième et troisième trimestres
Concentration globulaire moyenne en hémoglobine (CGMH) (g/dl de globules rouges)	30-36	Pas de changement

TABLEAU 6.3 **Valeurs normales des analyses de laboratoire[a] chez la femme non enceinte et la femme enceinte *(suite)***

VALEURS	NON ENCEINTE	ENCEINTE
Teneur globulaire moyenne en hémoglobine (TGMH) (pg)	28-33	Pas de changement
Volume globulaire moyen (VGM), par mm^3	86-98	Pas de changement
Coagulation du sang et activité fibrinolytique[b]		
Facteur VII	65-140	↑ pendant la grossesse, retour à la normale au début de la période postnatale
Facteur VIII	55-45	↑ pendant la grossesse et immédiatement après l'accouchement
Facteur IX	60-140	Comme pour le facteur VII
Facteur X	45-155	Comme pour le facteur VII
Facteur XI	65-135	↓ pendant la grossesse
Facteur XII	50-150	Comme pour le facteur VII
Temps de prothrombine (TP) (sec)	8,8-11,6	Légère ↓ pendant la grossesse
Temps de céphaline activée (TCA) (sec)	25-35	Légère ↓ pendant la grossesse et ↓ pendant le deuxième et le troisième stade du travail (correspond à la coagulation au site d'insertion du placenta)
Temps de saignement (min)	1-9 (Méthode d'Ivy)	Pas de changement appréciable
Temps de coagulation (min)	6-10 (Épreuve de Lee et White)	Pas de changement appréciable
Plaquettes (par mm^3)	150 000-400 000	Pas de changement notable jusqu'à trois à cinq jours après l'accouchement, puis ↑ rapide (peut prédisposer la femme aux thromboses) et retour graduel à la normale
Activité fibrinolytique	Normale	Diminution pendant la grossesse, puis retour brusque à la normale (protection contre les thromboembolies)
Fibrinogène (g/L)	2-4	Niveaux élevés tard dans la grossesse
Concentration de minéraux et de vitamines		
Vitamine B_{12}, acide folique, acide ascorbique	Vitamine B_{12} : 150-850 pg/ml acide folique : 2,7-17 ng/ml	↓ modérée
Protéines sériques		
Totales (g/dl)	6,4-8,3	5,5-7,5
Albumine (g/dl)	3,5-5,0	Légère ↑
Globulines totales (g/dl)	2,3-3,4	3,0-4,0
Glucose sanguin		
À jeun (mmol/L)	– 3,9-5,8	↓
Postprandial, 2 h (mmol/L)	< 7,8	Une valeur < 7,8 après un repas de 75 g de glucides est considérée comme normale

TABLEAU 6.3 Valeurs normales des analyses de laboratoire[a] chez la femme non enceinte et la femme enceinte *(suite)*		
VALEURS	**NON ENCEINTE**	**ENCEINTE**
Valeurs acidobasiques du sang artériel		
Pression partielle de l'oxygène dans le sang artériel (PaO_2) (mm Hg)	80-100	104-108 (↑)
Pression partielle du gaz carbonique dans le sang artériel ($PaCO_2$) (mm Hg)	35-45	27-32 (↓)
Bicarbonate de sodium (HCO_3) (mEq/L)	21-28	18-31 (↓)
pH sanguin	7,35-7,45	7,40-7,45 (légère ↑, plus alcalin)
Valeur rénale		
Glucose urinaire	Négatif	Présent chez 20 % des femmes enceintes
Thyréostimuline (TSH)	0,4-4,0 milliunité internationale/L	

[a] Si d'autres analyses de laboratoire sont demandées, l'infirmière doit consulter un outil de référence disponible dans son établissement.

[b] La grossesse représente un état d'hypercoagulabilité.

Sources : Adapté de Blackburn (2007) ; Gordon (2007) ; Pagana & Pagana (2006).

TABLEAU 6.4 Modifications cardiovasculaires pendant la grossesse	
SITE DU CHANGEMENT	**OBSERVATION**
F.C.	↑ de 10 à 15 batt./min au 2[e] trimestre
P.A.	Systolique : ↓ légère ou nulle par rapport aux valeurs d'avant la grossesse
	Diastolique : légère ↓ au milieu de la grossesse (24-32 semaines) puis retour graduel aux valeurs d'avant la grossesse à la fin de celle-ci
Volume sanguin	↑ de 1 500 ml ou 40-50 % par rapport aux valeurs d'avant la grossesse
Masse des globules rouges	↑ de 17 %
Hémoglobine	↓
Hématocrite	↓
Numération de leucocytes	↑ pendant le 2e et le 3e trimestre
D.C.	↑ de 30 à 50 %

Source : Leclerc, Grégoire & Rheault (2008).

au-dessus de sa valeur normale. Cette élévation du D.C. s'explique en grande partie par l'augmentation du volume systolique et de la F.C., et elle constitue une réponse à la demande accrue d'oxygène par les tissus (Blackburn, 2007). Le D.C. à la fin de la grossesse est considérablement plus élevé quand la femme est allongée sur le côté plutôt que sur le dos. En effet, en position de décubitus dorsal, le volume et le poids de l'utérus entravent souvent le retour veineux au cœur et modifient la P.A. à la baisse. Le D.C. augmente au moindre effort, y compris pendant le travail et l'accouchement. Le **TABLEAU 6.4** offre un résumé des modifications cardiovasculaires pendant la grossesse.

Temps de coagulation

Le sang a tendance à coaguler pendant la grossesse en raison des quantités plus importantes de divers facteurs de coagulation (facteurs VII, VIII, IX, X et fibrinogène). Ce changement, combiné au fait que l'activité fibrinolytique (dégradation ou dissolution d'un caillot) est réduite pendant la grossesse et la période postnatale remplit une fonction protectrice en diminuant les risques de saignement, mais il rend aussi la femme plus vulnérable aux thromboses (Geerts *et al.*, 2008), surtout après un accouchement par césarienne.

Système respiratoire

Des adaptations structurales et fonctionnelles du système respiratoire ont lieu pendant la grossesse afin de répondre aux besoins de la mère et du fœtus. Les besoins maternels en oxygène augmentent en réaction à l'accélération du métabolisme et à la nécessité d'accroître la masse tissulaire de l'utérus et des seins. De plus, le fœtus consomme de l'oxygène et doit éliminer le dioxyde de carbone.

Les taux élevés d'œstrogènes provoquent le relâchement des ligaments de la cage thoracique, permettant de ce fait une plus grande expansion du thorax. Le diamètre transversal de la cage thoracique s'accroît d'environ 2 cm, et sa circonférence, de 6 cm (Cunningham *et al.*, 2005). L'angle costal augmente, et la portion inférieure de la cage thoracique semble faire saillie. Il est possible que le thorax ne reprenne pas son état antérieur après l'accouchement (Seidel *et al.*, 2006).

Le déplacement du diaphragme peut atteindre jusqu'à 4 cm pendant la grossesse. À mesure que celle-ci progresse, le diaphragme perd de sa capacité à descendre à l'inspiration, et la respiration thoracique (costale) remplace la respiration abdominale (Blackburn, 2007).

Les voies respiratoires supérieures deviennent plus vascularisées en réaction aux taux élevés d'œstrogènes. À mesure que les capillaires s'engorgent, l'hyperémie et l'œdème se développent dans les fosses nasales, le pharynx, le larynx, la trachée et les bronches. Cette congestion des tissus des voies respiratoires entraîne plusieurs des états fréquemment observés pendant la grossesse, comme la congestion des fosses nasales et des sinus, l'épistaxis (saignement de nez), des changements de la voix et une réaction inflammatoire marquée pouvant se transformer en infection respiratoire légère.

La vascularité accrue des voies respiratoires supérieures peut aussi causer un bombement des tympans et une congestion des trompes d'Eustache et entraîner des symptômes comme une détérioration de l'audition, l'otalgie ou une sensation de plénitude dans les oreilles.

Fonction pulmonaire

Les transformations respiratoires de la grossesse sont liées à l'élévation du diaphragme et aux changements de la paroi thoracique. Le centre respiratoire, situé dans le tronc cérébral, devient plus sensible au dioxyde de carbone. On croit que l'action des œstrogènes et de la progestérone est responsable de cette modification. L'abaissement du seuil de tolérance pour le dioxyde de carbone amène les femmes enceintes à être plus conscientes du besoin de respirer (Gordon, 2007). Le **TABLEAU 6.5** présente un résumé des modifications respiratoires pendant la grossesse. Bien que la fonction pulmonaire ne soit pas réduite par la grossesse, des maladies des voies respiratoires peuvent être plus incommodantes ou entraîner des effets plus importants (Cunningham *et al.*, 2005). Les besoins accrus d'oxygène pourraient aussi exacerber cette situation.

TABLEAU 6.5 Modifications respiratoires pendant la grossesse

SITE DU CHANGEMENT	OBSERVATION
Fréquence respiratoire	Pas de changement ou légère ↑
Volume courant	↑ de 30 à 40 %
Capacité vitale	Pas de changement
Capacité inspiratoire	↑
Volume de réserve expiratoire	↓
Capacité pulmonaire totale	Pas de changement ou légère ↓
Consommation d'oxygène	↑ de 20 à 40 %

Source : Adapté de Gordon (2007).

Métabolisme basal

Le métabolisme basal s'accélère pendant la grossesse dans une mesure qui varie considérablement selon l'état nutritionnel de la femme avant sa grossesse et en fonction de la croissance du fœtus (Blackburn, 2007). Il revient à son taux antérieur cinq ou six jours après l'accouchement. L'accélération du métabolisme basal pendant la grossesse reflète la demande accrue d'oxygène par l'unité utérus-placenta-fœtus et la consommation supérieure d'oxygène attribuable au travail plus important du cœur de la mère. La vasodilatation périphérique et l'augmentation de l'activité des glandes sudoripares aident à dissiper la chaleur excédentaire produite par l'élévation du métabolisme basal pendant la grossesse. Les femmes enceintes connaissent parfois une intolérance à la chaleur qui peut importuner certaines d'entre elles. Au début de leur grossesse, beaucoup de femmes éprouvent de la lassitude et une plus grande fatigabilité après un effort léger. Ces sensations peuvent persister, associées à un besoin accru de sommeil, et elles pourraient être dues en partie à l'augmentation de l'activité métabolique.

Jugement clinique

Vous lisez dans le dossier de madame Irina Bujold, âgée de 34 ans et enceinte de 33 semaines, que son temps de coagulation est à 5.

Sachant que la valeur normale est 6-10, à quel problème vasculaire la cliente est-elle exposée ?

Équilibre acidobasique

Aux environs de la 10e semaine de grossesse, la $PaCO_2$ aura diminué d'environ 5 mm Hg. La progestérone pourrait être responsable de la sensibilité plus élevée des récepteurs du centre respiratoire qui a pour conséquence d'augmenter le volume courant. Cette légère hyperventilation provoque une diminution de la $PaCO_2$ et une légère augmentation du pH, ainsi qu'une réduction des bicarbonates (HCO_3^-). Ces modifications de l'équilibre acidobasique indiquent que la grossesse constitue un état d'alcalose respiratoire compensée en permanence (Gordon, 2007). Ces changements facilitent également le transport du dioxyde de carbone venant du fœtus et la libération de l'oxygène de la mère vers le fœtus **TABLEAU 6.3**.

Système urinaire

Les reins sont responsables du maintien des équilibres électrolytique et acidobasique, ils régulent le volume de liquide extracellulaire et ils excrètent les déchets produits tout en conservant les nutriments essentiels.

Changements anatomiques

Les changements de la structure rénale pendant la grossesse sont dus à l'activité hormonale (œstrogènes et progestérone), à la pression exercée par l'utérus qui grossit et à l'accroissement du volume sanguin. Dès la 10e semaine de grossesse, les bassinets du rein et les uretères se dilatent. La dilatation des uretères est plus marquée au-dessus du détroit supérieur du bassin, en partie parce qu'ils sont comprimés entre celui-ci et l'utérus. Chez la plupart des femmes, la taille des uretères est normale sous le détroit supérieur. Les parois du muscle lisse des uretères subissent une hyperplasie, une hypertrophie et un relâchement de leur tonus. C'est pourquoi les uretères s'allongent, et ils deviennent sinueux. Dans la dernière partie de la grossesse, le bassinet du rein et l'uretère sont plus dilatés du côté droit que du côté gauche parce que l'utérus, plus gros et plus lourd, est déplacé vers la droite par le côlon sigmoïde.

En raison de ces changements, un volume plus important d'urine est retenu dans les bassinets du rein et les uretères, et le débit urinaire se trouve ralenti. La stase (ou stagnation urinaire) qui en résulte entraîne diverses conséquences.

- Il existe un délai entre la formation de l'urine et le moment où elle atteint la vessie. Par conséquent, les résultats des épreuves de clairance peuvent se rapporter aux substances qui se trouvaient dans le filtrat glomérulaire plusieurs heures plus tôt.
- L'urine stagnante constitue un milieu idéal pour la croissance des microorganismes. L'urine de la femme enceinte contient en outre plus de nutriments, dont le glucose, qui ont pour effet d'élever le pH (rendant l'urine plus alcaline). Ces facteurs rendent la femme enceinte plus sujette aux infections urinaires.

L'irritabilité de la vessie, la nycturie, la fréquence exagérée des mictions (pollakiurie) et le besoin impérieux d'uriner (sans dysurie) sont fréquemment rapportés au début de la grossesse. Près du terme, ces symptômes vésicaux peuvent réapparaître, en particulier après l'allégement.

La pollakiurie est initialement attribuable à l'augmentation de la sensibilité de la vessie et, plus tard, à sa compression **FIGURE 6.8**. Pendant le deuxième trimestre, la vessie est poussée vers le haut hors du petit bassin, dans l'abdomen, ce qui provoque un allongement de l'urètre de 7,5 cm. La congestion pelvienne qui se produit pendant la grossesse se reflète par l'hyperémie de la vessie et de l'urètre. En raison de cet accroissement de la vascularité, la muqueuse vésicale est plus fragile et saigne facilement. Le tonus de la vessie peut diminuer, ce qui augmente sa capacité à 1 500 ml. Au même moment, la vessie est comprimée par l'utérus qui grossit, ce qui provoque le besoin d'uriner même si la vessie ne contient qu'une petite quantité d'urine.

Changements fonctionnels

Une grossesse normale entraîne des modifications considérables de la fonction rénale. Le taux de filtration glomérulaire et le flux plasmatique rénal augmentent tôt au cours de la grossesse (Cunningham *et al.*, 2005). Ces changements sont causés par les hormones de la grossesse, par l'augmentation du volume sanguin, par la posture de la femme, son activité physique et son apport alimentaire. Les reins de la mère doivent satisfaire les besoins métaboliques et circulatoires accrus de son organisme et assurer l'excrétion des déchets produits par le fœtus. Le fonctionnement rénal est le plus efficace quand la femme prend la position allongée sur le côté, et il l'est le moins quand elle se trouve couchée sur le dos. La position de décubitus latéral accroît l'irrigation rénale, augmentant de ce fait le débit urinaire, ce qui peut contribuer à réduire l'œdème **FIGURE 6.12**. Lorsque la femme est en décubitus dorsal, le poids de son utérus comprime la veine cave et l'aorte, et le D.C. diminue. En conséquence, le débit sanguin du cerveau et du cœur est maintenu aux dépens d'autres organes, dont les reins et l'utérus.

Équilibre hydroélectrolytique

La réabsorption tubulaire rénale sélective maintient l'équilibre du sodium et de l'eau malgré les variations de l'apport alimentaire et les pertes occasionnées par la transpiration, les vomissements ou la diarrhée. Une concentration de 500 à 900 mEq de sodium est normalement maintenue pendant la grossesse pour satisfaire les besoins fœtaux. Afin de prévenir une déplétion excessive de sodium, les reins de la mère subissent une adaptation importante en intensifiant la réabsorption tubulaire. Du sodium supplémentaire est en effet requis pour la nécessaire expansion du volume liquidien intravasculaire et extracellulaire de la mère et pour le maintien d'un état isotonique. Malgré son efficacité, le système rénal peut être surchargé par l'apport alimentaire excessif de sodium, une restriction dans la diète ou

FIGURE 6.12
La position en décubitus latéral, principalement sur le côté gauche, favorise notamment les fonctions rénales chez la femme enceinte.

l'usage de diurétiques. L'hypovolémie grave et la réduction de l'irrigation placentaire sont deux conséquences de l'utilisation de diurétiques pendant la grossesse.

L'excrétion de l'eau par les reins se fait plus efficacement pendant les premières semaines de la grossesse que par la suite. Par conséquent, certaines femmes se sentent assoiffées au début de celle-ci en raison de pertes d'eau plus importantes. L'accumulation de liquide dans les jambes dans la dernière partie de la grossesse diminue le D.C., le débit sanguin rénal et le taux de filtration glomérulaire. On donne parfois le nom d'œdème physiologique ou œdème déclive à cette stagnation des liquides dans la partie inférieure des jambes, un état qui ne requiert pas de traitement. La réaction diurétique normale à la charge hydrique se déclenche quand la femme est allongée, de préférence sur le côté gauche, et les liquides accumulés réintègrent alors la circulation générale.

Les reins réabsorbent normalement presque tout le glucose et les autres nutriments du filtrat urinaire. Une glycosurie de degré variable peut toutefois apparaître à divers moments de la journée, selon l'alimentation ou le degré d'anxiété (stress), ce qui signifie que dans une journée donnée, la glycosurie est parfois positive (des lectures de 1+ à 4+ sur la bandelette réactive), parfois négative. Chez la femme qui n'est pas enceinte, le taux de glucose sanguin doit atteindre au moins 10 mmol/L avant que le glucose ne soit éliminé dans les urines. Chez la femme enceinte toutefois, la réabsorption tubulaire du glucose est réduite, de sorte qu'une légère glycosurie peut apparaître. On comprend mal pourquoi le glucose et d'autres nutriments, comme les acides aminés, sont davantage éliminés pendant la grossesse, et le mécanisme exact de ce phénomène demeure inconnu. Bien que la glycosurie puisse survenir dans les grossesses normales, il faut garder à l'esprit la possibilité de diabète de type 1 ou 2 et celle de diabète gestationnel.

En général, on n'observe pas de protéinurie au cours d'une grossesse normale, sauf pendant le travail ou après l'accouchement (Cunningham *et al.*, 2005). La quantité accrue d'acides aminés devant être filtrés peut toutefois dépasser la capacité de réabsorption des tubules rénaux; de petites quantités de protéines sont alors perdues dans l'urine. La quantité de protéines excrétées n'est pas une indication de l'importance d'une maladie rénale, de même qu'une augmentation de l'excrétion des protéines par une femme enceinte n'indique pas nécessairement la progression d'une maladie. Il faut toutefois procéder à une évaluation plus approfondie si une femme enceinte présente de l'hypertension et une protéinurie, parce que ces facteurs augmentent les risques que sa grossesse connaisse une issue défavorable (Gordon, 2007) **TABLEAU 6.3**.

Système tégumentaire

Des modifications de l'équilibre hormonal et l'étirement mécanique sont responsables de plusieurs changements du système tégumentaire pendant la grossesse. La production d'hormone mélanotrope (ou mélanotropine), une hormone de l'adénohypophyse (lobe antérieur de l'hypophyse), est accrue pendant la grossesse et provoque une hyperpigmentation. Les mamelons, les aréoles, les aisselles et la vulve deviennent plus foncés vers la 16e semaine de grossesse. Le **chloasma**, aussi appelé masque de grossesse, est une hyperpigmentation brunâtre et marbrée de la peau des joues, du nez et du front, particulièrement apparente chez les femmes enceintes au teint foncé. Le chloasma, qui touche de 50 à 70 % des femmes enceintes, se manifeste après la 16e semaine et s'accentue graduellement jusqu'au terme de la grossesse. Le soleil intensifie cette pigmentation chez les femmes vulnérables. Le chloasma causé par une grossesse normale s'estompe généralement après l'accouchement.

La **ligne brune abdominale** s'étend sur la ligne médiane de la symphyse pubienne jusqu'au sommet du fond de l'utérus; pigmentée, cette ligne porte aussi le nom de *linea nigra* **FIGURE 6.13**. Chez les primigestes, l'extension de la ligne brune, qui commence au troisième mois, suit le même rythme que l'élévation du fond de l'utérus; chez les multigestes, la ligne entière apparaît souvent avant le troisième mois. Toutes les femmes enceintes n'ont pas nécessairement une ligne brune. Certaines femmes remarquent une croissance pileuse le long de cette ligne, avec ou sans changement de la pigmentation.

Les **vergetures** (montrées sur la partie inférieure de l'abdomen dans la **FIGURE 6.13**), qui apparaissent chez 50 à 90 % des femmes enceintes pendant la deuxième moitié de la grossesse, pourraient être causées par l'action des adrénocorticostéroïdes. Elles sont le reflet de déchirures dans le tissu conjonctif sous-jacent de la peau (collagène). Ces stries légèrement déprimées ont tendance à apparaître sur les

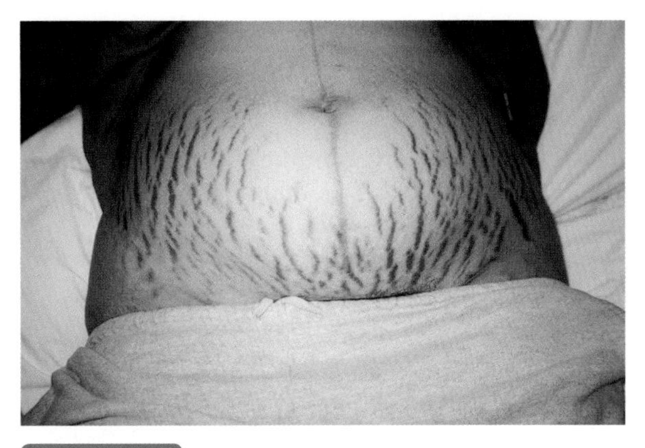

FIGURE 6.13
Vergetures et ligne brune abdominale chez une personne à la peau foncée

Étant donné que les modifications du système tégumentaire varient considérablement selon l'origine ethnique, il faut noter la couleur de la peau de la femme au moment de l'évaluation clinique en même temps que tout changement pouvant être attribuable à sa grossesse.

20

Les problèmes de peau sont abordés dans le chapitre 20, *Grossesse à risque: maladies préexistantes.*

Les femmes souffrant d'acné grave qui prennent de l'isotrétinoïne (Accutane[MD]) devraient éviter de devenir enceintes pendant le traitement parce que ce produit tératogène est associé à des malformations majeures.

zones d'étirement maximal (c.-à-d., l'abdomen, les cuisses et les seins). L'étirement provoque parfois une sensation qui ressemble à un chatouillement. La tendance à avoir des vergetures pourrait être familiale. Habituellement, elles s'estompent au cours de la période postnatale mais elles ne disparaissent jamais complètement. La couleur des vergetures dépend de la coloration de la peau de la femme enceinte. Elles sont rosâtres chez les femmes dont la peau est claire et plus pâles que la peau qui les entoure chez les femmes à la peau foncée. Chez les multipares, en plus des vergetures de la grossesse en cours, on observe fréquemment des lignes luisantes argentées (chez les femmes à la peau claire) ou violacées (chez celles dont la peau est foncée) qui sont les cicatrices des vergetures de grossesses antérieures.

De plus, certaines femmes présentent de minuscules artérioles terminales légèrement surélevées, ramifiées ou en forme d'étoile, observées sur le cou, le thorax, le visage et les bras qui se nomment angiomes stellaires (télangiectasies). Ils sont consécutifs aux taux élevés d'œstrogènes circulants. Les étoiles ont une teinte rose bleutée et ne s'effacent pas à la pression. Elles apparaissent entre le deuxième et le cinquième mois de la grossesse chez presque 65 % des femmes blanches et chez 10 % des femmes d'origine africaine. Elles disparaissent généralement après l'accouchement (Blackburn, 2007).

Des marbrures rouge rosâtre diffuses ou bien nettes s'observent sur la surface palmaire des mains chez environ 60 % des femmes blanches et chez 35 % des femmes d'origine africaine pendant la grossesse (Blackburn, 2007). Ces changements de coloration, qui portent le nom d'**érythème palmaire**, sont d'abord liés aux taux élevés d'œstrogènes.

On a constaté que certaines affections dermatologiques sont propres à la grossesse ou que leur fréquence est accrue à ce moment. Le prurit léger (prurit de la grossesse) est un symptôme dermatologique assez courant pendant la grossesse. Des stéroïdes et des émollients topiques constituent souvent le traitement habituel, dont le but est de soulager la démangeaison. Le problème se règle généralement pendant la période postnatale (Papoutsis & Kroumpouzos, 2007). Des maladies systémiques peuvent aussi provoquer du prurit, mais elles sont peu communes ou rares (Cappell, 2007) **ENCADRÉ 6.3**. Des maladies de peau existantes peuvent compliquer la grossesse ou s'améliorer à ce moment ▶ 20.

Il peut se produire une hypertrophie des gencives. L'**épulis de grossesse** (granulome gingival gravidique) est un nodule rouge et élevé sur les gencives qui saigne facilement. Cette lésion peut apparaître autour du troisième mois et continuer de s'étendre à mesure que la grossesse progresse. On le traite généralement en prévenant les traumas des gencives (p. ex., en utilisant une brosse à dents souple). En général, l'épulis régresse spontanément après l'accouchement.

La croissance des ongles peut s'accélérer. Certaines femmes constateront un amincissement et un ramollissement de leurs ongles. La grossesse peut s'accompagner de peau grasse et d'acné vulgaire. Au contraire, chez certaines femmes, le teint s'éclaircit et paraît radieux. On rapporte fréquemment l'apparition d'hirsutisme, une croissance excessive de poils ou la croissance de poils en des endroits inhabituels. Il peut y avoir une augmentation de la croissance des poils fins, mais qui tend à disparaître après la grossesse; toutefois, les poils grossiers et raides ne disparaissent généralement pas. Le rythme de perte de cheveux ralentit pendant la grossesse, alors qu'il s'intensifie pendant la période postnatale.

L'augmentation du débit sanguin dans la peau a pour effet d'accroître la transpiration. Les femmes ont plus chaud pendant la grossesse, situation possiblement liée à une augmentation de la température corporelle induite par la progestérone et à l'accélération du métabolisme.

Système musculosquelettique

Les changements graduels du corps de la femme enceinte et son poids croissant entraînent des modifications notables de sa posture et de sa démarche **FIGURE 6.14**. L'importante distension abdominale qui donne à son bassin une inclinaison vers l'avant, la diminution du tonus des muscles abdominaux et l'augmentation du poids à porter demandent un réalignement des courbures de la colonne vertébrale vers la fin de la grossesse. Le centre de gravité de la femme se déplace vers l'avant. La courbure lombosacrée normale (lordose) s'accentue, et une courbure compensatoire se forme dans la région cervicodorsale (flexion antérieure exagérée de la tête) pour aider à garder l'équilibre. En résultat, les membres supérieurs peuvent être douloureux, engourdis et faibles. Les seins volumineux et une posture voûtée accentueront davantage les courbures lombaire et dorsale. La marche est plus difficile, et la démarche en dandinement de la femme enceinte, qui ressemble à celle du pingouin, est bien connue. Les structures ligamenteuses et musculaires des portions moyenne et inférieure de la colonne vertébrale peuvent être sérieusement mises à l'épreuve. Ces facteurs, ainsi que d'autres

ENCADRÉ 6.3 Prévalence des troubles dermatologiques de la grossesse

- Papules urticariennes prurigineuses de la grossesse et plaques: 1:130 à 1:300
- Prurit gravidique: 1:300 à 1:450
- Herpes gestationis: 1:50 000
- Folliculite prurigineuse de la grossesse: très rare

Source: Adapté de Papoutsis & Kroumpouzos (2007).

modifications, entraînent souvent un malaise musculosquelettique, en particulier chez les femmes plus âgées ou celles qui ont des problèmes dorsaux ou un mauvais sens de l'équilibre.

Il se produit normalement un léger relâchement des articulations pelviennes et un accroissement de leur mobilité pendant la grossesse. Ces modifications sont la conséquence de l'augmentation de l'élasticité et de l'assouplissement du tissu conjonctif et du collagène causés par une élévation des hormones sexuelles stéroïdiennes circulantes, en particulier les œstrogènes. La relaxine est une autre hormone ovarienne qui contribue à ce relâchement et à cet assouplissement. Ces adaptations permettent l'élargissement des dimensions pelviennes afin de faciliter le travail et l'accouchement. Le degré de relâchement varie, mais une séparation considérable de la symphyse pubienne et une instabilité des articulations sacro-iliaques peuvent provoquer de la douleur et rendre la marche difficile. L'obésité ou une grossesse multiple peuvent accentuer cette instabilité. La laxité des articulations périphériques augmente aussi à mesure que la grossesse progresse, mais on en ignore la cause (Cunningham *et al.*, 2005).

Les muscles de la paroi abdominale s'étirent et finissent par perdre une partie de leur tonus. Pendant le troisième trimestre, les muscles grands droits de l'abdomen peuvent se séparer, permettant au contenu abdominal de faire saillie sur la ligne médiane **FIGURE 6.15**. L'ombilic s'aplatit alors ou forme une protubérance. Après l'accouchement, les muscles reprennent graduellement leur tonus, mais leur séparation peut persister (**diastase des muscles grands droits de l'abdomen**).

Système nerveux

Outre l'existence de changements neurohormonaux hypothalamo-hypophysaires, on connaît mal les modifications propres au fonctionnement du système nerveux pendant la grossesse. Des changements physiologiques précis résultant de la grossesse peuvent toutefois entraîner les symptômes neurologiques ou neuromusculaires suivants.

- La compression des nerfs pelviens ou la stase vasculaire, causées par l'hypertrophie de l'utérus, peuvent provoquer des changements sensoriels dans les jambes.
- La lordose peut causer de la douleur en raison de la traction exercée sur les nerfs ou de la compression des racines des nerfs.
- L'œdème touchant les nerfs périphériques peut engendrer le **syndrome du canal carpien** pendant le troisième trimestre (Samuels & Niebyl, 2007). Ce syndrome se caractérise par la paresthésie de la main (sensation anormale, comme une brûlure ou un fourmillement) accompagnée d'une douleur qui irradie jusqu'au coude. Ces sensations sont causées par la formation d'un œdème qui comprime le nerf médian sous le ligament annulaire du poignet. Le tabagisme et la consommation d'alcool peuvent entraver la microcirculation et aggraver ces symptômes. La main dominante est en général la plus touchée, bien que jusqu'à 80 % des femmes atteintes ressentent des symptômes dans les deux mains. Ceux-ci régressent généralement après la grossesse. Un traitement chirurgical peut s'avérer nécessaire dans certains cas (Samuels & Niebyl, 2007).

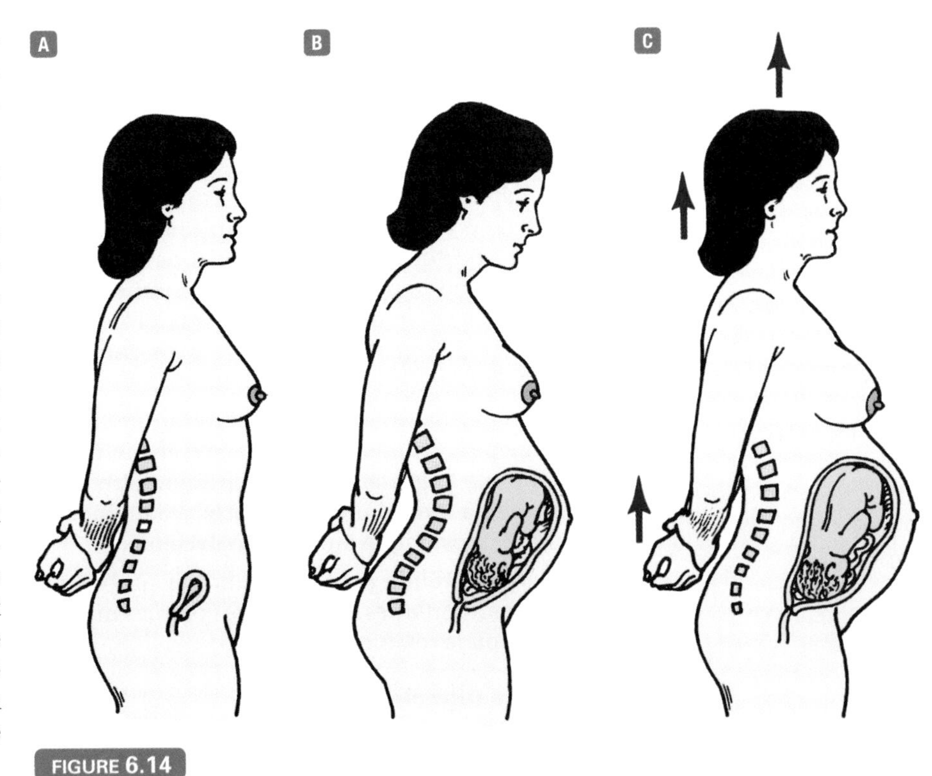

FIGURE 6.14

Modifications posturales provoquées par la grossesse. A Femme non enceinte. B Posture incorrecte pendant la grossesse. C Posture correcte pendant la grossesse.

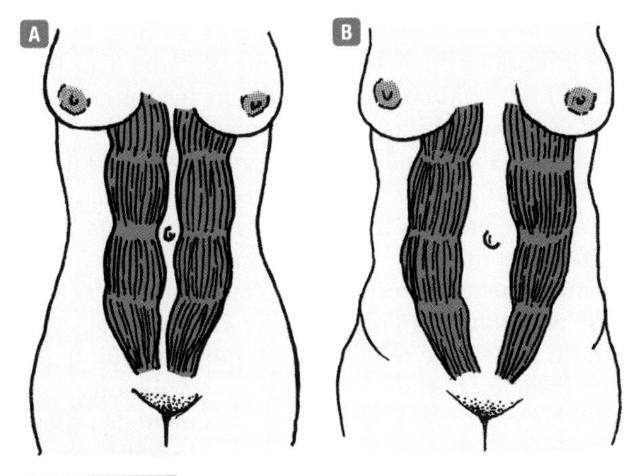

FIGURE 6.15

Modification possible des muscles grands droits de l'abdomen pendant la grossesse. A Position normale chez la femme qui n'est pas enceinte. B Diastase des muscles grands droits de l'abdomen chez la femme enceinte.

8

L'apport alimentaire essentiel en cours de grossesse est abordé dans le chapitre 8, *Nutrition de la mère et du fœtus.*

- L'acroparesthésie (engourdissement et fourmillement dans les mains) est due à la posture voûtée qu'adoptent certaines femmes pendant la grossesse et qui provoque la traction de segments du plexus brachial **FIGURE 6.15B**.
- La céphalée de tension est fréquente lorsque l'anxiété et l'incertitude compliquent la grossesse. Toutefois, des problèmes de vision, la sinusite ou la migraine peuvent aussi être responsables des maux de tête. Ceux-ci peuvent également signaler un trouble hypertensif de la grossesse.
- Les étourdissements, les vertiges et même les syncopes (évanouissements) sont fréquents au début de la grossesse. Ils pourraient être attribuables à l'instabilité vasomotrice, à l'hypotension orthostatique ou à l'hypoglycémie.
- L'hypocalcémie peut entraîner des problèmes neuromusculaires, comme des crampes musculaires ou la tétanie.

Système digestif

Appétit

Pendant la grossesse, l'appétit de la femme et sa consommation d'aliments fluctuent. Tôt au cours de la grossesse, certaines femmes éprouvent des nausées accompagnées ou non de vomissements (nausées matinales de la grossesse), peut-être en réaction à l'augmentation des taux de hCG et des modifications du métabolisme des glucides (Gordon, 2007). Les nausées matinales ou les nausées et vomissements de la grossesse apparaissent à environ quatre à six semaines de gestation et persistent habituellement jusqu'à la fin du troisième mois de la grossesse (premier trimestre). Leur gravité va d'un léger dégoût pour certains aliments jusqu'à des vomissements importants. Cet état peut être déclenché par la vue ou l'odeur de divers aliments. À la fin du deuxième trimestre, l'appétit augmente en réponse aux besoins métaboliques croissants. Les nausées et les vomissements ont rarement des effets cliniques néfastes sur l'embryon, le fœtus ou la femme. Par contre, ils influent négativement sur la qualité de vie de la mère et sur sa perception de santé (Arsenault & Lane, 2002). Il est nécessaire de procéder à une évaluation plus approfondie si les vomissements sont graves ou s'ils persistent au-delà du premier trimestre, ou encore s'ils sont accompagnés de fièvre, de douleur ou d'une perte pondérale; une intervention médicale sera peut-être alors nécessaire (Arsenault & Lane, 2002) ▶ 21.

21

Les nausées et les vomissements persistants sont traités dans le chapitre 21, *Grossesse à risque : états gestationnels.*

Les femmes peuvent également connaître des modifications de leur sens du goût qui entraînent un désir impérieux de manger et des changements de leur apport alimentaire. Certaines femmes ont des perversions du goût (appelées pica) qui les poussent à manger des substances non comestibles, de la glace par exemple, de l'argile ou de l'amidon de blanchisserie. L'objet de ces appétits, consommé avec modération, est habituellement inoffensif pour la grossesse si l'alimentation de la femme demeure suffisante par ailleurs et si son gain de poids est correct (Gordon, 2007) ▶ 8.

Les nausées et les vomissements ont rarement des effets cliniques néfastes sur l'embryon, le fœtus ou la femme.

Bouche

Pendant la grossesse, les gencives deviennent hyperémiées, spongieuses et enflées. Elles ont tendance à saigner facilement parce que les taux élevés d'œstrogènes causent une augmentation sélective de la vascularité et une prolifération du tissu conjonctif (une gingivite non spécifique). Des épulis peuvent se former à la limite gingivale. Certaines femmes enceintes se plaignent de **ptyalisme** (salivation excessive) qui pourrait être causé par la réduction de la déglutition inconsciente quand la femme est nauséeuse ou par la stimulation des glandes salivaires si elle mange des aliments contenant de l'amidon (Cunningham *et al.*, 2005).

Œsophage, estomac et intestins

Chez environ 15 à 20 % des femmes enceintes, une hernie de la portion supérieure de l'estomac (hernie hiatale) se produit après le septième ou le huitième mois de la grossesse. Cet état est attribuable au fait que l'estomac déplacé vers le haut vient élargir l'hiatus du diaphragme. Il est plus fréquent chez les femmes multipares et chez les femmes plus âgées ou obèses.

La production accrue d'œstrogènes entraîne une réduction de la sécrétion d'acide chlorhydrique; par conséquent, la formation d'ulcère gastroduodénal ou la réapparition de ces ulcères sont des événements peu communs pendant la grossesse, et la situation pourrait même s'améliorer (Gordon, 2007).

La production accrue de progestérone entraîne une diminution du tonus et de la motilité des muscles lisses, occasionnant des régurgitations œsophagiennes, un ralentissement de la vidange gastrique et une inversion du péristaltisme. En conséquence, la femme peut connaître une « indigestion acide » ou brûlure d'estomac (**pyrosis**), dès le premier trimestre; ce phénomène s'amplifiera jusqu'au troisième trimestre.

Le fer est absorbé plus facilement par l'intestin grêle en réponse aux besoins accrus de la grossesse. Même quand la femme présente une carence en fer, celui-ci continue d'être absorbé en quantités suffisantes pour procurer un taux d'hémoglobine normal au fœtus.

L'augmentation de progestérone (qui cause aussi une perte du tonus musculaire et une réduction du péristaltisme) entraîne une hausse de l'absorption de l'eau par le côlon et peut causer la constipation. Celle-ci peut aussi résulter de l'hypopéristaltisme (paresse de l'intestin), du choix des aliments, d'une faible ingestion de liquides, de la prise de suppléments de fer, d'une diminution d'activités, de la distension abdominale causée par l'utérus gravide, ainsi que du déplacement et de la compression des intestins. Si la femme enceinte a des hémorroïdes et qu'elle est constipée, ces hémorroïdes peuvent alors subir une éversion ou saigner lorsqu'elle fait un effort intense de défécation.

Vésicule biliaire et foie

La vésicule biliaire est souvent distendue pendant la grossesse en raison de la réduction de son tonus musculaire. L'augmentation du temps de vidange biliaire et l'épaississement de la bile causé par sa rétention prolongée sont deux changements typiques. Ces caractéristiques, associées à une légère hypercholestérolémie due aux taux élevés de progestérone, peuvent expliquer l'apparition de calculs biliaires pendant la grossesse.

Il est difficile d'évaluer la fonction hépatique pendant la grossesse; toutefois, seules des modifications mineures apparaissent dans le fonctionnement du foie. On observe occasionnellement une complication rare nommée cholestase intrahépatique gravidique (rétention et accumulation de bile dans le foie causée par des facteurs intrinsèques) vers la fin de la grossesse en réaction aux stéroïdes placentaires et pouvant provoquer un prurit de grossesse (démangeaisons importantes), accompagné ou non d'ictère. Ces symptômes pénibles, qui peuvent être associés à des risques pour le fœtus, sont difficiles à traiter pendant la grossesse. Ils régressent toutefois après l'accouchement (Cappell, 2007).

Malaises abdominaux

La lourdeur pelvienne ou la pression exercée sur le bassin, la tension du ligament rond, les flatulences, la distension et les crampes intestinales, ainsi que les contractions utérines sont des modifications abdominales qui peuvent entraîner des malaises. En plus du déplacement des intestins, la pression exercée par l'utérus en expansion provoque une augmentation de la pression veineuse dans les organes pelviens. Bien que la plupart des malaises abdominaux soient une conséquence de changements normaux chez la mère, le professionnel de la santé doit rester constamment à l'affût de troubles possibles comme l'occlusion intestinale ou un processus inflammatoire.

Il peut être difficile de diagnostiquer une appendicite pendant la grossesse parce que l'appendice est déplacé latéralement vers la droite et vers le haut et s'éloigne du point de McBurney **FIGURE 6.16**.

Système endocrinien

De profondes transformations endocriniennes sont essentielles pour le maintien de la grossesse, la croissance normale du fœtus et le rétablissement postnatal.

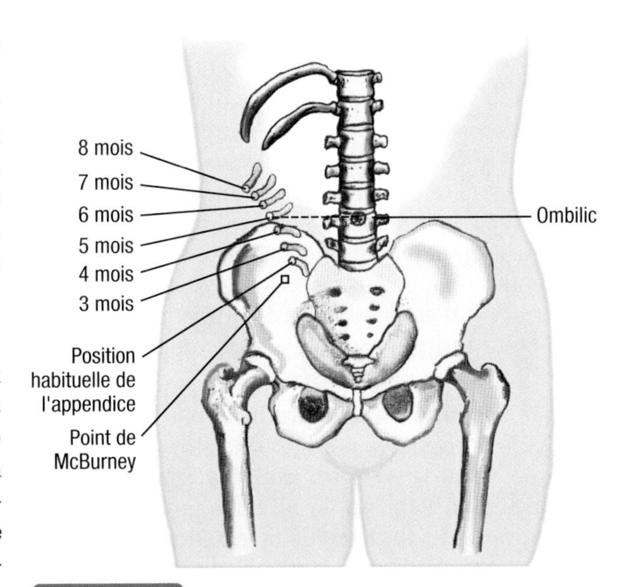

FIGURE 6.16
Changement de position de l'appendice pendant la grossesse. Noter le point de McBurney.

Hormones hypophysaires et placentaires

Pendant la grossesse, les taux élevés d'œstrogènes et de progestérone (produits initialement par le corps jaune de l'ovaire, jusqu'autour de la 14e semaine de la grossesse, puis par le placenta) suppriment la sécrétion de l'hormone folliculostimulante (FSH) et de l'hormone lutéinisante (LH) par l'adénohypophyse ou le lobe antérieur de l'hypophyse. Il n'y a ni maturation de follicule ni ovulation. Bien que la plupart des femmes soient aménorrhéiques (absence de règles), au moins 20 % d'entre elles présentent un léger écoulement de sang indolore au début de leur grossesse. Il peut y avoir un saignement d'implantation et un saignement lié à la friabilité du col utérin après une relation sexuelle. La plupart des femmes qui connaissent des saignements légers pendant leur grossesse poursuivent celle-ci jusqu'à son terme et accouchent de nouveaux-nés normaux; il faut toutefois leur conseiller de rapporter tous les cas de saignement au professionnel de la santé.

Après l'implantation, l'ovule fécondé et les villosités choriales produisent de la hCG qui maintient la production d'œstrogènes et de progestérone par le corps jaune jusqu'à ce que le placenta prenne la relève (Burton, Sibley & Jauniaux, 2007).

La progestérone joue un rôle essentiel dans le maintien de la grossesse en relâchant les muscles lisses, ce qui réduit la contractilité utérine et prévient les avortements spontanés. La progestérone et les œstrogènes provoquent le dépôt de graisses dans les tissus sous-cutanés de l'abdomen, du dos et du haut des cuisses de la mère. Cette graisse sert de réserve énergétique pour la grossesse et pour la lactation. Les œstrogènes favorisent également l'hypertrophie des organes génitaux, de l'utérus et des seins, et ils accroissent la vascularité de ces organes, causant de ce fait la vasodilatation. Les œstrogènes provoquent le relâchement des ligaments et des articulations du bassin. Ils modifient en outre le métabolisme des éléments nutritifs en interférant avec celui de l'acide folique, en augmentant le taux de protéines totales de l'organisme et en favorisant la rétention du sodium et de l'eau par les tubules rénaux. Les œstrogènes peuvent réduire la sécrétion d'acide chlorhydrique et de pepsine, un facteur qui pourrait causer des dérangements digestifs, comme les nausées.

La prolactine sérique produite par l'adénohypophyse commence à augmenter tôt pendant le premier trimestre et continue à augmenter progressivement jusqu'au terme de la grossesse. Elle est responsable du début de la lactation; toutefois, les taux élevés d'œstrogènes et de progestérone inhibent la lactation en bloquant la liaison de la prolactine au tissu mammaire jusqu'après l'accouchement (Gordon, 2007).

L'ocytocine est produite en quantités croissantes par la neurohypophyse (ou hypophyse postérieure) à mesure que le fœtus se développe. Cette hormone peut stimuler les contractions utérines pendant la grossesse, mais les taux élevés de progestérone les inhibent jusqu'à la fin de celle-ci. L'ocytocine stimule également le réflexe de déclenchement de la sécrétion lactée (ou réflexe d'éjection du lait) après l'accouchement en réaction à la succion du sein maternel par le nouveau-né.

On a suggéré que l'hormone chorionique somatomammotrophique (HCS), appelée auparavant hormone lactogène placentaire, produite par le placenta, agirait comme une hormone de croissance et contribuerait au développement des seins. Elle pourrait également réduire le métabolisme du glucose de la mère et augmenter la quantité d'acides gras pour satisfaire ses besoins métaboliques (Burton *et al.*, 2007).

Glande thyroïde

L'activité glandulaire et la production hormonale augmentent pendant la grossesse, ce qui se manifeste par une hypertrophie modérée de la glande thyroïde causée par l'hyperplasie du tissu glandulaire et l'augmentation de sa vascularisation (Cunningham *et al.*, 2005). À cause des taux élevés d'œstrogènes, la thyroxine binding globuline augmente. Cette hausse commence vers la 20e semaine de grossesse. Le taux de thyroxine (T_4) totale (libre et liée) augmente entre la 6e et la 9e semaine de gestation et atteint un plateau à 18 semaines. La T_4 libre et la triiodothyronine (T_3) libre reviennent aux niveaux d'avant la grossesse après le premier trimestre. En dépit de ces modifications de la production hormonale, l'hyperthyroïdie ne se développe généralement pas chez la femme enceinte (Cunningham *et al.*, 2005).

Glandes parathyroïdes

La parathormone régule le métabolisme du calcium et du magnésium. La grossesse induit une légère hyperparathyroïdie qui reflète les besoins du fœtus en calcium et en vitamine D. Le taux le plus élevé de parathormone est atteint entre la 15e et la 35e semaine de grossesse, alors que les besoins pour la croissance du squelette du fœtus sont à leur maximum. Les taux reviennent à la normale après l'accouchement.

Pancréas

Le fœtus a besoin de quantités importantes de glucose pour sa croissance et son développement. Pour combler ses besoins de combustible, non seulement le fœtus épuise-t-il les réserves maternelles de glucose, mais il réduit également la capacité de la mère de synthétiser du glucose à partir de ses acides aminés. Par conséquent, la glycémie de la mère diminue. Par ailleurs, l'insuline maternelle ne traverse pas le placenta pour se rendre au fœtus. En conséquence, le pancréas réduit sa production d'insuline pendant la première partie de la grossesse.

À mesure que la grossesse se poursuit, le placenta croît et produit des quantités progressivement plus importantes d'hormones (HCS, œstrogènes, progestérone). La production de cortisol par les glandes surrénales augmente également. Les œstrogènes, la progestérone, l'HCS et le cortisol agissent de concert pour réduire la capacité de la mère d'utiliser l'insuline. Le cortisol stimule la production d'insuline, mais augmente également la résistance de la mère à cette hormone (c.-à-d. que ses tissus ne peuvent pas utiliser adéquatement l'insuline). La réduction de la capacité de la mère d'utiliser sa propre insuline est un mécanisme protecteur qui assure un ample approvisionnement en glucose pour les besoins de l'unité fœtoplacentaire. Il en résulte une demande additionnelle d'insuline par la mère, et cette hormone continue à augmenter à un rythme régulier jusqu'au terme de la grossesse.

Glandes surrénales

Les glandes surrénales se modifient peu pendant la grossesse. La sécrétion d'aldostérone s'accroît, ce qui entraîne une réabsorption du sodium en excès par les tubules rénaux. Les taux de cortisol sont également plus élevés (Blackburn, 2007).

Vous rencontrez madame Marie-Pierre Denault, âgée de 31 ans, pour une première visite prénatale. Elle a déjà fait trois fausses couches, a eu trois enfants, dont deux prématurés (non-jumeaux), et est actuellement enceinte de 12 semaines. Le début de cette nouvelle grossesse est plutôt cahoteux. Contrairement à ses grossesses précédentes, la cliente a encore beaucoup de nausées et de vomissements pour ce stade, ce qui l'inquiète. Elle présente des saignements vaginaux lorsqu'elle fait trop d'efforts. Elle se sent tellement fatiguée qu'elle peine à s'occuper de ses trois autres enfants et éprouve beaucoup de difficulté à marcher longtemps, car elle devient très essoufflée. ▶

SOLUTIONNAIRE

www.cheneliere.ca/lowdermilk

MISE EN ŒUVRE DE LA DÉMARCHE DE SOINS

Collecte des données – Évaluation initiale – Analyse et interprétation

1. Qu'inscririez-vous au dossier de madame Denault pour la méthode à 5 chiffres GTPAL?
2. À 12 semaines de grossesse, quelle est la grosseur de l'utérus de la cliente?
3. Au cours de l'examen vaginal de madame Denault, vous constatez la présence du signe de Chadwick. Que devriez-vous remarquer sur la muqueuse vaginale et sur le col utérin?
4. Que devriez-vous soupçonner en raison des saignements vaginaux que madame Denault présente au moment de fournir un effort soutenu?

Planification des interventions – Décisions infirmières

5. Que pouvez-vous dire à madame Denault, qui s'inquiète que ses nausées perdurent?
6. Serait-il justifié de déterminer un plan thérapeutique infirmier (PTI) pour madame Denault même si elle n'est pas hospitalisée actuellement?

▶ Lors de sa visite de routine, à 32 semaines de grossesse, vous voyez au dossier de madame Denault qu'une échographie a révélé qu'elle était enceinte de jumeaux. La cliente est heureuse de la nouvelle, malgré que sa famille soit déjà plutôt grande. À l'examen physique, vous remarquez notamment que madame Denault a un pouls très rapide. ◀

MISE EN ŒUVRE DE LA DÉMARCHE DE SOINS

Évaluation des résultats – Évaluation en cours d'évolution

7. Compte tenu de la situation, le pouls de madame Denault est-il normal? Justifiez votre réponse.

APPLICATION DE LA PENSÉE CRITIQUE

Dans l'application de la démarche de soins auprès de madame Denault, l'infirmière a recours à un ensemble d'éléments (connaissances, expériences antérieures, normes institutionnelles ou protocoles, attitudes professionnelles) pour analyser la situation de santé de la cliente et en comprendre les enjeux. La **FIGURE 6.17** illustre le processus de pensée critique suivi par l'infirmière afin de formuler son jugement clinique. Elle résume les principaux éléments sur lesquels l'infirmière s'appuie en fonction des données de cette cliente, mais elle n'est pas exhaustive.

VERS UN JUGEMENT CLINIQUE

CONNAISSANCES

- Méthode à cinq chiffres GTPAL pour noter la gravidité et la parité
- Évolution normale de l'utérus pendant la grossesse
- Signes probables et positifs de la grossesse
- Paramètres normaux de la fréquence cardiaque pendant la grossesse
- Particularités de l'examen physique de la femme enceinte
- Signes de complications de la grossesse

EXPÉRIENCES

- Travail auprès de femmes enceintes ayant eu une grossesse normale, ou fait une fausse couche, ou ayant accouché prématurément
- Expérience personnelle de grossesse gémellaire
- Expérience d'une femme de son entourage ayant vécu une grossesse gémellaire

NORME

- Suivi de grossesse à risque élevé, dû à la grossesse gémellaire

ATTITUDES

- Être à l'écoute des craintes de la cliente, en raison du risque de fausse couche
- Être à l'écoute des craintes de la cliente, à la suite du diagnostic de grossesse gémellaire, de devoir réorganiser sa vie avec cinq enfants et non quatre, comme prévu.

PENSÉE CRITIQUE

ÉVALUATION

- Signes et antécédents de grossesse
- Importance des nausées et des vomissements : fréquence et moments d'apparition, caractéristiques des vomissements (type, quantité approximative), moyens pris pour les atténuer
- Signes vitaux (particulièrement la pulsation en raison d'une grossesse gémellaire confirmée par l'échographie)
- Importance des saignements vaginaux (quantité approximative) et du risque de fausse couche
- État psychologique de la cliente par rapport au risque de fausse couche et à sa grossesse gémellaire

JUGEMENT CLINIQUE

FIGURE 6.17

À retenir

VERSION REPRODUCTIBLE

www.cheneliere.ca/lowdermilk

- De profondes adaptations biochimiques, physiologiques et anatomiques se produisent pendant la grossesse et se dissipent après l'accouchement et l'allaitement.
- Les adaptations maternelles sont attribuables aux hormones de la grossesse et aux pressions mécaniques exercées par l'utérus qui grossit et qui empiète sur les tissus environnants.
- Le test ELISA, qui se fonde sur la technologie des anticorps monoclonaux, est la méthode la plus souvent utilisée dans les tests de grossesse et est à la base de la plupart de ceux qui sont offerts en vente libre.
- Des signes présomptifs, probables et positifs de grossesse aident à son diagnostic ; seuls les signes positifs (audition des bruits du cœur fœtal, perception des mouvements du fœtus et visualisation de celui-ci) peuvent établir le diagnostic de grossesse.
- Les adaptations de la grossesse préservent la physiologie normale de la femme, comblent les besoins métaboliques imposés par la grossesse ainsi que ceux liés au développement et à la croissance du fœtus.
- Même si le pH des sécrétions vaginales de la femme enceinte est plus acide, elle demeure vulnérable à certaines infections vaginales, en particulier les infections à levure.
- Certaines adaptations à la grossesse entraînent des désagréments comme la fatigue, la fréquence augmentée des mictions, des nausées et la sensibilité des seins.
- À mesure que la grossesse progresse, des changements dans les articulations de la femme et de son centre de gravité peuvent perturber son équilibre et sa coordination.

CHAPITRE

Soins infirmiers de la famille pendant la grossesse

Écrit par :
Deitra Leonard Lowdermilk,
RNC, PhD, FAAN

Adapté par :
Marie Lacombe, inf., Ph. D.
Julie Poirier, inf., M. Sc.
Karine Carpentier, inf., B. Sc.

OBJECTIFS

 **Guide d'études – SA07**

Après avoir étudié ce chapitre, vous devriez être en mesure :

- de décrire le processus de confirmation de la grossesse et d'estimation de la date de l'accouchement ;
- de résumer les changements physiques, psychosociaux et comportementaux associés à l'adaptation de la mère et des autres membres de la famille à la grossesse ;
- d'expliquer les avantages des soins prénataux et les problèmes d'accessibilité pour certaines femmes ;
- de décrire les modèles de soins utilisés pour évaluer l'état de santé de la mère et du fœtus au cours de la visite initiale et des visites de suivi tout au long de la grossesse ;
- d'expliquer les examens, les interventions et le dépistage de problèmes potentiels qui relèvent de l'infirmière, de même que les méthodes d'évaluation dans le contexte des soins prodigués aux femmes enceintes ;
- de reconnaître les points d'enseignement requis chez la femme enceinte quant aux malaises physiques liés à la grossesse et aux signes et symptômes de complications potentielles ;
- de discuter de l'impact des facteurs ethnoculturels, de l'âge, de la parité et du nombre de fœtus sur la réaction de la famille à la grossesse et sur les soins prénataux prodigués.

Concepts clés

Cette carte conceptuelle illustre schématiquement les principaux concepts décrits dans le présent chapitre. Sa lecture vous permettra d'avoir une vue d'ensemble des notions qui y sont présentées.

7

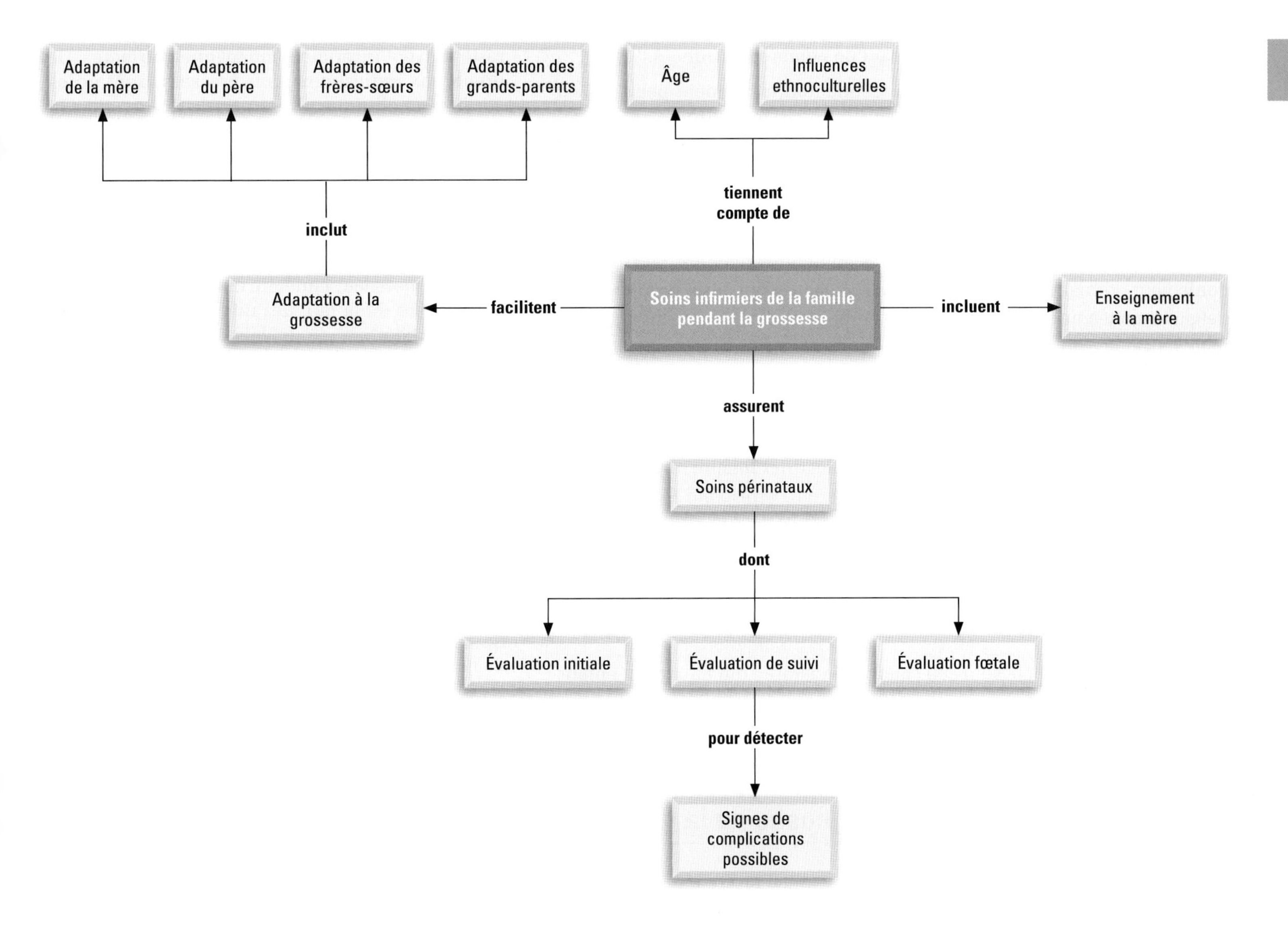

La période prénatale est un moment de préparation physique et psychologique en vue de l'accouchement et de la parentalité. Devenir parent représente l'une des étapes marquantes de la vie adulte ; à ce titre, elle constitue une période d'intense apprentissage pour les parents, comme pour leurs proches. La période prénatale est une occasion unique pour les infirmières et les autres membres de l'équipe de soins d'exercer une influence sur la santé de la famille. Au cours de cette période, les femmes en bonne santé consultent régulièrement les professionnels de la santé pour recevoir des soins et demander conseil. Les interventions infirmières en promotion de la santé peuvent avoir un impact sur le bien-être de la femme, de son fœtus et de toute sa famille pendant de nombreuses années.

Les visites prénatales régulières, qui débuteront idéalement peu après la première absence des menstruations, offrent diverses possibilités pour veiller à la santé de la future mère et de son fœtus. Les soins de santé prénataux permettent le diagnostic et le traitement de maladies préexistantes chez la mère et de tout autre problème de santé susceptible d'apparaître durant la grossesse. Ces soins constituent autant d'occasions de surveiller la croissance et le développement du fœtus et de reconnaître les anomalies pouvant perturber le déroulement normal du travail. Les soins prénataux sont aussi propices à un enseignement et à un soutien favorisant l'autonomie des parents et l'assimilation de leur nouveau rôle.

La grossesse dure neuf mois, mais les professionnels de la santé n'utilisent pas le calendrier annuel régulier pour déterminer l'âge du fœtus ou pour discuter du déroulement la grossesse. Ils ont plutôt recours aux mois lunaires, qui durent 28 jours ou 4 semaines. Selon le calendrier lunaire, une grossesse normale s'étend sur environ 10 mois lunaires, ce qui correspond à 40 semaines ou à 280 jours. Les professionnels de la santé parlent également du début, du milieu et de la fin de la grossesse en trimestres. Le premier trimestre s'échelonne de 1 à 13 semaines ; le deuxième, de 14 à 26 semaines, et le troisième, de 27 à 40 semaines. Une grossesse est jugée à terme si elle se poursuit jusqu'à la fin de la 37e semaine.

Ce chapitre traite des besoins en santé de la famille qui attend un enfant pendant toute la durée de la grossesse, à savoir la période prénatale.

7.1 Diagnostic de la grossesse

Les femmes peuvent se croire enceintes lorsque leurs règles ont du retard. Beaucoup consultent pour une première visite prénatale après avoir effectué un test de grossesse à domicile qui s'est avéré positif ; or, le diagnostic clinique est difficile à poser chez certaines femmes avant l'absence de deux cycles menstruels consécutifs. Certaines particularités physiques, l'obésité ou la présence de tumeurs, par exemple, peuvent semer la confusion, même pour le personnel le plus expérimenté. L'exactitude est toutefois importante, car les répercussions émotionnelles, sociales, médicales ou juridiques (positives ou négatives) d'un diagnostic inexact peuvent être très importantes. Pour poser un diagnostic précis de grossesse, certains renseignements se révèlent d'une très grande utilité, comme la date du premier jour des dernières menstruations (DDM) et du rapport sexuel, de même qu'un relevé de la température basale du corps.

6

Les signes de la grossesse sont abordés dans le chapitre 6, *Anatomie et physiologie de la grossesse*.

7.1.1 Signes et symptômes

Les signes objectifs et les symptômes subjectifs de la grossesse présentent parfois une grande variabilité ; c'est pourquoi le diagnostic de grossesse reste souvent incertain pendant quelque temps. De nombreux indicateurs de la grossesse sont utiles sur le plan clinique pour poser le diagnostic. On les classe en diverses catégories selon qu'ils sont présomptifs, probables ou positifs ▶ 6.

Les indicateurs présomptifs de grossesse ont parfois pour origine d'autres situations que la gestation. Par exemple, certaines maladies ou la pratique excessive d'exercice provoquent parfois l'aménorrhée ; l'anémie ou une infection peuvent causer de la fatigue ; une tumeur peut faire grossir l'abdomen ; des malaises gastro-intestinaux ou une allergie alimentaire entraînent parfois des nausées ou des vomissements. Un diagnostic fiable ne peut donc s'appuyer uniquement sur de tels signes.

7.1.2 Estimation de la date de l'accouchement

Une fois le diagnostic de grossesse posé, la première chose qui viendra à l'esprit de la femme sera de connaître la date de son accouchement. Traditionnellement, cette date est appelée date prévue de l'accouchement (DPA), bien qu'on utilise aussi l'expression date estimée de l'accouchement. Étant donné qu'on ignore généralement la date précise de la conception, diverses formules permettent de calculer la DPA. Aucune de ces méthodes n'est parfaitement sûre, mais compte tenu de sa fiabilité raisonnable, on utilise habituellement la **règle de Naegele** (Johnson, Gregory & Niebyl, 2007).

Règle de Naegele : Méthode de calcul de la date approximative de l'accouchement.

La règle de Naegele s'applique comme suit : après avoir déterminé la DDM, on soustrait trois mois de calendrier et l'on ajoute sept jours ; ou l'on ajoute sept jours à la DDM et l'on compte neuf mois de calendrier. La règle de Naegele est résumée dans le **TABLEAU 7.1**. Cette règle suppose que la femme a un cycle menstruel de 28 jours et que la fécondation s'est produite le 14e jour. Il est également important d'obtenir un historique précis des règles pour utiliser cette méthode d'estimation de la DPA.

7.2 Adaptation à la grossesse

La grossesse touche tous les membres d'une famille, et chacun doit s'y adapter et en interpréter la signification à la lumière de ses propres besoins. Ce processus d'adaptation de la famille à la grossesse se déroule à l'intérieur d'un environnement ethnoculturel tributaire des tendances sociétales. Les sociétés occidentales ont subi des changements considérables depuis quelques années, et l'infirmière doit se préparer à soutenir tous les types de familles, qu'elles soient monoparentales, reconstituées ou traditionnelles, pendant la grossesse et au moment de l'accouchement.

Une bonne part de la recherche sur la dynamique familiale durant la grossesse réalisée au Canada et aux États-Unis a porté sur les familles nucléaires de classe moyenne composées de Blancs. C'est pourquoi leurs conclusions ne s'appliquent pas toujours aux familles qui ne cadrent pas avec le modèle nord-américain moyen. La terminologie devra être adaptée pour éviter de placer l'infirmière dans l'embarras et d'offenser la famille lorsqu'elle leur prodigue des soins. Des recherches supplémentaires sur une variété de types de familles sont nécessaires afin de déterminer si les résultats observés chez les familles traditionnelles sont aussi applicables à d'autres modèles familiaux.

7.2.1 Adaptation de la mère

Chacun des mois de leur grossesse est utile aux femmes de tous âges pour s'adapter à leur rôle maternel, un processus complexe d'apprentissage social et cognitif. Aux premiers stades de la grossesse, rien ne semble vraiment changé, à part le fait d'éprouver un grand besoin de sommeil et parfois des nausées. Lorsqu'elle commence à percevoir les mouvements du fœtus au cours du deuxième trimestre, la femme vit un processus d'intériorisation, alors qu'elle réfléchit à sa grossesse, à ses liens avec sa mère et avec d'autres femmes qui ont été ou qui sont enceintes.

La grossesse est une période de maturation souvent stressante, mais gratifiante, au fur et à mesure que la femme s'apprête à accéder à un niveau plus élevé de soins et de responsabilités. Sa perception d'elle-même évolue alors qu'elle se prépare à la parentalité et à assumer son nouveau rôle. Elle amorce graduellement une transformation personnelle, passant de l'individualité à sa préoccupation à vie d'un autre être humain. Cette transformation exige la maîtrise de certaines étapes de son développement personnel : accepter sa grossesse, s'identifier à son rôle de mère, réévaluer son rapport à sa propre mère et à son conjoint, établir un lien avec l'enfant à naître et se préparer à l'accouchement (Lederman, 1996). La réussite de ces étapes du développement repose en bonne partie sur le soutien affectif du conjoint. Les femmes seules qui disposent d'un réseau de soutien limité pourront éprouver plus de difficultés à s'adapter à leur nouveau rôle.

TABLEAU 7.1 Utilisation de la règle de Naegele

	MOIS	JOUR	ANNÉE
DDM (le 10 juillet 2012)	7	10	2012
	− 3	+ 7	
DPA	4	17	2013

La DPA est le 17 avril 2013.

Acceptation de la grossesse

La première étape de l'adaptation au rôle maternel consiste à accepter l'idée de la grossesse et à considérer cet état comme une façon de vivre. Mercer (1995) a désigné ce processus par le terme **restructuration cognitive** et en a attribué la source à Reva Rubin (1984), spécialiste de la théorie des soins infirmiers et pionnière de la compréhension de l'intégration du rôle maternel. Le degré d'acceptation de la grossesse se reflète dans les réactions émotionnelles de la femme. Lorsqu'elles apprennent qu'elles sont enceintes, nombre de femmes sont contrariées, surtout quand la grossesse n'est pas planifiée. Toutefois, cette contrariété ne signifie pas qu'elles rejettent l'enfant. Une femme peut ne pas aimer être enceinte, mais éprouver de l'amour pour l'enfant à naître. L'acceptation de la grossesse s'effectue à mesure que la femme accueille la réalité de la présence d'un enfant.

Restructuration cognitive : Concept qui se base sur le modèle du traitement cognitif de l'information selon lequel, devant une situation donnée, chaque individu interprète l'événement de manière très personnelle et réagit en fonction de cette interprétation.

Les femmes qui sont heureuses et satisfaites de leur grossesse perçoivent souvent cette dernière comme la réalisation de leur potentiel biologique, comme un événement indissociable de leur plan de vie. Elles ont une forte estime de soi et tendent à être confiantes à l'égard d'elles-mêmes, de leurs enfants et des autres membres de leur famille. Malgré un sentiment général de bien-être, beaucoup de femmes se surprennent de leur labilité émotionnelle, de leur sensibilité exacerbée ou des changements rapides et imprévisibles de leur humeur. Ces manifestations déconcertent la future mère et son entourage. Sans raison apparente ou presque, elle vivra tour à tour des accès d'irritabilité, des crises de larmes, des colères ou des épisodes de joie profonde et de plaisir.

Jugement clinique

Mandie Buteau, âgée de 15 ans, se présente à la clinique de médecine familiale, car elle a effectué un test de grossesse qui s'est avéré positif. Elle a eu ses règles le mois dernier ; ce mois-ci, elle avait dépassé de deux jours la date prévue lorsqu'elle a décidé de faire le test. Elle est menstruée de façon très régulière, tous les 28 jours, et ses règles durent habituellement 5 jours. Elle est devenue enceinte au cours d'une nuit de fête et elle n'a pas revu le garçon avec qui elle a eu une relation sexuelle. Sa mère ne sait rien de son état. Mandie désire poursuivre cette grossesse, et elle aimerait savoir quelle en sera la durée et connaître la date à laquelle elle devrait accoucher, sa DDM étant le 20 avril 2012.

Que devriez-vous lui répondre à ce sujet ?

On attribue ces sautes d'humeur aux importants changements hormonaux qui accompagnent la grossesse. Parmi les autres facteurs susceptibles de contribuer à ce comportement en apparence erratique, il faut mentionner les soucis financiers et les changements de style de vie.

La plupart des femmes éprouvent des sentiments ambivalents durant leur grossesse, qu'elle soit désirée ou non. L'ambivalence (c'est-à-dire le fait d'éprouver simultanément des sentiments opposés) est une réaction normale chez quiconque se prépare à assumer un nouveau rôle. Par exemple, durant la grossesse, certaines femmes ressentent de la joie à l'égard de ce rêve d'une vie, ce qui ne les empêche pas d'éprouver du regret à l'idée de renoncer à leur style de vie actuel.

Même les femmes heureuses d'être enceintes peuvent éprouver, de temps à autre, des sentiments d'hostilité envers la grossesse ou l'enfant à naître. Ces sentiments ambivalents peuvent découler d'incidents banals, par exemple d'une remarque inoffensive du conjoint à propos d'une femme mince, non enceinte et attrayante, ou la nouvelle de la promotion d'un collègue. Ces idées peuvent aussi avoir pour origine sa transformation physique, son sentiment de dépendance ou sa prise de conscience des responsabilités qui l'attendent pour prendre soin de l'enfant.

Lorsqu'une ambivalence profonde persiste jusqu'au troisième trimestre, il peut s'agir d'un signe révélant le conflit intérieur non résolu lié au rôle maternel (Mercer, 1995). Le souvenir de cette ambivalence disparaît généralement après la naissance d'un enfant en bonne santé. Par contre, si l'enfant naît avec une anomalie, la femme reconsidérera les moments où elle regrettait d'être enceinte et se sentira très coupable. Elle croira peut-être que c'est son ambivalence qui a causé l'anomalie. Il faudra alors la rassurer et lui dire que ses sentiments n'ont rien à voir avec la situation.

Réévaluation des relations personnelles

Les relations de la cliente enceinte avec ses proches se transforment durant la grossesse à mesure que la femme se prépare émotionnellement à sa nouvelle responsabilité de mère. Alors que les membres de la famille se familiarisent aussi avec leur nouveau rôle, des périodes de tension et des conflits peuvent survenir. La compréhension des modes particuliers d'adaptation peut aider l'infirmière à rassurer la femme enceinte et à aborder les questions liées au soutien social. La promotion d'outils de communication efficaces entre la future mère et sa propre mère et entre la future mère et son conjoint est une approche infirmière pratiquée couramment durant les visites prénatales.

Le lien de la femme enceinte avec sa mère revêt beaucoup d'importance dans son adaptation à la grossesse et à la maternité. Parmi les éléments importants qui tissent ce lien figurent la disponibilité de la mère (passée et présente), ses réactions à la grossesse de sa fille, son respect de l'autonomie de celle-ci et le fait d'accepter volontiers de faire un retour sur le passé (Mercer, 1995).

La réaction de la mère à la grossesse de sa fille témoigne de son acceptation de son petit-enfant et de sa fille. Si la mère manifeste du soutien, la fille pourra discuter de la grossesse, du travail et de ses sentiments avec une femme qui a connu cette expérience et qui l'accepte **FIGURE 7.1**. Un retour sur la petite enfance de la femme enceinte et le récit par la future grand-mère de sa propre expérience de grossesse et d'accouchement aident la femme enceinte à s'imaginer le travail et l'accouchement et à s'y préparer.

Bien que le lien qu'a une femme avec sa mère soit important pour son adaptation à la grossesse, la personne la plus importante pour la femme enceinte demeure généralement le père de l'enfant. Durant la grossesse, les femmes expriment deux principaux besoins à l'égard de cette relation : se sentir aimée et valorisée, et savoir que le père accepte l'enfant.

La relation entre les conjoints, mariés ou de fait, évolue avec le temps. L'arrivée d'un enfant change à tout jamais la nature du lien qui les unit. C'est souvent une période durant laquelle les couples se rapprochent, et la grossesse consolide leur union,

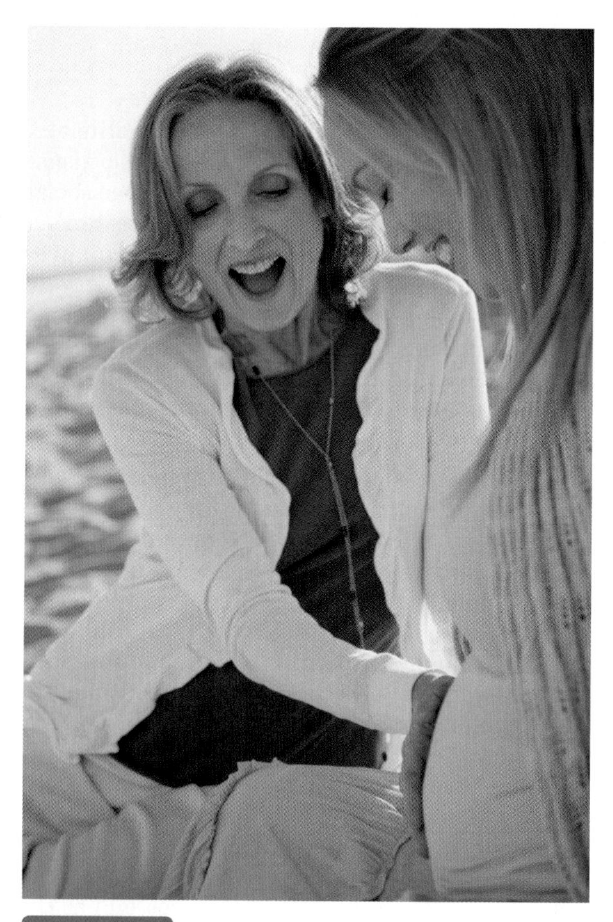

FIGURE 7.1
Une femme enceinte et sa mère passent du temps ensemble.

alors que chaque conjoint s'apprête à assumer de nouveaux rôles et à découvrir de nouvelles facettes chez l'autre. Les conjoints qui se font confiance et qui se soutiennent mutuellement peuvent partager leurs besoins respectifs (Mercer, 1995).

L'expression de la vie sexuelle varie d'une personne à l'autre durant la grossesse. Les rapports sexuels subissent l'influence de facteurs physiques, émotionnels et relationnels, et cela inclut parfois des idées fausses au sujet de la sexualité durant la grossesse, des problèmes de dysfonction sexuelle et des changements physiques propres à la femme enceinte. Beaucoup de femmes et leur conjoint expriment de l'anxiété à l'idée que le fœtus soit « témoin » de leurs ébats sexuels. D'autres croient aussi à tort que les rapports sexuels durant la grossesse peuvent causer des anomalies, un retard mental ou d'autres préjudices au fœtus et à la mère. Certains couples craignent que l'accouchement modifie considérablement les organes génitaux de la femme, et ils n'exprimeront pas toutes leurs inquiétudes au professionnel de la santé par gêne ou par crainte de paraître ridicules.

Tout au long de la grossesse, le corps et l'image corporelle de la future mère changent, et divers malaises peuvent interférer avec le désir sexuel des deux conjoints. Au cours du premier trimestre, la libido de la femme diminue souvent, surtout à cause de la sensibilité des seins, des nausées ou de la fatigue. Au deuxième trimestre, toutefois, sa libido peut augmenter parce qu'elle se sent mieux et que la congestion qui se produit au niveau du bassin peut stimuler son désir sexuel. Au cours du troisième trimestre, les symptômes somatiques et le volume de l'abdomen diminuent le confort physique et influent de nouveau sur la baisse de la libido. À mesure que la grossesse évolue et que l'utérus prend du volume, la position du missionnaire conviendra moins. D'autres positions (p. ex., en cuiller ou la femme chevauchant l'homme) permettront au couple d'avoir des relations sexuelles, tout en réduisant la pression exercée sur l'abdomen de la femme (Westheimer & Lopater, 2005).

Les conjoints doivent se sentir à l'aise de discuter ensemble de leur sexualité durant la grossesse et d'aborder le sujet avec leur professionnel de la santé. L'écoute mutuelle et la volonté de partager les questionnements renforceront leur intimité sexuelle. Des partenaires qui ne comprennent pas les changements physiologiques et émotionnels rapides occasionnés par la grossesse peuvent éprouver de la confusion devant le comportement de l'autre. En parlant ensemble des changements qui les affectent, les couples peuvent comprendre la situation et trouver des solutions appropriées. Les infirmières faciliteront les échanges entre les conjoints en parlant aux futurs parents des changements susceptibles de perturber leurs sentiments et leurs comportements tout au long de la grossesse.

Établissement d'un lien avec le fœtus

L'attachement émotionnel, c'est-à-dire le sentiment d'être uni par l'affection ou l'amour, débute durant la période prénatale, alors que la femme envisage la maternité et qu'elle s'y prépare (Rubin, 1975). Elle se projette dans le rôle maternel et imagine les qualités qu'elle aura comme mère. Les futurs parents veulent être chaleureux, aimants et proches de leur enfant. Ils essaient de prévoir les changements que la venue du nouveau-né apportera dans leur vie et se demandent comment ils réagiront au bruit, au désordre, à l'entrave à leur liberté et aux besoins de l'enfant. Le lien mère-enfant évolue tout au long de la grossesse comme un processus développemental qui peut se dérouler en trois phases.

Au cours de la première phase, la femme accepte la réalité biologique de la grossesse. Elle a besoin de pouvoir affirmer « je suis enceinte » et d'intégrer l'idée d'avoir un enfant dans son corps et d'apprivoiser son image d'elle-même. La femme devient introspective : elle pense à elle et à sa grossesse. Elle perçoit l'enfant comme une partie d'elle-même et non comme un être distinct et unique.

À la deuxième phase, la femme accepte que le fœtus se développe pour devenir un être distinct d'elle-même, habituellement vers le cinquième mois. Elle peut alors affirmer « je vais avoir un bébé ». En se distinguant de son enfant, la mère permet le début de la relation mère-enfant, qui suppose non seulement le *caring*, mais également toutes les responsabilités qui s'ensuivent. Les grossesses planifiées renforcent généralement l'attachement de la mère à son enfant, et ce lien s'approfondit lorsque la femme subit son échographie, que le fœtus commence à bouger et qu'il devient ainsi plus réel.

Avec l'acceptation de la réalité de l'enfant (par le fait d'entendre les battements de son cœur et de le sentir bouger) et une sensation globale de bien-être, la femme entre dans une période de calme et d'introspection. Ses réflexions sur l'enfant à naître deviennent précieuses. Il peut arriver que le conjoint se sente mis de côté pendant cette période où la femme se retire en elle-même et réfléchit beaucoup à son futur enfant. Si la famille compte d'autres enfants, ceux-ci deviennent parfois plus exigeants pour attirer l'attention de leur mère.

Au cours de la troisième phase du processus d'attachement, la femme se prépare concrètement à accoucher et à devenir mère. Elle peut se dire « je vais être mère » et s'imaginer les caractéristiques de son nouveau-né. Par exemple, elle formulera des hypothèses sur la personnalité du futur enfant en se fiant à sa façon de bouger dans son ventre.

Bien que la mère soit la seule à pouvoir ressentir le fœtus en elle, les deux parents, de même que les frères et sœurs, croient que l'enfant à naître réagit d'une façon très individuelle et personnelle. Les

RAPPELEZ-VOUS...

Le *caring* est une approche globale, qui se manifeste par une façon réconfortante d'être en relation avec l'autre, que l'on considère comme important et envers qui l'on éprouve un sentiment personnel d'engagement et de responsabilité.

RAPPELEZ-VOUS...

Les crises situationnelles telles que la maladie, la chirurgie, la grossesse ou le stress émotionnel ont aussi un impact sur la sexualité.

membres de la famille peuvent interagir beaucoup avec le fœtus en lui parlant et en caressant l'abdomen de la mère, surtout lorsqu'il change de position **FIGURE 7.2**. Les membres de la famille peuvent même donner un surnom au fœtus.

Préparation à l'accouchement

De nombreuses futures mères se préparent activement à l'accouchement en lisant des livres, en visionnant des films, en consultant des sites Internet, en participant à des cours prénataux et en parlant avec d'autres femmes. Elles cherchent les meilleurs professionnels pour obtenir des conseils, assurer un suivi et recevoir des soins. La mère multipare a ses propres antécédents en matière de travail et d'accouchement, ce qui peut avoir une influence sur l'approche qu'elle choisira pour se préparer à cette nouvelle naissance.

La femme enceinte peut éprouver de l'anxiété et se demander si tout se passera bien pour elle et pour son enfant durant l'accouchement (Mercer, 1995 ; Robert *et al.*, 2008 ; Rubin, 1975). Certaines femmes n'expriment pas ouvertement leurs préoccupations, mais elles donnent des indices à l'infirmière en faisant des plans pour les soins du nouveau-né et des autres enfants « au cas où il arriverait quelque chose ». De tels sentiments persistent malgré les statistiques portant sur l'issue de grossesses favorables pour les mères et leurs nouveau-nés. Beaucoup de femmes ont peur de la douleur de l'accouchement ou de la mutilation parce qu'elles ne comprennent pas bien leur anatomie ou le déroulement de l'accouchement. En renseignant les femmes, il est possible de dissiper plusieurs de leurs craintes. En outre, les femmes se questionnent sur les comportements appropriés durant l'accouchement, et elles se demandent si les soignants les accepteront, peu importe leur nature.

Vers la fin du troisième trimestre, une gêne respiratoire se produit, et les mouvements fœtaux deviennent assez vigoureux pour perturber le sommeil de la future mère. Des maux de dos, l'augmentation de la fréquence et de l'urgence urinaire, ainsi que la constipation et la présence de varices lui causent souvent des ennuis. Son abdomen volumineux et encombrant l'empêche de prendre soin comme avant de ses autres enfants, d'effectuer les tâches habituelles, et il nuit à son sommeil. À cette étape, la plupart des femmes ont hâte que le travail débute, peu importe qu'elles ressentent de la joie, de la crainte ou un mélange des deux à l'idée de donner naissance à leur enfant.

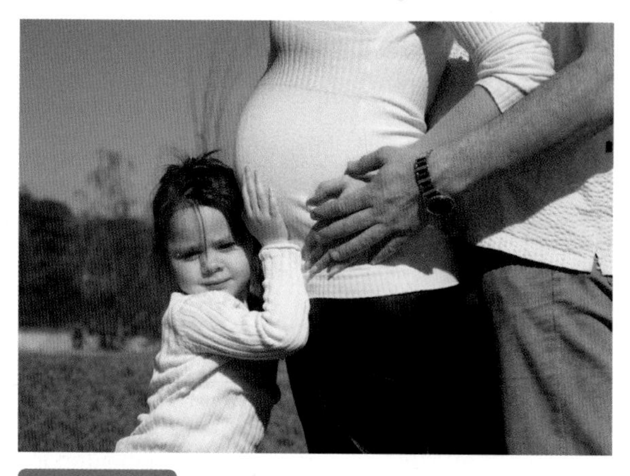

FIGURE 7.2
Une enfant sent les mouvements du fœtus que porte sa mère.

7.2.2 Adaptation du père

Les croyances et les sentiments du père à propos des parents idéaux et ses attentes culturelles quant au comportement approprié durant la grossesse influent sur sa façon de réagir aux besoins exprimés par sa conjointe. Un homme peut adopter un comportement aidant, un autre peut se sentir seul et distant, alors que la femme concentre son attention physique et émotionnelle sur l'enfant à naître. Il peut chercher du réconfort et de la compréhension hors du foyer, s'intéresser à un nouveau passe-temps ou se consacrer davantage à son travail. Certains hommes perçoivent la grossesse comme une preuve de leur masculinité et de leur rôle dominant. Pour d'autres, elle ne revêt aucune signification sur le plan de leur responsabilité à l'égard de la mère ou de l'enfant. Par contre, pour la plupart des hommes, la grossesse est un temps de préparation en vue du rôle parental, et elle s'accompagne d'un apprentissage intense.

Acceptation de la grossesse

Chez les pères, la façon de s'adapter au rôle parental a fait l'objet de plusieurs recherches. Dans les sociétés anciennes, l'homme se soumettait au rituel de la couvade, c'est-à-dire qu'il se comportait de façon particulière et respectait les tabous associés à la grossesse et à l'accouchement pour que son nouveau statut soit reconnu et accepté. Aujourd'hui, certains hommes ont des manifestations de pseudogrossesse, par exemple des nausées, un gain pondéral et d'autres symptômes physiques. Ce phénomène est appelé syndrome de la couvade (grossesse sympathique). L'évolution des attitudes ethnoculturelles et professionnelles a favorisé la participation des pères à l'accouchement depuis une trentaine d'années **FIGURE 7.3**.

Les réactions émotionnelles du futur père, ses inquiétudes et ses besoins d'information évoluent au fil de la grossesse. Ce processus se déroule en plusieurs temps. May (1982) a décrit trois phases qui caractérisent les tâches développementales des futurs pères.

La phase de la nouvelle de la grossesse peut durer de quelques heures à quelques semaines. La tâche développementale consiste à accepter le fait

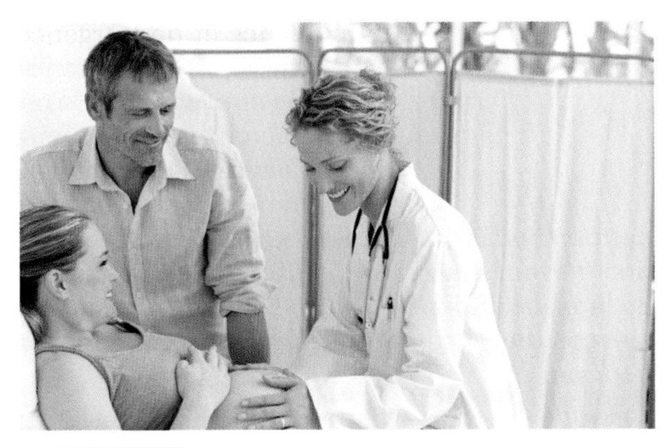

FIGURE 7.3
Le père s'implique dans le suivi de la grossesse en participant aux visites prénatales.

biologique de la grossesse. Les hommes réagissent à la confirmation de celle-ci avec de la joie ou de la peine, selon que la grossesse était souhaitée, non planifiée ou non désirée. On constate souvent de l'ambivalence aux premiers stades de la grossesse. Si la grossesse n'était ni planifiée ni désirée, certains hommes ont de la difficulté à accepter cette modification à leurs plans et à leur mode de vie. Certains ont des aventures extraconjugales pour la première fois durant la grossesse de leur conjointe. Il arrive que d'autres battent leur femme, alors que cela n'était jamais arrivé, ou se montrent plus souvent violents (Krieger, 2008) ▶ 2.

La seconde phase, celle du moratoire, est la période au cours de laquelle l'homme s'adapte à la réalité de la grossesse. Sa tâche développementale consiste à l'accepter. Les hommes semblent mettre de côté pendant un certain temps toute volonté de réfléchir à la grossesse. Ensuite, ils deviennent plus introspectifs, peuvent discuter abondamment de leur philosophie de vie, de la religion, des pratiques en matière de maternité et d'éducation des enfants et de leurs relations avec d'autres membres de la famille, particulièrement avec leur père. Selon que le futur père est prêt ou non à la grossesse, cette phase est relativement brève ou elle peut persister jusqu'au dernier trimestre.

La troisième phase, ou phase de focalisation, commence au dernier trimestre et se caractérise par la participation active du père à la grossesse et à sa future relation avec l'enfant. Sa tâche développementale consiste à négocier avec la conjointe le rôle qu'il jouera durant le travail et à se préparer à être père. Au cours de cette phase, l'homme se concentre sur son expérience de la grossesse et commence à se percevoir comme un père.

Réévaluation des relations personnelles

Le rôle principal du conjoint durant la grossesse est de prendre soin de la femme enceinte et de la rassurer dans son sentiment de vulnérabilité. Le conjoint doit aussi faire face à la réalité de la grossesse. Le soutien du partenaire témoigne de son implication dans la grossesse et de sa préparation à l'établissement de sa relation avec l'enfant.

Certains aspects du comportement du conjoint peuvent traduire une forme de rivalité, particulièrement au cours des rapports sexuels. Par exemple, des hommes peuvent être contrariés si les mouvements du fœtus les empêchent d'obtenir une satisfaction sexuelle ou s'ils ont l'impression que le fœtus observe les amants durant l'acte sexuel. Ces sentiments de rivalité demeurent toutefois inconscients et non verbalisés dans bien des cas, mais ils sont exprimés par des comportements subtils.

L'introspection croissante chez la femme peut rendre le conjoint mal à l'aise au fur et à mesure qu'elle se préoccupe davantage de l'enfant et de la maternité, qu'elle dépend plus de son médecin ou de sa sage-femme ou qu'elle remet en question la relation du couple.

Établissement d'un lien avec le fœtus

Le lien père-enfant peut être aussi fort que le lien mère-enfant, et les pères peuvent être aussi compétents que les mères pour prendre soin de leur enfant. L'attachement père-enfant commence lui aussi durant la grossesse. Un père peut caresser ou embrasser le ventre de la mère, tenter d'écouter le fœtus, lui parler ou lui chanter un air ou encore « jouer » avec lui s'il perçoit ses mouvements. Le fait d'appeler l'enfant à naître par son nom ou de lui donner un surnom vient confirmer la réalité de la grossesse et favorise l'attachement.

Tout comme les femmes se préparent à la maternité, les hommes se préparent à la paternité de plusieurs façons, en visualisant leur enfant et en lisant. Souvent, au cours des dernières semaines précédant l'accouchement, le futur père s'imaginera dans son rôle. Les hommes se confient rarement, à moins qu'on ne leur confirme que ces rêves éveillés sont tout à fait normaux.

Préparation à l'accouchement

Les jours et les semaines qui précèdent la date prévue de l'accouchement sont remplis d'anticipation et d'anxiété. Les couples peuvent ressentir de l'ennui et de l'impatience, alors qu'ils se concentrent sur l'événement imminent. Au cours des deux derniers mois de la grossesse, beaucoup de futurs pères ressentent une poussée d'énergie créatrice à la maison et au travail. Ils se sentiront peut-être plus insatisfaits de leur milieu de vie actuel. Ils auront même tendance à vouloir modifier leur environnement (p. ex., par des

Le fait d'appeler l'enfant à naître par son nom ou de lui donner un surnom vient confirmer la réalité de la grossesse et favorise l'attachement.

RAPPELEZ-VOUS...

Parmi les types de soutien que procure la famille, c'est le soutien émotif (oreille attentive, empathie, sentiment d'être aimé) qui influe le plus sur les indicateurs de santé chez une personne.

2

Le chapitre 2, *Évaluation clinique et promotion de la santé,* traite entre autres de la violence faite aux femmes et présente des renseignements sur l'évaluation et les interventions dans ce contexte.

rénovations, de la peinture). Cette activité est leur façon de partager l'expérience de la grossesse. Ils canalisent ainsi l'anxiété et les autres sentiments qu'ils éprouvent au cours des dernières semaines précédant l'accouchement en s'adonnant à des activités productives. Ce comportement se mérite généralement la reconnaissance et les compliments des amis, des proches et de la conjointe.

Partager l'attention des parents avec un nouveau petit frère ou une nouvelle petite sœur constitue parfois la première crise majeure pour un enfant.

L'homme s'inquiétera principalement d'amener sa conjointe dans un établissement de santé à temps pour l'accouchement et de ne pas paraître ignorant. De nombreux hommes souhaitent pouvoir reconnaître le déclenchement du travail et déterminer le moment où il faut partir pour l'hôpital ou appeler le médecin ou la sage-femme. Ils élaboreront divers scénarios et réfléchiront aux actions possibles selon les diverses situations susceptibles de se présenter à ce moment. Ils peuvent aussi tester divers trajets jusqu'à l'hôpital en les chronométrant chacun à diverses heures du jour ou de la nuit.

Certains futurs pères se posent des questions sur le mobilier et l'équipement de la salle de travail, sur le personnel infirmier et sur les lieux physiques, de même que sur la disponibilité des médecins et des anesthésistes. D'autres souhaitent savoir ce que l'on attend d'eux lorsque la femme est en travail. L'homme peut aussi entretenir des craintes pour son enfant et sa conjointe en ce qui concerne l'issue de l'accouchement et redouter les complications ou la mort du nouveau-né ou de sa conjointe. Il doit verbaliser ses craintes, sinon il ne pourra pas aider celle-ci à faire face à ses propres appréhensions, exprimées ou non.

À l'exception des cours prénataux, l'homme a peu d'occasions de se familiariser avec son rôle de conjoint impliqué et actif dans ce rite de passage vers la parentalité. Souvent, la mère sent la tension et l'appréhension chez le père non préparé et qui lui fournit peu d'aide, et cela exacerbe ses craintes dans bien des cas.

Les mêmes craintes, questions et préoccupations envahiront également les partenaires présents au moment de l'accouchement, même s'ils ne sont pas les pères biologiques. Les infirmières doivent garder ces conjoints informés, les soutenir et les inclure dans toutes les activités où les mères souhaitent leur participation. L'infirmière joue un rôle très important pour promouvoir le caractère familial de l'expérience de la grossesse et de l'accouchement.

7.2.3 Adaptation des frères et sœurs

Partager l'attention des parents avec un nouveau petit frère ou une nouvelle petite sœur constitue parfois la première crise majeure qu'expérimentera un enfant. L'enfant plus âgé a l'impression de vivre un deuil et se sent jaloux du fait qu'il est « remplacé » par le nouveau-né. Parmi les facteurs qui influent sur la réaction de l'enfant figurent son âge, l'attitude des parents, le rôle du père, la durée de la séparation d'avec la mère, les politiques de l'hôpital ou de la maison de naissance à l'égard des visites et la façon dont l'enfant a été préparé à la venue du nouveau-né.

Une mère qui a d'autres enfants doit consacrer du temps et des efforts à réorganiser ses liens avec eux. Elle doit préparer les frères et sœurs à la venue du nouveau-né et commencer le processus de transition des rôles au sein de la famille en faisant participer les enfants à la grossesse, en se montrant sensible aux craintes des enfants plus âgés à l'idée de perdre leur place dans la hiérarchie familiale **FIGURE 7.4** et **ENCADRÉ 7.1**. Aucun enfant ne renonce volontiers à sa place dans la famille.

La réaction des frères et sœurs à la grossesse varie selon leur âge et leur degré de dépendance. Le nourrisson de un an demeure largement inconscient de la situation, tandis que le trottineur de deux ans remarque le changement d'aspect de sa mère et peut dire, par exemple, « maman a un gros bedon ». Le besoin de stabilité qu'ont les jeunes enfants les rend conscients du moindre changement dans leur environnement. Ils auront peut-être tendance à vouloir plus de proximité avec les parents. Certains régressent sur le plan de la propreté ou de l'alimentation.

Lorsqu'ils atteignent l'âge de trois ou quatre ans, les enfants aiment entendre l'histoire de leur venue au monde. Ils sont curieux de comparer leur développement à celui de la grossesse en cours. Ils aiment entendre les battements du cœur du fœtus et sentir celui-ci bouger dans le ventre de leur mère **FIGURE 7.2**. Plus tard, ils s'inquiètent parfois de la façon dont on nourrit le nouveau-né et de ses vêtements.

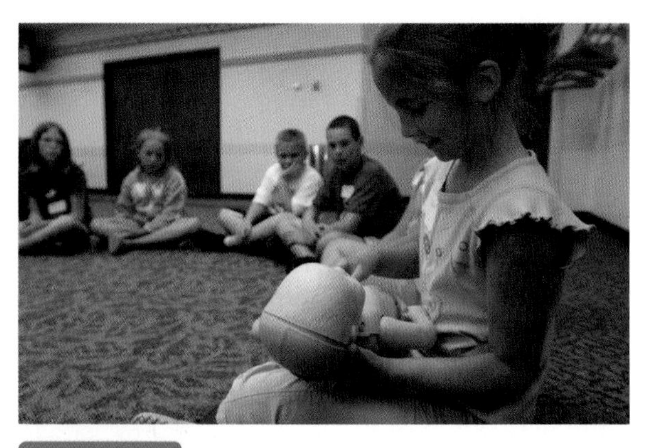

FIGURE 7.4
Des enfants d'âge préscolaire participent à un cours pour apprendre comment participer aux soins d'un nourrisson en utilisant des poupées.

Les enfants d'âge scolaire manifestent un intérêt plus clinique envers la grossesse de leur mère. Ils veulent savoir plus en détail « comment le bébé est arrivé là ? » et « comment il en sortira ». Les enfants de ce groupe d'âge remarquent les femmes enceintes dans les magasins ou à l'école, et ils manifestent une certaine timidité s'ils doivent les aborder directement. Dans l'ensemble, ils ont hâte à la venue du nouveau-né, se perçoivent comme de petites mamans ou de petits papas et aiment participer aux achats d'articles pour le nouveau-né et préparer les lieux pour sa venue. Parce qu'ils réfléchissent encore en termes concrets, ils fondent leur jugement sur le « ici et maintenant » et réagissent favorablement au bon état de santé de leur mère pendant la grossesse.

Au début et au milieu de l'adolescence, les jeunes se préoccupent davantage de leur propre identité sexuelle et éprouveront une certaine difficulté à accepter ce témoignage de la sexualité de leurs parents. Selon leur raisonnement, si eux sont trop jeunes pour être sexuellement actifs, leurs parents sont certainement trop vieux. Ils se révéleront critiques à l'endroit du rôle parental et demanderont peut-être ce que vont dire les gens, comment peut-on accepter de prendre autant de poids ou comment est-il possible de se laisser aller à devenir enceinte. Beaucoup de femmes enceintes qui ont des adolescents admettront que l'aspect le plus difficile de leur grossesse est l'attitude de leurs jeunes.

Vers la fin de l'adolescence, les jeunes ne semblent pas perturbés outre mesure par la grossesse. Ils s'occupent à planifier leur propre vie et se rendent compte qu'ils partiront bientôt de la maison. En général, les parents trouvent que ces jeunes apportent du réconfort et se comportent plus comme des adultes que comme des enfants.

Guide d'enseignement

ENCADRÉ 7.1 Conseils pour la préparation des frères et sœurs

PRÉPARATION PRÉNATALE

- Amenez votre enfant à une visite prénatale. Faites-lui entendre les battements de cœur du fœtus et donnez-lui l'occasion de le sentir bouger.
- Faites participer l'enfant aux préparations de la venue du nouveau-né, par exemple, en aidant à décorer sa chambre.
- Changez le lit de l'enfant pour un « grand » lit (s'il dort toujours dans son « petit » lit), si son âge le lui permet, au moins deux mois avant la date prévue de l'accouchement.
- Lisez des livres à l'enfant, montrez-lui des films adaptés à son âge, amenez-le à des cours de préparation à la venue du nouveau-né.
- Répondez aux questions de votre enfant au sujet de la naissance à venir, expliquez-lui à quoi ressemblent les nouveau-nés et répondez à toute autre question.
- Si possible, emmenez votre enfant visiter des amis qui ont des nourrissons pour qu'il ait des attentes réalistes et qu'il se fasse une idée concrète de ce qu'est un nouveau-né.

SÉJOUR HOSPITALIER

- Demandez à quelqu'un d'amener l'enfant pour une visite à l'hôpital ou à la maison de naissance (à moins qu'il n'ait été autorisé à assister à l'accouchement).
- Ne forcez pas les interactions entre l'enfant et le nouveau-né. Il se peut que l'enfant souhaite surtout voir sa mère et vérifier qu'elle l'aime toujours.
- Aidez l'enfant à examiner le nourrisson en lui montrant de quelle façon et à quel endroit le toucher.
- Offrez un cadeau à l'enfant (de la part de l'un ou des deux parents ou de celle du nouveau-né).

RETOUR À LA MAISON

- Laissez votre enfant à la maison avec un proche ou une gardienne.
- Dès l'arrivée à la maison, prenez dans vos bras l'enfant plus âgé.

ADAPTATION À LA MAISON AVEC LE NOUVEAU-NÉ

- Le père et la mère doivent chacun leur tour veiller à passer du temps seul à seul, avec l'enfant.
- N'excluez pas l'enfant durant les boires du nourrisson. L'enfant peut s'asseoir avec sa mère et le nouveau-né et nourrir simultanément une poupée ou boire du jus ou du lait, ou simplement s'asseoir calmement avec un jeu.
- Préparez de petits présents pour l'enfant de sorte qu'il ne se sente pas mis de côté lorsque le nouveau-né reçoit des cadeaux. L'enfant peut aussi aider à ouvrir les cadeaux du nouveau membre de la famile.
- Félicitez l'enfant de son comportement approprié pour son âge (ainsi, le fait d'être un nourrisson ne paraîtra pas plus intéressant à ses yeux qu'être le plus âgé).

7.2.4 Adaptation des grands-parents

Chaque grossesse a un impact sur les relations familiales. Pour les futurs grands-parents, une première grossesse dans la famille confirme indéniablement qu'ils avancent en âge. Pour beaucoup d'entre eux, un grand-parent est une vieille personne, qui a les cheveux blancs, qui a parfois des trous de mémoire et qui est physiquement fragile ; toutefois, certaines personnes deviennent grands-parents alors qu'elles sont dans la jeune quarantaine. Certains réagiront négativement à cette annonce, ce qui signifie qu'ils ne sont pas prêts à assumer ce nouveau rôle.

Mais la plupart des grands-parents sont enchantés de la venue prochaine d'un nouveau-né dans la famille. Cela ravive des souvenirs de leur propre jeunesse, l'émerveillement de la naissance, et ils se rappellent avec émotion l'époque où ils attendaient eux-mêmes des enfants. Ils deviennent les témoins privilégiés des premiers sourires, des premiers mots, des premiers pas de l'enfant, et ils se serviront plus tard de ces souvenirs pour s'approprier en quelque sorte l'arrivée du nouveau-né en tant que membre de la famille. Ces gestes permettent d'établir des ponts entre le passé et le présent des futurs parents et grands-parents.

De plus, le grand-parent joue aussi un rôle d'historien qui transmet les souvenirs de la famille ; c'est une personne-ressource qui partage le fruit des connaissances acquises par l'expérience, tout en étant un modèle et un soutien. La présence et l'aide d'un grand-parent peuvent resserrer les liens familiaux en élargissant le cercle de l'entraide et du dévouement **FIGURE 7.5**.

RAPPELEZ-VOUS…

La principale tâche de l'adolescent dans son développement psychosocial est la recherche d'une identité personnelle.

7.2.5 Femme enceinte

Les soins prénataux ont pour but de déterminer les facteurs de risque existants et d'autres anomalies possibles de façon que la grossesse connaisse la

FIGURE 7.5
Des grands-parents font la connaissance de leur petit-fils.

meilleure issue possible (Johnson *et al*, 2007). On insiste beaucoup sur l'aspect préventif des soins, principalement en ce qui a trait à motiver la femme enceinte à prendre soin d'elle-même et à signaler sans tarder au professionel de la santé tout changement inhabituel de son état pour prévenir les problèmes ou en réduire la gravité. Dans une démarche holistique de soins, les infirmières fournissent des renseignements et des conseils, non seulement en ce qui concerne les changements physiques, mais également au sujet de l'impact psychosocial qu'a la grossesse sur la femme et sur les membres de sa famille. L'objectif des soins infirmiers prénataux est donc de promouvoir un accouchement sécuritaire pour la mère et l'enfant et de faire en sorte que la mère et la famille soient globalement satisfaites de leur expérience de la grossesse et de l'accouchement.

Aux États-Unis, des progrès sont constatés relativement au nombre de femmes qui reçoivent des soins prénataux adéquats. En 2005, près de 84 % de toutes les femmes ont reçu des soins au cours du premier trimestre de leur grossesse. On a noté que les femmes d'origines africaine, latino-américaine et amérindienne étaient deux fois plus susceptibles d'obtenir des soins prénataux tardivement, voire jamais, comparativement aux femmes blanches (Martin *et al.*, 2008). La politique québécoise de périnatalité reconnaît que les femmes enceintes et les futurs pères se posent des questions et qu'ils ont besoin d'information. Celle-ci est donnée dans le cadre des services généraux offerts par les centres de santé et de services sociaux (CSSS) et est transmise individuellement ou en groupe, selon les besoins. De façon générale, les femmes issues de milieux socioéconomiques moyen ou élevé ont recours d'emblée aux soins prénataux, alors que celles qui sont aux prises avec la pauvreté ou qui ne bénéficient pas d'un régime d'assurance maladie n'accèdent pas toujours aux services médicaux, qu'ils soient publics ou privés. Cependant au Canada, toutes les femmes ont accès à un régime d'assurance maladie. Par ailleurs, le manque de professionnels de la santé formés aux différences ethnoculturelles et les barrières de communication, notamment sur le plan de la langue, nuisent également à l'accès aux soins (Darby, 2007). En outre, les femmes immigrantes dont la culture n'accorde pas d'importance aux soins prénataux ne seront pas portées à en faire d'emblée la demande. L'issue des grossesses chez ces populations laisse parfois à désirer. On note en effet des taux plus élevés de complications chez la mère, le fœtus ou le nouveau-né. Or, les problèmes de faible poids à la naissance, soit moins de 2 500 g, et de mortalité infantile sont particulièrement associés à l'absence de soins prénataux adéquats.

Les soins prénataux ont pour but de déterminer les facteurs de risque existants et d'autres anomalies possibles de façon que la grossesse connaisse la meilleure issue possible.

Les obstacles à l'accès aux soins de santé durant la grossesse sont de plusieurs ordres : les problèmes de transport, les établissements ou les services cliniques peu attrayants, les horaires des cliniques qui ne conviennent pas, les problèmes de garde d'enfants et les attitudes personnelles (American College of Obstetricians and Gynecologists Committee on Health Care for Underserved Women, 2006 ; Daniels, Noe & Mayberry, 2006 ; Johnson *et al.*, 2007). Le recours croissant aux services d'infirmières praticiennes qui exercent en collaboration avec des médecins, sans oublier l'apport des sages-femmes, contribue à améliorer la disponibilité et l'accessibilité des soins prénataux. On a aussi confirmé l'efficacité de programmes réguliers de visites prénatales à domicile par des infirmières (Dawley & Beam, 2005).

Le modèle actuel de prestation des soins prénataux est en vigueur depuis plus de un siècle. La visite initiale a habituellement lieu au cours du premier trimestre, idéalement entre la 8e et la 10e semaine (Stephen, 2009) ; les visites subséquentes se font toutes les 4 semaines jusqu'à 28 à 30 semaines de grossesse **ENCADRÉ 7.2**. Par la suite, les visites ont lieu toutes les 2 semaines jusqu'à la semaine 36, puis toutes les semaines jusqu'à la naissance (Association des obstétriciens et gynécologues du Québec, 2011a). La recherche soutient un modèle où les visites prénatales sont moins nombreuses ; dans certaines pratiques, on tend de plus en plus à réduire le nombre de visites chez les femmes pour qui le risque de complications est minime (Villar, Carroli, Khan-Neelofur, Piaggio & Gulmezoglu, 2001 ; Walker, McCully & Vest, 2001).

Il est reconnu et prouvé qu'un suivi prénatal adéquat comportant de 9 à 14 visites (Cunnigham & Williams, 2005) a des effets positifs : 1) il diminue les coûts des soins au nouveau-né et à la mère en période postnatale ; 2) il abaisse par 7 les décès néonataux ; 3) il fait chuter de 3,3 fois la mortalité *in utero* ; 4) il réduit légèrement la prématurité ; 5) il diminue de 90 fois la mortalité maternelle.

Certains nouveaux modèles de soins qui gagnent en popularité favorisent davantage l'autonomie de la femme plutôt que l'« autorité » du professionnel de la santé, et ils encouragent la future mère à joindre un groupe de femmes qui doivent accoucher vers la même date. On cherche ainsi à favoriser une atmosphère propice à l'apprentissage, à encourager la discussion et à promouvoir le soutien mutuel. La majeure partie des soins se déroule en groupe après la première visite individuelle, et ceux-ci poursuivent sous forme de 10 séances de 2 heures échelonnées tout au long de la grossesse (Moos, 2006). Les rencontres permettent de discuter en groupe de divers sujets, comme les malaises propres à la grossesse et la préparation en vue du travail et de l'accouchement. On encourage les familles et les conjoints à se joindre au groupe (Massey, Rising & Ickovics, 2006 ; Reid, 2007).

Dans un monde idéal, les soins prénataux se déroulent sous forme d'activités pluridisciplinaires au cours desquelles les infirmières travaillent avec les médecins ou les sages-femmes, les nutritionnistes, les travailleurs sociaux et d'autres professionnels. La collaboration entre ceux-ci est indissociable de la nature holistique des soins. Le modèle de gestion de cas, qui repose sur les plans de soins et sur les programmes cliniques, favorise pour sa part une approche globale et réduit le chevauchement des services.

ENCADRÉ 7.2 Calendrier des visites prénatales

- Toutes les 4 semaines, jusqu'à 28 à 30 semaines de grossesse
- Toutes les 2 semaines, jusqu'à 36 semaines de grossesse
- Chaque semaine de la 36e semaine jusqu'à l'accouchement

SOINS ET TRAITEMENTS INFIRMIERS

Femme enceinte

Le rôle des soins infirmiers est d'ailleurs mis de l'avant dans le processus de soins au moment de la visite initiale et des visites de suivi, et il s'organise autour des éléments centraux de la démarche de soins : collecte des données et évaluation initiale, analyse et interprétation des données, interventions infirmières et évaluation des résultats **ENCADRÉ 7.3**.

Évaluation initiale

Jugement clinique

Madame Janik Proulx, âgée de 27 ans, se présente pour son premier rendez-vous prénatal, à 10 semaines de grossesse. Elle vous demande si elle devra venir souvent consulter pour le suivi de sa grossesse.

À quel intervalle devrait-elle le faire ?

L'évaluation initiale inclut une anamnèse complète qui englobera la grossesse actuelle, les grossesses antérieures, la famille, le profil psychosocial, un examen physique, des examens paracliniques et une évaluation globale des risques. On utilise souvent un questionnaire prénatal pour consigner les données recueillies. La femme enceinte et les membres de la famille qui l'accompagnent au cours de la visite doivent savoir que la première visite prénatale est plus longue et permet de recueillir plus de renseignements que les visites ultérieures. Dans certaines cliniques, on procède d'abord au questionnaire prénatal et on demande les analyses de laboratoire. L'examen physique sera fait au moment de la visite suivante, qui sera plus rapprochée ou non selon le nombre de semaines de la grossesse.

Entrevue

Le lien thérapeutique entre l'infirmière et la femme enceinte s'établit dès la première entrevue d'évaluation. Deux types de données y sont recueillies : l'évaluation subjective de la femme quant à son état de santé et l'observation objective de l'infirmière.

Un ou plusieurs membres de la famille accompagnent souvent la femme enceinte. Avec son autorisation, on fera participer les personnes qui l'accompagnent à la première entrevue prénatale. Des observations et des renseignements concernant la famille seront inclus dans la base de données. Par exemple, si la cliente a de jeunes enfants avec elle, l'infirmière peut s'informer de ses plans pour leur garde lorsqu'arrivera le temps du travail et de l'accouchement. À ce moment ou tout au long de la grossesse, on note tout besoin particulier (p. ex., l'accès à un fauteuil roulant, l'aide pour monter sur la table d'examen ou en descendre et la présence d'un déficit cognitif).

Raison de la demande de soins

Bien que la femme enceinte ait des rendez-vous prénataux de routine prévus, dans bien des cas, elle consulte l'infirmière pour obtenir des renseignements ou pour que celle-ci la rassure au sujet d'une crainte en particulier. Elle prendra note des principales préoccupations de la femme telles qu'elle les formule. Cela aidera les autres membres de l'équipe soignante à reconnaître les besoins prioritaires cernés par la cliente elle-même. Au cours de la visite initiale, celle-ci cherchera tout naturellement à savoir comment se déroule une grossesse normale.

Grossesse en cours

Les signes de grossesse peuvent grandement inquiéter la femme. En revoyant avec elle les symptômes

Mise en œuvre d'une démarche de soins

ENCADRÉ 7.3 **Soins prénataux**

COLLECTE DES DONNÉES – ÉVALUATION INITIALE

La collecte des données commence dès la visite prénatale initiale et se poursuit tout au long de la grossesse. Les techniques de collecte de données incluent l'entrevue, l'examen physique et les examens paracliniques, dont les analyses de laboratoire. Étant donné que le contenu et le déroulement de la visite initiale et des visites de suivi sont fort différents, ils sont décrits séparément dans le texte.

ANALYSE ET INTERPRÉTATION DES DONNÉES

Les problèmes découlant de la situation de santé peuvent inclure :

- Anxiété liée :
  - aux malaises physiques de la grossesse ;
  - au sentiment d'ambivalence et à la labilité de l'humeur ;
  - aux changements de la dynamique familiale ;
  - au bien-être du fœtus ;
  - aux craintes quant à la capacité de bien gérer le travail.
- Constipation liée :
  - au relâchement des muscles lisses gastro-intestinaux dû à la progestérone ;
  - aux choix alimentaires.
- Déséquilibre nutritionnel (besoins de l'organisme non comblés) lié :
  - aux nausées matinales (nausées et vomissements) ;
  - à la fatigue.
- Modification de l'image corporelle liée aux :
  - changements anatomiques et physiologiques dus à la grossesse ;
  - changements dans la relation de couple.
- Troubles du sommeil liés :
  - aux positions inconfortables de la grossesse avancée ;
  - à l'anxiété associée au travail à venir.

RÉSULTATS ESCOMPTÉS

Les paramètres mesurés dans le cadre des soins prénataux incluent non seulement des résultats portant sur les paramètres physiques, mais également des résultats concernant l'aspect développemental et psychosocial. Voici quelques exemples de résultats escomptés chez la femme enceinte :

- Verbalisation afin de diminuer son anxiété sur la santé de son fœtus ou sur sa propre santé.
- Expression de ses sentiments afin d'améliorer la dynamique familiale.
- Manifestation de gains pondéraux adéquats à chaque trimestre.
- Acceptation graduelle des changements de son image corporelle.
- Démontration de connaissances afin de mieux prendre soin d'elle-même.
- Recherche de clarifications ou d'information au sujet de la grossesse et de l'accouchement.
- Signalement des signes et des symptômes de complications.
- Description des mesures appropriées adoptées pour soulager les malaises physiques.
- Élaboration d'un plan d'accouchement réaliste.

INTERVENTIONS INFIRMIÈRES

On peut faire appel à divers types de documents pour faciliter l'apprentissage de la femme enceinte et de sa famille. Les quatre thèmes suivants font l'objet d'une présentation plus approfondie dans ce chapitre.

- Donner de l'enseignement sur les changements maternels et fœtaux.
- Donner de l'enseignement sur l'auto-prise en charge.
- Fournir un counseling sexuel.
- Offrir du soutien psychosocial.

ÉVALUATION DES RÉSULTATS – ÉVALUATION EN COURS D'ÉVOLUTION

L'évaluation de l'efficacité des soins prodigués à la femme durant la grossesse est basée sur les résultats escomptés énumérés plus haut.

qu'elle éprouve et sa façon d'y faire face, on contribue à recueillir les données qui permettront de mettre au point un plan de soins. L'infirmière peut déjà donner de l'enseignement sur certains sujets à cette étape préliminaire, dont la promotion de la santé.

Antécédents obstétricaux et gynécologiques

L'infirmière recueille des données sur l'âge qu'avait la femme à ses premières règles, ainsi que sur son histoire menstruelle et contraceptive. Elle notera la nature de tout problème d'infertilité ou de maladie gynécologique, ses antécédents à l'égard des infections transmissibles sexuellement et par le sang (ITSS), son histoire sexuelle, une histoire détaillée de toutes ses grossesses (p. ex., la durée de la grossesse, celle du travail, le mode d'accouchement) et de leur issue (p. ex., une interruption volontaire ou spontanée de grossesse, les particularités de l'accouchement chez la mère et chez l'enfant), incluant la grossesse actuelle. L'infirmière notera la date du dernier test de Papanicolaou (test Pap) et ses résultats, et elle s'informera de la DDM afin d'établir la date prévue de l'accouchement.

Antécédents médicaux

Les antécédents médicaux incluent tous les problèmes de santé et toutes les chirurgies susceptibles d'avoir un impact sur la grossesse ou d'être influencés par elle. Par exemple, une femme enceinte qui souffre de diabète, d'hypertension ou d'épilepsie requiert des soins particuliers. Étant donné que la majeure partie des femmes ressentent de l'anxiété au moment de l'entrevue initiale, on portera attention à certains indices, par exemple le port d'un bracelet MedicAlert[MD], et l'on demandera à la cliente d'énumérer ses allergies, ses maladies chroniques ou sa médication, le cas échéant (p. ex., la cortisone, l'insuline, les anticonvulsivants).

Il faut aussi demander à la cliente de décrire la nature des interventions chirurgicales subies. Si une femme a eu une chirurgie utérine ou une réparation importante du plancher pelvien, une césarienne s'imposera peut-être. Des antécédents d'appendicectomie permettent d'écarter le diagnostic d'appendicite comme cause de douleur au quadrant inférieur droit durant la grossesse, tandis que des antécédents de chirurgie touchant la colonne vertébrale empêcheront tout recours à l'anesthésie rachidienne ou épidurale. On notera également les traumas au bassin.

Les femmes qui souffrent de maladie chronique ou invalidante oublient souvent d'en faire mention au cours de l'évaluation initiale parce qu'elles se sont adaptées à leur situation. Le port de chaussures spéciales ou la claudication pourraient indiquer un problème structural au bassin, qui n'est pas à négliger chez les femmes enceintes. L'infirmière qui observe de telles caractéristiques spéciales et qui interroge délicatement la cliente à ce sujet obtiendra des données permettant d'obtenir un portrait de santé complet afin d'effectuer une planification globale et personnalisée des soins (Smeltzer, 2007).

Histoire nutritionnelle

L'histoire nutritionnelle de la femme occupe une place importante dans l'anamnèse prénatale, car son état nutritionnel aura un effet direct sur la croissance et le développement du fœtus. Une évaluation de l'alimentation servira à mettre au jour certaines habitudes particulières, des allergies et des comportements alimentaires, la pratique du **pica** et d'autres facteurs ayant trait au statut nutritionnel. La femme enceinte est encline à recevoir des conseils en matière de nutrition et de suivre les conseils proposés à la suite de cette évaluation ▶ 8.

Histoire de l'utilisation de médicaments et de drogues

L'utilisation passée et présente de médicaments autorisés (offerts en vente libre et prescrits), de préparations à base de plantes médicinales, de caféine, d'alcool, de nicotine et de substances illicites (marijuana, cocaïne, héroïne) chez la femme fait l'objet d'un questionnaire indispensable, car beaucoup de substances franchissent la barrière placentaire et peuvent causer du tort au fœtus pendant son développement. Souvent, on recommandera des analyses toxicologiques urinaires périodiques durant la grossesse chez les femmes qui ont des antécédents de toxicomanie. Pour protéger les droits et libertés de la personne et pour respecter le lien éthique entre la cliente et son professionnel de la santé, les politiques quant au dépistage des drogues doivent servir à encourager une communication ouverte entre eux, rappeler l'existence d'options thérapeutiques et promouvoir la santé de la femme et de l'enfant.

Antécédents familiaux

Les antécédents familiaux fournissent des renseignements au sujet de la famille immédiate de la femme, c'est-à-dire sur ses parents, ses frères et sœurs ainsi que sur ses autres enfants. Les renseignements concernant la famille immédiate du père de l'enfant ont aussi leur importance. Ces données aident à recenser les troubles ou les problèmes de santé familiaux ou génétiques susceptibles d'avoir un impact sur l'état de santé de la femme ou de son fœtus.

Histoire sociale, expérientielle et professionnelle

Il est possible d'évaluer en quelques rencontres les facteurs situationnels, ce qui inclut le bagage ethnoculturel de la famille et son statut socioéconomique. On explorera la perception qu'entretient la femme de sa grossesse en posant des questions telles que :

- La grossesse est-elle planifiée ou non, désirée ou non ?
- La femme est-elle heureuse de sa grossesse ou mécontente ? Accepte-t-elle sa grossesse ou non ?
- La grossesse risque-t-elle de lui occasionner des problèmes d'ordre financier, professionnel ou environnemental ?

On déterminera de quel type de système de soutien familial dispose la cliente en abordant les sujets suivants :

- Quelle est sa principale source de soutien ?
- Faut-il apporter des changements à sa situation afin de promouvoir un soutien adéquat ?
- Comment sont les liens actuels entre la mère, le père ou le conjoint, les frères et sœurs et la belle-famille ?
- Quelles sont les mesures prises pour prendre soin d'elle et des membres de sa famille au moment du travail ainsi que des soins au nouveau-né après l'accouchement ?
- A-t-elle besoin d'une aide économique, d'information ou d'autre soutien de la part de la communauté ?
- Quelle idée se fait-elle de la grossesse, quelles sont ses attentes sur le comportement du nourrisson, quelles sont ses perspectives sur la vie et son rôle de femme ?

D'autres questions touchent à la vie imaginée après l'accouchement :

- Comment envisage-t-elle la vie à la maison avec un nouveau-né ?
- En quoi la venue du nouveau-né changera-t-elle sa vie ?
- Quels sont les projets qui doivent être modifiés à la suite de la venue du nouveau-né ?

Pica : Trouble du comportement alimentaire caractérisé par l'ingestion de substances non nutritives (p. ex., de la terre, de la craie, du sable, du papier).

8

Les conseils en matière d'alimentation à prodiguer à la mère sont abordés dans le chapitre 8, *Nutrition de la mère et du fœtus*.

RAPPELEZ-VOUS…

Un consentement éclairé implique que la personne qui donne son consentement doit très bien comprendre les procédures, les risques et les bienfaits du traitement auquel elle accepte de se soumettre.

Au moment des entrevues, pendant toute la grossesse, l'infirmière doit rester à l'affût de tout signe de problème potentiel touchant la parentalité, par exemple, la dépression, le soutien familial insuffisant et les conditions de vie inadéquates **FIGURE 7.6**. Elle doit évaluer comment se sent la cliente quant aux soins de santé, particulièrement durant la grossesse, ses attentes à l'égard des professionnels de la santé et sa perception de sa relation avec l'infirmière.

Elle prendra note des mécanismes d'adaptation et d'interaction. Tôt au cours de la grossesse, l'infirmière doit déterminer le degré de connaissances de la femme au sujet de la grossesse, des changements chez la mère, du développement fœtal, des autosoins et des soins à prodiguer au nouveau-né, incluant l'alimentation. Elle devra aussi lui demander ce qu'elle pense de l'accouchement, avec ou sans médication, et lui suggérer de suivre des cours prénataux afin de cultiver son sentiment de compétence parentale. Avant d'établir un plan de soins, l'infirmière a besoin de recueillir des données sur la capacité de la femme à prendre des décisions et sur ses habitudes de vie (p. ex., l'exercice, le sommeil, l'alimentation, les loisirs, l'hygiène personnelle, l'habillement). Parmi les facteurs de stress courants durant la grossesse figurent les soucis entourant le bien-être du fœtus et la perspective du travail et de l'accouchement, le comportement du nouveau-né, la relation entre la femme et le père de l'enfant et sa famille, les changements ayant un impact sur son image corporelle et les symptômes physiques.

On vérifiera comment la femme se sent face à ses activités sexuelles durant la grossesse en lui posant des questions, par exemple : Que vous a dit votre famille (votre conjoint, vos amis) au sujet de la sexualité durant la grossesse ? Insistez davantage sur la conception que la femme se fait de la sexualité en lui posant des questions telles que : Comment vous sentez-vous face aux changements de votre apparence ? Comment votre conjoint réagit-il à votre corps maintenant ? Comment vous sentez-vous lorsque vous portez des vêtements de maternité ?

FIGURE 7.6
Les conditions dans lesquelles vit la femme enceinte ont un impact sur son état émotionnel.

2

Le dépistage de la violence auprès de la femme enceinte est abordé dans le chapitre 2, *Évaluation clinique et promotion de la santé.*

Situation de violence physique

Il faut vérifier la présence d'antécédents de violence physique chez toutes les femmes, particulièrement en raison du fait que les risques de sévices corporels ont tendance à augmenter durant la grossesse. Bien que l'aspect ou le comportement d'une femme puisse suggérer qu'elle est victime de violence, on ne posera pas ce type de questions uniquement aux clientes qui correspondent au profil typique de la femme battue. La reconnaissance des gestes de violence et une intervention clinique immédiate, incluant un enseignement sur la sécurité, contribueront à prévenir d'autres gestes de violence et amélioreront la sécurité et le bien-être de la femme et de son nouveau-né (Krieger, 2008) ▶ 2.

Durant la grossesse, les parties du corps qui sont visées au cours des épisodes de violence peuvent être différentes de celles habituellement atteintes. Les femmes font état de coups à la tête, aux seins, à l'abdomen et aux organes génitaux. La violence sexuelle est aussi fréquente.

Les adolescentes enceintes n'échappent pas non plus à la violence, et cela représente une situation particulièrement difficile. Certaines adolescentes sont emprisonnées dans des relations violentes en raison de leur plus grande vulnérabilité. Beaucoup de professionnels et d'adolescentes elles-mêmes ne reconnaissent pas la violence parce qu'elle peut être difficile à croire, parce que les relations sont éphémères et parce que les comportements jaloux et contrôlants passent pour de l'amour et de la dévotion. Un dépistage régulier des gestes de violence physique et sexuelle s'impose chez les adolescentes enceintes (Family Violence Prevention Fund, 2009). Étant donné que la grossesse chez les jeunes filles peut résulter d'un viol, on vérifiera leur souhait de mener la grossesse à terme.

Revue des systèmes

Durant cette portion de l'entrevue, l'infirmière demandera à la femme de nommer et de décrire tout problème préexistant ou concomitant touchant l'un ou l'autre des systèmes de son organisme. Elle évaluera également son état de santé mentale et l'interrogera au sujet de ses symptômes physiques, par exemple l'essoufflement ou la douleur. La grossesse perturbe tous les systèmes de l'organisme, et elle subit leur influence, d'où

l'importance de recueillir des renseignements sur l'état actuel des systèmes pour la planification des soins. On recueillera les données additionnelles suivantes pour chacun des signes ou des symptômes décrits : endroit du corps, qualité, quantité, chronologie, facteurs d'aggravation ou de soulagement et manifestations associées (déclenchement, caractère, évolution) (Seidel, Ball, Dains & Benedict, 2006).

Examen physique

L'examen physique initial fournit les données de base en fonction desquels on suivra la progression des changements. Le professionnel de la santé qui procède à l'examen doit vérifier quels sont les renseignements essentiels dont la femme a besoin sur le plan de l'anatomie de l'appareil reproducteur, et il lui montrera au besoin l'équipement susceptible d'être utilisé pour l'examen, tout en lui expliquant son fonctionnement. Cet échange requiert une approche lente, adaptée et délicate tout en étant directe.

L'examen physique commence par la mesure des signes vitaux, ce qui comprend la taille et le poids (pour le calcul de l'indice de masse corporelle [IMC]) et la pression artérielle (P.A.). L'examen gynécologique doit se faire alors que la vessie est vide. Il faut procéder à la cytologie cervicale chez toutes les femmes enceintes le plus tôt possible, car aucune autre cytologie ne sera effectuée avant un an. Le dépistage de la gonorrhée et de la chlamydia est fait avec le consentement de la cliente. On recueille un spécimen d'urine pour le dosage des protéines, du glucose ou des leucocytes ou pour d'autres analyses urinaires.

Chaque professionnel de la santé met au point sa propre marche à suivre pour procéder à l'examen physique. La plupart choisissent une séquence qui va de la tête aux pieds. Le cœur et les poumons sont auscultés, puis les extrémités sont examinées. La distribution, la quantité et la qualité de la pilosité corporelle revêtent une importance particulière, car elle est le reflet du fonctionnement endocrinien et de l'hygiène. L'infirmière évalue soigneusement la glande thyroïde, elle note aussi la hauteur utérine si le premier examen a lieu après le premier trimestre de grossesse. Durant l'examen, il faut rester attentif à tout indice d'une maladie potentiellement dangereuse ▶ 2.

Dès qu'elle effectue un examen gynécologique, l'infirmière doit évaluer le tonus des muscles pelviens et vérifier si la cliente connaît les exercices de Kegel. Elle portera une attention spéciale à la taille de l'utérus ainsi qu'à la position utérine, parce que cette évaluation donne une information utile sur l'âge gestationnel **TABLEAU 7.2**. On recommande un examen vaginal en début de grossesse, mais aucun autre ne s'impose généralement par la suite, à moins d'indications médicales.

TABLEAU 7.2 Taille de l'utérus dans les premières semaines de grossesse

SEMAINES DE GROSSESSE	TAILLE DE L'UTÉRUS	POINT DE COMPARAISON
8 semaines	8 × 8 cm	Petite orange
10 semaines	10 × 10 cm	Grosse orange
12 semaines	12 × 12 cm	Pamplemousse

Analyses de laboratoire

Les données générées par l'analyse en laboratoire des spécimens recueillis durant l'examen fournissent des renseignements importants au sujet des symptômes de la grossesse et de l'état de santé de la cliente.

On recommande un dépistage de l'anémie falciforme chez les femmes d'origine africaine, asiatique ou moyenne-orientale et l'on préconise fortement le dépistage de l'anticorps anti-virus de l'immunodéficience humaine (anti-VIH) chez toutes les femmes enceintes **ENCADRÉ 7.4**. De plus, les femmes enceintes blanches et leurs conjoints blancs qui ont des antécédents familiaux de mucoviscidose (fibrose kystique) souhaiteront peut-être subir un prélèvement sanguin afin de déterminer s'ils sont porteurs de la maladie (Fries, Bashford & Nunes, 2005). Durant l'examen gynécologique, des échantillons au niveau du col et du vagin sont prélevés pour des tests cytologiques et pour le diagnostic de certaines infections (chlamydia et gonorrhée). Le médecin prescrira aussi quelques analyses de laboratoire à l'occasion de la visite initiale **TABLEAU 7.3**.

La découverte de facteurs de risque durant la grossesse peut être une indication de la nécessité de reprendre certains examens paracliniques à

RAPPELEZ-VOUS...

Au Québec, la chlamydia est l'ITSS la plus répandue.

2

La description détaillée de l'examen physique de la femme enceinte est présentée dans le chapitre 2, *Évaluation clinique et promotion de la santé*.

ENCADRÉ 7.4 Dépistage du virus de l'immunodéficience humaine

- Sur le plan moral, les femmes enceintes doivent chercher à obtenir des soins jugés raisonnables durant leur grossesse pour éviter d'exposer leur fœtus à un quelconque préjudice. Les infirmières en périnatalité doivent se faire les avocates du fœtus tout en acceptant la décision de la femme enceinte quant au test ou au traitement de l'infection par le VIH.
- Le taux de transmission périnatale d'une mère séropositive à son fœtus est d'environ 25 %. Le fait d'administrer de la zidovudine (AZT^MD) durant la grossesse réduit la transmission périnatale. On administrera aussi de la zidovudine au nouveau-né jusqu'à l'âge de six semaines. Le fait de ne pas allaiter, combiné à la prise de zidovudine, réduit le taux de transmission au nouveau-né à moins de 8 %.
- Les tests permettent de reconnaître les femmes séropositives que l'on peut traiter. Les professionnels de la santé ont l'obligation de veiller à ce que les femmes enceintes soient bien informées au sujet des symptômes, des tests et des méthodes d'atténuation de la transmission du VIH de la mère au fœtus. Au Canada, il est recommandé à toutes les femmes enceintes qui le désirent de subir un test de dépistage du VIH pendant la grossesse.

Source : Adapté de SOGC (2010a).

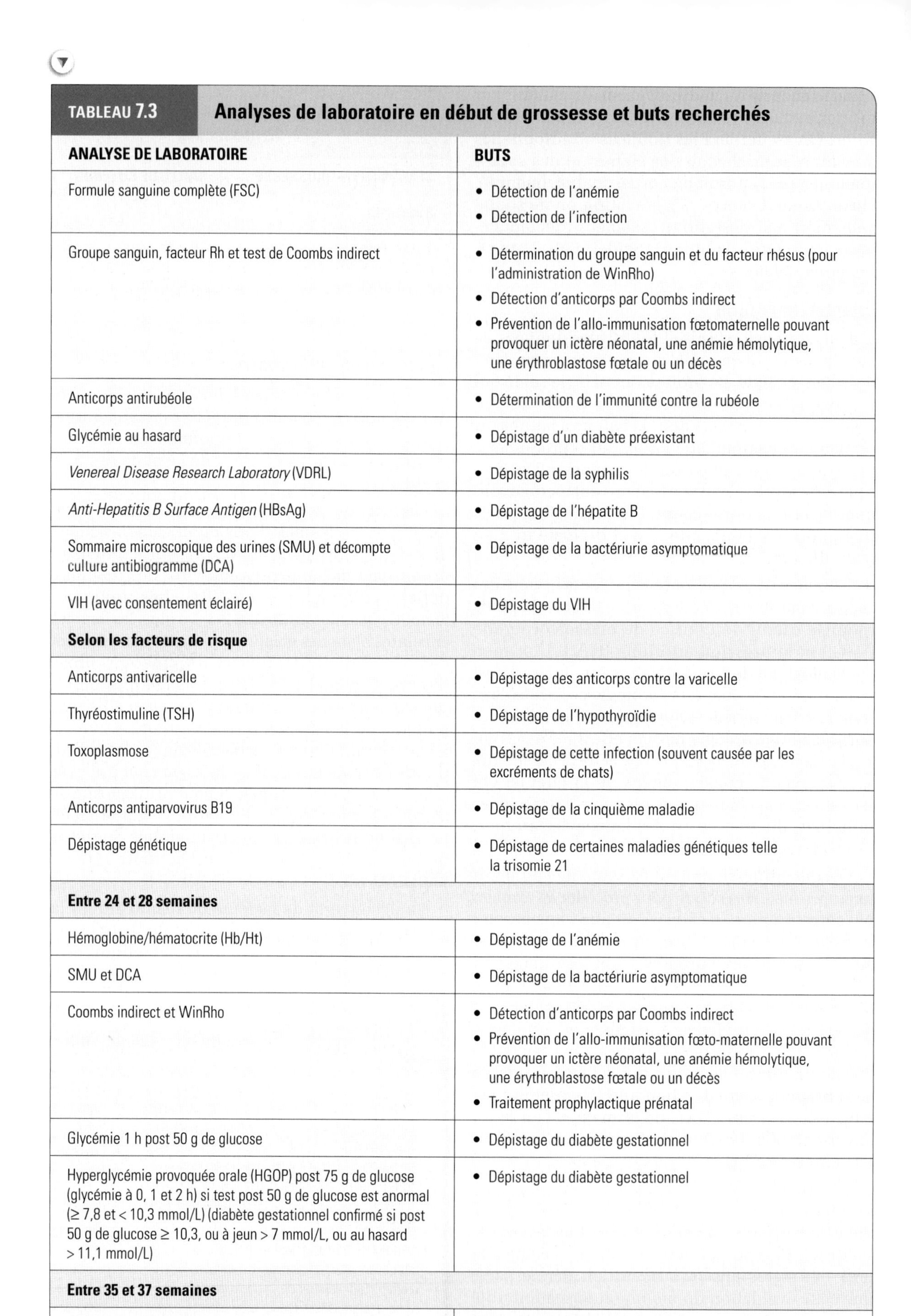

TABLEAU 7.3 Analyses de laboratoire en début de grossesse et buts recherchés

ANALYSE DE LABORATOIRE	BUTS
Formule sanguine complète (FSC)	• Détection de l'anémie • Détection de l'infection
Groupe sanguin, facteur Rh et test de Coombs indirect	• Détermination du groupe sanguin et du facteur rhésus (pour l'administration de WinRho) • Détection d'anticorps par Coombs indirect • Prévention de l'allo-immunisation fœtomaternelle pouvant provoquer un ictère néonatal, une anémie hémolytique, une érythroblastose fœtale ou un décès
Anticorps antirubéole	• Détermination de l'immunité contre la rubéole
Glycémie au hasard	• Dépistage d'un diabète préexistant
Venereal Disease Research Laboratory (VDRL)	• Dépistage de la syphilis
Anti-Hepatitis B Surface Antigen (HBsAg)	• Dépistage de l'hépatite B
Sommaire microscopique des urines (SMU) et décompte culture antibiogramme (DCA)	• Dépistage de la bactériurie asymptomatique
VIH (avec consentement éclairé)	• Dépistage du VIH
Selon les facteurs de risque	
Anticorps antivaricelle	• Dépistage des anticorps contre la varicelle
Thyréostimuline (TSH)	• Dépistage de l'hypothyroïdie
Toxoplasmose	• Dépistage de cette infection (souvent causée par les excréments de chats)
Anticorps antiparvovirus B19	• Dépistage de la cinquième maladie
Dépistage génétique	• Dépistage de certaines maladies génétiques telle la trisomie 21
Entre 24 et 28 semaines	
Hémoglobine/hématocrite (Hb/Ht)	• Dépistage de l'anémie
SMU et DCA	• Dépistage de la bactériurie asymptomatique
Coombs indirect et WinRho	• Détection d'anticorps par Coombs indirect • Prévention de l'allo-immunisation fœto-maternelle pouvant provoquer un ictère néonatal, une anémie hémolytique, une érythroblastose fœtale ou un décès • Traitement prophylactique prénatal
Glycémie 1 h post 50 g de glucose	• Dépistage du diabète gestationnel
Hyperglycémie provoquée orale (HGOP) post 75 g de glucose (glycémie à 0, 1 et 2 h) si test post 50 g de glucose est anormal (≥ 7,8 et < 10,3 mmol/L) (diabète gestationnel confirmé si post 50 g de glucose ≥ 10,3, ou à jeun > 7 mmol/L, ou au hasard > 11,1 mmol/L)	• Dépistage du diabète gestationnel
Entre 35 et 37 semaines	
Culture vaginoanale pour streptoccoque du groupe B (SGB)	• Dépistage du SGB

Source : Leclerc, Grégoire & Rheault (2008).

d'autres moments. Par exemple, une exposition à la tuberculose ou la présence d'une ITSS justifieraient de répéter les tests appropriés. Les ITSS sont fréquentes durant la grossesse, et elles peuvent avoir des effets négatifs sur la mère et sur le fœtus. Une évaluation et un dépistage complets s'avèrent essentiels.

Visites de suivi

Dans le cadre de soins prénataux classiques, on prévoit des visites tous les mois durant les deux premiers trimestres, bien que les clientes puissent demander des rendez-vous additionnels au besoin. Au cours du troisième trimestre, le risque de complications augmente, et une surveillance plus étroite est de mise. À compter de la 28e semaine (de 28 à 30 semaines), on fixe les visites toutes les 2 semaines jusqu'à la semaine 36, puis toutes les semaines jusqu'à l'accouchement, à moins que le professionnel de la santé individualise le calendrier de rendez-vous. Les visites peuvent se produire plus ou moins fréquemment, surtout en fonction des besoins, des complications et des risques individuels chez la femme enceinte. Le motif de l'entrevue est d'interroger la cliente, d'évaluer les changements physiques et d'effectuer les analyses de laboratoire requises.

Dans les modèles de soins prénataux qui reposent sur un calendrier de suivi à fréquence réduite, la séquence des visites de suivi différera, mais les évaluations et les soins demeureront semblables.

Entrevue

Les visites de suivi sont moins exigeantes que la première visite prénatale. Au cours de ces rencontres subséquentes, on demandera à la femme de résumer les événements marquants survenus depuis la dernière visite. On l'interrogera aussi sur son bien-être émotionnel et physique, sur ses symptômes ou ses problèmes, et elle pourra poser des questions. Ces visites permettent de reconnaître et d'explorer les besoins personnels de la cliente et ceux de la famille.

Étant donné que les changements émotionnels sont fréquents durant la grossesse, il est normal de demander à la femme si son humeur est labile, si elle réagit bien aux transformations que connaît son corps, si elle a fait des cauchemars ou si elle vit des inquiétudes. On prend note de tout sentiment positif (les siens propres et ceux de sa famille), et les réactions des membres de la famille envers sa grossesse et les changements émotionnels qui se produisent chez la femme sont consignés.

Durant le troisième trimestre, les situations familiales courantes et leur effet chez la cliente sont évalués. Par exemple, on vérifiera les réactions des frères et sœurs et des grands-parents à la grossesse et à la venue future de l'enfant. De plus, on procédera aux évaluations suivantes de la femme et de sa famille : les signes avant-coureurs de situations d'urgence, les signes de travail prématuré ou à terme, le déroulement du travail et les inquiétudes à son sujet, de même que le développement du fœtus et les méthodes d'évaluation du bien-être fœtal. L'infirmière doit demander à la cliente si elle prévoit suivre des cours prénataux et vérifier ses connaissances au sujet de la gestion de la douleur durant le travail.

Il faut procéder à une évaluation des systèmes chez la femme à chaque visite prénatale et se pencher plus à fond sur tout signe ou symptôme douteux. On notera les malaises qui peuvent être un reflet de l'adaptation à la grossesse.

Examen physique

L'évaluation continue constitue un aspect important des soins chez la femme enceinte. Chaque femme réagit différemment à la grossesse. Par conséquent, une surveillance étroite de celle-ci et des réactions de la cliente aux soins reçus revêt une importance capitale. L'infirmière remet les données à jour après chaque entrevue avec la femme enceinte. Elle note les changements physiologiques à mesure que la grossesse avance et vérifie tout écart possible par rapport à la progression normale.

À chaque visite, l'infirmière mesure les paramètres physiques. Idéalement, elle vérifie toujours la P.A. au même bras, alors que la femme se trouve en position assise, et elle utilise un brassard de la taille appropriée (notée au dossier). Elle pèse la cliente et vérifie si la prise de poids gestationnel est appropriée par rapport à l'IMC. Il faut aussi procéder aux tests urinaires au moyen de bandelettes. On vérifiera la présence d'œdème et son degré. Pour l'examen de l'abdomen, la femme s'allonge sur le dos, les bras de chaque côté du corps, la tête appuyée sur un oreiller. L'infirmière lui aura demandé au préalable de vider sa vessie. On procède d'abord à une inspection de l'abdomen suivie d'une mesure de la hauteur utérine. Alors que la femme est allongée sur le dos, on surveillera les signes d'un **syndrome de compression aortocave** **ENCADRÉ 7.5**. Lorsqu'une femme est en décubitus dorsal, le poids de son abdomen peut comprimer la veine cave et l'aorte, et occasionner une chute de P.A., une impression de faiblesse et des évanouissements. Par la suite, l'infirmière prend la mesure du cœur fœtal et vérifie la position du fœtus à l'aide des **manœuvres de Léopold**.

Les données notées à l'entrevue et les résultats de l'examen physique témoignent du degré d'adaptation de la mère. Lorsqu'une donnée ou un résultat semble douteux, il faut procéder à un examen plus approfondi. Par exemple, il faudra interpréter avec prudence la lecture de la P.A. au moment

Soins d'urgence

ENCADRÉ 7.5 **Syndrome de compression aortocave**

SIGNES ET SYMPTÔMES

- Pâleur
- Vertiges, étourdissements, essoufflement
- Tachycardie
- Nausées
- Moiteur (peau humide et fraîche), diaphorèse

INTERVENTION

- Placer la cliente allongée sur le côté gauche jusqu'à ce que ses signes et symptômes s'atténuent et disparaissent, et que ses signes vitaux se stabilisent dans les limites de la normale.

de l'analyse des facteurs de risque chez toutes les femmes enceintes. On évalue la P.A. à partir de valeurs absolues et en fonction de la durée de la gestation et on l'interprète en tenant compte des facteurs qui évoluent.

Une P.A. systolique absolue de 140 à 159 mm Hg et une P.A. diastolique de 90 à 99 mm Hg évoquent la présence d'une hypertension de stade 1. Une P.A. systolique supérieure ou égale à 160 mm Hg ou une P.A. diastolique supérieure ou égale à 100 mm Hg correspondent à une hypertension de stade 2 (National High Blood Pressure Education Program, 2003) ▶ 21.

21

Pour une présentation détaillée des problèmes associés à l'hypertension, consulter le chapitre 21, *Grossesse à risque : états gestationnels*.

La femme enceinte sera surveillée à chacune de ses visites pour dépister un ensemble de signes et de symptômes indicateurs de complications potentielles en plus de l'hypertension **TABLEAU 7.4**.

Évaluation fœtale

Vers la fin du premier trimestre, il est possible d'entendre les battements cardiaques fœtaux au moyen d'un doppler, ou d'un fœtoscope utilisé par des sages-femmes, ou d'un stéthoscope sous contrôle échographique. Pour entendre les battements cardiaques fœtaux, on place l'instrument au milieu de l'abdomen juste au-dessus de la symphyse pubienne où l'on applique une pression ferme. On offre à la femme et à sa famille la possibilité d'entendre les battements cardiaques du fœtus. L'état de santé du fœtus est évalué à chaque visite jusqu'à la fin de la grossesse.

Vidéo

Visionnez la vidéo *Évaluation de la hauteur utérine* au www.cheneliere.ca/lowdermilk

Jugement clinique

Vous rencontrez madame Norma Ferland, âgée de 32 ans, qui en est à sa sixième semaine de grossesse. Elle a très hâte d'entendre battre le petit cœur du fœtus.

À quel moment de sa grossesse sera-t-il possible de l'entendre ?

Hauteur utérine

Au cours du deuxième trimestre, l'utérus se transforme en un organe abdominal. La hauteur utérine, à savoir la mesure de la taille de l'utérus au-dessus de la symphyse pubienne, donne une indication de la croissance fœtale. Cette mesure fournit aussi une estimation de la durée de la grossesse. De 18 à 32 semaines de gestation, la hauteur utérine en centimètres correspond à peu près au nombre de semaines de grossesse (plus ou moins deux semaines de gestation), lorsque la vessie est vide au moment de la prise de la mesure (Cunningham *et al.*, 2005). Par exemple, à 28 semaines de gestation, une femme dont la vessie est vide présenterait une hauteur utérine de 26 à 30 cm. De plus, la mesure de la hauteur utérine peut faciliter la reconnaissance de facteurs de risque élevé. Une hauteur utérine stable ou diminuée indiquerait un retard de croissance intra-utérin (RCIU), tandis qu'une augmentation exagérée pourrait être un signe de grossesse multiple (plus de un fœtus) ou de polyhydramnios.

On utilise généralement un ruban de papier comme outil de mesure pour déterminer la hauteur utérine. Pour plus de fiabilité, on recommande que ce soit la même personne qui examine la femme enceinte à chacune de ses visites prénatales, mais cela n'est pas toujours possible. Tous les professionnels de la santé qui examinent une femme enceinte doivent appliquer une technique standard de mesure rigoureuse. Idéalement, il faut utiliser une méthode précise, claire et établie dans les établissements où elle est appliquée, ce qui comprend le positionnement de la femme sur la table d'examen, le ruban à mesurer et la technique de mesure. On notera aussi au dossier de la cliente les conditions qui prévalaient durant la prise de mesure, y compris si la vessie est vide ou non et si l'utérus est relâché ou contracté.

Il existe plusieurs positions pour la mesure de la hauteur utérine. La femme peut être en position demi-assise, avoir la tête surélevée ou les genoux fléchis ou avoir à la fois la tête surélevée et les genoux fléchis. Si la cliente n'adopte pas toujours la même position, les mesures obtenues peuvent varier, d'où l'importance de standardiser la technique de mesure de la hauteur utérine.

Le positionnement du ruban à mesurer peut lui aussi varier. Le ruban peut être placé au milieu de l'abdomen de la cliente, et la mesure se fait du rebord supérieur de la symphyse pubienne jusqu'à la limite supérieure de l'utérus, le ruban à mesurer étant en contact avec la peau sur toute la longueur de l'utérus **FIGURE 7.7A**. Une autre technique exclut la courbe supérieure de l'utérus dans la mesure. On tient plutôt une extrémité du ruban à mesurer vis-à-vis du rebord supérieur de la symphyse pubienne d'une main et l'on place l'autre main sur le rebord supérieur du fond de l'utérus. On tient le ruban entre le majeur et l'index de l'autre main, et le point où ces doigts l'interceptent est le point de mesure **FIGURE 7.7B**.

Âge gestationnel

Dans les cas de grossesse non compliquée, on estime l'âge gestationnel du fœtus après avoir calculé la durée de la grossesse et la DPA. L'âge gestationnel du fœtus se détermine donc à partir de

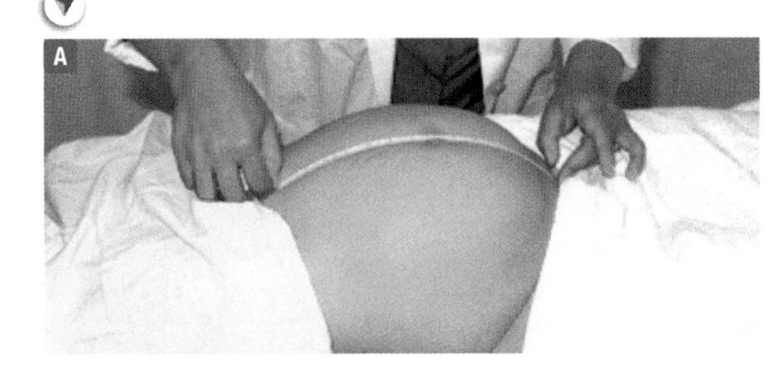

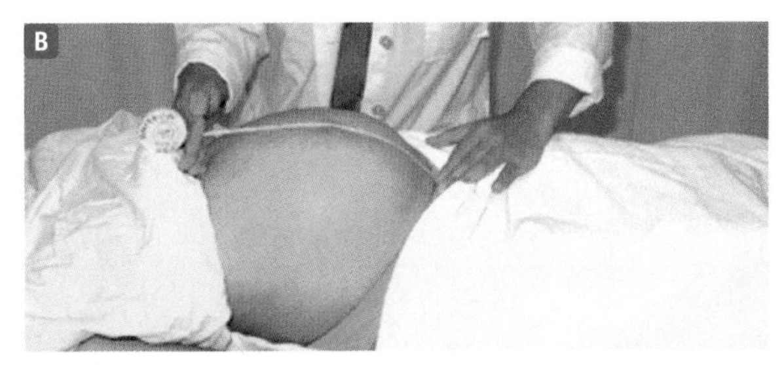

FIGURE 7.7

Mesure de la hauteur utérine à partir de la symphyse pubienne. A Mesure qui inclut la courbe supérieure du fond de l'utérus. B Mesure qui n'inclut pas la courbe supérieure du fond de l'utérus. Noter la position des mains et du ruban à mesurer.

l'historique des règles et de la contraception, du résultat du test de grossesse et des éléments suivants obtenus au cours de l'examen clinique:

- première évaluation utérine: date, taille;
- fréquence cardiaque fœtale (F.C.F.) perceptible: date, méthode (stéthoscope, doppler ou fœtoscope);
- date des premiers mouvements du fœtus;
- hauteur utérine actuelle; cependant si elle ne correspond pas aux dates de gestation, une échographie obstétricale permettra d'évaluer la croissance du fœtus;
- semaine actuelle de la gestation selon l'historique de la DDM, ou de l'examen échographique, ou les deux;
- examen échographique: date, semaine de la gestation, diamètre bipariétal;
- fiabilité des dates.

Les premiers mouvements fœtaux (que certains nomment dégourdissement) font référence à la première fois où la mère perçoit les mouvements du fœtus. Ils surviennent généralement entre la 16e et la 20e semaine de gestation et ils se manifestent initialement par une sensation de papillonnement. On notera le signalement qu'en fait la mère. Les multipares perçoivent souvent les mouvements fœtaux plus tôt que les primipares (à partir de 16 à 18 semaines plutôt que de 18 à 20 semaines).

Le recours à l'échographie (aussi appelé examen échographique) est recommandé d'emblée au début de la grossesse. Cette intervention peut servir à indiquer la durée de la grossesse (échographie de *dating*) si la femme n'arrive pas à établir précisément la DDM ou encore si la taille de l'utérus ne concorde pas avec la DPA calculée au moyen de la

TABLEAU 7.4 Signes de complications possibles

SIGNES ET SYMPTÔMES	CAUSES POSSIBLES
Premier trimestre	
Vomissements importants	Hyperémèse gravidique
Frissons, fièvre	Infection
Sensation de brûlure à la miction	Infection
Diarrhée	Infection
Crampes abdominales, saignements vaginaux	Avortement spontané, grossesse ectopique, môle hydatiforme, saignement vaginal ou cervical bénin
Deuxième et troisième trimestres	
Vomissements importants et persistants	Hyperémèse gravidique, hypertension, prééclampsie
Écoulement de liquide du vagin avant la 37e semaine	Rupture prématurée des membranes
Saignement vaginal, douleur abdominale intense	Fausse couche, placenta praevia, décollement du placenta, saignement pathologique du col, trauma vaginal
Frissons, fièvre, sensation de brûlure à la miction, diarrhée	Infection
Douleur intense au dos ou aux flancs	Infection rénale ou calculs rénaux; déclenchement prématuré du travail
Changement des mouvements fœtaux, absence de mouvements fœtaux après que le fœtus a commencé à bouger, tout changement inhabituel du type ou du nombre de mouvements	Risque grave pour le fœtus ou mort fœtale intra-utérine
Contractions utérines; pression artérielle; crampes avant la 37e semaine	Déclenchement prématuré du travail
Troubles visuels: vision embrouillée, vision double ou taches	Conditions hypertensives, prééclampsie
Enflure du visage, des doigts ou du sacrum	Conditions hypertensives, prééclampsie
Céphalées persistantes nouvelles ou inhabituelles	Conditions hypertensives, prééclampsie
Irritabilité musculaire ou convulsions	Conditions hypertensives, éclampsie
Douleur épigastrique ou abdominale (perçue comme un mal d'estomac ou des brûlures d'estomac intenses au quadrant supérieur droit); douleur abdominale légère à intense de type crampiforme ou constante (parfois lombalgie si en postérieur)	Conditions hypertensives, prééclampsie, décollement placentaire
Glycosurie, réaction positive au test de tolérance au glucose	Diabète de grossesse

règle de Naegele. L'échographie procure aussi des données sur le bien-être du fœtus ▶ 19.

19

Les autres éléments d'information que peut révéler l'échographie sont abordés dans le chapitre 19, *Évaluation de la grossesse à risque élevé*.

État de santé du fœtus

L'évaluation de l'état de santé du fœtus doit tenir compte des mouvements fœtaux. L'infirmière demande à la mère de noter l'ampleur et le moment des mouvements fœtaux et de signaler immédiatement si leur mode de présentation change ou s'ils cessent. On associe généralement la régularité des mouvements à une bonne santé fœtale (Cunningham *et al.*, 2005). Il existe de nombreuses méthodes pour évaluer les mouvements fœtaux. L'une d'entre elles consiste à demander à la cliente de compter les mouvements fœtaux après un repas. Quatre coups ou plus donnés au cours d'une période de une heure sont rassurants. Une fois que l'on peut entendre la F.C.F., on la vérifie ensuite à chaque visite de routine **FIGURE 7.8**. Au début du deuxième trimestre, les battements cardiaques peuvent être perçus à l'aide d'un stéthoscope, d'un doppler ou d'un fœtoscope **FIGURE 7.8B**. Pour détecter les battements cardiaques, il est possible d'appliquer la manœuvre de Léopold afin de déterminer l'endroit où l'on place le stéthoscope ou le doppler. On déplace l'instrument autour de l'abdomen jusqu'à ce que l'on perçoive les battements du cœur. On comptera les battements cardiaques pendant une minute et l'on notera leur qualité et leur rythme. Plus tard au cours du deuxième trimestre, la F.C.F. peut être mesurée au moyen d'un fœtoscope ou du fœtoscope de Pinard, utilisé uniquement par les sages-femmes **FIGURES 7.8A** et **7.8C**. Un rythme de base régulier et une accélération du cœur fœtal pendant les mouvements fœtaux constituent de bons indicateurs de la santé fœtale. Une fois que les battements cardiaques ont été perçus, leur absence doit faire l'objet d'un examen immédiat.

Il faudra examiner rigoureusement l'état de santé du fœtus dès la moindre complication chez celui-ci ou chez la mère (p. ex., l'hypertension gestationnelle, un RCIU, la rupture prématurée des membranes, une F.C.F. irrégulière ou absente, une absence de mouvements fœtaux après qu'ils ont débuté). Une prise de notes soigneuse, précise et concise en ce qui concerne les réactions de la cliente ainsi que les résultats d'analyses de laboratoire contribuent à la surveillance continue, indispensable pour assurer le bien-être de la mère et du fœtus.

Analyses de laboratoire

Le nombre d'analyses de laboratoire de routine effectuées au cours de la grossesse est limité pour les femmes présentant un risque minime. Des spécimens d'urine peuvent être recueillis pour vérifier le glucose, les protéines, les nitrites et les leucocytes à chaque visite; toutefois, le recours aux bandelettes-tests urinaires pour vérifier la glycosurie et la protéinurie ne repose sur aucune preuve solide (Alto, 2005). On recueillera des spécimens d'urine pour culture et antibiogramme minimalement à la visite initiale et autour de la 28e semaine. On ne recueille d'échantillons sanguins qu'en présence de signes et de symptômes qui le justifient.

A

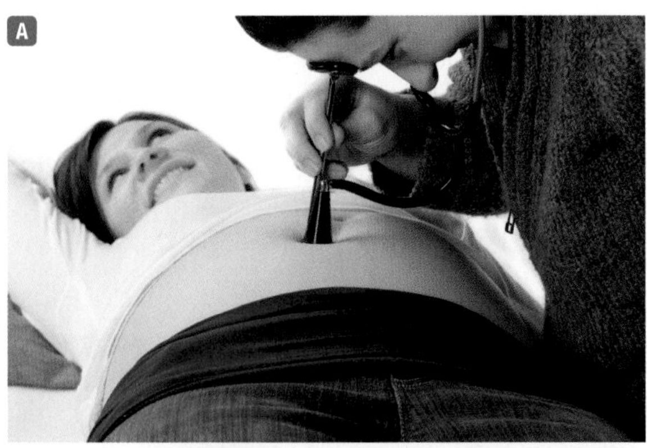

B

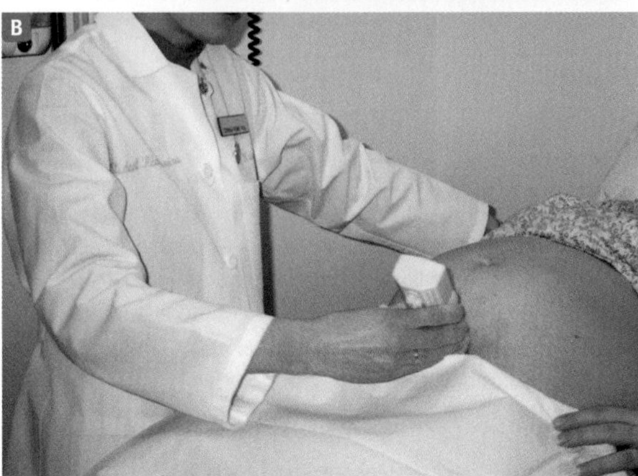

C

FIGURE 7.8

Détection de la fréquence cardiaque fœtale. A Un père peut entendre le cœur fœtal au moyen d'un fœtoscope (les premiers battements deviennent perceptibles vers la 18e ou la 20e semaine). B Stéthoscope sous écho graphie doppler (battements du cœur fœtal perceptibles à 12 semaines). C Fœtoscope de Pinard. Noter que les mains ne doivent pas toucher le fœtoscope durant l'écoute.

Un dépistage des anomalies chromosomiques au premier trimestre est offert facultativement, entre la 11e et la 14e semaine. Ce dépistage au moyen de marqueurs multiples inclut l'évaluation échographique de la clarté nucale et de marqueurs biochimiques, comme la protéine plasmatique placentaire A et la sous-unité libre de gonadotrophine chorionique humaine (hCG) bêta.

On recommande un dosage des taux d'alphafœtoprotéine maternelle sérique (MSAFP) ou le quadruple test (MSAFP, hCG bêta, œstriols et inhibine-A) entre la 15e et la 20e semaine de gestation, idéalement entre la 16e et la 18e. Ces tests servent à dépister les malformations du tube neural, le syndrome de Down (trisomie 21) et d'autres anomalies chromosomiques. Si les taux sont anormaux, on procédera à une échographie pour un examen plus en profondeur (Johnson *et al.*, 2007).

Un test d'hyperglycémie provoquée s'effectue habituellement entre la 24e et la 28e semaine de la gestation. On procède au dépistage du streptocoque du groupe B (SGB) entre la 35e et la 37e semaine de grossesse ; les prélèvements pour culture effectués antérieurement ne permettront pas de prédire avec justesse le statut à l'égard du SGB au moment de l'accouchement (Money & Dobson, 2004).

D'autres examens paracliniques permettent d'évaluer l'état de santé de la femme enceinte et du fœtus. L'échographie, par exemple, permet de déterminer le stade de la grossesse et de confirmer l'âge gestationnel du fœtus. L'amniocentèse, qui consiste à prélever un spécimen de liquide amniotique pour analyse, a pour but de dépister les anomalies génétiques chez le fœtus ou de déterminer la maturité gestationnelle ▶ 19.

7.2.6 Processus thérapeutique en interdisciplinarité

Cheminement clinique

Étant donné qu'un nombre important de professionnels de la santé participent aux soins de la future mère, des lacunes non intentionnelles ou des chevauchements dans les soins aux femmes enceintes peuvent survenir. Le cheminement clinique permet d'améliorer la cohésion des soins et d'en réduire les coûts. Bien que le formulaire de cheminement clinique présenté dans ce chapitre ne concerne que les cours prénataux, il représente bien le type d'outil mis au point pour guider les professionnels de la santé afin qu'ils procèdent aux évaluations et qu'ils appliquent les interventions appropriées sans retard **FIGURE 7.9**. L'utilisation des cheminements cliniques contribue en outre à améliorer la satisfaction des familles à l'endroit des soins prénataux offerts, et elle permet aux membres de l'équipe soignante de fonctionner de façon plus efficiente et efficace.

7.2.7 Enseignement sur les changements chez la mère et le fœtus

Il est naturel que les futurs parents s'interrogent sur la croissance et le développement du fœtus et sur les changements que la grossesse fera subir au corps de la femme. Les futures mères tolèrent parfois mieux les malaises liés au déroulement de la grossesse si elles en comprennent les causes sous-jacentes. Divers documents décrivent les changements chez le fœtus et la mère. L'infirmière peut utiliser cette documentation pour expliquer ces modifications au fur et à mesure qu'elles surviennent. Pour donner un enseignement efficace à la cliente, l'infirmière doit se familiariser avec le matériel qu'elle utilise auprès des familles qui attendent un enfant. Le matériel didactique inclut des documents électroniques et imprimés adaptés au niveau de littératie, de connaissance et d'expérience de la femme enceinte et du couple ainsi qu'aux ressources des milieux. Pour que le message soit bien compris, la documentation offerte doit être adaptée au milieu ethnoculturel de la famille.

La future mère a besoin de se renseigner sur de nombreux sujets. Souvent, des documents imprimés peuvent parfaire l'enseignement individuel de l'infirmière, et, dans bien des cas, les femmes liront avec avidité les livres et les brochures qui portent sur l'expérience qu'elles vivent. De plus, la femme enceinte ou le couple peuvent avoir des questions après avoir consulté Internet. À cet égard, les infirmières fourniront aussi une liste de sites Internet recommandés, émanant de sources fiables.

Nutrition

Une saine alimentation joue un rôle crucial dans le maintien d'un bon état de santé chez la mère durant la grossesse, et elle permet de fournir les nutriments nécessaires au développement embryonnaire et fœtal (Santé Canada, 2007). L'évaluation de l'état nutritionnel de la femme et l'enseignement sur la nutrition font partie des responsabilités de l'infirmière dans le cadre des soins prénataux qu'elle prodigue. Cela inclut l'évaluation du gain pondéral et de l'alimentation de la femme durant sa grossesse. L'enseignement peut entre autres porter sur les aliments à forte teneur en fer, la prise de vitamines prénatales ou la réduction de l'apport en caféine. Dans certains contextes, une nutritionniste offrira des cours aux femmes enceintes sur l'état nutritionnel et sur l'alimentation durant la grossesse ou les interrogera afin de mesurer leurs connaissances sur ces sujets. Les infirmières peuvent diriger la cliente enceinte vers une nutritionniste si le besoin s'en fait sentir au moment de son évaluation ▶ 8.

19

Une description des examens paracliniques permettant de déterminer les risques pour la santé de la mère et du fœtus est présentée dans le chapitre 19, *Évaluation de la grossesse à risque élevé*.

Le site de l'Institut national de santé publique du Québec (INSPQ) offre une version électronique du livre *Mieux vivre avec notre enfant de la grossesse à deux ans* : www.inspq.qc.ca/mieuxvivre/.

8

Pour en savoir plus sur les besoins nutritionnels en cours de grossesse et au sujet des soins infirmiers appropriés, consultez le chapitre 8, *Nutrition de la mère et du fœtus*.

VISITE INITIALE ET ORIENTATION : _______ TRAVAILLEUSE SOCIALE : _______ NUTRITIONNISTE : _______

I. PREMIER STADE DE LA GROSSESSE (SEMAINES 1-20) (METTRE SES INITIALES ET DATER UNE FOIS L'ENSEIGNEMENT DONNÉ)

Croissance et développement du fœtus _______
Changements chez la mère _______
Hygiène de vie :
Exercice/réduction du stress/nutrition _______
Médicaments, médicaments offerts en vente libre, tabac, alcool _______
ITSS[a] _______
Adaptation psychologique/sociale :
Implication du père/acceptation de l'enfant _______

Test : Analyses de laboratoire _____ Échographie : _______
Complications possibles :
a. Risque de fausse couche _______
b. Diabète _______
c. _______ _______
Introduction à l'allaitement _______
Acceptation de la grossesse et préparation à l'accouchement _______
Suivi diététique _______

II. DEUXIÈME STADE DE LA GROSSESSE (SEMAINES 21-27) (METTRE SES INITIALES ET DATER UNE FOIS L'ENSEIGNEMENT DONNÉ)

Croissance et développement du fœtus _______
Changements chez la mère _______
Mouvements fœtaux quotidiens _______
Complications possibles :
a. Prévention du déclenchement prématuré du travail _______
b. Symptômes de prééclampsie _______
c. _______

Allaitement ou biberon _______
Plan de naissance amorcé _______
Préparation à l'accouchement _______
Suivi diététique _______

III. TROISIÈME STADE DE LA GROSSESSE (SEMAINES 28-40) (METTRE SES INITIALES ET DATER UNE FOIS L'ENSEIGNEMENT DONNÉ)

Croissance et développement du fœtus _______
Évaluation fœtale :
Mouvements quotidiens _______ ERF[a] _______
Nombre de coups _______ PBP[a] _______
Changements chez la mère _______
Complications possibles :
a. Prévention du déclenchement prématuré du travail _______
b. Symptômes de prééclampsie _______
c. _______
Préparation à l'allaitement :
Évaluation des mamelons _______
Suivi diététique _______

Préparation à l'accouchement :
S/S[a] du travail ; déroulement du travail _______
Prise en charge de la douleur, accouchement naturel, médicaments, épidurale _______
Césarienne ; AVAC[a] _______
Plan de naissance complété _______
Revue des politiques de l'hôpital _______
Préparation à la parentalité :
Pédiatre _______ Soins à l'enfant _______
Frères et sœurs _______ Immunisations _______
Siège d'auto/sécurité _______
Postpartum :
Soins PP[a] et vérification _______
Changements émotionnels _______
Options contraceptives _______
Pratiques sexuelles sécuritaires et ITSS _______

Signature : _______

[a] ITSS : infection transmissible sexuellement et par le sang ; ERF : examen de réactivité fœtale ; PBP : profil biophysique ; S/S : signes et symptômes ; AVAC : accouchement vaginal après césarienne ; PP : postpartum.

FIGURE 7.9
Cheminement clinique pour l'enseignement prénatal

Hygiène personnelle

Durant la grossesse, sous l'influence des hormones, les glandes sudoripares s'activent beaucoup, et les femmes peuvent transpirer abondamment **FIGURE 7.10**.

Il faut les rassurer en leur disant que le phénomène est normal et que leur mode de transpiration habituel se rétablira après la période postnatale. Les bains et les douches à l'eau tempérée exercent un effet thérapeutique parce qu'ils relâchent les muscles tendus et fatigués, favorisent le sommeil et rafraîchissent la femme enceinte. Celle-ci aura le droit de prendre un bain jusqu'à un stade avancé de sa grossesse, parce que la quantité d'eau qui entre dans le vagin est minime, à moins qu'une pression soit exercée. Toutefois, en fin de grossesse, lorsque le centre de gravité de la femme s'abaisse, les risques de chutes augmentent. La seule contre-indication aux bains est la température des bains tourbillons, qui ne devrait pas dépasser 38,5 °C. Ces bains sont associés à des avortements spontanés et à des anomalies du tube neural (Seuntjens, 2008). La baignoire est contre-indiquée après la rupture des eaux.

Prévention des infections urinaires

En raison des changements physiologiques qui touchent l'appareil rénal durant la grossesse les infections urinaires sont fréquentes, mais parfois asymptomatiques. On demandera aux femmes d'informer leur professionnel de la santé s'il y a présence de sang dans leur urine ou si leurs mictions

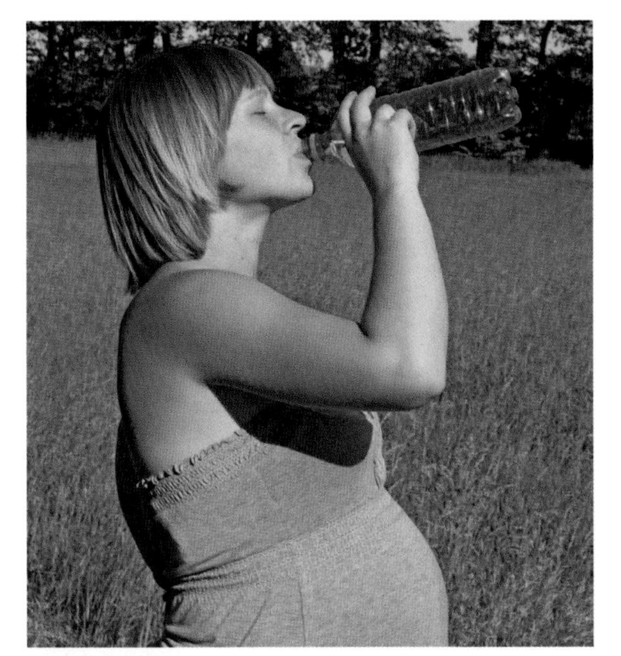

FIGURE 7.10
Une femme enceinte transpire plus que d'habitude en raison de l'activation des glandes sudoripares.

sont douloureuses. Ces infections comportent un risque pour la mère et le fœtus. Il faut donc les prévenir et les traiter sans tarder.

L'infirmière vérifie si la femme comprend bien la technique adéquate de l'hygiène des mains et si elle l'utilise avant et après chaque miction ; elle lui rappellera l'importance d'essuyer le périnée de l'avant vers l'arrière. Elle lui suggérera aussi d'utiliser du papier hygiénique doux et absorbant, blanc et inodore. Le papier hygiénique rugueux, parfumé ou arborant des motifs peut provoquer de l'irritation. Certaines femmes doivent éviter les huiles ou les mousses pour le bain parce qu'elles peuvent irriter l'urètre. On recommande aux femmes de porter des sous-vêtements et des bas-culottes dont la fourche est en coton et d'éviter le port de pantalons ou de jeans trop serrés pendant de longues périodes. Tout ce qui conserve la chaleur et l'humidité à la région génitale peut favoriser la croissance de bactéries et de champignons.

Certaines femmes ne boivent pas suffisamment. Après avoir vérifié ses préférences, l'infirmière conseillera à la cliente de boire chaque jour au moins deux litres (huit verres de 250 ml) de liquide, préférablement de l'eau, pour maintenir un apport liquidien adéquat et favoriser des mictions fréquentes. Les femmes enceintes doivent éviter de réduire leur apport en liquide dans le but de diminuer la fréquence de leurs mictions. Il faut leur rappeler que si leur urine est foncée (concentrée), elles doivent augmenter leur apport liquidien. La consommation de yogourt probiotique (contenant notamment du *lactobacillus acidophilus*) peut également prévenir les infections urinaires et vaginales. L'infirmière doit revoir les règles de l'hygiène urinaire avec la cliente. Il faut lui dire de ne pas trop attendre avant d'aller uriner parce que se retenir contribue à prolonger la présence de bactéries dans la vessie où elles peuvent se multiplier. Les femmes doivent prévoir les situations où elles risquent de devoir attendre avant de pouvoir uriner (p. ex., une longue balade en auto). Elles doivent toujours uriner avant de se coucher le soir. Les bactéries peuvent aussi être transmises au cours d'un rapport sexuel. L'infirmière doit donc conseiller aux clientes d'uriner avant et après une relation sexuelle, puis de boire un grand verre d'eau pour stimuler la sécrétion urinaire. On recommande souvent de consommer du jus de canneberges en prévention des infections urinaires, mais les preuves quant à son efficacité laissent encore à désirer, particulièrement en ce qui a trait à la dose efficace (Jepson & Craig, 2008).

RAPPELEZ-VOUS…

Chez la femme, l'urètre mesure de 4,0 à 6,5 cm. Comme l'urètre est court, la femme devient plus sujette aux infections puisque les bactéries peuvent facilement pénétrer dans l'urètre à partir de la région périnéale.

Exercices de Kegel

Les exercices de Kegel, à savoir la contraction et le relâchement volontaires des muscles pubococcygiens, renforcent les muscles de la ceinture pelvienne (autour des organes reproducteurs) et en raffermissent le tonus. De nombreuses femmes ignorent l'existence de ce groupe musculaire du plancher pelvien. Elles ne savent donc pas qu'ils sont mis à contribution à la miction et durant les relations sexuelles et qu'il est possible de les maîtriser volontairement. Les muscles du plancher pelvien encerclent l'ouverture du vagin ; il faut les exercer, car des muscles bien entraînés se relâcheront et se contracteront plus facilement au moment de l'accouchement. Les exercices de Kegel effectués durant la grossesse réduisent également les symptômes d'incontinence urinaire au cours du dernier trimestre et pendant la période postnatale ▶ 2.

2

Les exercices de Kegel et leur enseignement à la cliente sont expliqués en détail dans le chapitre 2, *Évaluation clinique et promotion de la santé*.

SOINS ET TRAITEMENTS INFIRMIERS

Allaitement

Préparation à l'allaitement

Les femmes enceintes ont généralement hâte de se préparer à allaiter leur nouveau-né. Le lait maternel demeure le choix alimentaire par excellence, en partie parce que l'allaitement est associé à une baisse de l'incidence de la morbidité et de la mortalité périnatales. Santé Canada recommande l'allaitement exclusif pendant les six premiers mois, puis « de donner au nourrisson des aliments solides ayant une teneur élevée en nutriments, plus particulièrement en fer, tout en poursuivant l'allaitement maternel jusqu'à l'âge de deux ans et même au-delà » (Organisation mondiale de la santé 2011 ; Santé Canada, 2004). Toutefois, il y a des contre-indications à l'allaitement, par exemple le fait que la femme prend certains médicaments ou consomme des drogues illicites et la présence de maladies gravissimes et de complications médicales telles que l'infection par le VIH (Lawrence & Lawrence, 2005).

Nombre de femmes ont déjà choisi la façon dont elles allaient nourrir leur nouveau-né avant même d'être enceintes. C'est pourquoi il est important de renseigner les femmes fertiles au sujet des avantages de l'allaitement. Si la cliente enceinte est indécise, l'infirmière lui transmettra, ainsi qu'à son conjoint, des renseignements sur les avantages et les inconvénients de l'allaitement et des préparations pour nourrisson afin qu'ils puissent faire un choix éclairé. Les professionnels de la santé doivent appuyer leur décision et leur procurer les renseignements nécessaires ▶ 18.

18

Le choix de la méthode d'alimentation est abordé dans le chapitre 18, *Nutrition et alimentation du nouveau-né*.

Il faut porter une attention spéciale aux femmes dont les mamelons sont invaginés si elles prévoient allaiter. On doit effectuer un **test du pincement** pour déterminer si le mamelon est invaginé ou saillant **FIGURE 7.11**. L'infirmière enseigne à la femme comment effectuer son propre test du pincement. La cliente doit placer son pouce et son index sur son aréole et exercer une légère pression vers l'intérieur. Ce geste fera saillir ou invaginer son mamelon. La plupart des mamelons font saillie.

Les exercices visant à rompre les adhésions responsables de l'invagination du mamelon ne fonctionnent pas et peuvent provoquer des contractions utérines (Lawrence & Lawrence, 2005). L'utilisation du bouclier de Woolwich, un petit dispositif de plastique placé sur les mamelons, est recommandée chez les femmes dont les mamelons sont plats ou invaginés **FIGURE 7.12**. Le bouclier de Woolwich fonctionne en exerçant une délicate pression continue autour de l'aréole, ce qui force le mamelon à faire saillie par une ouverture centrale de la paroi interne. La femme doit porter les boucliers de Woolwich pendant une ou deux heures par jour durant le dernier trimestre de la grossesse. Elle augmente graduellement cette durée chaque jour (Lawrence & Lawrence, 2005). Il est contre-indiqué de stimuler les seins chez les femmes exposées à un risque de travail prématuré. Par conséquent, l'infirmière fera preuve de beaucoup de circonspection avant de suggérer l'utilisation du bouclier de Woolwich aux clientes qui ont des mamelons plats ou invaginés.

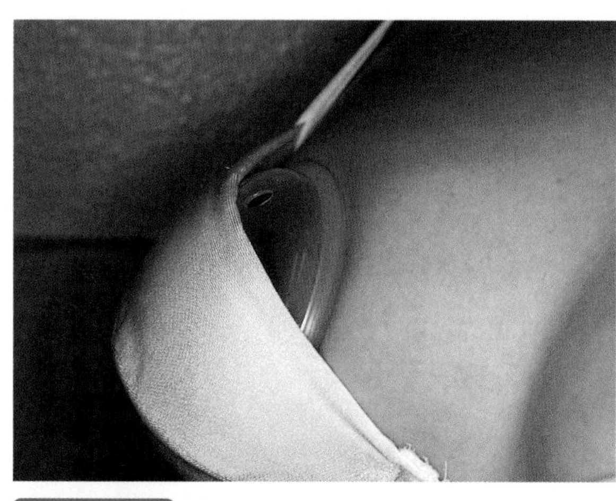

FIGURE 7.12
Bouclier de Woolwich en place à l'intérieur du soutien-gorge pour faire saillir le mamelon

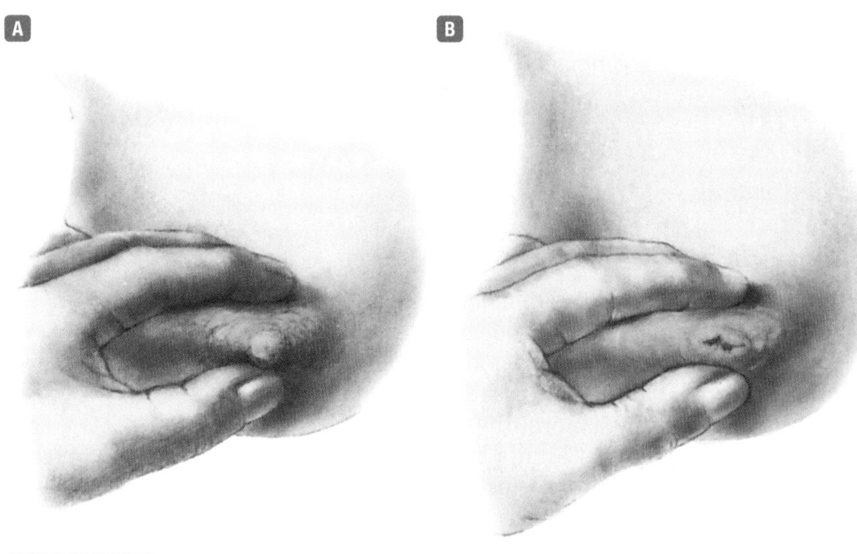

FIGURE 7.11
A Mamelon normal faisant saillie sous une pression légère. B Mamelon inverti qui s'invagine sous une pression légère.

L'infirmière enseignera à la femme comment nettoyer ses mamelons avec de l'eau tiède pour empêcher l'obstruction des canaux par le colostrum séché. Elle doit s'abstenir d'utiliser du savon, de l'onguent, de l'alcool ou des colorants, puisqu'ils contribuent à éliminer les huiles protectrices qui assurent la souplesse des mamelons. L'utilisation de telles substances peut causer des fissures aux mamelons au début de l'allaitement (Lawrence & Lawrence, 2005).

La femme qui prévoit donner le sein doit se procurer un soutien-gorge d'allaitement adéquat, en tenant compte que sa poitrine augmentera de volume au cours des derniers mois de la grossesse et durant l'allaitement. Si ses seins deviennent très lourds ou si la femme se sent inconfortable, elle peut porter son soutien-gorge nuit et jour.

Hygiène buccale

Les soins dentaires durant la grossesse ont une importance particulière, car les nausées que cause parfois la grossesse altèrent l'hygiène buccale, ce qui favorise les caries dentaires. La femme doit utiliser quotidiennement une pâte dentifrice fluorée. On observe parfois l'inflammation et l'infection des tissus gingivaux et parodontaux (Russell & Mayberry, 2008). La recherche établit un lien entre la maladie parodontale et les accouchements prématurés, un faible poids à la naissance et un risque accru de prééclampsie (Bogess & Edelstein, 2006 ; Dasanayake, Gennaro, Hendricks-Munoz & Chhun, 2008).

La femme enceinte devrait subir son examen et son nettoyage dentaires annuel. Elle doit informer le dentiste de son état ; celui-ci pourra alors reporter les traitements non urgents après l'accouchement. Au besoin, le dentiste peut faire une radiographie des dents, s'il protège le ventre de la femme avec un tablier de plomb afin d'éviter les risques pour le fœtus. Lorsqu'un traitement est nécessaire, le dentiste peut faire une anesthésie locale (lidocaïne) et donner une ordonnance pour des antibiotiques en cas d'infection. Le dentiste peut contacter le médecin ou le pharmacien de la cliente pour vérifier quels sont traitements sécuritaires (INSPQ, 2011).

Activité physique

L'activité physique favorise une sensation de bien-être chez la femme enceinte. Elle améliore la circulation, favorise la relaxation et le repos et combat l'ennui, tout comme chez la femme non enceinte (Association des obstétriciens et gynécologues du Québec, 2011b). L'**ENCADRÉ 7.6** donne des conseils détaillés au sujet des exercices durant la grossesse. Certains exercices qui soulagent les douleurs au bas du dos, souvent présentes durant le deuxième trimestre à cause du poids croissant du fœtus, sont illustrés à la **FIGURE 7.13**.

Posture et mécanique physiologique

Les changements qui touchent le squelette, les muscles et les hormones (relaxine) durant la grossesse peuvent prédisposer la femme à la dorsalgie et, dans certains cas, à des traumas. À mesure que la grossesse avance, le centre de gravité de la femme baisse, les articulations pelviennes s'assouplissent et se relâchent, et un stress est exercé sur

7

Guide d'enseignement

ENCADRÉ 7.6 Conseils pour les exercices chez la femme enceinte

- Consultez votre professionnel de la santé lorsque vous soupçonnez ou apprenez que vous êtes enceinte. Mentionnez vos antécédents médicaux et obstétricaux, votre programme d'exercice actuel et les exercices que vous souhaitez continuer de pratiquer tout au long de la grossesse.
- Demandez de l'aide pour établir un programme d'exercice adapté à vos limites si vous ne faites pas d'exercice régulièrement.
- Envisagez de diminuer les exercices avec mise en charge (jogging, course) et concentrez-vous sur les activités sans mise en charge, comme la natation, la bicyclette ou les étirements. Les adeptes de la course privilégieront peut-être la marche à partir du septième mois.
- Évitez les activités à risque, comme le surf, l'escalade, le parachutisme et le racquetball parce qu'elles requièrent de l'équilibre et une coordination précise et comportent un certain danger. Évitez les activités qui exigent que vous reteniez votre souffle et que vous vous penchiez (manœuvre de Valsalva). Évitez également les mouvements impliquant des secousses et des bonds.
- Faites régulièrement de l'exercice, quotidiennement si possible, dans la mesure où vous êtes en bonne santé, afin d'améliorer votre tonus musculaire et accroître ou maintenir votre degré d'énergie. La pratique sporadique d'exercice peut imposer un stress indu à vos muscles. On recommande 30 minutes d'exercice physique modéré par jour. Cette activité peut être répartie en segments plus brefs, intercalés de pauses. Par exemple, faire de l'exercice pendant 10 à 15 minutes, se reposer 2 ou 3 minutes, puis reprendre l'exercice de 10 à 15 minutes.
- Réduisez votre degré d'exercice à mesure que la grossesse progresse. Les changements normaux qui accompagnent le déroulement de la grossesse, par exemple une diminution de la réserve cardiaque et une augmentation de l'effort respiratoire, peuvent entraîner un stress physiologique si vous pratiquez des exercices intensifs pendant de longues périodes.
- Prenez votre pouls toutes les 10 à 15 minutes pendant l'exercice. S'il s'élève à plus de 140 battements/minute (batt./min), ralentissez jusqu'à ce qu'il revienne à un maximum de 90 batt./min. Vous devriez pouvoir converser facilement pendant l'exercice. Si vous n'y arrivez pas, vous devez ralentir la cadence.
- Évitez de trop vous échauffer pendant des périodes prolongées. Maintenez les séances d'exercice à 35 minutes ou moins, surtout par temps chaud et humide. À mesure que la température de votre corps augmente, la chaleur est transmise au fœtus. Une élévation prolongée ou répétée de la température fœtale peut mener à des anomalies congénitales, surtout durant les trois premiers mois. Ne laissez pas votre température excéder 38 °C.
- Évitez les bains tourbillons et les saunas. La chaleur accélère le rythme cardiaque et peut provoquer des malaises. De plus, la chaleur n'est pas conseillée si vous avez déjà des problèmes de circulation sanguine, de jambes lourdes ou de varices. La température de l'eau ne devrait pas dépasser 39 °C.
- Les exercices d'échauffement et d'étirement préparent vos articulations à des exercices plus exigeants et réduisent le risque d'entorse ou de blessure aux articulations. Après le quatrième mois de grossesse, vous devriez éviter les exercices effectués à plat sur le dos.
- Une période d'activité de récupération légère, après une période d'exercice, contribuera à ramener votre fréquence respiratoire, votre fréquence cardiaque et votre métabolisme à la normale et préviendra l'accumulation de sang dans les muscles qui ont travaillé.
- Reposez-vous 10 minutes après votre entraînement, en décubitus latéral gauche. À mesure que l'utérus prend du volume, il exerce une pression sur une veine importante de votre abdomen qui transporte le sang vers votre cœur. En vous allongeant sur le côté, vous réduisez cette pression et vous favorisez le retour veineux à partir de vos extrémités et de vos muscles vers votre cœur, ce qui accroît la circulation sanguine vers le placenta et le fœtus. Vous devez vous lever lentement du sol pour prévenir les étourdissements ou les évanouissements (hypotension orthostatique).

ENCADRÉ 7.6 Conseils pour les exercices chez la femme enceinte *(suite)*

- Buvez 2 ou 3 verres de 250 ml d'eau après votre séance d'entraînement afin de remplacer les liquides éliminés par la transpiration. Pendant l'exercice, buvez de l'eau dès que vous avez soif.
- Accroissez votre apport calorique pour remplacer les calories brûlées durant l'exercice et pour obtenir l'énergie supplémentaire requise par votre état. (La grossesse à elle seule requiert en tout 300 kcal/jour additionnelles.) Choisissez des aliments à forte teneur en protéines, comme le poisson, le lait, le fromage, les œufs et la viande.
- Prenez votre temps. Ce n'est pas le temps d'être compétitive ou de vous entraîner pour des activités qui exigent de la vitesse ou une endurance soutenue.
- Portez un soutien-gorge qui offre un bon support. L'accroissement du poids de vos seins peut occasionner des changements de posture et exercer une pression sur le nerf cubital.
- Portez des chaussures qui offrent un bon support. À mesure que l'utérus grossit, votre centre de gravité change, et vous pourriez être tentée de compenser en arquant votre dos. Ces changements naturels vous donnent l'impression d'être déséquilibrée et vous êtes plus à risque de tomber.
- Cessez immédiatement les exercices si vous vous sentez essoufflée, étourdie, engourdie, si vous éprouvez des picotements, une douleur, quelle qu'elle soit, si vous sentez des contractions, si vous percevez un ralentissement de l'activité fœtale, si des saignements vaginaux se manifestent ; consultez alors votre professionnel de la santé.

Femme enceinte qui fait de l'exercice modéré de façon sécuritaire

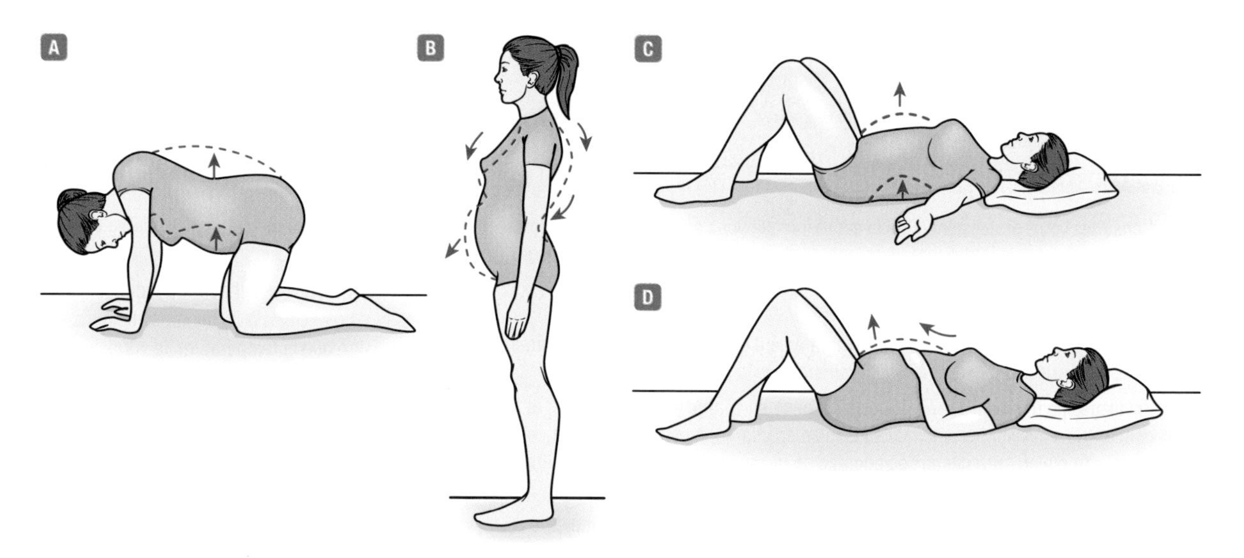

FIGURE 7.13

Exercices de soulagement. A, B et C La bascule du bassin permet de soulager les douleurs au bas du dos (excellente pour soulager les crampes menstruelles également). D La respiration abdominale favorise la relaxation et dégage la paroi abdominale de l'utérus.

RAPPELEZ-VOUS...

La biomécanique du corps humain permet de coordonner les efforts du système locomoteur et du système nerveux afin de maintenir l'équilibre, la posture et l'alignement corporel. Une bonne mécanique corporelle réduit les risques de blessures musculosquelettiques et facilite les mouvements.

les muscles abdominaux. Une mauvaise posture et une mécanique physiologique qui laisse à désirer contribuent aux malaises et à un risque de trauma. Pour prévenir ces problèmes, les femmes peuvent apprendre à adopter de bonnes postures et à respecter la mécanique physiologique **FIGURE 7.14**. Des stratégies pour prévenir ou soulager les dorsalgies sont décrites dans l'**ENCADRÉ 7.7**.

Repos et relaxation

L'infirmière encouragera la femme enceinte à planifier des périodes régulières de repos, particulièrement à mesure que la grossesse avance. Elle recommandera le décubitus latéral gauche parce qu'il facilite la perfusion utérine et l'oxygénation fœtoplacentaire en éliminant la pression exercée sur la veine cave ascendante et l'aorte descendante, qui peut occasionner une hypotension en décubitus dorsal **FIGURE 7.15**. On montrera à la mère de quelle façon se relever lentement du décubitus latéral afin de prévenir toute blessure au dos et de réduire le risque d'hypotension orthostatique causée par les changements de position, un phénomène fréquent en fin de grossesse. Pour étirer et détendre les muscles du dos à la maison ou au travail, l'infirmière enseignera à la cliente comment effectuer les exercices suivants.

- Se tenir debout derrière une chaise. Se soutenir et maintenir son équilibre en utilisant le dossier de la chaise **FIGURE 7.16**. S'accroupir pendant 30 secondes; se relever pendant 15 secondes. Répéter six fois, plusieurs fois par jour, au besoin.
- En position assise sur une chaise, incliner la tête vers les genoux pendant 30 secondes. Relever la tête. Répéter six fois, plusieurs fois par jour, au besoin.

La relaxation consciente est un processus qui permet de relâcher la tension de l'esprit et du corps par un effort délibéré et de la pratique. La capacité de se détendre consciemment et intentionnellement se révèle bénéfique pour les raisons suivantes.

- Elle soulage les malaises qui accompagnent normalement la grossesse;
- Elle atténue le stress et, par conséquent, la perception de la douleur durant la grossesse;
- Elle améliore la conscience de soi et la confiance en sa propre capacité de maîtriser ses réactions et son fonctionnement;
- Elle aide à s'adapter au stress des situations de la vie courante, que la femme soit enceinte ou non.

Les techniques de relaxation consciente sont nombreuses et diverses. L'**ENCADRÉ 7.8** en présente quelques lignes directrices.

Emploi

Le travail chez la femme enceinte n'exerce en général aucun effet négatif sur l'issue de la grossesse. Il est illégal d'appliquer des mesures discriminatoires en milieu de travail en raison d'une grossesse. Par contre, certains environnements professionnels exposent le fœtus à un risque potentiel (p. ex., les

FIGURE 7.15
Décubitus latéral gauche pour le repos et la relaxation. Certaines femmes préfèrent soutenir la partie supérieure de leurs jambes à l'aide d'oreillers.

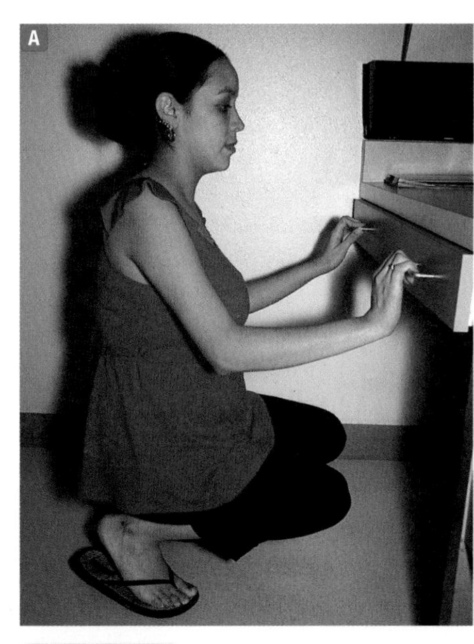

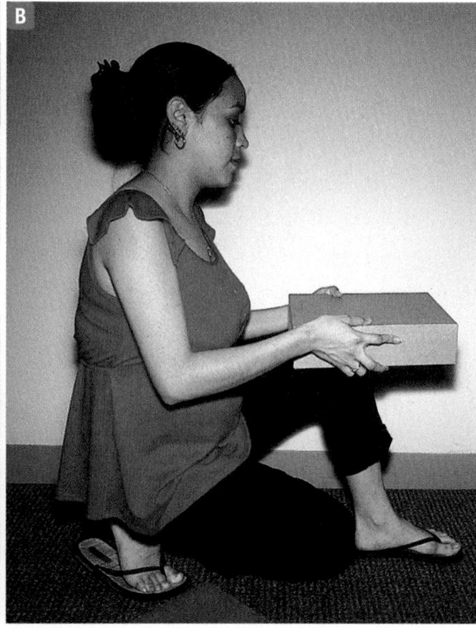

FIGURE 7.14
Mécanique physiologique correcte. **A** Accroupissement. **B** Soulèvement d'un objet.

Guide d'enseignement

ENCADRÉ 7.7 **Posture et mécanique physiologique pour prévenir ou soulager la douleur**

DORSALGIE

- Effectuez la bascule du bassin:
  - Basculez votre du bassin à quatre pattes **FIGURE 7.13A** et en position assise sur une chaise droite.
  - Basculez votre bassin en position debout contre un mur ou allongée sur le plancher **FIGURES 7.13B** et **7.13C**.
  - Contractez vos muscles abdominaux durant la bascule du bassin en position debout, couchée ou assise afin de renforcer les muscles grands droits abdominaux **FIGURE 7.13D**.
- Faites une utilisation appropriée de votre mécanique physiologique:
  - Utilisez les muscles de vos jambes pour atteindre des objets placés bas ou au sol. Fléchissez les genoux plutôt que de vous pencher. Fléchissez les genoux pour amener le corps en position accroupie. Maintenez vos pieds à 30 cm ou 45 cm (12 ou 18 pouces) de distance pour offrir une base solide propice au maintien de l'équilibre **FIGURE 7.14A**.
  - Pendant un effort, soulevez l'objet en forçant avec les jambes. Pour soulever quoi que ce soit de lourd (p. ex., un jeune enfant), placez un pied légèrement devant l'autre et maintenez-le à plat en faisant la génuflexion. Soulevez le poids en le tenant près de vous et jamais plus haut que la poitrine. Pour vous relever ou vous asseoir, placez une jambe légèrement derrière l'autre en vous levant ou en vous baissant **FIGURE 7.14B**.

RÉDUIRE LA CAMBRURE LOMBAIRE

- Au cours de stations debout prolongées (p. ex., le repassage, au travail), placez un pied sur un tabouret bas ou une boîte et changez souvent de position.
- Avancez le siège de l'auto vers l'avant pour que les genoux soient fléchis et plus élevés que les hanches. Au besoin, utilisez un petit coussin pour soutenir le bas du dos.
- Assoyez-vous sur des chaises suffisamment basses pour permettre aux deux pieds d'être au sol; préférablement, les genoux seront plus hauts que les hanches.

DOULEUR AU LIGAMENT ROND ET FATIGUE DES MUSCLES ABDOMINAUX

Appliquez les suggestions données dans le **TABLEAU 7.5**.

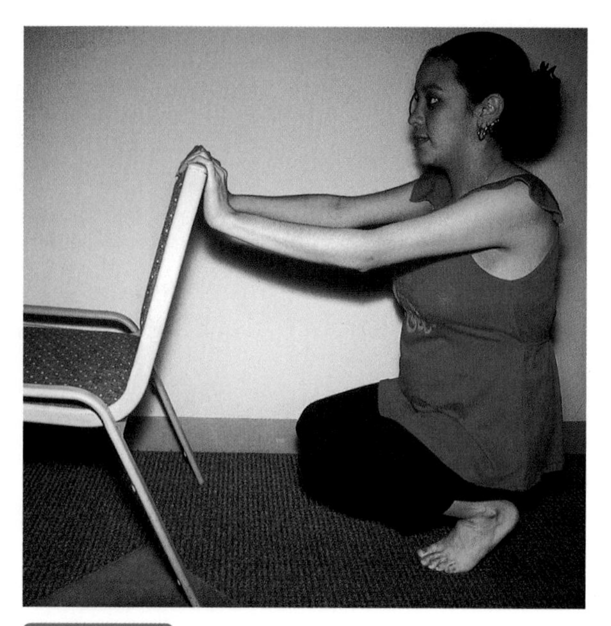

FIGURE 7.16
Exercice d'accroupissement pour promouvoir le relâchement et le renforcement musculaires ainsi que pour maintenir la souplesse des articulations des jambes et des hanches.

ENCADRÉ 7.8 **Technique de relaxation consciente**

- **Préparation :** desserrer les vêtements, prendre une position confortable, assise ou en décubitus latéral, toutes les parties du corps étant bien appuyées sur des oreillers.
- **Début :** se laisser aller et ressentir la chaleur et le confort. Inspirer et expirer lentement. S'imaginer en état de relaxation paisible de tous les points du corps, à commencer par le cou et descendre jusqu'aux orteils. Les personnes qui apprennent la relaxation consciente disent souvent se sentir détendues, même en présence de malaises.
- **Maintien :** utiliser l'imagerie (imagination ou rêve éveillé) pour maintenir l'état de relaxation. À l'aide de l'imagerie active, s'imaginer en train de se déplacer ou de faire une activité ou d'éprouver des sensations. À l'aide de l'imagerie passive, s'imaginer en train d'observer une scène comme un magnifique coucher de soleil.
- **Éveil :** revenir graduellement à l'état d'éveil. Recommencer à percevoir les stimuli du milieu ambiant.
- **Rétention prolongée et développement des compétences :** s'exercer régulièrement pendant quelques périodes tous les jours, par exemple à la même heure pendant 10 à 15 minutes chaque jour, pour se sentir reposée, revitalisée et revigorée.

commerces de nettoyage à sec, un laboratoire de chimie, les garages). Une fatigue excessive devient généralement le facteur décisif pour un arrêt de travail. Les stratégies visant à améliorer la sécurité durant la grossesse sont décrites dans l'**ENCADRÉ 7.9**.

Les femmes qui occupent des postes sédentaires doivent marcher périodiquement pour contrer le ralentissement de la circulation dans les jambes. Elles doivent aussi s'abstenir de rester assises ou debout dans la même position pendant de longues périodes et éviter de croiser les jambes au niveau des genoux, parce que tous ces gestes peuvent favoriser le développement de varices et de thrombophlébites. Rester longtemps en position debout accroît aussi le risque de déclenchement prématuré du travail. La chaise de la femme enceinte doit soutenir son dos adéquatement. L'utilisation d'un repose-pieds peut réduire la pression exercée sur les veines, soulager la fatigue causée par les varices, réduire l'œdème aux pieds et prévenir la dorsalgie **ENCADRÉ 7.10**.

Tenue vestimentaire

Certaines femmes continuent de porter leurs vêtements habituels durant la grossesse aussi longtemps qu'elles peuvent les porter et qu'elles se sentent à l'aise. On recommande le port de vêtements confortables et amples. Les femmes enceintes devraient éviter les soutiens-gorges trop ajustés et les ceintures, les pantalons serrés, les jarretières, les corsages, les bas aux genoux, les corsets et autres vêtements trop ajustés parce que tout vêtement constrictif à la région périnéale favorise la vaginite en plus de nuire à la circulation dans les jambes et de provoquer des varices.

On recommande des soutiens-gorge de maternité qui s'adapteront aux seins à mesure que leur volume augmentera, que la circonférence du thorax s'élargira et que le prolongement axillaire de la glande mammaire prendra de l'expansion. Ces soutiens-gorge sont aussi pourvus de bonnets qui s'ouvrent pour faciliter l'allaitement. Un bon soutien-gorge peut contribuer à prévenir les douleurs au cou et au dos.

Durant la grossesse, les bas de contention procurent un confort considérable et améliorent le retour veineux chez les clientes souffrant de varices volumineuses. Idéalement, les femmes doivent mettre leurs bas de contention avant de sortir du lit le matin. La **FIGURE 7.17** montre une position qui repose les jambes et réduit l'œdème et les varices.

Le port de chaussures confortables qui tiennent bien le pied et qui favorisent une bonne posture et l'équilibre est aussi conseillé. Les talons très hauts

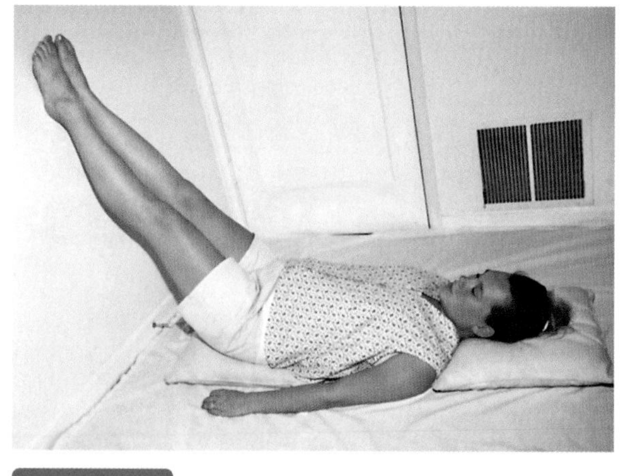

FIGURE 7.17
Position pour reposer les jambes et réduire l'œdème et les varices. Les femmes qui souffrent de varices vulvaires peuvent également glisser un oreiller sous leurs hanches.

Guide d'enseignement

ENCADRÉ 7.9 **Sécurité durant la grossesse**

- Parmi les changements du corps durant la grossesse figurent le relâchement articulaire, la modification du centre de gravité, les faiblesses et les malaises. Des problèmes de coordination et d'équilibre sont souvent notés. C'est pourquoi on suggérera à la cliente enceinte d'observer les directives suivantes.
  - Respectez une bonne mécanique physiologique.
  - Utilisez les accessoires de sécurité fournis avec les outils et les véhicules (p. ex., la ceinture de sécurité, le harnais d'épaules, l'appuie-tête, les lunettes protectrices, le casque protecteur) selon le besoin.
  - Évitez les activités qui exigent de la coordination, de l'équilibre et de la concentration.
  - Prévoyez des périodes de repos ; reportez certaines activités pour répondre au besoin de repos et de relaxation.
- Les agents tératogènes environnementaux peuvent être dangereux pour le développement embryonnaire et fœtal. Les domiciles, leurs jardins et certains milieux de travail ne sont pas exempts de substances chimiques potentiellement dangereuses : les produits de nettoyage, la peinture, les vaporisateurs, les herbicides et les pesticides. Le sol et l'approvisionnement en eau peuvent être non sécuritaires. C'est pourquoi la cliente enceinte doit observer les directives suivantes.
  - Lisez toutes les étiquettes pour connaître les ingrédients et l'emploi approprié du produit.
  - Veillez à une ventilation adéquate avec de l'air sain.
  - Disposez des déchets de façon appropriée.
  - Portez des gants pendant la manipulation de substances chimiques.
  - Changez de poste ou de milieu de travail au besoin. Vous pouvez aussi penser à demander un retrait préventif à votre médecin si votre milieu de travail est potentiellement dangereux pour le bon déroulement de votre grossesse et pour la santé de votre fœtus.
  - Évitez les hautes altitudes qui risqueraient de nuire à l'oxygénation (ce qui n'est pas le cas dans les cabines d'avion pressurisées).

7

Pratique fondée sur des résultats probants

ENCADRÉ 7.10 **Exercice et travail durant la grossesse**

QUESTION CLINIQUE

Quels types de travail ou de loisirs considère-t-on comme sécuritaires pour la femme enceinte ?

RÉSULTATS PROBANTS

- Stratégies de recherche : lignes directrices d'organisations professionnelles, méta-analyses, revues systématiques, essais aléatoires et contrôlés, études prospectives non aléatoires et études rétrospectives depuis 2006.
- Bases de données interrogées : CINAHL, Cochrane, Medline, National Guideline Clearinghouse, TRIP Database Plus et les sites Web de American College of Gynecologists ; Association of Women's Health, Obstetric, and Neonatal Nurses ; et les Centers for Disease Control and Prevention.

ANALYSE CRITIQUE ET SYNTHÈSE DES DONNÉES

- De tout temps, les professionnels de la santé ont craint que la pratique d'exercices durant la grossesse entraîne une réduction de la perfusion utéroplacentaire ou accroisse la réponse inflammatoire et occasionne ainsi un faible poids à la naissance, de l'hypertension gestationnelle ou la prématurité. Ces préoccupations ont mené à des recommandations visant à restreindre l'activité. Or, on a démontré les nombreux avantages physiologiques et psychologiques de l'exercice. Par exemple, au cours d'un essai clinique aléatoire regroupant des femmes ayant souffert de prééclampsie, la marche et les étirements ont eu un effet bénéfique sur la capacité antioxydante et ont diminué les récurrences d'hypertension gestationnelle (Yeo *et al.*, 2008)
- Dans une revue de la littérature, Gavard et Atal (2008) ont constaté que, comparativement aux femmes sédentaires, les femmes en bonne santé tiraient profit de l'exercice, sans différence sur le plan du poids à la naissance ou de l'âge gestationnel à la naissance. Des loisirs ou des activités professionnelles modérées ont eu un effet protecteur contre la prééclampsie et le diabète de grossesse, surtout si l'exercice avait débuté avant la grossesse. Même un exercice vigoureux, comme la course, la bicyclette, la natation ou le racquetball n'ont donné lieu à aucun changement quant à l'issue du poids à la naissance ou à l'âge gestationnel. Chez un petit groupe de femmes adeptes d'exercices très intenses, le poids à la naissance a diminué de 200 à 400 g, ce qui peut être le reflet d'un apport insuffisant en calories. Même des femmes auparavant sédentaires ont commencé un programme d'exercice durant leur grossesse, et cela n'a eu aucun effet sur l'âge gestationnel (Barakat, Stirling & Lucia, 2008).
- Les activités professionnelles échelonnées sur de longues heures, le travail par quart, le fait de soulever des objets, de se tenir debout et le travail physiquement exigeant ne sont pas statistiquement associés à la prématurité, à un faible poids à la naissance ou à l'hypertension gestationnelle, selon une revue systématique réalisée par Bonzini, Coggon et Palmer (2007). Les auteurs émettent toutefois une mise en garde selon laquelle cette activité ne confère aucun effet protecteur, et ils recommandent une diminution des heures de travail, de la durée de la station debout et du travail physique durant le troisième trimestre.

RECOMMANDATIONS POUR LA PRATIQUE INFIRMIÈRE

- L'infirmière peut encourager les clientes en bonne santé, enceintes ou non, à incorporer à leur routine un exercice modéré, par exemple une marche rapide de 30 minutes, la plupart des jours de la semaine. Les avantages de la pratique régulière d'exercices durant la grossesse incluent la maîtrise du poids, le bien-être psychologique et un effet protecteur contre l'hypertension et le diabète de grossesse. Les avantages sont plus marqués si l'exercice débute avant la grossesse. Cependant, les femmes sédentaires peuvent sans danger commencer à faire de l'exercice durant celle-ci. Rien n'indique que la pratique d'exercices cardiovasculaires modérés entraînerait la prématurité ou un faible poids à la naissance.
- Les femmes qui optent pour des exercices exigeants ou dont les tâches professionnelles sont lourdes, qui travaillent de longues heures ou par quart pourraient devoir envisager de modifier leur type d'activités vers la fin de la grossesse. Cette précaution intéressera particulièrement les infirmières enceintes dont le travail suppose parfois de longues heures et un effort physique.

RÉFÉRENCES

Barakat, R., Stirling, J.R., & Lucia, A. (2008). Does exercise training during pregnancy affect gestational age? A randomized, controlled trial. *Br J Sports Med, 42*(8), 674-678.

Bonzini, M., Coggon, D., & Palmer, K.T. (2007). Risk of prematurity, low birthweight, and pre-eclampsia in relation to working hours and physical activities: A systematic review. *Occup Environ Med, 67*, 228-243.

Gavard, J.A., & Artal, R. (2008). Effect of exercise on pregnancy outcome. *Clin Obstet Gynecol, 51*(2), 467-480.

Yeo, S., Davidge, S., Ronis, D.L., Antonakos, C.L., Hayashi, R., & O'Leary, S. (2008). A comparison of walking versus stretching exercises to reduce the incidence of preeclampsia: A randomized clinical trial. *Hypertension in Pregnancy, 27*(2), 113-130.

et les semelles plateformes devraient être proscrits, car le centre de gravité de la femme enceinte change, et l'hormone relaxine assouplit les articulations pelviennes au stade avancé de la grossesse, ce qui peut contribuer à des pertes d'équilibre. De plus, au cours du troisième trimestre, le bassin de la femme bascule vers l'avant, et sa cambrure lombaire s'accentue. Le port de chaussures qui n'offrent pas un soutien suffisant aggravera les douleurs et les crampes aux jambes qui peuvent en résulter **FIGURE 7.18**.

Déplacements

Les déplacements ne sont pas contre-indiqués chez la femme enceinte à faible risque. Par contre, on conseillera aux femmes dont la grossesse est à risque élevé d'éviter de franchir de longues distances au cours des derniers mois de la grossesse afin de prévenir les conséquences économiques et psychologiques négatives d'un accouchement prématuré loin de la maison. Ces femmes éviteront de se rendre dans des endroits où les soins médicaux laissent à désirer, où l'eau n'est pas traitée et où le paludisme sévit. Les femmes qui songent à effectuer un voyage doivent savoir que de nombreux assureurs ne couvrent pas l'accouchement à l'extérieur du pays ni même l'hospitalisation en cas de déclenchement prématuré du travail. En outre, certains vaccins administrés en prévision d'un voyage à l'étranger sont contre-indiqués durant la grossesse.

Les femmes enceintes qui franchissent de longues distances doivent prévoir des périodes d'activité et de repos. En position assise, la femme peut faire des exercices de respiration profonde, exécuter des mouvements circulaires avec ses pieds et contracter et relâcher en alternance différents groupes de muscles. Elle doit éviter de se fatiguer. Bien que le voyage en soi ne soit pas une cause d'issue défavorable comme la fausse couche ou le déclenchement prématuré du travail, certaines précautions s'imposent au cours des déplacements en automobile. Par exemple, les femmes qui montent à bord d'une voiture doivent porter leur ceinture de sécurité ; si le trajet est long, elles doivent s'arrêter et faire quelques pas toutes les heures. La ceinture de sécurité faite d'un baudrier et d'une ceinture abdominale est le type le plus sécuritaire **FIGURE 7.19**. La femme doit faire glisser la ceinture abdominale vers le bas et bien l'ajuster au niveau du bassin, tout en restant confortable. Le baudrier doit passer au-dessus de l'abdomen de la femme enceinte et maintenir le haut du corps, entre les seins. La femme enceinte doit s'asseoir droite. Elle doit utiliser l'appuie-tête pour prévenir un coup à la région cervicale. Si la voiture est munie de sacs gonflables, ils doivent rester amorcés, mais il

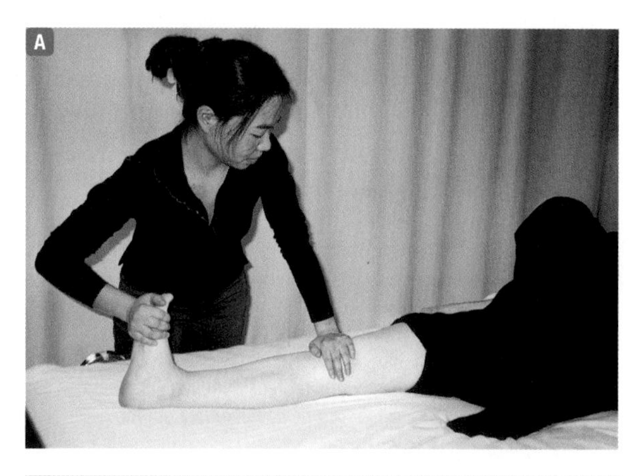

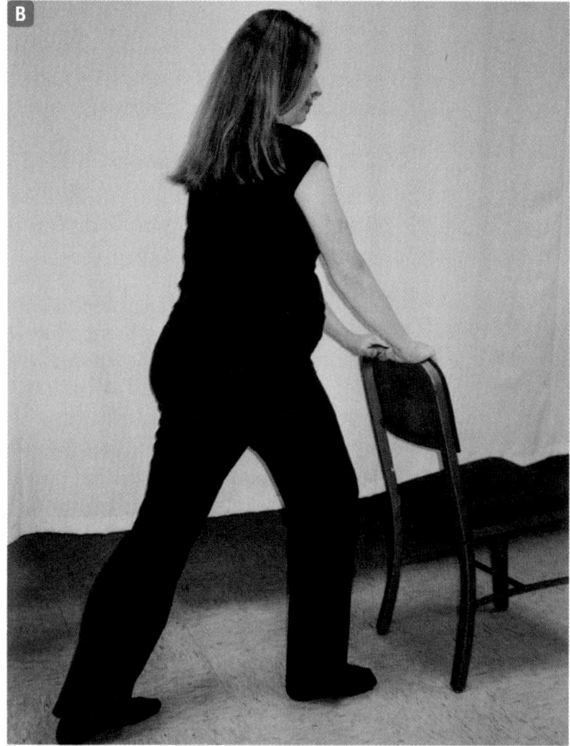

FIGURE 7.18

Soulagement des spasmes musculaires (crampes aux jambes). **A** Une personne exerce une dorsiflexion du pied de la cliente, pendant que le genou est en extension. **B** La femme se tient debout, inclinée vers l'avant, ce qui exerce une dorsiflexion du pied de la jambe atteinte.

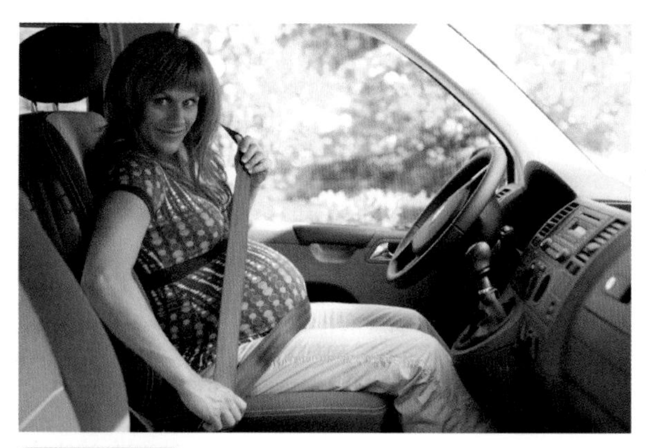

FIGURE 7.19

Utilisation appropriée de la ceinture de sécurité et de l'appuie-tête faut incliner le volant vers le haut pour l'éloigner de l'abdomen et reculer le siège pour le distancer du volant dans la mesure du possible (Cesario, 2007).

Les femmes enceintes qui se rendent en haute altitude présentent des taux d'oxygène abaissés susceptibles de provoquer l'hypoxie fœtale, surtout si elles souffrent d'anémie. Toutefois, on dispose de peu d'information récente sur ce problème et les recommandations ne sont pas standardisées.

Les vols dans de gros avions commerciaux comportent peu de risques pour la femme enceinte, mais les politiques varient d'un transporteur aérien à l'autre. La femme enceinte doit s'informer des restrictions ou des recommandations auprès de sa compagnie aérienne. La plupart des médecins autorisent les voyages en avion jusqu'à 36 semaines de gestation chez les femmes qui ne présentent aucune complication médicale ou obstétricale. Étant donné que les cabines des compagnies d'aviation commerciales maintiennent un taux d'humidité à 8 %, la femme peut éprouver une certaine déshydratation. Elle doit donc boire abondamment dans ce cas. Le fait d'être assise dans un siège étroit à bord de l'avion pendant de longues périodes accroît parfois le risque de thrombophlébite superficielle et profonde. On encourage donc la femme enceinte à se lever et à marcher 15 minutes dans l'allée de l'avion toutes les heures pendant la durée du vol pour réduire ce risque. Les détecteurs de métal utilisés aux barrières de sécurité des aéroports ne sont pas dangereux pour le fœtus.

Médicaments et préparations à base de plantes

Bien que la recherche ait généré beaucoup de renseignements ces dernières années au sujet de la toxicité des médicaments pour le fœtus, la tératogénicité possible de nombreux médicaments prescrits et offerts en vente libre demeure inconnue. Cela est particulièrement vrai des nouveaux produits et des combinaisons de médicaments. De plus, certaines erreurs ou déficiences sous-cliniques du métabolisme intermédiaire chez le fœtus peuvent faire d'un médicament par ailleurs inoffensif un agent dangereux. Le plus grand danger d'anomalie du développement d'origine médicamenteuse chez le fœtus s'observe à partir du moment de la fécondation et jusqu'à la fin du premier trimestre, pendant la période où la femme ne sait peut-être pas encore qu'elle est enceinte. L'utilisation des médicaments, y compris les produits grand public, les plantes médicinales et les vitamines, doit être limitée; il faut tenir un dossier à leur sujet et en parler au médecin.

Vaccination

Des préoccupations concernant l'innocuité des diverses pratiques en matière de vaccination durant la grossesse ont été rapportées. Les vaccins à base de virus vivants ou de virus vivants atténués sont contre-indiqués pendant la grossesse en raison de leur tératogénicité potentielle, mais ils doivent faire partie des soins postpartum (Gruslin, Steben, Money & Yudin, 2008). Les vaccins à virus vivants sont notamment les vaccins contre la rougeole (rubéole et rougeole), la varicelle, les oreillons. L'administration de vaccins viraux inactivés, de vaccins bactériens et de toxoïdes pendant la grossesse est considérée comme étant sûre. Les vaccins que l'on peut administrer durant la grossesse sont notamment les vaccins antitétaniques, antidiphtériques, les vaccins recombinants contre l'hépatite B et les vaccins antigrippaux (inactivés) (Centers for Disease Control and Prevention, 2008). Toutefois, il s'avère très important de consulter le Protocole d'immunisation du Québec et ses mises à jour pour toute information concernant la vaccination (Ministère de la Santé et des Services sociaux [MSSS], 2009).

Si certains médicaments préconisés par les approches complémentaires et parallèles en santé peuvent être bénéfiques pour la femme durant la grossesse, certaines pratiques sont à éviter parce qu'elles peuvent causer une fausse couche ou déclencher le travail prématurément. Il est important de demander à la femme de préciser les traitements qu'elle utilise et l'aviser qu'elle doit toujours s'informer au pharmacien, au médecin ou à la sage-femme avant d'utiliser un produit offert en vente libre.

Alcool, cigarette, caféine et drogues

Il n'existe pas de quantité d'alcool sécuritaire pendant la grossesse ni de bon moment pour en consommer. La femme enceinte doit donc s'abstenir d'en boire (Agence de la santé publique du Canada [ASPC], 2008). L'alcoolisme maternel est associé à des taux élevés de fausse couche et de syndrome d'alcoolisme fœtal (March of Dimes Birth Defects Foundation, 2008). On signale une utilisation bien moindre d'alcool chez les femmes enceintes que chez les femmes non enceintes, mais une forte prévalence d'une certaine consommation d'alcool chez les femmes enceintes continue d'être observée. Cette observation rappelle la nécessité d'appliquer des mesures de santé publique plus systématiques pour renseigner les femmes sur les risques associés à la consommation d'alcool pendant la grossesse.

La cigarette ou l'exposition continue à de la fumée secondaire (même si la mère ne fume pas) est associée à un retard de croissance fœtale et à une augmentation de la morbidité et de la mortalité périnatales et infantiles. Le tabagisme est lié à des cas plus fréquents de déclenchement prématuré du travail, à la rupture prématurée des membranes des eaux, au décollement placentaire, au **placenta praevia** et à la mortalité fœtale, qui résulte possiblement d'une baisse de la perfusion placentaire. Il faut intégrer des activités antitabagiques dans les soins prénataux de routine (ASPC, 2008).

Jugement clinique

Vous rencontrez madame Agnès Duchesneau, âgée de 32 ans, pour un suivi de grossesse. Au moment de son évaluation initiale, vous apprenez que la cliente fume un paquet de cigarettes par jour.

Que devriez-vous lui dire concernant les risques auxquels elle expose le fœtus en fumant ?

L'infirmière encouragera fortement toutes les femmes qui fument à cesser ou à au moins réduire leur consommation de cigarettes. Les femmes enceintes doivent aussi connaître les effets négatifs de la fumée secondaire sur le fœtus, et il faut les encourager à éviter ce type d'environnement (Kleigman, 2006).

La plupart des études portant sur la grossesse n'ont établi aucun lien entre la consommation de caféine et les anomalies congénitales ou le faible poids à la naissance, mais elles ont fait mention d'un risque accru de fausse couche si la consommation de caféine dépasse 200 mg/jour (Weng, Odouli & Li, 2008). Étant donné qu'on ignore s'il existe d'autres effets, il faut encourager les femmes enceintes à limiter leur consommation de caféine, particulièrement celle du café en raison de sa forte teneur en caféine par unité de mesure.

Toute drogue ou tout agent présent dans l'environnement qui entre dans la circulation sanguine de la femme enceinte peut franchir la barrière placentaire et mettre le fœtus en danger. La marijuana, l'héroïne et la cocaïne sont des exemples courants de telles substances. Bien que la toxicomanie durant la grossesse représente un important problème de santé publique, les soins globaux prodigués aux femmes toxicomanes améliorent l'issue de la grossesse pour la mère et le nouveau-né ▶ 24.

24

Les soins à prodiguer aux femmes enceintes souffrant de dépendance sont abordés dans le chapitre 24, *Nouveau-né à risque*.

SOINS ET TRAITEMENTS INFIRMIERS

Malaises normaux

Interventions cliniques

Les femmes enceintes éprouvent des symptômes physiques qui seraient anormaux chez la cliente non enceinte. Les primipares ont besoin de recevoir plus d'explications sur les causes de ces malaises et de conseils pour les soulager. Les malaises du premier trimestre sont relativement spécifiques. Le **TABLEAU 7.5** fournit des renseignements sur la physiologie, la prévention et l'autogestion des malaises éprouvés durant les trois trimestres. Une liste des approches complémentaires et parallèles et des raisons pour lesquelles les femmes enceintes devraient y recourir figurent dans l'**ENCADRÉ 7.11**, et la **FIGURE 7.20** présente un point d'acupressure pour soulager les nausées. Les infirmières ont un rôle important à jouer pour rassurer les primipares qui s'inquiètent de ces symptômes en leur expliquant à l'avance ces manifestations et en utilisant une terminologie que les femmes (ou les couples) peuvent saisir. Le fait de comprendre la raison d'être des traitements favorise la participation aux soins. Les infirmières doivent individualiser leurs interventions en prêtant attention au mode de vie et aux éléments ethnoculturels propres à chaque cliente **PSTI 7.1**.

Reconnaissance des complications potentielles

L'une des plus importantes responsabilités du personnel soignant est de sensibiliser la femme enceinte aux signes et aux symptômes pouvant indiquer une complication de la grossesse. La cliente doit savoir de quelle façon et à qui signaler ces symptômes avant-coureurs. Il faut donc rassurer la femme enceinte et sa famille en leur remettant une liste imprimée où se trouvent énumérés les signes et les symptômes qui doivent être pris en considération et les numéros de téléphone à composer si elles ont des questions ou en cas d'urgence. On s'assurera que le document est adapté au niveau de littératie de la cliente, à sa langue et à sa culture.

L'infirmière doit répondre honnêtement aux questions, à mesure qu'elles se présentent durant la grossesse. Les femmes enceintes ont souvent de la difficulté à décider du moment où elles doivent signaler les signes et symptômes. On encouragera la future mère à consulter la liste des complications potentielles et à être à l'écoute de son corps. Si elle sent que quelque chose ne va pas, elle doit appeler son professionnel de la santé. Plusieurs signes et symptômes doivent faire l'objet de plus amples discussions, y compris les saignements vaginaux, toute modification des mouvements fœtaux, les symptômes d'hypertension de la grossesse, la rupture des membranes et le déclenchement prématuré du travail **TABLEAU 7.4**.

Reconnaissance du déclenchement prématuré du travail

Pour diagnostiquer et traiter rapidement le problème, il faut enseigner à la future mère à reconnaître les signes de déclenchement prématuré du travail. Un travail prématuré survient après la 20e semaine, mais avant la 37e semaine de grossesse et s'accompagne de contractions utérines; si elles ne sont pas arrêtées, elles entraînent la dilatation du col et l'accouchement avant terme ▶ 22.

22

Les signes et les symptômes avant-coureurs d'un travail prématuré sont abordés dans le chapitre 22, *Travail et accouchement à risque*.

Counseling sexuel

Au cours du counseling sexuel auprès des futurs parents, l'infirmière verra à corriger les impressions fausses, à rassurer le couple quant aux phénomènes normaux, et elle leur suggérera d'autres comportements à adopter (INSPQ, 2011). Il faut tenir compte des particularités de chaque couple à l'intérieur de leur cadre biopsychosocial **ENCADRÉ 7.12**. L'infirmière peut amorcer la discussion sur l'adaptation sexuelle nécessaire en raison de la grossesse, mais elle doit elle-même disposer de solides connaissances de base sur les réactions physiques, sociales et émotionnelles liées à la sexualité durant la grossesse. Les infirmières des unités de naissance ne se sentent pas toutes à l'aise de parler de sexualité avec leurs clients. Il faut savoir reconnaître ses forces et ses limites personnelles lorsqu'on parle de sexualité et se préparer à adresser le couple aux personnes-ressources compétentes en cas de besoin (Westheimer & Lopater, 2005).

Bon nombre de femmes ont tout juste besoin d'une autorisation pour demeurer actives sexuellement durant leur grossesse. Beaucoup d'autres, toutefois, doivent obtenir des renseignements sur les changements physiologiques liés à la grossesse. Il faut également corriger certaines idées fausses concernant la sexualité durant la grossesse. Certaines femmes doivent aussi participer à des

TABLEAU 7.5 Malaises liés à la grossesse

MALAISES	PHYSIOLOGIE	ENSEIGNEMENT POUR AUTOSOINS
Premier trimestre		
Changements, nouvelles sensations aux seins : douleur, picotements, sensibilité	Hypertrophie des tissus de la glande mammaire et augmentation de la vascularisation, de la pigmentation, de la taille et de la saillie des mamelons et des aréoles causées par la stimulation hormonale	Porter un soutien-gorge offrant un bon soutien et pouvant absorber les écoulements le jour et la nuit ; garder les mamelons au sec après les avoir lavés à l'eau chaude ; la sensibilité mammaire peut interférer avec le fonctionnement sexuel ou les préliminaires, mais est temporaire.
Augmentation de l'urgence et de la fréquence urinaires (pollakiurie)	Congestion vasculaire et modifications de la fonction vésicale causées par les hormones ; capacité moindre de la vessie causée par la compression de celle-ci due à l'augmentation du volume de l'utérus	Vider régulièrement la vessie ; faire les exercices de Kegel ; limiter la consommation de liquides avant le coucher ; porter une serviette hygiénique ; signaler toute sensation de douleur ou de brûlure au professionnel de la santé.
Fatigue (le plus souvent en début de grossesse), malaise	Inexpliqués ; peuvent être causés par une augmentation des taux d'œstrogènes, de progestérone et de hCG ; réponse psychologique à la grossesse et adaptation physique et psychologique qu'elle requiert	Prendre du repos au besoin ; avoir une alimentation équilibrée pour prévenir l'anémie.
Nausées et vomissements, nausées matinales (surviennent chez 50 à 75 % des femmes enceintes) ; débutent entre le premier et le deuxième mois de la grossesse et durent environ jusqu'au quatrième mois ; peuvent survenir à n'importe quelle heure du jour	Cause inconnue ; peuvent résulter des changements hormonaux, possiblement liés à B-la βhCG ; peuvent en partie être de nature émotionnelle et refléter la fierté, l'ambivalence ou le rejet de la grossesse	Éviter d'être à jeun ou d'avoir l'estomac surchargé ; maintenir une bonne posture ; éviter de comprimer l'estomac ; cesser de fumer ; manger des glucides secs au réveil ; rester au lit jusqu'à ce que la sensation passe ou prendre en alternance toutes les heures des glucides et des liquides comme une tisane chaude décaféinée, du lait ou du café noir, jusqu'à ce que le malaise passe ; prendre de cinq à six petits repas par jour ; éviter les aliments frits, parfumés, épicés, gras ou provoquant des ballonnements ; consulter le médecin en cas d'hyperémèse gravidique.
Ptyalisme (hypersalivation), peut débuter à deux ou trois semaines de gestation	Possiblement causé par une augmentation des taux d'œstrogènes ; peut avoir un lien avec la difficulté de déglutir en raison des nausées	Utiliser un rince-bouche astringent, mâcher de la gomme, prendre des bonbons durs pour améliorer le confort.
Gingivite et épulis (hyperémie, hypertrophie, saignement, sensibilité des gencives) ; affection qui disparaîtra spontanément un ou deux mois après la naissance	Accroissement de la vascularisation et prolifération des tissus conjonctifs dues à la stimulation œstrogénique	S'alimenter correctement en prévoyant un apport adéquat en protéines, en fruits et légumes frais ; se brosser les dents délicatement et observer une bonne hygiène dentaire ; éviter l'infection ; consulter le dentiste.
Congestion nasale ; épistaxis (saignement de nez)	Hyperémie des muqueuses liée aux forts taux d'œstrogènes	Utiliser un humidificateur ; éviter les trauma ; on peut utiliser un vaporisateur ou des gouttes pour le nez faits de solution physiologique.
Leucorrhée : souvent notée tout au long de la grossesse	Stimulation du col par les hormones, qui devient hypertrophié et hyperactif, produisant des quantités abondantes de sécrétions muqueuses	Inévitable ; ne pas administrer de douche vaginale ; porter des serviettes hygiéniques ; adopter des mesures de précautions, par exemple s'essuyer de l'avant vers l'arrière, signaler au médecin traitant si l'écoulement est accompagné de prurit, d'une odeur nauséabonde ou d'un changement de texture ou de couleur.
Dynamique psychosociale, labilité de l'humeur, ambivalence	Adaptations hormonales et métaboliques ; sentiments quant au rôle féminin, à la sexualité, au moment de la grossesse et aux changements de vie et de style de vie qui en résultent	Participer à des groupes d'entraide pour femmes enceintes ; confier ses préoccupations au partenaire, à la famille ou au professionnel de la santé ; demander une consultation pour des services d'aide au besoin.
Deuxième trimestre		
Pigmentation accentuée (p. ex., une ligne xyphopubienne, un masque de grossesse) ; acné, peau huileuse	Augmentation de l'hormone stimulant les mélanocytes (de l'antéhypophyse)	Inévitables ; rentrent généralement dans l'ordre durant la période postnatale (pas toujours pour le masque de grossesse).

TABLEAU 7.5	Malaises liés à la grossesse *(suite)*	
MALAISES	**PHYSIOLOGIE**	**ENSEIGNEMENT POUR AUTOSOINS**
Angiomes stellaires au cou, au thorax, au visage et aux bras durant le deuxième et le troisième trimestre	Réseaux en foyers d'artérioles dilatées (artères terminales) dus à l'augmentation des taux d'œstrogènes	Inévitables; s'estompent lentement vers la fin de la période puerpérale; disparaissent rarement complètement.
Prurit (non inflammatoire)	Cause inconnue; de divers types: non papulaire, papules prurigineuses regroupées; facteurs possibles: fonction excrétrice accrue et étirement de la peau	Inévitable; garder les ongles courts et propres; communiquer avec le professionnel de la santé pour qu'il en diagnostique la cause; utiliser des mesures de confort pour les symptômes, comme des bains à l'huile de bain Keri[MD]; distraction; bains tièdes avec du bicarbonate de soude ou de l'avoine colloïdale ajoutés à l'eau; lotions et huiles; changement des savons ou réduction de leur utilisation; vêtements amples; consulter le professionnel de la santé si une légère sédation est requise.
Palpitations	Cause inconnue; ne devraient pas s'accompagner d'arythmies cardiaques persistantes (peuvent être dues à l'augmentation du volume sanguin); attention à l'hypothyroïdie	Inévitables; communiquer avec le médecin si elles s'accompagnent de symptômes de décompensation cardiaque.
Syndrome aortocave (hypotension en décubitus dorsal) et bradycardie	Induit par la pression de l'utérus gravide sur la veine cave ascendante lorsque la femme est en décubitus dorsal; réduit la perfusion utéroplacentaire et rénale	Adopter la position de décubitus latéral gauche ou la posture semi-assise, genoux légèrement fléchis.
Évanouissement et, rarement, hypotension orthostatique pouvant persister tout au long de la grossesse	Labilité vasomotrice ou hypotension posturale due aux hormones; en fin de grossesse, peut être causé par la stase veineuse aux membres inférieurs	Effectuer des exercices modérés, des respirations profondes, des mouvements vigoureux des jambes; éviter les changements subits de position, les endroits surchauffés et les foules; se déplacer lentement avec vigilance; maintenir une température ambiante fraîche; éviter l'hypoglycémie en consommant cinq ou six petits repas par jour; porter des bas de contention; s'asseoir au besoin; si les symptômes sont graves, communiquer avec le professionnel de la santé.
Fringales	Cause inconnue; influencées par des facteurs culturels et géographiques	Inévitables; satisfaire les fringales à moins qu'elles n'interfèrent avec une alimentation bien équilibrée; signaler les fringales inhabituelles au professionnel de la santé.
Brûlures d'estomac (pyrosis ou hyperacidité): sensation de brûlure, parfois accompagnée d'éructations et de régurgitation d'un peu de liquide au goût sûr	Effet de la progestérone qui ralentit la motilité gastro-intestinale et la digestion, inverse le péristaltisme, relâche le sphincter de la jonction œsophagogastrique et retarde la vidange de l'estomac; l'estomac est repoussé vers le haut et comprimé par le volume croissant de l'utérus	Limiter ou éviter les aliments qui donnent des flatulences ou les aliments gras et les repas copieux; maintenir une bonne posture; siroter du lait pour un soulagement temporaire; prendre une tisane chaude; le médecin peut prescrire des antiacides entre les repas; communiquer avec le médecin si les symptômes persistent.
Constipation	Motilité digestive ralentie par la progestérone; entraîne une augmentation de la résorption de l'eau et une déshydratation des selles; compression des intestins par le volume croissant de l'utérus; prédisposition à la constipation causée par les suppléments de fer oraux	Boire de six à huit verres d'eau par jour; inclure des fibres dans l'alimentation; faire de l'exercice modéré; maintenir un horaire d'élimination régulier; utiliser des techniques de relaxation et de respiration profonde; ne pas prendre de ramollisseurs de selles, de laxatifs, d'huile minérale ni aucun autre médicament ou lavement sans consulter le professionnel de la santé au préalable.
Flatulences accompagnées de ballonnements et d'éructations	Motilité gastro-intestinale réduite en raison des hormones, ce qui laisse aux bactéries le temps de produire des gaz; aérophagie	Mâcher les aliments lentement et complètement; éviter les aliments qui causent des ballonnements, les aliments gras, les repas copieux; faire de l'exercice; maintenir des habitudes d'élimination régulières.
Varices (varicosités): parfois associées à des douleurs et à une sensibilité aux jambes; parfois présentes aux jambes et à la vulve; les hémorroïdes sont des varices de la région périanale	Composante héréditaire; relâchement des parois musculaires lisses des veines en raison des hormones, ce qui donne lieu à des veines dilatées et tortueuses dans les jambes et à une congestion vasculaire pelvienne; le problème est aggravé par l'accroissement du volume de l'utérus, la gravité et les efforts pour éliminer; rare formation de thrombus aux varices des jambes, mais peuvent se former dans les hémorroïdes	Éviter l'obésité, les stations debout ou les postures assises prolongées, les vêtements trop ajustés, la constipation et les efforts pour aller à la selle; faire de l'exercice modéré; se reposer, en surélevant les jambes et les hanches **FIGURE 7.17**; porter des bas de contention; excision possible des hémorroïdes thrombosées; soulager l'œdème et la douleur au moyen de bains de siège, d'application locale de compresses astringentes.

TABLEAU 7.5 Malaises liés à la grossesse *(suite)*

MALAISES	PHYSIOLOGIE	ENSEIGNEMENT POUR AUTOSOINS
Leucorrhée : souvent notée tout au long de la grossesse	Stimulation du col par les hormones, qui devient hypertrophique et hyperactif, produisant des quantités abondantes de sécrétions muqueuses	Inévitable ; ne pas administrer de douche vaginale ; maintenir une bonne hygiène ; porter des serviettes hygiéniques ; aviser le professionnel de la santé si elle s'accompagne de prurit, d'une odeur nauséabonde ou si elle change de texture ou de couleur.
Céphalées (jusqu'à la 26e semaine)	Tension émotionnelle (plus fréquente que les migraines vasculaires) ; fatigue oculaire (trouble de réfraction) ; engorgement et congestion vasculaires des sinus par suite de la stimulation hormonale	Faire de la relaxation consciente ; communiquer avec le professionnel de la santé en cas de céphalée intense pour dépister la prééclampsie ; prendre du repos dans une pièce sombre et calme.
Syndrome du tunnel carpien (touchant le pouce, l'index, le majeur et la face latérale de l'auriculaire)	Compression du nerf médian entraînant des changements dans les tissus avoisinants ; douleur, engourdissement, picotements, brûlure, diminution de la motricité fine (taper au clavier) ; troubles de préhension	Inévitable ; surélever les bras atteints ; placer la main touchée en attelle peut parfois être utile ; diminue après la grossesse ; la chirurgie est curative.
Engourdissements périodiques, picotements des doigts (acroanesthésie) ; s'observent chez 5 % des femmes enceintes	Traction du plexus brachial, syndrome consécutif à l'affaissement des épaules durant la grossesse ; surviennent surtout la nuit et tôt le matin	Maintenir une bonne posture ; porter un soutien-gorge de maternité ferme ; le problème disparaîtra s'il n'est pas aggravé par le fait de soulever et de porter le nouveau-né par la suite.
Douleur au ligament rond (sensibilité)	Étirement du ligament causé par le volume croissant de l'utérus	Inévitable ; repos, maintien d'une bonne mécanique corporelle afin de prévenir l'hyperextension des ligaments ; soulager les crampes par la position accroupie ou en ramenant les genoux sur la poitrine ; parfois, l'application de chaleur procure un soulagement.
Douleur articulaire, dorsalgie et pression pelvienne ; hyperlaxité articulaire	Relâchement de la symphyse et des articulations sacro-iliaques dû aux hormones, entraînant une instabilité pelvienne ; courbure exagérée au niveau lombaire et cervicothoracique causée par les changements du centre de gravité consécutifs à l'accroissement du volume de l'abdomen	Maintenir une bonne posture et une bonne mécanique corporelle ; éviter la fatigue ; porter des chaussures à talons plats ; une bande abdominale peut être utile ; faire de la relaxation consciente ; dormir sur un matelas ferme ; appliquer de la chaleur ou de la glace localement ; s'offrir un massage au dos ; faire l'exercice de bascule du bassin ; prendre du repos ; le problème disparaîtra de six à huit semaines après l'accouchement.
Troisième trimestre		
Essoufflement et dyspnée chez 60 % des femmes enceintes	Expansion du diaphragme limitée par le volume croissant de l'utérus ; soulèvement du diaphragme d'environ 4 cm ; soulagement léger au moment de l'engagement du fœtus	Maintenir une bonne posture ; dormir avec des oreillers supplémentaires ; éviter de surcharger l'estomac ; cesser de fumer ; communiquer avec le professionnel de la santé si les symptômes s'aggravent afin qu'il écarte tout diagnostic d'anémie, d'emphysème et d'asthme.
Insomnie (durant les dernières semaines de la grossesse)	Mouvements fœtaux ; crampes musculaires, fréquence urinaire, essoufflement et autres malaises	Se faire rassurer ; faire de la relaxation consciente ; s'offrir un massage ou obtenir un effleurage du dos ; soutenir les diverses partie du corps au moyen d'oreillers ; boire du lait chaud ou prendre une douche tempérée avant d'aller au lit.
Réactions psychosociales : labilité de l'humeur, ambivalence, anxiété accrue	Adaptation hormonale et métabolique ; sentiments quant au travail imminent, à l'accouchement et à la parentalité	Se faire rassurer et soutenir par les proches et le personnel soignant ; améliorer la communication avec le conjoint, la famille et l'entourage.
Retour de l'augmentation de l'urgence et de la fréquence urinaires (pollakiurie)	Congestion vasculaire et modifications de la fonction vésicale causées par les hormones ; réduction de la capacité vésicale due au volume croissant de l'utérus et au positionnement du fœtus	Vider la vessie régulièrement, exécuter les exercices de Kegel ; limiter l'apport liquidien avant le coucher ; porter une serviette hygiénique ; communiquer avec le médecin en cas de sensation de douleur ou de brûlure.
Malaise et pression au périnée	Pression causée par le volume croissant de l'utérus, surtout en position debout ou à la marche ; gestation multiple	Prendre du repos, faire de la relaxation consciente et adopter une bonne posture ; communiquer avec le médecin pour évaluation et traitement de la douleur.

TABLEAU 7.5 Malaises liés à la grossesse *(suite)*

MALAISES	PHYSIOLOGIE	ENSEIGNEMENT POUR AUTOSOINS
Contractions de Braxton-Hicks (faux travail)	Intensification des contractions utérines en vue du travail	Se faire rassurer ; prendre du repos ; changer de position, mettre en pratique les techniques de respiration si les contractions sont gênantes ; pratiquer l'effleurage ; avant 37 semaines, il est important de communiquer avec le professionnel de la santé pour s'assurer qu'il ne s'agit pas d'un déclenchement prématuré du travail.
Crampes aux jambes, surtout en position couchée	Compression des nerfs aux membres inférieurs due au volume croissant de l'utérus ; réduction du taux de calcium sérique diffusible ou augmentation du phosphore sérique ; facteurs aggravants : fatigue, mauvaise circulation périphérique, orteils pointés lorsque les jambes sont allongées ou à la marche ; boire plus de 1 L de lait par jour	Vérifier le signe de Homans ; s'il est négatif, utiliser le massage et la chaleur sur le muscle atteint ; mettre le pied en dorsiflexion jusqu'à ce que le spasme se relâche **FIGURE 7.18A** ; se tenir debout sur une surface froide.
Œdème des chevilles (non à godet) et aux membres inférieurs	Œdème aggravé par la station debout ou la posture assise prolongées, mauvaise posture, manque d'exercice, vêtements trop ajustés ou température élevée	Maintenir un apport liquidien important pour son effet diurétique naturel ; mettre des bas de contention avant le lever ; se reposer périodiquement avec les jambes et les hanches surélevées ; faire de l'exercice de façon modérée ; communiquer avec le professionnel de la santé en cas d'œdème généralisé ; les diurétiques sont contre-indiqués.

ENCADRÉ 7.11 Approches complémentaires et parallèles en santé

NAUSÉES MATINALES ET HYPERÉMÈSE GRAVIDIQUE
- Acupuncture
- Acupressure
- Shiatsu
- Préparations à base de plantes médicinales[a]
  - Menthe
  - Menthe verte
  - Racine de gingembre

RELAXATION ET SOULAGEMENT DES DOULEURS MUSCULAIRES
- Yoga
- Rétroaction biologique (biofeedback)
- Réflexologie
- Toucher thérapeutique
- Massage

[a] Certaines plantes médicinales peuvent provoquer une fausse couche, déclencher prématurément le travail ou se révéler dangereuses pour le fœtus ou la mère. Les femmes enceintes doivent discuter de leur utilisation avec un professionnel de la santé ainsi qu'avec un expert dans l'utilisation des plantes médicinales.

Sources : Adapté de Born & Barron (2005) ; Smith, Crowther, Willson, Hotham & McMillian (2004) ; Tiran & Mack (2000).

A

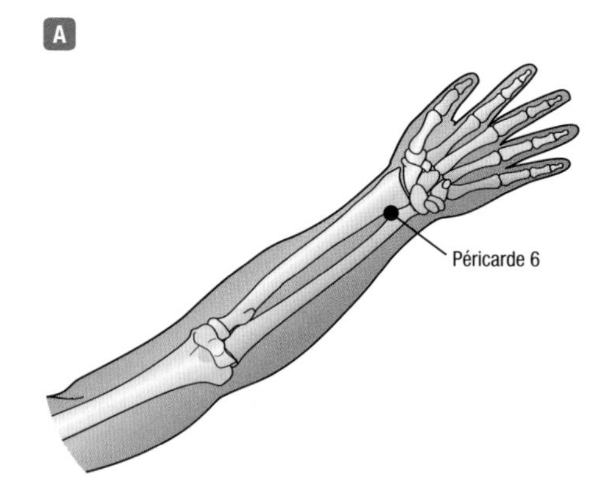

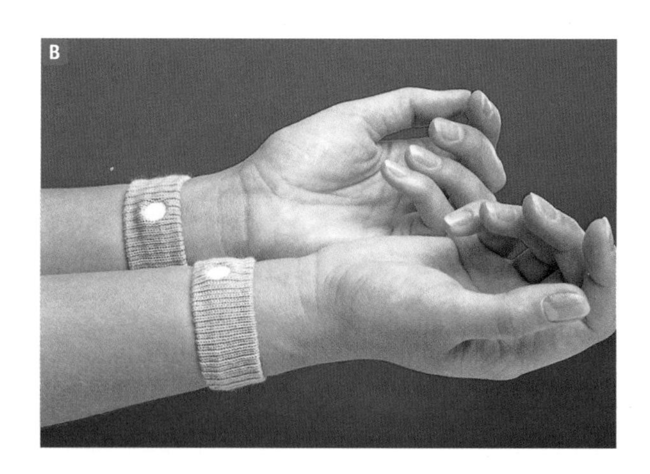

FIGURE 7.20

A Point d'acupressure du péricarde 6 (p6) pour les nausées. B Bracelet Sea-Bands permettant de stimuler le point d'acupressure du péricarde 6.

Plan de soins et de traitements infirmiers

PSTI 7.1 Malaises associés à la grossesse et signes avant-coureurs

PROBLÈME DÉCOULANT DE LA SITUATION DE SANTÉ	**Anxiété** liée à des connaissances insuffisantes sur les visites prénatales prévues tout au long de la grossesse
OBJECTIF	Pendant le premier trimestre, la cliente exprimera le sentiment d'être «en contrôle».
RÉSULTATS ESCOMPTÉS	**INTERVENTIONS INFIRMIÈRES ET JUSTIFICATIONS**
• Description du calendrier des rendez-vous pour la durée de la grossesse • Recherche d'éléments d'information crédibles, visant à réduire l'anxiété	• Fournir des renseignements au sujet du calendrier des visites, des tests et autres évaluations et interventions prévus tout au long de la grossesse afin de donner à la cliente le sentiment qu'elle a le pouvoir de collaborer avec l'équipe soignante et de calmer ainsi son anxiété. • Laisser suffisamment de temps à la cliente pour qu'elle décrive son niveau d'anxiété afin d'établir les bases des soins. • Fournir à la cliente des renseignements au sujet des cours prénataux et des visites à la salle de travail afin d'atténuer son anxiété quant à l'inconnu.
PROBLÈME DÉCOULANT DE LA SITUATION DE SANTÉ	**Risque de déséquilibre nutritionnel** lié aux nausées et aux vomissements mentionnés par la cliente et attesté par sa perte de poids
OBJECTIF	Pendant le premier trimestre, la cliente prendra de 1 à 2,5 kg.
RÉSULTATS ESCOMPTÉS	**INTERVENTIONS INFIRMIÈRES ET JUSTIFICATIONS**
• Observance du régime alimentaire proposé • Recours à des moyens sécuritaires pour réduire les nausées • Capacité à s'adresser à un professionnel de la santé si les symptômes persistent	• Vérifier le poids avant la grossesse afin d'établir un régime alimentaire réaliste adapté aux besoins nutritionnels individuels de la cliente. • Obtenir un historique alimentaire pour reconnaître les habitudes actuelles concernant les repas et les aliments susceptibles de provoquer les nausées. • Conseiller à la cliente de prendre de petits repas fréquents et d'éviter de rester à jeun afin de prévenir d'autres épisodes de nausées. • Suggérer à la cliente de consommer des glucides simples, comme des biscottes, avant de se lever le matin pour éviter d'avoir l'estomac vide et réduire ainsi la fréquence des nausées et des vomissements. • Conseiller à la cliente d'appeler son professionnel de la santé si les vomissements persistent et s'ils sont graves afin qu'il puisse procéder au dépistage d'un cas possible d'hyperémèse gravidique.
PROBLÈME DÉCOULANT DE LA SITUATION DE SANTÉ	**Fatigue** liée aux changements hormonaux au cours du premier trimestre
OBJECTIF	Pendant le premier trimestre, la cliente fera état d'un nombre moindre d'épisodes de fatigue.
RÉSULTATS ESCOMPTÉS	**INTERVENTIONS INFIRMIÈRES ET JUSTIFICATIONS**
• Utilisation de stratégies efficaces pour favoriser le repos • Observance du régime alimentaire proposé	• Suggérer à la cliente de se reposer au besoin pour éviter la sensation croissante de fatigue. • Recommander à la cliente une alimentation bien équilibrée pour répondre aux besoins métaboliques accrus et pour éviter l'anémie. • Conseiller à la cliente d'utiliser ses réseaux d'entraide pour partager les tâches domestiques et alléger ainsi le fardeau de travail à la maison et diminuer la fatigue. • Rappeler la nature transitoire de la fatigue au premier trimestre pour encourager la cliente. • Explorer avec la cliente diverses techniques lui permettant d'établir des priorités quant à ses rôles afin de réduire les attentes sur le plan de la dynamique familiale.
PROBLÈME DÉCOULANT DE LA SITUATION DE SANTÉ	**Constipation** liée aux changements physiologiques de la grossesse
OBJECTIF	Pendant le deuxième trimestre, la cliente fera état d'un retour à la normale de ses habitudes d'élimination intestinale.
RÉSULTAT ESCOMPTÉ	**INTERVENTIONS INFIRMIÈRES ET JUSTIFICATIONS**
• Utilisation de stratégies efficaces pour faciliter l'élimination intestinale	• Renseigner la cliente au sujet des causes obstétricales de la constipation (la progestérone et les suppléments ferriques ralentissent la motilité gastro-intestinale, le volume pris par l'utérus comprime les intestins) pour lui fournir les notions de base qui lui permettront de prendre soin d'elle-même durant sa grossesse. • Aider la cliente à planifier ses repas afin de promouvoir sa régularité, par exemple en augmentant son apport liquidien, jusqu'à au moins six à huit verres d'eau par jour, en consommant plus de fibres alimentaires quotidiennement et en maintenant un programme d'exercice modéré pour mieux prendre soin d'elle-même. • Rappeler à la cliente qu'elle doit éviter de prendre des laxatifs, des émollients ou des lavements sans consulter d'abord son professionnel de la santé afin de prévenir tout préjudice pour elle-même ou son fœtus.

PSTI 7.1 Malaises associés à la grossesse et signes avant-coureurs *(suite)*

PROBLÈME DÉCOULANT DE LA SITUATION DE SANTÉ	**Anxiété** causée par un manque de connaissances sur le déroulement d'une première grossesse, comme en témoignent les questions posées par la cliente au sujet des complications possibles du deuxième et du troisième trimestre
OBJECTIF	Pendant le deuxième trimestre, la cliente exprimera une diminution de son anxiété.
RÉSULTATS ESCOMPTÉS	**INTERVENTIONS INFIRMIÈRES ET JUSTIFICATIONS**
• Recherche d'information crédible, visant à diminuer l'anxiété • Validation de sa compréhension de l'information pour diminuer l'anxiété	• Fournir des renseignements au sujet des complications potentielles ou des signes avant-coureurs observables durant le deuxième et le troisième trimestres, y compris leurs causes possibles. • Rappeler l'importance d'appeler le professionnel de la santé immédiatement pour s'assurer de déceler et de traiter les problèmes rapidement, le cas échéant. • Fournir une liste écrite des complications afin que la cliente dispose de références en cas de manifestation inhabituelle.
PROBLÈME DÉCOULANT DE LA SITUATION DE SANTÉ	**Crainte** liée au manque de connaissances au sujet du déclenchement et du déroulement du travail
OBJECTIF	Pendant le troisième trimestre, la cliente exprimera sa confiance dans sa capacité à affronter l'étape du travail.
RÉSULTATS ESCOMPTÉS	**INTERVENTIONS INFIRMIÈRES ET JUSTIFICATIONS**
• Validation de sa compréhension des signes du déclenchement du travail et du moment où il faut appeler le professionnel de la santé • Capacité de s'adresser à des ressources appropriées pour trouver de l'information	• Fournir des renseignements au sujet des signes de déclenchement du travail, du moment où il faut appeler le professionnel de la santé et remettre de la documentation écrite sur les cours prénataux locaux afin de donner à la cliente le sentiment d'être en maîtrise et de favoriser l'autosoin. • Maintenir des canaux de communication efficace avec le professionnel de la santé afin que la cliente se sente en confiance et diminue sa peur de l'inconnu. • Donner à la cliente des occasions de prendre des décisions afin de promouvoir une adaptation efficace. • Offrir à la cliente la possibilité de verbaliser ses craintes au sujet de l'accouchement pour l'aider à les surmonter en en parlant.
PROBLÈME DÉCOULANT DE LA SITUATION DE SANTÉ	**Troubles du sommeil** liés aux malaises ou à l'insomnie du troisième trimestre
OBJECTIF	Pendant le troisième trimestre, la cliente fera état d'une amélioration de la qualité et de la quantité de son repos et de son sommeil.
RÉSULTAT ESCOMPTÉ	**INTERVENTIONS INFIRMIÈRES ET JUSTIFICATIONS**
• Utilisation de stratégies efficaces pour favoriser le repos et le sommeil	• Évaluer le cycle actuel de sommeil et rappeler les besoins de sommeil accrus durant la grossesse afin de vérifier comment la cliente peut modifier son cycle de sommeil. • Suggérer à la cliente le décubitus latéral gauche avec des oreillers placés entre les jambes ou la position semi-Fowler pour accroître le soutien et atténuer tout problème de dyspnée ou de brûlure d'estomac. • Rappeler divers conseils pratiques pour favoriser le sommeil, par exemple, techniques de relaxation, lecture, ralentissement des activités avant de se mettre au lit, pour atténuer le risque d'éprouver de l'anxiété et des malaises physiques avant l'heure du coucher.
PROBLÈME DÉCOULANT DE LA SITUATION DE SANTÉ	**Difficultés d'ordre sexuel** liées aux changements physiques de la cliente enceinte
OBJECTIF	Pendant le troisième trimestre, le couple exprimera une satisfaction quant à ses relations intimes.
RÉSULTAT ESCOMPTÉ	**INTERVENTIONS INFIRMIÈRES ET JUSTIFICATIONS**
• Application de stratégies efficaces pour favoriser l'intimité dans le couple	• Évaluer la sexualité du couple afin de déterminer en quoi elle est perturbée par la grossesse. • Fournir des renseignements sur les changements à prévoir sur le plan du fonctionnement sexuel durant la grossesse afin de corriger les idées préconçues. • Permettre au couple d'exprimer ses sentiments dans un milieu dénué de tout jugement afin de susciter la confiance. • Adresser le couple en consultation selon le cas pour l'aider à s'adapter aux changements de leur sexualité. • Suggérer d'autres positions sexuelles pour réduire la pression imposée à l'abdomen volumineux de la femme et accroître le confort et la satisfaction sexuelle du couple.

Enseignement à la cliente et à ses proches

ENCADRÉ 7.12 Sexualité et grossesse

- Rappeler que les changements physiologiques chez la mère (p. ex., l'augmentation du volume des seins, les nausées, la fatigue, les changements abdominaux et périnéaux, la leucorrhée, la vasocongestion pelvienne et les réponses orgasmiques) peuvent perturber la sexualité et son fonctionnement.
- Discuter des réactions du partenaire à la grossesse.
- Garder à l'esprit que les comportements culturels encouragés et interdits peuvent influer sur les réponses des clients.
- Savoir que la libido est à la baisse durant le premier trimestre, mais qu'elle augmente souvent au cours du deuxième et du troisième trimestre.
- Parler des possibilités suivantes avec le conjoint et les explorer :
  - d'autres types d'activités sexuelles (p. ex., la masturbation mutuelle, le massage des pieds, les démonstrations d'affection) ;
  - d'autres positions sexuelles (p. ex., femme chevauchant l'homme, la position en cuiller).
- Préciser que les rapports sexuels sont sécuritaires dans la mesure où ils ne causent pas de malaise. Il n'y a aucune corrélation entre les rapports sexuels et les fausses couches, mais il faut observer les précautions suivantes :
  - s'abstenir de tout rapport sexuel en cas de crampes utérines ou de saignements vaginaux ; le cas échéant, signaler l'incident au professionnel de la santé le plus rapidement possible ;
  - s'abstenir de tout rapport sexuel (ou d'activité aboutissant à un orgasme) en présence d'antécédents de béance du col, jusqu'à ce que le problème soit corrigé.
- Continuer d'adopter des comportements de réduction des risques. Les clientes exposées à un risque de contracter ou de transmettre des ITSS sont encouragées à utiliser le condom pendant tout rapport sexuel durant leur grossesse.

discussions ouvertes sur les positions sexuelles qui peuvent réduire la pression sur l'abdomen gravide (Westheimer & Lopater, 2005). Ces tâches relèvent du rôle de l'infirmière et font partie intégrante des soins de santé prénataux.

Certains couples auront besoin de consultations en sexologie ou en thérapie familiale. Lorsque la grossesse vient exacerber des problèmes sexuels de longue date chez le couple, on considère qu'ils sont de bons candidats à une thérapie sexuelle. Dès qu'un problème de nature sexuelle devient le symptôme d'une difficulté plus grave dans le couple, une thérapie familiale pourrait être bénéfique pour ce dernier.

Correction des idées fausses

De nombreux mythes et beaucoup de désinformation quant à la sexualité durant la grossesse se trouvent masqués par des questions en apparence d'un tout autre ordre. Par exemple, une discussion sur le fait que le fœtus peut entendre et voir *in utero* peut découler d'une interrogation quant à la possibilité qu'il puisse être un « observateur caché » des relations sexuelles du couple. L'infirmière doit être extrêmement attentive aux questions qui sous-tendent de telles interrogations au moment du counseling dans ce secteur de l'activité humaine, un domaine très chargé émotivement.

Précautions et autres mesures suggérées

La recherche n'a pas démontré de façon concluante que le coït et l'orgasme soient contre-indiqués à un moment ou à un autre durant la grossesse chez la femme qui est en bonne santé obstétricale (Cunningham *et al.*, 2005). Par contre, des antécédents de fausses couches, une menace de fausse couche au cours du premier trimestre et du deuxième trimestre ainsi que la rupture prématurée des membranes, les saignements ou les douleurs abdominales durant le troisième trimestre rendent nécessaires certaines précautions au moment du coït et de l'orgasme.

Les couples peuvent utiliser la masturbation solitaire et mutuelle et les relations orales-génitales comme solutions de rechange à la pénétration. Les partenaires qui apprécient le cunnilingus (stimulation orale du clitoris ou du vagin) pourraient trouver désagréable l'augmentation normale de la quantité de sécrétions vaginales ou leur odeur durant la grossesse. Il faut mettre les couples qui pratiquent le cunnilingus en garde contre l'insufflation d'air dans le vagin, particulièrement durant les quelques dernières semaines de la grossesse lorsque le col est peut-être légèrement ouvert. Une embolie gazeuse peut survenir si de l'air est insufflé entre la paroi utérine et les membranes fœtales et s'il s'infiltre dans le réseau vasculaire de la mère par le placenta.

Il est souvent utile de montrer à la femme ou au couple des illustrations de diverses variantes de positions sexuelles **FIGURE 7.21**. Les positions suivantes sont des solutions de rechange envisageables à celle dite du missionnaire classique : femme chevauchant l'homme, homme et femme en cuillère, pénétration par l'arrière et couchés sur le côté, face à face. Lorsque la femme chevauche l'homme, elle exerce une meilleure maîtrise sur l'angle et la profondeur de la pénétration et elle peut protéger du même coup ses seins et son abdomen. Certaines femmes préfèrent la position côte à côte ou toute position qui exerce moins de pression sur l'abdomen gravide et qui requiert moins d'énergie au cours du troisième trimestre.

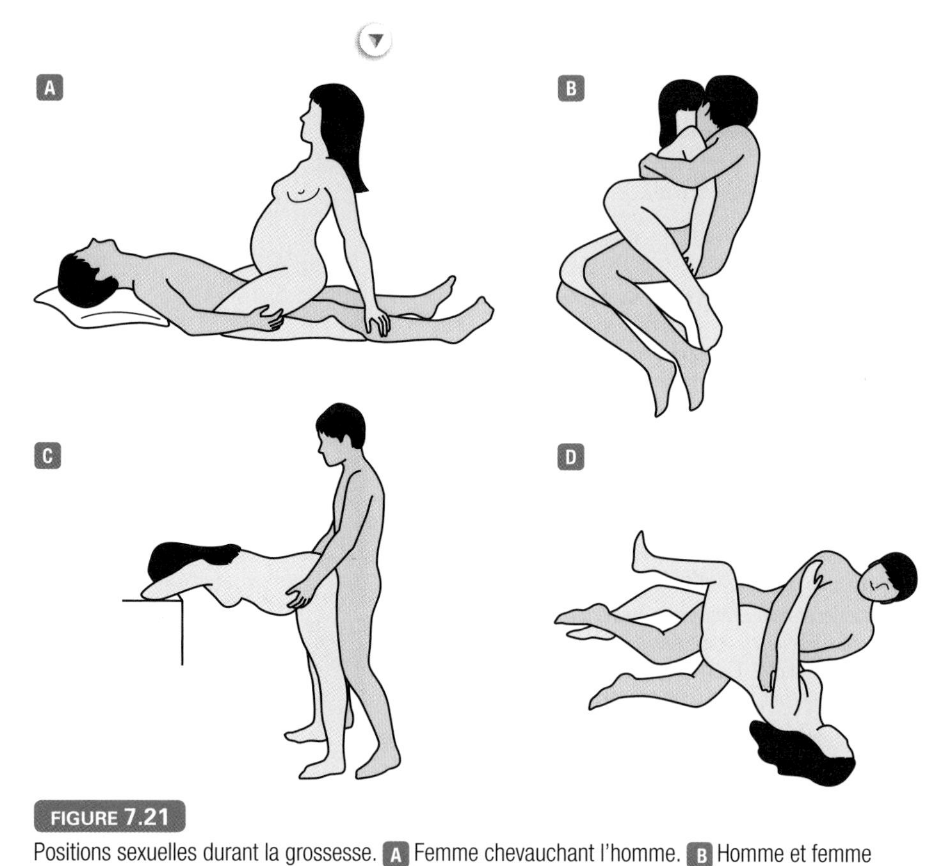

FIGURE 7.21

Positions sexuelles durant la grossesse. A Femme chevauchant l'homme. B Homme et femme en cuillère. C Pénétration par l'arrière. D Couchés sur le côté, face à face.

Les femmes multipares éprouvent parfois une sensibilité mammaire importante au cours du premier trimestre. On recommandera une position sexuelle qui permet d'éviter d'exercer une pression directe sur les seins de la femme et qui réduit la stimulation de ceux-ci durant les préliminaires chez ces couples. En outre, l'infirmière rassurera la cliente sur le fait que cette situation est normale et temporaire.

Certaines femmes se plaignent de crampes au bas de l'abdomen et au dos après l'orgasme au cours du premier et du troisième trimestre. Un massage du dos procure souvent un soulagement partiel de ces douleurs et constitue une expérience agréable. Une contraction utérine tonique, qui peut souvent durer jusqu'à une minute, remplace les contractions rythmiques de l'orgasme durant le troisième trimestre. On a également signalé des changements de la F.C.F. sans souffrance fœtale.

L'objectif des mesures de réduction des risques est d'empêcher la femme de contracter ou de transmettre une ITSS (p. ex., le virus *herpes simplex*, le VIH). Étant donné que ces maladies peuvent être transmises à la femme et à son fœtus, on recommande l'utilisation des condoms tout au long de la grossesse si la femme est exposée à un risque d'ITSS.

Les infirmières bien informées, qui se sentent à l'aise avec leur propre sexualité et avec les besoins de counseling sexuel des futurs parents peuvent offrir des renseignements et des conseils aux couples sur ces questions importantes, mais souvent négligées. Elles peuvent créer un environnement ouvert où les couples se sentiront alors à l'aise de parler de leurs préoccupations, d'obtenir du soutien et des conseils pour résoudre leurs problèmes de nature sexuelle et pour s'adapter à la grossesse.

7.2.8 Soutien psychosocial

L'estime, l'affection, la confiance, la sollicitude, la considération pour les réactions culturelles et religieuses, de même que l'écoute, font toutes parties du soutien émotionnel offert à la femme enceinte et à sa famille. La satisfaction de la femme relativement à ses relations avec son conjoint et sa famille, ainsi que le soutien de ces derniers, son sentiment de compétence, son sentiment d'être en maîtrise de la situation, revêtent tous une grande importance au cours du troisième trimestre. Il est alors intéressant de discuter des réactions fœtales aux stimuli, par exemple aux sons et à la lumière, de même qu'au cycle veille-sommeil. D'autres questions importantes risquent de se présenter chez la femme enceinte et le couple au sujet de la crainte de la douleur, de la perte de contrôle et de la possibilité de donner naissance avant d'arriver à l'hôpital ou à la maison de naissance. Les couples s'inquiètent souvent de la parentalité et s'interrogent sur la sécurité de la mère et de l'enfant à naître ou des frères et sœurs et de leur acceptation du nouveau-né. D'autres craindront les responsabilités sociales et économiques, de même que les soucis parentaux tels que les conflits de nature culturelle, religieuse ou relatifs au système de valeurs personnelles. De plus, l'engagement du père ou du conjoint à l'égard de la grossesse ainsi qu'au rapport de couple et les problèmes touchant la sexualité et de son expression méritent qu'on en parle chez de nombreux couples. En offrant aux futurs parents l'occasion de discuter de leurs problèmes et en validant la normalité de leurs réactions, l'infirmière répond à leurs besoins à divers degrés. Celle-ci doit aussi reconnaître que les hommes peuvent se sentir plus vulnérables durant la grossesse de leur conjointe. Elle aidera les partenaires à affronter leurs difficultés en leur offrant à l'avance des conseils et des stratégies pour la promotion de la santé. Les professionnels de la santé peuvent stimuler et encourager un dialogue ouvert entre les futurs parents.

7.2.9 Adaptation des soins prénataux

La nature des soins prénataux décrits jusqu'ici pourrait donner à penser que les expériences des femmes enceintes sont similaires et que les interventions infirmières sont uniformes et constantes, peu importe les types de populations. Bien que certaines réactions particulières à la grossesse soient faciles à reconnaître et que de nombreux aspects des soins prénataux concordent effectivement, chaque femme enceinte fait appel au système de soins de santé avec des préoccupations et des besoins qui lui sont propres. La capacité de l'infirmière à évaluer les besoins personnels et à adapter ses interventions au cas par cas sera la clé de soins de qualité. Parmi les facteurs qui influent sur les soins prénataux figurent les influences ethnoculturelles, l'âge de la future mère et le nombre de fœtus qu'elle porte.

7.2.10 Influences ethnoculturelles

Les soins prénataux nord-américains sont un phénomène propre à la médecine occidentale. Dans le modèle de soins biomédical québécois, on encourage les femmes à recourir aux soins prénataux le plus tôt possible au cours de la grossesse en consultant un médecin, une sage-femme ou les deux. Ces visites sont de routine et suivent une séquence systématique, comme décrit précédemment. Or, les femmes d'autres cultures trouvent ce modèle non seulement inhabituel, mais aussi étrange.

Il existe des variantes ethnoculturelles de soins prénataux. Même si une femme semble connaître les soins prénataux décrits dans ce chapitre, certaines pratiques peuvent entrer en conflit avec les croyances et les habitudes du groupe ethnoculturel auquel elle appartient. Pour cela et en raison d'autres facteurs, comme le manque d'argent, les problèmes de transport ou la barrière de la langue, certaines femmes de diverses origines ethnoculturelles ne participent pas au système de soins prénataux, par exemple, en ne respectant pas un calendrier de rendez-vous prénataux.

De nombreuses femmes invoqueront la pudeur pour se soustraire aux soins prénataux. Pour certaines, s'exposer, surtout en présence d'un homme, est une importante infraction aux règles de la pudeur. Nombreuses également sont celles pour qui les interventions effractives, par exemple l'examen vaginal, représentent une menace dont elles ne peuvent même pas discuter avec leur mari ; c'est pourquoi elles préfèrent être soignées par une femme. Trop souvent, les professionnels de la santé tiennent pour acquis que les femmes perdent cette pudeur durant la grossesse et le travail, alors qu'en fait, la plupart des clientes apprécient les efforts tentés pour respecter leur pudeur.

Dans de nombreux groupes ethnoculturels, on n'a recours au médecin qu'en cas de maladie. Étant donné que la grossesse constitue un processus normal et que la femme est en bonne santé, les services d'un médecin sont jugés superflus. Même dans des situations que la médecine occidentale considère comme des problèmes obstétricaux, d'autres groupes ethnoculturels n'auront pas la même perception.

Même si bien des gens considèrent la grossesse comme étant un phénomène normal, on attend des femmes qu'elles observent certaines pratiques, quelle que soit leur culture, pour que l'issue de la grossesse soit positive. Sur le plan ethnoculturel, les prescriptions édictent les comportements féminins, tandis que les interdictions établissent les tabous. Ces pratiques visent à prévenir la maladie pouvant découler d'un déséquilibre provoqué par la grossesse et à protéger le fœtus vulnérable. Les prescriptions et les interdictions régissent aussi les réponses émotionnelles de la femme, sa tenue vestimentaire, ses activités et son repos, son fonctionnement sexuel et ses habitudes alimentaires. En explorant les croyances et les perceptions de la cliente quant à la signification de la grossesse et à ses pratiques en matière de santé, l'équipe soignante sera plus en mesure de promouvoir son épanouissement, la réalisation de son rôle de mère et d'exercer une influence positive sur son rapport avec son conjoint.

Pour fournir des soins adaptés aux éléments ethnoculturels de la cliente et de sa famille, l'infirmière doit en connaître les pratiques et les coutumes, même s'il lui est impossible d'être au courant de toutes les particularités de chaque culture, sous-culture ou style de vie. Elle doit donc se renseigner sur les diverses cultures de la clientèle qu'elle côtoie (Cooper, Grywalski, Lamp, Newhouse & Studlien, 2007). Quelles que soient les croyances et les pratiques ethnoculturelles des familles liées à la grossesse, l'infirmière veillera à soutenir et à promouvoir celles qui sont favorables à une meilleure adaptation physique ou émotionnelle. Si elle décèle des croyances ou des activités potentiellement dangereuses, il lui faut aussi faire de l'enseignement et proposer des modifications.

Réactions émotionnelles

Presque toutes les cultures soulignent l'importance de maintenir un environnement social harmonieux et agréable pour la femme enceinte. L'absence de stress est plus propice à une issue favorable pour la mère et le nouveau-né **FIGURE 7.22**. L'harmonie entre les personnes est encouragée, et les visites des membres de la famille élargie contribuent parfois à témoigner d'un climat agréable et de l'absence de conflits. La gestion des mésententes s'effectue selon les pratiques ethnoculturelles qui ont cours.

Outre les interdits alimentaires, d'autres comportements relèvent plutôt de la superstition. Par exemple, au Mexique, certains croient que la femme

En explorant les croyances et les perceptions de la cliente, l'équipe soignante sera plus en mesure de promouvoir son épanouissement, la réalisation de son rôle de mère et d'exercer une influence positive sur son rapport avec son conjoint.

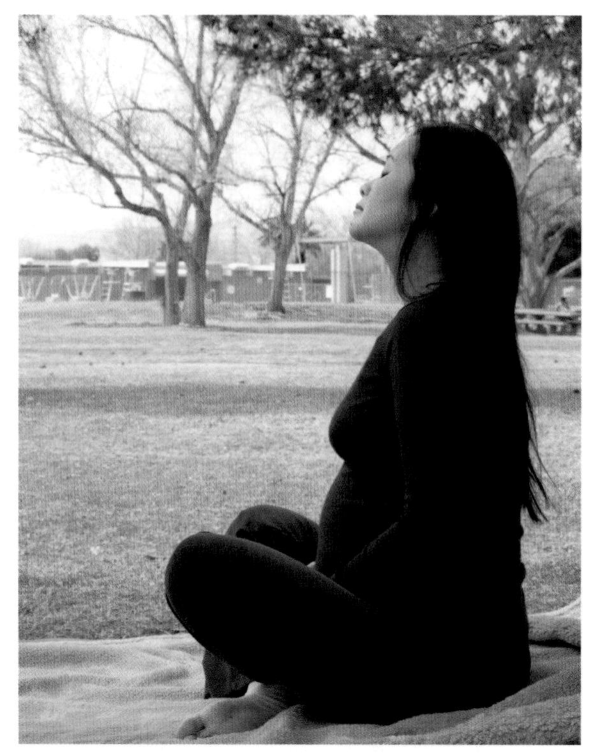

FIGURE 7.22
Toutes les cultures reconnaissent les bienfaits d'un environnement calme pour une femme enceinte.

enceinte doit éviter de regarder les éclipses de Lune, car elle pourrait donner naissance à un enfant porteur d'une fissure palatine. On croit également que l'exposition à un tremblement de terre peut provoquer le travail prématuré, la fausse couche, voire la présentation du siège. Dans certaines cultures, une femme enceinte ne doit pas passer des remarques sur une personne handicapée de crainte que son enfant naisse avec le même handicap. La mère doit s'abstenir d'alimenter un sentiment de haine à l'endroit d'une personne, car son enfant pourrait lui ressembler, et elle évitera les traitements dentaires de crainte que celui-ci naisse avec un bec de lièvre. D'autres cultures entretiennent la superstition selon laquelle la femme enceinte ne doit pas élever les bras au-dessus de sa tête parce que ce mouvement provoque des nœuds dans le cordon ombilical et peut étouffer le fœtus. Une autre croyance veut qu'en plaçant un couteau sous le lit d'une femme en travail, on élimine la douleur.

Activité physique et repos

Aucune norme ne régit l'activité physique chez les femmes pendant la grossesse. De nombreux groupes, y compris les peuples amérindiens et certaines populations asiatiques, encouragent les femmes à demeurer actives, à marcher et à s'acquitter de leurs tâches normales, mais non exigeantes, pour que le fœtus soit en santé et qu'il ne grossisse pas trop. À l'inverse, d'autres groupes, comme les Philippins, croient que toute activité comporte un risque et qu'il faut déléguer à quelqu'un d'autre les tâches de la femme enceinte. Certains Philippins sont d'avis qu'une telle inactivité protège la mère et l'enfant. On encourage la femme enceinte à se consacrer entièrement à la « fabrication » de la génération montante. Les professionnels de la santé qui ignorent ces croyances pourraient interpréter à tort ce comportement comme de la paresse ou une piètre observance de leurs recommandations prénatales. L'infirmière doit comprendre la perception de chaque femme enceinte quant à l'activité physique et au repos.

Activité sexuelle

La plupart des cultures n'interdisent pas l'activité sexuelle jusqu'à la fin de la grossesse. Certaines personnes d'origine latine la perçoivent comme étant nécessaire au maintien de la lubrification des voies naturelles. À l'inverse, au Vietnam, certains exigent l'abstinence tout au long de la grossesse et interdisent les rapports sexuels, parce qu'ils croient que ceux-ci peuvent nuire à la mère et au fœtus.

Alimentation

Les renseignements nutritionnels fournis par les équipes soignantes occidentales peuvent aussi être source de désaccords pour de nombreux groupes ethnoculturels ; le personnel soignant peut même ignorer l'existence de telles divergences, à moins de comprendre les croyances et les pratiques alimentaires de la clientèle qu'il dessert. Par exemple, les musulmans observent des règles strictes pour la préparation des aliments ; si la viande ne peut être apprêtée selon ces règles, ils l'élimineront de leur alimentation. Dans de nombreuses cultures, la femme n'a le droit de consommer que des aliments chauds.

Vêtements

Si la plupart des groupes ethnoculturels n'imposent aucune règle vestimentaire précise durant la grossesse, plusieurs s'attendent à une certaine modestie. Des femmes du sud-ouest du Mexique portent un cordon sous les seins, noué au-dessus de l'ombilic. Ce cordon, appelé *muñeco*, empêcherait les nausées matinales et assurerait un accouchement sans problème. D'autres portent des amulettes, des médailles et autres talismans pour se protéger des esprits malins.

7.2.11 Différence en fonction de l'âge

L'âge des futurs parents peut avoir une influence importante sur leur adaptation physique et psychosociale à la grossesse. Les processus normaux du développement, qui surviennent tant chez les mères très jeunes que chez les mères d'âge mûr, se trouvent interrompus par la grossesse ; ils requièrent donc une adaptation différente à celle-ci, comparativement à ce qui se produit chez la femme qui devient enceinte à un âge plus habituel. Bien que les infirmières doivent reconnaître l'individualité de chaque femme enceinte indépendamment de son âge, les futures mères âgées de 15 ans ou moins ou de 35 ans ou plus présentent des besoins particuliers.

Adolescentes

La grossesse chez les adolescentes est un problème mondial. Au Québec, ces grossesses ont diminué entre 1993 et 2005 de la façon suivante : chez les moins de 15 ans, elles sont passées de 4,4 à 2,7 pour 1 000, représentant une diminution de 38 % ; chez les 15 à 17 ans, elles ont chuté de 25,2 à 17,4 pour 1 000, une diminution de 31 % ; chez les 18 à 19 ans, la diminution a été de 15 %, à savoir de 68,6 à 58,1 pour 1 000. En 1996, le taux québécois de grossesse chez les 15 à 19 ans était de 40,3 pour 1 000 ; ce taux était supérieur à celui de l'Allemagne (18,3 pour 1 000) et de la Suède (25,4 pour 1 000). Par contre, il était inférieur à celui du Royaume-Uni (50,9 pour 1 000) et à celui des États-Unis (85,8 pour 1 000) (MSSS, 2008).

Chez les adolescentes, certaines caractéristiques semblent associées au désir d'avoir un enfant : faible estime de soi, peu d'intérêt pour les études, manque d'ambition. L'absence de contraception est un comportement à haut risque fréquemment associé à d'autres attitudes qui présentent aussi des dangers potentiels, comme une consommation plus élevée de tabac, de drogue ou d'alcool, ou encore un plus fort taux d'absentéisme à l'école. Pour plusieurs des adolescentes adoptant ce type de comportements, avoir un enfant peut représenter un moyen de combler un vide affectif et constituer un projet de vie. Quant aux futurs pères, bon nombre d'entre eux se montrent réfractaires à leurs nouvelles responsabilités et sortent rapidement du réseau de la jeune femme : on estime que le couple se défait habituellement au cours des deux années qui suivent la naissance (MSSS, 2008). Plusieurs programmes de prévention de la grossesse chez les adolescentes ont connu divers degrés de succès. Parmi les caractéristiques de ces programmes qui semblent faire une différence, il faut mentionner ceux qui prennent un engagement soutenu à l'endroit des adolescentes sur une période prolongée, ceux qui impliquent les parents et d'autres adultes de la communauté, ceux qui font la promotion de la contraception et de la responsabilisation personnelle et qui aident les adolescentes à développer une stratégie claire pour atteindre leurs objectifs, par exemple, la fréquentation scolaire ou trouver du travail. Au Québec, le programme OLO (œuf, lait, jus d'orange et supplément de minéraux et de vitamines offerts gratuitement tous les jours aux femmes ayant un faible revenu) a fait ses preuves ; il est aussi souvent associé à un suivi nutritionnel, infirmier et psychosocial tout au long de la grossesse. Ce programme est offert par les CSSS des diverses régions du Québec.

Lorsque les adolescentes deviennent enceintes et qu'elles décident de garder leur enfant, elles sont beaucoup moins susceptibles que les femmes plus âgées de bénéficier de soins prénataux adéquats ; en fait, plusieurs n'en reçoivent pas du tout. Ces jeunes femmes sont aussi plus susceptibles de fumer et d'avoir une prise de poids inadéquate durant leur grossesse. Ces phénomènes, alliés à d'autres facteurs, font en sorte que les nouveau-nés de mères adolescentes sont exposés à un risque beaucoup plus grand de faible poids à la naissance, d'invalidité grave à long terme et de mortalité au cours de la première année de vie (Chedraui, 2008).

Le retard à obtenir des soins prénataux résulte souvent d'un diagnostic de grossesse tardif, du déni de celle-ci ou de la confusion quant aux services offerts. Ce retard laissera trop peu de temps avant la naissance pour régler certains problèmes pourtant résolubles. La très jeune adolescente enceinte est exposée à un risque plus élevé à l'égard des facteurs associés à une issue négative de la grossesse (p. ex., des conditions socioéconomiques précaires) et quant aux maladies liées à une première grossesse, indépendamment de l'âge (p. ex., l'hypertension gravidique). L'infirmière a un rôle très important à jouer pour atténuer les risques et les conséquences négatives d'une grossesse chez l'adolescente, puisque cette dernière voit souvent l'infirmière comme une personne digne de confiance qui lui fournira des renseignements exacts. Celle-ci doit donc favoriser et établir une communication efficace lorsqu'elle prodigue des soins à l'adolescente enceinte (King-Jones, 2008) **PSTI 7.2**.

Jugement clinique

Maeva Hétu, âgée de 13 ans et enceinte de 14 semaines vous apprend que sa mère l'a eue à l'âge de 16 ans. Elle demeure toujours chez sa mère avec ses quatre frères et sœurs. Cette dernière vit de l'aide sociale, élève seule ses enfants et a souvent de la difficulté à les nourrir convenablement.

Quelles sont les données fournies par Maeva qui la rendent admissible à l'aide nutritionnelle offerte par le CSSS de sa région ?

Femmes de plus de 35 ans

On distingue deux groupes de femmes d'âge mûr dans la population féminine qui choisit d'avoir un enfant plus tard au cours des années de fertilité. L'un se compose de celles qui ont plusieurs enfants ou qui ont un autre enfant peu avant la ménopause. L'autre se compose de femmes qui ont délibérément choisi de retarder la venue d'un premier enfant à la trentaine ou au début de la quarantaine.

Femmes multipares

Les femmes multipares n'ont parfois jamais utilisé de contraception, par choix personnel ou parce qu'elles n'en connaissent pas les moyens. Il peut aussi s'agir de femmes qui ont utilisé avec succès des contraceptifs durant leurs années de fertilité, mais qui, à l'approche de la ménopause, ont cessé d'avoir leurs menstruations régulièrement ou ont abandonné les contraceptifs et deviennent enceintes. Les multipares d'âge mûr croient parfois que la grossesse les éloigne de leurs pairs et que

Plan de soins et de traitement infirmiers

PSTI 7.2 Adolescente enceinte

PROBLÈME DÉCOULANT DE LA SITUATION DE SANTÉ	**Déséquilibre nutritionnel** lié à un apport alimentaire insuffisant pour répondre aux exigences métaboliques
OBJECTIF	L'adolescente enceinte maintiendra un apport nutritionnel suffisant pour répondre à ses besoins métaboliques et à ceux du fœtus.
RÉSULTATS ESCOMPTÉS	**INTERVENTIONS INFIRMIÈRES ET JUSTIFICATIONS**
• Gain pondéral adéquat selon son âge • Observance du régime alimentaire recommandé • Résultats d'analyses biochimiques, un hématocrite et un taux d'hémoglobine normaux	• Évaluer l'historique et l'apport alimentaire actuel afin de déterminer les ajouts ou les changements à prescrire. • Comparer le poids avant la grossesse au poids actuel afin de déterminer si la prise de poids concorde avec la croissance et le développement fœtal appropriés. • Fournir des renseignements au sujet des aliments recommandés pour une prise de poids appropriée, en tenant compte des préférences de l'adolescente et de l'influence exercée par ses pairs, afin de corriger toute idée fausse et d'accroître ses chances d'être fidèle au régime alimentaire recommandé. • Inclure la famille immédiate et le réseau social de l'adolescente enceinte durant le counseling pour que la personne qui prépare les repas familiaux prenne connaissance de ces renseignements.
PROBLÈME DÉCOULANT DE LA SITUATION DE SANTÉ	**Risque de complications pour la mère ou le fœtus,** lié à des soins et à un suivi prénatal inadéquat
OBJECTIF	L'adolescente enceinte aura une grossesse sans complications et accouchera d'un nouveau-né en bonne santé à terme.
RÉSULTATS ESCOMPTÉS	**INTERVENTIONS INFIRMIÈRES ET JUSTIFICATIONS**
• Manifestations de comportements appropriés pour réduire les risques associés à sa grossesse • Attitude responsable à l'égard du suivi prénatal	• Fournir des renseignements en respectant les règles de la communication thérapeutique et de la confidentialité pour établir une relation thérapeutique et un lien de confiance solide. • Discuter de l'importance de la continuité des soins prénataux et des risques possibles pour la cliente adolescente et son fœtus afin de rappeler la nécessité d'un suivi régulier pour la santé et le bien-être de la cliente et de son fœtus, même si elle se sent bien. L'adolescente enceinte est exposée à un risque plus grand à l'égard de certaines complications qui sont gérables ou évitables à la condition que les visites prénatales soient respectées. • Discuter des risques associés à la consommation d'alcool, de tabac et de drogues illicites durant la grossesse afin de réduire les risques pour l'adolescente enceinte et son fœtus, parce que le taux de toxicomanie est plus élevé chez la clientèle jeune que dans le reste de la population enceinte. • Évaluer les signes d'ITSS et fournir des renseignements au sujet des pratiques sexuelles plus sécuritaires afin de réduire l'exposition de la cliente et de son fœtus, compte tenu que le risque d'ITSS est plus prépondérant chez la population adolescente. • Faire un dépistage de la prééclampsie sur une base continue afin de réduire le risque étant donné que la population adolescente est exposée à un risque plus élevé de prééclampsie.
PROBLÈME DÉCOULANT DE LA SITUATION DE SANTÉ	**Isolement social** lié aux changements de l'image corporelle chez l'adolescente enceinte
OBJECTIF	L'adolescente enceinte maintiendra des relations sociales adéquates.
RÉSULTATS ESCOMPTÉS	**INTERVENTIONS INFIRMIÈRES ET JUSTIFICATIONS**
• Ouverture à verbaliser sur ses changements physiques • Reconnaissance de personnes et de réseaux de soutien aidants	• Établir un lien thérapeutique afin d'écouter objectivement l'adolescente et d'établir un lien de confiance avec elle. • Discuter avec l'adolescente enceinte des changements qui ont perturbé ses relations par suite de sa grossesse afin de déterminer son degré d'isolement par rapport à sa famille, à ses semblables et au père de l'enfant. • Fournir les adresses et les ressources appropriées selon le stade de développement de l'adolescente pour qu'elle reçoive des renseignements et un soutien appropriés. • Fournir des renseignements sur les cours de préparation à la parentalité, les cours d'allaitement et les cours prénataux pour qu'elle soit mieux renseignée, qu'elle bénéficie d'un groupe d'entraide et pour réduire son isolement social.

PSTI 7.2	Adolescente enceinte *(suite)*
PROBLÈME DÉCOULANT DE LA SITUATION DE SANTÉ	**Altération de la dynamique familiale** liée à la grossesse de l'adolescente
OBJECTIF	Les membres de la famille (et le père de l'enfant) participeront à l'expérience de la grossesse de l'adolescente.
RÉSULTATS ESCOMPTÉS	**INTERVENTIONS INFIRMIÈRES ET JUSTIFICATIONS**
• Volonté des membres de la famille (et du père de l'enfant) de s'impliquer auprès de l'adolescente enceinte • Volonté de l'adolescente d'inclure sa famille (et le père de l'enfant) dans l'expérience de sa grossesse	• Encourager la communication avec les membres de la famille pour clarifier les rôles et les rapports en lien avec la venue de l'enfant. • Encourager la communication avec le père de l'enfant (si l'adolescente le souhaite) afin de déterminer le degré de soutien qu'elle peut en attendre. • Adresser l'adolescente à un groupe de soutien pour qu'elle apprenne des techniques de résolution de problèmes et pour atténuer les conflits au sein de la famille.
PROBLÈMES DÉCOULANT DE LA SITUATION DE SANTÉ	**Altération de l'image corporelle** liée à la grossesse
OBJECTIF	L'adolescente enceinte formulera des commentaires positifs sur son image corporelle durant la grossesse.
RÉSULTATS ESCOMPTÉS	**INTERVENTIONS INFIRMIÈRES ET JUSTIFICATIONS**
• Description de l'évolution des changements physiques liés à la grossesse • Ouverture à discuter de l'impact de ces changements	• Évaluer la perception que l'adolescente enceinte a d'elle-même en lien avec la grossesse afin d'orienter la suite des interventions. • Fournir des renseignements sur les changements qui auront un impact sur le corps de l'adolescente durant la grossesse pour qu'elle entretienne une perception réaliste de ces changements temporaires. • Fournir une occasion de discuter de ses sentiments et de ses inquiétudes personnelles afin de promouvoir la confiance et d'offrir du soutien.
PROBLÈME DÉCOULANT DE LA SITUATION DE SANTÉ	**Risque d'aptitudes faibles à la parentalité** lié à l'immaturité et au manque d'expérience des adolescents devant ce nouveau rôle de parents
OBJECTIF	Le père et la mère adolescents assumeront avec compétence leur rôle de parents.
RÉSULTAT ESCOMPTÉ	**INTERVENTIONS INFIRMIÈRES ET JUSTIFICATIONS**
• Reconnaissance du besoin de consulter des ressources de soutien appropriées pour augmenter leurs habiletés parentales	• Fournir des renseignements sur la croissance et le développement de l'enfant afin que la mère et le père adolescents acquièrent de meilleures connaissances et une base solide pour pouvoir en prendre soin. • Amorcer la discussion sur les soins à l'enfant pour aider les futurs parents à résoudre les problèmes et pour répondre à leurs interrogations. • Évaluer les habiletés parentales de la mère et du père adolescents pour donner les bases de l'éducation de l'enfant. • Diriger les parents adolescents vers des cours prénataux pour développer leurs habiletés parentales, pour qu'ils se renseignent et obtiennent du soutien afin de pouvoir bien prendre soin de leur enfant. • Aider les parents adolescents à se diriger vers les réseaux de soutien adaptés pour obtenir de l'aide, au besoin.

leur âge constitue un obstacle à l'établissement de liens étroits avec les mères plus jeunes. D'autres parents accueillent avec bienveillance la grossesse imprévue, qui leur permet de continuer de jouer leur rôle de mère et de père.

Femmes primipares

Le nombre de premières grossesses chez les femmes âgées de 35 à 40 ans a augmenté de façon importante depuis une vingtaine d'années (MSSS, 2008). Il n'est plus inhabituel pour les services de santé d'accueillir des femmes étant enceintes de leur premier enfant à la fin de la trentaine ou au début de la quarantaine. Le désir de faire des études, les priorités professionnelles et l'utilisation de meilleures mesures contraceptives figurent parmi les raisons invoquées pour retarder la grossesse. Les femmes infertiles ne retardent pas la grossesse délibérément, mais elles peuvent devenir enceintes plus tard, après avoir subi des tests et des traitements pour l'infertilité.

Ces femmes choisissent la parentalité. Dans bien des cas, elles connaissent un succès professionnel et social certain, elles ont un conjoint et peuvent prendre soin d'elles; nombre d'entre elles possèdent une maison, ont accumulé des biens et sont libres de voyager. Lorsqu'on leur demande pourquoi elles ont choisi de devenir enceintes plus tard au cours de leur vie, elles répondent dans bien des cas que c'est parce que « le temps passe ».

Le principal dilemme consiste à reconnaître qu'être un parent aura des effets positifs et négatifs. Les couples doivent discuter des conséquences de la grossesse et de l'éducation de l'enfant avant de s'engager dans cette expérience de toute une vie. Ces couples semblent partager la préparation à la parentalité, planifier ensemble un accouchement centré sur la famille et ont le même désir d'être des parents aimants et compétents ; toutefois, la réalité des soins à l'enfant se révèle dans certains cas difficile pour eux.

Grossesse multiple : Grossesse durant laquelle plus de un fœtus se forment simultanément dans l'utérus ; gestation multiple.

6

La diastase des muscles grands droits abdominaux est abordée dans le chapitre 6, *Anatomie et physiologie de la grossesse*.

Les primipares de plus de 35 ans choisissent « le bon temps » pour la grossesse. Elles savent que le risque d'infertilité ou d'anomalies congénitales chez les nouveau-nés croît avec l'âge de la mère, ce qui influe sur leur choix. Ces femmes veulent se renseigner sur la grossesse. Pour ce faire, elles lisent, parlent avec des amies et consultent divers sites Internet. Elles posent des gestes concrets pour prévenir les anomalies fœtales et tiennent à obtenir les meilleurs soins obstétricaux possible. Elles ciblent les sources de stress dans leur vie et se demandent si elles auront suffisamment d'énergie et de dynamisme pour répondre aux demandes de la parentalité, de leurs nouveaux rôles et de leurs relations.

Certaines femmes d'âge mûr qui deviennent enceintes après un traitement pour infertilité développent subitement des sentiments négatifs ou de l'ambivalence à l'endroit de leur grossesse. Les grossesses multiples occasionnent parfois des problèmes émotionnels et physiques. S'ajuster au rôle de parent de deux nouveau-nés ou plus requiert une bonne capacité d'adaptation et des ressources additionnelles.

Durant la grossesse, les parents explorent les possibilités et les responsabilités inhérentes aux changements d'identité et de rôles. Ils doivent créer un environnement sécuritaire et épanouissant durant la grossesse et après l'accouchement. Ils devront en outre intégrer l'enfant à la cellule familiale existante et négocier les nouveaux rôles (parents, frères et sœurs, grands-parents) pour tous les membres de la famille.

Les issues défavorables de la grossesse s'observent plus fréquemment chez les primipares d'âge mûr que chez les femmes jeunes, même si elles ont reçu de bons soins prénataux. Selon Suplee, Dawley et Bloch (2007), les femmes de 35 ans et plus sont plus susceptibles que les primipares moins âgées d'accoucher d'un nouveau-né de faible poids à la naissance, d'accoucher prématurément et d'avoir une grossesse multiple. La survenue de telles complications crée un stress non négligeable chez les nouveaux parents, d'où l'importance pour eux de bénéficier d'interventions infirmières axées sur la transmission de renseignements, sur le soutien psychosocial, de même que sur les soins physiques. De plus, les femmes de 35 ans et plus sont exposées à un risque accru de mortalité maternelle. Les décès liés à la grossesse résultent de problèmes hémorragiques, infectieux, emboliques, de troubles hypertensifs de la grossesse, de myocardiopathie et d'accident vasculaire cérébral (Johnson *et al.*, 2007).

7.2.12 Grossesse multiple

En cas de **grossesse multiple**, la mère et les fœtus sont exposés à un risque accru de complications. Le volume sanguin de la mère augmente, ce qui peut imposer une fatigue supplémentaire à son système cardiovasculaire. On observe souvent un problème d'anémie causée par la demande accrue en fer des fœtus et, dans certains cas, une distension marquée de l'utérus et une augmentation de la pression exercée sur les viscères adjacents et sur le réseau vasculaire pelvien ainsi qu'une diastase des deux muscles grands droits abdominaux ▶ 6. Le placenta praevia est une complication plus fréquente dans les cas de grossesse multiple en raison de la taille volumineuse et du positionnement des placentas (Gilbert, 2007). Le décollement prématuré du placenta peut survenir avant la naissance du second fœtus et des suivants.

Les grossesses gémellaires aboutissent dans bien des cas à la prématurité. La rupture spontanée des membranes avant terme se produit fréquemment. Les malformations congénitales sont deux fois plus courantes chez les jumeaux monozygotes que chez les nouveau-nés seuls, bien que l'on n'ait noté aucune augmentation de la fréquence des anomalies congénitales chez les jumeaux dizygotes. De plus, les cordons à deux vaisseaux, c'est-à-dire des cordons renfermant une veine et une seule artère ombilicale plutôt que deux, compliquent plus souvent les grossesses gémellaires que les grossesses simples, mais cette anomalie s'avère plus fréquente chez les jumeaux monozygotes. Le diagnostic clinique de grossesse multiple est exact dans environ 90 % des cas **ENCADRÉ 7.13**.

Le diagnostic de grossesse multiple bouleverse certains futurs parents, et plusieurs auront besoin d'un soutien additionnel et de renseignements pour les aider à s'adapter aux changements que cela implique. La mère a besoin d'un counseling nutritionnel pour prendre plus de poids que s'il s'agissait d'une grossesse simple. L'infirmière devra lui donner un enseignement sur les adaptations qui pourraient être plus complexes et sur les risques d'accouchement prématuré.

En cas de grossesse multiple, la mère et les fœtus sont exposés à un risque accru de complications.

Si la présence de plus de trois fœtus est diagnostiquée, les parents peuvent recevoir un counseling au sujet d'une réduction fœtale sélective afin de diminuer le risque d'accouchement prématuré et d'améliorer les chances que les fœtus restants se rendent à terme (Cleary-Goldman, Chitkara & Berkowitz, 2007). Cette situation peut poser un dilemme éthique pour les couples, surtout ceux qui ont déployé beaucoup d'efforts pour surmonter des problèmes d'infertilité ou qui ont de fortes convictions au sujet du droit à la vie. Il sera important d'engager la discussion afin de présenter aux futurs parents les personnes-ressources susceptibles de les aider (p. ex., un aumônier, un prêtre, un thérapeute) à prendre une décision éclairée, car le processus décisionnel et l'intervention elle-même génèrent un stress. La plupart des femmes éprouveront des sentiments de culpabilité, de colère et de tristesse, mais la plupart pourront faire leur deuil et établiront un lien avec le ou les fœtus restants (Cleary-Goldman *et al.*, 2007). En 2009, le Québec a légiféré sur la procréation assistée (Gouvernement du Québec, 2009). Chez les mères âgées de 37 ans et moins qui n'ont pas d'historique de cycle de fécondation *in vitro* négatif, un seul embryon est transféré dans la cavité utérine pour un total de trois essais. Selon la législation, en ce qui concerne les femmes âgées de 37 à 42 ans, il est suggéré de transférer deux embryons pour un total de trois essais.

Dans les cas de grossesses multiples, les soins prénataux prodigués aux femmes comportent certaines modifications par rapport aux soins habituels et tiennent compte d'éléments particuliers, par exemple en ce qui a trait au gain pondéral et à l'apport nutritionnel. Souvent, ces femmes ont des visites prénatales toutes les deux semaines au cours du deuxième trimestre et toutes les semaines par la suite. On prévoit des examens échographiques à 18 ou 20 semaines, puis toutes les 3 à 4 semaines pour vérifier la croissance des fœtus et le volume de liquide amniotique (Cleary-Goldman *et al.*, 2007). Dans les grossesses multiples, le gain pondéral recommandé se situe entre 16 et 20 kg. On conseillera des suppléments de fer et de vitamines étant donné que les cas de prééclampsie et d'éclampsie augmentent dans ces grossesses. L'infirmière travaillera activement à prévenir, à reconnaître et à traiter ces complications de la grossesse.

L'importante distension utérine qui se produit peut provoquer des dorsalgies plus intenses que dans le cas d'une grossesse normale. Les femmes peuvent porter des bas de contention pour limiter leurs varices aux jambes. En présence de facteurs de risque tels que l'ouverture prématurée du col ou des saignements, l'abstinence de toute activité orgasmique et de stimulation des mamelons durant le dernier trimestre contribuera à prévenir le déclenchement prématuré du travail. Certains médecins recommandent le repos au lit dès la 20e semaine chez les femmes qui présentent une grossesse multiple afin de prévenir le déclenchement prématuré du travail. D'autres remettent en question la valeur d'un repos au lit prolongé. Si l'on recommande le repos au lit, la mère doit s'étendre sur le côté (décubitus latéral gauche) pour favoriser la perfusion placentaire. Si l'accouchement a lieu après la 36e semaine, le risque de morbidité et de mortalité diminue chez les nouveau-nés.

La venue de plusieurs nouveau-nés génère un stress financier, demande plus d'espace, alourdit les tâches et impose un stress d'adaptation à la femme et à la famille. Des changements au style de vie s'imposent souvent. Les parents auront besoin d'aide pour faire des plans réalistes en ce qui concerne les soins aux nouveau-nés (p. ex., les allaiter ou non, les élever tous de la même façon ou comme des personnes distinctes). L'infirmière dirigera les parents vers des organismes nationaux et locaux pour une aide supplémentaire.

ENCADRÉ 7.13 Signes et facteurs de probabilités d'une grossesse multiple

SIGNES

- Croissance utérine plus rapide comparativement au nombre de semaines de gestation
- Polyhydramnios
- Palpation d'un nombre plus grand que prévu de parties petites ou volumineuses
- Battements cardiaques fœtaux asynchrones ou plus de un tracé électrocardiographique fœtal
- Signe échographique de la présence de plus de un fœtus

FACTEURS AUGMENTANT LA PROBABILITÉ

- Antécédents de jumeaux dizygotes dans la lignée maternelle
- Recours à des traitements de fertilité

L'Association de parents de jumeaux et triplés de la région de Montréal (www.apjtm.com), l'Association de parents de jumeaux et plus de la région de Québec (www. apjq.net) ainsi que la Ligue La Leche (www.allaitement.ca/main.php) peuvent être de bonnes ressources pour les parents qui vivent une grossesse multiple.

7.3 Enseignement sur l'accouchement et sur la périnatalité

L'objectif d'un enseignement sur l'accouchement et sur la périnatalité est d'aider les futurs parents et les membres des familles à faire des choix éclairés et sécuritaires en ce qui concerne la grossesse, l'accouchement et les débuts de la parentalité. Cet enseignement a aussi pour but de les sensibiliser au potentiel de réalisation personnelle à long terme que peut procurer l'expérience de l'accouchement dans la vie d'une femme et à l'impact des premiers mois de vie sur le développement de l'enfant et de la famille. Le programme d'enseignement périnatal est la suite logique de la mise en place des premiers cours prénataux, qui offraient à l'origine une série de cours pendant le troisième trimestre de la

Le site Web de la SOGC contient de l'information sur l'accouchement vaginal après une césarienne, dont un pratique dépliant d'éducation publique sur le sujet, au www.sogc.org/health/pdf/vbac_f.pdf.

grossesse afin de préparer les parents à l'accouchement. De nos jours, le programme d'enseignement périnatal comporte diverses séries de cours et d'activités qui peuvent précéder la conception et s'étendre jusqu'aux premiers mois de vie du nourrisson.

L'enseignement aura pour but de promouvoir la santé dans un contexte qui rappelle qu'un corps en bonne santé s'adapte plus facilement aux changements inhérents à la grossesse. S'ils ne sont pas axés sur la santé, les soins de routine et le dépistage des risques peuvent alimenter la perception des familles selon laquelle la grossesse est un état morbide plutôt qu'un événement normal qui fait appel aux forces de l'esprit, du corps et de l'intelligence.

Parmi les décisions qu'analyse la famille, il y a tout d'abord celle d'avoir un enfant, puis le choix du professionnel de la santé et du type de soins (modèle sage-femme [naturel] versus modèle médical [interventionniste]), du lieu de l'accouchement (hôpital, maison de naissance, domicile) et de la méthode d'alimentation du nourrisson (allaitement ou biberon) et de soins. Si une femme a subi antérieurement une césarienne, elle peut envisager un accouchement naturel. L'enseignement périnatal aidera les familles à prendre des décisions éclairées sur ces questions.

Les expériences antérieures de grossesse et d'accouchement sont d'importants éléments qui influent sur les besoins actuels en matière d'information. On évaluera l'âge, les caractéristiques ethnoculturelles, la philosophie personnelle en ce qui a trait à l'accouchement, le statut socioéconomique, les croyances spirituelles et les styles d'apprentissage de la femme (et de la personne qui l'aidera) pour concevoir un plan adapté aux besoins de la future mère.

Dans la plupart des cas, la femme enceinte et son conjoint participent à des cours prénataux, bien que parfois un ami, une fille adolescente ou un parent s'acquittent du rôle de personne aidante **FIGURE 7.23**. Souvent, les frères et sœurs visionnent un film sur l'accouchement, et ils apprennent ce qu'ils peuvent faire dans la mesure de leurs moyens pour souligner l'arrivée du nouveau-né. Ils apprennent aussi à s'adapter aux changements, qui incluent une disponibilité moindre de leurs parents. On renseigne les grands-parents sur les pratiques actuelles en matière de puériculture et sur la façon d'aider leurs enfants adultes à s'adapter à leur rôle de parents de manière constructive.

FIGURE 7.23
Exercices de relaxation en famille

7.3.1 Programmes prénataux

Lorsque la femme y est bien préparée et qu'elle reçoit de l'aide, l'accouchement représente une occasion unique et marquante de découvrir ses forces intérieures, d'une façon qui modifiera à tout jamais sa perception d'elle-même. Il faut aussi se rappeler que les futurs parents et leurs familles ont des champs d'intérêt et des besoins d'information différents à mesure que la grossesse avance.

Les cours offerts en début de grossesse fournissent des renseignements fondamentaux. Les contenus de ces cours gravitent autour des thèmes suivants :

- le développement embryonnaire ;
- les changements physiologiques et émotionnels inhérents à la grossesse ;
- la sexualité humaine ;
- les besoins nutritionnels de la mère et du fœtus.

Ces cours mentionnent souvent les risques environnementaux et professionnels. On y aborde également des sujets d'intérêt ou préoccupants, tels que l'exercice, la nutrition, les signaux d'alarme, les drogues et l'automédication.

Au milieu de la grossesse, les cours insistent sur la participation de la femme à l'autosoin. Ils fournissent des renseignements sur la préparation à l'allaitement, les préparations commerciales pour nourrissons, les soins au nouveau-né, l'hygiène de base, les symptômes fréquents et les remèdes sécuritaires, la santé du nourrisson, la parentalité, et la mise à jour et le raffinement du plan de naissance.

Les cours prénataux en fin de grossesse portent davantage sur le travail et l'accouchement. Diverses méthodes pour s'y préparer sont souvent présentées dans ces cours, par exemple, Lamaze, Bradley et Dick-Read. Les cours incluent généralement une visite à l'hôpital.

Cours prénataux actuels

Diverses approches ont été mises au point pour prodiguer de l'enseignement aux parents. Les cours prénataux ont évolué à mesure que les éducatrices tentaient de répondre aux besoins de formation de leur clientèle. En plus des cours conçus spécifiquement pour les adolescentes enceintes, leurs partenaires ou leurs parents, il existe des cours pour d'autres groupes ayant des besoins d'apprentissage particuliers. Par exemple, des cours particuliers peuvent être donnés à domicile. Les cours de mise au point pour les parents qui ont déjà des enfants passent en revue non seulement les techniques de préparation au travail et à l'accouchement, mais aident aussi les couples à se préparer aux réactions et à l'adaptation des frères et sœurs à la venue du nouveau-né. Des cours de préparation à la césarienne sont aussi offerts aux couples qui ont recours à ce type d'accouchement planifié en raison d'une position du siège ou d'autres facteurs de risque. D'autres cours s'attardent à l'accouchement par voie naturelle après une césarienne, parce que de nombreuses femmes peuvent avoir ce type d'accouchement, malgré les risques de rupture utérine.

Tous ces types de cours prévoient une discussion sur les réseaux d'entraide auxquels les participants peuvent faire appel durant la grossesse et après l'accouchement. Ces réseaux aident les parents à rester autonomes et efficaces. Durant tous ces cours, on encourage les futurs parents à exprimer leurs sentiments et leurs craintes sur tous les aspects de la grossesse, de l'accouchement et de leur rôle de mère et de père.

Gestion de la douleur

La crainte des douleurs de l'accouchement est une question clé pour les femmes enceintes et la raison qu'elles invoquent souvent pour participer à des cours prénataux. De nombreuses études montrent que les femmes qui ont suivi des cours prénataux ne font pas état de douleurs moins intenses, mais d'une capacité plus grande à les tolérer durant le travail et l'accouchement et d'une satisfaction plus grande à l'égard de celui-ci, comparativement aux femmes qui n'ont pas reçu ce type de préparation. Donc, même si les stratégies de gestion de la douleur sont une composante essentielle de l'enseignement prénatal, la suppression complète de la douleur n'est ni une source importante de satisfaction ni un objectif en soi durant l'accouchement. Une forme de maîtrise durant l'accouchement, c'est-à-dire la participation au processus décisionnel, a de tout temps constitué une source importante de satisfaction à l'endroit de cette grande expérience qui consiste à donner la vie.

Les couples ont besoin d'information sur les avantages et les inconvénients des antidouleurs et des autres techniques pour mieux affronter le travail. L'accent mis sur les stratégies de prise en charge non pharmacologiques de la douleur aide les couples à gérer le travail et l'accouchement avec plus de confort. La plupart des intervenants offrant les cours enseignent une approche souple, qui aide les couples à apprendre et à maîtriser de nombreuses techniques utiles durant le travail. Ils apprennent des techniques comme le massage, la pression exercée à la paume des mains ou la plante des pieds, les compresses chaudes au périnée et le massage périnéal, les applications de chaleur ou de froid, les exercices de respiration et la focalisation de l'attention sur des stimuli visuels ou autres pour faciliter la préparation et réduire la détresse causée par la douleur du travail ▶ 10.

Choix de soins périnataux

Souvent, la première décision que prend la femme est le choix du professionnel de la santé qui verra à la grossesse et à l'accouchement. Cette décision est doublement importante, puisqu'elle a une influence sur l'endroit où l'accouchement se déroulera.

L'organisme Coalition for Improving Maternity Services (2000), un groupe de plus de 50 organisations américaines de soins infirmiers et de soins à la mère, a préparé un document pour aider les femmes à choisir leurs soins périnataux. On les encourage à poser les questions suivantes aux professionnels de la santé.

- Qui peut être avec moi durant le travail et l'accouchement?
- Comment se déroulent le travail et l'accouchement normalement dans votre établissement?
- Quelle place faites-vous aux différences de nature ethnoculturelle et religieuse?
- Vais-je pouvoir marcher et me déplacer durant le travail? Quelle position suggérez-vous pour l'accouchement?
- Comment vous assurez-vous que tout se passe en douceur lorsque mon infirmière, mon médecin ou ma sage-femme travaillent les uns avec les autres?
- Quels traitements administrez-vous normalement à une femme en travail?
- Comment aidez-vous les mères à être le plus à l'aise possible? Outre les médicaments, quelles méthodes utilisez-vous pour soulager les douleurs au cours du travail?
- Qu'arrivera-t-il si mon bébé naît prématurément ou s'il présente des problèmes particuliers?
- Sur demande, pratiquez-vous la circoncision chez les nouveau-nés?
- Comment aidez-vous les mères qui souhaitent allaiter?

Les méthodes naturelles et pharmacologiques pour gérer les malaises et la douleur au cours du travail et leur enseignement à la cliente sont abordées en détail dans le chapitre 10, *Gestion de la douleur*.

Depuis 2011, il existe, au Canada, l'Association canadienne des infirmières et infirmiers en périnatalité et en santé des femmes (CAPWHN). Cette association permet aux infirmières de trouver de l'information actuelle et d'échanger avec des collègues de partout au Canada (www.capwhn.ca).

7.4 Options en matière de professionnels de la santé

7.4.1 Médecin

Les médecins (obstétriciens, médecins de famille) sont présents dans 91,6 % des naissances au Canada et aux États-Unis (Martin *et al.*, 2007). Ils assurent le suivi de clientes à risque faible et élevé. Les soins incluent souvent la prise en charge pharmacologique et médicale des problèmes, de même que le recours à la technologie. Les médecins de famille ont parfois besoin de l'aide des obstétriciens en cas de complication (p. ex., une césarienne). La plupart des médecins accouchent leurs clientes dans un contexte hospitalier.

7.4.2 Sage-femme autorisée

Au Québec, les sages-femmes autorisées reçoivent une formation universitaire de quatre ans offerte à l'Université du Québec à Trois-Rivières **FIGURE 7.24**. Cette profession est distincte de celle des soins infirmiers. Toutefois, leur processus de certification est géré par l'Ordre des sages-femmes du Québec. Elles adressent leurs clientes à des médecins en cas de problème. Une majorité des naissances qui se déroulent sous la supervision de sages-femmes ont lieu dans les maisons de naissance, mais elles peuvent aussi aider les femmes à accoucher à leur domicile ou à l'hôpital.

L'organisme Mère et Monde offre une formation en accompagnement à la naissance décrite sur son site Web www.formationdoula.com.

7.4.3 Doula

Une **doula**, ou une accompagnante à la naissance, est professionnellement formée pour aider les femmes et leurs conjoints durant le travail et l'accouchement, ce qui inclut un soutien physique, émotionnel et informationnel. La doula ne participe pas aux tâches cliniques (Doulas of North America, 2008a). De nos jours, beaucoup de couples, peu importe le type de cours prénataux suivis, engagent aussi une doula qui les aidera durant le travail. Une revue Cochrane regroupant 16 essais cliniques menés auprès de 13 391 femmes a révélé qu'un « soutien continu durant le travail, comme celui que procurent les doulas, réduit la probabilité que la femme ait recours à des antidouleurs, accroît sa satisfaction et améliore ses chances d'avoir un accouchement spontané et ne comporte aucun risque connu » (Hodnett, Gates, Hofmeyr, & Sakala, 2007) (Traduction libre).

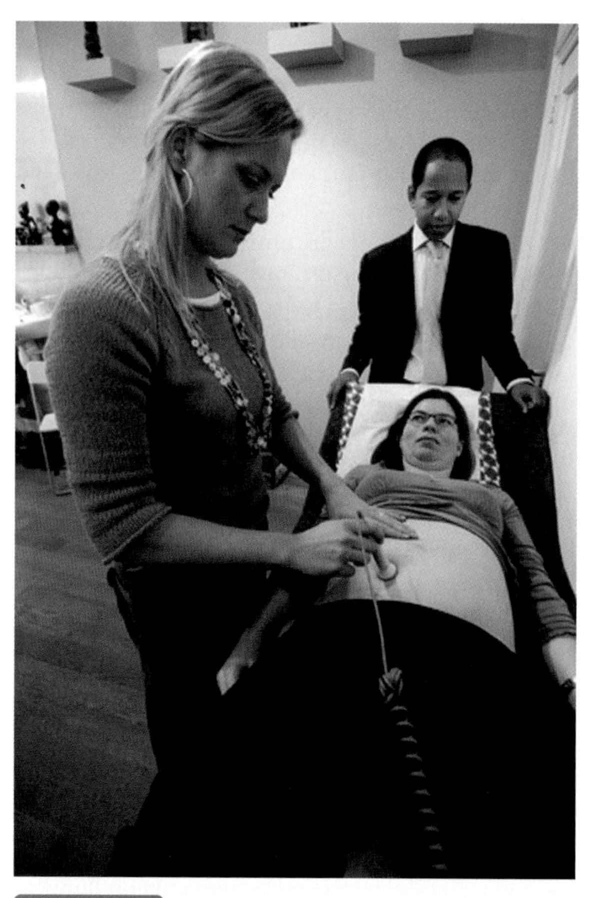

FIGURE 7.24
Au Québec, les sages-femmes sont maintenant autorisées à pratiquer des accouchements.

En général, une doula rencontre la femme et son conjoint ou son partenaire avant le travail. À cette occasion, elle vérifie les attentes et les souhaits de la femme en ce qui concerne l'expérience de l'accouchement. Se fiant à ces renseignements, la doula concentre ses efforts à aider la femme à atteindre ses objectifs durant le travail et l'accouchement. Les doulas travaillent en collaboration avec les autres professionnels de la santé et avec le conjoint ou une autre personne significative, mais leur objectif principal est d'aider la femme.

On trouve les doulas auprès des ressources communautaires, des autres professionnels de la santé ou des éducatrices prénatales ; plusieurs organismes offrent des renseignements et des services de consultation. La future mère doit se sentir à l'aise avec la doula qui prendra soin d'elle. Des questions à poser au moment de réserver les services d'une doula sont suggérées dans l'**ENCADRÉ 7.14**. Bien que le rôle de la doula ait d'abord été celui d'une assistante durant le travail, certaines femmes bénéficient de son aide également pendant la période postnatale. On assiste à un accroissement graduel du petit nombre de doulas postnatales qui fournissent leur aide à la nouvelle mère à mesure qu'elle apprend à prendre soin du nouveau-né, à le nourrir et à s'acquitter des autres tâches maternelles.

7.5 Plan de naissance

Une fois le choix du professionnel en soins obstétricaux arrêté, il faut prendre plusieurs autres décisions pendant l'année périnatale. Beaucoup de professionnels de la santé de ce domaine encouragent les futurs parents à mettre au point un plan de naissance pour cibler leurs options et établir leurs priorités. Le plan de naissance découle naturellement d'un mode de vie contemporain axé sur le bien-être et caractérisé par le fait que les clients prennent la responsabilité de leur propre santé. Pour certaines personnes, l'utilisation de cette approche en soins prénataux aura une influence sur leur façon de concevoir les soins de santé tout au long de leur vie. Le plan d'accouchement est un outil par lequel les parents peuvent explorer leurs options en matière d'accouchement et choisir celles qui leur paraissent les plus importantes. Il faut percevoir le plan comme provisoire, puisque les choses pourraient se dérouler autrement pendant le travail et l'accouchement. Il s'agit d'une liste de préférences fondée sur le scénario le plus favorable ▶ 12.

ENCADRÉ 7.14 Questions à poser au moment de choisir une doula

- Quelle formation avez-vous suivie?
- Parlez-moi de votre expérience d'accouchements, à titre personnel et à titre de doula.
- Quelle est votre philosophie quant à l'accouchement, à l'aide à fournir aux femmes et à leur conjoint pendant le travail?
- Pouvons-nous nous rencontrer pour discuter des plans de naissance et du rôle que vous jouerez pour m'aider pendant l'accouchement?
- Pouvons-nous vous appeler si nous avons des questions ou des inquiétudes avant et après l'accouchement?
- À quel moment rejoignez-vous les femmes en travail? Vous présentez-vous à leur domicile ou les rencontrez-vous à l'hôpital?
- Nous rencontrez-vous après l'accouchement pour faire un retour sur son déroulement et pour répondre à nos questions?
- Travaillez-vous avec une ou plusieurs autres doulas qui seraient disponibles au cas où vous ne le seriez pas? Pouvons-nous les rencontrer?
- Quel est votre tarif?

Source: Adapté de Doulas of North America (2008b).

7.6 Choix du lieu de l'accouchement

À condition d'être bien planifiés, les soins obstétricaux centrés sur la famille ou sur la femme peuvent s'appliquer dans n'importe quel contexte. De nos jours, les trois principales options en ce qui concerne le lieu de l'accouchement sont les suivantes: hôpital, maison de naissance et domicile. Les femmes tiennent compte de plusieurs facteurs au moment de choisir le lieu de leur accouchement, ce qui inclut le choix du professionnel de soins obstétricaux à qui elles feront appel et les caractéristiques de la salle d'accouchement. Au Canada en 2008, 98,7 % des naissances avaient lieu dans les hôpitaux, et 1 % des suivis de grossesse étaient assurés par des sages-femmes (Berthiaume, 2010). Toutefois, le travail lui-même et les services obstétricaux varient considérablement d'un établissement à l'autre, allant des salles de travail et d'accouchement classiques dotées d'unités postpartum et néonatales séparées, à des centres de naissance hospitaliers où la totalité des soins ou presque sont prodigués dans une seule et même unité.

7.6.1 Salle de travail, d'accouchement, de rétablissement et de postpartum

Les salles de travail, d'accouchement et de rétablissement offrent aux familles un espace privé et confortable en vue de l'accouchement. Certaines salles comprennent aussi du mobilier pour la période postnatale du séjour de la mère **FIGURE 7.25**. Généralement, les femmes sont admises dans une unité de travail, d'accouchement et de rétablissement et y passeront la première ou les deux premières heures de leur période postnatale pour observation immédiate et pour qu'elles aient le temps, avec leur famille, de tisser des liens avec le nouveau-né. Après cette période de rétablissement, les mères et les nouveau-nés se rendent dans une unité postnatale où se trouve la pouponnière ou dans une unité mère-enfant pour la durée de leur séjour.

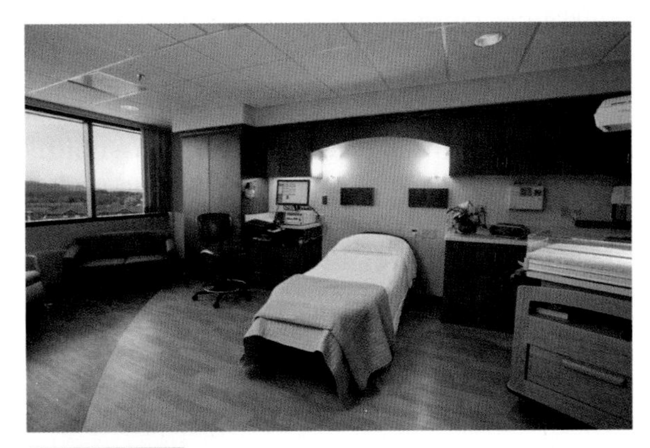

FIGURE 7.25
Unité de travail, d'accouchement, de rétablissement et de postpartum. Noter à l'arrière-plan le divan qui se convertit en lit.

Dans les unités de travail, d'accouchement, de rétablissement et de postpartum, le personnel infirmier prodigue en général l'ensemble des soins à partir de l'admission de la cliente jusqu'au congé. La femme et sa famille peuvent séjourner dans cette unité de 6 à 48 heures après l'accouchement. La durée du congé précoce à la suite d'un accouchement peut varier d'une province à l'autre. Ces unités sont meublées de manière à donner l'impression d'un domicile, tout comme les unités de travail, d'accouchement et de rétablissement, mais elles comptent en outre des installations pour les proches qui souhaitent passer la nuit.

Les deux types d'unités disposent de moniteurs fœtaux, d'équipement de réanimation en cas d'urgence pour la mère et le nouveau-né et d'incubateurs pour celui-ci. Ces équipements se trouvent souvent hors de la vue, dissimulés dans des armoires ou des cabinets lorsqu'on ne les utilise pas.

7.6.2 Maison de naissance

Les maisons de naissance se trouvent généralement dans des édifices distincts des hôpitaux, mais à proximité au cas où la femme ou le nouveau-né auraient besoin d'y être transférés. Ces maisons

12 Le plan de naissance est abordé plus en détail dans le chapitre 12, *Soins infirmiers de la famille pendant le travail et l'accouchement.*

offrent aux familles une solution de rechange sûre à l'accouchement à l'hôpital ou à domicile. Environ 300 naissances par année ont lieu dans chacune des 12 maisons de naissance du Québec (Ordre des sages-femmes du Québec, 2008a). Des sages-femmes sont rattachées à ces maisons et ont la possibilité d'exercer également à l'hôpital local. Seules les femmes présentant peu de risque de complications peuvent y recourir. Toutes les clientes doivent suivre des cours prénataux. On admet la famille dans une maison de naissance pour le travail et l'accouchement et pour une petite partie de la période postnatale, c'est-à-dire, dans bien des cas, jusqu'à environ six heures après la naissance du nouveau-né.

Les maisons de naissance sont généralement équipées comme une maison, ce qui inclut un lit à deux places pour le couple et un berceau pour le nouveau-né **FIGURE 7.26**. Les appareils et médicaments d'urgence se trouvent généralement dans des armoires hors de la vue, mais facilement accessibles. Chaque chambre de naissance a sa propre salle de bain privée. L'établissement peut aussi offrir l'accès à un salon pour les premiers stades du travail et une cuisinette.

Les services offerts par les maisons de naissance autonomes incluent ceux requis pour une prise en charge sécuritaire de tout le cycle de la naissance. Les clientes doivent comprendre que certaines situations justifient un transfert à l'hôpital, et elles doivent accepter d'observer ces règles.

Les maisons de naissance, tout comme les hôpitaux dotés d'unités obstétricales complètes, peuvent mettre des ressources à la portée des parents, par exemple les services d'une bibliothèque où l'on trouve des livres et des DVD, des dossiers sur des thèmes connexes ou de la documentation de référence pour les éducatrices en soins prénataux. Les centres de documentation disposent parfois aussi de banques de ressources communautaires qui offrent des services en lien avec l'accouchement et les premiers mois de vie, ce qui inclut des groupes d'entraide (p. ex., pour les mères célibataires, pour la période postnatale, pour les parents de jumeaux), le counseling génétique et les questions féminines. On verra à avoir accès rapidement à des services ambulanciers ou à des interventions d'urgence en cas de besoin. Le coût d'un accouchement dans une maison de naissance est remboursé intégralement par la Régie de l'assurance maladie du Québec.

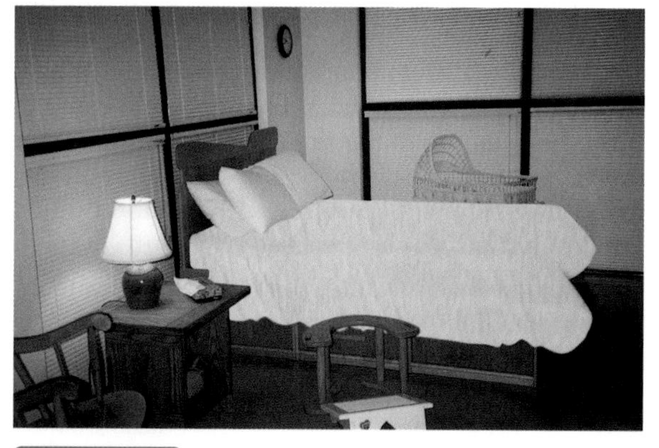

FIGURE 7.26
Chambre de naissance. Noter le lit à deux places, le tabouret d'accouchement et le berceau pour nouveau-né, qui offrent à la famille un environnement confortable.

7.6.3 Accouchement à domicile

L'accouchement à domicile a toujours connu une grande popularité dans certains pays comme la Suède et les Pays-Bas. Dans les pays en développement, la plupart des femmes enceintes n'ont pas accès à des hôpitaux ou à des établissements adéquats. Elles doivent donc accoucher chez elles. En Amérique du Nord, l'accouchement à domicile représente environ 65 % du 1,3 % de naissances qui surviennent hors de l'hôpital (Martin *et al.*, 2007).

L'un des avantages de l'accouchement à domicile est que la famille gère l'expérience. L'accouchement peut aussi être plus physiologiquement normal dans un environnement familial. La mère sera plus détendue qu'elle ne le serait à l'hôpital. Les professionnels de la santé qui participent à l'accouchement à domicile ont tendance à offrir des services axés sur le soutien plutôt que sur les interventions. La famille peut participer et aider à l'heureux événement et établir immédiatement un contact étroit avec le nouveau-né. Les infections graves seraient moins fréquentes lorsque les principes d'asepsie stricts sont respectés. Par ailleurs, l'un des inconvénients de l'accouchement à domicile est qu'en cas de complications durant le travail ou l'accouchement lui-même, un transfert rapide vers un hôpital peut poser problème. L'Ordre des sages-femmes du Québec applique la recommandation émise par la SOGC aux médecins et aux sages-femmes qui assistent à des accouchements. Ceux-ci doivent demeurer à moins de 30 minutes de l'hôpital lorsqu'ils sont de garde. Au Canada, une norme implicite découle de cette directive. Une femme qui accouche devrait pouvoir accéder à des soins médicaux dans un délai maximal de 30 minutes. Il serait important que la femme ou le couple discutent avec la sage-femme des implications et des conséquences possibles d'un délai dans le transport vers un centre hospitalier sur la santé de la mère ou celle de son enfant (Ordre des sages-femmes du Québec, 2008b).

Analyse d'une situation de santé

Jugement **clinique**

Madame Sophia Maltais, âgée de 27 ans, est enceinte de 12 semaines de son deuxième enfant. Cette grossesse était désirée par la cliente et son conjoint. Son premier enfant est né il y a 3 ans, à 39 semaines de grossesse. Elle a allaité sa petite fille pendant trois jours, car elle tenait à lui donner le colostrum seulement. Son conjoint l'aide beaucoup avec sa petite fille à la maison. La nouvelle de la grossesse a été accueillie avec joie par tous les membres de la famille élargie. Madame Maltais n'a pas encore dit à sa fille qu'elle aurait un petit frère ou une petite sœur ; elle redoute un peu sa réaction. Le début de la grossesse se déroule bien, à part quelques nausées matinales, qui viennent de cesser depuis cinq jours. ▶

SOLUTIONNAIRE

www.cheneliere.ca/lowdermilk

7

MISE EN ŒUVRE DE LA DÉMARCHE DE SOINS

Collecte des données – Évaluation initiale – Analyse et interprétation

1. Madame Maltais vous avise que sa DDM est le 5 mai 2012. Calculez la DPA.
2. Pour procéder à l'évaluation initiale de madame Maltais, indiquez au moins six points à détailler dans l'anamnèse de la cliente.
3. Sachant que la fille de madame Maltais a trois ans et en tenant compte de son développement, comment devrait-elle réagir à la grossesse de sa mère ?
4. Quel problème anticipez-vous pour la fillette de madame Maltais ?

Planification des interventions – Décisions infirmières

5. Nommez au moins cinq moyens que la cliente pourrait prendre pour bien préparer sa fille à l'arrivée du nouveau-né.

▶ Madame Maltais se présente à sa visite de suivi à 32 semaines de grossesse. Physiquement, tout se déroule bien, mais elle craint de plus en plus l'accouchement qui approche à grands pas. ◀

MISE EN ŒUVRE DE LA DÉMARCHE DE SOINS

Évaluation des résultats – Évaluation en cours d'évolution

6. Que devra contenir le suivi de madame Maltais, sachant qu'elle en est à son troisième trimestre de grossesse ?

APPLICATION DE LA PENSÉE CRITIQUE

Dans l'application de la démarche de soins auprès de madame Maltais, l'infirmière a recours à un ensemble d'éléments (connaissances, expériences antérieures, normes institutionnelles ou protocoles, attitudes professionnelles) pour analyser la situation de santé de la cliente et en comprendre les enjeux. La **FIGURE 7.27** illustre le processus de pensée critique suivi par l'infirmière afin de formuler son jugement clinique. Elle résume les principaux éléments sur lesquels l'infirmière s'appuie en fonction des données de cette cliente, mais elle n'est pas exhaustive.

VERS UN JUGEMENT CLINIQUE

CONNAISSANCES

- Calcul de la date prévue de l'accouchement selon la règle de Naegale
- Données à recueillir au moment de l'évaluation initiale d'une femme enceinte
- Contenu de l'évaluation au troisième trimestre d'une femme enceinte
- Réaction d'un enfant de trois ans à la venue d'un nouveau-né dans le cercle familial

EXPÉRIENCES

- Travail auprès de femmes enceintes
- Expérience personnelle de grossesse
- Travail auprès de femmes enceintes ayant d'autres enfants à la maison
- Expérience personnelle de grossesse en ayant d'autres enfants à la maison

NORME

- Suivi prénatal habituel

ATTITUDES

- Être à l'écoute des craintes de la cliente au sujet de l'adaptation de sa fille à l'arrivée du nouveau-né
- Être à l'écoute des craintes de la cliente à l'approche de son accouchement

PENSÉE CRITIQUE

ÉVALUATION

Évaluation initiale

- Déroulement de la grossesse actuelle et de la grossesse antérieure, dynamique familiale et soutien de l'entourage, profil psychosocial de la cliente, examen physique, tests diagnostiques
- Évaluation globale des risques pour la santé de la cliente et comportements de santé

Évaluation au troisième trimestre

- Réactions de la fillette de trois ans et des grands-parents à la grossesse et à la venue du nouveau-né
- Signes avant-coureurs de situations d'urgence
- Signes de travail prématuré ou à terme
- Déroulement du travail
- Inquiétudes de la cliente à ce sujet
- Développement du fœtus et méthodes d'évaluation du bien-être fœtal
- Vérification des connaissances de la cliente au sujet de la gestion de la douleur durant le travail

JUGEMENT CLINIQUE

FIGURE 7.27

À retenir

VERSION REPRODUCTIBLE

www.cheneliere.ca/lowdermilk

- La période prénatale en est une de préparation physique, en ce qui concerne l'adaptation parentale et l'adaptation à la croissance du fœtus, et psychologique, en ce qui a trait à la préparation à la parentalité.
- La grossesse influe sur les rapports parents/enfants, frères et sœurs/enfant à venir et grands-parents/enfants.
- Les malaises et les changements inhérents à la grossesse peuvent provoquer de l'anxiété chez la femme et sa famille et méritent qu'on leur accorde une attention individualisée. C'est là où un plan pour l'enseignement des mesures d'autosoins se révélera utile.
- L'enseignement portant sur la santé corporelle (p. ex., les exercices, la physiologie) revêt une grande importance compte tenu des réponses anatomiques et physiologiques de la mère à la grossesse.
- Parmi les éléments importants de la visite prénatale initiale figurent une prise de notes détaillée et soigneuse durant l'entrevue, l'examen physique complet et des analyses de laboratoire sélectionnées.
- Même au cours d'une grossesse normale, l'infirmière doit rester à l'affût de certains risques, par exemple le syndrome de compression aortocave, les signes et symptômes d'alerte et les problèmes d'adaptation de la famille.
- La P.A. est mesurée en valeurs absolues ; elle tient compte de la durée de la gestation et est interprétée à la lumière des facteurs pouvant la modifier.
- La femme enceinte doit savoir comment reconnaître et signaler un déclenchement prématuré du travail.
- Les cours prénataux visent à aider le couple à passer du rôle de futurs parents au rôle et aux responsabilités de parents d'un nouveau-né.
- Les risques de violence physique augmentent durant la grossesse.
- Le personnel infirmier doit connaître les pratiques et les coutumes associées à la grossesse pour fournir des soins adaptés en fonction de facteurs ethnoculturels.
- Les prescriptions et les interdictions fondées sur une base ethnoculturelle influent sur les réactions à la grossesse et sur le système de soins de santé.
- Les cours prénataux enseignent aux clientes à être à l'écoute de leurs corps et leur fournissent des stratégies d'adaptation pour se préparer à l'accouchement.
- Les cours prénataux visent à promouvoir un meilleur état de santé durant la grossesse et des modes de vie plus sains pour toute la famille.

CHAPITRE

Nutrition de la mère et du fœtus

Écrit par :
Shannon E. Perry,
RN, CNS, PhD, FAAN

Adapté par :
Lucie Lemelin, inf., Ph. D. (c)
Brigitte Camden, Dt. P.

OBJECTIFS

 Guide d'études – SA08

Après avoir étudié ce chapitre, vous devriez être en mesure :

- d'énoncer les recommandations concernant les composantes de l'alimentation et les suppléments alimentaires pour la période qui précède la conception ;
- d'expliquer le gain de poids maternel recommandé pendant la grossesse ;
- de comparer les recommandations touchant l'apport de sources d'énergie, de protéines ainsi que de vitamines et de minéraux essentiels à la femme non enceinte à ceux de la femme pendant la grossesse et la lactation ;
- de nommer des aliments qui fournissent à la mère les éléments nutritifs requis pour une alimentation optimale pendant la grossesse et la lactation ;
- d'expliquer le rôle des suppléments alimentaires pendant la grossesse ;
- d'énumérer les facteurs de risque nutritionnels pendant la grossesse ;
- de comparer les besoins nutritionnels de l'adolescente enceinte et de la femme adulte enceinte ;
- d'évaluer l'état nutritionnel de la mère pendant la grossesse.

Concepts clés

Cette carte conceptuelle illustre schématiquement les principaux concepts décrits dans le présent chapitre. Sa lecture vous permettra d'avoir une vue d'ensemble des notions qui y sont présentées.

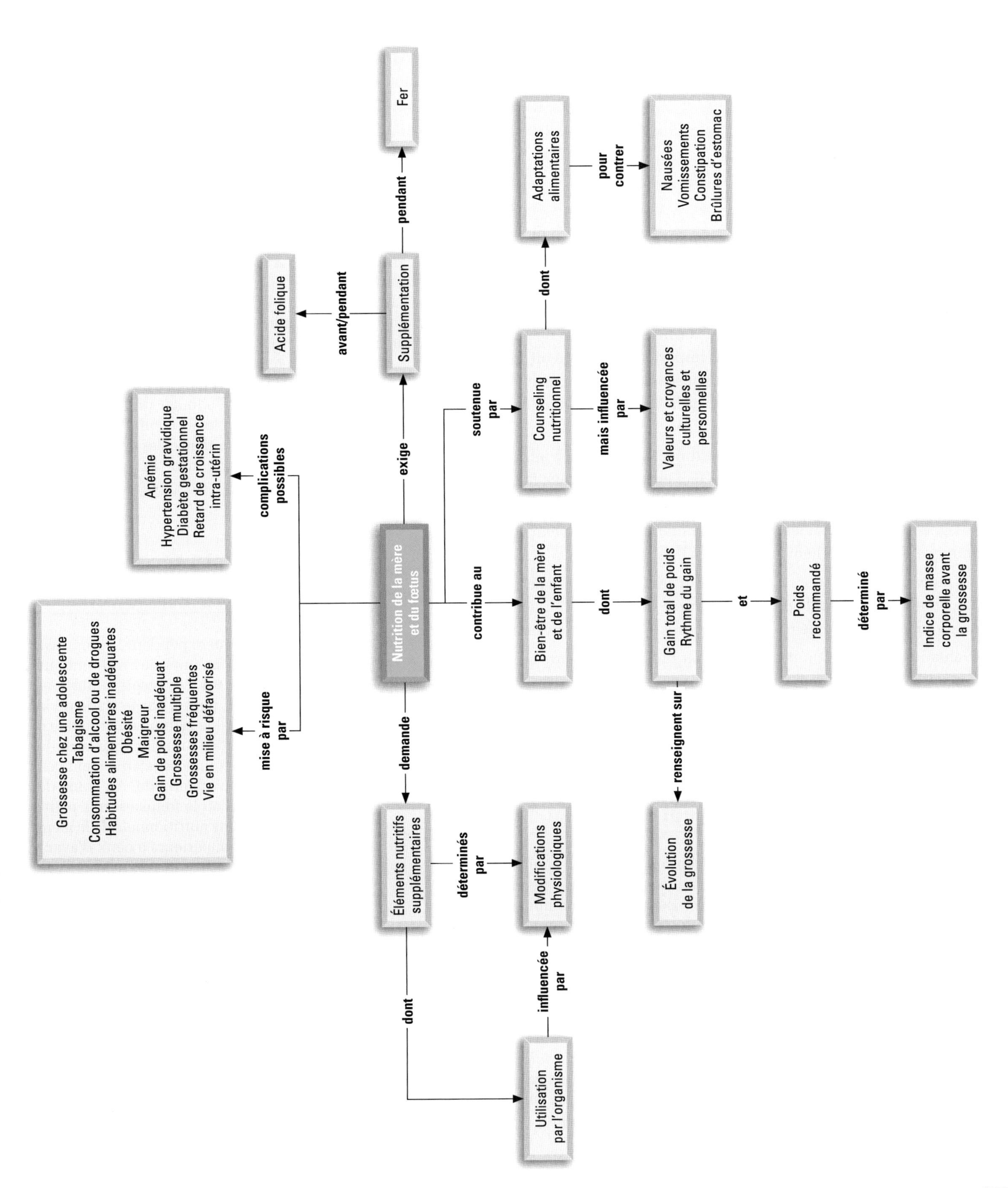

L'état nutritionnel de la mère pendant la période qui entoure la conception est un déterminant important de la croissance embryonnaire et fœtale (Gardiner *et al.*, 2008). Il est possible de modifier l'alimentation de la mère, et une bonne nutrition avant et durant la grossesse représente une mesure préventive importante pour éviter plusieurs problèmes. Ceux-ci comprennent la naissance d'un nouveau-né de faible poids (poids de naissance de 2 500 g ou moins) ou d'un nouveau-né prématuré (né à moins de 37 semaines de gestation). Les nouveau-nés grands prématurés (moins de 32 semaines de gestation) représentaient de 1 à 2 % des naissances en 2008 au Canada, mais ils comptaient pour plus de la moitié de toutes les mortalités infantiles (Agence de la santé publique du Canada, 2008a). Ainsi, au Canada, la prématurité représente la principale cause de mortalité néonatale et infantile. De plus en plus de preuves attestent que l'alimentation et le mode de vie de la mère influent à long terme sur la santé de ses enfants (Gardiner *et al.*, 2008). C'est pourquoi il importe de promouvoir une bonne alimentation auprès de toutes les femmes susceptibles de procréer. Les soins en nutrition pendant la période précédant la conception et au cours de la grossesse incluent certaines composantes clés :

- une évaluation nutritionnelle afin d'estimer si le poids est approprié par rapport à la taille et de vérifier le caractère adéquat ainsi que la qualité de l'apport alimentaire et des habitudes liées à l'alimentation ;
- le diagnostic des problèmes liés à l'alimentation et aux facteurs de risque, comme le diabète, la phénylcétonurie et l'obésité ;
- une intervention fondée sur les préférences alimentaires de la personne afin d'encourager une prise de poids appropriée, l'ingestion d'aliments variés, l'usage adéquat de suppléments alimentaires et l'activité physique ;
- l'évaluation clinique et nutritionnelle par l'infirmière offerte aux femmes pendant la période de préconception et pendant la grossesse qui permet au besoin de la diriger vers une nutritionniste (Gardiner *et al.*, 2008).

8.1 Besoins nutritionnels avant la conception

Avant la conception, toutes les femmes devraient atteindre un poids santé puisque pendant la grossesse, les risques sont plus importants pour le fœtus et pour la mère si celle-ci présente une insuffisance ou un excès pondéral majeur au début de sa grossesse.

Le premier trimestre de la grossesse est crucial pour le développement des organes de l'embryon et du fœtus. Un régime alimentaire sain avant la conception représente la meilleure façon de s'assurer que le fœtus en développement dispose des éléments nutritifs nécessaires. L'apport en vitamine B_9 (folate ou acide folique) est d'un intérêt particulier pendant la période périconceptionnelle. Cette vitamine se trouve naturellement sous la forme de folate dans les aliments ; l'acide folique est la forme employée pour enrichir les produits céréaliers ou d'autres aliments, et c'est celle utilisée dans les suppléments vitaminiques. Les anomalies du tube neural, soit le défaut de fermeture de ce tube, sont plus fréquentes chez les nouveau-nés de femmes ayant un faible apport d'acide folique. Des chercheurs ont estimé que l'incidence des anomalies du tube neural pourrait être réduite jusqu'à 70 % si toutes les femmes bénéficiaient d'un apport adéquat d'acide folique pendant la période qui entoure la conception (De Wals *et al.*, 2007). Il est recommandé à toutes les femmes susceptibles de devenir enceintes de consommer quotidiennement 400 mcg d'acide folique (Ministère de la Santé et des Services sociaux, 2011) trouvés dans des aliments enrichis (céréales prêtes à servir, produits céréaliers enrichis) ou dans des multivitamines contenant de l'acide folique, en plus d'adopter un régime riche en aliments contenant du folate comme les légumes verts feuillus, les grains entiers et les fruits pendant deux ou trois mois avant la conception (Wilson, 2007).

L'incidence des anomalies du tube neural pourrait être réduite jusqu'à 70 % si toutes les femmes bénéficiaient d'un apport adéquat d'acide folique pendant la période qui entoure la conception.

Des renseignements exhaustifs concernant les ANREF sont présentés sur le site de Santé Canada au www.hc-sc.gc.ca/fn-an/nutrition/reference/dri_ques-ques_anref-fra.php.

8.2 Besoins nutritionnels pendant la grossesse

L'état nutritionnel de la mère pendant la grossesse est l'un des nombreux facteurs qui influent sur l'issue de celle-ci **FIGURE 8.1**. Les besoins nutritionnels sont déterminés, en partie, par le stade de la gestation au cours duquel le rythme de croissance du fœtus varie. Pendant le premier trimestre, la synthèse des tissus fœtaux impose relativement peu d'exigences à la nutrition maternelle. Au cours de cette période, l'embryon ou le fœtus est très petit ; par conséquent, les besoins nutritionnels de la mère ne sont que légèrement supérieurs à ceux d'avant la grossesse.

Les **apports nutritionnels de référence (ANREF)** sont des recommandations destinées à la population canadienne qui comprennent les **apports nutritionnels recommandés (ANR)** et les apports suffisants (AS), de même que les **apports maximaux tolérables (AMT)**. Les ANR pour certains éléments nutritifs sont publiés depuis de nombreuses années, et ils sont révisés périodiquement. Ce sont des recommandations pour un apport alimentaire quotidien qui répond aux besoins de presque toutes les personnes bien

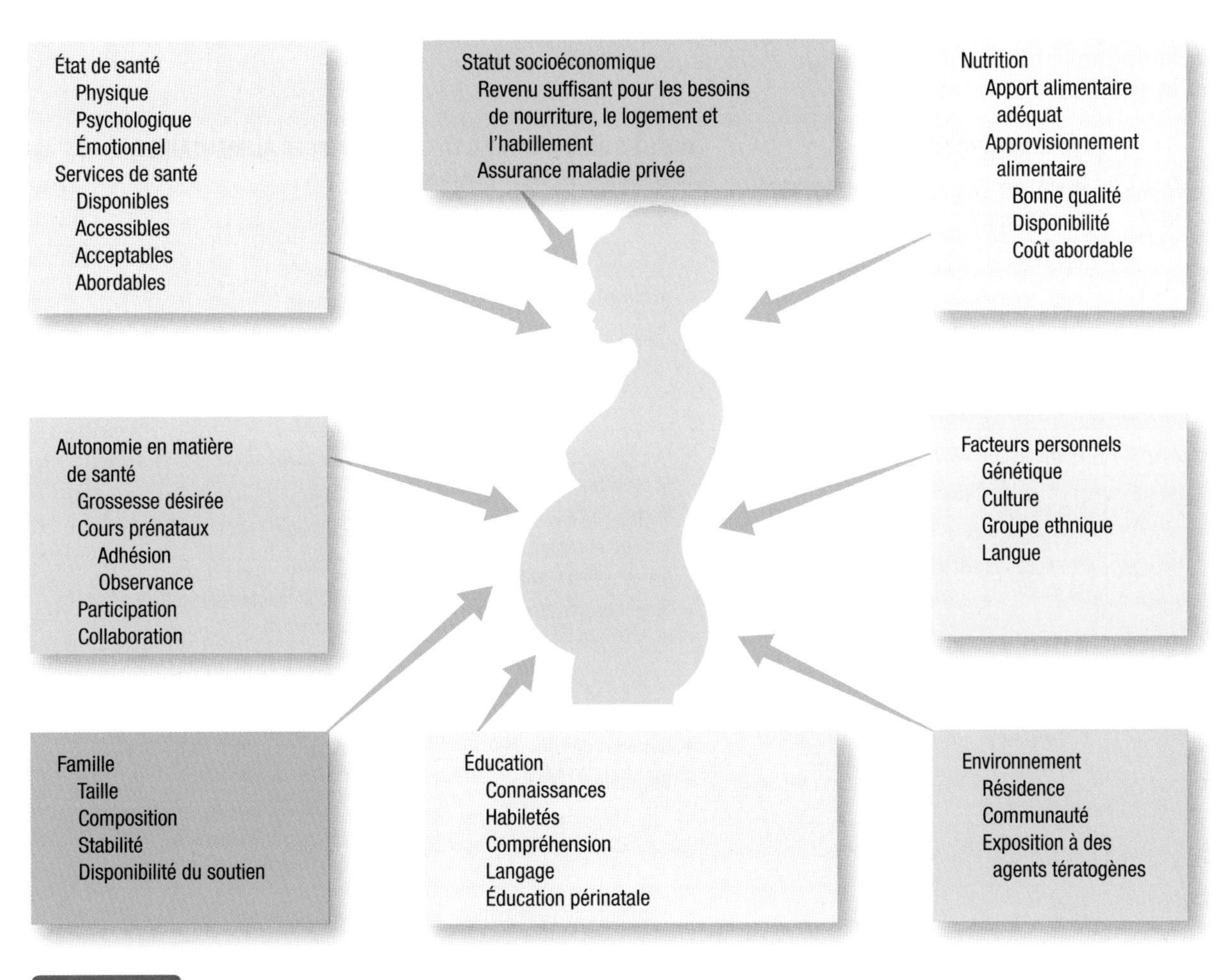

FIGURE 8.1

Facteurs qui influent sur l'issue de la grossesse

portantes de la population (97 ou 98 %). Les AS sont similaires aux ANR et couvrent les besoins nutritionnels de presque tous les individus en santé d'un groupe. Les AS sont utilisés lorsque les données pour déterminer les ANR sont insuffisantes pour établir avec certitude les quantités requises pour ces individus (Santé Canada, 2004).

Les ANR et les AS concernent une grande variété d'éléments nutritifs, et ils sont établis en fonction de l'âge, du sexe et des étapes du cycle de vie (période du nourrisson, grossesse, lactation). Ils peuvent guider la planification du régime alimentaire des personnes **TABLEAU 8.1**.

8.2.1 Besoins énergétiques

Les besoins énergétiques (kilocalories [kcal]) sont comblés par les glucides, les lipides et les protéines fournis par l'alimentation. Il n'existe pas de recommandation précise quant à la quantité de glucides et de lipides qui devraient faire partie du régime alimentaire de la femme enceinte. La consommation de ces éléments nutritifs devrait toutefois être suffisante pour permettre le gain de poids recommandé. Bien que les protéines puissent aussi servir de source d'énergie, leur rôle principal est de fournir les acides aminés nécessaires à la synthèse des nouveaux tissus. On estime que la dépense énergétique durant le premier trimestre est la même qu'avant la grossesse ; pendant le deuxième trimestre, l'apport énergétique recommandé est de 340 kcal plus élevé que celui d'avant la grossesse ; durant le troisième trimestre, il est de 452 kcal de plus qu'avant la grossesse (Santé Canada, 2010a). L'évaluation longitudinale du gain de poids pendant la grossesse constitue la meilleure façon de déterminer si l'apport énergétique est suffisant. Les femmes de poids très insuffisant, les femmes très actives et celles qui portent plus d'un fœtus auront besoin d'un apport énergétique supérieur aux recommandations pour soutenir le rythme souhaité de gain pondéral.

Jugement clinique

Madame Cynthia Bernier, âgée de 26 ans, vous informe de son intention de devenir enceinte pour la première fois. Elle vous précise qu'une amie lui a recommandé d'augmenter son apport d'aliments contenant du folate. Madame Bernier se demande si elle doit suivre ce conseil et se questionne sur le choix des aliments à privilégier.

Doit-elle suivre le conseil de son amie ? Justifiez votre réponse.

TABLEAU 8.1	Recommandations pour l'apport quotidien d'éléments nutritifs choisis pendant la grossesse et la lactation				
NUTRIMENT	**RECOMMANDATIONS**			**RÔLE EN RAPPORT AVEC LA GROSSESSE ET LA LACTATION**	**SOURCES ALIMENTAIRES**
	POUR LA FEMME NON ENCEINTE	**PENDANT LA GROSSESSE**[a]	**PENDANT LA LACTATION**		
Énergie	Variable	1er trimestre : comme avant la grossesse ; 2e trimestre : ajout de 340 kcal (1 422 kJ) ; 3e trimestre : ajout de 452 kcal (1 890 kJ)	6 premiers mois : ajout de 330 kcal (1 380 kJ) ; 6 mois suivants : ajout de 400 kcal (1 673 kJ)	• Croissance des tissus fœtaux et maternels • Production de lait	• Glucides • Lipides • Protéines
Protéines	46 g	1er trimestre : comme chez la femme non enceinte ; 2e et 3e trimestres : 25 g de plus[b]	Ajout de 25 g	• Synthèse des produits de la conception • Croissance des tissus de la mère et expansion de son volume sanguin • Sécrétion des protéines du lait durant la lactation	• Viandes, volailles et poissons • Œufs • Fromage • Yogourt • Légumineuses (haricots et pois secs, arachides) • Noix
Eau	2,7 L au total (2,2 dans les boissons)	3 L au total (2,3 dans les boissons)	3,8 L au total (3,1 dans les boissons)	• Expansion du volume sanguin • Excrétion des déchets • Sécrétion du lait	• Eau • Boissons contenant de l'eau, du lait, du jus • Tous les aliments, en particulier les desserts glacés, les fruits et les légumes frais
Fibres	25 g	28 g	29 g	• Régularité de l'élimination intestinale • Réduction à long terme des risques de maladie cardiaque, de diverticulose et de diabète	• Légumineuses • Grains entiers, son • Légumes • Fruits • Noix et graines (lin, sésame, tournesol)
Minéraux					
Calcium	1 300-1 000 mg	1 300-1 000 mg	1 300-1 000 mg	• Formation du squelette et des dents du fœtus ainsi que du nourrisson • Maintien de la minéralisation des os et des dents de la mère	• Lait de vache ou de chèvre • Boisson de soya enrichie • Fromage • Yogourt • Sardines ou autres poissons avec les arêtes • Tofu enrichi de calcium • Jus d'orange enrichi de calcium • Graines de sésame
Fer	15-18 mg	27 mg	10-9 mg	• Formation de l'hémoglobine maternelle • Entreposage du fer dans le foie du fœtus	• Palourdes et huîtres cuites • Viandes, volailles, poissons et boudin cuit • Céréales de grains entiers ou enrichies • Légumineuses • Graines de citrouille • Épinards

TABLEAU 8.1 Recommandations pour l'apport quotidien d'éléments nutritifs choisis pendant la grossesse et la lactation *(suite)*

NUTRIMENT	RECOMMANDATIONS			RÔLE EN RAPPORT AVEC LA GROSSESSE ET LA LACTATION	SOURCES ALIMENTAIRES
	POUR LA FEMME NON ENCEINTE	PENDANT LA GROSSESSE[a]	PENDANT LA LACTATION		
Zinc	9-8 mg	12-11 mg	13-12 mg	• Composant de nombreux systèmes enzymatiques • Possiblement important pour la prévention des malformations congénitales	• Mollusques et crustacés • Viandes • Graines ou beurre de sésame (tahini) • Légumineuses cuites • Graines de citrouille
Iode	150 mcg	220 mcg	290 mcg	• Métabolisme accéléré de la mère	• Sel iodé • Poissons et fruits de mer • Lait et substituts • Produits céréaliers
Magnésium	360-310-320 mg	400-350-360 mg	360-310-320 mg	• Participation au métabolisme énergétique et protéique, à la croissance tissulaire, à l'action musculaire	• Noix • Légumineuses • Céréales de grains entiers • Épinards • Artichaut • Boisson de soya enrichie
Vitamines liposolubles					
A	700 mcg	750-770 mcg	1 200-1 300 mcg	• Essentielle pour le développement cellulaire, la formation des bourgeons dentaires, la croissance osseuse	• Légumes verts feuillus (épinards, chou cavalier ou vert frisé, laitue) • Légumes orangés (patate douce, citrouille, carotte) • Cantaloup
D	15 mcg	15 mcg	15 mcg	• Participation à l'absorption du calcium et du phosphore • Minéralisation	• Lait et boisson de soya enrichie • Poissons gras comme le saumon • Yogourt fait avec du lait enrichi • Margarine enrichie
E	15 mg	15 mg	19 mg	• Antioxydant (protège les membranes cellulaires contre les dommages) • Particulièrement importante pour prévenir l'hémolyse des globules rouges	• Huiles végétales et de germe de blé • Grains entiers • Noix et graines • Boisson de soya enrichie • Pâte de tomate
Vitamines hydrosolubles					
C[c]	65-75 mg	80-85 mg	115-120 mg	• Formation et intégrité des tissus • Formation du tissu conjonctif • Amélioration de l'absorption du fer	• Goyave • Papaye • Kiwi • Agrumes • Fraises • Brocoli • Poivrons • Jus avec vitamine C ajoutée

TABLEAU 8.1	Recommandations pour l'apport quotidien d'éléments nutritifs choisis pendant la grossesse et la lactation *(suite)*				
NUTRIMENT	**RECOMMANDATIONS**			**RÔLE EN RAPPORT AVEC LA GROSSESSE ET LA LACTATION**	**SOURCES ALIMENTAIRES**
	POUR LA FEMME NON ENCEINTE	**PENDANT LA GROSSESSE**[a]	**PENDANT LA LACTATION**		
B_9 ou folate	400 mcg	600 mcg	500 mcg	• Prévention des anomalies du tube neural • Soutien pour la production accrue de globules rouges par la mère	• Légumineuses • Produits céréaliers faits avec de la farine de blé enrichie • Légumes verts feuillus • Asperges • Épinards • Avocats • Graines de lin et de tournesol • Jus d'orange
B_6 ou pyridoxine	1,2-1,3 mg	1,9 mg	2 mg	• Participation au métabolisme des protéines	• Banane • Pomme de terre • Viandes • Poissons • Légumes vert foncé • Grains entiers
B_{12} ou cobalamine	2,4 mcg	2,6 mcg	2,8 mcg	• Production des acides nucléiques et des protéines • Particulièrement importante pour la formation des globules rouges et le fonctionnement du système nerveux	• Poissons • Lait et produits laitiers • Œufs • Viandes • Boisson de soya enrichie

[a] Quand deux valeurs apparaissent, séparées par une barre oblique, la première concerne les femmes âgées de moins de 19 ans, et la deuxième, celles de 19 à 50 ans.

[b] Ajouter 25 g en cas de grossesse gémellaire.

[c] Les fumeuses doivent augmenter leur apport en vitamine C de 35 mg par jour.

Sources : Adapté de Santé Canada (2010a, 2010b).

Gain pondéral

Le poids gagné par la mère durant sa grossesse a une influence importante sur le déroulement et l'issue de celle-ci. Un gain de poids suffisant n'indique pas nécessairement que le régime alimentaire est adéquat du point de vue de la nutrition, mais il est associé au risque réduit de donner naissance à un nouveau-né de faible poids ou prématuré.

Le gain de poids souhaitable pendant la grossesse varie selon les femmes. Le premier facteur à considérer au moment de l'établissement d'une recommandation est le caractère approprié du poids par rapport à la taille avant la grossesse **TABLEAUX 8.2** et **8.3**. Les risques pour la femme et pour le fœtus sont accrus pendant la grossesse si la mère présente une insuffisance ou un excès pondéral notable avant la grossesse et si son gain de poids pendant la grossesse est trop faible ou trop élevé. Les femmes dont le poids est très insuffisant risquent davantage de connaître un travail prématuré et de donner naissance à un nouveau-né de faible poids. Les femmes qui ne prennent pas suffisamment de poids courent plus de risques de donner naissance à un nouveau-né présentant un **retard de croissance intra-utérin (RCIU)**.

Diverses raisons peuvent expliquer que le gain de poids de la femme soit supérieur aux prévisions pendant la grossesse : une grossesse multiple, l'œdème, la prééclampsie ou une consommation excessive d'aliments. L'obésité (existante avant la grossesse ou qui se développe au cours de celle-ci) augmente la probabilité de plusieurs événements : macrosomie (Davies *et al.*, 2010) et disproportion fœtopelvienne, accouchement chirurgical, accouchement d'urgence par césarienne (Société des obstétriciens et gynécologues du Canada [SOGC], 2010), hémorragie postpartum, infection de la plaie ou des voies génitales ou urinaires, trauma de naissance et mort fœtale en fin de gestation. Les femmes obèses risquent davantage que celles de poids normal de connaître de l'hypertension gravidique (Davies *et al.*, 2010) et du diabète gestationnel (SOGC, 2010).

L'**indice de masse corporelle (IMC)** est une méthode couramment utilisée pour estimer le caractère approprié du poids par rapport à la taille; il se calcule à l'aide de la formule suivante:

$$IMC = poids/taille^2$$

où le poids est exprimé en kilogrammes et la taille en mètres. Donc, pour une femme qui pesait 51 kg avant sa grossesse et qui mesure 1,57 m:

$$IMC = 51/1{,}57^2 \text{ ou } 20{,}7$$

L'IMC d'une femme qui n'est pas enceinte peut se répartir dans les catégories suivantes: moins de 18,5: poids insuffisant ou faible; de 18,5 à 24,9: poids normal; de 25 à 29,9: poids élevé ou surpoids; égal ou supérieur à 30: obésité (Santé Canada, 2010c).

Dans le cas des femmes qui, avant la grossesse, ont un IMC égal ou supérieur à 35, un gain pondéral plus faible peut être conseillé selon le jugement clinique, après une évaluation des risques et des avantages pour la mère et l'enfant (Crane, White, Murphy, Burrage & Hutchens, 2009; Hinkle, Sharma & Dietz, 2010; Oken, Kleinman, Blefort, Hammitt & Gillman, 2009).

Les données disponibles ne permettent pas d'établir de lignes directrices pour les femmes de poids insuffisant enceintes de jumeaux (Santé Canada, 2010c). Il est probable que le gain de poids idéal est plus élevé lorsque plus de deux fœtus sont présents, cependant aucune recommandation précise n'a été émise à ce sujet (Malone & D'Alton, 2009).

On encourage les adolescentes à s'efforcer d'atteindre un gain de poids se situant à l'extrémité supérieure de l'intervalle de variation recommandé pour leur IMC, parce qu'il semble que le fœtus et sa mère encore en croissance entrent en compétition pour obtenir les éléments nutritifs. Les femmes adultes de petite taille (moins de 1,57 m) réduisent les risques de complications mécaniques à l'accouchement si leur gain de poids se situe près de l'extrémité inférieure de l'intervalle de variation recommandé.

Rythme du gain pondéral

Le gain de poids devrait s'échelonner tout au long de la grossesse. Le risque de donner naissance à un nouveau-né de faible poids est plus élevé quand le gain de poids a été insuffisant au début de la grossesse. La probabilité d'accouchement prématuré augmente quand les gains ont été insuffisants pendant la deuxième moitié de la grossesse. Ces risques existent même si le gain pondéral total pour la grossesse se situe dans l'intervalle de variation normal.

Le rythme optimal de gain de poids dépend du stade de la grossesse. Pendant les premier et deuxième trimestres, la croissance s'effectue principalement dans les tissus maternels; pendant le troisième trimestre, elle se produit surtout dans les tissus fœtaux. Durant le premier trimestre, le gain de poids total n'est en moyenne que de 1 à 2,5 kg. Par la suite, le gain pondéral recommandé augmente jusqu'à environ 0,4 kg par semaine pour une femme de poids normal.

L'apport calorique nécessaire varie en proportion du rythme recommandé de gain pondéral. Pour le premier trimestre, aucune augmentation n'est nécessaire; pendant les deuxième et troisième trimestres, on recommande un apport additionnel de 340 et de 452 kcal par jour, respectivement. La quantité de nourriture qui correspond à ces apports additionnels n'est pas élevée. Les 340 kcal supplémentaires nécessaires pendant le second trimestre peuvent provenir de deux ou trois portions additionnelles suggérées par le *Guide alimentaire canadien*.

TABLEAU 8.2 Recommandations relatives au gain pondéral durant la grossesse (grossesse simple)

IMC AVANT LA GROSSESSE	GAIN DE POIDS MOYEN 2e ET 3e TRIMESTRES	GAIN PONDÉRAL TOTAL RECOMMANDÉ
< 18,5	0,5 kg/semaine	De 12,5 à 18 kg
De 18,5 à 24,9	0,4 kg/semaine	De 11,5 à 16 kg
De 25 à 29,9	0,3 kg/semaine	De 7 à 11,5 kg
≥ 30	0,2 kg/semaine	De 5 à 9 kg

Source: Santé Canada (2010c).

TABLEAU 8.3 Recommandations relatives au gain pondéral durant la grossesse (grossesse gémellaire)

IMC AVANT LA GROSSESSE	GAIN PONDÉRAL TOTAL RECOMMANDÉ
De 18,5 à 24,9	De 17 à 25 kg
De 25 à 29,9	De 14 à 23 kg
≥ 30	De 11 à 19 kg

Source: Santé Canada (2010c).

Jugement clinique

Madame Bernier est maintenant enceinte de cinq semaines. Elle mesure 1,76 m, et son poids avant la grossesse était de 53 kg. Elle se questionne sur le gain de poids recommandé pendant la grossesse.

En tenant compte de son IMC, que devriez-vous lui répondre?

Catabolisme : Dégradation de composés organiques produisant une libération d'énergie.

Corps cétonique : Produit issu du catabolisme, résultant de la dégradation des graisses et des protéines. Il est éliminé dans l'urine.

Il faut évaluer soigneusement les causes possibles d'un gain de poids insuffisant (moins de 1 kg par mois pour une femme de poids normal ou moins de 0,5 kg par mois pour une femme obèse durant les deux derniers trimestres) ou excessif (plus de 3 kg par mois). Outre un apport alimentaire insuffisant ou excessif, des erreurs de mesure et d'inscription au dossier, des différences dans le poids des vêtements, des variations quant au moment de la pesée ainsi que l'accumulation de liquides peuvent expliquer les écarts par rapport au rythme prévu du gain pondéral. Un gain de poids exceptionnellement élevé risque fort d'être causé par une accumulation de liquides, et un gain de plus de 3 kg en un mois, en particulier après la 20e semaine de gestation, indique souvent le développement de l'hypertension gravidique.

L'infirmière peut mettre l'accent sur les effets positifs d'une bonne alimentation sur la croissance et le développement de l'enfant, ainsi que sur les effets négatifs de la malnutrition maternelle.

Risques associés à un gain pondéral insuffisant

Les femmes peuvent avoir de la difficulté à effectuer la transition entre deux attitudes : se garder de prendre du poids avant la naissance et valoriser la prise de poids pendant la grossesse. En conseillant ces femmes, l'infirmière peut mettre l'accent sur les effets positifs d'une bonne alimentation sur la croissance et le développement de l'enfant, ainsi que sur les effets négatifs de la malnutrition maternelle (révélée par un faible gain pondéral). Ce counseling comprend des renseignements sur la répartition du gain pondéral pendant la grossesse et sur la portion de ce poids qui sera perdue à l'accouchement **TABLEAU 8.4**. Étant donné que la lactation peut aider la mère à réduire graduellement ses réserves énergétiques, cette discussion fournit l'occasion de promouvoir l'allaitement.

Au Canada, 13,6 % des femmes qui accouchent sont obèses (Agence de la santé publique du Canada [ASPC], 2009). Toutefois, la grossesse ne constitue pas un bon moment pour maigrir. Même les femmes enceintes en surpoids ou obèses ont besoin de prendre un poids au moins égal à celui des produits de la conception (fœtus, placenta et liquide amniotique). Si les femmes en surpoids restreignent leur apport calorique afin d'éviter un gain pondéral, elles risquent de limiter leur apport en éléments nutritifs. En outre, la restriction alimentaire entraîne le **catabolisme** des réserves de lipides, augmentant de ce fait la production de **corps cétoniques**. On ne connaît pas les effets à long terme d'une légère cétonurie pendant la grossesse, mais on a pu associer cet état au déclenchement prématuré du travail. Il faut insister auprès des femmes obèses (et de toutes les femmes enceintes) sur l'importance d'un gain de poids sain et mettre l'accent sur la consommation d'aliments riches en éléments nutritifs ainsi que l'élimination de l'alimentation des aliments à calories vides.

La prise de poids est importante au cours de la grossesse. Cependant, la femme enceinte ne doit pas manger exagérément sans considérer la qualité nutritionnelle des aliments qu'elle ingère. Le poids excessif gagné pendant la grossesse peut être difficile à perdre plus tard et contribuer ainsi à l'embonpoint chronique ou à l'obésité, facteurs étiologiques d'une foule de maladies chroniques, dont l'hypertension, le diabète de type 2 et la cardiopathie artérioscléreuse. La femme qui prend 18 kg ou plus pendant la grossesse est particulièrement à risque **ENCADRÉ 8.1**.

TABLEAU 8.4 Répartition du gain pondéral de la mère à 40 semaines de gestation

RÉPARTITION	GAIN PONDÉRAL
Fœtus	De 3,0 à 3,9 kg
Placenta	De 0,9 à 1,1 kg
Liquide amniotique	0,9 kg
Tissu utérin (développement)	0,9 kg
Tissu mammaire	De 0,5 à 1,8 kg
Volume sanguin (expansion)	De 1,8 à 2,3 kg
Liquide interstitiel (augmentation)	De 1,4 à 2,3 kg
Réserves (graisse)	De 1,8 à 2,7 kg
Gain de poids total	**De 11,2 à 15,9 kg**

8.2.2 Protéines

Les protéines et l'azote, qui est leur constituant essentiel, sont les éléments nutritifs fondamentaux de la croissance. Un apport suffisant en protéines est essentiel pour satisfaire les exigences qui vont en augmentant durant la grossesse. Celles-ci sont attribuables à la croissance rapide du fœtus, à l'augmentation de la taille de l'utérus et de ses structures de soutien, au développement des glandes mammaires et du placenta, à l'accroissement du volume sanguin de la mère et, selon les besoins, des quantités de protéines plasmatiques nécessaires au maintien de la pression osmotique colloïdale, ainsi qu'à la formation du liquide amniotique (Institute of Medicine of the National Academies, 2009).

Le lait, la viande, la volaille, le poisson, les œufs et le fromage sont des aliments contenant des protéines complètes de valeur biologique élevée. Les légumineuses, les graines et les noix en sont aussi des sources précieuses **FIGURE 8.2**. Ces aliments

FIGURE 8.2
Une alimentation riche en protéines fournit les éléments nutritifs essentiels à la femme enceinte.

ENCADRÉ 8.1 Soins obstétricaux bariatriques

De nos jours, les obstétriciens voient plus de femmes enceintes atteintes d'obésité morbide (IMC supérieur à 40). L'obésité génère de nombreux risques pour la femme enceinte, comme l'hypertension, le diabète gestationnel et la prématurité. Une nouvelle sous-spécialité médicale, l'obstétrique bariatrique, a vu le jour afin de s'occuper de leur état et de répondre à leurs besoins logistiques. On a ainsi recours à des brassards très larges pour prendre la pression, à des pèse-personnes pouvant porter jusqu'à 400 kg et à des tables de chirurgie de grandes dimensions conçues pour soutenir le poids de ces femmes. Des techniques spéciales d'examen échographique sont nécessaires, de même que des instruments chirurgicaux plus longs pour les accouchements par césarienne. Une clinique d'obstétrique bariatrique peut également offrir aux femmes un counseling afin qu'elles évitent de prendre du poids et même pour qu'elles en perdent pendant leur grossesse. De nouvelles preuves indiquent que les femmes obèses qui maintiennent leur poids pendant la grossesse ou qui en perdent ont moins de complications et donnent naissance à des nouveau-nés en meilleure santé. Au Canada, une directive clinique quant au suivi de cette clientèle est disponible dans un document paru en février 2010. Cette directive est rédigée par le comité de médecine fœtomaternelle et analysée par le comité de pratique clinique-obstétrique de la SOGC en plus d'être approuvée par le comité exécutif et le conseil de la Société.

Sources : Paul (2008) ; SOGC (2010).

riches en protéines fournissent en outre d'autres éléments nutritifs comme le calcium, le fer et les vitamines du complexe B ; les sources végétales de protéines procurent souvent les fibres alimentaires nécessaires.

Au Canada, la consommation de protéines de nombreuses personnes est relativement élevée et, par conséquent, il est possible que beaucoup de femmes enceintes n'aient pas du tout besoin d'augmenter leur apport protéique pendant leur grossesse. Trois portions de lait, de yogourt ou de fromage (quatre pour les adolescentes) et de 140 à 168 g (deux portions) de viande, de volaille ou de poisson procurent les protéines recommandées pour la femme enceinte. Des protéines supplémentaires sont fournies par les légumes et le pain, les céréales, le riz et les pâtes. Les adolescentes enceintes, les femmes issues de milieux défavorisés et les femmes qui suivent un régime inhabituel, comme le régime macrobiotique (régime végétarien très strict), sont celles qui risquent le plus d'avoir un apport insuffisant en protéines. L'usage de suppléments à haute teneur en protéines n'est pas recommandé, car ils ont été associés à une fréquence plus élevée d'accouchements prématurés.

Le poisson cuit est un aliment de choix pour le développement du fœtus en raison de ses grandes concentrations d'oméga-3 et parce qu'il constitue une source importante de vitamine D et de plusieurs autres minéraux (Santé Canada, 2009a). Les femmes enceintes doivent consommer uniquement du poisson et des fruits de mer bien cuits (incluant les produits fumés et réfrigérés). La consommation de poisson et de fruits de mer crus ou partiellement cuits augmente le risque de certaines infections d'origine alimentaire, comme la listériose (Santé Canada, 2009a). Lorsqu'elles mangent du poisson, les femmes enceintes ou allaitantes devraient choisir ceux qui contiennent peu de mercure. Le *Guide alimentaire canadien* recommande de consommer au moins deux portions de 75 g de poisson cuit chaque semaine. Le **TABLEAU 8.5** présente les poissons contenant le moins de mercure.

Jugement clinique

Madame Marlène Picard, âgée de 30 ans, qui est enceinte de neuf semaines, vous dit avoir lu divers articles sur Internet se contredisant au sujet de la nécessité de consommer un supplément protéinique durant la grossesse.

Que devrait-elle savoir à ce sujet ?

8.2.3 Liquides

L'eau est essentielle pour les échanges de nutriments et l'élimination des déchets à travers les membranes cellulaires. Elle est le principal constituant des cellules, du sang, de la lymphe, du liquide amniotique et d'autres liquides corporels essentiels. Elle contribue également au maintien de la température du corps. Une consommation saine de liquide favorise le bon fonctionnement de l'intestin et réduit la constipation, un problème parfois éprouvé pendant la grossesse. La consommation

TABLEAU 8.5 Consommation de poisson recommandée selon l'espèce et la quantité de mercure

FRÉQUENCE DE CONSOMMATION	ESPÈCE
Consommer régulièrement (minimum 2 portions par semaine)	• Aiglefin, anchois, capelan, corégone, crabe, crevettes, éperlan, goberge, hareng, homard, huîtres, omble, maquereau, merlan, meunier noir, moules, palourdes, pétoncles, plie, sardines, saumon, sole, thon pâle en conserve, truite arc-en-ciel
Limiter la consommation • 300 g/semaine (4 portions par semaine) • 150 g/mois (2 portions par mois)	• Thon blanc en conserve (germon) • Espadon, requin, thon frais ou congelé, marlin, escolier, hoplostète orange
Éviter la consommation fréquente	• Poissons de pêche sportive : doré, brochet, touladi (truite grise), achigan, maskinongé

Source : Santé Canada (2011).

quotidienne recommandée de liquide est de 6 à 8 verres d'eau environ (de 1 500 à 2 000 ml). L'eau, le lait et les jus sont de bonnes sources de liquide. La déshydratation peut accroître les risques de crampes, de contractions et de travail prématuré.

On n'a pas démontré que la caféine consommée en quantité modérée a des effets indésirables pendant la grossesse. Toutefois, les femmes qui absorbent plus de 300 mg de caféine par jour (l'équivalent d'environ deux tasses de café) peuvent présenter un risque plus élevé de faire une fausse couche (avortement spontané) ou de donner naissance à un nouveau-né ayant un RCIU (ASPC, 2008b). Les effets nocifs de la caféine résulteraient de la vasoconstriction des vaisseaux sanguins qui irriguent l'utérus ou de son action sur la division cellulaire du fœtus en développement. Par conséquent, il serait préférable d'éviter les produits contenant de la caféine comme le café, le thé et le cacao ou de ne les consommer qu'en quantité modérée.

On n'a pas démontré d'effet indésirable sur la mère ou sur le fœtus attribuable à l'usage d'aspartame (Nutrasweet^{MD}, Equal^{MD}), d'acésulfame-K (Sunett^{MD}) et de sucralose (Splenda^{MD}), des édulcorants artificiels souvent utilisés dans les boissons hypocaloriques et dans les produits alimentaires allégés. Les femmes atteintes de phénylcétonurie devraient éviter l'aspartame, qui contient de la phénylalanine. Le stevia (stevioside) est un additif alimentaire utilisé comme édulcorant, mais il n'a pas encore été approuvé au Canada (Santé Canada, 2010d). Les boissons énergisantes et les boissons gazeuses de type « cola » contiennent aussi de la caféine et des édulcorants.

La consommation quotidienne de boissons artificiellement sucrées peut augmenter le risque d'accouchement prématuré.

8.2.4 Principaux minéraux

Les aliments comblent généralement les besoins en minéraux et en vitamines de la femme enceinte, sauf peut-être pour le folate et le fer. Les soins prénataux précoces de toute femme enceinte devraient comprendre un counseling sur la nécessité d'avoir une alimentation riche en vitamines et en minéraux, et cet aspect devrait être rappelé pendant toute la grossesse. Dès que l'alimentation de la femme est déficiente ou que celle-ci présente un risque nutritionnel notable, des suppléments de certains éléments nutritifs (énumérés ci-dessous) lui sont recommandés **ENCADRÉ 8.2**.

Les soins prénataux précoces de toute femme enceinte devraient comprendre un counseling sur la nécessité d'avoir une alimentation riche en vitamines et en minéraux, et cet aspect devrait être rappelé pendant toute la grossesse.

ENCADRÉ 8.2 Facteurs de risque nutritionnels pendant la grossesse

- Adolescence
- Grossesses fréquentes : trois en deux ans
- Mauvais pronostic fœtal au cours d'une grossesse précédente
- Milieu défavorisé
- Mauvaises habitudes alimentaires accompagnées de résistance au changement
- Usage de tabac, d'alcool ou de drogues
- Poids à la conception inférieur ou supérieur au poids normal
- Difficulté à prendre du poids
- Perte de poids
- Gain de poids < 1 kg/mois après le 1er trimestre
- Gain de poids > 1 kg/semaine après le 1er trimestre
- Grossesse multiple
- Faibles valeurs d'hémoglobine ou d'hématocrite

Fer

Le fer est nécessaire à la fois pour les besoins du fœtus et pour l'expansion de la masse des globules rouges de la mère. L'ANR de fer pendant la grossesse est de 27 mg par jour (Santé Canada, 2009b). Les femmes enceintes devraient prendre une multivitamine contenant de 16 à 20 mg de fer à compter de la 12e semaine de la grossesse (Santé Canada, 2009b). (Les suppléments de fer pourraient être mal tolérés pendant les épisodes de nausées du premier trimestre.) La supplémentation en fer peut améliorer les indices hématologiques des femmes carencées, et elle semble réduire le risque associé aux naissances de nouveau-nés de faible poids. Des doses supérieures sont recommandées si la mère souffre d'anémie ferriprive (diagnostiquée de préférence par le dosage de la ferritine sérique, une forme de mise en réserve du fer). Certains aliments peuvent favoriser ou inhiber l'absorption du fer contenu dans le supplément lorsqu'ils sont consommés en même temps que lui **ENCADRÉ 8.3**. Même si elle prend des suppléments de fer, la femme enceinte devrait inclure de bonnes sources alimentaires de fer dans son régime quotidien.

Calcium

L'ANREF de calcium n'augmente pas pendant la grossesse et la lactation comparativement aux recommandations pour la femme non enceinte. L'ANREF semble fournir suffisamment de calcium pour le développement des os et des dents du fœtus, tout en maintenant la masse osseuse de la mère.

Le lait et le yogourt sont des sources particulièrement riches de calcium et en fournissent environ 300 mg par tasse (250 ml). Néanmoins, beaucoup de femmes ne mangent pas ces aliments ou ne les consomment pas en quantités suffisantes pour fournir l'apport recommandé de calcium. La consommation de lait peut être réduite par l'intolérance au lactose (sucre du lait), c'est-à-dire l'incapacité de digérer celui-ci causée par l'absence de l'enzyme lactase dans l'intestin grêle. L'intolérance au lactose est relativement courante chez les adultes, en particulier les personnes d'origine africaine, les Asiatiques, les Amérindiens et les Inuits

(Association canadienne de la maladie cœliaque, 2006). La consommation de lait peut causer chez eux des crampes abdominales, du ballonnement et de la diarrhée, bien que beaucoup de personnes intolérantes au lactose puissent supporter de petites quantités de lait sans présenter de symptômes. Il est aussi possible que le yogourt, les boissons probiotiques, le babeurre et le fromage soient tolérés. Des suppléments commerciaux de lactase (p. ex., Lactaid[MD]) à consommer avec le lait sont faciles à trouver. Beaucoup de supermarchés offrent du lait traité à l'enzyme lactase ; celui-ci hydrolyse (digère) le lactose du lait et permet aux personnes intolérantes d'en boire.

Les adultes de certaines cultures boivent rarement du lait. Les peuples latino-américains, par exemple, n'utilisent souvent le lait que comme additif dans leur café. Les femmes enceintes issues de ces cultures peuvent avoir besoin de consommer des sources non laitières de calcium. Les régimes alimentaires végétariens risquent aussi d'être déficients en calcium **TABLEAU 8.6**. Si l'apport de calcium semble faible et que la femme ne change pas ses habitudes alimentaires en dépit du counseling offert, un supplément d'un maximum de 500 mg de calcium élémentaire par dose peut devenir nécessaire (Ross *et al.*, 2010). De plus, si la femme ne consomme pas de lait, elle risque de présenter aussi une déficience en vitamine D (Santé Canada, 2010e). Les suppléments de farine d'os ne sont pas recommandés pendant la grossesse car ils peuvent contenir des traces de plomb.

8.2.5 Vitamines

Vitamines liposolubles

Les vitamines liposolubles (A, D, E et K) s'accumulent dans les tissus de l'organisme. Elles constituent une préoccupation pendant la grossesse parce que la vitamine E fait partie des éléments nutritifs les plus susceptibles d'être insuffisants dans l'alimentation des femmes en âge de procréer et que le régime alimentaire de certaines femmes ne procure qu'une faible quantité des vitamines A et D (Institute of Medicine of the National Academies, 2004). Par ailleurs, ces vitamines peuvent atteindre un niveau toxique si elles sont absorbées à dose excessive de façon continue. En raison de leur potentiel élevé de toxicité, on conseille aux femmes enceintes de ne prendre des suppléments de vitamines liposolubles que s'ils leur sont prescrits.

Un apport adéquat de vitamine A est nécessaire pour que le fœtus puisse disposer de quantités suffisantes en réserve. Un régime alimentaire bien choisi qui comprend assez de légumes et de fruits jaune foncé et vert foncé, comme le brocoli, les carottes, le cantaloup et les abricots, fournit des quantités suffisantes de carotène que l'organisme peut transformer en vitamine A. La consommation de foie n'est pas recommandée, car pour la plupart

Guide d'enseignement

ENCADRÉ 8.3 Supplémentation en fer

- L'absorption du fer est favorisée par un régime riche en vitamine C (p. ex., les agrumes, les poivrons rouges, les kiwis, les fraises) ou en fer hémique (trouvé dans les viandes rouges, le poisson et la volaille).
- Les suppléments de fer sont mieux absorbés quand l'estomac est vide ; on peut les prendre à cette fin entre les repas avec des boissons autres que le lait, le thé ou le café.
- Certaines femmes éprouvent une gêne gastro-intestinale si elles prennent leur supplément de fer quand leur estomac est vide ; par conséquent, il est bon pour elles de prendre leur supplément juste avant l'heure du coucher.
- La supplémentation en fer occasionne souvent la constipation.
- Il faut garder les suppléments de fer hors de portée des enfants à la maison parce que l'ingestion de ces suppléments pourrait causer une intoxication aiguë au fer et même la mort.
- Le fer peut rendre les selles noires et goudronneuses.

TABLEAU 8.6 Sources de calcium pour les femmes qui ne boivent pas de lait[a]

ALIMENT[b]	QUANTITÉ
Poisson	
Sardines (avec les arêtes)	1 ½ boîte (126 g égoutté)
Saumon (avec les arêtes)	⅓ de boîte (120 g)
Légumineuses et soya	
Fèves au lard avec mélasse	2 tasses (500 ml)
Tofu ferme enrichi de calcium	115 g
Boisson de soya enrichie	200 ml
Légumes verts feuillus	
Chou cavalier (*collard*) bouilli et égoutté	1 tasse (250 ml)
Chou vert frisé (*kale*) bouilli et égoutté	3 tasses (750 ml)
Produits de boulangerie	
Muffins anglais	2
Gaufres (10 cm de diamètre)	3 (33 g)
Fruits	
Figues séchées	2 ½ tasses (625 ml)
Jus d'orange enrichi de calcium	1 tasse
Noix	
Amandes	¾ tasse (175 ml)
Graines de sésame entières	¼ tasse (60 ml)

[a] Un supplément contenant de la vitamine D peut être nécessaire pour absorber le calcium si les aliments choisis n'en contiennent pas.

[b] Chacun des aliments énumérés fournit approximativement la même quantité de calcium qu'une tasse de lait.

des types de foie, la teneur en vitamine A d'une seule portion du *Guide alimentaire canadien* (75 g cuit) excède l'AMT fixé chez les femmes en âge de procréer (Santé Canada, 2009b). En raison de malformations congénitales apparues chez les nouveau-nés de femmes ayant absorbé pendant leur grossesse des quantités excessives de vitamine A préformée (dans des suppléments), on ne recommande pas de suppléments aux femmes enceintes (Fricker, 2007). Les substances analogues à la vitamine A, comme l'isotrétinoïne (Accutane[MD]) qui sont prescrites pour le traitement de l'acné kystique sont particulièrement préoccupantes. On a associé l'usage de l'isotrétinoïne en début de grossesse à une fréquence accrue chez le nouveau-né de malformations cardiaques, d'anomalies faciales, de fente palatine, d'hydrocéphalie, de surdité et de cécité, de même qu'à un risque plus élevé d'avortement spontané (Santé Canada, 2006a). Les agents topiques, comme la trétinoïne (Retin-A[MD]), ne semblent pas pénétrer dans la circulation en quantités importantes, mais leur innocuité pendant la grossesse n'a pas été confirmée.

La vitamine D joue un rôle important dans l'absorption et le métabolisme du calcium. Les principales sources alimentaires de cette vitamine sont les aliments supplémentés ou enrichis, comme le lait et les poissons gras. La vitamine D est aussi produite par la peau grâce à l'action des rayons ultraviolets (fournis par la lumière du soleil). Une carence majeure peut entraîner l'hypocalcémie néonatale et la tétanie, ainsi que l'hypoplasie de l'émail dentaire. Les femmes intolérantes au lactose ou celles qui ne consomment pas de lait risquent de présenter une carence en vitamine D. Avoir la peau foncée, porter des vêtements qui couvrent la plus grande partie de la peau (p. ex., les vêtements de certaines femmes musulmanes) et vivre sous des latitudes nordiques où l'exposition au soleil est limitée, en particulier pendant l'hiver, représentent d'autres facteurs de risque. L'utilisation des quantités recommandées d'un écran solaire dont le facteur de protection solaire (FPS) est de 15 ou plus peut réduire jusqu'à 99 % de la production cutanée de vitamine D, ce qui accroît la nécessité de consommer régulièrement des aliments enrichis ou des suppléments.

On pense que la vitamine E est nécessaire pour la protection contre le **stress oxydatif**, et la grossesse est justement associée à une augmentation de ce phénomène (Santé Canada, 2006b ; Sen & Simmons, 2010). L'hypothèse que le stress oxydatif expliquerait l'étiologie de la prééclampsie a d'ailleurs été avancée (Tsatsaris, Fournier & Winer, 2010). Toutefois, il n'a pas été démontré que les antioxydants pouvaient réduire les cas de prééclampsie (Rumbold, Duley, Crowther & Haslam, 2008). Les huiles végétales et les noix sont des sources particulièrement riches de vitamine E, alors que les grains entiers et les légumes verts feuillus en constituent des sources acceptables.

RAPPELEZ-VOUS...

La prise de suppléments de vitamines et de minéraux ne comble qu'en partie les besoins nutritionnels de la femme enceinte.

Stress oxydatif : Dommage causé par une augmentation des radicaux libres de l'oxygène, qui peut avoir des effets au niveau moléculaire, cellulaire, ou sur l'organisme entier. Selon certaines hypothèses, le phénomène du stress oxydatif aurait un rôle à jouer dans le vieillissement et pourrait être associé aux maladies dégénératives.

Vitamines hydrosolubles

Les réserves de vitamines hydrosolubles de l'organisme sont beaucoup plus faibles que celles des vitamines liposolubles parce que, contrairement à ces dernières, elles sont facilement éliminées dans l'urine. Il faut par conséquent consommer fréquemment de bonnes sources de ces vitamines. Il est beaucoup moins probable d'observer une intoxication associée à une surdose de celles-ci qu'avec les vitamines liposolubles **FIGURE 8.3.**

Vitamine C

La vitamine C (ou acide ascorbique) joue un rôle important dans la formation des tissus, et elle favorise l'absorption du fer. Un régime alimentaire qui comprend au moins une portion quotidienne d'agrumes sous forme de fruit ou de jus satisfait les besoins en vitamine C de la plupart des femmes. Celles qui fument ont besoin de consommer plus de vitamine C. On recommande un supplément de 50 mg par jour aux femmes qui présentent un risque nutritionnel. Une carence en vitamine C peut toutefois se développer chez le nouveau-né après la naissance lorsque la mère a pris des doses excessives de cette vitamine pendant sa grossesse.

8.2.6 Autres minéraux et électrolytes

Magnésium

Le régime alimentaire des femmes en âge de procréer risque d'être pauvre en magnésium, et jusqu'à la moitié des femmes enceintes ou allaitantes pourraient présenter un apport insuffisant (Denguezli *et al.*, 2007). Les adolescentes et les femmes à faible

FIGURE 8.3
Le lait constitue une excellente source de calcium alors qu'une alimentation riche en fruits et légumes fournit une variété de vitamines à la femme enceinte.

revenu sont particulièrement à risque. Les légumineuses, les noix, les grains entiers et les légumes verts sont de bonnes sources de magnésium **ENCADRÉ 8.4**.

Sodium

Pendant la grossesse, les besoins de sodium s'accroissent légèrement, surtout parce que le volume d'eau corporelle augmente (en raison de l'expansion du volume sanguin). Le sodium est essentiel pour le maintien de l'équilibre hydrique de l'organisme. Par le passé, on restreignait couramment l'apport alimentaire de sodium pendant la grossesse dans l'intention de maîtriser l'**œdème périphérique** qui apparaît fréquemment pendant celle-ci. On considère maintenant qu'un œdème périphérique modéré est normal pendant la grossesse et qu'il se produit en réaction aux taux élevés d'œstrogènes qui favorisent la rétention de liquide (ASPC, 2008c). Si l'absorption de sodium est restreinte trop sévèrement, la femme enceinte peut avoir de la difficulté à maintenir un apport alimentaire suffisant. Les produits céréaliers, certains laits et substituts ainsi que certaines viandes et leurs substituts qui sont de bonnes sources d'éléments nutritifs nécessaires pendant la grossesse représentent aussi des sources importantes de sodium. La restriction sodique pourrait en outre imposer un stress aux glandes surrénales et aux reins dans leurs efforts pour retenir des quantités suffisantes de sodium. En général, la restriction sodique n'est nécessaire que si la femme présente une condition médicale qui la justifie, comme l'insuffisance rénale ou hépatique ou encore l'hypertension.

L'absorption excessive de sodium est déconseillée pendant la grossesse, tout comme elle l'est chez la femme qui n'est pas enceinte, parce qu'elle pourrait contribuer à l'apparition de l'hypertension chez les personnes sensibles au sel. On estime que 1,5 g par jour constitue un apport suffisant de sodium pour une femme enceinte ou allaitante, tout comme pour une femme non enceinte en âge de

Le sel de table (chlorure de sodium) est la source la plus riche de sodium ; il en renferme environ 2,3 g dans une cuillérée à thé (6 g).

Œdème périphérique : Œdème observable à l'extrémité des membres inférieurs et supérieurs.

8

Pratique fondée sur des résultats probants

ENCADRÉ 8.4 **Suppléments nutritifs autres que l'acide folique favorisant une santé optimale pendant la grossesse**

QUESTION CLINIQUE

En plus de l'acide folique, quels suppléments nutritifs devrait-on recommander aux femmes enceintes ?

RÉSULTATS PROBANTS

- Stratégies de recherche : directives des organismes professionnels, méta-analyses, revues systématiques, essais cliniques aléatoires, études prospectives non aléatoires et études rétrospectives depuis 2010.
- Bases de données utilisées : CINAHL, Cochrane, Medline, National Guideline Clearinghouse et sites Web de l'Association of Women's Health, Obstetric, and Neonatal Nurses, des Centers for Disease Control and Prevention et du National Institute for Health and Clinical Excellence.

ANALYSE CRITIQUE ET SYNTHÈSE DES DONNÉES

- Les directives cliniques du National Institute of Health and Clinical Evidence (NICE) pour les soins prénataux incluaient la recommandation d'informer toutes les femmes de l'importance de la supplémentation en vitamine D, en particulier les femmes à la peau plus foncée, celles dont le régime alimentaire est faible en vitamine D et celles qui sont obèses ou qui s'exposent peu au soleil (NICE, 2008). En facilitant l'absorption du calcium, la vitamine D prévient le rachitisme et pourrait prévenir la prééclampsie. Le calcium est connu pour réduire de moitié les risques de prééclampsie, en particulier chez les femmes ayant un faible apport alimentaire en calcium (Hofmeyr, Duley & Atallah, 2007).
- Le risque de donner naissance à un nouveau-né affligé d'une fente palatine a été réduit chez les femmes norvégiennes qui ont reçu de la vitamine A (Johansen, Lie, Wilcox, Andersen & Drevon, 2008).
- Étant donné que la prééclampsie peut être le résultat du stress oxydatif, des chercheurs ont suggéré que les antioxydants pourraient avoir un effet protecteur. Toutefois, une revue systématique de Cochrane portant sur 10 essais mettant en cause 6 533 femmes a trouvé que les suppléments de vitamines C et E, de sélénium et de lycopène n'ont apporté aucune amélioration en ce qui concerne la prééclampsie, les naissances prématurées, le RCIU ou la mortalité périnatale (Rumbold, Duley, Crowther & Haslam, 2008).
- Une autre revue de Cochrane de 17 essais mettant en cause plus de 9 000 femmes a révélé que la supplémentation en zinc pendant la grossesse pourrait réduire les naissances prématurées dans les régions où la mortalité périnatale est élevée, mais elle n'a pas démontré de bienfaits dans d'autres milieux (Mahomed, Bhutta & Middleton, 2007). Les responsables de la revue systématique recommandent une approche plus globale de la nutrition pendant la grossesse plutôt que de s'attacher à des micronutriments particuliers.

RECOMMANDATIONS POUR LA PRATIQUE INFIRMIÈRE

Une bonne nutrition est essentielle pour la santé, en particulier pendant la grossesse. Même si certains micronutriments gagnent ou perdent la faveur des scientifiques, les femmes provenant de milieux aux ressources limitées tireront le meilleur bénéfice pour elles-mêmes et pour leur fœtus d'une supplémentation complète en vitamines et en minéraux ainsi que d'une alimentation adéquate et variée. Les femmes exposées à certains risques pourront bénéficier de micronutriments protecteurs supplémentaires comme la vitamine D et le calcium afin de réduire les risques de prééclampsie.

RÉFÉRENCES

Hofmeyr, G.J., Duley, L., & Atallah, A. (2007). Dietary calcium supplementation for prevention of pre-eclampsia and related problems : A systematic review and commentary. *BJOG, 1114*, 933-943.

Johansen, A.M., Lie, R.T., Wilcox, A.J., Andersen, L.F., & Drevon, C.A. (2008). Maternal dietary intake of vitamin A and risk of orofacial clefts : A population-based case-control study in Norway. *Am J Epidemiol, 167*(10), 1164-1170.

Mahomed, K., Bhutta, Z., & Middleton, P. (2007). Zinc supplementation for improving pregnancy and infant outcome. *Cochrane Database of Systematic Reviews, 1*, CD 000230.

National Institute for Health and Clinical Excellence (NICE) (2008). *Antenatal care : Routine care for the healthy pregnant woman. NICE Clinical Guideline 62*. London : NICE. www.nice.org.uk/nicemedia/pdf/CG062NICEguideline.pdf.

Rumbold, A., Duley, L., Crowther, C.A., & Haslam, R.R. (2008). Antioxidants for preventing pre-eclampsia. *Cochrane Database of Systematic Reviews, 1*, CD 004227.

procréer, avec une limite supérieure de 2,3 g par jour (Santé Canada, 2010f). La plupart des aliments en conserve contiennent du sel ajouté, à moins que l'étiquette n'indique le contraire. On trouve également de grandes quantités de sodium dans beaucoup d'aliments transformés, comme les viandes (p. ex., les viandes fumées, les viandes froides, le corned-beef), les repas congelés, les produits de boulangerie, les mélanges pour plats en casserole ou les produits céréaliers, les soupes et les condiments. Parmi les produits à faible valeur nutritive excessivement riches en sodium, on note les bretzels, les croustilles, les marinades, le ketchup, la moutarde préparée, les sauces à steak, la sauce Worcestershire, certains mets préparés et les bouillons. On peut généralement s'assurer un apport modéré en sodium en salant légèrement les aliments pendant la cuisson, en n'ajoutant pas de sel de table et en évitant les aliments peu nutritifs riches en sodium.

Potassium

Les régimes alimentaires qui assurent un apport suffisant en potassium sont associés à un risque réduit d'hypertension. On a déterminé que le potassium est l'un des éléments nutritifs les plus susceptibles d'être insuffisant dans l'alimentation des femmes en âge de procréer (Institute of Medicine of the National Academies, 2004). Un régime qui comprend quotidiennement de 8 à 10 portions de fruits et de légumes non transformés, ainsi que des quantités modérées de viandes et de produits laitiers faibles en gras, fournit des quantités suffisantes de potassium.

La vitamine B_9, ou folacine, est aussi appelée acide folique pour la forme synthétisée servant de supplément et folate pour celle présente naturellement dans les aliments.

Zinc

Le zinc est un constituant de plusieurs enzymes intervenant dans les processus métaboliques. La carence en zinc est associée à des malformations du système nerveux central chez les nourrissons. Si de grandes quantités de fer et d'acide folique sont consommées, l'absorption de zinc est inhibée, et son taux sérique se trouve réduit. Étant donné qu'on prescrit couramment des suppléments de fer et d'acide folique pendant la grossesse, il faudrait conseiller aux femmes enceintes de consommer quotidiennement de bonnes sources de zinc. Les femmes souffrant d'anémie qui reçoivent des suppléments de fer à dose élevée ont aussi besoin de suppléments de zinc et de cuivre.

Fluor

Il n'existe pas de preuve que la supplémentation prénatale en fluor réduit les risques de carie dentaire chez l'enfant d'âge préscolaire. On ne recommande pas actuellement d'augmenter l'apport de fluor pendant la grossesse par rapport aux ANREF pour les femmes non enceintes (Santé Canada, 2010g).

Folate et acide folique

En raison de l'augmentation de la production de globules rouges pendant la grossesse et des besoins nutritionnels attribuables aux cellules en croissance rapide du fœtus et du placenta, les femmes enceintes devraient consommer environ 50 % plus d'acide folique que celles qui ne sont pas enceintes, soit environ 0,4 mg (400 mcg) par jour. Au Canada, depuis 1998, la farine blanche ainsi que la semoule de maïs et les pâtes enrichies sont maintenant enrichies en acide folique **ENCADRÉ 8.5**. Ce degré d'enrichissement est prévu pour apporter quotidiennement environ 0,1 mg d'acide folique dans la ration alimentaire du Canadien moyen, et il a augmenté la consommation d'acide folique de façon importante dans l'ensemble de la population. On prescrit habituellement un supplément d'acide folique pour en assurer un apport suffisant. En général, on conseille aux femmes qui ont donné naissance à un nouveau-né affligé d'une anomalie du tube neural de consommer quotidiennement 4 mg d'acide folique, et un supplément est nécessaire pour atteindre cet objectif. Selon les facteurs de risque, cette recommandation peut être augmenté (Santé Canada, 2010h).

Pyridoxine

La pyridoxine (ou vitamine B_6) intervient dans le métabolisme des protéines. Bien qu'on ait rapporté que les taux d'enzyme contenant de la pyridoxine soient faibles chez les femmes souffrant de prééclampsie, la preuve n'est pas faite qu'une supplémentation préviendrait ou corrigerait cet état. On ne recommande pas couramment la prise d'un supplément, mais les femmes dont l'alimentation est inadéquate et celles qui présentent un risque nutritionnel pourraient en avoir besoin **ENCADRÉ 8.2**. Certains essais ont montré que la

ENCADRÉ 8.5 Sources alimentaires de folate par portion (selon le *Guide alimentaire canadien*)

SOURCE DE 200 mcg OU PLUS
- Légumineuses, cuites (175 ml) : lentilles, haricots romains et pinto

SOURCE DE 100 mcg OU PLUS
- Légumineuses, cuites (175 ml) : pois chiches (garbanzo), haricots noirs, blancs ou rouges
- Asperges
- Épinards cuits
- Papaye (1 moyenne)

SOURCE DE 50 mcg OU PLUS
- Légumes :
  - brocoli, choux de Bruxelles, betteraves (125 ml-1/2 tasse)
  - épinards crus, laitue romaine (250 ml-1 tasse)
- Fruits (125 ml-1/2 tasse)
  - avocat
  - jus d'orange
- Pâtes cuites
- Bagel (½ ou 45 g)
- Graines de tournesol écalées (60 ml)

SOURCE DE 20 mcg OU PLUS
- Pain (1 tranche)
- Œuf (1 gros)
- Maïs (125 ml)
- Germe de blé

Source : Santé Canada (2010i).

pyridoxine était efficace pour réduire les nausées et les vomissements au début de la grossesse.

Suppléments de multivitamines et de minéraux pendant la grossesse

Les aliments peuvent et doivent être le véhicule normal pour satisfaire les besoins additionnels imposés par la grossesse, sauf en ce qui concerne le fer. Il peut également être difficile pour certaines femmes de se procurer l'apport recommandé de folate ou d'acide folique. En outre, le régime habituel de certaines femmes est parfois déficient en éléments nutritifs essentiels, et elles peuvent être incapables pour quelque raison de modifier cette situation. Il faut alors envisager pour ces femmes la prise de suppléments de multivitamines et de minéraux afin de s'assurer qu'elles reçoivent l'ANR de la plupart des vitamines et minéraux connus. La femme enceinte doit comprendre que l'usage de suppléments de vitamines et de minéraux ne réduit pas la nécessité d'avoir un régime alimentaire nourrissant et bien équilibré.

8.2.7 Besoins nutritionnels liés à l'activité physique pendant la grossesse

L'exercice modéré pendant la grossesse génère de nombreux bienfaits, dont l'amélioration du tonus musculaire, la possibilité de réduire la durée du travail et la création d'un sentiment de bien-être. Si aucun problème médical ou obstétrical ne représente une contre-indication à l'activité physique, la femme enceinte devrait s'adonner à 30 minutes d'exercice modéré la plupart des jours de la semaine ou même tous les jours (ASPC, 2011). Deux concepts nutritionnels sont particulièrement importants pour les femmes qui choisissent de faire de l'exercice pendant leur grossesse. D'abord, il leur faut absorber une généreuse quantité de liquide avant, pendant et après l'exercice parce que la déshydratation peut déclencher un travail prématuré. Ensuite, leur apport calorique doit être suffisant pour combler à la fois les besoins accrus de la grossesse et ceux qui sont engendrés par l'exercice.

8.3 Préoccupations nutritionnelles pendant la grossesse

8.3.1 Pica et fringales

Le **pica** est une pratique qui consiste à consommer des substances non comestibles (p. ex., de l'argile, de la terre, de l'amidon de blanchisserie) ou des quantités excessives de produits comestibles de faible valeur nutritive (p. ex., de la glace, de la levure chimique, du bicarbonate de sodium) ; l'objet de cette pratique est souvent influencé par les antécédents culturels. La consommation régulière et importante de produits de faible valeur nutritive peut exclure du régime des aliments plus nutritifs, et les substances consommées peuvent en outre entraver l'absorption des nutriments, en particulier les minéraux (Young, 2010). Certaines personnes ingèrent plus d'une substance (Ngozi, 2008). Les femmes souffrant de pica ont un taux d'hémoglobine inférieur aux autres (López, Langini & Pita de Portela, 2007).

Les produits non alimentaires risquent en outre d'être contaminés par des métaux lourds ou d'autres substances toxiques. Les femmes d'origine mexicaine, par exemple, consomment parfois de la « tierra », pouvant inclure à la fois de la terre et de la poterie mexicaine réduite en poudre (Erdem, Hernandez, Kyono, Chan-Nishina & Klwaishi, 2004). La contamination des sols et des produits à base de terre par le plomb s'est traduite par des taux élevés de plomb tant chez les femmes enceintes que chez leurs nouveau-nés. Les questionnaires concernant l'apport nutritionnel des femmes enceintes devraient aborder l'utilisation de produits non alimentaires pour cuisiner ou pour servir les aliments. Il faut considérer la possibilité de pica quand il s'avère que la femme enceinte est anémique, et l'infirmière devrait fournir un counseling sur les risques associés au pica (Corbett, Ryan & Weinrich, 2003 ; López *et al.*, 2007). Selon Mills (2007), les cas de pica demeurent sous-estimés, et ils sont probablement plus répandus que les professionnels de la santé le pensent. Toujours selon la même auteure, les formes les plus communes de pica sont l'ingestion de terre ou d'argile (géophagie), de glace, de produit de blanchisserie et d'amidon de maïs (amylophagie). Le professionnel de la santé doit garder en tête que l'ingestion de ces substances pendant la grossesse peut causer des problèmes de santé pour la femme et le fœtus.

Jugement clinique

Madame Bernier a toujours été une femme active. Même enceinte, elle s'entraîne au centre de conditionnement physique de son quartier trois fois par semaine.

Nommez deux concepts nutritionnels importants à lui mentionner en lien avec ses séances d'activité physique.

RAPPELEZ-VOUS...

Un programme d'activités et d'exercices physiques favorise un mode de vie actif et contribue au maintien et à l'amélioration de la santé.

Une hypothèse propose que le pica et les fringales pendant la grossesse (p. ex., l'envie impérieuse de manger de la crème glacée, des cornichons ou de la pizza) soient provoqués par le besoin instinctif de consommer des nutriments qui manquent dans l'alimentation. Les recherches n'ont toutefois pas appuyé cette hypothèse.

8.3.2 Besoins nutritionnels de l'adolescente enceinte

L'alimentation de beaucoup d'adolescentes ne procure pas les apports recommandés en énergie et en éléments nutritifs essentiels tels le calcium et le fer

(Santé Canada, 2009c). Il faut insister sur l'importance de consommer des quantités suffisantes de lait et de substituts, en particulier auprès des adolescentes (et des femmes âgées de moins de 25 ans), le calcium étant nécessaire à la croissance de leur squelette ; les adolescentes ont besoin d'au moins trois ou quatre portions de produits laitiers chaque jour. Les adolescentes enceintes et leur enfant présentent un risque accru de complications pendant la grossesse et l'accouchement. Comme la croissance du bassin se produit plus tard que l'accroissement de la taille, cela pourrait expliquer le fait que la disproportion fœtopelvienne et d'autres problèmes mécaniques liés au travail sont plus courants chez les jeunes adolescentes (Hamada *et al.*, 2004). La compétition pour l'obtention des nutriments entre l'adolescente en croissance et son fœtus pourrait aussi contribuer à l'évolution négative de la grossesse de certaines adolescentes. On conseille aux adolescentes enceintes de viser un gain de poids situé à l'extrémité supérieure de l'intervalle de variation recommandé pour leur IMC.

Les efforts visant à améliorer la santé nutritionnelle des adolescentes enceintes se concentrent sur l'amélioration de leurs connaissances en nutrition, sur la planification des repas et sur leur habileté à choisir et à préparer les aliments. Ils visent également à faciliter leur accès à des soins prénataux, à mettre sur pied des interventions et des programmes éducatifs efficaces auprès d'elles et à comprendre les facteurs qui créent des barrières au changement de leurs comportements de santé.

8.4 Besoins nutritionnels pendant la lactation

Les besoins nutritionnels pendant la lactation sont semblables à bien des égards à ceux de la grossesse. Les besoins d'énergie (calories), de protéines, de calcium, d'iode, de zinc, de vitamine C et de vitamines du complexe B (thiamine, riboflavine, niacine, pyridoxine et vitamine B_{12}) demeurent plus élevés que ceux de la femme qui n'est pas enceinte. Pour certains de ces éléments (p. ex., la vitamine C, le zinc et les protéines), les recommandations sont légèrement ou modérément supérieures à celles durant la grossesse. Cette ration comprend la quantité d'éléments nutritifs incorporés dans le lait et ceux qui sont nécessaires à l'entretien des tissus de la mère. Dans le cas du fer et de l'acide folique, la recommandation pendant la lactation est inférieure à celle durant la grossesse. Avec le retour à la normale du volume sanguin maternel après l'accouchement, les besoins en fer et en acide folique de la mère diminuent. Beaucoup de femmes qui allaitent connaissent par ailleurs un délai avant le retour de leurs règles, ce qui leur permet de conserver leurs cellules sanguines et de réduire leurs besoins en fer et en acide folique. L'apport de calcium doit être suffisant ; si ce n'est pas le cas et que la femme n'adhère pas aux recommandations du counseling en nutrition, un supplément de calcium peut être nécessaire, sans toutefois excéder 500 mg de calcium élémentaire par dose (Ross *et al.*, 2010).

L'apport hydrique doit être suffisant pour soutenir la production de lait, mais la soif de la mère reste le meilleur guide pour juger des quantités adéquates. Il n'est pas nécessaire d'absorber plus de liquides que ceux qui permettent de satisfaire la soif.

Il est préférable d'éviter la consommation d'alcool et de quantités excessives de boisson contenant de la caféine pendant la lactation (Santé Canada, 2010j, 2010k). Des chercheurs ont avancé l'hypothèse que le développement psychomoteur du nourrisson pourrait être perturbé par la consommation maternelle d'alcool et que les boissons alcoolisées (deux consommations par jour) pourraient affaiblir le réflexe d'éjection du lait (Beaulac-Baillargeon, 2008 ; Giglia, 2010 ; La Ligue La Leche, 2009). La consommation de caféine pourrait diminuer la concentration de fer dans le lait et contribuer de ce fait au développement de l'anémie chez le nourrisson. La concentration de caféine dans le lait n'atteint qu'environ 1 % de celle du plasma de la mère, mais cette substance peut rendre le nourrisson irritable et perturber son sommeil. Les enfants allaités dont la mère boit de grandes quantités de café ou de boissons gazeuses contenant de la caféine peuvent être exceptionnellement actifs et éveillés.

SOINS ET TRAITEMENTS INFIRMIERS

Suivi nutritionnel

Pendant la grossesse, la nutrition joue un rôle de premier plan dans l'atteinte d'une issue optimale pour la mère et son enfant à naître. La motivation des parents pour se renseigner sur la nutrition est habituellement plus grande à ce moment, alors qu'ils s'efforcent de « faire ce qui est le mieux pour le bébé ». Une alimentation optimale ne peut éliminer tous les problèmes qui peuvent survenir pendant la grossesse, mais elle établit une bonne base pour répondre aux besoins de la mère et du fœtus **ENCADRÉ 8.6**.

Histoire de santé

L'histoire de santé fournit une description de ce que la femme mange et boit habituellement et des facteurs qui influent sur son statut nutritionnel (p. ex., les médicaments qu'elle prend) ou sa capacité financière de se procurer les aliments nécessaires.

Mise en œuvre d'une démarche de soins

ENCADRÉ 8.6 Nutrition

COLLECTE DES DONNÉES – ÉVALUATION INITIALE

Les actions à entreprendre pour évaluer la nutrition sont les suivantes :

- Recueillir méthodiquement les antécédents nutritionnels par un entretien et revoir le dossier médical de la cliente.
- Procéder à un examen physique en portant une attention spéciale à la pression artérielle, au poids ainsi qu'à l'état des dents et de la peau.
- Consulter les résultats des analyses de laboratoire et y chercher des indices d'anémie ou de carence en fer.

Idéalement, une évaluation nutritionnelle devrait être réalisée avant la conception de façon à entreprendre les changements recommandés concernant le régime alimentaire, le mode de vie et le poids avant que la femme devienne enceinte.

ANALYSE ET INTERPRÉTATION DES DONNÉES

Les problèmes découlant de la situation de santé peuvent inclure :

- Déséquilibre alimentaire lié à :
  - un apport inférieur aux besoins de l'organisme, dû à :
    - des connaissances insuffisantes sur les besoins nutritionnels et le gain de poids pendant la grossesse ;
    - des perceptions erronées au sujet des changements normaux de l'organisme pendant la grossesse et la crainte non fondée de devenir grosse ;
    - l'insuffisance de revenu ou d'habiletés pour la planification et la préparation des repas ;
  - un apport supérieur aux besoins de l'organisme, dû :
    - un apport énergétique excessif (kcal) et une réduction de l'activité pendant la grossesse ;
    - la consommation de suppléments alimentaires inutiles.
- Constipation liée à :
  - la réduction de la motilité gastro-intestinale attribuable aux taux élevés de progestérone ;
  - la compression des intestins par l'utérus qui grossit ;
  - la prise de suppléments de fer oraux.

RÉSULTATS ESCOMPTÉS

La planification des soins est établie dans le but d'atteindre les résultats suivants :

- Prise de poids appropriée pendant la gestation, établie en tenant compte de facteurs tels que le poids d'avant la grossesse, le type de grossesse (simple ou multiple).
- Aptitude à trouver dans les aliments ou sous forme de supplément les éléments nutritifs nécessaires dans le but de satisfaire les besoins estimés.
- Capacité de surmonter les malaises digestifs associés à la grossesse, comme les nausées matinales, le pyrosis (brûlures d'estomac) et la constipation.
- Aptitude à éviter ou à surmonter les habitudes potentiellement nuisibles, comme le tabagisme, la consommation d'alcool et de boissons contenant de la caféine.
- Reprise graduelle du poids d'avant la grossesse (ou un poids convenable pour la taille) après l'accouchement.

INTERVENTIONS INFIRMIÈRES

Les interventions infirmières requises pour l'atteinte des résultats escomptés comprennent, notamment :

- Informer la cliente des besoins nutritionnels de la grossesse et, au besoin, des caractéristiques d'une alimentation équilibrée durant la grossesse.
- Aider la cliente à personnaliser son alimentation, de façon qu'elle s'assure un apport alimentaire suffisant tout en respectant ses particularités individuelles, culturelles, financières et sanitaires.
- Informer la cliente des stratégies utiles pour surmonter les malaises digestifs pendant la grossesse.
- Aider la cliente à faire usage de suppléments nutritifs de la façon appropriée.
- Consulter au besoin d'autres professionnels ou services ou y diriger la cliente.
- Comparer le gain de poids de la cliente avec les valeurs recommandées.
- Comparer l'alimentation de la cliente avec le *Guide alimentaire canadien*. Il faut tenir compte des facteurs individuels qui influent sur les besoins nutritionnels et sur l'apport alimentaire.

ÉVALUATION DES RÉSULTATS – ÉVALUATION EN COURS D'ÉVOLUTION

Les soins ont été efficaces quand l'apport nutritionnel de la cliente respecte les recommandations, qu'elle surmonte les malaises digestifs de la grossesse et que son gain de poids est approprié au stade de la grossesse.

8

Effets des antécédents obstétricaux et gynécologiques sur la nutrition

Les réserves nutritives de la femme multipare ou de celle qui a eu des grossesses fréquentes (en particulier trois grossesses en deux ans) peuvent être épuisées. Par ailleurs, des antécédents d'accouchement prématuré ou de naissance d'un nouveau-né de faible poids ou d'un nouveau-né présentant un RCIU peuvent être le signe d'un apport alimentaire insuffisant. La prééclampsie peut aussi être un facteur lié à une mauvaise alimentation de la mère. La naissance d'un nouveau-né hypertrophique peut révéler que celle-ci est atteinte du diabète gestationnel. Les méthodes contraceptives utilisées antérieurement peuvent également nuire à la santé reproductive. Pendant les trois à six mois qui suivent la mise en place de certains dispositifs intra-utérin, la quantité de sang perdue au cours des menstruations est souvent plus importante. Il est donc possible que les réserves de fer de la femme soient faibles, et elle peut présenter de l'anémie ferriprive. À l'inverse, on a associé les agents contraceptifs oraux à une réduction des pertes menstruelles et à une hausse des réserves de fer (Santé Canada, 2008). Ces produits peuvent toutefois perturber le métabolisme de l'acide folique.

L'infirmière doit être attentive à tout indice de trouble de l'alimentation comme l'anorexie nerveuse, la boulimie ou l'adhésion fréquente ou stricte à des régimes avant et pendant la grossesse.

L'encadré 8.1W présente un exemple de questionnaire sur l'alimentation. Il peut être consulté à l'adresse www.cheneliere.ca/lowdermilk.

Antécédents médicaux

Les maladies chroniques, comme le diabète, une maladie rénale ou hépatique, la fibrose kystique ou d'autres syndromes de malabsorption, les troubles convulsifs et l'usage d'agents anticonvulsivants, l'hypertension et la phénylcétonurie peuvent influer sur l'état nutritionnel d'une femme et ses besoins. Chez les clientes atteintes de maladies ayant entraîné un état de malnutrition ou chez celles qui requièrent une thérapie nutritionnelle (p. ex., qui souffrent de diabète ou de phénylcétonurie), les soins nutritionnels doivent être entrepris avant la conception, et le problème de santé doit être maîtrisé de façon optimale. Une nutritionniste peut offrir un counseling approfondi à la cliente qui a besoin d'un régime alimentaire thérapeutique pendant la grossesse et l'allaitement.

Habitudes alimentaires de la mère

Il importe d'établir l'apport alimentaire et liquidien habituel de la femme, de déterminer si ses revenus et ses autres ressources permettent de satisfaire ses besoins nutritionnels et de noter tout changement dans ses habitudes alimentaires. Il faut aussi considérer d'autres particularités, comme les allergies et les intolérances alimentaires, tous les médicaments et suppléments alimentaires qu'elle prend, de même que la présence de pica et les exigences alimentaires liées à sa culture. Il faut également vérifier la présence et l'importance des malaises digestifs de la grossesse, comme les nausées matinales, la constipation et le pyrosis. L'infirmière doit être attentive à tout indice de trouble de l'alimentation, comme l'anorexie nerveuse, la boulimie ou l'adhésion fréquente ou stricte à des régimes avant et pendant la grossesse.

L'impact des allergies et des intolérances alimentaires sur l'état nutritionnel va de très important à presque nul. L'intolérance au lactose est une préoccupation particulière pour la femme enceinte ou allaitante parce qu'aucun autre groupe alimentaire n'apporte autant de calcium que le lait et ses substituts. Si la femme est intolérante au lactose, l'infirmière doit vérifier quelles sont les autres sources qui peuvent lui fournir le calcium dont elle a besoin **TABLEAU 8.6**.

L'évaluation doit comprendre une estimation de la situation financière de la femme et de sa connaissance des pratiques alimentaires saines. Généralement, la qualité de l'alimentation augmente avec le niveau de revenu et d'instruction. Par ailleurs, les femmes issues de milieux défavorisés peuvent ne pas avoir accès à des équipements adéquats de réfrigération et de cuisson, et elles peuvent éprouver de la difficulté à se procurer des aliments suffisamment nutritifs. La grossesse est aussi présente chez les femmes sans abri, et beaucoup d'entre elles n'ont pas nécessairement accès à des soins prénataux ou à des conseils ou services de planification familiale. Il importe de recueillir l'histoire nutritionnelle de la cliente au moyen d'un questionnaire. Si des problèmes potentiels sont décelés, il faut procéder à un suivi et prévoir un entretien approfondi.

Examen physique

Les **mesures anthropométriques** fournissent des renseignements à court et à long terme sur l'état nutritionnel d'une femme et sont, par conséquent, essentielles à l'évaluation. Il importe à tout le moins de déterminer la taille et le poids de la cliente au moment de sa première visite prénatale, et il faut prendre son poids à chacune des visites subséquentes (consulter la section concernant l'IMC).

Un examen physique approfondi peut révéler des signes objectifs de malnutrition **TABLEAU 8.7**. Il est toutefois important de noter que certains de ces signes ne sont pas propres à la grossesse et que les modifications physiologiques de la mère peuvent compliquer l'interprétation des données physiques. Par exemple, on observe souvent de l'œdème dans les membres inférieurs en cas de carence énergétique et protéique, mais il peut aussi s'agir d'un constat normal pendant le troisième trimestre de la grossesse. L'interprétation des données physiques est rendue relativement facile grâce à une collecte méthodique des antécédents de santé et, au besoin, par des analyses de laboratoire.

Analyses de laboratoire

La seule analyse de laboratoire liée à l'alimentation qui soit nécessaire pour la plupart des femmes enceintes est la détermination de l'hématocrite ou le dosage de l'hémoglobine afin de dépister l'anémie. En raison de l'anémie physiologique de la grossesse, il faut ajuster les valeurs de référence de l'hémoglobine et de l'hématocrite à ce moment **TABLEAU 8.8**. Les valeurs seuils pour l'anémie sont plus élevées chez les femmes qui fument ou celles qui vivent à haute altitude parce que le pouvoir oxyphorique réduit de leurs globules rouges les amène à en produire plus que les autres femmes.

Les antécédents d'une femme ou ses données physiques peuvent signaler la nécessité de procéder à d'autres analyses, comme une formule sanguine complète, afin de détecter l'anémie mégaloblastique ou macrocytaire, et le dosage de vitamines ou de minéraux précis dont on soupçonne une insuffisance dans l'alimentation. Toutes les femmes canadiennes doivent être soumises à une hyperglycémie provoquée par voie

La seule analyse de laboratoire liée à l'alimentation qui soit nécessaire pour la plupart des femmes enceintes est la détermination de l'hématocrite ou le dosage de l'hémoglobine afin de dépister l'anémie.

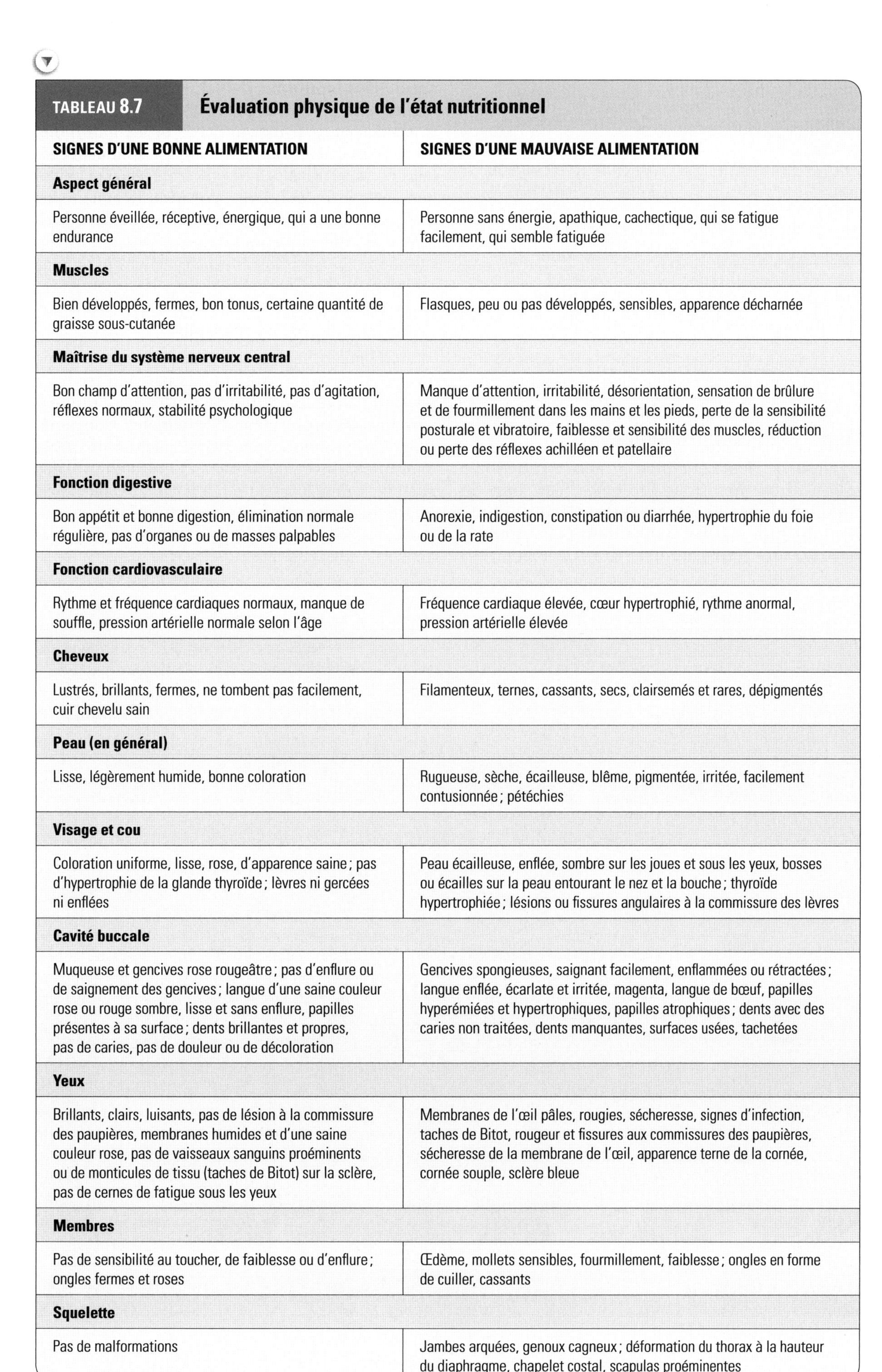

TABLEAU 8.7	Évaluation physique de l'état nutritionnel
SIGNES D'UNE BONNE ALIMENTATION	**SIGNES D'UNE MAUVAISE ALIMENTATION**
Aspect général	
Personne éveillée, réceptive, énergique, qui a une bonne endurance	Personne sans énergie, apathique, cachectique, qui se fatigue facilement, qui semble fatiguée
Muscles	
Bien développés, fermes, bon tonus, certaine quantité de graisse sous-cutanée	Flasques, peu ou pas développés, sensibles, apparence décharnée
Maîtrise du système nerveux central	
Bon champ d'attention, pas d'irritabilité, pas d'agitation, réflexes normaux, stabilité psychologique	Manque d'attention, irritabilité, désorientation, sensation de brûlure et de fourmillement dans les mains et les pieds, perte de la sensibilité posturale et vibratoire, faiblesse et sensibilité des muscles, réduction ou perte des réflexes achilléen et patellaire
Fonction digestive	
Bon appétit et bonne digestion, élimination normale régulière, pas d'organes ou de masses palpables	Anorexie, indigestion, constipation ou diarrhée, hypertrophie du foie ou de la rate
Fonction cardiovasculaire	
Rythme et fréquence cardiaques normaux, manque de souffle, pression artérielle normale selon l'âge	Fréquence cardiaque élevée, cœur hypertrophié, rythme anormal, pression artérielle élevée
Cheveux	
Lustrés, brillants, fermes, ne tombent pas facilement, cuir chevelu sain	Filamenteux, ternes, cassants, secs, clairsemés et rares, dépigmentés
Peau (en général)	
Lisse, légèrement humide, bonne coloration	Rugueuse, sèche, écailleuse, blême, pigmentée, irritée, facilement contusionnée ; pétéchies
Visage et cou	
Coloration uniforme, lisse, rose, d'apparence saine ; pas d'hypertrophie de la glande thyroïde ; lèvres ni gercées ni enflées	Peau écailleuse, enflée, sombre sur les joues et sous les yeux, bosses ou écailles sur la peau entourant le nez et la bouche ; thyroïde hypertrophiée ; lésions ou fissures angulaires à la commissure des lèvres
Cavité buccale	
Muqueuse et gencives rose rougeâtre ; pas d'enflure ou de saignement des gencives ; langue d'une saine couleur rose ou rouge sombre, lisse et sans enflure, papilles présentes à sa surface ; dents brillantes et propres, pas de caries, pas de douleur ou de décoloration	Gencives spongieuses, saignant facilement, enflammées ou rétractées ; langue enflée, écarlate et irritée, magenta, langue de bœuf, papilles hyperémiées et hypertrophiques, papilles atrophiques ; dents avec des caries non traitées, dents manquantes, surfaces usées, tachetées
Yeux	
Brillants, clairs, luisants, pas de lésion à la commissure des paupières, membranes humides et d'une saine couleur rose, pas de vaisseaux sanguins proéminents ou de monticules de tissu (taches de Bitot) sur la sclère, pas de cernes de fatigue sous les yeux	Membranes de l'œil pâles, rougies, sécheresse, signes d'infection, taches de Bitot, rougeur et fissures aux commissures des paupières, sécheresse de la membrane de l'œil, apparence terne de la cornée, cornée souple, sclère bleue
Membres	
Pas de sensibilité au toucher, de faiblesse ou d'enflure ; ongles fermes et roses	Œdème, mollets sensibles, fourmillement, faiblesse ; ongles en forme de cuiller, cassants
Squelette	
Pas de malformations	Jambes arquées, genoux cagneux ; déformation du thorax à la hauteur du diaphragme, chapelet costal, scapulas proéminentes

TABLEAU 8.8	Limites inférieures de la variation normale de l'hémoglobine et de l'hématocrite			
ANALYSE	**1er TRIMESTRE**	**2e TRIMESTRE**	**3e TRIMESTRE**	**FEMME NON ENCEINTE**
Hémoglobine (Hb)	11 g/L	10,5 g/L	11 g/L	12 g/L
Hématocrite (Ht)	33 %	32 %	33 %	37 %

Sources : Adapté de Lee & Okam (2011) ; Milman (2008).

Il est possible de télécharger le guide alimentaire complet et d'obtenir des renseignements exhaustifs sur le site Web de Santé Canada au www.hc-sc.gc.ca/fn-an/food-guide-aliment/index-fra.php.

orale entre la 24e et la 28e semaine de grossesse afin de dépister la présence d'un diabète gestationnel.

Apport alimentaire adéquat

L'infirmière peut constituer la source principale d'éducation nutritionnelle pour beaucoup de femmes dont la grossesse se déroule sans complications. Il faut cependant consulter, au besoin, une nutritionniste dont la formation spécialisée lui permet d'évaluer et de planifier le régime alimentaire, de connaître les besoins nutritionnels pendant une maladie et les habitudes alimentaires liées à l'appartenance ethnique (végétarisme, végétalisme, culture japonaise, etc.), ainsi que de traduire les besoins nutritionnels en modes d'alimentation. Il faut orienter vers une nutritionniste les femmes enceintes qui présentent de sérieux problèmes nutritionnels, celles qui ont des maladies comme le diabète (préexistant ou gestationnel) et toutes celles qui requièrent un counseling diététique approfondi.

Au Québec, les femmes enceintes admissibles aux programmes SIPPE et OLO peuvent recevoir une aide alimentaire (œufs, lait et jus d'orange) ainsi que des suppléments de vitamines et de minéraux. Ces aliments sont privilégiés parce qu'ils fournissent du fer, des protéines, du calcium et des vitamines, dont la vitamine C. Ces programmes sont offerts dans les centres de santé et de services sociaux (CSSS) et peuvent présenter certaines variations selon les régions.

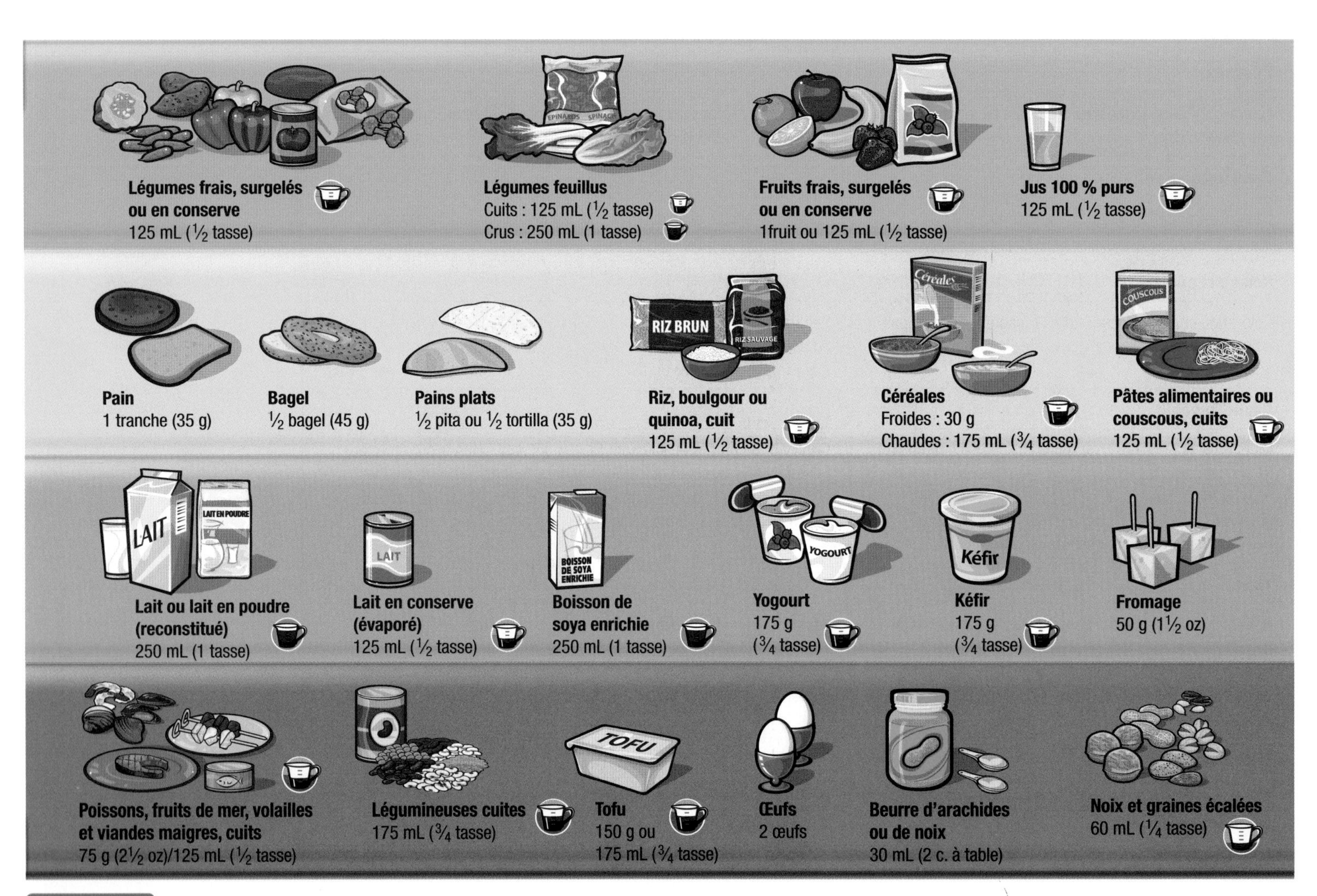

FIGURE 8.4
Extrait du document *Bien manger avec le Guide alimentaire canadien* illustrant des exemples de portions

L'enseignement sur la nutrition se fait au cours d'entretiens individuels ou en groupe. Dans les deux cas, l'enseignement doit mettre l'accent sur l'importance d'opter pour une alimentation variée composée d'aliments facilement disponibles plutôt que sur des suppléments alimentaires spéciaux. Le *Guide alimentaire canadien* constitue une référence de choix en matière d'habitudes alimentaires **FIGURE 8.4**.

L'enseignement doit mettre l'accent sur l'importance d'opter pour une alimentation variée composée d'aliments facilement disponibles plutôt que sur des suppléments alimentaires spéciaux.

Durant la grossesse

La femme enceinte doit comprendre la signification et l'importance d'un gain de poids approprié pendant la grossesse et être capable d'évaluer son propre gain pondéral relativement à l'évolution désirée. Beaucoup de femmes, en particulier celles qui ont fait de gros efforts pour maîtriser leur poids avant la grossesse, peuvent éprouver de la difficulté à comprendre pourquoi l'objectif du gain de poids doit être si élevé alors que le nouveau-né est si petit. L'infirmière peut leur expliquer que le gain pondéral de la mère est dû à l'augmentation du poids de plusieurs tissus et non seulement à la croissance du fœtus **TABLEAU 8.4**.

Néanmoins, l'infirmière ne doit pas trop mettre l'accent sur le gain de poids afin de ne pas susciter des sentiments de stress et de culpabilité chez la femme dont le gain pondéral ne suit pas l'évolution prévue **PSTI 8.1**.

Durant la période postnatale

La nécessité d'avoir une alimentation variée incluant des portions de tous les groupes d'aliments reste présente pendant la lactation. Comme il a été mentionné, la femme qui allaite doit être avisée de consommer les portions recommandées du *Guide alimentaire canadien*. Elle devrait profiter d'un counseling si quelques éléments nutritifs semblent insuffisants dans son alimentation.

L'apport énergétique recommandé pour les six premiers mois d'allaitement est de 330 kcal supérieur à celui d'une femme qui n'est pas enceinte. Il est difficile de se procurer une quantité suffisante des éléments nutritifs nécessaires pour le maintien de la lactation si l'apport calorique total est inférieur aux besoins. En raison de la formation de réserves énergétiques, la femme qui a pris du poids de façon optimale pendant sa grossesse est plus lourde après son accouchement qu'au début de la grossesse. À cause des exigences caloriques de la lactation toutefois, la mère qui allaite connaît habituellement une perte de poids graduelle, mais régulière. La plupart des femmes perdent rapidement plusieurs kilogrammes pendant les premiers mois après l'accouchement, qu'elles allaitent ou non. Après le premier mois, la perte moyenne de poids pendant la lactation est de 0,5 à 1 kg par mois.

La femme qui n'allaite pas perd du poids graduellement si elle adopte une alimentation équilibrée qui comble un peu moins que ses dépenses énergétiques quotidiennes ; de 0,5 à 1 kg par semaine représente un objectif raisonnable pour elle. On recommande à la plupart des femmes qui allaitent et qui ont besoin de réduire leur poids de perdre 1 kg par mois. Six semaines après l'accouchement, les femmes ont gardé en moyenne de 3 à 7 kg du poids qu'elles avaient pris pendant la grossesse, et les deux tiers d'entre elles pèsent plus qu'avant d'être enceintes (Walker, Sterling & Timmerman, 2005). Celles qui risquent d'être obèses ou en surpoids ont besoin d'un suivi pour s'assurer qu'elles savent faire les bons choix alimentaires, en optant d'abord pour les fruits, les légumes, les grains entiers, les viandes maigres et les produits laitiers à faible teneur en gras. Une heure d'activité physique modérée (p. ex., la marche, le jogging, la natation, la bicyclette, la danse aérobique) pratiquée régulièrement aidera la femme à perdre du poids graduellement et à maintenir cette perte de poids.

Thérapie nutritionnelle

Le programme alimentaire des femmes qui suivent une thérapie nutritionnelle peut avoir été bouleversé pendant la grossesse et la lactation. La nutritionniste peut fournir à ces femmes les explications concernant leur régime et les aider à planifier leurs repas. L'infirmière devrait toutefois comprendre les principes de base du régime et être en mesure de renforcer cet enseignement.

L'infirmière devrait connaître en particulier les adaptations alimentaires nécessaires pour les femmes atteintes de diabète (soit gestationnel, soit préexistant de type 1 ou 2). Cette maladie est relativement commune, et l'on observe que la morbidité et la mortalité fœtales sont plus fréquentes quand la grossesse est compliquée par l'hyperglycémie ou par l'hypoglycémie ▶ 20. Tous les efforts doivent être faits pour maintenir la glycémie à l'intérieur des variations normales pendant la grossesse. Le programme alimentaire de la femme diabétique prévoit habituellement de quatre à six repas et collations par jour, et l'apport quotidien en glucides se trouve réparti assez également entre ces repas et collations. Les glucides complexes (fibres et amidons) devraient être bien représentés dans le régime. Afin de garder la maîtrise stricte de sa glycémie, la femme diabétique enceinte doit surveiller elle-même son taux de glucose sanguin chaque jour.

20

Les facteurs de risque du diabète liés à la grossesse sont discutés dans le chapitre 20, *Grossesse à risque : maladies préexistantes*.

8.5 Adaptation aux malaises digestifs de la grossesse

Les malaises digestifs les plus courants pendant la grossesse sont les nausées et les vomissements (états nauséeux de la grossesse), la constipation et le pyrosis.

8.5.1 Nausées et vomissements

Les nausées et les vomissements sont plus fréquents pendant le premier trimestre. Même si les problèmes nutritionnels qu'ils causent en général sont légers ou modérés, ils peuvent toutefois provoquer un malaise considérable. Des médicaments antiémétiques, la vitamine B_6 et la stimulation du point d'acupression P6 pourraient réduire la gravité des nausées. Cependant, aucune étude ne permet de conclure à la réelle efficacité de ces traitements (Matthews, Dowswell, Haas, Doyle & O'Mathúna, 2010). L'**ENCADRÉ 8.7** résume les points importants concernant l'enseignement des précautions liées aux nausées et aux vomissements.

Hyperémèse gravidique (*hyperemesis gravidarum*) : Vomissements importants et persistants durant la grossesse, entraînant une perte de poids, la déshydratation et des déséquilibres électrolytiques.

L'hyperémèse gravidique (*hyperemesis gravidarum*) touche jusqu'à 1 % des femmes enceintes (Bailit, 2005). Le remplacement intraveineux des liquides et des électrolytes est habituellement nécessaire pour les femmes qui perdent 5 % de leur poids ▶ 21.

21

Dans le chapitre 21, *Grossesse à risque : états gestationnels*, l'hyperémèse gravidique est discutée de façon plus approfondie.

8.5.2 Constipation

Un apport accru de fibres par l'alimentation (p. ex., par des produits contenant du son de blé et du blé entier, des légumes crus ou légèrement cuits à la vapeur ou des fruits) améliore en général le fonctionnement intestinal. Les fibres aident à retenir l'eau dans les selles et créent ainsi un volume qui stimule le péristaltisme intestinal. On recommande aux femmes enceintes de consommer 28 g de fibres par jour. Une consommation suffisante d'eau (de 1,5 à 2 L par jour) aide à hydrater les fibres et augmente le volume des selles. La pratique régulière d'exercices qui mettent en action de grands groupes musculaires (la marche, la natation, la bicyclette) favorise également la motilité de l'intestin.

8.5.3 Pyrosis

Le **pyrosis**, ou brûlures d'estomac, est généralement causé par le reflux du contenu acide de l'estomac dans l'œsophage. On peut réduire au minimum ce désagrément en prenant de nombreux petits repas plutôt que deux ou trois gros repas par jour. Étant donné que les liquides accentuent la distension de l'estomac, il ne faut pas les absorber en même temps que les aliments. La femme doit s'assurer d'en boire des quantités suffisantes entre les repas. Il est possible de réduire le problème en évitant les aliments épicés. Le reflux peut être amplifié par la position couchée adoptée immédiatement après un repas et par le port de vêtements qui serrent l'abdomen.

Guide d'enseignement

ENCADRÉ 8.7 Nausées et vomissements

- Mangez des féculents secs, comme des rôties sans beurre, des biscottes Melba ou des craquelins, le matin au réveil et aux moments où les nausées surviennent.
- Évitez de consommer des quantités excessives de liquide au début de la journée ou pendant un épisode de nausées.
- Mangez fréquemment de petites quantités de nourriture (toutes les deux ou trois heures) et évitez les repas copieux qui distendent l'estomac.
- Évitez de sauter des repas et de devenir ainsi très affamée, ce qui pourrait empirer les nausées. Prenez une collation de céréales avec du lait, un petit sandwich ou un yogourt avant d'aller au lit.
- Évitez les mouvements brusques. Sortez du lit lentement.
- Réduisez la consommation d'aliments frits ou d'autres aliments gras. Les féculents comme les pâtes, le riz et les pains, ainsi que les aliments riches en protéines à faible teneur en gras comme la volaille grillée ou cuite au four sans sa peau, les légumineuses, les viandes maigres et le poisson grillé ou en conserve sont de bons choix.
- Les aliments ou les boissons acidulés (p. ex., la limonade) ou les aliments salés (p. ex., les croustilles) peuvent être tolérés pendant les épisodes de nausées.
- L'air frais peut aider à soulager les nausées. Gardez l'environnement bien aéré (p. ex., en ouvrant une fenêtre), faites une promenade à pied ou réduisez les odeurs de cuisson en utilisant une hotte.
- Durant les épisodes de nausées, mangez des aliments servis frais ou qui dégagent peu d'arôme. Les tisanes suivantes sont généralement considérées comme inoffensives si elles sont consommées avec modération (deux ou trois tasses par jour) : pelure d'agrumes, gingembre, mélisse officinale, pelure d'orange et églantier.
- La racine de gingembre pourrait réduire efficacement les nausées.
- Évitez de vous brosser les dents immédiatement après avoir mangé.

8.6 | Influences culturelles

La prise en compte des préférences nutritionnelles culturelles de la femme améliore la communication et favorise son adhésion à une alimentation adéquate durant la grossesse. Dans la plupart des cultures, les femmes sont encouragées à adopter un régime adapté à leurs habitudes alimentaires **FIGURE 8.5**. L'infirmière doit savoir ce qui constitue une alimentation typique pour chaque groupe culturel ou ethnique présent dans sa clientèle . Cependant, comme plusieurs variations peuvent exister à l'intérieur d'un groupe culturel, il reste nécessaire de procéder à une exploration approfondie des préférences individuelles. Même si certaines habitudes alimentaires ethniques et culturelles peuvent sembler au premier abord entrer en conflit avec les recommandations alimentaires données par les professionnels de la santé, ceux-ci peuvent souvent reconnaître les croyances culturelles qui rejoignent leur façon de considérer la grossesse et le développement fœtal. Nombre de pratiques alimentaires culturelles ont une certaine valeur, sans quoi la culture en question n'aurait pas survécu. Beaucoup de groupes culturels considèrent que les fringales de la grossesse sont normales, mais l'objet précis de celles-ci est souvent propre à la culture. Dans la plupart des cultures, les femmes ont des fringales pour des aliments sains. Les influences culturelles sur l'alimentation s'estompent généralement à mesure que la femme et sa famille s'intègrent à la culture dominante.

FIGURE 8.5
La culture influence l'alimentation de la femme enceinte.

8.7 | Alimentation végétarienne

Les aliments de base de presque tous les régimes végétariens sont les légumes, les fruits, les légumineuses, les noix, les graines et les grains, mais il existe de nombreuses variations. L'alimentation végétarienne varie en fonction de plusieurs types de végétarisme ; certaines personnes mangent du poisson et des fruits de mer en plus des végétaux ; d'autres consomment de la volaille ou même de la viande rouge à l'occasion. Un régime de ce type peut être tout à fait adéquat pour une femme enceinte. Un autre type de végétariens, les lacto-ovo-végétariens, consomment des produits laitiers et des œufs en plus des produits végétaux. L'apport de fer et de zinc peut se révéler insuffisant pour les femmes adoptant ce régime, par ailleurs possiblement sain sur le plan nutritionnel. Les végétariens stricts, ou végétaliens, ne mangent que des produits végétaux. Ce régime est déficient en vitamine B_{12}, puisque celle-ci ne se trouve que dans les aliments d'origine animale. Il en découle que les végétaliens devraient prendre des suppléments de vitamine B_{12} ou en consommer régulièrement dans des aliments enrichis (p. ex., le lait de soya). La carence en vitamine B_{12} peut causer l'anémie mégaloblastique, la glossite (inflammation de la langue) et des déficiences neurologiques chez la mère. Les enfants de mères carencées risquent de souffrir d'anémie mégaloblastique et de présenter des retards de développement neurologique. L'apport de fer, de calcium, de zinc et de vitamine D et B_6 pourrait aussi être faible chez les femmes qui pratiquent le végétalisme. De plus, leur apport calorique peut être extrêmement réduit **PSTI 8.1**. Il faut évaluer attentivement l'apport protéique parce que les protéines végétales sont souvent incomplètes en cela qu'il leur manque un ou plusieurs des acides aminés nécessaires pour la croissance et l'entretien des tissus de l'organisme. La consommation quotidienne de protéines végétales variées (grains, légumineuses, noix et graines) aide à procurer tous les acides aminés essentiels.

Le tableau 8.1W, présenté au www.cheneliere.ca/lowdermilk, expose les principales caractéristiques des habitudes alimentaires de divers groupes culturels.

Plan de soins et de traitements infirmiers

PSTI 8.1 Nutrition pendant la grossesse

PROBLÈME DÉCOULANT DE LA SITUATION DE SANTÉ	**Connaissance insuffisante des besoins nutritionnels pendant la grossesse** liée à un manque d'information
OBJECTIF	La cliente élaborera un régime alimentaire qui répond à ses besoins métaboliques et à ceux du fœtus.
RÉSULTATS ESCOMPTÉS	**INTERVENTIONS INFIRMIÈRES ET JUSTIFICATIONS**
• Reconnaissance des aliments à privilégier et de ceux à éviter pour assurer un apport alimentaire adéquat au fœtus et à elle-même • Explication de l'évolution des besoins nutritionnels durant la grossesse	• Passer en revue les besoins nutritionnels qui sont à la base d'un régime alimentaire sain à l'aide des directives alimentaires du *Guide alimentaire canadien*. • Discuter de l'accroissement des besoins nutritionnels (calories, protéines, minéraux, vitamines) associé à la grossesse. • Rappeler la relation entre le gain de poids et la croissance du fœtus, afin de renforcer l'interdépendance entre la mère et le fœtus. • Calculer les valeurs adéquates du gain de poids total durant la grossesse en utilisant comme guide l'IMC de la cliente et discuter de la répartition du gain de poids au cours des trimestres de la grossesse, afin d'en mesurer concrètement l'impact sur son alimentation. • Passer en revue les préférences, les habitudes ou les croyances culturelles liées à l'alimentation, ainsi que le mode alimentaire d'avant la grossesse, afin de faciliter l'intégration des nouveaux besoins nutritionnels. • Discuter de la façon d'adapter les besoins nutritionnels aux habitudes alimentaires et de modifier tout déficit ou excès nutritionnel. • Discuter des dégoûts alimentaires et des fringales qui pourraient survenir pendant la grossesse et de stratégies visant à les réduire s'ils sont nuisibles pour le fœtus (p. ex., le pica), afin d'assurer le bien-être de celui-ci. • Amener la cliente à tenir un journal alimentaire énonçant en détail ses habitudes alimentaires, les changements qu'elle apporte à son alimentation, ses dégoûts et ses fringales, afin de garder la trace des habitudes alimentaires et de définir les problèmes potentiels.
PROBLÈME DÉCOULANT DE LA SITUATION DE SANTÉ	**Risque de déséquilibre nutritionnel** lié à un apport alimentaire inadéquat
OBJECTIF	La cliente maintiendra un apport alimentaire suffisant pour combler ses besoins nutritionnels et ceux du fœtus.
RÉSULTAT ESCOMPTÉ	**INTERVENTIONS INFIRMIÈRES ET JUSTIFICATIONS**
• Maintien du gain de poids hebdomadaire à l'intérieur de la variation recommandée	• Évaluer les connaissances de la cliente quant au lien entre l'alimentation et le développement du fœtus afin de renforcer la nécessité de modifier certaines habitudes alimentaires. • Passer en revue les antécédents alimentaires récents (y compris les fringales) à l'aide d'un journal alimentaire, d'un rappel des aliments consommés dans les 24 dernières heures ou de la fréquence de consommation des aliments, afin de déterminer les excès alimentaires qui contribuent à une prise excessive de poids. • Passer en revue l'activité normale et les exercices pratiqués, afin d'évaluer la dépense énergétique. • Passer en revue les recommandations de gain de poids optimal et leurs justifications, afin de s'assurer que la cliente est informée en ce qui concerne le rythme souhaité du gain de poids. • Fixer une cible de gain pondéral pour les semaines de grossesse qui restent, afin d'établir des objectifs. • Si la cliente craint de prendre trop de poids, si des symptômes de troubles alimentaires sont évidents ou si elle éprouve des problèmes à s'adapter à une modification de son image corporelle, la diriger pour évaluation vers le professionnel de la santé approprié, parce qu'une thérapie intensive et un suivi pourraient être nécessaires pour garantir la santé du fœtus.
PROBLÈME DÉCOULANT DE LA SITUATION DE SANTÉ	**Apport alimentaire supérieur aux besoins de l'organisme** en raison d'une consommation excessive d'aliments ou d'un degré d'activité insuffisant (ou des deux)
OBJECTIF	La cliente maintiendra un apport alimentaire suffisant pour combler ses besoins nutritionnels et ceux du fœtus.
RÉSULTAT ESCOMPTÉ	**INTERVENTIONS INFIRMIÈRES ET JUSTIFICATIONS**
• Maintien du gain de poids hebdomadaire à l'intérieur de la variation recommandée	• Discuter des habitudes alimentaires et des facteurs qui mènent à une consommation accrue d'aliments (p. ex., des croyances et des mythes culturels, un stress plus important, l'ennui), afin de déterminer les habitudes qui contribuent au gain de poids trop important. • Discuter avec la cliente des changements qu'elle peut apporter à son alimentation, à son activité et à son mode de vie, afin d'augmenter ses chances d'atteindre son objectif de gain pondéral tout en satisfaisant ses besoins nutritionnels. Il faut éviter des régimes visant à réduire le poids, parce qu'ils peuvent priver la mère et le fœtus des éléments nutritifs nécessaires et entraîner la cétonurie.

PSTI 8.1	Nutrition pendant la grossesse *(suite)*
PROBLÈME DÉCOULANT DE LA SITUATION DE SANTÉ	**Apport inférieur aux besoins de l'organisme** en raison d'une consommation insuffisante des éléments nutritifs nécessaires
OBJECTIF	La cliente présentera un gain pondéral normal qui satisfait à ses besoins et à ceux du fœtus.
RÉSULTAT ESCOMPTÉ	**INTERVENTIONS INFIRMIÈRES ET JUSTIFICATIONS**
• Gain de poids hebdomadaire selon les recommandations	• Discuter de l'accroissement des besoins nutritionnels associé à la grossesse (calories, protéines, minéraux, vitamines) afin de renforcer les connaissances à ce sujet. • Rappeler la relation entre le gain de poids et la croissance du fœtus, afin de renforcer l'interdépendance entre la mère et le fœtus. • Discuter avec la cliente des changements qu'elle peut apporter à son régime, à son activité et à son mode de vie, afin d'augmenter ses chances d'atteindre son objectif de gain pondéral tout en satisfaisant ses besoins nutritionnels et ceux du fœtus. • Si la cliente craint de prendre trop de poids, si des symptômes de troubles alimentaires sont évidents ou si elle éprouve des problèmes à s'adapter à une modification de son image corporelle, la diriger pour évaluation vers le professionnel de la santé approprié, parce qu'une thérapie intensive et un suivi pourraient être nécessaires pour garantir la santé du fœtus.

Analyse d'une situation de santé

Jugement clinique

Jessica Giroux est âgée de 17 ans. Elle est enceinte de huit semaines d'une première grossesse non planifiée. Elle désire mener celle-ci à terme, et elle a le soutien de son copain et de ses parents. Elle bénéficie du programme SIPPE. Sa taille est de 1,59 m, et son poids d'avant la grossesse était de 72 kg. Jessica se présente au CSSS, car elle se dit très incommodée par des nausées et des vomissements et ne verra son médecin que dans deux semaines. Elle désire recevoir quelques conseils pour l'aider à diminuer ses malaises. ▶

SOLUTIONNAIRE

www.cheneliere.ca/lowdermilk

MISE EN ŒUVRE DE LA DÉMARCHE DE SOINS

Collecte des données – Évaluation initiale – Analyse et interprétation

1. Calculez l'IMC d'avant la grossesse de Jessica.
2. Quel serait le gain de poids total recommandé pour cette adolescente ?
3. Nommez et expliquez les trois facteurs de risque nutritionnels auxquels est exposée Jessica.
4. Expliquez en quoi consiste le programme SIPPE.

Planification des interventions – Décisions infirmières

5. Indiquez trois conseils à transmettre à Jessica afin de diminuer ses malaises.

▶ Après avoir répondu au questionnaire sur l'alimentation qui lui a été remis, Jessica précise qu'elle consomme beaucoup de sources de calcium et de vitamine D. Elle aimerait en connaître les avantages. ◀

MISE EN ŒUVRE DE LA DÉMARCHE DE SOINS

6. Que devriez-vous lui répondre ?

Évaluation des résultats – Évaluation en cours d'évolution

7. À l'occasion d'une visite subséquente de Jessica, quels points devriez-vous penser à évaluer ?

APPLICATION DE LA PENSÉE CRITIQUE

Dans l'application de la démarche de soins auprès de Jessica, l'infirmière a recours à un ensemble d'éléments (connaissances, expériences antérieures, normes institutionnelles ou protocoles, attitudes professionnelles) pour analyser la situation de santé de la cliente et en comprendre les enjeux. La **FIGURE 8.6** illustre le processus de pensée critique suivi par l'infirmière afin de formuler son jugement clinique. Elle résume les principaux éléments sur lesquels l'infirmière s'appuie en fonction des données de cette cliente, mais elle n'est pas exhaustive.

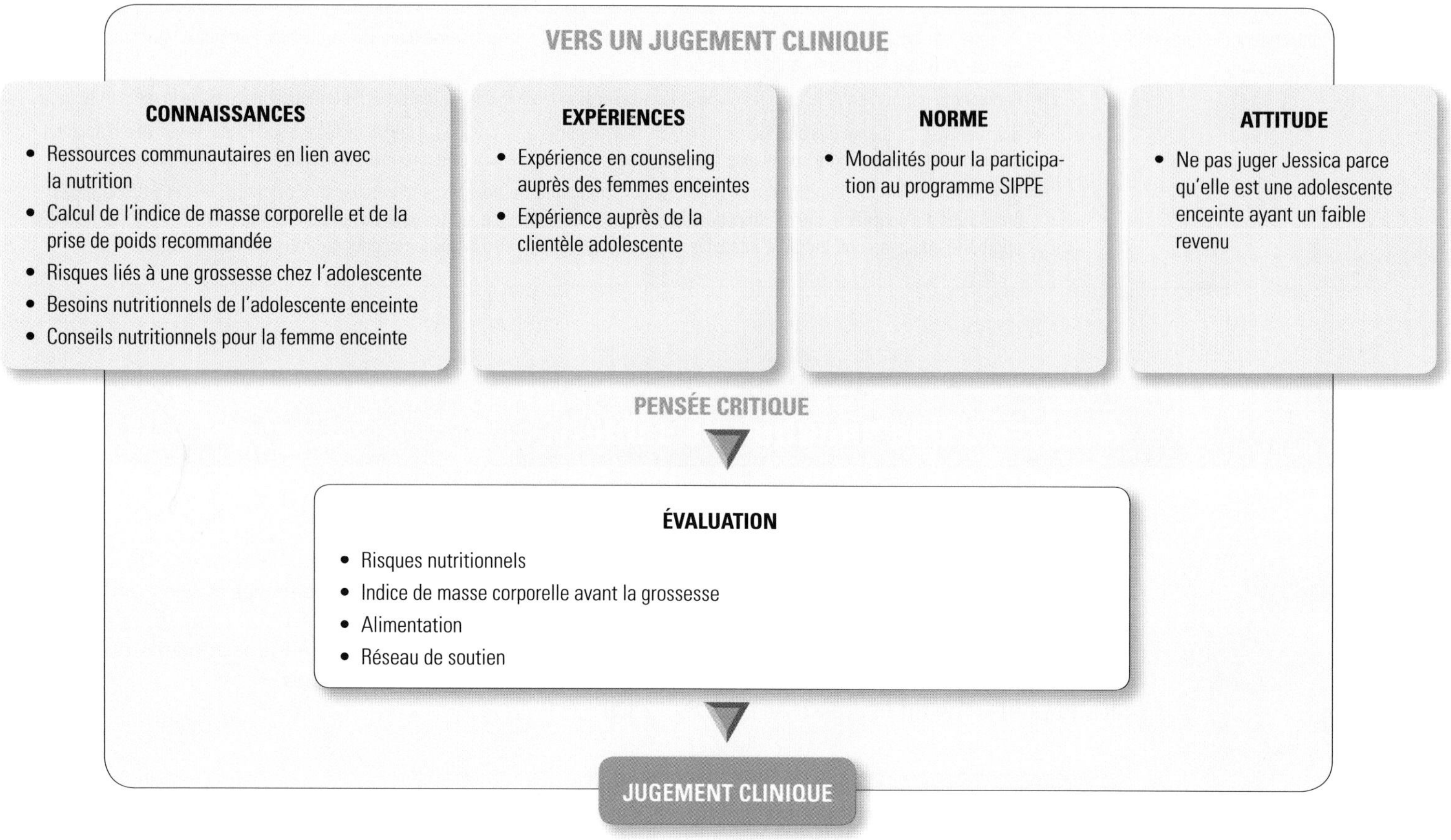

VERS UN JUGEMENT CLINIQUE

CONNAISSANCES

- Ressources communautaires en lien avec la nutrition
- Calcul de l'indice de masse corporelle et de la prise de poids recommandée
- Risques liés à une grossesse chez l'adolescente
- Besoins nutritionnels de l'adolescente enceinte
- Conseils nutritionnels pour la femme enceinte

EXPÉRIENCES

- Expérience en counseling auprès des femmes enceintes
- Expérience auprès de la clientèle adolescente

NORME

- Modalités pour la participation au programme SIPPE

ATTITUDE

- Ne pas juger Jessica parce qu'elle est une adolescente enceinte ayant un faible revenu

PENSÉE CRITIQUE

ÉVALUATION

- Risques nutritionnels
- Indice de masse corporelle avant la grossesse
- Alimentation
- Réseau de soutien

JUGEMENT CLINIQUE

FIGURE 8.6

À retenir

VERSION REPRODUCTIBLE

www.cheneliere.ca/lowdermilk

- L'état nutritionnel d'une femme avant, pendant et après sa grossesse contribue de façon importante à son bien-être et à celui de son enfant.
- Plusieurs modifications physiologiques se produisant pendant la grossesse déterminent le besoin d'éléments nutritifs supplémentaires et influent sur l'efficacité avec laquelle l'organisme les utilise.
- Le gain de poids total de la mère et le rythme de celui-ci sont deux déterminants importants de l'évolution de la grossesse.
- Le caractère approprié du poids de la mère avant la grossesse (IMC) est un facteur déterminant du gain de poids recommandé pour elle pendant sa grossesse.
- Divers facteurs entraînent des risques nutritionnels : la grossesse chez une adolescente, le tabagisme, la consommation d'alcool ou de drogues, les habitudes alimentaires inadéquates, l'obésité, la maigreur, le gain de poids inadéquat, la grossesse multiple, des grossesses fréquentes ou le fait de vivre en milieu défavorisé.
- En général, on recommande systématiquement une supplémentation en acide folique avant et pendant la grossesse. Aussi, on recommande systématiquement une supplémentation en fer pendant la grossesse. La prise d'autres suppléments peut se justifier lorsque des facteurs de risque alimentaires sont présents.
- Pendant le counseling en nutrition, l'infirmière et la cliente sont influencées par leurs valeurs et leurs croyances culturelles et personnelles.
- Les complications de la grossesse qui peuvent être liées à l'alimentation sont, entre autres, l'anémie, l'hypertension gravidique, le diabète gestationnel et le RCIU.
- Des adaptations alimentaires peuvent représenter une intervention efficace pour contrer la plupart des malaises de la grossesse, comme les nausées et les vomissements, la constipation et les brûlures d'estomac.

Ressources

VERSION COMPLÈTE ET DÉTAILLÉE

www.cheneliere.ca/lowdermilk

Références Internet

ORGANISMES ET ASSOCIATIONS

American Pregnancy Association > Labor & Birth
www.americanpregnancy.org

AMPRO^{OB}
www.amproob.com

Association Française de Naissance Aquatique
www.accouchement-dans-leau.com

Fondation OLO
www.olo.ca

Ordre des infirmières et infirmiers du Québec > Pratique infirmière > Champ d'exercice et activités réservées > Contribuer au suivi de grossesse, à la pratique des accouchements et au suivi postnatal
www.oiiq.org

Regroupement Naissance-Renaissance
http://naissance-renaissance.qc.ca

Société des obstétriciens et gynécologues du Canada > Renseignements sur la santé des femmes > Grossesse
> Accouchement normal
> Alimentation saine, exercices physiques et gain pondéral
> Plan de naissance
www.sogc.org/index_f.asp

ORGANISMES GOUVERNEMENTAUX

Bibliothèque de Santé Génésique de l'Organisation mondiale de la santé > Grossesse et naissance > Soins pendant l'accouchement > Soins au cours du travail - premier stade > Cardiotocographie en continu (CTG) comme forme de monitorage fœtal électronique (MFE) pour l'évaluation fœtale au cours du travail
http://apps.who.int/rhl/fr

Organisation mondiale de la santé > Thèmes de santé > Accouchement > Santé de la mère et du nouveau-né
www.who.int/fr/index.html

Santé Canada > Aliments et nutrition > Nutrition et saine alimentation > Nutrition prénatale
www.hc-sc.gc.ca

Ministère de la Santé et des Services sociaux du Québec > Sujets – Santé publique > Nutrition et alimentation > Femmes enceintes > En résumé
www.msss.gouv.qc.ca

RÉFÉRENCES GÉNÉRALES

Accoucher sans stress avec la méthode Bonapace
www.bonapace.com

Mayo Clinic > Health Information > Healthy Living > Life stages > Pregnancy > Labor and delivery, postpartum care > Labor pain: Weigh your options for relief
www.mayoclinic.com

Nutrition et grossesse
http://nutritionetgrossesse.org

Soins infirmiers.com > Modules Cours > Gynécologie Maternité > Physiologie de l'accouchement
www.soins-infirmiers.com

Monographies

Santé Canada (2008). *Le guide pratique d'une grossesse en santé.* Ottawa, Ont. : Santé Canada.

Articles, rapports et autres

Agence de la santé publique du Canada (ASPC) (2000). *Les soins à la mère et au nouveau-né dans une perspective familiale : lignes directrices nationales. Chapitre 5 : Soins durant le travail et la naissance.* [En ligne]. www.phac-aspc.gc.ca/hp-ps/dca-dea/publications/fcm-smp/fcmc-smpf-05-fra.php (page consultée le 20 février 2012).

Santé Canada (2011). *Bien manger avec le Guide alimentaire canadien.* Ottawa, Ont. : Santé Canada. www.hc-sc.gc.ca

Schall, J.-P. (2007). *Recommandations pour la pratique clinique : modalités de surveillance fœtale pendant le travail.* Communication présentée aux 31es journées nationales du Collège National des Gynécologues et Obstétriciens Français (CNGOF), Paris, France. www.cngof.asso.fr/D_TELE/rpc_surv-foet_2007.pdf

Multimédia

La télévision des parents.com > Vidéos > Accouchement : anatomie
http://latelevisiondesparents.com

Telequebec.tv > Émissions > Pilule, une petite granule, Une > Segments d'épisodes > Dossier de la semaine > Saison 6 (2009-2010) - 125 > Accoucher autrement
http://video.telequebec.tv

PARTIE

Accouchement

CHAPITRE

Travail et accouchement

Écrit par :
Deitra Leonard Lowdermilk,
RNC, PhD, FAAN

Adapté par :
Claire Godin, inf, B. Sc (N), MAP

OBJECTIFS

 Guide d'études – SA09

Après avoir étudié ce chapitre, vous devriez être en mesure :

- d'expliquer les cinq facteurs qui influent sur le travail de l'accouchement ;
- de décrire la structure anatomique du bassin ;
- de reconnaître les mesures normales des diamètres des détroits supérieur, moyen et inférieur du bassin ;
- d'expliquer l'importance de la taille et de la position de la tête fœtale pendant le travail et l'accouchement ;
- de résumer les mouvements cardinaux du mécanisme du travail pour une présentation du sommet ;
- de décrire les adaptations du fœtus pendant le travail ;
- de reconnaître les adaptations anatomiques et physiologiques de la parturiente pendant le travail.

Concepts clés

Cette carte conceptuelle illustre schématiquement les principaux concepts décrits dans le présent chapitre. Sa lecture vous permettra d'avoir une vue d'ensemble des notions qui y sont présentées.

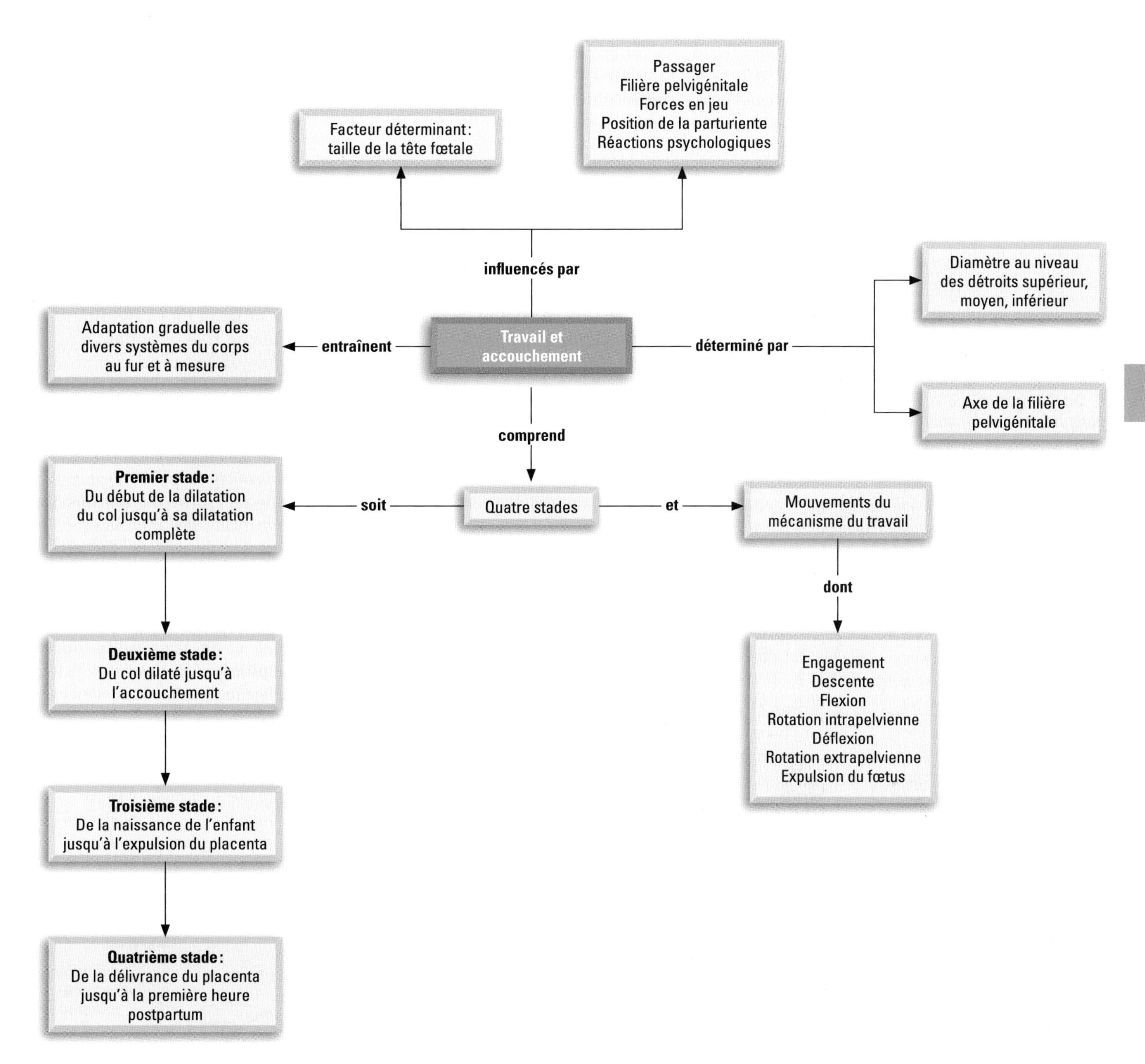

Au cours des derniers mois de la grossesse, la femme et le fœtus se préparent au travail. Le fœtus a grandi et s'est développé en préparation à sa vie extra-utérine. La femme a connu diverses adaptations physiologiques durant la grossesse qui la préparent à l'accouchement et à être mère. Le travail et l'accouchement représentent la fin de la grossesse, le début de la vie extra-utérine pour le nouveau-né et un changement dans la vie des membres de la famille. Selon Wright et Leahey (2007), la famille qui compte de jeunes enfants correspond au stade du cycle de vie de la famille nord-américaine où il y a adaptation du système conjugal à l'arrivée des enfants et à l'acceptation de nouveaux membres dans le système. Aussi, comme le décrit la *Politique de périnatalité 2008-2018* (Ministère de la Santé et des Services sociaux, 2008), le travail, l'accouchement et l'allaitement sont des processus physiologiques naturels. Il est donc essentiel que le personnel de soins infirmiers et les autres professionnels de la santé adoptent cette prémisse dans leurs interventions auprès de la parturiente et de la personne significative pour celle-ci, qui est souvent le père du nouveau-né à naître. Ce chapitre traite du travail et de l'accouchement, ainsi que du déroulement normal de ceux-ci. Il y est notamment question des quatre stades du travail et des diverses phases qui les caractérisent ainsi que des facteurs qui influent sur le travail. L'adaptation par le fœtus et le corps de la parturiente au processus de travail sont également décrits en détail.

9.1 Facteurs qui influent sur le travail

Placenta praevia : Placenta qui se développe de façon irrégulière sur le segment inférieur de l'utérus, la présentation du placenta avant celle du fœtus à l'accouchement.

Le programme AMPRO[OB] (Approche multidisciplinaire en prévention des risques obstétricaux) vise la sécurité des clientes et l'amélioration du travail d'équipe au sein des unités d'obstétrique. Il est décrit sur leur site www.amproob.com.

Au moins cinq facteurs influent sur le travail et l'accouchement : le passager (fœtus et placenta), la filière (filière pelvigénitale communément appelée passage), les forces en jeu ou la puissance (contractions), la position de la parturiente et les réactions psychologiques. Les quatre premiers facteurs sont présentés ici comme point de départ à la compréhension du processus physiologique du travail. D'autres facteurs faisant partie de l'expérience du travail d'une femme peuvent aussi être importants. VandeVusse (1999) distingue des forces extérieures, notamment le lieu de la naissance, la préparation, le type de professionnels de la santé (en particulier les infirmières) et la procédure. Par ailleurs, le programme AMPRO[OB] ajoute à cette liste l'importance de l'éducation prénatale ainsi que l'accompagnement par une personne significative pour la mère, qui ont un impact direct sur le travail et l'accouchement. De plus, la Société des obstétriciens et gynécologues du Canada (SOGC) (2007) rappelle l'importance de la continuité des soins par les intervenants, c'est-à-dire que les parturientes dont le travail se trouve à la phase active du premier stade devraient bénéficier d'un soutien attentif et continu d'un professionnel disposant d'une formation appropriée. Par ailleurs, la réaction psychologique (les sensations) est désignée comme étant une force interne.

9.1.1 Passager

Plusieurs facteurs influent sur la façon dont le passager (fœtus) se déplace dans la filière pelvigénitale, notamment la taille de la tête, la présentation, l'orientation, l'attitude et la position du fœtus (AMPRO[OB], 2010). Comme le placenta doit également traverser la filière pelvigénitale, on le considère comme un passager accompagnant le fœtus ; cependant, le placenta entrave rarement le travail dans un accouchement vaginal normal, sauf s'il s'agit d'un **placenta praevia**.

Taille de la tête fœtale

En raison de sa taille et de sa rigidité relative, la tête du fœtus joue un rôle important dans l'accouchement. Le crâne du fœtus est composé de deux os pariétaux, de deux os temporaux, de l'os frontal et de l'os occipital **FIGURE 9.1A**. Ces os sont unis par des sutures membraneuses : la sagittale, la lambdoïde, la coronale et la métopique **FIGURE 9.1B**. Les espaces membraneux appelés fontanelles sont situés au point de rencontre des sutures. Durant le travail, après la rupture des membranes, la palpation des fontanelles et des sutures durant l'examen vaginal permet de déterminer la présentation, la position et l'attitude du fœtus.

Les deux fontanelles principales sont la fontanelle antérieure et la fontanelle postérieure **FIGURE 9.1B**. La plus grande des deux, la fontanelle antérieure, a la forme d'un losange d'environ 3 cm

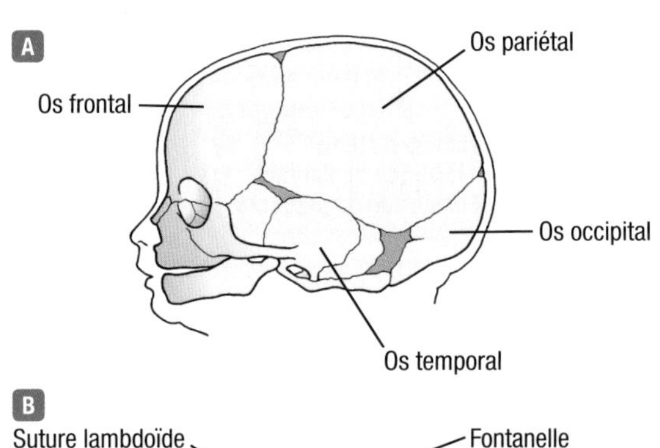

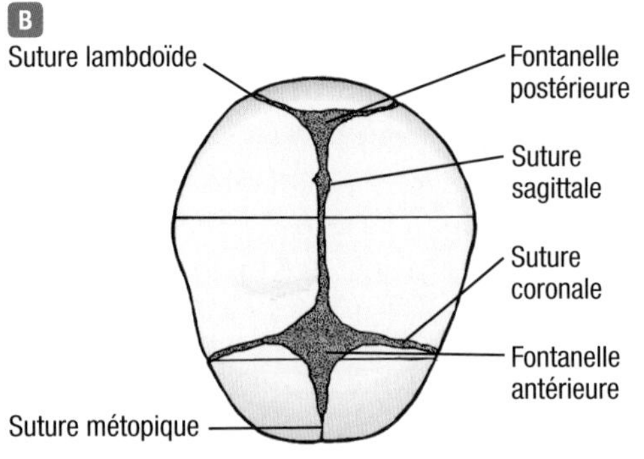

FIGURE 9.1
Tête fœtale à terme. A Os. B Sutures et fontanelles.

par 2 cm, et elle relie les sutures sagittale, coronale et métopique. Elle se referme dans les 18 mois suivant la naissance. La fontanelle postérieure se trouve à la jonction des sutures des deux os pariétaux et de l'occipital, et elle forme un triangle de 1 par 2 cm. Elle se referme de six à huit semaines après la naissance.

Les sutures et les fontanelles rendent le crâne souple, lui permettant de se mouler au cerveau du nouveau-né, qui continue à grossir un certain temps après la naissance. Comme les os ne sont pas unis fermement, ils peuvent se chevaucher légèrement et permettre un modelage de la forme de la tête pendant le travail. Cette capacité des os de glisser l'un sur l'autre permet aussi à la tête de s'adapter aux divers diamètres du bassin de la parturiente. Le modelage peut être considérable ; cependant, la tête de la plupart des nouveau-nés reprend sa forme normale dans les trois jours suivant la naissance.

La taille des épaules fœtales peut avoir un effet sur le passage, mais il est possible, par des manœuvres, de changer leur position pendant le travail pour qu'une épaule soit plus basse que l'autre. Le diamètre aux épaules devient ainsi plus petit que celui du crâne, facilitant le passage dans la filière pelvigénitale. La circonférence des hanches du fœtus est habituellement assez petite pour ne pas poser problème.

Présentation fœtale

La **présentation** désigne la partie du fœtus qui entre en premier dans le détroit supérieur et qui suit la filière pelvigénitale pendant le travail au terme de la grossesse. Les trois présentations principales sont la présentation céphalique (la tête en premier), qui se produit dans 95 % des naissances (Norwitz, Robinson & Repke, 2003) **FIGURE 9.2**, la présentation du siège (les fesses ou les pieds en premier), qui se produit dans 3 % des naissances **FIGURE 9.3A-C**, et la présentation de l'épaule, qui est observée dans 1 % des cas **FIGURE 9.3D**. Le **repère de présentation** correspond à la partie du corps du fœtus que les doigts de l'infirmière, du médecin ou de la sage-femme touchent en premier pendant l'examen vaginal. Dans la présentation céphalique, le repère de présentation est généralement l'occiput ; dans une présentation du siège, il s'agit du sacrum, et dans la présentation de l'épaule, c'est la *scapula* (omoplate). Lorsque l'occiput est le repère de présentation, la présentation est dite du sommet (vertex) **FIGURE 9.2**. Les facteurs qui déterminent le repère de présentation sont l'orientation et l'attitude fœtales ainsi que la déflexion ou la flexion de la tête fœtale.

9.1.2 Orientation fœtale

L'**orientation** désigne le rapport existant entre le grand axe (colonne vertébrale) du fœtus et celui de la mère. Les deux principales orientations sont la présentation longitudinale ou verticale, dans laquelle le grand axe du fœtus est parallèle à celui de la mère **FIGURE 9.2** et la présentation transversale, horizontale ou oblique, dans laquelle le grand axe du fœtus est en diagonale à angle droit par rapport au grand axe de la mère **FIGURE 9.3D**. L'orientation longitudinale est adoptée dans une présentation céphalique ou du siège, selon la structure fœtale qui entre en premier dans le bassin de la mère. L'accouchement vaginal ne sera pas possible si le fœtus garde une orientation transversale. La présentation oblique, où le grand axe du fœtus se trouve en angle par rapport au grand axe de la mère, est inhabituelle ; le fœtus s'oriente en général longitudinalement ou transversalement durant le travail (Cunningham *et al.*, 2005).

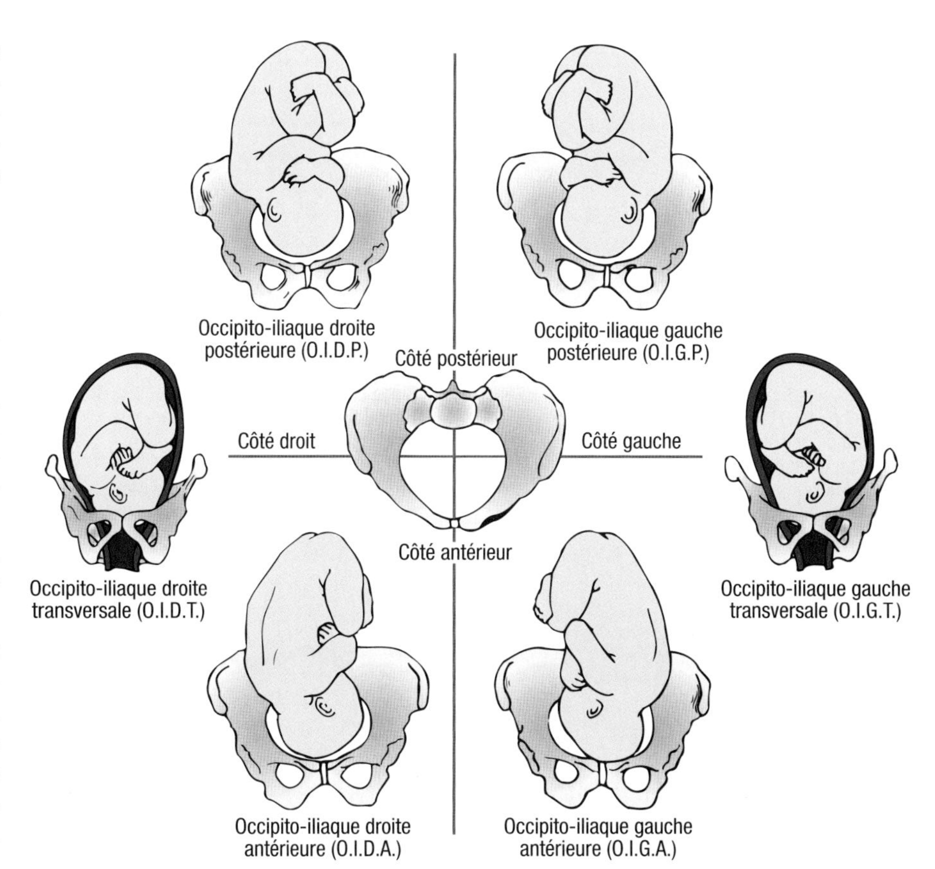

FIGURE 9.2
Exemples de présentations du sommet (occiput) par rapport à l'avant, à l'arrière ou aux côtés du bassin maternel

9.1.3 Attitude fœtale

L'**attitude** désigne le rapport existant entre les diverses parties du fœtus. Celui-ci adopte une posture (attitude) caractéristique dans l'utérus, en

Siège décompléte (de 50 à 70 % des cas)
Orientation : longitudinale ou verticale
Présentation : du siège (décompléte)
Repère de présentation : sacrum
Attitude : flexion, sauf les jambes à partir des genoux (hanches fléchies, genoux allongés)

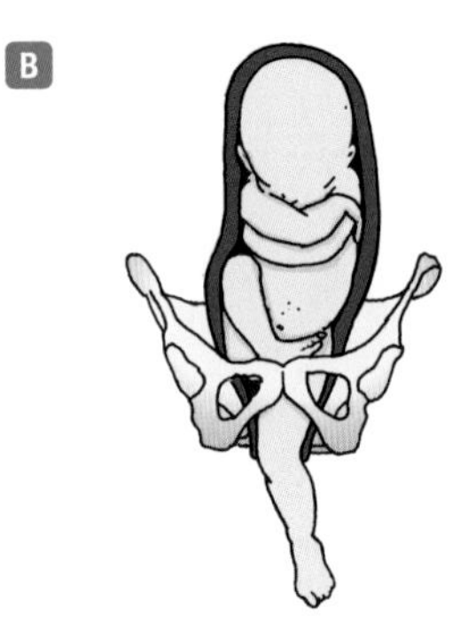

Siège en mode un pied (de 10 à 30 % des cas)
Orientation : longitudinale ou verticale
Présentation : du siège (décompléte)
Repère de présentation : sacrum
Attitude : flexion, sauf une jambe défléchie à la hanche et au genou (au moins une des hanches est allongée, pied en premier)

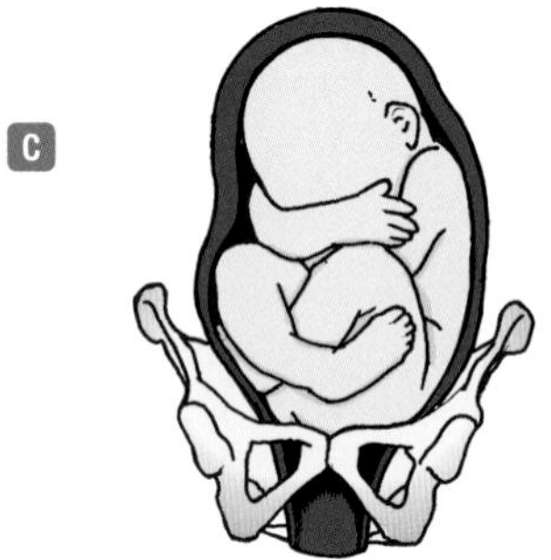

Siège complet (de 5 à 10 % des cas)
Orientation : longitudinale ou verticale
Présentation : du siège (sacrum et pieds)
Repère de présentation : sacrum (avec les pieds)
Attitude : flexion générale (hanches et genoux fléchis)

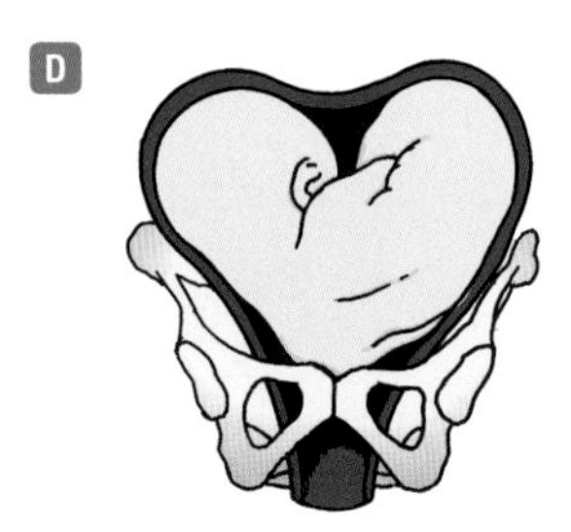

Présentation de l'épaule
Orientation : transversale ou horizontale
Présentation : épaule
Repère de présentation : *scapula* (omoplate)
Attitude : flexion

FIGURE 9.3
Présentations fœtales. **A-C** Présentation du siège (sacrée). **D** Présentation de l'épaule.

partie en raison du mode de croissance fœtale et en partie à cause de la manière dont le fœtus s'adapte à la forme de la cavité utérine. Normalement, le dos du fœtus est arrondi de sorte que son menton est fléchi sur sa poitrine, les cuisses se trouvent contre l'abdomen, et les jambes sont pliées aux genoux. Les bras sont croisés sur le thorax, et le cordon ombilical se trouve entre les bras et les jambes. Cette attitude est appelée flexion complète **FIGURE 9.2**.

Les attitudes anormales peuvent causer des difficultés pendant l'accouchement. Par exemple, dans une présentation céphalique, la tête du fœtus peut être défléchie ou fléchie d'une telle manière que son diamètre dépasse les limites du bassin de la mère, ce qui entraîne un travail prolongé, l'utilisation de forceps ou d'une ventouse, ou cela peut nécessiter une césarienne.

Jugement clinique

Madame Isabelle Lanthier, âgée de 31 ans, est sur le point d'accoucher de son premier enfant. Le fœtus se présente en position O.I.G.P.

Qu'est-ce que cela signifie ?

On mesure habituellement certains diamètres cruciaux de la tête fœtale. Le **diamètre bipariétal**, qui atteint environ 9,25 cm à terme, est le plus grand diamètre transversal, et il constitue un indicateur important de la taille de la tête fœtale **FIGURE 9.4B**. Le diamètre bipariétal d'un fœtus qui a une bonne flexion et qui se présente par la tête correspond à la partie la plus large de la tête entrant par le détroit supérieur. Il existe plusieurs diamètres antéropostérieurs, mais le plus petit (environ 9,5 cm à terme) et le plus crucial est le **diamètre sous-occipito-bregmatique**. Ce diamètre permet à une tête fœtale complètement fléchie de traverser facilement le petit bassin **FIGURES 9.4A** et **9.5A**. Lorsque la tête est plus défléchie, elle peut être incapable de pénétrer dans le petit bassin, car le diamètre antéropostérieur est plus grand (**FIGURES 9.5B** et **9.5C**).

Position fœtale

La présentation ou le repère de présentation désigne la partie du fœtus qui recouvre le détroit supérieur. La position correspond au rapport entre le repère de présentation (occiput, sacrum, menton ou sinciput [vertex fléchi]) et les quatre quadrants du bassin de la mère **FIGURE 9.2**. La position est indiquée par une abréviation de quatre lettres. La première lettre désigne le repère de présentation du fœtus (O pour occiput, S pour sacrum, M pour menton et Sc pour *scapula*). La deuxième lettre se rapporte à l'os iliaque (I). La troisième lettre correspond à l'emplacement

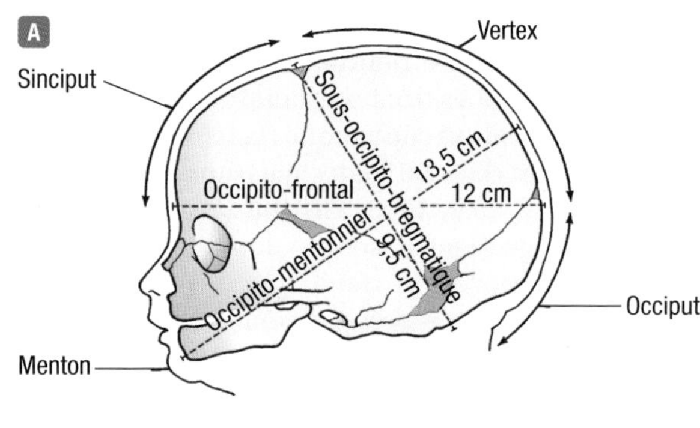

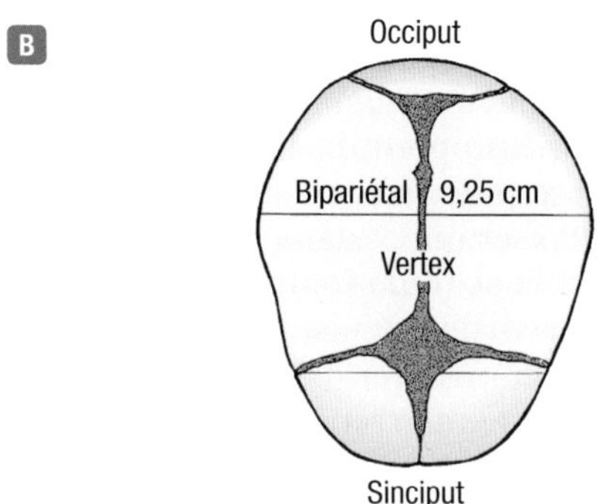

FIGURE 9.4
Diamètres de la tête fœtale à terme. **A** Présentations céphaliques : occiput, vertex et sinciput ; et diamètres céphaliques : sous-occipito-bregmatique, occipito-frontal et occipito-mentonnier. **B** Diamètre bipariétal.

A

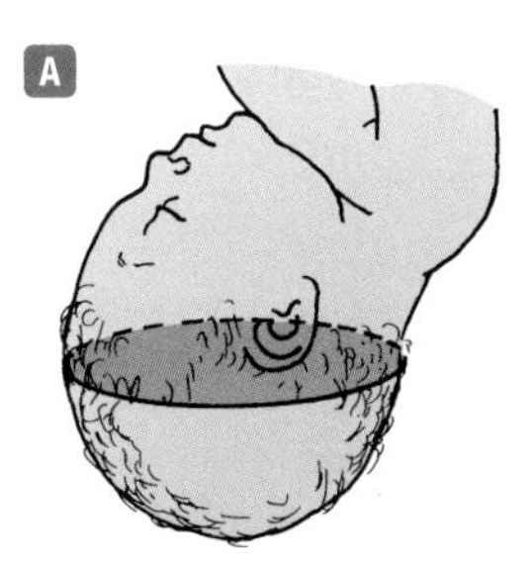

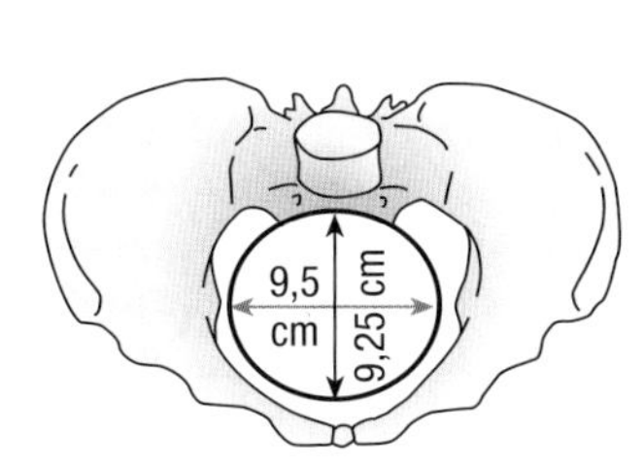

Présentation du sommet

B

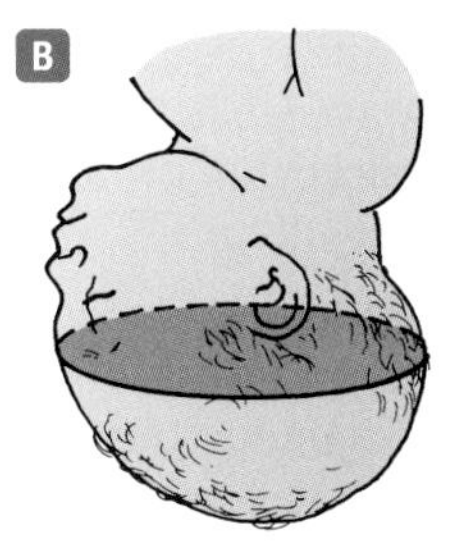

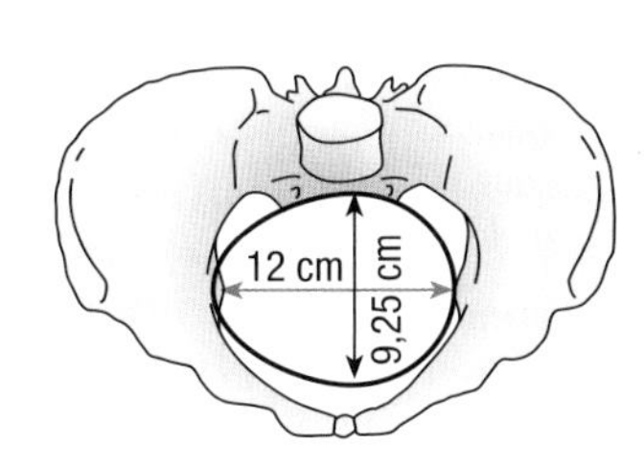

Présentation du sinciput

C

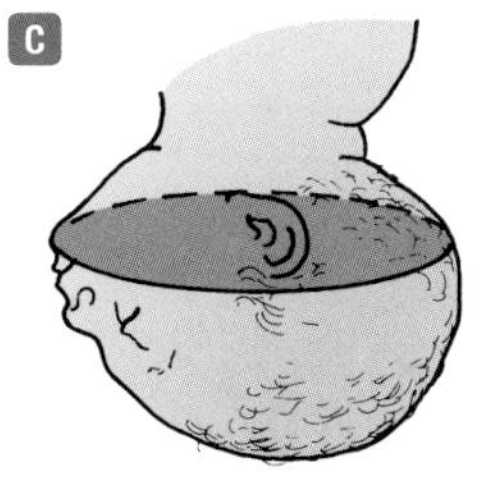

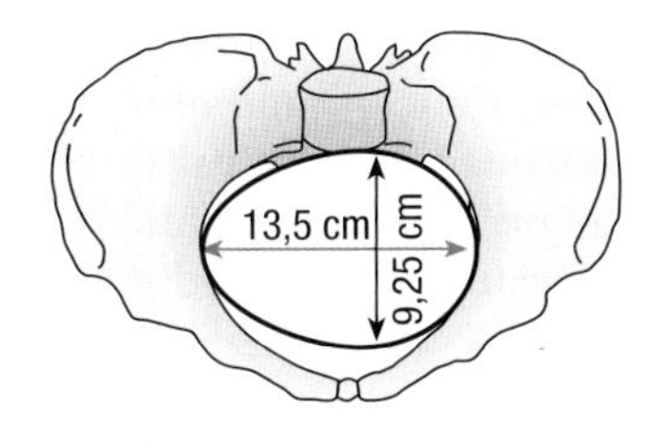

Présentation du front

FIGURE 9.5

Tête entrant dans le bassin. Les zones foncées représentent le diamètre bipariétal (9,25 cm). **A** Diamètre sous-occipito-bregmatique : flexion complète de la tête sur la poitrine de sorte que la partie du plus petit diamètre entre dans le bassin. **B** Diamètre occipito-frontal : déflexion modérée (attitude militaire) de sorte que la partie de grand diamètre entre dans le bassin. **C** Diamètre occipito-mentonnier : déflexion marquée de sorte que la partie qui a le plus grand diamètre est trop large pour permettre l'entrée dans le bassin.

du repère de présentation à droite (D) ou à gauche (G) du bassin de la mère. La quatrième lettre décrit l'emplacement du repère de présentation par rapport à la partie antérieure (A), postérieure (P) ou transversale (T) du bassin de la mère. Par exemple, O.I.D.A. signifie que l'occiput est le repère de présentation et qu'il se trouve dans le quadrant antérieur droit du bassin de la mère **FIGURE 9.2**. L'abréviation S.I.G.P. signifie que le sacrum constitue le repère de présentation et qu'il se trouve dans le quadrant postérieur gauche du bassin de la mère **FIGURE 9.3**.

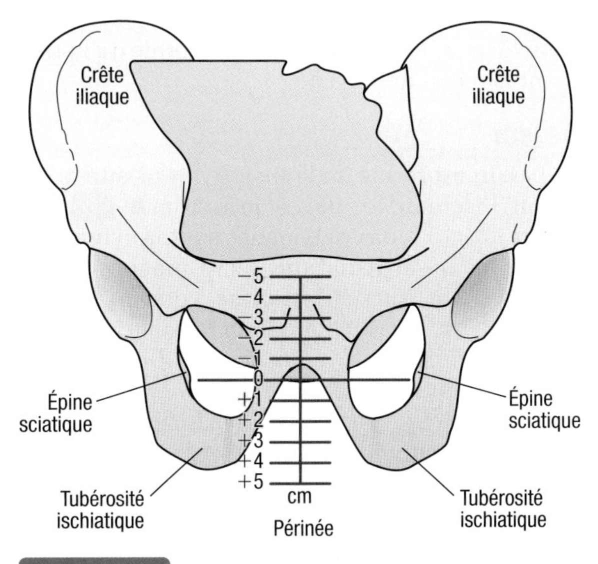

FIGURE 9.6

Hauteurs du repère de présentation, ou degré de la descente (communément appelée la station). La partie la plus basse du repère de présentation se trouve à la hauteur des épines sciatiques, qui correspond à la hauteur zéro.

La **hauteur de la présentation** représente le rapport entre le repère de présentation et une ligne imaginaire tracée entre les épines sciatiques du bassin de la mère. Elle mesure le degré de descente du repère de présentation du fœtus dans la filière pelvigénitale. La position du repère de présentation se mesure en centimètres au-dessus ou au-dessous des épines sciatiques **FIGURE 9.6**. Par exemple, lorsque la partie la plus basse du repère de présentation se trouve à 1 cm au-dessus des épines sciatiques, la hauteur indiquée est de moins un (–1). Si elle est au niveau des épines, la hauteur est de zéro (0). Lorsque le repère de présentation se situe à 1 cm au-dessous des épines, on dit que la hauteur s'établit à plus un (+1). L'accouchement est imminent lorsque le repère de présentation atteint +4 ou +5 cm. Il faut noter la hauteur du repère de présentation au début

Il faut noter la hauteur du repère de présentation au début du travail afin de pouvoir déterminer avec exactitude le rythme de descente du fœtus durant le travail.

Jugement clinique

À la suite de l'évaluation de la progression du travail de madame Lanthier, l'infirmière a détecté que la hauteur de présentation de la tête du fœtus était de 0.

L'accouchement de la cliente est-il imminent? Justifiez votre réponse.

du travail afin de pouvoir déterminer avec exactitude le rythme de descente du fœtus durant le travail.

Engagement est le terme utilisé pour indiquer que le plus grand diamètre transversal du repère de présentation (habituellement le diamètre bipariétal) a franchi le détroit supérieur du bassin maternel pour entrer dans le petit bassin. Il correspond habituellement à une hauteur de zéro. Chez les primipares, l'engagement se produit souvent pendant les semaines qui précèdent immédiatement le début du travail tandis que chez les multipares, il peut se produire avant ou durant le travail. On détermine l'engagement par un examen abdominal ou vaginal.

9.1.4 Filière pelvigénitale

La filière pelvigénitale se compose du bassin rigide de la mère et des tissus mous du col de l'utérus, du plancher pelvien, du vagin et de l'orifice extérieur du vagin. Bien que les tissus mous, en particulier les couches musculaires du plancher pelvien, contribuent à l'accouchement vaginal, le bassin maternel joue un rôle beaucoup plus grand dans le processus du travail parce que le fœtus doit franchir cette filière relativement rigide. C'est la raison pour laquelle il faut établir la taille et la forme du bassin avant le début du travail.

Bassin

Le bassin est formé de la fusion des os suivants: l'ilion, l'ischion, le pubis et le sacrum ▶ 2. Les quatre articulations pelviennes sont la symphyse pubienne, les articulations sacro-iliaques droite et gauche et l'articulation sacrococcygienne **FIGURE 9.7A**. L'orifice d'entrée (ou détroit supérieur) sépare le bassin en deux pour former le grand bassin et le petit bassin. Le grand bassin est la partie située au-dessus de l'orifice d'entrée et ne joue aucun rôle dans la procréation. Le petit bassin, qui est la zone impliquée dans l'accouchement, comprend trois parties: le détroit supérieur (orifice d'entrée), le détroit moyen (cavité pelvienne) et le détroit inférieur (orifice de sortie).

2

L'anatomie du bassin est décrite dans le chapitre 2, *Évaluation clinique et promotion de la santé.*

Le détroit supérieur, qui constitue l'orifice d'entrée du petit bassin, est formé du côté antérieur par les bords supérieurs de l'os pubien, latéralement par les lignes innominées, et du côté postérieur, par le bord antérieur supérieur du sacrum et du promontoire sacré.

La cavité pelvienne, ou détroit moyen, forme un canal incurvé avec une paroi antérieure plus courte et une paroi postérieure concave beaucoup plus longue. Elle est délimitée par la face postérieure de

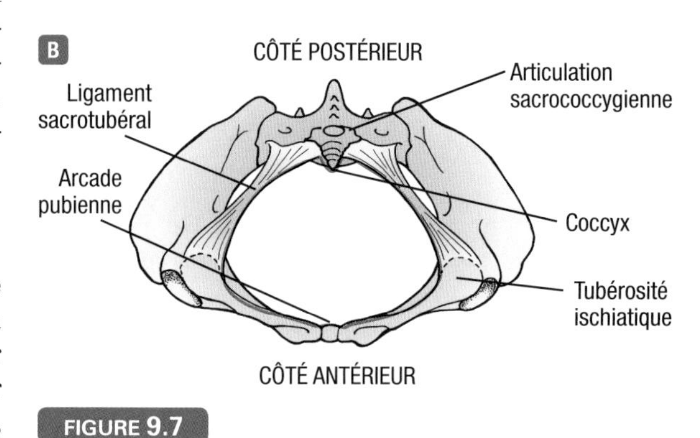

FIGURE 9.7
Bassin féminin. A Orifice d'entrée vu du dessus. B Orifice de sortie vu de dessous.

la symphyse pubienne, l'ischion, une partie de l'ilion, le sacrum et le coccyx.

Le détroit inférieur forme l'orifice de sortie du petit bassin. Vu de dessous, il est ovoïde, un peu en forme de losange, et il est délimité du côté antérieur par l'arcade pubienne, latéralement, par les tubérosités ischiatiques, et du côté postérieur, par l'extrémité du coccyx **FIGURE 9.7B**. À la fin du dernier trimestre, le coccyx est mobile, sauf s'il a été fracturé par une chute en skis ou en patins, par exemple, et qu'il a fusionné au sacrum pendant la guérison.

La taille et la forme du canal pelvien varient selon le détroit. Les diamètres du détroit supérieur, du détroit moyen et du détroit inférieur ainsi que l'axe de la filière pelvigénitale **FIGURE 9.8** déterminent si un accouchement vaginal est possible et la façon dont le fœtus peut descendre dans la filière pelvigénitale.

L'angle sous-pubien, qui détermine le type d'arcade pubienne, de même que la longueur des rameaux pubiens et la distance entre les tubérosités ischiatiques, revêt une grande importance. Le fœtus doit tout d'abord passer sous l'arcade pubienne, et il lui sera plus difficile de le faire si l'angle sous-pubien est étroit que s'il forme une large arcade arrondie. La **FIGURE 9.9** montre la méthode de mesure de l'arcade sous-pubienne. Le **TABLEAU 9.1** contient un sommaire des mesures obstétricales.

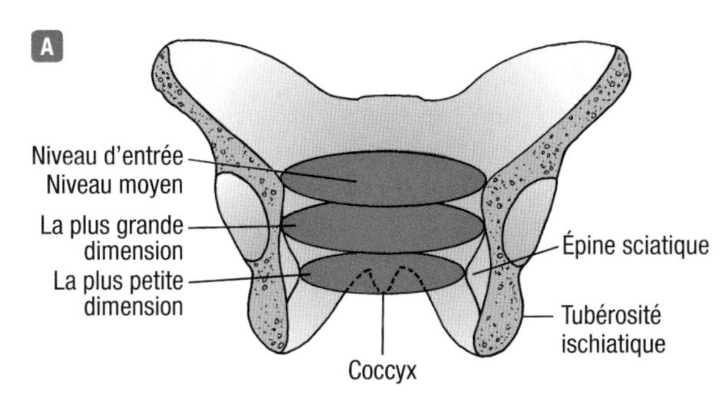

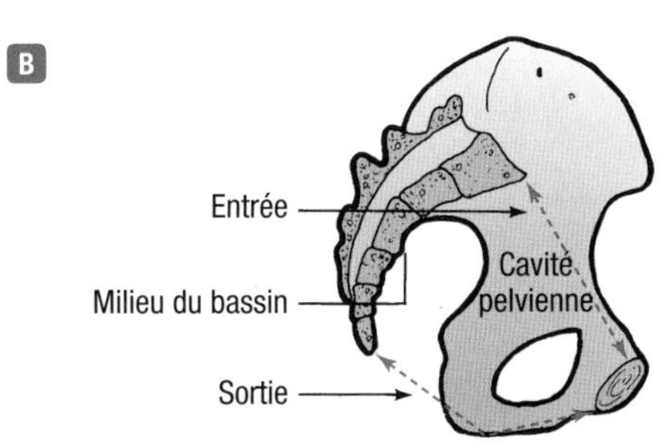

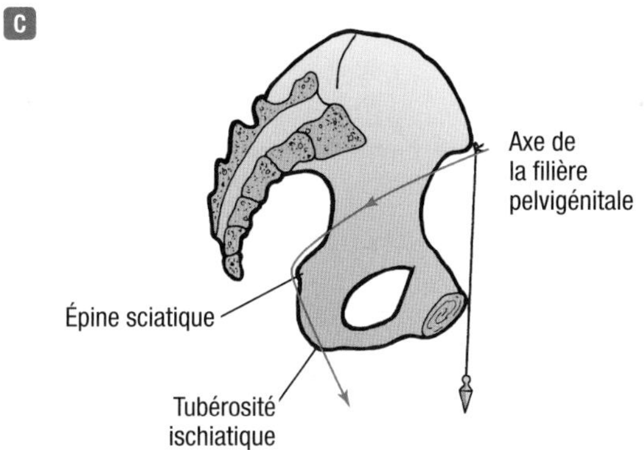

FIGURE 9.8

Cavité pelvienne. **A** Entrée et niveau moyen. Sortie non montrée. **B** Cavité du petit bassin. **C** Point à noter : la courbe du sacrum et de l'axe de la filière pelvigénitale.

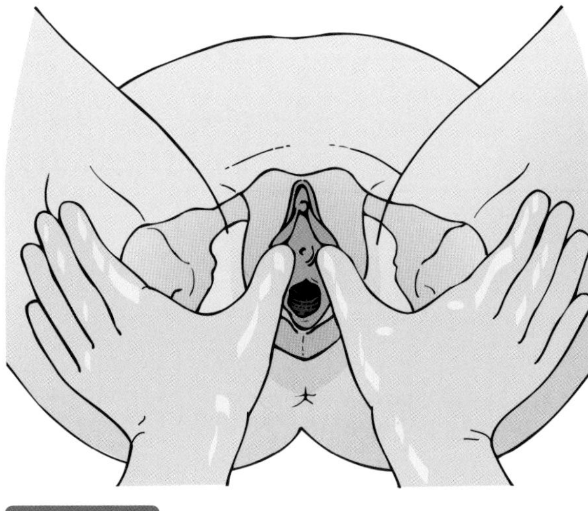

FIGURE 9.9

Estimation de l'angle de l'arcade sous-pubienne. À l'aide des deux pouces, la personne effectuant l'examen trace de façon externe les rameaux descendants aux tubérosités.

Les quatre principaux types de bassin sont les suivants :

1. gynécoïde (bassin classique féminin) ;
2. androïde (semblable au bassin masculin) ;
3. anthropoïde (semblable au bassin des singes anthropoïdes) ;
4. platypellique (bassin plat).

Le bassin gynécoïde est le plus courant, puisque ses caractéristiques principales sont présentes chez 50 % des femmes (Cunningham *et al.*, 2009). Les caractéristiques des bassins anthropoïde et androïde sont moins fréquentes que celles du bassin gynécoïde, et les caractéristiques du bassin platypellique sont les plus rares. Les bassins sont plus souvent de types mixtes que purs (Cunningham *et al.*, 2009). Le **TABLEAU 9.2** présente des exemples des différents types de bassins et leurs effets sur la méthode d'accouchement.

L'évaluation du bassin peut être effectuée durant le premier examen prénatal, et il n'est pas nécessaire de la refaire si sa taille et sa forme sont adéquates. Au troisième trimestre de la grossesse, il sera possible d'approfondir l'examen du bassin et d'obtenir des résultats plus précis, car sous l'influence des hormones, les articulations et les ligaments pelviens sont alors plus relâchés et mobiles. L'élargissement de l'articulation de la symphyse pubienne et l'instabilité qui en découle peuvent entraîner de la douleur dans une ou plusieurs articulations pelviennes.

Étant donné que l'examen ne donne pas accès directement aux structures osseuses et que les os sont plus ou moins recouverts de tissus mous, les mesures de la taille et de la forme du bassin sont estimatives. Il est cependant possible d'obtenir des mesures précises au moyen de la tomodensitométrie, des ultrasons et des films radiographiques. Cependant, on effectue rarement un examen radiographique pendant la grossesse parce que les rayons X peuvent nuire au développement du fœtus. Par ailleurs, toutes les radiographies n'ont pas le même impact sur celui-ci. Les rayons X qui ciblent la partie supérieure du corps de la mère n'atteignent pas le fœtus, alors que les radiographies dirigées vers la partie inférieure du corps entraînent l'émission de rayons près du fœtus ou à travers ce dernier (Santé Canada, 2006).

Tissus mous

Les tissus mous de la filière pelvigénitale comprennent le segment utérin inférieur dilatable, le col de l'utérus, les muscles du plancher pelvien, le vagin et l'orifice vaginal externe. Avant le début du travail, l'utérus est composé du corps et du col. Après le début du travail, par l'effet des contractions utérines, le segment musculaire supérieur de l'utérus devient plus épais tandis que la paroi du segment

TABLEAU 9.1	Sommaire des mesures obstétricales	
PLAN	**DIAMÈTRE**	**MESURES**
Entrée (détroit supérieur)		
Diamètre promonto-sous-pubien	De 12,5 à 13 cm (radiographie)	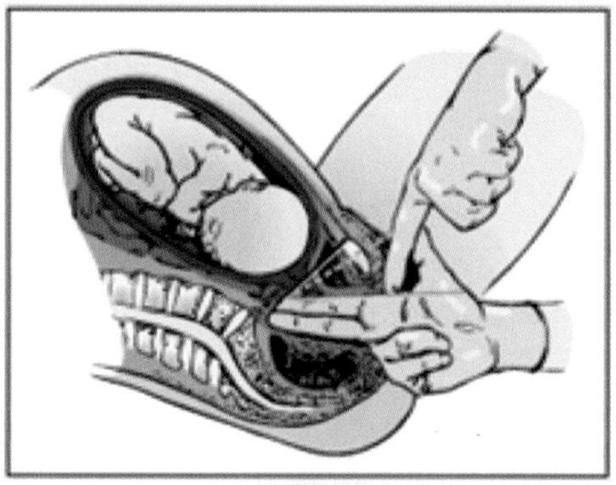 Longueur du diamètre promonto-sous-pubien (ligne bleue), du diamètre promonto-rétropubien (ligne bleue pointillée) et du diamètre promonto-sus-pubien (ligne blanche)
Diamètre promonto-rétropubien : mesure qui détermine si le repère de présentation peut s'engager ou entrer dans le détroit supérieur	De 1,5 à 2 cm de moins que le diamètre promonto-sous-pubien	
Diamètre promonto-sus-pubien (antéropostérieur)	≥ 11 cm (radiographie)	
Niveau moyen		
Diamètre transversal (diamètre bisciatique)	10,5 cm	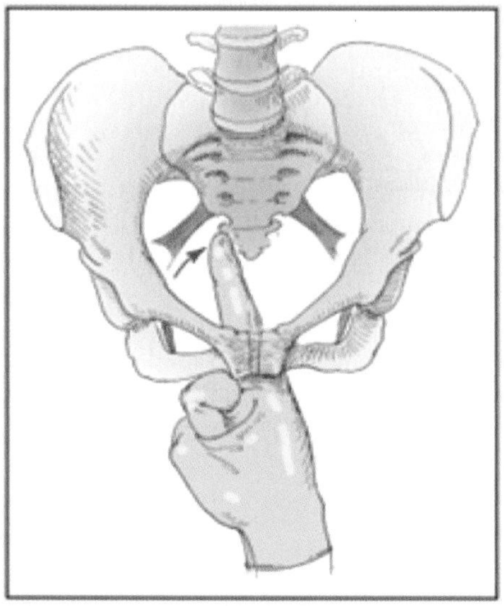 Mesure du diamètre bisciatique
Le niveau moyen du bassin est généralement à son plan le plus grand, et il a le diamètre le plus grand.		
Sortie		
Diamètre transversal (diamètre bi-ischiatique)	≥ 8 cm	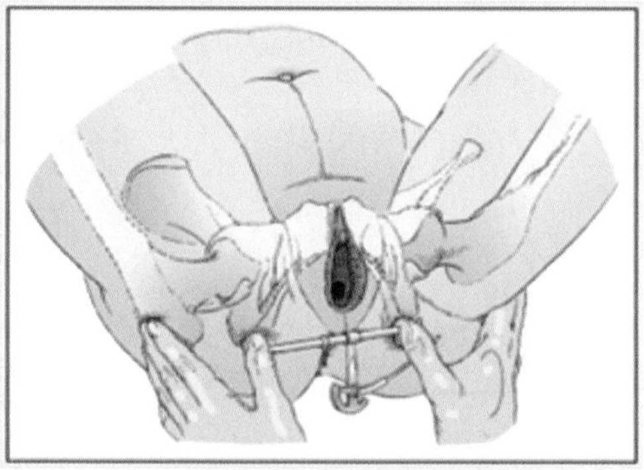 Utilisation du pelvimètre pour mesurer le diamètre bi-ischiatique
Le détroit inférieur représente le plan le plus petit de la filière pelvigénitale.		

Source : Adapté de Seidel *et al.* (2011).

TABLEAU 9.2 Comparaison des types de bassin

CARACTÉRISTIQUES DU TYPE DE BASSIN	GYNÉCOÏDE (50 % DES FEMMES)	ANDROÏDE (23 % DES FEMMES)	ANTHROPOÏDE (24 % DES FEMMES)	PLATYPELLIQUE (3 % DES FEMMES)
Orifice d'entrée	• Légèrement ovoïde ou arrondi transversalement	• Forme de cœur, anguleux	• Ovale, plus large au niveau antéropostérieur	• Aplati antéropostérieurement, large transversalement
Forme	• Rond	• Cœur	• Ovale	• Plat
Profondeur	• Moyen	• Profond	• Profond	• Peu profond
Parois	• Droites	• Convergentes	• Droites	• Droites
Épines sciatiques	• Arrondies, un peu distancées	• Saillantes, petit diamètre bisciatique	• Saillantes, souvent avec un petit diamètre bisciatique	• Arrondies, très distancées
Sacrum	• Profond, convexe	• Légèrement convexe, extrémité souvent allongée	• Légèrement convexe	• Légèrement convexe
Angle sous-pubien	• Large	• Étroit	• Étroit	• Large
Mode d'accouchement habituel	• Vaginal • Spontané • Présentation occipito-postérieure	• Par césarienne • Vaginal • Difficile, avec forceps	• Vaginal • Spontané • Forceps • Présentation occipito-postérieure ou occipito-antérieure	• Vaginal • Spontané

inférieur s'amincit et devient passive. Un anneau de rétraction physiologique sépare les deux segments **FIGURE 9.10**. Le segment inférieur se distend graduellement pour s'adapter au contenu intra-utérin au fur et à mesure que la paroi du segment supérieur s'épaissit et que sa capacité d'adaptation se réduit. Les contractions du corps utérin exercent donc une pression vers le bas sur le fœtus, en le poussant contre le col de l'utérus.

Le col de l'utérus s'efface (s'amincit) et se dilate (s'ouvre) suffisamment pour permettre à la première partie du fœtus de descendre dans le vagin. Pendant que le fœtus descend, le col de l'utérus est en fait tiré vers le haut et au-dessus de cette première partie.

Le plancher pelvien est une couche musculaire qui sépare la cavité pelvienne de l'espace périnéal, situé plus bas. Cette structure aide le fœtus à faire une rotation antérieure au moment où il traverse la filière pelvigénitale. Comme il a été mentionné précédemment, les tissus mous du vagin se développent tout au long de la grossesse jusqu'à terme de façon que le vagin puisse se dilater suffisamment pour laisser passer le fœtus.

9.1.5 Forces en jeu

Des forces involontaires et volontaires s'unissent pour expulser le fœtus et le placenta de l'utérus. Les contractions utérines involontaires, appelées forces primaires, signalent le début du travail. Une fois que le col de l'utérus est dilaté, les efforts volontaires expulsifs de la parturiente, appelés forces secondaires, augmentent la puissance des contractions involontaires.

Jugement clinique

Madame Lanthier a un bassin de type plutôt androïde.

Son accouchement devrait-il se dérouler normalement ? Justifiez votre réponse.

Forces primaires

Les contractions involontaires ont pour origine certains points d'entraînement dans les couches musculaires épaissies du segment supérieur. À partir de ces points d'entraînement, les contractions descendent par vagues dans l'utérus, entrecoupées de courtes périodes de repos. Les termes utilisés pour décrire ces contractions involontaires incluent la fréquence (temps entre le début d'une contraction et le début de la suivante), la durée (espace de temps entre le début et la fin d'une contraction) et l'intensité (force de la contraction).

Les forces primaires sont responsables de l'effacement et de la dilatation du col de l'utérus et de la descente du fœtus. L'**effacement** désigne le raccourcissement et l'amincissement du col de l'utérus pendant le premier stade du travail. Le col de l'utérus mesure habituellement de 2 à 3 cm de long et 1 cm de large. Il disparaît à la suite du

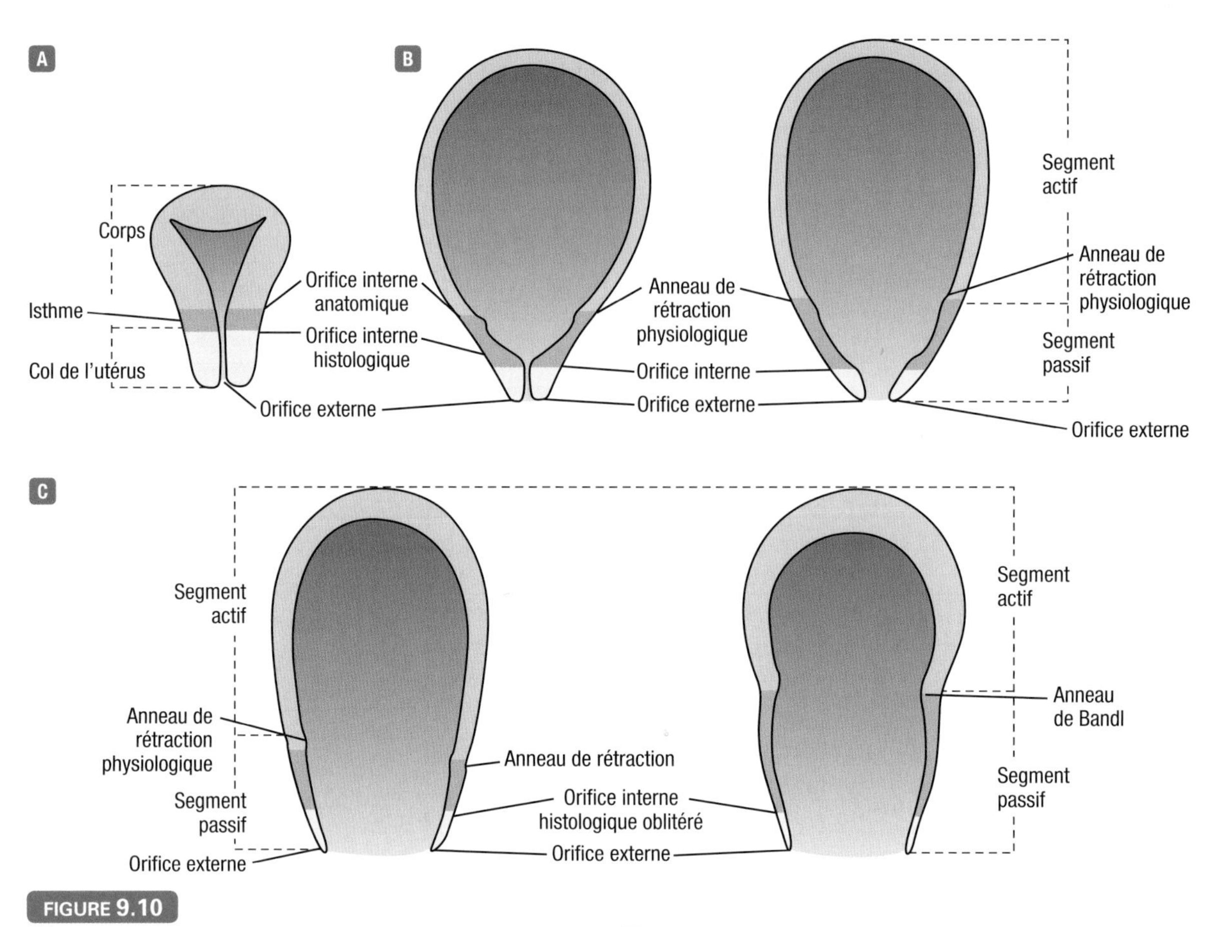

FIGURE 9.10

A L'utérus au début du premier stade lorsque le travail est normal. B L'utérus pendant le deuxième stade. Le segment passif découle du segment inférieur (isthme) et du col de l'utérus, et l'anneau de rétraction physiologique, de l'orifice interne anatomique. C L'utérus dans une situation de dystocie au cours du deuxième stade. L'anneau de Bandl se forme dans des conditions anormales à partir de l'anneau physiologique.

raccourcissement de l'amas de muscles de l'utérus pendant l'amincissement du segment inférieur qui se produit lorsque le travail progresse. Une fois que l'effacement est terminé, le col de l'utérus, à la palpation, se réduit à un mince bord. Dans le cas d'une première grossesse à terme, une légère dilatation se produit lorsque l'effacement est déjà avancé. Au moment des grossesses subséquentes, l'effacement et la dilatation du col de l'utérus progressent généralement en même temps. Le degré d'effacement s'exprime en pourcentage de 0 à 100 % (p. ex., un col de l'utérus est effacé à 50 %) **FIGURES 9.11A** et **9.11C**.

La **dilatation** du col de l'utérus désigne l'élargissement de l'ouverture cervicale et du canal cervical qui se forme après le début du travail. Le diamètre du col de l'utérus passe de moins de 1 cm à la dilatation complète (environ 10 cm) pour permettre la naissance d'un fœtus à terme. Lorsque le col de l'utérus est complètement dilaté (et entièrement rétracté), il n'est plus palpable **FIGURE 9.11D**. La dilatation complète du col de l'utérus marque la fin du premier stade du travail.

Les forces primaires sont responsables de l'effacement et de la dilatation du col de l'utérus et de la descente du fœtus.

La dilatation du col de l'utérus résulte du redressement des composantes musculaires fibreuses du col, causé par les fortes contractions utérines. La dilatation du col peut également se produire sous l'effet de la pression exercée par le liquide amniotique pendant que les membranes sont intactes ou de la force appliquée par le repère de présentation.

Au cours du premier et du deuxième stade du travail, la pression intra-utérine accrue découlant des contractions exerce une pression sur le fœtus et sur le col de l'utérus. L'étirement mécanique de celui-ci s'amorce lorsque le repère de présentation du fœtus atteint le plancher périnéal. Des mécanorécepteurs musculaires dans la paroi postérieure du vagin entraînent la libération d'ocytocine endogène au cours de la descente du fœtus. La libération de cette hormone augmente la force et la fréquence des contractions en vue de l'expulsion et peut déclencher une forte

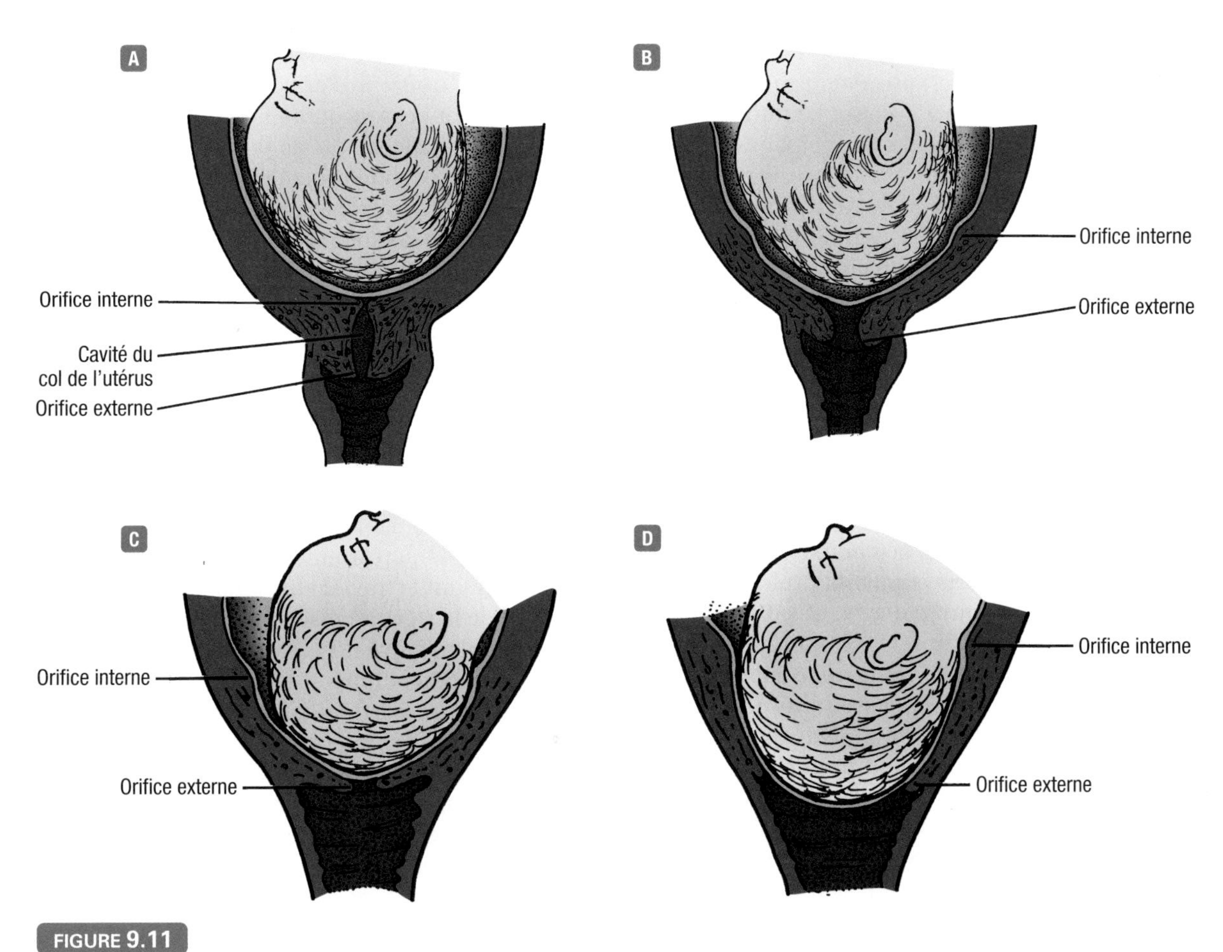

FIGURE 9.11

Effacement et dilatation du col de l'utérus. Il est important de noter comment le col de l'utérus est redressé autour du repère de présentation (orifice interne). Les membranes sont intactes, et la tête du fœtus ne pousse pas bien sur le col de l'utérus. A Avant le travail. B Effacement initial. C Effacement complet (100 %). La tête pousse bien sur le col de l'utérus. D Dilatation complète (10 cm). Les os crâniens se chevauchent un peu, et les membranes sont toujours intactes.

envie de pousser chez la parturiente. Ce phénomène est appelé **réflexe de Ferguson**.

Les contractions utérines sont habituellement indépendantes des forces externes. Par exemple, une femme en période de travail qui est paralysée à cause d'une lésion à la moelle épinière au-dessus de la douzième vertèbre dorsale aura des contractions utérines normales, mais indolores (Cunningham *et al*, 2005). La fréquence et l'intensité des contractions utérines peuvent cependant diminuer temporairement si un analgésique opioïde est donné au début du travail. Toutefois, un essai aléatoire de 2009, portant sur 12 793 nullipares, a révélé que l'administration de l'épidurale tôt pendant le premier stade d'un travail spontané ne semble pas prolonger le travail par rapport à une administration plus tardive. En effet, l'épidurale administrée lorsque la dilatation du col était d'au moins 1 cm ne prolongeait pas le travail et n'augmentait pas le taux de césarienne par rapport à l'administration d'une épidurale lorsque la dilatation était d'au moins 4 cm (Wang, Shen, Guo, Peng & Gu, 2009).

Forces secondaires

Dès que le repère de présentation atteint le plancher pelvien, les contractions changent pour devenir expulsives. La parturiente ressent alors une forte envie involontaire de pousser. Elle utilise les forces secondaires (efforts expulsifs) pour aider à expulser le fœtus en contractant son diaphragme et ses muscles abdominaux, ainsi qu'en poussant. Ces efforts expulsifs font augmenter la pression intra-abdominale qui comprime l'utérus de tous les côtés et ajoute à la puissance des forces expulsives.

Les forces secondaires n'ont aucun effet sur la dilatation du col, mais elles ont une très grande importance dans l'expulsion du fœtus de l'utérus et du vagin après la dilatation complète du col de l'utérus. Des études ont montré que la poussée est

Les forces secondaires ont une très grande importance dans l'expulsion du fœtus de l'utérus et du vagin après la dilatation complète du col de l'utérus.

9

plus efficace pendant le deuxième stade du travail et que la parturiente est moins fatiguée lorsqu'elle commence à pousser seulement après en avoir ressenti l'envie que si elle pousse lorsque son col est complètement dilaté, sans avoir l'envie de le faire (Jacobson & Turner, 2008; Simpson & James, 2005; Yildirim & Beji, 2008). Toutefois, si l'envie de pousser ne survient pas une heure après le début du deuxième stade, il faut réévaluer les contractions et envisager le recours à l'ocytocine si ces dernières sont hypotoniques (AMPRO[OB] 2010).

Quand et comment pousse une parturiente pendant le deuxième stade du travail est un sujet très discuté. Des études ont porté sur les effets des efforts expulsifs spontanés, de la poussée dirigée, de la poussée retardée, de la manœuvre de Valsalva (glotte fermée et efforts expulsifs prolongés) et de la poussée à glotte ouverte avec et sans analgésie épidurale (Brancato, Church & Stone, 2008; Gupta, Hofmeyr & Smyth, 2004; Simpson & James, 2005). Parmi les avantages de la poussée retardée, on note une plus grande probabilité d'avoir un accouchement vaginal spontané et la diminution du temps de poussée. Il faut envisager la poussée retardée surtout lorsque la tête fœtale est en position transversale ou postérieure (AMPRO[BO], 2010). Les effets indésirables associés au fait de retenir longtemps son souffle et de forcer la poussée comprennent notamment un risque accru d'hypoxie fœtale et d'acidose subséquente (Simpson & James, 2005). Il faudra mener d'autres études pour établir l'efficacité et la pertinence des stratégies utilisées par le personnel infirmier pour enseigner les techniques de poussée ▶ 12, la pertinence et l'efficacité des diverses techniques de poussée dans le contexte de tracés cardiaques fœtaux inquiétants et les normes quant à la durée de la poussée en ce qui a trait aux pronostics maternels et fœtaux (Gennero, Mayberry & Kafulafula, 2007).

RAPPELEZ-VOUS...

La manœuvre de Valsalva consiste à exercer une contraction volontaire des muscles abdominaux pendant l'expiration forcée (en retenant sa respiration et en poussant).

12

Le chapitre 12, *Soins infirmiers de la famille pendant le travail et l'accouchement* traite entre autres des diverses techniques de poussée.

9.1.6 Position de la parturiente durant le travail

La position influe sur les adaptations anatomiques et physiologiques de la femme en travail. Changer souvent de position soulage la fatigue, augmente le confort et améliore la circulation. Il est donc conseillé d'encourager la parturiente à trouver les positions les plus confortables pour elle **FIGURE 9.12 A**.

La position verticale (de marche, assise, à genoux ou accroupie) offre plusieurs avantages. La gravité peut favoriser la descente du fœtus. Les contractions utérines sont généralement plus fortes et plus efficaces pour effacer et dilater le col de l'utérus, ce qui raccourcit la durée du travail (Gupta *et al.*, 2004). Selon Lawrence et ses collaborateurs (2009), l'ambulation n'écourte pas le travail, même si elle peut aider à atténuer la perception de la parturiente à l'égard de la douleur. Par contre, chez les parturientes qui n'ont pas recours à l'épidurale, les déplacements, les changements de position et l'adoption d'une position debout peuvent aider à écourter le premier stade du travail et à réduire la douleur. Une revue Cochrane de 2005 (Roberts, Algert, Cameron & Torvaldsen, 2005) montrait un nombre limité d'études (n=281) comparant la position debout à la position couchée pendant le deuxième stade du travail. Pour ce qui est de la position debout, une réduction non significative des accouchements opératoires et du nombre de césariennes a été constatée. On a aussi noté un travail de plus courte durée, résultat qui était, lui, significatif sur le plan statistique.

Cette position est aussi bénéfique pour le débit cardiaque de la parturiente, qui augmente normalement pendant le travail alors que les contractions font revenir le sang au réseau vasculaire. Un débit cardiaque plus élevé accélère le flux sanguin vers l'unité utéroplacentaire et les reins maternels. Le débit cardiaque est fragilisé si l'aorte thoracique descendante et la veine cave ascendante sont comprimées pendant le travail. La compression de ces importants vaisseaux peut entraîner une hypotension artérielle chez la parturiente en position couchée et diminuer la perfusion du placenta. Lorsque la parturiente est en position verticale, il y a moins de pression sur ses vaisseaux et pas de compression. Si une parturiente souhaite se coucher, elle devrait le faire en position latérale (Blackburn, 2007). La durée du travail est réduite chez les parturiente qui ont une analgésie épidurale et qui adoptent une position verticale (Roberts *et al.*, 2005).

La position à quatre pattes (sur les mains et les genoux) peut contribuer à soulager le mal de dos si le fœtus est dans une position occipito-postérieure ainsi qu'aider à la rotation antérieure du fœtus et être bénéfique dans le cas d'une dystocie des épaules (Hunter, Hofmeyr & Kulier, 2007).

La position durant le deuxième stade du travail **FIGURE 9.12B** peut être choisie par la parturiente à sa préférence, mais elle dépendra aussi de l'état de la cliente et du fœtus, de l'environnement et de la position dans laquelle le professionnel de la santé estime être en mesure d'aider la parturiente. Il n'existe aucune donnée probante selon laquelle les positions suggérées pour le deuxième stade du travail augmentent la nécessité d'avoir recours à des techniques opératoires (p. ex., les forceps ou la ventouse, la césarienne, l'épisiotomie) ou causent un trauma périnéal ni qu'elles ont un effet néfaste sur le nouveau-né (Gupta *et al.*, 2004; Roberts *et al.*, 2005). Selon De Jonge et ses collaborateurs (2010), la position semi-assise ou assise ne doit pas être découragée sous prétexte de prévenir un trauma périnéal puisqu'il n'existe aucune donnée en

Si une parturiente souhaite se coucher, elle devrait le faire en position latérale.

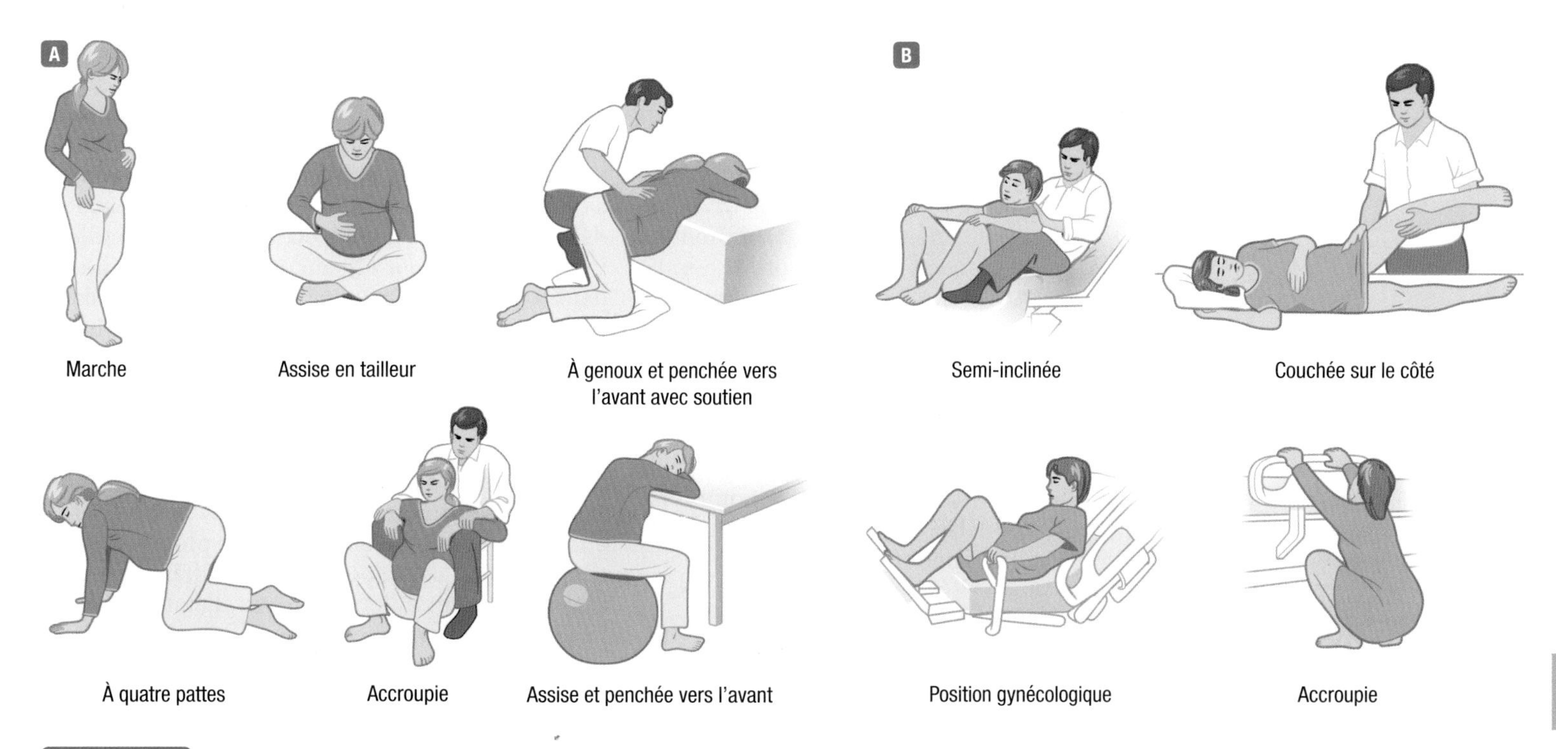

FIGURE 9.12
Positions pour le travail et l'accouchement. A Positions pour le travail. B Positions pour l'accouchement.

ce sens. En effet, la parturiente devrait être plutôt encouragée à utiliser les positions dans lesquelles elle se sent le plus confortable.

9.2 Processus du travail

Le terme travail fait référence au processus d'expulsion du fœtus, du placenta et des membranes à travers la filière pelvigénitale et hors de l'utérus. En bref, il correspond à des contractions utérines régulières et fréquentes qui entraînent des modifications du col (effacement et dilatation) et la descente de la présentation. L'appareil reproducteur de la femme subit divers changements dans les jours et les semaines qui précèdent le travail. Le travail lui-même peut être envisagé en fonction des mécanismes en cause et des stades qui le constituent.

9.2.1 Signes précurseurs du travail

Au moment d'une première grossesse, l'utérus descend vers l'avant environ deux semaines précédant le terme lorsque le repère de présentation (habituellement la tête fœtale) descend dans le petit bassin. Cette descente, appelée **allègement**, est habituellement graduelle. Après l'allègement, la femme se sent moins congestionnée, et elle respire plus facilement. Toutefois, ce changement augmente généralement la pression sur la vessie, et les mictions redeviennent fréquentes. Chez la multipare, l'allègement se produit parfois après l'établissement des contractions utérines et lorsque le travail véritable a commencé.

Après l'allègement, la femme se sent moins congestionnée, et elle respire plus facilement.

La femme peut ressentir un mal persistant au bas du dos ainsi qu'une douleur dans la région sacroiliaque en raison du relâchement des articulations pelviennes. Elle peut également sentir des contractions (Braxton-Hicks) qui sont fortes et fréquentes, mais irrégulières.

Le mucus vaginal devient plus abondant en réponse à l'extrême congestion des muqueuses vaginales. Le mucus épais qui obstruait la filière pelvigénitale depuis la conception (communément appelé bouchon muqueux) est expulsé. Du mucus cervical brun ou teinté de sang peut sortir (**expulsion du bouchon muqueux**) par le vagin. Le col de l'utérus devient mou (mûr) et partiellement effacé, et il peut commencer à se dilater. Une rupture spontanée des membranes peut se produire.

D'autres phénomènes sont courants dans les jours qui précèdent le travail : 1) la baisse de poids de 0,5 à 1,5 kg, découlant

Jugement clinique

Madame Lanthier en est à la phase active du premier stade du travail.

Quelle position la rendrait plus confortable ?

d'une perte d'eau qui résulte des changements électrolytiques provoqués par une modification des taux d'œstrogènes et de progestérone; 2) un regain d'énergie. Les femmes parlent d'une recrudescence d'énergie qu'elles mettent souvent à profit pour nettoyer la maison et préparer l'arrivée du bébé. Moins fréquemment, certaines femmes souffrent de diarrhée, de nausées, de vomissements et d'indigestion. L'**ENCADRÉ 9.1** présente une liste des signes précurseurs du travail.

9.2.2 Début du travail

Jugement clinique

Vous constatez que le col utérin de madame Lanthier est presque entièrement dilaté; la cliente commence aussi à ressentir de fortes envies de pousser.

Devriez-vous l'encourager à le faire? Justifiez votre réponse.

Le début du travail véritable ne peut pas être attribué à un seul élément. De nombreux facteurs sont en cause, notamment des changements liés à l'utérus, au col de l'utérus et à l'hypophyse. Les hormones produites par l'hypothalamus, l'hypophyse et le cortex surrénalien normaux du fœtus contribuent probablement à déclencher le travail. Une distension progressive de l'utérus, une pression intra-utérine et le vieillissement du placenta semblent être associés à une irritabilité plus grande du myomètre. Ces phénomènes sont attribuables à l'augmentation de la concentration du taux d'œstrogènes et de **prostaglandine (PG)** et à la diminution du taux de progestérone. Les effets coordonnés de ces facteurs entraînent des contractions utérines rythmiques, fortes et régulières. Normalement, la combinaison de ces facteurs aboutit à la naissance du fœtus et à l'expulsion du placenta.

Prostaglandine (PG): Substance présente dans de nombreux tissus corporels, intervenant dans plusieurs fonctions du système reproducteur, dont la fécondation et l'accouchement.

9.2.3 Stades du travail

Le travail est considéré comme normal lorsque la femme se trouve à terme ou près du terme, qu'il n'y a aucune complication, qu'un seul fœtus se présente par le sommet et que le travail aboutit dans un délai d'environ 18 heures. Le déroulement du travail normal, remarquablement constant, comprend: 1) la progression régulière des contractions utérines; 2) l'effacement et la dilatation progressive du col; 3) la descente progressive du repère de présentation (station). Les quatre stades de travail sont traités ici sommairement ▶ 12.

12

Les quatre stades du travail sont abordés plus en détail dans le chapitre 12, *Soins infirmiers de la famille pendant le travail et l'accouchement*.

ENCADRÉ 9.1 Signes précurseurs du travail

- Allégement
- Retour de la pollakiurie
- Mal de dos
- Contractions de Braxton-Hicks plus fortes
- Perte de poids de 0,5 à 1,5 kg
- Regain d'énergie
- Pertes vaginales accrues; perte du bouchon muqueux
- Maturité cervicale
- Rupture possible des membranes

Le premier stade du travail commence par les premières contractions utérines régulières et se termine par la dilatation complète du col de l'utérus. Habituellement, le début du travail est difficile à établir parce que la parturiente est parfois admise à l'unité de travail juste avant l'accouchement et le début du travail peut n'être qu'une estimation. Le premier stade est beaucoup plus long que les deuxième et troisième stades combinés. Cependant, les durées varient énormément, compte tenu des facteurs mentionnés précédemment dans ce chapitre. Le nombre de grossesses antérieures a une grande incidence sur la durée du premier stade du travail (Gross, Drobnic & Keirse, 2005). La dilatation complète peut se faire en moins d'une heure chez certaines multipares, alors que chez les primipares, elle peut durer 20 heures et parfois plus. Les variations peuvent correspondre à des différences liées à la population à l'étude (p. ex., l'état de risque, l'âge) ou à la gestion clinique du travail et de l'accouchement (AMPRO[OB], 2010).

Le premier stade se divise en trois phases: une phase de latence, une phase active et une phase de transition. Durant la phase de latence, l'effacement du col progresse plus que la descente. Durant la phase active et celle de transition, le col se dilate plus rapidement, et le rythme de la descente du repère de présentation s'accélère. L'embonpoint et l'obésité de la mère avant la grossesse peuvent occasionner une phase active du travail plus longue que chez les femmes de poids normal (Liao, Buhimschi & Norwitz, 2005). Par ailleurs, certaines complications telles que la dystocie de l'épaule, la macrosomie, la thromboembolie et la césarienne sont accentuées durant le travail et l'accouchement chez les parturientes obèses, sans compter les risques durant la grossesse et les issues périnatales potentielles (SOGC, 2007).

Le deuxième stade du travail commence à la dilatation complète du col et se termine à la naissance du fœtus. Ce stade dure en moyenne 20 minutes chez la multipare et 50 minutes chez la primipare. L'origine ethnique peut jouer un rôle dans le deuxième stade du travail. En effet, Greenberg et ses collaborateurs (2006) ont constaté que le deuxième stade du travail était plus long chez les Asiatiques primipares que chez les Blanches alors qu'il était plus court chez les femmes d'origine africaine et les Latino-Américaines.

Le deuxième stade se compose de deux phases. La première phase commence approximativement au moment où le col de l'utérus est complètement dilaté, où les contractions sont faibles ou peu évidentes, et où la parturiente ne ressent pas le besoin de pousser et se repose ou ne fait que de petits efforts expulsifs au moment des contractions; il s'agit de la phase passive. À la deuxième phase, nommée phase active, les contractions se terminent, la parturiente accomplit de grands efforts expulsifs, et la hauteur de la présentation progresse.

Le troisième stade du travail commence à la naissance du fœtus et s'achève à l'expulsion du placenta. Habituellement, le placenta se sépare au moment de la troisième ou de la quatrième contraction utérine forte qui suit la naissance du nouveau-né et peut être expulsé à la contraction utérine suivante. Le troisième stade peut ne durer que de 3 à 5 minutes, quoiqu'une durée de 30 à 45 minutes soit considérée comme normale. Plus le troisième stade se prolonge et plus le risque d'hémorragie postpartum augmente (Battista & Wing, 2007). En effet, la durée moyenne du troisième stade est de 8 à 10 minutes ▶ 23.

Le quatrième stade du travail dure environ une heure après l'expulsion du placenta (la délivrance). Il s'agit du stade correspondant au rétablissement immédiat et au retour à l'homéostasie. Il constitue une importante période d'observation qui permet de déceler les complications comme un saignement anormal.

Le **TABLEAU 9.3** présente une synthèse des stades du travail.

9.2.4 Mécanisme du travail

Comme il a déjà été mentionné, le bassin féminin comporte différents contours et diamètres selon le type, et le repère de présentation du passager est de grande taille proportionnellement à la filière. Par conséquent, pour qu'il puisse naître par le vagin, le fœtus doit s'adapter à la filière pelvigénitale durant la descente. Les rotations et autres adaptations nécessaires pendant l'accouchement constituent ce qu'on appelle le mécanisme du travail **FIGURE 9.13**. Les sept mouvements cardinaux du mécanisme du travail, qui caractérisent une présentation du sommet, sont :

1. l'engagement ;
2. la descente ;
3. la flexion ;
4. la rotation intrapelvienne ;
5. la déflexion ;
6. la rotation extrapelvienne (mouvement de restitution de la tête foetale) ;
7. l'expulsion.

Bien qu'ils soient traités séparément, ces mouvements forment une combinaison dans la réalité. Par exemple, l'engagement suppose à la fois la descente et la flexion.

Engagement

Lorsque le diamètre bipariétal de la tête traverse le détroit supérieur, on dit que la tête est engagée **FIGURE 9.13A**. Chez la plupart des nullipares, l'engagement survient avant le début du travail véritable parce que les muscles abdominaux, plus fermes, dirigent le repère de présentation vers le bassin. Chez la multipare dont les muscles abdominaux sont davantage relâchés, la tête demeure souvent plus mobile au-dessus du détroit supérieur jusqu'à ce que le travail soit amorcé.

Asynclitisme

La tête s'engage souvent dans le bassin dans une position synclite, c'est-à-dire parallèlement au plan

23

L'hémorragie postpartum et les autres risques associés à l'accouchement sont traités en profondeur dans le chapitre 23, *Complications postpartum*.

TABLEAU 9.3 Stades du travail

PREMIER STADE – EFFACEMENT DU COL ET DESCENTE DE LA PRÉSENTATION	
Phase de latence	**Phase active ET phase de transition**
• Elle précède la phase active. • Il est souvent difficile d'en définir le début. • L'activité utérine engendre une dilatation et un effacement progressifs du col. • La phase de latence se termine : – quand une femme nullipare atteint une dilatation de 3 à 4 cm ; – quand une femme multipare atteint une dilatation de 4 à 5 cm. Habituellement, la longueur du col devrait être inférieure à 1 cm.	• Il y a dilatation complète du col à la suite d'une séquence de contractions. • Elle débute après la phase de latence.
DEUXIÈME STADE – PÉRIODE ENTRE LA DILATATION COMPLÈTE ET L'ACCOUCHEMENT	
Phase passive	**Phase active**
Dilatation complète sans poussée active	Dilatation complète avec poussée active
TROISIÈME STADE – PÉRIODE ENTRE L'ACCOUCHEMENT DU FŒTUS ET LA DÉLIVRANCE DU PLACENTA	
• Dure normalement de 3 à 30 minutes	
QUATRIÈME STADE – PÉRIODE ENTRE LA DÉLIVRANCE DU PLACENTA ET LA PREMIÈRE HEURE POSTPARTUM	
• Se caractérise par le rétablissement immédiat et le retour à l'homéostasie	

Source : Adapté de AMPRO[OB] (2010).

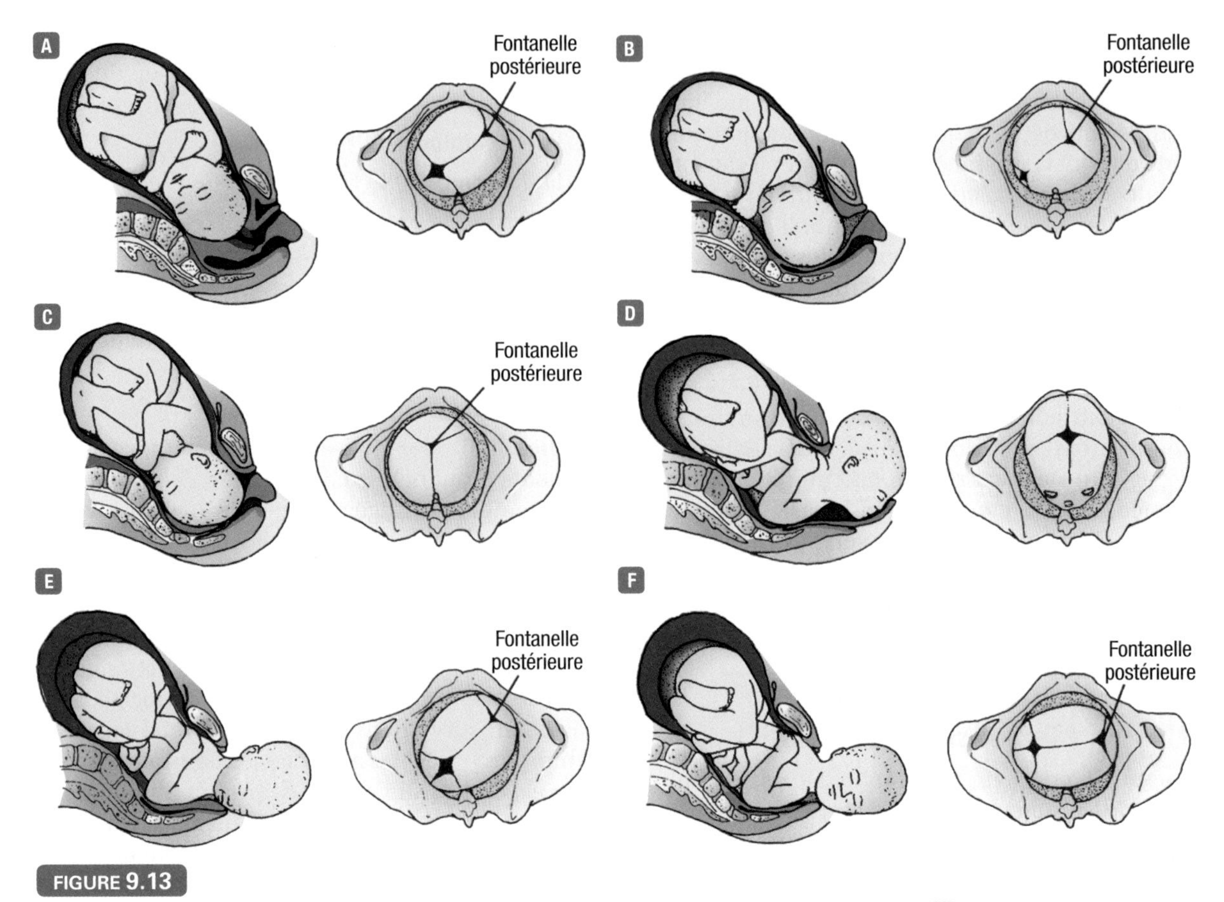

FIGURE 9.13

Mouvements cardinaux du mécanisme du travail. Position occipito-iliaque gauche antérieure (O.I.G.A.). A Engagement et descente. B Flexion. C Rotation intrapelvienne à la position occipito-antérieure (O.A.). D Déflexion. E Début de la rotation extrapelvienne (mouvement de restitution de la tête fœtale). F Rotation extrapelvienne.

antéropostérieur du bassin. L'**asynclitisme** (tête défléchie antérieurement ou postérieurement au bassin) est fréquent, ce qui peut faciliter la descente, car la tête est placée pour s'adapter à la cavité pelvienne **FIGURE 9.14**. Toutefois, un asynclitisme extrême peut causer une disproportion céphalopelvienne, même dans un bassin de taille normale, parce que la tête ne peut pas descendre.

Palpation abdominale (manœuvres de Léopold) : Techniques de palpation de l'abdomen employées pour déterminer la position et l'orientation du fœtus dans l'utérus.

Descente

La descente désigne le déplacement progressif du repère de présentation dans le bassin. Au moins quatre forces influent sur elle : 1) la pression exercée par le liquide amniotique ; 2) la pression directe exercée par la contraction du fond de l'utérus ; 3) la force de la contraction du diaphragme et des muscles abdominaux maternels durant le deuxième stade du travail ; 4) la déflexion et le redressement du corps fœtal. Les effets de ces forces dépendent de la taille et de la forme des plans pelviens maternels, de la taille de la tête fœtale et de sa capacité de se modeler.

Le degré de la descente se mesure par la hauteur du repère de présentation (station) **FIGURE 9.6**. Comme il a déjà été mentionné, la descente progresse peu durant la phase de latence du premier stade du travail. Elle s'accélère durant la phase active lorsque le col de l'utérus est dilaté de 5 à 7 cm. Ce mouvement devient particulièrement apparent après la rupture des membranes.

Chez la primipare, la descente est habituellement lente, mais constante, alors qu'elle peut être rapide chez la multipare. La **palpation abdominale (manœuvres de Léopold)** et l'examen vaginal permettent de déterminer l'évolution de la descente jusqu'à ce qu'il soit possible de voir le repère de présentation dans l'orifice vaginal externe.

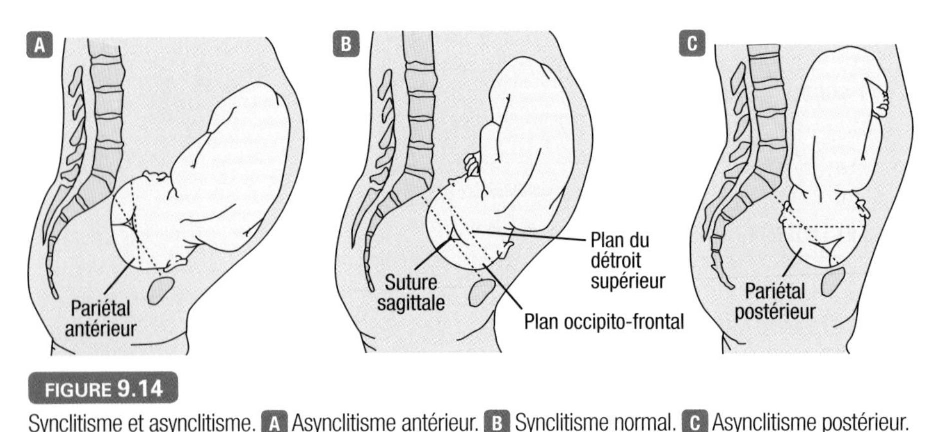

FIGURE 9.14

Synclitisme et asynclitisme. A Asynclitisme antérieur. B Synclitisme normal. C Asynclitisme postérieur.

Flexion

À la descente, dès qu'elle rencontre une résistance du col, de la paroi pelvienne ou du plancher pelvien, la tête se replie normalement de sorte que le menton se rapproche de la poitrine fœtale **FIGURE 9.13B**. La flexion permet que ce soit le plus petit diamètre sous-occipito-bragmatique (9,5 cm) qui se présente à la sortie du bassin plutôt que les plus grands.

Rotation intrapelvienne

L'entrée du bassin maternel est à son plus large au diamètre transversal. Par conséquent, la tête fœtale pénètre dans le détroit supérieur dans la position occipito-iliaque transverse. Toutefois, la sortie du bassin maternel est à son plus large au diamètre antéropostérieur. Pour que le fœtus puisse sortir, la tête doit donc effectuer une rotation. La rotation intrapelvienne commence à la hauteur des épines sciatiques et ne se termine que lorsque le repère de présentation atteint le détroit inférieur. Alors que l'occiput tourne antérieurement, la face tourne postérieurement. À chaque contraction, la tête fœtale est guidée par le bassin et les muscles du plancher pelvien. L'occiput se trouvera au niveau moyen sous l'arcade pubienne. La tête est presque toujours tournée lorsqu'elle atteint le plancher pelvien **FIGURE 9.13C**. Tant les muscles releveurs de l'anus et son fascia que le bassin sont importants pour réaliser une rotation antérieure. Une blessure à un accouchement antérieur ou une anesthésie régionale peuvent compromettre la fonction de l'ensemble des muscles releveurs.

Déflexion

Une fois qu'elle a atteint le périnée, la tête fœtale est réorientée antérieurement pour l'accouchement. L'occiput passe sous la limite inférieure de la symphyse pubienne, puis la tête émerge par déflexion : l'occiput d'abord, puis la face et, finalement, le menton **FIGURE 9.13D**.

Rotation extrapelvienne (mouvement de restitution de la tête fœtale)

Une fois qu'elle est sortie de la filière pelvigénitale, la tête effectue une brève rotation pour reprendre sa position au moment de l'engagement dans l'entrée du bassin. Ce mouvement est appelé restitution de la tête fœtale **FIGURE 9.13E**. La rotation à 45° réaligne la tête du nouveau-né avec son dos et ses épaules. On peut alors voir la tête poursuivre la rotation. Cette rotation extrapelvienne a lieu lorsque les épaules s'engagent et descendent en exécutant les mêmes manœuvres que celles de la tête **FIGURE 9.13F**. Comme mentionné précédemment, l'épaule antérieure descend la première. Lorsqu'elle atteint la sortie du bassin, elle tourne vers le niveau moyen et sort de l'arcade pubienne. L'épaule postérieure est guidée au-dessus du périnée jusqu'à ce qu'elle ait traversé l'orifice vaginal externe.

Expulsion

Après la sortie des épaules de la filière pelvigénitale, la tête et les épaules sont soulevées vers l'os pubien de la parturiente et le tronc du fœtus sort au moyen d'une flexion latérale en direction de la symphyse pubienne. Lorsque le fœtus est sorti tout entier de la filière pelvigénitale, la naissance est complète, ce qui marque la fin du deuxième stade du travail.

9.3 Adaptations physiologiques au travail

Outre les adaptations anatomiques, la parturiente et le fœtus subissent aussi des adaptations physiologiques durant l'accouchement. Pour bien évaluer la parturiente et le fœtus, il faut connaître ces diverses adaptations.

9.3.1 Adaptation fœtale

Le fœtus subit plusieurs adaptations physiologiques importantes qui touchent à la fréquence cardiaque fœtale (F.C.F.), à la circulation fœtale, aux mouvements respiratoires et à d'autres comportements.

Fréquence cardiaque fœtale

La surveillance électronique par moniteur ou l'auscultation intermittente de la F.C.F. permet de mesurer l'état d'oxygénation du fœtus et de le prédire. La F.C.F. moyenne à terme est de 140 battements par minute (batt./min). L'écart normal est de 110 à 160 batt./min (AMPRO^OB, 2010). Au début de la gestation, la F.C.F. est plus élevée que la normale, et elle atteint en moyenne 160 batt./min à 20 semaines de gestation. Elle diminue progressivement au fur et à mesure que le fœtus arrive à terme. Toutefois, des accélérations temporaires et de légers ralentissements précoces de la F.C.F. peuvent être normaux par suite d'un mouvement fœtal spontané, d'un examen vaginal, de contractions utérines, d'une palpation abdominale ou de la compression de la tête fœtale. Tout stress exercé sur l'unité de l'utérus, du fœtus et du placenta occasionne des tracés caractéristiques de F.C.F. ▶ 11.

11

Le chapitre 11, *Évaluation fœtale pendant le travail*, contient plus d'information au sujet de la F.C.F.

Circulation fœtale

De nombreux facteurs peuvent influer sur la circulation fœtale, notamment la position maternelle, les contractions utérines, la pression artérielle (P.A.) et le débit sanguin du cordon ombilical. Les contractions utérines durant le travail ralentissent souvent la circulation dans les artérioles spiralées et la perfusion subséquente dans la **chambre intervilleuse**. La plupart des fœtus sains sont tout à fait capables de répondre à ce stress et à une pression

Chambre intervilleuse : Espace situé dans le placenta et contenant de petits lacs sanguins où se produisent les échanges de gaz (oxygène et gaz carbonique) et d'aliments entre la mère et le fœtus.

accrue au moment de leur descente passive dans la filière pelvigénitale. Normalement, les contractions utérines ou la position fœtale n'ont pas d'effet sur le débit sanguin du cordon ombilical (Tucker, Miller & Miller, 2009).

Respiration fœtale

Jugement clinique

En cours de travail, la P.A. de madame Lanthier est de 150/86 alors qu'habituellement, elle se maintient autour de 128/78.

Devriez-vous envisager des complications pour la suite du travail ? Justifiez votre réponse.

Certains changements stimulent les chimiorécepteurs de l'aorte et des corpuscules carotidiens afin que le fœtus respire immédiatement après sa naissance (Blackburn, 2007 ; Rosenberg, 2007). Ces changements comprennent :

- une évacuation du liquide des poumons fœtaux durant le travail et l'accouchement (vaginal) ;
- une baisse de la pression partielle de l'oxygène dans le sang artériel (PAO_2) ;
- une hausse de la pression partielle du gaz carbonique dans le sang artériel ($PACO_2$) ;
- une baisse du pH artériel ;
- une baisse du taux de bicarbonate ;
- une baisse des mouvements respiratoires fœtaux durant le travail.

Polyhydramnios : Présence d'une quantité excessive de liquide amniotique (plus de 2 000 ml) dans la cavité qui entoure le fœtus.

Hypovolémie : Diminution du volume sanguin total.

9.3.2 Adaptation maternelle

La parturiente manifeste des symptômes tant objectifs que subjectifs au fur et à mesure de l'avancement du travail et de l'adaptation des diverses parties de son organisme à ce processus **ENCADRÉ 9.2**.

Changements cardiovasculaires

Durant chaque contraction, 400 ml de sang quittent l'utérus pour circuler dans le système vasculaire de la parturiente. Cet apport accroît le débit cardiaque d'environ 10 à 15 % durant le premier stade du travail et d'approximativement 30 à 50 % au deuxième. La fréquence cardiaque augmente légèrement (Gordon, 2007).

La P.A. de la parturiente change également. Le débit sanguin, qui est réduit dans l'artère utérine par les contractions, est réacheminé vers les vaisseaux périphériques. Par conséquent, il y a une augmentation de la résistance périphérique et de la P.A. (Gordon, 2007). Au cours du premier stade du travail, les contractions utérines entraînent une hausse des lectures systoliques d'environ 10 mm Hg. La mesure de la P.A. entre les contractions permet donc d'obtenir des lectures plus exactes. Durant le deuxième stade, les contractions peuvent entraîner une hausse de la pression systolique de 30 mm Hg et des lectures diastoliques de 25 mm Hg. Les lectures systolique et diastolique demeurent légèrement élevées, même entre les contractions. Ainsi, il y a un risque de complications, comme une hémorragie cérébrale, pour une femme qui est sujette à l'hypertension.

L'hypotension en position couchée se produit lorsque la veine cave ascendante et l'aorte thoracique descendante sont comprimées. La femme qui accouche court un plus grand risque d'hypotension en position couchée si son utérus est particulièrement distendu en raison d'une grossesse multiple, de **polyhydramnios**, de l'obésité, si elle est déshydratée ou si elle se trouve en état d'**hypovolémie**. En outre, l'anxiété et la douleur, ainsi que certains médicaments, peuvent provoquer une hypotension.

Il faut dissuader la parturiente d'avoir recours à la manœuvre de Valsalva (retenir sa respiration et contracter les muscles abdominaux) pour pousser durant le deuxième stade, car cette technique augmente la pression intrathoracique, réduit le retour veineux et hausse la pression veineuse. Le débit cardiaque et la pression sanguine augmentent, et le pouls ralentit temporairement. Une hypoxie fœtale peut même se manifester. Le processus s'inverse lorsque la parturiente inspire.

La numération des globules blancs peut s'accroître au cours du travail (Blackburn, 2007). Bien qu'il ne soit pas connu, le mécanisme à l'origine de cette augmentation des globules blancs pourrait être lié au stress physique ou émotif, ou encore au trauma tissulaire. Le travail est fatigant, et la dépense physique à elle seule peut augmenter la numération des globules blancs.

Certains changements vasculaires périphériques apparaissent, peut-être en réaction à la dilatation cervicale ou à la compression des vaisseaux maternels par le fœtus en descente ; ainsi, il peut en découler une rougeur aux joues et des pieds plus chauds ou froids chez la parturiente.

ENCADRÉ 9.2 Changements physiologiques maternels durant le travail

- Augmentation du débit cardiaque de 10 à 15 % durant le premier stade et de 30 à 50 % durant le deuxième stade
- Légère augmentation de la fréquence cardiaque durant le premier et le deuxième stade
- Augmentation de la P.A. systolique au moment des contractions utérines dans le premier stade ; augmentation des pressions systolique et diastolique pendant les contractions utérines durant le deuxième stade
- Hausse de la numération des globules blancs
- Augmentation de la fréquence respiratoire
- Possibilité d'une légère hausse de température
- Possibilité d'une protéinurie
- Diminution de la motilité gastrique et de l'absorption d'aliments solides ; possibilité de nausées et de vomissements durant la transition au deuxième stade
- Diminution du taux de glycémie

Changements respiratoires

Une plus grande activité physique, associée à une consommation d'oxygène accrue, se traduit par une augmentation de la fréquence respiratoire. Une hyperventilation peut provoquer une alcalose respiratoire (augmentation de pH), une hypoxie (diminution de l'apport d'oxygène aux cellules et aux tissus) et une hypocapnie (diminution du dioxyde de carbone) **FIGURE 9.15**. Durant le deuxième stade, la consommation d'oxygène de la parturiente qui n'a pas pris de médicament est presque doublée. L'anxiété augmente aussi la consommation d'oxygène.

Changements rénaux

Au cours du travail, la miction peut s'avérer difficile pour diverses raisons : œdème des tissus causé par la pression qu'exerce la présentation, sensation inconfortable, sédation et timidité. Une **protéinurie** de 1 plus (1+) est un résultat normal, parce qu'elle peut résulter d'une rupture des tissus musculaires causée par l'effort physique du travail.

Changements tégumentaires

Les changements du système tégumentaire sont évidents, en particulier la grande capacité de distension (étirement) de la région entourant l'orifice vaginal externe. Cette capacité est plus ou moins grande selon la personne. En dépit de cette capacité d'étirement, même en l'absence d'épisiotomie ou de lacérations, il se produit de minuscules déchirures de la peau autour de l'orifice vaginal externe.

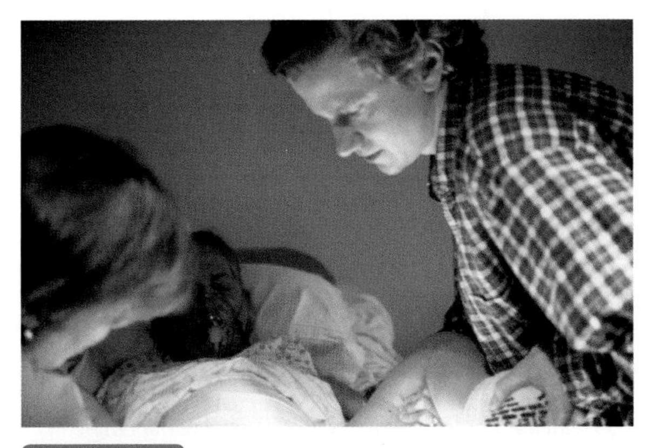

FIGURE 9.15

Une diminution de la PaO_2 chez la parturiente peut entraîner une chute rapide de la PaO_2 fœtale.

Changements musculosquelettiques

Le système musculosquelettique subit un stress durant le travail. La **diaphorèse**, la fatigue, la protéinurie (1+) et parfois une température plus élevée accompagnent l'augmentation marquée de l'activité musculaire. Le mal de dos et les articulations douloureuses (sans lien avec la position fœtale) résultent d'une plus grande laxité des articulations à terme. Le travail et le fait de pointer les orteils peuvent causer des crampes dans les jambes.

RAPPELEZ-VOUS...

L'hyperventilation est une augmentation de la quantité d'air qui ventile les poumons et qui survient lorsqu'une personne respire très rapidement pendant une longue période.

Changements neurologiques

Des modifications sensorielles apparaissent à mesure que la parturiente traverse les phases du premier stade du travail et les stades suivants. Au début, la cliente peut être euphorique, puis elle devient sérieuse. Entre les contractions durant le deuxième stade, elle présente de l'amnésie, et après l'accouchement, elle est soulagée et fatiguée. Des endorphines endogènes (substances chimiques semblables à la morphine sécrétées naturellement par l'organisme) relèvent le seuil de la douleur et ont un effet sédatif. En outre, l'anesthésie physiologique des tissus périnéaux, causée par la pression du repère de présentation, diminue momentanément la perception de la douleur.

Protéinurie : Présence de protéines provenant du sérum sanguin en quantité anormalement élevée dans l'urine.

Jugement clinique

À la fin du premier stade du travail et au début du second, la respiration de madame Lanthier s'accélère, et la cliente se sent étourdie.

Devriez-vous vous inquiéter de ce changement ? Justifiez votre réponse.

Changements gastro-intestinaux

Durant le travail, la mobilité gastro-intestinale, l'absorption d'aliments solides et le temps d'évacuation de l'estomac sont ralentis. Des nausées et des vomissements d'aliments non digérés, ingérés après le début du travail, sont courants et représentent aussi des réponses réflexes à une dilatation cervicale complète. Une diarrhée peut accompagner le début du travail ; l'infirmière peut aussi palper la présence de selles dures ou enclavées dans le rectum.

Changements endocriniens

Le début du travail peut être déclenché par la diminution du taux de progestérone et l'augmentation du taux d'œstrogènes, de prostaglandine et d'ocytocine. Le métabolisme s'accélère et le taux de glycémie peut diminuer avec les efforts du travail.

Analyse d'une situation de santé

Jugement clinique

Madame Josée Marchand, âgée de 34 ans, est enceinte de 40 semaines. Il s'agit de sa deuxième grossesse. Elle se trouve au pavillon des naissances, car le travail est commencé depuis une heure environ. Le diamètre bipariétal de la tête fœtale est de 9 cm, et le diamètre sous-occipito-bregmatique est de 9,25 cm. Le fœtus se présente en position O.I.G.A. à une hauteur de +4. La cliente a un bassin de forme gynécoïde.

SOLUTIONNAIRE

www.cheneliere.ca/lowdermilk

MISE EN ŒUVRE DE LA DÉMARCHE DE SOINS

Collecte des données – Évaluation initiale – Analyse et interprétation

1. Madame Marchand aurait-elle raison d'entrevoir un accouchement vaginal normal ? Justifiez votre réponse.
2. Quelle donnée propre à la position du fœtus permettrait de croire que l'accouchement de madame Marchand se déroulera normalement ?
3. Quelle donnée propre au bassin de madame Marchand confirmerait encore plus l'issue normale de l'accouchement ?
4. Que signifie une hauteur de présentation à +4 pour cette cliente ?
5. Que devriez-vous remarquer au sujet du col de l'utérus chez madame Marchand ?

Planification des interventions – Décisions infirmières

6. Encourageriez-vous la cliente à pousser pour accélérer l'expulsion de son bébé ? Justifiez votre réponse.

Extrait

CONSTATS DE L'ÉVALUATION								
					RÉSOLU / SATISFAIT			
Date	Heure	N°	Problème ou besoin prioritaire	Initiales	Date	Heure	Initiales	Professionnels / Services concernés
2012-04-21	*10:30*	*1*	*Accouchement vaginal spontané à 40 semaines*	*R.T.*				

SUIVI CLINIQUE							
					CESSÉE / RÉALISÉE		
Date	Heure	N°	Directive infirmière	Initiales	Date	Heure	Initiales
2012-04-21	*10:30*	*1*	*Procéder au suivi postpartum habituel grossesse à terme*	*R.T.*			

Signature de l'infirmière	Initiales	Programme / Service	Signature de l'infirmière	Initiales	Programme / Service
Rosie Trottier	*R.T.*	*Pavillon des naissances*			

7. À ce stade-ci de l'hospitalisation de la cliente, le contenu du plan thérapeutique infirmier (PTI) est-il acceptable ? Justifiez votre réponse.

Évaluation des résultats – Évaluation en cours d'évolution

8. Qu'est-ce qui permet de déterminer qu'il n'y a rien d'autre à ajouter au PTI de madame Marchand ?

APPLICATION DE LA PENSÉE CRITIQUE

Dans l'application de la démarche de soins auprès de madame Marchand, l'infirmière a recours à un ensemble d'éléments (connaissances, expériences antérieures, normes institutionnelles ou protocoles, attitudes professionnelles) pour analyser la situation de santé de la cliente et en comprendre les enjeux. La **FIGURE 9.16** illustre le processus de pensée critique suivi par l'infirmière afin de formuler son jugement clinique. Elle résume les principaux éléments sur lesquels l'infirmière s'appuie en fonction des données de cette cliente, mais elle n'est pas exhaustive.

VERS UN JUGEMENT CLINIQUE

CONNAISSANCES

- Processus du travail
- Caractéristiques normales de chacun des stades du travail
- Différentes présentations fœtales au cours de l'accouchement
- Diamètres de la tête fœtale
- Divers types de bassin féminin
- Positions confortables que la parturiente peut adopter selon l'évolution du travail
- Caractéristiques des forces primaires et secondaires
- Étapes du mécanisme du travail
- Degré d'engagement du fœtus dans le bassin
- Diverses adaptations physiologiques au travail

EXPÉRIENCES

- Travail (expérience) auprès des femmes en train d'accoucher
- Expérience personnelle d'accouchement
- Expérience d'accouchement d'une femme de son entourage

NORMES

- Surveillance habituelle d'une cliente en travail
- Suivi postpartum habituel

ATTITUDES

- Suivre le rythme de la cliente tout au long des stades du travail
- Être à l'écoute des besoins de la cliente

PENSÉE CRITIQUE

ÉVALUATION

- Caractéristiques du premier accouchement
- Caractéristiques du bassin de la cliente (gynécoïde)
- Degré d'engagement du fœtus dans le bassin (+4)
- Degré de dilatation du col utérin
- Position de présentation du fœtus (O.I.G.A.)
- Caractéristiques des forces primaires (contractions) : fréquence, durée, intensité
- Caractéristiques des forces secondaires (poussées) : fréquence, durée, intensité

JUGEMENT CLINIQUE

FIGURE 9.16

À retenir

VERSION REPRODUCTIBLE

www.cheneliere.ca/lowdermilk

- Au moins cinq facteurs influent sur le travail et l'accouchement : le passager, la filière pelvigénitale (passage), les forces en jeu (puissance), la position de la parturiente et les réactions psychologiques.
- Étant donné sa taille et sa rigidité relative, la tête fœtale constitue un facteur déterminant pour le déroulement de l'accouchement.
- Les diamètres au niveau des détroits supérieur, moyen et inférieur, avec l'axe de la filière pelvigénitale, déterminent si l'accouchement vaginal est possible et la façon dont le fœtus descend dans la filière pelvigénitale.
- Les contractions utérines involontaires ont pour effet de provoquer l'effacement et la dilatation du col durant le premier stade du travail ; elles sont renforcées par les efforts expulsifs volontaires durant le deuxième stade.
- Le premier stade du travail s'amorce avec le début de la dilatation du col et se termine lorsque celui-ci est entièrement dilaté. Le deuxième stade débute lorsque le col est entièrement dilaté et se termine par l'accouchement. Le troisième stade commence à la naissance du fœtus et se termine à l'expulsion du placenta. Le quatrième stade correspond à la période de la délivrance du placenta et de la première heure de la période postpartum.
- Les mouvements cardinaux du mécanisme du travail sont l'engagement, la descente, la flexion, la rotation intrapelvienne, la déflexion, la rotation extrapelvienne (mouvement de restitution de la tête fœtale) et l'expulsion du fœtus.
- Bien que les événements qui précipitent le début du travail ne soient pas connus, plusieurs facteurs seraient en cause, notamment des modifications de l'utérus maternel, du col de l'utérus et de l'hypophyse.
- Un fœtus en santé qui jouit d'une circulation utéroplacentaire adéquate sera capable de contrebalancer le stress des contractions utérines.
- Les divers systèmes du corps de la femme s'adaptent au travail et à l'accouchement, au fur et à mesure de la progression de ces processus.

CHAPITRE

Gestion de la douleur

Écrit par:
Kitty Cashion, RN, BC, MSN

Adapté par:
Dalila Benhaberou-Brun, inf., M. Sc.

OBJECTIFS

 Guide d'études – SA10

Après avoir étudié ce chapitre, vous devriez être en mesure:

- de décrire les techniques de respiration et de relaxation utilisées pour chaque stade du travail;
- d'expliquer les méthodes non pharmacologiques de relaxation et de soulagement de la douleur pendant le travail;
- de comparer les méthodes pharmacologiques de soulagement de la douleur utilisées à différents stades du travail et pendant un accouchement vaginal ou par césarienne;
- d'expliquer l'indication et les responsabilités infirmières associées à l'administration de la naloxone;
- d'appliquer les soins et les traitements infirmiers dans le traitement de la douleur d'une cliente en travail;
- de résumer les responsabilités infirmières envers une cliente qui est analgésiée ou anesthésiée pendant le travail.

Concepts clés

Cette carte conceptuelle illustre schématiquement les principaux concepts décrits dans le présent chapitre. Sa lecture vous permettra d'avoir une vue d'ensemble des notions qui y sont présentées.

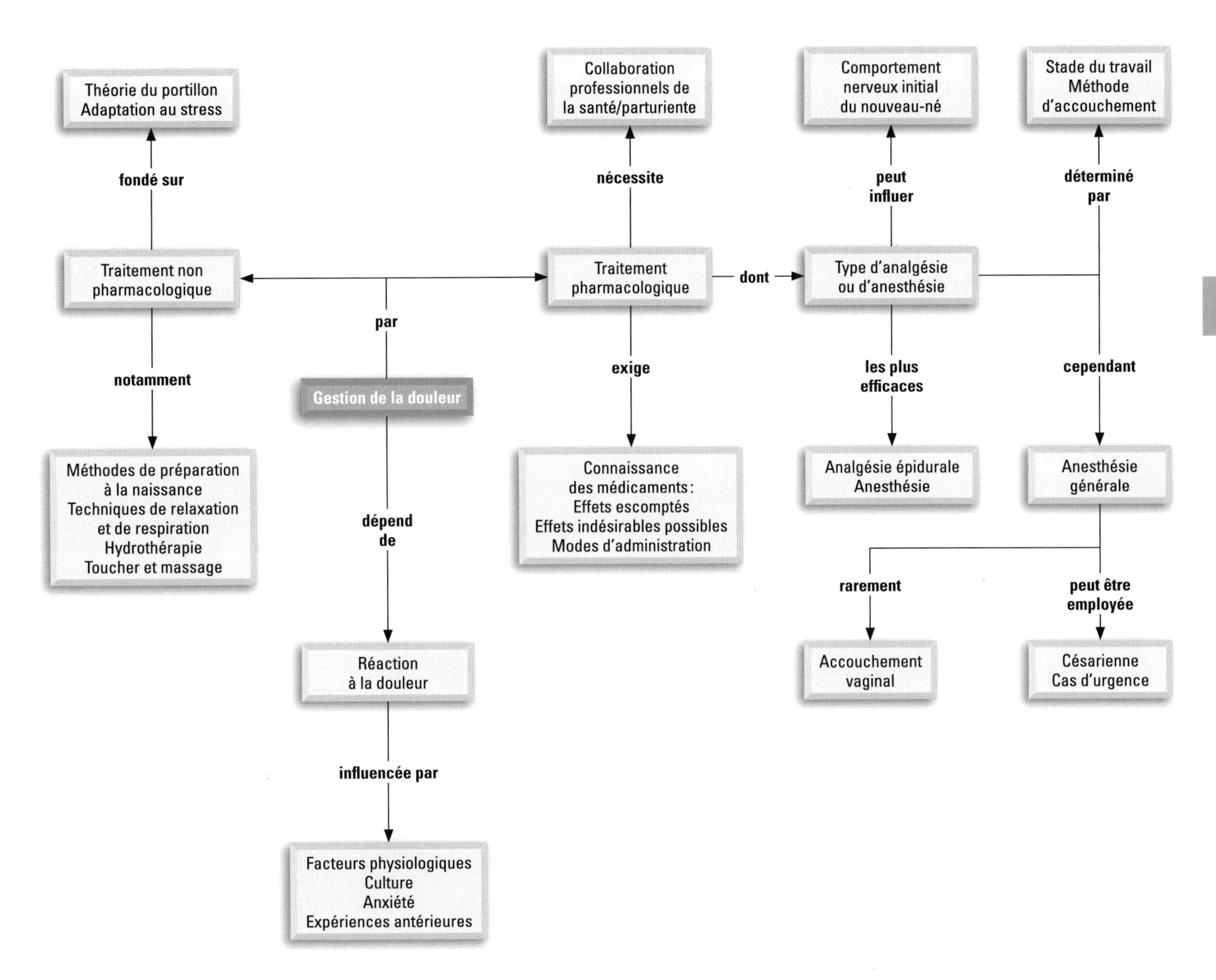

10

La douleur est un phénomène désagréable, complexe et très individuel qui a des composantes sensorielles et émotionnelles. Une femme enceinte ou une parturiente n'a pas à « endurer » la douleur. Souvent, elle appréhende la douleur qu'elle ressentira pendant le travail et l'accouchement, et la façon dont elle réagira et affrontera cette douleur. De nombreux facteurs physiologiques, émotionnels, psychosociaux et environnementaux influent sur la nature et le degré de douleur ressentie par une parturiente et sur sa réaction à cette douleur. Diverses méthodes non pharmacologiques et pharmacologiques peuvent aider une femme ou un couple à composer avec la douleur du travail et de l'accouchement. Les méthodes choisies varient en fonction de la situation, de la disponibilité du matériel et des préférences de la parturiente et de son médecin. Le rôle de l'infirmière est crucial durant tous les stades de l'accouchement. L'infirmière orientera la parturiente pour l'aider à vivre un accouchement, qu'il soit vaginal ou par césarienne, qui s'approche le plus des objectifs et du plan de naissance établi. En lui prodiguant conseils et encouragements et en surveillant les résultats des méthodes employées pour soulager la douleur, l'infirmière soutiendra le couple dès les premières contractions du travail jusqu'à l'expulsion du fœtus.

10.1 Douleurs pendant le travail et l'accouchement

10.1.1 Origines nerveuses

Les douleurs et les malaises de la femme pendant le travail ont deux origines : viscérale et somatique. Pendant le premier stade du travail, les contractions utérines provoquent la dilatation et l'effacement du col utérin. Elles causent également la compression des artères qui irriguent le myomètre, ce qui entraîne une ischémie utérine (diminution de la circulation sanguine et, par conséquent, déficit local en oxygène). À ce stade du travail, l'influx douloureux est transmis par les nerfs rachidiens T1 à T12 ainsi que par les nerfs thoraciques inférieurs et lombaires supérieurs. Ces nerfs proviennent du corps utérin et du col utérin (Blackburn, 2007).

La douleur viscérale est causée par les changements du col utérin, la distension de la partie inférieure de l'utérus, l'étirement du tissu cervical qui se dilate et la pression exercée sur les structures et les nerfs adjacents pendant le premier stade du travail. Elle se situe au-dessus du bas de l'abdomen et peut être projetée vers la paroi abdominale, la région lombosacrée, les crêtes iliaques, la région fessière et les cuisses (Blackburn, 2007 ; Marchand, 2009).

Pendant le deuxième stade du travail, la femme ressent une douleur somatique, souvent décrite comme une douleur intense, vive et locale qui produit une sensation de brûlure. Elle résulte de l'étirement et de la distension des tissus périnéaux et du plancher pelvien pour permettre le passage du fœtus, de la distension et de la traction du péritoine et des supports utérocervicaux pendant les contractions et des déchirures des tissus mous (p. ex., le col utérin, le vagin et le périnée). La position fœtale, la rapidité de la descente fœtale, la position maternelle, l'intervalle et la durée des contractions ainsi que la fatigue sont d'autres facteurs physiques liés à la douleur au cours du deuxième stade du travail. Pendant ce stade, les influx douloureux sont transmis par les nerfs honteux internes, les nerfs rachidiens S2 à S4 et le système parasympathique (Blackburn, 2007).

La douleur ressentie pendant le troisième stade du travail et les tranchées du début de la période postnatale sont utérines, comme la douleur éprouvée au début du premier stade du travail. La **FIGURE 10.1** montre les parties du corps où la douleur est ressentie pendant le travail.

Jugement clinique

Madame Bianca Dufour, âgée de 24 ans, est enceinte de 39 semaines de son premier enfant. Elle s'est présentée à l'accueil obstétrical il y a cinq heures et a été admise en chambre de naissance. Elle désire un accouchement naturel. Ses contractions reviennent toutes les deux minutes et sont très intenses. Son col est dilaté à 7 cm et effacé à 100 %. Madame Dufour est bien soutenue par son conjoint et utilise le ballon ergonomique pendant ses contractions. Ses signes vitaux sont les suivants : P.A. : 145/90 mm Hg, F.C. : 108 batt./min, F.R. : 20 R/min ; T° : 36,8 °C.

Interprétez les résultats des signes vitaux de madame Dufour.

10.1.2 Perception de la douleur

Bien que le seuil de la douleur soit remarquablement semblable d'une personne à l'autre, peu importe le sexe et les différences sociales, ethniques ou culturelles, ces facteurs jouent un rôle défini dans la perception de la douleur et les réactions comportementales à celle-ci. On ne connaît pas bien les effets de facteurs comme la culture, les « contre-stimuli » et les distractions sur la façon de composer avec la douleur. La signification de la douleur et les expressions verbales et non verbales de celle-ci sont apparemment apprises au cours des interactions dans le groupe social primaire. Selon Marchand (2009), le noyau familial aurait une plus grande influence que l'environnement culturel sur la perception de la douleur. L'influence du critère racial est en général moins étudiée que la culture ou l'ethnie. Cette dernière est souvent assimilée à la culture sous le vocable « ethnoculturel », qui sert de base pour étudier l'expression de la douleur dans divers groupes.

10.1.3 Expression de la douleur

La douleur provoque des effets physiologiques et des réactions sensorielles et émotionnelles. Pendant l'accouchement, elle cause des effets physiologiques reconnaissables. La douleur croissante stimule l'activité du système nerveux sympathique, ce qui se traduit par une libération accrue de catécholamines. La pression artérielle (P.A.) et la fréquence cardiaque

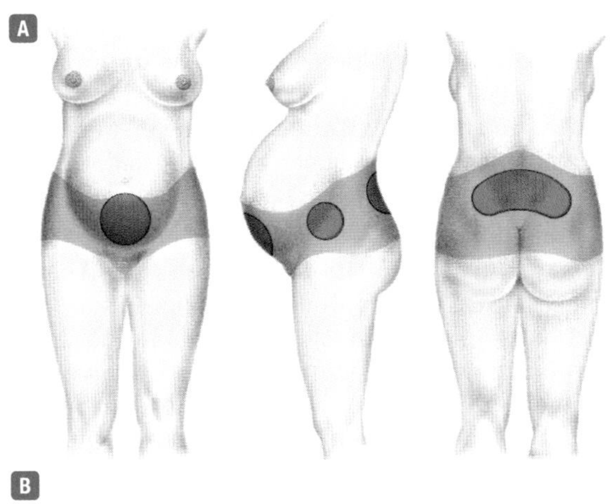
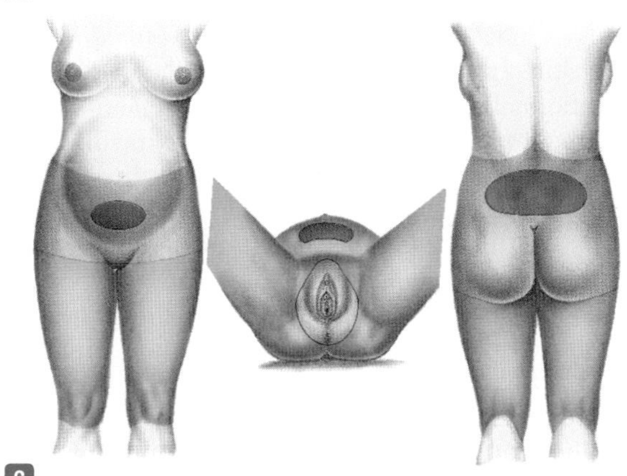
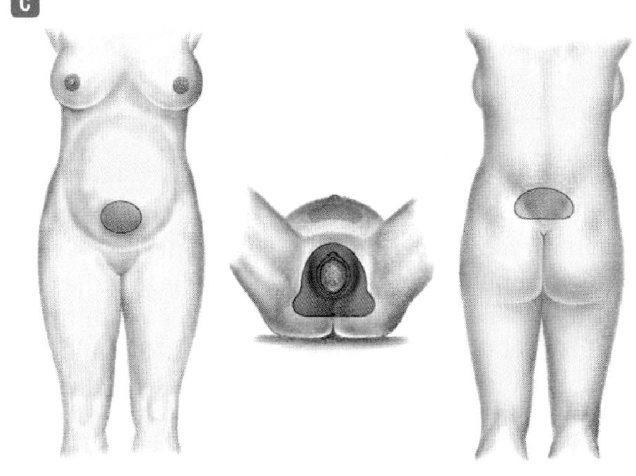

FIGURE 10.1
Sites de la douleur pendant le travail. A Premier stade du travail. B Transition et première phase du deuxième stade du travail. C Fin du deuxième stade du travail et accouchement. (Le gris indique une douleur faible ; l'orange pâle, une douleur moyenne ; l'orange foncé, une douleur intense.)

(F.C.) augmentent. Le rythme respiratoire de la mère change en raison de la consommation accrue d'oxygène. L'intensification de la douleur peut provoquer une hyperventilation pouvant entraîner une alcalose respiratoire. Une pâleur et une **diaphorèse** se manifestent parfois. Pendant la phase active du travail, l'acidité gastrique augmente, et les nausées et les vomissements sont courants. La perfusion placentaire et l'activité utérine peuvent diminuer, ce qui risque de prolonger le travail et influer sur l'état du fœtus.

La douleur ressentie pendant le travail et l'accouchement est unique.

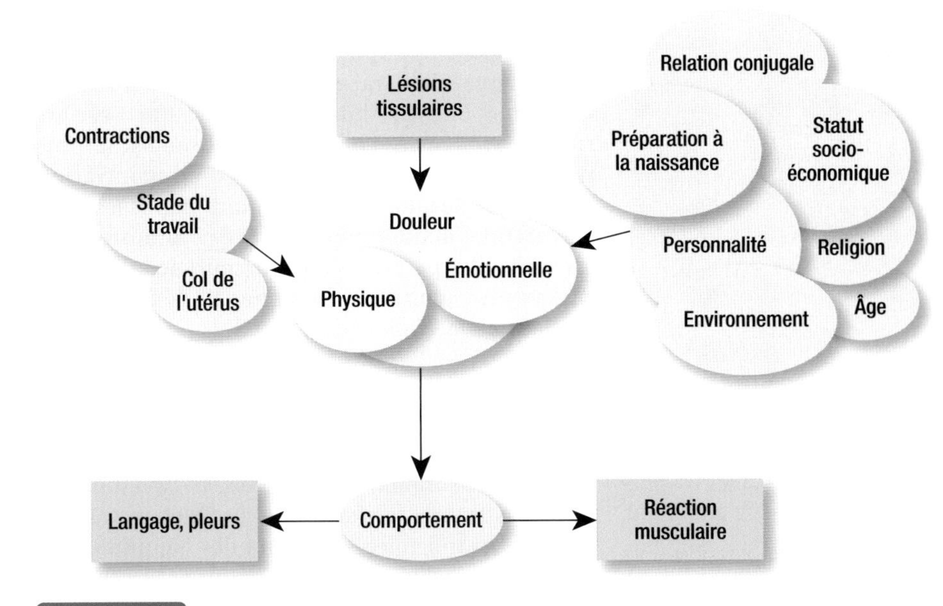

FIGURE 10.2
Facteurs influant sur la douleur

Certaines expressions émotionnelles de la douleur peuvent s'observer, entre autres de l'anxiété accompagnée d'une diminution du champ perceptif, des contorsions, des pleurs, des gémissements, certains gestes (crispations et torsions des mains) et une excitabilité musculaire excessive généralisée.

10.1.4 Facteurs influant sur la réaction à la douleur

La douleur ressentie pendant le travail et l'accouchement est unique. La façon dont chaque femme perçoit et interprète cette douleur dépend de divers facteurs physiques, émotionnels, psychosociaux, culturels et environnementaux (Tournaire & Theau-Yonneau, 2007) **FIGURE 10.2**.

Facteurs physiologiques

Divers facteurs physiologiques peuvent influer sur l'intensité de la douleur. Une femme qui a des antécédents de dysménorrhée peut ressentir une douleur accrue pendant l'accouchement en raison d'une concentration plus élevée de prostaglandines. Une femme qui a des douleurs dorsales au cours de ses menstruations est plus susceptible d'avoir mal au bas du dos pendant les contractions. La fatigue, la fréquence et la durée des contractions, la position du fœtus, la rapidité de la descente fœtale et la position de la mère sont d'autres facteurs physiques qui influent sur la douleur ressentie.

RAPPELEZ-VOUS...

Les catécholamines sont des médiateurs chimiques produits dans les terminaisons synaptiques du système nerveux végétatif et dans certains groupes de neurones du système nerveux central (SNC) ; ils véhiculent le message nerveux jusqu'aux récepteurs postsynaptiques spécifiques.

Les endorphines sont des opioïdes endogènes sécrétés par l'hypophyse qui agissent sur les systèmes nerveux central et périphérique pour réduire la douleur. Elles produisent une sensation d'euphorie et d'**analgésie**. La bêtaendorphine est la plus puissante de ces substances. La concentration d'endorphines augmente pendant la grossesse, le travail et l'accouchement. En concentrations accrues, elles peuvent élever le seuil de la douleur et permettre à une femme en travail de tolérer une douleur aiguë (Blackburn, 2007).

Culture

La clientèle obstétricale reflète la nature de plus en plus multiculturelle de la société. Au Québec, un nouveau-né sur cinq a une mère née dans un autre pays (Institut de la statistique du Québec, 2010a). Puisque les infirmières soignent des femmes et des familles ayant des antécédents culturels variés, elles doivent chercher à comprendre comment les diverses cultures composent avec la douleur. Une compréhension des croyances, des valeurs et des pratiques des diverses cultures réduit le fossé culturel et permet à l'infirmière d'évaluer plus précisément la douleur ressentie par la parturiente. L'infirmière peut alors offrir à celle-ci des soins adaptés à sa culture en utilisant des méthodes de soulagement de la douleur qui préservent son sentiment de maîtrise de la situation et sa confiance en soi. Même si le comportement d'une femme en réaction à la douleur peut varier selon ses antécédents culturels, il ne reflète pas nécessairement l'intensité de la douleur qu'elle ressent. Phaneuf (2009) insiste toutefois sur le fait de ne pas se laisser envahir par les préjugés et d'éviter les stéréotypes pour mesurer ou déceler la souffrance des personnes. Il faut évaluer les effets physiologiques de la douleur sur la cliente et prêter attention aux mots qu'elle utilise pour décrire les qualités sensorielles et affectives de sa douleur.

Anxiété

L'anxiété est généralement associée à la douleur. Une légère anxiété est donc attendue pendant le travail et l'accouchement. Toutefois, une anxiété et une peur excessives causent une sécrétion accrue de catécholamines. Cela fait augmenter les stimuli envoyés par le bassin à l'encéphale et amplifie la perception de la douleur. Ainsi, la peur et l'anxiété haussent la tension musculaire, diminuent l'efficacité des contractions utérines et augmentent la sensation de douleur, ce qui exacerbe la peur et l'anxiété. Ce cycle finit par ralentir le progrès du travail. La confiance de la femme en sa capacité de maîtriser la douleur diminue, ce qui peut réduire l'efficacité des mesures utilisées pour la soulager.

RAPPELEZ-VOUS...

La théorie du portillon soutient que les impulsions douloureuses peuvent être modulées par un mécanisme de portillons. Lorsque ceux-ci sont bloqués, l'impulsion douloureuse se trouve bloquée.

Expériences antérieures

Les expériences antérieures d'une femme avec la douleur et l'accouchement peuvent influer sur la description de sa douleur et sur sa capacité de la maîtriser. Pour beaucoup de femmes, le travail et l'accouchement sont une première expérience de douleur importante. L'anxiété et la peur suscitées par le souvenir d'un accouchement passé difficile et douloureux peuvent accroître la perception de la douleur.

La femme nullipare ressent généralement plus de douleur sensorielle que la femme multipare au début du travail (dilatation inférieure à 5 cm) parce que ses structures génitales sont moins souples. Pendant la phase de transition du premier stade du travail et pendant le deuxième stade du travail, la femme multipare peut ressentir plus de douleur sensorielle que la femme nullipare parce que ses tissus plus souples favorisent une descente fœtale plus rapide, ce qui intensifie la douleur. Les tissus plus fermes de la femme nullipare permettent une descente fœtale plus lente et graduelle. La douleur émotionnelle de la femme nullipare augmente généralement pendant le premier stade du travail, mais elle diminue autant chez la femme nullipare que multipare pendant le deuxième stade (Capogna *et al.*, 2010). Puisque le travail des femmes nullipares est généralement plus long, elles deviennent donc plus fatiguées. La fatigue amplifiant la douleur, l'aptitude réduite à composer avec cette situation peut se traduire par une plus grande utilisation d'un soutien pharmacologique. L'International Association for the Study of Pain (IASP) a déterminé que 95 % des femmes ressentent de la douleur pendant le travail et que la parité constituait l'un des principaux facteurs influençant la perception de l'intensité de cette douleur (IASP, 2007).

Théorie du portillon

On peut parfois faire abstraction d'une douleur, même si elle s'avère particulièrement intense. Ce phénomène est attribuable à certains groupes de cellules nerveuses de la moelle épinière, du tronc cérébral et du cortex cérébral qui sont capables de moduler l'influx douloureux grâce à un mécanisme de blocage. La **théorie du portillon** aide à expliquer le fonctionnement de l'hypnose et des techniques enseignées pendant les cours prénataux pour soulager la douleur du travail. Selon cette théorie établie par deux chercheurs canadiens (Melzach & Wall, 1965), les sensations douloureuses se déplacent sur des voies nerveuses sensorielles jusqu'à l'encéphale. Toutefois, un nombre limité de sensations ou de messages peuvent se déplacer en même temps sur ces voies. Des techniques de distraction telles que le massage ou les caresses, la musique, la concentration (sur des points d'intérêt) et l'imagerie visuelle permettent de réduire ou de bloquer complètement la capacité des voies nerveuses de transmettre la douleur. Il semble que ces distractions ferment une barrière hypothétique dans les voies sensorielles de la moelle épinière, ce qui empêche les signaux de douleur d'atteindre l'encéphale et réduit donc la perception de la douleur (Marchand, 2009).

De plus, quand la parturiente entreprend une activité neuromusculaire et motrice, l'activité dans la moelle épinière elle-même modifie davantage la transmission de la douleur. Le travail cognitif de concentration sur la respiration et la relaxation nécessite une activité corticale sélective et dirigée qui active et ferme également cette barrière. Quand la douleur du travail s'intensifie, des activités mentales plus complexes sont nécessaires pour assurer l'efficacité de cette mesure. La théorie du portillon souligne le besoin d'un environnement qui permet à la parturiente de se détendre et d'utiliser diverses techniques cognitives. Elle est notamment exploitée dans la méthode Bonapace, décrite plus loin.

Confort

Dans le domaine médical, on considère généralement le travail qui précède l'accouchement comme une expérience douloureuse, et la douleur, comme un mal à supprimer. Toutefois, on peut aussi envisager le travail comme un processus naturel au cours duquel la femme peut transcender ses malaises ou sa douleur pour parvenir au résultat heureux de la naissance. La recherche de confort et de bien-être est tout aussi importante que celle du soulagement de la douleur. L'écoute et la satisfaction des besoins, des soins infirmiers attentionnés et une présence réconfortante sont les interventions les plus utiles pour favoriser le bien-être et le confort d'une parturiente.

Soutien

Des données actuelles indiquent que la satisfaction d'une femme relative à son travail et à son accouchement est déterminée par le degré de concrétisation de ses attentes personnelles et par la qualité du soutien offert par le personnel soignant et des interactions avec celui-ci. De plus, sa satisfaction dépend de la mesure dans laquelle elle a pu maîtriser son travail et participer à la prise de décisions, notamment au sujet du choix des mesures de soulagement de la douleur (Albers, 2007).

La valeur de la présence continue d'une personne de soutien pendant le travail est reconnue depuis longtemps (p. ex., le conjoint, un membre de la famille, une amie ou un ami, une **doula**, une éducatrice en périnatalité) (IASP, 2007). Une femme qui bénéficie d'un soutien continu dès le début du travail est plus encline à avoir un accouchement vaginal spontané et moins susceptible d'utiliser des analgésiques ou une épidurale, et ainsi d'être insatisfaite de son expérience d'accouchement. On obtient un meilleur résultat quand le soutien continu est offert par des personnes autres que le personnel hospitalier (Albers, 2007 ; Berghella, Baxter & Chauhan, 2008 ; Hodnett, Gates, Hofmeyr & Sakala, 2007).

Des soins infirmiers attentionnés et une présence réconfortante sont les interventions les plus utiles pour favoriser le bien-être et le confort d'une parturiente.

Environnement

Les caractéristiques de l'environnement peuvent influer sur la perception de la douleur. L'environnement comprend l'attitude des personnes présentes (p. ex., la façon de communiquer, la philosophie des soins, les politiques de pratique et la qualité du soutien) et l'espace physique où se déroule le travail. Une parturiente préfère généralement être soignée par des personnes qu'elle connaît dans un endroit confortable qui lui rappelle la maison. Elle a besoin d'un environnement sûr et privé où elle se sent à l'aise d'essayer différentes mesures de confort. Les facteurs tels que la lumière, le bruit et la température doivent être réglés selon ses préférences.

Jugement clinique

Madame Estelle St-Pierre, âgée de 33 ans, en est à la 29e semaine de sa deuxième grossesse. Elle a donné naissance à un petit garçon il y a 22 mois. Elle et son conjoint ont beaucoup lu sur la méthode Bonapace pour la modulation de la douleur et comptent bien la mettre en pratique pendant le travail. Cette méthode utilise la relaxation, l'effleurage des zones douloureuses et la création d'une seconde douleur.

Expliquez en quoi ces techniques de distraction pourront réduire la douleur de madame St-Pierre lorsque celle-ci sera en travail.

10.2 Traitement non pharmacologique de la douleur

Le traitement non pharmacologique de la douleur est devenu de plus en plus important. Parce que la Politique québécoise de périnatalité vise à faire de la grossesse, du travail et de l'accouchement des expériences normales, il devient nécessaire de proposer des méthodes dites « naturelles » de gestion de la douleur (Ministère de la Santé et des Services sociaux [MSSS], 2008). La Société des obstétriciens et gynécologues du Canada (SOGC) (2008a) appuie cette proposition par sa déclaration de principe commune sur l'accouchement normal, qui est défini comme un accouchement avec peu ou pas d'intervention humaine ; il englobe notamment l'**anesthésie** régionale. En général, l'opinion d'une femme sur son expérience d'accouchement dépend non pas de la douleur qu'elle ressent, mais plutôt du degré d'atteinte de ses objectifs de maîtrise de celle-ci. Une infirmière compétente cherchera des indices du degré de maîtrise que la femme souhaite avoir dans le soulagement de sa douleur. Les mesures non pharmacologiques sont souvent simples, sûres et assez peu chères. Elles procurent à la cliente un sentiment de maîtrise de son accouchement, car elle peut choisir les mesures qui lui conviennent le mieux. Pendant la période prénatale, il est recommandé que la femme ait essayé plusieurs de ces mesures. Les techniques qui s'avèrent utiles pour

Doula : Assistante ou accompagnante d'expérience engagée pour offrir un soutien à la parturiente et à sa famille pendant le travail et l'accouchement.

RAPPELEZ-VOUS...

De nombreuses interventions non pharmacologiques de soulagement de la douleur peuvent être faites dans tous les contextes de soins.

Vidéo

Visionnez la vidéo *Mesures de confort de la cliente pendant l'accouchement* au www.cheneliere.ca/lowdermilk.

L'annexe 10.1W, accessible au www.cheneliere.ca/lowdermilk, présente un bref historique des méthodes de préparation à la naissance.

soulager le stress et favoriser la relaxation (p. ex., la musique, la méditation, les massages, les bains chauds) peuvent aussi se révéler très efficaces dans le soulagement de la douleur. Il faut encourager la parturiente à mentionner aux intervenants les mesures de relaxation et de soulagement de la douleur qu'elle préfère et à participer activement à leur application.

La femme ou le couple a peut-être appris de nombreuses méthodes non pharmacologiques de soulagement de la douleur pendant ses cours prénataux. Un grand nombre de ces méthodes nécessitent de l'entraînement préalable pour donner de bons résultats (p. ex., l'hypnose, les techniques de respiration et de relaxation dirigées, la rétroaction biologique), mais l'infirmière peut en proposer d'autres plus simples (p. ex., l'**effleurage**, la **contrepression**, le toucher et le massage, la respiration lente) **ENCADRÉ 10.1**. Il faut encourager la cliente à essayer diverses méthodes et à chercher d'autres solutions, notamment des méthodes pharmacologiques, si la mesure utilisée n'est plus efficace.

10.2.1 Méthodes de préparation à la naissance

Le mouvement qui a généré les méthodes de préparation à la naissance est né dans les années 1950. De nos jours, la plupart des intervenants recommandent aux futurs parents de suivre des cours prénataux. Les femmes sont invitées à suivre ces cours dès la 20e semaine de grossesse, que ce soit à l'hôpital, en clinique ou à titre privé. Une enquête canadienne sur l'expérience de la maternité révèle qu'environ 30 % des femmes s'en prévalent (Agence de la santé publique du Canada [ASPC], 2009).

Il existe plusieurs méthodes de préparation à la naissance. Deux d'entre elles, qui intègrent la participation du père, sont décrites dans le présent chapitre. Il s'agit de la méthode posturorespiratoire de Bernadette de Gasquet et la méthode Bonapace.

La méthode de préparation à la naissance développée par la Dre Bernadette de Gasquet est basée sur l'apprentissage de postures corporelles et d'exercices respiratoires pendant la grossesse (à partir du dernier trimestre) et pendant l'accouchement. La Dre de Gasquet associe la médecine moderne et les techniques traditionnelles de yoga dans son approche. Très répandue dans plusieurs pays européens, la méthode de Gasquet est enseignée aux sages-femmes québécoises (de Gasquet, 2009). Il s'agit de yoga prénatal, donc adapté à la morphologie de la femme enceinte. Divers accessoires, comme des ballons, des tapis et des barres, sont utilisés comme points d'appui pour les postures. Le père participe également à la naissance de façon active en aidant aux exercices respiratoires et physiques ; il peut par exemple effectuer des massages. Ces techniques aident à soulager les divers troubles (maux de dos, brûlures d'estomac) pendant la grossesse et permettent de se préparer physiquement à l'accouchement. Le travail corporel favorise le relâchement du périnée et du bassin, même si l'accouchement doit se faire par césarienne.

La méthode Bonapace, mise au point au Québec, vise à faire de la naissance un événement heureux et sécuritaire. Julie Bonapace, médiatrice familiale accréditée, a mis au point cet accompagnement à la fin des années 1980 ; cette méthode est aujourd'hui reconnue dans le monde entier parce qu'elle intègre les valeurs du caractère naturel de l'accouchement. Elle comprend plusieurs éléments, notamment la modulation de la douleur et l'accompagnement de l'accouchement par le père (Bonapace, 2009a) **ENCADRÉ 10.2**.

Dans les années 1980, différents mouvements dans la société québécoise rejettent la médicalisation à outrance de l'accouchement. Ainsi naissent des groupes qui cherchent à rendre une dimension plus humaine à cet acte (Valentini, 2010). Depuis, la pratique s'est lentement modifiée pour mieux tenir compte des besoins des femmes concernant leur grossesse, mais aussi leur accouchement. Au tournant des années 2000, les salles d'accouchement sont devenues des chambres de naissance, et des intervenants comme les doulas, les sages-femmes et autres accompagnantes ont pris leur place aux côtés de la parturiente. Pourtant, malgré l'émergence des maisons de naissance, la reconnaissance officielle du métier de sages-femmes – considérée comme une révolution par Valentini (2010) – et l'intégration du rôle du père, la très grande majorité des accouchements au Québec se déroulent encore dans les centres hospitaliers, soit plus de 88 000 naissances en 2010 (Institut de la statistique du Québec, 2010b). Deux initiatives ont été adoptées au Québec pour soutenir des valeurs compatibles avec un accouchement normal : l'initiative Amis

ENCADRÉ 10.1 Méthodes non pharmacologiques pour favoriser la relaxation et soulager la douleur

STIMULATION CUTANÉE

- Effleurage (massage léger)
- Contrepression
- Marche
- Balancement
- Changement de position
- Hydrothérapie (douches, bains)
- Neurostimulation transcutanée (NSTC)
- Digitopuncture
- Application de chaleur ou de froid
- Toucher thérapeutique et massage
- Papules d'eau stérile

STIMULATION SENSORIELLE

- Relaxation et imagerie visuelle
- Utilisation de points d'intérêt
- Techniques de respiration
- Musique
- Aromathérapie

MÉTHODES COGNITIVES

- Préparation à la naissance
- Hypnose
- Rétroaction biologique

des mères et l'Initiative internationale pour la naissance MèrEnfant. Cette dernière a énoncé des conditions nécessaires à respecter pour favoriser une naissance normale avec des services optimaux en maternité **ENCADRÉ 10.3**.

10.2.2 Techniques de relaxation et de respiration

Concentration et relaxation

En réduisant la tension et le stress, les techniques de concentration et de relaxation permettent à une femme en travail de se reposer et de conserver son énergie pour l'accouchement. Les techniques de concentration et de distraction s'avèrent assez efficaces dans le soulagement de la douleur du travail (Albers, 2007). Certaines femmes se concentrent sur un objet et effectuent une technique de respiration pour réduire leur perception de la douleur. Par l'imagerie mentale, la parturiente fixe son attention sur une pensée agréable. Pour augmenter l'efficacité de cette technique pendant le travail, il est préférable de choisir à l'avance le sujet de l'imagerie mentale et de s'exercer pendant la grossesse.

Ces techniques aident la femme à travailler avec ses contractions plutôt que contre elles. La personne de soutien surveille ce processus et lui indique quand commencer les techniques de respiration **FIGURE 10.3**.

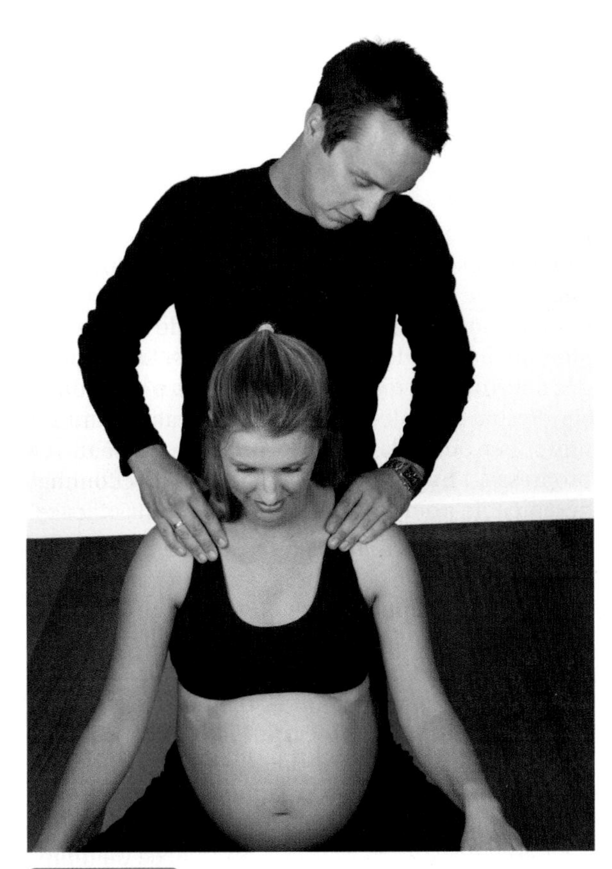

FIGURE 10.3
De futurs parents apprennent les techniques de relaxation.

ENCADRÉ 10.2 Méthode Bonapace et gestion de la douleur

Selon la méthode Bonapace, il existe trois mécanismes endogènes précis qui réduisent la douleur.

1. La maîtrise de la pensée joue un rôle important dans la perception de la douleur. Comprendre ce qui se passe au moment de la naissance et la répétition d'un modèle positif pour diriger l'attention quand il y a douleur sont des façons de mettre ce modèle à profit. Dans la méthode Bonapace, la parturiente apprend à respirer, à relaxer et à visualiser. Ce mécanisme nécessite un entraînement de sa part puisqu'il n'est pas automatiquement déclenché.
2. La théorie du portillon est une autre façon de gérer naturellement la douleur. C'est par un massage léger de la zone douloureuse que la réduction de la douleur est obtenue. La méthode Bonapace enseigne au père la façon d'effleurer les zones douloureuses de sa partenaire afin de la soulager. Il pratiquera ces massages légers entre les contractions.
3. Le contrôle inhibiteur diffus nociceptif (masquer une douleur par une autre) peut sembler paradoxal. En fait, il s'agit de créer une seconde douleur pour provoquer le relâchement d'endorphines, une substance produite par le corps qui s'apparente à la morphine. À l'accouchement, le père effectue une pression ou un massage sur des points réflexes (points sensibles du corps) qui correspondent fréquemment aux points d'acupuncture. Ces stimulations douloureuses agissent à la fois pour obtenir les effets propres à la médecine chinoise (contractions efficaces et positionnement fœtal) et pour réduire la douleur.

Source : Adapté de Bonapace (2009b).

ENCADRÉ 10.3 Résumé des 10 conditions de l'Initiative internationale pour la naissance MèrEnfant

Tous les organismes offrant des soins optimaux de maternité axés sur la dyade mère-enfant ont des politiques écrites, qui font partie de la formation donnée et qui dictent les pratiques. Ces politiques énoncent des exigences que les professionnels de la santé doivent respecter.

Condition 1. Traiter chaque femme avec respect et dans le souci de sa dignité.

Condition 2. Utiliser les connaissances et les habiletés relevant de la pratique sage-femme qui favorisent le déroulement normal et physiologique de l'accouchement et de l'allaitement.

Condition 3. Informer la femme en travail des avantages du soutien continu durant l'accouchement et appuyer son droit à recevoir un tel soutien de personnes de son choix.

Condition 4. Offrir des méthodes non pharmacologiques de soulagement de la douleur et des mesures de confort pendant le travail, en expliquant comment ces méthodes peuvent faciliter le déroulement d'un accouchement normal.

Condition 5. Prodiguer des soins fondés sur des résultats scientifiques probants, soins dont on a démontré qu'ils sont bénéfiques.

Condition 6. Éviter de prodiguer des soins qui risquent d'être nocifs.

Condition 7. Prendre des mesures qui accroissent le bien-être des femmes et des nouveau-nés et qui préviennent la maladie et les urgences.

Condition 8. Assurer l'accès à des traitements d'urgence spécialisés fondés sur des résultats scientifiques probants.

Condition 9. Fournir un continuum de soins, soins prodigués par l'ensemble des professionnels de la santé, par les établissements et par les organismes concernés, dans un cadre favorisant cette continuité et la collaboration entre tous et à tous les niveaux.

Condition 10. Viser à se conformer aux 10 conditions pour le succès de l'allaitement maternel de l'initiative Hôpitaux amis des bébés.

Source : Adapté de Gagné (2010).

Pendant les cours prénataux, la personne de soutien peut apprendre à palper le corps de la parturiente pour détecter les muscles tendus et contractés. La femme apprend ensuite à détendre ces muscles en réaction à un léger massage effectué par la personne accompagnatrice. Dans un mécanisme de rétroaction commun, la femme et la personne de soutien disent le mot « relaxe » au début de chaque contraction et

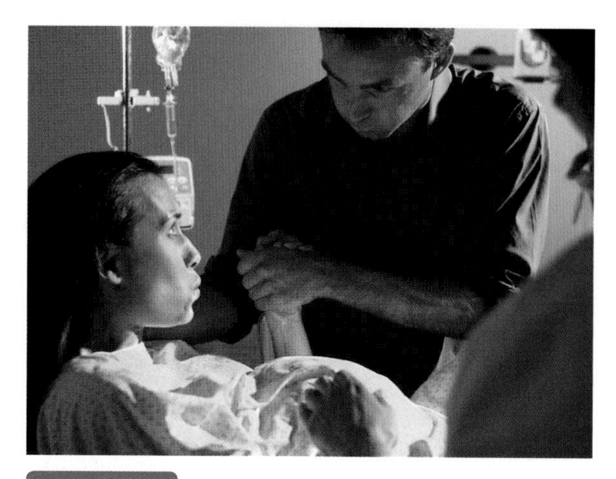

FIGURE 10.4
Une femme en travail utilise les techniques de concentration et de respiration pendant une contraction utérine, guidée par son conjoint.

pendant celle-ci au besoin **FIGURE 10.4**. L'infirmière peut aider la femme et la personne de soutien en leur offrant un environnement tranquille et en leur donnant des conseils au besoin.

Techniques de respiration

Diverses méthodes de préparation à la naissance proposent certaines techniques de respiration pour distraire la femme et ainsi réduire sa perception de la douleur et l'aider à garder la maîtrise d'elle-même pendant les contractions. Pendant le premier stade du travail, ces techniques peuvent notamment favoriser la détente des muscles abdominaux, qui permet d'accroître les dimensions de la cavité abdominale. Cette approche réduit les malaises causés par la friction entre l'utérus et la paroi abdominale pendant les contractions. Puisque les muscles de la région génitale deviennent aussi plus détendus, ils ne nuisent pas à la descente du fœtus. Au deuxième stade du travail, la respiration est utilisée pour accroître la pression abdominale et aider ainsi l'expulsion du fœtus. La respiration peut aussi être utilisée pour maîtriser les muscles du périnée afin de prévenir l'expulsion précipitée de la tête du fœtus.

Diverses techniques de respiration peuvent être utilisées pour maîtriser la douleur pendant les contractions **TABLEAU 10.1**. Chaque travail est particulier, et l'infirmière doit aider les couples à adapter les techniques de respiration à leur propre expérience de travail.

La respiration abdominale a pour objectif d'apporter de l'oxygène au corps et de permettre la détente. Quand la respiration devient soufflante ou chantante, cela signifie qu'il faut expirer par la bouche et non plus par le nez. Avec la bouche ouverte, la respiration abdominale permet d'éviter de pousser lorsque le moment n'est pas venu. On conseille alors d'adopter des positions dites passives (p. ex., à quatre pattes) (Bonapace, 2009a). La dernière respiration, dite expulsive, s'effectue avec un effort abdominal pour « remonter le nombril et relâcher les fesses ». Elle permet d'expulser le fœtus.

Hyperesthésie : Sensibilité excessive.

Guide d'enseignement

TABLEAU 10.1 Techniques de respiration de la méthode Bonapace

RESPIRATION	DESCRIPTION	UTILISATION
Respiration abdominale	Respiration lente et profonde : inspirer passivement et expirer par le nez en rentrant et en remontant le nombril	• Pour se détendre au cours de la vie quotidienne • Entre chaque contraction • Tout au long du travail, si elle procure du confort
Respiration abdominale soufflante ou chantante	Même respiration abdominale : expirer un filet d'air ou chanter différents sons (aaaa, eeee, hyou)	• Pendant les contractions intenses et longues
Respiration abdominale bouche ouverte	Inspiration et expiration la bouche grande ouverte, comme lorsqu'en contact avec un aliment trop chaud	• Seulement lorsque le col n'est pas complètement dilaté et que la femme a envie de pousser
Respiration expulsive (poussée physiologique)	Respiration abdominale avec de longues expirations, périnée relâché	• Lorsque le réflexe expulsif n'est pas déclenché et que la femme doit pousser

Source : Adapté de Bonapace (2009a).

10.2.3 Effleurage et contrepression

L'effleurage (léger massage) et la contrepression apportent un soulagement à de nombreuses femmes pendant le premier stade du travail. La théorie du portillon peut expliquer l'efficacité de ces mesures. L'effleurage est un léger massage, généralement de l'abdomen, effectué selon le rythme respiratoire pendant les contractions. Il permet de distraire la femme de la douleur des contractions. La présence des courroies de moniteurs peut rendre l'effleurage abdominal difficile. Dans ce cas, il peut être fait sur une cuisse ou sur la poitrine. À mesure que le travail progresse, l'**hyperesthésie** peut rendre l'effleurage désagréable pour la femme et donc moins efficace.

La contrepression est une pression constante appliquée par une personne de soutien sur la région sacrée avec le poing ou le talon de la main. Cette technique soulage la sensation de pression interne et la douleur au bas du dos. Elle est particulièrement utile quand la douleur dorsale est due à la pression exercée par l'occiput fœtal sur les nerfs rachidiens quand la tête du fœtus est en position postérieure. La contrepression dégage ces nerfs en soulevant l'occiput, ce qui soulage la douleur. La personne de soutien doit être remplacée de temps à autre, car l'application de la contrepression est un travail fatigant.

10.2.4 Musique

La musique peut être utilisée pour favoriser la relaxation au début du travail ou pour stimuler le mouvement quand le travail progresse. Elle peut favoriser la relaxation et remonter le moral pendant le travail, ce qui réduit le degré de stress, d'anxiété et de perception de la douleur. L'efficacité de la musique dans le soulagement de la douleur du travail reste à prouver, mais il s'agit d'une méthode prometteuse. On recommande de poursuivre la recherche dans ce domaine.

10.2.5 Thérapie hydrique (hydrothérapie)

Le bain, la douche et l'hydrothérapie par jet (bains de massage) à l'eau chaude sont des mesures non pharmacologiques qui peuvent être utilisées pour favoriser le bien-être et la relaxation pendant le travail **FIGURE 10.5**. Les unités et les chambres de naissance devraient être pourvues de bains thérapeutiques (ASPC, 2010). L'eau chaude stimule la libération d'endorphines, détend les fibres musculaires pour empêcher le passage de la douleur et améliore la circulation sanguine et l'oxygénation. L'immersion peut favoriser la détente et le progrès du travail (Gilbert, 2007). Des femmes qui ont utilisé cette technique pendant le travail ont mentionné qu'elle a efficacement soulagé la douleur (Albers, 2007).

En cas de douleurs dorsales causées par la position postérieure ou transverse de l'occiput fœtal, l'hydrothérapie peut favoriser la rotation de celui-ci vers une position antérieure en raison de la flottabilité accrue. L'hydrothérapie peut aussi encourager l'utilisation de la position assise et des mouvements qui facilitent le progrès du travail et l'adaptation à celui-ci (Stark, Rudell & Haus, 2008). De plus, elle accélère le travail, réduit le besoin d'analgésiques intramusculaires (I.M.) et intraveineux (I.V.) et d'**anesthésie épidurale**, diminue la fréquence des accouchements assistés par forceps ou ventouse obstétricale, des épisiotomies et des lésions périnéales ; en outre, elle augmente le taux de satisfaction envers l'expérience d'accouchement (ASPC, 2009).

Pendant l'hydrothérapie, la fréquence cardiaque fœtale (F.C.F.) est surveillée à l'aide d'un appareil doppler, d'un fœtoscope ou d'un moniteur externe sans fil. L'utilisation d'électrodes internes est contre-indiquée pendant l'hydrothérapie à jets. L'Institut national de santé publique du Québec (INSPQ), dans son rapport sur les infections nosocomiales liées à l'hydrothérapie, mentionne un risque particulier pour les femmes en phase active de travail et recommande un nettoyage avec un niveau de désinfection intermédiaire. Toutefois, même si l'hydrothérapie est utilisée pendant le travail, l'accouchement dans l'eau n'est pas une pratique très répandue au Québec (INSPQ, 2000).

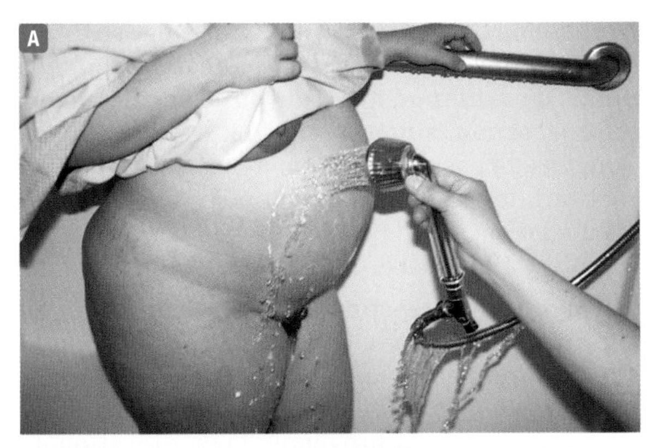

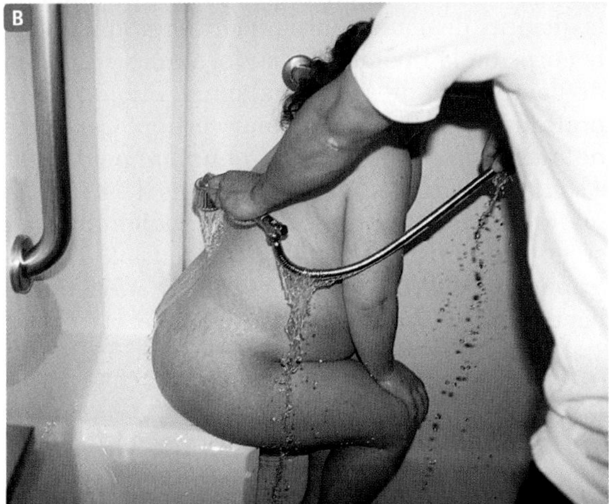

FIGURE 10.5

Hydrothérapie pendant le travail. **A** Douche pendant le travail. **B** Une femme ayant des douleurs dorsales se détend pendant que son conjoint fait couler de l'eau chaude sur son dos. **C** Une femme en travail se détend dans le bain de massage.

Jugement clinique

Madame Josée-Ann Berger, âgée de 31 ans, est enceinte de 40 1/7 semaines de son deuxième enfant. Elle a été admise en chambre de naissance il y a trois heures. Ses contractions sont d'intensité modérée et ont lieu toutes les cinq minutes. Elle présente une douleur dorsale continue, probablement causée par la position postérieure de l'occiput fœtal. Cette douleur est évaluée à 4 sur une échelle de 0 à 10. Le col de madame Berger est dilaté à 5 cm et effacé à 75 %. Afin d'aider à soulager la douleur de la cliente, vous lui proposez d'utiliser le bain de massage. Madame Berger aimerait connaître les avantages de celui-ci, autres que le soulagement de sa douleur.

Quels renseignements devriez-vous donner à madame Berger à ce sujet ?

10.2.6 Neurostimulation transcutanée

La NSTC consiste à placer deux paires d'électrodes plates de chaque côté de la colonne thoracique et sacrée de la femme **FIGURE 10.6**. Ces électrodes envoient des impulsions ou des stimuli électriques continus de faible intensité provenant d'un appareil alimenté par une pile. Elles produisent une sensation de picotement ou de bourdonnement. Cette technique est utile pour traiter la douleur au bas du dos au début du premier stade du travail. Les clientes la considèrent généralement comme utile, même si elle ne diminue pas le degré de douleur ni l'utilisation d'analgésiques. Il est possible qu'elle rende la douleur moins perturbante. Aucun lien entre l'utilisation de ce traitement et des préoccupations relatives à la sécurité n'a été établi (Hawkins, Goetzl & Chestnut, 2007).

FIGURE 10.6
A Électrodes de neurostimulation transcutanée. B Position recommandée des électrodes pour soulager la douleur lombaire pendant le travail.

10.2.7 Digitopuncture et acupuncture

Les techniques de digitopuncture et d'acupuncture consistent à appliquer une pression, de la chaleur ou du froid sur des points d'acupuncture appelés *tsubos*. Ces points présentent une forte densité de neurorécepteurs et offrent une bonne conductivité électrique. Il semble que la digitopuncture favorise la circulation sanguine, l'harmonie du yin et du yang (deux aspects complémentaires de la vie, inspirés de la philosophie chinoise) et la sécrétion de neurotransmetteurs, ce qui améliore les fonctions normales du corps et le bien-être (Tournaire & Theau-Yonneau, 2007). Idéalement, la digitopuncture se fait sur la peau, sans lubrifiant. La pression est généralement appliquée avec le talon de la main, le poing ou la pulpe des pouces et des doigts. Elle peut aussi être effectuée avec des balles de tennis ou d'autres objets. La pression est d'abord appliquée pendant les contractions, puis continuellement à mesure que le travail progresse vers la phase de transition à la fin du premier stade du travail (Tournaire & Theau-Yonneau, 2007). Les points de digitopuncture sont aussi appelés zones réflexes et sont situés sur le cou, les épaules, les poignets, le bas du dos (notamment les points du sacrum), les hanches, la région sous-rotulienne, les chevilles, l'ongle des petits orteils et la plante des pieds (Bonapace, 2009a) **FIGURE 10.7**.

L'acupuncture consiste à insérer de fines aiguilles dans des régions particulières du corps afin de restaurer le flux de *qi* (énergie) et de diminuer la douleur, qui est censée obstruer ce flux. L'acupuncture peut provoquer la modification de la quantité de neurotransmetteurs chimiques dans le corps ou la libération d'endorphines en raison de l'activation de l'hypothalamus. Elle doit être pratiquée par un acupuncteur certifié. Certaines données indiquent que l'acupuncture peut aider à soulager la douleur du travail, mais il est recommandé d'effectuer davantage de recherche à ce sujet (Hawkins *et al.*, 2007 ; Tournaire & Theau-Yonneau, 2007). Bonapace (2009a) affirme que l'acupuncture facilite le travail.

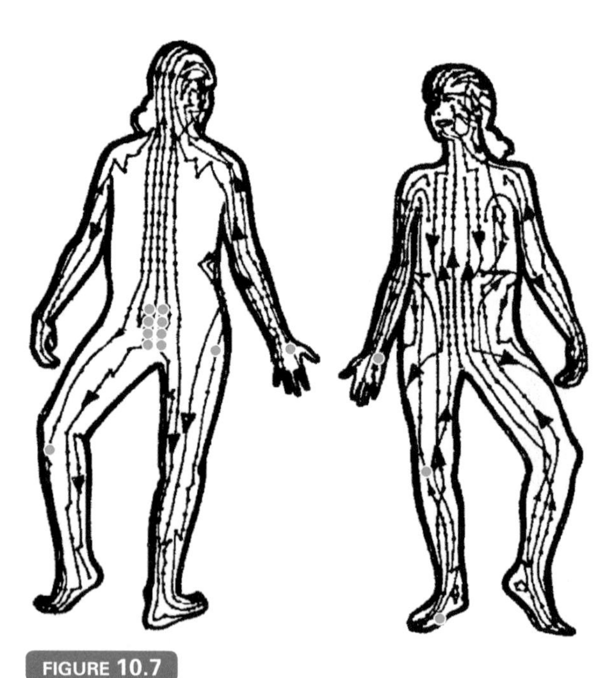

FIGURE 10.7
Zones réflexes

10.2.8 Application de chaleur et de froid

Pour favoriser la relaxation et réduire la douleur pendant le travail, on peut utiliser une couverture, une compresse ou un sac de riz chauds, ou encore une douche ou un bain chaud ou un coussin chauffant humide. La chaleur réduit l'ischémie musculaire, accroît la circulation sanguine dans la région douloureuse et soulage efficacement la douleur dorsale due à une présentation postérieure ou à la fatigue.

L'application d'un linge froid ou de glace sur le dos, la poitrine ou le visage pendant le travail et l'accouchement peut soulager la parturiente qui a chaud. On peut aussi appliquer du froid sur une région douloureuse. Le froid soulage la douleur en réduisant la température du muscle et les spasmes musculaires. Toutefois, dans certaines cultures, l'utilisation du froid peut être considérée comme inacceptable pendant le travail et l'accouchement.

Pour obtenir de meilleurs résultats, la chaleur et le froid peuvent être utilisés en alternance. Il ne faut appliquer ni chaleur ni froid sur une région ischémique ou anesthésiée, car cela peut endommager les tissus. Pour prévenir les dommages aux tissus sous-jacents, il faut placer une ou deux couches de linge entre la peau et la source de chaleur ou de froid.

10.2.9 Toucher et massage

Le toucher et le massage font partie des soins traditionnels d'une femme en travail. Diverses techniques de massage sont sûres et efficaces pendant le travail (Gilbert, 2007).

Le toucher peut consister simplement à tenir la main, à caresser et à serrer la femme dans ses bras. Avant de toucher la parturiente pour lui manifester son empathie et la rassurer, il faut déterminer ses préférences (p. ex., qui peut la toucher, quelles parties du corps peuvent être touchées et comment le faire) et ses réactions relatives au toucher. Une femme qui perçoit le toucher pendant le travail comme une intervention positive ressent moins de douleur et d'anxiété et a moins besoin de médicaments (Tournaire & Theau-Yonneau, 2007). Le toucher peut aussi consister en des techniques très spécialisées qui nécessitent la manipulation du champ d'énergie humaine. Le toucher thérapeutique utilise le concept de champ d'énergie situé dans le corps, appelé *prana*. On croit que certaines personnes qui sont en douleur n'ont pas de *prana*. Pendant le toucher thérapeutique, une personne ayant une formation spéciale dans ce domaine utilise ses mains (généralement sans toucher direct) pour rediriger les champs d'énergie associés à la douleur (Aghabati, Mohammadi & Pour Esmaiel, 2008). Des travaux de recherche ont montré l'efficacité de cette méthode pour favoriser la relaxation, réduire l'anxiété et soulager la douleur (Aghabati *et al.*, 2008). Toutefois, on en sait peu sur son utilisation ou son efficacité dans le soulagement de la douleur associée au travail et à l'accouchement.

Le massage de la tête, des bras, des mains, des jambes, des pieds ou du dos peut s'avérer très efficace pour réduire la tension et favoriser le bien-être; de plus, il est facile à enseigner aux personnes de soutien. Les massages localisés dans le bas du dos, entre le sacrum et la hanche et dans le creux des fesses sont généralement non douloureux et permettent de soulager la douleur dans le bas du dos, dans les muscles dorsaux et dans les jambes (Bonapace, 2009a).

10.2.10 Hypnose

L'hypnose est une forme de relaxation profonde, semblable à la rêverie ou à la méditation. Les femmes sous hypnose sont dans un état de concentration intense, et leur subconscient devient plus facilement accessible (Gilbert, 2007). Les techniques d'hypnose utilisées pour le travail et l'accouchement visent à favoriser la relaxation et à réduire la peur, l'anxiété et la perception de la douleur comme l'indiquent les données actuelles. Les femmes qui l'utilisent disent avoir un meilleur sentiment de maîtrise de soi pendant les contractions douloureuses. Puisque cette technique réduit le besoin d'analgésiques, il peut être pertinent de l'utiliser avec d'autres interventions pendant le travail. On a rapporté quelques effets négatifs de l'hypnose, notamment de légers étourdissements, des nausées et des maux de tête. Ces effets semblent être liés à une sortie incorrecte de l'état d'hypnose (Tournaire & Theau-Yonneau, 2007).

10.2.11 Rétroaction biologique

La rétroaction biologique se fonde sur la théorie voulant que si une personne peut reconnaître des signaux physiques, certains événements physiologiques internes peuvent être modifiés (c.-à-d. tout signe associé à sa douleur). Pour que cette technique soit efficace, la femme doit l'étudier pendant la période prénatale afin d'apprendre à connaître son corps et ses réactions et à se détendre. Si la parturiente réagit à la douleur d'une contraction en contractant ses muscles, en fronçant les sourcils, en gémissant et en retenant sa respiration, son conjoint ou sa personne de soutien doit utiliser la rétroaction verbale et tactile pour l'aider à se détendre. La rétroaction formelle, obtenue avec des machines qui détectent la température cutanée, la

Jugement clinique

Madame St-Pierre est rendue à sa 32e semaine de grossesse. Elle se présente à la clinique prénatale accompagnée de son conjoint pour une échographie de contrôle. Lorsque vous rencontrez la cliente, celle-ci mentionne qu'elle se prépare à l'accouchement en faisant des lectures sur l'utilisation des méthodes non pharmacologiques de soulagement de la douleur. Elle dit avoir été déçue de sa première expérience très médicamentée d'accouchement et désire faire autrement cette fois. Elle vous parle de la méthode Bonapace, des techniques de relaxation comme l'imagerie mentale, des techniques de respiration, du bain de jets.

Nommez au moins trois autres méthodes de soulagement non pharmacologiques de la douleur que madame St-Pierre pourrait utiliser.

circulation sanguine ou la tension musculaire, peut aussi préparer la femme à intensifier sa réaction de relaxation. Les techniques de relaxation assistée par la rétroaction biologique ne permettent pas toujours de réduire la douleur du travail. L'utilisation efficace de ces techniques nécessite un soutien assidu des personnes soignantes (Tournaire & Theau-Yonneau, 2007).

10.2.12 Aromathérapie

Au Québec, les spécialistes de l'aromathérapie sont les naturopathes. Ils ne sont pas soumis à l'Office des professions du Québec. Cependant, les huiles essentielles sont autorisées au Canada et sont réglementées par Santé Canada.

L'aromathérapie désigne l'utilisation des huiles distillées de plantes, de fleurs, d'herbes et d'arbres pour traiter et équilibrer le corps et l'esprit. Certaines huiles essentielles appliquées sur la peau ou versées dans un bain peuvent tonifier l'utérus, stimuler les contractions, réduire la douleur, soulager la tension, diminuer la fièvre et l'anxiété et procurer un sentiment de bien-être. Par exemple, les huiles de lavande ou de jasmin peuvent favoriser la relaxation et réduire la douleur, et l'huile de rose agit comme un antidépresseur, un sédatif et un tonifiant de l'utérus (Gilbert, 2007 ; Tournaire & Theau-Yonneau, 2007). Il n'y a pas suffisamment de données pour prouver l'efficacité de l'aromathérapie dans le soulagement de la douleur du travail et de l'accouchement, mais les résultats obtenus sont prometteurs (Berghella *et al.*, 2008).

Quand elles sont administrées avec un analgésique opioïde, les benzodiazépines (p. ex., le diazépam [Valium^MD], le lorazépam [Ativan^MD]) semblent favoriser le soulagement de la douleur et réduire les nausées et les vomissements. Toutefois, puisque toutes les benzodiazépines induisent l'amnésie, leur utilisation doit être évitée pendant le travail. Un inconvénient important du diazépam est qu'il perturbe la thermorégulation des nouveau-nés.

10.2.13 Méthode des papules d'eau stérile

Cette méthode consiste à injecter de petites quantités d'eau stérile (p. ex., de 0,05 à 0,1 ml) avec une fine aiguille intradermique (I.D.) (p. ex., de calibre 25) à quatre endroits du bas du dos pour soulager la douleur dorsale **FIGURE 10.8**. Ce traitement facile à administrer est efficace au début du travail, et il permet de retarder le début des mesures pharmacologiques de soulagement de la douleur (Hawkins *et al.*, 2007). Il provoque un picotement pendant environ 20 à 30 secondes après l'injection, mais il soulage la douleur au bas du dos durant environ 2 heures. L'efficacité de cette méthode est probablement due au mécanisme de contre-irritation (c.-à-d. réduire une douleur ressentie à un endroit précis en irritant la peau dans une région adjacente). Quand l'effet se dissipe, le traitement peut être répété ou une autre méthode de soulagement de la douleur peut être utilisée (Fogarty, 2008 ; Tournaire & Theau-Yonneau, 2007).

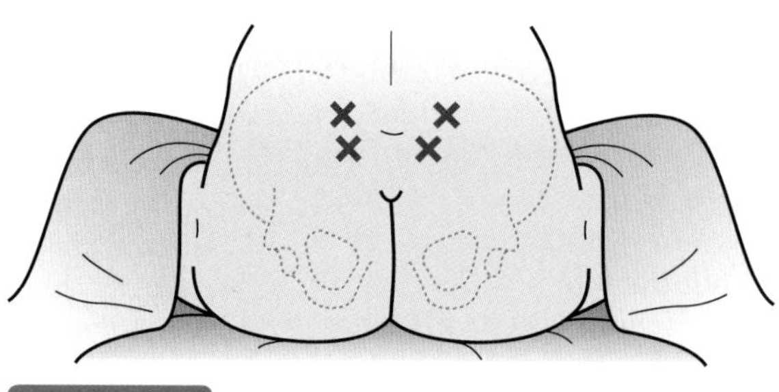

FIGURE 10.8
Injection intradermique de 0,1 ml d'eau stérile pour le traitement de la douleur lombosacrée pendant le travail. On fait une injection à quatre endroits au bas du dos : une au-dessus de chaque épine iliaque postérosupérieure et une à 3 cm au-dessous et à 1 cm vers l'intérieur de chaque épine. Les injections devraient former une boursouflure sur la peau. Pour réduire la douleur des injections, deux infirmières peuvent les administrer simultanément.

10.3 Traitement pharmacologique de la douleur

Les mesures pharmacologiques de traitement de la douleur doivent être administrées avant que celle-ci devienne assez intense pour faire augmenter la sécrétion de catécholamines et prolonger le travail. Utilisées ensemble, les mesures pharmacologiques et non pharmacologiques soulagent davantage la douleur et permettent à la femme et à sa famille de vivre une expérience de travail plus positive. Les mesures non pharmacologiques peuvent être utilisées pour favoriser la relaxation et soulager la douleur, particulièrement au début du travail. Les mesures pharmacologiques peuvent être commencées quand le travail devient plus actif et que les malaises et la douleur s'intensifient. En favorisant la relaxation et en potentialisant les analgésiques, les mesures non pharmacologiques réduisent généralement le besoin d'interventions pharmacologiques. En 2000-2001 au Québec, sur 56 000 naissances par voie vaginale, environ 16 % se sont déroulées sans aucune analgésie (MSSS, 2002).

10.3.1 Sédatifs

Les sédatifs soulagent l'anxiété et provoquent le sommeil. Ils peuvent être donnés à une femme qui subit une longu phase de latence du premier stade du travail et qui est anxieuse ou a besoin de dormir. Ils peuvent aussi être administrés pour potentialiser les analgésiques et réduire les nausées quand un analgésique opioïde est utilisé.

Les phénothiazines (p. ex., la prométhazine, l'hydroxyzine [Hydroxyzine^MD]) ne soulagent pas la douleur, mais elles sont souvent données pour réduire l'anxiété et l'appréhension, augmenter la sédation et potentialiser les effets des analgésiques opioïdes. La prométhazine est probablement le médicament le plus utilisé dans cette catégorie. Elle a une action sédative importante et elle diminue l'**effet émétique** des analgésiques opioïdes. L'utilisation d'analgésiques opioïdes moins susceptibles de causer des nausées et des vomissements devrait rendre inutile la prise régulière de prométhazine (Hawkins *et al.*, 2007). La métoclopramide

Effet émétique : Se dit de toute substance qui provoque un vomissement.

est un antiémétique qui n'a pas beaucoup d'effet sédatif et qui peut potentialiser les analgésiques (Hawkins *et al.*, 2007).

10.3.2 Analgésie et anesthésie

L'utilisation de l'analgésie et de l'anesthésie n'a pas été généralement reconnue en obstétrique avant que la reine Victoria bénéficie du chloroforme pour l'accouchement de son fils en 1853. Depuis, de nombreux travaux de recherche ont été consacrés à la mise au point de traitements pharmacologiques de la douleur pendant l'accouchement, sans augmenter leurs risques ou ceux associés au fœtus ou sans perturber le progrès du travail.

Les soins et les traitements infirmiers liés à l'analgésie et à l'anesthésie obstétricales font appel à l'expertise de l'infirmière en soins périnataux ainsi qu'à ses connaissances et à sa compréhension de l'anatomie, de la physiologie et des médicaments; elle doit aussi connaître les effets thérapeutiques, les effets indésirables et les méthodes d'administration de ces médicaments.

L'anesthésie signifie la perte de la sensation somesthésique. Quant à elle, l'analgésie signifie l'absence de douleur (Marchand, 2009). Le type d'analgésique ou d'anesthésique choisi est déterminé en partie par le stade du travail et par la méthode d'accouchement prévue **ENCADRÉ 10.4**.

Pharmacothérapie

ENCADRÉ 10.4 Traitement pharmacologique de la douleur selon le stade du travail et la méthode d'accouchement

PREMIER STADE
- Analgésie systémique
- Analgésiques agonistes des opioïdes
- Analgésiques agonistes-antagonistes des opioïdes
- Analgésie épidurale (blocage)
- Analgésie mixte rachidienne-épidurale
- Protoxyde d'azote (N_2O)

DEUXIÈME STADE
- Analgésie et anesthésie par blocage nerveux
- Anesthésie par infiltration
- Blocage du nerf honteux interne
- Analgésie épidurale (blocage)
- Anesthésie rachidienne (blocage)
- Analgésie mixte rachidienne-épidurale
- N_2O

ACCOUCHEMENT VAGINAL
- Anesthésie par infiltration
- Blocage du nerf honteux interne
- Analgésie et anesthésie épidurales (blocage)
- Anesthésie rachidienne (blocage)
- Analgésie et anesthésie mixtes épidurales
- N_2O

ACCOUCHEMENT PAR CÉSARIENNE
- Anesthésie épidurale (blocage)
- Anesthésie rachidienne (blocage)
- Anesthésie générale

Médicaments analgésiques opioïdes

Utilisés pour soulager la douleur de l'accouchement, ces médicaments sont les **analgésiques agonistes des opioïdes** et les **analgésiques agonistes-antagonistes des opioïdes ENCADRÉ 10.5**. Le choix du médicament dépend généralement des préférences du médecin et des caractéristiques de la parturiente. Les types d'analgésiques généraux utilisés varient donc d'une unité de naissance à l'autre.

Analgésiques agonistes des opioïdes

L'hydromorphone (Dilaudid^MD^), la méperidine (Demerol^MD^), le fentanyl (Fentanyl^MD^) et le sufentanil (Sufentanil^MD^) soulagent efficacement la douleur intense, persistante ou récurrente. Ces agonistes purs des opioïdes stimulent les deux principaux récepteurs des opioïdes. Ils n'ont aucun effet amnésique, mais ils procurent un sentiment de bien-être ou d'euphorie. Par contre, ils diminuent la vidange gastrique et augmentent les nausées et les vomissements. Ils peuvent inhiber l'élimination de l'urine et des selles. Puisqu'ils peuvent avoir des effets secondaires sur la F.C. (p. ex., la bradycardie, la tachycardie), la P.A. (p. ex., l'hypotension) et la F.R. (p. ex., la dépression respiratoire), les analgésiques opioïdes doivent être utilisés avec prudence chez les femmes qui présentent des troubles respiratoires et cardiovasculaires. Après leur administration, il faut effectuer un suivi étroit de la cliente et des effets indésirables, car ils peuvent causer de la somnolence et des étourdissements et augmenter le risque de blessure.

L'hydromorphone est un puissant analgésique agoniste des opioïdes qui peut être administré par voie I.V. ou I.M. pendant le travail. Par voie I.V., il commence à agir après 5 minutes, atteint son effet maximal après 10 à 20 minutes et agit pendant 2 ou 3 heures. Par voie I.M., il commence à agir après 15 minutes, atteint son effet maximal après 30 à 60 minutes et agit pendant 4 ou 5 heures.

La méperidine a été supplantée par d'autres médicaments qui ont moins d'effets secondaires. Entre autres, l'accumulation de norméperidine, un métabolite toxique de la méperidine, cause la sédation et des changements neurocomportementaux prolongés du nouveau-né pendant les deux ou trois premiers jours de vie (Hawkins *et al.*, 2007). Administrée par voie I.V., la méperidine commence à agir presque immédiatement (environ cinq minutes), et sa durée d'action est d'environ une heure et demie ou deux heures. Donnée par voie I.M., elle commence à agir après 10 à 20 minutes, et sa durée d'action est de 2 ou 3 heures (Hawkins *et al.*, 2007).

Le fentanyl et le sufentanil sont des analgésiques agonistes des opioïdes à action brève. Le sufentanil a un effet analgésique 10 fois plus puissant que le fentanyl; toutefois, on utilise ces deux agents à doses analgésiques équivalentes, et tous deux peuvent être efficaces pour les clientes sous analgésie épidurale. Lorsqu'ils sont administrés par voie I.V., ils commencent à agir quasi immédiatement, atteignent leur effet maximal après 5 minutes et agissent pendant environ 30 à

Pratique fondée sur des résultats probants

ENCADRÉ 10.5 **Soulagement régional de la douleur pour les femmes en travail**

QUESTIONS CLINIQUES

- À quel moment du travail faut-il offrir l'analgésie régionale (neuraxiale) à une parturiente ?
- L'analgésie épidurale et l'analgésie mixte rachidienne-épidurale donnent-elles des résultats différents ?
- À quel moment une femme qui reçoit une analgésie régionale doit-elle commencer à pousser ?

RÉSULTATS PROBANTS

- Stratégies de recherche : directives d'organisations professionnelles, méta-analyses, examens systématiques, essais cliniques aléatoires, études prospectives non aléatoires et études rétrospectives depuis 2006.
- Bases de données consultées : CINAHL, Cochrane, Medline, National Guideline Clearinghouse, National Institute for Health and Clinical Excellence, base de données TRIP et sites Web de l'Association of Women's Health, Obstetric and Neonatal Nurses et du Royal College of Obstetrics & Gynaecology.

ANALYSE CRITIQUE ET SYNTHÈSE DES DONNÉES

- Une douleur intense pendant le travail peut prolonger celui-ci et stresser le fœtus. Une méthode idéale de maîtrise de la douleur soulagerait celle-ci sans avoir d'effets secondaires sur la mère ou sur le fœtus. Elle serait facile à administrer, compatible avec d'autres médicaments obstétricaux, permettrait la liberté de mouvement de la mère et serait disponible rapidement à la demande de la femme.
- Le National Institute for Health and Clinical Excellence (NICE, 2007) recommande d'expliquer aux femmes intéressées par l'anesthésie régionale qu'une épidurale soulage mieux la douleur que les analgésiques opioïdes administrés par voie I.V. ou que les analgésiques inhalés, mais qu'elle peut prolonger le deuxième stade du travail et augmenter le risque d'accouchement assisté par instrument. Dans ses directives, le NICE recommande d'offrir l'analgésie régionale à toute femme qui est en douleur intense, même au début du travail (dilatation de moins de 4 cm).
- La collaboration Cochrane a effectué une métaanalyse de 19 essais portant sur 2 658 femmes et comparant l'analgésie épidurale à l'analgésie mixte rachidienne-épidurale. Elle a trouvé que cette dernière soulage la douleur plus rapidement et cause moins de rétention urinaire, mais présente un risque accru de prurit (Simmons, Cyna, Dennis & Hughes, 2007). Aucune différence n'a été notée entre les deux méthodes relativement à la satisfaction de la mère, aux céphalées, à l'hypotension maternelle, à l'accouchement par césarienne, au besoin de pansement sanguin épidural ou aux effets secondaires sur le fœtus. Selon la Société canadienne des anesthésiologistes (SCA) (2010), l'anesthésie locale continue à faible dose n'entraîne que très peu de complications. Le NICE (2007) recommande de commencer l'analgésie mixte rachidienne-épidurale avec de la bupivacaïne et du fentanyl.
- Avec l'analgésie régionale, la SCA (2011) recommande de prévoir des protocoles de monitorage et des ressources appropriées en cas de complications possibles telles qu'une mauvaise présentation fœtale, une intoxication, l'hypotension, le prurit, les nausées et la dépression respiratoire. L'accès I.V. est essentiel.
- Finalement, une métaanalyse de sept études portant sur 2 827 femmes nullipares ayant reçu une analgésie épidurale a comparé la pratique consistant à faire pousser la femme dès que la dilatation est terminée et la pratique de descente passive, c'est-à-dire laisser la femme pousser à son rythme jusqu'à ce qu'elle sente un fort besoin de pousser. Cette comparaison a montré un lien entre la descente passive et une probabilité accrue d'accouchement vaginal, un temps de poussée réduit et un risque réduit d'accouchement assisté par instrument (forceps ou ventouse obstétricale) (Brancato, Church & Stone, 2008).

RECOMMANDATIONS POUR LA PRATIQUE INFIRMIÈRE

- L'infirmière doit évaluer fréquemment l'intensité de la douleur de la cliente et déterminer les méthodes appropriées de soulagement de celle-ci. Quand l'analgésie régionale est utilisée, les femmes reçoivent l'analgésie mixte rachidienne-épidurale et de faibles doses de médicaments, même au début du travail.
- Le monitorage respiratoire, l'administration d'oxygène et la succion peuvent être nécessaires en cas de dépression respiratoire due à l'utilisation d'un analgésique opioïde ou à une anesthésie rachidienne haute.
- Un accès I.V. est nécessaire pour l'installation de l'épidurale ou de l'analgésie mixte rachidienne-épidurale, mais l'administration concomitante d'un bolus de liquide n'est plus exigée.
- L'infirmière doit surveiller le débit urinaire et la P.A. de la mère. Il faut avoir à portée de la main des médicaments antagonistes des opioïdes ainsi que des médicaments qui soulagent la démangeaison ou les nausées.
- Le monitorage du fœtus est important, et il faut être prêt à pratiquer une césarienne si l'état de santé du fœtus est compromise.

RÉFÉRENCES

American Society of Anesthesiologists Task Force on Obstetric Anesthesia (2007). Practice guidelines for obstetric anesthesia: An updated report. *Anesthesiology, 106*(4), 843-863.

Brancato, R.M., Church, S., & Stone, P.W. (2008). A meta-analysis of passive descent versus immediate pushing in nulliparous women with epidural analgesia in the second stage of labor. *J Obstet Gynecol Neonatal Nurs, 37*(1), 4-10.

National Institute for Health and Clinical Excellence (NICE) (2007). *Intrapartum care. NICE clinical guideline 55.* London : NICE.

Simmons, S.W., Cyna, A.M., Dennis, A.T., & Hughes, D. (2007). Combines spinal-epidural versus epidural analgesia in labour. *Cochrane Database of Systematic Reviews, 3,* CD 003401.

Société canadienne des anesthésiologistes (SCA) (2010). *Anesthésie générale, régionale ou locale ?* [En ligne]. www.cas.ca/Francais/Types-anesthesie (page consultée le 22 septembre 2011).

Société canadienne des anesthésiologistes (SCA) (2011). Guide d'exercice de l'anesthésie. *J Can Anesth, 58,* 74-107.

60 minutes. Dans le cas d'une injection I.M., ils commencent à agir après 7 ou 8 minutes, atteignent leur effet maximal après 20 à 30 minutes et agissent pendant 1 ou 2 heures. En raison de leur durée d'action assez courte, le fentanyl et le sufentanil doivent être administrés fréquemment (Hawkins *et al.*, 2007). C'est pourquoi ils sont plus communément administrés par voie épidurale, combinés avec un anesthésique local (p. ex., la bupivacaïne [Marcaine[MD]]) **ENCADRÉ 10.6**.

Analgésiques agonistes-antagonistes des opioïdes

Un agoniste est un agent qui active ou qui stimule l'action d'un récepteur ; un antagoniste est un agent qui bloque un récepteur ou un médicament conçu pour activer un récepteur. Les analgésiques agonistes-antagonistes des opioïdes sont le butorphanol (Stadol NS[MD]) et la nalbuphine (Nubain[MD]). Dans les doses administrées pendant le travail, ces analgésiques combinés procurent une analgésie adéquate sans causer de dépression respiratoire importante de la mère ou du nouveau-né. Ils sont moins susceptibles de provoquer des nausées et des vomissements que les agonistes purs des opioïdes, mais ils peuvent avoir un effet sédatif égal ou supérieur à ceux-ci. Communément utilisés, ils sont administrés par voies I.M. ou I.V., cette dernière étant plus utilisée. Cette utilisation des analgésiques agonistes-antagonistes des opioïdes, particulièrement de la nalbuphine, ne convient pas aux femmes qui ont une dépendance envers un opioïde (Hawkins *et al.*, 2007) **ENCADRÉS 10.7** et **10.8**.

Antagonistes des opioïdes

Les analgésiques opioïdes tels que l'hydromorphone, la mépéridine et le fentanyl peuvent causer une dépression excessive du SNC de la mère, du nouveau-né ou des deux. Toutefois, la pratique actuelle consistant à donner des doses plus faibles de ces produits par voie I.V. a réduit la fréquence et la gravité de la dépression du SNC. Les antagonistes des opioïdes tels que la naloxone peuvent rapidement renverser les effets dépresseurs du SNC, particulièrement la dépression respiratoire. De plus, l'antagoniste s'oppose à l'effet des

Pharmacothérapie

ENCADRÉ 10.6 **Analgésiques agonistes des opioïdes (fentanyl, sufentanil)**

ACTION

Analgésiques agonistes des opioïdes qui stimulent les récepteurs opioïdes mu et kappa et qui réduisent la transmission des influx douloureux; action rapide de courte durée (I.V.: 30 minutes ou 1 h; épidurale: 1 ou 2 h); le sufentanil est 10 fois plus puissant que le fentanyl.

INDICATION

En raison de leur courte durée d'action quand ils sont administrés par voie I.V., on les administre plus souvent par voie épidurale ou intrathécale, seuls ou combinés à un anesthésique local, pour soulager la douleur modérée à intense du travail et la douleur postopératoire après un accouchement par césarienne.

POSOLOGIE ET VOIE D'ADMINISTRATION[a]

Fentanyl: de 25 à 50 mcg I.V. bolus; 1 ou 2 mcg/ml avec de la bupivacaïne 0,0625-0,125 % à un taux de 10-15 ml/h par voie épidurale

Sufentanil: 1 mcg/ml avec de la bupivacaïne 0,0625-0,125 % à un taux de 5-6 ml/h par voie épidurale

EFFETS INDÉSIRABLES

Étourdissements, somnolence, réactions allergiques, éruptions cutanées, prurit, dépression respiratoire de la mère, du fœtus ou du nouveau-né, nausées et vomissements, rétention urinaire

INTERVENTIONS INFIRMIÈRES

Évaluer la dépression respiratoire; avoir de la naloxone à portée de la main comme antidote.

[a] Il est à noter que les doses et les protocoles utilisés peuvent varier selon l'établissement.

Pharmacothérapie

ENCADRÉ 10.7 **Analgésique agoniste-antagoniste des opioïdes (nalbuphine)**

ACTION

Analgésique agoniste-antagoniste combiné qui stimule les récepteurs opioïdes kappa et qui bloque ou stimule légèrement les récepteurs opioïdes mu, ce qui procure une bonne analgésie et cause moins de nausées et vomissements et de dépression respiratoire à doses élevées que les analgésiques agonistes des opioïdes.

INDICATION

Douleur modérée à intense du travail et douleur postopératoire après un accouchement par césarienne.

POSOLOGIE ET VOIE D'ADMINISTRATION

Nalbuphine: de 10 à 20 mg I.V ou I.M. toutes les 3 ou 4 h au besoin

EFFETS INDÉSIRABLES

Somnolence, céphalées, étourdissements, nervosité, transpiration; palpitations et tachycardie ou bradycardie de la mère; rythme cardiaque fœtal sinusoïdal non pathologique transitoire; dépression respiratoire, nausées et vomissements; troubles de miction (rétention, besoin impérieux), confusion, sédation, hallucinations, sensation de flottement.

INTERVENTIONS INFIRMIÈRES

Ces médicaments peuvent précipiter les symptômes de sevrage de la femme ayant une dépendance aux opioïdes et de son nouveau-né.

Évaluer les signes vitaux maternels, l'intensité de la douleur, la F.C.F. et l'activité utérine avant et après l'administration; observer la mère pour détecter des signes de dépression respiratoire et informer le médecin traitant si la F.R. ≤ 12 R/min; encourager la miction toutes les 2 h et palper pour déterminer s'il y a distension vésicale; si l'accouchement a lieu de 1 à 4 h après l'administration du médicament, observer le nouveau-né pour détecter des signes de dépression respiratoire; appliquer les mesures de sécurité appropriées, entre autres remonter les ridelles et aider la femme à marcher; continuer l'utilisation des méthodes non pharmacologiques de soulagement de la douleur.

Signes de complications possibles

ENCADRÉ 10.8 **Syndrome de sevrage ou d'abstinence des opioïdes chez la mère**

- Bâillement, rhinorrhée, transpiration, larmoiement, mydriase
- Anorexie
- Irritabilité, agitation, anxiété généralisée
- Tremblements
- Frissons et bouffées de chaleur
- Horripilation (« chair de poule »)
- Éternuements violents
- Faiblesse, fatigue et somnolence
- Nausées et vomissements
- Diarrhée, crampes abdominales
- Douleurs osseuses et musculaires, spasmes musculaires

Les antagonistes des opioïdes (p. ex., la naloxone) sont contre-indiqués pour une femme présentant une dépendance aux opioïdes, car ils peuvent précipiter le syndrome d'abstinence (symptômes de sevrage). Pour la même raison, les analgésiques agonistes-antagonistes des opioïdes tels que le butorphanol et la nalbuphine ne doivent pas être administrés à une femme ayant une dépendance aux opioïdes.

endorphines liées au stress. Un **antagoniste des opioïdes** est particulièrement utile si le travail est plus rapide que prévu et si l'accouchement est attendu au moment où l'analgésique opioïde produira son effet maximal. L'antagoniste peut être administré par voie I.V. ou I.M. **ENCADRÉ 10.9**.

Le risque d'hypoxie, d'hypercapnie et d'acidose augmente si la narcose néonatale n'est pas traitée rapidement.

Un antagoniste des opioïdes peut être administré au nouveau-né pour traiter la **narcose néonatale**, une dépression du SNC du nouveau-né causée par un analgésique opioïde. L'administration prophylactique de naloxone est controversée. Les nouveau-nés touchés peuvent présenter une dépression respiratoire, de l'hypotonie, de la léthargie et un retard de la régulation de la température. Le risque d'hypoxie, d'hypercapnie et d'acidose augmente si la narcose néonatale n'est pas traitée rapidement. Le traitement comprend la ventilation, l'administration d'oxygène et une légère stimulation. La naloxone est administrée, au besoin, pour renverser la dépression du SNC. Plus de une dose peut être nécessaire, car la **demi-vie plasmatique (d'un médicament) (T½)** de la naloxone est courte (moins de une heure). Des modifications des réactions nerveuses et comportementales du nouveau-né peuvent être évidentes pendant deux à quatre jours après la naissance. Les raisons de ces modifications demeurent inconnues (Hawkins *et al.*, 2007).

Demi-vie plasmatique (d'un médicament) (T½): Temps nécessaire pour que la concentration plasmatique d'un médicament diminue de moitié, (p. ex., de 100 à 50 mg/L).

Analgésie et anesthésie par blocage nerveux (régionales)

En obstétrique, divers anesthésiques locaux sont utilisés pour produire une analgésie régionale partielle ou complète. La plupart de ces anesthésiques ont un nom se terminant par le suffixe – caïne, qui permet de reconnaître un anesthésique local.

Le principal effet pharmacologique des anesthésiques locaux est l'interruption temporaire de la conduction de l'influx nerveux, notamment ceux responsables de la perception de la douleur. La bupivacaïne (Marcaine^{MD}), la chloroprocaïne (Nesacaine-CE^{MD}), la lidocaïne (Xylocaine^{MD}), la ropivacaïne (Naropin^{MD}) et la mépivacaïne (Carbocaine^{MD}) sont couramment utilisées. La sensibilité allergique à un ou à plusieurs anesthésiques locaux est rare. Elle peut se manifester par une dépression respiratoire, de l'hypotension et d'autres effets indésirables graves. Ces réactions devraient être renversées par de l'adrénaline, des antihistaminiques, de l'oxygène et des mesures de soutien. On peut déterminer une telle sensibilité en administrant de très petites quantités du médicament.

Anesthésie par infiltration périnéale

L'anesthésie par infiltration périnéale peut être utilisée au cours d'une épisiotomie ou d'une suture des déchirures après l'accouchement d'une femme qui n'a pas reçu d'anesthésie régionale. On effectue une anesthésie rapide en injectant de 10 à 20 ml de lidocaïne 1 % ou de chloroprocaïne 2 % dans la peau et ensuite sous la peau. Les injections peuvent être répétées pendant les réparations postpartum.

Blocage (anesthésie) du nerf honteux interne

Un **blocage du nerf honteux interne**, administré vers la fin du deuxième stade du travail, est utile s'il faut effectuer une épisiotomie ou utiliser une ventouse obstétricale ou des forceps pour faciliter la naissance. L'épisiotomie n'est plus recommandée, et son recours a diminué de moitié entre 1994 et 2004 (MSSS, 2008). Le blocage du nerf honteux est considéré comme très sûr et raisonnablement efficace pour soulager la douleur (Hawkins *et al.*, 2007). Bien qu'il ne soulage pas la douleur des contractions utérines, il soulage celle de la partie inférieure du vagin, de la vulve et du périnée **FIGURES 10.9A** et **10.9B**. Ce blocage doit être administré de 10 à 20 minutes avant l'anesthésie périnéale.

Le nerf honteux traverse l'échancrure sciatique juste au centre de l'extrémité de l'épine sciatique, de chaque côté. L'injection d'une solution anesthésique à ces points ou près d'eux anesthésie le nerf honteux interne en périphérie **FIGURE 10.10**. Un blocage du nerf honteux interne ne change pas les fonctions hémodynamiques ou respiratoires, les signes vitaux de la mère ou la F.C.F. Toutefois, il réduit ou supprime complètement le réflexe de poussée.

Pharmacothérapie

ENCADRÉ 10.9 Antagoniste des opioïdes (naloxone)

ACTION

Antagoniste des opioïdes qui bloque les effets des agonistes des opioïdes sur les récepteurs opioïdes.

INDICATION

Renverse la dépression respiratoire de la mère ou du nouveau-né causée par les analgésiques opioïdes; peut être utilisé pour renverser le prurit dû aux analgésiques opioïdes épiduraux.

POSOLOGIE ET VOIE D'ADMINISTRATION

Mère

Dose excessive d'opioïdes: de 0,4 à 2 mg I.V.; on peut répéter l'administration I.V. à des intervalles de 2 ou 3 min jusqu'à 10 mg; si l'administration I.V. est impossible, on peut utiliser la voie I.M. ou sous-cutanée (S.C.).

Dépression postopératoire due aux opioïdes: dose initiale de 0,1 à 0,2 mg I.V. à des intervalles de 2 ou 3 min jusqu'à 3 doses, jusqu'à l'obtention de la réponse désirée; on peut avoir à répéter la dose toutes les 1 ou 2 h au besoin.

Nouveau-né

Dépression due aux opioïdes: dose initiale de 0,01-0,1 mg/kg I.V., I.M. ou S.C.; on peut répéter à des intervalles de 2 ou 3 min jusqu'à 3 doses, jusqu'à l'obtention de la réponse désirée.

EFFETS INDÉSIRABLES

Hypotension et hypertension, tachycardie, hyperventilation, nausées et vomissements, diaphorèse et tremblements de la mère

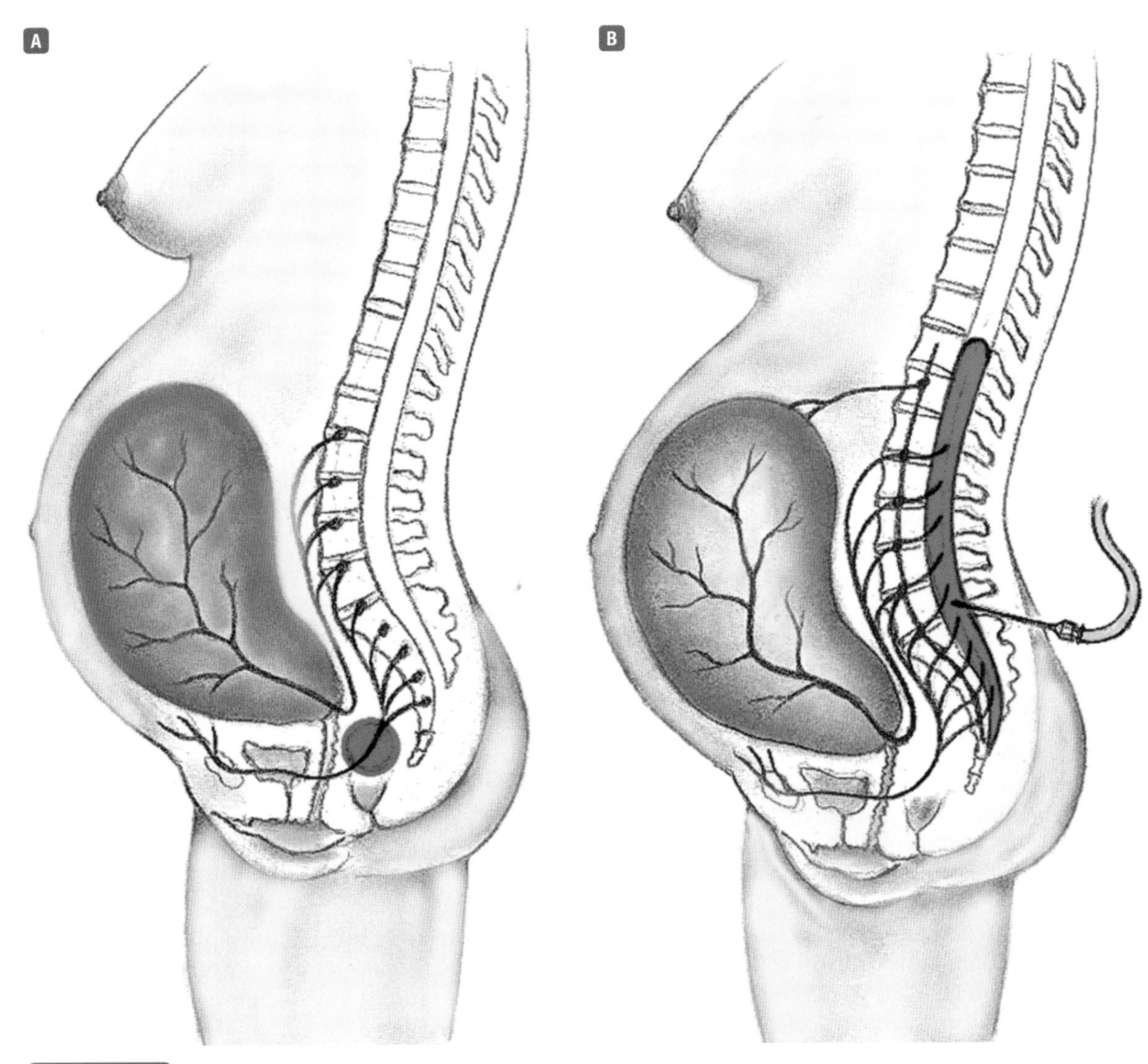

FIGURE 10.9
Voies de la douleur et sites des blocages nerveux pharmacologiques. A Blocage du nerf honteux interne : convient pour les deuxième et troisième stades du travail et pour la réparation de l'épisiotomie ou des déchirures. B Anesthésie épidurale : convient pour tous les stades du travail et pour la réparation de l'épisiotomie et des déchirures.

Anesthésie ou analgésie épidurale (blocage)

Pour soulager la douleur des contractions utérines et de l'accouchement, on peut injecter un anesthésique local (p. ex., la bupivacaïne, la ropivacaïne), un analgésique opioïde (p. ex., le fentanyl, le sufentanil) ou les deux dans l'espace péridural . Pour une anesthésie épidurale lombaire, l'injection doit être faite entre la quatrième et la cinquième vertèbre lombaire **FIGURES 10.9B** et **10.11A**. Selon le type, la quantité et le nombre de médicaments utilisés, l'anesthésie ou l'analgésie produira divers degrés de perte motrice. L'utilisation combinée d'un analgésique opioïde et d'un anesthésique local permettra de diminuer la dose d'anesthésique nécessaire et de préserver ainsi plus de motricité chez la mère **ENCADRÉ 10.10**.

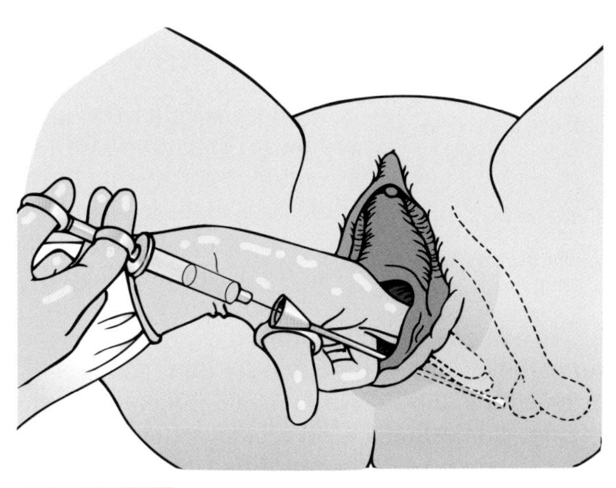

FIGURE 10.10
Blocage du nerf honteux interne. Le médicament est injecté avec une aiguille-guide et une seringue de type Luer-Lock.

Vidéo

Visionnez la vidéo *Analgésie épidurale* au www.cheneliere.ca/lowdermilk.

ENCADRÉ 10.10 Contre-indications à l'anesthésie épidurale

- Hémorragie maternelle grave en cours ou anticipée : en raison de l'hypovolémie aiguë, la stimulation sympathique augmente pour maintenir la P.A. Toute technique anesthésique qui bloque les fibres sympathiques peut aggraver l'hypotension, mettant en danger la mère et le fœtus.
- Coagulopathie : si une femme reçoit un médicament anticoagulant ou souffre d'un trouble hématologique, une lésion à un vaisseau sanguin peut causer la formation d'un hématome qui peut comprimer les nerfs de la queue de cheval ou la moelle épinière et provoquer de graves complications du SNC.
- Infection au site d'injection : infection qui peut se propager dans l'espace péridural ou sous-arachnoïdien si l'aiguille traverse une région infectée.
- Hypertension intracrânienne
- Refus de la cliente
- Certains types de maladies cardiaques de la cliente

L'anesthésie soulage efficacement la douleur causée par les contractions utérines. Chez la plupart des femmes, toutefois, elle ne supprime pas complètement les sensations de pression ressentie lorsque le fœtus descend dans le bassin. Il est donc important d'avertir la parturiente qu'un certain malaise peut subsister.

L'anesthésie et l'analgésie épidurales sont les méthodes pharmacologiques actuelles les plus efficaces. Environ la moitié des femmes qui accouchent au Québec par voie vaginale et 90 % de celles qui ont une césarienne choisissent l'analgésie épidurale (MSSS, 2002). Pour soulager les douleurs du travail et de l'accouchement vaginal, une analgésie des nerfs rachidiens T10 à S5 est nécessaire. Pour un accouchement par césarienne, il est essentiel d'analgésier au moins les espaces compris entre les nerfs rachidiens D8 à S1. La diffusion de l'anesthésie épidurale dépend de la position de l'extrémité du cathéter, du volume d'anesthésique et de la position de la parturiente (p. ex., horizontale ou verticale). Il est impératif que la parturiente reste immobile pendant l'insertion du cathéter épidural pour prévenir un mauvais positionnement de celui-ci, une lésion nerveuse ou la formation d'un hématome (Ley, Ikhouane, Staiti & Benhamou, 2007 ; Abbinante *et al.*, 2010).

Jugement clinique

Madame Éliane Marquis, âgée de 39 ans, en est à sa troisième grossesse et est enceinte de 38 semaines. Elle a été admise à l'unité obstétricale il y a seulement deux heures. À son arrivée, ses contractions étaient intenses et avaient lieu environ toutes les trois minutes. Son col était dilaté à 6 cm et effacé à 90 %. À sa demande, une médication par analgésie épidurale vient tout juste d'être entreprise par l'anesthésiste. Puisque madame Marquis désire demeurer couchée au lit, vous lui suggérez de s'installer sur le côté.

Expliquez pourquoi cette position devrait être privilégiée.

Pour l'administration d'une anesthésie épidurale, la femme peut être assise avec le dos courbé ou être en **position modifiée de Sims** avec les épaules parallèles, les jambes légèrement fléchies et le dos arqué. Une aiguille-guide de gros calibre est insérée dans l'espace péridural. Un cathéter est ensuite introduit dans l'aiguille jusqu'à ce que son extrémité soit dans l'espace péridural. L'aiguille est ensuite retirée, et le cathéter est fixé avec du ruban adhésif. Après l'insertion du cathéter, une petite quantité de médicament, appelée une dose d'épreuve, est injectée afin de vérifier si le cathéter a été accidentellement placé dans l'espace sous-arachnoïdien (rachidien) ou dans un vaisseau sanguin (Hawkins *et al.*, 2007).

Pendant l'administration de l'analgésie épidurale, la femme est préférablement couchée sur le côté afin d'éviter que son utérus comprime la veine cave ascendante et l'aorte descendante, ce qui pourrait nuire au retour veineux, réduire le débit cardiaque et la P.A., et diminuer la perfusion placentaire. Elle doit changer de côté toutes les heures. Elle peut se mettre en position assise et marcher, selon son degré de motricité. Il faut avoir de l'oxygène à portée de la main si une hypotension devait se produire malgré l'hydratation I.V. et le déplacement de l'utérus sur le côté. L'administration d'éphédrine ou de phényléphrine (vasopresseurs utilisés pour augmenter la P.A. de la mère) et une hydratation I.V. accrue peuvent s'avérer nécessaires. La F.C.F., le rythme des contractions et la progression du travail doivent être attentivement surveillés, car la femme peut ne pas avoir conscience des changements de ses contractions utérines ou de la descente du fœtus en raison de l'anesthésie.

L'anesthésie épidurale peut être effectuée de diverses façons. L'anesthésie intermittente (la moins utilisée) consiste à faire des injections répétées de solution anesthésique. L'anesthésie continue, plus courante, est effectuée avec une pompe qui perfuse la solution anesthésique par le cathéter laissé en place. L'analgésie épidurale contrôlée par la cliente est la méthode la plus récente. Cette méthode fournit une analgésie optimale et procure une meilleure satisfaction à la mère pendant le travail tout en réduisant la quantité d'anesthésique local utilisée (Brogly *et al.*, 2011).

L'anesthésie épidurale présente de nombreux avantages. Elle permet à la parturiente de rester alerte, d'être plus à l'aise, de mieux participer au travail, d'être assez détendue et de conserver ses réflexes respiratoires. De plus, elle provoque seulement une paralysie motrice partielle, ne cause pas de retard de la vidange gastrique et n'entraîne pas de perte sanguine excessive. Les complications fœtales demeurent rares, mais elles peuvent se produire en cas d'absorption rapide des médicaments ou d'hypotension maternelle marquée. La dose, le volume, le type et le nombre de médicaments utilisés peuvent être modifiés selon le but recherché, à savoir permettre à la femme de pousser, de se lever et même de marcher.

L'anesthésie épidurale présente par contre de nombreux inconvénients. Elle limite les mouvements de la femme et sa maîtrise du travail en raison des nombreuses interventions nécessaires (p. ex., la perfusion I.V. et le monitorage) et d'effets tels que l'hypotension orthostatique et les étourdissements, la sédation et la faiblesse des jambes. Elle peut avoir un impact sur le SNC si une solution contenant un anesthésique local est accidentellement injectée dans un vaisseau sanguin ou si une quantité excessive d'anesthésique local est administrée **ENCADRÉ 10.11**. Les femmes qui reçoivent une analgésie épidurale présentent une fréquence plus élevée de fièvre (c.-à-d. une température de 38 °C

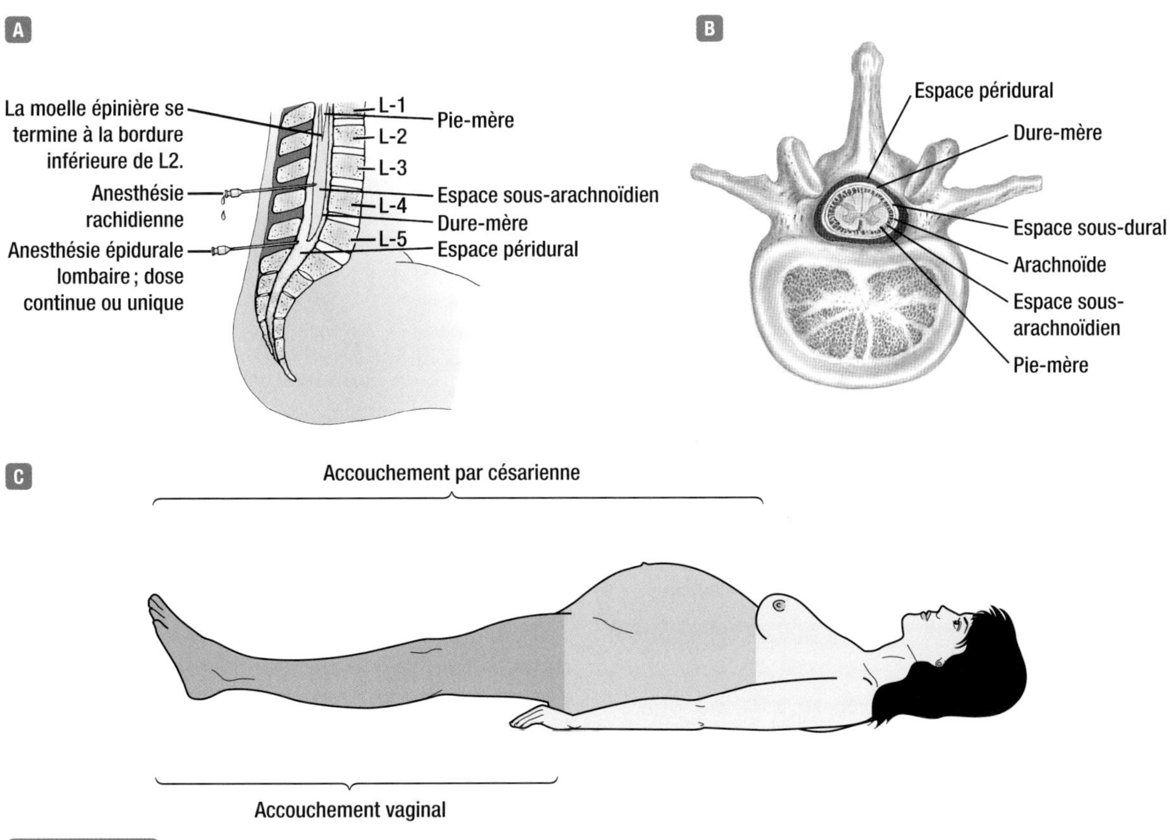

FIGURE 10.11

A Membranes et espaces de la moelle épinière et fin de la moelle épinière. B Coupe transversale d'une vertèbre et de la moelle épinière. C Dispersion de l'anesthésie nécessaire pour un accouchement par césarienne et un accouchement vaginal.

ou plus pendant le travail et l'accouchement), particulièrement si le travail dure plus de 10 heures. Cette élévation de température est probablement liée aux changements thermorégulateurs, bien qu'une infection puisse être en cause. Elle peut entraîner une tachycardie fœtale et nécessiter des examens de diagnostic d'une septicémie du nouveau-né, qu'il y ait ou non des signes d'infection.

L'anesthésie épidurale peut causer une hypotension grave (diminution de plus de 20 % de la P.A. de base) due au blocage du système sympathique (Arnaout, Ghiglione, Figueiredo & Mignon, 2008) **ENCADRÉ 10.12**. Cela peut entraîner une diminution importante de la perfusion utéroplacentaire et de la livraison d'oxygène au fœtus. La rétention et l'incontinence urinaires due à l'effort peuvent se produire au début de la période postnatale. Le prurit est un effet secondaire courant des analgésiques opioïdes, notamment du fentanyl. On a établi un lien entre l'analgésie épidurale et un deuxième stade prolongé du travail, l'utilisation d'ocytocine et l'accouchement assisté par ventouse obstétricale ou forceps. Toutefois, les travaux de recherche n'ont pas permis de montrer un lien entre cette méthode d'analgésie et une augmentation notable des accouchements par césarienne (Halpern & Abdallah, 2010). L'anesthésie épidurale s'avère inefficace pour certaines femmes. Dans ce cas, une deuxième forme

ENCADRÉ 10.11 Effets secondaires des anesthésies épidurale et rachidienne

- Hypotension
- Toxicité de l'anesthésique local
- Vertiges
- Étourdissements
- Acouphène
- Goût métallique
- Engourdissement de la langue et de la bouche
- Changement de comportement
- Trouble de l'élocution
- Convulsions
- Perte de conscience
- Anesthésie rachidienne haute ou totale
- Fièvre
- Rétention urinaire
- Prurit
- Limitation des mouvements
- Prolongation du deuxième stade du travail
- Utilisation accrue d'ocytocine
- Probabilité accrue d'accouchement assisté par ventouse obstétricale ou par forceps

d'analgésie est nécessaire pour soulager efficacement la douleur. Quand le travail progresse rapidement, il se peut qu'on n'obtienne pas de soulagement de la douleur avant l'accouchement.

Anesthésie rachidienne (blocage)

Au cours d'une **anesthésie rachidienne (blocage)**, une solution contenant un anesthésique local seul ou combiné à un analgésique opioïde est injectée par le troisième, quatrième ou cinquième espace lombaire dans l'espace sous-arachnoïdien

Soins d'urgence

ENCADRÉ 10.12 **Hypotension maternelle avec perfusion placentaire réduite**

SIGNES ET SYMPTÔMES

- Hypotension maternelle (diminution de 20 % de la P.A. de base avant le blocage ou une pression systolique à 100 mm Hg)
- Bradycardie fœtale
- Variabilité de la F.C.F. nulle ou minimale

INTERVENTIONS

- Tourner la femme en position latérale et placer un oreiller ou un coussin triangulaire sous une hanche pour incliner l'utérus.
- Maintenir la perfusion I.V. au débit prescrit; augmenter l'administration au besoin selon le protocole de l'hôpital.
- Administrer l'oxygène avec un masque à un débit de 10 à 12 L/min ou selon le protocole de l'hôpital.
- Élever les jambes de la femme.
- Informer le médecin ou l'anesthésiste.
- Administrer le vasopresseur I.V. (p. ex., de 5 à 10 mg d'éphédrine ou de 50 à100 mcg de phényléphrine) selon le protocole de l'hôpital si les mesures précédentes ont été inefficaces.
- Rester avec la femme et continuer le monitorage de sa P.A. et de la F.C.F. toutes les cinq minutes jusqu'à ce que l'état de la mère soit stable ou selon la prescription du médecin.

FIGURES 10.11A, 10.11B et **10.11C**, où elle se mélange au liquide céphalorachidien (LCR). Cette technique est plus utilisée que l'anesthésie épidurale pour les accouchements par césarienne parce que la technique d'installation est plus simple et plus rapide (Organisation mondiale de la santé, 2011). L'anesthésie rachidienne basse peut être utilisée pour l'accouchement vaginal, mais elle ne convient pas pour le travail. Une anesthésie rachidienne haute ou totale peut provoquer un arrêt respiratoire si la dose d'anesthésique local utilisée pour ce type d'intervention est accidentellement injectée dans l'espace sous-arachnoïdien.

Pour l'anesthésie rachidienne, la femme doit être assise ou couchée sur le côté (p. ex., en position modifiée de Sims) avec le dos courbé afin d'élargir l'espace intervertébral et de faciliter l'insertion d'une canule à ponction lombaire de petit calibre et l'injection de la solution anesthésique dans le canal rachidien. L'infirmière doit supporter la femme, qui doit rester immobile pendant le positionnement de la canule. L'insertion de la canule et l'injection de l'anesthésique doivent être faites entre les contractions. Après l'injection, si un accouchement vaginal est prévu, la femme doit être placée en position assise pour permettre à la solution anesthésique de descendre et ainsi obtenir le plus faible degré d'anesthésie. Pour un accouchement par césarienne, le plus fort degré d'anesthésie possible est souhaité. Pour ce faire, la cliente doit demeurer en décubitus dorsal avec la tête et les épaules légèrement élevées. Il faut déplacer son utérus en inclinant la table d'opération ou en plaçant un coussin triangulaire sous une de ses hanches. Généralement, le blocage sera complet et stabilisé entre 5 et 10 minutes après l'injection de l'anesthésique, mais il peut continuer à monter pendant 20 minutes ou plus (Hawkins *et al.*, 2007) **FIGURES 10.12A** et **10.12B**.

Une hypotension marquée, une perfusion placentaire déficiente et un rythme respiratoire inefficace peuvent se produire pendant l'anesthésie rachidienne. La SOGC (2008b) rejette l'administration d'un bolus de liquide de façon préventive, mais conseille plutôt celle de phényléphrine ou d'éphédrine pour prévenir ou traiter l'hypotension.

Après l'injection de l'anesthésique, la P.A., la F.C. et la F.R. de la mère ainsi que la F.C.F. doivent être vérifiées et consignées toutes les 5 à 10 minutes. Si des signes graves d'hypotension maternelle (p. ex., une diminution de la P.A. de base de plus de 20 %) ou de détresse fœtale (p. ex., une bradycardie, une variabilité minimale ou absente, des décélérations tardives) apparaissent, des soins d'urgence sont nécessaires **ENCADRÉ 10.12**.

Puisque la cliente ne pourra sentir ses contractions, il faudra lui dire à quel moment elle doit pousser pendant un accouchement vaginal. L'utilisation d'une combinaison d'anesthésique local et d'un analgésique opioïde réduit le degré de perte de fonction motrice, ce qui aide la femme à pousser plus efficacement. Si l'accouchement se fait dans une salle d'accouchement (plutôt que dans une salle de travail et de récupération), la cliente aura besoin d'aide pour son transfert dans le lit de récupération après l'expulsion du placenta.

Les avantages de l'anesthésie rachidienne sont entre autres sa facilité d'administration, l'absence d'hypoxie fœtale et le faible risque d'hypotension artérielle maternelle par rapport à d'autres genres d'anesthésie. De plus, elle permet à la mère de rester consciente, d'obtenir une excellente relaxation musculaire et de ne pas subir de perte excessive de sang.

Les inconvénients de l'anesthésie rachidienne sont entre autres des réactions possibles aux médicaments (p. ex., une allergie), de l'hypotension, une respiration inefficace (anesthésie de certains muscles respiratoires) et le besoin possible de réanimation cardiorespiratoire **ENCADRÉ 10.11**. De plus, elle est liée à un nombre plus élevé d'accouchements opératoires (p. ex., une épisiotomie, un accouchement assisté par ventouse obstétricale ou par forceps), car elle réduit ou supprime les efforts volontaires d'expulsion. Après la naissance, on note un nombre de cas plus élevé d'atonies vésicale et utérine ainsi que de céphalée postanesthésique.

Il semble que les fuites de LCR par le site de ponction de la dure-mère (une des membranes couvrant la moelle épinière) sont la principale cause de la céphalée postponction durale (CPPD), couramment appelée céphalée rachidienne. Celle-ci est plus susceptible de se produire quand la dure-mère est percée pendant l'administration d'une analgésie

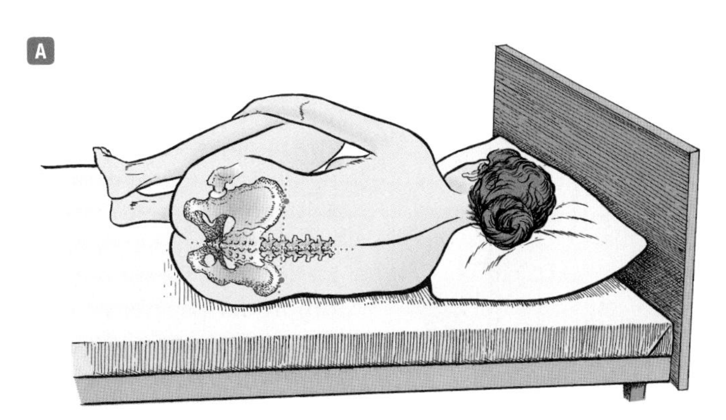

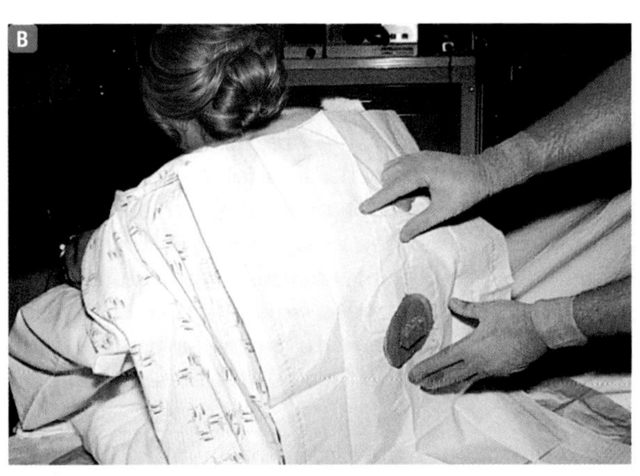

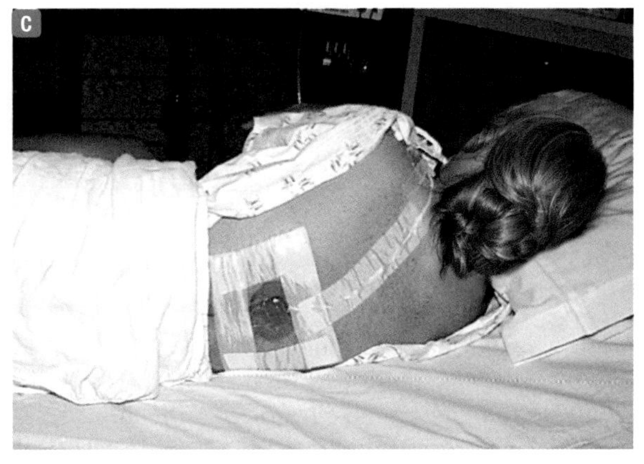

FIGURE 10.12

Positions pour les anesthésies rachidienne et épidurale. A Position latérale. B Position assise. C Le cathéter pour épidurale est fixé au dos avec du ruban adhésif ; l'extrémité du cathéter servant à l'injection de médicaments se trouve près de l'épaule et facilement accessible.

épidurale. L'aiguille utilisée pour cette dernière est de calibre beaucoup plus important que celle requise pour l'anesthésie rachidienne, et elle crée ainsi un plus gros trou dans la dure-mère, ce qui provoque une perte accrue de LCR. Il semble que, pendant les changements de position, le volume réduit de LCR exerce une traction sur les structures du SNC sensibles à la douleur. De façon caractéristique, une position assise déclenche ou intensifie la céphalée, tandis qu'un décubitus dorsal la soulage (Hawkins *et al.*, 2007).

Pour réduire la probabilité d'une CPPD, l'anesthésiste peut utiliser une aiguille rachidienne de petit calibre (Ghaleb, 2010). Il peut aussi introduire le cathéter épidural dans l'ouverture durale au moment de la ponction afin de procurer une anesthésie rachidienne continue et l'enlever 24 heures plus tard. L'injection d'une solution physiologique salée sans agent de conservation dans le cathéter avant son retrait peut aussi réduire le nombre de cas de cette céphalée. L'hydratation et le repos au lit en décubitus ventral ont été recommandés dans le passé comme mesures de prévention, mais leur utilité n'a pas été démontrée (Hawkins *et al.*, 2007).

Le traitement classique de la CPPD se fait avec des analgésiques oraux et de la caféine ou de la théophylline. Ces dernières causent la constriction des vaisseaux sanguins cérébraux et peuvent soulager les symptômes. Un **pansement sanguin épidural** autologue offre le soulagement le plus rapide, le plus fiable et le plus bénéfique de la CPPD. Une petite quantité de sang de la femme (20 ml) est injectée lentement dans l'espace péridural lombaire et forme un caillot qui referme le trou de la dure-mère autour de la moelle épinière. On envisage ce traitement si la céphalée est intense et affaiblissante ou si elle ne disparaît pas après un traitement classique **FIGURE 10.13**. Le pansement sanguin épidural est remarquablement efficace et n'entraîne à peu près pas de complications (Hawkins *et al.*, 2007).

Après l'application du pansement sanguin épidural, il faut surveiller tout changement des signes vitaux, l'apparition de pâleur ou de moiteur de la peau ou une fuite de LCR. S'il n'y a aucune complication, la femme peut reprendre ses activités normales. Il faut toutefois lui dire d'éviter de

Jugement clinique

Madame Ali Stanton, âgée de 32 ans, s'est présentée à son rendez-vous à l'accueil obstétrical il y a 90 minutes pour une césarienne itérative. Elle est accompagnée de son conjoint. Madame Stanton est enceinte de 40 2/7 semaines d'une petite fille qui se présente par le siège. Juste avant la césarienne, l'anesthésiste a procédé à l'installation d'une anesthésie rachidienne. Vous évaluez la F.C. et la F.R. de madame Stanton toutes les 5 à 10 minutes.

Nommez deux éléments supplémentaires à évaluer aussi fréquemment chez la cliente et justifiez la raison de la surveillance de ceux-ci.

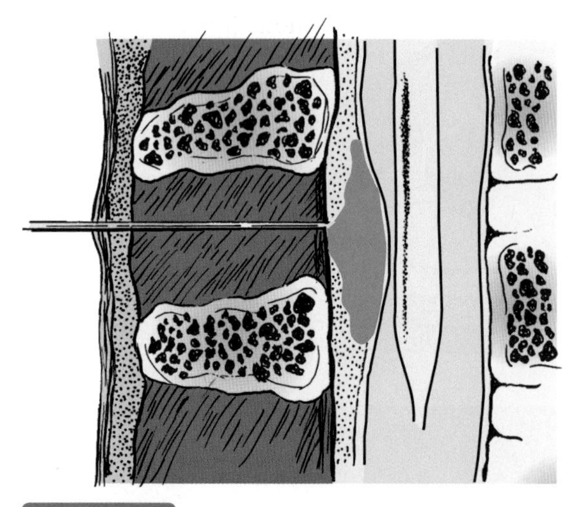

FIGURE 10.13
Pansement sanguin épidural pour traiter la céphalée rachidienne

tousser ou de forcer pendant plusieurs jours (Hawkins *et al.*, 2007).

Analgésie mixte rachidienne-épidurale

Voie intrathécale : Utilisation de l'espace sous-arachnoïdien pour injecter une médication.

Appelée analgésie épidurale ambulatoire, cette technique consiste à insérer une aiguille épidurale dans l'espace péridural. Avant de placer le cathéter péridural, on insère une aiguille rachidienne de plus petit calibre par l'aiguille épidurale dans l'espace sous-arachnoïdien. Une petite quantité d'un analgésique opioïde ou une combinaison d'un analgésique opioïde et d'un anesthésique local est ensuite injectée par **voie intrathécale** pour produire une analgésie rapide. Le cathéter épidural est ensuite inséré de la façon habituelle. La technique d'analgésie mixte rachidienne-épidurale est de plus en plus populaire et peut être utilisée pour bloquer la transmission de la douleur sans compromettre l'habileté motrice. Il y a une concentration élevée de récepteurs opioïdes le long de la voie de la douleur dans la moelle épinière, le tronc cérébral et le thalamus. Puisque ces récepteurs sont très sensibles aux opioïdes, une petite quantité d'analgésique agoniste des opioïdes produit un soulagement marqué de la douleur pendant plusieurs heures. Si cela ne suffit pas, le médicament peut être injecté dans le cathéter péridural **FIGURE 10.11A**. Les effets secondaires les plus courants de l'analgésie mixte rachidienne-épidurale sont le prurit et les nausées (Hawkins *et al.*, 2007). Puisque cette technique peut aussi entraîner la bradycardie fœtale, il faut effectuer une surveillance étroite de la F.C.F. (Nicolet, Miller, Kaufman, Guertin & Deschamps, 2008).

Bien que l'analgésie mixte rachidienne-épidurale n'empêche pas les femmes de marcher, elles s'abstiennent souvent de le faire en raison de la sédation et de la fatigue, des sensations anormales dans les jambes, de la faiblesse de celles-ci et d'un sentiment d'insécurité. Toutefois, l'infirmière peut les aider à changer de position et à se mettre en position assise ou debout pendant le travail et l'accouchement. On a établi un lien entre la position assise et une douleur réduite, un progrès plus efficace du travail et une diminution des accouchements assistés par ventouse obstétricale et par forceps (Albers, 2007 ; Berghella *et al.*, 2008). Le travail effectué dans cette position procure également un sentiment de normalité, d'autonomie et de maîtrise de soi (Albers, 2007).

Analgésiques opioïdes épiduraux et intrathécaux (rachidiens)

Les analgésiques opioïdes peuvent aussi être utilisés seuls, ce qui élimine entièrement l'usage d'un anesthésique local. Cela procure plusieurs avantages pendant le travail. Les analgésiques opioïdes administrés de cette façon ne causent pas d'hypotension maternelle ou ne perturbent pas les signes vitaux. La femme sent les contractions, mais pas la douleur. Elle conserve sa capacité de pousser pendant le deuxième stade du travail parce qu'elle ne perd pas son réflexe de pousser ni sa puissance motrice.

Le fentanyl, le sufentanil ou la morphine sans agent de conservation peuvent être utilisés. Les deux premiers produisent une analgésie de courte durée (de une heure et demie à trois heures et demie), et la morphine peut soulager la douleur pendant une période de quatre à sept heures. La morphine peut être combinée au fentanyl ou au sufentanil. On peut utiliser des analgésiques opioïdes à action brève pour les femmes multipares et de la morphine pour les femmes nullipares ou celles qui ont des antécédents de travail long. Pour la plupart des femmes, les analgésiques opioïdes intrathécaux ne procurent pas une analgésie adéquate pour le deuxième stade du travail, l'épisiotomie ou l'accouchement. Le blocage du nerf honteux interne ou l'anesthésie par infiltration périnéale peut être nécessaire (Samain & Diemunsch, 2009).

L'administration d'analgésiques épiduraux ou intrathécaux est plus couramment indiquée pour le soulagement de la douleur postopératoire.

Une femme qui reçoit de la morphine par voie épidurale après une césarienne peut marcher plus tôt que celle qui n'en reçoit pas. La marche précoce et l'absence de douleur facilitent également la vidange vésicale, améliorent le péristaltisme et préviennent la formation de caillots dans les extrémités inférieures (p. ex., la thrombophlébite). D'autres analgésiques peuvent être nécessaires pendant les 24 heures suivant la chirurgie. Dans ce cas, on donne généralement des analgésiques par voie orale (P.O.) (p. ex., l'oxycodone et l'acétaminophène [Percocet[MD]], plutôt que des analgésiques opioïdes par voie I.V. ou I.M.

Les nausées, les vomissements, le prurit, la rétention urinaire et la dépression respiratoire retardée sont des effets secondaires des analgésiques opioïdes administrés par voies épidurale et intrathécale, plus communément de la morphine. Ces symptômes sont soulagés avec des antiémétiques, des antiprurigineux et des antagonistes des opioïdes, par exemple la naloxone, la nalbuphine et la métoclopramide (Nu-Metoclopramide^MD^). Le protocole de l'hôpital ou la prescription détaillée du médecin doit présenter des instructions précises concernant le traitement de ces effets secondaires. Les analgésiques opioïdes épiduraux ne sont pas sans risque. Puisqu'ils peuvent causer une dépression respiratoire, il faut évaluer et consigner la F.R. de la cliente toutes les heures pendant 24 heures ou selon le protocole de l'hôpital. Il faut avoir de l'oxygène et de la naloxone à portée de la main au cas où la F.R. diminuerait en deçà de 10 R/min ou si la saturation du sang artériel en oxygène devenait inférieure à 89 % avec le port d'un masque.

Effets de l'anesthésie épidurale sur le nouveau-né

L'analgésie ou l'anesthésie pendant le travail et l'accouchement n'ont aucun effet durable ou en ont peu sur l'état physiologique du nouveau-né. Aucune donnée ne confirme que l'administration de l'analgésie ou de l'anesthésie pendant le travail et l'accouchement a un effet notable sur le développement mental et nerveux ultérieur de l'enfant (American Academy of Pediatrics [AAP] & American College of Obstetricians and Gynecologists [ACOG], 2007).

Protoxyde d'azote pour l'analgésie

Le protoxyde d'azote mélangé à l'oxygène peut être inhalé à une faible concentration (50 % ou moins) pour soulager, mais non éliminer la douleur pendant le premier et le deuxième stade du travail. Aux doses plus faibles utilisées pour l'analgésie, la femme reste éveillée, et le danger d'aspiration est évité parce que ses réflexes laryngés ne sont pas touchés. Le protoxyde d'azote peut être combiné à d'autres mesures non pharmacologiques et pharmacologiques de soulagement de la douleur. De nombreuses femmes mentionnent qu'il leur a procuré une bonne analgésie et qu'elles l'utiliseraient de nouveau pour le travail d'un prochain accouchement (Tournaire & Theau-Yonneau, 2007).

L'autoadministration de ce gaz se fait avec un masque ou un embout buccal. La cliente place le masque sur sa bouche et son nez ou insère l'embout dans sa bouche 30 secondes avant le début d'une contraction (si les contractions sont régulières) ou dès le début d'une contraction (si les contractions sont irrégulières). Quand elle inspire, une valve s'ouvre, et le gaz est libéré. Elle doit inhaler le gaz lentement et profondément jusqu'à ce que la contraction commence à diminuer. Quand elle arrête d'inspirer, la valve se referme. Entre les contractions, elle doit enlever le dispositif et respirer normalement. L'infirmière doit observer si la cliente a des nausées et des vomissements, de la somnolence, des étourdissements, une mémoire floue ou une perte de conscience. Cette dernière est plus susceptible de se produire si des analgésiques opioïdes sont utilisés avec le protoxyde d'azote (Cunningham *et al.*, 2005 ; Rooks, 2007).

Les analgésiques opioïdes épiduraux ne sont pas sans risque.

Anesthésie générale

L'anesthésie générale est rarement utilisée pour les accouchements vaginaux sans complication et pour les césariennes non urgentes. Au Québec en 2001, 1 % des accouchements par voie vaginale et 10 % des accouchements par césarienne étaient pratiqués sous anesthésie générale (MSSS, 2002). Elle peut être nécessaire si l'anesthésie régionale (p. ex., l'anesthésie épidurale ou rachidienne) est inefficace, si l'accouchement devient urgent (vaginal ou par césarienne) ou s'il y a une contre-indication à une anesthésie rachidienne ou épidurale **ENCADRÉ 10.10**. Les principaux risques de l'anesthésie générale sont la difficulté ou l'impossibilité d'intuber la cliente et l'aspiration du contenu gastrique (Hawkins *et al.*, 2007).

Si l'anesthésie générale est envisagée, la femme ne doit rien ingérer P.O., et elle doit avoir un accès I.V. en place. Certains anesthésistes prescrivent un inhibiteur du récepteur H_2 de l'histamine tel que la cimétidine pour diminuer la production d'acide gastrique et de la métoclopramide (Nu-Metoclopramide^MD^) pour accélérer la vidange gastrique (Hawkins *et al.*, 2007). Avant l'anesthésie, il faut placer un coussin triangulaire sous une hanche de la femme pour déplacer son utérus. Cela prévient la compression de l'aorte descendante et de la veine cave, qui nuit à la perfusion placentaire.

Avant de procéder à l'anesthésie, il faut administrer de l'oxygène à 100 % avec un masque pendant deux ou trois minutes. Cette étape est particulièrement importante pour la femme enceinte, qui est plus susceptible que d'autres adultes de souffrir rapidement d'hypoxémie s'il y a un retard de l'intubation. On administre ensuite du thiopental, un barbiturique à action brève, ou de la kétamine par voie I.V. pour rendre la femme inconsciente. Puis, on administre de la succinylcholine, un relaxant musculaire, pour diminuer la résistance musculaire et l'impression de haut-le-cœur durant l'insertion de la sonde endotrachéale (Hawkins *et al.*, 2007). L'infirmière applique une pression sur le cartilage cricoïde avant l'intubation quand la femme commence à devenir inconsciente pour faciliter le passage de la sonde. Cette manœuvre bloque l'œsophage et prévient l'aspiration si la femme vomit ou régurgite **FIGURE 10.14**. La pression peut être relâchée quand la sonde endotrachéale est bien en place.

Quand la femme est intubée, on administre un mélange de 50 % de protoxyde d'azote et de 50 % d'oxygène. On peut aussi donner une faible concentration d'un agent halogéné volatil (p. ex., de l'isoflurane) pour soulager davantage la douleur, réduire l'état de conscience et provoquer l'amnésie (Hawkins *et al.*, 2007). À des concentrations plus élevées, l'isoflurane détend l'utérus rapidement et facilite la manipulation, la version et l'extraction intra-utérines. Toutefois, à des concentrations plus élevées, ces agents traversent facilement le placenta et peuvent causer une **narcose** fœtale, réduire le tonus utérin et accroître les risques d'hémorragie.

Narcose : Sommeil provoqué artificiellement par des médicaments.

Dans la salle de récupération, les soins prioritaires consistent à maintenir les voies respiratoires dégagées et la fonction cardiopulmonaire et à prévenir l'hémorragie postpartum. La cliente aura besoin d'analgésiques. Les soins postnataux doivent être organisés de façon à favoriser l'attachement entre les parents et le nouveau-né dès que possible et à répondre aux questions de la mère. S'il y a lieu, l'infirmière évalue les réactions de celle-ci après l'anesthésie générale (p. ex., subir une césarienne d'urgence alors qu'un accouchement vaginal était prévu) et décide si elle est prête à voir le nouveau-né.

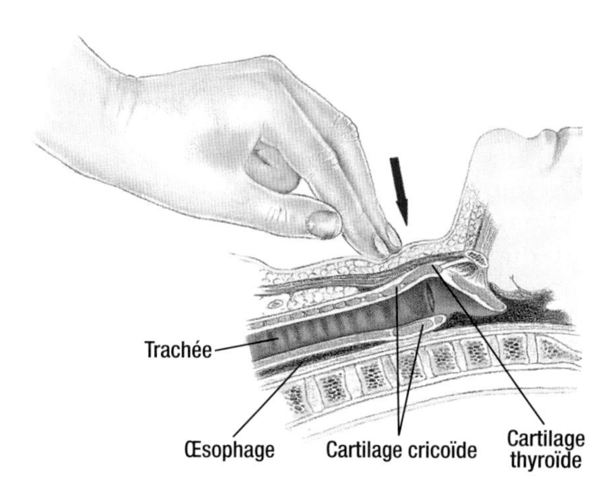

FIGURE 10.14
Technique d'application de la pression sur le cartilage cricoïde

SOINS ET TRAITEMENTS INFIRMIERS

Soulagement de la douleur

Le choix des interventions de soulagement de la douleur dépend de divers facteurs, notamment des besoins et des désirs particuliers de la femme, de la disponibilité de la ou des méthodes désirées, des connaissances et de l'expertise des professionnels de la santé en ce qui a trait aux méthodes non pharmacologiques et pharmacologiques ainsi que du stade et de la phase du travail. L'infirmière a la responsabilité d'évaluer l'état de la mère et du fœtus, d'établir des objectifs communs avec la cliente (et sa famille), de planifier et de mettre en œuvre les soins infirmiers et d'évaluer les effets des soins donnés **ENCADRÉ 10.13**.

Interventions non pharmacologiques

L'infirmière soutient et aide la femme qui utilise des méthodes non pharmacologiques de soulagement de la douleur et de relaxation. Pendant le travail, elle doit demander à la cliente comment elle se sent afin d'évaluer l'efficacité des techniques utilisées. Des interventions appropriées peuvent alors être planifiées ou poursuivies pour favoriser l'efficacité des soins, par exemple essayer d'autres méthodes non pharmacologiques ou combiner des méthodes non pharmacologiques et pharmacologiques **PSTI 10.1**.

La façon dont une femme perçoit son comportement pendant le travail est de la plus haute importance. Si elle a prévu un accouchement sans médicaments, mais qu'elle en a besoin et en prend, son estime de soi peut diminuer. L'infirmière doit au besoin exprimer verbalement et non verbalement son acceptation de ce comportement et en discuter avec la cliente et la rassurer après l'accouchement. L'explication de la réaction du fœtus à la douleur de la mère, des effets du stress et de la fatigue de celle-ci sur le progrès du travail et de la médication elle-même est une mesure de soutien. La femme peut aussi éprouver de l'anxiété et du stress liés à la douleur anticipée ou ressentie. Le stress peut faire augmenter la production de catécholamines par la mère. On a établi un lien entre des concentrations accrues de catécholamines et un travail dysfonctionnel ainsi que la détresse et la maladie du fœtus et du nouveau-né (ASPC, 2009 ; SOGC, 2007). L'infirmière doit être capable de proposer des stratégies de réduction du stress.

Interventions pharmacologiques

Consentement éclairé

La femme enceinte a le droit de participer activement au choix de la meilleure méthode de traitement de la douleur à utiliser pendant son travail et son accouchement. Les professionnels de la santé (infirmière, médecin et anesthésiste) ont la responsabilité de bien l'informer des méthodes pharmacologiques de soulagement de la douleur offertes à l'hôpital. Une description des diverses techniques d'anesthésie et de leurs effets est essentielle à l'obtention d'un consentement éclairé, même si la cliente a reçu de l'information sur l'analgésie et sur

Mise en œuvre d'une démarche de soins

ENCADRÉ 10.13 **Traitement de la douleur**

COLLECTE DES DONNÉES – ÉVALUATION INITIALE

L'infirmière procède à l'examen clinique de la cliente.

Antécédents

- Examen du dossier prénatal (parité, date estimée de naissance, complications, médication)
- Antécédents de tabagisme ; troubles nerveux ou rachidiens

Entrevue

- Heure du dernier repas : types d'aliments et de liquides consommés
- Nature des maladies respiratoires existantes (rhume, allergie)
- Allergies à des médicaments, à des agents nettoyants, au latex ou au ruban adhésif
- Préparation à la naissance, connaissances et préférences relatives au traitement de la douleur
- Type d'analgésie ou d'anesthésie choisi
- Si un abus de consommation de substance est soupçonné, déterminer le type de substance, le moment de la dernière consommation de celle-ci et la méthode d'administration. Un dépistage dans l'urine peut être prescrit.
- Vérification du port de verres de contact ou d'une prothèse dentaire par la cliente.

Examen physique

- Caractéristique et état du travail et de la réaction fœtale
- État d'hydratation
- Distension vésicale
- Signes d'appréhension (poings serrés, agitation)

Analyses de laboratoire

- Hémoglobine et hématocrite (anémie)
- Temps de prothrombine et numération plaquettaire (coagulopathie et trouble de saignement)

Numération plaquettaire

- Leucocytémie et formule leucocytaire (infection)

Entrevue concernant l'anesthésie[a]

- Heure du dernier repas ; type d'aliments et de liquides consommés
- Nature des maladies respiratoires existantes (rhume, allergie)
- Allergies à des médicaments, à des agents nettoyants, au latex ou au ruban adhésif
- Antécédents personnels ou familiaux de troubles liés à l'anesthésie (p. ex., un antécédent d'hypertension artérielle maligne)
- Troubles nerveux ou rachidiens passés ou actuels
- Troubles médicaux actuels pouvant influer sur le choix de l'anesthésie pour le travail et l'accouchement (p. ex., une thrombocytopénie, un hématocrite faible, un saignement vaginal, une éruption cutanée ou une infection au bas du dos, une fièvre d'origine inconnue)
- Type d'analgésie ou d'anesthésie choisi **ENCADRÉ 10.4**
- Examen physique bref, axé particulièrement sur les voies respiratoires

ANALYSE ET INTERPRÉTATION DES DONNÉES

Les problèmes découlant de la situation de santé peuvent inclure :

- Douleur aiguë liée au travail et à l'accouchement.
- Risque de perfusion tissulaire inefficace liée :
  - aux effets de l'analgésie ou de l'anesthésie ;
  - à la position de la mère.
- Faible estime de soi situationnelle liée à la perception négative de son comportement (par elle-même ou sa famille).
- Anxiété ou peur liée à :
  - une mauvaise connaissance de la procédure d'analgésie par blocage nerveux ;
  - une mauvaise connaissance des sensations escomptées pendant l'analgésie par blocage nerveux.
- Risque de lésion fœtale liée à :
  - l'hypotension maternelle ;
  - la position maternelle (compression aortocave).
- Risque de lésion maternelle liée aux effets de l'analgésie et de l'anesthésie sur les sensations et la maîtrise motrice.

RÉSULTATS ESCOMPTÉS

La planification des soins pour la cliente en travail est établie dans le but d'atteindre les résultats suivants.

- Mention rapide des caractéristiques de sa douleur et de ses malaises.
- Verbalisation de la compréhension de ses besoins et de ses droits en matière de traitement de la douleur à l'aide de diverses méthodes non pharmacologiques et pharmacologiques qui reflètent ses préférences.
- Obtention d'un soulagement adéquat de la douleur sans augmenter ses risques (p. ex., par l'utilisation de méthodes non pharmacologiques et pharmacologiques appropriées, y compris la posologie, le moment et la voie d'administration appropriés).
- Mise au monde d'un nouveau-né qui s'adapte à la vie extra-utérine sans subir de troubles dus au traitement de la douleur de la mère.

INTERVENTIONS INFIRMIÈRES

Les interventions infirmières requises pour l'atteinte des résultats escomptés comprennent, notamment :

- Aider la cliente à utiliser des méthodes de soulagement non pharmacologiques.
- Expliquer la réaction fœtale aux malaises et les effets du stress et de la fatigue de la mère sur le progrès du travail.
- Permettre un consentement éclairé aux interventions et à l'anesthésie.
- Administrer les mesures pharmacologiques selon la prescription médicale et le désir de la cliente.
- Préparer au besoin la cliente aux interventions telles que l'insertion du cathéter péridural.
- Surveiller les signes de troubles possibles.
- Mettre en place des mesures de prévention des chutes et des blessures.
- Surveiller et consigner les réactions de la cliente aux interventions.

ÉVALUATION DES RÉSULTATS – ÉVALUATION EN COURS D'ÉVOLUTION

Les résultats escomptés de soins sont utilisés pour évaluer les soins liés au traitement de la douleur.

[a] L'entrevue concernant l'anesthésie doit être faite par un membre de l'équipe de soins anesthésiques dès que possible après l'admission de la cliente à l'unité de travail et de naissance.

Plan de soins et de traitements infirmiers

PSTI 10.1 Traitement non pharmacologique de la douleur

PROBLÈME DÉCOULANT DE LA SITUATION DE SANTÉ	**Anxiété** liée au manque de confiance en sa capacité de maîtriser efficacement la douleur pendant le travail
OBJECTIF	La cliente mentionnera une diminution de son anxiété.
RÉSULTATS ESCOMPTÉS	**INTERVENTIONS INFIRMIÈRES ET JUSTIFICATIONS**
• Utilisation appropriée de méthodes non pharmacologiques de gestion de la douleur • Diminution de la douleur • Verbalisation d'un sentiment de maîtrise de la douleur	**Diminution de l'anxiété** • Évaluer si la cliente et son conjoint ont suivi des cours prénataux, leurs connaissances du processus du travail et leur degré d'anxiété afin de planifier des stratégies de soutien qui répondent à leurs besoins précis. • Encourager la personne de soutien à rester avec la cliente pour améliorer la réponse de celle-ci aux mesures de confort. • Encourager le repos entre les contractions pour réduire la fatigue. • Tenir la cliente et son conjoint au courant du progrès du travail pour soulager leur anxiété. **Gestion de la douleur et des malaises** • Enseigner ou revoir les techniques non pharmacologiques permettant de réduire l'anxiété et la douleur pendant le travail (p. ex., les techniques de concentration, de relaxation et de respiration, l'effleurage, la pression sur la région sacrée) afin d'accroître les chances de succès de ces techniques. • Explorer d'autres techniques que la cliente et son conjoint ont pu apprendre pendant les cours prénataux (p. ex., l'hypnose, l'hydrothérapie, la digitopuncture, la rétroaction biologique, le toucher thérapeutique, l'aromathérapie, l'imagerie mentale, la musique) pour leur donner plus de choix de stratégies de maîtrise de la douleur. • Explorer l'utilisation de la NSTC si elle a été prescrite par le médecin afin de procurer une sensation accrue de maîtrise de la douleur et une sécrétion accrue d'opioïdes endogènes. • Aider la cliente à changer de position et à utiliser des oreillers pour réduire les raideurs, favoriser la circulation et procurer du bien-être. • Évaluer la vessie et encourager les mictions fréquentes pour prévenir la distension vésicale et les malaises subséquents. • Guider le couple dans les stades et les phases du travail, en l'aidant à utiliser et à modifier les techniques de confort appropriées à chacune des étapes du processus afin d'optimiser l'efficacité des techniques utilisées. • Soutenir le couple si des mesures pharmacologiques sont nécessaires pour améliorer le soulagement de la douleur, en lui donnant des explications relatives à la sécurité et à l'efficacité afin de réduire l'anxiété et de maintenir l'estime de soi et le sentiment de maîtrise du travail.
PROBLÈME DÉCOULANT DE LA SITUATION DE SANTÉ	**Besoin de soutien** dans la recherche de comportements favorisant un travail et un accouchement satisfaisants
OBJECTIF	La cliente participera à la planification de ses soins pendant le travail.
RÉSULTATS ESCOMPTÉS	**INTERVENTIONS INFIRMIÈRES ET JUSTIFICATIONS**
• Ouverture à discuter des interventions possibles en fonction du déroulement du travail et de l'accouchement • Verbalisation d'un sentiment de maîtrise de la situation	**Enseignement – travail et accouchement** • Discuter du plan de naissance de la cliente et de ses connaissances du processus de l'accouchement afin de recueillir des données nécessaires à la situation de santé et la planification des soins. • Donner de l'information sur le processus du travail et de l'accouchement afin de corriger toute idée fausse. • Informer la cliente sur le progrès du travail et l'état du fœtus afin de la rassurer et de lui donner confiance. • Discuter des raisons de toutes les interventions pour faire participer la cliente à la planification de ses soins. • Inclure des interventions non pharmacologiques dans la planification des soins pour augmenter le sentiment de maîtrise de la cliente pendant le travail et l'accouchement. • Fournir un soutien émotionnel et émettre des commentaires favorables continus pour favoriser les mécanismes positifs d'adaptation.

l'anesthésie plus tôt au cours de sa grossesse. La discussion initiale sur les méthodes de traitement de la douleur doit idéalement se faire au troisième trimestre pour que la femme ait le temps d'analyser les diverses possibilités. L'infirmière joue un rôle dans l'obtention d'un consentement éclairé en expliquant et en décrivant les interventions, en répondant aux préoccupations principales de la cliente et en défendant les intérêts de celle-ci. Le consentement éclairé à l'anesthésie est décrit dans l'**ENCADRÉ 10.14**.

Moment de l'administration

Les ordonnances recommandent souvent que l'administration des analgésiques soit fondée sur le besoin de la femme et le jugement clinique de l'infirmière. Des travaux de recherche ont montré que l'anesthésie épidurale administrée au début du travail n'augmente pas le taux de césariennes et peut réduire la durée du travail. Par conséquent, il n'est plus nécessaire d'attendre une certaine dilatation du col utérin ou une certaine hauteur de la présentation avant d'administrer l'anesthésie épidurale à une femme en travail (AAP & ACOG, 2007). Les mesures non pharmacologiques peuvent être utilisées pour soulager la douleur à n'importe quel stade du travail.

Préparation aux interventions

L'infirmière énumère les méthodes possibles de soulagement de la douleur et clarifie l'information à leur sujet au besoin. Il faut expliquer à la cliente l'intervention, ce qu'on lui demandera de faire et pourquoi afin de favoriser sa collaboration (p. ex., rester en position fléchie pendant l'insertion de l'aiguille épidurale pour éviter les déplacements de l'aiguille). Il peut aussi être utile de lui expliquer le mode d'administration du médicament, son délai d'action et le soulagement escompté. Il faut décrire les mesures de préparation de la peau et mentionner qu'il est nécessaire de vider la vessie avant l'administration de l'analgésique ou de l'anesthésique parce que les mictions seront plus difficiles par la suite (insensibilité ou faiblesse des muscles). Si un cathéter doit être introduit dans l'espace péridural, la femme doit savoir qu'elle peut ressentir un élancement momentané dans ses jambes, ses hanches ou son dos et que cela n'est pas un signe de lésion **ENCADRÉ 10.15**.

Administration de médicaments

Pour déterminer si une cliente a besoin d'un traitement pharmacologique de la douleur, l'infirmière doit se baser sur une surveillance précise du progrès du travail. Il faut choisir la voie d'administration la plus efficace en fonction de chaque femme, puis préparer et administrer correctement le médicament.

Tout médicament peut causer une réaction allergique légère ou grave. Afin d'évaluer la présence d'une telle réaction allergique, l'infirmière doit surveiller les signes vitaux, l'état respiratoire, l'état cardiovasculaire, les téguments ainsi que la numération des plaquettes et des globules blancs. Elle doit observer les effets secondaires du médicament, particulièrement la somnolence, l'éruption cutanée, la rhinite, la fièvre, l'asthme ou le prurit.

Des réactions allergiques graves (anaphylaxie) peuvent se produire soudainement et entraîner un choc anaphylactique ou la mort. Les formes les plus graves d'anaphylaxie sont le bronchospasme grave et soudain, l'obstruction des voies respiratoires et l'hypotension. Les signes d'anaphylaxie peuvent se manifester au début par de l'irritabilité, une faiblesse extrême, des nausées et des vomissements. L'anaphylaxie provoque la contraction des muscles lisses et peut causer la détresse respiratoire, la cyanose, des convulsions et un arrêt cardiaque. L'anaphylaxie doit être diagnostiquée et traitée immédiatement. Le traitement initial consiste généralement à placer la cliente en décubitus dorsal, à injecter de l'adrénaline par voie I.M., à administrer des solutés par voie I.V., à ventiler les voies respiratoires au besoin et à administrer de l'oxygène. Si la réponse à ces mesures est insuffisante, il faut administrer de l'adrénaline par voie I.V. La réanimation cardiorespiratoire peut être nécessaire.

Voie intraveineuse

La voie idéale d'administration de médicaments tels que l'hydromorphone, le butorphanol, le fentanyl ou la nalbuphine est la perfusion I.V., administrée dans le port proximal (situé le plus près de la femme) d'un accès I.V. Le médicament est administré lentement par petites doses pendant une contraction. L'administration peut être faite pendant une période de trois à cinq contractions consécutives au besoin pour compléter la dose. L'administration se fait pendant les contractions

Conseil juridique

ENCADRÉ 10.14 Consentement éclairé à l'anesthésie

L'information suivante doit être partagée et discutée avec la cliente (et son conjoint ou autre personne de soutien), dans un langage accessible :

- explication des diverses méthodes d'analgésie et d'anesthésie disponibles ;
- description de l'anesthésique, y compris ses effets et son mode d'administration ;
- description des avantages, des effets indésirables, des risques et des conséquences de l'anesthésie pour la mère et le fœtus ;
- explication des interventions possibles en cas de complications ;
- mention que l'anesthésique n'est pas toujours efficace ;
- mention que la cliente peut retirer son consentement en tout temps ;
- réponses à ses questions ;
- explication des éléments du consentement formulée en ses mots.

Le formulaire de consentement doit :

- être expliqué dans la langue maternelle de la cliente ;
- être signé par la cliente ;
- porter la date du consentement ;
- être signé par un professionnel de la santé, à titre de témoin à la signature certifiant que la bonne cliente signe le formulaire de consentement.

ENCADRÉ 10.15 **Interventions infirmières pour la cliente qui reçoit une anesthésie régionale ou une analgésie**

AVANT L'ANESTHÉSIE RÉGIONALE OU L'ANALGÉSIE

- Aider le médecin ou l'anesthésiste à expliquer l'intervention à la cliente et à obtenir son consentement éclairé.
- Installer un accès I.V.
- Obtenir les résultats d'analyses de laboratoire (hématocrite ou concentration d'hémoglobine et autres tests au besoin).
- Évaluer les caractéristiques de la douleur de la cliente (PQRSTU) et mesurer l'intensité de la douleur à l'aide d'une échelle de douleur (p. ex., de 0 [aucune douleur] à 10 [pire douleur possible]).
- Encourager la femme à uriner.

AU DÉBUT DE L'ANESTHÉSIE RÉGIONALE OU DE L'ANANALGÉSIE

- Aider la cliente à prendre et à garder la position appropriée.
- Guider la cliente pendant l'intervention, en lui expliquant les sons qu'elle entend et les sensations qu'elle ressent.
- Consigner l'heure, la quantité de médicaments donnée et les autres renseignements pertinents.
- Effectuer le monitorage des signes vitaux de la mère (particulièrement la P.A.) et la F.C.F.
- Avoir un appareil à oxygène et un appareil de succion à portée de la main.
- Effectuer le monitorage des signes de toxicité de l'anesthésique local pendant l'administration de la dose d'épreuve du médicament.

PENDANT L'ANESTHÉSIE RÉGIONALE OU L'ANALGÉSIE

- Continuer à surveiller les signes vitaux de la mère et la F.C.F.
- Continuer à évaluer l'intensité de la douleur de la cliente à l'aide de l'échelle de douleur choisie.
- Surveiller la distension de la vessie.
  - Aider la cliente à uriner spontanément dans un bassin de lit ou aux toilettes.
  - Installer une sonde urinaire au besoin.
- Encourager ou aider la cliente à changer fréquemment de position.
- Mettre en place des mesures de sécurité.
  - Garder les ridelles relevées.
  - Placer un téléphone et une cloche d'appel à portée de la main.
  - Demander à la cliente de ne pas sortir du lit sans aide.
  - Vérifier qu'aucune pression prolongée n'est exercée sur les parties anesthésiées du corps.
- Garder le site d'insertion du cathéter propre et sec.
- Continuer à surveiller les effets secondaires de l'anesthésique.

QUAND L'ANESTHÉSIE RÉGIONALE OU L'ANALGÉSIE S'ATTÉNUE APRÈS L'ACCOUCHEMENT

- Évaluer régulièrement le retour des fonctions sensorielles et motrices.
- Faire les mêmes interventions que pendant l'anesthésie ou l'analgésie régionale décrites ci-dessus.

pour réduire l'exposition du fœtus au médicament, car les vaisseaux sanguins de l'utérus sont resserrés à ce moment, et le médicament reste dans le système vasculaire de la mère pendant plusieurs secondes avant que les vaisseaux sanguins utérins se relâchent. Cette méthode d'injection et l'utilisation de doses plus faibles, mais plus fréquentes, permettent de réduire la quantité de médicaments qui traverse le placenta pour atteindre le fœtus et de procurer un soulagement maximal de la douleur. La voie I.V. présente les avantages suivants :

- le début du soulagement de la douleur est plus prévisible ;
- le soulagement de la douleur est obtenu avec des doses plus faibles de médicaments ;
- la durée d'action est plus prévisible.

Voie intramusculaire

L'injection I.M. d'analgésiques ne constitue pas la voie idéale d'administration pour une femme en travail, mais elle est encore utilisée. La voie I.M. présente les inconvénients suivants :

- le soulagement de la douleur ne commence pas immédiatement ;
- des doses plus élevées de médicaments sont nécessaires ;
- le médicament présent dans le tissu musculaire est libéré à un taux imprévisible et peut être transféré au fœtus par le placenta.

Après l'injection I.M., il faut généralement 45 minutes avant que le médicament atteigne la concentration nécessaire dans le plasma maternel pour soulager la douleur. La concentration diminue ensuite. De plus, la concentration de médicament dans la mère (après une injection I.M.) n'est pas uniforme en raison de sa distribution inégale (fixation maternelle) et du métabolisme. L'avantage de la voie I.M. est que le médicament peut être administré rapidement par l'infirmière.

Anesthésie régionale (épidurale ou rachidienne)

Un accès I.V. est établi avant l'administration de l'anesthésie régionale (épidurale ou rachidienne). Les protocoles d'anesthésie peuvent inclure l'administration prophylactique d'un bolus de solution I.V. avant l'anesthésie pour augmenter le volume sanguin et prévenir l'hypotension de la mère. L'hypotension est une des complications les plus courantes de

L'hypotension est une des complications les plus courantes de l'anesthésie régionale.

L'analgésie épidurale peut entraîner des complications, notamment des urgences liées à l'injection et des troubles de compression. Ces complications peuvent nécessiter des interventions immédiates. L'infirmière doit être prête à offrir des soins sûrs et efficaces pendant une situation d'urgence. Les unités de travail et de naissance doivent disposer de marches à suivre et de protocoles clairs qui définissent les responsabilités et qui décrivent les interventions nécessaires.

l'anesthésie régionale (AAP & ACOG, 2007) **ENCADRÉ 10.11**.

La solution de lactate Ringer ou une solution physiologique salée sont des solutions de perfusion couramment utilisées. Les solutions sans dextrose sont préférables, surtout si elles doivent être perfusées rapidement (p. ex., pour traiter la déshydratation ou pour maintenir la P.A.), car les solutions avec dextrose augmentent rapidement les concentrations de glucose sanguin de la mère. L'organisme du fœtus réagit à des concentrations élevées de glucose sanguin en produisant davantage d'insuline, ce qui peut provoquer l'hypoglycémie du nouveau-né. De plus, le dextrose change la pression osmotique intravasculaire et augmente la diurèse.

Selon les normes professionnelles, l'infirmière peut surveiller l'état de la femme et du fœtus et le progrès du travail, changer les seringues ou les sacs de perfusion d'analgésique ou d'anesthésique, modifier la programmation de la pompe d'analgésie contrôlée par la patiente selon la prescription, arrêter la perfusion et entreprendre des mesures d'urgence au besoin. Seuls les anesthésistes peuvent insérer un cathéter et entreprendre l'anesthésie épidurale, vérifier la position du cathéter, injecter le médicament directement dans le cathéter et modifier le type et la quantité de médicaments ainsi que son débit de perfusion.

Puisque l'anesthésie rachidienne peut réduire la sensation de la vessie, la cliente doit vider celle-ci avant l'administration de l'anesthésie et doit être encouragée à uriner au moins toutes les deux heures par la suite. L'infirmière doit palper l'abdomen de la cliente pour vérifier si sa vessie est distendue, mesurer le débit urinaire et s'assurer que la vessie est complètement vidée. Une vessie distendue peut inhiber les contractions utérines et la descente du fœtus, ce qui ralentit le progrès du travail et de l'accouchement. C'est pourquoi une sonde urinaire peut être insérée immédiatement après le début de l'anesthésie épidurale ou rachidienne et laissée en place pour le reste du premier stade du travail.

L'état de la mère et du fœtus et le progrès du travail doivent être établis avant l'administration de l'anesthésie. L'infirmière doit aider la cliente à prendre et à maintenir la bonne position pour l'administration de l'anesthésie épidurale ou rachidienne. Selon le degré de blocage moteur, elle doit l'aider à rester le plus mobile possible. Si la femme est au lit, elle doit changer de côté toutes les heures pour assurer une distribution adéquate de la solution anesthésique et maintenir la circulation dans l'utérus et le placenta. Pour faciliter la descente du fœtus et favoriser les efforts de poussée, l'infirmière peut aider la cliente à prendre des positions verticales telles que la position du trône modifiée **FIGURE 10.15**, la position du souque à la corde (la femme tire sur une serviette ou un drap qui est attaché à la barre

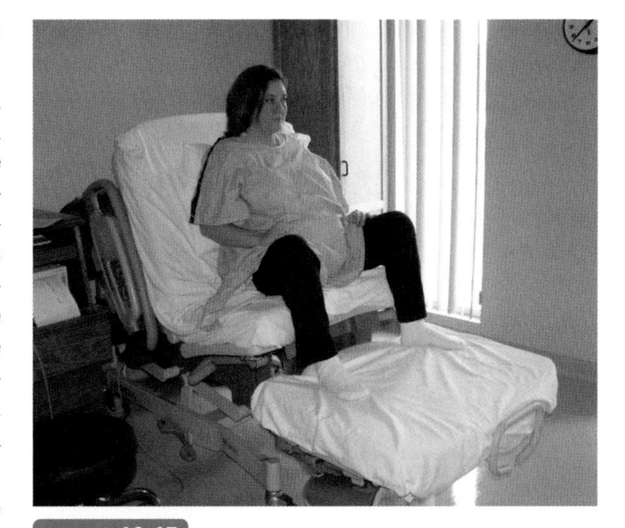

FIGURE 10.15
Position du trône modifiée

du lit ou tenu par l'infirmière) et la position accroupie en s'appuyant sur la tête du lit.

Les professionnels de la santé doivent reconnaître que l'utilisation de l'analgésie épidurale pour traiter la douleur peut prolonger le deuxième stade du travail. Des données de recherche indiquent que lorsque le bien-être de la mère et du fœtus est établi, permettre une période de descente passive ou de « poussée selon les besoins du corps » peut aider le fœtus à descendre et à se retourner passivement avec les contractions utérines jusqu'à ce que la femme perçoive le besoin pressant de pousser (Brancato, Church & Stone, 2008). Les avantages de cette méthode pour la femme au deuxième stade du travail ayant reçu une analgésie épidurale sont le bien-être du fœtus, une diminution de la fatigue, de la fièvre et des lésions périnéales et un nombre réduit d'accouchements vaginaux opératoires. Les données probantes sont insuffisantes pour appuyer l'interruption de l'analgésie épidurale pendant le deuxième stade du travail (Société canadienne des anesthésiologistes, 2011) ▶ 12.

12

Le chapitre 12, *Soins infirmiers de la famille pendant le travail et l'accouchement*, traite en détail des soins et des traitements infirmiers pendant le deuxième stade du travail.

Sécurité et soins généraux

L'infirmière évalue et consigne la réponse de la cliente aux méthodes non pharmacologiques de soulagement de la douleur et aux médicaments. Cette évaluation comprend le degré de soulagement de la douleur, le degré d'appréhension, le retour des sensations et de la perception de la douleur et les réactions allergiques ou indésirables (p. ex., l'hypotension, la dépression respiratoire, la fièvre, le prurit, les nausées, les vomissements). L'infirmière continue de surveiller les signes vitaux de la mère et la F.C.F. à intervalles fréquents, la force et la fréquence des contractions utérines, les changements du col utérin et de la hauteur de la présentation, la présence et la qualité du réflexe de poussée, la plénitude vésicale et l'état d'hydratation. Il est vital de

Le score ASIA est un outil utile pour évaluer le retour des fonctions sensorielles et motrices de la femme après l'anesthésie. Une version française du score est présentée à l'adresse www.sfmu.org/documents/consensus/score_asia.pdf.

déterminer la réaction fœtale après l'administration de l'analgésie ou de l'anesthésie. Il faut demander à la femme si elle (ou sa famille) a des questions. Il faut également évaluer si la cliente et sa famille comprennent la raison et l'importance des mesures de sécurité (p. ex., garder les ridelles levées, appeler pour obtenir de l'aide au besoin).

Après l'accouchement, en plus de faire les évaluations postnatales normales, l'infirmière doit évaluer le retour des fonctions sensorielles et motrices de la femme qui a subi une anesthésie rachidienne, épidurale ou générale.

Analyse d'une situation de santé

Jugement clinique

Madame Jacinthe Giguère, âgée de 32 ans, est enceinte de 39 2/7 semaines. Il s'agit de sa première grossesse. Elle a été admise dans une chambre de naissance il y a trois heures. Son conjoint est à ses côtés et l'encourage pendant les contractions. Celles-ci ont lieu environ toutes les cinq minutes et sont d'intensité légère à modérée. Le col de madame Giguère est dilaté à 3 cm et est effacé à 50 %. Elle est calme, répond volontiers à vos questions et est souriante entre les contractions. Sa P.A. est à 117/76 mm Hg, sa F.C. est à 72 batt./min, sa F.R., à 14 R/min, et sa T°, à 36,3 °C.

Madame Giguère n'a suivi aucun cours prénatal. Vous lui expliquez le fonctionnement du ballon ergonomique, l'informez sur certaines techniques de relaxation et lui demandez si elle désirera l'installation d'une épidurale pour le soulagement de la douleur pendant son travail. Celle-ci vous répond qu'elle désirera utiliser cette méthode seulement si les techniques naturelles ne la soulagent pas suffisamment. ▶

SOLUTIONNAIRE

www.cheneliere.ca/lowdermilk

MISE EN ŒUVRE DE LA DÉMARCHE DE SOINS

Collecte des données – Évaluation initiale – Analyse et interprétation

1. À quel stade et à quelle phase du travail se situe madame Giguère ?
2. Quel lien pouvez-vous faire entre les résultats des signes vitaux de madame Giguère, sa douleur exprimée et son comportement ?

Planification des interventions – Décisions infirmières

3. Afin de permettre à madame Giguère de faire un choix éclairé quant à l'utilisation de l'analgésie épidurale comme méthode de soulagement de la douleur, nommez au moins trois avantages et trois inconvénients que vous devriez lui expliquer.

▶ Quatre heures se sont écoulées, et le travail s'est intensifié. Madame Giguère a la peau pâle, présente de la diaphorèse et demande de recevoir l'analgésie épidurale pour douleur intense. Ses contractions sont toutes les 2 minutes, son col est dilaté à 6 cm et effacé à 90 %. Ses signes vitaux sont : P.A. : 124/83 mm Hg, F.C. : 89 batt./min, F.R. : 16 R/mim, T° : 36,8 °C.

Vous installez une perfusion I.V. de solution de lactate Ringer sur le bras droit de la cliente et assistez l'anesthésiste dans l'installation de l'analgésie épidurale pour l'administration d'opioïdes. Madame Giguère apprécie grandement la méthode choisie et en profite pour se reposer par la suite.

Vous évaluez fréquemment les signes vitaux de la cliente, son état de sédation de même que son degré de sensibilité, de motricité et la F.C.F. ▶

MISE EN ŒUVRE DE LA DÉMARCHE DE SOINS

Planification des interventions – Décisions infirmières

4. Expliquez pourquoi vous n'avez pas installé à la cliente un soluté contenant du dextrose pour la voie I.V.

5. Nommez un médicament à garder au chevet de madame Giguère en lien avec le type de médicament utilisé pour son analgésie épidurale. Expliquez votre réponse.

Évaluation des résultats – Évaluation en cours d'évolution

6. Nommez trois éléments supplémentaires nécessitant d'être attentivement surveillés chez madame Giguère au cours du soulagement de la douleur par analgésie épidurale.

7. Outre la dépression respiratoire liée aux analgésiques opioïdes, nommez une complication associée à l'utilisation de l'analgésie épidurale qui nécessite des interventions immédiates et précisez l'effet entraîné par celle-ci chez le fœtus.

▶ Madame Giguère a donné naissance à une petite fille cinq heures après l'installation de l'analgésie épidurale. Vous poursuivez la prise des signes vitaux toutes les heures selon l'ordonnance collective et encouragez la cliente à changer de position fréquemment. ◀

MISE EN ŒUVRE DE LA DÉMARCHE DE SOINS

Planification des interventions – Décisions infirmières

8. Dans l'extrait du plan thérapeutique infirmier (PTI) de madame Giguère, devez-vous ajouter un problème prioritaire et une directive infirmière en lien avec la surveillance postpartum liée à ce type d'analgésie ? Justifiez votre réponse.

Extrait

CONSTATS DE L'ÉVALUATION

Date	Heure	N°	Problème ou besoin prioritaire	Initiales	RÉSOLU / SATISFAIT			Professionnels / Services concernés
					Date	Heure	Initiales	
2012-11-08	*17:40*	*1*	*Accouchement vaginal*	*C.D.*				

SUIVI CLINIQUE

Date	Heure	N°	Directive infirmière	Initiales	CESSÉE / RÉALISÉE		
					Date	Heure	Initiales
2012-11-08	*17:40*	*1*	*Appliquer le suivi standard de la nouvelle accouchée.*	*C.D.*			

Signature de l'infirmière	Initiales	Programme / Service	Signature de l'infirmière	Initiales	Programme / Service
Caroline Dumoulin	*C.D.*	*2500 Centre mère-enfant*			

Évaluation des résultats – Évaluation en cours d'évolution

9. Nommez trois autres éléments à évaluer chez madame Giguère en lien avec la méthode de soulagement de la douleur utilisée.

APPLICATION DE LA PENSÉE CRITIQUE

Dans l'application de la démarche de soins auprès de madame Giguère, l'infirmière a recours à un ensemble d'éléments (connaissances, expériences antérieures, normes institutionnelles ou protocoles, attitudes professionnelles) pour analyser la situation de santé de la cliente et en comprendre les enjeux. La **FIGURE 10.16** illustre le processus de pensée critique suivi par l'infirmière afin de formuler son jugement clinique. Elle résume les principaux éléments sur lesquels l'infirmière s'appuie en fonction des données de cette cliente, mais elle n'est pas exhaustive.

VERS UN JUGEMENT CLINIQUE

CONNAISSANCES

- Stades et phases du travail et de l'accouchement
- Signes vitaux pendant le travail
- Méthodes non pharmacologiques de soulagement de la douleur
- Avantages et inconvénients de l'analgésie épidurale
- Éléments de surveillance associés à l'utilisation de l'analgésie épidurale
- Complications de l'analgésie épidurale
- Effets secondaires des analgésiques opioïdes et éléments de surveillance liés à l'administration de ceux-ci

EXPÉRIENCES

- Travail en antepartum
- Expérience personnelle de travail et d'accouchement

NORMES

- Ordonnances collectives locales d'antepartum
- Protocole de surveillance des analgésiques opioïdes
- Suivi standard d'une nouvelle accouchée

ATTITUDES

- Être disponible pour répondre au besoin d'information exprimé par la cliente quant aux méthodes de soulagement de la douleur
- Démontrer de l'ouverture à suggérer des méthodes naturelles de soulagement de la douleur
- Être alerte à détecter les effets secondaires et les complications liés à l'analgésie épidurale

PENSÉE CRITIQUE

ÉVALUATION

- Signes vitaux
- Besoins d'information concernant l'analgésie épidurale
- Évolution du travail (dilatation et effacement du col utérin, fréquence et intensité des contractions)
- Douleur et manifestations associées
- Effets de l'analgésie épidurale : sédation, sensibilité et motricité des membres inférieurs, fréquence cardiaque fœtale, rythme des contractions, signes de dépression respiratoire, hypotension
- Effets secondaires et complications liés à la méthode pharmacologique du soulagement de la douleur : distension vésicale

JUGEMENT CLINIQUE

FIGURE 10.16

À retenir

VERSION REPRODUCTIBLE

www.cheneliere.ca/lowdermilk

- Les stratégies de traitement non pharmacologique de la douleur et du stress peuvent être utilisées seules ou en combinaison avec des méthodes pharmacologiques pour traiter les douleurs du travail.
- De nombreuses méthodes non pharmacologiques de soulagement de la douleur sont fondées sur la théorie du portillon et sur les stratégies d'adaptation au stress.
- Le type d'analgésique ou d'anesthésie à utiliser est déterminé en partie par le stade du travail et la méthode d'accouchement.
- La naloxone est un antagoniste des opioïdes qui peut renverser les effets de ceux-ci, notamment la dépression respiratoire.
- Le traitement pharmacologique de la douleur pendant le travail et l'accouchement nécessite la collaboration entre les différents professionnels de la santé et la parturiente.
- L'infirmière doit connaître les médicaments, leurs effets escomptés, leurs effets indésirables possibles et leurs modes d'administration.
- L'analgésie ou l'anesthésie de la mère peut influer sur le comportement nerveux initial du nouveau-né.
- Les analgésiques agonistes-antagonistes des opioïdes peuvent causer l'apparition du syndrome de sevrage chez la femme ayant une dépendance préexistante aux opioïdes.
- L'anesthésie et l'analgésie épidurale sont les méthodes pharmacologiques de soulagement de la douleur du travail les plus efficaces actuellement et les plus utilisées au Canada.
- L'anesthésie générale est rarement utilisée dans le cas de l'accouchement vaginal, mais elle peut être employée pour l'accouchement par césarienne ou en cas d'urgence quand une anesthésie rapide est nécessaire.

CHAPITRE

Évaluation fœtale pendant le travail

Écrit par:
Kitty Cashion, RN, BC, MSN

Adapté par:
Kim Lortie, inf., M. Sc.

OBJECTIFS

Guide d'études – SA11, RE02

Après avoir étudié ce chapitre, vous devriez être en mesure:

- de reconnaître les caractéristiques de la fréquence cardiaque fœtale et les signes typiques de tracés normaux, atypiques et anormaux;
- de comparer le monitorage de la fréquence cardiaque fœtale par auscultation intermittente au monitorage électronique fait par méthodes externe et interne;
- d'expliquer ce qu'est la fréquence cardiaque fœtale de base;
- d'évaluer les changements périodiques de la fréquence cardiaque fœtale de base;
- de décrire les interventions infirmières pouvant servir à maintenir les caractéristiques de la fréquence cardiaque fœtale dans les limites normales;
- de distinguer les interventions infirmières utilisées afin de traiter les diverses caractéristiques de la fréquence cardiaque fœtale durant le travail, y compris une tachycardie, une bradycardie, une variabilité absente ou minimale, et la présence de décélérations tardives ou variables;
- d'interpréter les résultats du monitorage fœtal pendant le travail.

Concepts clés

Cette carte conceptuelle illustre schématiquement les principaux concepts décrits dans le présent chapitre. Sa lecture vous permettra d'avoir une vue d'ensemble des notions qui y sont présentées.

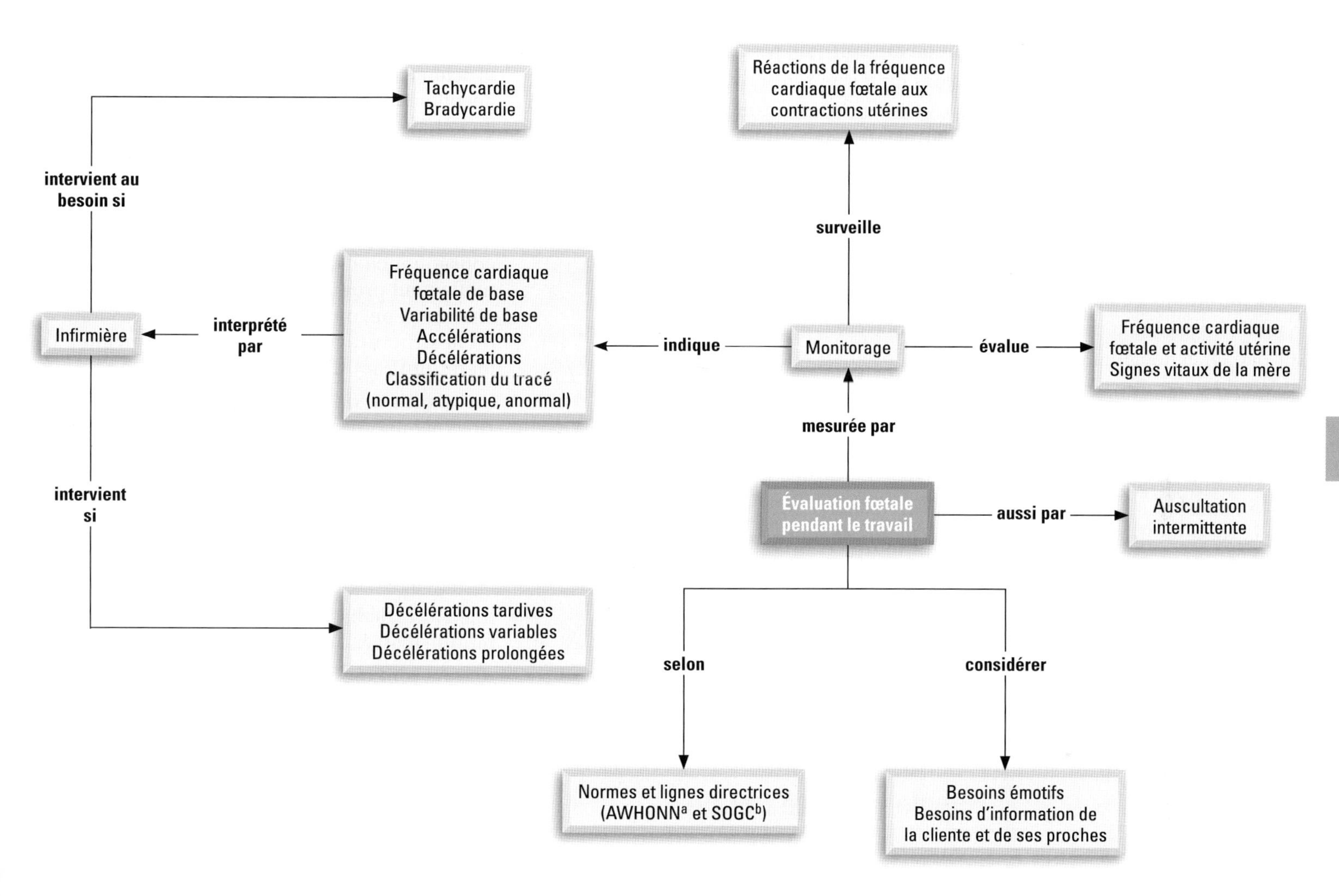

11

[a] Association of Women's Health, Obstetric and Neonatal Nurses.
[b] Société des obstétriciens et gynécologues du Canada.

Des méthodes d'évaluation du cœur du fœtus par auscultation ont été répertoriées pour la première fois il y a plus de 300 ans. Le fœtoscope et le stéthoscope, inventés après le début du xxe siècle, ont ensuite permis d'entendre les battements du cœur fœtal de façon adéquate afin de pouvoir en compter la fréquence. Lorsque le monitorage électronique de la fréquence cardiaque fœtale a commencé à être utilisé à des fins cliniques au début des années 1970, on espérait qu'il permettrait de réduire le nombre de cas de paralysie cérébrale et qu'il serait plus sensible que l'auscultation au stéthoscope pour prédire et éviter le compromis fœtal (Garite, 2007). C'est la raison pour laquelle l'utilisation de ce type de surveillance fœtale s'est répandue très rapidement. Cependant, l'augmentation du taux d'accouchements par césarienne au Canada (26,3 %) est une répercussion importante et l'un des risques associés à l'utilisation de ce type de surveillance fœtale (Canadian Institute for Health Information, 2007).

Le monitorage électronique du fœtus est d'ailleurs toujours utilisé pour visualiser les caractéristiques de la fréquence cardiaque fœtale sur écran ou sur papier, et demeure le principal mode d'évaluation du fœtus intrapartum. Aujourd'hui, au Canada, plus de 60 % des femmes qui accouchent font l'objet d'un monitorage électronique du fœtus continu, faisant de cette méthode de surveillance la technique obstétricale la plus pratiquée (Société des obstétriciens et gynécologues du Canada, 2007). Il faut renseigner les femmes enceintes sur le matériel utilisé et la procédure suivie, ainsi que sur les risques, les avantages et les limites de l'auscultation intermittente et du monitorage électronique du fœtus. Ce chapitre traite des motifs menant à l'utilisation du monitorage électronique du fœtus intrapartum, des types de monitorage, de l'évaluation infirmière et de la gestion des anomalies en ce qui a trait à la santé du fœtus.

11.1 Surveillance de la santé fœtale

11.1.1 Réaction fœtale

Comme le travail constitue une période de stress physiologique pour le fœtus, le monitorage fréquent de la fréquence cardiaque fœtale (F.C.F.) fait partie intégrante des soins infirmiers pendant le travail. Il faut maintenir l'apport en oxygène au fœtus pendant tout le travail afin de lui éviter de la souffrance et pour assurer sa santé après la naissance. Cet apport en oxygène peut diminuer de diverses façons:

- Diminution du débit sanguin dans les vaisseaux maternels consécutive à une hypertension maternelle (hypertension chronique, prééclampsie ou hypertension gestationnelle), à une hypotension (causée par la position de décubitus dorsal de la mère, par une hémorragie, par une analgésie épidurale ou par une anesthésie) ou à une hypovolémie (causée par une hémorragie).
- Diminution de la teneur en oxygène du sang maternel consécutive à une hémorragie ou à l'anémie grave.
- Altération de la circulation fœtale survenant en raison d'une compression passagère du cordon ombilical pendant les contractions utérines ou d'une compression prolongée résultant d'une **procidence du cordon,** d'une séparation ou d'un décollement placentaire, ou d'une compression de la tête, laquelle augmente la pression intracrânienne et stimule le nerf vagal tout en ralentissant la F.C.F.
- Diminution du débit sanguin vers la chambre intervilleuse du placenta pouvant être une conséquence d'une hypertonie utérine, habituellement provoquée par un excédent d'ocytocine exogène, ou découlant d'une détérioration de la structure vasculaire placentaire chez la mère souffrant d'hypertension ou de diabète.

Comme le travail constitue une période de stress physiologique pour le fœtus, le monitorage fréquent de la fréquence cardiaque fœtale fait partie intégrante des soins infirmiers pendant le travail.

La réaction de la F.C.F. aux contractions utérines permet de mesurer le bien-être du fœtus. Les experts en monitorage fœtal recommandent de considérer comme normaux les tracés de F.C.F. présentant les caractéristiques suivantes (Canadian Perinatal Programs Coalition [CPPC], 2009; Macones, Hankins, Spong *et al.*, 2008; Société des obstétriciens et gynécologues du Canada [SOGC], 2007):

- une F.C.F. de base de 110 à 160 battements par minute (batt./min);
- une variabilité modérée de la F.C.F. de base;
- l'absence de décélérations tardives ou variables;
- la présence ou l'absence de décélérations précoces;
- la présence ou l'absence d'accélérations.

11.1.2 Activité utérine

Les contractions utérines et le repos du muscle utérin surviennent en alternance pendant le travail et sont observés par l'infirmière. Le **TABLEAU 11.1** décrit l'activité utérine normale durant le travail.

11.1.3 Anomalies de la fréquence cardiaque fœtale

Le monitorage de la F.C.F. intrapartum vise à définir et à distinguer les caractéristiques normales des caractéristiques anormales, ces dernières pouvant être un indice de souffrance fœtale. Les termes rassurant et non rassurant ne devraient plus être utilisés pour décrire un tracé de F.C.F. : les termes normal, atypique et anormal sont ceux recommandés par la SOGC (2007) et par l'American College of Obstetricians and Gynecologists (ACOG) (2009) **ENCADRÉ 11.1**.

Les caractéristiques anormales de F.C.F. sont celles associées à l'**hypoxémie** fœtale, laquelle est une déficience en oxygène dans le sang artériel. Si elle n'est pas corrigée, l'hypoxémie peut dégénérer en **hypoxie** fœtale grave, qui est un apport inadéquat d'oxygène aux tissus et aux cellules. Les éléments énumérés ci-dessous sont des exemples de caractéristiques anormales de la F.C.F. (Macones *et al.*, 2008).

Absence de variabilité de la F.C.F. de base et une des caractéristiques suivantes :

- décélérations tardives intermittentes ;
- décélérations variables intermittentes ;
- décélérations prolongées ;
- bradycardie ;
- tachycardie ;
- tracé sinusoïdal de la F.C.F.

TABLEAU 11.1 Activité utérine normale durant le travail

CARACTÉRISTIQUE	DESCRIPTION
Fréquence des contractions	• Se situe généralement entre 2 et 5 contractions toutes les 10 minutes durant le travail. • Les plus basses se produisent au premier stade du travail. Les plus élevées (jusqu'à 6 contractions toutes les 10 minutes) pendant le deuxième stade.
Durée des contractions	• Demeure relativement stable pendant les premier et deuxième stades. • Est d'une durée approximative de 45 à 80 secondes. • N'excède généralement pas 90 secondes.
Intensité des contractions (Pic – tonus au repos)	• Est évaluée à la palpation. • Varie généralement entre 25 et 50 mm Hg au premier stade du travail et peut atteindre plus de 80 mm Hg durant le deuxième stade. • Les contractions qui sont jugées souples à la palpation atteindraient leur pic probablement à moins de 50 mm Hg si on en faisait une mesure interne. • Les contractions dites moyennes ou plus fortes atteindraient probablement leur pic à 50 mm Hg ou plus si on en faisait une mesure interne.
Tonus utérin au repos	• Le tonus moyen au repos pendant le travail atteint 10 mm Hg. • Si l'évaluation se fait par palpation, la fermeté sentie sera décrite comme souple (c.-à-d. cédant facilement à la pression du bout des doigts, sans résistance palpable).

Source : Adapté de Tucker, Miller & Miller (2009).

11

11.2 Techniques de monitorage

La méthode idéale d'évaluation du fœtus pendant le travail fait toujours l'objet d'un débat. Lorsqu'elle est effectuée à intervalles prescrits, surtout durant et immédiatement après les contractions, il a été prouvé que l'auscultation intermittente est la méthode à privilégier, car elle est aussi adéquate que le **monitorage électronique du fœtus (MEF)** pour prédire le compromis fœtal (CPPC, 2009 ; SOGC, 2007).

11.2.1 Auscultation intermittente

L'**auscultation intermittente (A.I.)** est une méthode auditive permettant de compter les battements cardiaques fœtaux à intervalles périodiques pour évaluer la F.C.F à un moment donné. Elle peut être faite au moyen d'un stéthoscope de Pinard, d'un appareil à ultrasons doppler **FIGURE 11.1A**, d'un échocardiographe **FIGURE 11.1B** ou d'un fœtoscope DeLee-Hillis **FIGURE 11.1C**. Le fœtoscope se place sur le front de l'ausculteur, car la conduction osseuse amplifie les sons cardiaques fœtaux et facilite le décompte. L'appareil à ultrasons doppler et l'échocardiographe transmettent des ultrasons qui sont réfléchis par les mouvements du cœur fœtal ; ces réflexions sont converties en signal électronique qu'il est facile de compter. Cette méthode est la plus fiable et la plus efficace pour évaluer la F.C.F. (Royal Australian and New Zealand College of Obstetricians and Gynaecologists [RANZCOG], 2006). L'**ENCADRÉ 11.2** décrit comment effectuer l'A.I.

L'A.I. est facile à utiliser, moins coûteuse et moins contraignante que le MEF. Elle est souvent plus confortable pour la femme et lui donne plus de liberté de mouvement, ce qui lui permet par exemple de marcher et de prendre un bain ou une douche. L'A.I. peut par contre être difficile à réaliser chez une femme obèse. L'A.I. ne procure pas de document visuel permanent de la F.C.F. et ne peut donc pas servir à évaluer les tracés de la variabilité ou les changements périodiques de la F.C.F. (Albers, 2007 ; Tucker, Miller & Miller, 2009). L'A.I. permet cependant à l'infirmière d'évaluer la F.C.F. de base ainsi que les augmentations (accélérations) et les baisses (décélérations) par rapport à celle-ci. Les études n'ont toujours pas déterminé quelle était la fréquence optimale recommandée d'A.I. des femmes qui vivent une grossesse à faible risque (Nageotte & Gilstrap, 2009 ; SOGC, 2007).

Les professionnels de la santé doivent s'assurer d'utiliser, dans la mesure du possible, la méthode

Jugement clinique

Madame Miranda Marconi est âgée de 34 ans. Elle est à 39 1/7 semaines de grossesse (G1 P0 A0), et elle est en phase active de son travail depuis quelques heures. Vous effectuez l'évaluation fœtale à l'aide d'un moniteur électronique fœtal sur une période de 10 minutes. La F.C.F. moyenne est de 136 batt./min.

Est-ce que la F.C.F. se trouve dans la norme ? Justifiez votre réponse.

Jugement clinique

Madame Manuelle Baillargeon (G2 P1), âgée de 37 ans, se présente à l'unité mère-enfant à 40 1/7 semaines de grossesse.

Au cours de l'évaluation initiale, qu'est-ce qui vous permettrait de craindre une hypoxémie fœtale chez le fœtus d'après le tracé de la F.C.F. ?

Pratique fondée sur des résultats probants

ENCADRÉ 11.1 **Monitorage fœtal**

QUESTION CLINIQUE

Quelles sont les meilleures méthodes d'évaluation du bien-être fœtal pendant le travail?

RÉSULTATS PROBANTS

- Stratégies de recherche: lignes directrices d'organisations professionnelles, méta-analyses, examens systématiques, études prospectives non aléatoires, études rétrospectives et essais cliniques comparatifs aléatoires publiés depuis 2006.
- Bases de données utilisées: CINAHL, Cochrane Collaboration, Medline, National Guideline Clearinghouse, TRIP Database Plus, ainsi que les sites Web du American College of Obstetricians and Gynecologists, de l'Association of Women's Health, Obstetric, and Neonatal Nurses, et du National Institute for Health and Clinical Excellence.

ANALYSE CRITIQUE ET SYNTHÈSE DES DONNÉES

- Le monitorage électronique du fœtus (MEF), aussi appelé cardiotocographie, est devenu la norme dans le contexte du travail et de l'accouchement depuis plusieurs décennies, surtout au Canada et aux États-Unis. Il a été suggéré qu'il n'est pas nécessaire de procéder à un tel monitorage pour les clientes dont le travail comporte peu de risques. Il a été prouvé que cette méthode pouvait présenter un risque accru de données anormales erronées entraînant donc un pourcentage plus élevé de césariennes.
- Une méta-analyse des essais cliniques mesurant le pronostic fœtal et l'utilisation du MEF n'a révélé aucun changement important dans l'indice d'Apgar des nouveau-nés des femmes qui ont eu un MEF dès le début du travail par rapport à celles qui n'en ont pas eu. Il a cependant été démontré qu'il existait un risque statistiquement accru de césariennes chez les femmes faisant l'objet d'un monitorage.
- Le National Institute for Health and Clinical Excellence (NICE) a publié des directives relatives aux soins intrapartum qui ne recommandent pas l'application du MEF continu aux clientes dont le travail comporte peu de risques (NICE, 2007). Elles recommandent plutôt d'effectuer une auscultation intermittente au moment de l'admission puis pendant le travail, à l'aide d'un stéthoscope ou d'un doppler. L'utilisation du MEF continu devrait commencer en présence de méconium, de saignements, d'une F.C.F. anormale (inférieure à 110 batt./min ou supérieure à 160 batt./min), de l'utilisation d'ocytocine ou à la demande de la cliente. La SOGC (2007) a publié une directive clinique qui recommande l'auscultation intermittente en l'absence de facteurs de risque. Pour les femmes à risque élevé, il faut utiliser le MEF de concert avec l'analyse du pH sanguin provenant du cuir chevelu fœtal si des tracés anormaux sont observés. Les directives ne recommandent pas l'utilisation systématique de l'oxymétrie du pouls fœtal.
- Les chercheurs se demandent encore si l'utilisation de l'oxymétrie du pouls fœtal comme technique d'évaluation auxiliaire est plus rassurante et peut donc diminuer le pourcentage de césariennes. Une analyse systématique Cochrane, qui a comporté l'examen de cinq essais cliniques auxquels 7 424 femmes avaient participé, n'a montré aucune différence entre le taux de césariennes des femmes ayant fait uniquement l'objet d'un MEF et celles ayant eu le MEF et l'oxymétrie du pouls fœtal (East, Chan, Colditz & Begg, 2007). Cependant, les auteurs de l'étude croient que l'utilisation d'un oxymètre de pouls fœtal peut avoir offert une certaine assurance et donné ainsi plus de temps aux professionnels de la santé pour se préparer adéquatement à une césarienne.

RECOMMANDATIONS POUR LA PRATIQUE INFIRMIÈRE

L'usage du MEF est bien implanté, mais il faut comprendre que ce n'est qu'un outil. Les femmes enceintes et les professionnels de la santé se sont habitués à avoir une rétroaction constante, et les infirmières, très occupées, à se fier aux écrans à distance tandis qu'elles vont d'une chambre à l'autre. Cependant, les risques de fausses alarmes ainsi que la vulnérabilité légale des tracés ambigus peuvent contribuer à la montée en flèche du taux de césariennes, laquelle comporte ses propres risques. La surveillance continue des femmes à faible risque limite la mobilité des clientes, ce qui peut prolonger le travail et accroître leur inconfort. Dans les situations à risque élevé, le MEF peut être utile pour capter précocement un stress fœtal, mais il peut aussi être inexact, ambigu ou causer inutilement de l'anxiété. Il faut expliquer aux femmes qui s'attendent à une surveillance systématique quels sont les risques et les avantages du monitorage continu par rapport à l'auscultation intermittente, et leur permettre de faire un choix éclairé. L'équipe de soins doit également devenir plus compétente dans l'utilisation et la connaissance de l'auscultation comme outil d'évaluation.

RÉFÉRENCES

East, C.E., Chan, F.Y., Colditz, P.B., & Begg, L.M. (2007). Fetal pulse oximetry for fetal assessment in labor. *Cochrane Database Syst Rev, 2*, CD 004075.

Gourounti, K., & Sandall, J. (2007). Admission cardiotocography versus intermittent auscultation of fetal heart rate: Effects on neonatal Apgar score, on the rate of caesarean sections and on the rate of instrumental delivery – A systematic review. *Int J Nurs Stud, 44*(6), 1029-1035.

National Institute for Health and Clinical Excellence (NICE) (2007). *Intrapartal care: Care for healthy women and their babies during childbirth. NICE clinical guideline 55.* London: NICE.

Société des obstétriciens et gynécologues du Canada (SOGC) (2007). Surveillance du bien-être fœtal: directive consensus d'antepartum et intrapartum. *J Obstet Gynaecol Can, 29*(9 suppl. 4), S3-S64.

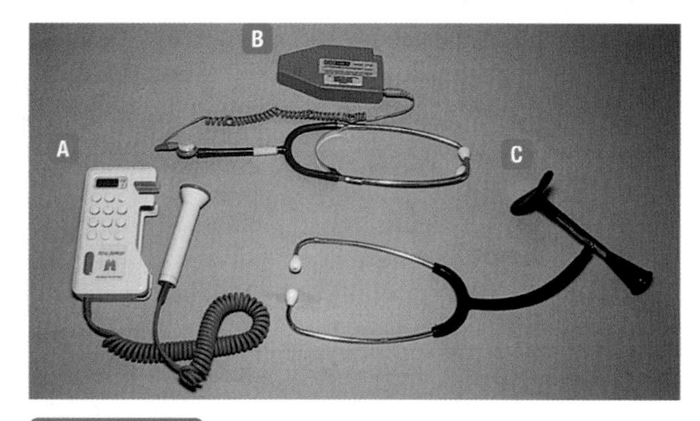

FIGURE 11.1

A Fœtoscope à ultrasons (doppler). B Échocardiographe. C Fœtoscope DeLee-Hillis.

d'évaluation fœtale qui convient le plus aux besoins de la cliente. Cependant, il peut être difficile d'ausculter la F.C.F. selon les directives susmentionnées dans le contexte actuel où le personnel des unités de soins est souvent débordé. En effet, lorsque l'auscultation est la principale méthode d'évaluation fœtale, il faut prévoir un ratio d'une infirmière par cliente. Si le degré d'acuité et le dénombrement changent au point où les normes d'auscultation ne peuvent plus être respectées, l'infirmière doit informer le médecin ou la sage-femme que le MEF continu sera utilisé jusqu'à ce que la disponibilité du personnel permette de respecter les normes.

La cliente peut devenir anxieuse si la personne qui effectue l'auscultation a de la difficulté à compter les battements de cœur du fœtus. Une personne peu expérimentée a souvent besoin d'un certain temps avant de localiser le pouls et de trouver la zone d'intensité maximale. Pour apaiser l'inquiétude de la cliente, l'infirmière peut lui expliquer qu'elle tente de trouver l'endroit où les sons sont les plus forts. Si elle n'arrive pas à localiser le pouls, elle doit demander de l'aide. Dans certaines situations, les ultrasons peuvent aider à localiser les battements de cœur du fœtus. L'affichage de la F.C.F. sur l'écran de l'échocardiographe pourra rassurer la mère s'il a été difficile au départ de trouver la meilleure zone d'auscultation.

Durant l'A.I., l'infirmière évalue l'activité utérine au moyen de la palpation. Pour ce faire, elle doit maintenir la main posée sur le fond de l'utérus avant, pendant et après les contractions. L'intensité des contractions est décrite habituellement comme légère, moyenne ou forte. La durée des contractions se mesure en secondes, du début à la fin de la contraction. La fréquence des contractions se mesure en minutes, du début d'une contraction au début de la suivante. Il faut garder la main sur le fond de l'utérus après la contraction pour pouvoir évaluer le tonus au repos du muscle utérin ou la relaxation entre les contractions. Le tonus au repos entre les contractions est généralement décrit comme souple ou détendu.

Il est très important de consigner avec précision l'état du fœtus et l'activité utérine lorsque l'infirmière utilise comme méthode de surveillance l'A.I. et la palpation, car contrairement au MEF continu, ces méthodes ne procurent aucun tracé sur papier ou document informatisé. Pour s'assurer d'avoir une documentation complète, l'infirmière peut utiliser un rapport de cheminement du travail ou un système informatisé, car ces méthodes l'incitent à consigner toutes les évaluations.

Pratiques infirmières suggérées

ENCADRÉ 11.2 Procédure d'auscultation intermittente de la fréquence cardiaque fœtale

1. Palper l'abdomen maternel pour délimiter la présentation et la position du fœtus.
2. Mettre du gel à ultrasons sur l'appareil lorsqu'un appareil à ultrasons doppler est utilisé. Placer le dispositif d'écoute sur la zone d'intensité et de clarté maximales des sons cardiaques fœtaux, ce qui facilite le compte des battements **FIGURE 11.1**. Cette zone se trouve généralement au-dessus du dos du fœtus. Il peut être nécessaire d'exercer une forte pression lorsque le fœtoscope utilisé n'est pas un doppler à ultrasons numérique.
3. Compter le pouls radial maternel tout en écoutant la F.C.F. afin de distinguer ce pouls de celui du fœtus.
4. Palper l'abdomen afin de confirmer la présence ou l'absence d'activité utérine pour pouvoir mesurer la F.C.F. entre les contractions.
5. Compter la F.C.F. pendant 30 à 60 secondes entre les contractions afin d'établir la fréquence auscultée ; celle-ci est plus facile à évaluer lorsqu'il n'y a pas d'activité utérine.
6. Ausculter la F.C.F avant, pendant et après une contraction afin d'évaluer la réaction de cette fréquence à une contraction et déterminer s'il y a augmentation ou diminution de celle-ci.
7. Si des caractéristiques anormales dans la F.C.F. sont notées pendant les périodes d'écoute, ausculter après les contractions pour noter les variations importantes pouvant indiquer la nécessité d'avoir recours à un autre mode de monitorage de la F.C.F.

Source : Adapté de Tucker *et al.* (2009).

11.2.2 Monitorage électronique du fœtus

Le MEF aide à déterminer certaines caractéristiques de la F.C.F. qui sont parfois associées à un niveau marginal d'oxygénation ; il peut donc permettre de dépister des signes précoces d'hypoxémie ou d'hypoxie pendant le travail. Cette méthode permet d'intervenir rapidement et de prévenir des complications permanentes au fœtus, et elle diminue la mortalité fœtale (Garite, 2007).

Il existe deux modes de MEF. Le mode externe fait appel à des transducteurs externes appliqués sur l'abdomen de la cliente pour évaluer la F.C.F. et l'activité utérine. Le mode interne fait appel à une électrode spirale appliquée sur le repère de présentation du fœtus pour mesurer la F.C.F. et à un cathéter de pression intra-utérine (CPIU) pour évaluer l'activité et la pression utérines. Le **TABLEAU 11.2** présente une brève description des méthodes externe et interne de MEF.

Les professionnels de la santé doivent s'assurer d'utiliser, dans la mesure du possible, la méthode d'évaluation fœtale qui convient le plus aux besoins de la cliente.

Jugement clinique

Madame Bernadette Blanchard, âgée de 40 ans, est obèse. Elle se présente à l'unité mère-enfant alors qu'elle est à 37 semaines de grossesse (G4 P3 A0). Vous avez de la difficulté à localiser la F.C.F. La cliente commence à s'inquiéter et à s'impatienter.

Que pouvez-vous dire à la cliente pour l'apaiser ?

Monitorage externe

Des transducteurs distincts sont utilisés pour surveiller la F.C.F. et les contractions utérines **FIGURE 11.2A**. Le transducteur ultrasonore réfléchit les ondes sonores à haute fréquence sur une interface en mouvement formée du cœur et des valvules du fœtus. Il est parfois difficile d'obtenir un tracé continu et précis de la F.C.F. en raison des fluctuations produites par les mouvements de la cliente et du fœtus, d'une mauvaise position du transducteur sur l'abdomen et du poids de la cliente. Le tracé de la F.C.F. s'imprime sur un papier spécialement formaté pour le monitorage électronique. Une vitesse de déroulement du papier devrait être standardisée dans chaque établissement afin de faciliter l'interprétation des résultats (SOGC, 2007). Lorsque l'infirmière a localisé la zone d'intensité maximale de la F.C.F., elle applique un gel conducteur à la surface du transducteur ultrasonore et fixe ce dernier sur la zone en question à l'aide d'une courroie élastique **FIGURE 11.2B**.

TABLEAU 11.2 Modes externe et interne de monitorage

MODE EXTERNE	MODE INTERNE
Fréquence cardiaque fœtale	
Transducteur ultrasonore • Des ondes sonores à haute fréquence réfléchissent les mouvements mécaniques du cœur fœtal. • Cette technique est non effractive. • Elle ne nécessite pas la rupture des membranes ni la dilatation du col de l'utérus. • Elle est employée pendant le travail et l'accouchement.	**Électrode spirale** • L'électrode convertit l'électrocardiogramme du fœtus en captant la F.C.F. à partir du repère de présentation au moyen d'un cardiotachomètre. • Cet instrument s'emploie seulement lorsque les membranes sont rompues et que le col de l'utérus est suffisamment dilaté pendant le travail. • L'électrode pénètre de 1,5 mm dans le repère de présentation et doit être bien fixée pour assurer un bon signal. • Cette technique est employée pendant le travail seulement.
Activité utérine	
Tocodynamomètre • Cet instrument mesure la fréquence et la durée des contractions à l'aide d'un capteur de pression appliqué sur l'abdomen de la cliente. • Cette technique est employée avant et pendant le travail. • Elle ne mesure pas de façon fiable l'intensité des contractions utérines et le tonus utérin.	**Cathéter de pression intra-utérine (CPIU)** • Cet instrument mesure la fréquence, la durée et l'intensité des contractions. • Il mesure la pression intra-utérine à l'extrémité du cathéter et traduit l'activité utérine en millimètres de mercure sur la bande de monitorage. • Les deux mesures peuvent être utilisés pendant toute la durée du travail.

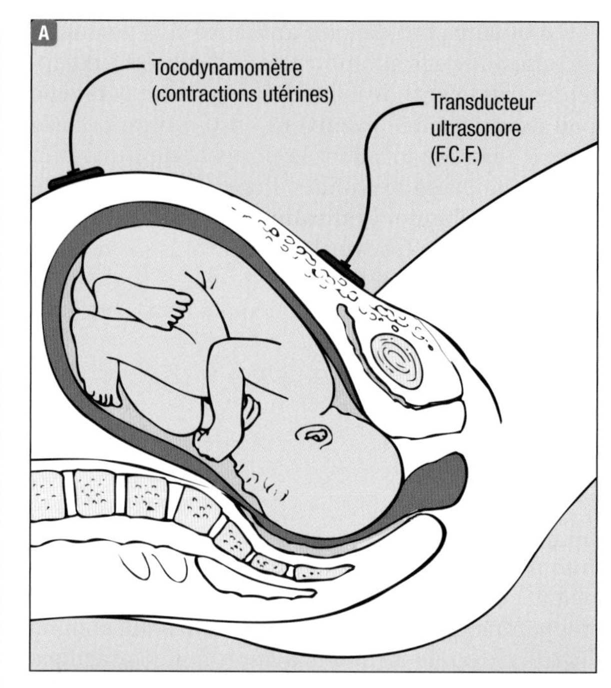

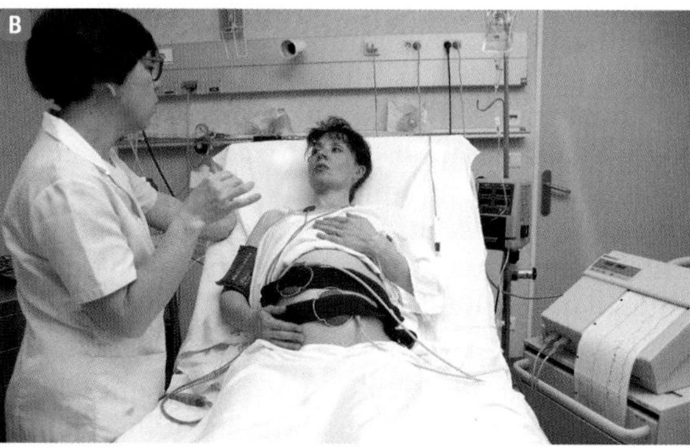

FIGURE 11.2

A Le monitorage externe s'effectue au moyen d'un tocodynamomètre et d'un transducteur ultrasonore. B Le transducteur ultrasonore est appliqué sous l'ombilic, au-dessus de l'endroit où l'on entend le mieux la fréquence cardiaque fœtale.

Le tocodynamomètre mesure l'activité utérine à partir de l'abdomen. Le dispositif est placé audessus du fond de l'utérus et fixé solidement à l'aide d'une courroie élastique. Les contractions utérines ou les mouvements fœtaux sont décelables grâce à une surface sensible à la pression sur le côté de l'abdomen. Le tocodynamomètre, dans une grossesse à terme, peut mesurer et consigner la fréquence et la durée approximatives des contractions utérines, mais non leur intensité. Le tracé indiquera de façon approximative le début et la fin de la contraction ainsi que la relation entre les contractions et les décélérations de la F.C.F. (SOGC, 2007). Dans le cas de la surveillance d'une femme qui accouche avant terme, il faut se rappeler que le fond de l'utérus peut être inférieur à l'ombilic. L'infirmière devra peut-être se fier à la cliente pour qu'elle lui dise quand se produit l'activité utérine et utiliser également la palpation pour évaluer la fréquence des contractions et valider le tracé du moniteur.

L'infirmière peut installer le dispositif sans difficulté, mais il faut parfois le repositionner lorsque la cliente ou le fœtus change de position. Dans la plupart des cas, l'infirmière demande à la cliente de prendre une position latérale ou semi-assise. Dans d'autres cas, des appareils portatifs de monitorage fœtal, appelés télémétrie, permettent d'observer les caractéristiques de la F.C.F. ainsi que les contractions utérines, et ce, parfois, à partir de postes d'affichage centraux. Ces appareils portatifs permettent à la cliente de marcher et de se déplacer pendant le monitorage électronique continu.

Monitorage interne

La technique de surveillance interne continue de la F.C.F. ou de l'activité utérine permet d'évaluer avec plus de précision que le monitorage externe le bien-être du fœtus, car les mouvements du fœtus ou de la cliente, de même que la taille de la cliente, n'ont pas d'effet sur elle **FIGURE 11.3**. Pour ce type de monitorage, les membranes doivent être rompues, et le col de

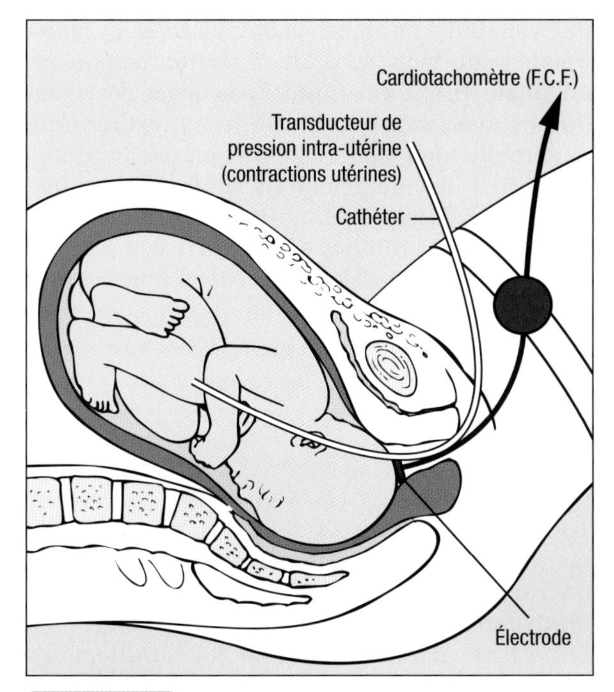

FIGURE 11.3
Schéma d'un monitorage fœtal interne avec un cathéter de pression intra-utérine et une électrode spirale (membranes rompues et col de l'utérus suffisamment dilaté)

l'utérus, suffisamment dilaté (au moins 2 ou 3 cm) pour permettre l'installation de l'électrode spirale ou du CPIU, ou des deux. L'infirmière peut combiner facilement les modes interne et externe de surveillance, c'est-à-dire la F.C.F. en mode interne et l'activité utérine en mode externe, ou la F.C.F. en mode externe et l'activité utérine en mode interne.

Pour effectuer le monitorage interne de la F.C.F., l'infirmière fixe une petite électrode spirale au repère de présentation. Pour le monitorage interne de l'activité utérine, elle insère un CPIU dans la cavité utérine. Le cathéter est muni d'un bout sensible qui mesure les changements de pression intra-utérine. Lorsque l'utérus se contracte, il comprime le cathéter, et cette pression est transmise au transducteur de pression. Cette pression est ensuite convertie en lecture de pression en millimètres de mercure. La pression moyenne pendant une contraction atteint entre 50 et 85 mm Hg. Le CPIU peut mesurer la fréquence, la durée et l'intensité des contractions utérines, ainsi que le tonus au repos.

Les tracés de la F.C.F. et de l'activité utérine figurent respectivement dans la partie supérieure et la partie inférieure de la bande d'enregistrement du moniteur fœtal. Lorsque le moniteur est réglé pour faire défiler le papier à 3 cm par minute, chaque petit carreau représente 10 secondes, et chaque bloc de 6 carreaux correspond à 1 minute **FIGURE 11.4**.

11.3 Caractéristiques de la fréquence cardiaque du fœtus

Certaines caractéristiques de F.C.F. sont associées aux processus physiologiques fœtaux et maternels, et sont connues depuis de nombreuses années. Parce que le MEF a été introduit dans la pratique clinique avant qu'un consensus ne soit atteint concernant une terminologie normalisée, il existait de grandes variations dans la description et l'interprétation des caractéristiques courantes de la fréquence cardiaque fœtale. Les préoccupations concernant la sécurité des clientes et la nécessité d'améliorer la communication entre les professionnels de la santé justifient l'utilisation de définitions normalisées du MEF dans la pratique clinique (National Institute of Child Health and Human Development [NICHD], 1997; SOGC, 2007; Tucker *et al.*, 2009).

En avril 2008, le NICHD, l'ACOG et la Society for Maternal-Fetal Medicine ont également recommandé l'adoption de nouvelles définitions liées à l'activité utérine et d'un système à trois niveaux de catégorisation des caractéristiques de la F.C.F. (normales, atypiques et anormales) (Macones *et al.*, 2008). Depuis, l'Association of Women's Health, Obstetric and Neonatal Nurses (AWHONN) du Canada et la Société des obstétriciens et

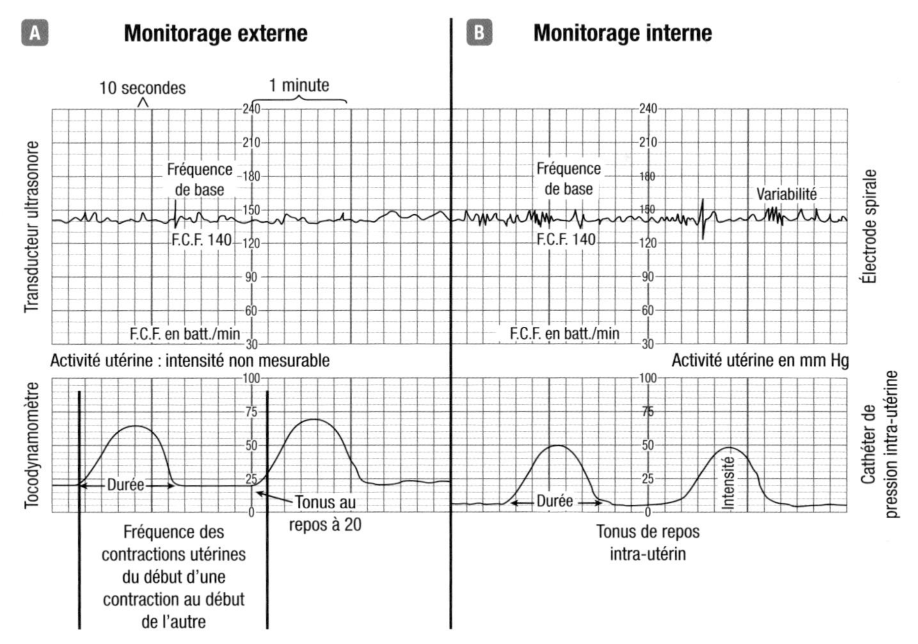

FIGURE 11.4
Tracé de la fréquence cardiaque fœtale et de l'activité utérine sur la bande d'enregistrement du moniteur. A Mode externe avec signal provenant du transducteur ultrasonore et du tocodynamomètre. B Mode interne avec signal provenant de l'électrode spirale et du cathéter intra-utérin. La fréquence des contractions se mesure du début d'une contraction au début de la suivante.

gynécologues du Canada ont également publié leur accord avec ce même système de nomenclature quant à l'interprétation de la F.C.F. (CPPC, 2009; SOGC, 2007).

11.3.1 Fréquence cardiaque fœtale de base

Visionnez la vidéo *Fréquence cardiaque fœtale* à l'adresse www.cheneliere.ca/lowdermilk.

La rythmicité intrinsèque du stimulateur cardiaque fœtal, le système nerveux central (SNC) et le système nerveux autonome du fœtus contrôlent la F.C.F. Une accentuation de la réaction sympathique entraîne une accélération de la F.C.F., alors qu'une accentuation de la réaction parasympathique produit un ralentissement de la F.C.F. Il existe habituellement un équilibre de ces systèmes sans changement observable de la F.C.F. de base.

Fréquence cardiaque fœtale de base : Fréquence cardiaque fœtale moyenne pendant une période de 10 minutes qui ne tient pas compte des changements périodiques et épisodiques, et des périodes de grande variabilité ; la fréquence cardiaque fœtale de base varie entre 110 et 160 battements par minute.

La **fréquence cardiaque fœtale de base** désigne la fréquence moyenne pendant un segment de 10 minutes, arrondi à 5 batt./min, ce qui exclut les changements périodiques ou épisodiques, les périodes de variabilité marquée et les segments qui s'écartent de la fréquence de base de plus de 25 batt./min (Macones *et al.*, 2008; SOGC, 2007). La fréquence normale à terme est de 110 à 160 batt./min. La fréquence de base est documentée à l'aide d'un chiffre unique plutôt que sous forme d'intervalle (Tucker *et al.*, 2009).

Tachycardie

La **tachycardie** désigne une F.C.F. de base supérieure à 160 batt./min pendant 10 minutes ou plus **FIGURE 11.5**. Elle peut être considérée comme un signe précoce d'hypoxie fœtale, surtout lorsqu'elle est associée à d'autres caractéristiques atypiques ou anormales telles que les décélérations tardives et une variabilité minime ou absente. La tachycardie fœtale peut découler d'une infection maternelle ou fœtale (p. ex., une rupture prolongée des membranes avec amniotite), d'une hyperthyroïdie maternelle, de l'anémie fœtale, ou encore d'une réaction à des médicaments comme l'atropine, l'hydroxyzine, la terbutaline (Bricanyl Turbuhale[MD]) ou des drogues illicites comme la cocaïne ou les méthamphétamines. Le **TABLEAU 11.3** présente la liste des causes, l'importance clinique et les interventions infirmières associées à la tachycardie fœtale (CPPC, 2009).

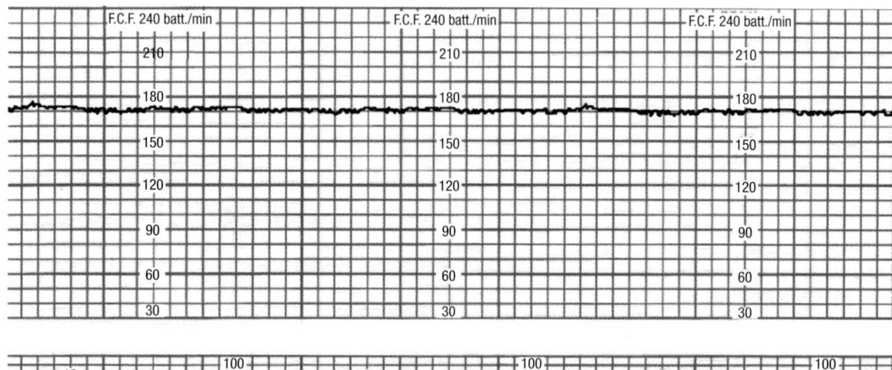

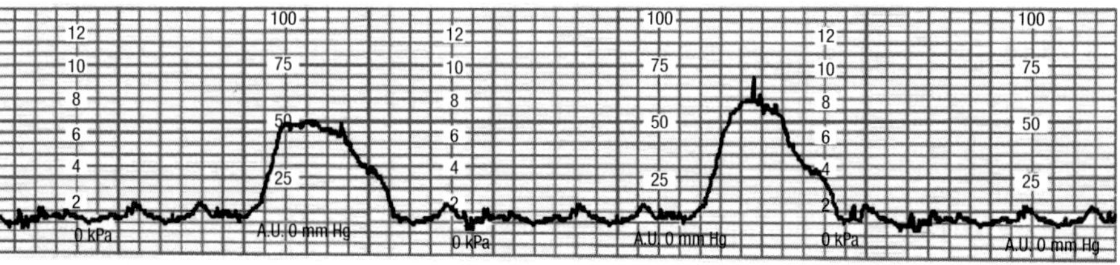

FIGURE 11.5
Tachycardie fœtale

Bradycardie

La **bradycardie** désigne une F.C.F. de base inférieure à 110 batt./min pendant au moins 10 minutes **FIGURE 11.6**. Elle se produit rarement et n'est pas liée spécifiquement à l'oxygénation fœtale. La distinction entre une bradycardie et une décélération prolongée est importante, car leurs causes et leurs traitements sont très différents. La bradycardie est souvent causée par un certain type de problème cardiaque fœtal comme des anomalies structurelles impliquant les centres cardiaques d'automatisme, le système de conduction ou une insuffisance cardiaque du fœtus. Parmi les autres causes d'une bradycardie, il convient de mentionner les infections virales (p. ex., un cytomégalovirus), l'hypoglycémie et l'hypothermie maternelles. L'importance clinique de la bradycardie dépend de la cause sous-jacente et des caractéristiques de la F.C.F., y compris la variabilité et la présence d'accélérations ou de décélérations (Tucker *et al.*, 2009). Son apparence soudaine et la considération du portrait clinique au moment de son interprétation sont cruciales dans sa prise en charge. Le **TABLEAU 11.3** présente les causes et l'importance clinique de la bradycardie, ainsi que les interventions infirmières à son égard (CPPC, 2009).

Variabilité

La **variabilité** de la F.C.F. peut se définir comme une fluctuation irrégulière de la F.C.F. de base de deux cycles par minute ou plus (Macones *et al.*, 2008). Il s'agit d'une caractéristique de la F.C.F. de base qui ne tient pas compte des accélérations ou des décélérations de la F.C.F. La variabilité est une estimation visuelle des fluctuations de la ligne de base. Elle est quantifiée en batt./min, et elle est mesurée à partir du pic au creux d'un cycle unique. Quatre catégories de variabilité ont été établies : absente, minimale, modérée et marquée **FIGURE 11.7**.

Selon les autres caractéristiques du tracé de la F.C.F., la variabilité absente ou minime est classée comme anormale ou atypique (Macones *et al.*, 2008; SOGC, 2007) **FIGURES 11.7A** et **11.7B**.

TABLEAU 11.3 Tachycardie et bradycardie

TACHYCARDIE	BRADYCARDIE
Définition	
• F.C.F. > 160 batt./min pendant plus de 10 min	• F.C.F. < 110 batt./min pendant plus de 10 min
Causes possibles	
• Hypoxémie fœtale précoce • Arythmies cardiaques fœtales • Fièvre maternelle ou déshydratation • Infection (y compris une amnionite) • Réactions aux médicaments • Hyperthyroïdie maternelle • Anémie fœtale • Drogues (caféine, cocaïne, méthamphétamines)	• Dissociation auriculoventriculaire (bloc cardiaque) • Anomalies structurelles • Infections virales (p. ex., un cytomégalovirus) • Occlusion du cordon ombilical • Réactions aux médicaments • Position de la mère • Hypotension maternelle • Insuffisance cardiaque maternelle • Hypoglycémie maternelle • Hypothermie maternelle
Importance clinique	
• Une tachycardie persistante non accompagnée de changements périodiques ne semble pas entraîner de conséquences graves sur le résultat néonatal (en particulier lorsque la tachycardie est associée à une fièvre maternelle); la tachycardie est anormale lorsqu'elle est associée à des décélérations tardives, d'importantes décélérations variables ou à une absence de variabilité.	• Une bradycardie de base seule n'est pas liée spécifiquement à l'oxygénation fœtale. L'importance clinique de la bradycardie dépend de la cause sous-jacente et des caractéristiques de la F.C.F., y compris la variabilité, les accélérations ou les décélérations.
Interventions infirmières	
• Selon la cause; faire baisser la fièvre maternelle au moyen d'antipyrétiques prescrits et de mesures de rafraîchissement; l'administration de 8 à 10 L/min d'oxygène au moyen d'un masque facial peut aider en partie; suivre les prescriptions médicales pour atténuer la cause.	• Prendre le pouls maternel pour s'assurer qu'il n'est pas confondu à la F.C.F.; tenter de déterminer la cause et commencer les interventions pour la traiter.

De plus, la variabilité minime est classée selon sa durée (normale: inférieure à 40 minutes; atypique: 40-80 minutes; anormale: supérieure à 80 minutes). Parmi les raisons principales pouvant mener à une variabilité minime, il convient de mentionner le sommeil fœtal, qui rend cette caractéristique normale (SOGC, 2007). Cependant, il y a d'autres causes possibles de variabilité absente ou minime, entre autres la tachycardie ou la prématurité extrême (Tucker *et al.*, 2009), l'hypoxémie fœtale, l'acidémie métabolique, les anomalies congénitales et les lésions neurologiques préexistantes. Certains médicaments dépresseurs du SNC, notamment des analgésiques, des analgésiques opioïdes (méperidine [Demerol[MD]], nalbuphine [Nubain[MD]]), des barbituriques (sécorbarbital et pentobarbital), des tranquillisants (diazépam [Valium[MD]]) et des anesthésiques généraux, peuvent aussi causer une variabilité minimale.

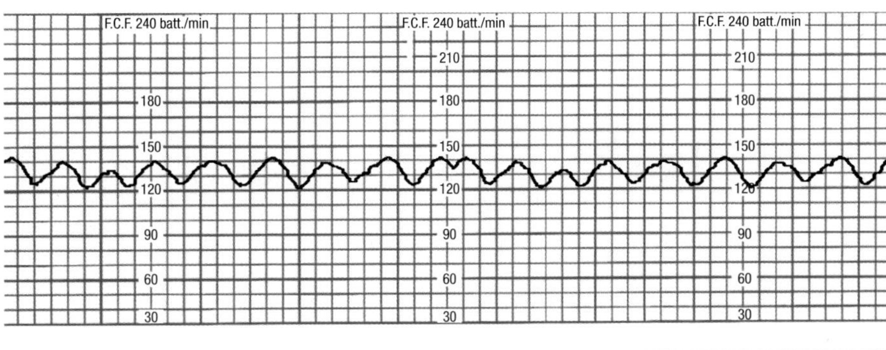

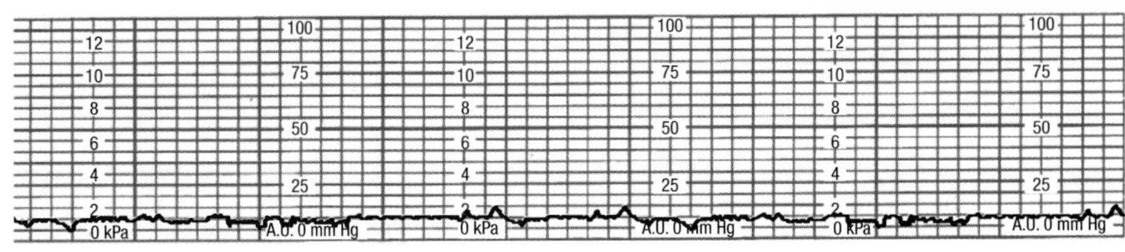

FIGURE 11.6
Bradycardie fœtale

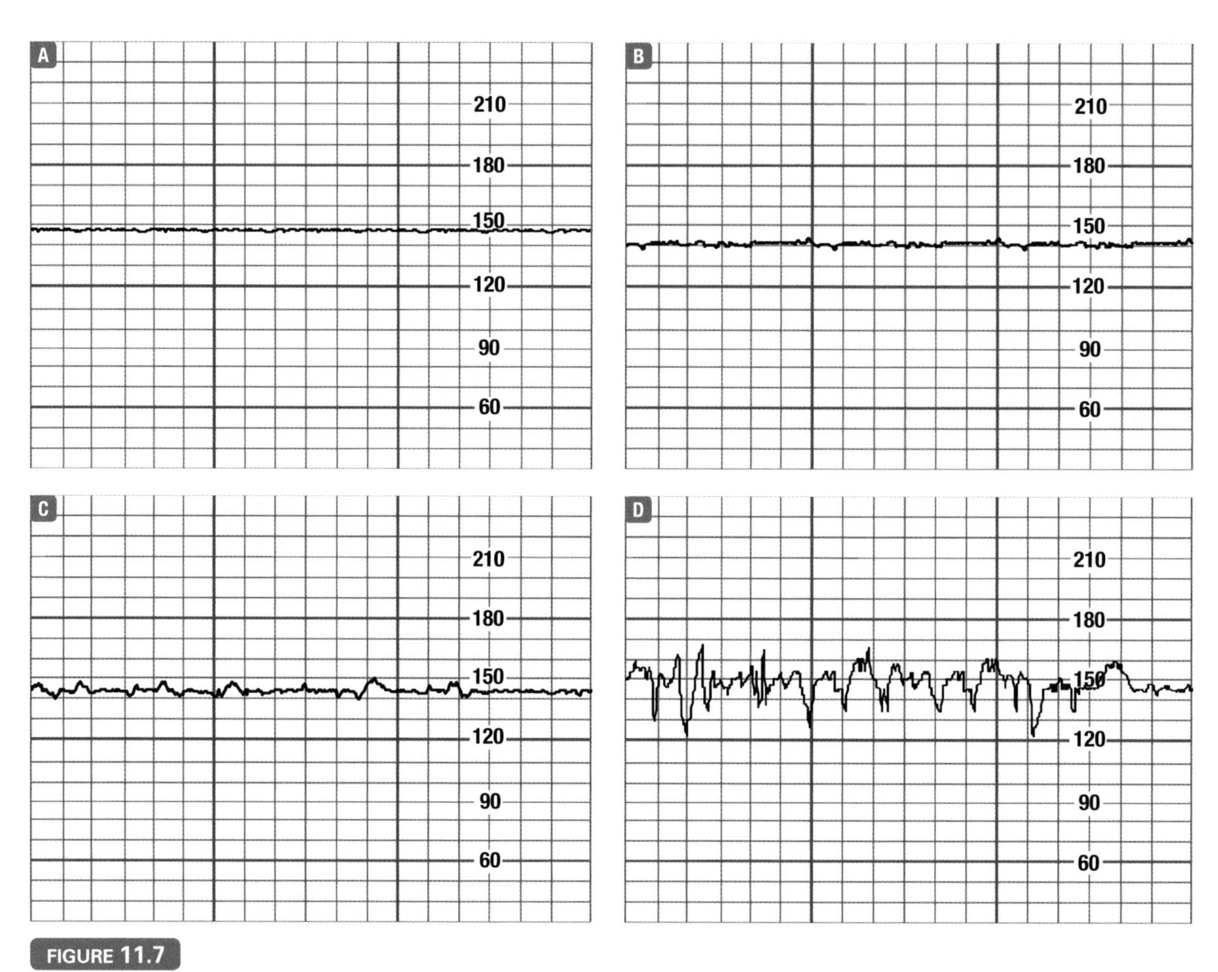

FIGURE 11.7

Variabilité de la fréquence cardiaque fœtale. A Variabilité absente : amplitude non décelée. B Variabilité minimale : amplitude décelable jusqu'à 5 batt./min inclusivement. C Variabilité modérée : amplitude de 6 à 25 batt./min. D Variabilité marquée : amplitude de 25 batt./min.

Par contre, une variabilité modérée est considérée comme normale **FIGURE 11.7C**. Sa présence est grandement prédictive d'un équilibre acidobasique normal du fœtus (absence d'acidémie métabolique fœtale). La variabilité modérée indique que la régulation de la F.C.F. n'est pas tellement touchée par les cycles du sommeil du fœtus, la tachycardie, la prématurité, les anomalies congénitales, les lésions neurologiques préexistantes ou les médicaments dépresseurs du SNC (Macones *et al.*, 2008; Tucker *et al.*, 2009).

L'importance de la variabilité marquée n'est pas bien connue (Macones *et al.*, 2008) **FIGURE 11.7D**.

Un tracé sinusoïdal, c'est-à-dire une vague régulière, n'entre pas dans la définition de la variabilité de la F.C.F. Ce tracé peu courant est généralement observé dans les cas d'anémie ou d'hypoxie fœtale grave **FIGURE 11.8** (Tucker *et al.*, 2009).

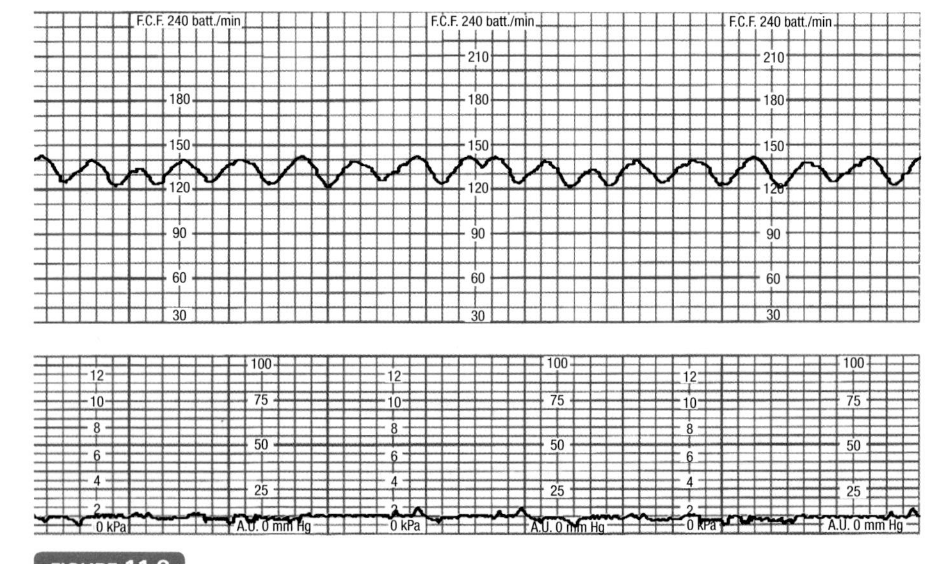

FIGURE 11.8

Tracé sinusoïdal

11.3.2 Changements épisodiques et périodiques dans la fréquence cardiaque fœtale

Les changements par rapport à la F.C.F. de base sont qualifiés de périodiques ou d'épisodiques. Les **changements périodiques** accompagnent les contractions utérines, tandis que les **changements épisodiques** ne sont pas associés à ces contractions. Ces changements comprennent tant les accélérations que les décélérations (NICHD, 1997; SOGC, 2007).

Accélérations

L'**accélération** de la F.C.F. se définit comme une augmentation brusque visuellement apparente (de moins de 30 secondes du début au pic) par rapport à la fréquence de base **FIGURE 11.9**. L'amplitude augmente d'au moins 15 batt./min par rapport à la F.C.F. de base ; elle dure au moins 15 secondes et le retour à la F.C.F. de base se fait moins de 2 minutes après le début de l'accélération. Pour une grossesse de moins de 32 semaines, l'accélération correspond à une augmentation de l'amplitude de la F.C.F. d'au moins 10 batt./min pendant au moins 10 secondes. L'accélération de la F.C.F. pendant plus de 10 minutes est considérée comme un changement de la fréquence de base (Tucker *et al.*, 2009).

Les accélérations peuvent être périodiques, c'est-à-dire en association avec un mouvement du fœtus ou une contraction, ou être spontanées, et ce, à n'importe quel moment. Si une accélération ne se produit pas spontanément, il est possible de la susciter par une stimulation du cuir chevelu du fœtus. Tout comme la variabilité modérée, l'accélération est considérée comme étant un indice du bien-être du fœtus. Les accélérations sont très prédictives d'un équilibre acidobasique normal pour le fœtus (absence d'acidémie métabolique fœtale) (Tucker *et al.*, 2009). L'**ENCADRÉ 11.3** présente les causes et l'importance clinique des accélérations.

ENCADRÉ 11.3 — Accélérations de la fréquence cardiaque fœtale

CAUSES

- Mouvement fœtal spontané
- Examen vaginal
- Application d'électrodes
- Stimulation du cuir chevelu
- Réaction aux sons extérieurs
- Présentation du siège
- Présentation occipito-postérieure
- Contractions utérines
- Pression du fond utérin
- Palpation abdominale

IMPORTANCE CLINIQUE

- Il s'agit d'une caractéristique normale.
- L'accélération accompagnant un mouvement fœtal dénote le bien-être du fœtus et représente un état d'éveil ou de stimulation du fœtus.

INTERVENTION INFIRMIÈRE

- Aucune intervention n'est nécessaire.

Décélérations

On distingue quatre types de **décélération** de la F.C.F. : précoce, tardive, variable et prolongée. Les décélérations de la F.C.F. sont définies en fonction de leur forme ainsi que de leur relation avec la contraction.

Décélérations précoces

Une **décélération précoce** de la F.C.F. est une diminution graduelle visuellement apparente de la F.C.F. de base (en 30 secondes ou plus du début au point le plus bas) et un retour à cette dernière en réaction à une contraction utérine (Macones *et al.*, 2008). En général, le début, le nadir (le point le plus bas) et la fin de la décélération coïncident avec le début, le pic et la fin de la contraction **FIGURE 11.10**. C'est pourquoi les décélérations précoces sont parfois qualifiées d'image inverse (l'effet miroir) d'une contraction.

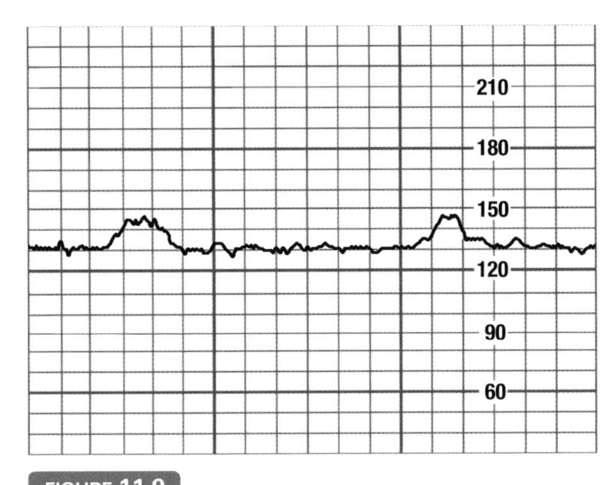

FIGURE 11.9
Accélérations

On pense que les décélérations précoces sont causées par une compression transitoire de la tête du fœtus et qu'elles sont un phénomène bénin (Tucker *et al.*, 2009). Elles peuvent aussi se produire pendant un examen vaginal, en raison de la pression sur le fond de l'utérus, et pendant l'installation du mode interne de monitorage. Elles se manifestent souvent pendant le premier stade du travail, lorsque le col de l'utérus est dilaté entre 4 et 7 cm.

Les décélérations précoces ne nécessitent pas d'intervention, car elles sont considérées comme bénignes. Toutefois, il faut les reconnaître afin de les distinguer des décélérations tardives ou variables, pour lesquelles il faut intervenir. L'**ENCADRÉ 11.4** présente les causes et l'importance clinique des décélérations précoces.

Jugement clinique

Madame Patricia Guérin, agée de 19 ans, est enceinte pour la première fois. Son col utérin est dilaté à 5 cm et le tracé de F.C.F. présente des décélérations précoces.

Quelles seront vos interventions à ce stade-ci ?

Décélérations tardives

La **décélération tardive** de la F.C.F. désigne une diminution graduelle visuellement apparente de la fréquence de base (d'au moins 30 secondes du début au point le plus bas) liée aux contractions utérines (Macones *et al.*, 2008). La décélération commence après le début de la contraction et atteint son point le plus bas après le pic de la contraction. La F.C.F. ne retourne généralement à la fréquence de base que lorsque la contraction est passée **FIGURE 11.11**.

L'insuffisance utéroplacentaire cause des décélérations tardives. Des décélérations tardives persistantes et répétitives indiquent la présence d'une

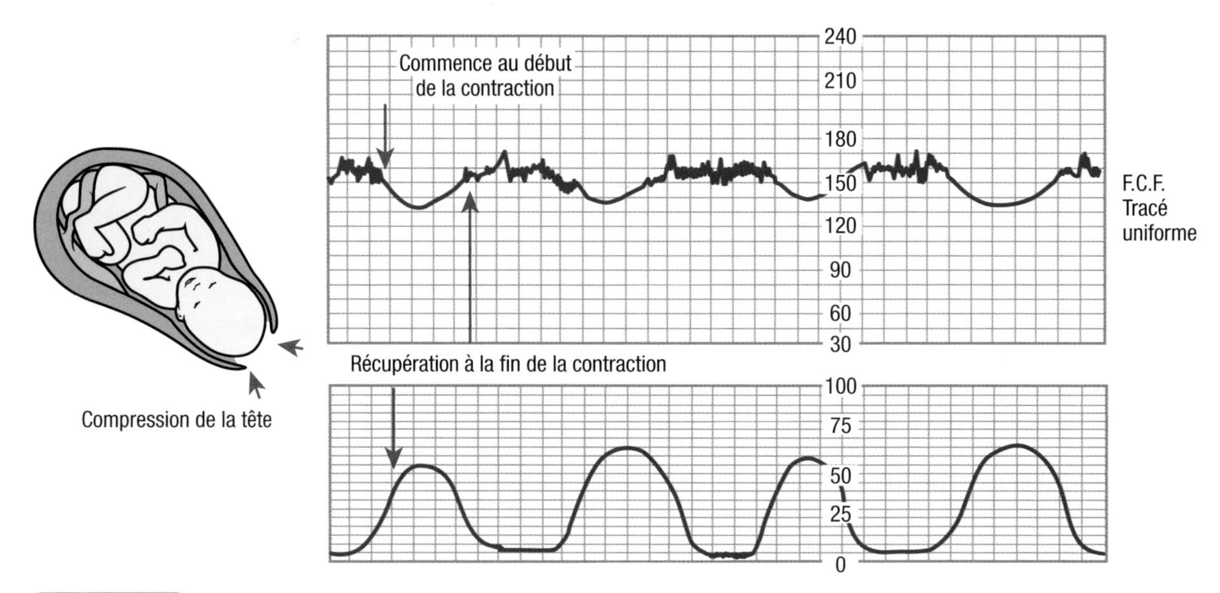

FIGURE 11.10
Décélérations précoces

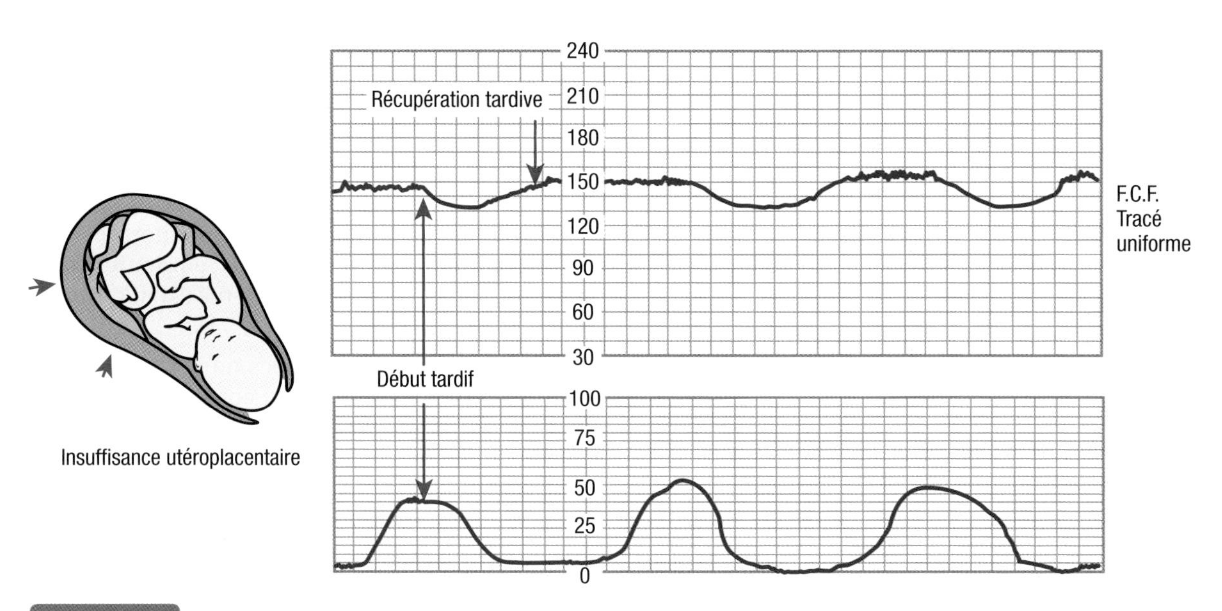

FIGURE 11.11
Décélérations tardives

ENCADRÉ 11.4 Décélérations précoces de la fréquence cardiaque fœtale

CAUSE

- Compression de la tête résultant des facteurs suivants :
  - contractions utérines ;
  - examen vaginal ;
  - pression sur le fond de l'utérus ;
  - installation du mode interne de monitorage.

IMPORTANCE CLINIQUE

- Il s'agit d'une caractéristique normale.
- Elle n'est pas associée à une hypoxémie fœtale, à une acidémie ou à un faible indice d'Apgar.

INTERVENTION INFIRMIÈRE

- Aucune intervention n'est nécessaire.

hypoxémie fœtale découlant d'une perfusion insuffisante du placenta pendant les contractions utérines. Des décélérations récurrentes ou prolongées peuvent entraîner une acidémie métabolique (Tucker *et al.*, 2009). Elles doivent être interprétées comme un signe inquiétant lorsqu'elles ne peuvent pas être corrigées, en particulier s'il y a aussi une variabilité absente ou minimale et une tachycardie. Plusieurs facteurs peuvent perturber le transfert d'oxygène au fœtus, notamment l'hypotension maternelle, une **tachysystolie utérine** (p. ex., plus de 5 contractions en moyenne toutes les 10 minutes), une prééclampsie, une grossesse post-terme, une amniotite, un fœtus petit pour son âge gestationnel, le diabète maternel, un placenta praevia, un décollement placentaire, des agents anesthésiques, un trouble cardiaque ou une anémie de la mère. L'**ENCADRÉ 11.5** présente les causes des décélérations tardives, leur importance clinique et les interventions infirmières associées.

Décélérations variables

La **décélération variable** de la F.C.F. se définit comme une brusque diminution visuellement apparente de la F.C.F. (de moins de 30 secondes du début au point le plus bas) par rapport à la fréquence de base. La diminution correspond à au moins 15 batt./min de moins que la fréquence de base, et dure au moins 15 secondes, avec habituellement un retour à la fréquence de base moins de 2 minutes après de début de la décélération (Macones *et al.*, 2008). Les décélérations variables ne sont pas nécessairement associées aux contractions utérines. Elles sont souvent causées par la compression du cordon ombilical **FIGURE 11.12**.

Jugement clinique

Madame Maria Pérez, agée de 28 ans, est enceinte de 41 3/7 semaines (G2 P0 A1). Elle reçoit un soluté avec ocytocine. Au cours de votre évaluation, vous observez des décélérations tardives.

Quelles interventions devez-vous effectuer avant d'aviser le médecin ?

ENCADRÉ 11.5 **Décélérations tardives de la fréquence cardiaque fœtale**

CAUSE

- Insuffisance utéroplacentaire causée par les facteurs suivants :
  - tachysystolie utérine ;
  - hypotension maternelle en décubitus ;
  - anesthésie épidurale ou rachidienne ;
  - placenta praevia ;
  - décollement placentaire ;
  - troubles hypertensifs ;
  - postmaturité ;
  - retard de croissance intra-utérin chez le fœtus ;
  - diabète de type 1 ;
  - infection intra-amniotique ;
  - intolérance aux contractions.

IMPORTANCE CLINIQUE

- Il s'agit d'une caractéristique anormale associée à l'hypoxémie fœtale, à l'acidémie et à un faible indice d'Apgar.
- Elle est jugée menaçante si elle persiste et n'est pas corrigée, en particulier s'il y a aussi une tachycardie fœtale et une perte de variabilité.

INTERVENTIONS INFIRMIÈRES

Les priorités s'établissent généralement comme suit :

1. Changer la position de la mère en décubitus latéral.
2. Corriger l'hypotension maternelle en élevant ses jambes.
3. Augmenter le débit intraveineux de maintien.
4. Palper l'utérus pour évaluer l'hypertonie utérine.
5. Cesser l'ocytocine si elle est en perfusion.
6. Donner de 8 à 10 L/min d'oxygène à l'aide d'un masque facial bien ajusté.
7. Aviser le médecin ou la sage-femme.
8. Envisager le monitorage interne pour une évaluation fœtale et utérine plus précise.
9. Mesurer le pH du cuir chevelu du fœtus, si possible.
10. Faciliter la naissance (césarienne ou accouchement vaginal assisté) si la caractéristique ne peut pas être corrigée.

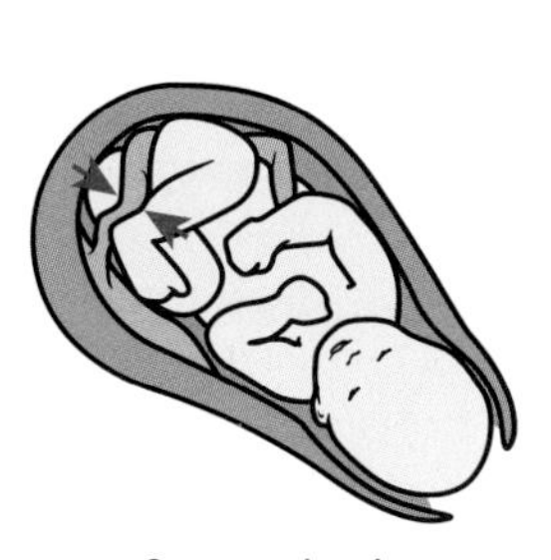

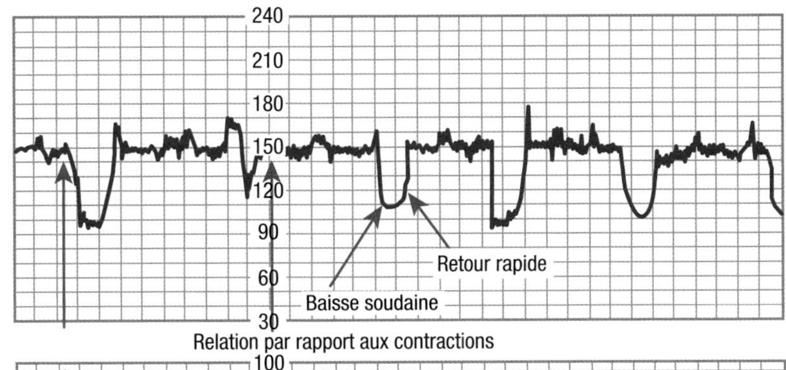

FIGURE 11.12
Décélérations variables

Le tracé des décélérations variables diffère de ceux des décélérations précoces et tardives, lesquels suivent de près la forme de la contraction utérine correspondante. Par opposition, le tracé des décélérations variables est souvent en forme de U, de V ou de W, et il se caractérise par une descente rapide au nadir (le point le plus bas) et une remontée aussi rapide **FIGURE 11.12**. Certaines décélérations variables sont précédées et suivies d'accélérations brèves de la F.C.F., appelées épaulements ou épaules, lesquelles constituent une réaction compensatoire appropriée au stress de la compression du cordon ombilical.

Les décélérations variables occasionnelles ou non compliquées ont peu d'importance clinique. Cependant, les décélérations variables répétitives sont une indication qu'il y a une compression répétitive du cordon ombilical et une perturbation récurrente de l'apport d'oxygène au fœtus. Si ces décélérations variables répétitives se compliquent, cette perturbation peut entraîner une hypoxie fœtale et, ultimement, une acidose respiratoire fœtale (RANZCOG, 2006 ; Tucker *et al.*, 2009). Les décélérations variables se produisent très fréquemment au premier stade du travail, et elles sont observées dans plus de la moitié des cas au cours du deuxième stade du travail à la suite de la compression du cordon ombilical et de la descente fœtale (Garite, 2007 ; SOGC, 2007). L'**ENCADRÉ 11.6** présente les causes et l'importance clinique des décélérations variables, ainsi que les interventions infirmières à leur égard.

Jugement clinique

Madame Johanne Dumontier, âgée de 25 ans, est enceinte de son premier enfant. Elle est en phase de transition et vous remarquez des décélérations variables occasionnelles sur le tracé de la F.C.F. La cliente est inquiète et, craignant pour son enfant, elle vous demande les raisons pour lesquelles cela se produit.

Que devriez-vous lui répondre pour la rassurer ?

Décélérations prolongées

Une **décélération prolongée** représente une diminution visuellement apparente, graduelle ou abrupte, de la F.C.F. d'au moins 15 batt./min par rapport à la fréquence de base, et qui dure plus de 2 minutes, mais moins de 10. Une décélération durant plus de 10 minutes est considérée comme un changement de la fréquence de base (Macones *et al.*, 2008) **FIGURE 11.13**.

Les décélérations prolongées sont causées par une perturbation dans l'apport en oxygène au fœtus. Elles sont souvent un réflexe automatique à une hypoxie. Cependant, lorsque la perturbation se poursuit, le tissu cardiaque fœtal lui-même devient hypoxique et il se produit un creux myocardique direct de la F.C.F. (Tucker *et al.*, 2009). Une compression prolongée du cordon ombilical, une insuffisance utéroplacentaire profonde ou une compression prolongée de la tête fœtale peuvent causer des décélérations prolongées. La présence et le degré d'hypoxie présente pourraient être en corrélation avec la profondeur et la durée de la décélération, la rapidité du retour à la fréquence

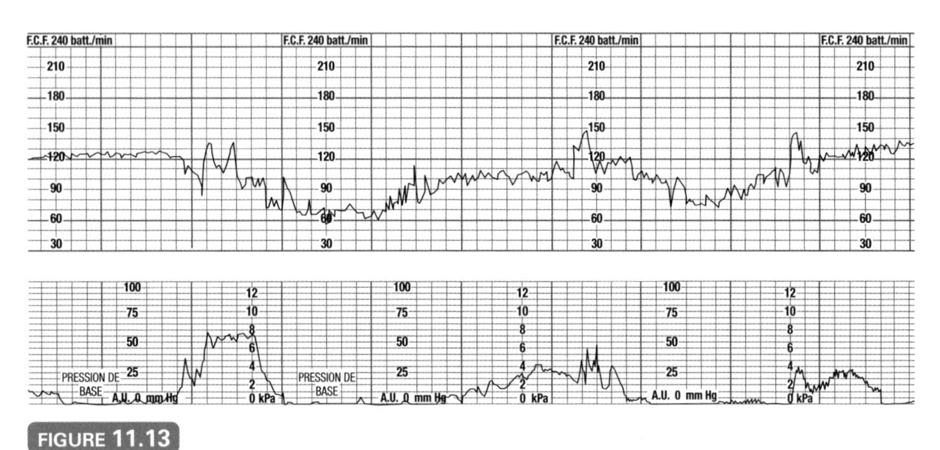

FIGURE 11.13
Décélérations prolongées

ENCADRÉ 11.6 Décélérations variables de la fréquence cardiaque fœtale

CAUSE

- Compression du cordon ombilical causée par les facteurs suivants :
  - position maternelle plaçant le cordon entre le fœtus et le bassin maternel ;
  - cordon entourant le cou, un bras, une jambe ou une autre partie du corps du fœtus ;
  - cordon court ;
  - cordon noué ;
  - procidence du cordon ombilical.

IMPORTANCE CLINIQUE

- Les décélérations variables surviennent dans environ 50 % des accouchements.
- Elles sont habituellement transitoires et rectifiables.

INTERVENTIONS INFIRMIÈRES

Les priorités s'établissent généralement comme suit.

1. Changer la position de la mère (décubitus latéral, genupectorale).
2. Cesser l'ocytocine si elle est en perfusion.
3. Donner de 8 à 10 L/min d'oxygène à l'aide d'un masque facial bien ajusté.
4. Aviser le médecin ou la sage-femme.
5. Aider à l'examen vaginal ou à l'examen à l'aide du spéculum afin d'évaluer la procidence du cordon ombilical.
6. Confirmer le bien-être fœtal à l'aide d'un échantillon sanguin mesurant le pH du cuir chevelu du fœtus.
7. Aider à l'injection intra-amniotique (amnio-infusion) si elle est prescrite.
8. Faciliter la naissance (par césarienne ou accouchement vaginal assisté) s'il n'est pas possible de rectifier les caractéristiques de la F.C.F.

de base, et l'apparition d'une tachycardie ou la perte de variabilité à la suite de la décélération (Garite, 2007).

Parmi les stimuli importants pouvant occasionner des décélérations prolongées, il convient de mentionner une procidence du cordon ombilical ou d'autres formes de compression prolongée du cordon ombilical, une hypertonie utérine prolongée, de l'hypotension après une anesthésie ou une analgésie rachidienne ou épidurale, un décollement placentaire, une crise d'éclampsie et une descente rapide du fœtus dans la filière génito-pelvienne. L'examen du col, l'installation d'une électrode spirale et une manœuvre de Valsalva prolongée de la mère sont d'autres causes plus bénignes de décélérations prolongées (Garite, 2007) **ENCADRÉ 11.7**.

SOINS ET TRAITEMENTS INFIRMIERS

Monitorage électronique du fœtus

La première vérification à effectuer avant de procéder au MEF consiste à évaluer le matériel afin de s'assurer que l'appareil enregistre bien la F.C.F. et l'activité utérine et que le tracé est interprétable. Il peut être nécessaire d'installer une électrode spirale sur la présentation fœtale ou un CPIU si le monitorage externe n'est pas pertinent. L'infirmière peut utiliser une liste de contrôle pour évaluer le fonctionnement du matériel **ENCADRÉ 11.8**.

Après s'être assurée que le moniteur fœtal fonctionne bien, l'infirmière évalue les tracés de la F.C.F. et de l'activité utérine régulièrement pendant le travail. Les lignes directrices sur la surveillance du bien-être fœtal publiées par la SOGC (2007) recommandent d'évaluer le tracé de la F.C.F. toutes les 15 à 30 minutes pendant le premier stade du travail, et toutes les 5 à 15 minutes pendant le deuxième stade chez les femmes menant une grossesse à faible risque. En présence de facteurs de risque, le tracé est évalué plus souvent, soit toutes les 15 minutes au premier stade du travail, puis toutes les 5 minutes pendant le deuxième.

Selon les résultats de la collecte des données, l'infirmière établit les problèmes prioritaires et les résultats escomptés, met en œuvre les interventions cliniques pertinentes et évalue les soins fournis, comme le montre l'**ENCADRÉ 11.9**. L'infirmière qui offre des soins à la cliente en travail a la responsabilité d'évaluer les caractéristiques de la F.C.F. et de l'activité utérine, de mettre en œuvre des interventions cliniques indépendantes pertinentes, et de documenter les observations et les mesures. Elle doit aussi signaler les caractéristiques atypiques ou anormales au principal professionnel de la santé (médecin ou sage-femme).

Jugement clinique

Madame Claudine Lacerte, âgée de 36 ans, en est à sa deuxième grossesse (G2 P1 A0). Elle est en travail actif et ne présente aucun facteur de risque (accouchement prématuré, rupture prématurée des membranes, dystocies, etc.). Pour évaluer efficacement le bien-être du fœtus, vous avez installé un MEF externe à la cliente.

À quel intervalle devrez-vous évaluer le tracé de la F.C.F. et l'activité utérine au cours du travail?

L'infirmière doit aviser immédiatement le médecin ou la sage-femme et amorcer le traitement pertinent lorsqu'elle constate la présence de décélérations prolongées non corrigées ou répétitives.

11

ENCADRÉ 11.7 Décélérations prolongées de la fréquence cardiaque fœtale

CAUSES

- Perturbation de l'apport en oxygène au fœtus causée par les facteurs suivants:
  - hypertonie utérine;
  - compression sévère du cordon ombilical;
  - compression prolongée de la tête du fœtus;
  - procidence du cordon ombilical;
  - descente fœtale rapide.
- Insuffisance utéroplacentaire causée par les facteurs suivants:
  - hypotension maternelle;
  - crise convulsive maternelle;
  - décollement placentaire.

IMPORTANCE CLINIQUE

- Les décélérations prolongées sont jugées anormales et elles indiquent clairement un danger pour le fœtus si elles ne sont pas corrigées.
- Si elles sont associées à une hypoxie fœtale, elles nécessitent une réanimation fœtale intra-utérine ou une évaluation fœtale plus approfondie.

INTERVENTIONS INFIRMIÈRES

Les priorités s'établissent généralement comme suit pour une décélération prolongée > 2 min mais < 3 min.

1. Changer la position de la mère (décubitus latéral, genupectorale).
2. Cesser l'ocytocine si elle est en perfusion.
3. Augmenter le débit intraveineux de maintien.
4. Palper l'utérus pour évaluer l'hypertonie utérine.
5. Donner de 8 à 10 L/min d'oxygène à l'aide d'un masque facial bien ajusté.
6. Aviser le médecin ou la sage-femme.
7. Aider à l'examen vaginal ou à l'examen à l'aide du spéculum afin d'exclure la procidence du cordon ombilical.
8. Confirmer le bien-être fœtal à l'aide d'un échantillon sanguin mesurant le pH du cuir chevelu du fœtus, si possible[a].

La présence d'une décélération prolongée > 3 min nécessite habituellement un accouchement opératoire sans délai (accouchement vaginal assisté ou césarienne), à moins que l'évaluation du pH du cuir chevelu n'indique clairement une oxygénation fœtale normale ou qu'un accouchement spontané ne soit imminent.

[a] Le prélèvement du sang du cuir chevelu du fœtus ne devrait pas être envisagé en présence d'une décélération prolongée d'une durée supérieure à trois minutes (SOGC, 2007).

ENCADRÉ 11.8 Liste de contrôle du matériel de monitorage fœtal

PRÉPARATION DU MONITEUR

- Le papier est-il inséré correctement?
- Les câbles du transducteur sont-ils bien branchés au moniteur?
- La vitesse de déroulement du papier est-elle fixée à 3 cm/min?
- La date et l'heure du moniteur ont-elles été vérifiées?

TRANSDUCTEUR ULTRASONORE

- Le gel pour ultrasons a-t-il été appliqué sur le transducteur?
- La F.C.F. a-t-elle été testée et consignée sur la bande d'enregistrement?
- La F.C.F. a-t-elle été comparée avec le pouls maternel et a-t-elle été consignée?
- Y a-t-il un signal lumineux ou sonore à chaque battement de cœur?
- La courroie est-elle fixée assez serrée sur l'abdomen de la femme tout en étant confortable pour elle?

TOCODYNAMOMÈTRE

- Le tocodynamomètre est-il solidement fixé à l'endroit où le tissu maternel est le plus mince?
- La fréquence de base pour l'activité utérine a-t-elle été fixée entre les contractions à la marque de 20 mm Hg?
- La courroie est-elle fixée assez serrée sur l'abdomen de la femme tout en étant confortable pour elle?

ÉLECTRODE SPIRALE

- Est-ce que le raccord est solidement fixé à l'électrode (à la jambe ou à la cuisse)?
- L'électrode spirale est-elle fixée au repère de présentation du fœtus?
- Est-ce que la face intérieure de l'électrode est prégélifiée ou couverte de gel d'électrode?
- L'électrode est-elle bien fixée à la cuisse ou à l'abdomen de la femme?

CATHÉTER INTERNE OU DYNAMOMÈTRE

- Est-ce que la ligne de longueur du cathéter est visible à l'ouverture du vagin?
- L'exécution d'un examen de l'activité utérine ou d'un calibrage a-t-elle été notée sur la bande d'enregistrement?
- Est-ce que le moniteur a été réglé à zéro conformément aux directives du fabricant?
- Le cathéter de pression intra-utérine a-t-il été bien fixé à la femme?
- Le tonus au repos de base de l'utérus a-t-il été consigné?

Source : Adapté de Tucker *et al.* (2009).

Reconnaissance des caractéristiques de la fréquence cardiaque fœtale

L'infirmière doit évaluer de nombreux facteurs pour établir si une caractéristique de F.C.F. est normale ou anormale. Elle les évalue en tenant compte de la présence de complications obstétricales, de la progression du travail et du recours à l'analgésie ou à l'anesthésie. Elle doit aussi prendre en compte le temps approximatif avant l'accouchement. Les interventions reposent donc sur le jugement clinique d'un processus complexe intégré (SOGC, 2007) **ENCADRÉS 11.9** et **11.10**.

Traitement infirmier des caractéristiques anormales

Les cinq éléments essentiels du tracé de la fréquence cardiaque fœtale qui doivent être évalués régulièrement sont la fréquence de base, la variabilité de base, les accélérations, les décélérations et les changements de la F.C.F. de base dans le temps (Tucker *et al.*, 2009). L'infirmière doit prendre des mesures correctives dès qu'un de ces éléments est considéré comme atypique ou anormal. Ces mesures visent à améliorer l'oxygénation du fœtus (Tucker *et al.*, 2009). Le terme réanimation intra-utérine est parfois utilisé pour désigner les interventions mises en œuvre lorsque les caractéristiques de la F.C.F. sont anormales, comme donner plus d'oxygène, changer la position maternelle et augmenter la perfusion intraveineuse (I.V.). L'objectif de ces interventions est d'améliorer le débit sanguin dans l'utérus et la chambre intervilleuse, et d'accroître l'oxygénation maternelle et son débit cardiaque (SOGC, 2007). L'**ENCADRÉ 11.11** présente les interventions de base mises en œuvre pour améliorer l'oxygénation de la mère et du fœtus.

En déterminant la cause sous-jacente d'une caractéristique anormale de la F.C.F., l'infirmière pourra avoir recours à d'autres interventions, comme corriger l'hypotension maternelle, réduire l'activité utérine et changer la technique de poussée pendant le deuxième stade du travail (Tucker *et al.*, 2009). L'**ENCADRÉ 11.11** présente également les interventions recommandées pour chacun de ces problèmes. Il est important de reconnaître que certaines interventions ne constituent pas des interventions infirmières indépendantes. Ainsi, toute administration de médicament doit être autorisée, soit par son inclusion dans le protocole de l'unité, soit par une prescription médicale. Certaines interventions s'appliquent à des caractéristiques particulières de la F.C.F. Le **TABLEAU 11.3** et les **ENCADRÉS 11.5, 11.6** et **11.7** présentent les interventions infirmières dans les cas de tachycardie, et de décélérations tardives, prolongées et variables. Selon le changement observé dans la F.C.F. à la suite de ces interventions, le principal professionnel de la santé décide s'il est nécessaire de faire des interventions additionnelles ou s'il faut procéder immédiatement à un accouchement vaginal ou par césarienne.

Mise en œuvre d'une démarche de soins

ENCADRÉ 11.9 **Monitorage de la fréquence cardiaque fœtale**

COLLECTE DES DONNÉES – ÉVALUATION INITIALE

Pour les femmes à faible risque, la collecte des données se fait toutes les 15 à 30 minutes pendant le premier stade du travail, et toutes les 5 à 15 minutes pendant le deuxième stade. En présence de facteurs de risque, l'infirmière procède à la collecte des données toutes les 15 minutes pendant le premier stade du travail, et toutes les 5 minutes pendant le deuxième stade.

- Interpréter les caractéristiques du tracé de M.E.F. :
  - fréquence de base ;
  - variabilité de la fréquence de base (absente, minimale, modérée ou marquée) ;
  - présence d'accélérations ;
  - présence de décélérations précoces, tardives, variables ou prolongées ;
  - changements des caractéristiques de la F.C.F. au fil du temps.
- Interpréter l'activité utérine :
  - fréquence des contractions ;
  - durée des contractions ;
  - intensité des contractions ;
  - tonus au repos de l'utérus.
- Évaluer les signes vitaux de la mère (généralement, en même temps que la F.C.F. et l'activité utérine) :
  - pression artérielle (P.A.) ;
  - pouls ;
  - respiration (F.R.).

ANALYSE ET INTERPRÉTATION DES DONNÉES

Les problèmes découlant de la situation de santé peuvent inclure :

- Diminution du débit cardiaque maternel liée à l'hypotension découlant de la position couchée de la mère ou d'une anesthésie régionale (épidurale).
- Anxiété liée à :
  - un manque de connaissance concernant le monitorage fœtal pendant le travail ;
  - la restriction de la mobilité pendant le MEF.
- Perturbation des échanges gazeux fœtaux liée à :
  - une compression du cordon ombilical ;
  - une insuffisance placentaire.
- Risque d'hypoxie ou d'asphyxie fœtale lié à :
  - une hypoxémie ou une acidémie métabolique non décelée ;
  - de l'hypotension maternelle ;
  - la position maternelle (compression aortocave).

RÉSULTATS ESCOMPTÉS

La planification des soins est établie dans le but d'atteindre les résultats suivants :

- Expression verbale de la compréhension du besoin et des méthodes de surveillance fœtale.
- Reconnaissance et évitement des situations qui compromettent la circulation maternelle et fœtale.
- Détection précoce des signes d'hypoxémie et d'acidémie métabolique.
- Signalement rapide d'une complication fœtale et les interventions infirmières pertinentes, comme la réanimation intra-utérine, seront mises en œuvre ; le médecin ou la sage-femme sera avisé immédiatement de la situation.

INTERVENTIONS INFIRMIÈRES

Les interventions infirmières requises pour l'atteinte des résultats escomptés comprennent, notamment :

Mettre en œuvre les mesures correctives de base immédiatement lorsqu'une des caractéristiques du tracé de la F.C.F. est considérée comme anormale. Les interventions particulières à chacune sont présentées dans les **ENCADRÉS 11.5**, **11.6** et **11.7**, et dans le **TABLEAU 11.3**.

ÉVALUATION DES RÉSULTATS – ÉVALUATION EN COURS D'ÉVOLUTION

Les résultats escomptés servent à évaluer les soins liés au monitorage de la F.C.F. et de l'activité utérine.

Source : Adapté de American Academy of Pediatrics & ACOG (2007).

Autres méthodes de collecte de données et d'intervention

Une des principales lacunes du MEF est son taux élevé de faux positifs. Même les caractéristiques les plus anormales ne sont pas indicatives de la morbidité néonatale. D'autres méthodes ont donc été mises au point pour évaluer l'état du fœtus, notamment la stimulation du cuir chevelu du fœtus, la stimulation vibroacoustique et la détermination de l'équilibre acidobasique du cordon ombilical. Dans certains centres hospitaliers spécialisés, des méthodes telles que le prélèvement sanguin du cuir chevelu fœtal et l'amnio-infusion sont aussi recommandées lorsque le tracé fœtal est atypique ou anormal (SOGC, 2007).

Conseil juridique

ENCADRÉ 11.10 **Normes de monitorage fœtal**

- L'infirmière qui prend soin d'une cliente pendant l'accouchement est légalement responsable de bien interpréter les caractéristiques de la F.C.F., de mettre en œuvre les interventions infirmières pertinentes et de documenter de façon appropriée le résultat de ces interventions.
- Elle est responsable d'aviser en temps opportun le médecin ou la sage-femme de la présence de tracés fœtaux atypiques ou anormaux.
- Elle a également la responsabilité d'informer ses supérieurs (par voie hiérarchique) des divergences d'opinions des divers professionnels de la santé pouvant survenir au moment de l'interprétation d'un tracé de la F.C.F. et du choix des interventions.

Techniques de collecte des données

Stimulation du cuir chevelu fœtal

Plusieurs recherches menées dans les années 1980 ont permis de constater que l'accélération de la F.C.F. en réaction à une stimulation digitale ou vibroacoustique laisse présager dans la plupart des cas un pH normal du cuir chevelu. Au Canada, la méthode de stimulation fœtale pratiquée est la stimulation du cuir chevelu par pression du doigt (frottement) d'une durée d'environ 15 secondes,

Pratiques infirmières suggérées

ENCADRÉ 11.11 **Traitement des caractéristiques anormales de la fréquence cardiaque fœtale**

INTERVENTIONS DE BASE

Il est important de toujours juger de la pertinence des interventions à la lumière du portrait clinique.

- Aider la cliente à se coucher sur le côté (décubitus latéral gauche préférablement) ou à changer de position (p. ex., la position genupectorale).
- Accroître la volémie maternelle en augmentant le débit de la perfusion I.V. principale.
- Donner de 8 à 10 L/min d'oxygène au moyen d'un masque facial bien ajusté.

INTERVENTIONS PERTINENTES À CHAQUE PROBLÈME

- Hypotension maternelle :
  - augmenter le débit de la perfusion I.V. principale ;
  - changer la position de la mère pour un décubitus latéral ou la position de Trendelenburg ;
  - administrer de l'éphédrine ou de la phényléphrine si les autres mesures ne font pas augmenter la P.A.
- Tachysystolie utérine :
  - réduire ou cesser l'administration de stimulants utérins (p. ex., l'ocytocine [Pitocin[MD]]) ;
  - administrer un relaxant utérin (tocolytique) (p. ex., la terbutaline).
- Tracé de F.C.F. anormal durant le deuxième stade du travail :
  - avoir recours à la poussée à glotte ouverte (poussée sur l'expiration) ;
  - faire moins d'efforts de poussée pendant chaque contraction ;
  - réduire la durée des efforts de poussée ;
  - ne pousser qu'aux deux ou trois contractions ;
  - ne pousser que lorsque l'envie de pousser se fait ressentir (chez les clientes ayant eu une anesthésie régionale).

pendant un examen vaginal (SOGC, 2007). Celle-ci entraîne une réaction nerveuse autonome, c'est-à-dire l'accélération de la F.C.F., et elle indique de façon presque certaine qu'il n'y a pas d'acidémie métabolique. L'absence d'accélération à la suite d'une stimulation du cuir chevelu ne veut pas dire que le fœtus est en danger ; cependant, il faut obtenir d'autres données pour s'en assurer. La stimulation fœtale du cuir chevelu doit être effectuée lorsque la F.C.F. est à la fréquence de base, et elle ne devrait donc pas être pratiquée pendant des épisodes de décélérations de la F.C.F. ou de bradycardie (SOGC, 2007 ; Tucker *et al.*, 2009).

Détermination de l'équilibre acidobasique du cordon ombilical

Pour évaluer l'état immédiat du nouveau-né après l'accouchement, l'infirmière utilise, comme complément utile à l'indice d'Apgar, un échantillon du sang du cordon ombilical. Pour ce faire, elle prélève généralement du sang de l'artère ombilicale et de la veine ombilicale. Elle mesure ensuite, pour les deux échantillons, le pH, la pression partielle du gaz carbonique dans le sang artériel ($PaCO_2$), la pression partielle de l'oxygène dans le sang artériel (PaO_2) et le déficit ou le surplus basique (Garite, 2007 ; SOGC, 2007 ; Tucker *et al.*, 2009). Les valeurs de l'artère ombilicale rendent compte de l'état du fœtus, tandis que les valeurs de la veine ombilicale représentent la fonction placentaire (Tucker *et al.*, 2009).

L'absence d'accélération à la suite d'une stimulation du cuir chevelu ne veut pas dire que le fœtus est en danger ; cependant, il faut obtenir d'autres données pour s'en assurer.

Conformément à la déclaration de principes de la SOGC intitulée *La présence du personnel médical au moment du travail et de l'accouchement – Lignes directrices sur les soins obstétricaux,* la gazométrie du sang de cordon artériel et veineux est recommandée de façon systématique pour toutes les naissances, puisqu'elle peut contribuer à l'offre de soins appropriés au nouveau-né à la naissance (SOGC, 2000). Le **TABLEAU 11.4** présente les valeurs normales pour le sang provenant de l'artère et de la veine ombilicales. Des résultats normaux excluent la présence d'acidémie à la naissance ou juste avant (Tucker *et al.*, 2009). S'il y a une acidémie (p. ex., un pH inférieur à 7,20), il faut établir son type (respiratoire, métabolique ou mixte) en analysant les valeurs de gaz sanguin (Tucker *et al.*, 2009).

Prélèvement sanguin du cuir chevelu du fœtus

La technique du prélèvement sanguin du cuir chevelu du fœtus dans le but d'en déterminer le pH a d'abord été décrite dans les années 1960 et est devenue pratique courante dans les années 1970. Elle consiste à obtenir un échantillon sanguin du cuir chevelu en passant par le col dilaté, après la rupture des membranes. De nombreux facteurs limitent son utilisation, notamment le fait que la dilation du col et la rupture des membranes doivent s'être produites, la difficulté technique de l'intervention, la nécessité de déterminer le pH à plusieurs reprises, et la difficulté dans l'interprétation et l'utilisation des résultats. Bien que cette technique soit reconnue pour l'évaluation de l'état acidobasique fœtal, les opinions divergent quant à la façon de réagir aux résultats limites des valeurs du pH (SOGC, 2007).

Oxymétrie pulsée fœtale

L'oxymétrie du pouls fœtal, ou monitorage continu de la saturation en oxygène du fœtus, est une technologie qui tente de surveiller de façon continue la saturation en oxygène fœtale intrapartum. Un capteur est placé par voie transvaginale sur la joue ou la tempe fœtale et fournit une estimation continue de la saturation en oxygène du fœtus. Lorsque l'utilisation clinique de l'oxymétrie pulsée fœtale a été approuvée en 2000, on espérait alors que cette technique aiderait à mieux interpréter les tracés de F.C.F. anormaux et à réduire le nombre de césariennes qui sont faites en raison de ces tracés (Garite, 2007). Cependant, plusieurs études sont arrivées à la conclusion que bien que l'oxymétrie pulsée fœtale ait en effet réduit le nombre de césariennes effectuées en raison d'indications fœtales, aucune différence en matière d'issue néonatale n'a été décelée (ACOG, 2009 ; SOGC, 2007). À l'heure actuelle, l'oxymétrie pulsée fœtale, avec ou sans surveillance fœtale électronique, n'est pas recommandée à titre de norme de diligence (SOGC, 2007).

TABLEAU 11.4 Gaz sanguins du sang ombilical et des types d'acidémie

	SANG OMBILICAL		ACIDÉMIE		
GAZ SANGUINS	**ARTÈRE**	**VEINE**	**RESPIRATOIRE**	**MÉTABOLIQUE**	**MIXTE**
pH	7,2-7,34	7,28-7,40	< 7,20	< 7,20	< 7,20
Pression partielle gaz carbonique	39,2-61,4 mm Hg	32,8-48,6 mm Hg	Élevée	Normale	Élevée
Pression partielle oxygène	18,4-25,6 mm Hg	18,9-23,9 mm Hg	—	—	—
Déficit de base	–5,5-0,1 mmol/L	–4,4-0,4 mmol/L	< 12 mmol/L	≥ 12 mmol/L	≥ 12 mmol/L

Sources : SOGC (2007); adapté de Tucker *et al.* (2009).

Interventions

Injection intra-amniotique (amnio-infusion)

L'**injection intra-amniotique** consiste en l'injection d'un liquide isotonique (en général, une solution saline ou un soluté de lactate Ringer) dans la cavité utérine lorsque le volume de liquide amniotique est bas. Sans l'effet tampon du liquide amniotique, le cordon ombilical peut facilement être comprimé pendant les contractions ou les mouvements du fœtus, réduisant ainsi le débit sanguin entre le fœtus et la mère. L'objectif de l'injection intra-amniotique est de diminuer la compression intermittente du cordon ombilical qui entraîne des décélérations variables et une hypoxémie fœtale temporaire en ramenant à la normale ou presque le volume du liquide amniotique (Tucker *et al.*, 2009). Les femmes qui ont anormalement peu (oligohydramnios) ou pas de liquide amniotique sont susceptibles de subir cette intervention. Cet état peut être le résultat d'une insuffisance utéroplacentaire et d'une rupture prématurée des membranes.

Dans le passé, l'injection intra-amniotique était utilisée pour diluer un méconium de densité moyenne à épaisse afin d'éviter que le fœtus ne souffre du **syndrome d'aspiration méconiale**. Cependant, une étude de grande envergure a démontré que cette méthode n'a pas réduit l'incidence de ce syndrome ni le nombre de morts périnatales (Fraser *et al.*, 2005). Par conséquent, cette procédure est uniquement réservée au traitement de décélérations variables pendant le travail (ACOG, 2006a).

Les risques associés à l'injection intra-amniotique sont la distension excessive de la cavité utérine et le tonus utérin accru. Le liquide est injecté au moyen d'un CPIU par écoulement gravitaire ou d'une pompe à perfusion. En général, le liquide est administré par bolus pendant 20 à 30 minutes, puis l'injection est ralentie à un débit de maintenance. Il est peu probable qu'il soit nécessaire d'injecter plus de 1 000 ml de liquide. Dans le cas d'un fœtus prématuré, le liquide est réchauffé au moyen d'un réchauffeur de sang (Tucker *et al.*, 2009).

Il faut vérifier continuellement l'intensité et la fréquence des contractions utérines pendant l'intervention. Le tonus au repos enregistré pendant l'injection semblera plus élevé que la normale en raison de la résistance au débit et de la turbulence au bout du cathéter. Le tonus au repos ne doit pas dépasser 40 mm Hg. Il faut estimer et noter la quantité du liquide de retour pendant l'injection intra-amniotique afin d'empêcher qu'il y ait une distension excessive de l'utérus. Le volume de ce liquide devrait plus ou moins correspondre à celui du liquide injecté (Tucker *et al.*, 2009).

Traitement tocolytique

Une **tocolyse** (relaxation de l'utérus) se fait par l'administration de médicaments qui inhibent les contractions utérines. Ce traitement peut être utilisé en parallèle aux autres interventions amorcées lorsque le fœtus présente des caractéristiques anormales de la F.C.F. associées à une augmentation de l'activité utérine. La tocolyse améliore le débit sanguin au placenta en freinant les contractions utérines ▶ 22. Le principal professionnel de la santé peut décider d'avoir recours à la tocolyse lorsque d'autres interventions comme le changement de position de la mère et l'arrêt de la perfusion d'ocytocine n'ont pas réussi à réduire l'activité utérine. Les tocolytiques sont généralement administrés aux femmes qui ont spontanément des contractions utérines excessives. Le sulfate de magnésium, la nifédipine et la terbutaline sont les tocolytiques les plus souvent utilisés dans ces situations, et ils sont administrés par voies sous-cutanée ou I.V. La terbutaline agit rapidement, et il a été démontré qu'elle améliore l'indice d'Apgar et les valeurs de pH du cordon ombilical sans complications apparentes (Garite, 2007). S'il y a une amélioration des caractéristiques de la F.C.F. et des contractions utérines, il est possible de permettre à la femme de

RAPPELEZ-VOUS...

Une solution isotonique présente la même osmolalité que le plasma sanguin.

22

Le traitement tocolytique est présenté en détail dans le chapitre 22, *Travail et accouchement à risque*.

Syndrome d'aspiration méconiale : Aspiration (ou inhalation) du méconium par le nouveau-né ; il est défini par la présence de méconium en dessous des cordes vocales du nouveau-né.

poursuivre le travail ; s'il n'y a pas d'amélioration, il peut alors être nécessaire de procéder immédiatement à une césarienne.

Enseignement à la cliente et à ses proches

Pour un bon nombre de parents, la mise en œuvre d'une surveillance fœtale intensive par auscultation intermittente ou par MEF peut être rassurante, mais, pour certains, elle peut aussi être une source d'anxiété. L'infirmière doit donc être particulièrement attentive et répondre adéquatement aux besoins émotifs, ainsi qu'aux besoins d'information et de réconfort de la parturiente et de sa famille (**FIGURE 11.14** et **ENCADRÉ 11.12**).

12

Le chapitre 12, *Soins infirmiers de la famille pendant le travail et l'accouchement*, traite en détail de la position de la mère et des techniques de poussée.

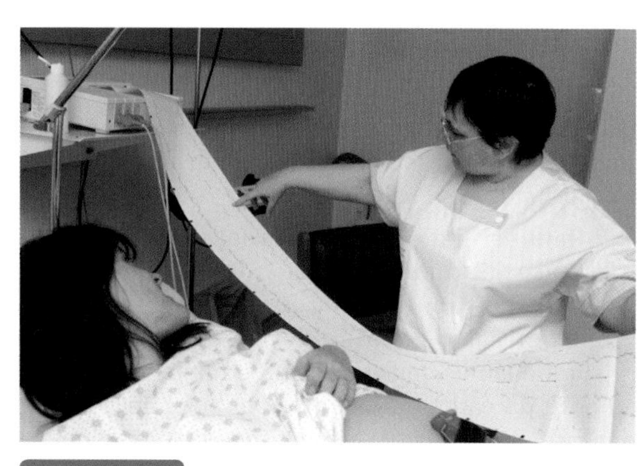

FIGURE 11.14
L'infirmière explique le fonctionnement du monitorage électronique du fœtus par transducteur ultrasonore.

L'un des rôles principaux de l'infirmière en périnatalité comprend l'accompagnement de la cliente pendant le travail afin que celle-ci vive une expérience d'accouchement positive. En plus d'aider la femme et sa famille à comprendre les processus du travail et de l'accouchement, les techniques de respiration, l'utilisation du matériel de surveillance fœtale et les techniques de soulagement de la douleur, l'infirmière peut contribuer à la compréhension de deux facteurs qui ont un effet sur l'état du fœtus : la position de la femme durant le travail et les poussées. L'infirmière doit demander à la femme d'éviter autant que possible la position de décubitus dorsal et l'encourager plutôt à prendre une position de décubitus latéral ou la position semi-Fowler avec une inclinaison latérale. Elle peut également suggérer à la cliente de garder la bouche et la glotte ouvertes, et de laisser l'air sortir de ses poumons pendant les poussées. Ces deux interventions aident à améliorer l'oxygénation du fœtus ▶ 12.

Documentation

Il est essentiel de documenter clairement et intégralement tous les renseignements dans le dossier médical de la femme, y compris chaque évaluation de la F.C.F. et de l'activité utérine. De plus en plus d'hôpitaux informatisent les dossiers médicaux et la consignation aux dossiers. Pendant la documentation électronique, chaque élément requis apparaît habituellement sur l'écran, ce qui permet de l'évaluer systématiquement. Cette méthode comporte

Enseignement à la cliente et à ses proches

ENCADRÉ 11.12 Monitorage électronique du fœtus

Les directives suivantes portent sur l'enseignement à la cliente et le fonctionnement du moniteur en s'assurant d'une décision éclairée concernant le type de monitorage.

- Expliquer le but du monitorage.
- Décrire chaque procédure.
- Expliquer la justification d'une position maternelle autre qu'allongée sur le dos.
- Préciser qu'il est possible de faire une surveillance continue de l'état du fœtus au moyen du monitorage électronique, même pendant les contractions.
- Montrer que le tracé inférieur de la bande d'enregistrement suit l'activité utérine, tandis que le tracé supérieur suit la fréquence cardiaque fœtale.
- Rassurer la femme et la personne qui l'accompagne sur le fait que les techniques apprises aux cours prénataux peuvent s'appliquer sans difficulté.
- Expliquer que pendant le monitorage externe, l'effleurage peut s'effectuer sur les côtés de l'abdomen ou la partie supérieure des cuisses.
- Expliquer que la synchronisation des rythmes respiratoires peut être facilitée par l'observation de l'activité utérine sur la bande d'enregistrement, laquelle indiquera le début des contractions.
- Signaler le pic de la contraction ; le fait de savoir que la contraction ne deviendra pas plus forte et qu'elle tire à sa fin est habituellement rassurant pour la cliente.
- Noter une diminution de l'intensité des contractions.
- Coordonner les techniques appropriées de respiration et de relaxation avec le pic des contractions.
- Expliquer que l'emploi du monitorage externe exige généralement la coopération de la femme pendant l'installation et les déplacements[a].
- Rassurer la femme et la personne qui l'accompagne sur le fait que l'utilisation du monitorage interne ne restreint pas les mouvements, même si la femme est alitée.
- Rassurer la femme et la personne qui l'accompagne que le recours au monitorage ne signifie pas que le fœtus est en danger.

[a] Des moniteurs fœtaux sans fil ou portables permettent d'observer les caractéristiques de F.C.F. et de contractions utérines à partir de postes d'affichage centraux, s'il y en a. Ces appareils portatifs permettent à la mère de marcher et de se déplacer pendant le monitorage électronique.

généralement des choix forcés qui augmentent grandement l'utilisation de la terminologie normalisée relative à la F.C.F. par tous les membres de l'équipe soignante. Dans le passé, on incitait souvent les infirmières à noter les renseignements tant sur le tracé de moniteur que dans le dossier médical. L'informatisation des dossiers médicaux a rendu superflue la documentation sur le tracé du moniteur. Dans certains établissements, les tracés du moniteur sont stockés directement dans

ENCADRÉ 11.13 Liste de contrôle pour l'évaluation de la fréquence cardiaque fœtale et de l'activité utérine dans le cadre du monitorage électronique du fœtus

Nom de la cliente ____________________

Date et heure ____________________

1. Quelle est la fréquence cardiaque fœtale (F.C.F.)?

   ____________ batt./min

   Cocher l'un des choix suivants selon les données de la bande d'enregistrement :

   ____________ F.C.F. de base moyenne (110-160 batt./min.)

   ____________ Tachycardie (> 160 batt./min.)

   ____________ Bradycardie (< 110 batt./min.)

2. Quelle est la variabilité de la F.C.F. de base?

   ____________ Variabilité absente

   ____________ Variabilité minimale (décelable jusqu'à 5 batt./min.)

   ____________ Variabilité modérée (6-25 batt./min.)

   ____________ Variabilité marquée (> 25 batt./min.)

3. Y a-t-il des changements périodiques ou épisodiques de la F.C.F.?

   ____________ Accélérations avec les mouvements fœtaux

   ____________ Accélérations avec les contractions

   ____________ Décélérations précoces (compression de la tête)

   ____________ Décélérations tardives (insuffisance utéroplacentaire)

   ____________ Décélérations variables (compression du cordon ombilical)

   ____________ Décélérations prolongées (> de 2 à 10 minutes)

4. Quelle est l'activité utérine ou quel est le rythme des contractions?

   ____________ Fréquence (du début à la fin de la contraction utérine)

   ____________ Durée (du début d'une contraction au début de la contraction suivante)

   Méthode de palpation de l'abdomen

   ____________ Fermeté (légère, moyenne, forte)

   ____________ Tonus au repos (de la fin d'une contraction au début de la suivante)

   Monitorage interne (cathéter de pression intra-utérine)

   ____________ Intensité (pression en mm Hg)

   ____________ Tonus au repos (pression en mm Hg)

   Commentaires : ____________________

   ____

   Numéro de bande d'enregistrement : ____________________

   Ce qui peut être fait ou aurait dû l'être?

   ____

   ____

   ____

Source : Adapté de Tucker (2004).

l'ordinateur, puis sont détruits une fois que les femmes obtiennent leur congé. Il ne subsiste aucun document permanent de la consignation manuscrite au dossier.

Dans les établissements qui utilisent encore la documentation sur papier, l'infirmière note les renseignements concernant l'identité de la cliente ainsi que les autres données pertinentes sur le tracé avant de commencer le monitorage. Elle poursuit et tient à jour cette documentation pendant tout le monitorage, conformément au protocole de l'établissement. L'**ENCADRÉ 11.8** présente une liste de contrôle pouvant être utilisée pour consigner l'information contenue dans un dossier médical sur papier. Dans certains établissements, les observations et les interventions effectuées sont inscrites sur le tracé du moniteur afin d'obtenir un compte rendu complet du déroulement du travail et des soins offerts. Ceux qui recommandent la documentation tant dans le dossier médical que sur le tracé du MEF mentionnent comme avantages la facilité d'écrire sur le tracé quand l'infirmière est au chevet de la cliente et une documentation plus exacte des événements critiques et des interventions mises en œuvre. D'autres considèrent que noter les renseignements sur le tracé du MEF est redondant et superflu lorsque ces renseignements sont déjà consignés dans le dossier médical.

Un inconvénient de la documentation jumelée sur le tracé de MEF et dans le dossier médical vient du fait que, souvent, l'heure inscrite pour les événements et les interventions sur le tracé ne correspond pas à celle inscrite plus tard au dossier médical. Ces écarts peuvent mener les responsables d'une révision rétrospective à conclure qu'il y a eu des erreurs dans la documentation. Par conséquent, si la politique de l'établissement exige la documentation à la fois sur le tracé et dans le dossier médical, l'infirmière doit s'assurer que les heures, les événements et les interventions inscrits aux deux endroits concordent.

Conformément aux recommandations de la SOCG, toutes les évaluations de la santé fœtale et maternelle, le plan d'action et les mesures cliniques mises en œuvre doivent être documentés avec précision par un professionnel de la santé (SOGC, 2007) **ENCADRÉ 11.13**.

Analyse d'une situation de santé

Jugement clinique

Madame Anna Fernandez, âgée de 32 ans, est enceinte de 41 3/7 semaines (G3, P0, A2). Ses membranes sont rompues depuis 22 heures. Elle est admise à l'unité de naissance pour stimulation du travail. Ses paramètres à l'admission sont les suivants : P.A. : 98/66 mm Hg ; pouls : 96 batt./min ; F.R. : 24 R/min ; température : 37,5 °C. La F.C.F. à ce moment se situe à 144 batt./min. Un protocole d'ocytocine est appliqué. ▶

MISE EN ŒUVRE DE LA DÉMARCHE DE SOINS

Collecte des données – Évaluation initiale – Analyse et interprétation

1. Citez trois éléments importants à détailler dans la collecte de données au moment de l'évaluation initiale de madame Fernandez.
2. À quel intervalle l'infirmière doit-elle évaluer les tracés de la F.C.F. pendant le travail de madame Fernandez ? Justifiez votre réponse.

SOLUTIONNAIRE

www.cheneliere.ca/lowdermilk

▶ Deux heures après le début du protocole d'ocytocine, le travail de la cliente progresse normalement et voici ce qu'indique le tracé du moniteur fœtal électronique externe : contractions toutes les 2 ou 3 minutes, d'une durée de 50 secondes. La cliente vous indique également que ses contractions sont d'intensité modérées, ce que vous confirmez par les palpations utérines. La F.C.F. de base est à 168 batt./min au cours des 25 dernières minutes, avec une variabilité modérée et présence de décélérations tardives. Depuis son arrivée, madame Fernandez est allongée sur le dos et elle vous mentionne qu'elle aurait préféré ne pas être branchée à un appareil électronique en permanence, car cela la rend plus anxieuse. ◀

3. Quelles données du tracé vous permettent de craindre pour le bien-être du fœtus ? Justifiez votre réponse.
4. Citez deux facteurs de risque présentés par madame Fernandez qui vous permettraient de faire une analyse adéquate de sa situation. Justifiez votre réponse.
5. Mis à part les facteurs de risque présents chez madame Fernandez, quel autre facteur peut perturber le transfert d'oxygène au fœtus ?
6. À ce stade-ci de votre évaluation, comment la présence de décélérations tardives en rapport avec la naissance de l'enfant à venir doit-elle être interprétée ?
7. Considérant qu'une des principales lacunes du MEF est son taux élevé de faux positifs, nommez les méthodes supplémentaires d'évaluation de l'état du fœtus qui pourraient être envisagées pour bien documenter la collecte des données.
8. Quels sont les deux problèmes prioritaires nécessitant une surveillance particulière qui devraient être inscrits au plan thérapeutique infirmier (PTI) de madame Fernandez ?

Extrait

CONSTATS DE L'ÉVALUATION								
Date	Heure	N°	Problème ou besoin prioritaire	Initiales	RÉSOLU / SATISFAIT			Professionnels / Services concernés
					Date	Heure	Initiales	
2012-08-21	*14:00*	*1*						
2012-08-21	*14:00*	*2*						

Signature de l'infirmière	Initiales	Programme / Service	Signature de l'infirmière	Initiales	Programme / Service

Planification des interventions – Décisions infirmières

9. Nommez au moins sept interventions qui devront être effectuées, en relation avec les décélérations tardives et la tachycardie.

Évaluation des résultats – Évaluation en cours d'évolution

10. Qu'est-ce qui vous permettrait de croire que madame Fernandez est rassurée par rapport au MEF ?
11. Qu'est-ce qui vous indiquerait que le fœtus n'est pas à risque de détresse fœtale ?

APPLICATION DE LA PENSÉE CRITIQUE

Dans l'application de la démarche de soins auprès de madame Fernandez, l'infirmière a recours à un ensemble d'éléments (connaissances, expériences antérieures, normes institutionnelles ou protocoles, attitudes professionnelles) pour analyser la situation de santé de la cliente et en comprendre les enjeux. La **FIGURE 11.15** illustre le processus de pensée critique suivi par l'infirmière afin de formuler son jugement clinique. Elle résume les principaux éléments sur lesquels l'infirmière s'appuie en fonction des données de cette cliente, mais elle n'est pas exhaustive.

VERS UN JUGEMENT CLINIQUE

CONNAISSANCES

- Activité utérine normale durant le travail
- Réactions de la fréquence cardiaque fœtale aux contractions utérines
- Particularités de la surveillance électronique par moniteur durant le travail comme mode d'évaluation du bien-être du fœtus
- Techniques de monitorage utilisées le plus couramment
- Indications de l'utilisation du monitorage électronique du fœtus
- Méthodes pour évaluer le bien-être du fœtus, autres que le monitorage
- Fréquence cardiaque fœtale de base
- Variabilité de la fréquence cardiaque fœtale
- Facteurs de risque associés à l'hypoxémie fœtale
- Caractéristiques de la bradycardie et de la tachycardie fœtales
- Causes de la tachycardie et de la bradycardie fœtales
- Accélérations fœtales et leurs causes
- Décélérations fœtales et leurs causes
- Traitement des caractéristiques anormales de la fréquence cardiaque fœtale

EXPÉRIENCES

- Expérience personnelle d'utilisation de techniques de surveillance fœtale électronique pendant le travail
- Expérience auprès de femmes en travail pour lesquelles l'utilisation du monitorage électronique du fœtus était indiquée
- Expérience relative à l'utilisation de méthodes diverses pour évaluer le bien-être du fœtus
- Expérience dans la lecture et l'interprétation des tracés de fréquence cardiaque fœtale

NORME

- Application du protocole de l'établissement sur l'évaluation fœtale pendant le travail

ATTITUDES

- Être attentive aux besoins de la cliente
- Répondre aux besoins d'enseignement de la cliente quant à l'utilisation du monitorage électronique du fœtus
- Avoir une attitude calme et rassurante en tout temps

PENSÉE CRITIQUE

ÉVALUATION

- Détermination des facteurs de risque d'une issue défavorable de la grossesse
- Tracé de la fréquence cardiaque fœtale
- Activité utérine
- Signes vitaux

JUGEMENT CLINIQUE

FIGURE 11.15

À retenir

VERSION REPRODUCTIBLE

www.cheneliere.ca/lowdermilk

- Le bien-être fœtal pendant le travail est mesuré en surveillant la réaction de la F.C.F. aux contractions utérines.
- Au Canada, la SOGC et l'AWHONN (Canada) ont adopté des définitions normalisées des caractéristiques de la F.C.F. en vue de leur utilisation dans la pratique clinique.
- Les cinq composantes essentielles de l'interprétation du tracé de la F.C.F. sont la fréquence de base, la variabilité de base, les accélérations, les décélérations et la classification des caractéristiques du tracé (normal, atypique ou anormal).
- Le monitorage du bien-être fœtal comprend l'évaluation de la F.C.F. et de l'activité utérine, ainsi que l'évaluation des signes vitaux de la mère.
- L'infirmière est responsable d'évaluer les tracés de la F.C.F. et de l'activité utérine, d'effectuer des interventions infirmières indépendantes et de signaler toute caractéristique anormale au médecin ou à la sage-femme.
- L'AWHONN et la SOGC ont publié des normes et des directives relatives à l'auscultation intermittente et au MEF à l'intention des professionnels de la santé.
- Il faut prendre en considération les besoins émotifs, ainsi que les besoins d'information et de confort de la femme et de ses proches pendant le monitorage de la mère et du fœtus.
- La documentation de l'évaluation fœtale est effectuée et mise à jour conformément au protocole de l'établissement.

CHAPITRE

Soins infirmiers de la famille pendant le travail et l'accouchement

Écrit par:
Kitty Cashion, RN, BC, MSN

Adapté par:
Viola Polomeno, inf., Ph. D.

OBJECTIFS

 Guide d'études – SA12

Après avoir étudié ce chapitre, vous devriez être en mesure:

- de décrire les éléments de l'évaluation initiale de la parturiente;
- de décrire l'évaluation continue du progrès maternel pendant le premier, le deuxième, le troisième et le quatrième stade du travail;
- de reconnaître les résultats physiques et psychosociaux indiquant le progrès maternel pendant le travail;
- d'expliquer les signes de complications pendant le travail et l'accouchement;
- d'expliquer les interventions infirmières associées à chaque stade du travail et à l'accouchement;
- d'analyser les effets des croyances et des pratiques culturelles et religieuses sur le déroulement du travail et de l'accouchement;
- de décrire le rôle et les responsabilités de l'infirmière pendant un accouchement d'urgence.

Concepts clés

Cette carte conceptuelle illustre schématiquement les principaux concepts décrits dans le présent chapitre. Sa lecture vous permettra d'avoir une vue d'ensemble des notions qui y sont présentées.

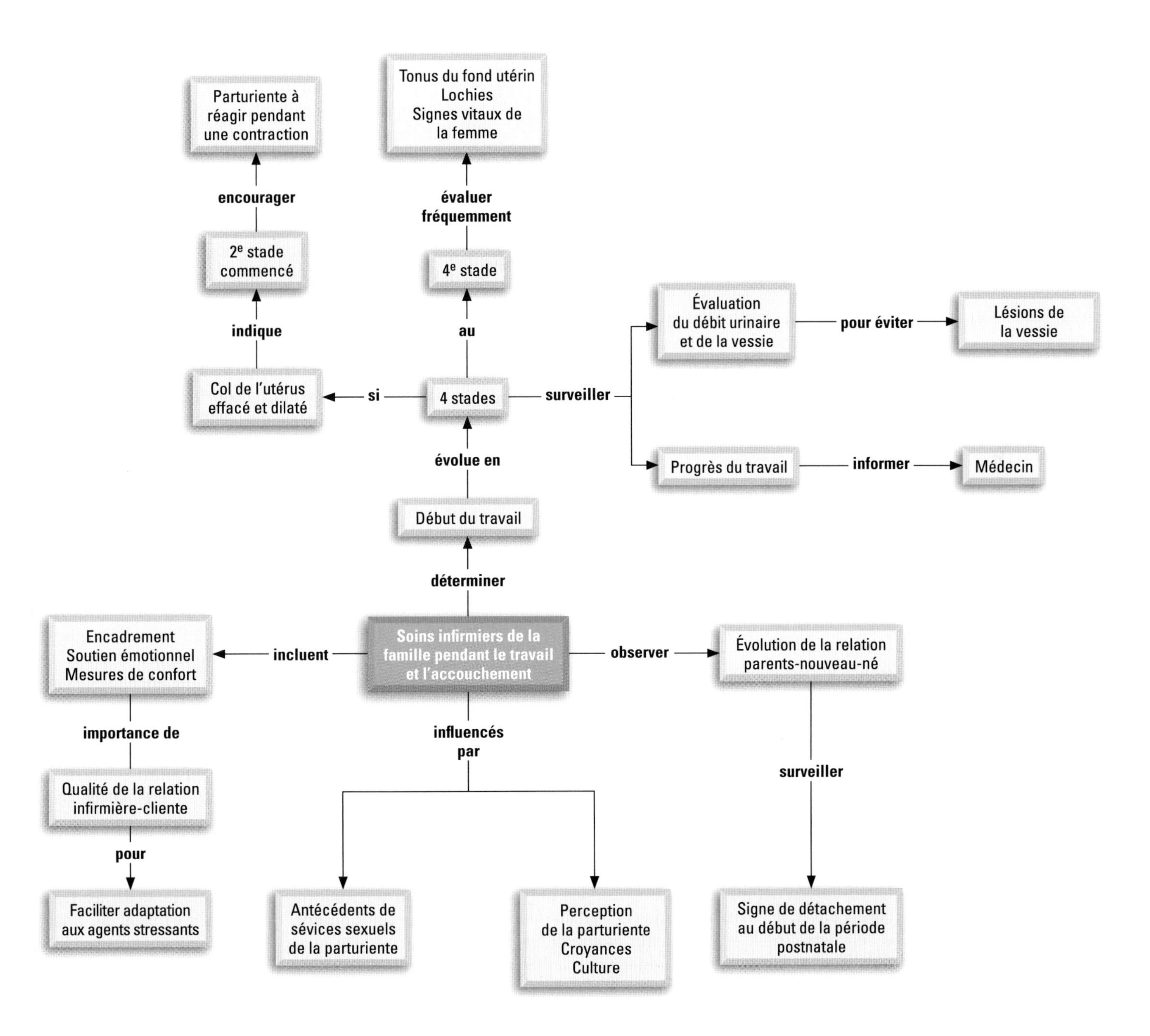

12

Le travail s'amorce au moment de la première contraction utérine, il se poursuit jusqu'à l'accouchement et se termine quand la cliente commence à se remettre physiquement de celui-ci et qu'elle et ses proches entament le processus d'attachement au nouveau-né. Les soins et les traitements infirmiers sont axés sur l'évaluation et le soutien de la parturiente et de ses proches tout au long du travail et de l'accouchement, et ils visent l'obtention des meilleurs résultats possibles pour tous. Le présent chapitre décrit les soins et les interventions infirmières appropriés à chaque stade du travail.

Une femme conserve généralement des souvenirs de son accouchement pour le reste de sa vie. Une attitude respectueuse, calme et attentionnée de la part de l'infirmière et du personnel soignant permet à la cliente de se rappeler cet événement comme étant une expérience positive. Permettre à la femme enceinte de participer à la planification de ses soins lui donne un sentiment de maîtrise de la situation, facilite sa participation à son accouchement et augmente son estime de soi et son degré de satisfaction. Une femme qui garde un souvenir satisfaisant de la naissance de son enfant peut s'adapter plus facilement à son rôle de mère. En outre, les soins prodigués à la femme et à sa famille au cours du travail et de l'accouchement doivent tenir compte des protocoles de l'établissement autant que de la culture et de l'histoire de santé de la parturiente.

12.1 | Premier stade du travail

Le **premier stade du travail** commence par le début des **contractions utérines** régulières et se termine par l'effacement total et la dilatation complète du col de l'utérus. Ce stade se divise en trois phases: la **phase de latence** (jusqu'à 3 cm de dilatation), la **phase active** (de 4 à 7 cm de dilatation) et la **phase de transition** (de 8 à 10 cm de dilatation).

SOINS ET TRAITEMENTS INFIRMIERS

PREMIER STADE DU TRAVAIL

Évaluation initiale

Parturiente: Nom donné à la femme pendant les quatre stades du travail, incluant l'accouchement.

L'évaluation du travail commence dès le premier contact avec la **parturiente**, que ce soit au téléphone ou en personne. Certaines femmes enceintes, particulièrement les nullipares, ont du mal à distinguer les différentes phases du premier stade du travail. Il est fréquent qu'elles avisent leur professionnel de la santé ou qu'elles se présentent à l'hôpital alors qu'elles sont en faux travail ou au début de la phase de latence du premier stade du travail. Certaines vivront un certain découragement en apprenant que les contractions qu'elles ressentent ne sont pas de vraies contractions (absence de dilatation cervicale) ou qu'elles ne sont pas encore assez fortes ou assez régulières pour justifier une admission. Pendant le troisième trimestre de la grossesse, il importe d'enseigner aux clientes à distinguer les stades du travail, ainsi qu'à reconnaître les signes de son début et le moment approprié pour se présenter à l'hôpital. Il faut les informer de la possibilité que l'admission leur soit refusée si la dilatation de leur col est de 3 cm ou moins **TABLEAU 12.1**.

L'évaluation du travail commence dès le premier contact avec la parturiente, que ce soit au téléphone ou en personne.

Si la cliente vit près de l'hôpital et qu'elle a de l'aide et un moyen de transport, l'infirmière lui demandera de retourner à la maison le temps que le travail progresse (c.-à-d. jusqu'à ce que la fréquence et l'intensité des contractions utérines augmentent). Durant ce stade, l'environnement familier de sa maison est à privilégier pour une cliente à faible risque. Si elle vit à une distance considérable de l'hôpital ou a des antécédents de travail rapide, elle peut toutefois être admise comme une parturiente en travail latent.

Une douche tiède ou chaude est un bon moyen de se détendre au début du travail. Des massages de détente du dos, des pieds ou des mains ou encore boire une boisson chaude telle que du thé ou du lait peuvent favoriser le repos et même le sommeil, surtout si le faux travail ou le début de travail a lieu pendant la nuit. Des divertissements comme la marche à l'extérieur ou dans la maison, la lecture, la télévision ou une conversation avec des amis peuvent soulager les malaises précoces et l'anxiété, et ainsi aider à passer le temps.

Quand la cliente arrive à l'unité de naissance, l'évaluation est prioritaire **FIGURE 12.1**. L'infirmière fait d'abord une évaluation à l'aide d'un questionnaire et d'un examen physique. Elle interprète les résultats des analyses de laboratoire et des examens paracliniques pour déterminer l'état de santé de la cliente et de son fœtus ainsi que les progrès du travail. L'infirmière informe également le médecin de la situation. Si la cliente est admise, une évaluation plus détaillée est effectuée **ENCADRÉ 12.1**.

Après son admission, la parturiente est amenée à une chambre de naissance ou à une salle de travail. Dans certains établissements, la chambre de la parturiente tient lieu de salle de travail, d'accouchement, de récupération et de postpartum. Si elle le souhaite, son conjoint ou sa personne de soutien (ou les deux) peuvent assister au processus d'évaluation et d'admission. L'infirmière peut diriger les proches qui n'assistent pas à ce processus vers la salle d'attente appropriée. La parturiente revêt sa propre chemise de nuit ou une chemise d'hôpital. L'infirmière lui met un bracelet d'identification au poignet. Ses objets personnels sont rangés dans un endroit sûr ou remis aux membres

Enseignement à la cliente et à ses proches

TABLEAU 12.1 Distinction entre le vrai et le faux travail

VRAI TRAVAIL	FAUX TRAVAIL
Contractions	
• Elles sont régulières, de plus en plus fortes, longues et rapprochées. • Elles s'intensifient pendant la marche. • Elles sont généralement ressenties dans le bas du dos et irradient vers le bas de l'abdomen. • Elles persistent malgré le recours à des mesures de confort.	• Elles sont irrégulières ou deviennent régulières de façon temporaire seulement. • Elles arrêtent généralement pendant la marche ou le changement de position ou sous l'effet d'un bain tiède. • Elles peuvent être ressenties dans le dos ou dans l'abdomen au-dessus du nombril. • Elles peuvent cesser avec l'application de mesures de confort.
Col de l'utérus	
• Il y a écoulement du bouchon muqueux. • Il se déplace en position antérieure. • À l'examen vaginal, il montrera des changements progressifs (ramollissement, effacement et dilatation).	• Il n'y a pas de signes d'écoulement du bouchon muqueux. • Il est souvent en position postérieure. • À l'examen vaginal, il peut être mou, mais il n'y a pas de changement notable de l'effacement ou de la dilatation.
Fœtus	
• La respiration de la parturiente est plus facile (le fœtus s'engage dans le bassin). • Les mictions de la parturiente sont plus fréquentes (le fœtus exerce une pression vers le bas et comprime la vessie).	• Le fœtus n'est généralement pas engagé dans le bassin.

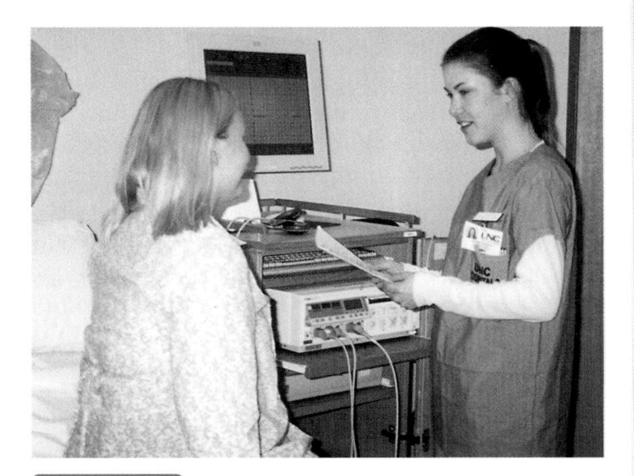

FIGURE 12.1
Une infirmière procède à l'évaluation d'une cliente au moment de son admission à l'unité de naissance.

ENCADRÉ 12.1 Rôle de l'infirmière pendant le travail et l'accouchement

RÔLE

Prévention des répercussions d'un problème sur l'état de santé de la parturiente et du fœtus

INTERVENTIONS

- Évaluation physique, culturelle et psychosociale immédiate de la parturiente
- Dépistage des risques élevés (p. ex., des saignements intermittents)

ÉVALUATION PHYSIQUE DE LA PARTURIENTE ET DU FŒTUS

- Col utérin
- Position du fœtus
- Contractions
- Évolution du travail
- Monitorage électronique des contractions
- Monitorage électronique du fœtus

BUTS

- Détection des complications pendant le travail (p. ex., la procidence du cordon, une détresse fœtale, l'arrêt de la progression du travail)
- Intervention adéquate

Source : Adapté de Ordre des infirmières et infirmiers du Québec (OIIQ) (2011).

de la famille, selon les politiques de l'établissement. Les femmes apportent généralement un sac pouvant contenir des objets pour leur confort pendant le travail et l'accouchement tels qu'un lecteur de musique, des photos et des jeux de société portatifs. L'infirmière fait ensuite visiter l'unité et la chambre de naissance à la parturiente et au conjoint ou à la personne de soutien et leur montre comment utiliser la cloche d'appel et le téléphone, régler l'éclairage de la chambre et placer le lit en diverses positions.

Quand la cliente arrive à l'unité de naissance, l'évaluation est prioritaire et l'infirmière fait d'abord une évaluation à l'aide d'un questionnaire et d'un examen physique.

L'infirmière qui agit de façon professionnelle doit inviter la cliente et ses proches à poser des questions sur son état et celui du fœtus et sur les soins en tout temps pendant le travail. L'infirmière peut soulager l'anxiété de la parturiente en lui expliquant les termes communément utilisés pendant le travail. Le détail de ses explications dépendra de l'intérêt, de la réaction et de l'expérience préalable de la cliente et des personnes qui l'accompagnent.

Les données à consulter par l'infirmière sont le dossier prénatal et les résultats des analyses de laboratoire et des examens paracliniques. Elle documente ensuite l'évaluation initiale, l'examen physique qui détermine les paramètres physiologiques de base, les facteurs psychosociaux et culturels évalués, ainsi que l'évolution clinique de l'état du travail.

7

Les analyses de laboratoire prénatales habituelles sont présentées dans le chapitre 7, *Soins infirmiers de la famille pendant la grossesse*.

19

Le chapitre 19, *Évaluation de la grossesse à risque élevé*, présente de l'information détaillée au sujet des évaluations et des examens concernant le fœtus.

Données prénatales

L'infirmière examine le dossier prénatal pour déterminer les besoins et les risques individuels de la cliente. Ces dossiers sont généralement conservés dans l'unité de soins prénataux pendant la grossesse (généralement au troisième trimestre) afin que l'information soit facilement disponible au moment de l'admission en travail. Si la parturiente n'a reçu aucun soin durant la grossesse ou si son dossier prénatal n'est pas accessible, l'infirmière doit obtenir certains renseignements élémentaires. Si la parturiente ressent des malaises, il est préférable de poser les questions entre les contractions quand elle peut mieux se concentrer sur ses réponses. Il peut parfois être nécessaire d'interroger le conjoint ou une personne de soutien pour obtenir de l'information essentielle.

Il est important de connaître l'âge de la cliente afin d'élaborer un plan de soins et de traitements infirmiers (PSTI) individualisé, qui tient compte du groupe d'âge de celle-ci. Par exemple, une adolescente de 14 ans et une femme de 40 ans n'ont pas les mêmes besoins et ne présentent pas les mêmes facteurs de risque. Il est important d'obtenir les mesures précises de la taille et de la masse corporelle de la cliente. Un gain de poids supérieur à celui recommandé peut accroître le risque de disproportion fœtopelvienne et d'accouchement par césarienne, particulièrement si la cliente est de petite taille et a pris 16 kg ou plus. D'autres facteurs à considérer sont l'état de santé général de la cliente, ses troubles de santé courants ou ses allergies et les interventions chirurgicales qu'elle a déjà subies.

RAPPELEZ-VOUS...

L'outil mnémotechnique PQRSTU permet à l'infirmière de recueillir auprès de la cliente toutes les données subjectives nécessaires à son évaluation.

Jugement clinique

Madame Émilie Michaud, âgée de 26 ans, est enceinte de 39 semaines de son premier enfant. Elle pense que ses contractions ont débuté au cours de la nuit sans qu'elle s'en rende vraiment compte. Celles-ci sont maintenant beaucoup plus fortes et rapprochées. L'infirmière qui a accueilli la cliente a écrit les notes d'évolution suivantes au dossier : *08:30 A des contractions q.6 min de forte intensité. Change de position au besoin.*

Que manque-t-il à la description des contractions pour qu'elle soit complète ?

Dans le dossier prénatal, l'infirmière doit retracer les antécédents obstétricaux de la cliente, notamment le nombre de grossesses, la parité et des troubles tels que des antécédents de saignement vaginal, d'hypertension et de diabète de grossesse, d'anémie, d'infections (bactériennes, virales ou transmises sexuellement) et d'immunodéficience. Elle doit confirmer la date prévue de l'accouchement. Les autres données importantes du dossier prénatal sont l'évolution du gain de poids maternel, les mesures physiologiques telles que les signes vitaux de la mère (pression artérielle [P.A.], température [T°], la fréquence et le rythme cardiaques et respiratoires), la hauteur utérine, la fréquence cardiaque fœtale [F.C.F.] de base et les résultats des analyses de laboratoire et des examens paracliniques ▶ 7. Les évaluations et les examens paracliniques courants du fœtus sont entre autres l'amniocentèse, l'examen de réactivité fœtale (ERF), le profil biophysique et l'échographie ▶ 19.

Si la cliente n'en est pas à son premier accouchement, l'infirmière doit noter les caractéristiques de ses expériences passées, notamment la durée du travail, le type d'anesthésie utilisé, le genre d'accouchement (p. ex., vaginal spontané, avec ventouse obstétricale, avec forceps ou par césarienne) et l'état du nouveau-né. Elle doit explorer comment la parturiente perçoit ses expériences précédentes de travail et d'accouchement, car cette perception peut influer sur son attitude quant à l'expérience actuelle.

Entrevue

L'infirmière détermine le motif principal de la présence de la parturiente à l'hôpital. Elle peut être venue en raison de la **rupture des membranes** amniotiques, avec ou sans contractions, pour subir un examen obstétrical ou pour une période d'observation s'il y a incertitude au sujet du début de son travail.

Même la femme multipare peut avoir de la difficulté à déterminer le début de son travail. Il faut lui demander de se rappeler les événements des jours précédents et de décrire les éléments suivants :

- l'heure et la durée des contractions et leur progrès quant à leur fréquence, leur durée et leur intensité ;
- les caractéristiques du malaise (PQRSTU) dû aux contractions (p. ex., une douleur dorsale, un malaise sous-pubien) ;
- la persistance des contractions malgré les changements de position et l'activité de la mère (p. ex., la marche ou le repos) ;
- la présence et les caractéristiques des pertes vaginales ou de l'écoulement du **bouchon muqueux** ;
- l'état des membranes amniotiques, comme un écoulement de liquide (rupture spontanée des membranes). S'il y a eu un écoulement pouvant être du liquide amniotique, il faut demander à la cliente la date et l'heure auxquelles elle a vu du liquide la première fois et les caractéristiques de celui-ci (p. ex., la quantité, la couleur, une odeur inhabituelle). Dans de nombreux cas, un examen

avec un spéculum stérile et un **test à la nitrazine** (évaluation du pH) ou une **épreuve de l'arborisation cervicale** peuvent confirmer la rupture des membranes amniotiques **ENCADRÉ 12.2**.

Ces descriptions aident l'infirmière à évaluer le progrès du travail. L'écoulement du bouchon muqueux se distingue du saignement par sa nature muqueuse (épais et collant).

Au début, il y a très peu d'écoulement du bouchon muqueux, mais il augmente avec l'effacement et la dilatation du col de l'utérus. Une cliente peut mentionner un faible écoulement brunâtre ou sanguinolent qui peut être attribuable à une lésion cervicale causée par l'examen vaginal ou un coït au cours des 48 dernières heures.

Si une anesthésie générale est nécessaire dans un cas d'urgence, il est important de vérifier à nouveau la présence d'allergies, notamment au latex et aux médicaments régulièrement utilisés en obstétrique, tels que les analgésiques opioïdes (p. ex., l'hydromorphone [Dilaudid^MD], le butorphanol, le fentanyl et la nalbuphine [Nubain^MD]), les anesthésiques (p. ex., la bupivacaïne, la lidocaïne et la ropivacaïne) et les antiseptiques.

Puisque les vomissements et l'aspiration subséquente dans les voies respiratoires peuvent compliquer un travail qui serait autrement normal, l'infirmière doit noter l'heure de la dernière ingestion d'aliments solides et liquides et la nature de ceux-ci.

Pendant l'évaluation d'admission, l'infirmière doit obtenir toute information qui n'apparaissait pas au dossier prénatal (Association of Women's Health, Obstetric and Neonatal Nurses [AWHONN], 2009). Les éléments d'information pertinents comprennent le plan de naissance **ENCADRÉ 12.3**, la méthode choisie de soulagement de la douleur, le choix d'une méthode d'alimentation du nouveau-né et le nom du pédiatre. Elle doit tracer un profil de la cliente qui mentionne sa préparation au travail et à l'accouchement, les personnes de soutien ou les membres de la famille qu'elle souhaite avoir près d'elle pendant le travail

Jugement clinique

Madame Bérénice Lavandoux, âgée de 31 ans, est enceinte de 36 semaines de son troisième enfant. Elle se présente à l'unité de naissance, car elle croit que ses membranes se sont rompues au cours d'une légère perte d'équilibre survenue plus tôt dans la journée. Le test de pH à la nitrazine donne un résultat de 5,9.

D'après ce résultat, devez-vous conclure que les membranes de la cliente sont rompues ? Justifiez votre réponse.

Un plan de naissance utile pour la femme enceinte et son conjoint est présenté sur le site de la Société des obstétriciens et gynécologues du Canada (SOGC) au www.sogc.org/health/pregnancy-birth-plan_f.asp.

Pratiques infirmières suggérées

ENCADRÉ 12.2 Tests de rupture des membranes amniotiques

TEST DE pH À LA NITRAZINE

Expliquer la procédure à la cliente, au couple, ou à la personne de soutien.

Méthode

- Procéder à l'hygiène des mains et mettre des gants.
- Utiliser un écouvillon imprégné de nitrazine pour déterminer le pH (permet de distinguer le liquide amniotique, qui est légèrement alcalin, de l'urine et des matières purulentes, qui sont acides).
- Insérer l'écouvillon profondément dans le vagin pour recueillir du liquide. (Cela peut être fait pendant l'examen avec le spéculum stérile.)

Interprétation des résultats

- Dans le cas de membranes probablement intactes, les liquides vaginaux et la plupart des liquides corporels sont acides.
- Dans le cas de membranes probablement rompues, le liquide amniotique est alcalin.

Membranes intactes	Membranes rompues
pH 5,0 Jaune	pH 6,5 Bleu-vert
pH 5,5 Jaune-olive	pH 7,0 Bleu-gris
pH 6,0 Vert-olive	pH 7,5 Bleu-nuit

- Des faux résultats sont possibles en présence de sperme ou d'écoulement du bouchon muqueux ou s'il y a une quantité insuffisante de liquide amniotique.
- Donner les soins obstétricaux appropriés.
- Retirer les gants, les jeter et procéder à l'hygiène des mains.

Consignation des résultats

Les résultats sont positifs ou négatifs.

ÉPREUVE DE L'ARBORISATION CERVICALE

- Expliquer la procédure à la cliente, au couple, ou à la personne de soutien.
- Procéder à l'hygiène des mains, mettre des gants stériles, prélever un échantillon de liquide (généralement pendant l'examen avec le spéculum stérile).
- Verser une goutte de liquide vaginal sur une lame propre avec un coton-tige stérile.
- Laisser sécher le liquide.

Interprétation des résultats

- Examiner la lame au microscope :
  - Si une arborisation apparaît (cristallisation en forme de fougère) (ne pas confondre avec le test de la glaire cervicale, quand de fortes concentrations d'œstrogènes causent l'arborisation), cela signifie que les résultats sont positifs.
  - Si aucune arborisation n'apparaît (il est possible qu'il y ait une quantité insuffisante d'échantillon ou que celui-ci soit constitué d'urine, d'écoulement vaginal ou de sang), cela signifie que les résultats sont négatifs.
- Donner les soins obstétricaux nécessaires.
- Retirer les gants, les jeter et procéder à l'hygiène des mains.

Consignation des résultats

Les résultats sont positifs ou négatifs.

ENCADRÉ 12.3 **Plan de naissance**

Le plan de naissance doit mentionner les préférences de la cliente ou du couple en ce qui concerne les éléments suivants.

- La présence de personnes de soutien telles que le conjoint ou la conjointe, des enfants plus âgés, des parents, des amis ou une doula, ainsi que le rôle de chacun
- La présence d'autres personnes telles que des étudiants, des préposés de sexe masculin et des interprètes
- Les vêtements à porter
- Des modifications de l'environnement telles que l'éclairage, la musique, l'intimité, l'emplacement du lit et le matériel à apporter de la maison, comme des oreillers
- Les activités liées au travail, telles que les positions préférées pour le travail et la naissance, la marche, les ballons de naissance, les douches et les bains tourbillons ainsi que les aliments solides et liquides
- Une liste des mesures de détente et de confort
- Les préférences quant aux interventions médicales liées au travail et à l'accouchement, telles que l'administration d'analgésiques, le soluté intraveineux (I.V.), le monitorage (ou surveillance électronique), les mesures d'induction ou de stimulation et l'épisiotomie
- Les soins et la manipulation du nouveau-né immédiatement après la naissance, par exemple la coupe du cordon, le soin des yeux, l'injection de la vitamine K et la méthode d'alimentation choisie
- Les exigences culturelles et religieuses concernant les soins de la mère, du nouveau-né et le mode de disposition du placenta

et l'accouchement et leur disponibilité, ainsi que ses attentes et ses besoins sur les plans ethniques ou culturels et religieux. L'infirmière doit déterminer la consommation d'alcool, de médicaments ou de drogues et de tabac de la cliente avant et pendant sa grossesse.

S'il n'existe aucun plan de naissance écrit, l'infirmière aide la cliente à en préparer un en lui décrivant les choix possibles et en tenant compte de ses préférences. En tant que personne soignante et défenseur des intérêts de la cliente, l'infirmière doit autant que possible intégrer les souhaits de celle-ci dans ce plan. Elle doit également préparer la cliente à la possibilité d'un changement de plan au cours du travail et lui assurer que le personnel soignant lui donnera alors les renseignements qui lui permettront de prendre des décisions éclairées. La cliente doit toutefois savoir que plus sa liste de souhaits est longue, plus elle a de chances que ses attentes ne soient pas satisfaites. Le cas échéant, il est utile d'avoir ciblé à l'avance avec la cliente les besoins qu'elle considère comme prioritaires.

L'infirmière doit discuter avec la parturiente et son conjoint ou la personne de soutien de leurs intentions concernant la prise de photographies et l'enregistrement vidéo du travail et de l'accouchement et les informer des politiques de l'établissement à ce sujet et des circonstances dans lesquelles ils sont permis. La protection de la vie privée ainsi que la sécurité et la prévention des infections doivent être prises en compte. L'existence de photographies et de vidéos du travail et de l'accouchement doit être mentionnée au dossier de la cliente. La direction de certains établissements de santé peut même interdire l'enregistrement vidéo du travail et de l'accouchement pour des questions de responsabilités légales.

Facteurs psychosociaux

L'apparence et le comportement de la parturiente et de son conjoint fournissent de précieux indices quant au soutien dont la cliente aura besoin. Des changements dans le comportement de la parturiente sont attendus durant la progression du travail **TABLEAU 12.2** et **ENCADRÉ 12.4**.

Cliente ayant des antécédents de sévices sexuels

Le travail peut déclencher des souvenirs de sévices sexuels, notamment au cours d'interventions effractives telles que l'examen vaginal (Cherniak, Grant, Mason, Moore & Pellizzari, 2005). Les moniteurs, les perfusions I.V. et les analgésies épidurales peuvent donner à la cliente une impression de perte de maîtrise de soi, de confinement au lit et de contention. Le fait d'être observée par des étudiants et de subir de fortes sensations dans les régions utérine et génitale, surtout pendant la poussée, peut aussi déclencher de tels souvenirs.

L'infirmière peut aider la cliente ayant subi des sévices sexuels à associer ces sensations à la naissance de son enfant plutôt qu'aux violences passées. Elle peut l'aider à garder un sentiment de maîtrise de la situation en lui expliquant toutes les interventions et leur nécessité, en validant ses besoins et en étant très attentive à ses demandes. Elle doit attendre d'obtenir la permission de la cliente avant de la toucher et accepter ses réactions souvent extrêmes au travail. Il faut éviter les mots et les phrases qui peuvent lui rappeler les paroles de son agresseur (p. ex., Ouvrez vos jambes, Cela fera moins mal si vous vous détendez). Il faut aussi limiter le plus possible le nombre d'interventions effractives (p. ex., les examens vaginaux ou l'utilisation d'une sonde urinaire, d'un moniteur interne, de forceps ou d'une ventouse obstétricale). L'infirmière doit encourager la parturiente à choisir une personne en qui elle a confiance (telle qu'une **doula**, un ami ou une amie, un membre de la famille) qui l'accompagnera pendant le travail, lui offrira du soutien, et défendra ses intérêts. On conseille aux infirmières de traiter toutes les parturientes de cette manière, car de nombreuses femmes choisissent de ne pas révéler des sévices sexuels passés. De telles mesures peuvent aider une cliente à percevoir son accouchement comme une expérience positive.

Stress du travail

La façon dont une cliente et ses personnes de soutien ou les membres de sa famille considèrent le travail est liée à la manière dont leur socialisation les a amenés à considérer la grossesse. Leurs réactions reflètent leurs expériences physiques, psychologiques, émotionnelles, sociales, culturelles et religieuses liées à la naissance d'un

TABLEAU 12.2 Caractéristiques de la progression du premier stade du travail

CRITÈRE	PHASES DE LA DILATATION CERVICALE[a]		
	DE LATENCE (DE 0 À 3 cm)	ACTIVE (DE 4 À 7 cm)	DE TRANSITION (DE 8 À 10 cm)
Durée[b]	• De 6 à 8 h	• De 3 à 6 h	• De 20 à 40 min
Contractions • Intensité	• De légères à modérées	• De modérés à fortes	• De fortes à très fortes
• Rythme	• Irrégulier	• Plus régulier	• Régulier
• Fréquence	• Intervalles de 5 à 30 min	• Intervalles de 3 à 5 min	• Intervalles de 2 ou 3 min
• Durée	• De 30 à 45 sec.	• De 40 à 70 sec.	• De 45 à 90 sec.
Descente : hauteur de la présentation	• Nullipare : 0 • Multipare : de −2 à 0 cm	• Nullipare et multipare : varie de +1 à +2 cm	• Nullipare et multipare : varie de +2 à +3 cm
Couleur de l'écoulement du bouchon muqueux	• Écoulement muqueux brunâtre ou rose pâle	• Mucus rose à sanguinolent	• Mucus sanguinolent
Quantité de l'écoulement	• Petite	• De petite à modérée	• Grande
Réactions physiques et physiologiques de la cliente[c]	• Agitée ; pensées centrées sur elle-même, le travail et le fœtus ; peut être loquace ou silencieuse, calme ou tendue ; montre une certaine inquiétude ; douleur assez bien maîtrisée ; alerte ; ouverte aux instructions et les suit facilement.	• Devient plus sérieuse, incertaine du soulagement de la douleur et plus inquiète ; veut de la compagnie et des encouragements ; plus centrée sur elle-même ; montre des signes de fatigue ; rougeur des joues ; a de la difficulté à suivre les instructions.	• Mentionne une douleur intense ; peut exprimer de la frustration, une crainte de perdre la maîtrise de soi ; céphalées souvent présentes ; irritabilité ; communications confuses ; amnésie entre les contractions ; nausées et vomissements, surtout en cas d'hyperventilation ; hyperesthésie ; pâleur autour de la bouche ; transpiration du front et de la lèvre supérieure ; tremblements des cuisses ; sensation de besoin de déféquer et d'une pression sur l'anus.

[a] Chez la femme nullipare, l'effacement est généralement complet avant le début de la dilatation ; chez la femme multipare, l'effacement et la dilatation sont simultanés.

[b] La durée de chaque phase dépend de facteurs tels que la parité, les émotions, la position et le degré d'activité de la mère ainsi que la taille, la présentation et la position du fœtus. Par exemple, le travail d'une femme nullipare est généralement plus long que celui d'une femme multipare. La première phase est généralement plus courte lorsque la parturiente marche, se tient debout ou change souvent de position pendant le travail. La descente du fœtus est souvent plus longue dans le cas d'une présentation du siège ou du sommet occipito-iliaque postérieure.

[c] Une parturiente qui subit une analgésie épidurale peut ne pas présenter certains de ces comportements.

enfant. La société communique ses attentes relatives aux comportements maternels acceptables et inacceptables pendant le travail et l'accouchement. Certaines clientes peuvent concevoir l'évaluation de leur propre comportement pendant l'accouchement sur la base de ces attentes. Une perception idéalisée du travail et de l'accouchement peut être une source de honte entraînant ainsi un sentiment d'échec, si la femme ne perçoit pas sa grossesse comme un événement heureux, surtout si elle était imprévue ou si elle résulte d'une relation conjugale ou amoureuse turbulente ou terminée. Il est possible que certaines clientes aient entendu des histoires d'horreur au sujet du travail et de l'accouchement ou qu'elles aient assisté au travail difficile d'amies ou de parentes. Les femmes multipares fondent généralement leurs attentes du travail sur leurs expériences précédentes.

ENCADRÉ 12.4 Indicateurs psychosociaux observables de la parturiente

INTERACTIONS VERBALES

- La parturiente pose-t-elle des questions ?
- Peut-elle exprimer ses besoins ?
- S'adresse-t-elle aux personnes de soutien ?
- Parle-t-elle spontanément avec l'infirmière ou répond-elle seulement aux questions ?

LANGAGE CORPOREL

- La parturiente est-elle tendue ou détendue ?
- Semble-t-elle anxieuse ?
- Comment réagit-elle au toucher de l'infirmière ou du conjoint et d'une personne de soutien ?
- Évite-t-elle le contact visuel ?
- Semble-t-elle fatiguée ?

APTITUDE PERCEPTIVE

- Existe-t-il une barrière linguistique entre la parturiente et le personnel de soins ?
- Faut-il lui répéter les explications parce que son degré d'anxiété nuit à sa compréhension ?
- Peut-elle répéter ce qui lui a été dit ou démontrer autrement sa compréhension ?

MALAISE

- La parturiente peut-elle décrire ce qu'elle ressent ?
- Comment réagit-elle à une contraction ?
- Émet-elle des signaux non verbaux de douleur ?
- Demande-t-elle des mesures de confort ?

Jugement clinique

Madame Véronic Maheux, une femme nullipare âgée de 24 ans, est enceinte de 39 semaines. Son travail a débuté il y a sept heures. Ses contractions, d'une intensité moyenne, sont régulières toutes les 3 à 5 minutes et d'une durée de 50 secondes. Vous remarquez qu'elle perd un peu plus de mucus sanguinolent.

À partir de ces éléments d'information, à quelle phase du travail se situe madame Maheux?

RAPPELEZ-VOUS...

Le but des soins infirmiers transculturels est de prodiguer des soins culturellement cohérents, c'est-à-dire qui correspondent aux valeurs et aux croyances des clients.

L'infirmière doit discuter avec la parturiente de ses sentiments envers sa grossesse et de ses craintes envers son accouchement (AWHONN, 2009). Cette discussion est particulièrement importante si la cliente est **primigeste** et n'a pas suivi de cours de préparation à la naissance ou est **multipare** et a déjà vécu un accouchement qui s'est avéré une expérience négative ou difficile. L'infirmière doit s'intéresser aux préoccupations des parturientes parce que celles-ci peuvent ne pas les exprimer spontanément. Leurs principales craintes et préoccupations portent généralement sur le déroulement et les effets du travail et de l'accouchement, leur bien-être et celui du fœtus ainsi que sur l'attitude et les interventions du personnel soignant. Ces craintes engendrent un stress additionnel qui entrave le processus du travail; en effet, les catécholamines produites en réponse au stress peuvent inhiber les contractions utérines (Murray & Huelsmann, 2009; Zwelling, Johnson & Allen, 2006).

Le conjoint, la personne de soutien ou les proches peuvent aussi subir du stress pendant le travail (Chandler & Field, 2010). L'infirmière peut les aider et les soutenir en s'efforçant de répondre à leurs attentes et à leurs besoins et en aidant chaque personne à jouer le rôle qu'elle souhaite endosser. L'infirmière évalue les attentes et les besoins grâce à des observations et à des questions telles que: Le couple a-t-il suivi des cours de préparation à la naissance? Quel rôle chaque personne s'attend-elle à jouer? Cette personne est-elle la seule à parler? Est-elle nerveuse, anxieuse, agressive ou hostile? Semble-t-elle avoir faim ou être fatiguée, inquiète ou désorientée? Regarde-t-elle la télévision, dort-elle ou reste-t-elle à l'extérieur de la chambre plutôt que de s'occuper de la parturiente? Où s'assoit-elle? Touche-t-elle la parturiente? Dans l'affirmative, quelle est la nature du toucher? L'infirmière doit être attentive aux besoins des personnes de soutien et elle doit les informer et les aider s'il y a lieu. Dans de nombreux cas, le soutien que ces personnes offrent à la parturiente est directement proportionnel à celui qu'elles reçoivent des infirmières et des autres professionnels de la santé.

Facteurs culturels

En raison de la diversification croissante des populations du Québec et du Canada, il devient de plus en plus important de tenir compte des influences ethniques, culturelles et religieuses de la cliente afin de planifier des soins et des interventions infirmières individualisés. L'infirmière doit s'engager à offrir des soins adaptés à la culture et à mieux comprendre et respecter la diversité culturelle de la cliente et de sa famille (AWHONN, 2009; Callister, 2005). La parturiente doit être encouragée à informer le personnel soignant des pratiques particulières en matière de soins qui sont importants pour elle. Si une demande semble s'opposer aux pratiques courantes de l'établissement, l'infirmière peut solliciter l'implication d'autres intervenants (p. ex., l'infirmière-chef, le médecin, le travailleur social, l'agent de pastorale) pour répondre à cette demande. Par exemple, de nombreuses cultures considèrent qu'il est inacceptable qu'une femme soit examinée par du personnel soignant de sexe masculin. Dans certaines cultures, la tradition veut que l'on rapporte le placenta à la maison; dans d'autres cultures, la femme ne peut manger que certains aliments pendant son travail. Aussi, l'infirmière doit bien expliquer les raisons des soins qui sont médicalement nécessaires, mais qui font l'objet de croyances particulières. Par exemple, certaines femmes croient que l'incision du corps, par exemple l'**épisiotomie**, permet à l'esprit de s'échapper du corps ou que la rupture artificielle des membranes amniotiques prolonge le travail plutôt que de l'écourter **ENCADRÉ 12.5**.

Selon ses croyances, une femme peut penser qu'il y a une «bonne» façon de se comporter pendant le travail et l'accouchement, qui peut influer sur ses réactions à la douleur ressentie. Cela peut se traduire par un silence total, des gémissements ou des cris, qui ne sont pas nécessairement des indicateurs fiables du degré de douleur qu'elle ressent. Il est possible qu'une femme qui gémit pendant ses contractions éprouve moins de douleur qu'une cliente silencieuse qui grimace. Certaines femmes croient qu'il est honteux de crier ou de pleurer de douleur en présence d'un homme. La parturiente peut ressentir le besoin de s'exprimer davantage si la personne de soutien est sa mère

Soins ethnoculturels

ENCADRÉ 12.5 Accouchement chez différentes ethnies

Les pratiques d'accouchement peuvent varier d'une culture à l'autre. Voici quelques exemples précis de variantes culturelles.

Somaliens: La femme peut paraître stoïque pendant l'accouchement.

Japonais: Les méthodes naturelles d'accouchement sont valorisées. La femme peut travailler en silence et peut manger pendant le travail. Le père peut être présent.

Chinois: La femme a une réaction stoïque à la douleur. Le père est généralement absent. La femme préfère la position couchée sur le côté pendant le travail et l'accouchement, car les Chinois croient que cette position réduit les traumas du nouveau-né.

Indiens: Les méthodes naturelles d'accouchement sont valorisées. Le père est généralement absent, mais des parentes sont généralement présentes.

Iraniens: Le père est absent. Ils préfèrent que le soutien et les soins soient donnés par des femmes.

Mexicains: Le père et des parentes peuvent être présents.

Laotiens: La femme peut accoucher en position accroupie. Le père peut être présent ou non. Ils préfèrent un personnel soignant de sexe féminin.

Source: Adapté de D'Avanzo (2008).

plutôt que le père de l'enfant à naître. Elle percevra son comportement comme un échec ou un succès selon sa capacité de respecter ces « normes ». Inversement, le comportement d'une parturiente en réaction à la douleur peut influer sur le soutien qu'elle reçoit de ses proches. Dans certaines cultures, la femme qui perd la maîtrise d'elle-même et qui pleure de douleur est réprimandée tandis que dans d'autres cultures, un tel comportement incite les personnes de soutien à l'aider davantage.

Une personne de soutien est une importante source d'aide, d'encouragement et de réconfort pour une femme pendant le travail et l'accouchement. Les valeurs culturelles et religieuses de la parturiente influent sur son choix de personne de soutien. Les tendances de la société où elle vit ont également un impact sur ce choix. Par exemple, dans les sociétés occidentales, le père est perçu comme la personne de soutien idéale ; pour les couples québécois, canadiens et européens, les cours de préparation à la naissance sont devenus une activité traditionnelle et attendue. Dans certaines cultures, le père peut être disponible, mais sa présence pendant le travail avec la mère peut être considérée comme inappropriée, ou il peut être présent, mais ne pas participer activement aux soins de sa femme. Aussi, des parturientes de nombreuses cultures préfèrent avoir un personnel soignant de sexe féminin et veulent avoir au moins une femme auprès d'elles pendant leur travail et leur accouchement. De tels comportements peuvent être perçus par le personnel infirmier occidental comme de la négligence ou un manque d'attention ou d'intérêt de la part du père, ou une demande exagérée de la mère, tandis que ces couples peuvent percevoir l'attitude occidentale comme irrespectueuse. L'infirmière devra discuter avec la parturiente et ses personnes de soutien pour reconnaître et respecter les rôles que chacune assumera.

Barrières linguistiques

Le degré d'anxiété d'une parturiente en travail augmente quand elle ne comprend pas ce qui lui arrive ou ce qu'on lui dit. Si aucun des professionnels de la santé présents ne parle sa langue, elle sent généralement qu'elle perd la maîtrise de la situation. Elle peut paniquer et se replier sur elle-même ou faire preuve d'agressivité quand quelqu'un tente de faire quelque chose qui semble pouvoir être nocif pour elle-même ou son enfant. Une personne de soutien peut parfois servir d'interprète. Il faut toutefois faire attention, car cette personne peut être incapable de traduire exactement les paroles de l'infirmière, d'autres personnes ou de la parturiente, ce qui peut accroître davantage le degré de stress de celle-ci.

Idéalement, la cliente devrait être soignée par une infirmière qui peut communiquer dans sa langue. Sinon, celle-ci peut demander l'aide d'un autre membre du personnel hospitalier ou d'un interprète volontaire ▶ 1. Idéalement, l'interprète doit être de la même culture que la parturiente. Certaines clientes préfèrent avoir une femme interprète plutôt qu'un homme. Si personne ne peut le faire dans l'hôpital, il faut faire appel à un service d'interprète qui pourra faire l'interprétation au téléphone. Même si l'infirmière a de la difficulté à communiquer oralement avec la cliente, celle-ci apprécie généralement ses efforts. Pour faciliter la compréhension de la parturiente et de son conjoint ou de la personne de soutien, il faut parler lentement en évitant les mots difficiles et les termes médicaux.

Le degré d'anxiété d'une parturiente en travail augmente quand elle ne comprend pas ce qui lui arrive ou ce qu'on lui dit.

1

Le recours à un interprète dans le cadre des soins pernataux est abordé dans le chapitre 1, *Les soins infirmiers périnataux au XXIe siècle : une pratique adaptée à la culture, à la famille et à la communauté*.

Examen physique

L'examen physique initial comprend l'évaluation générale des systèmes de l'organisme de la cliente et une évaluation de l'état du fœtus. Les contractions utérines sont évaluées, et un examen vaginal est effectué. L'information obtenue grâce à l'évaluation complète et précise faite pendant l'examen physique initial sert de données de base pour déterminer si la cliente doit être admise, ainsi que les soins continus dont elle aura besoin, et pour l'évaluation des progrès subséquents de la parturiente. Les caractéristiques de la progression du premier stade du travail et les éléments d'évaluation minimale pendant ce stade sont présentés aux **TABLEAUX 12.2** et **12.3**.

Des précautions de base doivent être prises pour toutes les mesures d'évaluation et de soins **ENCADRÉ 12.6**. Il faut expliquer les résultats d'évaluation à la cliente, si possible. Pendant toute la durée du travail, l'infirmière doit consigner toute intervention le plus tôt possible après l'avoir effectuée.

Jugement clinique

Madame Aiko Yamaki, âgée de 30 ans, est enceinte de 39 semaines. Elle est d'origine japonaise et a immigré au Québec il y a deux ans. Elle est admise à l'unité de naissance à la suite de la rupture de ses membranes amniotiques. Elle s'exprime peu en français, mais son amie qui l'accompagne le parle assez bien. Madame Yamaki ne comprend pas ce que vous lui expliquez. Vous la sentez beaucoup plus anxieuse qu'à son arrivée. Elle s'oppose à tout ce que vous lui demandez.

Que pourriez-vous faire pour réduire son anxiété ?

Évaluation générale des systèmes

Une brève évaluation des systèmes doit être effectuée. Elle comprend une évaluation des fonctions cardiaque et pulmonaire et de la peau. Elle inclut également le test du réflexe tendineux (profond) et du clonus ainsi qu'un examen permettant de déterminer la présence et l'étendue d'un œdème aux jambes, aux mains, au visage et au sacrum.

Signes vitaux

Les signes vitaux (température, caractéristiques du pouls et de la respiration,

Cheminement clinique

TABLEAU 12.3 Parturiente à faible risque au premier stade du travail

CRITÈRE	DILATATION CERVICALE DE 0 À 3 cm (PHASE DE LATENCE)	DILATATION CERVICALE DE 4 À 7 cm (PHASE ACTIVE)	DILATATION CERVICALE DE 8 À 10 cm (PHASE DE TRANSITION)
Évaluation[a]	**Fréquence**		
P.A., caractéristiques du pouls (P) et de la F.R.	• Toutes les 30 à 60 min	• Toutes les 30 min	• Toutes les 15 à 30 min
Température[b]	• Toutes les 4 h	• Toutes les 4 h	• Toutes les 4 h
Activité utérine	• Toutes les 30 à 60 min	• Toutes les 15 à 30 min	• Toutes les 10 à 15 min
F.C.F.	• Toutes les 30 à 60 min	• Toutes les 15 à 30 min	• Toutes les 15 à 30 min
Écoulement vaginal du bouchon muqueux	• Toutes les 30 à 60 min	• Toutes les 30 min	• Toutes les 15 min
Comportement, apparence, humeur et degré d'énergie de la parturiente; état du conjoint ou de la personne de soutien	• Toutes les 30 min	• Toutes les 15 min	• Toutes les 5 min
Examen vaginal[c]	• Au besoin pour déterminer le progrès	• Au besoin pour déterminer le progrès	• Au besoin pour déterminer le progrès
Soins physiques[d]			
	• Rester à la maison le plus longtemps possible. • Favoriser des mesures de relaxation: repos et sommeil si c'est la nuit. • Encourager l'activité (p. ex., la marche); insister sur les positions verticales. • Procurer des divertissements. • Permettre l'alimentation (aliments légers et diète liquide). • Encourager la miction toutes les 2 h. • Effectuer les mesures d'hygiène élémentaires.	• Aider à faire les techniques de respiration. • Aider à utiliser les techniques de relaxation entre les contractions. • Encourager la marche et les positions verticales. • Aider à changer de position. • Utiliser les mesures de confort désirées par la parturiente: massage, effleurage, compresse chaude ou froide, toucher et autres. • Commencer l'hydrothérapie (douche, bain, bain tourbillon). • Donner de la nourriture à volonté. • Encourager la miction toutes les 2 h. • Aider à faire les soins hygiéniques et périnéaux. • Donner des analgésiques sur demande et selon la prescription du médecin. • Prendre la relève du conjoint ou de la personne de soutien ou les deux.	• Aider à faire les techniques de respiration. • Réduire les touchers si une sensibilité accrue est notée. • Aider la parturiente à se détendre entre les contractions. • L'aider à changer de position. • Utiliser des mesures de confort selon le degré de tolérance. • Continuer l'hydrothérapie si elle est efficace. • Donner des gorgées de liquides clairs ou de petits morceaux de glace. • Encourager la miction toutes les 2 h. • Effectuer les mesures d'hygiène, insister sur les soins du périnée. • Faire des soins de bouche pour diminuer la sécheresse. • Donner des analgésiques sur demande et selon la prescription du médecin. • Se préparer à la naissance.
Soutien émotionnel			
	• Revoir le plan de naissance. • Revoir le processus du travail (p. ex., à quoi s'attendre et les techniques possibles de soulagement de la douleur).	• Commenter le déroulement du travail. • Réduire les distractions pendant les contractions. • Faire une démonstration des mesures de confort.	• Donner un soutien continu. • Réduire les distractions. • Faire une démonstration des mesures de soins pour aider le conjoint ou la personne de soutien ou les deux.

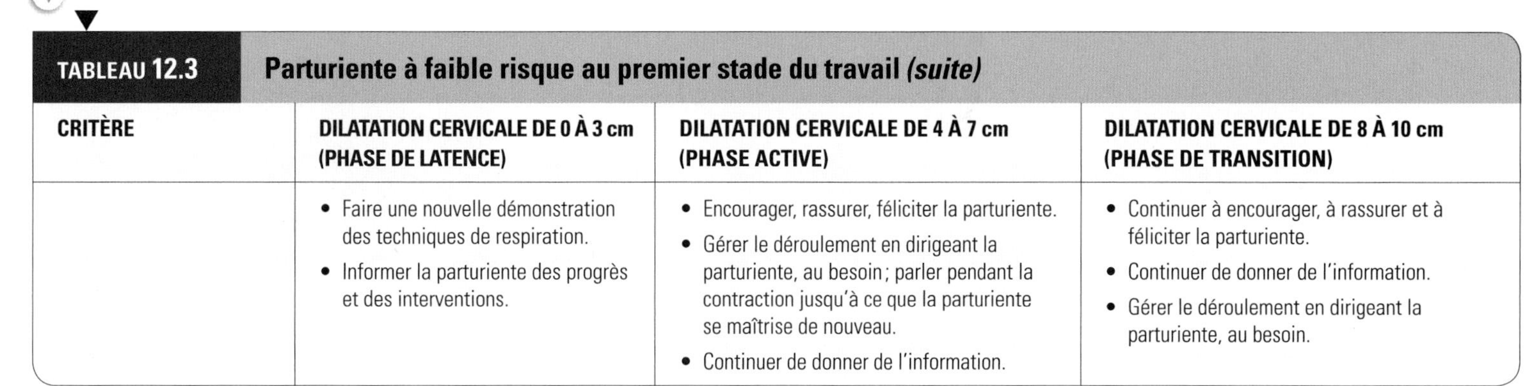

TABLEAU 12.3 Parturiente à faible risque au premier stade du travail *(suite)*

CRITÈRE	DILATATION CERVICALE DE 0 À 3 cm (PHASE DE LATENCE)	DILATATION CERVICALE DE 4 À 7 cm (PHASE ACTIVE)	DILATATION CERVICALE DE 8 À 10 cm (PHASE DE TRANSITION)
	• Faire une nouvelle démonstration des techniques de respiration. • Informer la parturiente des progrès et des interventions.	• Encourager, rassurer, féliciter la parturiente. • Gérer le déroulement en dirigeant la parturiente, au besoin; parler pendant la contraction jusqu'à ce que la parturiente se maîtrise de nouveau. • Continuer de donner de l'information.	• Continuer à encourager, à rassurer et à féliciter la parturiente. • Continuer de donner de l'information. • Gérer le déroulement en dirigeant la parturiente, au besoin.

[a] Un examen clinique complet composé d'une entrevue, d'un examen physique et des analyses de laboratoire est commencé à l'admission. Par la suite, la fréquence de l'évaluation est déterminée par le facteur de risque de l'unité maternofœtale. Une évaluation plus fréquente est nécessaire dans les situations à haut risque. La fréquence de l'évaluation et la méthode de documentation sont aussi déterminées par la politique de l'établissement, qui est généralement basée sur les normes de soins recommandées par les organisations médicales et infirmières.

[b] Si les membranes amniotiques se sont rompues, la température doit être mesurée au moins toutes les deux heures par la bouche ou par le tympan entre les contractions.

[c] Effectuer l'examen vaginal à l'admission et par la suite seulement quand il y a des signes de progrès (p. ex., une augmentation importante de la fréquence, de la durée et de l'intensité des contractions; la rupture des membranes amniotiques; la pression périnéale). Il faut utiliser une technique rigoureusement aseptique. En présence de saignement vaginal, une échographie est effectuée pour déterminer la position du placenta.

[d] Les soins physiques sont donnés par l'infirmière en collaboration avec le conjoint, la personne de soutien et les proches de la parturiente. Celle-ci est capable d'être indépendante dans la phase de latence, mais elle a besoin de plus d'aide pendant les phases active et de transition.

Pratiques infirmières suggérées

ENCADRÉ 12.6 Précautions normales pendant l'accouchement

- Procéder à l'hygiène des mains avant de mettre des gants et après les avoir enlevés ainsi qu'avant et après les interventions.
- Mettre des gants (stériles ou non stériles, selon le contexte) pour effectuer des interventions qui nécessitent un contact avec les parties génitales et les liquides corporels de la cliente, entre autres les pertes muqueuses sanguinolentes (p. ex., pendant l'examen vaginal, l'amniotomie, les soins d'hygiène du périnée, l'insertion d'un moniteur fœtal interne, d'un moniteur de la pression intra-utérine et d'une sonde urinaire).
- Porter un masque muni d'un protecteur facial ou des lunettes de protection et une blouse de protection pour aider à l'accouchement selon les protocoles de l'établissement. Le bonnet et les couvre-chaussures sont nécessaires pour une césarienne, mais ils sont facultatifs pour l'accouchement par voie vaginale dans une chambre de naissance. Le médecin qui est chargé de l'accouchement doit porter une blouse stérile imperméable à l'avant et aux manches.
- Couvrir la parturiente avec des serviettes et des draps stériles, comme il convient. Lui expliquer ce qu'elle peut et ne peut pas toucher.
- Aider la personne de soutien à mettre les vêtements appropriés pour le type d'accouchement selon les politiques de l'établissement, tels qu'un bonnet, un masque, une blouse de protection et des couvre-chaussures. Lui montrer où elle peut se tenir et ce qu'elle peut ou non toucher.
- Porter des gants, selon le protocole de l'établissement, et une blouse de protection pour manipuler le nouveau-né tout de suite après sa naissance.
- Utiliser le matériel approprié d'aspiration des voies respiratoires du nouveau-né, par exemple une poire ou un appareil d'aspiration.

P.A.) doivent être évalués à l'admission. Les valeurs initiales serviront de données de base pour toutes les mesures futures à des fins de comparaison. Si la P.A. est anormale, il faut la réévaluer 30 minutes plus tard et au besoin, entre les contractions, à l'aide d'un brassard de tensiomètre de la taille appropriée pour obtenir une lecture quand la cliente est détendue. Celle-ci doit se coucher sur le côté gauche pour prévenir l'hypotension et la souffrance fœtale dues au décubitus dorsal qui cause une pression sur la veine cave inférieure et sur l'aorte abdominale **FIGURE 12.2**. L'infirmière doit surveiller la température afin de déceler les signes d'infection ou un déficit liquidien (p. ex., la déshydratation due à une ingestion insuffisante de liquides).

Manœuvres de Léopold (palpation abdominale)

Pour les **manœuvres de Léopold**, la parturiente doit se coucher brièvement sur le dos **ENCADRÉ 12.7**. Ces manœuvres aident à déterminer: 1) le nombre de fœtus; 2) la présentation et l'orientation du fœtus et l'attitude de la tête; 3) le degré de descente du fœtus dans le bassin; 4) la position attendue du point d'impulsion maximale (PIM) de la F.C.F. sur l'abdomen de la parturiente.

Vidéo

Visionnez la vidéo *Manœuvres de Léopold* à l'adresse www.cheneliere.ca/lowdermilk

Jugement clinique

Madame Carmela Fiori, âgée de 26 ans, va accoucher de son premier enfant et est en travail depuis 10 heures. Ses membranes amniotiques sont rompues. Elle est très fatiguée et ne veut pas être dérangée. Le médecin vous demande de vérifier la température de la cliente.

Qu'est-ce qui justifie cette évaluation?

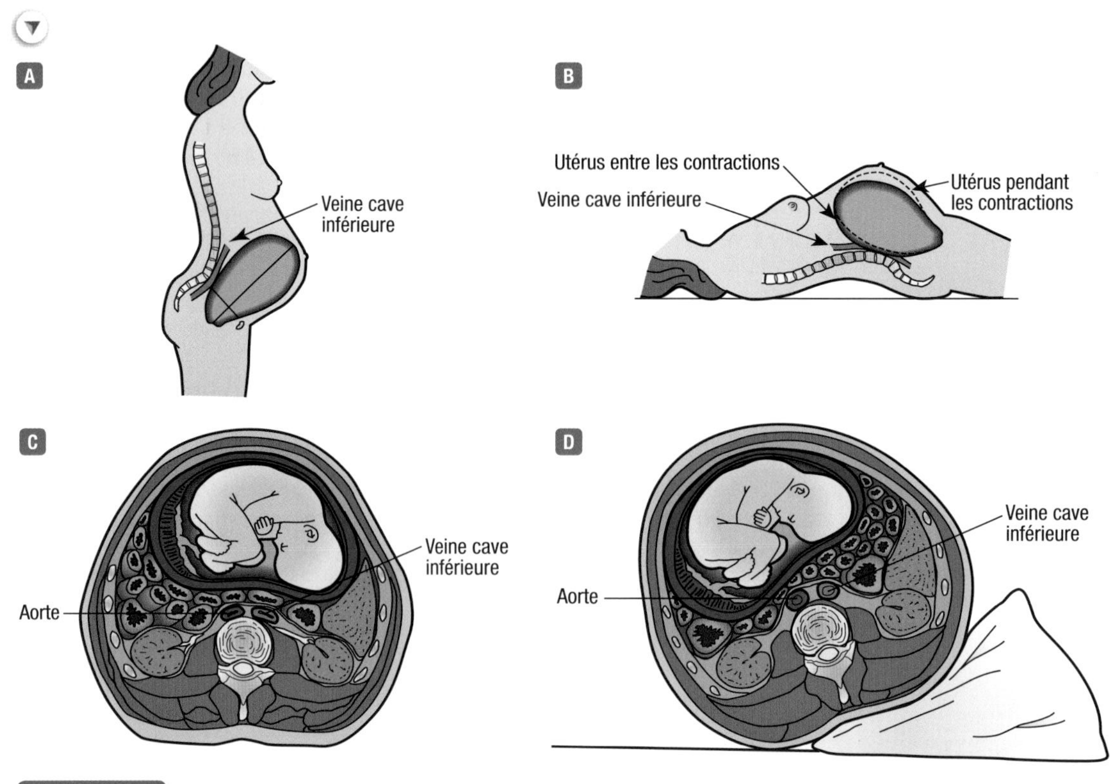

FIGURE 12.2
Hypotension en décubitus dorsal. A Lien entre l'utérus de la femme enceinte et la veine cave inférieure en position debout. B Lien entre l'utérus de la femme enceinte et la veine cave inférieure en décubitus dorsal. C Compression de l'aorte et de la veine cave inférieure de la femme en décubitus dorsal. D Pour réduire la compression de ces vaisseaux, placer un coussin triangulaire sous le côté droit de la femme.

Pratiques infirmières suggérées

ENCADRÉ 12.7 Manœuvres de Léopold

- Procéder à l'hygiène des mains.
- Demander à la cliente de vider sa vessie.
- Lui demander de se coucher sur le dos avec les genoux légèrement pliés et un oreiller sous la tête.
- Placer une petite serviette roulée sous sa hanche droite ou gauche pour empêcher l'utérus d'écraser les principaux vaisseaux sanguins (cela prévient le syndrome d'hypotension en décubitus dorsal **FIGURE 12.2D**).
- Si l'infirmière est droitière, elle doit se tenir du côté droit de la parturiente, face à celle-ci.
  1. Déterminer la partie du fœtus qui occupe le fond de l'utérus. La tête apparaît comme une forme ronde, ferme, facile à déplacer et palpable par ballottement ; le siège a un contour moins régulier, et il est plus mou. Cette manœuvre permet de déterminer l'orientation du fœtus (longitudinale ou transverse) et la présentation (céphalique ou par le siège) **FIGURE A**.
  2. Avec la paume d'une main, situer et palper le contour lisse et convexe du dos du fœtus et les irrégularités que constituent les petites parties (pieds, mains, coudes). Cette manœuvre permet de déterminer la présentation fœtale **FIGURE B**.
  3. Avec la main droite, déterminer la partie du fœtus qui se présente au-dessus du détroit supérieur du petit bassin. Saisir délicatement l'extrémité inférieure de l'utérus entre le pouce et les doigts en pressant légèrement **FIGURE C**. Si c'est la tête qui se présente et qu'elle n'est pas engagée, déterminer l'attitude de la tête (fléchie ou en extension).
  4. Se placer face aux pieds de la parturiente. Avec les deux mains, suivre le contour de la tête du fœtus **FIGURE D** avec la pulpe des doigts. Quand la présentation est très basse, seule une petite partie du contour peut être sentie. La palpation de la proéminence céphalique aide à déterminer l'attitude de la tête. Si la proéminence céphalique est du même côté que les petites parties, cela signifie que la tête est fléchie et qu'il y a présentation du sommet **FIGURE D**. Si la proéminence céphalique est du même côté que le dos, cela indique que la tête est en extension et qu'il y a présentation de la face.
- Consigner les renseignements concernant la présentation, la position et l'orientation du fœtus ainsi que la flexion ou l'extension (attitude) et l'engagement ou le flottement libre de la présentation. Consigner ces éléments d'information selon le protocole de l'établissement (p. ex., par le sommet, une présentation occipito-iliaque gauche antérieure, le flottement).

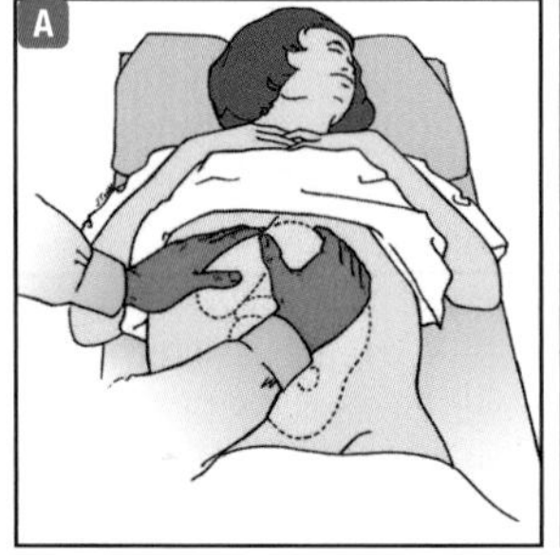

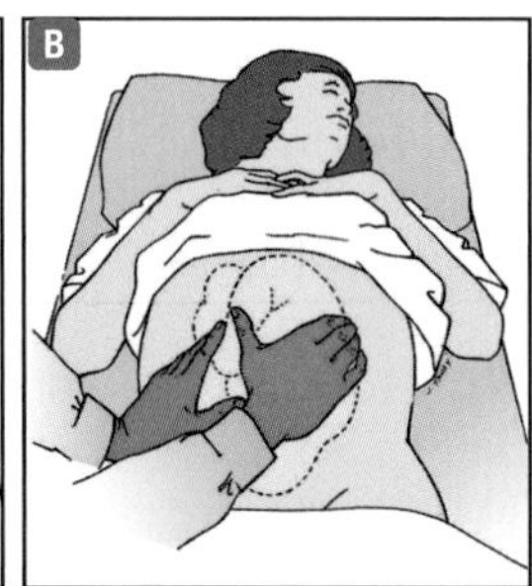

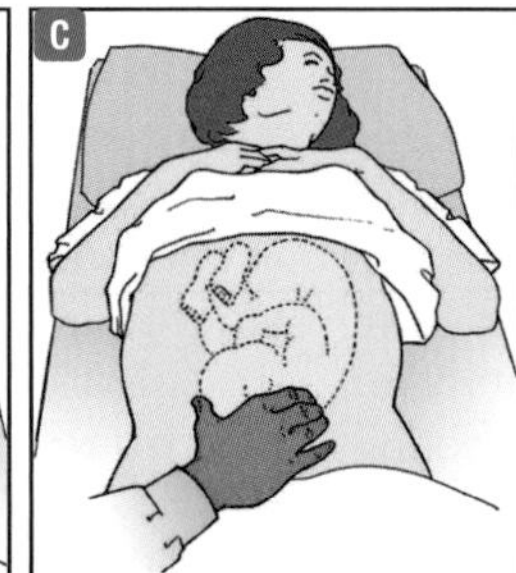

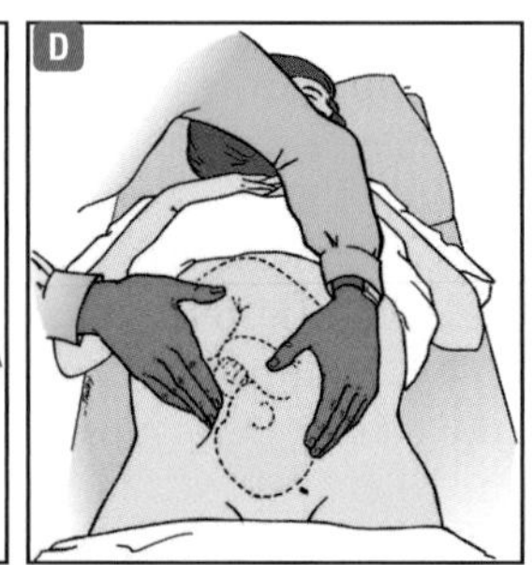

Évaluation de la fréquence cardiaque fœtale

Une caractéristique générale d'un travail efficace est l'activité utérine régulière, mais l'activité utérine n'est pas liée directement au progrès du travail.

Le PIM de la F.C.F. est l'endroit de l'abdomen maternel où celle-ci est la plus perceptible ▶ 11. Ce point est généralement situé directement sur le dos du fœtus **FIGURE 12.3**. Dans une présentation du sommet, le cœur du fœtus peut généralement être entendu sous le nombril de la mère dans le quadrant inférieur droit ou gauche de l'abdomen. Dans une présentation du siège, il est généralement possible de l'entendre au-dessus du nombril de la mère. De plus, l'infirmière doit évaluer la F.C.F. après la rupture des membranes amniotiques (puisque le prolapsus du cordon ombilical se produit le plus souvent à ce moment), après tout changement des contractions ou de l'état maternel et après l'administration de médicaments à la cliente ou à la suite d'une intervention (Tucker, Miller & Miller, 2009).

Évaluation des contractions utérines

Une caractéristique générale d'un travail efficace est l'activité utérine régulière (c.-à-d. des contractions d'une fréquence et d'une durée accrues), mais l'activité utérine n'est pas liée directement au progrès du travail. Les contractions utérines sont les principales forces involontaires qui agissent pour expulser le fœtus et le placenta de l'utérus. Plusieurs méthodes peuvent être utilisées pour évaluer les contractions utérines, notamment la description subjective faite par la parturiente, la palpation et le chronométrage des contractions ainsi que le monitorage.

Chaque contraction se produit en vague. Elle commence par une lente intensification, atteint graduellement un maximum, puis diminue rapidement. Un intervalle de repos se termine quand la contraction suivante commence. La **FIGURE 12.4** montre l'apparence de l'abdomen de la femme pendant et entre les contractions ainsi que le déroulement d'une contraction utérine typique.

Une contraction utérine est évaluée en fonction des caractéristiques suivantes.

- Fréquence : le nombre de contractions utérines en une période donnée et le temps écoulé du début d'une contraction au début de la suivante.

11

La façon de procéder à l'évaluation de la F.C.F. est décrite dans le chapitre 11, *Évaluation fœtale pendant le travail.*

Dans le cas où les caractéristiques des contractions semblent anormales, c'est-à-dire qu'elles sont supérieures ou inférieures à ce qui est considéré comme acceptable (en matière de caractéristiques normales), il faut aviser immédiatement le médecin traitant et l'infirmière responsable de la cliente.

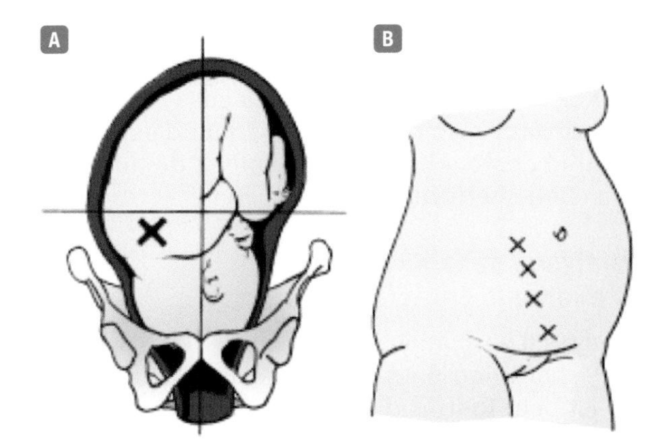

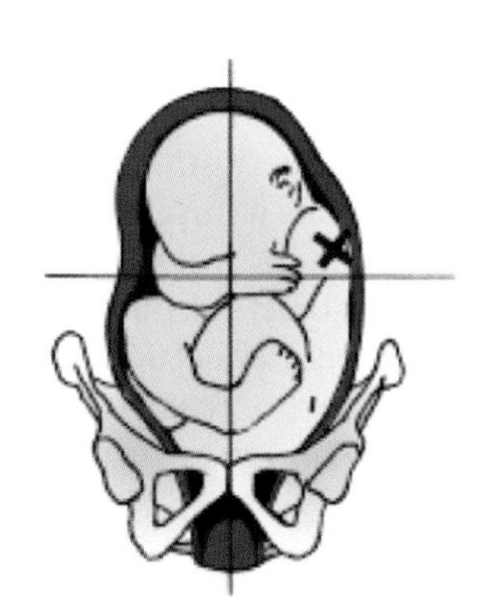

Orientation : Verticale
Présentation : Siège (sacrum et pieds)
Point de référence : Sacrum (avec les pieds)
Attitude : Flexion générale

FIGURE 12.3

Position des bruits du cœur fœtal. **A** Bruits du cœur fœtal avec présentation du sommet occipito-iliaque droite antérieure. **B** Changements de position de l'intensité maximale des bruits du cœur fœtal quand le fœtus passe de la position occipito-iliaque droite antérieure à la position occipito-pubienne et descend pour la naissance. **C** Bruits du cœur fœtal avec présentation du siège sacro-iliaque gauche postérieure.

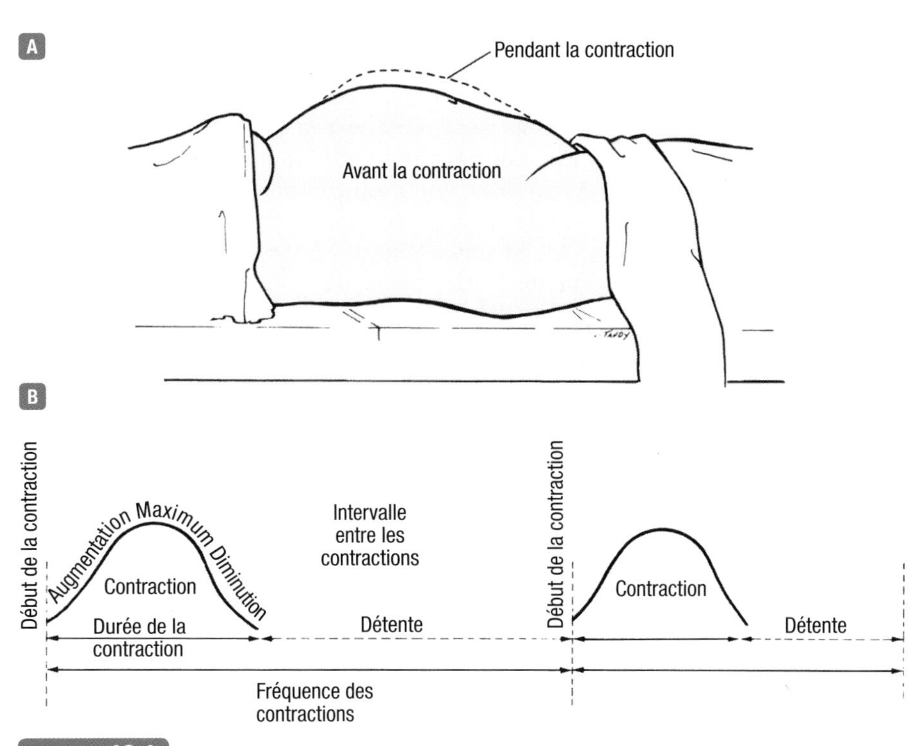

FIGURE 12.4

Évaluation des contractions utérines. **A** Contour abdominal avant et pendant la contraction utérine. **B** Contractions par vagues.

- Intensité : la force d'une contraction à son maximum.
- Durée : le temps écoulé entre le début et la fin d'une contraction.
- **Tonus utérin de repos** : la tension du muscle utérin entre les contractions ; la détente de l'utérus.

Jugement clinique

Madame Maude Dufort est âgée de 32 ans. Elle est sur le point d'accoucher de son deuxième enfant et est en travail depuis trois heures. Tout se déroule bien. Ses membranes amniotiques sont toujours intactes. Au cours d'une contraction, un liquide s'écoule en petite quantité de l'orifice vaginal, et madame Dufort ressent une forte pression périnéale. Elle demande que l'infirmière l'examine.

Selon vous, est-il pertinent d'effectuer un examen vaginal à ce stade-ci du travail ? Justifiez votre réponse.

L'infirmière évalue les contractions utérines par palpation ou à l'aide d'un moniteur électronique externe ou interne. Elle mesure la fréquence et la durée avec les trois méthodes de surveillance de l'activité utérine. La précision de la mesure de l'intensité varie en fonction de la méthode utilisée. La description par la parturiente et la palpation sont des méthodes plus subjectives et moins précises que le monitorage du fœtus. Les termes suivants décrivent comment la contraction est sentie à la palpation.

- Légère : un fond utérin légèrement tendu qui est facile à renfoncer avec le bout des doigts (semblable à toucher le bout du nez avec les doigts).
- Modérée : un fond utérin ferme difficile à renfoncer avec le bout des doigts (semblable à toucher le menton avec les doigts).
- Forte : un fond utérin rigide comme du bois qui est presque impossible à renfoncer avec le bout des doigts (semblable à toucher le front avec les doigts).

Les parturientes décrivent généralement la douleur des contractions comme des sensations perçues au bas de l'abdomen ou du dos ou les deux, qui n'ont parfois pas de lien avec la fermeté du fond de l'utérus. Leur évaluation de la force des contractions peut donc être moins précise que celle de l'infirmière. Le degré de malaise mentionné reste important à évaluer pour les interventions de gestion de la douleur.

Le monitorage externe fournit certains renseignements sur la force relative des contractions utérines. Toutefois, le monitorage interne avec un cathéter de la pression intra-utérine procure une évaluation plus précise de l'intensité des contractions utérines.

L'infirmière doit considérer l'activité utérine en fonction de ses effets sur l'effacement et la dilatation du col utérin et sur le degré de descente de la présentation ▶ 9. Elle doit aussi prendre en compte ses effets sur le fœtus. Elle peut vérifier efficacement le progrès du travail à l'aide de partogrammes sur lesquels elle représente la dilatation cervicale et la hauteur de la présentation (descente). Ce type de diagramme facilite la détermination précoce des écarts par rapport au travail escompté. La **FIGURE 12.5** présente des exemples de partogrammes. Le personnel des hôpitaux et des maisons de naissance peut concevoir ses propres diagrammes pour consigner les évaluations. En plus des données sur la dilatation et la descente, ces diagrammes peuvent inclure les valeurs des signes vitaux de la mère, de la F.C.F. et de l'activité utérine.

9

Les effets de l'activité utérine sur le processus du travail sont abordés plus en détail dans le chapitre 9, *Travail et accouchement*.

Examen vaginal

L'examen vaginal permet de déterminer si la cliente est en vrai travail et si ses membranes amniotiques sont rompues **FIGURE 12.6**. Puisque cet examen est généralement une source de malaise et de stress pour la parturiente, il faut l'effectuer seulement si son état et celui du fœtus le permettent. Par exemple, l'infirmière doit effectuer un examen vaginal à l'admission, s'il y a un changement important de l'activité utérine, si la cliente ressent une pression périnéale ou un besoin de pousser, s'il y a rupture des membranes amniotiques ou s'il y a des décélérations variables de la F.C.F. Afin de réduire le malaise et le stress causés par l'examen, il est important d'expliquer celui-ci en détail à la parturiente et de lui offrir son soutien **ENCADRÉ 12.8**.

Analyses de laboratoire et examens paracliniques

Analyse d'un échantillon d'urine

Un échantillon d'urine prélevé avec la méthode mi-jet peut fournir d'autres données sur la santé de la femme enceinte. Cette méthode pratique et simple procure des éléments d'information sur son état d'hydratation (p. ex., par la densité, la couleur, la quantité), son état nutritionnel (p. ex., par les cétones), sur la présence d'infections (p. ex., par les leucocytes) et sur des complications possibles telles que la prééclampsie, qui est indiquée par la présence de protéines dans l'urine. Dans la plupart des hôpitaux, le test est effectué au chevet de la cliente avec une bandelette réactive, mais le résultat doit être confirmé par une analyse en laboratoire.

Tests sanguins

Les tests sanguins effectués varient selon l'état de santé de la cliente. Une évaluation de l'hématocrite sera probablement prescrite. Si la cliente a des antécédents d'infection, d'anémie, d'hypertension gestationnelle et d'autres troubles, un hémogramme peut être demandé. Celui-ci comprend des analyses sanguines plus complètes, telles que le nombre de globules blancs, le nombre de globules rouges, le taux d'hémoglobine, l'hématocrite et la numération plaquettaire. Si la parturiente n'a pas subi de test de détection du virus de l'immunodéficience humaine au cours du troisième trimestre de la grossesse, un test de

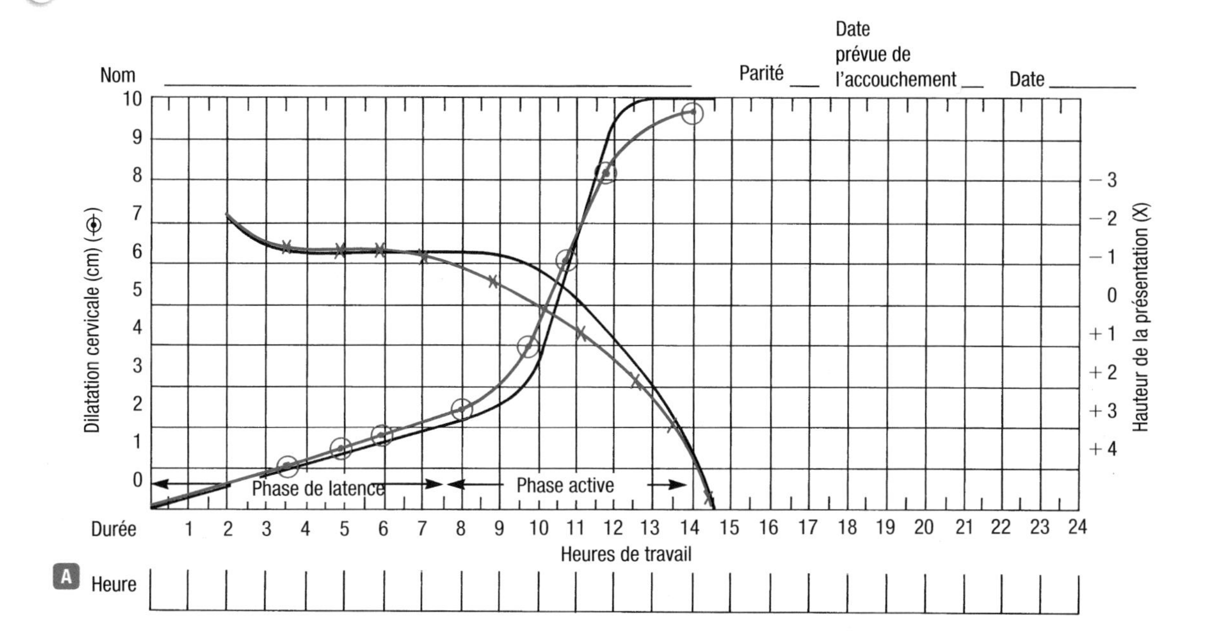

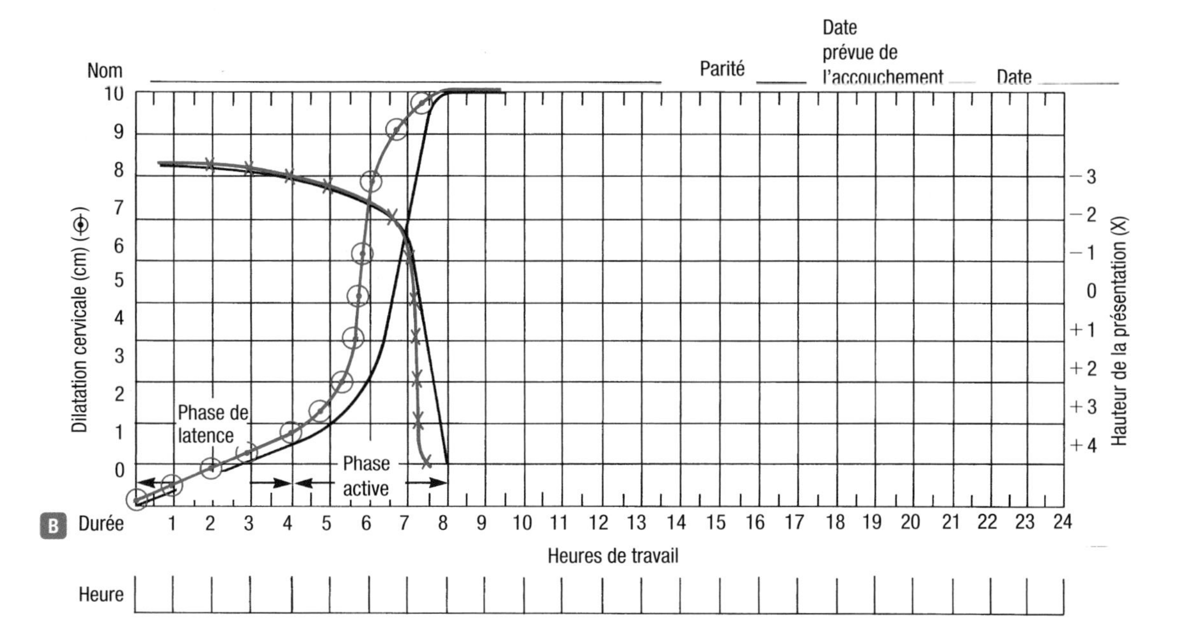

FIGURE 12.5

Partogrammes permettant d'évaluer la dilatation du col et la descente du fœtus. La courbe du travail de la parturiente (en couleur) et la courbe type de travail (en noir) sont superposées à des fins de comparaison. A Travail d'une femme nullipare. B Travail d'une femme multipare. Le taux de dilatation du col est représenté par les points encerclés. La ligne tracée sur ces points montre la pente de la courbe. La hauteur de la présentation est représentée par les X. La ligne tracée sur les X montre la descente du fœtus.

dépistage rapide devrait être effectué au moment de l'admission.

Dans la plupart des hôpitaux, un typage du sang est exigé afin de déterminer le groupe sanguin et le facteur Rh de la parturiente à l'admission. Même si ces tests ont déjà été effectués pendant la grossesse, les résultats doivent être vérifiés au laboratoire de l'hôpital, à la banque de sang.

Si la parturiente n'a reçu aucun soin pendant la grossesse ou si son dossier prénatal n'est pas disponible, un dépistage prénatal sera probablement fait à l'admission. Ce dépistage inclut les analyses de laboratoire qui auraient normalement été demandées ou effectuées au moment de la visite prénatale ▶ 7.

Autres tests

Si l'état de la parturiente en ce qui a trait aux streptocoques du groupe B est inconnu, un test rapide peut être effectué à l'admission. Les résultats d'un tel test sont généralement obtenus en une heure environ et indiquent s'il faut administrer des antibiotiques à la cliente pendant son travail.

7

Les analyses de laboratoires recommandées au cours de la période prénatale sont énoncées et expliquées dans le chapitre 7, *Soins infirmiers de la famille pendant la grossesse.*

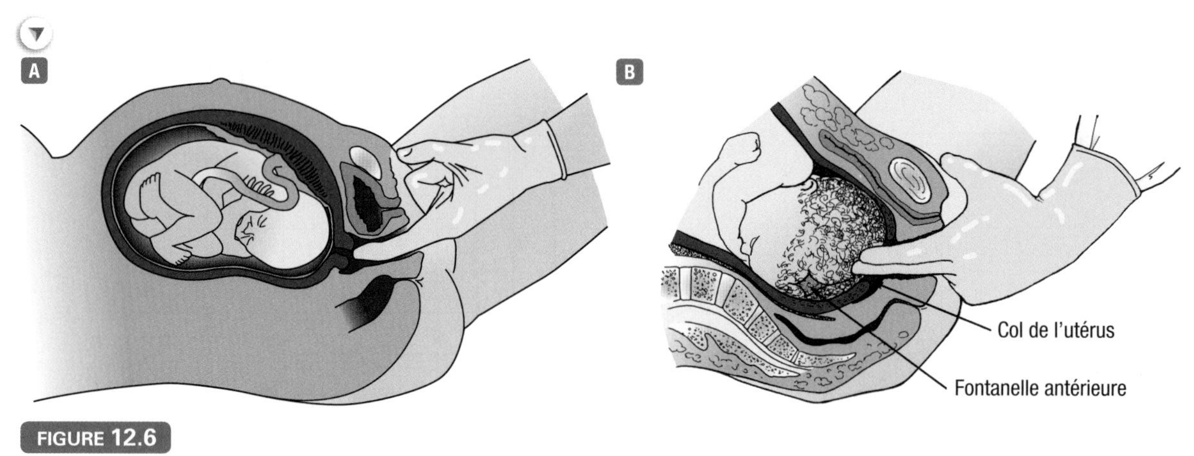

FIGURE 12.6

Examen vaginal. A Col de l'utérus non dilaté et non effacé ; membranes amniotiques intactes. B Palpation de la suture sagittale. Col de l'utérus effacé et partiellement dilaté.

Pratiques infirmières suggérées

ENCADRÉ 12.8 Examen vaginal de la parturiente

- Aider la parturiente à prendre une position qui prévient l'hypotension en décubitus dorsal.
- Nettoyer le périnée et la vulve au besoin.
- Mettre un gant stérile et lubrifier l'index et le majeur avec une solution antiseptique ou un gel hydrosoluble.
- Après avoir expliqué la procédure de soins et obtenu le consentement de la cliente, insérer doucement l'index et le majeur dans son vagin.
- Déterminer :
  - la dilatation, l'effacement et la position du col de l'utérus ;
  - la présentation du fœtus, sa position et sa hauteur ;
  - l'état des membranes amniotiques (intactes, bombées ou rompues) ;
  - si les membranes sont rompues : leur couleur, la quantité estimée et l'odeur du liquide.
- Expliquer les résultats de l'examen à la cliente.
- Consigner les résultats dans les notes d'évolution rédigées par l'infirmière. Il faut aviser le médecin de toute situation anormale.

22

Les complications possibles associées aux ruptures des membranes amniotiques sont abordées dans le chapitre 22, *Travail et accouchement à risque*.

Le cordon ombilical peut subir un prolapsus au moment de la rupture des membranes amniotiques. Pendant les minutes qui suivent celle-ci, il faut surveiller étroitement la fréquence et le rythme cardiaques du fœtus pour s'assurer de son bien-être. et en consigner les résultats.

Évaluation des membranes et du liquide amniotiques

Quand la grossesse est à terme, le travail commence par la rupture spontanée des membranes amniotiques dans 25 % des cas. Une période de latence qui dépasse rarement 24 heures peut alors précéder le début du travail. Les membranes (le sac amniotique) peuvent aussi se rompre spontanément à n'importe quel moment du travail, mais cela se produit plus communément pendant la phase de transition du premier stade du travail. L'**ENCADRÉ 12.2** explique comment déterminer si les membranes amniotiques sont rompues. Si celles-ci ne se rompent pas spontanément, cela sera fait artificiellement à un moment ou l'autre du travail selon les normes de pratiques médicales. La rupture artificielle des membranes, appelée **amniotomie**, est effectuée par le médecin ou par une infirmière praticienne spécialisée (IPS) en néonatalogie à l'aide d'un amniotome.

Que la rupture des membranes soit spontanée ou artificielle, il faut consigner l'heure de rupture ainsi que l'information concernant la couleur du liquide (clair ou taché de méconium ou de sang), la quantité estimée de celui-ci et son odeur ▶ 22.

Quand les membranes se rompent, des microorganismes pathogènes présents dans le vagin peuvent monter dans le sac amniotique et causer une **chorioamnionite** et une placentite. C'est pourquoi il faut évaluer fréquemment la température basale de la mère et l'écoulement vaginal (au moins à toutes les deux heures) afin de déceler rapidement toute infection. Même si les membranes amniotiques sont exemptes de microorganismes pathogènes, certains peuvent tout de même migrer dans le sac et causer une infection.

Signes de troubles possibles

Les résultats d'évaluation servent de référence pour mesurer les progrès subséquents de la parturiente pendant le travail. Bien que l'infirmière doive anticiper certains troubles du travail, d'autres peuvent apparaître sans avertissement pendant l'évolution clinique de celui-ci **ENCADRÉ 12.9.**

Constats de l'évaluation

Les constats possibles à la suite de l'évaluation de la parturiente au premier stade du travail peuvent comprendre, notamment, les éléments suivants.

- Anxiété liée :
  - à une expérience négative lors d'un accouchement précédent ;
  - au déclenchement de souvenirs de sévices sexuels ;
  - à des différences culturelles.
- Douleur aiguë liée aux effets des contractions utérines et à la descente du fœtus.
- Élimination urinaire déficiente liée à :
  - une ingestion réduite de liquides par voie orale (P.O.) ;

- une sensation réduite de plénitude de la vessie due à une analgésie épidurale ou à une anesthésie.
- Échange gazeux fœtal déficient lié à :
  - l'hypotension maternelle ;
  - la position maternelle ;
  - des contractions utérines intenses et fréquentes ;
  - la compression du cordon ombilical.
- Mauvaise estime de soi liée à :
  - l'incapacité de satisfaire ses propres attentes par rapport à son travail tout au long de l'accouchement ;
  - la perte de maîtrise de soi pendant le travail.
- Mauvaise estime de soi chez le père ou la personne de soutien liée à :
  - des attentes irréalistes quant à son rôle de soutien au cours du travail ;
  - un sentiment d'incapacité à répondre aux besoins de la parturiente.

Interventions cliniques

Au premier stade du travail, les interventions cliniques visent à permettre à la parturiente :

- de continuer le progrès normal du travail tout en maintenant une fréquence et un rythme du cœur fœtal normaux ;
- de participer activement au travail ;
- de maintenir une hydratation adéquate P.O. ou par voie I.V. (ou les deux) ;
- de verbaliser ses malaises et d'indiquer le besoin de mesures de confort et de détente ;
- d'accepter les mesures de confort et de soutien de ses proches et des intervenants au besoin ;
- qu'elle ou son fœtus ne subisse aucune blessure.

Les divers besoins physiques, les interventions nécessaires et la justification de ces soins sont présentés dans les **TABLEAUX 12.3** et **12.4** ainsi que dans le **PSTI 12.1**.

Signes de complications possibles

ENCADRÉ 12.9 Travail

- Pression intra-utérine ≥ 80 mm Hg (déterminée avec un moniteur de la pression intra-utérine) ou tonus utérin de repos ≥ 20 mm Hg
- Contractions ≥ 90 sec.
- Plus de 5 contractions par 10 min
- Détente entre les contractions < 30 sec.
- Bradycardie ou tachycardie fœtale ; variabilité absente ou minimale non associée au cycle de sommeil du fœtus ou aux effets temporaires des médicaments dépresseurs du système nerveux central administrés à la parturiente ; décélérations tardives, variables ou prolongées de la F.C.F.
- F.C.F. irrégulière ; dysrythmie fœtale soupçonnée
- Apparition d'écoulement vaginal liquide taché de méconium ou de sang
- Arrêt du progrès de l'effacement et de la dilatation du col utérin, de la descente du fœtus ou des deux
- T° de la mère ≥ 38 °C
- Écoulement vaginal fétide
- Saignement vaginal continu rouge vif ou rouge foncé

TABLEAU 12.4 Soins physiques pendant le travail

BESOIN	INTERVENTIONS INFIRMIÈRES	JUSTIFICATIONS
Hygiène générale		
Douches ou bains au lit, bains tourbillons	Évaluer le progrès du travail.	Permet de déterminer la pertinence de l'activité.
	Superviser étroitement la douche si la parturiente est en vrai travail.	Prévient les blessures dues à une chute ; peut accélérer le travail.
	Suggérer de faire couler de l'eau chaude sur le dos.	Favorise la détente et le bien-être.
Périnée	Nettoyer fréquemment, surtout après la rupture des membranes amniotiques et quand l'écoulement du bouchon muqueux augmente.	Favorise le bien-être et réduit le risque d'infection.
Hygiène buccale	Offrir une brosse à dents ou du rince-bouche ou laver les dents avec un linge humide glacé au besoin.	Rafraîchit la bouche ; aide à apaiser la sensation de sécheresse et de soif.
Cheveux	Brosser ou tresser selon le désir de la cliente.	Améliore le moral et favorise le bien-être.
Hygiène des mains	Offrir une serviette de toilette ou une mousse nettoyante avant et après la miction et au besoin.	Maintient la propreté et prévient les infections.
Visage	Offrir une serviette de toilette fraîche.	Soulage de la transpiration et rafraîchit.
Chemise d'hôpital et draps	Changer au besoin.	Améliore le confort et favorise la détente.

TABLEAU 12.4 Soins physiques pendant le travail *(suite)*

BESOIN	INTERVENTIONS INFIRMIÈRES	JUSTIFICATIONS
Apport nutrionnel et liquidien		
P.O.	Offrir des aliments liquides et solides selon la prescription du médecin et les préférences de la parturiente.	Procure une source d'hydratation et de calories ; favorise l'expérience émotionnelle positive et la maîtrise de soi.
Voie I.V.	Mettre en place et maintenir la perfusion I.V. selon la prescription du médecin.	Permet l'hydratation et l'administration de médicaments par les veines.
Élimination		
Miction	Encourager la miction au moins toutes les deux heures.	Prévient des problèmes : une vessie pleine peut nuire à la descente du fœtus ; la surdistension peut entraîner l'atonie vésicale et des lésions de la vessie ainsi que des troubles de miction postpartum.
Parturiente qui marche	Permettre la marche vers les toilettes selon la recommandation du médecin :	
	Si le fœtus est engagé ;	Renforce le processus normal de miction.
	Si les membranes amniotiques ne sont pas rompues ;	Prévient le prolapsus du cordon ombilical.
	Si la cliente ne prend pas de médicaments.	Prévient les blessures.
Parturiente alitée	Offrir un bassin de lit.	Prévient les complications liées à la distension de la vessie et à la marche.
	Encourager la position assise sur le bassin ; faire couler l'eau du robinet ; placer les mains de la cliente dans l'eau tiède ; verser de l'eau tiède sur la vulve ; faire du renforcement positif.	Stimule la miction.
	Laisser la parturiente dans l'intimité.	Marque le respect.
	Monter les ridelles.	Prévient les blessures liées à une chute.
	Placer la cloche d'appel et un téléphone à portée de main.	Constitue une mesure de sécurité.
	Offrir une serviette de toilette ou de la mousse nettoyante pour les mains.	Maintient la propreté et prévient les infections.
	Laver la région vulvaire.	Maintient la propreté, favorise le bien-être et prévient les infections.
Cathétérisme	Cathétériser selon la prescription du médecin ou le protocole de l'établissement si les mesures visant à faciliter la miction sont inefficaces.	Prévient les complications liées à la distension de la vessie.
	Insérer le cathéter entre les contractions.	Réduit le malaise.
	En cas d'obstacle à l'insertion, ne pas forcer.	La compression de l'urètre par le fœtus peut constituer un obstacle.
Élimination intestinale, sensation de pression rectale	Effectuer un examen vaginal.	Empêche une fausse interprétation de la pression exercée par le fœtus sur le rectum comme un besoin de déféquer ; permet de déterminer la progression de la descente du fœtus.
	Aider la parturiente à marcher vers les toilettes ou lui offrir un bassin de lit si la pression rectale n'est pas due au fœtus.	Renforce le processus normal d'élimination intestinale et la sécurité des soins.
	Nettoyer le périnée immédiatement après le passage des selles.	Réduit le risque d'infection et l'embarras de la parturiente.

Plan de soins et de traitement infirmiers

PSTI 12.1 Travail et accouchement

PROBLÈME DÉCOULANT DE LA SITUATION DE SANTÉ	**Anxiété** liée à l'inconnu quant au travail et à l'accouchement
OBJECTIF	La cliente exprimera une diminution de son anxiété.
RÉSULTAT ESCOMPTÉ	**INTERVENTIONS INFIRMIÈRES ET JUSTIFICATIONS**
• Réduction des signes d'anxiété montrés par la cliente	**Diminution de l'anxiété** • Orienter la cliente et ses proches vers l'unité de travail et de naissance et expliquer le protocole d'admission afin de soulager l'anxiété initiale. • Évaluer les connaissances, l'expérience et les attentes de la cliente relatives au travail ; noter tout signe ou toute expression d'anxiété, de nervosité ou de crainte afin d'établir un point de référence pour les interventions. • Discuter du progrès escompté du travail et décrire les attentes pendant ce processus afin de soulager la peur de l'inconnu. • Engager activement la cliente dans les décisions relatives aux soins pendant le travail, expliquer ce qu'elle voit et entend autour d'elle (les moniteurs et leurs bruits, les activités de l'unité) et la tenir informée du progrès du travail (signes vitaux, F.C.F., dilatation et effacement du col) pour augmenter son sentiment de maîtrise et soulager ses craintes.
PROBLÈME DÉCOULANT DE LA SITUATION DE SANTÉ	**Douleur aiguë** liée à l'augmentation de la fréquence et de l'intensité des contractions
OBJECTIF	La cliente exprimera une maîtrise de sa douleur.
RÉSULTATS ESCOMPTÉS	**INTERVENTIONS INFIRMIÈRES ET JUSTIFICATIONS**
• Utilisation adéquate de mesures non pharmacologiques de gestion de la douleur • Compréhension des mesures pharmacologiques de gestion de la douleur • Douleur diminuée	**Gestion de la douleur et des malaises** • Évaluer les caractéristiques de la douleur de la parturiente et les stratégies qu'elle a utilisées pour maîtriser sa douleur afin d'établir un point de référence pour les interventions. • Encourager les proches à jouer le rôle de personne de soutien pendant le travail et à participer aux mesures de soutien et de confort, car celles-ci sont généralement plus efficaces quand elles sont prodiguées par une personne connue. • Informer la parturiente, le conjoint ou la personne de soutien des techniques particulières telles que la relaxation consciente, la respiration dirigée, l'effleurage, le massage et l'application d'une pression sur le sacrum afin de favoriser la détente, de réduire l'intensité des contractions et de promouvoir l'utilisation de la pensée dirigée et de la canalisation de l'énergie. • Offrir des mesures de confort telles que des soins fréquents de la bouche afin de prévenir la sécheresse de celle-ci, l'application d'une serviette humide sur le front et le changement de la chemise de nuit ou des draps mouillés pour soulager les malaises associés à la diaphorèse. • Aider la parturiente à changer de position afin de réduire ses raideurs et de favoriser son bien-être. • Expliquer les méthodes d'analgésie et d'anesthésie qui peuvent être utilisées pendant le travail et l'accouchement afin d'aider la parturiente à prendre des décisions éclairées sur le soulagement de la douleur. • Administrer des analgésiques et aider à administrer l'anesthésie régionale (p. ex., l'épidurale) selon la prescription du médecin ou le désir de la parturiente pour soulager efficacement la douleur pendant le travail et l'accouchement.
PROBLÈME DÉCOULANT DE LA SITUATION DE SANTÉ	**Risque de rétention urinaire** liée à une déficience sensorielle due au travail
OBJECTIF	La cliente sentira sa vessie pleine et la videra.
RÉSULTAT ESCOMPTÉ	**INTERVENTIONS INFIRMIÈRES ET JUSTIFICATIONS**
• Absence de distension de la vessie	**Prévention – rétention urinaire** • Palper fréquemment la vessie au-dessus de la symphyse (au moins toutes les deux heures) pour vérifier si elle est pleine en raison de l'ingestion accrue de liquide et de l'incapacité de sentir le besoin d'uriner. • Encourager les mictions fréquentes (au moins toutes les deux heures) et cathétériser au besoin pour prévenir la distension de la vessie, car cela empêche la descente du fœtus dans la filière pelvigénitale et peut causer des lésions vésicales. • Aider la parturiente à aller uriner aux toilettes ou à la chaise d'aisance (percée) s'il y a lieu, la laisser dans l'intimité et utiliser des techniques de stimulation de la miction, telle que faire couler de l'eau afin de faciliter le vidage de la vessie dans une position verticale (naturelle) et de favoriser la détente.

PSTI 12.1 Travail et accouchement (suite)

PROBLÈME DÉCOULANT DE LA SITUATION DE SANTÉ	**Prise en charge individuelle inefficace** au cours de l'accouchement
OBJECTIF	La cliente participera activement à l'accouchement
RÉSULTATS ESCOMPTÉS	**INTERVENTIONS INFIRMIÈRES ET JUSTIFICATIONS**
• Utilisation adéquate des mesures de confort et de soulagement • Mise en application des recommandations facilitant le travail • Perception d'un sentiment de soutien accru durant le travail	**Enseignement et soutien** • Effectuer le monitorage constant du travail et de l'accouchement, notamment les réactions physiologiques de la parturiente et du fœtus et les réactions émotionnelles de la parturiente et de son conjoint ou de la personne de soutien, afin d'assurer le bien-être de la mère, du conjoint et du fœtus. • Informer continuellement la parturiente et son conjoint ou la personne de soutien de la situation pour soulager leur anxiété et favoriser leur participation. • Continuer à fournir des mesures de confort et à réduire les distractions pour soulager les malaises et aider à se concentrer sur l'accouchement. • Encourager la parturiente à essayer diverses positions pour favoriser la descente du fœtus. • Demander à la parturiente de prendre des respirations profondes et complètes avant et après chaque contraction pour améliorer les échanges gazeux et le transport d'oxygène vers le fœtus. • Encourager la parturiente à pousser spontanément quand elle en perçoit le besoin pendant une contraction afin de favoriser la descente et la rotation du fœtus. • Encourager la parturiente à expirer en retenant sa respiration pendant de courtes périodes pendant la poussée pour éviter de retenir sa respiration et de déclencher la manœuvre de Valsalva, ce qui augmenterait les pressions intrathoracique et vasculaire et réduirait la perfusion d'oxygène dans le placenta, posant ainsi un risque pour le fœtus. • Demander à la parturiente de respirer profondément et de se détendre entre les contractions afin de réduire la fatigue et d'augmenter l'efficacité de la poussée. • Demander à la parturiente de haleter quand la tête du fœtus sort afin de maîtriser le dégagement de celle-ci. • Expliquer à la parturiente et son conjoint ou à la personne de soutien ce qui est prévu au troisième stade du travail pour favoriser leur coopération. • Demander à la cliente de garder sa position afin de faciliter l'expulsion du placenta.
PROBLÈME DÉCOULANT DE LA SITUATION DE SANTÉ	**Fatigue** liée à la dépense d'énergie pendant le travail et l'accouchement
OBJECTIF	La cliente préservera son énergie.
RÉSULTAT ESCOMPTÉ	**INTERVENTIONS INFIRMIÈRES ET JUSTIFICATIONS**
• Utilisation de stratégies efficaces de conservation de l'énergie	**Gestion de l'énergie** • Informer la parturiente, son conjoint ou la personne de soutien sur le besoin de repos et les aider à élaborer des stratégies (p. ex., restreindre les visites, accroître l'aide dans l'accomplissement des tâches quotidiennes) qui laissent du temps de repos et de sommeil afin que la cliente puisse refaire le plein d'énergie et se préparer à s'occuper du nouveau-né. • Surveiller le degré de fatigue de la parturiente et le repos qu'elle prend pour lui permettre de refaire le plein d'énergie. • Encourager la parturiente à s'alimenter et à s'hydrater. • Regrouper le plus possible les activités de soins afin de lui laisser des périodes ininterrompues de repos.
PROBLÈME DÉCOULANT DE LA SITUATION DE SANTÉ	**Risque de déficit de volume liquidien** lié à l'hydratation réduite et à la perte de liquide pendant le travail et l'accouchement
OBJECTIF	La cliente maintiendra son équilibre liquidien durant le travail et l'accouchement.
RÉSULTAT ESCOMPTÉ	**INTERVENTIONS INFIRMIÈRES ET JUSTIFICATIONS**
• Absence de signes cliniques et hémodynamiques de déshydratation	**Surveillance clinique** • Surveiller les pertes liquidiennes (c.-à-d. le sang, l'urine, la transpiration) et les signes vitaux ; examiner la peau et les muqueuses afin d'évaluer leur degré d'hydratation. • Encourager l'ingestion de liquides P.O. selon la prescription du médecin ou de l'IPS en néonatalogie. • Administrer des liquides par voie parentérale selon la prescription du médecin ou de l'IPS en néonatalogie pour maintenir l'hydratation. • Surveiller la fermeté du fond utérin après la séparation placentaire afin de vérifier s'il y a une contraction adéquate et de prévenir toute perte sanguine ultérieure.

Hygiène générale

Lorsque cela est possible, il faut offrir à la parturiente de prendre des douches ou des bains chauds afin de favoriser son bien-être et de réduire les douleurs des contractions. Un lien a été établi entre l'immersion dans l'eau pendant le travail et une diminution de la douleur rapportée par la parturiente et l'utilisation d'analgésiques par celle-ci (Berghella, Baxter & Chauhan, 2008). Il faut aussi encourager la parturiente à se laver les mains ou à utiliser de la mousse nettoyante ou un gel antiseptique après la miction et à effectuer ses soins d'hygiène. Les draps mouillés ou tachés de sang doivent être changés, et des protège-draps (Chux[MD]) doivent être utilisés et changés au besoin.

Apport nutritionnel et liquidien

Voie orale

Traditionnellement, il était recommandé que la parturiente n'ingère rien par la bouche ou n'ingère que des liquides clairs ou des morceaux de glace pendant la phase active du travail pour réduire le risque de complications si une anesthésie générale était nécessaire en cas d'urgence. Cette pratique est actuellement remise en question par certains professionnels de la santé parce que l'anesthésie régionale est plus utilisée que l'anesthésie générale, même pour les césariennes d'urgence. L'anesthésie régionale permet aux femmes de rester éveillées pendant le travail et ainsi de protéger leurs voies respiratoires. La restriction de l'alimentation étant principalement liée aux complications de l'anesthésie, la Société canadienne des anesthésiologistes (Merchant *et al.*, 2011) recommande que les parturientes ne doivent pas ingérer d'aliments solides une fois que le travail actif est commencé, car les analgésiques peuvent retarder la vidange gastrique des aliments solides. Les liquides clairs sont évacués plus rapidement. Toutefois, peu d'études ont été menées pour évaluer les effets de l'ingestion d'aliments solides pendant le travail. Chaque hôpital devrait élaborer son propre protocole concernant l'absorption orale pendant le travail.

Voie intraveineuse

On administre généralement des liquides par voie I.V. à la parturiente pour la maintenir hydratée, particulièrement quand son travail est long et qu'elle est incapable d'ingérer suffisamment de liquides P.O. ou quand elle reçoit une anesthésie épidurale ou intrathécale. Dans la plupart des cas, une solution d'électrolytes sans glucose convient et évite l'introduction d'une quantité excessive de glucose dans le sang. Cela est important, car une trop forte concentration de glucose maternel cause l'hyperglycémie et l'hyperinsulinisme du fœtus. Après la naissance, les fortes concentrations d'insuline du nouveau-né réduiront ses réserves de glucose, ce qui causera de l'hypoglycémie. La perfusion d'une solution contenant du glucose peut aussi réduire les concentrations en sodium de la mère et du fœtus et causer la tachypnée transitoire du nouveau-né. En cas de cétose maternelle, le médecin prescrira peut-être une solution I.V. contenant une petite quantité de dextrose afin de fournir le glucose nécessaire au métabolisme des acides gras.

Jugement clinique

Madame Andryse Clervil, âgée de 19 ans, est en phase de latence depuis 10 heures. C'est son premier bébé, et elle est très fatiguée. Elle boit peu, et le médecin demande que des solutés I.V. lui soient administrés.

En plus de l'hydratation insuffisante de la cliente, quelle autre raison justifie l'administration de soluté I.V. ?

Élimination

Miction

L'infirmière doit encourager la miction au moins toutes les deux heures. La distension de la vessie peut nuire à la descente du fœtus, ralentir ou arrêter les contractions utérines et entraîner la diminution du tonus vésical ou l'atonie utérine après la naissance. La cliente qui reçoit une analgésie ou une anesthésie épidurale est particulièrement à risque de rétention urinaire.

Il faut surveiller attentivement le bilan des *ingesta* et des *excreta* de la parturiente qui reçoit des liquides par voie I.V., car elle est aussi exposée à un risque accru d'hypervolémie en raison de la rétention liquidienne qui se produit pendant la grossesse.

Il faut aider la cliente à aller aux toilettes pour uriner, sauf dans les cas suivants : le médecin a prescrit le repos au lit, la parturiente reçoit une analgésie ou une anesthésie épidurale, un monitorage interne est effectué ou la marche compromettra l'état de la parturiente ou celui de son fœtus ou les deux. Le monitorage externe peut généralement être interrompu assez longtemps pour permettre à la parturiente d'aller aux toilettes.

Si un bassin de lit est nécessaire, il faut encourager la miction spontanée en aidant la parturiente à s'asseoir droite (comme elle le ferait aux toilettes) et en assurant son intimité et sa sécurité (p. ex., en remontant les ridelles). Pour stimuler la miction, l'infirmière peut faire couler l'eau du robinet lentement ou lui placer les mains dans l'eau tiède.

Jugement clinique

Madame Claudia Melançon est âgée de 23 ans, et elle attend son premier enfant. Elle est en phase active de travail, et tout se déroule bien. Au cours d'une évaluation, vous n'êtes pas certaine si elle présente un globe vésical. Par ailleurs, la cliente dit qu'elle ne ressent pas le besoin d'uriner.

Devriez-vous l'encourager à uriner quand même ? Justifiez votre réponse.

Cathétérisation

Si la parturiente est incapable d'uriner et que sa vessie est distendue, il peut être nécessaire de faire un cathétérisme vésical. Dans de nombreux hôpitaux, le protocole à ce sujet repose sur le jugement de l'infirmière. Avant de cathétériser, il faut nettoyer la vulve et le périnée, car il peut y avoir un écoulement vaginal et présence de liquide amniotique. Si un obstacle empêche l'insertion du cathéter, il s'agit très probablement du fœtus. Dans ce cas, il faut arrêter l'intervention et en informer le médecin traitant.

RAPPELEZ-VOUS...

Étant donné que le cathétérisme vésical comporte des risques d'infection des voies urinaires, il est préférable d'avoir recours à d'autres méthodes.

Élimination des selles

La plupart des parturientes n'éliminent pas de selles en raison de leur motilité intestinale réduite. Les selles qui se sont formées dans le gros intestin descendent généralement vers la région anorectale en raison de la pression exercée par le fœtus qui descend. Ces selles sont généralement expulsées pendant le deuxième stade du travail, au moment de la poussée et de l'accouchement. Toutefois, le passage des selles en même temps que les efforts de poussée augmente le risque d'infection et peut être gênant pour la parturiente, ce qui réduit l'efficacité de sa poussée. Pour éviter ces problèmes, il faut nettoyer immédiatement la région périnéale et rassurer la cliente en lui disant que le passage des selles à ce stade est normal parce que les muscles qui servent à expulser le fœtus servent aussi à expulser les selles.

Théoriquement, l'utilisation systématique de lavements pour les clientes à terme au moment de leur admission pourrait présenter de légers avantages, notamment une diminution du taux d'infections, du taux d'infections des voies respiratoires inférieures des nouveau-nés et du besoin en antibiotiques. Toutefois, les résultats probants d'une étude Cochrane portant sur ce sujet ont démontré qu'il n'y avait aucun avantage significatif à l'utilisation systématique de lavements pendant le travail (Reveiz, Gaitan & Cuervo, 2007). De plus, puisque les lavements constituent une source de malaise pour la cliente, les faibles avantages possibles de cette pratique ne contrebalancent pas ses inconvénients (Berghella *et al.*, 2008).

Quand la présentation est basse dans le bassin, la parturiente peut sentir une pression rectale et penser qu'elle a besoin de déféquer même s'il n'y a pas de selles dans la région anorectale. Si elle exprime ce besoin, l'infirmière peut effectuer un examen vaginal pour évaluer la dilatation cervicale et la hauteur de la présentation. Si une femme multipare ressent le besoin de déféquer, cela indique généralement que l'accouchement est imminent.

Marche et position

Un lien a été établi entre l'ambulation de la parturiente et une intensité accrue des contractions utérines, un temps de travail écourté, un besoin réduit en analgésiques, une plus grande autonomie et une meilleure maîtrise de soi de la cliente. Aucun effet nocif dû à l'ambulation maternelle et au changement de position n'a été observé (Albers, 2007). La cliente peut préférer la position verticale par moments pendant le travail, vouloir s'appuyer sur son conjoint, la personne de soutien, la doula ou l'infirmière, ou encore marcher (Lawrence, Lewis, Hofmeyr, Dowswell & Styles, 2009) **FIGURE 12.7**. Cependant, la marche peut être contre-indiquée selon l'état de la cliente ou celui du fœtus ou les deux. Il faut encourager la marche si les membranes amniotiques sont intactes, si la présentation est engagée après la rupture des membranes et si aucun analgésique n'a été administré **FIGURE 12.8.**

Au Québec et dans le reste du Canada, l'utilisation accrue de l'anesthésie épidurale pendant l'accouchement et la multiplicité des interventions médicales (p. ex., les moniteurs, les perfusions I.V.) sont associées à une réduction de la mobilité, qui contribue à l'alitement de la parturiente pendant le travail.

Quand la parturiente est alitée, elle change normalement de position spontanément quand le travail progresse. Si elle ne change pas de position

FIGURE 12.7
Une parturiente est en position debout et penchée vers l'avant avec un appui.

FIGURE 12.8
Une parturiente se prépare à marcher avec l'aide de son conjoint.

toutes les 30 à 60 minutes, il faut l'aider à le faire. La position latérale (couchée sur le côté) est préférable, car elle favorise une circulation sanguine optimale dans les régions utéroplacentaire et rénale et augmente la saturation en oxygène du fœtus **FIGURE 12.9A**. L'infirmière encourage la cliente à changer de côté toutes les 30 à 60 minutes. Si la parturiente veut se coucher sur le dos, il faut placer un coussin triangulaire sous une hanche (préférablement la hanche droite) pour empêcher l'utérus de comprimer l'aorte et la veine cave **FIGURE 12.2**. La position assise n'est pas contre-indiquée sauf si cela nuit au fœtus, ce que l'infirmière peut déterminer en vérifiant sa fréquence et son rythme cardiaques. Si le fœtus est en position occipito-postérieure, il peut être utile de proposer à la mère de prendre une position accroupie pendant les contractions, car cela augmente le diamètre pelvien et permet la rotation de la tête fœtale vers une position plus antérieure **FIGURE 12.9B**. La position à quatre pattes est aussi recommandée pendant les contractions pour faciliter la rotation de l'occiput fœtal d'une position postérieure à une position antérieure, puisque la force gravitationnelle tire le dos du fœtus vers l'avant **FIGURE 12.10**. La parturiente qui a subi une anesthésie épidurale ne sera probablement pas capable de s'accroupir, mais elle peut parvenir à se mettre à quatre pattes.

De nombreux travaux de recherche actuels visent l'acquisition de connaissances sur les effets physiologiques et psychologiques de la position maternelle pendant le travail et l'accouchement. L'**ENCADRÉ 12.10** décrit diverses positions qui sont recommandées pendant ceux-ci.

La parturiente peut appuyer son corps sur un ballon de naissance (ballon de gymnastique, ballon de physiothérapie) pendant qu'elle prend diverses positions de travail et d'accouchement **FIGURE 12.10**. Elle peut s'asseoir sur le ballon tout en prenant appui sur le lit ou s'appuyer sur le ballon pour soutenir la partie supérieure de son corps et réduire le stress sur ses bras et ses mains quand elle se place à quatre pattes. Pour favoriser la mobilité pelvienne et la détente des régions pelvienne et périnéale, elle peut s'asseoir sur le ballon de naissance, qui est ferme mais flexible, et se

Jugement clinique

Madame Jacynthe Fournelle, âgée de 29 ans, attend son deuxième enfant. Elle est en phase active de son travail, et la position du fœtus est occipito-iliaque gauche postérieure. Elle ressent de fortes douleurs au dos qui l'épuisent de plus en plus.

Quelle position devriez-vous conseiller à madame Fournelle pour soulager son mal de dos ?

Jugement clinique

Madame Miriam Valcourt, une jeune femme de 26 ans, est enceinte de son premier enfant. Il y a deux ans, elle a subi une chirurgie à la cheville et au genou droit qui l'a obligée à constamment utiliser une canne pendant la marche. Sa grossesse n'était pas planifiée, mais elle est heureuse de pouvoir être mère malgré son petit handicap. Son travail avance, lui aussi, à petits pas même si elle est en phase active. Le foetus se présente en position occipito-iliaque gauche antérieure.

Madame Valcourt devrait-elle prendre la position accroupie pendant ses contractions ? Justifiez votre réponse.

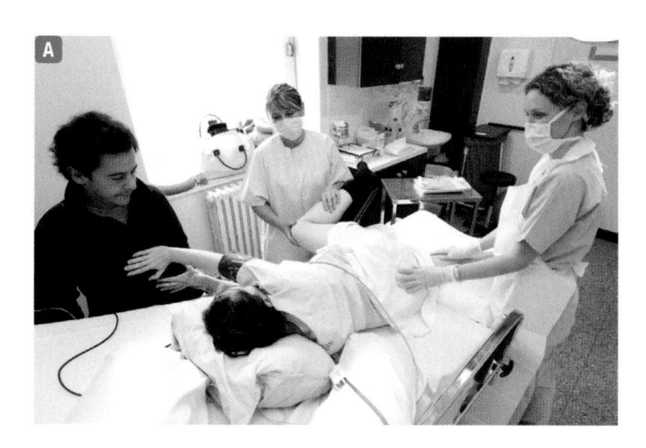

FIGURE 12.9
Positions pour le travail. A Position latérale. Une personne de soutien exerce une pression sur le sacrum de la parturiente, et le conjoint donne des encouragements. B Position accroupie.

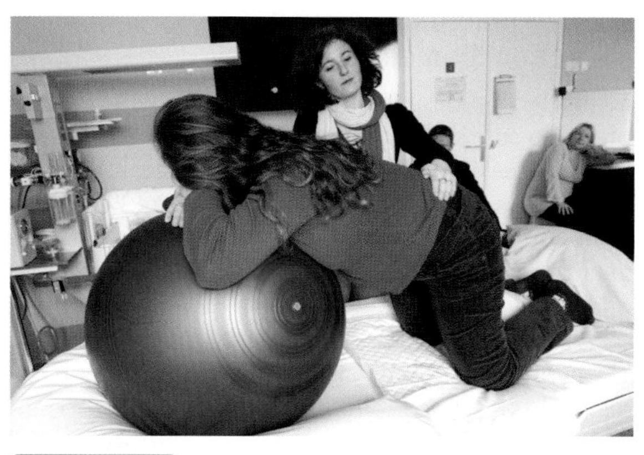

FIGURE 12.10
Une parturiente est appuyée sur un ballon de naissance.

12

ENCADRÉ 12.10 **Positions recommandées de la parturiente pendant le travail et l'accouchement**[a]

POSITION DEMI-ASSISE

La parturiente est assise avec la partie supérieure de son corps élevée à un angle d'au moins 30°. L'infirmière place un coussin triangulaire sous une hanche pour prévenir la compression de la veine cave et réduire le risque d'hypotension en décubitus dorsal.

- Plus grand est l'angle d'élévation, plus grande est la force gravitationnelle ou la pression qui favorise la descente du fœtus, le progrès des contractions et l'ouverture du bassin.
- Cette position est pratique pour donner des soins et effectuer le monitorage externe du fœtus.

POSITION LATÉRALE FIGURE 12.9A

La parturiente doit se coucher alternativement sur le côté gauche et le côté droit. Il faut lui fournir un soutien abdominal et dorsal au besoin pour son confort.

- Cette position réduit la pression exercée sur la veine cave et le dos, améliore l'irrigation utéroplacentaire et soulage le mal de dos.
- Elle facilite les massages du dos et l'application d'une contrepression.
- Elle permet de réduire la fréquence des contractions, mais celles-ci sont plus intenses.
- Elle rend plus difficile le monitorage externe du fœtus, mais permet tout de même d'obtenir un bon tracé.
- Elle peut être utilisée comme position d'accouchement.
- Elle réduit la pression exercée sur le périnée, ce qui permet l'étirement graduel de celui-ci.
- Elle réduit le risque de lésion périnéale.
- Elle diminue la vitesse du travail liée à une gravité neutre, ce qui est utile dans le cas d'accouchement précipité.

POSITION VERTICALE

L'effet de la force gravitationnelle favorise le cycle des contractions et la descente du fœtus. Le poids du fœtus augmente la pression exercée sur le col de l'utérus. Celui-ci subit une traction vers le haut, ce qui facilite son effacement et sa dilatation. La stimulation de l'hypophyse par le col utérin augmente, ce qui fait hausser la sécrétion d'ocytocine. Les contractions s'intensifient (ce qui augmente la poussée exercée sur le fœtus), mais elles sont moins douloureuses.

- Le fœtus est aligné avec le bassin, dont les diamètres sont légèrement plus grands.
- Les positions verticales suivantes sont efficaces :
  - la marche **FIGURE 12.8** ;
  - la position debout et penchée vers l'avant en s'appuyant sur une personne de soutien **FIGURE 12.7**, le bout du lit, le dos d'une chaise ou un ballon de naissance **FIGURE 12.10** ; cette position soulage le mal de dos et facilite l'application d'une contrepression ou le massage du dos ;
  - la position assise sur un lit, une chaise, un fauteuil d'accouchement, la cuvette des toilettes ou une chaise d'aisance (percée) ;
  - la position accroupie **FIGURES 12.9B** et **12.14E**.

POSITION À QUATRE PATTES FIGURE 12.10

La parturiente se place à quatre pattes sur le lit ou sur un plancher couvert, ce qui permet le balancement du bassin. Elle peut appuyer le haut de son corps sur un ballon de naissance.

- Cette position est idéale pour une présentation postérieure du fœtus.
- Elle soulage le mal de dos caractéristique d'un « travail dorsal ».
- Elle facilite la rotation interne du fœtus en augmentant la mobilité du coccyx et les diamètres pelviens et en permettant à la force gravitationnelle d'agir (rotation du dos et de la tête).

[a] Il faut évaluer l'effet de chaque position sur le confort et l'anxiété de la parturiente, sur le progrès du travail ainsi que sur la fréquence et le rythme du cœur fœtal. Il faut la faire changer de position toutes les 30 à 60 minutes et la laisser choisir ses positions.

balancer selon des mouvements rythmiques. Des compresses chaudes appliquées sur le périnée et le bas du dos peuvent optimiser cette sensation de détente et de bien-être. Le ballon de naissance doit être assez grand pour permettre à la femme de s'asseoir en fléchissant les genoux à un angle de 90° avec les pieds posés à plat sur le plancher et séparés d'environ 60 cm.

Soutien pendant le travail et l'accouchement

Le soutien pendant le travail et l'accouchement comprend le soutien émotionnel, les soins physiques, les mesures de confort ainsi que la communication de conseils et d'éléments d'information. La valeur d'un soutien continu (p. ex., par un conjoint, un membre de la famille, une amie ou un ami, l'infirmière, une doula, une éducatrice en périnatalité) pendant le travail est connue depuis longtemps. Les femmes qui reçoivent un soutien continu dès le début du travail sont moins portées à avoir recours aux analgésiques ou à une analgésie épidurale, plus susceptibles d'avoir un accouchement vaginal spontané et plus sujettes à être satisfaites de leur expérience d'accouchement (Albers, 2007 ; Berghella *et al.*, 2008 ; Chandler & Field, 2010 ; Hodnett, Gates, Hofmeyr & Sakala, 2007).

La salle de travail doit être bien aérée et propre et doit rappeler l'environnement familial. La parturiente devrait s'y sentir en sécurité, à l'aise et libre d'utiliser les mesures de confort et de détente qu'elle préfère. Pour favoriser sa relaxation, il faut éteindre les lumières fortes du plafond lorsqu'elles ne sont pas nécessaires et réduire au minimum le bruit et les allées et venues dans la salle. La température doit être régulée pour assurer le bien-être de la parturiente. La salle doit être assez grande pour loger un fauteuil confortable pour le conjoint ou la personne de soutien, l'équipement de monitorage et pour faciliter le déplacement du personnel soignant. L'infirmière peut encourager les couples à apporter leurs propres oreillers afin de rendre l'environnement plus familier et d'aider aux changements de position. L'environnement doit être adapté aux préférences de la cliente, notamment en ce qui a trait au nombre de visiteurs et à la disponibilité d'un téléphone, d'un téléviseur et d'un lecteur de musique.

Soutien de l'infirmière

Les soins infirmiers de soutien d'une parturiente comprennent les éléments suivants (AWHONN, 2009).

- Aider la parturiente à maintenir un sentiment de maîtrise de soi et à participer comme elle le souhaite à la naissance de son enfant.
- Répondre à ses attentes relatives au travail.
- Agir comme défenseur de ses intérêts en soutenant ses décisions, en respectant ses choix, s'il y a lieu, et en communiquant ses souhaits aux autres professionnels de la santé au besoin.
- L'aider à économiser son énergie.
- L'aider à maintenir un certain confort ▶ 9.
- Reconnaître les efforts de la cliente ainsi que ceux de son conjoint ou de la personne de soutien pendant le travail et faire du renforcement positif.
- Respecter l'intimité et la pudeur de la cliente.

Les couples qui ont suivi des cours de préparation à la naissance qui incluent l'approche psychoprophylactique auront des connaissances sur le travail et l'accouchement, les techniques d'aide et les mesures de confort. L'infirmière doit jouer un rôle de soutien et tenir le couple informé du progrès du travail et de l'accouchement. Si nécessaire, elle peut revoir avec eux les méthodes apprises pendant leurs cours.

Même si les futurs parents n'ont pas suivi de cours de préparation à la naissance, l'infirmière peut leur enseigner des techniques simples de respiration et de relaxation au début du travail.

Les mesures de confort varient selon la situation **FIGURE 12.11**. L'infirmière peut utiliser des mesures de confort que le couple a apprises pendant la grossesse, par exemple le maintien d'une ambiance agréable et positive dans la salle de travail et d'accouchement, le toucher thérapeutique, ou alors l'application de chaleur ou de froid au bas du dos dans un cas de travail dorsal ou l'application d'un linge froid sur le front, offrir des mesures non pharmacologiques pour soulager les malaises (p. ex., un massage, l'hydrothérapie), administrer des analgésiques au besoin et, mesure la plus importante, être présente tout simplement (MacKinnon, McIntyre & Quance, 2005) ▶ 10.

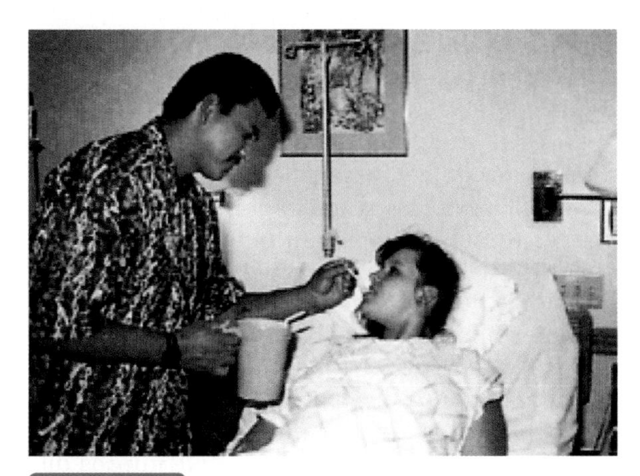

FIGURE 12.11
Le conjoint offre des mesures de confort à la parturiente.

La plupart des parturientes réagissent positivement au toucher (Murray & Huelsmann, 2009), mais l'infirmière doit obtenir leur consentement avant d'effectuer n'importe quel toucher. Les clientes apprécient les manipulations délicates de la part du personnel soignant. L'infirmière peut offrir de frictionner le dos et d'appliquer une contrepression, surtout si la cliente a un travail dorsal. L'infirmière peut enseigner au conjoint ou à la personne de soutien à exercer une contrepression sur le sacrum de la femme au-dessus de l'occiput d'un fœtus en position postérieure **FIGURE 12.9A**. La douleur dorsale est causée par l'occiput du fœtus qui exerce une pression sur les nerfs rachidiens. La contrepression soulève l'occiput et dégage ces nerfs, ce qui soulage la douleur. Le conjoint ou la personne de soutien devra toutefois être remplacé après un certain temps, car l'application d'une contrepression est un travail difficile. Le massage des mains et des pieds peut aussi être apaisant et relaxant. La façon dont la parturiente perçoit les qualités apaisantes du toucher peut changer au cours du travail et de l'accouchement. De nombreuses femmes deviennent plus sensibles au toucher (hyperesthésie) quand le travail progresse. Cette réaction est normale pendant la phase de transition. Elles préfèrent être laissées seules ou ne pas être touchées. Une personne qui n'est pas préparée à cette réaction peut se sentir rejetée et réagir en arrêtant son soutien actif. L'infirmière peut la rassurer en lui disant que cette réaction indique que le premier stade se termine et que le deuxième stade approche. Les parturientes qui ont une sensibilité accrue au toucher peuvent mieux le tolérer sur les surfaces corporelles glabres, telles que le front, la paume des mains et la plante des pieds.

Jugement clinique

Madame Melina Gonzalez, âgée de 30 ans, est en travail actif, et elle ressent de fortes douleurs au dos pendant les contractions. Elle a des mouvements de retrait et des soubresauts lorsqu'on la touche.

Devriez-vous enseigner à son conjoint comment exercer une contrepression pour la soulager de ses douleurs dorsales? Justifiez votre réponse.

Soutien du père ou d'une autre personne

Bien que la personne de soutien puisse être une femme ou un homme autre que le conjoint, le père de l'enfant à naître assume généralement ce rôle pendant le travail. Il est habituellement capable d'offrir les mesures de confort et les touchers dont la parturiente a besoin. Quand celle-ci devient concentrée sur sa douleur, il peut parfois la persuader d'essayer des mesures de confort non pharmacologiques. De plus, il est généralement en

10
Le chapitre 10, *Gestion de la douleur*, présente de l'information détaillée sur les mesures de confort pharmacologiques et non pharmacologiques.

9
Les différentes positions de la femme pour le travail et l'accouchement sont illustrées dans le chapitre 9, *Travail et accouchement*.

mesure d'interpréter les besoins et les désirs de sa conjointe auprès des membres du personnel.

Les sentiments de celui qui sera père pour la première fois changent à mesure que le travail progresse. Bien qu'il soit normalement calme au début du travail, il peut ressentir de la peur et de l'impuissance quand le travial s'intensifie et s'avère plus difficile qu'il ne l'avait prévu. Le futur père peut se sentir exclu quand les préparatifs à la naissance commencent pendant la phase de transition. Au début du deuxième stade, à l'approche de la naissance, son attention se portera de la mère à l'enfant sur le point de naître. Le futur père sera exposé à différentes vues et odeurs qu'il n'a peut-être jamais connues. L'infirmière doit donc l'informer de ce qui l'attend et lui dire qu'il doit se sentir à l'aise de quitter la salle pour reprendre ses esprits si un événement devait le surprendre. Avant qu'il quitte la salle, il faut vérifier si quelqu'un peut prendre sa relève auprès de la parturiente pendant son absence. Les membres du personnel soignant doivent dire au père que sa présence est utile et l'encourager à participer aux soins de la parturiente dans la mesure où il est à l'aise de le faire. L'**ENCADRÉ12.11** présente des façons dont l'infirmière peut aider le futur père ou la personne de soutien. Un père bien informé peut jouer un rôle important dans la santé et le bien-être de la mère et de l'enfant et dans leurs relations familiales. Cela aura un impact positif sur son estime de soi.

Soutien d'une doula

De nombreuses femmes considèrent que la continuité des soins est essentielle à une expérience d'accouchement satisfaisante. Une doula, une femme spécialisée dans l'accompagnement des parturientes, peut répondre à ce besoin. La doula offre un soutien continu et personnalisé pendant toute la durée du travail et de l'accouchement. Son rôle principal est de se concentrer sur la parturiente et de lui fournir un soutien physique et émotionnel en lui parlant doucement, en la rassurant, en la touchant, en la caressant et en la prenant dans ses bras. La doula offre également des mesures de confort pour réduire la douleur et favoriser la relaxation. Elle marche avec la parturiente, l'aide à changer de position et la guide dans ses efforts de poussée. De plus, elle lui donne de l'information et lui explique les interventions et les événements. Elle promeut le droit de la femme de participer activement au déroulement de son travail.

La doula aide également le conjoint de la parturiente, qui se sent souvent non qualifié pour assurer seul le soutien. Elle peut l'encourager et le féliciter de son travail, travailler en collaboration avec lui et offrir un service de relève. De plus, elle facilite la communication entre la parturiente et son conjoint ainsi qu'entre le couple et l'équipe de soins.

On a établi un lien entre le soutien de la doula pendant le travail et l'utilisation réduite d'analgésiques et de césariennes, l'augmentation du nombre d'accouchements vaginaux spontanés et une plus grande satisfaction de la mère (Berghella *et al.*, 2008).

Les rôles de l'infirmière et de la doula sont complémentaires. Elles doivent travailler en collaboration comme une équipe dans laquelle la doula est chargée du soutien non médical et où l'infirmière effectue la surveillance de l'état de l'unité maternofœtale, met en œuvre les protocoles de soins cliniques (y compris les interventions pharmacologiques) et consigne les résultats d'évaluation, les interventions et les réactions de la cliente. L'infirmière peut offrir le même soutien que la doula; cependant, celle-ci se concentre seulement sur une parturiente. L'infirmière a un rôle légal plus élargi que celui de la doula et pourrait avoir d'autres parturientes à sa charge pendant son quart de travail.

Soutien des grands-parents

Quand les grands-parents agissent comme personnes de soutien pendant le travail et l'accouchement, il est particulièrement important de les soutenir et de les traiter avec respect. Leur conception du soulagement de la douleur peut être fondée sur leur expérience. Il faut les encourager à apporter leur aide pourvu que celle-ci ne compromette pas l'état de la mère et celui du fœtus. L'infirmière agit comme un modèle auprès des futurs parents en traitant les grands-parents avec dignité et respect et en reconnaissant la valeur de

Pratiques infirmières suggérées

ENCADRÉ 12.11 Directives de soutien du père ou d'une autre personne

- L'orienter dans la chambre et l'unité de travail et de naissance; lui expliquer où se trouvent la cafétéria, les toilettes, la salle d'attente et la pouponnière; l'informer des heures de visites; lui présenter les membres du personnel en les nommant et en décrivant leurs fonctions.
- L'informer de ce qu'il ou elle doit s'attendre à voir et à ressentir; l'encourager à quitter la salle si nécessaire.
- Respecter sa décision ou celle du couple quant à son degré de participation. Les laisser libres de prendre leurs décisions.
- Lui dire quand sa présence a été utile et continuer à encourager ses efforts pendant le travail.
- Lui proposer de lui enseigner les mesures de confort.
- L'informer fréquemment du progrès du travail et des besoins de la parturiente.
- L'informer continuellement des interventions à effectuer.
- Le ou la préparer aux changements de comportement et d'apparence physique de la parturiente.
- Lui rappeler de manger et lui offrir des collations et des boissons, si possible.
- Le ou la relever de sa tâche de soutien au besoin. Lui offrir des couvertures s'il ou si elle doit dormir dans un fauteuil près du lit.
- Reconnaître le stress subi par chacun des conjoints ou par la personne de soutien pendant le travail et l'accouchement et déterminer leurs réactions normales.
- Tenter de réduire ou d'éliminer les perturbations telles que les bruits ou les lumières trop intenses.

leur contribution au soutien parental ainsi que la difficulté pour eux d'être témoins des malaises ou des crises de la parturiente. S'ils n'ont jamais vu un accouchement, l'infirmière devra peut-être leur expliquer ce qui se passe. Un grand nombre des activités de soutien du père sont aussi appropriées pour les grands-parents.

Participation des frères et sœurs au travail et à l'accouchement

La préparation des frères et sœurs à l'acceptation du nouvel enfant favorise le processus d'attachement. Cette préparation ainsi que leur participation pendant la grossesse, le travail et l'accouchement peuvent aider les enfants plus âgés à accepter ce changement. L'enfant plus âgé qui se sait important dans la famille devient un participant actif. Il est essentiel de faire une répétition préalable du travail et de l'accouchement.

L'âge et le niveau de développement de l'enfant influent sur ses réactions. Il faut donc adapter la préparation de l'enfant qui sera présent pendant le travail afin de répondre à ses besoins. L'enfant de moins de deux ans montre peu d'intérêt pour la grossesse, le travail et l'accouchement. Toutefois, dans le cas d'un enfant plus âgé, une telle préparation peut réduire ses craintes et corriger ses idées fausses. Les parents doivent être eux-mêmes préparés au travail et à la naissance et se sentir à l'aise avec ce processus et la présence de leur aîné. La plupart des parents connaissent le degré de maturité de leur enfant et ses capacités physiques et émotionnelles à observer et à supporter le travail et l'accouchement. La préparation de l'enfant inclut généralement une description de ce qu'il verra, des événements (p. ex., la rupture des membranes amniotiques, les moniteurs, les perfusions I.V.), des odeurs et des sons anticipés ainsi qu'une démonstration d'un travail et d'un accouchement, une visite de l'unité de naissance et la possibilité de voir un nouveau-né. L'enfant doit savoir que le travail et l'accouchement sont douloureux et que sa mère peut gémir, crier, grogner et haleter par moments. Il doit être avisé qu'il est possible qu'elle ne soit pas capable de lui parler pendant les contractions ou qu'elle exprime des choses qu'elle ne dirait pas autrement (p. ex., « je n'en peux plus », « sortez ce bébé de mon ventre », « je suis morte de douleur »). Pour le préparer à cet événement, un adulte peut lui lire ou lui donner des livres d'histoire sur la naissance. Il existe aussi des films qui préparent les enfants d'âge préscolaire et scolaire à participer au travail et à l'accouchement. Dans la plupart des établissements, on exige qu'une personne désignée s'occupe des enfants qui participent au travail et à l'accouchement de leur mère et qu'elle leur fournisse un soutien, des explications, des divertissements et du réconfort au besoin. Le personnel soignant qui travaille auprès de la parturiente doit être à l'aise avec la présence des enfants et le caractère imprévisible de leurs questions, commentaires et comportements.

Interventions d'urgence

Les situations d'urgence qui exigent une intervention infirmière immédiate peuvent survenir à une vitesse surprenante. Le **TABLEAU 12.5** présente les interventions appropriées en cas de F.C.F. préoccupante, de relaxation utérine inadéquate, de saignement vaginal, d'infection et de prolapsus du cordon.

Jugement clinique

Madame Fannie St-Georges est âgée de 32 ans. Elle en est à sa troisième grossesse et elle est actuellement en travail actif. Tout se déroulait bien jusqu'au moment où elle a senti une vive douleur abdominale. Vous anticipez une situation d'urgence, car vous jugez que ce changement est inquiétant.

Nommez une autre donnée à recueillir pour être en mesure d'intervenir rapidement en cas de complication majeure.

12

Soins d'urgence

TABLEAU 12.5 Interventions d'urgence pendant le travail

SIGNES	INTERVENTIONS (PRIORITÉS FONDÉES SUR LES SIGNES OBSERVÉS)[a]
Fréquence et caractéristiques du cœur fœtal atypiques ou anormales	
• Bradycardie fœtale (F.C.F. < 110 batt./min pendant >10 min) • Tachycardie fœtale (F.C.F. >160 batt./min pendant >10 min dans une grossesse à terme) • F.C.F. irrégulière, rythme sinusal irrégulier indiqués par un moniteur interne • Variabilité de la F.C.F. de base absente ou minimale sans cause connue • Décélérations tardives, variables et prolongées • Absence de bruits du cœur fœtal	• Informer le médecin ou la sage-femme[b]. • Changer la position de la parturiente. • Interrompre la perfusion d'ocytocine en cas de tachysystolie. • Installer une perfusion I.V. s'il n'y en a pas. • Augmenter la vitesse de perfusion I.V. si un liquide est administré selon un protocole ou une prescription. • Administrer de l'oxygène à un taux de 8 à 10 L/min avec un masque sans réinspiration. • Vérifier si la température de la mère a augmenté. • Aider à effectuer une amnio-infusion si elle est prescrite. • Effectuer une stimulation du cuir chevelu du fœtus ou une stimulation vibroacoustique selon la prescription ou le protocole.

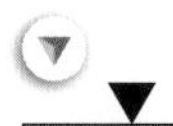

TABLEAU 12.5 Interventions d'urgence pendant le travail *(suite)*

SIGNES	INTERVENTIONS (PRIORITÉS FONDÉES SUR LES SIGNES OBSERVÉS)[a]
Relaxation utérine inadéquate	
• Pression intra-utérine > 80 mm Hg (indiquée par le moniteur de surveillance de la pression intra-utérine) • Contractions durent constamment > 90 sec. • > 5 contractions en 10 min	• Informer le médecin[b]. • Interrompre la perfusion d'ocytocine s'il y a lieu. • Coucher la parturiente sur le côté. • Mettre en place une perfusion I.V. s'il n'y en a pas. • Augmenter la vitesse de perfusion I.V. si un liquide est administré. • Administrer de l'oxygène à un taux de 8 à 10 L/min avec un masque sans réinspiration. • Palper l'abdomen et évaluer les contractions. • Administrer un tocolytique (terbutaline) selon la prescription ou le protocole.
Saignement vaginal	
• Saignement vaginal (rouge vif, rouge foncé ou en quantité qui excède la quantité prévue pendant une dilatation cervicale normale) • Saignement vaginal continu avec changements de la F.C.F. • Douleur ; saignement présent ou non	• Informer le médecin[b]. • Aider à faire l'échographie s'il y a lieu. • Mettre en place une perfusion I.V. s'il n'y en a pas. • Commencer la surveillance continue de la fréquence et de la contraction du cœur fœtal si elle n'est pas déjà en cours. • Prévoir une césarienne d'urgence. • Ne PAS effectuer d'examen vaginal.
Infection	
• Odeur fétide du liquide amniotique • T° de la parturiente > 38 °C avec une hydratation adéquate (urine couleur paille) • Tachycardie fœtale >160 batt./min pendant >10 min	• Informer le médecin ou la sage-femme[b]. • Établir des mesures de refroidissement de la parturiente. • Installer une perfusion I.V. s'il n'y en a pas. • Prélever ou aider à prélever un échantillon d'urine et de liquide amniotique avec un cathéter et l'envoyer au laboratoire pour analyse et cultures. • Administrer des antibiotiques selon la prescription.
Prolapsus du cordon	
• Bradycardie fœtale avec décélération variable pendant la contraction utérine • Signalement par la parturiente d'avoir senti le cordon après la rupture des membranes amniotiques • Cordon situé le long de la présentation ou dessous ; peut être vu ou senti dans le vagin ou sortant de celui-ci • Principaux facteurs de prédisposition : – rupture des membranes avec jet – présentation lâche dans la partie inférieure de l'utérus – présentation non encore engagée – présentation par le siège	• Demander de l'aide. Ne pas laisser la parturiente seule. • Demander à quelqu'un d'informer immédiatement le médecin. • Ganter rapidement une main et insérer deux doigts dans le vagin jusqu'au col de l'utérus. Placer un doigt de chaque côté du cordon ou les deux doigts d'un côté et exercer une pression vers le haut contre la présentation pour réduire la compression du cordon. • Ne pas tenter de replacer le cordon dans le col utérin. • Placer une serviette roulée sous une hanche de la cliente. • Placer la parturiente en position de Trendelenburg extrême ou de Sims modifiée ou en position genupectorale. • Enrouler lâchement le cordon dans une serviette stérile saturée de solution physiologique salée chaude s'il sort du vagin. • Administrer à la parturiente de l'oxygène à un taux de 8 à 10 L/min avec un masque sans réinspiration jusqu'à ce que l'enfant soit né. • Commencer la perfusion I.V. ou augmenter la vitesse de la perfusion en cours. • Continuer la surveillance de la F.C.F. avec une électrode interne appliquée sur le cuir chevelu du fœtus, si possible. • Se préparer à une naissance immédiate (vaginale ou par césarienne).

[a] Puisque les situations d'urgence peuvent causer de la frayeur, l'infirmière doit expliquer ce qui se passe à la cliente, à son conjoint et à la personne de soutien et ce qui est fait pour gérer la situation.

[b] Dans la plupart des situations d'urgence, l'infirmière prend des mesures immédiates fondées sur un protocole et sur les normes de la pratique infirmière. Elle (ou une autre personne) doit informer le médecin dès que possible de la situation.

12.2 | Deuxième stade du travail

Le **deuxième stade du travail** est celui de la naissance de l'enfant. Il commence avec la dilatation complète (10 cm) et l'effacement total (100 %) du col de l'utérus et se termine par la naissance. La durée moyenne de ce stade est de 50 minutes pour la femme nullipare et de 20 minutes pour la femme multipare. En plus de la parité, les autres facteurs qui influent sur la durée de ce stade sont la taille de la mère ainsi que le poids, la position et la descente du fœtus. L'administration de l'anesthésie épidurale pendant le travail augmente généralement la durée de ce stade parce qu'elle inhibe ou réduit l'envie urgente de pousser et limite la capacité de se mettre en position verticale pour pousser. Le deuxième stade du travail est considéré long si sa durée dépasse les périodes suivantes (Battista & Wing, 2007).

Femme primipare
> 2 h sans anesthésie régionale
> 3 h avec anesthésie régionale

Femme multipare
> 1 h sans anesthésie régionale
> 2 h avec anesthésie régionale

Le deuxième stade du travail se divise en deux phases : la phase passive et la phase active. Ces phases se caractérisent par des comportements verbaux et non verbaux de la mère, par l'activité utérine, le besoin urgent de pousser et la descente du fœtus.

La phase passive est une période de repos et de calme relatif. Pendant cette première phase, le fœtus continue de descendre passivement dans la filière pelvigénitale, et il effectue une rotation à une position antérieure en raison des contractions utérines continues. La parturiente est calme et se détend souvent en fermant les yeux entre les contractions. Le besoin de pousser n'est pas intense ; certaines parturientes ne le ressentent pas ou l'éprouvent seulement au pic d'une contraction. Pour permettre à la mère de moins se fatiguer et de conserver son énergie pour les efforts de poussée, il faut la laisser se reposer pendant cette phase et attendre qu'elle ressente plus intensément l'urgence de pousser. Un lien a été établi entre cette poussée retardée et une durée accrue du deuxième stade du travail, mais aussi une fréquence significativement plus élevée d'accouchement vaginal spontané. Les autres avantages de cette technique sont la diminution des cas de décélération de la F.C.F., d'accouchements effectués à l'aide de forceps et de ventouses obstétricales et de lésions périnéales (déchirures et épisiotomies). Si la poussée retardée est utilisée, on recommande un monitorage attentif afin de s'assurer que l'état du fœtus n'est pas préoccupant. Aucun lien n'a été établi entre la durée du deuxième stade du travail et de mauvais résultats néonataux, tant que l'état du fœtus reste non préoccupant pendant cette période (Berghella *et al.*, 2008 ; Brancato, Church & Stone, 2008 ; Roberts & Hanson, 2007 ; Simpson & James, 2005).

Au cours de la phase active, la femme ressent d'urgents besoins de pousser, car le **réflexe de Ferguson** (Fraser & Cooper, 2009) est activé par la pression qu'exerce la présentation sur les mécanorécepteurs musculaires du plancher pelvien. À ce point, le fœtus est généralement à une hauteur de +1 et en position antérieure. Cette stimulation provoque la libération d'ocytocine par la neurohypophyse, ce qui provoque des contractions utérines expulsives plus fortes. La femme devient plus concentrée sur ses efforts de poussée, qui deviennent rythmiques. Elle change fréquemment de position pour en trouver une plus confortable pour pousser. Elle annonce souvent le début des contractions et s'exprime plus vocalement quand elle pousse. Le besoin urgent de pousser s'intensifie à mesure que la descente progresse. Pendant la phase active, la présentation est sur le périnée, et les efforts de poussée sont plus efficaces pour favoriser la naissance. La parturiente peut exprimer vocalement davantage la douleur qu'elle ressent ; elle peut crier ou jurer et perdre la maîtrise de soi.

Réflexe de Ferguson : Hypersécrétion d'ocytocine déclenchée par la descente du fœtus et de sa présentation dans le vagin, qui augmente la fréquence et la force des contractions pour faciliter l'expulsion.

L'infirmière encourage la femme à être à l'écoute de son corps pendant les phases du deuxième stade du travail. Quand une parturiente se fie aux signes donnés par son corps pour pousser, elle utilise ses capacités de maîtrise interne et est généralement plus satisfaite de ses efforts. Cela améliore son estime de soi et son sens de l'accomplissement, et ses efforts deviennent plus efficaces. Il faut toujours encourager la parturiente à faire confiance à son corps et à sa capacité de donner naissance à son enfant.

Si la parturiente est alitée, particulièrement en position couchée, le besoin rythmique de pousser est retardé parce que la force gravitationnelle n'est pas utilisée pour appuyer la présentation contre le plancher pelvien. Le transfert de la parturiente sur une table d'accouchement en **position gynécologique**, comme le veut la coutume en Amérique du Nord, a ainsi un effet inhibiteur sur le besoin de pousser. Toutefois, de plus en plus de milieux ont adopté une pratique selon laquelle le travail et l'accouchement ont lieu dans une même pièce et qui permet à la parturiente d'utiliser des positions variées pour pousser, telles que la position couchée sur le côté, à genoux, accroupie, assise ou debout.

Il faut toujours encourager la parturiente à faire confiance à son corps et à sa capacité de donner naissance à son enfant.

12

SOINS ET TRAITEMENTS INFIRMIERS

 **Deuxième stade du travail**

Évaluation initiale

Le seul signe objectif certain du début du deuxième stade du travail est l'incapacité de sentir le col de l'utérus pendant l'examen vaginal, ce qui signifie qu'il est entièrement effacé et dilaté. Il n'est pas facile de déterminer le moment précis où cela se produit, car tout dépend de celui où l'examen vaginal est effectué pour confirmer l'effacement total et la dilation complète. Voilà pourquoi il est difficile de déterminer la durée réelle du deuxième stade. Les autres signes qui indiquent le début de ce stade sont les suivants :

- le besoin urgent de pousser ou la sensation d'avoir besoin d'aller à la selle ;
- des efforts involontaires de poussée ;
- l'apparition soudaine de sueur sur la lèvre supérieure ;
- un épisode de vomissements ;
- un écoulement accru du bouchon muqueux ;
- des tremblements des extrémités ;
- une agitation accrue, par exemple, par la verbalisation (p. ex., « je n'en peux plus »).

Ces signes apparaissent habituellement au moment où le col se dilate complètement. Toutefois, une femme ayant subi une anesthésie épidurale peut ne montrer aucun de ces signes. Le **TABLEAU 12.6** présente d'autres indicateurs de chaque phase du deuxième stade.

TABLEAU 12.6 Caractéristiques de la progression du deuxième stade du travail

CRITÈRES	PHASE DE LATENCE (DURÉE MOYENNE DE 10 À 30 min)	PHASE DE DESCENTE (DURÉE MOYENNE VARIABLE)[a]	PHASE DE TRANSITION (DURÉE MOYENNE DE 5 À 15 min)
Contractions	• Période d'accalmie physiologique pour tous les critères ; période de calme et de repos ; on laisse le corps pousser à son rythme	• ↑ importante	• Extrêmement fortes
• Intensité			• Expulsives
• Fréquence		• 2 ou 2,5 min	• 1 ou 2 min
• Durée		• 90 sec.	• 90 sec.
Descente, hauteur de la présentation	• De 0 à +2	• ↑ et activation du réflexe de Ferguson[b] ; de +2 à +4	• Rapide, de +4 à la naissance • Tête du fœtus visible à l'orifice vaginal externe
Écoulement du bouchon muqueux : couleur et quantité		• ↑ importante de l'écoulement muqueux sanguinolent rouge foncé	• Sortie de la tête accompagnée d'un écoulement sanguinolent
Effort spontané de poussée	• Absent ou léger, sauf à l'apogée des plus fortes contractions	• Besoin accru de pousser	• Besoin de pousser grandement accru
Vocalisation de la parturiente	• Calme ; s'inquiète du progrès du travail	• Grognements ou gémissements expiratoires ; annonce des contractions	• Poursuite des grognements et des gémissements expiratoires ; cris ou jurons possibles de la part de la parturiente
Comportement de la parturiente	• Soulagée que la transition vers la deuxième étape soit terminée • Fatigue et besoin de sommeil • Sentiment d'accomplissement et d'optimisme, parce que le « pire est passé » • Impression de maîtrise de la situation	• Besoin accru de pousser • Modification de la respiration : courtes périodes d'apnée de 4 ou 5 sec., entrecoupées de respirations régulières, de 5 à 7 fois par contraction • Grognements ou gémissements expiratoires • Repositionnements fréquents	• Description d'une douleur extrême ; expression d'un sentiment d'impuissance • Aptitude réduite à écouter ou à se concentrer sur autre chose que sur l'accouchement • Description de la sensation d'un anneau de feu (sensation de brûlure due à la douleur aiguë causée par l'étirement du vagin et la sortie de la tête du fœtus) • Généralement enthousiaste immédiatement après le dégagement de la tête

[a] La durée de la descente peut varier selon la parité de la cliente, l'efficacité de la poussée et l'utilisation d'une anesthésie rachidienne ou d'une analgésie épidurale.
[b] La pression exercée par le fœtus sur les mécanorécepteurs musculaires du plancher pelvien stimule la libération d'ocytocine par la neurohypophyse, ce qui augmente l'intensité des contractions utérines.
Source : Adapté de Roberts (2002).

Certaines parturientes commencent à ressentir un besoin irrépressible de pousser avant que la dilatation soit complète. Dans certains cas, ce besoin se fait sentir à partir de 5 cm de dilatation et est le plus souvent dû à la hauteur de la présentation située sous les épines sciatiques du bassin de la mère. Cela peut provoquer une opposition entre la parturiente, qui ressent le besoin de pousser, et le personnel soignant, qui croit que la poussée du fœtus contre un col utérin non complètement dilaté causera de l'œdème et des déchirures du col et ralentira le progrès du travail. Il faut évaluer le besoin prématuré de pousser comme un signe de progrès du travail, qui indique possiblement le début du deuxième stade du travail. Le moment où la parturiente doit pousser par rapport à la dilatation entière ou non du col doit être fondé sur les résultats de recherches plutôt que sur la tradition ou la pratique régulière. La synchronisation de la poussée avec le besoin de pousser au sommet d'une contraction peut être sûre et efficace si le col utérin est mou, se rétracte et est dilaté de 8 cm ou plus et si le fœtus est à une hauteur de +1 et en rotation vers une position antérieure (Roberts, 2002).

L'évaluation se fait en continu pendant le deuxième stade du travail. Les normes professionnelles et le jugement clinique de l'infirmière déterminent le type d'évaluation à effectuer et le moment où elle doit être faite. Les politiques de l'établissement indiquent généralement la façon de consigner les résultats. Le **TABLEAU 12.7** présente les évaluations typiques et la fréquence recommandée de celles-ci. Les signes et les symptômes d'une naissance imminente peuvent apparaître soudainement et nécessiter une intervention infirmière immédiate **ENCADRÉ 12.12**.

Jugement clinique

Madame Marysol Firmin, âgée de 23 ans, termine sa première grossesse. Elle a amorcé le deuxième stade de son travail et elle pousse depuis une vingtaine de minutes. Le fœtus doit descendre encore avant qu'on puisse voir sa tête. Madame Firmin a de la difficulté à se concentrer sur sa respiration pendant les poussées, et elle est fatiguée.

Devriez-vous l'encourager à faire des respirations haletantes pendant ses contractions ? Justifiez votre réponse.

Cheminement clinique

TABLEAU 12.7 **Parturiente à faible risque au deuxième stade du travail**

Évaluation[a]	Fréquence
• P.A., caractéristiques du pouls et de la respiration	Toutes les 5 à 30 min
• Activité utérine	À chaque contraction
• Effort de poussée	À chaque effort
• F.C.F.	Toutes les 5 à 15 min
• Écoulement vaginal du bouchon muqueux	Toutes les 15 min
• Signes de descente du fœtus : besoin urgent de pousser, renflement périnéal, dégagement de la tête	Toutes les 10 à 15 min
• Comportement, apparence, humeur et degré d'énergie de la parturiente ; état du conjoint ou de la personne de soutien	Toutes les 10 à 15 min
Soins physiques[b]	**Phase**
• Aider la parturiente à prendre une position confortable. • Encourager la relaxation pour conserver son énergie. • Encourager le besoin de pousser ; s'il retarde : marche, douche, balancement pelvien, changements de position.	De latence
• Encourager la parturiente à respirer correctement pendant les efforts de poussée. • L'aider à pousser efficacement. • L'aider à utiliser les positions recommandées qui facilitent la descente. • L'aider à se détendre entre les contractions. • Lui fournir des mesures de confort au besoin. • Nettoyer le périnée immédiatement s'il y a expulsion de matière fécale.	De descente
• Aider la parturiente à haleter pendant les contractions pour éviter le dégagement trop rapide de la tête. • L'encourager à pousser doucement entre les contractions.	De transition

TABLEAU 12.7 Parturiente à faible risque au deuxième stade du travail *(suite)*

Soutien émotionnel
• Créer un environnement calme et tranquille. • Informer continuellement la parturiente des progrès de la descente du fœtus. • Commenter les efforts de poussée. • Expliquer le but des médicaments donnés, s'il y a lieu. • Faire une démonstration des mesures de confort. • Assurer une présence infirmière continue. • Encourager, rassurer, féliciter la parturiente. • Gérer le déroulement, au besoin, jusqu'à ce que la parturiente reprenne confiance en sa capacité de donner naissance à son enfant. • Offrir un miroir à la parturiente pour qu'elle puisse voir la naissance.

[a] La fréquence de l'évaluation est déterminée par le facteur de risque de l'unité maternofœtale. Elle doit être plus fréquente dans des situations à haut risque. La fréquence de l'évaluation est déterminée par les politiques de l'établissement, qui sont généralement fondées sur les normes de soins recommandées par les sociétés médicales et les associations infirmières (p. ex., le Collège des médecins, la SOGC, l'OIIQ).

[b] Les soins physiques sont donnés par l'infirmière en collaboration avec le conjoint, la personne de soutien et les proches de la parturiente.

Pratiques infirmières suggérées

ENCADRÉ 12.12 Accouchement d'urgence en présentation du sommet

1. Aviser un médecin dès la présentation de la tête.
2. La parturiente prend généralement la position qui lui offre le plus de confort. Une position latérale est généralement recommandée.
3. Il faut la rassurer en lui disant qu'un tel accouchement est généralement simple et facile. Il faut la regarder dans les yeux et avoir une attitude calme et détendue. Si une autre personne est présente, par exemple le conjoint, elle peut aider la parturiente à garder sa position, la guider et la féliciter pour ses efforts.
4. Procéder à l'hygiène des mains et mettre des gants, si possible.
5. Placer de la literie propre sous la parturiente.
6. Éviter de toucher la région vaginale pour réduire le risque d'infection.
7. Quand la tête du fœtus commence à sortir, effectuer les tâches suivantes :
   a) déchirer la membrane amniotique si elle est encore intacte ;
   b) demander à la parturiente de souffler ou de haleter afin de réduire le besoin de pousser ;
   c) placer la paume de la main sur la partie exposée de la tête du fœtus et appliquer une légère pression vers le vagin pour empêcher la tête de sortir trop rapidement. La parturiente peut participer en plaçant sa main sous celle de l'infirmière. NOTE : Il faut éviter l'expulsion trop rapide de la tête du fœtus, car cela cause un changement rapide de pression dans son crâne fraîchement déformé, ce qui peut entraîner des déchirures durales et sous-durales.
8. Après la sortie de la tête, vérifier le cordon ombilical. S'il est enroulé autour du cou du nouveau-né, essayer de le faire glisser au-dessus de la tête ou de le tirer doucement pour le relâcher un peu et le faire glisser sur les épaules du nouveau-né.
9. Soutenir la tête du nouveau-né pendant la rotation externe. Puis, en plaçant une main de chaque côté de la tête, exercer une légère pression vers le bas pour que l'épaule antérieure sorte sous la symphyse pubienne et serve de pivot. Puis, comme une légère pression est exercée dans la direction opposée, l'épaule postérieure, qui est passée au-dessus du sacrum et du coccyx, émerge.
10. Attention : il faut s'assurer de bien supporter le corps du nouveau-né, car il peut sortir rapidement et il sera glissant.
11. Tenir la tête et le dos du nouveau-né dans une main, et ses fesses dans l'autre main. Maintenir sa tête vers le bas pour évacuer le mucus. Si possible, utiliser une poire pour aspirer le mucus de la bouche et du nez.
12. Sécher le nouveau-né prestement pour empêcher la perte rapide de chaleur. Le garder à la hauteur de l'utérus de la mère jusqu'à ce que les pulsations s'arrêtent à l'extrémité du cordon.
    NOTE : Pour éviter que le sang du nouveau-né s'écoule du placenta ou vers celui-ci, ce qui entraînerait une hypovolémie ou une hypervolémie, il doit être maintenu à la hauteur de l'utérus de la mère. De plus, il ne faut pas « traire » le cordon.
13. Placer le nouveau-né sur l'abdomen de sa mère, le couvrir (ainsi que sa tête) avec du matériel propre et dire à la cliente de le serrer contre elle. La féliciter (ainsi que son conjoint) pour le travail accompli et la naissance du nouveau-né, s'il y a lieu.
14. Attendre la séparation du placenta. Ne pas tirer sur le cordon.
    NOTE : Une traction inappropriée peut causer des déchirures au cordon, la séparation du placenta ou l'inversion de l'utérus. Les signes de séparation du placenta sont les suivants : un léger écoulement de sang foncé de l'orifice vaginal, l'allongement du cordon et le changement de forme du contour utérin, de discoïde à globulaire.
15. Demander à la parturiente de pousser pour expulser le placenta séparé. Tirer doucement sur les membranes placentaires par un mouvement vertical jusqu'à ce qu'elles soient sorties. Afin d'éviter les complications si l'accouchement a lieu hors d'un établissement hospitalier, ne pas couper le cordon si l'on ne dispose pas de clamps appropriés et d'un outil de coupe stérile. Examiner le placenta pour vérifier s'il est intact. Placer le nouveau-né sur le placenta et l'envelopper avec celui-ci pour lui procurer davantage de chaleur.
16. Vérifier la fermeté de l'utérus. Masser doucement le fond de l'utérus et montrer à la cliente comment le faire elle-même correctement.
17. Si possible, nettoyer la région périnéale de la parturiente et appliquer un pansement périnéal.
18. En plus d'un léger massage du fond de l'utérus, les mesures suivantes peuvent aider à prévenir ou à réduire l'hémorragie :
    a) Placer le nouveau-né sur la poitrine de sa mère dès que possible. La succion ou le léchage du mamelon et le blottissement du nouveau-né contre lui stimulent la libération d'ocytocine par la neurohypophyse.
    NOTE : Si le nouveau-né ne tète pas ou est incapable de le faire, stimuler manuellement les mamelons de la cliente.
    b) La vessie de la cliente ne doit pas être distendue. Évaluer si elle est pleine et, dans l'affirmative, encourager la cliente à uriner.
    c) Tout caillot doit être expulsé de l'utérus de la cliente.

ENCADRÉ 12.12 Accouchement d'urgence en présentation du sommet *(suite)*

19. Réconforter et rassurer la cliente et sa famille ou ses amis. Garder la mère et son nouveau-né au chaud. Donner à boire à la mère si possible et si elle le tolère.
20. S'il y a plusieurs nouveau-nés, les identifier par ordre de naissance (avec les lettres A, B, C et ainsi de suite).
21. Prendre note des renseignements suivants relatifs à l'accouchement :
    a) La présentation fœtale et la position.
    b) L'enroulement du cordon autour du cou (circulaires du cordon) ou d'autres parties et le nombre de tours.
    c) La couleur et la quantité estimée de liquide amniotique, si la rupture des membranes se produit immédiatement avant la naissance.
    d) L'heure de la naissance.
    e) L'heure estimée de détermination de l'indice d'Apgar (p. ex., 1 et 5 min après la naissance), les efforts de réanimation faits et l'état final du nouveau-né.
    f) Le sexe du nouveau-né.
    g) L'heure d'expulsion du placenta ainsi que son apparence et son intégralité (complet ou non).
    h) L'état de la cliente : affect, quantité de saignement et tonicité utérine.
    i) Tout événement inhabituel pendant l'accouchement (p. ex., la réaction maternelle ou paternelle, la verbalisation, les gestes en réaction à la naissance).

Constats de l'évaluation

Les constats possibles à la suite de l'évaluation de la parturiente au deuxième stade du travail peuvent comprendre, notamment, les éléments suivants.

- Risque de lésions maternelles et fœtales lié à l'utilisation constante de la **manœuvre de Valsalva**.
- Faible estime de soi liée à :
  - une mauvaise connaissance des effets normaux et bénéfiques de la vocalisation pendant les efforts de poussée ;
  - l'incapacité de suivre le plan de naissance comme prévu (p. ex., sans avoir recours à des médicaments).
- Anxiété liée :
  - à l'incapacité de maîtriser la défécation pendant les efforts de poussée ;
  - au manque de connaissances sur les sensations périnéales associées au fort besoin de pousser.
- Risque d'infection lié à :
  - de multiples interventions intrusives ou effractives telles que des examens vaginaux ;
  - des lésions tissulaires (épisiotomie ou déchirures) pendant l'accouchement.

Interventions cliniques

Au deuxième stade du travail, les interventions cliniques visent à permettre à la parturiente :

- de continuer le progrès normal du travail tout en gardant une fréquence et un rythme du cœur fœtal normal ;
- de maintenir une hydratation adéquate P.O. ou par voie I.V. (ou les deux) ;
- de participer activement au travail ;
- de verbaliser ses malaises et d'indiquer le besoin de mesures de confort et de relaxation ;
- d'accepter les mesures de confort et de soutien de ses proches, du personnel soignant et de personnes de soutien au besoin ;
- de ne subir aucune blessure (parturiente ou fœtus) pendant le travail et l'accouchement ;
- de commencer, avec le conjoint, la personne de soutien et la famille, la formation de liens affectifs et d'attachement avec le nouveau-né ;
- d'exprimer sa satisfaction relative au déroulement du travail et de la naissance.

L'infirmière continue à surveiller l'état de la parturiente et celui du fœtus et les événements du deuxième stade et à offrir des mesures de confort à la cliente, notamment l'aider à changer de position, lui procurer des soins d'hygiène buccale, garder ses draps propres et secs et réduire au minimum le bruit, les conversations et les autres distractions (p. ex., des rires et des conversations du personnel dans la salle de travail ou à l'extérieur). Elle doit encourager la parturiente à mentionner les autres mesures de soutien qu'elle souhaiterait avoir **PSTI 12.1**.

À l'hôpital, la naissance peut se dérouler dans une salle dédiée à l'accouchement ou se faire dans la même salle que la salle de travail, de récupération et de postpartum. Si la cliente doit être transférée à une salle dédiée à l'accouchement pour la naissance, cela doit être fait assez tôt pour éviter de la bousculer.

Position de la parturiente

Il n'existe pas de position idéale pour l'accouchement. Le travail et l'accouchement sont des processus dynamiques et interactifs qui font intervenir l'utérus, le bassin et les muscles volontaires de la femme. De plus, les angles entre le fœtus et le bassin de la mère changent constamment quand le fœtus se tourne et se replie vers la filière pelvigénitale. La parturiente peut vouloir prendre diverses positions pour l'accouchement, et

Il n'existe pas de position idéale pour l'accouchement ; les angles entre le fœtus et le bassin de la mère changent constamment quand le fœtus se tourne et se replie vers la filière pelvigénitale.

12

l'infirmière doit l'encourager et l'aider à prendre et à maintenir la ou les positions voulues **FIGURE 12.12**.

La personne qui pratique l'accouchement influence grandement la parturiente dans ses choix de positions. Les IPS en néonatalogie préconisent généralement les positions autres que la position gynécologique pendant le deuxième stade du travail. Mais les positions couchée, demi-assise et gynécologique sont encore largement favorisées par les milieux de soins occidentaux. Les parturientes préfèrent pourtant les positions verticales pour pousser et accoucher (Roberts & Hanson, 2007), et il ya un lien entre l'utilisation de positions verticales pour l'accouchement et une diminution de la durée du travail, des douleurs et des lésions périnéales et du nombre d'accouchements vaginaux opératoires (Roberts & Hanson, 2007). Les avantages des positions plus verticales peuvent être liés à la force gravitationnelle, à une compression aortocave réduite, à un meilleur alignement fœtal et à de plus grands diamètres antéropostérieur et transverse du détroit inférieur du petit bassin (Berghella *et al.*, 2008).

Jugement clinique

Madame Justine Longval est âgée de 22 ans. Elle est au début du deuxième stade du travail après seulement cinq heures de travail. Elle a accepté toutes les propositions que vous lui avez faites pour la soulager ou faire progresser son travail. Maintenant que le col utérin est complètement dilaté et effacé, vous lui conseillez de s'asseoir sur la toilette.

Est-ce une bonne proposition ? Justifiez votre réponse.

La position accroupie facilite grandement la descente et la naissance du fœtus. Il s'agit de l'une des meilleures positions pour le deuxième stade du travail (Mayberry *et al.*, 2000 ; Roberts, 2002). La parturiente devrait adopter une position accroupie, penchée sur un appui avant, jusqu'à ce que la tête du fœtus soit engagée ; elle peut alors se redresser tout en gardant une position accroupie. Pour cela, elle doit se tenir sur une surface ferme et avoir un support latéral solide. Dans un fauteuil d'accouchement, elle peut utiliser la barre d'appui **FIGURE 12.14E**. Elle peut aussi utiliser un ballon de naissance. Pour faciliter la relaxation du bassin et du périnée, elle peut s'asseoir sur le ballon ou le placer devant elle et s'appuyer dessus quand elle est en position accroupie. Le fœtus restera aligné avec la filière pelvigénitale. La parturiente souhaitera peut-être s'asseoir sur le siège des toilettes ou la chaise d'aisance (percée) pendant ses poussées parce qu'elle est préoccupée par l'incontinence fécale à cette étape. Dans ce cas, l'infirmière doit toutefois la surveiller attentivement et la déplacer avant que la naissance se produise.

La position couchée sur le côté, ou latérale, avec la jambe supérieure tenue par l'infirmière, le conjoint ou la personne de soutien ou appuyée sur un oreiller, est une position efficace pour le deuxième stade du travail **FIGURE 12.12A**. Elle aide la parturiente à maîtriser ses efforts de poussée. De plus, cette position permet une descente plus lente et mieux maîtrisée du fœtus, ce qui réduit le risque de lésions périnéales. Certaines femmes préfèrent adopter une position semi-assise. Pour maintenir une bonne circulation utéroplacentaire et améliorer les efforts de poussée dans cette position, il faut asseoir la parturiente à un angle d'au moins 30° et placer un coussin triangulaire sous une hanche **FIGURE 12.12B**.

La position à quatre pattes, accompagnée d'un balancement du bassin et d'un massage du dos, est

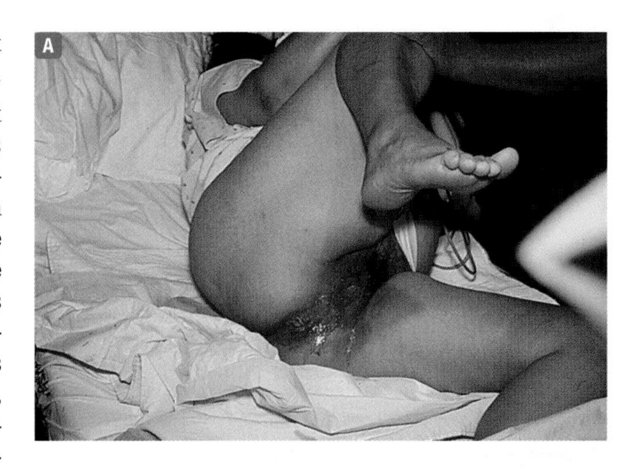

FIGURE 12.12
A Poussée en position latérale. On peut voir un renflement périnéal. **B** Poussée en position semi-assise. La sage-femme aide la parturiente à sentir le dessus de la tête du fœtus.

une position efficace pour l'accouchement, car elle améliore la perfusion placentaire, favorise la rotation du fœtus d'une position postérieure à antérieure et peut faciliter le dégagement de ses épaules, surtout si le fœtus est de grande taille. De plus, elle réduit les risques de lésions périnéales (Simkin & Ancheta, 2000).

Le lit de naissance, couramment utilisé de nos jours, peut être réglé en diverses positions selon les besoins de la parturiente **FIGURES 12.13** et **12.14**. Elle peut s'accroupir, s'agenouiller, s'asseoir, s'incliner ou se coucher sur le côté, en choisissant la position la plus confortable sans avoir à sortir du lit. Celui-ci permet également de prendre des positions idéales pour les examens, la pose d'électrode ou l'accouchement. Il peut aussi être réglé pour permettre l'administration d'anesthésiants et est idéal pour aider la parturiente qui est sous anesthésie épidurale à prendre diverses positions pour faciliter l'accouchement. Il peut

FIGURE 12.13
Une cliente est installée sur un lit de naissance.

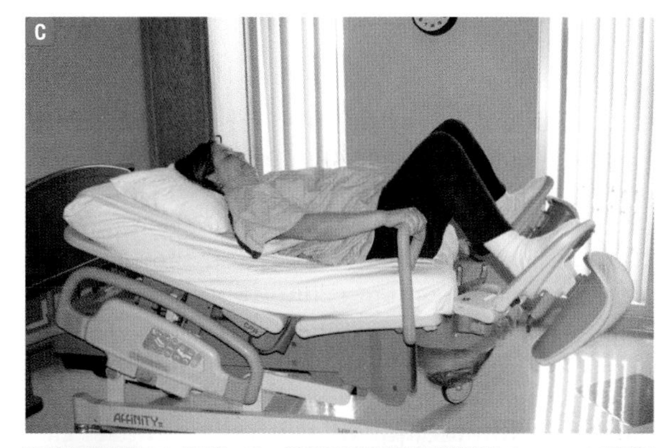

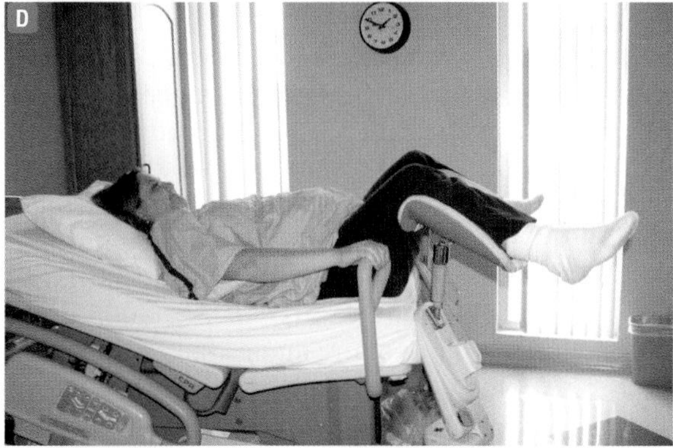

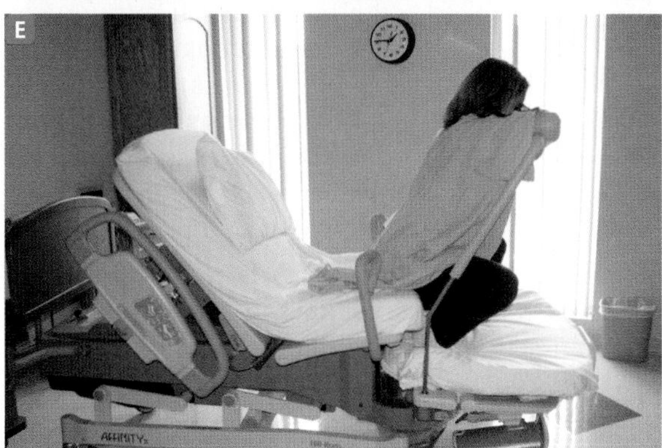

FIGURE 12.14
Grâce à leurs divers réglages, les lits de naissance actuels sont polyvalents et pratiques. Note : La table d'obstétrique est utilisée pour la position gynécologique. **A** Lit de travail. **B** Chaise de naissance. **C** Lit de naissance. **D** Table d'obstétrique. **E** Position accroupie ou barre d'appui.

également être utilisé pour transporter la parturiente à la salle d'opération si une césarienne est nécessaire. La parturiente peut continuer à se servir d'une barre d'appui, d'une table de lit, d'un ballon de naissance ou d'oreillers pour s'appuyer.

Efforts de poussée

Quand la tête du fœtus atteint le plancher pelvien, la parturiente ressent généralement un besoin urgent de pousser. Par réflexe, elle commencera à exercer une pression vers le bas en contractant ses muscles abdominaux et en détendant son plancher pelvien. Cette poussée est une réaction involontaire au réflexe de Ferguson. Un fort grognement ou un gémissement expiratoire (vocalisation) accompagne souvent la poussée quand la parturiente expire en poussant. Il ne faut pas décourager cette vocalisation naturelle pendant les efforts de poussée à glotte ouverte.

En guidant la parturiente qui pousse, il faut l'encourager à pousser comme elle sent qu'elle doit le faire (poussée instinctive, spontanée) plutôt que de faire une longue poussée sur commande. La rétention prolongée de la respiration, ou une poussée dirigée soutenue, qui est encore une pratique courante, peut déclencher la manœuvre de Valsalva, qui se produit quand la cliente ferme la glotte (poussée à glotte fermée) et accroît les pressions intrathoracique et cardiovasculaire. Ces pressions accrues réduisent le débit cardiaque et la perfusion de l'utérus et du placenta. Les effets indésirables d'une rétention prolongée de la respiration et des puissants efforts de poussée sont entre autres l'hypoxie fœtale et une acidose subséquente (Simpson & James, 2005). On a également établi un lien entre des troubles du plancher pelvien et la poussée dirigée (Schaffer *et al.*, 2005). Les avantages des efforts de poussée spontanés plutôt que des poussées de Valsalva soutenues sont entre autres un stress hypoxique moindre pour le fœtus et des dommages pelviens ou périnéaux réduits pour la parturiente (Roberts & Hanson, 2007).

Jugement clinique

Madame Cybel Gaube, âgée de 35 ans, est en salle d'accouchement. Elle en est au deuxième stade de son travail et elle a bien hâte de voir son premier enfant.

Devriez-vous l'inciter à bloquer sa respiration au moment des contractions pour accélérer le travail? Justifiez votre réponse.

Une parturiente peut devenir désorientée et anxieuse si on lui demande de faire quelque chose qui va à l'encontre de ce que son corps lui indique. Des commentaires positifs tels que: Vous travaillez très bien, Vous faites descendre le bébé, Faites ce que vous indique votre corps, plutôt que de répéter: Poussez, poussez, poussez, encouragent une parturiente à faire confiance à son corps et à ce qu'elle ressent (Sampselle, Miller, Luecha, Fischer & Rosten, 2005).

En guidant la parturiente qui pousse, il faut l'encourager à pousser comme elle sent qu'elle doit le faire plutôt que de faire une longue poussée sur commande.

La parturiente commence généralement à pousser naturellement quand l'intensité de la contraction augmente et que le réflexe de Ferguson devient plus fort. Il faut surveiller sa respiration pour qu'elle ne la retienne pas plus de cinq à sept secondes à la fois et lui rappeler de ventiler pleinement ses poumons en prenant des respirations profondes et complètes avant et après chaque contraction. Le fait de pousser pendant l'expiration (pousser à glotte ouverte) et d'inspirer entre les efforts de poussée aide à maintenir des concentrations adéquates d'oxygène pour la mère et le fœtus. Cela donne un rythme d'environ cinq poussées d'approximativement cinq secondes chacune pendant une contraction (Mayberry *et al.*, 2000).

Une parturiente peut arriver au deuxième stade du travail et sentir qu'elle n'est pas prête à terminer le travail et à donner naissance à son enfant. Elle peut douter de sa préparation à la maternité ou peut vouloir attendre que son conjoint, sa personne de soutien, son médecin ou sa sage-femme arrive. La peur, l'anxiété ou l'embarras causés par des sensations et des comportements inconnus ou douloureux pendant les poussées (p. ex., les bruits produits, le passage de selles) peuvent être d'autres facteurs inhibitoires. En reconnaissant qu'une cliente peut ressentir le besoin de retarder la naissance de son enfant, l'infirmière peut soulager ses inquiétudes et ses peurs et bien la guider pendant ce stade du travail.

Pour garantir le dégagement lent de la tête du fœtus, il faut encourager la parturiente à maîtriser ses besoins de pousser en lui disant de haleter ou d'expirer lentement avec les lèvres pincées quand la tête du nouveau-né sort. À ce moment, elle a besoin de directives simples et claires provenant d'une seule personne. L'amnésie entre les contractions est courante au deuxième stade; l'infirmière devra peut-être stimuler la parturiente pour qu'elle continue à pousser.

Fréquence et caractéristiques cardiaques du fœtus

L'infirmière doit vérifier régulièrement la F.C.F ▶ 11. S'il se produit un ralentissement de la fréquence de base, une perte de variabilité ou une décélération (p. ex., une décélération tardive, variable ou prolongée), l'infirmière doit intervenir rapidement. Elle doit tourner la femme sur le côté gauche pour réduire la pression exercée par l'utérus sur la veine cave ascendante et l'aorte descendante **FIGURE 12.2** et lui administrer de l'oxygène à l'aide d'un masque sans réinspiration à une concentration de 8 à 10 L/min (Tucker *et al.*, 2009).

11

Les méthodes d'évaluation de la F.C.F. et la fréquence à laquelle celle-ci doit être effectuée sont abordées dans le chapitre 11, *Évaluation fœtale pendant le travail*.

Ces interventions suffisent généralement à rétablir une fréquence et un rythme cardiaques non préoccupants. Si ceux-ci ne se rétablissent pas immédiatement, il faut en informer le médecin parce que la cliente peut nécessiter une intervention médicale pour l'accouchement. Le **TABLEAU 12.5** présente d'autres interventions pertinentes dans le cas d'une F.C.F. non préoccupante.

Toute infirmière qui s'occupe d'une parturiente doit être prête à procéder à un accouchement d'urgence si le médecin n'est pas sur place.

Soutien du père ou d'une autre personne

Pendant le deuxième stade du travail, la parturiente a besoin d'un soutien et d'une aide continus. Puisque cela est physiquement et émotionnellement fatigant pour les personnes de soutien, l'infirmière doit leur suggérer de prendre de courtes pauses au besoin. Si la naissance a lieu dans une salle d'accouchement, il faut leur demander de mettre une chemise d'hôpital ou une blouse de protection, un masque, un bonnet et des couvre-chaussures, selon le protocole en vigueur de l'établissement. Il faut aussi leur expliquer les mesures de soutien à utiliser avec la parturiente et leur indiquer les endroits où elles peuvent se déplacer librement dans la salle. Si l'accouchement n'a pas lieu dans une salle dédiée uniquement à l'accouchement, le conjoint ou la personne de soutien n'a généralement pas à porter de chemise d'hôpital ou d'autres vêtements de protection.

Il faut encourager le conjoint à assister à la naissance de son enfant si cela respecte ses attentes et ses croyances culturelles, personnelles et religieuses. Sa présence permet de maintenir la proximité psychologique de l'unité familiale. Il peut continuer à offrir le même soutien que pendant le travail. La cliente et son conjoint doivent avoir une possibilité égale de commencer le processus d'attachement avec le nouveau-né.

Matériel, instruments et appareils

Pour être prêt à l'accouchement en toute circonstance, il faut généralement préparer la salle de naissance au cours de la phase passive pour la femme nullipare et de la phase active pour la femme multipare.

L'infirmière doit préparer le lit de naissance ou la table d'accouchement et disposer les instruments sur la table d'instruments ou le chariot d'accouchement **FIGURE 12.15**. Elle doit suivre les procédures standards concernant le port de gants, l'identification et l'ouverture des pansements stériles, l'ajout de matériel stérile sur la table d'instruments, le déballage des instruments stériles et la façon de les remettre au médecin. Elle doit préparer le lit et la table chauffante pour le nouveau-né ainsi que les appareils de soutien et de stabilisation de celui-ci.

Le matériel utilisé pour l'accouchement peut varier d'un établissement à l'autre. Il faut donc consulter le manuel de procédures de l'établissement pour connaître le protocole à suivre.

L'infirmière doit estimer dans combien de temps aura lieu l'accouchement et en informer le médecin s'il n'est pas dans la chambre de la cliente. Même l'infirmière la plus expérimentée peut faire une erreur d'estimation du temps qu'il reste avant un accouchement. Par conséquent, toute infirmière qui s'occupe d'une parturiente doit être prête à procéder à un accouchement d'urgence si le médecin n'est pas sur place **ENCADRÉ 12.12**.

Accouchement dans une salle d'accouchement ou de naissance

La parturiente aura besoin d'aide si elle doit se déplacer du lit utilisé pendant le travail à la table d'accouchement **FIGURE 12.16**. Les diverses positions adoptées pour un accouchement dans une salle d'accouchement sont la position de Sims, où la jambe supérieure de la parturiente doit être soutenue, la position dorsale (décubitus dorsal avec une hanche soulevée) et la position gynécologique.

La position gynécologique facilite le travail du médecin en cas de complications **FIGURE 12.14D**. Pour installer la parturiente dans cette position,

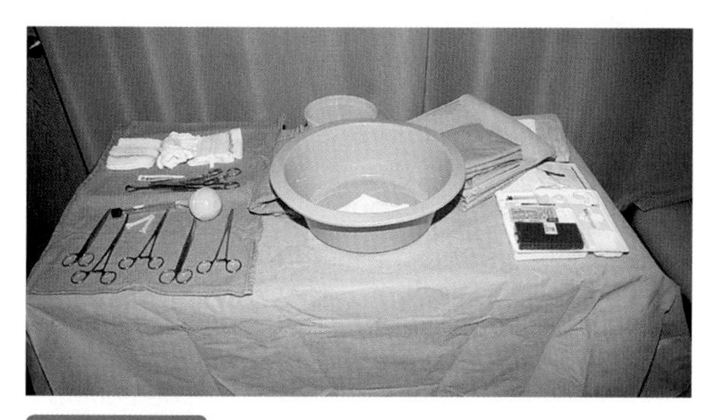

FIGURE 12.15
Table d'instruments

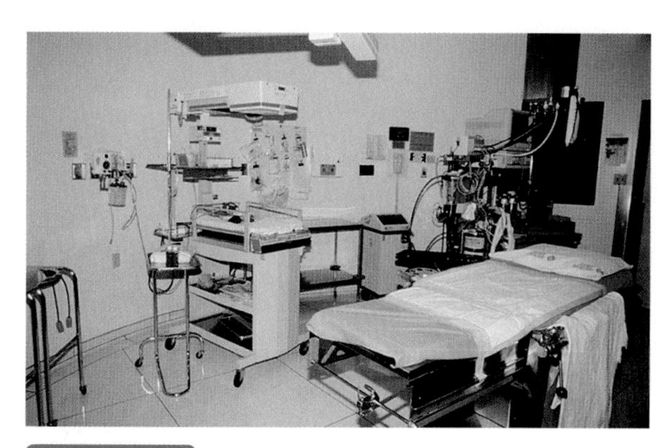

FIGURE 12.16
Salle d'accouchement

12

il faut placer ses fesses au bord du lit ou de la table et déposer ses jambes sur les étriers. Il faut matelasser les étriers, soulever et placer les deux jambes sur les étriers et régler ceux-ci de façon à supporter les poussées. Il ne doit y avoir aucune pression sur le creux poplité (l'arrière du genou). Si les étriers ne sont pas à la même hauteur, les ligaments du dos de la parturiente forceront pendant les poussées, ce qui lui causera une douleur considérable pendant la période postnatale. L'extrémité inférieure de la table peut être descendue et inclinée vers l'arrière sous la table.

Pour un accouchement dans une chambre de naissance, la position de la parturiente varie. Elle peut prendre une position gynécologique, où ses pieds s'appuient sur des repose-pieds ou ses jambes sont soutenues par l'infirmière ou une personne de soutien ; une position où ses pieds s'appuient sur des repose-pieds pendant qu'elle tient une barre d'appui ; une position latérale, où la jambe supérieure est soutenue par la personne de soutien, l'infirmière ou une barre d'appui. Quand la parturiente a la position voulue, le pied du lit est enlevé (ou replié) de façon que le médecin ait un meilleur accès au périnée s'il devait effectuer une épisiotomie, accoucher un gros nouveau-né, utiliser des forceps ou une ventouse obstétricale ou atteindre la tête qui émerge pour faciliter sa succion. Le pied du lit peut aussi être laissé en place et légèrement abaissé pour former un plateau qui sert d'appui à l'accoucheur et ensuite de support pour le nouveau-né **FIGURE 12.14A**.

Quand la parturiente est en position voulue pour l'accouchement, que ce soit dans une salle d'accouchement ou une chambre de naissance, il faut nettoyer sa vulve et son périnée selon le protocole en vigueur de l'établissement.

L'infirmière continue de guider et d'encourager la parturiente. Elle ausculte le cœur du fœtus (la F.C.F.) ou évalue le tracé de l'électrocardiogramme de celui-ci toutes les 5 à 15 minutes, selon le degré de risque de la femme ou le protocole de l'établissement, ou elle effectue le monitorage continu de la F.C.F. Elle doit tenir le médecin ou la sage-femme au courant de la fréquence et du rythme cardiaques du fœtus (Tucker *et al.*, 2009). Elle doit préparer ou se procurer un médicament ocytocique tel que l'ocytocine, pour qu'il puisse être administré immédiatement après l'expulsion du placenta. L'infirmière doit toujours suivre les précautions normales pendant le travail et l'accouchement **ENCADRÉ 12.6**.

Dans la salle d'accouchement, le médecin met un bonnet, un masque avec protecteur facial (visière) ou des lunettes de protection et des couvre-chaussures. Après avoir procédé à l'hygiène des mains, il met une blouse stérile (avec devant et manches imperméables) et des gants. Les infirmières qui assistent à l'accouchement peuvent aussi devoir porter un bonnet, des lunettes de protection, un masque, une blouse et des gants. La parturiente peut alors être couverte de draps stériles. Dans la chambre de naissance, les précautions normales sont observées, mais le nombre et le type de vêtements de protection que doivent porter les personnes présentes varient généralement.

Il faut rester en communication avec les parents en les touchant, en leur disant des paroles réconfortantes, en leur expliquant les raisons des interventions et en partageant leur joie à la naissance de leur enfant.

Mécanisme de l'accouchement : présentation du sommet de la tête

Les trois phases de l'accouchement spontané d'un fœtus qui présente le sommet de la tête sont : 1) le **dégagement de la tête** ; 2) le dégagement des épaules ; 3) le dégagement du corps et des extrémités ▶ 9.

9

La théorie expliquant le mécanisme de l'accouchement est exposée dans le chapitre 9, *Travail et accouchement*.

Avec les efforts volontaires de poussée, la tête apparaît à l'orifice externe du vagin **FIGURE 12.17**. Le dégagement de la tête se produit quand la partie la plus large, le diamètre bipariétal, distend la vulve juste avant la naissance. La personne qui pratique l'accouchement peut appliquer de l'huile minérale sur le périnée et l'étirer pendant que la tête sort. Immédiatement avant la naissance, les muscles périnéaux sont grandement distendus. Si une épisiotomie est nécessaire, elle doit être faite à ce moment pour réduire les lésions aux tissus mous. Des anesthésiques locaux peuvent être administrés au besoin avant l'épisiotomie. L'**ENCADRÉ 12.13** illustre le processus normal de l'accouchement vaginal.

Le médecin ou l'IPS en néonatalogie peut utiliser une méthode pratique visant à maîtriser le dégagement de la tête, afin de ménager le périnée et de favoriser une naissance graduelle qui prévient les lésions intracrâniennes du fœtus, protège les tissus maternels et réduit la douleur périnéale postpartum. Cette méthode consiste à : 1) appliquer une pression contre le rectum, en le tirant vers le bas

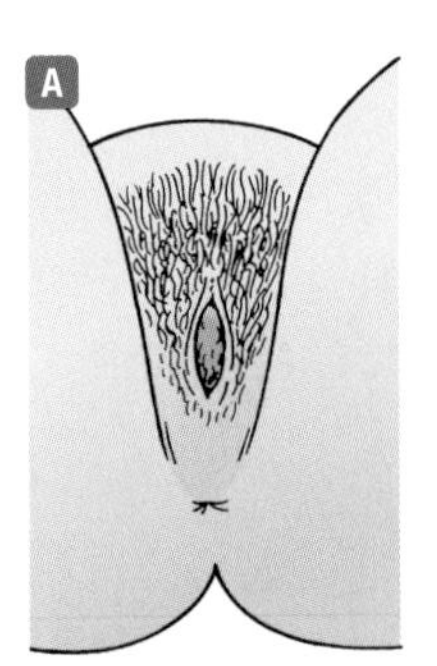

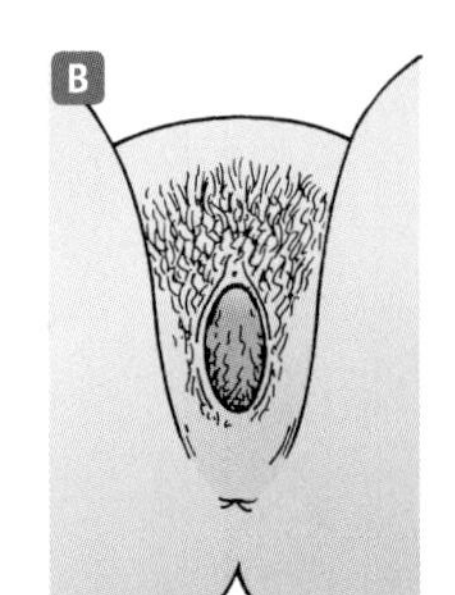

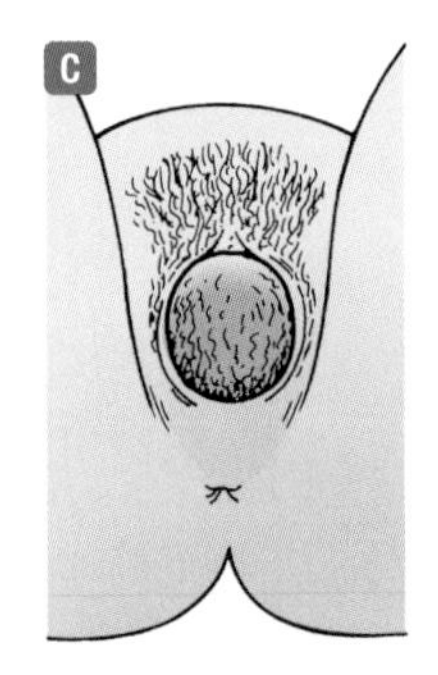

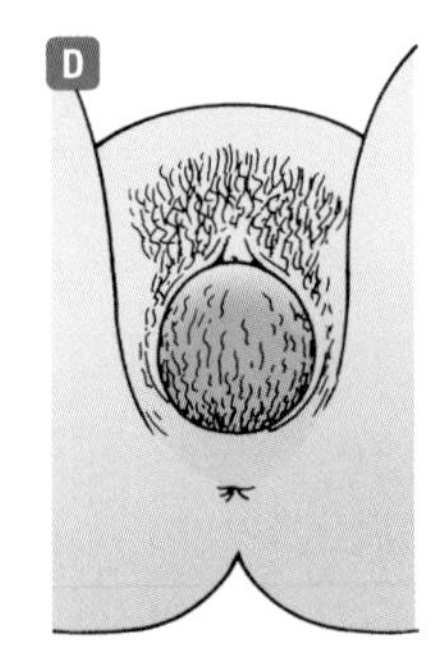

FIGURE 12.17

Début de l'accouchement avec présentation du sommet de la tête. A Fente antéropostérieure. B Ouverture ovale. C Forme ronde. D Dégagement (ou sortie) de la tête du fœtus.

ENCADRÉ 12.13 Accouchement vaginal normal

PREMIÈRE ÉTAPE

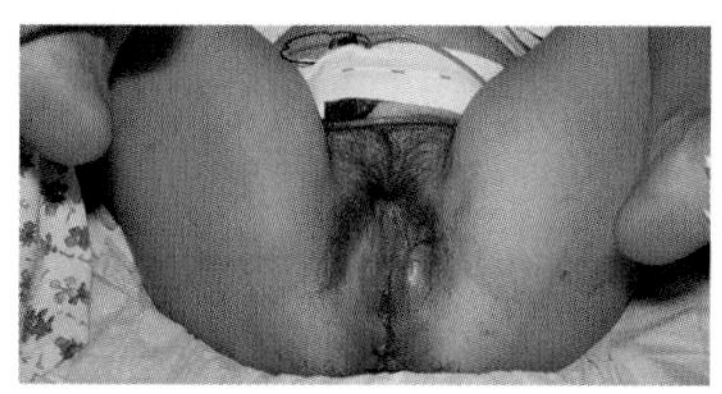

Fente antéropostérieure ; le sommet de la tête est visible pendant les contractions.

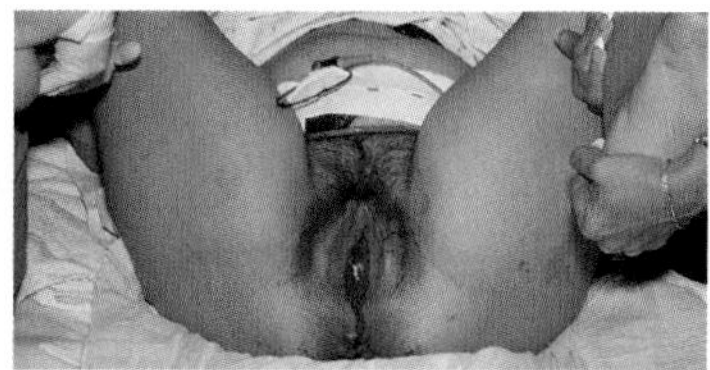

Ouverture ovale ; présentation du sommet de la tête. Note : L'infirmière (à gauche) porte des gants, mais pas la personne de soutien (à droite).

DEUXIÈME ÉTAPE

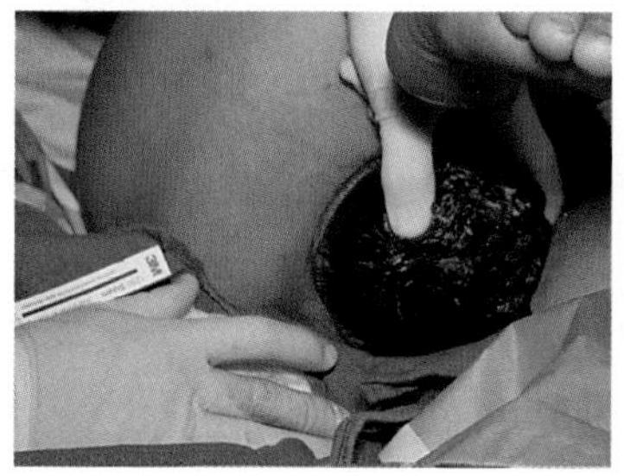

La tête est dégagée.

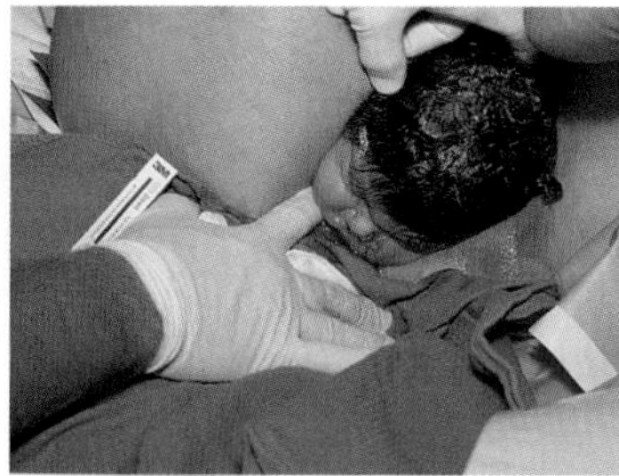

L'IPS en néonatalogie effectue la manœuvre de Ritgen, car la tête sort en extension.

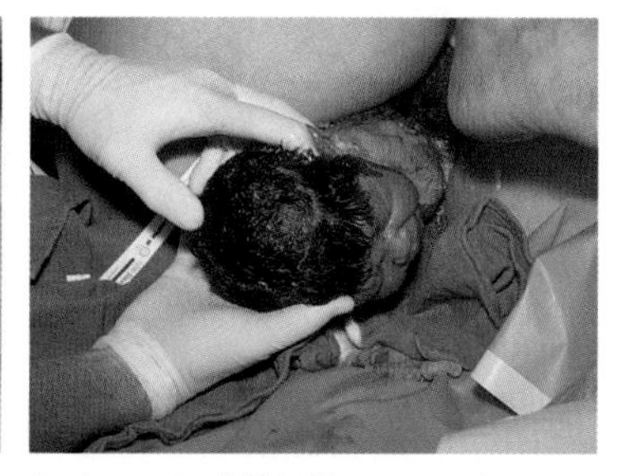

Après avoir vérifié s'il y a enroulement du cordon autour du cou, l'IPS en néonatalogie soutient la tête pendant sa rotation externe et sa restitution.

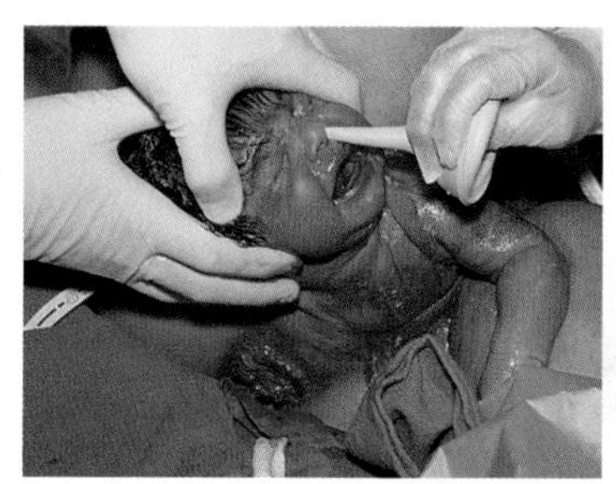

Le mucus est aspiré à l'aide d'une poire.

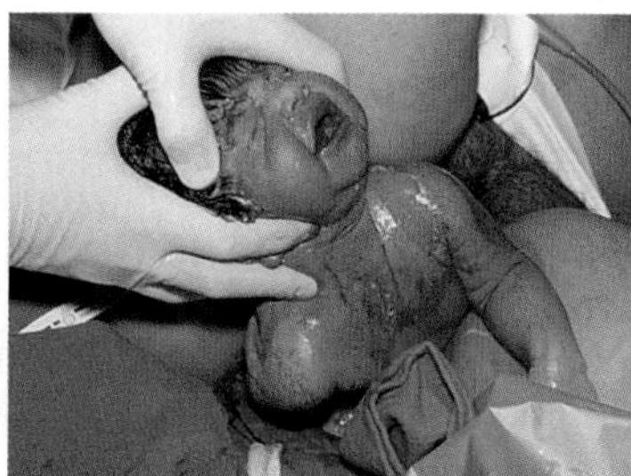

L'épaule postérieure est dégagée.

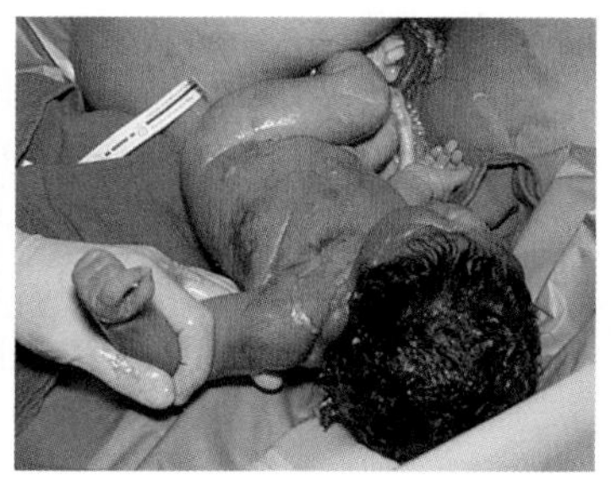

La naissance du nouveau-né se fait par une lente expulsion.

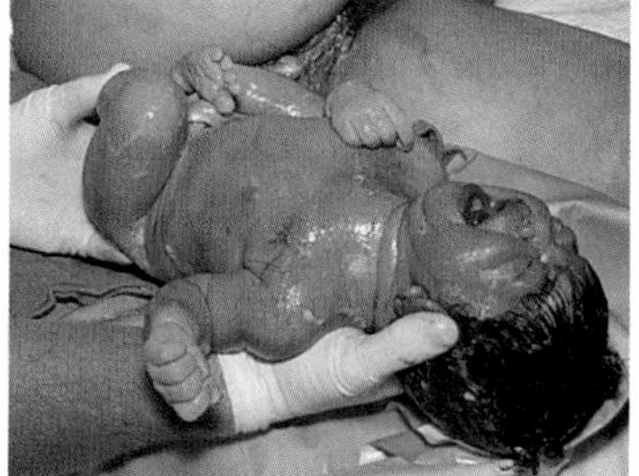

La deuxième étape est terminée. Le nouveau-né n'est pas encore complètement rose.

TROISIÈME ÉTAPE

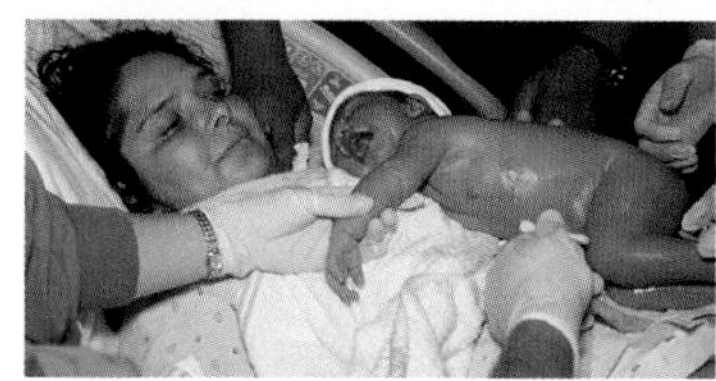

Le nouveau-né est placé sur l'abdomen de sa mère pendant que le cordon est clampé et coupé.

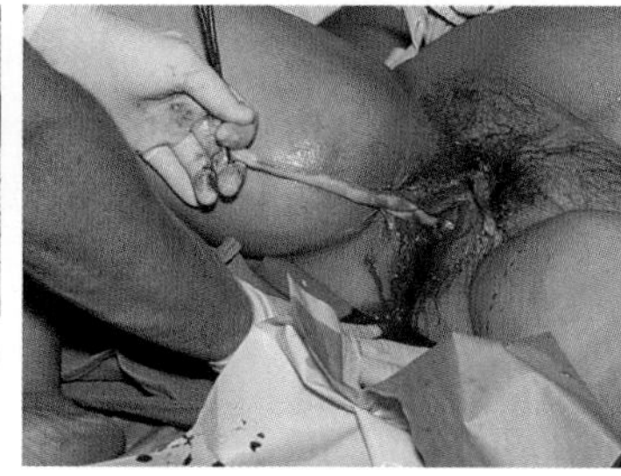

Le saignement augmente quand le placenta se sépare.

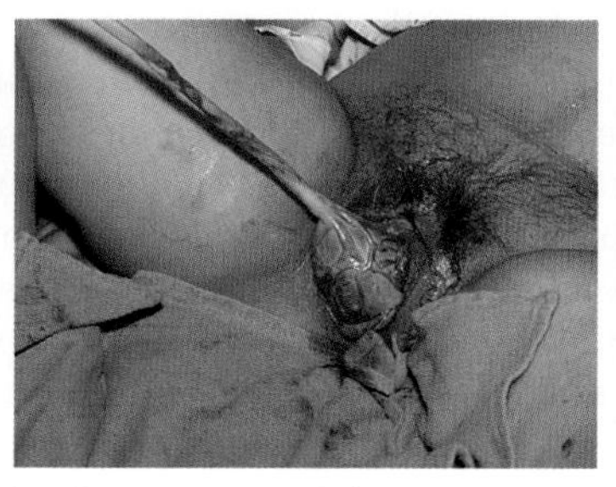

Le placenta est expulsé.

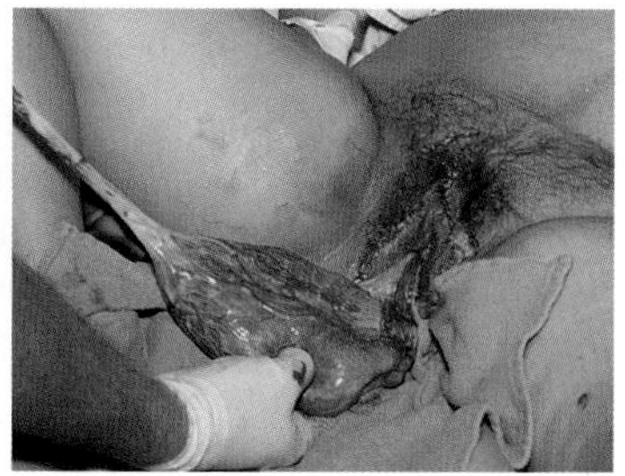

L'expulsion est terminée, ce qui marque la fin du troisième stade.

ENCADRÉ 12.13 **Accouchement vaginal normal *(suite)***

NOUVEAU-NÉ

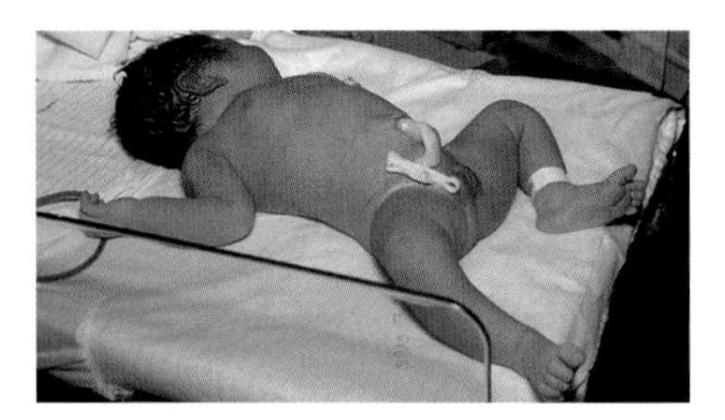
Le nouveau-né avant son évaluation. Il est presque complètement rose.

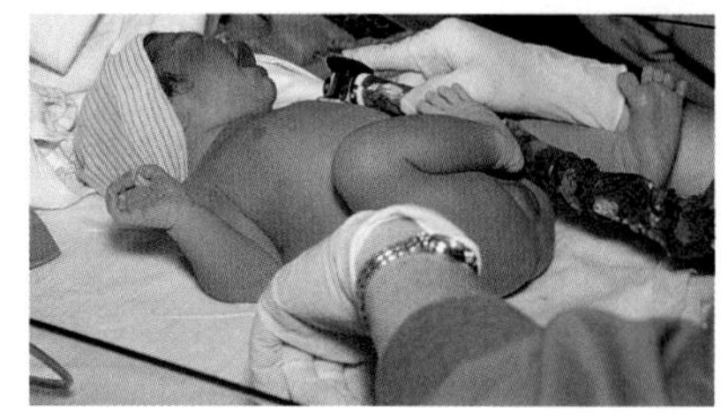
L'évaluation du nouveau-né est effectuée sur une table chauffante.

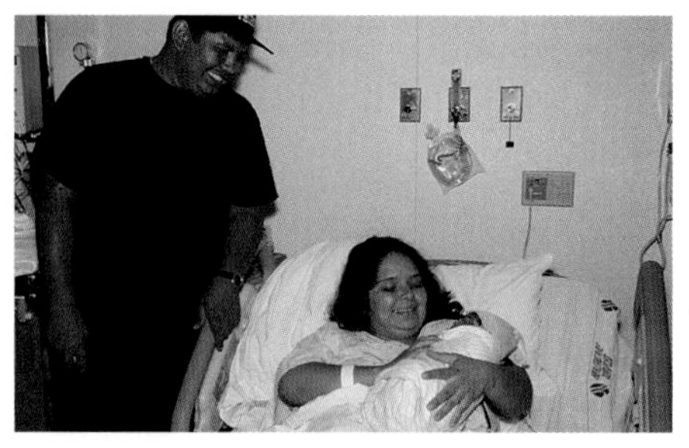
Les parents admirent leur nouveau-né.

pour favoriser la flexion de la tête quand l'arrière du cou arrive sous la symphyse pubienne; 2) appliquer ensuite une pression vers le haut depuis la région du coccyx (**manœuvre de Ritgen**) pour causer l'extension de la tête pendant la naissance et protéger ainsi les muscles du périnée **FIGURE 12.18**; 3) aider la parturiente à maîtriser volontairement ses efforts de poussée en lui demandant de haleter et de laisser les forces utérines expulser le fœtus.

Jugement clinique

Madame Ève-Lyne Boulanger, âgée de 37 ans, arrive à l'unité de naissance au terme de sa seconde grossesse. Elle vous dit sentir que le bébé pousse. Vous l'installez dans un lit et constatez que fœtus se présente déjà. Vous réalisez que vous devrez aider cette femme à mettre son enfant au monde, car l'accouchement est imminent.

À ce stade-ci, devez-vous palper le cou du fœtus afin de sentir la présence du cordon ombilical ? Justifiez votre réponse.

Le cordon ombilical encercle souvent le cou (**circulaire du cordon**), mais il est rarement assez serré pour causer l'hypoxie. Quand la tête est dégagée, il faut palper le cou pour sentir s'il y a présence du cordon. Si c'est le cas, le professionnel de la santé le fait glisser doucement sur la tête si possible. Si la boucle est serrée ou s'il y a deux tours, il clampera probablement le cordon à deux endroits, il coupera entre les deux clampes et il retirera le cordon du cou avant de poursuivre l'accouchement. La présence de mucus, de sang ou de méconium dans les voies nasales ou orales peut empêcher le nouveau-né de respirer. Pour régler ce problème, le nez et la bouche du nouveau-né peuvent être essuyés avec des compresses de gaze humides. Au besoin, on peut aspirer ces liquides à l'aide d'une poire insérée d'abord dans la bouche et l'oropharynx, puis dans les deux narines.

FIGURE 12.18
Dégagement de la tête à l'aide de la manœuvre de Ritgen modifiée. La tête est retenue pour éviter qu'elle sorte trop rapidement.

Évaluation et soins immédiats du nouveau-né

L'heure de la naissance est généralement l'heure précise où le corps entier du nouveau-né sort de la parturiente, mais certains établissements peuvent avoir établi des règles différentes. L'infirmière doit consigner l'heure de la naissance. Dans le cas de naissances multiples, chacune doit être notée de la même façon. Si l'état du nouveau-né n'inspire pas de craintes, celui-ci peut être placé sur l'abdomen de sa mère immédiatement après sa naissance et enveloppé dans une couverture chaude et sèche. Le cordon peut être clampé à ce moment, et le médecin ou l'infirmière peut demander au conjoint s'il aimerait le couper. S'il le souhaite, il faut lui remettre des ciseaux stériles et lui dire de couper le cordon à 2,5 cm au-dessus de la clampe.

Les soins donnés immédiatement après la naissance sont axés sur l'évaluation et la stabilisation du nouveau-né.

Les soins donnés immédiatement après la naissance sont axés sur l'évaluation et la stabilisation du nouveau-né. La principale responsabilité de l'infirmière à ce moment est de prendre soin du nouveau-né, car le médecin ou la sage-femme s'occupe de l'expulsion du placenta et des soins de la mère. L'infirmière doit surveiller le nouveau-né pour déceler tout signe de détresse et amorcer l'intervention appropriée, s'il y a lieu.

Elle doit effectuer immédiatement une brève évaluation du nouveau-né, même si la mère le tient. Cette évaluation comprend le calcul de l'indice d'Apgar une et cinq minutes après la naissance ▶ 17. Les soins immédiats prioritaires du nouveau-né sont le dégagement des voies respiratoires, le soutien de l'effort respiratoire et la prévention du stress dû au froid. Dans ce dernier cas, il faut sécher le nouveau-né et l'envelopper dans une couverture chaude ou le placer sur une table chauffante. L'examen plus approfondi, les procédures d'identification et les autres soins peuvent être reportés au **troisième stade du travail** ou au début du quatrième stade.

12.2.1 Lésions périnéales dues à l'accouchement

La plupart des lésions et des déchirures aiguës du périnée, du vagin, de l'utérus et de leurs tissus de soutien se produisent pendant l'accouchement. On a montré que les soins non traditionnels du périnée, tels que l'application de compresses chaudes et un massage avec un lubrifiant (p. ex., avant et pendant la naissance), ont peu d'effet sur les lésions périnéales, mais qu'ils peuvent réduire l'étendue des déchirures du périnée. Il est donc recommandé de poursuivre les recherches dans ce domaine (Albers, Sedler, Bedrick, Teaf & Peralta, 2005; Berghella *et al.*, 2008).

Tout accouchement cause certains dommages aux tissus mous de la filière pelvigénitale et des structures adjacentes. La susceptibilité aux lésions varie d'une femme à l'autre selon la capacité de distension de ses tissus mous. Les femmes nullipares subissent généralement des lésions plus prononcées parce que leurs tissus sont plus fermes et résistants que ceux des femmes multipares. L'hérédité joue également un rôle. Par exemple, les tissus des femmes à la peau pâle, notamment les rousses, ne se distendent pas aussi facilement que ceux des femmes à la peau foncée, et leur guérison peut être moins rapide. Les autres facteurs de risque associés aux lésions périnéales sont entre autres la position de la mère, une forme de bassin mal adaptée à l'accouchement (p. ex., un arc sous-pubien étroit avec un détroit inférieur étranglé), une présentation et une position anormales du fœtus (p. ex., une présentation par le siège, une position occipito-postérieure), un nouveau-né de poids élevé (macrosomie), l'utilisation de forceps ou d'une ventouse obstétricale pour faciliter la naissance, un long deuxième stade du travail, la détresse fœtale et un travail rapide qui ne laisse pas au périnée le temps de s'étirer.

Certaines lésions des tissus de soutien, qu'elles soient aiguës ou non et qu'elles soient réparées ou non, peuvent entraîner des troubles génito-urinaires et sexuels ultérieurs au cours de la vie (p. ex., le relâchement pelvien, le prolapsus utérin, la cystocèle, la rectocèle, la dyspareunie et des dysfonctions urinaires et fécales). Les **exercices de Kegel** effectués pendant les périodes prénatale et postnatale permettent l'amélioration et le rétablissement du tonus et de la force des muscles périnéaux. De saines habitudes de vie, notamment une bonne alimentation et des mesures d'hygiène appropriées, aident à préserver l'intégrité et la souplesse des tissus périnéaux, favorisent la cicatrisation et préviennent l'infection.

17

L'indice d'Apgar et le premier examen du nouveau-né sont abordés en détail dans le chapitre 17, *Évaluation et soins du nouveau-né et de la famille*.

Déchirures périnéales

Les déchirures périnéales se produisent généralement pendant le dégagement de la tête du fœtus. L'étendue des déchirures est définie en fonction de leur profondeur.

- Premier degré: déchirure qui s'étend de la peau et des structures superficielles jusqu'aux muscles.
- Deuxième degré: déchirure qui s'étend aux muscles du centre tendineux du périnée.
- Troisième degré: déchirure qui s'étend au muscle du sphincter anal.
- Quatrième degré: déchirure qui touche aussi la paroi antérieure du rectum.

Les lésions périnéales sont souvent accompagnées de petites déchirures des surfaces médianes des petites lèvres sous la branche pubienne et sur les côtés de l'urètre (périurétrales) et du clitoris. Les déchirures dans cette région hautement vascularisée entraînent souvent un saignement abondant. Les déchirures du troisième et du quatrième degré doivent être soigneusement réparées afin de préserver la continence fécale de la femme. Pour réduire la douleur et favoriser la cicatrisation, des mesures pour faciliter la défécation et le ramollissement des selles doivent être prises (p. ex., l'activité, les fibres alimentaires, les liquides, un laxatif émollient). Les lavements et les suppositoires sont contre-indiqués. Un traitement antimicrobien en prophylaxie peut être entrepris dans certains cas.

Les lésions périnéales simples guérissent généralement sans laisser d'incapacité permanente, qu'elles aient été réparées ou non. Toutefois, il est plus facile de réparer une nouvelle lésion périnéale pour prévenir des complications que de corriger des dommages de longue date.

Déchirures vaginales

Les déchirures périnéales sont souvent accompagnées de déchirures vaginales. Celles-ci remontent généralement les parois latérales (sillons) du vagin et, si elles sont suffisamment profondes, touchent le muscle releveur de l'anus. D'autres lésions peuvent se produire dans le dôme vaginal près des épines sciatiques. Les déchirures du dôme vaginal sont souvent circulaires et peuvent avoir été causées par les forceps utilisés pour faire tourner la tête du fœtus, par la descente rapide du fœtus ou par une naissance précipitée.

Lésions cervicales

Les lésions cervicales se produisent quand le col de l'utérus se rétracte sur la tête fœtale qui avance. Ces déchirures se produisent aux angles latéraux du col externe. La plupart des déchirures ne sont pas profondes et causent peu de saignement. Les plus grandes déchirures peuvent s'étendre au dôme vaginal ou au-delà dans le segment utérin inférieur; elles peuvent causer un saignement grave. Des déchirures étendues peuvent se produire après des tentatives précipitées d'élargir artificiellement l'ouverture du col ou de faire sortir le fœtus avant que le col soit complètement dilaté. Les lésions au col de l'utérus peuvent avoir des effets indésirables sur les grossesses et les accouchements ultérieurs.

12.2.2 Épisiotomie

Une épisiotomie est une incision du périnée qui vise à agrandir l'ouverture externe du vagin **FIGURE 12.19**. Elle est plus couramment utilisée au Canada qu'en Europe, mais le recourt systématique à l'épisiotomie a diminué au pays depuis les années 1990. Dans de nombreux établissements, la pratique actuelle consiste à supporter manuellement le périnée pendant la naissance et à le laisser se déchirer plutôt que d'effectuer une incision. Ces déchirures sont généralement plus petites que l'épisiotomie, se réparent facilement ou ne nécessitent aucune réparation et guérissent rapidement. L'utilisation systématique de l'épisiotomie est liée à une augmentation des lésions périnéales postérieures, à des complications des sutures et de la cicatrisation ainsi qu'à des douleurs ultérieures pendant les relations sexuelles. Il faut donc éviter l'épisiotomie si possible (Berghella *et al.*, 2008). La position latérale pour l'accouchement, utilisée plus régulièrement en Europe, réduit la tension exercée sur le périnée, ce qui permet l'étirement graduel de celui-ci et réduit le besoin d'épisiotomie.

Jugement clinique

Pendant son premier accouchement, Karine Breault, âgée de 26 ans, a subi une épisiotomie et une déchirure du premier degré. Le médecin vient tout juste d'en terminer la réparation. La cliente se plaint de douleur au périnée et, pour la soulager, vous appliquez un sac de glace à cet endroit.

Nommez une autre raison de faire cette intervention.

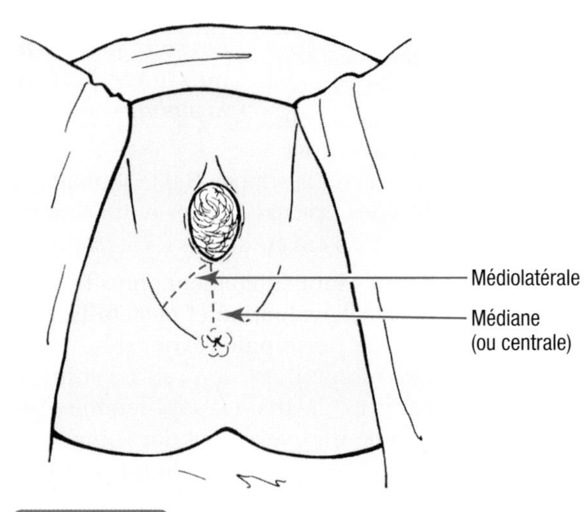

FIGURE 12.19
Types d'épisiotomie

Il existe divers types d'épisiotomies, qui varient en fonction du site et de la direction de l'incision. On ne connaît pas le type d'épisiotomie qui donne les meilleurs résultats (Berghella *et al.*, 2008). L'épisiotomie médiane est la plus communément utilisée au Canada. Elle est efficace, facile à réparer et cause généralement moins de douleur que les autres. Elle est toutefois aussi liée à une fréquence accrue des déchirures du troisième et du quatrième degré. Le tonus du sphincter est généralement rétabli après la cicatrisation par première intention et une bonne réparation. L'épisiotomie médiolatérale est utilisée pour les accouchements opératoires quand on prévoit une extension postérieure. Bien que cette technique puisse prévenir une déchirure du quatrième degré, elle peut causer une déchirure du troisième degré. De plus, elle provoque une perte de sang accrue, est plus difficile à réparer et est plus douloureuse qu'une épisiotomie médiane. Elle entraîne aussi une douleur plus intense et plus longue pendant la période postnatale.

12.3 | Troisième stade du travail

Le troisième stade du travail s'étend de la naissance du nouveau-né à l'expulsion du placenta. Les soins et les traitements à ce stade visent la séparation et l'expulsion rapides du placenta, et ce, le plus facilement et le plus sûrement possible. Le troisième stade est généralement le plus court des stades du travail. Le placenta est généralement expulsé de 10 à 15 minutes après la naissance du nouveau-né. Si cela ne s'est pas produit dans les 30 minutes, on considère que le placenta est retenu et il faut intervenir afin d'accélérer son expulsion (Battista & Wing, 2007).

Dans des circonstances normales, le placenta est relié à la membrane déciduale du mince endomètre de la plaque basale par de nombreuses villosités fibreuses, d'une façon comparable à un timbre collé à une feuille de timbres. Après la naissance du fœtus, la diminution soudaine du volume utérin et les fortes contractions utérines font rapetisser le site placentaire. Cela cause la rupture des villosités d'ancrage et la séparation du placenta de son site d'attache. Normalement, les premières contractions fortes qui ont lieu après l'accouchement forcent le placenta à se détacher de la plaque basale. Un placenta ne peut se détacher lui-même d'un utérus flasque (détendu) parce que la taille du site placentaire n'a pas diminué.

SOINS ET TRAITEMENTS INFIRMIERS

Troisième stade du travail

Évaluation initiale

Séparation et expulsion du placenta

Les signes suivants indiquent la séparation placentaire **FIGURE 12.20**.

- Des contractions fermes du fond de l'utérus.
- Un utérus discoïde qui prend une forme ovoïde globulaire quand le placenta descend dans le segment utérin inférieur.
- Un écoulement soudain de sang foncé de l'orifice vaginal externe.
- Un allongement apparent du cordon ombilical quand le placenta descend vers l'orifice vaginal externe.
- La présence d'une plénitude vaginale (due au placenta) à l'examen vaginal ou rectal ou de membranes fœtales à l'orifice vaginal externe.

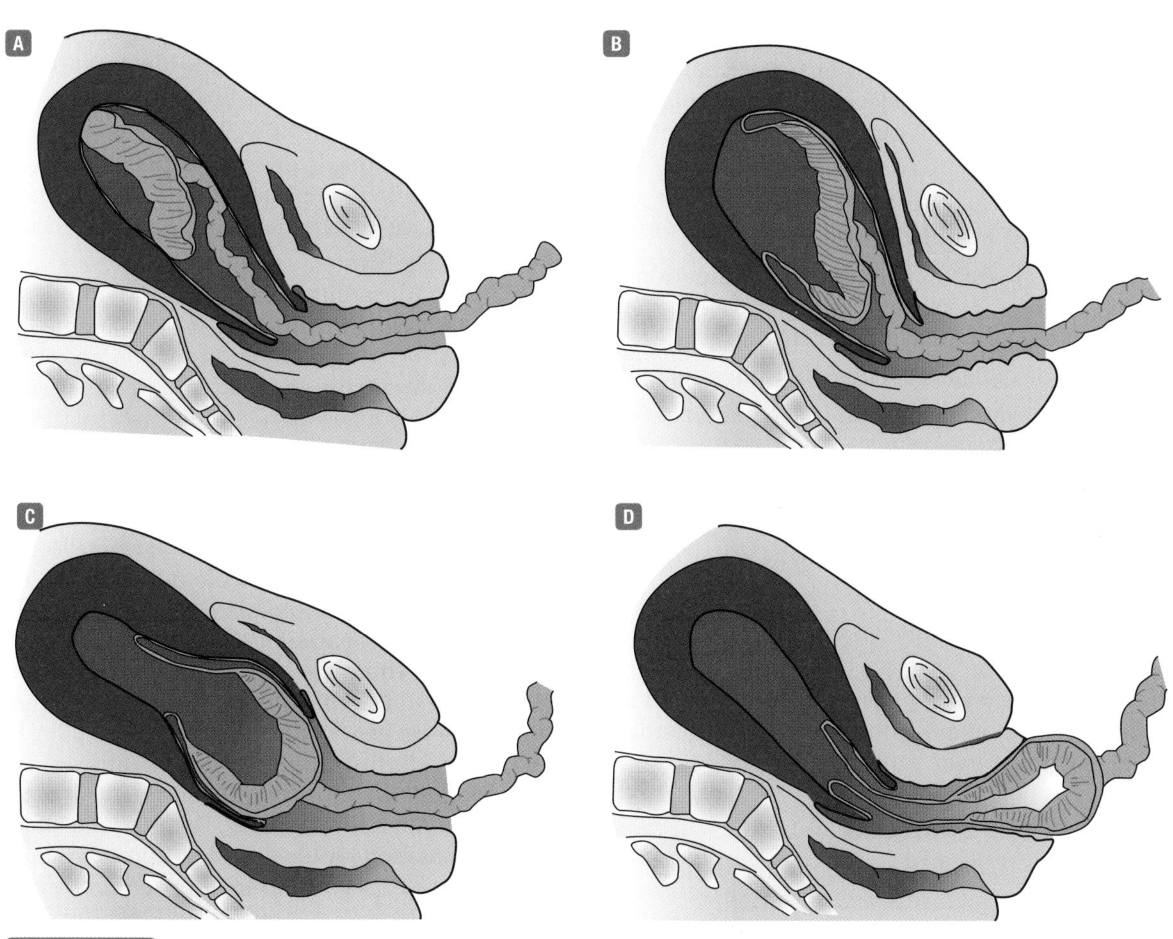

FIGURE 12.20
Troisième stade du travail. **A** Le placenta commence à se séparer au centre, ce qui s'accompagne d'un saignement rétroplacentaire. L'utérus discoïde prend une forme globulaire. **B** Le placenta termine sa séparation et entre dans la partie inférieure de l'utérus. Celui-ci a une forme globulaire. **C** Le placenta entre dans le vagin, le cordon s'allonge, et le saignement peut augmenter. **D** L'expulsion (délivrance) du placenta marque la fin du troisième stade.

Selon sa préférence, le médecin ou la sage-femme peut utiliser une méthode non interventionniste ou une méthode active pour le troisième stade du travail. Des travaux de recherche visant à déterminer la meilleure méthode sont actuellement en cours. La méthode non interventionniste (attente surveillée) consiste à permettre la séparation et l'expulsion naturelles et spontanées du placenta par les efforts de la mère en clampant et en coupant le cordon quand la pulsation a cessé. On peut utiliser la force gravitationnelle ou la stimulation des mamelons pour faciliter la séparation et l'expulsion, mais aucun médicament ocytocique (utérotonique) n'est administré. Un environnement silencieux et calme qui permet le contact de peau à peau entre la mère et son nouveau-né favorise également la libération d'ocytocine endogène.

Jugement clinique

Matis est né il y a cinq minutes. Il ne présente aucun problème particulier. Sa mère est radieuse de voir enfin son fils. Elle croyait que tout était terminé, mais voilà qu'elle ressent encore des contractions. La longueur du cordon ombilical est restée la même.

D'après vous, le placenta s'est-il décollé de la paroi utérine ? Justifiez votre réponse.

La méthode active permet la séparation et l'expulsion du placenta grâce à l'administration de un ou de plusieurs médicaments ocytociques (utérotoniques) après le dégagement de l'épaule antérieure du fœtus. Immédiatement après avoir clampé et coupé le cordon, le médecin fait sortir le placenta en le tirant doucement quand il voit des signes de séparation.

Constats de l'évaluation

Les constats possibles à la suite de l'évaluation de la parturiente au troisième stade du travail peuvent comprendre, notamment, les éléments suivants.

- Risque de déficit du volume liquidien lié à :
  - la perte de sang qui suit la séparation et l'expulsion du placenta ;
  - la contraction inadéquate de l'utérus.
- Anxiété liée :
  - au manque de connaissances relatives à la séparation et à l'expulsion du placenta ;
  - aux lésions périnéales ainsi qu'au besoin de réparation.
- Fatigue liée à la dépense d'énergie due à l'accouchement et aux efforts de poussée pendant le deuxième stade du travail.

Interventions cliniques

Au troisième stade du travail, les interventions cliniques visent à permettre à la parturiente :

- de continuer le progrès normal du travail ;
- de participer activement au travail ainsi qu'à l'accouchement ;
- de maintenir une hydratation adéquate P.O. ou par voie I.V. (ou les deux) ;
- de verbaliser ses malaises et d'indiquer le besoin de mesures de confort et de détente ;
- d'accepter les mesures de confort et de soutien de ses proches, du personnel soignant et de personnes de soutien au besoin ;
- d'expulser le placenta en subissant une perte de sang inférieure à 500 ml ;
- de commencer, avec le conjoint, la personne de soutien et la famille, la formation de liens affectifs et d'un attachement avec le nouveau-né ;
- d'exprimer sa satisfaction relative au déroulement du travail et de l'accouchement.

Pour favoriser l'expulsion du placenta, il faut demander à la parturiente de pousser quand apparaissent les signes de séparation. Si possible, elle doit expulser le placenta pendant une contraction utérine. Une alternance de compression et d'élévation du fond de l'utérus ainsi qu'une petite traction maîtrisée du cordon ombilical peuvent aussi faciliter la sortie du placenta et des membranes amniotiques. Les médicaments ocytociques (utérotoniques) sont généralement administrés après la sortie du placenta parce qu'ils stimulent la contraction utérine, ce qui aide à prévenir l'hémorragie. Ils peuvent toutefois être administrés plus tôt, si la méthode active est utilisée pour le troisième stade du travail. Le **TABLEAU 12.8** présente les évaluations et les soins appropriés au troisième stade du travail **PSTI 12.1**.

Il importe peu que le placenta se présente par sa surface fœtale brillante (mécanisme de Schultze) ou par sa surface maternelle rugueuse foncée (mécanisme de Duncan).

Quand le placenta et les membranes amniotiques sont sortis, le médecin ou la sage-femme les examine et vérifie leur intégrité afin de s'assurer qu'il n'en reste aucune partie dans la cavité utérine (c.-à-d. qu'il n'y a pas de rétention placentaire ou membranaire) **FIGURE 12.21**.

Quand le troisième stade du travail est terminé, le médecin examine la région périnéale de la parturiente pour déterminer la présence de toute lésion périnéale, vaginale ou cervicale nécessitant une réparation. Si une épisiotomie a été effectuée, elle est suturée. Une réparation immédiate favorise la cicatrisation, limite les dommages résiduels et réduit la possibilité d'infection. L'examen vaginal postpartum est généralement douloureux pour la parturiente. L'infirmière doit l'aider à utiliser des techniques de respiration, de détente ou de distraction pour supporter la douleur. De plus, elle effectue une évaluation rapide de la condition physique du nouveau-né, pèse celui-ci et pose un bracelet d'identification à la mère et au nouveau-né. Elle peut aussi administrer un médicament de prophylaxie oculaire et faire une injection de vitamine K au nouveau-né à ce moment ▶ 17.

17

Les interventions infirmières auprès du nouveau-né sont décrites dans le chapitre 17, *Évaluation et soins du nouveau-né et de la famille*.

Quand toutes les réparations nécessaires ont été faites, il faut nettoyer doucement la vulve avec de

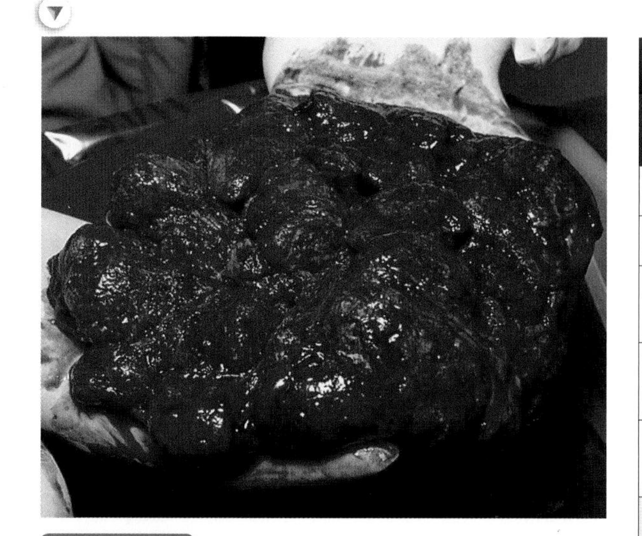

FIGURE 12.21
Examen du placenta

l'eau tiède ou une solution physiologique salée et appliquer un pansement ou un coussinet froid sur le périnée. Il faut repositionner le lit ou la table de naissance et abaisser les jambes de la cliente en retirant simultanément les étriers si elle a accouché en position gynécologique. Il faut retirer les champs opératoires, placer des draps secs sous la cliente et lui donner une chemise propre et une couverture, qui peut être chauffée au besoin.

Certaines clientes et leurs familles peuvent avoir des croyances culturelles concernant le placenta et peuvent considérer le soin et l'élimination de celui-ci après la naissance comme une façon de protéger le nouveau-né de la malchance et de la maladie. La demande par la mère d'apporter le placenta à la maison et d'en disposer selon ses traditions et ses coutumes s'oppose parfois aux politiques de l'établissement hospitalier, notamment celles portant sur la prévention des infections et l'élimination des déchets biologiques. De nombreuses cultures ont des règles strictes concernant l'élimination du placenta, notamment la méthode (brûlage, séchage, enterrement ou ingestion), l'endroit (dans la maison ou près de celle-ci) et la période (immédiatement après l'accouchement, l'heure du jour, en fonction des signes astrologiques). Les rituels d'élimination peuvent varier selon le sexe du nouveau-né et la période où l'on prévoit avoir un autre enfant. Dans certaines cultures, l'ingestion du placenta par la mère est supposée favoriser le rétablissement de celle-ci ou garantit un lait maternel de bonne qualité. Les infirmières peuvent offrir des soins adaptés à la culture en encourageant les clientes et leurs familles à formuler leurs demandes relatives au soin et à l'élimination du placenta et en établissant une politique qui permet de satisfaire ces demandes (D'Avanzo, 2008).

Cheminement clinique

TABLEAU 12.8 Parturiente à faible risque au troisième stade du travail

Évaluation[a]	Fréquence
P.A., caractéristiques du pouls et de la respiration	Toutes les 15 min pendant 1 h
Activité utérine	Jusqu'à l'apparition de signes de séparation placentaire
Écoulement (saignement) vaginal	Jusqu'à ce que l'expulsion placentaire se produise
Comportement, apparence, humeur et degré d'énergie de la parturiente; état du conjoint ou de la personne de soutien	Au besoin

Soins physiques[b]

- Aider la parturiente à pousser pour faciliter l'expulsion du placenta au moment opportun.
- Lui administrer un médicament ocytocique selon la prescription.
- Lui offrir des analgésiques au besoin.
- Lui offrir des mesures d'hygiène et de confort au besoin.

Soutien émotionnel

- Informer la parturiente des progrès de la séparation placentaire.
- Lui expliquer le but de la médication, s'il y a lieu.
- Lui décrire l'état du tissu périnéal et lui signaler tout besoin de réparation.
- Présenter le nouveau-né à ses parents.
- Évaluer et soigner le nouveau-né devant les parents; retarder l'administration de la prophylaxie oculaire pour faciliter le contact visuel.
- Laisser la famille dans l'intimité pour lui permettre de créer des liens avec le nouveau-né.
- Encourager l'allaitement si la cliente le souhaite.

[a] La fréquence de l'évaluation est déterminée par le facteur de risque de l'unité maternofœtale. Une évaluation plus fréquente est nécessaire dans les situations à haut risque. La fréquence de l'évaluation est déterminée par les politiques de l'établissement, qui sont généralement fondées sur les normes de soins recommandées par les sociétés médicales et les associations infirmières (p. ex., le Collège des médecins, la SOGC, l'OIIQ).

[b] Les soins physiques sont donnés par l'infirmière, qui travaille en collaboration avec le conjoint, la personne de soutien et les proches de la parturiente.

12.4 Quatrième stade du travail

La période qui englobe l'heure ou les deux premières heures qui suivent la naissance, parfois appelée **quatrième stade du travail**, est cruciale pour la mère et le nouveau-né. Les deux se remettent du processus physique de la naissance et font connaissance l'un avec l'autre ou avec les autres membres de la famille. Pendant ce temps, les organes de la mère commencent à reprendre leur état non gravide, et les fonctions des systèmes de son organisme se stabilisent peu à peu.

Dans la plupart des hôpitaux, la mère reste dans la salle de travail et d'accouchement pendant la période de récupération. Si l'établissement possède une salle de travail, d'accouchement et de récupération, la femme reste dans la salle où elle a accouché. Dans des établissements traditionnels, la

12

14

La palpation du fond utérin fait partie de l'évaluation physique de la parturiente pendant le quatrième stade du travail. Elle est illustrée dans le chapitre 14, *Soins infirmiers de la famille pendant le quatrième trimestre.*

femme est transportée de la salle d'accouchement à une salle de récupération distincte où elle est gardée en observation. Les mesures de soins du nouveau-né varient pendant le quatrième stade du travail. Dans de nombreux établissements, on laisse le nouveau-né aux côtés de sa mère, et l'infirmière qui a assisté au travail ou à la naissance s'occupe des deux. Dans d'autres établissements, après avoir passé une période initiale de création de liens affectifs avec les parents et peut-être avec d'autres membres de la famille, le nouveau-né est amené à la pouponnière où on le garde en observation pendant plusieurs heures **FIGURE 12.22**.

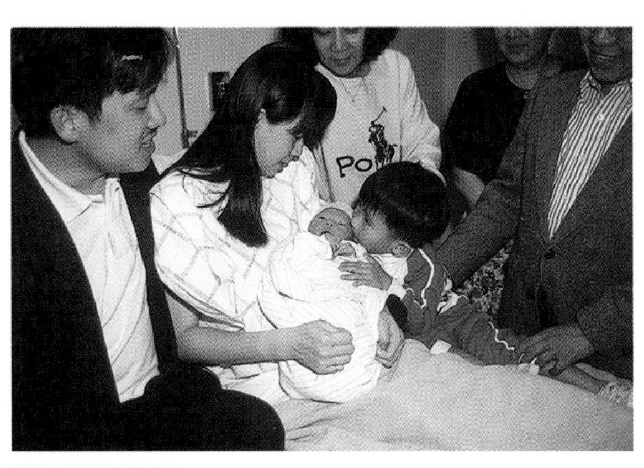

FIGURE 12.22
Le grand frère rencontre sa nouvelle petite sœur.

SOINS ET TRAITEMENTS INFIRMIERS

Quatrième stade du travail

Évaluation initiale

Si l'infirmière qui se trouve en salle de récupération n'a pas encore travaillé auprès de la nouvelle mère, elle doit d'abord obtenir un rapport verbal de l'infirmière qui s'en est occupée pendant le travail et l'accouchement (AWHONN, 2009). Ensuite, elle doit consulter le plan thérapeutique infirmier (PTI) et les notes d'évolution. Il est essentiel d'évaluer les facteurs qui prédisposent la cliente à une hémorragie, tels qu'un travail précipité, un nouveau-né de grande taille, une multiparité élevée (c.-à-d. six enfants viables ou plus), un travail provoqué ou l'administration d'une perfusion de magnésium pendant le travail. L'hémorragie est la complication la plus dangereuse des femmes en bonne santé pendant le quatrième stade du travail.

Pendant l'heure qui suit la naissance, la mère est évaluée fréquemment. L'**ENCADRÉ 12.14** décrit l'évaluation physique de la parturiente pendant le quatrième stade du travail ▶ 14. Tous les facteurs, sauf la température, sont évalués toutes les 15 minutes pendant 1 heure. La température est mesurée au début et à la fin de la période de récupération. Après la quatrième période de 15 minutes, si tous les paramètres sont stabilisés à des valeurs normales, l'évaluation est généralement faite une fois au cours de la deuxième heure.

ALERTE CLINIQUE

Aucune cliente, peu importe son état obstétrical, ne doit obtenir son congé de la salle de récupération avant d'être complètement remise des effets de l'anesthésie.

Jugement clinique

Madame Tatiana Petkova, âgée de 39 ans, vient d'accoucher de son quatrième enfant. Tout s'est déroulé très rapidement. Elle a déjà présenté une hémorragie postpartum à son deuxième accouchement.

Quels sont les deux facteurs qui prédisposent la cliente à une hémorragie postpartum actuellement?

Récupération postanesthésique

La cliente qui a subi une césarienne ou une anesthésie régionale pour un accouchement vaginal requiert une attention spéciale pendant la période de récupération. Les salles de récupération obstétricale doivent répondre aux mêmes normes de soins que toute autre salle de réveil ou de récupération postanesthésique (American Academy of Pediatrics [AAP] & American College of Obstetricians and Gynecologists [ACOG], 2007; Wilkins, Greenfield, Polley & Mhyre, 2009). Un score de récupération postanesthésique est attribué à chaque cliente à l'arrivée à la salle, et il est réévalué au cours de l'évaluation effectuée toutes les 15 minutes. Selon les échelles de mesure en vigueur dans l'établissement, ce score tient compte de l'activité motrice, des caractéristiques de la respiration, de la P.A. systolique, de l'état de conscience, de la coloration de la peau, de la mesure d'oxymétrie, de l'intensité de la douleur et de la présence de nausées et de vomissements.

Si la cliente a subi une anesthésie générale, elle doit être éveillée, alerte et capable de se situer dans le temps, dans l'espace et par rapport aux personnes. Sa fréquence respiratoire (F.R.) doit être normale, et sa saturation pulsatile en oxygène, mesurée avec un sphygmooxymètre, doit être d'au moins 95 %. Si la cliente a subi une anesthésie épidurale ou rachidienne, elle doit être capable de soulever ses jambes du lit, avec les genoux dépliés, ou de plier les genoux, de placer ses pieds à plat dans le lit et de soulever ses fesses du lit. Elle ne doit avoir aucune sensation d'engourdissement ou de picotement dans les jambes. Le temps nécessaire pour se remettre d'une anesthésie régionale varie grandement d'une femme à l'autre. Il faut généralement plusieurs heures avant que les effets de l'anesthésie disparaissent complètement.

Constats de l'évaluation

Les constats possibles à la suite de l'évaluation de la parturiente au quatrième stade du travail peuvent comprendre, notamment, les éléments suivants:

- Risque de déficit du volume liquidien (hémorragie) lié à l'atonie utérine après l'accouchement.
- Douleur aiguë liée à:
  - l'involution de l'utérus;
  - des lésions périnéales ou à l'épisiotomie;
  - des hémorroïdes.

ENCADRÉ 12.14 **Évaluation pendant le quatrième stade du travail**

PRESSION ARTÉRIELLE

Mesurer la P.A. toutes les 15 min pendant la 1re heure.

POULS

Évaluer la fréquence et la régularité du P. Le mesurer toutes les 15 min pendant la 1re heure.

TEMPÉRATURE

Mesurer la T° au début de la période de récupération et après la première heure de récupération.

FOND UTÉRIN

- La parturiente doit être couchée avec les genoux fléchis et la tête à plat.
- Placer la main en coupe juste sous le nombril et pousser fermement l'abdomen. En même temps, stabiliser l'utérus à la symphyse avec l'autre main.
- Si le fond de l'utérus est ferme (et si la vessie est vide) et que l'utérus est centré, mesurer sa position par rapport au nombril. Placer les doigts à plat sur l'abdomen sous le nombril ; mesurer le nombre de largeurs de doigts (ld) ou de centimètres (cm) qui entrent entre le nombril et le dessus du fond de l'utérus. Si ce dernier est situé au-dessus du nombril, la valeur est notée comme étant plus (+) ld ou en cm ; si le fond de l'utérus est situé au-dessous du nombril, la valeur est notée comme moins (–) ld ou en cm.
- Si le fond de l'utérus n'est pas ferme, le masser doucement pour provoquer sa contraction et l'expulsion de tout caillot avant de mesurer sa distance du nombril.
  - Placer les mains de la façon appropriée ; masser doucement l'utérus jusqu'à ce qu'il soit ferme seulement.
  - Stimuler l'expulsion des caillots en gardant les mains placées comme pendant la palpation du fond utérin. Avec la main supérieure, appliquer une pression ferme vers le bas, vers le vagin ; observer le périnée pour voir la quantité et la taille des caillots expulsés.

VESSIE

- Évaluer la distension de la vessie en notant la position et la fermeté du fond utérin et en observant et en palpant la vessie. Une vessie distendue apparaît comme un renflement arrondi au-dessus du pubis qui est mat (sourd) à la percussion et qui réagit comme un ballon plein d'eau. Quand la vessie est distendue, l'utérus a généralement une consistance spongieuse, et il est situé bien au-dessus du nombril et du côté droit du corps.
- Aider la parturiente à uriner spontanément. Mesurer la quantité d'urine éliminée.
- Si la vessie est distendue et que la parturiente est incapable d'uriner spontanément, faire un cathétérisme vésical (sous prescription).
- Évaluer à nouveau la vessie après la miction ou le cathétérisme pour vérifier si elle est encore palpable ou non et si le fond utérin est ferme et centré.

LOCHIES

- Observer les lochies sur les pansements périnéaux et sur le drap situé sous la mère. Déterminer leur quantité et leur couleur. Noter la taille et le nombre de caillots. Noter toute odeur.
- Observer le périnée pour déterminer la source de saignement (p. ex., une épisiotomie, des déchirures).

PÉRINÉE

- Demander à la parturiente de se tourner sur le côté, ou l'aider à le faire, et plier la jambe supérieure sur sa hanche.
- Soulever la fesse.
- Observer le périnée sous un bon éclairage.
- Évaluer la réparation de l'épisiotomie ou des déchirures en vérifiant l'intégrité des tissus ou la présence d'hématomes, d'œdème, d'ecchymoses, de rougeurs et d'écoulement.
- Déterminer s'il y a des hémorroïdes.

Interventions cliniques

Au quatrième stade du travail, les interventions cliniques visent à permettre à la parturiente :

- de bien s'adapter physiologiquement à la transition d'un état gravide à un état non gravide ;
- de maintenir une hydratation adéquate P.O. ou par voie I.V. (ou les deux) ;
- de verbaliser ses malaises et indiquer le besoin de mesures de confort et de détente ;
- d'accepter les mesures de confort et de soutien de ses proches, du personnel soignant et de personnes de soutien au besoin ;
- de commencer, avec le conjoint, la personne de soutien et la famille, le processus de création de liens affectifs et d'attachement avec le nouveau-né ;
- d'exprimer sa satisfaction relative au déroulement du travail et de l'accouchement.

Soins de la parturiente

En raison de l'ingestion limitée d'aliments et de liquides et de la perte de liquides biologiques (sang, transpiration ou vomissements) pendant le travail et l'accouchement, de nombreuses femmes ont très faim et très soif tout de suite après l'accouchement. En l'absence de complications, une cliente qui a eu un accouchement vaginal, qui s'est remise des effets de l'anesthésie et qui présente des signes vitaux stables, un utérus ferme et un écoulement des lochies de faible à modéré peut ingérer des liquides et des aliments à volonté (AAP & ACOG, 2007). Au tout début de la période postnatale, la cliente qui a subi une césarienne ne doit généralement ingérer que des liquides clairs et des flocons de glace.

Dès qu'elles ont eu l'occasion de créer des liens avec le nouveau-né et de manger, la plupart des nouvelles mères souhaitent généralement faire une

12

sieste ou du moins avoir une période de repos. Ensuite, elles peuvent vouloir prendre une douche et changer de vêtements. La plupart sont capables de le faire elles-mêmes ou elles peuvent recevoir l'aide des membres de la famille ou des personnes de soutien.

Soins de la famille

La plupart des parents aiment prendre, tenir et examiner le nouveau-né tout de suite après la naissance. Les deux parents peuvent aider à sécher le nouveau-né. Celui-ci est généralement emmailloté dans une petite couverture et remis à la mère. Si un contact peau à peau est souhaité, il faut placer le nouveau-né nu sur la poitrine ou l'abdomen nu de la mère, puis le couvrir d'une couverture chaude. Cela permet à la mère de conserver la chaleur corporelle du nouveau-né et d'avoir un contact peau à peau. Il faut garder la tête du nouveau-né au chaud. On couvre généralement sa tête avec un bonnet en tricot.

De nombreuses femmes souhaitent commencer à allaiter leur nouveau-né à ce moment pour profiter du fait qu'il est éveillé (première période de réactivité) et pour stimuler la production d'ocytocine qui favorise la contraction de l'utérus. L'infirmière encourage et aide la cliente à allaiter à ce moment si elle le désire. Toutefois, dans certaines cultures (p. ex., chez les Vietnamiennes, les Latino-Américaines), l'allaitement n'est pas acceptable pour certaines femmes tant qu'elles n'ont pas eu de montée de lait.

Relations famille – nouveau-né

À la vue de son nouveau-né, la cliente peut se mettre à rire, à parler et même à pleurer ou montrer une apathie apparente. Un sourire poli et un signe de la tête peuvent être sa seule réaction aux commentaires des infirmières, du médecin ou de la sage-femme. Elle peut parfois manifester de la colère ou de l'indifférence, tourner le dos au nouveau-né, se concentrer sur sa propre douleur et formuler des commentaires hostiles. Ces réactions variées peuvent être provoquées par le plaisir, l'épuisement ou une profonde déception. Au moment de l'évaluation des interactions entre les parents et le nouveau-né après la naissance, il faut tenir compte des attentes de la cliente, de son conjoint et de sa famille. Par exemple, le sexe de l'enfant peut influer sur la réaction des parents, pour des raisons culturelles (D'Avanzo, 2008) ou tout simplement par préférence personnelle des parents. Quelles que soient la réaction et sa cause, la cliente a besoin d'une acceptation et d'un soutien continus de tous les membres du personnel. L'infirmière doit consigner la réaction des parents à l'égard du nouveau-né dans le dossier de récupération. Elle évalue cette réaction en se posant des questions telles que : Comment vont les parents ? Que disent-ils ? Que font-ils ? Elle doit faire une évaluation plus approfondie de la relation parents–nouveau-né quand elle donne des soins pendant la période de récupération. Cette évaluation est particulièrement importante si elle remarque des signes de détachement immédiatement après la naissance (réaction passive ou hostile au nouveau-né, déception relative au sexe ou à l'apparence de l'enfant, absence de contact visuel, interaction limitée entre les parents). L'infirmière trouve généralement utile d'en discuter avec le médecin de la cliente ou avec la sage-femme ou d'autres intervenants, pour adapter son plan de soins.

Les frères et sœurs, qui peuvent avoir semblé peu intéressés pendant les phases finales du deuxième stade du travail, manifestent généralement de l'intérêt et de l'enthousiasme quand le nouveau-né apparaît. Ils peuvent souhaiter le toucher ou le prendre immédiatement **FIGURE 12.22**.

Les parents réagissent généralement aux compliments sur leur nouveau-né. De nombreux parents ont besoin d'être rassurés au sujet de l'apparence foncée des extrémités de l'enfant tout de suite après sa naissance jusqu'à ce qu'une circulation normale soit établie. S'il y a lieu, l'infirmière peut leur expliquer pourquoi la tête du nouveau-né est déformée. Elle s'informe des aspects culturels qui peuvent influer sur les attentes relatives des parents aux soins et à la manipulation de leur nouveau-né immédiatement après la naissance.

Évaluation des résultats

Il est essentiel de déterminer le degré de satisfaction de la cliente et de connaître ses impressions sur son expérience globale d'accouchement pour offrir des soins de qualité à la mère et au nouveau-né qui répondent aux besoins individuels des femmes et de leur famille.

Analyse d'une situation de santé

Jugement **clinique**

Madame Éloïse Delaat est une jeune femme de 24 ans. Elle est enceinte de 38 5/7 semaines, de son premier enfant. Lorsque vous l'accueillez au Pavillon des naissances, à 11 h 20, elle est accompagnée de son conjoint. La cliente dit avoir de fortes contractions depuis le début de l'avant-midi. Elle mentionne également avoir perdu un peu de liquide, et c'est pour cette raison qu'elle consulte. Vous l'installez dans une salle d'examen et l'invitez à mettre une chemise d'hôpital. Par la suite, vous procédez à l'examen physique initial. ▶

MISE EN ŒUVRE DE LA DÉMARCHE DE SOINS

Collecte des données – Évaluation initiale – Analyse et interprétation

1. Nommez les quatre éléments d'évaluation que vous devez effectuer au cours de l'examen physique initial de madame Delaat.
2. Quels renseignements devez-vous recueillir à propos de la perte de liquide ?
3. Nommez les deux tests pouvant valider le fait que les membranes amniotiques de madame Delaat se sont effectivement rompues.

SOLUTIONNAIRE

www.cheneliere.ca/lowdermilk

▶ L'examen initial démontre que madame Delaat a des contractions d'une durée de 40 secondes toutes les 5 minutes. Son col est dilaté à 3 cm et effacé à 75 %. La tête du fœtus appuie complètement sur le col, et le test à la nitrazine indique un pH à 7,5. Le fœtus est en position occipito-iliaque gauche antérieure, et la F.C.F. est à 152 batt./min. ▶

12

Extrait des notes d'évolution

12:00 Contractions de 40 sec. d'intensité modérée q.5 min. Col utérin effacé à 75 % et dilaté de 3 cm. Test à la nitrazine : pH de 7,5. FCF à 152 batt./min.

MISE EN ŒUVRE DE LA DÉMARCHE DE SOINS

4. Selon les éléments d'information recueillis, déterminez la phase du travail où se trouve présentement la cliente.
5. Quelle conclusion doit être tirée du résultat du test à la nitrazine ?
6. Au moment de la palpation de l'abdomen de la cliente, vous sentez que le fond utérin est ferme au toucher et qu'il est difficile à renfoncer avec le bout des doigts. Comment pouvez-vous qualifier les contractions de madame Delaat à partir de ces données ?

Planification des interventions – Décisions infirmières

Extrait

CONSTATS DE L'ÉVALUATION

Date	Heure	N°	Problème ou besoin prioritaire	Initiales	RÉSOLU / SATISFAIT Date	Heure	Initiales	Professionnels / Services concernés
2012-04-21	11:20	1	Grossesse de 38 5/7 semaines	N. L.				

Signature de l'infirmière	Initiales	Programme / Service	Signature de l'infirmière	Initiales	Programme / Service
Nicole Lanctôt	N.L.	Pavillon des naissances			

7. Au cours de la phase du travail où est rendue madame Delaat, à quel intervalle devrez-vous effectuer l'évaluation de l'activité utérine de la cliente ainsi que celle de la F.C.F. ?
8. À ce stade-ci de la situation de madame Delaat, y a-t-il un autre besoin prioritaire à ajouter dans l'extrait du PTI de la cliente ? Justifiez votre réponse.

▶ Vous encouragez le conjoint de la cliente à s'impliquer davantage auprès de celle-ci. Entre autres, vous l'incitez à demeurer physiquement proche, à lui tenir la main, à lui faire des massages, à suivre les respirations dirigées. ◀

MISE EN ŒUVRE DE LA DÉMARCHE DE SOINS

9. Nommez trois avantages à impliquer ainsi le conjoint de madame Delaat tout au long de son travail.

Évaluation des résultats – Évaluation en cours d'évolution

10. Quels résultats devriez-vous constater si le soutien prodigué par le conjoint de la cliente est efficace ?

APPLICATION DE LA PENSÉE CRITIQUE

Dans l'application de la démarche de soins auprès de madame Delaat, l'infirmière a recours à un ensemble d'éléments (connaissances, expériences antérieures, normes institutionnelles ou protocoles, attitudes professionnelles) pour analyser la situation de santé de la cliente et en comprendre les enjeux. La **FIGURE 12.23** illustre le processus de pensée critique suivi par l'infirmière afin de formuler son jugement clinique. Elle résume les principaux éléments sur lesquels l'infirmière s'appuie en fonction des données de cette cliente, mais elle n'est pas exhaustive.

VERS UN JUGEMENT CLINIQUE

CONNAISSANCES

- Examen physique initial de la parturiente en début de travail
- Distinction entre le vrai et le faux travail
- Manœuvres de Léopold
- Façons d'évaluer les contractions utérines
- Évaluation des membranes et du liquide amniotiques
- Signes de complications possibles
- Diverses phases et divers stades du travail
- Progrès maternel escompté pendant le premier stade du travail
- Surveillance physique pendant le travail.

EXPÉRIENCES

- Expérience personnelle de travail et d'accouchement
- Expérience auprès de femmes en travail

NORME

- Protocole de soins de l'établissement au cours du travail et de l'accouchement

ATTITUDES

- Être attentive aux besoins de la cliente et du conjoint
- Suivre le rythme de la cliente tout au long du travail
- Conserver une attitude calme et rassurante en tout temps
- Soutien pendant le travail et l'accouchement

PENSÉE CRITIQUE

ÉVALUATION

- Condition générale à l'admission de la cliente
- Effacement et dilatation du col utérin
- Rupture ou non des membranes amniotiques
- Intensité des contractions utérines par les manœuvres de Léopold (palpation abdominale)
- Durée et fréquence des contractions utérines
- Fréquence cardiaque fœtale
- Impacts du soutien prodigué par le conjoint

JUGEMENT CLINIQUE

FIGURE 12.23

À retenir

VERSION REPRODUCTIBLE

www.cheneliere.ca/lowdermilk

- Il est parfois difficile de déterminer le début du travail, que la parturiente soit nullipare ou multipare.
- L'environnement familier de la maison est généralement l'endroit idéal pour la parturiente pendant la phase de latence du premier stade du travail.
- L'évaluation des progrès du travail et la transmission de cette information au médecin ainsi que des écarts par rapport aux résultats escomptés sont principalement la responsabilité de l'infirmière.
- Une femme qui a des antécédents de sévices sexuels est généralement très stressée et anxieuse pendant le travail et l'accouchement.
- Peu importe comment se déroulent le travail et l'accouchement, la perception qu'aura la femme ou le couple de cette expérience est susceptible d'être positive si elle correspond à leurs attentes, notamment en ce qui concerne la maîtrise de soi et le soulagement approprié de la douleur.
- Les perceptions de la parturiente et de ses proches, y compris de son conjoint, ainsi que les croyances et les pratiques culturelles peuvent grandement influer sur la conception du travail et de l'accouchement.
- Le degré d'anxiété de la parturiente peut augmenter quand elle ne comprend pas ce qu'on lui dit sur son travail en raison des termes médicaux utilisés ou d'une barrière linguistique.
- La collecte des données sur le débit urinaire et la vessie de la parturiente est essentielle pour favoriser le progrès du travail et pour prévenir les lésions de la vessie.
- Les changements fréquents de position de la parturiente pendant le premier stade du travail favorisent le progrès de celui-ci.
- L'encadrement, le soutien émotionnel et les mesures de confort aident la parturiente à utiliser son énergie de façon constructive en lui permettant de se détendre et de travailler en fonction des contractions.
- La qualité de la relation infirmière-cliente influe sur la capacité de la parturiente de s'adapter aux agents stressants du travail.
- Pendant le travail, la doula assure une présence continue qui peut avoir un effet positif sur le déroulement et les résultats de la naissance.
- Les frères et sœurs qui assistent au travail et à l'accouchement ont besoin de préparation et de soutien pour vivre cet événement.
- L'incapacité de palper le col de l'utérus pendant l'examen vaginal indique qu'il est complètement effacé et dilaté. C'est le seul signe objectif et certain que le deuxième stade du travail a commencé.
- La parturiente peut ressentir un besoin urgent de pousser à divers moments du travail. Dans certains cas, cela se produit avant la dilatation complète du col ; dans d'autres cas, cela ne se produit pas avant la phase active du deuxième stade du travail.
- Quand on l'encourage à réagir au rythme du deuxième stade du travail, la parturiente change normalement de position, pousse spontanément et vocalise (poussée à glotte ouverte) quand elle ressent le besoin de pousser (réflexe de Ferguson).
- La femme doit pousser plusieurs fois pendant une contraction en utilisant la méthode de poussée à glotte ouverte. Elle doit éviter les poussées continues à glotte fermée, car cela empêche le transport d'oxygène au fœtus.
- Des signes objectifs indiquent que le placenta s'est séparé et est prêt à être expulsé.
- Une traction excessive sur le cordon ombilical avant la séparation du placenta peut causer des lésions à la mère.
- Pendant le quatrième stade du travail, il faut évaluer fréquemment le tonus du fond utérin, les lochies ainsi que les signes vitaux de la femme pour s'assurer qu'elle récupère bien après l'accouchement.
- La plupart des parents et des familles aiment pouvoir prendre, tenir et examiner le nouveau-né tout de suite après sa naissance.
- Les infirmières doivent observer l'évolution de la relation parents – nouveau-né et surveiller tout signe de détachement qui pourrait apparaître au tout début de la période postnatale.

Ressources

VERSION COMPLÈTE ET DÉTAILLÉE

www.cheneliere.ca/lowdermilk

Références Internet

ORGANISMES ET ASSOCIATIONS

Association canadienne pour la santé mentale > Comprendre la maladie mentale > Les troubles de l'humeur > La dépression > La dépression post-partum
www.cmha.ca

Coalition des familles homoparentales
www.familleshomoparentales.org

Maternaide
www.maternaide.org

Motherisk > Pregnancy & Resources > Breastfeeding & Drugs
www.motherisk.org

Ordre des infirmières et infirmiers du Québec > Pratique infirmière > Champ d'exercice et activités réservées > Contribuer au suivi de grossesse
www.oiiq.org

Société des obstétriciens et gynécologues du Canada > Recherche > Postpartum
www.sogc.org/index_f.asp

ORGANISMES GOUVERNEMENTAUX

Agence de la santé et des services sociaux de Montréal > Espace Professionnels > SIPPE – Services intégrés en périnatalité et petite enfance > Le programme
www.santepub-mtl.qc.ca

Agence de la santé publique du Canada > Promotion de la santé > Santé mentale > Promotion de la santé mentale > Publications > Les premiers contacts... font toute la différence > Attachement du nourrisson – Ce que peuvent faire les professionnels
www.phac-aspc.gc.ca

RÉFÉRENCES GÉNÉRALES

Infiressources > Carrefour des rubriques > Carrefour clinique > Périnatalité et obstétrique
www.infiressources.ca

Monographies

Organisation mondiale de la Santé (OMS) (2009). *Soins liés à la grossesse, à l'accouchement et à la période néonatale : guide de pratiques essentielles* (2e éd.). Genève : OMS.
www.who.int/fr/

Articles, rapports et autres

Bell, L. (2008). L'établissement de la relation parents-enfant : un modèle d'évaluation et d'intervention ayant pour cible la sensibilité parentale. *L'infirmière clinicienne*, *5*(2), 39-44.
http://revue-inf.uqar.qc.ca

Mallette, Y., Soroko, O., L'Écuyer, P.-H., & Boisvert, S. (2010). *Conseils post-accouchement*. Sorel-Tracy, Qc : Centre de santé et de services sociaux Pierre-De Saurel.
www.santemonteregie.qc.ca

Indexsanté.ca (2011). *La dépression post-partum.* [En ligne]. www.indexsante.ca/articles/article-28.html (page consultée le 8 novembre 2011).

Louis, S. (2006). Baby blues ou dépression post-natale ? *Magazine Enfants Québec*, *19*(3).
www.enfantsquebec.com

Ministère de la Santé et des Services sociaux du Québec (2005). *Les services intégrés en périnatalité et pour la petite enfance à l'intention des familles vivant en contexte de vulnérabilité : guide pour soutenir le développement de l'attachement sécurisant de la grossesse à 1 an.* Québec, Qc : Publications du Québec.
www.msss.gouv.qc.ca

Multimédia

La télévision des parents.com
> Chaînes > Couple > Apprendre à être parents
> Chaînes > Papa > Le rôle du père avec bébé
www.latelevisiondesparents.com

Telequebec.tv > Émissions > Pilule, une petite granule, Une > Segments d'épisodes > Dossier de la semaine > Saison 7 (2010-2011) - 158 > Les familles homoparentales
http://video.telequebec.tv

PARTIE 4

Période postnatale

CHAPITRE

Changements physiologiques de la mère

Écrit par:
Kitty Cashion RN, BC, MSN

Adapté par:
Linda Bell, inf., Ph. D.

OBJECTIFS

 **Guide d'études – SA13**

Après avoir étudié ce chapitre, vous devriez être en mesure:

- de décrire les changements anatomiques et physiologiques se produisant chez la femme pendant la période postnatale;
- de décrire les caractéristiques de l'involution utérine et les façons d'évaluer et de mesurer l'écoulement des lochies;
- d'énoncer les interventions infirmières appropriées dans le but de favoriser la récupération de la femme pendant la période postnatale;
- de reconnaître les signes et les symptômes suggérant une complication chez la femme pendant la période postnatale.

Concepts clés

Cette carte conceptuelle illustre schématiquement les principaux concepts décrits dans le présent chapitre. Sa lecture vous permettra d'avoir une vue d'ensemble des notions qui y sont présentées.

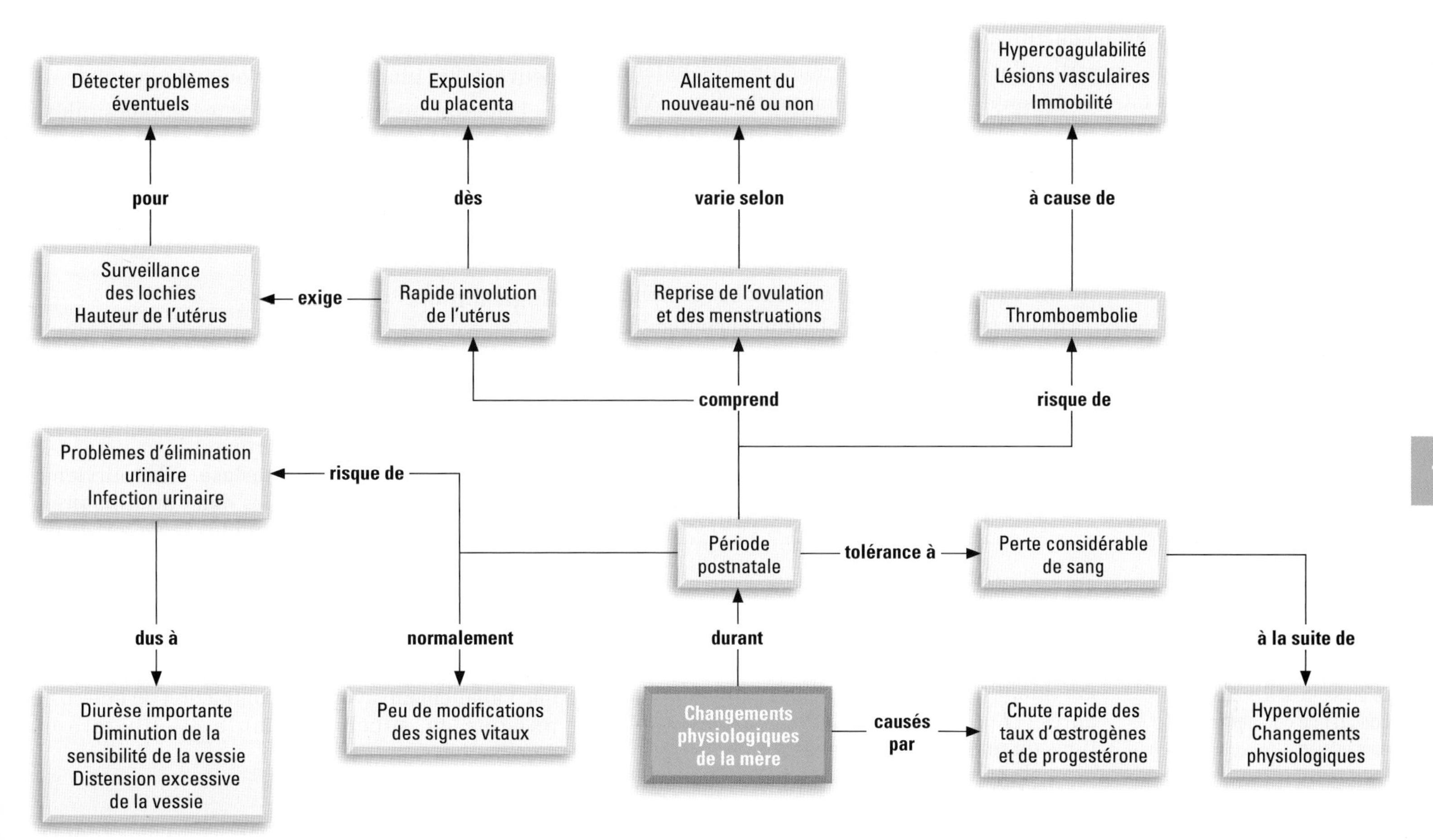

13

La période postnatale est une période de bouleversements à la fois psychiques et familiaux (période clé pour la mise en place de la relation mère-enfant, de la découverte du nouveau-né, des transitions familiales), mais aussi physique avec la perte brutale des repères physiologiques et anatomiques liés à la grossesse. La période postnatale se définit comme étant l'intervalle entre l'accouchement et le retour à l'état prégravide du corps de la femme. Elle est parfois appelée quatrième trimestre de la grossesse et elle s'échelonne sur 6 à 12 semaines. C'est durant celle-ci que des changements physiologiques distincts se produisent dans le corps de la femme (Lipscomb & Novy, 2007). Le postpartum est donc une période à risque de difficultés, parfois de complications, liées à tous ces changements, en particulier lorsqu'il s'agit d'un premier enfant, et qui mérite pour ces raisons un suivi et une attention particulière. Afin d'offrir des soins bénéfiques pour la mère, son nourrisson et sa famille pendant la période de récupération, l'infirmière doit faire appel à ses connaissances sur l'anatomie et la physiologie de la période de récupération maternelle, sur les caractéristiques physiques et comportementales du nouveau-né, sur les soins à prodiguer au nourrisson et sur la réaction de la famille à la naissance d'un enfant. Ce chapitre porte sur les changements anatomiques et physiologiques qui se produisent chez la femme pendant la période postnatale.

13.1 Système reproducteur et structures associées

13.1.1 Utérus

Processus d'involution

L'**involution** est le retour de l'utérus à son état non gravide. Ce processus s'amorce immédiatement après l'expulsion du placenta grâce aux contractions du muscle lisse utérin.

La présence d'une subinvolution utérine doit être signalée au médecin.

Jugement clinique

Madame Julia Robinson, âgée de 25 ans, a accouché de son premier enfant il y a 48 heures. Vous évaluez la hauteur de l'utérus de cette cliente.

À quelle hauteur devrait se trouver le fond utérin à ce moment de la période postnatale? Justifiez votre réponse.

Immédiatement après l'accouchement, l'utérus pèse environ 1 kg, et il se situe au niveau de l'ombilic, soit comme à 20 semaines de grossesse. Par la suite, il descend d'environ 1 cm par jour **FIGURE 13.1**. Normalement, après une semaine, il est palpable juste au-dessus de la symphyse pubienne. Il ne devrait pas être possible de palper l'utérus après deux semaines, et il a généralement réintégré sa position d'avant la grossesse six semaines après l'accouchement. Il pèse alors environ 100 g (Lipscomb & Novy, 2007).

Visionnez la vidéo *Évaluation postpartum de l'utérus* au www.cheneliere.ca/lowdermilk.

L'involution utérine s'amorce immédiatement après l'expulsion du placenta grâce aux contractions du muscle lisse utérin.

Durant les jours qui suivent l'accouchement, la présence d'urine dans la vessie peut faire élever le fond utérin de un à deux doigts au-dessus de l'ombilic. L'infirmière qui fait ce constat peut demander à la femme d'uriner et réévaluer le fond utérin par la suite. Un fond utérin qui demeure élevé après la miction peut suggérer une rétention urinaire. Dans ce cas, l'infirmière est tenue d'aviser le médecin qui pourra prescrire un cathétérisme.

Subinvolution

La **subinvolution** est l'incapacité de l'utérus de retourner à un état non gravide. Les causes les plus fréquentes de subinvolution sont la rétention de fragments de placenta et l'infection. Dans ces cas, l'utérus tarde à reprendre sa position normale. Il peut sembler plus mou et sensible, et les lochies peuvent être plus abondantes ou malodorantes.

Une rupture prématurée des membranes (plus de 24 heures avant l'accouchement), plusieurs touchers vaginaux durant le travail, un travail prolongé (plus de 12 heures) et un accouchement par césarienne sont quelques facteurs qui prédisposent à la subinvolution utérine.

Contractions

Les contractions de l'utérus contribuent à son involution au cours de la période postnatale. Elles sont attribuables à l'ocytocine, une hormone libérée par l'hypophyse, qui les renforce et les coordonne. Ces contractions utérines compriment les vaisseaux sanguins et favorisent l'**hémostase**. Elles surviennent régulièrement durant les deux ou trois premiers jours postpartum et sont plus inconfortables chez les multipares que chez les primipares. Étant donné que l'utérus doit rester ferme et bien contracté, on administre parfois de l'ocytocine exogène par voie intraveineuse (I.V.) immédiatement après l'expulsion de la tête du fœtus. Il est à noter que l'allaitement favorise la contraction de l'utérus, puisque la succion stimule la libération d'ocytocine.

Tranchées utérines

Chez les primipares, le tonus utérin est bon, le **fundus** demeure généralement ferme, et la mère ne ressent habituellement que de légères crampes utérines. L'alternance de relâchement et de contractions vigoureuses est plus fréquente au cours des grossesses suivantes, et elle peut causer des crampes inconfortables, qui portent le nom de **tranchées utérines** et qui persistent pendant tout le début de la période postnatale. Les tranchées sont plus marquées après des grossesses au cours desquelles l'utérus a subi une distension excessive (p. ex., un nouveau-né de poids élevé, des grossesses multiples, le polyhydramnios). L'allaitement et l'administration d'ocytocine exogène

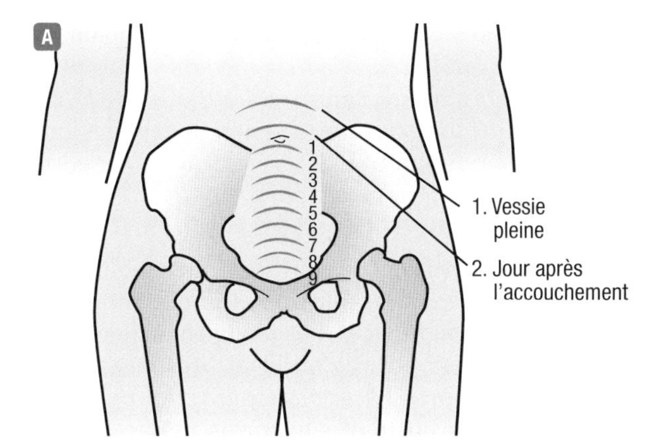

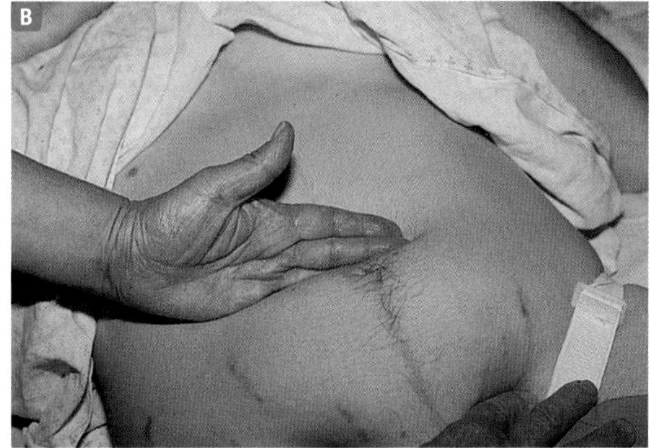

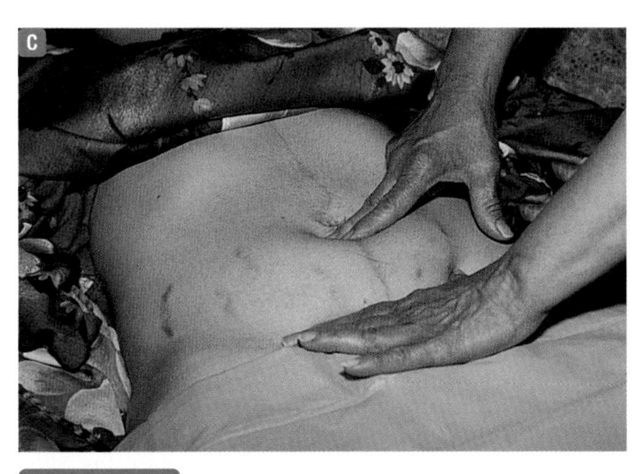

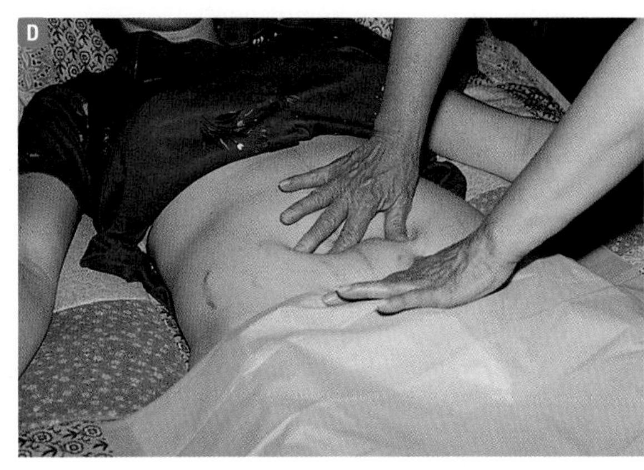

FIGURE 13.1

Appréciation de l'involution de l'utérus après l'accouchement. **A** Progression normale, du premier au neuvième jour. **B** Taille et position de l'utérus deux heures après l'accouchement. **C** Taille et position de l'utérus deux jours après l'accouchement. **D** Taille et position de l'utérus quatre jours après l'accouchement.

I.V. amplifient généralement ces douleurs puisque les deux stimulent les contractions utérines.

Site d'insertion du placenta

Une contraction musculaire permettra une fermeture des vaisseaux sanguins au site d'insertion du placenta immédiatement après l'expulsion de celui-ci. Ce mécanisme de contraction musculaire transforme le site d'insertion du placenta en une zone noduleuse irrégulière et surélevée qui assure sa cicatrisation. Au seizième jour du postpartum, la régénération de l'endomètre est terminée, sauf au site d'insertion du placenta. À cet endroit, la régénération s'effectue graduellement et ne s'achève habituellement que six semaines après l'accouchement (Blackburn, 2007).

Lochies

L'écoulement utérin qui suit l'accouchement, couramment désigné sous le terme de **lochies**, est d'abord d'un rouge vif (**lochies rouges**) et peut contenir de petits caillots. Pendant les deux premières heures qui suivent l'accouchement, le volume de l'écoulement utérin devrait s'apparenter à celui de règles abondantes. Après cela, l'écoulement de lochies devrait diminuer régulièrement.

Les lochies rouges se composent principalement de sang et de **débris déciduaux et trophoblastiques**. Après trois ou quatre jours, l'écoulement pâlit et devient rose ou brun (**lochies séreuses**). Les lochies séreuses sont constituées de vieux sang, de sérum, de leucocytes et de débris tissulaires qui persistent deux ou trois semaines après l'accouchement. Par la suite, l'écoulement devient jaune ou blanc (**lochies blanches**). Les lochies blanches sont surtout formées de leucocytes et des cellules déciduales, mais elles peuvent aussi contenir des cellules épithéliales, du mucus, du sérum et des bactéries. Les lochies blanches peuvent durer jusqu'à six semaines après l'accouchement (Lipscom & Novy, 2007).

L'allaitement favorise la contraction de l'utérus puisque la succion stimule la libération d'ocytocine.

Jugement clinique

Vous constatez que l'utérus de madame Robinson se situe à un doigt au-dessus de l'ombilic et qu'il est légèrement dévié à gauche.

Qu'est-ce qui peut expliquer ce phénomène et quelle serait l'intervention infirmière à privilégier?

Débris décidual et trophoblastique: Fragment issu de la membrane déciduale (partie de la muqueuse utérine qui se détache pour être expulsée avec le placenta après l'accouchement) ou du trophoblaste (couche superficielle du placenta).

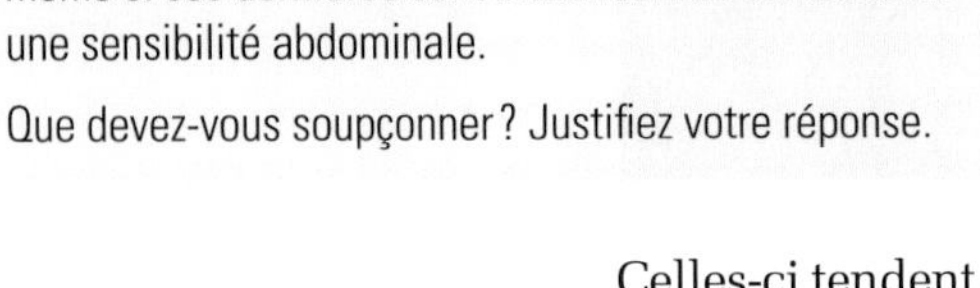

Vous rencontrez madame Gabrielle Lesieur, âgée de 22 ans, à son domicile pour un suivi postnatal. Elle a accouché de son deuxième enfant le mois dernier. Elle vous indique que l'écoulement des lochies est continu même si ces dernières sont blanches. Elle dit ressentir une sensibilité abdominale.

Que devez-vous soupçonner ? Justifiez votre réponse.

Si la femme reçoit une médication ocytocique, le flux des lochies demeure souvent léger jusqu'à ce que les effets de la médication s'estompent. En règle générale, la quantité des lochies est moindre après un accouchement par césarienne. La marche et l'allaitement augmentent habituellement les lochies. Celles-ci tendent à s'accumuler dans le vagin lorsque la femme est allongée ; lorsqu'elle se lève, il peut y avoir écoulement d'un flot de sang qu'il ne faut pas confondre avec une hémorragie.

ALERTE CLINIQUE

Un saignement abondant et la présence de gros caillots doivent être signalés au médecin. Cela peut indiquer une rétention placentaire, une lacération ou une infection (endométrite).

Des pertes sanguines abondantes et la présence de gros caillots en période postnatale pourraient résulter de la rétention de fragments de placenta ou de membranes. Un écoulement continu de lochies séreuses ou de lochies blanches trois ou quatre semaines après l'accouchement pourrait indiquer une **endométrite**, s'il s'accompagne de fièvre, de douleur ou de sensibilité abdominale. Les lochies devraient avoir la même odeur que l'écoulement menstruel normal ou n'avoir aucune odeur ; une odeur déplaisante révèle généralement une infection.

Les écoulements vaginaux postpartum ne sont pas tous des lochies ; un saignement vaginal après un accouchement peut résulter de lacérations vaginales ou cervicales non réparées **TABLEAU 13.1**.

Col de l'utérus

Épisiotomie : Incision chirurgicale du périnée effectuée à la fin du deuxième stade du travail visant à faciliter la naissance et à prévenir les déchirures du périnée.

Immédiatement après l'accouchement, le col de l'utérus est souple. L'exocol (la portion du col qui fait saillie dans le vagin) a une apparence contusionnée, œdémateuse et peut présenter de petites lacérations, qui sont des conditions propices au développement de l'infection. Au cours des 12 à 18 heures qui suivent, le col raccourcit et devient plus ferme. L'orifice cervical, qui s'est dilaté jusqu'à 10 cm durant le travail, se referme graduellement. Deux ou trois jours après l'accouchement, la dilatation du col est de 2 à 3 cm et une semaine après l'accouchement, elle est d'environ 1 cm (Blackburn, 2007). L'orifice cervical externe ne reprend jamais l'apparence qu'il avait avant la grossesse ; il n'a plus une forme circulaire, mais ressemble à une fente aux bords déchiquetés souvent décrite comme une « gueule de poisson ».

TABLEAU 13.1 Saignement normal et saignement anormal en période postnatale

SAIGNEMENT NORMAL	SAIGNEMENT ANORMAL
• Peu à moyennement abondant ; peut être plus abondant au moment du passage à la position debout et durant l'allaitement • Parfois présence de petits caillots • Odeur normale • Utérus ferme	• Abondant • Présence de gros caillots (gros comme un œuf) • Odeur désagréable • Utérus mou

13.1.2 Vagin et périnée

La carence en œstrogènes qui survient à la période postnatale est responsable de l'amincissement de la muqueuse vaginale et de son absence de replis. Le vagin, largement distendu et présentant des parois lisses après l'accouchement, reprend graduellement sa taille et son tonus même s'il ne revient jamais complètement à l'état qu'il avait avant la grossesse (Blackburn, 2007). La muqueuse vaginale reste atrophique jusqu'au retour des menstruations chez la femme qui allaite. L'épaississement de la muqueuse vaginale se produira avec la reprise du fonctionnement ovarien. Le déficit en œstrogènes est aussi responsable de la réduction de la lubrification vaginale. Une sécheresse localisée et une douleur au cours des relations sexuelles (dyspareunie) peuvent persister jusqu'à la reprise du fonctionnement ovarien et au retour des menstruations. Pour pallier cette sensation désagréable occasionnée par la sécheresse vaginale, on recommande généralement l'utilisation d'un lubrifiant hydrosoluble pendant les relations sexuelles.

L'orifice vaginal externe est d'abord érythémateux et œdémateux, en particulier dans la zone de réparation d'une **épisiotomie** ou d'une lacération. Il est difficile de le distinguer de celui d'une femme nullipare si les lacérations et l'épisiotomie ont été réparées avec soin, si l'on a prévenu la formation d'hématomes ou qu'on les a traités précocement et si la femme respecte une hygiène adéquate durant les deux premières semaines qui suivent l'accouchement.

Il n'est possible d'observer la plupart des réparations d'épisiotomie et de lacérations que si la femme est étendue sur le côté, la fesse du dessus soulevée, ou si elle est placée en position gynécologique. Il est essentiel d'avoir un bon éclairage pour observer certaines réparations. La guérison d'une épisiotomie ou d'une lacération suit le même processus que celle de toute incision chirurgicale. Des signes d'infection (douleur, rougeur, chaleur, tuméfaction ou écoulement) ou une perte de l'affrontement (séparation des lèvres de la plaie) peuvent se manifester. La guérison initiale se réalise en deux ou trois semaines, mais de quatre à six mois peuvent être nécessaires pour que la guérison soit complète (Blackburn, 2007).

On observe fréquemment des hémorroïdes (varicosités anales) chez la femme en période postnatale. Il peut se produire une éversion des hémorroïdes internes quand la femme pousse pendant le travail. Les femmes ressentent souvent des symptômes associés aux hémorroïdes comme des démangeaisons et une sensation de malaise, et elles peuvent observer la présence de sang rouge vif dans les selles. La taille des hémorroïdes diminue généralement au cours des six semaines suivant l'accouchement. Des bains de siège tièdes permettent de soulager la douleur due aux hémorroïdes et à l'épisiotomie. Le médecin peut prescrire des agents anti-inflammatoires ou un gel de xylocaïne pour soulager la douleur de l'épisiotomie et des hémorroïdes.

13.1.3 Muscles pelviens

La structure de soutien de l'utérus et du vagin peut subir des lésions au cours de l'accouchement, ce qui favorise l'apparition future de problèmes gynécologiques. Les tissus de soutien du plancher pelvien qui sont déchirés ou étirés pendant l'accouchement peuvent demander jusqu'à six mois pour retrouver leur tonus. Après l'accouchement, il est recommandé de pratiquer les exercices de Kegel, qui aident à renforcer les muscles du périnée et qui favorisent la guérison. La femme pourra connaître plus tard un **relâchement pelvien**, c'est-à-dire l'allongement et l'affaiblissement des fascias qui soutiennent les structures pelviennes. Ces dernières comprennent l'utérus, la paroi vaginale postérosupérieure, l'urètre, la vessie et le rectum. Bien que le relâchement pelvien puisse toucher toutes les femmes, il s'agit souvent d'une complication directe, mais tardive, de l'accouchement ▶ 23.

13.1.4 Abdomen

Pendant les quelques jours qui suivent l'accouchement, l'abdomen de la femme fait saillie lorsqu'elle se tient debout ; elle donne ainsi l'impression d'être encore enceinte. La paroi abdominale est relâchée durant les deux semaines qui suivent l'accouchement, et il lui faudra environ six semaines avant de retrouver l'apparence qu'elle avait avant la grossesse **FIGURE 13.2**. La peau retrouve la plus grande partie de son élasticité antérieure, mais des vergetures peuvent persister. La récupération du tonus musculaire dépend du tonus antérieur, de la pratique d'exercices adéquats et de la quantité de tissu adipeux présent. Il arrive occasionnellement, qu'il y ait eu ou non distension excessive due à un gros fœtus ou à une grossesse multiple, que les muscles de la paroi abdominale se séparent, une condition appelée **diastase des muscles grands droits de l'abdomen** ▶ 6. La persistance de cette anomalie peut être gênante pour la femme, mais il est rarement nécessaire de procéder à une correction chirurgicale, l'anomalie devenant moins apparente avec le temps.

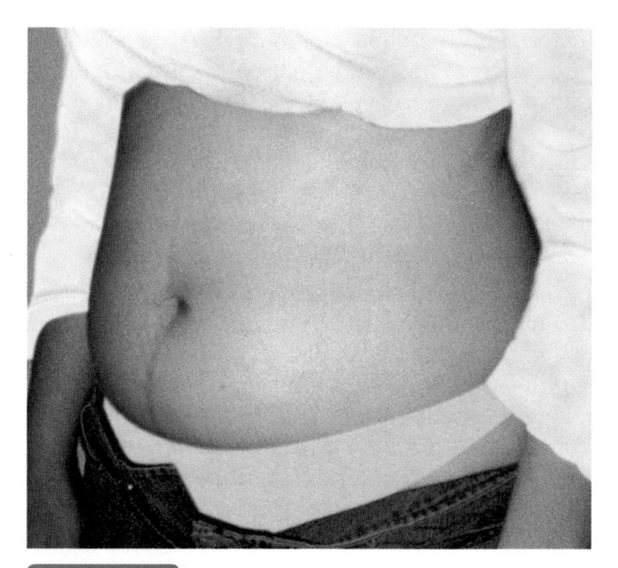

FIGURE 13.2
Six semaines après un accouchement vaginal, la paroi abdominale a presque repris son apparence d'avant la grossesse. La ligne brune demeure toutefois visible.

13.2 | Système endocrinien

13.2.1 Hormones placentaires

Des changements hormonaux importants se produisent pendant la période postnatale. L'expulsion du placenta entraîne une diminution rapide des hormones que produit cet organe. La baisse de l'hormone lactogène placentaire (somatomammotropine chorionique), des œstrogènes, du cortisol et de l'enzyme placentaire insulinase inverse les effets diabétogènes de la grossesse, ce qui se traduit par une glycémie beaucoup plus basse immédiatement après l'accouchement. Il est probable que, pendant plusieurs jours après celui-ci, les mères atteintes de diabète de type 1 aient besoin de beaucoup moins d'insuline qu'à la fin de leur grossesse. Ces changements hormonaux normaux font du postpartum une étape de transition pour le métabolisme des glucides, rendant difficile l'interprétation des résultats des épreuves d'hyperglycémie provoquée pendant cette période.

Les œstrogènes et la progestérone chutent de façon marquée une fois le placenta expulsé et atteignent leurs plus bas niveaux une semaine après l'accouchement. Les taux réduits d'œstrogènes sont liés à l'engorgement mammaire. Chez les femmes qui n'allaitent pas, les taux d'œstrogènes commencent à s'élever deux semaines après l'accouchement. Ils sont significativement plus élevés que chez les femmes qui allaitent (Katz, 2007).

La **gonadotrophine chorionique humaine (hCG)** disparaît assez rapidement de la circulation

23
Le chapitre 23, *Complications postpartum*, présente entre autres les causes et les conséquences du relâchement pelvien.

6
La diastase des droits de l'abdomen est illustrée dans le chapitre 6, *Anatomie et physiologie de la grossesse*.

Gonadotrophine chorionique humaine (hCG) : Hormone produite par les villosités choriales ; marqueur biologique des tests de grossesse.

maternelle. Toutefois, comme son retrait des compartiments extravasculaire et intracellulaire exige plus de temps, on peut déceler la présence de hCG dans l'organisme maternel pendant trois ou quatre semaines après l'accouchement (Blackburn, 2007).

13.2.2 Ovulation et cycle menstruel

Le moment de la première ovulation et de la reprise des menstruations varie considérablement selon que la femme allaite ou pas. La persistance de taux sériques élevés de prolactine chez les femmes qui allaitent semble responsable de la suppression de l'ovulation (Katz, 2007). Le taux sanguin de prolactine augmente progressivement pendant toute la grossesse et demeure élevé chez les femmes qui allaitent (Lawrence & Lawrence, 2009). Chez les femmes qui n'allaitent pas, celui-ci baisse après l'accouchement et revient aux taux observés avant la grossesse à la troisième semaine suivant la naissance (Katz, 2007).

Les femmes sont plus à risque de faire une infection urinaire dans les mois qui suivent un accouchement, en raison d'une stase urinaire persistante possible.

L'ovulation peut se produire aussi tôt que 27 jours après l'accouchement chez les femmes qui n'allaitent pas, mais la moyenne se situe autour de 70 à 75 jours. Les menstruations reprennent habituellement de quatre à six semaines après l'accouchement chez les femmes qui n'allaitent pas. Chez celles qui allaitent, le délai moyen avant la première ovulation est d'environ six mois (Blackburn, 2007 ; Katz, 2007). Chez ces femmes, la reprise de l'ovulation et le retour des menstruations dépendent dans une large mesure de la durée et de la fréquence des tétées (Blackburn, 2007). Certaines femmes ovulent avant les premières règles qui suivent l'accouchement; par conséquent, il est important de discuter des options de contraception au début de la période postnatale (Blackburn, 2007 ; Cunningham *et al.*, 2010).

Les premières règles après un accouchement sont généralement plus abondantes que normalement. Le flux menstruel revient au volume qu'il avait avant la grossesse en trois ou quatre cycles.

Diaphorèse : Transpiration abondante.

13.2.3 Hormones thyroïdiennes

Il ne devrait pas y avoir de changement notable des taux de thyréostimuline (TSH) en postpartum. Cependant, la glande thyroïde peut être sensible à la reprise de l'activité du système immunitaire pendant cette période. En réaction, un problème thyroïdien auto-immun (hypothyroïdie ou hyperthyroïdie) est susceptible de survenir chez environ 7 % des femmes qui ont accouché (Lipscomb & Novy, 2007). Les femmes ayant obtenu un résultat positif aux anticorps antithyroïdiens en début de grossesse sont plus particulièrement à risque.

13.3 Système urinaire

Les changements hormonaux associés à la grossesse (taux élevés de stéroïdes) contribuent à une augmentation du fonctionnement rénal; la baisse des taux de stéroïdes après l'accouchement pourrait donc expliquer en partie la réduction de la fonction rénale qui se produit pendant la période postnatale. Le fonctionnement des reins revient à la normale en un mois après l'accouchement. Il faut de deux à huit semaines pour que l'hypotonie et la dilatation des uretères et des pelvis rénaux provoquées par la grossesse disparaissent (Cunningham *et al.*, 2010). Chez 50 % des femmes, une stase urinaire persiste pendant trois mois, ce qui augmente les risques d'infection urinaire durant cette période.

13.3.1 Composants de l'urine

La **glycosurie**, qui peut être normale en grossesse, disparaît une semaine après l'accouchement (Blackburn, 2007). Il est possible qu'une **acétonurie** se manifeste après un travail prolongé accompagné de déshydratation.

13.3.2 Diurèse en période postnatale

Une perte de poids variant de 4 à 6 kg survient à la période postnatale immédiate due à l'expulsion du fœtus, du placenta, du liquide amniotique ainsi que d'une certaine quantité de sang. (Lipscomb & Novy, 2007). Une **diaphorèse** profuse se produit souvent pendant les deux ou trois premiers jours, en particulier la nuit. L'augmentation de la diurèse en période postnatale, causée par la baisse des taux d'œstrogènes, par la disparition de la pression veineuse accrue dans les membres inférieurs et par le retour du volume sanguin à ses valeurs d'avant la grossesse, aide l'organisme à éliminer le liquide excédentaire. De plus, la plupart des femmes perdent 9 kg supplémentaires de liquides excédentaires au cours des six mois qui suivent l'accouchement.

13.3.3 Urètre et vessie

Le traumatisme causé par l'accouchement, l'augmentation de la capacité vésicale après celui-ci et les effets de l'anesthésie épidurale ou locale se combinent pour entraîner une réduction de l'envie d'uriner. En outre, l'endolorissement pelvien causé par les efforts du travail, les lacérations vaginales ou une épisiotomie réduisent ou modifient le réflexe mictionnel. La réduction de la miction, en combinaison avec l'augmentation de la diurèse en postpartum, peut entraîner une distension de la vessie. Un saignement excessif peut survenir immédiatement après l'accouchement si la vessie est distendue, car elle pousse alors l'utérus vers le haut et vers les côtés et l'empêche de se contracter fermement. Plus tard dans la période postnatale, la distension excessive peut rendre la vessie plus vulnérable aux infections et entraver la reprise des mictions normales (Cunningham *et al.*, 2010). Avec une vidange adéquate de la vessie, le tonus vésical se rétablit généralement en cinq à sept jours après l'accouchement.

13.4 | Système digestif

13.4.1 Appétit

En général, la femme a faim peu après l'accouchement, et elle peut tolérer un repas léger. La plupart des nouvelles accouchées ont très faim une fois qu'elles sont complètement remises de l'analgésie, de l'anesthésie et de la fatigue. Il n'est pas rare de les voir demander une double portion de nourriture et des collations fréquentes.

13.4.2 Élimination intestinale

Il est possible qu'il n'y ait pas de défécation spontanée pendant les deux ou trois jours qui suivent l'accouchement. Ce délai peut s'expliquer par la réduction du tonus musculaire de l'intestin durant le travail et le début de la période postnatale, par une diarrhée survenue avant ou pendant le travail, par le manque d'aliments ou par la déshydratation. La mère redoute souvent le malaise entraîné par une défécation en raison de la sensibilité périnéale résultant d'une épisiotomie, de lacérations ou d'hémorroïdes, et elle retient son envie d'aller à la selle. En plus des mesures utilisées pour soulager la douleur de la région périnéale, l'utilisation temporaire d'un laxatif (tel que le muciloïde hydrophyle de psyllium [Metamucil^MD]) ou d'un émollient fécal (le docusate sodique [Colace^MD]) peut être envisagée. L'apport quotidien augmenté en fibres (de 25 à 30 g/jour) et en eau (de 1,5 à 2 L) peut également contribuer à régler le problème (Ferreira, 2007).

L'application de forceps au cours d'un accouchement vaginal et la présence de lacérations du sphincter anal sont liées à un risque accru d'incontinence anale en période postnatale. Les femmes qui présentent ce problème sont plus souvent incontinentes pour les gaz que pour les selles. Si l'incontinence anale se prolonge pendant plus de six mois, il faut procéder à des examens afin d'en déterminer la cause précise et de décider du traitement approprié (Katz, 2007).

Un saignement excessif peut survenir immédiatement après l'accouchement si la vessie est distendue, car elle pousse l'utérus vers le haut et vers les côtés et l'empêche de se contracter fermement.

13.5 | Seins

Aussitôt après l'accouchement, il se produit une baisse de la concentration des hormones (c.-à-d. œstrogènes, progestérone, hCG, prolactine, cortisol et insuline) qui ont stimulé le développement des seins pendant la grossesse. Le temps nécessaire pour que les taux de ces hormones reviennent à ce qu'ils étaient avant la grossesse dépend en partie du fait que la mère allaite ou non.

Jugement clinique

Depuis son accouchement, il y a deux jours, madame Denise Lebel, âgée de 32 ans, est incapable de faire une selle, car les points de l'épisiotomie sont trop douloureux.

Outre le recours aux laxatifs, que devriez-vous suggérer à la cliente pour soulager son malaise ?

13.5.1 Mère allaitant

Au cours des 24 premières heures qui suivent la naissance, peu ou pas de changements se produisent dans les tissus mammaires. Du colostrum, un liquide jaune clair, peut être extrait des seins. Ceux-ci deviennent graduellement plus pleins et plus lourds à mesure que le colostrum est remplacé par du lait, soit de 72 à 96 heures après l'accouchement ; on décrit souvent ce changement des seins comme une montée laiteuse. Les seins peuvent être sentis comme chauds, fermes et quelque peu sensibles. Du lait blanc bleuté ayant l'apparence du lait écrémé (le vrai lait) peut être extrait des mamelons. À mesure que les glandes mammaires et les conduits lactifères se remplissent de lait, le tissu mammaire peut sembler noduleux ou grumeleux. À la différence des bosses associées à la mastose sclérokystique ou au cancer, qu'on peut palper au même endroit de façon constante, les nodules associés à la production de lait ont tendance à changer de position. Certaines femmes éprouvent un engorgement, mais avec des tétées fréquentes et des soins appropriés, cet état n'est que temporaire et ne dure en règle générale que de 24 à 48 heures ▶ 18.

18

Diverses méthodes aidant à soulager l'engorgement des seins sont présentées dans le chapitre 18, *Nutrition et alimentation du nouveau-né*.

13.5.2 Mère n'allaitant pas

La texture des seins chez une femme ayant accouché est généralement noduleuse par contraste avec la texture granuleuse des seins de la femme qui n'est pas enceinte. La présence de nodules est bilatérale et diffuse. Les taux de prolactine chutent rapidement. Le colostrum est présent pendant les premiers jours qui suivent l'accouchement. Chez certaines femmes, les tissus mammaires peuvent être sensibles à la palpation au deuxième ou au troisième jour, au moment où la production du lait commence. Le troisième ou le quatrième jour de la période postnatale, il peut y avoir engorgement. Les seins sont distendus (gonflés), fermes et chauds au toucher (en raison de la congestion vasculaire). La distension des seins est surtout due à la congestion temporaire des veines et des vaisseaux lymphatiques plutôt qu'à l'accumulation de lait. Celui-ci est présent, mais il ne faut pas l'extraire, car cela stimulerait la production de lait. Le tissu mammaire axillaire (la queue de Spence) et tout tissu annexe du sein ou du mamelon le long de la crête mammaire peut être touché. L'engorgement se résorbe spontanément, et la sensation de malaise diminue généralement en 24 à 36 heures. Le port d'un soutien-gorge confortable, l'application de glace ou de feuilles de chou fraîches et la prise d'analgésiques légers peuvent aider à soulager les désagréments causés par l'engorgement mammaire. S'il n'y a jamais eu de tétées (ou si on les a interrompues), la lactation cessera en quelques jours.

13.6 | Système cardiovasculaire

13.6.1 Volume sanguin

ALERTE CLINIQUE

Une P.A. élevée ou basse en période postnatale doit être signalée au médecin.

La variation du volume sanguin après l'accouchement dépend de plusieurs facteurs, tels que la perte sanguine au moment de l'accouchement et la quantité d'eau extravasculaire (œdème physiologique) mobilisée et éliminée. L'hypervolémie provoquée par la grossesse (à terme, une augmentation du volume sanguin d'au moins 35 % par rapport au volume d'avant la grossesse) permet à la plupart des femmes de supporter une perte de sang considérable à l'accouchement. Bien qu'en moyenne, la perte soit moindre, une femme peut perdre jusqu'à 500 ml de sang (10 % du volume sanguin) au cours d'un accouchement vaginal et 1 000 ml (de 15 à 35 % du volume sanguin) dans le cas d'un accouchement par césarienne. Pendant les premiers jours qui suivent l'accouchement, le volume plasmatique diminue encore plus en raison de l'augmentation de la diurèse (Blackburn, 2007).

La réaction de la femme à la perte sanguine qui marque le début de la période postnatale diffère de celle d'une femme qui n'a pas été enceinte. Trois modifications physiologiques postpartum protègent la femme en augmentant son volume sanguin : l'élimination de la circulation utéroplacentaire réduit de 10 à 15 % la taille du lit vasculaire de la mère ; la perte de la fonction endocrinienne du placenta supprime le stimulus de vasodilatation ; et il y a une mobilisation de l'eau extravasculaire pendant la grossesse. En somme, au troisième jour postpartum, le volume plasmatique a été restauré par le retour du liquide extravasculaire dans le compartiment vasculaire (Katz, 2007).

Jugement clinique

Madame Sarah Cook, âgée de 31 ans, a accouché hier matin. Au moment de se lever du lit cet après-midi, elle ressent un vertige et doit se recoucher.

Quelle est l'explication la plus plausible à ce malaise ?

13.6.2 Débit cardiaque

La fréquence du pouls, le débit systolique et le débit cardiaque augmentent tout au long de la grossesse. Le débit cardiaque reste élevé pendant au moins 48 heures après l'accouchement en raison d'une augmentation du **débit systolique**. Celle-ci est causée par une augmentation du retour veineux, résultat de la diminution rapide du débit sanguin utérin et de la mobilisation du liquide extravasculaire, ainsi que par une diminution de la résistance de la veine cave en raison de la diminution de la taille de l'utérus (Blackburn, 2007). Deux semaines après l'accouchement, le débit cardiaque a diminué de 30 %, et il continue ensuite à décroître graduellement pour revenir aux valeurs normales en 6 à 12 semaines après l'accouchement chez la plupart des femmes. Toutefois, chez certaines, le débit cardiaque, le débit systolique, le volume télédiastolique et la résistance vasculaire systémique demeurent plus élevés qu'avant la grossesse jusqu'à 12 semaines ou plus après l'accouchement (Blackburn, 2007).

13.6.3 Signes vitaux

On observe peu de modifications des signes vitaux dans des circonstances normales. Le rythme cardiaque et la pression artérielle (P.A.) reviennent aux valeurs d'avant la grossesse en quelques jours (Katz, 2007) **TABLEAU 13.2**. Cependant, le risque d'**éclampsie**, qui se manifeste notamment par une P.A. élevée, demeure présent dans les heures et les jours suivant l'accouchement. La fonction respiratoire revient rapidement à la normale après celui-ci (Blackburn, 2007). Une fois l'utérus vide, le diaphragme s'abaisse, l'axe du cœur reprend sa position normale, et l'électrocardiogramme se régularise.

13.6.4 Composants du sang

Hématocrite et hémoglobine

Après l'accouchement, le volume sanguin total diminue d'environ 16 %, ce qui entraîne une anémie passagère. Huit semaines après l'accouchement toutefois, le nombre de globules rouges a augmenté, et l'hématocrite de la plupart des femmes se révèle normal (Katz, 2007).

Numération des leucocytes

La leucocytose normale au cours de la grossesse est d'environ 12 000/mm^3 en moyenne. Pendant les 10 à 12 premiers jours après l'accouchement, il est fréquent d'observer des valeurs de 20 000-25 000/mm^3. Les neutrophiles sont les globules blancs les plus nombreux. La leucocytose, associée à l'augmentation normale de la vitesse de sédimentation des hématies, peut masquer le diagnostic d'infection aiguë à ce moment.

TABLEAU 13.2 **Signes vitaux après l'accouchement**

OBSERVATIONS NORMALES	DÉVIATIONS DE LA NORMALE ET CAUSES PROBABLES
Température	
• Élévation possible de la température jusqu'à 38 °C pendant les 24 premières heures, puis cessation de la fièvre	• Élévation de la température à 38 °C au-delà de la période de 24 heures suivant l'accouchement • Diagnostics possibles : septicémie puerpérale, mastite, endométrite, infection urinaire, autres infections systémiques • Causes : effets déshydratants du travail, anesthésie épidurale.
Pouls	
• Retour aux valeurs non gravidiques en quelques jours (rythme variable selon les femmes)	• Pouls rapide ou en augmentation • Diagnostic possible : hypovolémie résultant d'une hémorragie
Respiration	
• Diminution de la fréquence respiratoire pour revenir à la normale en six à huit semaines	• Bradypnée résultant d'une anesthésie rachidienne (spinale) ou épidurale exceptionnellement haute
Pression artérielle	
• Peu ou pas modifiée • Manifestation possible d'hypotension orthostatique dans les 48 premières heures, révélée par des vertiges ou des étourdissements au moment du passage à la position debout	• P.A. basse ou en diminution – Diagnostics possibles : hypovolémie secondaire, hémorragie – Signe tardif d'autres symptômes d'hémorragie alertant habituellement le personnel – Cause : pertes sanguines intrapartum et postpartum • P.A. élevée – Vérification systématique de la P.A. : manifestation ou persistance de la toxémie gravidique pendant la période postnatale – Si présence de céphalée : élimination de l'hypertension comme cause avant l'administration d'analgésiques. – Cause : usage excessif de médicaments vasopresseurs ou ocytociques

Facteurs de coagulation

Il y a une augmentation normale des facteurs de coagulation et du fibrinogène pendant la grossesse, et ces substances demeurent élevées au début de la période postnatale. Associé aux lésions vasculaires et à l'immobilité associées à l'accouchement, l'état d'hypercoagulabilité augmente les risques de thromboembolie. Par ailleurs, l'activité fibrinolytique augmente aussi pendant les premiers jours qui suivent l'accouchement (jour 1 à jour 4), ce qui contribue à protéger les femmes contre les thromboembolies (Katz, 2007).

Varices et varicosités

Les varices et varicosités dans les jambes et autour de l'anus (hémorroïdes) sont fréquentes pendant la grossesse **FIGURE 13.3**. Les varices, même les varices vulvaires, moins courantes, se résorbent rapidement tout de suite après l'accouchement. On s'attend ensuite à une régression totale ou presque des varices et des varicosités.

13.7 | Système nerveux

Les changements neurologiques durant la période postnatale résultent de l'inversion des adaptations maternelles à la grossesse ou encore de traumatismes subis pendant le travail et l'accouchement.

L'élimination de l'œdème physiologique par la diurèse qui suit l'accouchement soulage le syndrome du tunnel carpien en atténuant la compression du nerf médian. L'engourdissement et le picotement périodiques des doigts (syndrome du tunnel carpien), qui touchent 5 % des femmes enceintes, disparaissent habituellement après l'accouchement, à moins que le fait de soulever et de porter le nouveau-né n'aggrave la situation. Il faut surveiller soigneusement les céphalées. Pendant la période postnatale, elles peuvent être attribuables à diverses conditions, dont la toxémie gravidique postpartum, le stress, l'anémie et la fuite de liquide cérébrospinal dans l'espace extradural au moment

Chez toutes les femmes, le postpartum est une période à risque pour les thromboembolies.

RAPPELEZ-VOUS…

Les varices sont des veines superficielles qui se dilatent, en particulier quand les jambes sont pendantes.

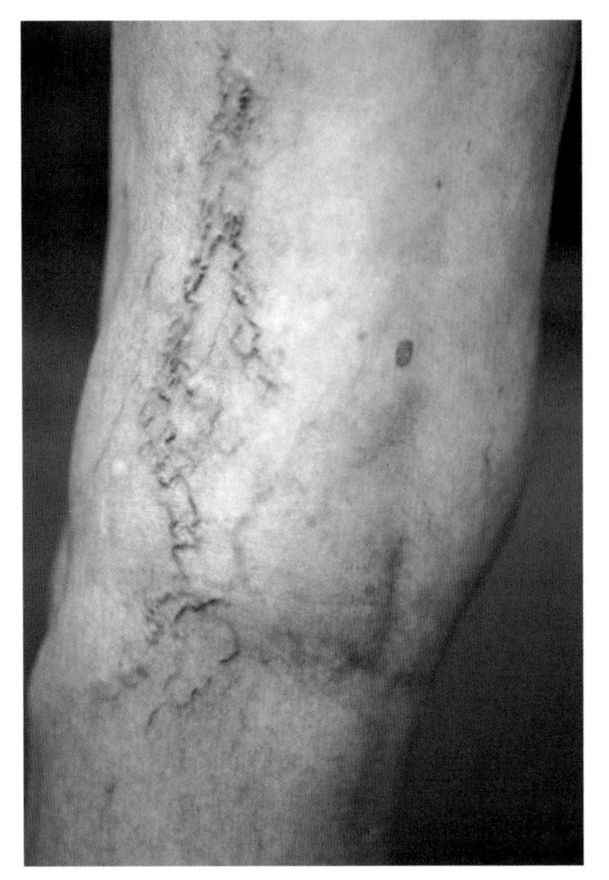

FIGURE 13.3
Varicosités dans une jambe

RAPPELEZ-VOUS...

L'infirmière qui examine la peau doit savoir que la couleur peut être masquée par des produits cosmétiques ou de bronzage.

de la mise en place de l'aiguille pour l'anesthésie épidurale ou rachidienne. Selon leur cause et l'efficacité du traitement, les céphalées peuvent persister de un à trois jours, et même jusqu'à plusieurs semaines.

13.8 | Système musculosquelettique

Les adaptations du système musculosquelettique de la mère qui se sont produites pendant la grossesse s'inversent pendant la période postnatale. Ces adaptations comprennent le relâchement et l'hypermobilité consécutive des articulations et le déplacement du centre de gravité de la mère en réaction à l'augmentation du volume de l'utérus. Les articulations se stabilisent complètement en six à huit semaines après l'accouchement. Toutes les articulations de la femme reviennent à leur état normal d'avant la grossesse, sauf celles de ses pieds, et la nouvelle mère pourra remarquer une augmentation permanente de la pointure de ses chaussures.

14

Les recommandations en ce qui concerne la vaccination en période postnatale sont présentées dans le chapitre 14, *Soins infirmiers de la famille pendant le quatrième trimestre*.

13.9 | Système tégumentaire

En général, le chloasma (masque de grossesse) disparaît à la fin de la grossesse **FIGURE 13.4**. L'hyperpigmentation des aréoles et la ligne brune sur l'abdomen peuvent ne pas régresser complètement après l'accouchement, et certaines femmes conserveront de façon permanente une pigmentation plus foncée dans ces zones. Les vergetures présentes sur les seins, l'abdomen, les hanches et les cuisses peuvent s'estomper, mais généralement, elles ne disparaissent pas complètement.

Les anomalies vasculaires, comme l'angiome stellaire (nævus) et l'**érythème palmaire** régressent habituellement en réaction à la baisse rapide des œstrogènes après la grossesse. Chez certaines femmes, l'angiome stellaire persiste indéfiniment.

La croissance des cheveux ralentit pendant la période postnatale. En fait, certaines femmes subissent une perte de cheveux parce que la quantité de cheveux perdus est temporairement plus élevée que la repousse. Les cheveux fins, abondants pendant la grossesse, reviennent généralement à leur état antérieur à l'accouchement; toutefois, les poils raides et rêches apparus pendant la grossesse persistent habituellement. Les ongles reprennent la consistance et la solidité qu'ils avaient avant la grossesse.

La diaphorèse profuse qui se produit au tout début de la période postnatale est le changement le plus remarquable du système tégumentaire.

13.10 | Système immunitaire

Le système immunitaire de la femme ne subit pas de changement notable pendant la période postnatale. Il faut déterminer si la mère doit recevoir un vaccin contre la rubéole ou s'il est nécessaire de prévenir une iso-immunisation Rh ▶ 14.

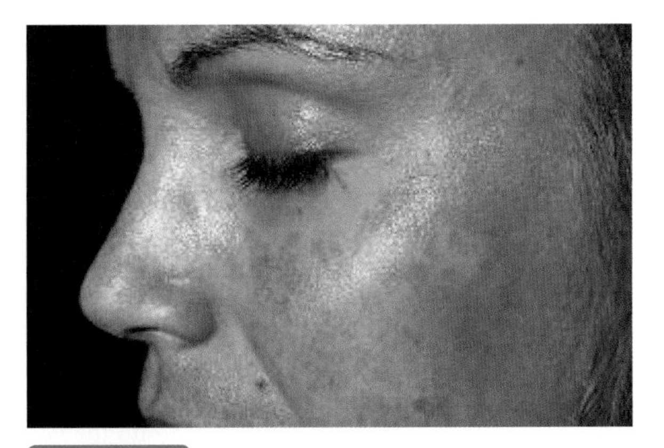

FIGURE 13.4
Chloasma (masque de grossesse)

Analyse d'une situation de santé

Jugement **clinique**

Après 40 semaines de grossesse, madame Raphaëlle Dumont, 23 ans, a donné naissance ce matin à son premier enfant, une fille de 2 855 g. L'accouchement s'est déroulé normalement. Vous assurez les soins à cette cliente en service de soirée. ▶

MISE EN ŒUVRE DE LA DÉMARCHE DE SOINS

Collecte des données – Évaluation initiale – Analyse et interprétation

1. Vous vérifiez les signes vitaux de madame Dumont. Elle présente une température buccale de 38 °C. Est-ce une donnée anormale ? Justifiez votre réponse.

2. Vous évaluez les lochies. Quel est leur aspect normal à ce moment de la période postnatale ?

3. Madame Dumont veut se rendre à la salle de bain. Au moment où elle se lève, elle constate un écoulement sanguin plus abondant. Est-ce inquiétant ? Justifiez votre réponse.

SOLUTIONNAIRE

www.cheneliere.ca/lowdermilk

▶ Vous constatez que le plan thérapeutique infirmier (PTI) de madame Dumont n'est pas encore rempli. ▶

MISE EN ŒUVRE DE LA DÉMARCHE DE SOINS

4. Afin de pallier cet oubli, indiquez ce qui devrait apparaître dans la section « Constats de l'évaluation ».

Planification des interventions – Décisions infirmières

Extrait

CONSTATS DE L'ÉVALUATION								
Date	Heure	N°	Problème ou besoin prioritaire	Initiales	RÉSOLU / SATISFAIT Date	Heure	Initiales	Professionnels / Services concernés
2012-05-18	*17:55*	*1*						

SUIVI CLINIQUE							
Date	Heure	N°	Directive infirmière	Initiales	CESSÉE / RÉALISÉE Date	Heure	Initiales
2012-05-18	*17:55*	*1*					

Signature de l'infirmière	Initiales	Programme / Service	Signature de l'infirmière	Initiales	Programme / Service
		Centre mère-enfant			

MISE EN ŒUVRE DE LA DÉMARCHE DE SOINS

5. Quelle directive infirmière devrait alors être inscrite dans l'extrait du PTI à la page précédente ?

6. Justifiez votre décision infirmière.

13

▶ La deuxième nuit suivant son accouchement, madame Dumont s'éveille en diaphorèse profuse. Son pyjama et les draps sont très humides. Vous prenez la température buccale de la cliente et constatez qu'elle se situe dans les limites normales. ◀

MISE EN ŒUVRE DE LA DÉMARCHE DE SOINS

Évaluation des résultats — Évaluation en cours d'évolution

7. Quelle pourrait être la cause de cette diaphorèse ? S'agit-il d'un phénomène habituel ?

APPLICATION DE LA PENSÉE CRITIQUE

Dans l'application de la démarche de soins auprès de madame Dumont, l'infirmière a recours à un ensemble d'éléments (connaissances, expériences antérieures, normes institutionnelles ou protocoles, attitudes professionnelles) pour analyser l'état de santé de la cliente et en comprendre les enjeux. La **FIGURE 13.5** illustre le processus de pensée critique suivi par l'infirmière afin de formuler son jugement clinique. Elle résume les principaux éléments sur lesquels l'infirmière s'appuie en fonction des données de cette cliente, mais elle n'est pas exhaustive.

VERS UN JUGEMENT CLINIQUE

CONNAISSANCES

- Anatomie et physiologie de la période de récupération maternelle
- Manifestations propres au processus infectieux
- Manifestations propres à l'hémorragie en période postnatale
- Technique de palpation du fond utérin
- Impact de l'allaitement maternel sur l'anatomie et la physiologie de la période de récupération maternelle

EXPÉRIENCES

- Travail dans une unité de maternité
- Expérience personnelle de la maternité
- Vécu personnel auprès d'une personne de son entourage qui a déjà accouché

NORME

- Respecter les règles de soins infirmiers, les ordonnances collectives et les protocoles en vigueur dans l'établissement pour les accouchements vaginaux sans complication

ATTITUDE

- Inspirer confiance à la cliente pour favoriser le développement d'un lien thérapeutique qui incitera la mère à verbaliser ses inquiétudes ou ses questions

PENSÉE CRITIQUE

ÉVALUATION

- Lochies : rouge vif et écoulement qui s'apparente à des règles abondantes
- Fond utérin : au niveau de l'ombilic, ferme et centré
- Signes vitaux : température à 38 °C pendant les 24 premières heures, pouls et respiration autour des valeurs normales d'avant la grossesse, hypotension orthostatique possible
- Seins : signes de la montée laiteuse dans les 72 à 96 heures après l'accouchement

JUGEMENT CLINIQUE

FIGURE 13.5

À retenir

VERSION REPRODUCTIBLE

www.cheneliere.ca/lowdermilk

- L'utérus subit une rapide involution après l'accouchement et reprend sa place dans le petit bassin en deux semaines.
- La chute rapide des taux d'œstrogènes et de progestérone après l'expulsion du placenta est responsable du déclenchement de plusieurs des changements anatomiques et physiologiques de la période postnatale.
- La reprise de l'ovulation et des menstruations dépend en partie du fait que la mère allaite ou pas.
- Il est essentiel de surveiller les lochies et la hauteur de l'utérus afin de suivre la progression de l'involution normale et de dépister les problèmes éventuels.
- Dans des circonstances normales, il y a peu de modifications des signes vitaux après l'accouchement.
- L'hypercoagulabilité, les lésions vasculaires et l'immobilité prédisposent toute femme à une thromboembolie en période postnatale.
- La diurèse importante, la diminution de la sensibilité de la vessie et sa distension excessive peuvent entraîner des problèmes d'élimination urinaire et prédisposent à l'infection urinaire.
- L'hypervolémie provoquée par la grossesse et les changements physiologiques de la période postnatale permettent à la femme de tolérer une perte considérable de sang au moment de l'accouchement.

CHAPITRE

Soins infirmiers de la famille pendant le quatrième trimestre

Écrit par:
Kathryn Rhodes Alden,
EdD, MSN, RN, IBCLC

Adapté par:
Linda Bell, inf., Ph. D.

OBJECTIFS

 **Guide d'études – SA14**

Après avoir étudié ce chapitre, vous devriez être en mesure:

- de décrire les éléments de l'évaluation postnatale;
- de reconnaître les signes de complications possibles chez la nouvelle accouchée;
- d'énoncer les critères usuels permettant d'accorder un congé précoce en toute sécurité;
- de détailler les soins et les traitements infirmiers à prodiguer aux femmes en période postnatale;
- d'expliquer comment les croyances et les pratiques culturelles influent sur les soins postnataux;
- d'expliquer le contenu de l'enseignement postnatal relatif à la prise en charge personnelle;
- de décrire le rôle de l'infirmière dans les stratégies de suivi postnatal.

Concepts clés

Cette carte conceptuelle illustre schématiquement les principaux concepts décrits dans le présent chapitre. Sa lecture vous permettra d'avoir une vue d'ensemble des notions qui y sont présentées.

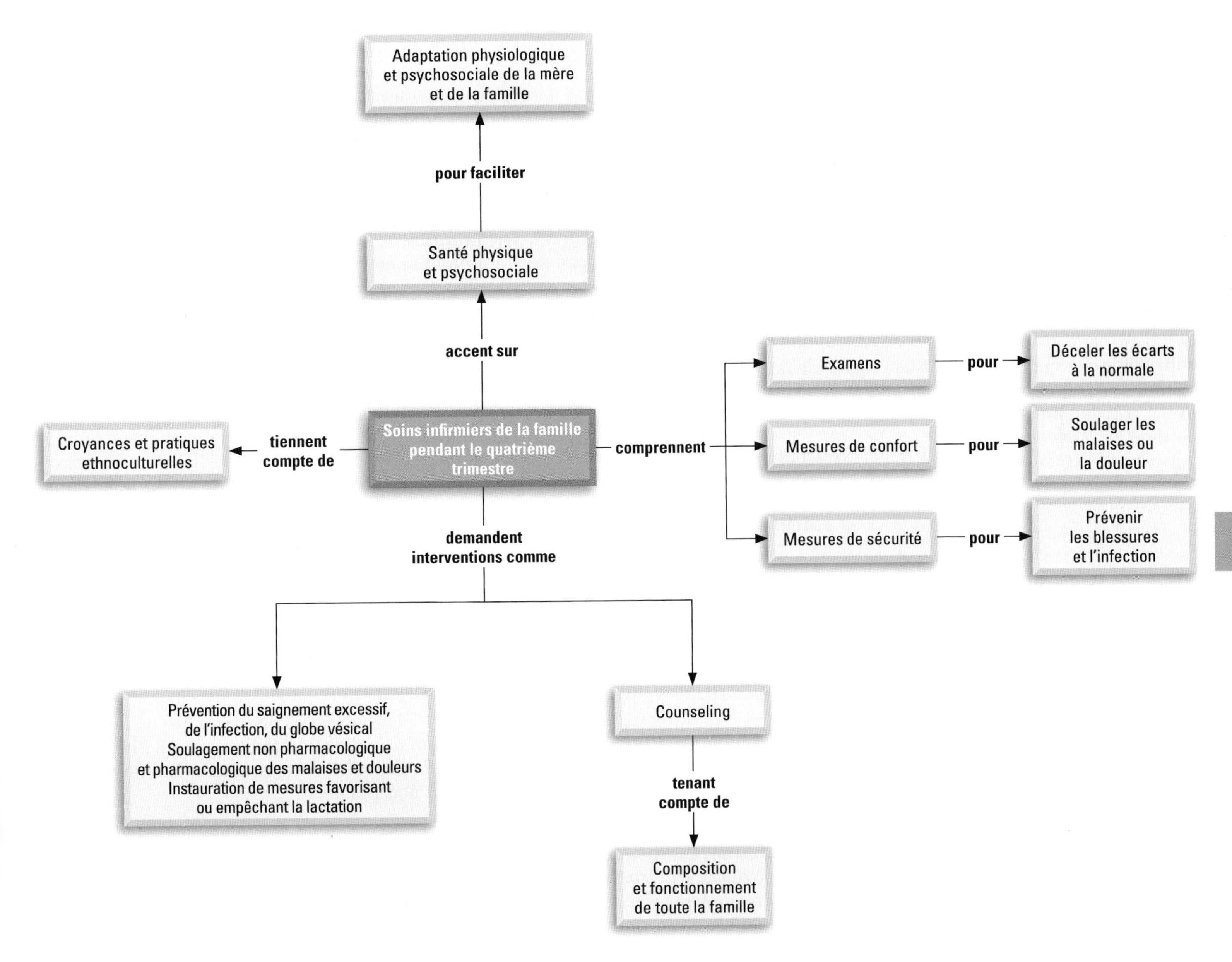

14

Les soins infirmiers en période postnatale visent à évaluer et à soutenir l'adaptation physiologique et émotionnelle de la femme après l'accouchement ainsi qu'à favoriser l'implication du père et sa relation avec le nouveau-né. Au début de cette période, les soins infirmiers consistent, entre autres, à veiller à ce que la cliente se repose et se remette du travail et de l'accouchement, à prévenir les complications, à offrir de l'enseignement relatif aux autosoins et aux soins au nouveau-né, puis à soutenir la mère et son partenaire dans le début de leur adaptation à la parentalité. De plus, l'infirmière prend en compte les besoins des autres membres de la famille et inclut dans le plan de soins et de traitements infirmiers des stratégies visant à aider la famille à s'adapter au nouveau-né.

L'approche des soins aux nouvelles mères est orientée vers leur bien-être. Au Canada, la plupart des femmes ne demeurent hospitalisées qu'un ou deux jours après un accouchement par voie vaginale. Compte tenu de ce court laps de temps, les soins doivent être judicieusement planifiés et prodigués. Le présent chapitre discute des soins infirmiers à la nouvelle accouchée et à sa famille, soins qui débutent en période postnatale immédiate pour se prolonger au cours du séjour à l'hôpital (normalement d'une durée de deux à quatre jours) et se terminer vers la sixième semaine postpartum, normalement considérée comme le retour à l'état prégravide du corps de la femme.

Le plan de soins et de traitements infirmiers (PSTI) en période postnatale inclut à la fois les soins à la nouvelle mère et ceux à son nouveau-né. Dans une grande majorité d'hôpitaux, on prodigue des soins à la dyade mère-enfant. Les infirmières qui travaillent dans ces milieux sont formées à la fois en soins maternels et en soins au nouveau-né. Ainsi, l'organisation des soins à la mère doit tenir compte des besoins du nouveau-né. En fait, la journée se déroule au rythme des soins et des boires de celui-ci.

En même temps qu'elles mettent en œuvre le PSTI, les infirmières assument de nombreux rôles. Elles prodiguent des soins physiques, elles enseignent les soins dont la mère et le nouveau-né ont besoin, elles donnent des conseils d'ordre préventif, au moment où la cliente commence à assumer les nombreuses tâches liées à la maternité. Les infirmières qui prennent le temps de « materner la mère » contribuent grandement à accroître le sentiment de confiance en soi de la nouvelle mère.

La première étape de la personnalisation des soins postnataux consiste à s'assurer de l'identité de la cliente en vérifiant son bracelet d'hôpital. Au même moment, l'infirmière s'assure que le numéro d'identification du nouveau-né correspond à celui que porte la mère au poignet et à celui que porte le père, si c'est le cas. L'infirmière détermine comment la mère désire qu'on s'adresse à elle, puis elle note la préférence exprimée dans le dossier de la cliente et dans son PSTI. L'infirmière explique les particularités des lieux à la femme et à sa famille : le fait de se familiariser avec l'unité, les habitudes, les ressources et le personnel réduit une source potentielle d'anxiété liée à l'inconnu. Il est rassurant pour la mère de savoir à qui elle peut s'adresser en cas de besoin, de quelle façon, et ce à quoi elle peut s'attendre quant aux services et à la qualité des soins. Dans le cas où les habitudes quotidiennes de la cliente diffèrent de celles de l'établissement, l'infirmière travaille avec elle à favoriser une entente mutuellement acceptable.

14.1 Transfert de la salle d'accouchement à l'unité postnatale

12

Les soins prodigués au cours des deux premières heures suivant l'accouchement, période aussi nommée quatrième stade du travail, sont traités dans le chapitre 12, *Soins infirmiers de la famille pendant le travail et l'accouchement*.

Après la période initiale de récupération ▶ 12, et si son état est stable, la femme peut être transférée dans une chambre postnatale à l'intérieur de la même unité de soins ou dans une unité différente. Dans les établissements dotés de modules de naissance, l'infirmière qui prodigue les soins durant la période de récupération continue habituellement de suivre la cliente.

Pour préparer le rapport de transfert, l'infirmière désignée à la période de récupération se reporte aux renseignements inscrits dans les dossiers relatifs à l'admission, au travail, à l'accouchement et à la récupération. L'infirmière en **soins mère-enfant** doit obtenir certains éléments d'information au sujet de la mère et du nouveau-né au moment de la prise en charge de l'accouchée à l'unité mère-enfant **ENCADRÉ 14.1**. La plupart de ces renseignements sont aussi consignés à l'intention du personnel infirmier de l'unité néonatale, au cas où le nouveau-né serait transféré dans cette unité, bien que dans la plupart des cas, il ne quitte jamais la chambre de la mère.

L'organisation des soins à la mère doit tenir compte des besoins du nouveau-né. En fait, la journée se déroule au rythme des soins et des boires de celui-ci.

14.1.1 Évaluation des besoins physiologiques de la mère

Un examen physique détaillé, incluant la vérification des signes vitaux, est réalisé au moment de l'admission de la mère à l'unité postnatale. L'évaluation initiale porte aussi sur l'état émotionnel de la mère, son niveau d'énergie, ses malaises physiques et sa sensation de faim et de soif. L'infirmière effectue également l'évaluation de l'apport liquidien et du débit urinaire s'il y a mise en place d'une perfusion I.V. ou d'une sonde urinaire. Chez la femme qui a accouché par césarienne, elle évalue aussi le pansement recouvrant l'incision.

Des évaluations continues sont effectuées au cours de l'hospitalisation. L'évaluation physique de la nouvelle mère porte non seulement sur les signes vitaux, mais aussi sur l'état des seins, du fond utérin, des **lochies**, du périnée, sur les fonctions vésicale et intestinale, ainsi que sur les jambes **TABLEAU 14.1** et **ENCADRÉ 14.2**.

14.1.2 Planification des soins et réponse aux besoins physiologiques de la mère

Plusieurs analyses de laboratoire peuvent être effectuées au début de la période postnatale. Les valeurs d'hémoglobine et d'hématocrite sont souvent évaluées au lendemain de l'accouchement pour estimer les effets de la perte de sang causée par celui-ci, particulièrement en cas de césarienne. En présence de symptômes ou d'un facteur de risque de contracter une infection urinaire, comme l'installation d'une sonde à ballonnet durant la période périnatale, un échantillon d'urine est prélevé au moyen de la technique stérile ou d'une sonde, et il est envoyé au laboratoire pour une analyse ou une culture courantes et un antibiogramme. De plus, si le statut immunitaire de la femme à l'égard de la rubéole, de l'hépatite B, de même que son facteur Rh sont inconnus, il faudrait alors procéder à des analyses de laboratoire qui permettent de déterminer son statut et la nécessité ou non d'intervenir.

Après avoir déterminé les problèmes découlant de la situation de santé, l'infirmière planifie avec la cliente les mesures de soins infirmiers appropriés et en détermine la priorité. Le PSTI comprend : 1) des évaluations périodiques et systématiques visant à déceler les écarts par rapport aux changements physiologiques normaux ; 2) des moyens visant à soulager les malaises ou la douleur ; 3) des mesures de sécurité pour prévenir les blessures ou l'infection ; 4) de l'enseignement et du counseling en vue de favoriser le sentiment de compétence de la mère concernant les autosoins et les soins au nouveau-né. L'enseignement devrait aussi s'adresser au conjoint et aux autres membres de la famille présents. L'infirmière évalue continuellement la situation et se tient prête à modifier le plan si cela est indiqué. La plupart des hôpitaux ont recours à des plans de soins ou à des cheminements cliniques standardisés en guise de soutien à la planification des soins. L'infirmière personnalise les soins de la nouvelle mère et du nouveau-né en fonction de leurs besoins précis **PSTI 14.1**.

ENCADRÉ 14.1 Éléments d'information essentiels à l'infirmière de l'unité mère-enfant

MÈRE

- Identité du médecin ou de la sage-femme
- Nombre d'accouchements antérieurs
- Âge
- Anesthésique utilisé, médicaments administrés
- Induction ou stimulation du travail, durée du travail et heure de la rupture des membranes
- Type d'accouchement et de chirurgies réparatrices
- Groupe sanguin et facteur Rh, situation relative aux streptocoques du groupe B, immunité à l'égard de la rubéole, résultats de tests sérologiques à l'égard de la syphilis et de l'hépatite B (s'ils sont positifs)
- Perfusion intraveineuse (I.V.)
- Condition physiologique depuis l'accouchement, description du fond utérin, des lochies, de la vessie et du périnée
- État émotionnel et interaction initiale avec le nouveau-né

NOUVEAU-NÉ

- Sexe et poids, heure de la naissance
- Indices d'Apgar
- Mictions et émissions de selles
- Boires depuis la naissance
- Mode d'alimentation choisi
- Toute anomalie relevée
- Interventions infirmières prodiguées :
  - prophylaxie oculaire
  - injection de vitamine K
  - autres

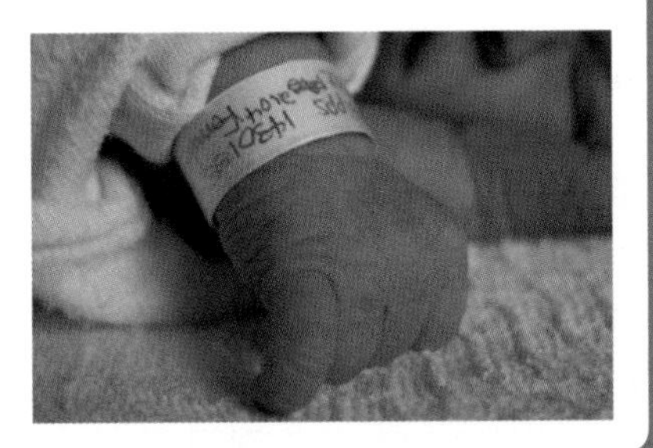

14.1.3 Prévention des infections

L'infirmière qui travaille dans un environnement postnatal est éminemment consciente de l'importance de la prévention des infections chez ses clientes. L'équipe de soins doit appliquer les mesures d'hygiène de base. Le maintien d'un environnement propre constitue un élément important de la prévention des infections. La literie doit être changée au besoin ; les piqués jetables et les alèzes le sont fréquemment. Lorsqu'elles circulent, les clientes devraient porter des pantoufles, pour éviter de contaminer la literie en se recouchant. Le personnel doit être attentif à l'hygiène des mains, pour prévenir la surinfection **FIGURE 14.1**. Les membres du personnel qui présentent un rhume, de la toux ou une infection cutanée (p. ex., un bouton de fièvre à une lèvre [virus *herpes simplex* type I]) doivent suivre le protocole de l'hôpital lorsqu'ils sont en contact avec des clientes des soins postnataux. Dans beaucoup d'établissements, on recommande aux membres du personnel qui présentent une lésion herpétique ouverte, une pharyngite streptococcique, une conjonctivite, une infection des voies respiratoires supérieures ou de la diarrhée d'éviter tout contact avec les mères et les nouveau-nés en demeurant à la maison jusqu'à ce qu'ils ne soient plus contagieux.

RAPPELEZ-VOUS...

L'infirmière doit appliquer les mesures de prévention et de contrôle des infections de façon rigoureuse pour briser la chaîne de l'infection et ainsi en empêcher l'apparition.

Signes de complications possibles

TABLEAU 14.1	Évaluation postnatale	
ÉVALUATION	**RÉSULTATS NORMAUX**	**SIGNES DE COMPLICATIONS POSSIBLES**
Pression artérielle (P.A.)	• Cohérente avec la P.A. de référence notée durant la grossesse ; possibilité d'hypotension orthostatique durant 48 h	• Hypertension : anxiété, prééclampsie, hypertension artérielle essentielle • Hypotension : hémorragie
Température (T°)	• De 36,2 à 38 °C	• > 38 °C après 24 heures : infection
Fréquence cardiaque (F.C.)	• De 50 à 90 batt./min	• Tachycardie : douleur, fièvre, déshydratation, hémorragie
Fréquence respiratoire (F.R.)	• De 16 à 24 R/min	• Bradypnée : effets des analgésiques opioïdes • Tachypnée : anxiété ; possibilité de maladie respiratoire ou d'embolie
Bruits respiratoires	• Normaux perçus à l'auscultation	• Râles ronflants : possibilité de surcharge pulmonaire
Seins	• Jour 1 ou 2 : souples • Jour 2 ou 3 : de plus en plus tendus • Jours 3 à 5 : pleins, plus souples après la tétée (la montée de lait a eu lieu)	• Fermeté, chaleur, douleur : engorgement • Rougeur des tissus mammaires, chaleur, douleur, fièvre, douleurs continues : mastite
Mamelons	• Peau intacte ; aucune douleur rapportée	• Rougeur, contusions, fissures, crevasses, éraflures, ampoules : généralement associées à des problèmes de mise au sein
Utérus (fond utérin)	• Ferme, situé sur la ligne médiane ; à hauteur de l'ombilic durant les 24 premières heures ; involution ~1 cm/jour	• Mou, œdémateux, plus haut que le niveau attendu : atonie utérine • Déviation latérale : vessie distendue
Lochies	• Du 1er au 3e jour : *rubra* (rouge foncé) • Du 4e au 10e jour : *serosa* (rouge ou rose tirant sur le brun) • Après 10 jours : *alba* (blanc jaunâtre) • Quantité : de faible à modérée • Quelques caillots • Odeur neutre	• Lochies abondantes : atonie utérine, déchirure vaginale ou cervicale • Odeur nauséabonde : infection
Périnée	• Très peu d'œdème • Déchirure ou épisiotomie : lèvres de la plaie bien rapprochées • Douleur minime à modérée : maîtrisée à l'aide d'analgésiques, de techniques non pharmacologiques, ou des deux à la fois	• Œdème prononcé, contusions, hématome • Rougeur, chaleur, écoulement : infection • Malaise excessif durant les deux premiers jours : hématome ; après le 3e jour : infection
Région rectale	• Absence d'hémorroïdes ; sinon, elles sont souples et roses	• Tissus hémorroïdaux décolorés, douleur importante : thrombose hémorroïdaire
Vessie	• Capacité d'uriner spontanément ; pas de distention ; capacité de vider complètement la vessie ; pas de dysurie • Diurèse débute ~12 h après l'accouchement ; mictions pouvant atteindre un maximum de 3 000 ml/jour	• Vessie distendue causant éventuellement de l'atonie utérine et un excès de lochies • Dysurie, besoin fréquent et impérieux d'uriner : infection
Abdomen et intestins	• Abdomen mou, bruits intestinaux actifs dans tous les quadrants • Émission d'une selle au 2e ou 3e jour après l'accouchement	• Toujours aucune défécation au 3e ou 4e jour : constipation
	• Accouchement par césarienne : pansement de l'incision propre et sec ; suture intacte	• Rougeur, œdème, chaleur, écoulement au site de l'incision abdominale : infection

ENCADRÉ 14.2 Évaluation de la cliente en période postnatale

COLLECTE DES DONNÉES – ÉVALUATION INITIALE

Des évaluations continues sont effectuées dès le début de la période postnatale et tout au cours de l'hospitalisation.

Évaluation de la cliente à l'admission en unité postnatale

- Prendre connaissance des données inscrites dans le dossier médical et le rapport rédigé par le personnel infirmier en ce qui a trait à la durée et au déroulement du travail, au type d'accouchement (vaginal ou par césarienne), à la présence de déchirures périnéales ou d'une épisiotomie, aux intentions de la mère concernant l'alimentation du nouveau-né (allaitement ou biberon).
- Évaluer les signes vitaux.
- Procéder à une évaluation générale de la condition de la cliente, notamment à une évaluation postnatale systématique : fond utérin, saignement, douleur, points de suture, miction.
- Dans le cas d'un accouchement par césarienne, vérifier le pansement abdominal recouvrant l'incision.
- Évaluer la présence de malaises, l'état émotionnel, le degré de fatigue, le niveau d'énergie, l'appétit et la soif.
- Suivre de près l'apport liquidien et le débit urinaire.

Évaluation de la cliente en période postnatale durant toute la durée de l'hospitalisation

- Évaluer les signes vitaux à intervalles de quatre à huit heures ou une fois par quart de travail, selon le protocole de l'hôpital.
- Procéder à une évaluation physique postnatale à intervalles de quatre à huit heures ou une fois par quart de travail, selon le protocole de l'hôpital : fond utérin, saignement, douleur, points de suture, miction.
- Évaluer la présence de malaises, la fatigue et l'état émotionnel.
- Suivre de près l'apport liquidien et le débit urinaire.
- Surveiller les valeurs obtenues en laboratoire, particulièrement les taux d'hémoglobine et d'hématocrite, au besoin ; noter le statut de l'immunité à l'égard de la rubéole, de l'hépatite B ainsi que le facteur Rh.

ANALYSE ET INTERPRÉTATION DES DONNÉES

Les problèmes découlant de la situation de santé peuvent inclure :

- Risque de déficit de volume liquidien (hémorragie) lié à l'atonie utérine consécutive à l'accouchement.
- Risque de constipation lié à :
  - des malaises de la période postnatale ;
  - un trauma des tissus causé par l'accouchement ;
  - une diminution de l'apport d'aliments solides ou de liquides ;
  - certains effets secondaires causés par les analgésiques opioïdes.
- Douleur aiguë liée à :
  - l'involution utérine ;
  - un trauma périnéal (déchirure ou épisiotomie) ;
  - la présence d'hémorroïdes ;
  - des mamelons irrités ;
  - des seins engorgés.
- Perturbation des habitudes de sommeil liée :
  - à certains malaises de la période postnatale ;
  - à un processus de travail prolongé ;
  - aux soins que requiert le nouveau-né et au processus de surveillance hospitalier.
- Allaitement maternel inefficace lié à :
  - certains malaises de la mère ;
  - un manque de connaissances relatives aux techniques d'allaitement ;
  - un manque de soutien de la part du conjoint, de la famille ou des amis ;
  - un manque de confiance de la mère en ses propres capacités, à la présence d'anxiété et à la peur de l'échec ;
  - des difficultés du nouveau-né à téter ;
  - des difficultés à réveiller le nouveau-né.

RÉSULTATS ESCOMPTÉS

La planification des soins est effectuée en fonction des problèmes découlant de la situation de santé déterminée pour chaque cliente, et ce, dans le but d'atteindre les résultats suivants au cours du séjour à l'hôpital :

- Signes vitaux dans les limites normales.
- Fond utérin ferme, se situant sur la ligne médiane et présentant une involution normale.
- Lochies moins abondantes ; absence d'odeur nauséabonde.
- Fonction intestinale revenue à la normale (une selle deux ou trois jours après un accouchement vaginal, de trois à cinq jours après un accouchement par césarienne).
- Fonction vésicale revenue à la normale ; aucune dysurie ; sensation d'avoir complètement vidé la vessie après la miction.
- Douleur amoindrie et soulagée ou maîtrisée par des analgésiques oraux ou topiques.
- Verbalisation et connaissance, de la part de la cliente, des autosoins, des signes de complications possibles, des circonstances dans lesquelles il faut communiquer avec un professionnel de la santé.
- Nouveau-né intégré à la famille ; intérêt démontré des parents à connaître leur enfant.

INTERVENTIONS INFIRMIÈRES

Nombre d'interventions effectuées durant la période postnatale visent la prévention d'éventuelles complications, et ce, grâce à des évaluations approfondies et à l'éducation de la cliente. Les interventions infirmières requises pour l'atteinte des résultats escomptés comprennent, notamment :

- Prévenir les infections.
- Empêcher les saignements excessifs.
- Maintenir le tonus utérin.
- Prévenir le globe vésical.
- Faciliter des habitudes d'évacuation vésicale et intestinale normales.
- Assurer le confort, faciliter le repos, et encourager la mobilisation et l'exercice.
- Privilégier une alimentation équilibrée.
- Promouvoir l'allaitement et le soutien connexe.
- Promouvoir la santé en prévision d'autres grossesses.

De nombreuses stratégies d'interventions sont présentées dans les sections suivantes.

ÉVALUATION DES RÉSULTATS – ÉVALUATION EN COURS D'ÉVOLUTION

Lorsque les objectifs associés aux soins physiques sont atteints, l'infirmière peut être raisonnablement certaine que les soins prodigués ont été efficaces.

Plan de soins et de traitements infirmiers

PSTI 14.1 Soins postnataux : accouchement vaginal

PROBLÈME DÉCOULANT DE LA SITUATION DE SANTÉ	**Risque de déficit de volume liquidien** lié à l'atonie utérine et à une hémorragie
OBJECTIF	La cliente maintiendra un équilibre volémique postpartum.
RÉSULTATS ESCOMPTÉS	**INTERVENTIONS INFIRMIÈRES ET JUSTIFICATIONS**
• Fond utérin ferme et situé sur la ligne médiane • Lochies présentes en quantité modérée • Absence de signe d'hémorragie	• Surveiller l'évolution des lochies (couleur, quantité, consistance) et noter le nombre de serviettes hygiéniques utilisées ainsi que leur poids si les lochies sont abondantes, afin de quantifier le saignement. • Localiser le fond utérin et en évaluer la fermeté pour préciser l'état de l'utérus et déterminer les interventions à faire étant donné que l'atonie utérine est la cause la plus courante d'hémorragie postpartum. • Surveiller l'apport liquidien et le débit urinaire, vérifier si la vessie est pleine et encourager la cliente à uriner, car une vessie pleine peut nuire à l'involution de l'utérus. • Surveiller les signes vitaux (↑ F.C. et F.R., ↓ P.A.) ainsi que la température et la couleur de la peau afin de déceler tout signe d'hémorragie ou de choc. • Vérifier les résultats des tests hématologiques postnataux afin d'évaluer les effets de la perte de sang et aviser le médecin de tout résultat anormal. • Si le fond utérin est œdémateux, le masser doucement et en évaluer la fermeté afin de favoriser les contractions utérines et améliorer le tonus utérin. (Ne pas trop masser : cela pourrait entraîner un relâchement fundique.) • Exprimer les caillots utérins pour favoriser les contractions utérines. • Expliquer à la cliente en quoi consiste le processus d'involution, comment elle peut elle-même évaluer et masser le fond utérin, l'importance de rapporter tout œdème persistant, pour la faire participer aux autosoins et augmenter son sentiment de maîtrise personnelle. • Administrer des ocytociques selon les prescriptions du médecin et évaluer leur efficacité pour favoriser le maintien des contractions utérines. • Administrer les liquides, le sang et les produits sanguins comme prescrit afin de remplacer la perte de liquide et de volume sanguin.
PROBLÈME DÉCOULANT DE LA SITUATION DE SANTÉ	**Risque d'altération de l'élimination urinaire** en raison du trauma périnéal et des effets de l'anesthésie
OBJECTIF	La cliente ne présentera pas de rétention urinaire.
RÉSULTATS ESCOMPTÉS	**INTERVENTIONS INFIRMIÈRES ET JUSTIFICATIONS**
• Mictions dans les six à huit heures qui suivent l'accouchement • Vessie complètement vidée	• Évaluer la position et les caractéristiques du fond utérin et de la vessie afin de déterminer si des interventions additionnelles sont indiquées pour remédier au déplacement du fond utérin ou à la distension vésicale. • Mesurer l'apport liquidien et le débit urinaire afin de déceler des signes de déshydratation et d'anticiper une réduction subséquente du débit urinaire. • Encourager la cliente à uriner en l'amenant à la salle de bains, en appliquant de l'eau sur le périnée, en faisant couler de l'eau dans le lavabo, en respectant son besoin d'intimité pour stimuler et faciliter la miction. • Encourager la consommation d'eau et de liquides afin de remplacer ceux perdus durant l'accouchement et de prévenir la déshydratation. • Introduire au besoin et selon la prescription médicale une sonde à ballonnet ou un cathétérisme intermittent pour assurer la vidange de la vessie et favoriser l'involution utérine.
PROBLÈME DÉCOULANT DE LA SITUATION DE SANTÉ	**Douleur aiguë** liée aux changements physiologiques postnataux (hémorroïdes, épisiotomie, engorgement des seins, mamelons gercés et douloureux)
OBJECTIF	La cliente exprimera une diminution de la douleur et des malaises.
RÉSULTAT ESCOMPTÉ	**INTERVENTIONS INFIRMIÈRES ET JUSTIFICATIONS**
• Recours à des stratégies efficaces pour soulager la douleur et diminuer les malaises	• Évaluer le site, le type et le degré de douleur afin d'orienter l'intervention. • Expliquer à la cliente la source et les raisons de la douleur, sa durée probable et les traitements possibles afin de réduire son anxiété et d'augmenter son sentiment de maîtrise personnelle. • Administrer les médicaments prescrits contre la douleur afin de soulager celle-ci.

PSTI 14.1 Soins postnataux : accouchement vaginal *(suite)*

RÉSULTAT ESCOMPTÉ	INTERVENTIONS INFIRMIÈRES ET JUSTIFICATIONS
	• En cas de douleur périnéale (épisiotomie, hémorroïdes) : – appliquer un sac de glace au cours des 24 premières heures afin de réduire l'œdème et l'irritation vulvaire et de diminuer les malaises ; – encourager la cliente à prendre des bains de siège à l'eau froide durant les 24 premières heures afin de réduire l'œdème et à l'eau chaude par la suite pour favoriser la circulation ; – appliquer des compresses d'hamamélis afin de réduire l'œdème ; – enseigner à la cliente comment employer les crèmes ou les onguents périnéaux prescrits afin de diminuer la réaction des nerfs périphériques ; – apprendre à la cliente à serrer les fesses avant de s'asseoir et à s'asseoir plutôt sur une surface plate et dure afin de comprimer les fesses et de réduire la pression sur le périnée. (Éviter l'utilisation de beignes et de coussins mous, car ils ont pour effet d'écarter les fesses et de réduire le flux de sang veineux, ce qui accroît la douleur.) • En cas de mamelons douloureux : – suggérer à la cliente de masser doucement les mamelons avec du lait maternel une fois la tétée terminée et de les laisser sécher à l'air libre ; – lui proposer d'appliquer de la lanoline pure ou une crème prescrite pour les seins ou des compresses d'hydrogel ; – conseiller à la cliente de porter des compresses d'allaitement dans son soutien-gorge et de les changer régulièrement en vue de réduire l'irritation des mamelons. – aider la cliente à rectifier la prise du sein par le nouveau-né afin de diminuer les problèmes de mamelons douloureux. • En cas d'engorgement des seins, encourager la cliente à appliquer de la glace sur ses seins (15 min/h) et à appliquer des feuilles de chou (de la même façon) afin de soulager le malaise (utiliser la feuille de chou seulement deux ou trois fois par jour). Proposer à la cliente d'appliquer des compresses chaudes ou de prendre une douche chaude avant d'allaiter afin de stimuler l'écoulement du lait et de soulager la stase du lait. La cliente peut aussi exprimer manuellement un peu de lait ou en retirer à l'aide du tire-lait afin de soulager le malaise si le nouveau-né est incapable de bien prendre le sein. • En cas de douleur aux seins chez la femme qui n'allaite pas, encourager le port d'un soutien-gorge bien ajusté et assurant un bon soutien, ainsi que l'application de glace ou de feuilles de chou afin de supprimer la production de lait et de diminuer le malaise. Expliquer qu'il est recommandé d'exprimer le moins de lait possible afin de ne pas stimuler davantage la production.
PROBLÈME DÉCOULANT DE LA SITUATION DE SANTÉ	**Perturbation des habitudes de sommeil** liée à la période postnatale
OBJECTIF	La cliente trouvera des moyens de profiter pleinement de chaque période de sommeil et d'améliorer la qualité de celui-ci et dit se sentir reposée au réveil.
RÉSULTAT ESCOMPTÉ	**INTERVENTIONS INFIRMIÈRES ET JUSTIFICATIONS**
• Mise en place de mesures pour faciliter le repos et le sommeil dans un contexte de période postnatale en milieu hospitalier	• Établir quelles sont les habitudes courantes de sommeil de la cliente et les comparer avec celles de la situation actuelle, en tenant compte des facteurs qui nuisent au sommeil en période postnatale en milieu hospitalier (moment de la naissance, allaitement à la demande, environnement), afin de déterminer l'ampleur du problème et d'orienter les interventions. • Personnaliser les soins infirmiers quotidiens de façon à tenir compte des rythmes physiques naturels de la cliente (cycles éveil-sommeil) : offrir un environnement favorable au sommeil (obscurité, tranquillité, ventilation adéquate, température de la chambre appropriée), préparer la cliente pour le sommeil au moyen de ses activités routinières habituelles et lui enseigner comment utiliser les techniques de relaxation et d'imagerie mentale dirigée afin de favoriser la mise en place de conditions de sommeil optimales. • Éviter les contextes ou les habitudes qui nuisent au sommeil (caféine, aliments causant des brûlures d'estomac, liquides, activité mentale ou physique ardue) afin de promouvoir de saines habitudes de sommeil. • En tenant compte de l'horaire des boires du nouveau-né, administrer les sédatifs ou les analgésiques comme prescrit afin de réduire la douleur, qui pourrait nuire à la qualité du sommeil. • Conseiller à la cliente ou à son partenaire de réduire au minimum le nombre de visiteurs et les activités pour éviter la fatigue. • Apprendre à la cliente à considérer le moment où le nouveau-né dort comme du temps pour elle-même afin de dormir, refaire le plein d'énergie et réduire la fatigue.

FIGURE 14.1
L'hygiène des mains est un bon moyen de prévenir les infections.

SOINS ET TRAITEMENTS INFIRMIERS

Infection de la région génito-urinaire

Les déchirures périnéales et l'**épisiotomie** peuvent accroître le risque d'infection en raison de la rupture de l'intégrité de la peau. Des soins périnéaux appropriés aident à prévenir l'infection dans la région génito-urinaire et favorisent le processus de guérison **ENCADRÉ 14.3**.

ENCADRÉ 14.3 Interventions relatives à l'épisiotomie, aux déchirures et aux hémorroïdes

NETTOYAGE

- Procéder à l'hygiène des mains avant et après le nettoyage du périnée et le changement de serviettes hygiéniques.
- Laver le périnée avec un savon doux et de l'eau chaude au moins une fois par jour.
- Nettoyer en procédant de la symphyse pubienne vers la région anale.
- Installer la serviette hygiénique de l'avant vers l'arrière, en protégeant la surface intérieure de toute contamination.
- Envelopper la serviette souillée et la déposer dans un récipient à déchets muni d'un couvercle.
- Changer de serviette après chaque miction ou défécation, ou au moins quatre fois par jour.
- Évaluer la quantité et les caractéristiques des lochies à chaque changement de serviette.

SAC DE GLACE

- Appliquer un sac de glace sur le périnée, de l'avant vers l'arrière :
  - durant les 24 premières heures qui suivent l'accouchement : pour réduire la formation de l'œdème et améliorer le confort ;
  - après les 24 premières heures : pour procurer un effet anesthésique.

BAIN DE SIÈGE

Bain encastré

- Préparer le bain en le lavant à fond avec un produit de nettoyage, puis en le rinçant abondamment.
- Recouvrir le bain avec une serviette avant de commencer à le remplir.
- Remplir le bain jusqu'au tiers ou à la moitié avec de l'eau à température adéquate (de 38 à 40,6 °C). Certaines femmes préfèrent de l'eau fraîche. On peut ajouter de la glace à l'eau pour abaisser la température à un degré jugé confortable par la cliente.
- Encourager la cliente à prendre un bain de siège d'une durée de 20 minutes, au moins deux fois par jour.
- Enseigner à la cliente à entrer dans le bain en serrant les muscles fessiers et en les gardant serrés, puis à les relâcher une fois installée dans le bain.
- Placer des serviettes sèches à proximité du bain.
- Assurer l'intimité de la cliente.
- Placer la cloche d'appel à portée de la main de la cliente.
- Aller voir la cliente après 15 minutes ; vérifier son pouls au besoin.

Bain jetable

- Fixer les tubes et remplir le sac d'eau chaude.
- Lever le siège de la toilette, placer le bain dans la cuvette avec le trop-plein orienté vers l'arrière de la toilette.
- Placer le contenant au-dessus de la cuvette.
- Fixer le tube à l'intérieur de la cannelure à l'avant du bain.
- Desserrer la pince à tube de manière à régler le débit ; remplir le bain jusqu'à environ la moitié de sa capacité ; pour la suite, continuer comme dans le cas du bain de siège encastré.

APPLICATIONS TOPIQUES

- Appliquer la crème ou l'onguent anesthésique après avoir nettoyé la région périnéale : utiliser avec modération trois ou quatre fois par jour.
- Offrir d'utiliser des compresses d'hamamélis après une miction ou une selle ; la cliente assèche le périnée en tapotant de l'avant vers l'arrière, puis applique la compresse d'hamamélis.

Une serviette hygiénique qui devient saturée en 15 minutes ou moins et une accumulation de sang sous les fesses sont des signes d'une perte excessive de sang, qui requiert une évaluation et une intervention immédiates et que l'infirmière prévienne le médecin.

14.1.4 Prévention de saignements excessifs

Bien qu'il soit normal d'observer une certaine quantité de saignements vaginaux (lochies) en période postnatale immédiate, l'infirmière doit surveiller et prévenir les saignements excessifs.

La cause la plus courante de saignement excessif après un accouchement est l'**atonie utérine**, une incapacité de l'utérus à se contracter fermement. En situation d'atonie utérine, l'utérus relâché se distend en accumulant du sang et des caillots, les vaisseaux sanguins de la région placentaire n'arrivent pas à se refermer, et il en résulte un saignement excessif. La cause de l'atonie utérine n'est pas toujours claire et souvent liée à la rétention de fragments placentaires. Les deux interventions les plus importantes pour prévenir un saignement excessif consistent à maintenir un bon tonus utérin et à prévenir le globe vésical. Une perte excessive de sang après l'accouchement peut aussi être causée par des hématomes vulvaires ou vaginaux ou des déchirures non soignées du vagin ou du col. Si les saignements vaginaux persistent, alors que l'utérus est fermement contracté, l'infirmière devrait soupçonner ces facteurs potentiels.

Estimation visuelle

L'estimation visuelle exacte de la perte de sang constitue une responsabilité importante de l'infirmière. La perte de sang est généralement décrite selon les termes suivants : traces, légère, moyenne ou abondante **FIGURE 14.2**.

Même si la perte de sang postnatale peut être estimée par l'étendue des taches sur une serviette hygiénique, il demeure difficile de juger de l'importance des lochies par ce seul moyen. Pour ce faire, l'infirmière peut avoir recours à des moyens plus objectifs, comme la mesure des valeurs de l'hémoglobine et de l'hématocrite, et la pesée des caillots de sang expulsés et des articles saturés de sang (1 g équivalant à 1 ml).

Toute estimation de la quantité de lochies demeure imprécise et incomplète si l'on omet de considérer le facteur temps. La femme qui sature une serviette hygiénique en une heure ou moins saigne beaucoup plus abondamment que celle dont la serviette hygiénique est saturée en huit heures.

Les diverses marques de serviettes hygiéniques présentent des volumes de saturation et des apparences qui varient une fois trempées. Par exemple, du sang déposé sur certaines marques a tendance à pénétrer à l'intérieur de la serviette, alors que, sur d'autres marques, il a tendance à s'étendre en bordure. L'infirmière devrait donc apprécier le volume de saturation et l'apparence de la serviette imbibée selon les marques utilisées, en vue de s'assurer de la précision de l'évaluation de la perte de sang.

A 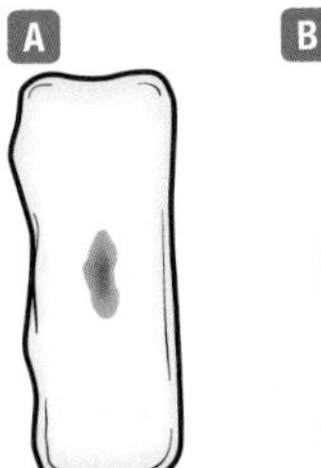 B  C 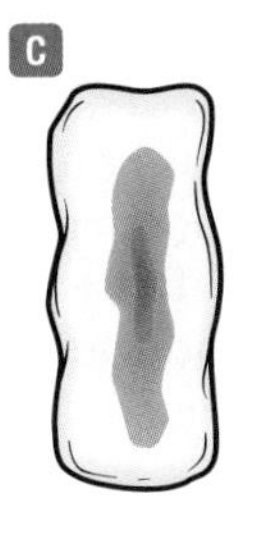 D 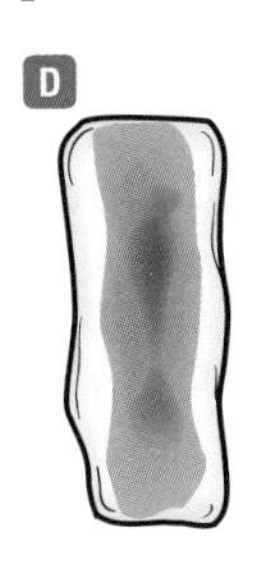

FIGURE 14.2
Perte de sang après l'accouchement, évaluée d'après l'étendue de la tache de sang sur une serviette hygiénique. **A** Traces (< 2,5 cm). **B** Légère (< 10 cm). **C** Moyenne (> 10 cm). **D** Abondante (la serviette devient saturée en moins de deux heures).

Jugement clinique

Madame Lory Simpson, âgée de 42 ans, a accouché de son cinquième enfant, il y a 90 minutes. Vous évaluez les saignements sur la serviette hygiénique : il n'y en a aucun. La cliente est restée au lit depuis son accouchement.

Que devez-vous vérifier à ce moment-ci et pour quelle raison ?

Évaluation physique

En situation de saignement excessif, les signes vitaux doivent être suivis de près. Il est important de se rappeler que la P.A. n'est pas un indicateur solide pour déceler un état de choc dû à une hémorragie. D'autres indicateurs sont plus fiables pour la détection du choc hypovolémique, comme la F.R., la F.C., l'état de la peau, le débit urinaire et le niveau de conscience **ENCADRÉ 14.4**. Les évaluations physiques fréquentes effectuées au cours de la période postnatale permettent la détection rapide d'un saignement excessif. Au cours du séjour hospitalier de la nouvelle mère, les infirmières sont à l'affût d'une situation de saignement excessif pendant qu'elles procèdent aux évaluations périodiques du fond utérin et des lochies.

L'infirmière vérifie toujours s'il y a présence de sang sous les fesses, tout comme sur la serviette hygiénique. Le sang peut couler entre les fesses et sur les draps placés sous la cliente, tout en ne laissant que peu de traces sur la serviette hygiénique ; un saignement excessif peut ainsi passer inaperçu.

14

Soins d'urgence

ENCADRÉ 14.4 Choc hypovolémique

SIGNES ET SYMPTÔMES

- Saignement important et persistant : la serviette hygiénique devient imbibée en moins de 15 minutes ; peut ne pas être accompagné de changements dans les signes vitaux, la couleur de la peau ou le comportement de la cliente
- Faiblesse, nausées, étourdissements, sensation « bizarre »
- Anxiété ou respiration de Kussmaul
- Teint livide ou grisâtre
- Peau moite et froide
- ↑ F.C.
- ↓ P.A.

INTERVENTIONS

- Prévenir le médecin.
- Si l'utérus est atonique, le masser et en évacuer les caillots pour le faire se contracter ; ajouter l'ocytocique au goutte-à-goutte I.V., selon la prescription.
- Administrer de l'oxygène au moyen d'un masque ou de lunettes nasales, à raison de 8 à 10 L/min.
- Coucher la cliente en décubitus latéral gauche ou soulever sa hanche droite ; élever ses jambes à un angle d'au moins 30°.
- Installer une solution de lactate Ringer ou un soluté physiologique, ou maintenir celui déjà en place, afin de rétablir le volume circulatoire.
- Procéder à une transfusion sanguine ou administrer des produits sanguins, selon les prescriptions.
- Surveiller les signes vitaux et les noter au dossier toutes les 15 min.
- Installer une sonde urinaire à ballonnet, afin de surveiller la perfusion rénale.
- Administrer les médicaments d'urgence, selon les prescriptions.
- Se préparer à une éventuelle chirurgie ou à tout autre traitement ou à toute procédure d'urgence.
- Noter au dossier tout incident, toute intervention infirmière ou médicale effectuée, de même que les résultats des traitements.

SOINS ET TRAITEMENTS INFIRMIERS

Atonie utérine

Massage du fond utérin

Une des interventions importantes permettant de soulager l'atonie utérine et de rétablir la tonicité du muscle utérin consiste à stimuler le fond utérin en le massant vigoureusement jusqu'à ce qu'il soit ferme **FIGURE 14.3**. Le massage du fond utérin peut occasionner une augmentation temporaire de la quantité de saignements vaginaux observés au moment où l'utérus expulse le sang accumulé. Des caillots peuvent aussi être expulsés. Il arrive que l'utérus demeure œdémateux même après le massage et le passage de caillots. Il est toutefois déconseillé de peser sur un utérus mou : ce mouvement pourrait causer une inversion de l'utérus.

Le massage du fond utérin est parfois douloureux. Lorsque l'infirmière explique le but de la démarche, ainsi que les causes et les risques associés à l'atonie utérine, la femme accepte habituellement mieux l'intervention. Le fait d'enseigner à la cliente comment effectuer elle-même le massage du fond utérin lui permet de garder une certaine maîtrise et de réduire son anxiété.

Autres interventions cliniques

En présence d'atonie utérine et de saignements excessifs, il peut être nécessaire de recourir à d'autres interventions, comme l'administration de fluides I.V. et d'**ocytociques** (médicaments qui stimulent les contractions du muscle lisse utérin) ▶ 23.

RAPPELEZ-VOUS...

La rétention urinaire est une accumulation importante d'urine résultant d'une incapacité à vider adéquatement la vessie.

23

Les médicaments ocytociques couramment utilisés sont présentés dans le chapitre 23, *Complications postpartum*.

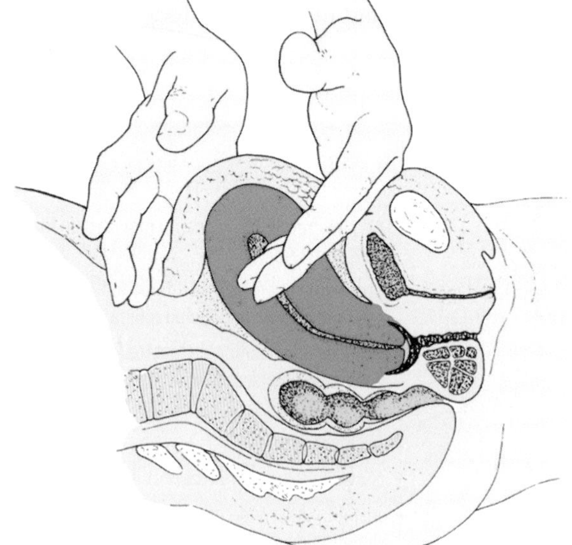

FIGURE 14.3

Massage du fond utérin. La main du haut entoure le fond utérin et le masse vigoureusement. La main du bas plonge au-dessus de la symphyse pubienne et soutient l'utérus.

14.1.5 Prévention du globe vésical

L'atonie utérine et le saignement excessif consécutifs à l'accouchement peuvent être causés par un globe vésical. Une vessie pleine a pour effet de déplacer l'utérus au-dessus de l'ombilic et bien à côté de la ligne médiane de l'abdomen. De ce fait, elle peut empêcher l'utérus de se contracter normalement.

Une femme peut être à risque de présenter un globe vésical en raison de la rétention urinaire causée par des facteurs périnataux. Ces facteurs de risque comprennent notamment l'anesthésie épidurale, l'épisiotomie, d'importantes déchirures vaginales, périurétales ou périnéales, une naissance assistée par forceps ou par ventouse obstétricale ou un travail prolongé. La cliente à qui une sonde à ballonnet a été installée, comme en situation d'accouchement par césarienne, peut éprouver de la difficulté à uriner peu après le retrait de la sonde. Certaines femmes ont de la difficulté à vider complètement leur vessie, en raison d'un tonus vésical diminué, de l'œdème lié au trauma ou de la crainte d'un malaise. L'infirmière, qui connaît ces facteurs de risque, peut agir de façon proactive pour prévenir les complications. Il est souhaitable que la nouvelle mère urine spontanément environ six à huit heures après l'accouchement. L'infirmière mesurera le volume des premières mictions, afin de s'assurer d'une vidange satisfaisante de la vessie. Le volume de chaque miction devrait être d'au moins 150 ml.

SOINS ET TRAITEMENTS INFIRMIERS

Globe vésical

Pour l'ensemble des nouvelles accouchées, les interventions infirmières visent à ce que la femme urine spontanément dès que possible après l'accouchement. La priorité consiste à aider la cliente à se rendre à la salle de bains ou à utiliser un bassin de lit si elle ne peut pas se déplacer. Entendre de l'eau qui coule, placer les mains dans de l'eau chaude ou appliquer de l'eau sur le périnée à l'aide d'un flacon pressable sont des actions qui peuvent stimuler la miction. Certaines techniques de relaxation peuvent également se révéler utiles. L'administration d'analgésiques, lorsqu'ils sont prescrits, peut être indiquée, car certaines femmes craignent d'avoir mal en urinant. Si ces mesures sont insuffisantes, une sonde vésicale sera installée pour drainer l'urine.

14.1.6 Promotion d'une activité intestinale normale

Après l'accouchement, la femme est à risque de constipation en raison: 1) des effets indésirables liés à certains médicaments (analgésiques opioïdes, suppléments de fer, sulfate de magnésium); 2) de la déshydratation; 3) de l'immobilité; 4) de la présence d'une épisiotomie, de déchirures périnéales ou d'hémorroïdes; 5) de la crainte qu'une première selle soit douloureuse.

SOINS ET TRAITEMENTS INFIRMIERS

Constipation

Les interventions infirmières visant à promouvoir des habitudes d'élimination intestinale normales comprennent l'enseignement de mesures prévenant la constipation, comme l'exercice et la consommation adéquate de fibres et de liquides. Par ailleurs, le fait d'informer la cliente quant aux effets secondaires de médicaments comme les analgésiques opioïdes (p. ex., la diminution de la motilité du tractus gastro-intestinal) peut lui faire comprendre que certains causent de la constipation et l'inciter à prendre des mesures pour la prévenir. Un émollient fécal ou un laxatif peuvent s'avérer nécessaires au début de la période postnatale. En situation de congé précoce, il arrive que la nouvelle mère soit de retour à la maison avant d'avoir été à la selle.

Certaines femmes ressentent de la douleur en raison de l'accumulation de gaz, particulièrement en cas d'accouchement par césarienne. Des antiflatulents peuvent alors être prescrits. La mobilisation et le fait de se bercer dans une chaise berçante peuvent stimuler le passage des flatulences et soulager le malaise; l'utilisation d'un tube rectal peut aussi procurer un soulagement.

14.1.7 Promotion du confort

La plupart des femmes se sentent inconfortables à un certain degré durant la période postnatale. Les causes courantes sont, entre autres: 1) la douleur causée par les contractions utérines (tranchées); 2) les déchirures périnéales, l'épisiotomie, les hémorroïdes; 3) les mamelons douloureux et l'**engorgement mammaire**. Les femmes les plus susceptibles d'éprouver de la douleur sont celles qui ont accouché par césarienne, celles dont l'accouchement a été assisté au moyen d'instruments (forceps ou ventouse obstétricale) et celles qui ont subi une épisiotomie (Declercq, Cunningham Johnson & Sakala, 2008).

Évaluation initiale

La description que fait la femme du site, du type et de l'intensité de la douleur ressentie constitue la meilleure indication pour choisir l'intervention appropriée. Afin de confirmer le site et l'ampleur du malaise, l'infirmière inspecte et palpe les régions douloureuses, à la recherche de rougeur, de nodules, d'œdème, d'écoulement et de chaleur, et elle note s'il y a présence de tension corporelle, de mouvements défensifs et de tension faciale. La P.A., la F.C. et la F.R. peuvent être élevées en réaction à la douleur aiguë. La **diaphorèse** peut accompagner la douleur intense. Une absence de signes objectifs ne signifie pas nécessairement que la douleur n'existe pas: la variante culturelle peut constituer un facteur qui influe sur l'expression de la douleur.

SOINS ET TRAITEMENTS INFIRMIERS

Douleur postnatale

Les interventions infirmières ont pour objectif d'éliminer complètement le malaise ou la douleur ou de le réduire à un niveau tolérable permettant à la femme de prendre soin d'elle et de son nouveau-né. Pour favoriser le confort de la cliente, l'infirmière peut procéder à des traitements non pharmacologiques ou pharmacologiques. Le soulagement de la douleur repose souvent sur plusieurs approches parallèles et complémentaires.

Les approches non pharmacologiques pour réduire le malaise postnatal comprennent la relaxation, la distraction, le toucher thérapeutique, la visualisation, la digitopuncture, l'aromathérapie, l'hydrothérapie, la massothérapie, la musicothérapie et la neurostimulation transcutanée (NSTC).

Le recours à la pharmacothérapie est fréquent pour le soulagement de la douleur postnatale. La plupart des médecins prescrivent couramment divers analgésiques (opioïdes ou non) pouvant être administrés au besoin (p. ex., des anti-inflammatoires non stéroïdiens [AINS]). Dans certains hôpitaux, les AINS peuvent être administrés selon un protocole déterminé, particulièrement si la cliente a subi une chirurgie périnéale. Quant à la pompe d'analgésie contrôlée par le patient et à l'analgésie épidurale, ce sont des technologies utilisées à très court terme pour supprimer la douleur d'un accouchement par césarienne ▶ 10.

Nombre de femmes désirent prendre part aux décisions concernant l'analgésie. Ainsi, la cliente est informée de la nature de l'analgésique prescrit et de ses effets secondaires courants; cet enseignement doit être documenté au dossier de la cliente.

Les mères allaitantes se préoccupent souvent des effets que peut avoir un analgésique sur le nouveau-né. Bien que presque tous les médicaments

Il ne faut pas administrer de suppositoires ni de lavements à la femme qui présente des déchirures périnéales du troisième ou du quatrième degré. De telles mesures peuvent être très inconfortables, causer une hémorragie ou abîmer la suture. Elles peuvent aussi prédisposer la cliente à l'infection. Il convient plutôt de favoriser la prise de liquide et de fibres et la mobilisation de la cliente.

L'infirmière doit surveiller attentivement toutes les femmes qui reçoivent des analgésiques opioïdes en raison des effets secondaires qu'ils peuvent entraîner: dépression respiratoire et diminution de la motilité intestinale.

10

Les approches pharmacologiques et non pharmacologiques de la douleur sont décrites dans le chapitre 10, *Gestion de la douleur*.

Jugement clinique

Madame Simpson allaite son nouveau-né. Elle craint que l'analgésique qu'elle reçoit pour soulager la douleur au périnée se retrouve dans le lait maternel et nuise à son enfant.

Que devriez-vous lui répondre pour la rassurer? Justifiez votre réponse.

présents dans la circulation maternelle se retrouvent aussi dans le lait maternel, beaucoup d'analgésiques utilisés couramment durant la période postnatale sont considérés relativement sans danger pour les nouveau-nés. Dans bien des cas, le moment de la prise du médicament peut être choisi de manière à réduire au minimum l'exposition du nouveau-né. Une mère peut, par exemple, prendre un médicament contre la douleur immédiatement après la tétée, de sorte que l'intervalle de temps entre la prise du médicament et la prochaine tétée soit le plus long possible. La décision d'administrer un médicament à une mère allaitante, peu importe le type de médicament, doit toujours être prise en considérant soigneusement les besoins de la femme et les risques réels ou possibles pour le nouveau-né.

RAPPELEZ-VOUS...

La fatigue constitue une sensation subjective dans laquelle la cliente signale une perte d'endurance. Afin de fournir une mesure plus précise de la fatigue, l'infirmière peut demander à la cliente de l'évaluer sur une échelle de 0 à 10, l'absence de fatigue étant 0, et le degré de fatigue le plus élevé correspondant à 10.

Si aucun soulagement notable de la douleur n'a été obtenu après une heure et qu'aucun changement n'a été observé par rapport à l'évaluation initiale, l'infirmière doit communiquer avec le médecin pour demander une autre prescription d'analgésiques ou de nouvelles instructions. Une douleur non soulagée engendre de la fatigue et de l'anxiété et a pour effet d'amplifier la perception de la douleur. Elle peut aussi indiquer un problème n'ayant pas été détecté ou traité.

Douleur liée aux contractions utérines

Chez les femmes qui éprouvent de la douleur associée aux contractions utérines (tranchées), l'application de chaleur (p. ex., un coussin chauffant) ou la position de décubitus ventral peuvent aider à la soulager. La prise d'AINS peut aussi être indiquée. Étant donné que les tranchées sont plus intenses pendant et après une séance d'allaitement, les interventions peuvent être planifiées de manière à procurer un soulagement efficace au moment le plus opportun.

Douleur liée aux déchirures périnéales, à l'épisiotomie ou aux hémorroïdes

Certaines interventions simples peuvent diminuer le malaise associé aux déchirures périnéales ou à l'épisiotomie **FIGURE 14.4**, comme le fait d'encourager la femme à s'étendre sur le côté le plus souvent possible. L'infirmière peut aussi avoir recours à l'utilisation d'un sac de glace, à l'application topique d'un onguent ou d'une crème anesthésiques, à l'application de chaleur sèche, à une séance de nettoyage à l'aide d'un flacon pressable, ou encore suggérer à la cliente de prendre une douche, un bain ou un bain de siège. Nombre de ces interventions sont également efficaces

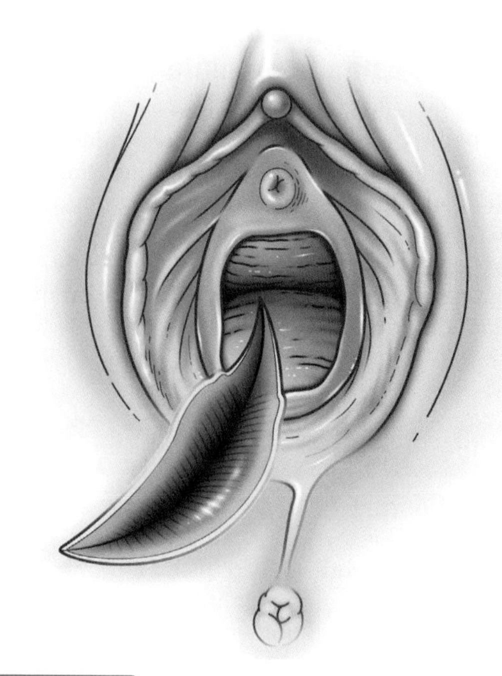

FIGURE 14.4
Épisiotomie

pour soulager les hémorroïdes, particulièrement l'application de sacs de glace, le bain de siège et les applications topiques (p. ex., les compresses d'hamamélis). L'**ENCADRÉ 14.3** fournit d'autres renseignements propres à ces interventions.

Mamelons douloureux et engorgement des seins

Chez les mères qui allaitent, des mamelons douloureux peuvent être le résultat d'une mauvaise prise du sein par le nouveau-né. L'infirmière peut aider la mère à adopter une bonne technique de mise au sein. Pour soulager le malaise associé aux mamelons douloureux, la mère peut appliquer des préparations topiques, comme de la lanoline pure ou des compresses d'hydrogel. L'infirmière peut également suggérer à la cliente de masser son mamelon avec du lait maternel après la tétée.

Un engorgement des seins peut survenir, que la femme allaite ou non. La douleur associée aux seins engorgés peut être réduite selon diverses techniques, par exemple, l'application de sacs de glace ou de feuilles de chou et le port d'un soutien-gorge bien ajusté. La prise d'AINS peut aussi aider à soulager le malaise. Le choix d'interventions relatives à l'engorgement dépend de la décision de la femme d'opter pour l'allaitement ou l'alimentation avec une préparation commerciale pour nourrissons ▶ 18.

18

Les différentes méthodes d'alimentation du nouveau-né sont présentées dans le chapitre 18, *Nutrition et alimentation du nouveau-né*.

14.1.8 Promotion du repos

La fatigue postnatale est courante et différente d'un simple sentiment de fatigue; elle correspond à un phénomène complexe influencé par une combinaison de facteurs physiologiques, psychologiques et situationnels. La fatigue physique ou l'épuisement peuvent être liés à un travail prolongé ou à un accouchement par césarienne; les activités courantes du milieu hospitalier et les exigences du nouveau-né, comme l'allaitement, contribuent également à la fatigue maternelle. Celle-ci peut aussi être un signe d'anémie, d'infection ou de dysfonction thyroïdienne (Corwin & Arbour, 2007). L'excitation et l'exaltation vécues après la naissance du nouveau-né peuvent rendre le repos difficile. Le malaise physique peut nuire au sommeil. Certains visiteurs bien intentionnés interrompent parfois les périodes de repos, à l'hôpital ou à la maison. La mère peut aussi sentir de la fatigue psychologique liée à de l'anxiété ou à une dépression. La fatigue postnatale persistante est un facteur de risque reconnu de dépression postpartum (Rychnovsky, 2007).

SOINS ET TRAITEMENTS INFIRMIERS

Fatigue postnatale

Les interventions sont organisées afin de respecter les besoins personnels de la cliente en matière de sommeil et de repos durant son séjour à l'hôpital. Il se peut que certaines mesures de confort soient nécessaires pendant les premières nuits. Chez la mère qui allaite, le décubitus latéral aide à réduire au minimum la fatigue pendant la tétée. L'apport de soutien et d'encouragements relatifs aux comportements de maternage contribue à réduire l'anxiété. Les activités quotidiennes liées au milieu hospitalier et aux soins infirmiers peuvent être adaptées de façon à respecter les besoins personnels de la cliente. De plus, l'infirmière peut aider la famille à limiter le nombre de visiteurs et voir à fournir une chaise confortable ou un lit pour le conjoint ou un autre membre de la famille qui est susceptible de demeurer auprès de la nouvelle mère.

14.1.9 Promotion de la mobilisation

Objectifs de la mobilisation précoce

La mobilisation précoce permet à la mère de reprendre des forces et de prévenir certaines complications, comme l'embolie. L'infirmière peut l'encourager à circuler librement une fois les effets de l'anesthésie disparus, à moins qu'un analgésique opioïde n'ait été administré. Dès la phase initiale de récupération terminée, la cliente est incitée à faire de fréquentes promenades dans l'unité.

Au début de la période postnatale, la femme peut se sentir étourdie en position verticale. Après l'accouchement, la diminution rapide de la pression intraabdominale entraîne la dilatation des vaisseaux sanguins qui alimentent les intestins (engorgement **splanchnique**) et l'accumulation de sang dans les viscères. Cela contribue à l'apparition d'une **hypotension orthostatique** lorsque la nouvelle accouchée s'assoit ou se lève, marche pour la première fois ou prend une douche chaude ou un bain de siège. Quand elle aide la cliente à marcher, l'infirmière doit tenir compte de la P.A. de référence, de la quantité de sang perdue, du type et de la quantité d'analgésiques ou d'anesthésiques administrés et de l'heure à laquelle ils ont été pris.

Splanchnique: Qui appartient ou qui se rapporte aux viscères.

La femme qui a subi une anesthésie épidurale peut tarder à retrouver les fonctions sensorielle et motrice de ses membres inférieurs, ce qui accroît le risque de chute au moment de la mobilisation précoce. En évaluant correctement la situation, l'infirmière peut prévenir les chutes. Les facteurs dont elle doit tenir compte sont: 1) le temps écoulé depuis l'administration du médicament pour l'anesthésie épidurale; 2) la prise de médicaments depuis l'accouchement; 3) les signes vitaux; 4) l'estimation de la perte de sang due à l'accouchement; 5) la capacité de la cliente à plier les genoux, à poser les pieds à plat sur le lit et à soulever les fesses, sans aucune aide.

Un membre du personnel hospitalier doit être présent au moment où la cliente se lève du lit la première fois après l'accouchement ou tant que l'effet de l'anesthésie n'est pas complètement éliminé, car il arrive que la mère se sente faible, étourdie ou sur le bord de l'évanouissement.

Avant de permettre à la femme de marcher, l'infirmière évalue la capacité de celle-ci à se tenir debout sans aide à côté du lit les genoux légèrement fléchis, puis de se tenir immobile ainsi. Si la cliente est incapable de demeurer en équilibre par elle-même, elle doit être réinstallée dans son lit (Frank, Lane & Hokanson, 2009).

Jugement clinique

Madame Simpson se lève afin de se rendre à la salle de bains. Elle se sent soudain étourdie.

Expliquez les raisons pour lesquelles madame Simpson ressent ce malaise au moment du premier lever.

SOINS ET TRAITEMENTS INFIRMIERS

Thromboembolie veineuse

La prévention de la **thromboembolie veineuse (TEV)** est un élément important de la période postnatale. La femme qui doit rester alitée après l'accouchement est à risque élevé de souffrir de TEV. Le port de bas de contention ou l'utilisation de jambières à compression séquentielle peut être prescrit en traitement préventif. Si la femme doit demeurer alitée pendant plus de huit heures (p. ex., dans le cas d'un traitement postnatal de la prééclampsie au moyen de sulfate de magnésium), l'infirmière

RAPPELEZ-VOUS...

Les infirmières doivent être à l'affût de toutes les occasions de s'investir dans la promotion de la santé des personnes, de la famille et de la communauté.

8

Les besoins nutritifs de la mère pendant l'allaitement sont traités dans le chapitre 8, *Nutrition de la mère et du fœtus.*

lui recommande de faire les exercices suivants pour activer la circulation des jambes :

- fléchir et pointer les pieds en alternance ;
- effectuer des rotations avec les chevilles ;
- plier et déplier les jambes ;
- appuyer l'arrière des genoux contre la surface du lit, puis relâcher.

La mobilisation précoce est associée à une réduction du nombre de cas de TEV. Si la cliente est à risque de maladie thromboembolique, l'infirmière l'encouragera à marcher activement et à se promener. Elle lui conseillera d'éviter de demeurer immobile dans un fauteuil. La femme qui présente des varicosités pourra porter des bas de contention. Si l'infirmière soupçonne la présence d'un thrombus, en raison d'une plainte de douleur dans le muscle du mollet ou de chaleur, de rougeur ou de sensibilité dans la jambe en question, elle doit prévenir le médecin immédiatement ; entre-temps, la femme devra demeurer alitée, avec le membre atteint surélevé sur des oreillers.

Exercices

La femme peut commencer à faire des exercices peu de temps après l'accouchement, mais l'infirmière lui conseillera de débuter par des exercices simples et d'ajouter progressivement des exercices plus demandants. La **FIGURE 14.5** illustre plusieurs exercices appropriés à l'état de la cliente. Après un accouchement par césarienne, la femme attendra environ quatre semaines avant d'effectuer des exercices pour les muscles abdominaux.

Les **exercices de Kegel** jouent un rôle très important dans le renforcement des muscles pelviens, surtout après un accouchement vaginal (Société des obstétriciens et gynécologues du Canada [SOGC], 2003). Ces exercices permettent aux femmes de regagner le tonus musculaire qu'elles perdent souvent durant la grossesse et l'accouchement quand les tissus pelviens sont étirés et déchirés. Le renforcement des muscles pelviens peut contribuer à prévenir certains problèmes d'incontinence urinaire au cours des années ultérieures.

La cliente doit apprendre à faire les exercices de Kegel correctement ▶ 2. Certaines femmes à qui ces exercices sont enseignés ne les effectuent pas correctement et augmentent ainsi leur risque de souffrir d'incontinence ; celle-ci peut se produire lorsque la femme pousse par inadvertance sur les muscles du plancher pelvien, rejetant ainsi brusquement le périnée vers l'extérieur. La technique de la cliente peut être vérifiée durant l'examen du pelvis, au moment de son bilan de santé ; l'introduction de deux doigts dans le vagin permet de vérifier si les muscles du plancher pelvien se contractent et se relâchent correctement.

2

L'enseignement à la cliente des exercices de Kegel est traité dans le chapitre 2, *Évaluation clinique et promotion de la santé.*

18

Le soutien ainsi que l'enseignement à la mère allaitante sont abordés dans le chapitre 18, *Nutrition et alimentation du nouveau-né.*

14.1.10 Promotion d'une saine alimentation

Au cours de leur séjour hospitalier, la plupart des nouvelles mères ont bon appétit et mangent bien. Certaines demandent parfois à des membres de la famille de leur apporter quelques mets favoris ou propres à leur culture. Les préférences alimentaires liées à la culture doivent être respectées. Cet intérêt pour la nourriture représente l'occasion idéale pour donner de l'enseignement sur les besoins alimentaires après l'accouchement, en particulier sur ceux de la mère qui allaite, sur la prévention de la constipation et de l'anémie, sur la promotion du retour au poids santé, du rétablissement et du bien-être ▶ 8. La prise de vitamines prénatales et de suppléments de fer est souvent maintenue durant six semaines après l'accouchement ou jusqu'à ce que la quantité prescrite soit épuisée.

L'apport calorique recommandé pour la nouvelle mère modérément active qui n'allaite pas varie de 1 800 à 2 200 kcal/jour. Selon Santé Canada (2009), le besoin énergétique estimatif de la femme allaitante est d'environ 2 230 kcal/jour pendant les six premiers mois et d'environ 2 300 kcal/jour au cours des six mois suivants. On recommande un apport calorique plus élevé aux mères allaitantes qui présentent une insuffisance de poids ou qui s'entraînent énergiquement et à celles qui allaitent plus de un enfant. La plupart des femmes souhaitent retrouver leur poids d'avant la grossesse le plus tôt possible, mais il est recommandé de perdre le supplément de poids graduellement (Becker & Scott, 2008).

14.1.11 Allaitement ou suppression de la lactation

Promotion de l'allaitement

Le moment idéal pour commencer à allaiter se situe dans les deux premières heures qui suivent l'accouchement. Dans « les Hôpitaux amis des bébés », on fait en sorte que le nouveau-né soit mis au sein moins de une heure après sa naissance (Organisation mondiale de la santé [OMS] & UNICEF, 2009). À ce moment-là, la plupart des nouveau-nés sont alertes et prêts à téter. L'allaitement favorise également les contractions utérines et prévient les hémorragies chez la mère. Cette première heure est aussi un moment propice pour aider la mère dans sa démarche d'allaitement, évaluer ses connaissances de base sur le sujet et évaluer l'état des seins et des mamelons. Pendant tout le séjour hospitalier, les infirmières donnent de l'information et du soutien à la mère allaitante, et elles s'occupent de l'adresser aux conseillères en allaitement appropriées, selon les besoins et les disponibilités ▶ 18.

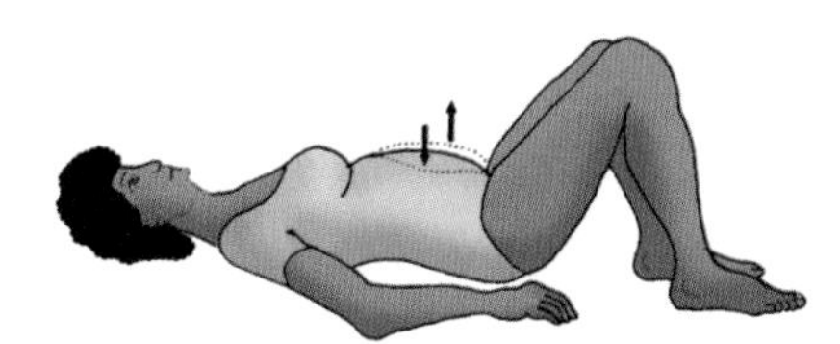

Respiration abdominale. Allongée sur le dos, genoux fléchis. Inspirer profondément par le nez. Garder les côtes immobiles et laisser l'abdomen gonfler vers le haut. Expirer lentement, mais avec force, tout en contractant les abdominaux ; maintenir de trois à cinq secondes, tout en expirant. Relâcher.

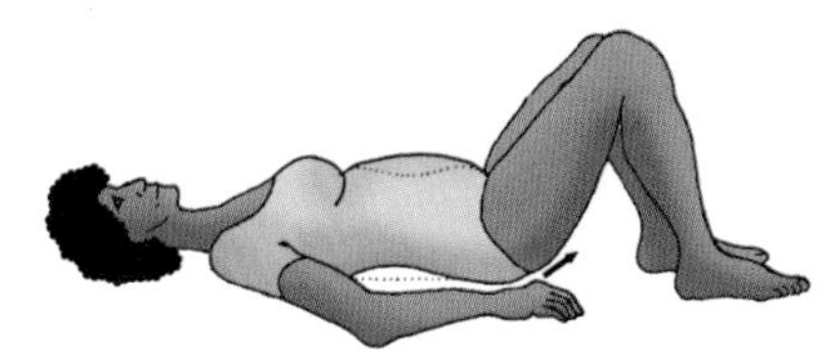

Respiration abdominale et inclinaison du bassin en position couchée (bascule du bassin). Allongée sur le dos, genoux fléchis. En inspirant profondément, basculer le bassin vers l'arrière en déposant le bas du dos à plat sur le sol ou le lit. Expirer lentement, mais avec force, tout en contractant les abdominaux et en serrant les fesses. Maintenir de trois à cinq secondes, tout en expirant. Relâcher.

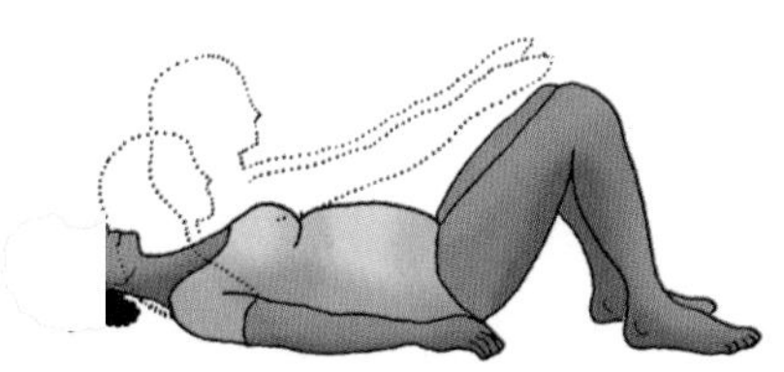

Redressement vers les genoux. Allongée sur le dos, genoux fléchis. En inspirant, amener le menton vers la poitrine. En expirant, soulever lentement et doucement la tête et les épaules et tendre les bras vers les genoux. Le corps ne doit pas se soulever plus que ce que la courbe naturelle du dos lui permet (environ 15 à 20 cm), pendant que la taille demeure sur le sol ou le lit. Ramener lentement et doucement la tête et les épaules à la position de départ. Relâcher.

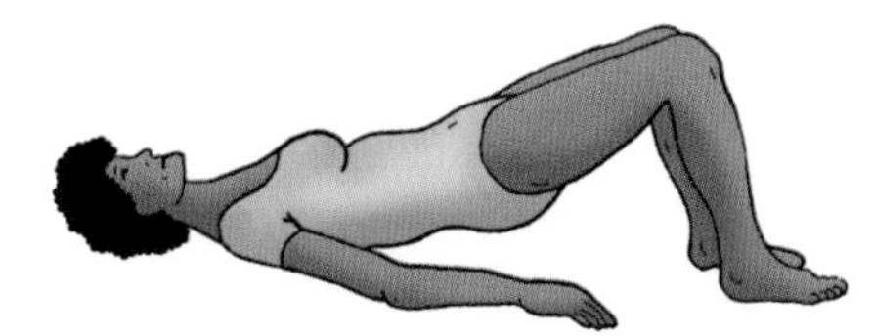

Soulèvement des fesses. Allongée sur le dos, les bras le long du corps, genoux fléchis et les pieds bien à plat au sol. Soulever doucement les fesses et arquer le dos. Revenir lentement à la position de départ.

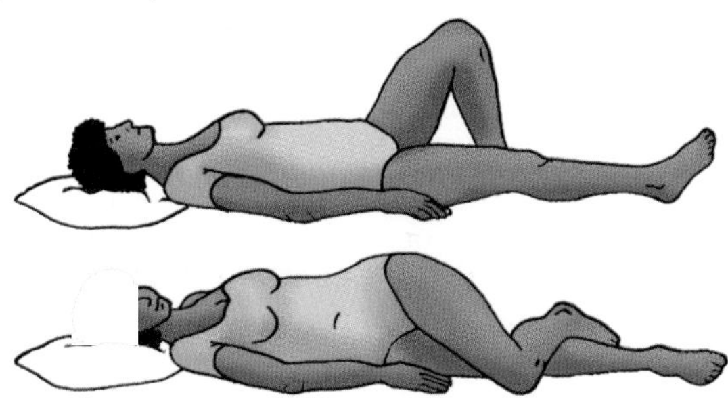

Rotation simple du genou. Allongée sur le dos, la jambe droite allongée et la jambe gauche avec le genou fléchi. En gardant les épaules au sol, abaisser le genou gauche lentement et doucement vers la droite, jusqu'à ce qu'il touche le sol ou le lit. Revenir à la position de départ. Inverser la position des jambes. Abaisser le genou droit lentement et doucement vers la gauche, jusqu'à ce qu'il touche le sol ou le lit et revenir à la position de départ. Relâcher.

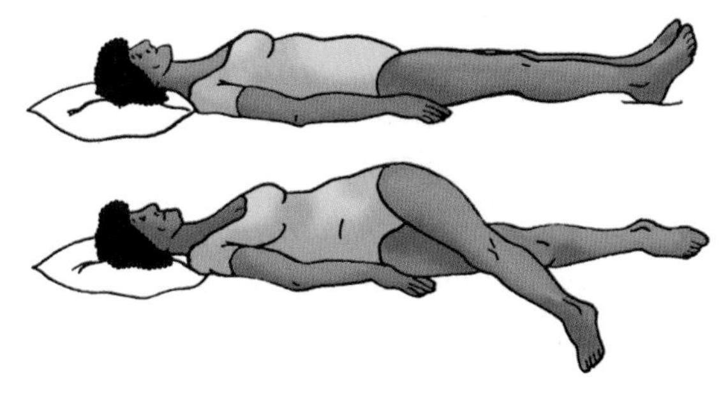

Rotation des jambes. Allongée sur le dos, les jambes droites. En gardant les épaules à plat et les jambes tendues, soulever lentement et doucement la jambe gauche et l'amener vers la droite, jusqu'à ce qu'elle touche le sol ou le lit, puis revenir à la position de départ. Répéter le mouvement, en soulevant la jambe droite et en l'amenant vers la gauche, jusqu'à ce qu'elle touche le sol ou le lit. Relâcher.

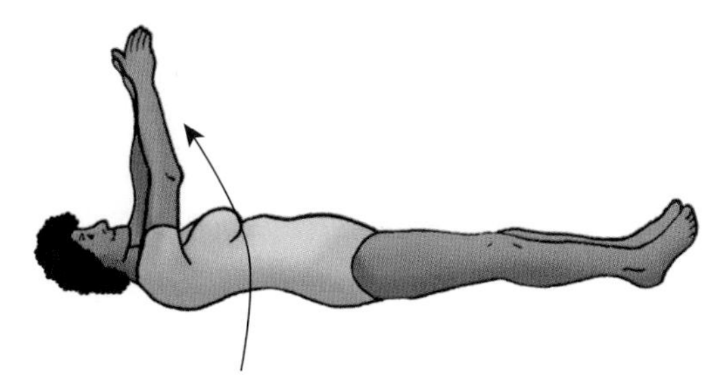

Élévations des bras. Allongée sur le dos, les bras à 90° du corps. Lever les bras jusqu'à ce qu'ils soient perpendiculaires au corps et que les mains se touchent. Redescendre les bras lentement.

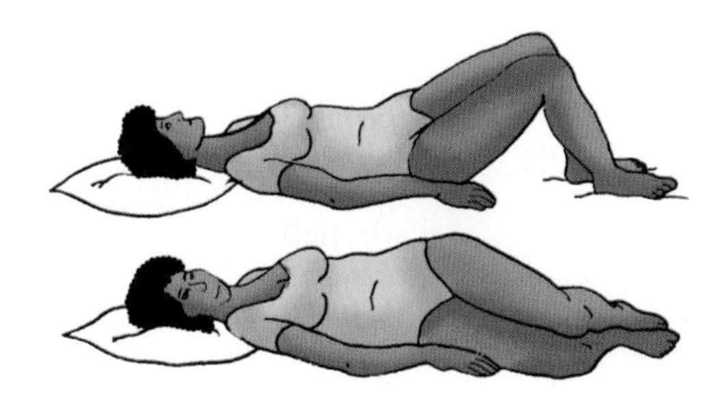

Rotation double des genoux. Allongée sur le dos, genoux fléchis. En gardant les épaules au sol et les pieds ensemble, abaisser les genoux lentement et doucement vers la gauche, jusqu'à ce qu'ils touchent le sol ou le lit. Ramener les genoux en douceur vers la droite, jusqu'à ce qu'ils touchent le sol ou le lit. Revenir à la position de départ, puis relâcher.

FIGURE 14.5

La femme devrait commencer à faire des exercices postnataux dès que possible, en débutant par des exercices simples et en ajoutant progressivement des exercices plus demandants.

Suppression de la lactation

Il faut empêcher la lactation lorsque la mère décide de ne pas allaiter ou en cas de décès néonatal. Il est important que la femme porte continuellement un soutien-gorge bien ajusté, pour au moins les 72 premières heures suivant l'accouchement. La femme doit éviter toute stimulation des seins (p. ex., le massage, de l'eau chaude qui coule sur les seins, une tétée du nouveau-né ou l'extraction de lait). Certaines mères qui n'allaitent pas peuvent connaître des problèmes d'engorgement des seins (œdème des tissus mammaires causé par l'augmentation du volume de sang et de lymphe dans les seins quand l'organisme produit le lait, soit de 72 à 96 heures environ après l'accouchement). L'engorgement des seins peut habituellement être géré de façon satisfaisante par des interventions non pharmacologiques (p. ex., l'application de sacs de glace sur les seins pendant 15 minutes, à retirer ensuite pendant 45 minutes pour éviter un retour de l'œdème, l'application de feuilles de chou fraîches à l'intérieur du soutien-gorge). Un analgésique léger ou un AINS peuvent aider à diminuer le malaise associé à l'engorgement.

ALERTE CLINIQUE

Après l'accouchement, de l'immunoglobuline anti-Rh est administré aux femmes qui sont Rh négatif dont le test Coombs est négatif et qui donnent naissance à un nouveau-né Rh positif. L'immunoglobuline anti-Rh (WinRho SDF[MD]) est injectée à la mère par voie I.M. ou I.V. On ne doit jamais en administrer à un nouveau-né.

14.1.12 Promotion de la santé en vue d'autres grossesses

Vaccination contre la rubéole

Chez les femmes qui n'ont jamais eu la rubéole (de 10 à 20 % de l'ensemble des femmes) ou chez celles qui s'avèrent sérologiquement non immunisées, on recommande l'administration d'une injection sous-cutanée de vaccin antirubéole durant la période postnatale afin de prévenir la possibilité de contracter la rubéole au cours de grossesses futures (Centers for Disease Control and Prevention [CDC], 2007). Le virus vivant atténué de la rubéole n'est pas transmissible par le lait maternel ; les mères allaitantes peuvent donc être vaccinées. Toutefois, comme le virus est excrété dans l'urine et les autres liquides corporels, le vaccin ne doit pas être administré si la mère ou un autre membre du foyer est immunodéficient. Le vaccin antirubéole est fabriqué à partir d'œufs ; par conséquent, la femme allergique aux œufs risque de présenter une hypersensibilité au vaccin, contre laquelle elle aura besoin d'adrénaline. Il est fréquent d'observer une **arthralgie** transitoire ou une éruption cutanée chez les femmes vaccinées, mais le phénomène est bénin. Comme les risques de tératogénicité du vaccin ne sont pas complètement connus, il est recommandé aux femmes d'éviter une grossesse durant le mois qui suit son administration (Ministère de la Santé et des Services sociaux [MSSS], 2011).

19

L'allo-immunisation est expliquée dans le chapitre 19, *Évaluation de la grossesse à risque élevé.*

Jugement clinique

Madame Doreen Laperle est âgée de 36 ans. Elle se prépare pour son congé de l'hôpital à la suite d'un accouchement vaginal qui s'est déroulé normalement il y a 36 heures. La période postnatale ne présente aucune particularité. Vous constatez néanmoins que madame Laperle n'a toujours pas reçu l'injection d'immunoglobines anti-Rh.

Est-il trop tard pour la lui administrer et, le cas échéant, quels sont les trois éléments de surveillance à vérifier avant d'administrer cette médication ? Justifiez votre réponse.

Vaccination contre la varicelle

Le Protocole d'immunisation du Québec recommande que le vaccin contre la varicelle soit administré à la femme non immunisée avant qu'elle n'obtienne son congé de l'hôpital. Une deuxième dose doit être donnée au moment de la visite de suivi postnatal (de quatre à huit semaines après l'accouchement). Chez la femme qui reçoit également des immunoglobulines anti-Rho (D) après l'accouchement, on devrait attendre au moins deux mois avant d'administrer le vaccin contre la varicelle. Il faut expliquer à la cliente qu'elle doit éviter de devenir enceinte durant le mois qui suit l'administration de chaque dose en raison de la possibilité d'effets tératogènes sur un fœtus (MSSS, 2011).

Vaccin tétanos-diphtérie-coqueluche acellulaire

Le vaccin tétanos-diphtérie-coqueluche acellulaire (dcaT) est recommandé chez les nouvelles mères qui n'ont pas précédemment reçu le vaccin ; il est administré avant l'obtention du congé de l'hôpital, ou dès que possible durant la période postnatale, afin de protéger la femme contre la coqueluche et de diminuer le risque d'exposition du nouveau-né à cette maladie. Le vaccin dcaT peut aussi être administré au début de la période postnatale chez les femmes dont le dernier vaccin tétanos-diphtérie (dT) remonte à plus de deux ans avant la grossesse (CDC, 2008).

Prévention de l'allo-immunisation fœtomaternelle

L'injection d'immunoglobuline anti-Rh (une solution de gammaglobulines qui contient des anticorps anti-Rh) dans les 72 heures qui suivent l'accouchement prévient la sensibilisation chez la femme Rh négatif qui a reçu une transfusion fœtomaternelle de globules rouges de son fœtus Rh positif **ENCADRÉ 14.5**. L'immunoglobuline anti-Rh permet la lyse des globules rouges fœtaux Rh positif avant que la mère ne produise ses propres anticorps contre ceux-ci ▶ 19.

14.2 De l'unité postnatale au congé de l'hôpital

La durée du séjour hospitalier après un accouchement dépend de nombreux facteurs, notamment de la condition physique de la mère et du nouveau-né, de l'état mental et émotionnel de la mère, du soutien social disponible à la maison, des besoins d'enseignement de la mère quant aux autosoins et aux soins à donner au nouveau-né.

La femme qui accouche dans une maison de naissance peut recevoir son congé en quelques heures, lorsque sa condition physique et celle

Pharmacothérapie

ENCADRÉ 14.5 Immunoglobuline anti-Rho (D) (WinRho SDF^MD)

ACTION

Suppression de la réaction immunitaire chez les femmes Rh négatives, non sensibilisées antérieurement, exposées à des cellules sanguines Rh positives à cause d'une hémorragie fœtomaternelle, d'une transfusion ou d'un quelconque accident.

INDICATION

Pratique prénatale courante en matière de prévention entre la 20e et la 30e semaine de gestation (en général à la 28e semaine) chez les femmes de sang Rh négatif ; sert à prévenir la formation d'anticorps dans tous les cas où le sang de la mère et celui de l'enfant ont pu être en contact (p. ex., après un accouchement, une fausse couche, une interruption de grossesse, un trauma abdominal, une grossesse ectopique, un saignement durant la grossesse, une amniocentèse, une version ou un prélèvement de villosités choriales).

POSOLOGIE ET VOIE D'ADMINISTRATION

- En traitement prophylactique prénatal, administrer 1 500 unités (300 mcg) de WinRho SDF^MD par voie I.V. ou I.M. dans le deltoïde ou dans la région antérolatérale de la partie supérieure de la cuisse, à la 28e semaine de gestation. À cause du risque de lésion du nerf sciatique, éviter la région de la fesse.
- En traitement prophylactique postpartum, administrer 1 500 unités (300 mcg) de WinRho SDF^MD par voie I.V. ou I.M. dès que possible après l'accouchement d'un nouveau-né Rh positif.
- Après un avortement spontané, une menace d'avortement, une grossesse ectopique, une grossesse môlaire ou une interruption de grossesse, administrer de 600 à 1 500 unités (de 120 à 300 mcg) de WinRho SDF^MD par voie I.M. ou I.V.
- Au moment de pratiquer une amniocentèse ou une cordocentèse, administrer 1 500 unités (300 mcg) de WinRho SDF^MD ; au moment de pratiquer un prélèvement de villosités choriales, dans le cas d'une hémorragie prénatale ou d'un trauma abdominal, administrer de 600 à 1 500 unités (de 120 à 300 mcg) de WinRho SDF^MD par voie I.M. ou I.V.
- De façon générale et selon les indications, la dose de 600 unités (120 mcg) représente toujours la dose minimum à utiliser lorsque l'événement survient avant la 12e semaine de gestation, mais la dose de 1 500 unités (300 mcg) est toujours adéquate.

EFFETS INDÉSIRABLES

Myalgie, léthargie, sensibilité et raideur localisées au site d'injection, fièvre bénigne et passagère, malaise, céphalées. Rarement observés : nausées, vomissements, hypotension, tachycardie. Réaction allergique possible.

INTERVENTIONS INFIRMIÈRES

- S'assurer que la cliente est Rh négatif et n'a pas été sensibilisée, que le test de Coombs est négatif et que le nouveau-né est Rh positif. Expliquer la procédure à la cliente, notamment le but de l'intervention, les effets secondaires possibles et l'incidence sur les grossesses ultérieures. Faire signer un formulaire de consentement par la cliente, si l'établissement de santé l'exige. Avant de pratiquer l'injection, s'assurer de la dose à administrer, du numéro de lot du produit ainsi que de l'identité de la cliente (faire vérifier par une autre infirmière ou appliquer une autre procédure, selon la politique de l'établissement de santé) ; réunir les documents administratifs requis selon la politique de l'établissement de santé. Garder la cliente en observation au moins 20 minutes après l'injection, pour pouvoir intervenir en cas de réaction allergique.
- Le médicament est fabriqué à partir de plasma humain (à prendre en compte si la cliente est un Témoin de Jéhovah). Le risque de transmission d'agents infectieux, y compris les virus, ne peut être complètement éliminé.

Source : Adapté de Fung Kee *et al.* (2003).

du nouveau-né sont stables. Les mères et les nouveau-nés qui sont à faible risque de complications peuvent obtenir leur congé de l'hôpital dans les 24 à 48 heures qui suivent un accouchement par voie vaginale alors que celles qui ont subi une césarienne obtiennent généralement leur congé entre 72 et 96 heures suivant la naissance. La tendance vers les séjours hospitaliers abrégés découle dans une large mesure des efforts mis de l'avant pour réduire les coûts liés aux soins de santé et de la demande des clientes de subir moins d'interventions médicales et de vivre une expérience plus centrée sur la famille. L'attribution d'un congé précoce du centre hospitalier relève généralement du médecin.

14.2.1 Évaluation des besoins psychosociaux des parents

Pour répondre aux besoins psychosociaux des nouvelles mères, il faut d'abord évaluer les réactions des parents face à l'expérience de l'accouchement, la perception qu'ils ont d'eux-mêmes et les interactions avec le nouveau-né et les autres membres de la famille **ENCADRÉ 14.6**. Par la suite, l'infirmière peut planifier des interventions précises visant à accroître les connaissances des parents ainsi que leur confiance personnelle dans la façon d'assurer les soins et la responsabilité du nouveau-né et dans leur capacité d'intégrer ce nouveau membre dans la structure familiale existante **FIGURE 14.6**. Ces interventions doivent être faites de manière à respecter les attentes culturelles de la famille.

Le fait de prendre le temps d'évaluer les besoins émotionnels de la mère et d'aborder ses préoccupations avant qu'elle n'obtienne son congé favorise la santé psychologique et l'adaptation au rôle parental. Le soutien continu est également nécessaire aux nouvelles mères. Des soins centrés sur la famille supposent aussi le soutien au conjoint et une réponse à ses besoins particuliers durant la période postnatale (De Montigny & Lacharité, 2004).

L'infirmière gagne à connaître les critères d'attribution du congé précoce. Ils sont décrits à l'annexe 14.1W, présentée au www.cheneliere.ca/lowdermilk.

Jugement clinique

Madame Camille Desnoyers, âgée de 28 ans, a subi une perte sanguine de plus de 500 ml au cours de son accouchement en raison d'une lacération vaginale.

En vous basant sur les critères de congé précoce, que devrez-vous vérifier en lien avec cette perte sanguine ?

Mise en œuvre d'une démarche de soins

ENCADRÉ 14.6 **Préoccupations psychosociales postnatales de la mère**

COLLECTE DES DONNÉES – ÉVALUATION INITIALE

L'évaluation vise à mesurer l'impact de l'arrivée du nouveau-né sur la mère et sa famille immédiate, dans le but de leur fournir des stratégies d'adaptation à cette nouvelle réalité.

- Obtenir de l'information à partir du dossier médical et de la part du personnel infirmier relativement à l'existence de facteurs de risque de problèmes psychologiques après l'accouchement (p. ex., des antécédents de dépression, d'anxiété, de trouble panique); passer en revue la liste actuelle et antérieure des médicaments afin de déterminer si certains traitent des problèmes psychologiques.
- Évaluer l'état émotionnel.
- Évaluer la réaction relative au travail et à l'accouchement.
- Observer les interactions avec le nouveau-né.
- Observer les interactions avec le partenaire.
- Tenir compte des croyances et pratiques culturelles.
- Évaluer l'estime de soi de la mère et son image corporelle.
- Évaluer son réseau de soutien.

ANALYSE ET INTERPRÉTATION DES DONNÉES

Les problèmes découlant des besoins psychosociaux durant la période postnatale peuvent inclure:

- Adaptation au rôle parental liée à la nécessité de réaménager les relations et les rôles à l'intérieur de la famille, à la suite de l'arrivée du nouveau-né.
- Risque de perturbation dans l'exercice du rôle parental lié:
  - à des conditions socioéconomiques difficiles;
  - au jeune âge de la mère;
  - au manque d'éducation des parents;
  - à un travail difficile et prolongé;
  - à des attentes déçues relatives au travail et à l'accouchement.
- Anxiété liée à la nouveauté du rôle parental, à la rivalité fraternelle ou à la réaction des grands-parents.
- Risque de diminution situationnelle de l'estime de soi lié aux changements dans l'image corporelle.
- Risque de stratégies d'adaptation inefficaces lié à:
  - un manque de soutien;
  - la fatigue postnatale.

RÉSULTATS ESCOMPTÉS

La planification des soins est effectuée dans le but d'obtenir les résultats suivants de la part de la mère et de sa famille:

- Détermination des mesures qui favorisent une adaptation personnelle saine durant la période postnatale.
- Maintien d'un fonctionnement familial équilibré basé sur les normes culturelles et les attentes personnelles.
- Discussion sur son expérience de l'accouchement.
- Manifestation de son intérêt envers le nouveau-né.
- Manifestation de sentiments positifs par rapport à l'accouchement, à son rôle ou au nouveau-né.
- Démonstration qu'elle se sent en sécurité à la maison.
- Possibilité de se reposer ou de dormir entre les périodes d'alimentation du nouveau-né.
- Capacité à trouver des ressources en matière de soutien et d'aide à la maison.
- Démonstration de sa connaissance des ressources à contacter après le congé (p. ex., le médecin, la clinique, l'infirmière en suivi postnatal du CSSS, une consultante en allaitement, une travailleuse sociale).

INTERVENTIONS INFIRMIÈRES

Lorsqu'elle met en place le plan de soins psychosociaux pour la nouvelle mère, l'infirmière joue le rôle de celle qui encourage, soutient et accompagne. La mise en place du plan de soins psychosociaux nécessite le déploiement d'activités précises en vue d'atteindre les résultats escomptés quant aux soins planifiés pour chaque cliente individuellement. Les thèmes à inclure dans le plan de soins psychosociaux comprennent la promotion des compétences parentales et l'adaptation des membres de la famille au nouveau-né.

ÉVALUATION DES RÉSULTATS – ÉVALUATION EN COURS D'ÉVOLUTION

Lorsque les objectifs liés aux soins psychosociaux sont atteints, l'infirmière peut considérer que les soins prodigués ont été efficaces.

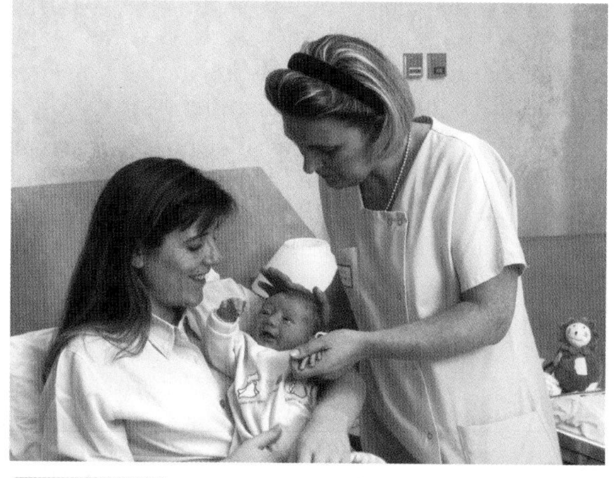

FIGURE 14.6
L'observation de la mère en présence de son nouveau-né permet à l'infirmière d'évaluer le degré de confiance de celle-ci.

Certains problèmes, comme la fatigue, sont souvent déjà visibles au moment du séjour hospitalier; toutefois, le soutien s'avérera aussi utile après le congé, alors que la femme s'occupe des soins au nouveau-né, d'elle-même et des autres membres de la famille. Le degré de fatigue augmente habituellement au cours des six premières semaines qui suivent l'accouchement, souvent en raison de facteurs situationnels. Beaucoup de femmes ont un partenaire, des membres de la famille ou des amis qui peuvent donner un coup de main fort apprécié, alors que d'autres ne reçoivent aucune aide. L'infirmière doit s'informer des ressources dont disposera la cliente à son retour à la maison et l'aider à planifier en conséquence le congé de l'hôpital (Runquist, 2007). Le soutien postnatal est particulièrement salutaire chez les personnes à risque, comme les primipares à faible revenu, celles à risque de dysfonctionnement familial et de violence envers les nouveau-nés et les femmes à risque de dépression postpartum (Harden, 2010). La fatigue postnatale peut générer un affaiblissement physique et moral. Le dépistage de la fatigue postnatale peut se faire par un suivi téléphonique effectué par l'infirmière au cours des 72 à 96 heures qui suivent l'accouchement ou à l'occasion de la visite postnatale courante prévue six semaines après l'accouchement chez le médecin (Corwin & Arbour, 2007).

L'évaluation psychosociale permet parfois de déceler des problèmes réels ou potentiels qui doivent être pris en charge. L'**ENCADRÉ 14.7** répertorie les caractéristiques et les comportements qui laissent percevoir des complications psychosociales et qui justifient une évaluation continue après l'obtention du congé de l'hôpital ▶ 23. Les clientes présentant ces particularités devraient être dirigées vers les ressources communautaires appropriées en vue d'une évaluation et d'un suivi.

Signes de complications possibles

ENCADRÉ 14.7 Problèmes postnataux de nature psychosociale

Chez la mère, les signes suivants peuvent indiquer la présence de complications graves et devraient être rapportées à un professionnel de la santé (ces signes peuvent être remarqués par le partenaire ou d'autres membres de la famille).

- Elle présente une incapacité ou une absence de désir de discuter de l'expérience du travail et de l'accouchement.
- La cliente parle d'elle-même comme étant laide et inutile.
- Elle montre une préoccupation excessive de son image corporelle.
- Elle démontre des symptômes dépressifs.
- La cliente éprouve de la difficulté à dormir.
- Elle manque d'appétit.
- La cliente ne bénéficie pas d'un réseau de soutien adéquat.
- La nouvelle mère éprouve des difficultés dans l'établissement de la relation avec le nouveau-né ; il faut considérer la pertinence de ces réactions dans un contexte culturel.
- Elle exprime de la déception quant au sexe du nouveau-né.
- Elle voit le nouveau-né comme étant dérangeant ou peu attrayant.
- Elle mentionne que le nouveau-né lui rappelle un membre ou un ami de la famille qu'elle n'aime pas.

Expérience de l'accouchement

Beaucoup de femmes expriment le besoin de parler de leur accouchement et de considérer rétrospectivement leur propre comportement durant le travail et l'accouchement. Il arrive que leur partenaire exprime des désirs similaires. Lorsque l'expérience de l'accouchement se révèle différente de ce qu'ils avaient imaginé (p. ex., s'il y a eu induction, anesthésie épidurale, accouchement par césarienne), les deux partenaires peuvent avoir besoin d'exprimer leur déception avant de pouvoir s'adapter à la réalité de l'accouchement. En les invitant à faire le point sur les événements et à décrire comment ils se sentent, l'infirmière peut mieux évaluer dans quelle mesure ils comprennent ce qui est arrivé et parviennent à mettre leur expérience d'accouchement en perspective.

Estime de soi de la mère

Un aspect important de l'évaluation porte sur l'estime de soi de la femme, son image corporelle et sa sexualité. La façon dont la nouvelle mère se perçoit et perçoit son corps durant la période postnatale peut influer sur son comportement et sur sa capacité d'adaptation à son rôle parental. L'estime de soi de la femme et son image corporelle peuvent aussi toucher sa sexualité.

Les sentiments liés à l'adaptation sexuelle après l'accouchement sont souvent une source de préoccupations pour les nouveaux parents. La femme qui vient d'accoucher peut hésiter à reprendre ses activités sexuelles par crainte d'éprouver de la douleur ou d'abîmer les tissus périnéaux en voie de cicatrisation. Étant donné que beaucoup de nouveaux parents souhaitent obtenir de l'information sur le sujet, mais qu'ils hésitent à en parler, l'infirmière en soins postnataux devrait soulever la question de la sexualité en toute simplicité au cours de ses interventions. Le partenaire aussi a souvent des questions et éprouve des inquiétudes ; il est bon qu'il soit présent pendant les séances de discussions ayant trait à la sexualité pendant la période postnatale **ENCADRÉ 14.8**.

23

L'échelle d'Édimbourg, utile dans le dépistage de la dépression postpartum, est décrite dans le chapitre 23, *Complications postpartum*.

Adaptation au rôle parental et interactions parent-enfant

L'évaluation psychosociale permet aussi d'évaluer l'adaptation des parents à leur nouveau rôle. L'infirmière procède à cette évaluation en observant les réactions des parents envers le nouveau-né, ainsi que la relation avec ce dernier. Les signes indiquant que l'adaptation se déroule bien se manifestent tôt après l'accouchement, à mesure que les parents réagissent positivement au nouveau-né et établissent une relation avec celui-ci. On considère que les parents s'adaptent bien à leurs nouveaux rôles quand ils affichent une perception réaliste et l'acceptation des besoins de leur nouveau-né, de même que de ses capacités limitées, de ses réactions sociales immatures et de sa totale dépendance. Le fait d'apprécier la présence du nouveau-né et de lui prodiguer des soins, le fait de réagir adéquatement

Enseignement à la cliente et à ses proches

ENCADRÉ 14.8 Préparation du congé

En vue du congé, la cliente doit recevoir de l'information de base sur divers sujets liés aux autosoins, comme l'alimentation, l'exercice physique, la contraception, la reprise des rapports sexuels, les médicaments prescrits et les examens de santé mère-enfant réguliers **ENCADRÉS 14.9** et **14.10**. En raison du peu de temps disponible, l'infirmière doit orienter l'information sur les besoins exprimés par la cliente. En offrant à la femme une liste de sujets où celle-ci peut préciser ses besoins d'information, l'infirmière optimise ses efforts d'enseignement et favorise la rétention d'information par la cliente. Les couples ont habituellement reçu le guide *Mieux vivre avec notre enfant de la grossesse à deux ans* (Institut national de santé publique du Québec [INSPQ], 2011) auquel l'infirmière se reporte pour renseigner la mère sur ses autosoins et sur les soins de son nouveau-né.

ENCADRÉ 14.9 **Liste de rappel relative à l'enseignement en situation de congé postnatal**

SOINS PERSONNELS DE LA MÈRE
- Soins périnéaux relatifs à l'épisiotomie ou aux déchirures
- Écoulement ou saignement vaginal
- Soins des seins
- Alimentation
- Activité physique
- Contraception et retour des menstruations
- Émotions postpartum: syndrome du troisième jour (*baby blues*), dépression postpartum
- Signaux d'alarme indiquant des complications de la période postnatale (saignement, fièvre et fatigue extrême) et conduite à tenir

SOINS AU NOUVEAU-NÉ
- Hygiène, bain, soins de la peau, soins du cordon ombilical
- Selles et urines
- Cycles éveil/sommeil
- Comportements du nouveau-né
- Prévention de l'ictère néonatal
- Signaux d'alarme indiquant des complications (fièvre, vomissements, perte de poids) et conduite à tenir
- Sécurité générale du nouveau-né et utilisation du siège d'auto
- Signes et symptômes de déshydratation
- Moyens à utiliser pour dégager les voies respiratoires supérieures du nouveau-né

ALLAITEMENT MATERNEL
- Positions
- Mise au sein
- Fréquence et durée des tétées
- Signes d'une alimentation efficace: pour la mère et le nouveau-né
- Mamelons douloureux
- Engorgement
- Expression et conservation du lait maternel
- Allaitement et retour au travail
- Sevrage

ALIMENTATION AU BIBERON
- Types de préparations commerciales pour nourrissons (PCN)
- Préparation et conservation de la PCN
- Hygiène et stérilisation des biberons
- Fréquence des boires

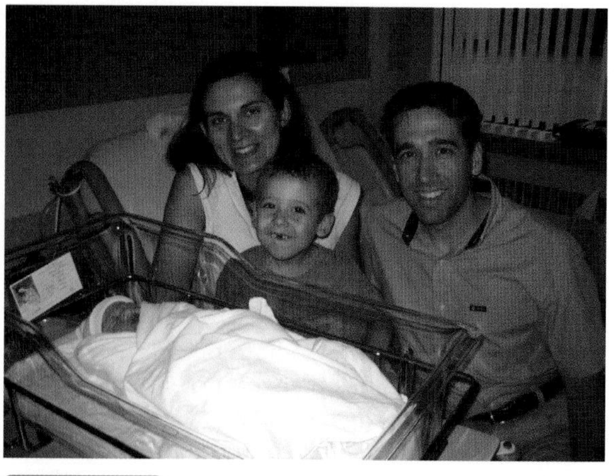

FIGURE 14.7
La mère, le père et le frère sont heureux de faire connaissance avec le nouveau-né.

La transition vers la parentalité est traitée dans le chapitre 15, *Adaptation au rôle de parents*.

aux signaux qu'il envoie, de l'installer confortablement, de décoder correctement ses besoins de nouvelles expériences et son besoin de repos sont des exemples d'interactions positives parents-enfant ▶ 15. En l'absence de tels indicateurs, l'infirmière doit chercher ce qui entrave le processus normal d'adaptation et assurer le suivi à domicile.

Structure et fonctionnement familial

L'adaptation de la femme à son rôle de mère est grandement influencée par les relations que cette dernière entretient avec son partenaire, sa mère, d'autres membres de la parenté et les autres enfants **FIGURE 14.7**. L'infirmière peut contribuer à faciliter le retour à la maison de la nouvelle mère en anticipant les conflits possibles entre les membres de la famille et en aidant la cliente à planifier des stratégies pour composer avec ces problèmes, et ce, avant son congé. Il arrive que des conflits surgissent lorsque les deux membres du couple ont des idées très différentes sur l'éducation des enfants. D'avoir à composer avec le stress des rivalités fraternelles et les conseils non sollicités peut aussi avoir un impact sur le bien-être psychologique de la femme. C'est en s'informant auprès des autres membres de la famille nucléaire et élargie que l'infirmière découvre les possibilités de problèmes dans ces relations et qu'elle peut aider à prévoir des solutions pratiques.

Certains exemples de particularités ethnoculturelles au sujet de la période postnatale et de la planification familiale sont décrites dans l'encadré 14.1W, à l'adresse www.cheneliere.ca/lowdermilk.

Diversité culturelle

Le dernier élément d'une évaluation psychosociale complète porte sur les croyances, les valeurs et les pratiques culturelles de la cliente. Une forte part du comportement de la femme durant la période postnatale est influencée par ses antécédents culturels. Il est probable que l'infirmière rencontre des femmes provenant de nombreux autres pays et de cultures variées. Dans la population nord-américaine, les croyances et les pratiques traditionnelles sont très variées en matière de santé. Chaque culture a des méthodes de soins sûres et satisfaisantes pour les mères et leurs enfants. C'est uniquement en comprenant et en respectant les valeurs et les croyances de chaque femme que l'infirmière peut concevoir un PSTI qui répondra aux besoins personnels de celle-ci.

Pour connaître les croyances et les pratiques ethnoculturelles à prendre en compte durant la planification et la mise en œuvre des soins, l'infirmière effectuera une évaluation ethnoculturelle de la famille. Cette évaluation est un processus continu; elle commence idéalement durant la grossesse et se poursuit à la période postnatale. Elle peut être faite très facilement en conversant avec la mère et son partenaire. Certains hôpitaux ont des outils d'évaluation conçus pour relever les croyances et les pratiques ethnoculturelles qui peuvent avoir une incidence sur les soins (Cooper, Grywalski, Lamp, Newhouse & Studlien, 2007). L'évaluation ethnoculturelle porte sur des éléments comme la capacité de lire et d'écrire le français, la participation et le soutien de la famille, les préférences alimentaires, les soins au nouveau-né et

Une forte part du comportement de la femme durant la période postnatale est influencée par ses antécédents culturels.

la circoncision, l'affection portée au nouveau-né, les croyances religieuses et ethnoculturelles, les pratiques de médecine populaire, la communication non verbale et les préférences en matière d'espace personnel.

Les femmes de plusieurs cultures perçoivent la santé comme un équilibre entre des forces qui s'opposent (p. ex., le chaud et le froid, le yin et le yang), le fait d'être en harmonie avec la nature ou simplement le fait de « se sentir bien ». Parmi les pratiques traditionnelles figurent l'observance de certaines restrictions alimentaires, de règles vestimentaires ou de tabous pour équilibrer le corps, la pratique de certaines activités artistiques ou sportives pour entretenir la santé mentale, le recours au silence, à la prière ou à la méditation pour la croissance spirituelle. Certains usages (p. ex., l'utilisation d'objets religieux ou le fait de manger de l'ail) ont pour but de protéger la personne contre la maladie et peuvent exiger l'éloignement de certaines personnes que l'on croit capables d'ensorceler ceux qu'elles approchent ou qui ont le « mauvais œil ». Le retour à la santé peut passer par la prise de remèdes populaires (p. ex., des plantes médicinales, des substances d'origine animale) ou le recours à un guérisseur traditionnel.

C'est dans ce contexte socioculturel que l'accouchement a lieu. Le repos, l'isolement, les contraintes alimentaires et les cérémonies en l'honneur de la mère sont des pratiques traditionnelles courantes appliquées dans le but de favoriser la santé et le bien-être de la mère et du nouveau-né.

Les femmes qui immigrent au Canada ou dans un autre pays occidental sans leur famille élargie risquent d'avoir peu d'aide à la maison, ce qui leur complique l'application de telles restrictions d'activités.

L'infirmière doit tenir compte de tous les éléments ethnoculturels présents lorsqu'elle planifie les soins et éviter d'utiliser ses propres croyances comme cadre de référence quand elle les prodigue. Même si les croyances et les agissements d'autres cultures peuvent sembler différents ou étranges, il faut les respecter, dans la mesure où la mère y tient et que ni elle ni le nouveau-né n'en souffrent. L'infirmière doit également déterminer si la cliente utilise quelque remède populaire que ce soit durant la période postnatale, car les ingrédients actifs de ces remèdes peuvent occasionner des effets physiologiques indésirables à la femme lorsqu'ils sont pris conjointement avec des médicaments prescrits. L'infirmière ne doit pas présumer qu'une mère désire avoir recours à des pratiques de santé traditionnelles propres à un groupe ethnoculturel particulier simplement parce qu'elle appartient à ce groupe. En effet, nombre de jeunes femmes qui sont des Canadiennes de première ou de deuxième génération observent les traditions ethnoculturelles seulement en présence de membres plus âgés de la famille élargie.

14.2.2 Planification du congé

Peu avant que la cliente n'obtienne son congé, l'infirmière vérifie son dossier afin de s'assurer que tout ce qui touche aux résultats d'analyses de laboratoire, aux médicaments, aux signatures et autres éléments est en ordre. Dans certains hôpitaux, on a recours à une liste de vérification. L'infirmière s'assure que les prescriptions médicales, le carnet de vaccination du nouveau-né, les deux cartes d'hôpital et le test urinaire de dépistage des maladies métaboliques sont remis à la mère et que le nouveau-né est prêt à recevoir son congé. L'infirmière vérifie avec soin les bracelets d'identité de la mère ou du conjoint et ceux du nouveau-né. Aucun médicament susceptible de causer de la somnolence ne devra être administré à la mère avant son congé si c'est elle-même qui devra tenir le nouveau-né dans ses bras en sortant de l'hôpital.

Soins généraux

La planification du congé commence dès l'admission de la cliente à l'unité postnatale et devrait faire partie du PSTI préparé pour chaque femme individuellement. En effet, une bonne partie du temps du séjour hospitalier est consacrée à l'enseignement des soins de la mère et du nouveau-né, afin que chaque femme soit en mesure d'assumer les soins de base pour elle-même et ceux à prodiguer à son nouveau-né au moment du congé. Par ailleurs, l'infirmière doit enseigner à chaque cliente comment reconnaître les signes et les symptômes physiques et psychologiques pouvant indiquer la présence d'un problème et comment obtenir des conseils et de l'aide rapidement, le cas échéant. Le **TABLEAU 14.1** et l'**ENCADRÉ 14.7** énumèrent plusieurs signes courants de complications physiques et psychosociales qui touchent la mère en période postnatale ▶ 23.

23

Le chapitre 23, *Complications postpartum*, décrit les interventions infirmières nécessaires en cas de complications.

Activité sexuelle et contraception

Il est important d'aborder la question de l'activité sexuelle et de la contraception avec la femme et son partenaire avant qu'ils ne quittent l'hôpital, car beaucoup de couples reprennent les rapports sexuels avant le suivi médical postnatal qui a lieu six semaines après l'accouchement **ENCADRÉ 14.10**. Chez la plupart des femmes, le risque d'hémorragie ou d'infection est minime environ deux semaines après l'accouchement. L'infirmière abordera aussi la question du choix d'une méthode contraceptive avec la cliente (et son partenaire, s'il est présent) avant le congé. Ainsi, la femme pourra prendre une décision éclairée sur la gestion de sa fécondité avant de reprendre les rapports sexuels. Il peut être trop tard pour discuter de contraception à l'examen de la sixième semaine postpartum. En effet, l'ovulation peut se produire aussi vite qu'un mois

Guide d'enseignement

ENCADRÉ 14.10 Reprise des rapports sexuels

- Vous pouvez reprendre les rapports sexuels sans problèmes entre la deuxième et la quatrième semaine après l'accouchement, une fois qu'il n'y a plus de saignement et que les déchirures ou l'épisiotomie sont cicatrisées. Il arrive que la lubrification vaginale soit insuffisante durant les six premières semaines ou même pendant les six premiers mois.
- Durant les trois premiers mois après l'accouchement, il est probable que vos réactions physiologiques à la stimulation sexuelle soient moins rapides et moins fortes qu'avant l'accouchement. L'intensité de l'orgasme peut être moindre.
- Il peut être bon d'utiliser un gel hydrosoluble en guise de lubrifiant. S'il y a présence d'une certaine sensibilité vaginale, vous pouvez demander à votre partenaire d'introduire un ou deux doigts propres et lubrifiés dans votre vagin et de les bouger en tournant à l'intérieur du vagin pour en favoriser la détente et y déceler d'éventuelles zones de malaise. Il est bon également de choisir une position où vous pouvez gérer la profondeur d'insertion du pénis. La position côte à côte et la position avec la femme au-dessus de son partenaire peuvent s'avérer plus confortables que d'autres positions.
- La présence du nouveau-né influe sur les rapports sexuels. Les parents entendent chaque bruit que fait l'enfant ; inversement, vous pouvez être soucieux du fait qu'il vous entend aussi. Dans un cas comme dans l'autre, le cycle de la réponse sexuelle peut être interrompu et causer de l'insatisfaction chez les deux partenaires. Par ailleurs, la quantité d'énergie psychologique que vous investissez dans les soins au nouveau-né engendre de la fatigue.
- Certaines femmes rapportent ressentir de la stimulation sexuelle et des orgasmes en allaitant leur nouveau-né.
- Il serait bon que vous appreniez à faire les exercices de Kegel correctement en vue de renforcer votre muscle pubococcygien. Ce muscle est lié aux fonctions intestinale et vésicale et aux sensations vaginales ressenties pendant les rapports sexuels.

4

Les méthodes de contraception courantes sont abordées dans le chapitre 4, *Contraception, avortement et infertilité.*

Certains sites Internet traitent des indications et des contre-indications de la plupart des médicaments pouvant être administrés à la femme allaitante :

The Hospital for Sick Children : www.motherisk.org/prof/breastfeeding.jsp

Centers for Diseases Control and Prevention : www.cdc.gov/breastfeeding/disease/index.htm

Centre IMAGe du CHU Ste-Justine : www.chu-sainte-justine.org/Pro/micro-portails.aspx?AxeID=22

après l'accouchement, particulièrement chez les femmes qui alimentent leur enfant au biberon. Par ailleurs, les mères allaitantes doivent savoir que l'allaitement n'est pas une mesure de contraception fiable et qu'un autre moyen doit être utilisé ; les méthodes non hormonales sont alors préférables, étant donné que certains contraceptifs oraux peuvent nuire à la lactation. Devant une femme qui est indécise au moment du congé, l'infirmière conseillera l'usage du condom accompagné de crème ou de mousse spermicide jusqu'au premier examen postnatal ▶ 4.

Médicaments prescrits

Les femmes continuent en général de prendre les vitamines prénatales durant la période postnatale. On conseille parfois aux mères allaitantes de continuer à prendre les vitamines prénatales tant qu'elles allaitent. Les mères qui présentent un taux d'hémoglobine plus faible que la normale peuvent se voir prescrire des suppléments de fer. Les femmes ayant subi une épisiotomie ou des déchirures vaginales importantes (troisième ou quatrième degré) se voient habituellement prescrire un laxatif émollient à prendre à la maison. Certains médicaments contre la douleur (analgésiques ou AINS) peuvent aussi être prescrits, particulièrement chez les femmes qui ont accouché par césarienne. L'infirmière doit s'assurer que la cliente connaît la voie d'administration, la dose, la fréquence et les effets secondaires courants de tous les médicaments qu'elle est susceptible de prendre à la maison, de même que leur indication et contre-indication pour la femme allaitante.

14.2.3 Suivi postnatal à domicile

Visites de suivi de santé mère-enfant

Le médecin ou l'infirmière praticienne spécialisée (IPS) revoit habituellement les clientes qui ont eu un accouchement vaginal sans complications seulement à l'examen de suivi postnatal systématique de la sixième semaine. En cas de complication, les femmes qui ont accouché par césarienne ont rendez-vous au bureau ou à la clinique de leur médecin ou de leur IPS deux semaines après le congé de l'hôpital. La date et l'heure du rendez-vous pour le suivi seront établies une fois la cliente retournée à la maison. L'infirmière encouragera celle-ci à appeler au bureau du médecin ou à la clinique pour en fixer un.

Si ce n'est pas déjà fait, les parents doivent prendre des dispositions pour le suivi médical du nouveau-né au moment du congé. Il est recommandé que tous les nouveau-nés, peu importe leur alimentation, soient vus par un médecin ou une IPS dans les deux premières semaines de vie. Le suivi précoce (entre trois et cinq jours de vie) sera fait à domicile par l'infirmière clinicienne. Dans le cas où aucun rendez-vous n'a été prévu pour le nouveau-né avant sa sortie de l'hôpital, l'infirmière encouragera les parents à appeler au bureau du médecin ou à la clinique immédiatement pour en demander un.

Visites à domicile

L'infirmière qui effectue le suivi à domicile possède des compétences qui lui permettent d'évaluer la mère, le nouveau-né et le milieu familial et d'intervenir en vue de favoriser l'adaptation individuelle et familiale à l'arrivée du nouveau-né (Klass, 2003). Les visites à domicile ont prouvé leur efficacité dans la réduction des besoins de soins de santé plus coûteux, comme une visite à l'unité d'urgence ou une réhospitalisation ; elles contribuent aussi à réduire la fréquence de dépression postpartum chez les femmes à risque (Goulet, D'Amour & Pineault, 2007). Le soutien fourni par les infirmières et les autres travailleurs formés en santé communautaire permet d'améliorer les interactions parents-enfant et les compétences parentales ; les visites à domicile contribuent également à favoriser le soutien mutuel entre la mère et son conjoint (De La Rosa, Perry & Johnson, 2009). Les programmes de visite à domicile influent positivement sur le succès de l'allaitement (Mannan *et al.*, 2008).

L'infirmière veillera à remplir le formulaire de suivi interétablissements (comportant de l'information sur la mère et le nouveau-né) au moment du congé de l'hôpital, puis à l'envoyer immédiatement au CSSS concerné.

La visite à domicile se fait habituellement le lendemain du retour de la mère de l'hôpital, mais elle peut avoir lieu au cours des trois premiers jours, selon la situation et les besoins de la famille. Des visites supplémentaires peuvent être prévues durant la première semaine, au besoin. L'infirmière pourra poursuivre les visites à domicile au-delà de cette période si les besoins de la famille le justifient et si cela constitue le choix le plus approprié pour assurer le suivi nécessaire.

Au cours de la visite à domicile, l'infirmière effectue une évaluation systématique de la mère et du nouveau-né afin d'apprécier leur adaptation physiologique et de déceler la présence éventuelle de complications. L'examen porte également sur l'adaptation émotionnelle de la mère et sur ses connaissances en matière de gestion d'elle-même et de soins au nouveau-né. Le fait de procéder à l'examen dans un endroit intime de la maison donne l'occasion à la mère de poser des questions sur des sujets parfois délicats, comme les soins des seins, la constipation, les rapports sexuels ou la planification des naissances. Cette visite permet de discuter de l'adaptation familiale au nouveau-né et d'aborder certaines préoccupations.

L'infirmière du CSSS profite du moment où elle examine le nouveau-né pour décrire et expliquer les caractéristiques et les comportements normaux d'un nouveau-né, tout en encourageant la mère et la famille à poser des questions ou à exprimer leurs inquiétudes, le cas échéant. Elle vérifie si le prélèvement servant au dépistage sanguin de la **phénylcétonurie** et d'autres maladies enzymatiques a été fait à l'unité postnatale ou en consultation externe. De plus, elle s'assure que les parents connaissent la procédure pour effectuer la deuxième partie de ce test, soit la partie urinaire à faire après le 21e jour de vie du nouveau-né. Elle leur fournit l'information nécessaire, le cas échéant.

Suivi téléphonique

En plus ou au lieu d'une visite à domicile, nombre de professionnels effectuent un ou plusieurs suivis postnataux par téléphone auprès de leurs clients, concernant l'évaluation, l'enseignement et la détection de complications afin de pouvoir intervenir de façon opportune. Les suivis téléphoniques sont généralement mis en œuvre par les infirmières des CSSS, mais aussi parfois par les hôpitaux, les médecins de pratique privée, les cliniques ou les organismes privés. Cette démarche peut relever d'un service séparé ou faire partie de stratégies visant à accroître les soins postnataux. Les visites postnatales à domicile sont parfois suivies d'une évaluation téléphonique effectuée par une infirmière.

Services de référence téléphoniques

En plus de recevoir une visite à domicile, les parents ont accès à Info-Santé, un service téléphonique de référence professionnelle en santé. Les nouveaux parents, ainsi que la population en général, bénéficient de l'expertise d'infirmières concernant l'évaluation de leur santé et de celle de leur enfant, la reconnaissance de complications ou encore la conduite à tenir dans le cas de situations particulières, et ce, à toute heure du jour ou de la nuit. Ce service est utile pour répondre à des préoccupations qui revêtent un caractère pressant au moment de l'appel, mais qui ne constituent pas une urgence en soi. Les appels ont souvent trait à l'alimentation du nouveau-né, à des pleurs qui se prolongent ou à des situations de rivalité fraternelle. Par contre, si l'infirmière évalue que la situation décrite par les parents nécessite une prise en charge médicale, elle dirigera l'appelant vers les ressources appropriées. L'infirmière encourage les familles à appeler Info-Santé lorsqu'elles sont inquiètes; le numéro de téléphone de ce service devrait être fourni aux parents avant qu'ils ne quittent l'hôpital.

Groupes de soutien

La femme en période d'adaptation à la maternité peut souhaiter être en relation et discuter avec d'autres femmes qui vivent une expérience similaire. Il arrive que de nouvelles mères, ayant fait connaissance lors de consultations prénatales ou à l'hôpital, se rapprochent et s'apportent du soutien mutuel. Parfois, les participantes à des cours prénataux se revoient à une rencontre postnatale et décident de prolonger la relation durant le quatrième trimestre. Les partenaires gagnent également à participer à un groupe de soutien.

Un groupe de soutien postnatal permet aux parents de partager leurs expériences et de s'entraider durant leur période d'adaptation à leur nouveau rôle parental. Beaucoup de parents découvrent ainsi qu'ils ne sont pas les seuls à vivre des sentiments de confusion et d'incertitude, ce qui peut être rassurant. Dans un groupe de soutien postnatal, un parent d'expérience apporte souvent des renseignements concrets, qui s'avèrent très utiles aux autres parents. Les pères et les mères moins expérimentés se retrouvent parfois en situation où ils reproduisent le comportement d'autres parents qui les inspirent.

Orientation vers des ressources communautaires

Pour mettre au point un système d'aiguillage efficace, l'infirmière doit avoir une bonne compréhension des besoins de la femme et de sa famille, de même que des ressources organisationnelles et communautaires pouvant répondre à ces besoins. Le repérage et la compilation de renseignements relatifs aux services communautaires offerts sont utiles à l'élaboration d'un système d'aiguillage. Par ailleurs, l'infirmière se doit de créer son propre fichier de ressources de services locaux ou nationaux auxquels les professionnels de la santé ont souvent recours.

Phénylcétonurie: Trouble héréditaire du métabolisme de la phénylalanine, dû à un déficit enzymatique et transmis selon le mode récessif.

Analyse d'une situation de santé

Jugement clinique

Madame Évelyne Motoutou, une jeune Africaine de 23 ans, a accouché il y a 12 heures. Il s'agit de son premier enfant. Elle vit au Québec depuis six mois. Son conjoint poursuit actuellement des études aux États-Unis pour devenir ingénieur, et il sera en mesure de la rejoindre d'ici un mois environ. Madame Motoutou habite seule pour l'instant. Le couple est à l'aise financièrement. La famille de la cliente est demeurée en Afrique. Elle a une seule amie, une voisine qui l'a accompagnée au centre hospitalier. Vous procédez à l'évaluation des besoins psychosociaux de madame Motoutou en prévision de son congé qui aura lieu demain après-midi. ▶

SOLUTIONNAIRE

www.cheneliere.ca/lowdermilk

MISE EN ŒUVRE DE LA DÉMARCHE DE SOINS

Collecte des données – Évaluation initiale – Analyse et interprétation

1. Donnez quatre éléments sur lesquels devrait porter votre collecte des données psychosociales de madame Motoutou.
2. L'absence du mari pourrait-elle avoir un impact sur la situation actuelle de madame Motoutou ? Si oui, lequel ?
3. En fonction de ces nouvelles données, quel est le problème prioritaire qui nécessite un suivi clinique particulier pour cette cliente ? Inscrivez votre réponse dans l'extrait du plan thérapeutique infirmier (PTI) ci-dessous.

▶ Madame Motoutou refuse de prodiguer les soins à son nouveau-né. Elle se dit fatiguée et ignore comment elle pourra s'en occuper à la maison. ◀

MISE EN ŒUVRE DE LA DÉMARCHE DE SOINS

Planification des interventions – Décisions infirmières

Extrait

CONSTATS DE L'ÉVALUATION								
Date	Heure	N°	Problème ou besoin prioritaire	Initiales	RÉSOLU / SATISFAIT			Professionnels / Services concernés
					Date	Heure	Initiales	
2012-05-23	*11:00*	*2*						

Signature de l'infirmière	Initiales	Programme / Service	Signature de l'infirmière	Initiales	Programme / Service
		Centre mère-enfant			

4. Quelle suggestion pourriez-vous faire à madame Motoutou pour qu'elle obtienne du soutien à son retour à la maison ?
5. Pour faciliter l'adaptation à la vie parentale chez madame Motoutou, quelle est l'intervention infirmière à appliquer en priorité ?
6. Citez quatre éléments à enseigner à la cliente en lien avec les soins au nouveau-né.

Évaluation des résultats – Évaluation en cours d'évolution

7. Indiquez quatre comportements de madame Motoutou vous révélant qu'elle s'adapterait à son rôle de mère.

APPLICATION DE LA PENSÉE CRITIQUE

Dans l'application de la démarche de soins auprès de madame Motoutou, l'infirmière a recours à un ensemble d'éléments (connaissances, expériences antérieures, normes institutionnelles ou protocoles, attitudes professionnelles) pour analyser la situation de santé de la cliente et en comprendre les enjeux. La **FIGURE 14.8** illustre le processus de pensée critique suivi par l'infirmière afin de formuler son jugement clinique. Elle résume les principaux éléments sur lesquels l'infirmière s'appuie en fonction des données de cette cliente, mais elle n'est pas exhaustive.

VERS UN JUGEMENT CLINIQUE

CONNAISSANCES
- Besoins physiologiques et psychosociaux de l'accouchée
- Indices d'adaptation au rôle parental
- Caractéristiques des interactions entre la mère et le nouveau-né
- Impacts de la diversité culturelle sur l'adaptation au rôle de mère

EXPÉRIENCES
- Travail à l'unité de maternité
- Expérience personnelle de l'accouchement
- Travail auprès de diverses communautés culturelles

NORMES
- Protocoles locaux de soins infirmiers et ordonnances collectives en lien avec le congé des accouchées

ATTITUDES
- Respect des traditions culturelles
- Capacité à gagner la confiance de la cliente pour lui permettre de verbaliser ses émotions et ses craintes

PENSÉE CRITIQUE

ÉVALUATION
- Moments de repos de la cliente entre les soins au nouveau-né
- Qualité du repos
- Réseau de soutien
- Acceptation de l'aide de sa voisine et du suivi postnatal à la maison de l'infirmière du CSSS
- Participation aux soins de son nouveau-né
- Comportements de la cliente lorsqu'elle est avec son nouveau-né (si elle regarde son nouveau-né, le berce, le touche et lui parle)
- Dispositions de la cliente quant au retour à domicile (si elle se sent apte à rentrer à la maison seule et si elle se sent en sécurité chez elle)

JUGEMENT CLINIQUE

FIGURE 14.8

14

À retenir

VERSION REPRODUCTIBLE

www.cheneliere.ca/lowdermilk

- Les soins postnataux sont axés sur la famille et s'élaborent à partir d'un concept qui met l'accent sur sa santé physique et psychosociale.
- Les croyances et les pratiques ethnoculturelles influent sur la façon d'agir de la mère et de la famille en période postnatale.
- Les méthodes d'enseignement et de counseling sont conçues de manière à encourager le sentiment de compétence de la mère en matière de prise en charge personnelle et celui des parents pour les soins au nouveau-né.
- Les interventions infirmières courantes de la période postnatale se concentrent sur la prévention du saignement excessif, de l'infection et du globe vésical ; sur le soulagement non pharmacologique et pharmacologique du malaise et de la douleur associés à l'épisiotomie, aux déchirures ou à l'allaitement ; sur l'instauration de mesures qui favorisent ou qui empêchent la lactation.
- La composition et le fonctionnement de toute la famille doivent être pris en considération pour répondre aux besoins psychosociaux de la nouvelle mère.
- Les visites de suivi de santé mère-enfant, les visites à domicile, les suivis téléphoniques, les services de référence téléphoniques, les groupes de soutien et l'orientation vers des ressources communautaires sont des moyens qui s'avèrent efficaces pour faciliter l'adaptation physiologique et psychologique de la mère et de la famille durant la période postnatale.

CHAPITRE

Adaptation au rôle de parents

Écrit par :
Kathryn Rhodes Alden,
EdD, MSN, RN, IBCLC

Adapté par :
Francine de Montigny, inf., Ph. D.
Christine Gervais, inf., M. Sc., Ph. D. (c)

OBJECTIFS

 Guide d'études – SA15

Après avoir étudié ce chapitre, vous devriez être en mesure :

- de reconnaître les comportements des parents et du nouveau-né qui facilitent l'attachement réciproque parents-enfant et ceux qui l'inhibent ;
- de préciser les réactions sensorielles qui renforcent l'attachement ;
- de décrire le processus d'adaptation au rôle de mère et au rôle de père ;
- de comparer l'adaptation de la mère et du père à la parentalité ;
- d'indiquer comment l'infirmière peut faciliter l'adaptation des parents et du nouveau-né ;
- d'expliquer les effets de l'âge, du soutien social, de la situation socioéconomique, des aspirations personnelles et des déficiences sensorielles des parents sur leur réaction à la naissance de l'enfant ;
- de décrire l'adaptation des frères et sœurs ;
- de discuter de l'adaptation des grands-parents.

Concepts clés

Cette carte conceptuelle illustre schématiquement les principaux concepts décrits dans le présent chapitre. Sa lecture vous permettra d'avoir une vue d'ensemble des notions qui y sont présentées.

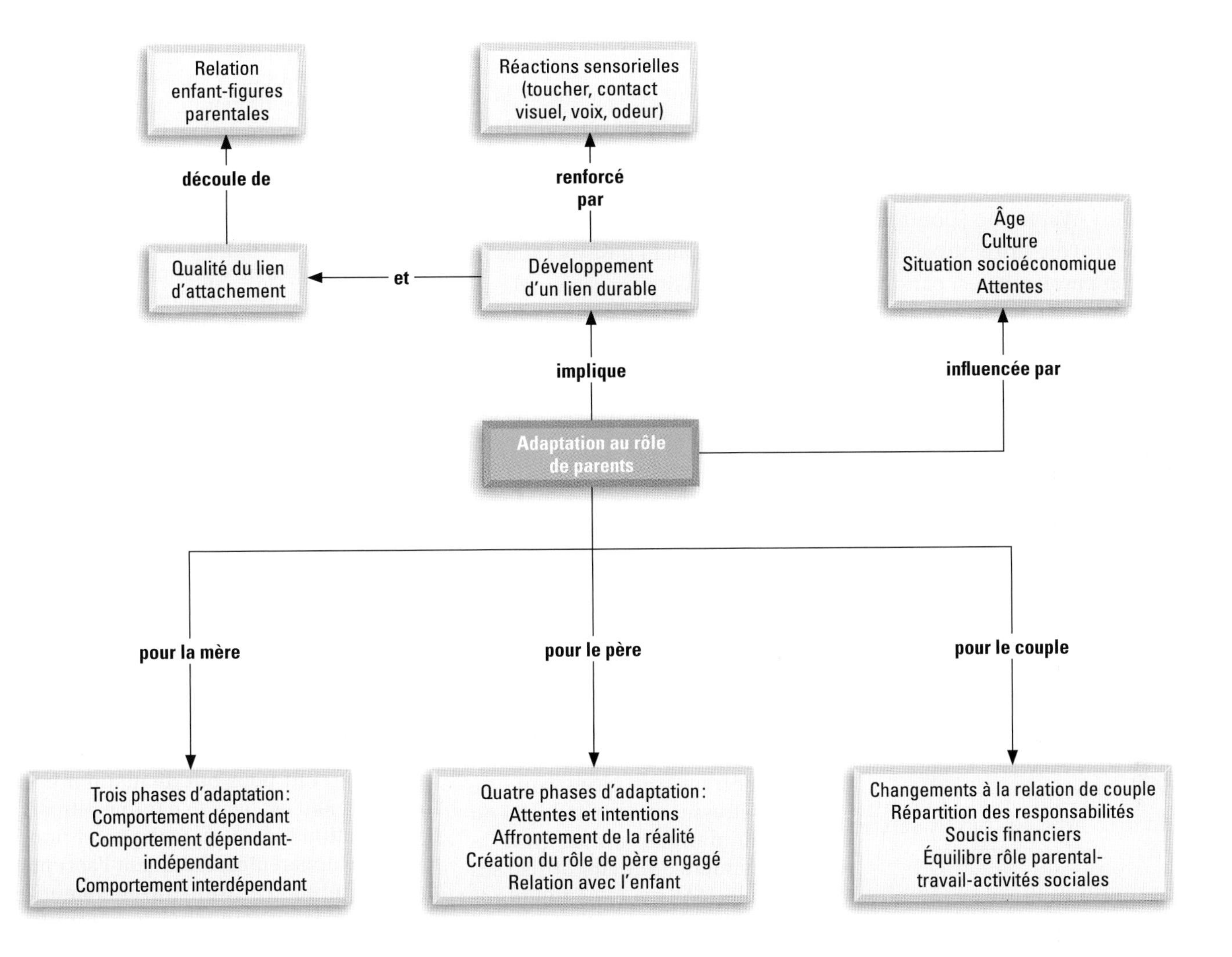

15

Devenir parent implique une période de changement et d'instabilité, et ce, peu importe les caractéristiques des nouveaux parents. Que la parentalité soit biologique ou adoptive, que les parents soient mariés ou conjoints de fait, qu'il s'agisse d'une mère ou d'un père monoparental, d'un couple de lesbiennes dont l'une des partenaires est la mère biologique ou d'un couple d'homosexuels qui adoptent un enfant, la parentalité est un processus continu de transformation et de transition qui commence lorsque se forme le projet d'avoir un enfant. Le passage à la parentalité se fait à mesure que les parents apprennent leur rôle et que le nouveau-né se développe. Dans une perspective de prévention et de promotion de la santé mentale et physique des parents et des enfants, des efforts importants doivent être consentis aux premières étapes de la transition à la parentalité. Selon le Centre « Recherche en systèmes de santé » de l'École de santé publique de Huy-Waremme (Doumont & Renard, 2004), la parentalité est « l'ensemble des savoir-être et savoir-faire qui se déclinent au fil des situations quotidiennes en paroles, actes, partages, émotions et plaisirs, en reconnaissance de l'enfant, mais également, en autorité, exigence, cohérence et continuité ». Cette définition décrit l'ampleur de la tâche et les difficultés auxquelles les parents et futurs parents devront faire face. L'éducation parentale doit donc viser à renforcer et à améliorer ces compétences.

15.1 Attachement entre le parent et le nouveau-né

15.1.1 Attachement

Jugement clinique

Madame Léa Landry, âgée de 33 ans, a accouché d'un garçon. Elle souhaitait que ce premier enfant soit une fille et se dit un peu déçue.

Cela peut-il avoir un impact sur l'attachement entre la mère et l'enfant ? Justifiez votre réponse.

Selon Bowlby (1969), le concept d'**attachement** renvoie à l'expérience qu'une personne vit lorsqu'elle se trouve en situation de détresse, de vulnérabilité ou de danger, ainsi qu'à la manière dont elle utilise ses relations avec les membres de son entourage pour retrouver sa stabilité interne. La qualité du lien d'attachement découle donc de la relation entre un enfant et ses figures parentales, permettant à l'enfant d'apprendre à réguler ses états émotionnels et à se développer de manière optimale sur les plans affectif, cognitif et social (de Montigny & Lacharité, 2007). Ce lien est tributaire de l'attitude et des comportements de ses parents à son égard. La **sensibilité parentale**, c'est-à-dire la capacité des parents à détecter les signaux émis par leur enfant, de leur donner une signification juste et d'y répondre de manière appropriée dans des délais raisonnables, est déterminante dans le développement de l'attachement (Lacharité, 2003). Ce rôle majeur des parents dans l'expérience de l'enfant a mené, dans le langage populaire, à désigner ce que le parent ressent envers son enfant comme étant de l'attachement, même si son utilisation pour parler du lien unissant un parent à son enfant est peu explorée de manière scientifique (Bell, Goulet, St-Cyr Tribble, Paul & Polomeno, 1999 ; de Montigny & Lacharité, 2007). Les termes attachement et formation de liens affectifs continuent d'être utilisés de manière interchangeable.

La sensibilité parentale est déterminante dans le développement de l'attachement.

Klaus et Kennell (1976) ont défini le phénomène de la formation de liens affectifs comme étant une période délicate où, dès les premières minutes et les premières heures suivant l'accouchement, la mère et le père doivent avoir des contacts étroits avec leur nouveau-né pour optimiser son développement ultérieur. En 1982, ces auteurs ont reconnu la faculté d'adaptation des parents, et ils ont révisé leur théorie de la formation de liens affectifs pour affirmer qu'il fallait plus que quelques minutes ou quelques heures aux parents pour établir un lien affectif avec leur nouveau-né (Klaus & Kennell, 1982).

L'attachement s'amorce et se maintient par la proximité et la relation entre le parent et son enfant, lesquelles permettent au parent de faire connaissance avec lui, de reconnaître son individualité et de l'accueillir comme membre de la famille. L'attachement comporte l'aspect de **réciprocité**, c'est-à-dire que les comportements et les caractéristiques du nouveau-né font naître chez le parent des comportements et certaines caractéristiques correspondants. L'enfant envoie des signaux comme pleurer, sourire et gazouiller qui amorcent le contact et attirent la personne qui s'occupe de lui. À ces comportements succèdent les réflexes automatiques comme le réflexe des points cardinaux, la préhension et les changements posturaux, qui ont pour but de maintenir le contact. L'attachement est facilité par une rétroaction positive (réactions sociales, verbales et non verbales, réelles ou apparentes, indiquant l'acceptation d'un partenaire par l'autre). L'attachement survient dans le cadre d'une expérience mutuellement satisfaisante **FIGURE 15.1**.

La plupart des parents sont attirés par un nouveau-né qui est éveillé, réceptif et câlin, mais ils le sont moins par un nourrisson irritable ou qui semble désintéressé. Les liens affectifs se forment plus rapidement avec un nouveau-né dont le tempérament, les capacités sociales, l'apparence et le sexe répondent aux attentes du parent. Si le nouveau-né ne répond pas à ces attentes, la déception du parent peut retarder le processus d'attachement. Une liste de comportements habituels de l'enfant qui influent sur l'attachement parental est présentée dans le **TABLEAU 15.1**. La

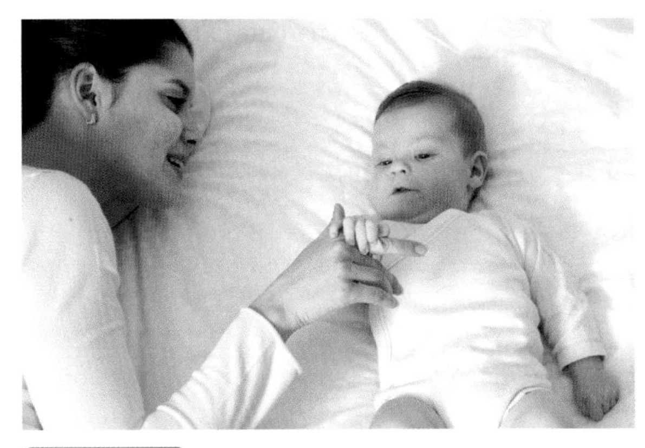

FIGURE 15.1
Le réflexe de préhension est un exemple de rétroaction positive du nourrisson facilitant l'attachement avec son parent.

liste correspondante des comportements parentaux qui ont un effet sur l'attachement de l'enfant est présentée dans le **TABLEAU 15.2**.

Parmi les comportements du nouveau-né que les parents interprètent comme une réaction positive, il faut noter la facilité à être consolé, le plaisir de se faire prendre et la recherche du contact visuel. Les régurgitations fréquentes après le boire, les pleurs et l'imprévisibilité sont souvent perçus comme des réactions négatives aux soins parentaux. Lorsque ces réactions persistent, il peut en découler une aliénation du lien entre le parent et le nouveau-né, au détriment de ce dernier.

15.1.2 Prise de contact

La prise de contact constitue un élément important de l'attachement. Les parents ont recours au contact visuel, au toucher, à la parole et à l'exploration pour faire connaissance avec leur nouveau-né dès les premiers instants postnataux. Les parents adoptifs vivent le même processus à la première rencontre avec leur nouvel enfant. Pendant cette période, la famille s'engage dans le **processus de revendication**, à savoir la reconnaissance du nouveau-né **FIGURE 15.2**. La reconnaissance commence par l'établissement de la ressemblance de l'enfant avec les autres membres de la famille, puis de sa différence, et enfin de son caractère

TABLEAU 15.1 Comportements de l'enfant influant sur l'attachement parental

COMPORTEMENTS FACILITANTS	COMPORTEMENTS INHIBITEURS
Attitude alerte visuellement ; établissement d'un contact visuel ; regard qui suit le visage du parent	Attitude endormie ; yeux fermés la plupart du temps ; regard qui se détourne
Traits du visage attirants ; mouvements corporels désordonnés traduisant l'impuissance	Ressemblance avec une personne que le parent n'aime pas ; hyperirritabilité ou sursauts lorsqu'on le touche
Sourires	Expression faciale neutre ; sourires peu fréquents
Expression vocale ; pleurs motivés uniquement par la faim ou une couche souillée	Périodes de pleurs prolongées
Réflexe de préhension	Réflexes moteurs exagérés
Comportements d'approche avec anticipation pour l'alimentation ; bonne succion ; facilité à être nourri	Difficulté à être nourri ; régurgitations ; vomissements fréquents
Manifestation de contentement (aime à être tenu, serré dans les bras)	Résistance à être pris dans les bras en pleurant, en se raidissant
Facilité à être consolé	Inconsolable ; peu de réactions (sinon aucune) aux soins parentaux
Activités et routine relativement prévisibles	Horaires d'alimentation et de sommeil imprévisibles
Attention assez soutenue pour se fixer sur les parents	Incapacité de fixer le visage du parent ou de réagir à la stimulation
Différences entre les pleurs, les sourires et l'expression vocale ; reconnaissance de ses parents et préférence pour ceux-ci	Absence de manifestation de préférence pour ses parents par rapport à d'autres personnes
Approches par la locomotion	Aucune réaction aux approches parentales
Démonstration d'attachement (s'accroche aux parents ; passe ses bras autour du cou du parent)	Sollicitation de l'attention de tout adulte dans la pièce
Manifestation d'accueil envers les parents (lève les bras pour les accueillir)	Désintérêt total à l'égard de ses parents

Source : Adapté de Gerson (1973).

TABLEAU 15.2 Comportements parentaux influant sur l'attachement de l'enfant

COMPORTEMENTS FACILITANTS	COMPORTEMENTS INHIBITEURS
Regarde l'enfant ; le fixe dans les yeux ; examine ses caractéristiques physiques ; prend la position en face à face ; établit le contact visuel.	Se détourne de l'enfant ; ignore sa présence.
Se tient près de l'enfant et reste à proximité ; dirige son attention sur lui, le pointe du doigt.	Évite l'enfant ; ne recherche pas sa proximité ; refuse de le tenir lorsque l'occasion se présente.
Reconnaît l'enfant comme une personne à part entière.	Associe l'enfant à une personne qu'il n'aime pas ; ne lui reconnaît aucune caractéristique propre.
Nomme l'enfant, le reconnaît comme membre de la famille.	N'intègre pas l'enfant dans le contexte familial ou ne le reconnaît pas comme membre de la famille ; a de la difficulté à l'appeler par son prénom.
Touche l'enfant ; progresse d'un toucher du bout des doigts aux doigts, puis à la paume et à un contact enveloppant.	Ne passe pas du toucher du bout des doigts au contact de la paume puis à la prise dans les bras.
Sourit à l'enfant.	Garde un visage inexpressif ou fronce les sourcils devant l'enfant.
Parle à l'enfant.	Réveille l'enfant lorsqu'il dort ; le manipule sans ménagement ; accélère l'alimentation en déplaçant constamment le mamelon ou la tétine.
Exprime sa fierté envers l'enfant.	Exprime de la déception et du mécontentement envers l'enfant.
Relie le comportement de l'enfant à des événements familiers.	Ne perçoit pas l'impact des événements sur le comportement de l'enfant.
Donne un sens aux gestes de l'enfant et interprète ses besoins avec sensibilité.	Ne fait pas d'effort pour interpréter les gestes ou les besoins de l'enfant.
Perçoit de façon positive les comportements et l'aspect de l'enfant.	Perçoit le comportement de l'enfant comme de l'exploitation, un refus délibéré de coopérer ; perçoit son aspect comme déplaisant, laid.

Source : Adapté de Mercer (1983).

FIGURE 15.2
Les parents et la fratrie examinent le nouveau-né et commentent sa ressemblance avec eux et d'autres membres de la famille.

unique. Le nouveau-né unique s'intègre ainsi à la famille. La mère et le père l'inspectent minutieusement et remarquent les caractéristiques que l'enfant partage avec d'autres membres de la famille, lesquelles établissent son lien avec eux.

Par contre, certaines mères réagissent négativement à l'arrivée du nouveau-né. Elles ne le perçoivent que dans les malaises ou la douleur qu'il apporte. Ces mères interprètent les réactions normales du nouveau-né comme étant négatives et dirigées contre elles. Elles réagissent en manifestant de l'aversion ou de l'indifférence envers l'enfant. Elles ne le tiennent pas serré dans leurs bras et ne le touchent pas pour le réconforter.

Contact précoce

Le contact précoce entre le parent et le nouveau-né peut faciliter le processus d'attachement. Cependant, il n'existe aucune preuve scientifique qu'un contact immédiat après la naissance est essentiel à l'établissement d'un lien entre le parent et son enfant. Les parents qui ne peuvent pas avoir de contact précoce avec leur nouveau-né (p. ex., si l'enfant est transféré immédiatement après sa naissance aux soins intensifs) peuvent donc se rassurer. S'il était essentiel, les enfants adoptés ne noueraient pas de liens affectifs avec leurs parents adoptifs. L'infirmière doit insister auprès des parents sur

Il n'existe aucune preuve scientifique qu'un contact immédiat après la naissance est essentiel à l'établissement d'un lien entre le parent et son enfant.

le fait que l'établissement d'un lien entre eux et leur enfant est un processus qui s'échelonne sur une longue période.

Contact prolongé

La cohabitation de la mère avec son nouveau-né est la norme dans les unités de naissance des centres hospitaliers québécois pour les naissances sans complications. Ainsi, le nouveau-né reste toujours avec sa mère. Les infirmières effectuent son évaluation initiale et lui prodiguent les soins dans la chambre en présence de ses parents. Dans le cas de complications ou de signes de détresse chez le nouveau-né, celui-ci est d'abord amené à la pouponnière pour y être observé. Il est ensuite transféré de la pouponnière de transition à la chambre de cohabitation lorsqu'il montre des signes satisfaisants d'adaptation à la vie extra-utérine. L'infirmière encourage le père et la mère à participer aux soins du nouveau-né autant qu'ils le désirent. Elle peut également encourager les frères et sœurs et les grands-parents à visiter l'enfant pour faire connaissance avec lui. Certains centres hospitaliers ont maintenant des chambres de naissance où la mère accouche, accompagnée du père ou de la personne qui l'accompagne. La nouvelle famille reste ensuite dans la même chambre jusqu'au congé, normalement 24 heures après la naissance. Que ce soit selon la formule de cohabitation ou d'unité familiale de naissance, la mère et le père sont traités comme des participants égaux et intégrés à la famille en transformation.

Tous les parents doivent avoir la possibilité de vivre un contact prolongé avec leur nouveau-né. En offrant des soins centrés sur la famille, l'infirmière intervient auprès des personnes, mais aussi sur le plan de la relation entre celles-ci, afin de faciliter l'adaptation de la famille à ce stade de son développement (de Montigny & Lacharité, 2007).

SOINS ET TRAITEMENTS INFIRMIERS

Favoriser l'attachement entre les parents et le nouveau-né

Il existe de nombreuses interventions infirmières visant à favoriser l'attachement entre le parent et le nouveau-né **TABLEAU 15.3**. L'infirmière peut améliorer les contacts entre eux en rendant les parents plus conscients des réactions du nouveau-né et de son aptitude à communiquer. L'infirmière renforce la confiance et l'estime de soi des parents, en leur donnant une rétroaction à propos des gestes qu'ils posent avec compétence, par exemple en faisant remarquer à un nouveau père à quel point son nouveau-né se console rapidement lorsqu'il le tient serré contre lui. Elle occupe une position de choix pour cerner les problèmes réels ou éventuels et pour collaborer avec les autres professionnels de la santé qui fourniront des soins aux parents après leur sortie de l'hôpital. Les interventions infirmières qui favorisent l'établissement de liens affectifs entre les parents et le nouveau-né peuvent varier selon la culture à laquelle ils appartiennent **ENCADRÉ 15.1**.

L'infirmière peut améliorer les contacts entre le parent et le nouveau-né en rendant les parents plus conscients des réactions du nouveau-né et de son aptitude à communiquer.

Soins ethnoculturels

ENCADRÉ 15.1 Favoriser la formation de liens affectifs chez les mères de divers groupes ethniques et culturels

Les pratiques et rituels d'enfantement des autres cultures peuvent diverger des pratiques associées à la formation de liens affectifs dans la culture nord-américaine. Par exemple, la tradition chinoise veut que des membres de la famille élargie s'occupent du nouveau-né pour aider la mère à se reposer et à se rétablir, en particulier après une césarienne. Certaines femmes amérindiennes, asiatiques et latino-américaines ne commencent l'allaitement qu'à la montée de lait. La famille haïtienne ne nomme pas le nouveau-né avant la fin du mois des relevailles (période de rétablissement de la mère). Le degré de contact visuel varie également selon la culture. La mère de la bande inuite Yup'ik place toujours son nouveau-né de manière à établir un contact visuel avec lui.

L'infirmière doit se renseigner sur les croyances et les pratiques d'enfantement de divers groupes culturels et ethniques. Comme il existe des variantes culturelles à l'intérieur même de ces groupes, elle doit discuter avec la cliente et sa famille ou ses amis des normes culturelles qu'ils appliquent. L'infirmière qui n'offre pas des soins adaptés à la culture peut porter des jugements erronés sur la formation des liens affectifs entre la mère et son nouveau-né.

Source : Adapté de D'Avanzo (2008).

Évaluation des comportements d'attachement

L'un des aspects les plus importants de l'évaluation consiste à observer avec attention les comportements qui sont révélateurs de l'établissement de liens affectifs entre le nouveau-né et sa famille. Contrairement à l'examen physique du nouveau-né, pour lequel l'infirmière dispose de directives concrètes, l'évaluation de l'attachement entre le parent et le nouveau-né repose davantage sur l'observation et sur la collecte de données. La cohabitation de la mère et de son enfant ainsi que la possibilité pour le père ou le conjoint, les frères, les sœurs et les grands-parents de venir librement les visiter fournissent à l'infirmière d'excellentes occasions d'observer les échanges et de reconnaître les comportements montrant un attachement positif ou négatif. Les comportements d'attachement sont particulièrement faciles à observer pendant les séances d'alimentation du nouveau-né. Des lignes directrices pour évaluer les comportements d'attachement sont présentées dans l'**ENCADRÉ 15.2**.

Pendant la grossesse, et souvent même avant la

Le *Guide pour soutenir le développement de l'attachement sécurisant de la grossesse à 1 an* du ministère de la Santé et des Services sociaux (http://publications.msss.gouv.qc.ca/acrobat/f/documentation/2005/05-836-01.pdf), comprend plusieurs stratégies efficaces pour favoriser le développement de la sécurité d'attachement de l'enfant, ainsi que des activités et des suggestions pour soutenir l'intervention auprès des parents.

Pratiques infirmières suggérées

TABLEAU 15.3 **Exemples d'interventions infirmières pour favoriser l'attachement entre les parents et le nouveau-né**

DOMAINE D'INTERVENTION ET DÉFINITION	ACTIVITÉS
Favoriser l'attachement	
Faciliter l'établissement de la relation entre les parents et le nouveau-né.	• Donner aux parents l'occasion de voir, de prendre et d'examiner le nouveau-né immédiatement après sa naissance. • Encourager les parents à tenir le nouveau-né près de leur corps. • Aider les parents à donner les soins au nouveau-né. • Offrir la cohabitation de la mère, du père et du nouveau-né à l'hôpital.
Gérer l'environnement: processus d'attachement	
Adapter l'environnement pour faciliter l'établissement de la relation entre les parents et le nouveau-né.	• Créer un environnement favorisant l'intimité de la nouvelle famille. • Adapter le déroulement de la journée aux besoins des parents. • Inviter le père ou une autre personne proche à dormir dans la chambre avec la mère. • Mettre en place des politiques permettant la visite des proches autant qu'il est souhaité.
Favoriser l'intégrité familiale: famille avec enfants	
Mettre en œuvre des moyens visant à favoriser la croissance des individus et de l'ensemble de la famille qui intègre un nouveau-né à l'unité familiale.	• Préparer les parents aux changements venant avec ce rôle. • Préparer les parents aux responsabilités inhérentes à la parentalité. • Surveiller les effets de l'arrivée du nouveau-né sur la structure familiale. • Renforcer les comportements parentaux positifs.
Prodiguer des conseils en allaitement	
Utiliser un processus d'aide interactive pour contribuer au maintien d'un allaitement réussi.	• Corriger les idées fausses, les renseignements erronés et les inexactitudes concernant l'allaitement. • Évaluer les techniques d'allaitement et les corriger, au besoin. • Évaluer la compréhension des parents des signaux de faim du nouveau-né (p. ex., le réflexe des points cardinaux, la succion et la vivacité). • Déterminer la fréquence des boires en fonction des besoins du nouveau-né. • Montrer la technique de massage des seins et expliquer comment celle-ci augmente la production de lait. • Offrir de l'enseignement, des encouragements et du soutien.
Enseigner aux parents les soins à donner à un nourrisson	
Donner des renseignements sur les besoins physiques et affectifs des nourrissons durant leur première année de vie.	• Évaluer les connaissances des parents, ainsi que leur volonté et leur capacité à apprendre à prendre soin d'un nourrisson. • Donner des conseils d'ordre préventif sur le développement du nourrisson pendant la première année. • Enseigner aux parents les soins à prodiguer à un nouveau-né. • Montrer aux parents des moyens pour stimuler le développement du nouveau-né. • Parler des capacités du nouveau-né à entrer en relation avec son environnement. • Montrer des techniques pour apaiser le nouveau-né.
Reconnaître les risques: famille avec enfants	
Déceler les personnes ou les familles susceptibles d'éprouver des difficultés dans leur condition de parent et définir par ordre prioritaire des stratégies pour diminuer les risques de problèmes de parentalité.	• Déterminer le stade de développement des parents. • Passer en revue les antécédents prénataux à la recherche des facteurs pouvant prédisposer les parents ou la famille à des complications psychosociales. • Vérifier la compréhension du français ou d'une autre langue utilisée dans la collectivité. • Surveiller les comportements révélateurs d'un problème d'attachement. • Prévoir des activités de réduction des risques en collaboration avec les parents ou la famille.

Source: Adapté de Bulechek, Butcher & Dochterman (2008).

conception, nombre de parents se font une image de l'enfant idéal. L'établissement d'un lien d'attachement pourra alors être influencé par l'écart plus ou moins grand qu'il y aura entre l'enfant rêvé et l'enfant réel. L'évaluation des attentes du parent pendant la grossesse et au moment de la naissance de l'enfant permet de relever les différences dans la vision qu'ont les parents de l'enfant imaginaire et de l'enfant réel.

Pratiques infirmières suggérées

ENCADRÉ 15.2 Évaluation du comportement d'attachement

- Lorsqu'on amène le nouveau-né aux parents, tendent-ils les bras pour le prendre et l'appellent-ils par son prénom ? (Dans certaines cultures, les parents peuvent attendre un certain temps avant de choisir un prénom à leur enfant.)
- Les parents parlent-ils de leur nouveau-né sous l'angle de la reconnaissance ? À qui ressemble-t-il et qu'est-ce qui le distingue des autres enfants ?
- Lorsque les parents tiennent le nouveau-né, quel genre de contact physique manifestent-ils ? Sont-ils à l'aise de le changer de position, le touchent-ils du bout des doigts ou avec l'ensemble de la main et y a-t-il des parties du corps du nouveau-né qu'ils évitent de toucher ou qu'ils scrutent ?
- Lorsque le nouveau-né est réveillé, quelle sorte de stimulation les parents lui procurent-ils ? Parlent-ils à l'enfant, parlent-ils entre eux ou se taisent-ils ? Comment regardent-ils leur nouveau-né ? Établissent-ils un contact visuel direct avec lui, évitent-ils son regard ou regardent-ils constamment d'autres personnes ou des objets ?
- Les parents semblent-ils à l'aise de prendre soin de leur nouveau-né ? Expriment-ils des craintes concernant leur capacité ou une répugnance à l'égard de certaines activités, comme changer les couches ?
- Démontrent-ils de l'affection au nouveau-né (lui sourire, le caresser, l'embrasser ou le bercer) ? Si le nouveau-né est facilement irritable, quelles techniques de réconfort les parents utilisent-ils ? Le bercent-ils, l'emmaillotent-ils, lui parlent-ils ou le caressent-ils ?

Le travail précédant la naissance a une grande incidence sur la réaction immédiate de la mère à l'égard de son nouveau-né. Un long travail, une grande fatigue ou le sentiment d'être « droguée » après l'accouchement, sans oublier les problèmes d'allaitement, sont des facteurs qui peuvent retarder l'apparition des premiers sentiments positifs envers le nouveau-né.

15.2 Communication sensorielle entre le parent et le nouveau-né

La relation entre le nouveau-né et ses parents s'établit et se renforce par la communication sensorielle. L'infirmière ne doit pas oublier, cependant, que ces comportements interactifs varient beaucoup selon la culture de la famille.

15.2.1 Utilisation des sens

Toucher

Les parents se servent beaucoup du toucher (sens tactile) pour faire connaissance avec leur nouveau-né. De nombreuses mères tendent les bras pour prendre leur nouveau-né dès que le cordon ombilical est coupé. Elles portent leur nouveau-né à leur sein, l'enlacent et le bercent. Une fois qu'elle a son nouveau-né dans ses bras, la mère entame le processus d'exploration du bout des doigts, l'un des récepteurs du toucher les plus sensibles du corps. Généralement, peu de temps après, elle caresse ensuite avec sa paume le torse du nouveau-né, et elle le niche dans ses bras par la suite. On observe la même progression du toucher chez les pères. Les parents exécutent de doux mouvements caressants pour soulager et calmer le nouveau-né ; le tapotement ou une douce friction du dos le réconfortent après l'alimentation. Le nouveau-né tapote également le sein de la mère en se nourrissant. Les deux semblent aimer le contact de la chaleur corporelle de l'autre. Les parents manifestent généralement le désir inné de toucher, de prendre et de tenir leur nouveau-né **FIGURE 15.3**. Ils soulignent la douceur de sa peau et notent les détails de son apparence. En devenant conscients des types de toucher que leur nouveau-né aime ou n'aime pas, les parents tissent des liens plus étroits avec lui.

Le toucher des mères varie selon les groupes culturels. Par exemple, chez les Asiatiques du

Jugement clinique

Quelle intervention devriez-vous privilégier pour favoriser l'attachement entre madame Landry et son nouveau-né ?

FIGURE 15.3
Le toucher fait partie du processus d'exploration qui permet au père d'entrer en contact avec son nouveau-né.

Sud-Est, on limite au minimum le toucher et les caresses afin de protéger le nouveau-né des mauvais esprits. En raison de leurs traditions et croyances spirituelles, les femmes indiennes et balinaises pratiquent le massage des nouveau-nés depuis des siècles.

Contact visuel

Les parents ont des contacts visuels répétés avec leur nouveau-né. Certaines mères mentionnent se sentir plus proches de celui-ci une fois le contact visuel établi. Les parents passent beaucoup de temps à inciter le nouveau-né à ouvrir les yeux et à les regarder. Dans la culture nord-américaine, ce contact visuel semble avoir pour effet de consolider l'établissement d'une relation de confiance, et il demeure un facteur important à tout âge dans les relations humaines. D'autres cultures perçoivent différemment le contact visuel. Par exemple, chez les Mexicains, un contact visuel direct et soutenu est considéré par certains comme étant impoli, impudique et dangereux (D'Avanzo, 2008).

Afin de faciliter le contact visuel, il est pertinent de retarder l'application d'un onguent antibiotique prophylactique dans les yeux du nouveau-né jusqu'à ce que les parents aient pu passer un peu de temps avec lui dans la première heure suivant la naissance.

Lorsque le nouveau-né devient capable d'un contact visuel soutenu avec les parents, ceux-ci et lui-même passent du temps à se regarder dans les yeux, souvent en position de face à face. Dans cette position, le visage du parent et celui du nouveau-né sont à environ 20 cm l'un de l'autre, sur le même plan **FIGURE 15.4**. Le personnel soignant peut faciliter le contact visuel immédiatement après la naissance en plaçant le nouveau-né sur l'abdomen ou sur la poitrine de la mère de façon qu'ils puissent facilement établir un contact visuel. Il peut aussi atténuer l'éclairage pour aider le nouveau-né à ouvrir les yeux.

Voix

Biorythme : Changement cyclique qui se produit selon un certain rythme, tels les habitudes alimentaires et le sommeil.

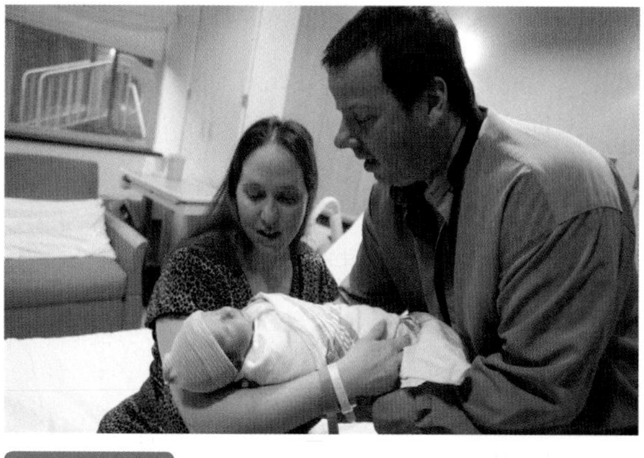

La réaction mutuelle des parents et du nouveau-né au son de leurs voix respectives est remarquable. Les parents attendent avec tension le premier cri du nouveau-né ; une fois que celui-ci l'a poussé, ils sont rassurés sur sa bonne santé et amorcent des comportements de réconfort. Lorsque les parents parlent sur un ton aigu, cela attire l'attention du nouveau-né, qui tourne alors la tête vers eux.

Le nouveau-né réagit à une voix aiguë et reconnaît celle de sa mère parmi d'autres peu de temps après sa naissance. Il pleure et crie pour exprimer sa faim, son malaise, son ennui et sa fatigue. Avec l'expérience, les parents apprennent à distinguer la signification de ses différents cris.

Odeur

Les parents et le nouveau-né ont également en commun la réaction à l'odeur de l'autre. Les mères commentent l'odeur de leur enfant à la naissance et constatent que chacun possède une odeur unique. Le nouveau-né apprend rapidement à reconnaître l'odeur du lait de sa mère.

15.2.2 Rythme

Le nouveau-né bouge en harmonie avec le rythme de la parole des adultes. Il agite les bras, lève la tête et donne des coups de pied comme s'il dansait au diapason de la voix du parent. Les rythmes de l'expression vocale définis par la culture sont inculqués au nouveau-né bien avant qu'il communique grâce au langage parlé. Ce rythme commun donne également aux parents une rétroaction positive et établit un contexte positif pour une communication efficace.

15.2.3 Biorythmes

Le fœtus est en accord avec les rythmes naturels de la mère – les **biorythmes** –, comme celui de son pouls. Après la naissance, un nouveau-né qui pleure pourra se calmer en entendant le battement du cœur de sa mère ou un enregistrement de celui-ci. L'une des tâches du nouveau-né consiste à établir un biorythme personnel. Les parents peuvent faciliter ce processus en lui donnant des soins affectueux et réguliers, ainsi qu'en profitant de ses périodes d'éveil pour provoquer des comportements de réponse favorisant l'interaction sociale et les occasions d'apprentissage. Plus les parents deviennent rapidement compétents dans les soins au nouveau-né, plus ils peuvent concentrer leur énergie psychologique sur l'observation des signaux de communication que leur transmet leur enfant et la réponse à donner.

15.2.4 Réciprocité et synchronie

Comme il a déjà été mentionné, la réciprocité désigne un type de mouvement du corps ou un type de comportement qui envoie un signal à l'observateur ou au destinataire ; celui-ci interprète ces signaux et y réagit. Il faut souvent plusieurs semaines pour que la réciprocité s'installe avec un nouveau-né. Ainsi, lorsqu'il gémit et pleure, le parent le prend dans

FIGURE 15.4
La position en face à face permet aux parents de faire visuellement connaissance avec leur nouveau-né.

ses bras et le berce ; le nouveau-né devient calme et éveillé, et il établit un contact visuel avec son parent ; ce dernier verbalise, chantonne et gazouille pendant que le nouveau-né maintient le contact visuel. Celui-ci détourne ensuite son regard et bâille ; le parent diminue sa réaction active. Si le parent continue de stimuler le nouveau-né, celui-ci peut devenir irritable, pleurer et être difficilement consolable.

Le terme **synchronie** désigne la correspondance entre les signaux du nouveau-né et la réaction du parent. Une communication synchronisée satisfait mutuellement le parent et l'enfant **FIGURE 15.5**. Le parent a besoin de temps pour apprendre à bien interpréter les signaux de son enfant. Par exemple, après un certain temps, le nouveau-né adopte des pleurs différents selon qu'il s'ennuie, se sent seul, a faim ou est inconfortable. Avec de l'aide, parfois, et avec l'expérience, le parent finit par reconnaître et différencier les types de pleurs, et la synchronie devient alors possible.

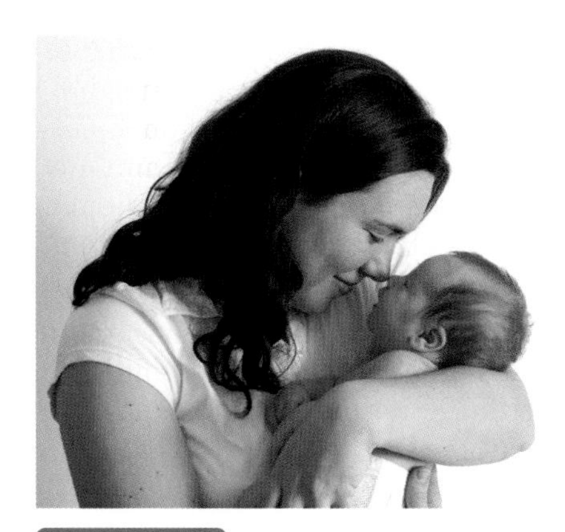

FIGURE 15.5
Partager un sourire est un exemple de synchronie.

15.3 Rôle parental après la naissance

15.3.1 Transition à la parentalité

La transition à la parentalité est la période allant de la prise de la décision de concevoir jusqu'au premier anniversaire de l'enfant. Les parents acquièrent alors leurs compétences à reconnaître les besoins de leur enfant et à y répondre, afin de se sentir compétents dans leur rôle de parents.

Devenir parent est une étape de développement et de croissance qui fait partie de la vie. La transition à la parentalité est une période de satisfaction pour les parents, mais aussi de désordre et de déséquilibre. Parfois, les stratégies d'adaptation acquises au cours des diverses expériences de vie semblent inefficaces devant ce nouveau stress. Certains parents vivent une anxiété telle qu'ils sont incapables de se soutenir l'un l'autre. Les hommes considèrent souvent leur compagne comme leur principale ou leur seule source de soutien, et ils peuvent donc trouver la transition plus difficile que les femmes. Ainsi, un homme se sent souvent délaissé lorsque sa conjointe, qui vit également du stress, ne peut pas le soutenir comme elle le faisait auparavant (de Montigny, Lacharité & Amyot, 2006a). De nombreux parents sont pris au dépourvu lorsque les pleurs de leur nouveau-né font naître en eux de forts sentiments d'impuissance, d'incompétence et de colère. Par contre, être parent permet à l'adulte de cultiver et de montrer un côté dévoué, chaleureux et altruiste qui ne se manifeste peut-être pas dans d'autres rôles adultes.

La transition à la parentalité constitue une période riche en occasions pour la majorité des mères et des pères.

La transition à la parentalité constitue une période riche en occasions pour la majorité des mères et des pères. En cherchant à mieux maîtriser leur nouveau rôle et à évoluer dans celui-ci, les parents expérimentent de nouvelles stratégies d'adaptation qui les aident à découvrir leurs forces et leurs ressources intérieures.

Jugement clinique

Puisque madame Landry désirait avoir une fille, comment pouvez-vous faciliter la transition entre l'enfant que la cliente souhaitait et celui qui est né ?

Devenir mère

Les travaux de Rubin (1961) ont permis d'établir trois phases d'adaptation de la mère à son rôle parental qui se caractérisent par un comportement dépendant, un comportement dépendant-indépendant et un comportement interdépendant. L'étude de Rubin (1961) a été menée lorsque le séjour à l'hôpital était plus long (de trois à cinq jours ou plus). Aujourd'hui, les femmes obtiennent leur congé plus tôt, et il semble qu'elles traversent plus rapidement ces phases. Toutefois, celles-ci demeurent actuelles, et elles peuvent aussi s'échelonner sur plusieurs semaines **TABLEAU 15.4**.

Mercer (2004) a proposé de remplacer la notion d'accession au rôle de mère, introduite par Rubin en 1961, par devenir mère afin de rendre compte de la transformation et de la croissance de l'identité de mère. Devenir mère implique davantage que d'accéder à un rôle ; la femme doit acquérir de nouvelles compétences et accroître sa confiance en soi au fur et à mesure qu'elle relève de nouveaux défis en prenant soin de son ou de ses enfants.

Selon Mercer (2004), le processus de devenir mère comporte quatre étapes. Durant la grossesse, la mère s'engage et s'attache au fœtus, en préparant la naissance et la période postnatale. Puis, pendant les deux à six premières semaines après la naissance, elle prend contact

TABLEAU 15.4 Phases d'adaptation de la mère après la naissance

PHASE	CARACTÉRISTIQUES
Comportement dépendant : phase de récupération	• A lieu au cours des 24 premières heures (1 ou 2 jours). • Priorité : soi et satisfaction des besoins de base – dépend des autres pour satisfaire ses besoins de confort, de repos et d'intimité, et pour se nourrir ; – se montre excitée et bavarde ; – désire passer en revue l'expérience de la naissance.
Comportement dépendant-indépendant : phase de prise en charge	• Commence le 2e ou le 3e jour et dure de 10 jours à plusieurs semaines. • Priorité : compétence dans le maternage du nouveau-né – désire prendre le nouveau-né en charge ; – a encore besoin d'être entourée de soins et d'être acceptée par les autres. • A un grand désir d'apprendre et de mettre en pratique les soins au nouveau-né ; meilleure période pour recevoir les enseignements de l'infirmière – s'adapte aux malaises physiques et aux changements émotionnels ; – peut vivre le cafard du postpartum (ou syndrome du troisième jour ou *baby blues*).
Comportement interdépendant : phase de lâcher-prise	• Priorité : évolution de la famille en tant qu'unité composée de membres en interaction – réaffirmation de la relation avec le conjoint ; – retour de l'intimité sexuelle ; – intégration du rôle de chacun.

Source : Adapté de Rubin (1961).

et établit des liens affectifs avec son nouveau-né, apprend à en prendre soin et se rétablit physiquement. La troisième phase consiste en l'intégration du nourrisson et des soins qu'il requiert dans le quotidien de la mère. Finalement, la mère progresse vers une nouvelle réalité, où elle intègre l'identité maternelle en se redéfinissant comme personne (environ quatre mois) (Mercer & Walker, 2006). La durée de chacune de ces étapes est variable, et celles-ci peuvent se chevaucher. Des facteurs liés à la mère, au nouveau-né et à l'environnement social peuvent influer sur leur déroulement, par exemple, l'âge de la mère, l'état de santé de l'enfant ou la monoparentalité.

La sensibilité maternelle ou la réceptivité de la mère est un déterminant important de la relation entre la mère et son nouveau-né. Elle a une grande influence sur le développement physique, psychique et cognitif de celui-ci. Les qualités inhérentes à cette sensibilité comprennent la conscience des signaux du nouveau-né et la réaction à ces signaux, l'acceptation, l'affect, la synchronisation, la souplesse et la négociation des conflits. La sensibilité maternelle est dynamique et s'acquiert au fil du temps dans le cadre d'interactions mutuelles entre la mère et l'enfant (Shin, Park, Ryu & Seomun, 2008).

La transition à la maternité exige une adaptation de la part de la mère et de la famille. Les perturbations sont inhérentes à cette adaptation ; certaines situations, comme une grossesse à risque élevé, des problèmes de rétablissement après la naissance ou un nouveau-né dont l'état de santé est critique, ne font que les aggraver (Lutz & May, 2007).

Toutes les mères ne vivent pas la transition à la maternité de la même façon. Plusieurs examinent leurs rapports au passé, leurs relations avec leur propre mère. Pour certaines, devenir mère entraîne de multiples pertes. Par exemple, une femme célibataire peut perdre le lien avec sa famille d'origine si cette dernière n'accepte pas sa décision d'avoir l'enfant. Dans d'autres cas, la mère voit s'évanouir sa relation avec le père de l'enfant ou avec des amis ; elle peut aussi se sentir dépossédée d'elle-même. D'autres encore éprouvent des difficultés à décider de retourner ou non au travail. Certaines femmes parlent de la perte d'un rêve, comme le renoncement à un emploi, à une sécurité financière et à une profession. Un manque de soutien accompagne ces pertes.

L'infirmière doit personnaliser ses évaluations et ses interventions. Il est nécessaire que les programmes d'enseignement périnatal reflètent mieux la réalité afin que la mère se sente préparée et soit moins anxieuse. Les rencontres en présence d'une intervenante (infirmière, sage-femme) permettent à la mère d'obtenir des réponses à ses questions et de sentir l'appui d'autres mères. Elle doit être informée qu'il est courant de se sentir dépassée et anxieuse, ainsi que d'éprouver de la fatigue physique et mentale pendant les premiers mois. L'infirmière la rassure en lui disant que cette situation est temporaire et qu'il lui faudra peut-être entre trois et six mois pour se sentir à l'aise dans son rôle de mère et avec les soins à apporter au nourrisson. Le soutien à la mère devrait idéalement être offert pendant les quatre à six mois suivant la sortie de l'hôpital, car les interventions à long terme sont généralement plus fructueuses qu'une rencontre unique. L'infirmière est une personne clé dans le réseau de la santé pour contribuer à la poursuite des services de soutien pendant la période postnatale (Mercer & Walker, 2006).

Pendant la grossesse et après la naissance, l'infirmière peut discuter des préoccupations postnatales courantes des mères. Elle peut expliquer à la mère les diverses stratégies d'adaptation qui pourront l'aider, comme se reposer quand le nouveau-né dort et demander à un membre de la famille étendue ou à un proche de se charger des tâches ménagères pendant une ou deux semaines après la naissance du nouveau-né. Une fois qu'elle est de retour à la maison, la mère peut recevoir des appels périodiques d'une infirmière désignée afin de lui permettre d'exprimer ses préoccupations et d'obtenir du soutien et des conseils. L'infirmière doit prévoir offrir de plus amples conseils et du soutien à certaines mères, par exemple à celle dont c'est le premier enfant et qui n'a aucune expérience des soins au nouveau-né, à la femme dont le réseau professionnel lui procurait une source de stimulation, à la mère qui n'a pas beaucoup d'amis ou de membres de la famille avec qui partager ses joies et ses inquiétudes, à la mère adolescente et à la mère qui a des antécédents de dépression. Dans la mesure du possible, il faut prévoir des visites postnatales à domicile dans la planification des soins **PSTI 15.1**.

Syndrome du troisième jour ou *baby blues*

Le climat euphorique qui prévaut un jour ou deux après la naissance, caractérisé par une grande joie et un sentiment de bien-être, est souvent suivi d'une période plus morose. Environ 50 à 80 % des femmes, de toutes les origines ethniques, sont touchées par ce qui est nommé syndrome du troisième jour, cafard du postpartum ou plus communément ***baby blues*** (Agence de la santé publique du Canada, 2009). Pendant cette période, la femme est labile, pleure souvent facilement sans motif apparent. Cette labilité semble atteindre un sommet le cinquième jour pour s'atténuer et disparaître le dixième. Les autres symptômes comprennent la dépression, un sentiment de déception, la fatigue, l'insomnie, les maux de tête, l'anxiété, la tristesse et la colère. Divers facteurs biochimiques, psychologiques, sociaux et culturels pourraient expliquer le *baby blues*. La cause réelle demeure toutefois encore inconnue.

Peu importe les causes, le début de la période postnatale semble marqué par la vulnérabilité émotionnelle et physique de la mère qui est souvent dépassée psychologiquement par la réalité des responsabilités parentales. La mère se sent privée des soins et du soutien qu'elle recevait de la famille et de ses amis pendant la grossesse. Certaines mères regrettent la perte du lien entre elle et l'enfant à naître, et elles doivent en faire le deuil. D'autres éprouvent de la déception une fois que le travail et la naissance sont passés. La fatigue suivant l'accouchement est accentuée par les exigences du nouveau-né qu'il faut satisfaire à toute heure du jour et de la nuit, ce qui peut entraîner un sentiment de dépression plus marqué. La fatigue ressentie pendant la période postnatale accroît les risques de souffrir des symptômes de dépression postpartum et peut nuire à l'intégration du rôle maternel (Corwin & Arbour, 2007). L'infirmière peut proposer diverses stratégies pour aider la mère qui souffre du *baby blues* **ENCADRÉ 15.3**.

L'infirmière peut poser quelques questions tirées d'une liste de vérification à la sortie de l'hôpital de la mère ; ces questions peuvent aider celle-ci à évaluer dans quelle mesure elle souffre du *baby blues* et l'inciter à chercher de l'aide, au besoin, auprès d'un membre du personnel soignant. Les symptômes du *baby blues* sont généralement légers et brefs, mais entre 10 et 15 % des femmes vivent un syndrome plus grave appelé **dépression postpartum (DPP)** (Index Santé, 2010) ▶ 23. Les symptômes de la DPP peuvent être bénins ou graves, les femmes rapportant de bonnes et de mauvaises journées. Les pères aussi peuvent souffrir de DPP. Son dépistage doit être effectué tant auprès de la mère que du père.

Les visites à domicile et le suivi téléphonique permettent à l'infirmière d'évaluer l'évolution des sentiments et des comportements de la mère. Il arrive que la DPP ne soit pas décelée, car les nouveaux parents sont souvent embarrassés, se sentent coupables ou ont peur d'admettre qu'ils vivent ce genre de trouble émotionnel. L'infirmière doit renseigner les parents sur la différence entre le *baby blues* et la DPP et les inciter à communiquer rapidement tout symptôme dépressif.

Jugement clinique

Vous rencontrez monsieur Philippe Sanchez, âgé de 24 ans, et madame Nadia Arbour, âgée de 25 ans, pour une première visite postnatale à la maison. La cliente a obtenu son congé depuis trois jours. Elle vous confie se sentir dépassée par les responsabilités et les soins à donner à son enfant. Elle vous dit : « Je ne comprends pas. Audrey est un bébé facile. Je suis toujours fatiguée, je n'ai plus faim. » Elle éclate en sanglots.

Que soupçonnez-vous chez madame Arbour ? S'agit-il d'une réaction normale ? Justifiez votre réponse.

Jugement clinique

Monsieur Sanchez avoue se sentir impuissant devant les comportements de sa conjointe. Il souhaite l'aider, mais il ne sait pas comment.

Que devriez-vous lui conseiller ?

23

Le chapitre 23, *Complications postpartum*, permet de mieux comprendre les complications d'ordre émotionnel qui peuvent survenir chez la mère.

Plan de soins et de traitements infirmiers

PSTI 15.1 Suivi de soins à domicile: adaptation au rôle de parents

PROBLÈME DÉCOULANT DE LA SITUATION DE SANTÉ	**Connaissances insuffisantes des soins à prodiguer à un nouveau-né** liées à un manque d'expérience ou de soutien
OBJECTIF	Les parents fourniront des soins adéquats au nouveau-né.
RÉSULTATS ESCOMPTÉS	**INTERVENTIONS INFIRMIÈRES ET JUSTIFICATIONS**
Développement du nouveau-né • Poids en regard de la taille, circonférence de la tête et état des fontanelles dans les normales attendues • Coloration et turgescence de la peau normales • Tonus, réflexes et capacités développementales appropriés à l'âge de l'enfant • Signes vitaux dans les normales attendues	• Explorer les préoccupations des parents quant aux soins à donner à leur nouveau-né pour cibler l'enseignement et le soutien. • Observer l'aisance des parents lorsqu'ils prodiguent des soins au nouveau-né (bain, changement de couche, alimentation et jeux) pour déterminer les besoins d'enseignement. • Explorer le réseau de soutien disponible pour aider les parents quant aux soins au nouveau-né afin de déterminer s'il est adéquat. • Superviser les parents dans l'exécution des soins qu'ils ont de la difficulté à donner en leur démontrant au besoin des techniques plus adaptées pour les aider à s'améliorer. • Assurer un suivi et diriger les parents, au besoin, vers les ressources appropriées pour qu'ils reçoivent du soutien afin de résoudre leurs difficultés.
PROBLÈME DÉCOULANT DE LA SITUATION DE SANTÉ	**Habitudes de sommeil perturbées** à cause des exigences du nouveau-né et de l'environnement
OBJECTIF	Les deux parents se diront plus reposés.
RÉSULTATS ESCOMPTÉS	**INTERVENTIONS INFIRMIÈRES ET JUSTIFICATIONS**
Habitudes de sommeil • Périodes de repos satisfaisantes • Périodes de sommeil ininterrompues	• Discuter avec les parents de leur routine et cerner précisément les facteurs qui nuisent au sommeil pour déterminer l'étendue du problème et orienter les interventions. • Explorer des moyens pour rendre l'environnement plus propice au sommeil (p. ex., de l'intimité, l'obscurité, la tranquillité, des massages de dos, une musique de détente, du lait chaud) et enseigner les principes de l'imagerie mentale dirigée et des techniques de relaxation pour créer des conditions optimales au sommeil. • Encourager l'élimination des facteurs ou des habitudes qui peuvent nuire au sommeil, comme la caféine, les aliments qui causent des brûlements d'estomac, les activités physiques ou mentales intenses. • Conseiller aux parents de limiter les visiteurs et de diminuer leurs activités afin de ne pas créer davantage de stress et de fatigue. • Recommander aux parents de prévoir des périodes pendant lesquelles des proches prendront soin du nouveau-né afin de leur permettre de dormir ou leur proposer de se reposer en alternance, si le réseau de soutien n'est pas disponible. • Conseiller d'utiliser les périodes de sieste du nouveau-né pour se reposer, refaire le plein d'énergie et diminuer la fatigue. • Aider les parents à déterminer qui, parmi les membres de la famille ou les amis, sont les plus susceptibles de les aider en effectuant certains travaux ménagers ou en prenant soin du nouveau-né ou des autres enfants pour leur permettre de se reposer.
PROBLÈME DÉCOULANT DE LA SITUATION DE SANTÉ	**Risque de perturbation de la dynamique familiale** en raison de l'inclusion d'un nouveau membre
OBJECTIF	Le nouveau-né sera bien intégré dans la structure familiale.
RÉSULTATS ESCOMPTÉS	**INTERVENTIONS INFIRMIÈRES ET JUSTIFICATIONS**
• Application de stratégies d'adaptation efficaces • Contribution à la vie familiale de tous les membres de la famille • Absence de conflit intrafamilial	• Explorer avec la famille comment l'arrivée du nouveau-né a changé la structure familiale et le rôle de chacun des membres pour évaluer l'adaptation au changement des rôles. • Observer la relation des membres de la famille avec le nouveau-né et noter le degré d'attachement, les signes de rivalité fraternelle et la participation aux soins du nouveau-né pour évaluer l'acceptation du nouveau membre de la famille. • Clarifier les idées fausses et les perceptions erronées pour encourager une communication claire entre les membres de la famille. • Aider la famille à explorer des pistes de solution aux problèmes cernés et encourager leur résolution efficace. • Appuyer les efforts de la famille dans ses tentatives d'adaptation au nouveau membre et à son intégration pour renforcer les membres dans leurs nouvelles fonctions et leurs nouveaux rôles. • Au besoin, orienter la famille vers les organismes de services sociaux ou communautaires appropriés pour assurer le suivi du soutien et des soins.

Devenir père

Selon les recherches portant sur l'adaptation de l'homme à la parentalité, les hommes suivent un processus prévisible pendant les premières semaines où ils développent leur engagement comme père de ce nouvel enfant (Goodman, 2005). En premier lieu, l'homme devient père avec l'intention de s'investir émotionnellement auprès de son enfant et de nouer des liens étroits avec lui. De nombreux nouveaux pères expriment alors le désir de ne pas être comme leur propre père. Dans la deuxième période, le nouveau père fait face à la réalité ; il se rend compte que ses attentes n'avaient rien à voir avec la réalité de la vie avec un nouveau-né dans les premières semaines de sa vie. Les sentiments souvent associés à cette réalité sont la tristesse, l'ambivalence, la jalousie, la frustration de ne pas pouvoir participer à l'allaitement et le désir irrésistible d'en faire plus. Certains hommes sont surpris que l'établissement de la relation avec le nouveau-né se fasse aussi graduellement. Ils se sentent souvent seuls, sans personne à qui confier leurs sentiments. La mère est prise par les soins à donner au nouveau-né et par sa propre transition à la parentalité. Par contre, certains hommes sont agréablement surpris de la facilité du rôle parental et du plaisir qu'ils en retirent. Beaucoup de pères dont l'enfant est allaité trouvent d'autres moyens d'en prendre soin, par exemple en le massant, en le réconfortant, en lui donnant son bain (de Montigny *et al.*, n. d.). Au troisième stade, l'homme cherche à endosser activement son rôle de père. La réalité des premières semaines passées à la maison avec un nouveau-né le conduit à changer ses attentes, à se fixer de nouvelles priorités et à redéfinir son rôle. Il met au point des stratégies pour équilibrer le travail, ses besoins et ceux de sa conjointe et du nouveau-né. Les hommes sont en général de plus en plus à l'aise à donner les soins au nouveau-né. Durant cette période, le père peut avoir besoin de recevoir des signes de reconnaissance et de rétroaction positive du nourrisson, de sa conjointe et d'autres personnes. Il peut sentir qu'il reçoit peu de soutien et d'attention de la part des professionnels de la santé (de Montigny & Lacharité, 2004, 2005). Durant la dernière phase, le père qui joue pleinement son rôle auprès de son enfant récolte les fruits de ses efforts, dont le plus important est la réciprocité avec l'enfant qui lui sourit. Cette étape se produit habituellement autour de six semaines à deux mois. La plus grande sociabilité du nourrisson a un effet bénéfique sur la relation entre le père et son enfant (Goodman, 2005) **TABLEAU 15.5**. La transition à la paternité est particulièrement

Guide d'enseignement

ENCADRÉ 15.3 Conseils pour surmonter le *baby blues*

- Rappelez-vous qu'il est normal de se sentir triste, dépassé ou déprimé, que vous soyez la mère ou le père d'un nouveau-né.
- Reposez-vous beaucoup ; faites la sieste en même temps que le nouveau-né si les circonstances le permettent. Couchez-vous tôt et indiquez aux amis et à la famille les moments propices pour vous visiter et ce qu'ils peuvent faire pour vous aider.
- Échangez avec d'autres parents.
- Pensez à vous. Profitez des moments où votre conjoint ou des membres de la famille s'occupent du nouveau-né pour prendre un bain (20 minutes passées dans un bain correspondent à 2 heures de sieste) ou pour sortir marcher.
- Planifiez une sortie. Allez dehors au soleil ou au centre commercial avec le nouveau-né dans une poussette.
- Prenez de petits congés, par exemple pour aller au restaurant avec des amis, sans l'enfant.
- Confiez votre nouveau-né le plus possible à son père.
- Parlez des sentiments que vous éprouvez à votre conjoint, par exemple un manque de liberté, comment l'accouchement a correspondu ou non à vos attentes ou comment il pourrait vous aider de façon précise.
- Si vous allaitez, laissez-vous, ainsi qu'au nouveau-né, le temps d'apprendre.
- Savourez le contact peau à peau avec votre nouveau-né.
- N'hésitez pas à faire appel aux ressources qui existent, comme la Ligue La Leche ou un centre communautaire.
- Consultez le guide *Mieux vivre avec notre enfant de la grossesse à deux ans*, une ressource québécoise pour les nouveaux parents. On y aborde le sujet de la dépression postpartum et des signaux à observer. Par exemple, on y précise que « si vous vous sentez malheureuse chaque jour depuis plusieurs semaines, si vous souffrez d'insomnie ou de perte d'appétit, si vous avez moins d'intérêt pour votre bébé, consultez un médecin ou un psychologue, vous souffrez peut-être d'une dépression postpartum » (Institut national de santé publique du Québec, 2011, p. 173).

RAPPELEZ-VOUS...

Il est important pour l'infirmière de favoriser la communication entre tous les membres de la famille afin de leur permettre de mieux comprendre l'expérience vécue par chacun d'entre eux, de se soutenir mutuellement et de trouver ensemble des solutions qui conviennent à tous.

TABLEAU 15.5 Développement initial de l'engagement paternel

PHASE	CARACTÉRISTIQUES
Attentes et intentions	Le père désire s'engager affectivement auprès du nouveau-né et établir un lien étroit avec lui.
Affrontement de la réalité	Le père compose avec ses attentes irréalistes, sa frustration, sa déception, ses sentiments de culpabilité, d'impuissance et d'incompétence.
Création du rôle de père engagé	Le père modifie ses attentes, se fixe de nouvelles priorités, redéfinit son rôle, négocie le changement avec sa conjointe, apprend à donner les soins au nouveau-né, augmente les échanges avec celui-ci, a besoin de recevoir de la reconnaissance.
Récolte des fruits des efforts	Le père reçoit les sourires du nouveau-né, donne un sens à sa paternité, vit un sentiment de complétude et d'immortalité.

Source : Adapté de Goodman (2005).

complexe pour les pères immigrants, car ceux-ci vivent simultanément cette transition et celle liée à l'immigration **ENCADRÉ 15.4**.

L'homme qui devient père pour la première fois perçoit les 4 à 10 premières semaines de la vie parentale à peu de chose près comme la mère, soit comme une période marquée par l'incertitude, des responsabilités accrues, un sommeil perturbé, et l'incapacité de trouver le temps nécessaire pour prendre soin du nouveau-né et rétablir la dyade maritale. Il exprimera souvent son inquiétude à l'égard de la moins grande attention portée par sa conjointe à leur relation personnelle, au manque de reconnaissance de la mère quant au désir du père de participer à la prise des décisions relatives au nouveau-né, ainsi que du peu de temps disponible pour établir une relation avec l'enfant. Ces préoccupations peuvent faire naître un sentiment de jalousie envers celui-ci. Pour atténuer ce sentiment, le père doit partager ses inquiétudes et ses besoins avec sa conjointe et participer davantage aux activités entourant le nouveau-né.

Dans la culture nord-américaine, l'arrivée du nouveau-né a un grand effet sur le père, qui s'occupe intensément de son enfant. Cette attitude d'attention, de préoccupation et d'intérêt marqué s'appelle l'enchantement. Les caractéristiques de l'enchantement comprennent des réactions sensorielles liées au toucher et au contact visuel, de même qu'une sensibilité marquée du père à l'égard des caractéristiques à la fois particulières au nouveau-né et communes avec lui-même qui confirment son sentiment d'appartenance. Le père ressent une grande attirance pour le nouveau-né. Il consacre beaucoup de temps à communiquer avec lui et se réjouit des réactions de celui-ci **FIGURE 15.6**.

FIGURE 15.6
Enchantement. Le père est absorbé dans la contemplation de son nouveau-né.

Pratique fondée sur des résultats probants

ENCADRÉ 15.4 **Migration et identité paternelle**

QUESTION CLINIQUE

Comment les nouveaux pères immigrés affrontent-ils deux principaux défis, à savoir le développement de leur identité paternelle et le déploiement de leur engagement paternel ? Cette étude comparative vise à décrire l'engagement paternel et le processus de construction de l'identité paternelle de pères originaires du Maghreb.

RÉSULTATS PROBANTS

Les données ont été recueillies au cours d'entretiens semi-dirigés auprès de six pères maghrébins de première génération immigrés au Québec (groupe A) et de six pères maghrébins de deuxième génération résidant en Belgique (groupe B).

ANALYSE CRITIQUE ET SYNTHÈSE DES DONNÉES

- Les pères des deux groupes démontrent un engagement envers leur enfant. Ils interagissent principalement avec celui-ci par le jeu et à l'occasion de certains soins de base tel le bain. Certains bercent aussi leur enfant, l'endorment, le massent, font des sorties avec lui et le nourrissent. La construction de l'identité paternelle des pères rencontrés est fortement influencée par leur immigration puisqu'elle se fait sans les repères culturels, familiaux et sociaux de leur pays d'origine. Les deux groupes de pères doivent redéfinir leur rôle paternel, ainsi que les règles, les codes et les rôles à l'intérieur de la famille. Si l'amour et l'attachement envers leur enfant prennent une grande place dans leur rôle de père, ils définissent d'abord leur paternité comme un engagement et une responsabilité. Ils énoncent plusieurs responsabilités liées à leur rôle :
  - subvenir aux besoins de l'enfant ;
  - lui servir d'exemple ;
  - lui transmettre un bagage culturel et religieux ;
  - assurer la discipline à la maison.
- Dans le discours des pères du groupe A, la responsabilité de créer un lien avec l'enfant est un élément important du rôle du père, alors que les participants du groupe B insistent davantage sur le rôle de pourvoyeur et de figure d'autorité.
- Pour les pères du groupe A, le vécu migratoire constitue au contraire un tremplin pour la construction de leur identité paternelle et rend possible son expression, notamment par la distanciation avec la famille restée au pays d'origine. L'immigration leur permet de prendre une plus grande place auprès de leurs enfants, les soins et les activités liés aux enfants ne faisant pas partie de la sphère masculine dans les sociétés du Maghreb. Les pères de ce groupe expriment d'ailleurs que leur engagement envers leur enfant est supérieur à ce qu'il aurait été dans leur pays d'origine.

RECOMMANDATIONS POUR LA PRATIQUE INFIRMIÈRE

- Adapter les modes d'intervention à l'expérience des parents en les questionnant sur leurs besoins comme nouveaux parents dans un contexte d'immigration récente.
- Soutenir le développement de l'identité et de l'engagement paternel des pères immigrants, par exemple en les incluant au moment des consultations prénatales et postnatales ainsi qu'au cours des réunions de parents organisées par la garderie ou par l'école.
- Accorder une place au vécu des familles immigrantes, en questionnant les pères sur leur expérience.
- Reconnaître les diverses formes de contribution qu'apportent ces hommes à la famille, l'investissement dans leur travail étant aussi un rôle à valoriser.

RÉFÉRENCES

Gervais, C., de Montigny, F., Azaroual, S., & Courtois, S. (2009). La paternité en contexte migratoire : étude comparative de l'expérience d'engagement paternel et de la construction de l'identité paternelle d'immigrants maghrébins de première et de deuxième génération. *Enfances, Familles, Générations, 11*, 25-43.

Après le premier contact avec son nouveau-né, le père éprouve généralement une meilleure estime de soi, et il se sent fier, plus mûr et plus vieux.

Le père passe généralement moins de temps avec le nouveau-né que la mère, et sa relation avec lui est davantage axée sur le jeu de stimulation que sur les soins. Les différences dans la façon dont les deux parents stimulent leur nouveau-né procurent à ce dernier une expérience sociale plus variée.

Le père n'obtient pas le même soutien interpersonnel et professionnel que la mère et peut se sentir exclu des rencontres et suivis prénataux. Il a toutefois besoin d'information et d'encouragements pendant la grossesse et la période postnatale concernant les soins au nouveau-né, le rôle parental et les changements relationnels. Au cours du séjour à l'hôpital suivant la naissance, l'infirmière peut montrer les soins au nouveau-né en présence du père et lui donner des conseils sur la transition à la parentalité. Le père peut trouver aidant de participer à des groupes destinés aux parents ou aux hommes (rencontres prénatales, incluant de l'information sur le rôle du père, et groupes de soutien aux parents), pour parler de ses inquiétudes et satisfaire certains de ses besoins. Au cours de ses visites à domicile et de ses appels de suivi, l'infirmière devrait réserver du temps à l'évaluation de l'adaptation du père et de ses besoins (Deave, Johnson & Ingram, 2008 ; Fletcher, Vimpani, Russell & Sibbritt, 2008 ; Halle *et al.*, 2008 ; St. John, Cameron & McVeigh, 2005).

Tâches et responsabilités parentales

Les parents doivent réconcilier l'idée qu'ils se faisaient de l'enfant à venir ou dont ils rêvaient avec le nouveau-né bien réel. Ils doivent ainsi accepter l'apparence physique, le sexe, le tempérament et la condition physique de l'enfant. S'il y a une grande différence entre l'enfant réel et l'enfant imaginé, certains parents peuvent tarder à accepter le nouveau-né, et d'autres peuvent ne jamais y parvenir.

Grâce à l'échographie, les parents qui le souhaitent connaissent le sexe du nouveau-né avant l'accouchement. Ceux qui n'ont pas accès à cette information peuvent cependant être déçus d'apprendre à la naissance que le sexe du nouveau-né ne concorde pas avec leurs désirs et avoir besoin de temps pour s'en remettre. Les parents peuvent prodiguer de bons soins à leur nouveau-né, mais éprouver de la difficulté à être sincèrement en contact avec lui tant que ce conflit intérieur n'est pas résolu.

Certains parents sont alarmés par la taille, la couleur, le modelage du crâne ou par les jambes arquées de leur enfant, qui correspondent pourtant à l'aspect d'un nouveau-né. L'infirmière peut encourager les parents à examiner leur nouveau-né et à poser des questions sur ses caractéristiques.

Les parents doivent devenir habiles à prendre soin de leur nouveau-né, y compris le fait de comprendre les signaux qu'il leur transmet pour communiquer ses besoins et y répondre adéquatement. La compétence accroît l'estime de soi. L'allaitement fait sentir à la mère qu'elle contribue de façon unique au bien-être de son enfant. Le parent peut interpréter la réaction du nouveau-né au soin et à l'attention qu'il lui donne comme un commentaire sur la qualité du soin en question.

Certaines personnes sont heureuses de recevoir de l'aide et des conseils, tandis que d'autres perçoivent les conseils comme une critique ou un jugement sur leur inaptitude. Les critiques, réelles ou imaginaires, de la compétence des nouveaux parents à s'acquitter adéquatement des soins physiques, de l'alimentation et de la stimulation sociale du nouveau-né peuvent avoir un effet dévastateur. L'infirmière contribue aux perceptions d'efficacité des parents lorsqu'elle les encourage, les guide dans leurs prises de décision et les félicite pour leurs réussites (de Montigny & Lacharité, 2008 ; de Montigny, Lacharité et Amyot, 2006b).

Les parents doivent donner une place au nouveau-né dans le groupe familial, et tous les membres de la famille doivent modifier leurs rôles pour intégrer le nouveau venu, qu'il soit le premier-né ou le dernier-né.

Adaptation du couple

La transition à la parentalité modifie la relation entre la mère et son conjoint. Une relation de couple solide et saine est la meilleure base possible pour les parents, mais même les meilleures relations sont ébranlées par l'arrivée d'un nouvel enfant. Pendant les semaines qui suivent la naissance, les parents vivent de nombreuses émotions. Même s'ils ressentent beaucoup d'amour pour leur nouveau-né et sont émerveillés par lui, ils sentent aussi une grande responsabilité. Le père et la mère ont souvent lu sur le sujet, participé à des rencontres prénatales et demandé conseil auprès de leur famille ou de leurs amis, mais ils sont tout de même généralement étonnés de ce que la vie avec un nouveau-né représente dans la réalité et des changements que cela occasionne dans leur relation (Deave *et al.*, 2008). Comme l'homme et la femme vivent différemment la grossesse et l'accouchement, on considère généralement qu'ils s'adaptent aussi différemment à la parentalité.

Parmi les problèmes courants auxquels font face les couples lorsqu'ils deviennent parents figurent les changements à la relation de couple, la répartition des responsabilités en ce qui a trait aux tâches ménagères et aux soins au nouveau-né, les soucis financiers et l'équilibre entre le travail, le rôle parental et les activités sociales. L'infirmière peut conseiller aux couples de nommer leurs attentes et d'évaluer périodiquement leur relation. Malgré son emploi du temps chargé, le couple doit se réserver du temps pour parler en tête-à-tête et essayer de faire régulièrement des sorties ou simplement d'avoir du temps sans l'enfant. La mère et le père doivent exprimer leur appréciation l'un de l'autre ainsi que de leur enfant. Ils doivent également établir assez tôt le soutien qu'ils peuvent obtenir de la famille, des amis et des professionnels de la santé et ne pas hésiter à y faire appel au besoin pendant la grossesse, la période postnatale et par la suite. Un couple qui est prêt à essayer un nouveau mode de vie et à adopter de nouvelles habitudes pourra trouver moins difficile la transition à la parentalité (Brotherson, 2007).

Les croyances et les pratiques culturelles ont une influence sur les comportements des parents.

Retour à l'intimité sexuelle

La sexualité de la femme change beaucoup après la naissance en raison des fluctuations hormonales, de l'augmentation de la taille des seins, du malaise d'avoir un corps qui n'a pas encore retrouvé sa taille d'avant la grossesse et de la fatigue chronique résultant de la privation de sommeil. L'infirmière doit rappeler aux nouveaux parents l'importance de se retrouver sexuellement. Il est généralement possible de reprendre les relations sexuelles entre la deuxième et la quatrième semaine suivant la naissance. Certains couples le font plus tôt, dès que cela est possible sans malaise ni douleur, compte tenu de facteurs comme le choix du moment, le degré de sécheresse vaginale et l'allaitement. L'intimité sexuelle met en valeur l'aspect adulte de la famille et permet au couple de se retrouver sans les autres membres de la famille. De nombreux nouveaux pères affirment qu'ils se sentent exclus de la relation mère-enfant. Retrouver l'intimité sexuelle semble avoir pour effet de recentrer l'attention sur la relation de couple. Avant et après la naissance, l'infirmière devrait discuter avec les couples de leur projet d'avoir un autre enfant et de leur préférence en matière de contraception ▶ 4.

4

Les diverses méthodes de contraception sont présentées dans le chapitre 4, *Contraception, avortement et infertilité*.

Adaptation postnatale chez le couple lesbien

L'adaptation maternelle postnatale dans un couple lesbien n'est pas très documentée. La satisfaction dans la relation chez les couples lesbiens qui deviennent parents pour la première fois semble liée à l'égalitarisme, à l'engagement, à la compatibilité sexuelle, aux aptitudes à communiquer et à la décision de la mère biologique d'obtenir une insémination avec un don de sperme anonyme. Tout comme les couples de parents hétérosexuels, les couples lesbiens s'inquiètent d'avoir moins de temps et d'énergie à consacrer à leur relation après l'arrivée du nouveau-né. Les deux partenaires se considèrent comme parents égaux et participent toutes deux activement à son éducation. L'une de leurs principales préoccupations est la vulnérabilité des familles lesbiennes en lien avec l'aspect légal de la parentalité (adoption, etc.) et de la conjugalité (conjointes de fait, mariage, etc.).

La Coalition des familles homoparentales, à l'adresse www.familleshomoparentales.org. est un groupe bilingue de parents et futurs parents lesbiens, gais, bisexuels et transgenres visant à permettre un échange d'information et de ressources entre les membres. Des formations sont également offertes pour les professionnels de la santé, des services sociaux et de l'éducation.

Le couple lesbien fait parfois face à une certaine désapprobation sociale à l'égard de la grossesse et du rôle parental. Les familles peuvent n'avoir toujours pas résolu leur sentiment initial de consternation et de culpabilité à l'annonce de l'homosexualité de leurs filles ou peuvent être en désaccord avec la décision du couple lesbien de devenir parents. Les parents lesbiens doivent souvent faire face à l'ignorance publique, à l'invisibilité sociale et légale, ainsi qu'à l'absence de lien biologique avec l'enfant. Pour y arriver, elles consacrent beaucoup d'énergie à faire reconnaître leur famille au sein de leur communauté et à créer des liens sociaux solides et durables autour de leur famille. Comme plusieurs mères lesbiennes ne bénéficient pas du soutien de leur famille étendue, elles tissent souvent des liens avec d'autres familles de composition non traditionnelle. En plus d'offrir un réseau de soutien pour les mères, cela peut aider les enfants à se sentir moins différents. Les mères lesbiennes tentent de réduire l'impact de la discrimination en choisissant l'école de leur enfant et en les outillant pour y faire face (Igartua, 1998). L'infirmière peut orienter un couple lesbien qui a peu ou pas de soutien familial vers divers groupes sociaux locaux, lesbiens ou hétérosexuels, qui pourront l'aider.

15.4 Facteurs d'influence de l'adaptation au rôle de parents

Divers facteurs peuvent avoir une incidence sur la façon dont les parents réagissent à la naissance d'un enfant (Agence de la santé et des services sociaux du Québec, 2005), notamment l'âge de la mère et du père, le réseau social, la situation socioéconomique et familiale, le faible niveau d'éducation et les aspirations personnelles des parents pour l'avenir. Les croyances et les pratiques culturelles ont également une influence sur les comportements des parents **FIGURE 15.7**.

15.4.1 Âge

L'âge de la mère a un effet certain sur la transition à la parentalité. Par exemple, la mère, le fœtus et le nouveau-né sont plus à risque sur le plan de la santé physique et mentale lorsque la mère est adolescente ou est âgée de plus de 35 ans.

Mère adolescente

Les transformations physiques et psychologiques de l'adolescence sont majeures. Lorsqu'à ces changements s'ajoutent ceux causés par une grossesse et la naissance d'un enfant, les jeunes mères

FIGURE 15.7
Les nouveaux arrivants viennent en plus grand nombre de pays non occidentaux, l'écart entre les codes culturels est donc plus marqué.

se sentent parfois dépassées par l'ampleur du processus d'adaptation qu'elles affrontent (Bédard, 2007). Vivre une grossesse à l'adolescence comporte de nombreux risques pour la santé de la mère et pour celle du fœtus. En effet, les mères adolescentes ont tendance à négliger leur santé pendant leur grossesse et à utiliser tardivement les services prénataux, ce qui les rend plus à risque d'éprouver des complications pendant cette période (prééclampsie, anémie, prématurité) ou à la naissance, de vivre une DPP ou de perdre leur nouveau-né (Hamlyn, 2002; Santé Canada, 2008).

Des études ont relevé certaines différences entre les mères adolescentes et les mères adultes (Secco, Ateah, Woodgate & Moffatt, 2002). Ainsi, la mère adolescente est attentionnée et affectueuse dans les soins qu'elle prodigue à son nouveau-né, mais elle a moins recours à la communication verbale; elle a aussi tendance à moins réagir à son enfant et à lui tenir des propos moins positifs qu'une mère plus âgée. C'est pourquoi il est important que l'infirmière mette l'accent sur les compétences de communication verbale et non verbale entre la mère et le nouveau-né. Ces interventions doivent porter sur des éléments concrets et précis qui tiennent compte du niveau cognitif de l'adolescente. La mère adolescente possède généralement moins de connaissances sur le développement de l'enfant que la mère plus âgée. Elle a parfois tendance à entretenir des attentes irréalistes en regard du stade de développement de l'enfant et elle considère souvent ce dernier comme étant difficile. Son manque de connaissances peut l'amener à ne pas réagir adéquatement aux demandes du nouveau-né.

Durant la période postnatale, il est essentiel d'évaluer régulièrement les aptitudes parentales de la nouvelle mère et de s'assurer qu'elle bénéficie d'un soutien de son réseau familial ou social. De nombreuses jeunes mères modèlent leur rôle maternel sur ce qu'elles connaissent. Beaucoup de mères adolescentes peuvent compter sur au moins une source de soutien social, et cette source est généralement leur propre mère. Les programmes communautaires destinés aux adolescentes enceintes et aux parents adolescents améliorent l'accès aux soins de santé, à la formation et aux autres services de soutien (Sangalang & Rounds, 2005). Au Québec, les Services intégrés en périnatalité pour la petite enfance (SIPPE), ainsi que le programme OLO (œuf, lait, orange) rejoignent les parents adolescents. Ces services prennent la forme d'un suivi personnalisé adapté aux besoins des mères, des pères et des enfants et peut inclure, selon les caractéristiques des familles, « des rencontres individuelles pour répondre à leurs questions personnelles; des rencontres de groupe avec d'autres parents pour échanger sur des préoccupations de parents; des activités parent-enfant visant à stimuler les enfants; des informations sur la santé, les habitudes de vie, les relations de couple; un accompagnement dans les démarches pour obtenir d'autres services » (Directeur de santé publique de Montréal, 2011). Ces services favorisent le développement des enfants de la naissance à cinq ans, ils maximisent le potentiel de santé et de bien-être des familles dès la grossesse et visent à améliorer les conditions de vie des familles.

Comme la mère adolescente assume généralement son rôle de mère dans le contexte de sa propre famille, elle peut avoir à régler des questions conflictuelles de dépendance et d'autonomie. Les membres de la famille de l'adolescente peuvent aussi avoir besoin d'aide pour s'adapter à leur nouveau rôle. Certains parents de mères adolescentes se sentent trop jeunes pour être grands-parents et ne sont pas prêts à remplir ce rôle.

La présence du père de l'enfant est particulièrement bénéfique pour les mères adolescentes et leur nouveau-né. Si plusieurs couples adolescents ne survivent pas à la naissance de leur enfant, de nombreux pères adolescents continuent de se sentir responsable de l'enfant et maintiennent un lien avec celui-ci à la suite de la séparation (Ouellet, Milcent & Devault, 2006).

Père adolescent

La transition au statut de parent peut être difficile pour les adolescents et parfois compliquée par leurs besoins développementaux insatisfaits. Certains jeunes parents ont de la difficulté à accepter le changement de leur image de soi et à s'adapter à leur nouveau rôle et à leurs responsabilités. En devenant parent, un adolescent peut sentir qu'il est différent de ses pairs, qu'il est exclu des activités amusantes et forcé trop tôt d'assumer un rôle social

Jugement clinique

Lydia, âgée de 17 ans, se présente pour accoucher. Sa mère l'accompagne. Le père de l'enfant à naître l'a quittée à l'annonce de la grossesse. Lydia a abandonné l'école et vit avec ses parents. Ces derniers lui procurent de l'aide et du soutien.

La transition à la parentalité est-elle compromise chez Lydia ? Expliquez votre réponse.

d'adulte. Le conflit entre ses propres désirs et les demandes du nouveau-né s'ajoute au stress psychosocial normal de l'accouchement et de la transition à la parentalité. Le père et la mère adolescents vivent des crises situationnelles et développementales importantes. Ils doivent simultanément poursuivre leur développement en tant qu'adolescents, devenir parents et, parfois, s'adapter à la vie en couple. Ces transitions sont souvent stressantes (Hermann, 2008).

Lorsque le père est présent aux visites prénatales ou à l'accouchement, l'infirmière en profite pour amorcer la communication avec lui. Pendant le séjour à l'hôpital, elle lui enseigne les soins au nouveau-né. Elle l'invite aussi à participer aux visites postnatales à domicile et à accompagner la mère et l'enfant au suivi à la clinique ou chez le pédiatre. L'infirmière prête aussi attention au vécu du père adolescent. Celui-ci a besoin de soutien pour parler de ses réactions à la grossesse, à la naissance et au fait d'être père. L'infirmière doit être attentive aux sentiments de culpabilité ou d'impuissance ou à une attitude bravade de la part du père adolescent, car ceux-ci peuvent nuire aux parents et au nouveau-né. Les conseils au père adolescent doivent être axés sur des aspects concrets de la réalité du nouveau parent, comme les questions financières, les soins au nouveau-né, les compétences parentales et le rôle de père.

Advenant une séparation du couple, le père adolescent poursuit habituellement sa relation avec la jeune mère et l'enfant. Souvent, il participe aux décisions concernant les soins au nouveau-né et la façon de l'élever. L'infirmière peut l'aider à acquérir une perception réaliste de son rôle de père et à utiliser des mécanismes d'adaptation qui sont sains pour la mère, l'enfant et lui-même. L'infirmière met à contribution les réseaux de soutien, les parents et les organismes professionnels qui peuvent l'aider. Elle encourage le père à participer aux décisions portant sur la contraception future et sur les relations sexuelles sécuritaires.

Mère âgée de plus de 35 ans

Il y a toujours eu des femmes âgées de plus de 35 ans qui continuaient de procréer, soit par choix, soit à cause du manque ou de l'absence de moyens contraceptifs en période de périménopause. De nos jours, les femmes qui ont retardé la grossesse pour des raisons professionnelles ou autres, ainsi que les femmes d'un couple infertile qui sont finalement devenues enceintes grâce aux progrès de la technologie, s'ajoutent à ce groupe.

Le soutien du conjoint facilite l'adaptation de la mère plus âgée aux changements associés au fait de devenir parent et l'aide à se voir comme une mère compétente. Obtenir le soutien d'autres membres de la famille et des amis aide aussi beaucoup la femme à se sentir bien, compétente et satisfaite, ainsi qu'à faire face au stress. La femme plus âgée peut souffrir d'isolement social. Elle obtient parfois moins de soutien de la famille et de la société qu'une mère plus jeune. Elle vit en général loin de sa famille, et ses propres parents, s'ils sont encore vivants, peuvent ne pas être en mesure de l'aider à cause de leur âge ou de leur état de santé. La mère plus âgée fait souvent partie de la génération sandwich, qui doit prendre soin de ses parents âgés en même temps que de ses jeunes enfants. Le soutien social sur lequel elle peut compter est possiblement limité, parce que ses pairs sont pris par leur carrière et disposent de peu de temps pour l'aider. Ses amis ont parfois des enfants plus âgés et ont moins de champs d'intérêt communs avec la nouvelle mère (Suplee, Dawley & Bloch, 2007).

La mère plus âgée qui a une carrière se bat souvent avec l'impression de ne plus maîtriser la situation. Comparativement aux mères plus jeunes, elle a généralement atteint un niveau plus élevé dans ses études, sa carrière et ses revenus. De nombreuses mères plus âgées sont surprises de ne pas pouvoir maîtriser le rôle de parent comme elles gèrent leur rôle professionnel (Carolan, 2005). Les questions liées au travail et à leur carrière deviennent des sources de conflits pour ces mères. Elles sont préoccupées par leur désintérêt envers le travail, par le partage de leur attention entre leur carrière et leur nouveau-né ainsi que par leur retour au travail. Il est donc crucial d'aider la mère plus âgée à avoir des attentes réalistes par rapport à elle-même et au rôle de parent.

Les changements d'ordre sexuel dans la relation amoureuse peuvent être une source de stress. Les mères rapportent qu'elles ont de la difficulté à trouver le temps et l'énergie pour des moments romantiques. Elles attribuent cette difficulté à la réalité de la vie avec un nouveau-né, mais la diminution naturelle de la libido résultant du vieillissement est un facteur qui entre aussi en jeu.

Il peut s'avérer difficile pour une nouvelle mère qui est également dans la période de la périménopause de percevoir la fatigue, la perte de sommeil et la baisse de libido ou d'autres symptômes physiologiques comme les causes des modifications dans sa vie sexuelle. Les changements associés à la quarantaine et à la ménopause peuvent ajouter un stress émotionnel et physique à la mère plus âgée qui doit consacrer temps et énergie à élever un jeune enfant.

Père âgé de plus de 35 ans

De nombreux pères plus âgés décrivent leur expérience de la paternité autour de la quarantaine comme merveilleuse, mais admettent qu'elle comporte aussi des inconvénients (Bessin, 2006). Parmi les aspects positifs de la paternité à un âge plus avancé, ils mentionnent un plus grand amour et un engagement accru entre les deux parents, une réaffirmation des raisons pour lesquelles les parents forment un couple, le sentiment d'avoir la maturité requise, le retour de la perception de l'enfant en soi, une plus grande stabilité financière et plus de liberté pour se concentrer sur le rôle de parent plutôt que sur la carrière. L'aspect négatif le plus souvent mentionné est le changement dans la relation avec la conjointe.

15.4.2 Soutien social

Les nouveaux parents, y compris les parents adolescents, qui bénéficient d'un bon soutien social s'adaptent généralement bien à leur nouveau rôle de parents (Agence de la santé et des services sociaux du Québec, 2005). Le soutien social est multidimensionnel et englobe les personnes membres du réseau social du parent, les types de soutien, la perception du soutien, le soutien réel reçu et la satisfaction relativement au soutien disponible et reçu. Le type de soutien obtenu et la satisfaction par rapport à ce soutien semblent plus importants que le nombre total de personnes dans le réseau de soutien (de Montigny *et al.*, 2006a).

Dans tous les groupes culturels, la famille et les amis des nouveaux parents constituent une dimension importante du réseau social des parents. Grâce au soutien qu'elle obtient dans son réseau social, la nouvelle mère apprend les pratiques courantes de sa culture et acquiert de la compétence dans son rôle.

Les parents trouvent généralement du soutien dans les réseaux sociaux, mais ceux-ci peuvent aussi devenir une source de conflits. Ainsi, de nombreuses personnes conseillent parfois les parents, mais les conseils reçus peuvent se révéler contradictoires. Selon les circonstances et la qualité de la relation antérieure, les grands-parents peuvent aussi être considérés comme une source positive ou négative de soutien. Leur contribution aux responsabilités domestiques et financières est généralement appréciée, mais une perception divergente de la compétence parentale peut se transformer en source de conflits (Dun, 2010).

Étant donné l'étendue de la restructuration et de la réorganisation qui se produisent dans une famille à la suite de la naissance d'un autre enfant, il peut être plus approprié que la famille et les amis apportent à la mère fatiguée et vivant des émotions conflictuelles un soutien particulier qu'un soutien général. Un soutien général répond au besoin d'être aimée, respectée et appréciée. Un soutien particulier porte sur des aspects pratiques comme les besoins physiques et les soins au nouveau-né **FIGURE 15.8**.

15.4.3 Culture

Les croyances et les pratiques culturelles déterminent généralement en partie les comportements parentaux. La culture influe sur les relations entre le nouveau-né et ses parents, ainsi que sur la façon dont ces derniers et la famille en prennent soin. Ainsi, de nombreuses cultures considèrent important de prévoir une période de repos et de récupération pour la mère après l'accouchement. La mère asiatique doit rester au foyer avec le nouveau-né pendant au moins 30 jours suivant la naissance. Elle ne doit accomplir aucune tâche domestique, y compris donner les soins au nouveau-né. Le plus souvent, c'est la grand-mère qui prend ces soins en charge, même avant la sortie de l'hôpital. En Jordanie, la mère se repose pendant 40 jours après l'accouchement pendant que sa mère ou sa sœur prend soin du nouveau-né. Au Japon, cette période de repos maternelle à la suite de l'accouchement dure deux mois. La femme latino-américaine pratique un rituel intergénérationnel appelé la *cuarentena*. Son mari ne s'attend pas à voir sa femme ou son nouveau-né avant que les deux aient été lavés et habillés après l'accouchement. La *cuarentena* incorpore chaque individu dans la famille, inculque la responsabilité parentale et assure l'intégration de la famille durant une étape cruciale de la vie (D'Avanzo, 2008).

Jugement clinique

Quel est le facteur d'influence à la parentalité qui aura un effet positif dans la situation de Lydia ?

FIGURE 15.8

Le soutien pratique d'un grand-parent peut aider à atténuer le sentiment de perte d'une mère multipare en lui permettant de passer du temps avec son premier-né.

Toutes les cultures accordent de l'importance au fait de désirer et de vouloir des enfants. Pour la famille asiatique, un enfant est une source de force et de stabilité. Perçu comme une richesse, il est l'objet de l'amour et de l'affection des parents. Le nouveau-né reçoit presque toujours un surnom au berceau ; on l'emploie pendant les premières années de vie.

Des valeurs culturelles différentes peuvent avoir un effet sur la relation que les parents entretiennent avec les professionnels de la santé. Par exemple, l'éducation des personnes d'origine asiatique leur inculque de ne pas contester les figures d'autorité et d'éviter la confrontation. Il peut donc être mal vu pour elles de s'affirmer. En raison de ces valeurs, une mère asiatique peut, par courtoisie, éviter de rappeler à l'infirmière qu'elle attend depuis un bon moment son médicament pour soulager la douleur de l'épisiotomie. Elle peut aussi refuser de prendre un bain de siège parce que dans sa culture, les femmes évitent les bains et le froid après l'accouchement. Il existe une grande variété de pratiques traditionnelles dans chaque groupe culturel. L'infirmière doit donc vérifier auprès des parents celles qui sont importantes pour eux.

L'infirmière qui connaît les croyances culturelles peut mieux évaluer les comportements parentaux. Ainsi, elle peut se préoccuper de pratiques culturelles qui semblent dénoter une piètre formation des liens affectifs entre une mère et son nouveau-né. Dans le processus de prise de contact, une mère algérienne ne va pas, par exemple, découvrir son nouveau-né et l'examiner parce qu'en Algérie, les nouveau-nés sont emmaillotés très serrés dans des langes afin de les protéger physiquement et psychologiquement (D'Avanzo, 2008). L'infirmière peut observer qu'une mère vietnamienne donne les soins de base à son nouveau-né, mais refuse de le serrer dans ses bras et d'avoir de plus amples contacts avec lui. Ce qui pourrait ressembler à un manque d'intérêt pour le nouveau-né est en fait la façon dont ce groupe culturel tente d'écarter les mauvais esprits et témoigne d'un amour profond et d'une grande sollicitude pour lui. On pourrait critiquer une mère asiatique qui confie presque immédiatement les soins du nouveau-né à la grand-mère sans même tenter de le prendre dans ses bras lorsqu'il est amené à la chambre. Cependant, dans les familles étendues asiatiques, les membres manifestent leur soutien au repos et à la récupération de la mère qui vient d'accoucher en participant aux soins du nouveau-né. Contrairement au conseil parfois donné à la mère nord-américaine de ne pas offrir en alternance le sein et le biberon pour ne pas créer de confusion mamelon-tétine, la mère japonaise alimente souvent son nouveau-né ainsi. Cette tradition vise à assurer le repos de la mère pendant les deux ou trois premiers mois et n'entraîne habituellement pas de problème de lactation ; l'allaitement est répandu chez les Japonaises, et il se déroule bien.

Les croyances et les valeurs culturelles aident à comprendre ce que représente l'accouchement pour une nouvelle mère. L'infirmière peut aider celle-ci à exprimer ce que représente pour elle la maternité. Elle peut également aider une nouvelle famille à s'adapter à la parentalité en lui offrant des soins infirmiers qui tiennent compte de sa culture.

15.4.4 Conditions socioéconomiques

Les conditions socioéconomiques d'une famille déterminent souvent l'accès aux ressources disponibles. La naissance d'un enfant peut représenter une source d'inquiétude pour leur propre santé et occasionner un sentiment d'impuissance chez les parents dont la situation économique s'aggrave à l'arrivée de chaque enfant et qui ne sont pas en mesure d'utiliser une méthode efficace de contraception. La mère célibataire, séparée ou divorcée ou celle qui n'a pas de compagnon, de famille ou d'amis peut envisager la naissance de son enfant avec crainte. Les difficultés financières peuvent étouffer tout désir de materner le nouveau-né. De même, un père qui est dépassé par ses difficultés financières peut éprouver de la difficulté à adopter des comportements paternels adéquats et à assumer ses responsabilités parentales (Sevil & Ozkan, 2009).

15.4.5 Aspirations personnelles

Chez certaines femmes, devenir parent entrave la liberté personnelle ou l'avancement professionnel. Si un ressentiment à cet effet persiste après la naissance de son bébé, une femme peut avoir de la difficulté à mener à bien les activités de soins de l'enfant et à s'adapter au rôle de parent. Cette situation peut donner lieu à de l'indifférence et à de la négligence à l'égard du nouveau-né ou, au contraire, à une préoccupation excessive et à l'application de critères trop exigeants envers elle-même et son enfant.

Les interventions infirmières permettent, entre autres, à la mère d'exprimer ses sentiments de manière sincère à un interlocuteur objectif, de discuter avec elle de mesures qui lui permettraient de s'épanouir personnellement tout en apprenant comment prendre soin de son nouveau-né. Il peut aussi être utile d'orienter la cliente vers un groupe de mères vivant la même situation.

L'infirmière peut faire preuve d'initiative en influençant les changements dans les politiques de travail liées aux congés parentaux et en participant à l'adaptation de l'environnement des milieux de travail afin qu'ils soient davantage considérés comme « amis des familles ». Par exemple, certaines entreprises commencent à prendre en compte les besoins familiaux de leurs employés, en prévoyant un service de garderie sur place et une salle d'allaitement et en offrant la possibilité de travailler selon des horaires atypiques ou à domicile.

15.4.6 Parents atteints de déficience sensorielle

Dans leurs premiers contacts, le parent et le nouveau-né font tous les deux appel à leurs sens – la vue, l'ouïe, le toucher, le goût et l'odorat – pour amorcer et maintenir le processus d'attachement. Le parent qui souffre d'une déficience de l'un des sens doit exploiter les autres au maximum.

Parent atteint d'une déficience visuelle

La déficience visuelle seule ne semble pas avoir d'effet négatif sur les premières expériences de la mère en tant que parent (Conley-Jung & Olkin, 2001). Ces mères, tout comme les mères voyantes, disent combien il est merveilleux d'être parent et encouragent les autres personnes atteintes de déficience visuelle à devenir parents.

La mère atteinte d'une déficience visuelle sent souvent au début qu'elle doit se conformer aux méthodes traditionnelles utilisées par les parents voyants, mais elle adapte généralement rapidement ces méthodes afin qu'elles correspondent mieux à sa situation. Ainsi, elle prépare la chambre du nouveau-né ainsi que ses vêtements et les articles pour ses soins différemment de ce que font les mères voyantes. Certaines mettent ensemble des vêtements pour créer une tenue et les accrochent ainsi dans la penderie plutôt que de les ranger séparément dans une commode. D'autres utilisent un système d'étiquetage pour les vêtements du nouveau-né et rangent les couches et les articles pour le bain dans un endroit facilement accessible. Une des forces de la mère atteinte d'une déficience visuelle est que ses autres sens sont plus aiguisés. Ainsi, elle sait que son nouveau-né lui fait face parce qu'elle sent son souffle sur son visage.

Une des principales difficultés auxquelles font face les parents atteints d'une déficience visuelle est le scepticisme, manifeste ou non, dont font preuve les professionnels de la santé à leur égard. Ils sentent que les gens sont réticents à reconnaître leur droit d'être parents. Trop souvent, les infirmières et les médecins n'ont pas l'expérience nécessaire pour répondre aux besoins des femmes enceintes atteintes d'une déficience visuelle ni d'ailleurs à ceux des mères atteintes d'autres déficiences, telle une déficience auditive, physique ou intellectuelle. La meilleure approche pour l'infirmière consiste à évaluer les compétences de la mère et à utiliser les données recueillies pour établir un plan d'aide, comme elle le fait pour n'importe quelle autre mère. Certaines mères atteintes d'une déficience visuelle ont fait des suggestions sur les soins à offrir aux mères atteintes de la même déficience **ENCADRÉ 15.5**. Ces approches peuvent aider la mère à se sentir moins vulnérable.

ENCADRÉ 15.5 Approches de l'infirmière avec des parents atteints d'une déficience visuelle

- Ces parents ont besoin de recevoir de l'enseignement verbal sur la grossesse et l'accouchement de la part des professionnels de la santé, car cette information leur est rarement donnée autrement.
- Ces parents ont besoin qu'on leur explique l'aménagement de la chambre d'hôpital afin de pouvoir s'y déplacer seuls. Exemple : À partir de la gauche du lit, suivez le mur avec la main jusqu'à la première porte. C'est là que se trouve la salle de bains.
- Ces parents ont besoin qu'on leur explique les routines de l'établissement.
- Ces parents ont besoin de toucher les appareils (p. ex., les moniteurs, le modèle pelvien) et de se les faire décrire.
- Ces parents ont besoin qu'on leur accorde du temps pour poser leurs questions.
- Ces parents ont particulièrement besoin de tenir et de toucher leur nouveau-né après la naissance.
- L'infirmière doit enseigner les soins du nouveau-né au moyen du toucher puis demander au parent de le faire à son tour.
- L'infirmière doit donner des précisions comme : Je vais déposer le bébé dans vos bras. Sa tête est à votre gauche.

Le contact visuel est important dans la culture nord-américaine. Dans le cas d'un parent atteint d'une déficience visuelle, ce facteur crucial au processus d'attachement entre le parent et l'enfant est bien sûr absent. Cependant, le parent non voyant, qui n'a peut-être jamais connu cette méthode de renforcement des relations, n'en ressent pas le manque. Évidemment, son nouveau-né aura besoin d'avoir d'autres contacts sensoriels avec lui. Un enfant qui regarde sa mère aveugle dans les yeux peut ne pas réaliser qu'elle ne le voit pas. Les autres personnes dans l'environnement de l'enfant peuvent offrir un contact visuel pour combler ce besoin. Toutefois, un problème peut survenir si le parent atteint d'une déficience visuelle a un visage peu expressif. Le nouveau-né, après des tentatives répétées et infructueuses de jeux d'expression faciale avec sa mère non voyante, abandonnera ce comportement avec elle et l'intensifiera avec le père ou d'autres personnes de son environnement. L'infirmière peut prévenir la mère de cette situation et lui apprendre à hocher la tête et à sourire pendant qu'elle parle et gazouille avec son nouveau-né.

Parent malentendant

Le parent malentendant fait face à diverses difficultés dans les soins au nouveau-né et dans son rôle de parent, surtout si la surdité remonte à la naissance ou à la petite enfance. Pour pallier la surdité, il est possible d'installer des appareils qui convertissent le son en signaux lumineux dans la chambre du nouveau-né pour savoir immédiatement quand il pleure. Même si le parent n'a pas appris à parler, la vocalisation peut servir à la fois de stimulus et de réponse aux premières expressions vocales du nouveau-né. Les parents malentendants peuvent utiliser des enregistrements et la télévision pour donner un enseignement vocal supplémentaire à leur enfant qui sera ainsi plus conscient de toute l'étendue de la voix humaine. Les jeunes enfants apprennent facilement le langage des signes, et le premier signe utilisé est aussi imprévisible que le premier mot prononcé.

Les hôpitaux et autres établissements de santé sont tenus par la loi d'utiliser diverses techniques de communication et diverses ressources auprès de la clientèle des malentendants, y compris d'avoir du personnel ou des interprètes qui maîtrisent la langue des signes. Il est ainsi possible de fournir des documents illustrant des démonstrations ou l'infirmière peut se tenir de manière que le parent puisse lire sur ses lèvres (pour un parent qui pratique la lecture labiale). Des vidéos d'information qui répondent aux questions des parents sur les soins postnataux et sur les soins au nouveau-né avec les commentaires d'une infirmière traduits en signes par un interprète sont une approche créative intéressante. On trouve également dans Internet de nombreuses ressources utiles aux parents malentendants.

FIGURE 15.9

Première rencontre. Une enfant fait la connaissance du nouveau membre de la famille en compagnie de sa mère.

15.5 Adaptation des frères et sœurs

Comme la famille constitue une unité ouverte et interactive, chacun de ses membres est nécessairement touché par l'arrivée d'un nouveau-né. Les enfants changent alors de position dans la hiérarchie familiale. Les parents doivent prendre soin du nouveau-né tout en ne négligeant pas leurs autres enfants. Ils doivent donc répartir équitablement leur attention, ce qui peut être plus difficile si le nouveau-né est prématuré ou s'il a des besoins spéciaux.

Jugement clinique

Madame Joséanne Morin, âgée de 25 ans, vient d'accoucher d'un garçon. Elle a maintenant deux enfants. Elle se demande comment accueillir son aînée Coralie, âgée de deux ans, qui viendra visiter son petit frère cet après-midi.

Que pourrait faire madame Morin pour faciliter l'acceptation du dernier-né par Coralie ?

Les frères et sœurs peuvent réagir à la séparation temporaire de leur mère, à des changements dans le comportement de celle-ci ou du père ou à l'arrivée du nouveau-né dans la famille. Ils peuvent manifester de l'intérêt et se faire du souci pour le nouveau-né ainsi que se montrer plus autonomes **FIGURE 15.9**. Par contre, ils peuvent aussi réagir en régressant sur le plan de la propreté et des habitudes de sommeil, en manifestant de l'agressivité envers le nouveau-né et en cherchant à obtenir plus d'attention des parents.

L'attitude des parents par rapport à l'arrivée du nouveau-né peut préparer le terrain aux réactions des enfants plus âgés. Parce que le nouveau-né accapare le temps et l'attention des personnes importantes dans la vie des autres enfants, il est fréquent que leur excitation initiale à l'arrivée du petit frère ou de la petite sœur laisse place à de la jalousie (rivalité fraternelle). Cette rivalité se manifeste davantage chez les plus jeunes enfants que chez les plus vieux, mais peu importe l'âge de l'enfant, elle s'estompe généralement dans les mois qui suivent l'arrivée du nouveau-né (Volling, McElwain & Miller, 2002). La plupart du temps, les aînés semblent poursuivre leurs routines habituelles et sont plus contents de la présence du nouveau-né et plus compréhensifs à l'égard de ses besoins que ce à quoi leurs parents s'attendaient.

Les parents consacrent beaucoup de temps et d'énergie à favoriser l'acceptation du nouveau-né par ses frères et sœurs. Participer à des ateliers de préparation de la fratrie à l'arrivée d'un nouveau-né aide le parent à réagir adéquatement aux comportements de ses enfants. Impliquer les enfants plus âgés dans les préparatifs de l'arrivée de leur frère ou de leur sœur et dans les soins à lui donner peut faciliter leur adaptation. Les parents affrontent plusieurs tâches liées à la rivalité dans la fratrie et à l'adaptation. Ainsi, ils doivent surmonter leur sentiment de culpabilité parce que les enfants plus âgés sont privés de temps et d'attention de leur part. Ils doivent également surveiller leur comportement envers le nouveau-né plus vulnérable et dévier les comportements agressifs. Les stratégies que des parents ont trouvées utiles pour faciliter l'acceptation d'un nouveau-né par ses frères et sœurs sont présentées dans l'**ENCADRÉ 15.6**.

Les frères et sœurs manifestent des comportements de prise de contact avec le nouveau-né. Le processus dépend de l'information qui a été donnée à l'enfant avant la naissance du nouveau-né et de son développement cognitif. Le regarder et toucher sa tête sont généralement les premiers contacts qu'ont les frères et sœurs avec le nouveau-né. Il faut du temps aux enfants plus âgés pour s'adapter au nouveau-né, et les parents doivent respecter le rythme de leurs enfants. Il est irréaliste de s'attendre d'un jeune enfant qu'il accepte avec maturité un rival à l'obtention de l'attention de ses parents et qu'il l'aime. L'amour fraternel grandit comme n'importe quel autre amour, c'est-à-dire en fonction du temps passé avec une personne et des expériences communes. Le lien qui s'établit entre les frères et sœurs repose sur une base solide qui fait qu'un enfant soutient l'autre, qu'il s'en ennuie lorsqu'il est absent et qu'il trouve en l'autre réconfort et sécurité.

15.6 Adaptation des grands-parents

Les grands-parents vivent une transition lorsqu'ils endossent ce nouveau rôle. Les relations entre générations changent, et les grands-parents doivent s'adapter aux modifications dans les pratiques et les attitudes à l'égard de la naissance, de l'allaitement, de l'éducation des enfants et du rôle de l'homme et de la femme à la maison et au travail. La mesure dans laquelle les grands-parents comprennent et acceptent les pratiques actuelles peut influencer la façon dont leurs enfants adultes perçoivent le soutien qu'ils apportent.

Au moment où ils s'adaptent au rôle de grands-parents, la plupart traversent également des transitions de l'âge mûr et de la vieillesse, comme la retraite, le déménagement dans une habitation plus petite et le besoin de soutien de leurs enfants adultes.

Le degré de participation des grands-parents aux soins du nouveau-né dépend de nombreux facteurs, comme la volonté de s'impliquer, la proximité et les attentes ethniques et culturelles à l'égard de leur rôle. Par exemple, les grands-mères maternelles sont perçues par les pères comme une plus grande source de soutien que leur propre parent (de Montigny *et al.*, 2006a). Les grands-mères d'origine maghrébines viennent prendre soin du nouveau-né et de la mère après la naissance, lorsque les conditions économiques de la famille le permettent (Gervais, 2008).

Pour les parents d'un premier enfant, la grossesse et la parentalité peuvent ranimer de vieilles questions de dépendance et d'indépendance. Un couple peut préférer ne pas recevoir l'aide des parents immédiatement après la naissance. Il peut souhaiter disposer de temps en famille, soit de vivre l'unité parents-enfant, et non de se voir envahi par le réseau familial étendu. De nombreux grands-parents sont conscients des désirs d'autonomie de leurs enfants adultes et respectent ces souhaits tout en restant disponibles pour les aider au besoin.

Des rencontres à l'intention des grands-parents peuvent faire le pont entre les générations et aider les grands-parents à comprendre comment leurs enfants voient leur rôle de parents. Ces rencontres traitent des plus récentes pratiques de maternité, des soins axés sur la famille, des soins au nouveau-né, de l'alimentation et de la sécurité (p. ex., les sièges d'automobile), et elles explorent le rôle que les grands-parents peuvent jouer dans l'unité familiale.

De plus en plus de grands-parents s'occupent à temps plein d'un petit-enfant en raison d'un contexte parental difficile, par exemple de la violence ou de la négligence à l'égard de l'enfant **FIGURE 15.10**. Dans ce contexte, l'infirmière doit évaluer le rôle des grands-parents dans le parentage

Enseignement à la cliente et à ses proches

ENCADRÉ 15.6 Stratégies pour faciliter l'acceptation du nouveau-né par les frères et sœurs

- Faire visiter la chambre d'hôpital à l'enfant aîné (ou aux enfants aînés) et souligner les ressemblances avec cette naissance et la sienne. « J'étais dans une chambre presque identique quand tu es né, et le bébé est couché dans le même genre de berceau que celui dans lequel tu dormais. »
- Prévoir un petit cadeau du nouveau-né à l'aîné.
- Donner à l'aîné un tee-shirt portant l'inscription « Je suis un grand frère » ou « Je suis une grande sœur ».
- Faire en sorte que les enfants aînés soient parmi les premiers visiteurs du nouveau-né. Les laisser prendre celui-ci à l'hôpital. Une mère et un père ont fait le choix que leur fils aîné soit présent à la naissance de ses trois frères et qu'il soit le premier à les prendre dans ses bras.
- Réserver du temps à chaque enfant. Le père peut passer du temps avec les enfants plus âgés pendant que la mère prend soin du nouveau-né et vice versa. Les frères et sœurs aiment que les deux parents leur accordent du temps et de l'attention.
- Donner aux frères et sœurs d'âge préscolaire ou du début du primaire une poupée nouveau-née qui sera leur « bébé ». Remettre aux frères et sœurs une photo du nouveau-né qu'ils pourront apporter à l'école afin de montrer « leur bébé ». Les frères et sœurs plus âgés peuvent apprécier la responsabilité d'aider à s'occuper du nouveau-né, par exemple apprendre à lui donner un biberon ou à changer sa couche. Il faut s'assurer de superviser les rapports entre les frères et sœurs et le nouveau-né.

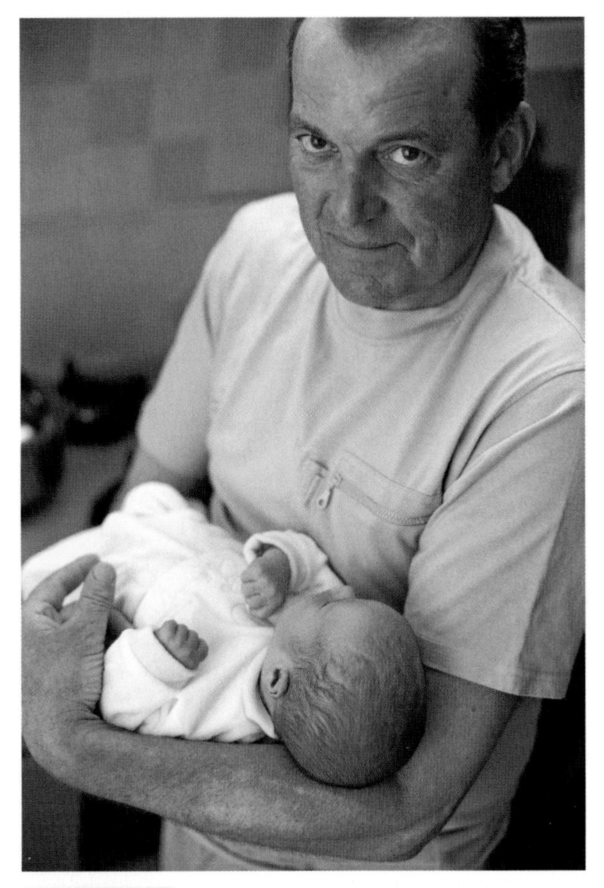

FIGURE 15.10
Dans certaines circonstances, les grands-parents sont appelés à assumer plus de responsabilités dans la prise en charge d'un nouveau-né.

du nouveau-né. Il faut examiner les principes d'éducation et la situation financière des grands-parents, ainsi que les réseaux de soutien disponibles pour ces familles.

SOINS ET TRAITEMENTS INFIRMIERS

Premières semaines de la vie parentale

De nombreux changements surviennent pendant les premières semaines de la vie parentale. Les soins et les traitements infirmiers devraient viser à aider les parents à prodiguer les soins au nouveau-né et à faire face aux changements de rôles et de mode de vie ainsi qu'à la modification de la structure familiale consécutive à l'arrivée du nouveau-né Devenir plus compétent et confiant dans les soins à donner au nouveau-né peut être une source d'anxiété. C'est pourquoi l'infirmière doit aborder ces aspects avant que les parents ne quittent l'hôpital ou la maison de naissance et ainsi leur permettre de vivre pleinement leur joie, sans subir de stress excessif.

L'infirmière joue un rôle déterminant d'enseignement, de soutien et d'encouragement auprès de la mère et du père pendant la période de la transition à la parentalité, qu'il s'agisse de parents dont c'est le premier enfant ou de ceux qui en ont plusieurs. La collecte des données et les interventions précoces et continues permettent d'obtenir des résultats positifs pour les parents, le nouveau-né et les autres membres de la famille **ENCADRÉ 15.7**.

Mise en œuvre d'une démarche de soins

ENCADRÉ 15.7 **Adaptation à la parentalité**

COLLECTE DES DONNÉES – ÉVALUATION INITIALE

- La collecte des données doit comprendre une évaluation psychosociale :
  - attachement parent-enfant ;
  - adaptation au rôle parental ;
  - adaptation des frères et sœurs ;
  - soutien social ;
  - besoins en matière d'enseignement ;
  - adaptation physique de la mère et du nouveau-né.
- Les visites au domicile peu après la sortie de l'hôpital sont un excellent moyen pour l'infirmière d'évaluer les premiers signes de comportements parentaux positifs ou négatifs et de renforcer les comportements aimants et bienveillants envers le nouveau-né.
- L'infirmière doit surveiller étroitement les parents qui ont des comportements inadéquats ou abusifs avec leur nouveau-né et en aviser un spécialiste en santé mentale ou un travailleur social.

ANALYSE ET INTERPRÉTATION DES DONNÉES

Les problèmes découlant de la situation de santé peuvent inclure :

- État de préparation à faire face à l'agrandissement de la famille lié à :
  - une attitude positive et à des attentes réalistes envers le nouveau-né et l'adaptation à la parentalité ;
  - des comportements aimants envers le nouveau-né ;
  - la verbalisation de facteurs positifs dans le changement de mode de vie.
- Risque de difficultés dans la parentalité lié :
  - au manque de connaissances sur les soins à donner au nouveau-né ;
  - à des sentiments d'incompétence ou à un manque de confiance en soi ;
  - à des attentes irréalistes envers le nouveau-né ;
  - à la fatigue découlant du manque de sommeil.
- Conflit par rapport au rôle de parents lié :
  - au changement de rôle et à l'adaptation au rôle de parents ;
  - à une grossesse non désirée ;
  - à des ressources insuffisantes pour soutenir les parents (p. ex., une absence de congé parental payé).
- Risque de difficulté dans l'attachement entre le parent et l'enfant lié à :
  - un travail et à une naissance difficiles ;
  - des complications postnatales ;
  - des complications ou à des anomalies néonatales.

RÉSULTATS ESCOMPTÉS

La planification des soins est établie en tenant compte des priorités des parents et dans le but d'atteindre les résultats suivants :

- Les parents ont des comportements qui reflètent leur reconnaissance des capacités sensorielles et comportementales de leur nouveau-né.
- Ils expriment de plus en plus de confiance et de compétence dans l'alimentation, le changement de couches, l'habillement et la stimulation sensorielle du nouveau-né.
- Ils reconnaissent les changements inquiétants dans l'état de santé du nouveau-né et en avisent le professionnel de la santé.
- Ils entretiennent de bonnes relations avec les frères et sœurs du nouveau-né et les grands-parents.

INTERVENTIONS INFIRMIÈRES

Les interventions infirmières requises pour l'atteinte des résultats escomptés comprennent, notamment :

- Faire des suggestions précises en matière de soins au nouveau-né.
- Fournir des conseils par anticipation sur les changements à venir au fur et à mesure que le nourrisson grandit et se développe :
  - cycles sommeil-éveil ;
  - interprétations des pleurs et techniques d'apaisement ;
  - étapes du développement du nouveau-né ;
  - enrichissement sensoriel et stimulation ;
  - reconnaissance des signes d'un problème de santé ;
  - suivi et vaccination du nourrisson.

ÉVALUATION DES RÉSULTATS – ÉVALUATION EN COURS D'ÉVOLUTION

L'évaluation repose sur les résultats escomptés du plan de soins. Le plan est modifié au besoin en fonction des résultats de l'évaluation.

Analyse d'une situation de santé

Jugement clinique

Madame Carole Lapierre, âgée de 26 ans, vient d'accoucher de son premier enfant, un garçon de 3 045 g, à 41 semaines de grossesse. À la naissance, le nouveau-né est en arrêt respiratoire. Après quelques manœuvres, le nouveau-né respire spontanément, mais il doit demeurer à l'unité de néonatalogie durant 24 heures pour une observation étroite. La cohabitation mère-enfant est impossible pour l'instant.

SOLUTIONNAIRE

www.cheneliere.ca/lowdermilk

MISE EN ŒUVRE DE LA DÉMARCHE DE SOINS

Collecte des données – Évaluation initiale – Analyse et interprétation

1. Étant donné que madame Lapierre et son nouveau-né ont été séparés, le processus de formation des liens parent-enfant est-il compromis ? Justifiez votre réponse.
2. Comment pouvez-vous évaluer les comportements qui révèlent que la cliente démontre de la sensibilité à l'égard de son nouveau-né ?
3. Pourquoi est-il important d'établir un biorythme personnel chez le nouveau-né ?

Extrait

CONSTATS DE L'ÉVALUATION								
					RÉSOLU / SATISFAIT			
Date	Heure	N°	Problème ou besoin prioritaire	Initiales	Date	Heure	Initiales	Professionnels / Services concernés
2012-03-17	13:00	1	*Accouchement vaginal à 41 semaines de grossesse*	L.D.				

SUIVI CLINIQUE							
					CESSÉE / RÉALISÉE		
Date	Heure	N°	Directive infirmière	Initiales	Date	Heure	Initiales
2012-03-17	13:00	1	*Appliquer les soins postpartum standards.*	L.D.			

Signature de l'infirmière	Initiales	Programme / Service	Signature de l'infirmière	Initiales	Programme / Service
Louise Dignard	L.D.	*Centre mère-enfant*			

Planification des interventions – Décisions infirmières

4. Comment pouvez-vous favoriser le développement du biorythme chez ce nouveau-né ?
5. Consultez le plan thérapeutique infirmiers (PTI) ci-dessus. Est-il adapté à la situation clinique de madame Lapierre ? Justifiez votre réponse.
6. Nommez un problème prioritaire à inclure au PTI de la cliente et notez une directive infirmière pertinente.

Évaluation des résultats – Évaluation en cours d'évolution

7. Nommez deux comportements qui indiqueraient que des liens s'établissent entre madame Lapierre et son garçon.

APPLICATION DE LA PENSÉE CRITIQUE

Dans l'application de la démarche de soins auprès de madame Lapierre, l'infirmière a recours à un ensemble d'éléments (connaissances, expériences antérieures, normes institutionnelles ou protocoles, attitudes professionnelles) pour analyser la situation de santé de la cliente et en comprendre les enjeux. La **FIGURE 15.11** illustre le processus de pensée critique suivi par l'infirmière afin de formuler son jugement clinique. Elle résume les principaux éléments sur lesquels l'infirmière s'appuie en fonction des données de cette cliente, mais elle n'est pas exhaustive.

VERS UN JUGEMENT CLINIQUE

CONNAISSANCES

- Concepts d'attachement, de formation de liens et de sensibilité parentale
- Caractéristiques des comportements facilitant et des comportements inhibiteurs qui influent sur la sensibilité parentale
- Interventions infirmières pour favoriser l'établissement de liens entre le parent et le nouveau-né
- Moyens de communication entre le parent et le nouveau-né
- Phases d'adaptation de la mère après la naissance

EXPÉRIENCES

- Travail dans une unité de naissance
- Expérience personnelle de la maternité
- Vécu personnel ou celui d'une personne de son entourage d'une situation de séparation mère-enfant à la naissance

NORME

- Cohabitation de la mère avec son nouveau-né dans les centres hospitaliers québécois

ATTITUDES

- Valider les émotions de la mère en lui reflétant ses perceptions
- Favoriser l'expression des sentiments de la mère, en la questionnant et en l'écoutant

PENSÉE CRITIQUE

ÉVALUATION

- Réactions de la mère en présence du nouveau-né : tend les bras pour le prendre, lui parle en le regardant dans les yeux, prodigue un toucher enveloppant, a des réactions appropriées aux signaux du nouveau-né
- Réactions du nouveau-né au moment des contacts avec la mère : cesse de pleurer quand elle lui parle, regarde sa mère, suit les mouvements de son visage

JUGEMENT CLINIQUE

FIGURE 15.11

■ ■ ■ À retenir

VERSION REPRODUCTIBLE

www.cheneliere.ca/lowdermilk

- L'arrivée d'un nouvel enfant impose des changements dans la structure interactionnelle existante de la famille.
- L'attachement est un lien affectif durable que l'enfant développe envers un adulte qui en prend soin et qui se manifeste par divers comportements.
- Les interactions entre le parent et le nouveau-né renforcent le lien parent-enfant par l'intermédiaire des réactions sensorielles (toucher, contact visuel, voix et odeur).
- En s'adaptant à son rôle parental, la mère passe d'un état dépendant (récupération) à un état interdépendant (lâcher-prise).
- De nombreuses mères présentent des symptômes du *baby blues*.
- Pendant la transition à la parentalité, le père vit certaines émotions et adaptations qui sont semblables à celles de la mère, mais il en vit aussi d'autres qui sont différentes.
- La modulation du rythme, la modification des répertoires de comportements et la réaction mutuelle facilitent l'établissement de liens entre le parent et le nouveau-né.
- De nombreux facteurs influent sur l'adaptation à la parentalité (p. ex., l'âge, la culture, la situation socio-économique, les attentes par rapport à l'enfant).
- Les parents doivent faire preuve de créativité pour faciliter l'adaptation des frères et sœurs au nouveau-né.
- Les grands-parents peuvent exercer une influence positive sur l'adaptation de la famille à la période postnatale.

Ressources

VERSION COMPLÈTE ET DÉTAILLÉE

www.cheneliere.ca/lowdermilk

Références Internet

ORGANISMES ET ASSOCIATIONS

Association canadienne des consultantes en lactation
www.clca-accl.ca

Association des infirmières et infirmiers autorisés de l'Ontario
www.rnao.org

Association des infirmières et infirmiers du Canada
www.cna-aiic.ca

Canadian Pharmacists Association > Education & Practice Resources > Patient Care > Breastfeeding Resources
www.pharmacists.ca

Association of Women's Health, Obstetric, and Neonatal Nurses > Education and Resources > Newborns & Neonates
www.awhonn.org

Comité canadien pour l'allaitement
www.breastfeedingcanada.ca

Fédération québécoise Nourri-Source > Questions fréquentes en allaitement
www.nourri-source.org

Fonds des Nations Unies pour l'enfance (UNICEF)
www.unicef.org

Ligue La Leche > Services
www.allaitement.ca

Motherisk
www.motherisk.org

Ordre des infirmières et infirmiers du Québec
www.oiiq.org

Organisation mondiale de la santé (OMS)
www.who.int/fr/

Société canadienne de pédiatrie
www.cps.ca

Soins de nos enfants > Grossesse et bébés
www.soinsdenosenfants.cps.ca

ORGANISMES GOUVERNEMENTAUX

Santé Canada > Vie saine > Bébés en santé
www.hc-sc.gc.ca

RÉFÉRENCES GÉNÉRALES

Naître et grandir > 0 à 12 mois
> Nourrir
> Soins et bien-être
www.naitreetgrandir.net

Soins-infirmiers.com > Modules Cours
> Gynécologie maternité > Grossesse et maternité > L'allaitement
> Pédiatrie Pédopsychiatrie > L'examen du nouveau-né
> Pédiatrie Pédopsychiatrie > Pathologies > Le nourrisson en maternité
www.soins-infirmiers.com

Monographies

Lauwers, J., & Swisher, A. (2010). *Counseling the Nursing Mother* (5th ed.). Sudbury, Mass. : Jones & Bartlett.

Wilson-Clay, B., & Hoover, K. (2008). *Breastfeeding Atlas* (4th ed.). Manchaca, Tex. : Lactnews Press.

Articles, rapports et autres

Société canadienne de pédiatrie (SCP) (2006). *L'alimentation de votre bébé jusqu'à un an.* Ottawa, Ont. : SCP.
www.cps.ca

Multimédia

Breastfeeding.com > Breastfeeding > Video Clips > Informational Clips
www.breastfeeding.com

Infant Feeding Action Coalition (INFACT) > New DVD from Baby Milk Action
www.infactcanada.ca/video-pages/formula-explained.html

Santé pratique > Ma famille > Être enceinte > Allaitement maternel
www.santepratique.fr

PARTIE

Nouveau-né

CHAPITRE

Adaptations physiologiques et comportementales du nouveau-né

Écrit par :
Shannon E. Perry, RN, CNS, PhD, FAAN

Adapté par :
Margarida Ribeiro da Silva, M. Sc., IPSNN

OBJECTIFS

 **Guide d'études – SA16**

Après avoir étudié ce chapitre, vous devriez être en mesure :

- de décrire les adaptations physiologiques du nouveau-né pendant sa transition vers la vie extra-utérine ;
- d'expliquer la thermorégulation chez le nouveau-né ;
- de décrire les types de pertes de chaleur ;
- de discuter des adaptations comportementales du nouveau-né ;
- de décrire les périodes de réactivité et les états de veille et de sommeil du nouveau-né ;
- d'expliquer les capacités sensorielles et perceptives du nouveau-né.

Concepts clés

Cette carte conceptuelle illustre schématiquement les principaux concepts décrits dans le présent chapitre. Sa lecture vous permettra d'avoir une vue d'ensemble des notions qui y sont présentées.

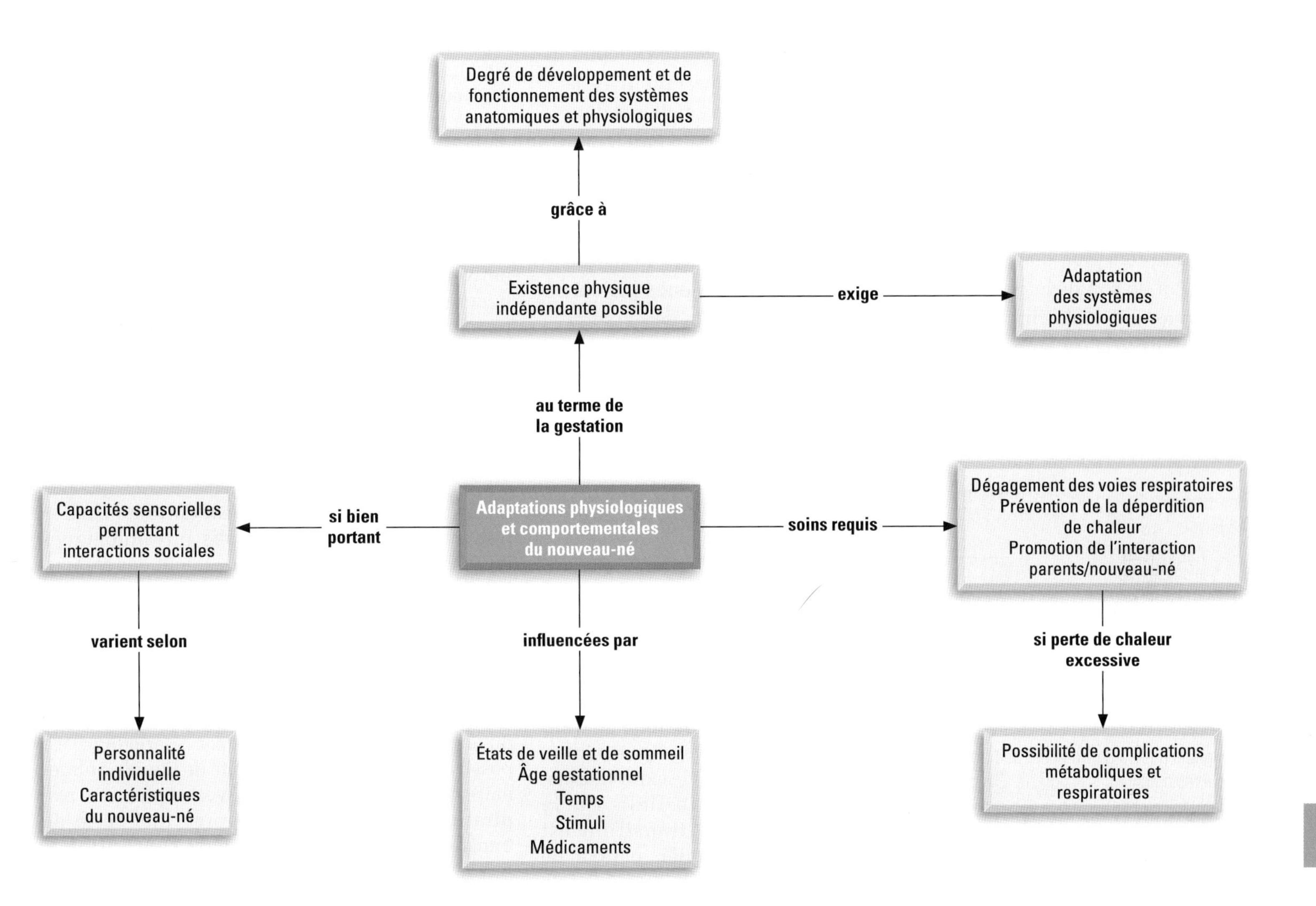

16

La période néonatale s'étend de la naissance au 28e jour de vie, c'est-à-dire l'âge où l'enfant est considéré comme un nouveau-né. À la fin de la gestation, les divers systèmes anatomiques et physiologiques du fœtus ont finalement atteint un degré de développement et de fonctionnement qui permet une existence indépendante de celle de sa mère. Par ailleurs, le nouveau-né fait aussi preuve à la naissance de compétences comportementales, de capacités sensorielles et d'un état de préparation pour les interactions sociales. Il est donc un être à part entière prêt à faire partie de sa famille et de sa communauté. Toutes les adaptations qui suivent la transition entre l'état fœtal intra-utérin et l'état néonatal extra-utérin ouvrent la voie pour la croissance et le développement à venir. Cette période constitue donc non seulement une transition, mais aussi une continuation de son développement, qui sera fortement influencé par son nouvel environnement. L'infirmière joue un rôle important afin de s'assurer que cette transition est faite de la façon la plus efficace, mais aussi la plus humaine possible. Le présent chapitre aborde les mécanismes de l'adaptation du nouveau-né à la vie extra-utérine.

16.1 | Transition vers la vie extra-utérine

Jugement clinique

Madame Chantal Lachance, âgée de 32 ans, a accouché ce matin par césarienne d'une petite fille après 37 semaines de grossesse. C'est son deuxième enfant, mais il s'agissait de sa première césarienne. À 16 h 20, elle vous signale que sa petite fille a de nombreuses sécrétions qui remontent dans la bouche. Elle précise que cela l'inquiète parce qu'elle n'a pas vécu cette situation avec son premier enfant.

Est-ce une manifestation normale chez un nouveau-né? Justifiez votre réponse.

Le nouveau-né traversera plusieurs phases d'instabilité pendant les six à huit heures qui suivront sa naissance. L'ensemble de ces phases constitue la **période de transition** entre l'existence intra-utérine et la vie extra-utérine. La phase initiale de la période de transition est appelée première période de réactivité, qui dure jusqu'à 30 minutes après la naissance. La fréquence cardiaque (F.C.) du nouveau-né augmente d'abord rapidement jusqu'à 160 à 180 battements par minute (batt./min), puis elle s'abaisse graduellement après environ 30 minutes jusqu'à une fréquence de base de 100 à 120 batt./min. Les respirations sont irrégulières, et leur fréquence (F.R) est de 60 à 80 par minute. De légères crépitations peuvent s'entendre à l'auscultation; il est également possible de noter des geignements expiratoires audibles, des battements des ailes du nez et un tirage thoracique, mais ces signes devraient disparaître dans l'heure qui suit la naissance. Le nouveau-né est vigilant et peut présenter des tressaillements spontanés, des tremblements, il peut pleurer et bouger la tête d'un côté et de l'autre. Des bruits intestinaux sont audibles, et du méconium peut être évacué ▶ 17.

17

Les évaluations et les interventions infirmières à poser pendant la période de transition jusqu'au congé sont traitées en détail dans le chapitre 17, *Évaluation et soins du nouveau-né et de la famille*.

Après la première période de réactivité, le nouveau-né dort ou montre une réduction marquée de son activité motrice. Cette période d'absence de réponse, souvent accompagnée de sommeil, dure de 60 à 100 minutes et est suivie d'une seconde période de réactivité.

La seconde période de réactivité se produit environ entre 4 et 8 heures après la naissance et dure de 10 minutes à plusieurs heures. Elle est marquée de brefs épisodes de tachycardie et de tachypnée, associés à une augmentation du tonus musculaire, de la coloration de la peau et de la production de mucus. Il est fréquent que du méconium soit évacué à ce moment. La plupart des nouveau-nés bien portants vivent cette transition, peu importe leur âge gestationnel ou le type d'accouchement; les nouveau-nés très ou extrêmement prématurés ne la connaissent pas en raison de leur immaturité physiologique.

16.2 | Adaptations physiologiques

16.2.1 Système respiratoire

La section du cordon ombilical entraîne chez le nouveau-né des modifications physiologiques rapides et complexes. L'établissement des respirations est l'adaptation la plus critique et la plus immédiate que réalise le nouveau-né à la naissance. Pendant un accouchement vaginal, la pression subie au moment du passage extra-utérin expulse une partie du liquide présent dans le système respiratoire hors des poumons et de la trachée du nouveau-né; si l'enfant naît par césarienne, il est possible qu'une certaine quantité de liquide pulmonaire reste dans les alvéoles. Avec sa première respiration, le nouveau-né amorce une série de transformations cardiopulmonaires **TABLEAU 16.1**.

La première respiration résulte probablement d'un réflexe déclenché par un ensemble de facteurs: des modifications des pressions systémique et pulmonaire, l'exposition à la température fraîche de l'air, le bruit, la lumière et d'autres sensations liées au processus de la naissance. De plus, les chimiorécepteurs de l'aorte et des glomus carotidiens déclenchent des réflexes neurologiques lorsque la pression partielle de l'oxygène dans le sang artériel (PaO_2) diminue, que la pression partielle du gaz carbonique dans le sang artériel ($PaCO_2$) s'élève et que le pH artériel baisse. Dans la plupart des cas, une réaction respiratoire excessive suit la naissance en moins de une minute, et le nouveau-né prend une première respiration haletante et pleure.

Une fois les respirations établies, elles sont superficielles et irrégulières, allant de 30 à 60 respirations par minute (R/min), avec des phases de respiration périodique qui comprennent des pauses respiratoires de moins de 20 secondes.

TABLEAU 16.1	Caractéristiques du système respiratoire du nouveau-né
CARACTÉRISTIQUES	**EFFETS SUR LE FONCTIONNEMENT**
• Moins de tissu élastique et de rétraction du poumon	• Réduction de l'élasticité pulmonaire (compliance) exigeant des pressions plus élevées et un effort plus grand pour distendre les poumons • Risques accrus d'atélectasie
• Mouvements réduits du diaphragme et réduction de son potentiel de force maximale	• Mouvements respiratoires moins efficaces • Difficulté à créer les pressions intrathoraciques négatives • Risques d'atélectasie
• Respiration nasale • Position modifiée du larynx et de l'épiglotte	• Meilleure capacité de synchroniser la déglutition et la respiration • Risque d'obstruction des voies respiratoires • Intubation possiblement plus difficile
• Voies respiratoires petites et élastiques, présentant une résistance plus élevée • Réflexes immatures	• Risque d'obstruction des voies respiratoires et d'apnée
• Résistance vasculaire pulmonaire accrue et artérioles pulmonaires délicates	• Risque de shunt canalaire et d'hypoxémie accompagné d'événements comme l'hypoxie, l'acidose, l'hypothermie, l'hypoglycémie et l'hypercapnie
• Consommation accrue d'oxygène	• Élévation de la F.R. et effort respiratoire accru • Risque d'hypoxie
• Shunt droite-gauche plus important	• Oxygénation compromise
• Immaturité du système de surfactant pulmonaire chez le prématuré	• Risque accru d'atélectasie et de syndrome de détresse respiratoire aiguë • Effort respiratoire plus grand
• Immaturité de la régulation de la respiration	• Respirations irrégulières et respiration périodique • Risque d'apnée • Incapacité de modifier rapidement la profondeur des respirations

Source: Adapté de Blackburn (2007).

16

Ces épisodes de respiration périodique se produisent le plus souvent pendant la phase active du sommeil (sommeil paradoxal) et voient leur fréquence et leur durée diminuer avec l'âge. Des périodes d'apnée de plus de 20 secondes sont indicatives d'un processus pathologique et devraient faire l'objet d'une évaluation approfondie.

16.2.2 Signes de détresse respiratoire

La plupart des nouveau-nés à terme respirent spontanément et continuent à avoir des respirations normales. Les signes de détresse respiratoire peuvent comprendre le battement des ailes du nez, le tirage intercostal ou sous-costal (rétraction des tissus entre les côtes ou sous la cage thoracique) ou des geignements expiratoires. Le **tirage** sous-sternal ou sous-claviculaire accompagné de stridor ou de halètement indique le plus souvent une obstruction des voies respiratoires supérieures. Il est anormal d'observer un balancement thoracoabdominal ou une respiration paradoxale (élévation excessive de l'abdomen et affaissement du thorax à l'inspiration) plutôt que des respirations abdominales, et ce fait doit être signalé. Une évaluation en profondeur est nécessaire si la F.R. est de moins de 30 ou de plus de 60 R/min quand le nouveau-né est au repos. La F.R. du nouveau-né peut être ralentie, déprimée ou absente sous l'effet des analgésiques ou des anesthésiants administrés à la mère pendant le travail et l'accouchement. Les épisodes apnéiques peuvent être liés à plusieurs situations (élévation rapide de la température corporelle, hypothermie, hypoglycémie et septicémie) qui exigent une évaluation soigneuse. La tachypnée peut être attribuable à l'évacuation inadéquate du liquide pulmonaire ou être une indication du syndrome de détresse respiratoire du nouveau-né.

Tirage: Phénomène où les tissus mous de la cage thoracique sont « aspirés » vers l'intérieur de celle-ci au moment de l'inspiration. Il s'observe chez les clients atteints d'une pathologie respiratoire et est un signe d'augmentation importante du travail respiratoire.

Jugement clinique

Nicolas est né par accouchement vaginal hier soir à 23 h 45 après 38 3/7 semaines de gestation. Il pesait 3 320 g à la naissance. Il est 8 h 30, et vous prenez ses signes vitaux. Sa F.R. est de 64 R/min.

Quels seraient les éléments à observer chez ce nouveau-né afin de bien évaluer s'il y a présence de détresse respiratoire?

RAPPELEZ-VOUS...

La compliance renvoie à la souplesse et aux possibilités de distension d'un réservoir élastique comme les poumons.

Maintien d'un apport suffisant en oxygène

Pendant la première heure de vie, les vaisseaux lymphatiques pulmonaires réabsorbent de grandes quantités de liquide. Celui-ci se retire également en raison du gradient de pression entre les alvéoles, l'espace interstitiel et les capillaires sanguins. Une réduction de la résistance vasculaire favorise aussi cet écoulement. La rétention de liquide pulmonaire peut gêner la capacité du nouveau-né à maintenir une oxygénation suffisante, en particulier si d'autres facteurs compromettant les respirations sont présents (aspiration de méconium, hernie diaphragmatique congénitale, atrésie congénitale de l'œsophage avec fistule, atrésie des choanes, anomalie cardiaque congénitale, immaturité des alvéoles [absentes ou en nombre réduit]).

Jugement clinique

Samuel est né il y a deux heures par accouchement vaginal après 33 5/7 semaines de gestation. La F.R. de ce nouveau-né est de 55 R/min, et il présente un léger tirage sous-costal. Vous évaluez fréquemment son état respiratoire afin de déceler tout signe de complication.

Ce nouveau-né est-il plus à risque de souffrir de détresse respiratoire qu'un nouveau-né à terme? Justifiez votre réponse.

Le périmètre thoracique d'un nouveau-né à terme est d'environ 30 à 33 cm à la naissance. L'auscultation de la poitrine d'un nouveau-né révèle des bruits respiratoires forts et clairs qui semblent très rapprochés parce que la musculature de sa paroi thoracique est peu développée. Les côtes du nouveau-né s'articulent à l'horizontale avec sa colonne vertébrale plutôt que de se diriger vers le bas; par conséquent, la cage thoracique ne peut se distendre à l'inspiration aussi facilement que celle d'un adulte. Étant donné que la respiration néonatale repose en grande partie sur les contractions du diaphragme, la respiration abdominale est caractéristique des nouveau-nés. Cela signifie que le thorax et l'abdomen s'élèvent simultanément à l'inspiration, mais en raison de la taille importante de l'abdomen, les mouvements thoraciques ne sont pas aussi évidents.

Surfactant: Substance de revêtement des alvéoles pulmonaires, de nature chimique complexe, qui les empêche d'être collabées en fin d'expiration.

Les parois externes des alvéoles sont recouvertes de **surfactant**, une protéine fabriquée par les pneumocytes de type II. L'expansion des poumons dépend dans une large mesure de la contraction de la paroi thoracique et de la présence d'une quantité suffisante de surfactant. Le surfactant abaisse la tension superficielle, ce qui réduit la pression nécessaire pour maintenir les alvéoles ouvertes à l'inspiration et empêche leur affaissement total à l'expiration, maintenant ainsi la stabilité alvéolaire. Si le surfactant est absent ou insuffisant, l'inspiration exige la création d'une pression plus élevée, ce qui peut rapidement fatiguer ou épuiser les nouveau-nés prématurés ou malades. Le surfactant peut se comparer à de l'eau savonneuse à l'intérieur d'un ballon. Il arrive parfois que les parois d'un ballon non gonflé se collent l'une à l'autre et l'empêchent de se distendre. Si l'on ajoute de l'eau savonneuse dans le ballon, les surfaces deviennent glissantes et empêchent les parois de se coller, ce qui permet au ballon de se gonfler.

Jugement clinique

Samuel est désormais âgé de 48 heures. Il est éveillé, mais calme lorsque vous prenez ses signes vitaux. Il présente une F.R. de 48 R/min et une F.C. à 172 batt./min.

Interprétez les résultats obtenus et précisez quelle serait votre conduite en lien avec ceux-ci.

16.2.3 Système circulatoire

Le système cardiovasculaire se modifie considérablement après la naissance. Les premières respirations du nouveau-né, combinées à la distension des capillaires alvéolaires, gonflent ses poumons et réduisent leur résistance vasculaire à l'écoulement du sang venant des artères pulmonaires. La pression diminue par conséquent dans le tronc pulmonaire et dans l'oreillette droite. Par ailleurs, l'augmentation du débit sanguin pulmonaire arrivant au côté gauche du cœur augmente la pression dans l'oreillette gauche. Ces modifications de pression entraînent la fermeture fonctionnelle du foramen ovale. Pendant les premiers jours de vie, les pleurs peuvent inverser temporairement les pressions et permettre au sang de s'écouler à travers le foramen ovale et causer ainsi une légère **cyanose** autour de la bouche. Une cyanose centrale (sur la poitrine et les muqueuses) est inquiétante et demande des examens plus approfondis **TABLEAU 16.2**.

Dans l'utérus, la PaO_2 du fœtus est de 27 mm Hg. Après la naissance, lorsqu'elle s'approche de 50 mm Hg, le canal artériel se contracte en réaction à cette oxygénation accrue. Plus tard, celui-ci se fermera complètement pour former un ligament. Le clampage du cordon ferme les artères ombilicales, la veine ombilicale et le canal veineux d'Arantius, et ces structures se transformeront en ligaments. Les artères iliaques internes s'oblitéreront et se transformeront aussi en ligaments.

Fréquence et bruits cardiaques

La F.C. est en moyenne de 120 à 140 batt./minute, et elle varie selon les états de sommeil et d'éveil. Peu de temps après son premier cri, la F.C. du nouveau-né peut s'accélérer jusqu'à 175 à 180 batt./min. Les variations de la F.C. chez le nouveau-né à terme vont de 85 à 110 batt./min pendant le sommeil jusqu'à 170 batt./min ou plus quand il est éveillé. Il n'est pas inhabituel qu'elle atteigne 180 batt./min quand le nouveau-né pleure. Si elle est constamment élevée au repos (plus de 170 batt./min) ou faible (moins de 80 batt./min), il faut la vérifier de nouveau dans l'heure qui suit ou quand le nouveau-né modifie son activité.

Le choc apexien (point d'impulsion maximale) se localise chez le nouveau-né dans le quatrième espace intercostal, à gauche de la ligne médioclaviculaire. Il est souvent visible et facilement palpable en raison de la minceur de la paroi thoracique; c'est aussi ce qu'on appelle l'activité précordiale.

TABLEAU 16.2 Modifications cardiovasculaires à la naissance		
AVANT LA NAISSANCE	**APRÈS LA NAISSANCE**	**FACTEURS ASSOCIÉS**
Modifications primaires		
Circulation pulmonaire : résistance vasculaire pulmonaire élevée, pression accrue dans le ventricule droit et les artères pulmonaires	Faible résistance vasculaire pulmonaire ; pression réduite dans l'oreillette et le ventricule droits et dans les artères pulmonaires	Expansion des poumons affaissés du fœtus avec l'entrée d'air
Circulation systémique : faible pression dans l'oreillette et le ventricule gauches et dans l'aorte	Résistance vasculaire systémique élevée ; pression accrue dans l'oreillette et le ventricule gauches et dans l'aorte	Perte de la circulation placentaire
Modifications secondaires		
Artères ombilicales : ouvertes, transportant le sang des artères iliaques internes au placenta	Fermeture fonctionnelle à la naissance ; oblitération par prolifération fibreuse pouvant demander deux ou trois mois, la portion distale formant le ligament vésicoombilical latéral, la portion proximale restant ouverte et donnant l'artère vésicale supérieure	Fermeture précédant celle de la veine ombilicale, probablement réalisée par la contraction des muscles lisses en réaction à des stimuli thermiques et mécaniques et au changement de pression d'oxygène ; sectionnées mécaniquement avec le cordon à la naissance
Veine ombilicale : ouverte, transportant le sang du placenta au conduit veineux (canal d'Arantius) et au foie	Fermée et formant le ligament rond du foie après son oblitération	Fermeture peu de temps après les artères ombilicales, de sorte que du sang peut s'écouler du placenta au nouveau-né pendant une courte période après la naissance ; sectionnée avec le cordon à la naissance
Conduit veineux (canal d'Arantius) : ouvert, relie la veine ombilicale à la veine cave inférieure	Fermé et formant le ligament veineux après son oblitération	Arrêt de l'arrivée de sang par la veine ombilicale
Canal artériel : ouvert, dévie le sang du tronc pulmonaire vers l'aorte descendante	Fermeture fonctionnelle presque immédiatement après la naissance, oblitération anatomique de la lumière par prolifération fibreuse en un à trois mois ; devient le ligament artériel	Contenu accru en oxygène du sang du canal artériel, créant un spasme vasculaire de sa paroi musculaire ; résistance systémique élevée augmentant la pression aortique ; faible résistance pulmonaire réduisant la pression dans le tronc pulmonaire
Foramen ovale : communication qui permet au sang de passer directement dans l'oreillette gauche (dérivation du sang de l'oreillette droite à l'oreillette gauche)	Fermeture fonctionnelle à la naissance, apposition constante de la valve du foramen ovale menant graduellement à la fusion et à la fermeture permanente en quelques mois ou quelques années pour la majorité des personnes	Pression accrue dans l'oreillette gauche et réduite dans l'oreillette droite, entraînant la fermeture de la valve sur le foramen ovale

C'est la fréquence du pouls apical qu'il faut mesurer chez tous les nouveau-nés. L'auscultation devrait durer une minute entière et se faire de préférence quand le nouveau-né est au repos. Il n'est pas inhabituel que le rythme cardiaque soit irrégulier pendant les premières heures de vie. Plus tard, il convient de procéder à une évaluation plus poussée si le rythme cardiaque est irrégulier sans que cela soit attribuable à des modifications de l'activité ou du mode respiratoire.

Pendant la période néonatale, les bruits du cœur sont plus aigus, plus courts et plus intenses que ceux de l'adulte. Le premier bruit (B1) est en général plus fort et plus sourd que le deuxième bruit (B2), plus sec. On n'ausculte pas les troisième et quatrième bruits chez les nouveau-nés. La plupart des souffles cardiaques entendus pendant les premiers jours de vie n'ont aucune signification pathologique, et plus de la moitié d'entre eux auront disparu à l'âge de six mois. Un souffle accompagné de signes tels qu'une malnutrition, l'apnée, la cyanose ou la pâleur est toutefois considéré comme anormal. En présence de tels signes, il faut alors procéder à des examens plus approfondis.

C'est la fréquence du pouls apical qu'il faut mesurer chez tous les nouveau-nés. L'auscultation devrait durer une minute entière et se faire de préférence quand le nouveau-né est au repos.

Pression artérielle

La pression systolique moyenne du nouveau-né est de 60 à 80 mm Hg, et la pression diastolique moyenne est de 40 à 50 mm Hg. La pression artérielle (P.A.) s'élève le deuxième jour de vie et subit des variations mineures pendant le premier mois. Il est fréquent que la pression systolique diminue (d'environ 15 mm Hg) pendant la première heure de vie. Les pleurs et les mouvements causent généralement une augmentation de la pression systolique. La meilleure façon de mesurer la P.A. est d'utiliser un tensiomètre oscillométrique pendant que le nouveau-né est au repos. Il faut choisir un brassard de la bonne taille pour obtenir une mesure précise de la P.A. du nouveau-né.

À moins d'indications particulières, on ne mesure habituellement pas la P.A. du nouveau-né de façon systématique, sauf pour établir une ligne de référence. Dans certaines unités de soins intensifs néonataux, il est encore recommandé de prendre la P.A. aux quatre membres à l'admission du nouveau-né afin d'éliminer la possibilité d'une coarctation de l'aorte. Cette anomalie cardiaque pourrait être soupçonnée si l'un ou les deux membres supérieurs montrent une augmentation de P.A. de 20 mm Hg de plus que celle des membres inférieurs. Cette pratique est controversée, car en 2004, Crossland et ses collaborateurs ont montré que 8 % des nouveau-nés qui n'ont pas d'anomalie cardiaque présentent à l'occasion des différences de P.A. de 20 mm Hg entre les membres inférieurs et supérieurs.

Volume sanguin

Le volume sanguin du nouveau-né est d'environ 80 à 85 ml/1 000 g de poids corporel. Immédiatement après la naissance, le volume sanguin total est en moyenne de 300 ml, mais il peut augmenter jusqu'à 400 ml selon le temps qui s'écoule avant que le cordon soit clampé et coupé. Le nouveau-né prématuré a un volume sanguin relativement plus élevé que le nouveau-né à terme parce que son volume plasmatique est relativement plus important, ce qui n'est pas le cas de sa quantité de globules rouges.

Le clampage précoce ou tardif du cordon ombilical modifie la dynamique circulatoire du nouveau-né. S'il est tardif, le clampage augmente le volume sanguin à cause de la transfusion de sang placentaire au nouveau-né. On a rapporté que le fait de retarder le clampage du cordon (deux minutes ou plus après la naissance) avait entraîné la polycythémie et des signes cliniques subséquents d'hyperviscosité (hématocrite supérieur ou égal à 65 %, aspect pléthorique ou érythrosique, circulation paresseuse entraînant éventuellement des embolies dans les vaisseaux de petit calibre et des dommages aux organes, détresse respiratoire et possiblement hyperbilirubinémie en résultat de la dégradation des globules rouges) (Armentrout & Huseby, 2003). Des données récentes ont toutefois montré que le clampage tardif du cordon chez les nouveau-nés à terme (au moins deux minutes après la naissance) avait un effet bénéfique en améliorant l'hématocrite et le bilan en fer et en réduisant l'anémie; de tels bénéfices s'observaient jusqu'à l'âge de deux à six mois. La polycythémie apparaissait aussi avec le clampage tardif, mais sans être nocive (Hutton & Hassan, 2007).

16.2.4 Système hématopoïétique

Le système hématopoïétique du nouveau-né présente certaines différences par rapport à celui de l'adulte. Sa teneur en globules rouges et en leucocytes diffère, mais celle des plaquettes est relativement la même.

Globules rouges et hémoglobine

À la naissance, la teneur en globules rouges et le taux d'hémoglobine (l'hémoglobine fœtale est prédominante) sont en moyenne plus élevés que chez l'adulte. Le sang du cordon d'un nouveau-né à terme peut avoir une concentration d'hémoglobine de 140 à 240 g/L (170 g/L, en moyenne). L'hématocrite varie de 44 à 64 % (moyenne de 55 %). La numération érythrocytaire est proportionnellement élevée, allant de 4,8 à 7,1 × 10^{12}/L (5,14 × 10^{12}/L en moyenne). À la fin du premier mois, ces valeurs tombent respectivement à 110 à 170 g/L et à 4,2 à 5,2 × 10^{12}/L, en moyenne.

Le clampage tardif du cordon peut modifier les valeurs sanguines, causant une élévation du taux d'hémoglobine, de la numération érythrocytaire et de l'hématocrite. La provenance de l'échantillon est un facteur déterminant parce que le sang capillaire donne des valeurs plus élevées que le sang veineux. Le moment du prélèvement est aussi important, la légère augmentation des globules rouges observée après la naissance étant suivie par une baisse substantielle. À la naissance, le sang contient en moyenne 70 % d'hémoglobine fœtale, mais en raison de la durée de vie plus courte des globules contenant de l'hémoglobine fœtale, ce pourcentage tombe à 55 % la 5e semaine et à 5 % la 20e semaine. Les réserves de fer sont généralement suffisantes pour soutenir la production normale de globules rouges pendant quatre ou cinq mois chez l'enfant né à terme, après quoi une anémie physiologique habituellement passagère peut apparaître.

Globules blancs

La leucocytose est normale à la naissance, la numération des leucocytes s'élevant environ à 18 × 10^9/L (valeurs allant de 9 à 30 × 10^9 cellules par litre). Le nombre de globules blancs augmente jusqu'à 23 ou 24 × 10^9/L pendant le premier jour qui suit la naissance. Cette valeur élevée diminue rapidement par la suite, et un taux de base de 11,5 × 10^9 cellules par litre se maintient normalement pendant la période néonatale. Le nouveau-né tolère mal une infection sérieuse, car au début de la vie, les leucocytes sont lents à reconnaître une protéine étrangère,

Les réserves de fer sont généralement suffisantes pour soutenir la production de globules rouges pendant quatre ou cinq mois chez l'enfant né à terme.

à localiser l'infection et à la combattre. La septicémie peut s'accompagner d'une augmentation concomitante des globules blancs (**neutrophilie**) ; toutefois, certains nouveau-nés peuvent présenter des signes cliniques de septicémie sans élévation importante de la numération des leucocytes. En outre, en dehors de l'infection, d'autres situations peuvent causer la neutrophilie chez le nouveau-né. Ces situations peuvent être un épisode prolongé de pleurs, l'hypertension maternelle, l'hypoglycémie asymptomatique, une maladie hémolytique, le syndrome d'aspiration méconiale, le déclenchement du travail par l'ocytocine, une chirurgie, un accouchement laborieux, l'altitude élevée et la fièvre chez la mère.

Après l'établissement des respirations et d'une circulation adéquate, la régulation de la température est l'activité la plus critique pour la survie du nouveau-né.

Plaquettes

La numération plaquettaire du nouveau-né varie de 200 à 300 × 10^9/L, soit essentiellement la même que chez l'adulte. Les taux des facteurs de coagulation II, VII, IX et X, trouvés dans le foie, sont bas pendant les premiers jours de vie parce que le nouveau-né ne peut synthétiser la vitamine K. Toutefois, la diathèse hémorragique n'est pas fréquente chez le nouveau-né, et la coagulation est suffisante pour prévenir l'hémorragie à moins que la carence en vitamine K soit importante.

Groupes sanguins

Le groupe sanguin du nouveau-né est déterminé génétiquement et s'établit rapidement pendant la vie fœtale. Toutefois, en période néonatale, la force des agglutinogènes présents sur la membrane des globules rouges augmente graduellement. Il est possible d'utiliser le sang du cordon pour déterminer le groupe sanguin ABO du nouveau-né et son facteur Rh.

16.2.5 Thermorégulation

Après l'établissement des respirations et d'une circulation adéquate, la régulation de la température est l'activité la plus critique pour la survie du nouveau-né. La **thermorégulation** permet de maintenir l'équilibre entre la déperdition et la production de chaleur. Les nouveau-nés tentent de stabiliser leur température centrale à l'intérieur d'étroites limites. L'hypothermie résultant d'une perte excessive de chaleur représente un problème fréquent pour eux. La capacité du nouveau-né de produire de la chaleur (**thermogenèse**) s'approche souvent de celle de l'adulte, mais il a tendance à perdre plus rapidement cette chaleur dans un environnement froid, ce qui représente un danger pour lui.

Thermogenèse

Le nouveau-né peut rarement exploiter le mécanisme de production de chaleur par les frissons. Chez lui, la thermogenèse sans frissons s'opère d'abord par le métabolisme du **tissu adipeux brun** (ou graisse brune), un tissu propre au nouveau-né, et ensuite par l'augmentation de l'activité métabolique de l'encéphale, du cœur et du foie **FIGURE 16.1**. Le tissu adipeux brun se localise dans des dépôts superficiels situés dans les régions interscapulaire et axillaires, ainsi que dans des dépôts profonds situés dans l'orifice supérieur du thorax, le long de la colonne vertébrale et autour des reins. Ce tissu présente une vascularisation et une innervation plus riches que la graisse ordinaire. Le métabolisme intense des lipides qui y a lieu peut réchauffer le nouveau-né en augmentant jusqu'à 100 % sa production de chaleur. Le froid peut causer un stress qui épuise rapidement les réserves de graisse brune, qui durent normalement plusieurs semaines après la naissance. Les réserves de tissu adipeux brun se constituent tout au long de la grossesse, et le nouveau-né à terme en a davantage qu'un prématuré.

Tissu adipeux brun : Source de chaleur propre au nouveau-né, dotée d'une plus grande activité thermogène que la graisse ordinaire ; on en trouve des dépôts jusqu'à plusieurs semaines après la naissance autour des glandes surrénales et des reins, dans le cou, entre les omoplates et derrière le sternum ; aussi appelé graisse brune.

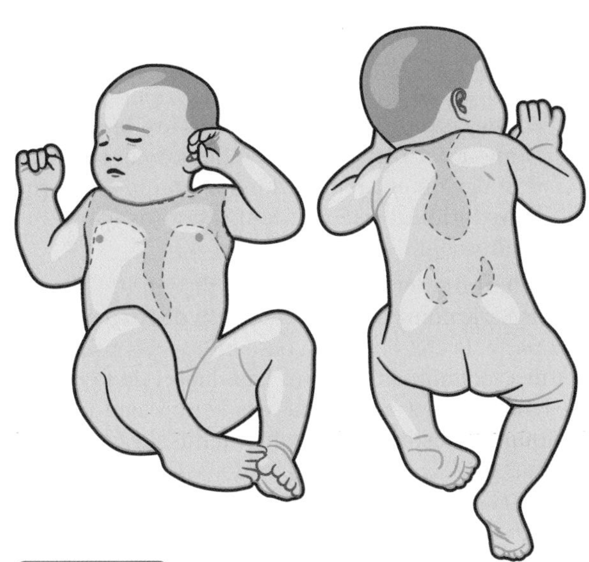

FIGURE 16.1
Tissu adipeux brun chez le nouveau-né

Déperdition de chaleur

Les pertes de chaleur du nouveau-né se produisent de quatre façons : par convection, par radiation, par évaporation ou par conduction.

1. La chaleur de la surface du corps est transférée à l'air ambiant plus frais par convection. C'est à cause de la perte de chaleur par convection que la température ambiante d'une pouponnière est maintenue à 24 °C environ et qu'on emmaillote les nouveau-nés qui occupent des lits ouverts afin de les protéger du froid.
2. La perte de chaleur par radiation se fait de la surface du corps vers une surface solide plus froide avec laquelle elle n'est pas en contact

16

direct, mais qui est située assez près d'elle. Pour prévenir ce type de déperdition thermique, les lits des pouponnières et les tables d'examen sont placés loin des fenêtres donnant sur l'extérieur, et l'on prend soin d'éviter les courants d'air directs.

3. La perte de chaleur par évaporation se produit quand un liquide se convertit en vapeur. Chez le nouveau-né, elle est due à la vaporisation de l'humidité de la peau. Cette perte thermique peut s'intensifier si le nouveau-né n'est pas bien asséché immédiatement après sa naissance ou si l'on tarde à l'essuyer après son bain. Plus le nouveau-né est prématuré, plus la perte de chaleur par évaporation sera importante. Cette perte de chaleur, en tant que composante des pertes hydriques insensibles, est la cause principale de déperdition thermique pendant les premiers jours de vie.
4. La conduction est la perte de chaleur par la surface du corps au profit de surfaces plus fraîches qui sont en contact direct avec elle. Après la naissance, on place le nouveau-né dans un lit réchauffé afin de réduire au minimum cette perte de chaleur. Le pèse-bébé utilisé pour peser le nouveau-né devrait également être muni d'une couverture protectrice pour réduire la perte de chaleur par conduction. Le personnel soignant doit également réchauffer ses mains ainsi que le matériel utilisé pendant les soins (p. ex., le stéthoscope).

Il faut limiter la déperdition thermique afin de protéger le nouveau-né. La maîtrise des divers types de perte de chaleur est la base même des principes et des techniques de soin. Une façon de favoriser les interactions entre la mère et le nouveau-né bien portant consiste à placer celui-ci, nu, sur la peau de sa mère et à les couvrir tous les deux. Ce contact peau à peau améliore en outre la régulation de la température du nouveau-né et favorise les interactions avec son environnement **FIGURE 16.2**.

Régulation de la température

Il existe des différences anatomiques et physiologiques notables entre le nouveau-né, l'enfant et l'adulte. La capacité du nouveau-né de produire de la chaleur est initialement inférieure à celle d'un adulte. Le rapport entre sa surface corporelle et son poids est plus élevé que chez l'enfant et l'adulte. Sa position fléchie le protège contre les pertes de chaleur en diminuant la surface corporelle qu'il expose à l'environnement. Il peut également réduire la perte de sa chaleur interne par la constriction de ses vaisseaux sanguins périphériques.

Clémentine est née il y a six heures par césarienne, après 39 2/7 semaines de gestation. Son poids de naissance est de 3 112 g. Vous prenez fréquemment la température de la nouveau-née puisque celle-ci est légèrement inférieure à la normale depuis les deux dernières heures.

Nommez les trois principales complications liées au stress hypothermique que peut présenter la petite Clémentine.

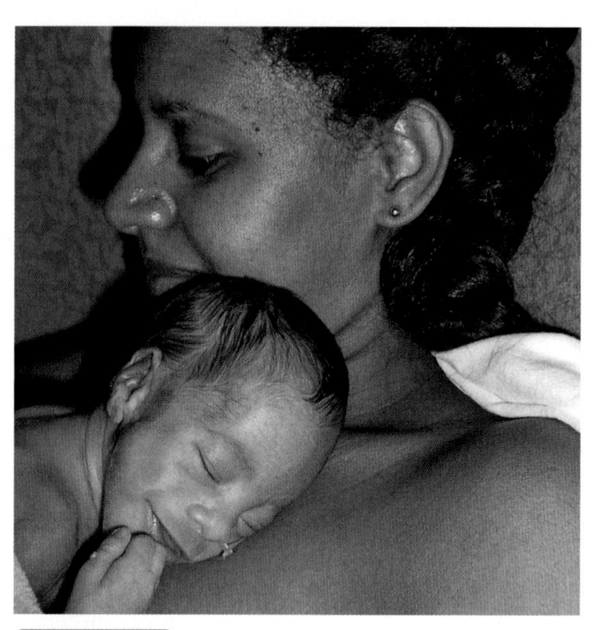

FIGURE 16.2

Un nouveau-né est placé en contact peau à peau avec sa mère.

Le froid constitue un stress qui impose des exigences métaboliques et physiologiques à tous les nouveau-nés, peu importe leur âge gestationnel et leur état. La F.R. s'accélère en réaction au besoin accru d'oxygène. Chez le nouveau-né agressé par le froid, la consommation d'oxygène et l'énergie sont détournées du maintien de la croissance et du fonctionnement normal du cerveau et du cœur au profit de la thermogenèse afin d'assurer sa survie. Si le nouveau-né ne peut maintenir une pression d'oxygène suffisante, la vasoconstriction qui suit met en péril l'irrigation de ses poumons. La PaO_2 diminue alors, et le pH sanguin s'abaisse. Ces modifications peuvent entraîner une détresse respiratoire passagère ou aggraver un syndrome respiratoire existant.

Le stress dû au froid accélère le métabolisme basal et s'il se prolonge, la glycolyse anaérobique qui s'effectue entraîne une production accrue d'acides **FIGURE 16.3**. L'acidose métabolique apparaît donc, et s'il existe une anomalie de la fonction respiratoire, l'acidose respiratoire se développe aussi.

L'hypoglycémie est une autre conséquence métabolique du stress dû au froid. La glycolyse anaérobique utilise approximativement trois ou quatre fois plus de glucose sanguin et épuise ainsi les réserves existantes. Si le stress imposé au nouveau-né est suffisamment important et que ses faibles réserves de glucose ne sont pas remplacées, il peut entrer en hypoglycémie, un état qui peut être asymptomatique chez lui.

L'hyperthermie se développe plus rapidement chez le nouveau-né que chez l'adulte en raison de sa faible capacité d'augmenter l'évaporation de l'eau par sa peau. En effet, bien que les nouveau-nés aient six fois plus de glandes sudoripares par unité de surface que les adultes, chez la plupart d'entre eux ces glandes ne fonctionnent pas suffisamment pour leur permettre de transpirer. Une chaleur excessive peut entraîner des dommages cérébraux chez le nouveau-né à cause de la déshydratation ou encore un coup de chaleur et la mort.

16.2.6 Système urinaire

À la fin de la gestation, les reins occupent une large portion de la paroi abdominale postérieure du fœtus. La vessie se situe près de la paroi abdominale antérieure et est à la fois un organe abdominal et un organe pelvien. Chez le nouveau-né, presque toutes les masses palpables de l'abdomen sont liées à l'appareil urinaire.

Une petite quantité d'urine (environ 40 ml) est normalement présente dans la vessie à la naissance d'un nouveau-né à terme. La fréquence des mictions varie de 2 à 6 par jour pendant le premier et le deuxième jour de vie et de 5 à 25 par jour par la suite. Environ six à huit émissions par jour d'une urine jaune pâle après les trois ou quatre premiers jours indiquent que l'apport hydrique est suffisant. En général, le volume d'urine produit par les nouveau-nés à terme est de 15 à 60 ml par 1 000 g par jour.

Les nouveau-nés à terme ont une capacité limitée de concentration de l'urine, et la densité de celle-ci se situe autour de 1,001 à 1,020. C'est vers l'âge de trois mois que la pleine capacité de concentrer l'urine est atteinte. Après la première miction, l'urine du nouveau-né peut être trouble (à cause de son contenu muqueux) et avoir une densité beaucoup plus élevée. Cette valeur diminue à mesure qu'augmente l'apport hydrique. Pendant la toute petite enfance, l'urine normale est habituellement jaune paille et presque inodore. Au cours de la première semaine qui suit la naissance, l'urine contient d'abondants cristaux d'acide urique qui peuvent laisser des traces roses ou orange dans la couche. Si cette situation persiste après la première semaine, il peut s'agir d'un signe que l'apport hydrique est insuffisant.

Il est fréquent que le nouveau-né perde de 5 à 10 % de son poids de naissance pendant les 3 à 5 premiers jours de sa vie. Cela est attribuable à la perte de liquide par l'urine, les selles et les poumons, de même qu'à l'accélération du métabolisme et à la limitation de l'apport hydrique. Si la mère allaite son nouveau-né et que son lait n'a pas encore connu la transition vers le lait mature plus abondant au troisième ou au quatrième jour, le nouveau-né est quelque peu protégé de la déshydratation grâce au volume accru de liquide extracellulaire présent à la naissance. Une perte de poids supérieure à 10 % du poids de naissance peut être révélatrice de problèmes alimentaires, particulièrement chez les nouveau-nés allaités, et elle mérite une évaluation plus poussée. Il y a lieu de s'inquiéter si la perte de poids atteint plus de 10 % du poids de naissance pendant la première semaine de vie (Société canadienne de pédiatrie, 2007). Le nouveau-né devrait retrouver son poids de naissance en 7 à 14 jours, selon la façon dont il est nourri (sein ou biberon).

Étant donné que les seuils rénaux sont bas chez le nouveau-né, la concentration de bicarbonate et le pouvoir tampon sont réduits, ce qui peut conduire à l'acidose ainsi qu'à un déséquilibre électrolytique.

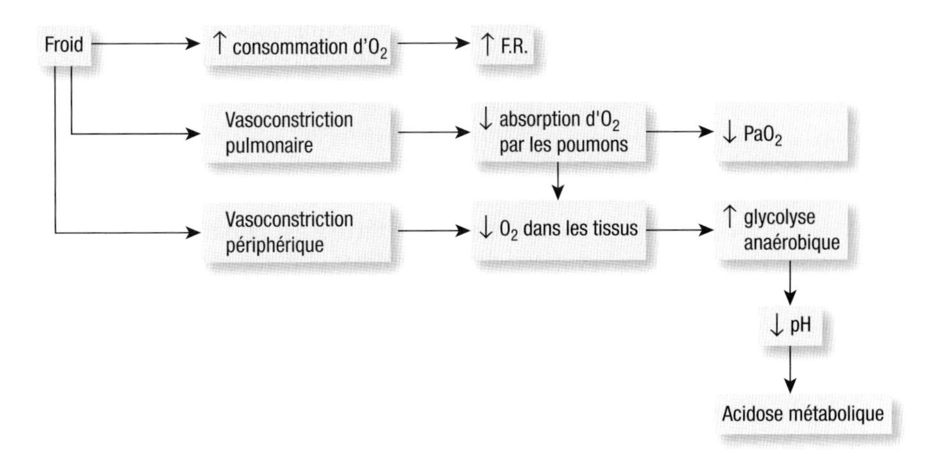

FIGURE 16.3

Effets du stress dû au froid. Lorsqu'un nouveau-né est agressé par le froid, sa consommation d'oxygène (O_2) augmente, et il se produit une vasoconstriction pulmonaire et périphérique qui réduit l'absorption d'oxygène par les poumons et la quantité d'oxygène distribué aux tissus ; la glycolyse anaérobique s'amplifie, et la pression partielle de l'oxygène dans le sang artériel comme le pH diminuent, ce qui conduit à une acidose métabolique.

Jugement clinique

La dernière pesée de Clémentine, maintenant âgée de 34 heures, est de 2 968 g (son poids à la naissance était de 3 112 g).

La perte de poids de cette nouveau-née est-elle normale ? Justifiez votre réponse.

Équilibre hydroélectrolytique

Le liquide extracellulaire représente approximativement 40 % du poids du nouveau-né. Chaque jour, celui-ci absorbe et excrète environ 600 à 700 ml de liquide, ce qui équivaut à 20 % de la totalité de ses liquides corporels et à 50 % de son liquide extracellulaire. Le taux de filtration glomérulaire du nouveau-né est d'environ 30 à 50 % de celui d'un adulte. Ce faible taux de filtration entraîne une réduction de sa capacité d'éliminer les déchets azotés et les autres produits de déchet du sang. Cependant, les protéines ingérées par le nouveau-né sont presque totalement métabolisées pour sa croissance.

La réabsorption du sodium est moindre chez le nouveau-né en raison de l'activité réduite de l'adénosine triphosphatase (ATPase) activée par le sodium ou le potassium. La faible capacité d'excrétion du sodium en excès conduit à la production d'une urine hypotonique par rapport au plasma, avec pour conséquence une concentration plus élevée de sodium, de phosphates, de chlorure et d'acides organiques, et une concentration moindre d'ions bicarbonate. Le seuil d'élimination rénale du glucose est plus élevé chez le nouveau-né que chez l'adulte.

16.2.7 Système digestif

Le nouveau-né à terme est capable d'avaler, de digérer, de métaboliser et d'absorber les protéines et les glucides simples ainsi que d'émulsifier les graisses. À l'exception de l'amylase pancréatique, les enzymes et les sucs digestifs caractéristiques sont présents, même chez les nouveau-nés de faible poids à la naissance.

Chez le nouveau-né suffisamment hydraté, la muqueuse buccale est humide et rose. Le palais dur et le palais mou sont en bon état. La présence de quantités modérées ou élevées de mucus sont fréquemment observées pendant les premières heures qui suivent la naissance. De petites zones blanchâtres (les perles d'Epstein) peuvent se trouver sur le bord des gencives et à la jonction entre le palais dur et le palais mou. Les joues sont pleines grâce aux coussinets adipeux bien développés (boule graisseuse de Bichat). Ces coussinets, comme les tubercules de succion des lèvres, disparaissent vers l'âge de 12 mois, quand la période de succion est terminée.

Bien qu'on ait décelé par échographie des mouvements de succion dans l'utérus, chez tous les prématurés nés avant 32 ou 33 semaines de gestation, ces mouvements ne sont pas coordonnés avec la déglutition. Le comportement de succion est influencé par la maturité neuromusculaire, par les médicaments que la mère a reçus pendant le travail et l'accouchement et par la méthode initiale d'alimentation.

Colostrum : Liquide laiteux, riche en anticorps, présent dans les cellules acineuses des seins, du début de la grossesse jusqu'aux premiers jours de la période postnatale.

Un mécanisme spécial présent chez les nouveau-nés en bonne santé nés à terme coordonne les réflexes de respiration, de succion et de déglutition nécessaires pour l'alimentation orale. La succion du nouveau-né se fait par petites vagues de 3 ou 4 ou même de 8 à 10 tétées, séparées par une brève pause. Le nouveau-né étant incapable de déplacer la nourriture de ses lèvres vers le pharynx, il est nécessaire de placer le mamelon ou la tétine bien à l'intérieur de sa bouche. L'activité péristaltique de l'œsophage n'est pas coordonnée pendant les premiers jours de vie, mais elle le devient vite chez les nouveau-nés en bonne santé nés à terme, et ils peuvent avaler facilement.

Méconium : Première selle du nouveau-né, visqueuse et noir verdâtre, se formant pendant la vie fœtale à partir du liquide amniotique et de ses constituants, des sécrétions intestinales (dont la bilirubine) et de cellules détachées de la muqueuse.

Les dents commencent à se développer *in utero*, et la formation de l'émail se poursuit jusqu'à l'âge de 10 ans environ. Le développement des dents est influencé par les maladies néonatales ou infantiles et les médicaments administrés à l'enfant, ainsi que par les maladies de la mère pendant la grossesse ou les médicaments qu'elle a absorbés. Le taux de fluor dans l'eau a aussi un impact sur le développement des dents. Il arrive occasionnellement qu'un nouveau-né naisse avec une ou plusieurs dents.

À la naissance, il n'y a pas de bactéries dans les voies gastro-intestinales du nouveau-né, mais la bouche et l'anus permettent leur entrée peu de temps après. En général, la concentration la plus élevée de bactéries se trouve dans la portion inférieure des intestins, en particulier dans le côlon. Les bactéries normales du côlon s'établissent pendant la première semaine, et la flore intestinale normale contribue à la synthèse de vitamine K, d'acide folique et de biotine. On peut habituellement entendre des bruits intestinaux peu de temps après la naissance.

La capacité gastrique va de 30 à 90 ml, selon la taille du nouveau-né. Le temps de vidange de l'estomac varie considérablement, et plusieurs facteurs influent sur lui, comme le moment et le volume des repas, ainsi que le type et la température des aliments. Le sphincter œsophagien inférieur et la régulation nerveuse de l'estomac ne sont pas matures, de sorte qu'il peut y avoir un peu de régurgitation. Il est possible de réduire celle-ci pendant les premiers jours de vie en évitant la suralimentation, en faisant faire ses rots au nouveau-né et en l'installant avec la tête légèrement surélevée.

Digestion

La capacité du nouveau-né de digérer les glucides, les graisses et les protéines dépend de la présence de certaines enzymes, dont la plupart sont fonctionnelles à la naissance. L'**amylase** constitue une exception ; elle est produite par les glandes salivaires approximativement trois mois après la naissance et par le pancréas à partir de l'âge de six mois environ. Cette enzyme nécessaire pour la conversion de l'amidon en maltose se trouve en abondance dans le **colostrum**. L'autre exception est la **lipase**, sécrétée elle aussi par le pancréas ; elle est nécessaire pour la digestion des graisses. Par conséquent, le nouveau-né normal peut digérer les glucides simples et les protéines, mais sa capacité de digérer les lipides demeure limitée.

La digestion plus complète des nutriments et leur absorption se déroulent dans l'intestin grêle en présence des sécrétions pancréatiques, de celles du foie, qui arrivent par le canal cholédoque, et des sécrétions de la portion duodénale de l'intestin grêle.

Les bactéries normales du côlon s'établissent pendant la première semaine, et la flore intestinale normale contribue à la synthèse de vitamine K, d'acide folique et de biotine.

Selles

À la naissance, la portion inférieure de l'intestin est remplie de **méconium**. Celui-ci se forme pendant la vie fœtale à partir du liquide amniotique et de ses constituants, des sécrétions intestinales (dont la bilirubine) et de cellules détachées de la muqueuse. Le méconium, noir verdâtre et visqueux, peut contenir du sang occulte. Le premier méconium évacué est généralement stérile, mais quelques heures plus tard, tout le méconium éliminé contient des bactéries. La majorité des nouveau-nés bien portants nés à terme évacuent le méconium pendant les 12 à 24 premières heures de leur vie, et presque tous le font en 48 heures (Blackburn, 2007). Le nombre de selles émises varie pendant la première semaine; elles sont plus nombreuses entre les troisième et sixième jours. Les nouveau-nés qui sont nourris rapidement évacuent des selles plus tôt. Des changements progressifs du mode d'élimination des selles sont révélateurs du bon fonctionnement des voies gastro-intestinales **ENCADRÉ 16.1**.

ENCADRÉ 16.1 Évolution des selles du nouveau-né

MÉCONIUM

- La première selle du nouveau-né se compose de constituants du liquide amniotique, de sécrétions intestinales, de cellules desquamées de la muqueuse et possiblement de sang (sang maternel ingéré ou saignement mineur des vaisseaux des voies digestives).
- L'évacuation du méconium devrait se produire pendant les 24 à 48 premières heures, bien qu'elle puisse être retardée jusqu'à sept jours chez les grands prématurés.

SELLES DE TRANSITION

- Elles apparaissent habituellement trois jours après le début de l'alimentation; elles sont brun verdâtre à brun jaunâtre, claires et moins visqueuses que le méconium; elles peuvent contenir du lait caillé.

SELLES DE LAIT

- Elles apparaissent habituellement au quatrième jour.
- Chez les nouveau-nés allaités: selles jaunes à doré, de consistance pâteuse, ayant une odeur comparable à celle du lait sur.
- Chez les nouveau-nés nourris avec une préparation commerciale pour nourrissons: selles jaune pâle à brun clair, de consistance plus ferme et d'odeur plus déplaisante.

16.2.8 Système hépatique

À la quatrième semaine de gestation, le foie et la vésicule biliaire sont formés. Il est possible de palper le foie du nouveau-né 1 cm environ sous le rebord costal droit parce qu'il est volumineux et qu'il occupe environ 40 % de la cavité abdominale. Cet organe joue un rôle important dans l'entreposage du fer, le métabolisme des glucides, la conjugaison de la bilirubine et la coagulation.

Entreposage du fer

Le foie fœtal, qui sert de site de production de l'hémoglobine après la naissance, commence à entreposer du fer *in utero*. La réserve de fer du nouveau-né est proportionnelle au contenu total en hémoglobine de son organisme et à la durée de la gestation. À la naissance, le nouveau-né à terme dispose d'une réserve de fer suffisante pour quatre à six mois. Les réserves de fer des prématurés ou des nouveau-nés de faible poids par rapport à leur âge gestationnel sont souvent plus faibles et s'épuisent plus rapidement que celles des nouveau-nés en bonne santé.

Métabolisme des glucides

La naissance marque la fin de l'approvisionnement maternel en glucose, et l'on observe une diminution initiale du taux sérique de cette substance chez le nouveau-né. Les besoins énergétiques accrus de celui-ci, la réduction de libération de glucose par le foie à partir des réserves de glycogène, la hausse du volume de globules rouges et l'augmentation de la taille de l'encéphale peuvent contribuer initialement à l'épuisement rapide des réserves de glycogène pendant les 24 heures qui suivent la naissance. Chez la plupart des nouveau-nés en bonne santé nés à terme, le taux sanguin de glucose se stabilise autour de 2,8 à 3,3 mmol/L pendant les quelques heures qui suivent la naissance; au troisième jour de vie, il devrait être d'environ 3,3 à 3,9 mmol/L. Le début de l'alimentation contribue à la stabilisation du taux de glucose sanguin du nouveau-né. Le colostrum contient des quantités élevées de glucose et aide de ce fait à stabiliser le taux sanguin de celui-ci chez les nouveau-nés allaités. Le colostrum est plus riche en protéines, mais plus pauvre en glucose que le lait mature.

Ictère

L'**ictère** est la manifestation de la présence d'un pigment, la bilirubine, dans les tissus de l'organisme. Habituellement, il ne se manifeste pas avant que le taux de bilirubine atteigne 85 µmol/L. Il faut procéder à une recherche plus approfondie des causes en présence de tout ictère visible pendant les 24 premières heures de vie ou de la persistance de l'ictère au-delà de 7 à 10 jours, car ce signe révèle un processus pathologique sous-jacent **FIGURE 16.4** ▶ 17.

17

La surveillance hypoglycémique ainsi que le métabolisme de la bilirubine et de l'hyperbilirubinémie sont abordés dans le chapitre 17, *Évaluation et soins du nouveau-né et de la famille*.

Coagulation

Les facteurs de coagulation, synthétisés par le foie, sont activés par la vitamine K. L'absence des bactéries intestinales nécessaires à la synthèse de celle-ci entraîne une déficience passagère de la coagulation du sang entre le deuxième et le cinquième jour de vie. L'administration intramusculaire de vitamine K peu de temps après la naissance peut prévenir les problèmes de coagulation.

16.2.9 Système immunitaire

Les cellules qui procurent une immunité au nouveau-né se développent tôt pendant la vie fœtale; toutefois, elles ne s'activent que des semaines ou des mois après la naissance. Pendant les trois premiers mois de sa vie, l'enfant bien portant né à terme est quelque peu protégé par l'immunité

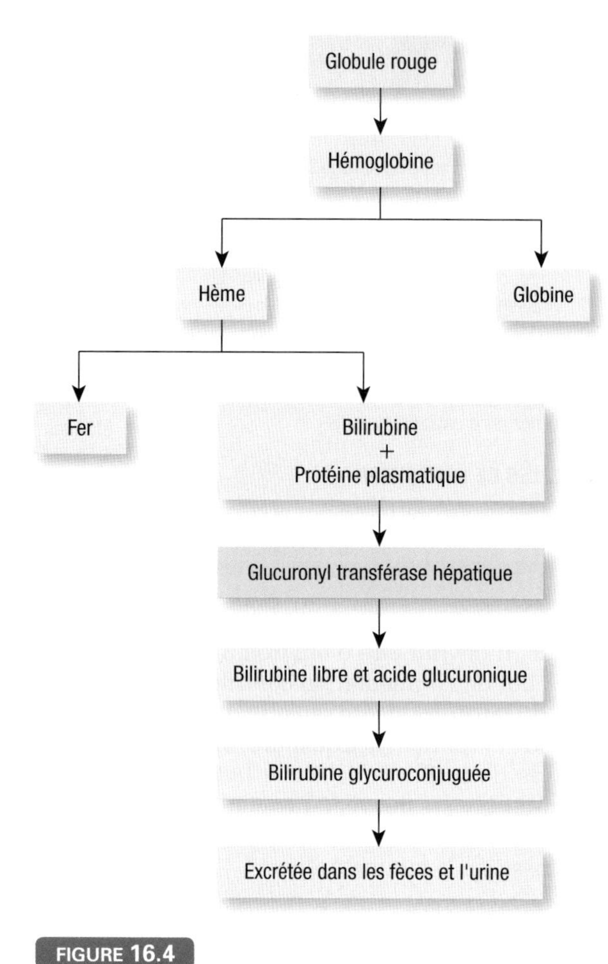

FIGURE 16.4
Formation et excrétion de la bilirubine

passive conférée par sa mère, mais cette protection dépend de l'exposition passée de celle-ci à des antigènes et de sa réponse immunologique. L'immunoglobuline A (IgA), qui protège les membranes, est absente des voies respiratoires et urinaires, et si le nouveau-né n'est pas allaité, elle est aussi absente de ses voies gastro-intestinales. Le nouveau-né commence à synthétiser des IgG, qui atteignent approximativement 40 % des taux adultes, vers l'âge de un an. Des quantités importantes d'IgM sont produites à la naissance, et les taux adultes sont atteints vers l'âge de neuf mois. La production d'IgA, d'IgD et d'IgE est beaucoup plus graduelle, et les taux maximums ne sont pas atteints avant la petite enfance. Le nouveau-né allaité bénéficie d'une immunité passive importante transmise par le colostrum et le lait maternel.

16.2.10 Système tégumentaire

Toutes les structures cutanées sont présentes à la naissance. L'épiderme et le derme sont faiblement liés, et ils sont extrêmement minces. Le **vernix caseosa** (substance blanchâtre ayant l'apparence du fromage) est fusionné avec l'épiderme et fournit un recouvrement protecteur. La peau du nouveau-né est très sensible et peut s'endommager facilement. Chez le nouveau-né à terme, elle demeure érythémateuse (rouge) pendant quelques heures après la naissance, après quoi elle pâlit pour adopter sa coloration normale. La peau semble souvent couperosée ou marbrée, en particulier sur les membres. Les mains et les pieds semblent légèrement cyanosés (**acrocyanose**) à cause de l'instabilité vasomotrice et de la stase capillaire. L'acrocyanose est normale et se manifeste de façon intermittente pendant les 7 à 10 premiers jours de vie, en particulier si la peau est exposée au froid.

Le nouveau-né allaité bénéficie d'une immunité passive importante transmise par le colostrum et le lait maternel.

Le nouveau-né en bonne santé né à terme a une apparence potelée en raison de quantités appréciables de tissu sous-cutané et d'eau extracellulaire. De fins poils (lanugo) peuvent se remarquer sur son visage, ses épaules et son dos. Il est possible qu'il y ait un œdème facial et des ecchymoses (meurtrissures) ou des pétéchies s'il y a eu présentation par la face ou un accouchement assisté avec forceps ou ventouse obstétricale.

Des plis sont présents dans la paume des mains. Les nouveau-nés asiatiques ou atteints du syndrome de Down ont souvent un pli de flexion palmaire unique, le pli simien **FIGURE 16.5**.

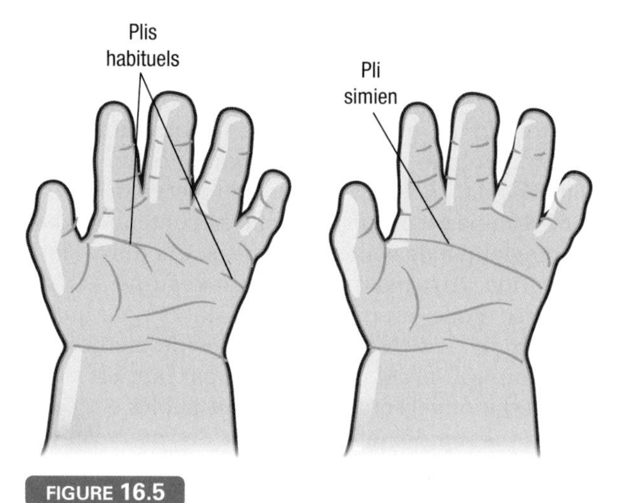

FIGURE 16.5
Paume de la main : plis habituels et pli simien

Bosse sérosanguine

Une **bosse sérosanguine** est une zone œdémateuse étendue facilement repérable sur le cuir chevelu, observée le plus souvent dans la région occipitale **FIGURE 16.6A**. La pression soutenue subie par le sommet du crâne qui se présente contre le col utérin cause la compression locale des vaisseaux et ralentit le retour veineux. Ce ralentissement provoque une augmentation de liquide interstitiel dans la peau du cuir chevelu et un gonflement œdémateux s'ensuit. Celui-ci, présent à la naissance, traverse les lignes de suture du crâne et disparaît spontanément en trois ou quatre jours. Les enfants qui sont nés avec l'aide d'une ventouse obstétricale présentent habituellement une bosse à l'endroit où celle-ci a été appliquée.

Céphalhématome

Le **céphalhématome** est une accumulation de sang entre un os du crâne et son périoste ; par conséquent, il ne traverse pas les lignes de suture crânienne **FIGURE 16.6B**. Il est fréquent qu'une bosse sérosanguine et un céphalhématome se présentent simultanément.

L'hématome peut apparaître au moment d'un accouchement spontané à cause de la pression exercée contre le bassin osseux de la mère. L'accouchement assisté avec forceps à la partie basse ou encore une rotation et une extraction difficiles par l'application de forceps peuvent aussi provoquer un céphalhématome. Cette masse souple, mobile et irréductible ne montre pas de pulsations ou ne gonfle pas quand le nouveau-né pleure. Elle apparaît plusieurs heures après la naissance ou le jour suivant et peut ne devenir visible que lorsqu'une bosse sérosanguine s'est résorbée. Un céphalhématome est généralement plus gros le deuxième ou le troisième jour de vie, moment auquel le saignement s'arrête. L'ampleur d'un céphalhématome se résout spontanément en trois à six semaines. Celui-ci n'est pas aspiré de crainte qu'une ponction de la peau provoque une infection. Quand l'hématome se résorbe, l'hémolyse des globules rouges peut causer un ictère. L'hyperbilirubinémie et l'ictère peuvent se présenter après l'arrivée du nouveau-né à la maison.

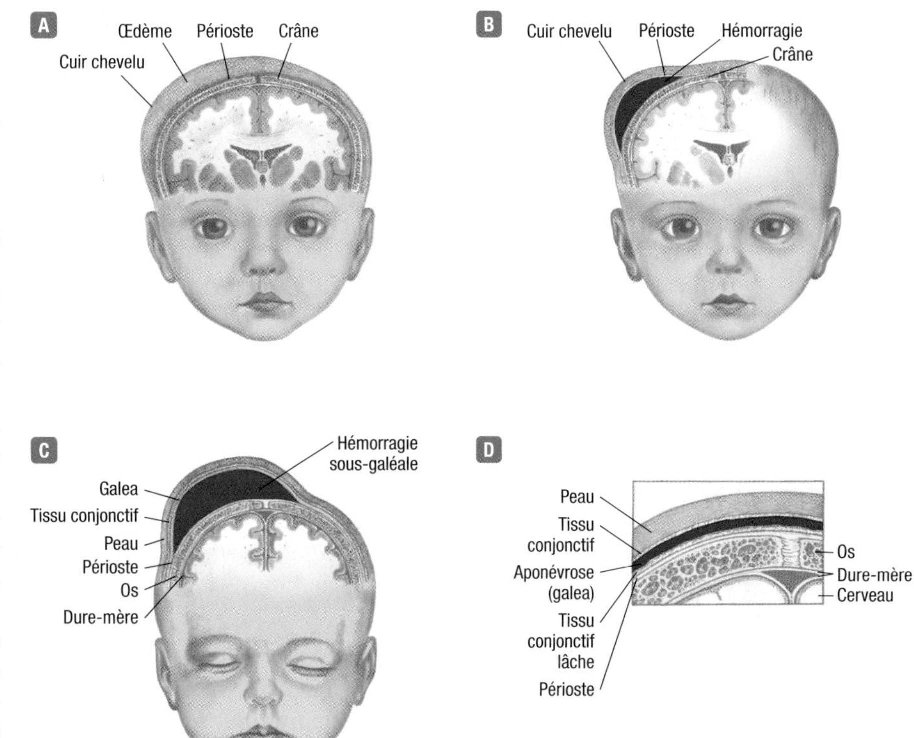

FIGURE 16.6

Différences entre une bosse sérosanguine et un céphalhématome. **A** Bosse sérosanguine : œdème du cuir chevelu noté à la naissance ; traverse les lignes de suture. **B** Céphalhématome : hémorragie entre un os du crâne et son périoste apparaissant dans les deux premiers jours ; ne traverse pas les lignes de suture. **C** Hémorragie sous-galéale. **D** Constitution des tissus externes de la boîte crânienne.

Hémorragie sous-galéale

L'hémorragie sous-galéale est un saignement dans le compartiment sous-aponévrotique **FIGURE 16.6C**. Celui-ci est un espace virtuel contenant du tissu conjonctif disposé lâchement qui se situe sous l'aponévrose épicrânienne, cette bande tendineuse qui relie les muscles frontal et occipital et qui forme la surface interne du cuir chevelu. La blessure résulte de l'application des forces qui compriment puis tirent la tête à travers le détroit inférieur (Chang *et al.*, 2007). Des chercheurs ont exprimé des inquiétudes quant au recours plus fréquent aux ventouses obstétricales pendant les accouchements et à leur association avec des cas d'hémorragie sous-galéale, de morbidité et de mortalité néonatales (Boo, Foong, Mahdy, Yong & Jaafar, 2005 ; Uchil & Arulkumaran, 2003). Le saignement se répand au-delà de l'os, souvent vers l'arrière du cou, et se poursuit après la naissance, entraînant éventuellement des complications sérieuses, comme l'anémie ou le choc hypovolémique.

La détection précoce de l'hémorragie est capitale ; c'est pourquoi il faut absolument procéder à des mesures périodiques du périmètre crânien ou à l'inspection de l'arrière du cou pour déceler la présence d'œdème ou d'une masse ferme. Un cuir chevelu œdémateux, la pâleur, la tachycardie et l'augmentation du périmètre crânien peuvent être des signes précoces d'une hémorragie sous-galéale (Doumouchtsis & Arulkumaran, 2006). La tomodensitométrie et l'imagerie par résonance magnétique sont utiles pour confirmer le diagnostic. Il est nécessaire de remplacer le sang et les facteurs de coagulation perdus dans les cas d'hémorragie aiguë. Le déplacement des oreilles du nouveau-né vers l'avant et les côtés peut aussi être un signe précoce d'hémorragie sous-galéale, quand l'hématome s'étend postérieurement. La détection d'une modification de l'état de conscience du nouveau-né ou de la diminution de son hématocrite est aussi une clé du diagnostic précoce et du traitement. Une augmentation du taux sérique de bilirubine peut s'observer en cas d'hémorragie en raison de la dégradation des cellules sanguines à l'intérieur de l'hématome.

Jugement clinique

William est né la nuit dernière par accouchement vaginal à 37 3/7 semaines de gestation. Le pédiatre suspecte chez ce garçon la présence d'une légère hémorragie sous-galéale.

Quels sont les signes à évaluer chez ce nouveau-né qui viendraient soutenir la thèse émise par le pédiatre ?

Glandes cutanées

Les glandes sudoripares sont présentes à la naissance, mais elles ne réagissent pas à une augmentation de la température ambiante ou de la température corporelle. L'hyperplasie de certaines glandes sébacées fœtales et la sécrétion de sébum résultent des influences hormonales qui s'exercent pendant la grossesse. Le vernix caseosa est un produit des glandes sébacées. Son retrait est suivi par la desquamation de l'épiderme chez la plupart des nouveau-nés. Il a été démontré que le vernix caseosa représente une barrière épidermique bénéfique pour la peau du nouveau-né en diminuant son pH, en réduisant l'érythème cutané et en améliorant l'hydratation de la peau (Visscher *et al.*, 2005). De petites glandes sébacées distendues et blanches (milium) peuvent s'observer dans le visage du nouveau-né.

Le vernix caseosa représente une barrière épidermique bénéfique pour la peau du nouveau-né.

Desquamation

La **desquamation** de la peau du nouveau-né à terme ne se produit que quelques jours après sa venue au monde. La présence à la naissance de vastes zones de desquamation cutanée généralisée peut être un signe de postmaturité.

Taches mongoliques

Les **taches mongoliques** (ou taches bleues sacrées) sont des zones de pigmentation noire bleutée qui peuvent apparaître dans n'importe quelle partie de la surface externe du corps, y compris les membres, mais elles se trouvent le plus souvent sur le dos et les fesses **FIGURE 16.7**. Ces zones pigmentées s'observent plus fréquemment chez les nouveau-nés d'origine méditerranéenne, latino-américaine, asiatique, africaine, amérindienne ou inuite. Elles sont plus courantes chez les personnes à la peau foncée, mais elles peuvent aussi se présenter chez 5 à 13 % des personnes blanches (Blackburn, 2007). Elles s'estompent graduellement avec les mois et les années.

Nævus

Les taches saumonées (*nævus simplex*) sont roses et disparaissent facilement à la pression **FIGURE 16.8A**. Elles se présentent sur les paupières supérieures, le nez, la lèvre supérieure, le bas de la région occipitale et la nuque. Elles n'ont pas de signification clinique. Les taches saumonées s'estompent généralement avant l'âge de 18 mois ; par contre, celles situées sur la nuque sont souvent plus persistantes (McLaughlin, O'Connor & Ham, 2008).

Le nævus vasculaire est un type répandu d'hémangiome capillaire. Il est constitué de capillaires dilatés nouvellement formés qui occupent l'ensemble du derme et de l'hypoderme et qui sont associés à un tissu conjonctif hypertrophié. La lésion typique est un renflement rugueux nettement délimité, rouge clair ou rouge foncé. À mesure que l'enfant grandit, l'hémangiome peut proliférer et devenir plus vascularisé ; de ce fait, il porte souvent le nom d'angiome tubéreux. Les lésions sont généralement uniques, mais parfois multiples, et elles s'observent sur la tête dans 75 % des cas. Elles peuvent persister jusqu'à ce que

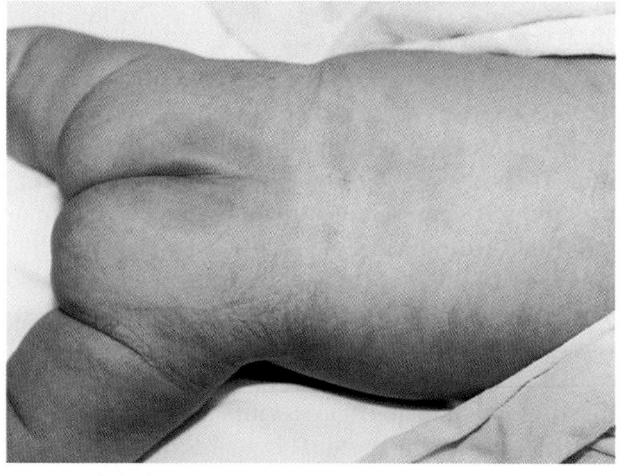

FIGURE 16.7
Tache mongolique

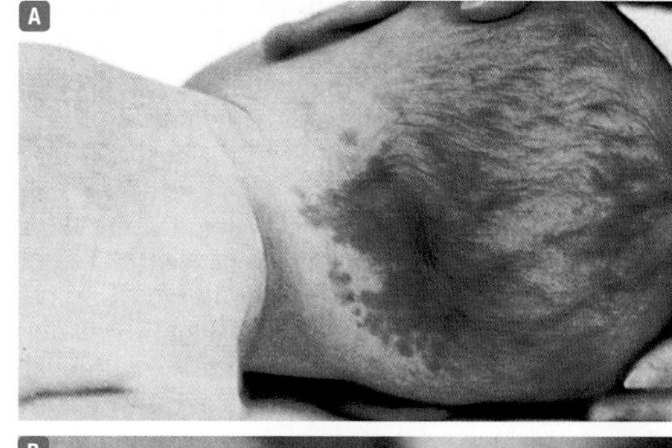

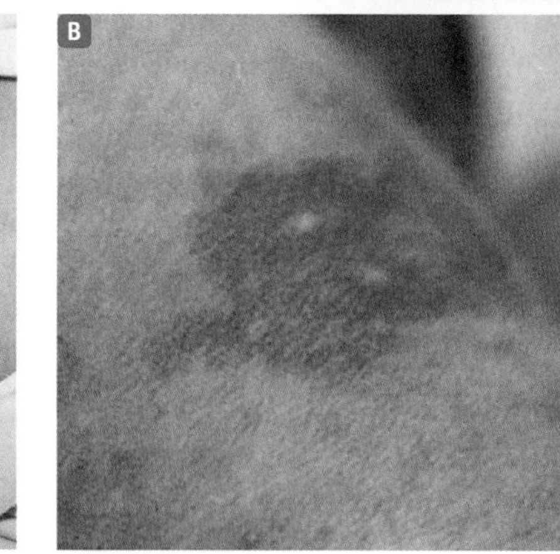

FIGURE 16.8
A Tache saumonée. B Érythème toxique.

l'enfant atteigne l'âge scolaire ou même plus tard ; 90 % de ces lésions disparaissent graduellement et sans aucune intervention. Les autres peuvent être traitées par une injection de stéroïdes dans la lésion ou avec de la prednisolone systémique pour les lésions problématiques ou trop grosses. Dans de rares cas, une chirurgie sera nécessaire chez l'enfant d'âge scolaire pour enlever totalement l'angiome tubéreux (Greene, 2011).

Les taches de vin, aussi appelées *nævus flammeus*, s'observent en général à la naissance et se composent d'un plexus de capillaires nouvellement formés dans la couche papillaire du derme. Leur couleur va du rouge au violet et leur taille, leur forme et leur localisation sont variables ; elles ne sont pas surélevées. Les vraies taches de vin ne pâlissent pas à la pression, et sont plus fréquemment localisées dans le visage et le cou. Elles peuvent être traitées par un laser pulsé, mais seulement 10 à 20 % disparaissent complètement (Cordisco, 2009). Les lésions faciales peuvent indiquer la présence du **syndrome de Sturge Weber** surtout si la lésion couvre le front ou la paupière. Dans ce cas, il faut adresser le nouveau-né à un pédiatre et à un ophtalmologiste.

Érythème toxique

L'érythème toxique du nouveau-né est une éruption transitoire. Il s'observe chez les nouveau-nés à terme pendant les trois premières semaines de vie. L'érythème toxique produit des lésions de différents types : macules érythémateuses, papules et petites vésicules **FIGURE 16.8B**. Les lésions peuvent apparaître soudainement sur n'importe quelle partie du corps. On croit que l'éruption est une réaction inflammatoire. Les vésicules contiennent des **éosinophiles**, qui aident à réduire l'inflammation. Malgré son aspect alarmant, l'éruption n'a pas d'importance clinique et n'exige pas de traitement, car elle est auto-involutive (Plantin, 2010).

16.2.11 Système reproducteur

Système reproducteur féminin

À la naissance, les ovaires renferment des milliers de cellules germinales primitives qui représentent le lot complet des ovules qui pourront être produits ; en effet, il ne se forme plus d'ovogonies après la naissance d'une fille née à terme. Le cortex ovarien, qui est surtout formé de follicules primordiaux, occupe une plus grande portion de l'ovaire chez la fille nouveau-née que chez la femme adulte. De la naissance à la maturité sexuelle, le nombre d'ovocytes diminue d'environ 90 %.

L'augmentation des œstrogènes pendant la grossesse, suivie par leur diminution après la naissance, cause un écoulement vaginal mucoïde ou même une légère perte sanglante (pseudo-menstruation). Les organes génitaux externes (les grandes et les petites lèvres) sont habituellement œdémateux, et leur pigmentation est accrue. Chez les nouveau-nées à terme, les grandes et les petites lèvres recouvrent le vestibule **FIGURE 16.9A**. Chez les prématurées, le clitoris est saillant, et les grandes lèvres sont petites et largement séparées. Des protubérances vaginales ou hyménales s'observent couramment et n'ont pas de signification clinique. Du vernix caseosa peut être présent entre les lèvres ; il ne faut pas l'enlever de force au moment du bain.

Si la nouveau-née s'est présentée par le siège, les lèvres peuvent présenter de l'œdème et des contusions qui se résorberont en quelques jours ; aucun traitement n'est nécessaire.

Système reproducteur masculin

Les testicules sont descendus dans le scrotum chez 90 % des garçons nouveau-nés. Même si ce pourcentage est moins élevé dans les cas de naissance prématurée, la **cryptorchidie** (migration incomplète du testicule) s'observe chez moins de 1 % de l'ensemble des garçons âgés de un an.

Il est courant que le prépuce soit serré chez les garçons nouveau-nés. Le méat de l'urètre peut être entièrement couvert par le prépuce qui peut ne pas être rétractable avant l'âge de trois ou quatre ans. Sous le prépuce, il y a souvent présence de smegma, une substance blanche de la consistance du fromage. De petites lésions blanches et fermes

Syndrome de Sturge Weber : Malformation vasculaire congénitale qui affecte la peau, les yeux et le système nerveux central.

Éosinophile : Leucocyte responsable de la défense immunitaire, particulièrement contre les parasites.

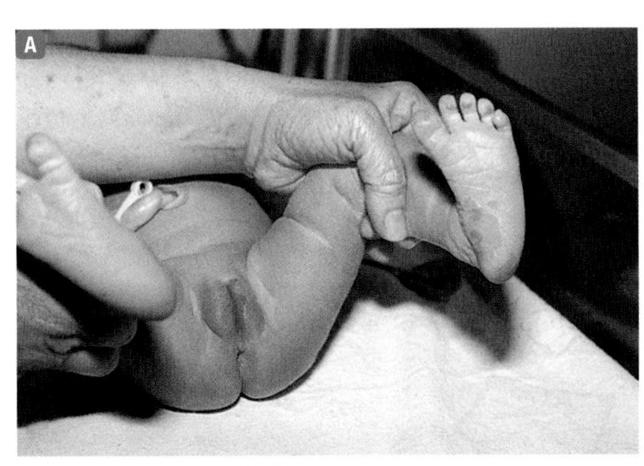

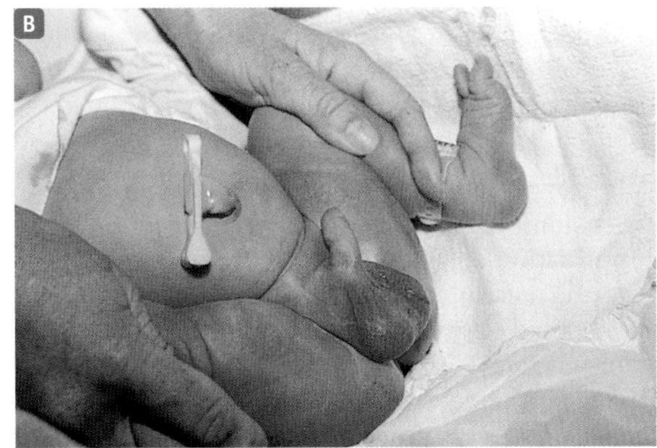

FIGURE 16.9
Organes génitaux externes. A Organes génitaux d'une fille née à terme. B Organes génitaux du garçon. Pénis non circoncis. Le scrotum est entièrement plissé, ce qui indique une naissance à terme.

appelées perles épithéliales peuvent se trouver à l'extrémité du prépuce. Chez les garçons prématurés de moins de 28 semaines de gestation, les testicules sont toujours dans la cavité abdominale, et le scrotum semble élevé et près du corps. Après 28 à 36 semaines de gestation, il est possible de palper les testicules dans le canal inguinal, et quelques plis commencent à apparaître sur le scrotum. Après 36 à 40 semaines de gestation, les testicules sont palpables dans la partie supérieure du scrotum, et des plis apparaissent sur la portion antérieure de celui-ci. À 40 semaines, on peut palper les testicules dans le scrotum, et le sac scrotal est entièrement plissé. Le scrotum des garçons nés après terme est pendant et présente des plis profonds. En général, le scrotum est plus fortement pigmenté que le reste de la peau **FIGURE 16.9B**, et il est particulièrement apparent chez les nouveau-nés dont la peau est plus foncée. Cette pigmentation constitue une réaction aux œstrogènes maternels. Il est possible qu'une hydrocèle causée par l'accumulation de liquide autour des testicules soit présente. Elle peut être éclairée par transparence et se résorbe habituellement sans traitement.

Si le garçon nouveau-né s'est présenté par le siège, le scrotum peut être très œdémateux et contusionné **FIGURE 16.10**. La tuméfaction et la décoloration se résorbent en quelques jours.

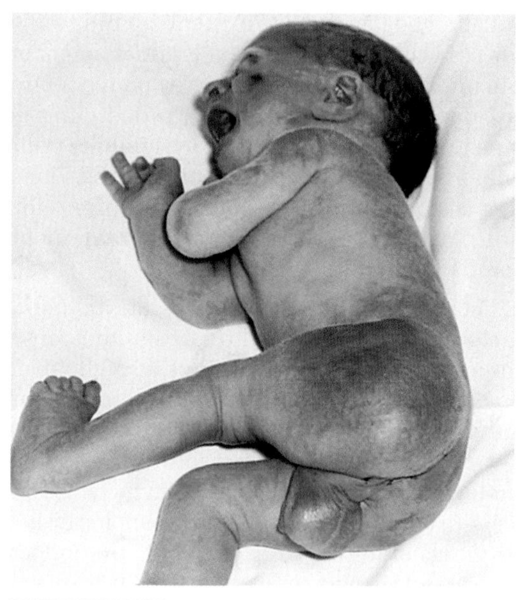

FIGURE 16.10
Tuméfaction des organes génitaux masculins et contusion des fesses après une naissance par le siège

Gonflement du tissu mammaire

Le gonflement du tissu mammaire chez les nouveau-nés à terme des deux sexes est causé par l'hyperœstrogénie de la grossesse. Un faible écoulement (le lait des nouveau-nés) peut s'observer chez un nombre restreint de nouveau-nés. La situation n'a pas d'importance clinique, n'exige pas de traitement et se règle en quelques jours, à mesure que l'organisme du nouveau-né élimine les hormones maternelles.

Les mamelons devraient être symétriques sur la poitrine. Le tissu mammaire et la taille des aréoles augmentent à mesure que progresse la gestation. À 34 semaines, l'aréole est légèrement surélevée. À 36 semaines, un bourgeon mammaire de 1 ou 2 mm est palpable, et il atteint 12 mm à 42 semaines.

16.2.12 Système squelettique

Le système squelettique du nouveau-né se développe rapidement pendant la première année de vie. À la naissance, il y a plus de cartilage que d'os. En raison du développement céphalocaudal (de la tête au coccyx), le nouveau-né semble quelque peu disproportionné.

Au terme de la gestation, la tête représente le quart de la longueur totale du corps. Les bras sont légèrement plus longs que les jambes. Chez le nouveau-né, celles-ci représentent le tiers de la longueur totale du corps, mais seulement 15 % de son poids. À mesure que progresse la croissance, le point central du poids entre la tête et les orteils descend graduellement du niveau de l'ombilic, à la naissance, pour atteindre celui de la symphyse pubienne, à maturité.

Le visage semble petit par rapport au crâne, qui paraît gros et lourd. La taille et la forme du crâne peuvent être modifiées par le modelage, c'est-à-dire l'adaptation de la forme de la tête du fœtus par le chevauchement des os crâniens pour faciliter le passage à travers la filière pelvigénitale durant le travail **FIGURE 16.11**.

Les os de la colonne vertébrale du nouveau-né forment deux courbures primaires, l'une dans la région thoracique et l'autre dans la région sacrée. Les deux sont des courbures concaves vers l'avant. Quand le nourrisson acquiert la maîtrise de sa tête, à l'âge de trois mois approximativement, une courbure secondaire apparaît dans la région cervicale.

Certains nouveau-nés montrent un écartement important des genoux quand leurs chevilles sont tenues ensemble, ce qui donne l'impression qu'ils ont les jambes arquées. À la naissance, il n'y a pas de voûte apparente sous les pieds. Les membres sont normalement symétriques et de même longueur. Les plis cutanés devraient être égaux et symétriques. Des plis peuvent s'observer dans la paume des mains et couvrir la plante des pieds du nouveau-né à terme. Si le nouveau-né s'est présenté par le siège, il est possible que ses genoux restent étendus et qu'il conserve la position qu'il avait dans l'utérus pendant plusieurs semaines **FIGURE 16.12**.

La colonne vertébrale du nouveau-né paraît droite et peut être fléchie facilement. Ses vertèbres devraient sembler droites et plates. La base de la

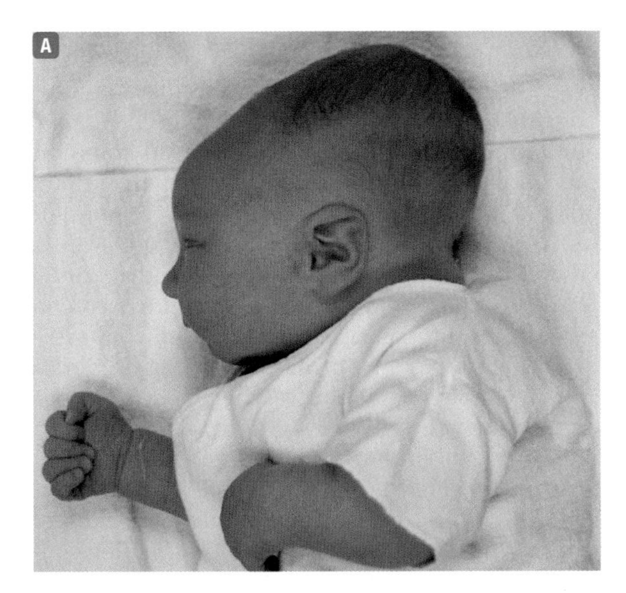

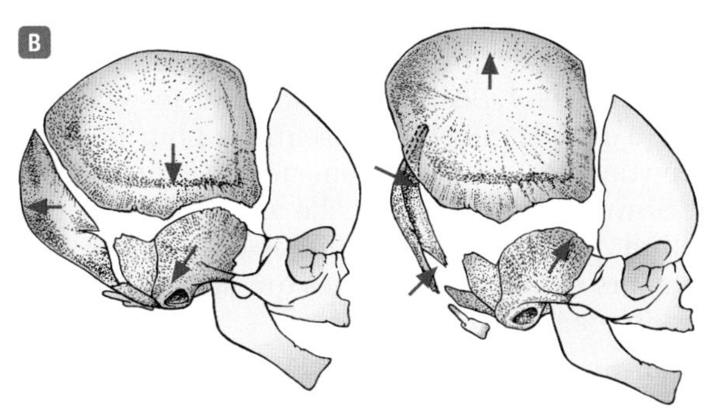

FIGURE 16.11

Modelage du crâne fœtal. A Modelage important, peu de temps après la naissance. B Représentation schématique des os du crâne quand il y a modelage.

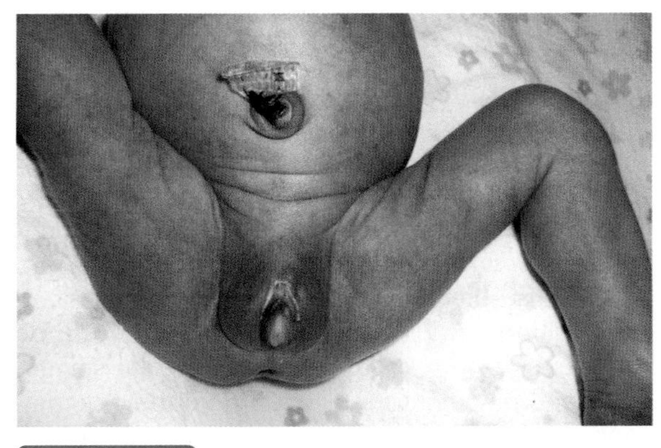

FIGURE 16.12

Position des jambes d'un nouveau-né après une naissance par le siège

colonne vertébrale ne devrait pas présenter de fossette. S'il y en a une, un examen plus attentif est nécessaire pour vérifier la présence d'un sinus. Une fossette pilonidale peut être liée au spina bifida, surtout si elle s'accompagne d'un sinus et d'un nævus pileux.

16.2.13 Système neuromusculaire

Le système neuromusculaire est presque complètement développé à la naissance. Le nouveau-né à terme est un être réceptif et réactif doté d'une remarquable aptitude pour les interactions sociales et l'autorégulation.

Après la naissance, l'encéphale suit un mode prévisible de croissance rapide pendant la période du nourrisson et celle de la petite enfance, puis sa croissance devient plus graduelle durant le reste de la première décennie et minimale pendant l'adolescence. À la fin de la première année, le cervelet achève sa poussée de croissance qui avait commencé aux alentours de la 30e semaine de gestation.

Pour un fonctionnement métabolique convenable, l'encéphale a besoin du glucose comme source d'énergie et d'un approvisionnement relativement important en oxygène. De tels besoins justifient la nécessité d'évaluer soigneusement l'état respiratoire des nouveau-nés. En raison du besoin de glucose, il faut prêter attention aux nouveau-nés qui sont à risque d'hypoglycémie (p. ex., les nouveau-nés de mère diabétique, ceux qui ont un poids de naissance élevé ou qui sont petits pour leur âge gestationnel, et ceux dont la naissance a été longue, qui ont souffert d'hypoxie ou qui sont prématurés).

Une activité motrice spontanée peut se manifester sous forme de tremblements fugaces de la bouche et du menton, en particulier pendant les épisodes de pleurs, et de tremblements des membres, notamment les bras et les mains. Les tremblements passagers sont normaux et peuvent s'observer chez presque tous les nouveau-nés. Ils ne devraient pas se produire quand le nouveau-né est calme ni se prolonger au-delà de l'âge de un mois. Des tremblements persistants ou qui touchent l'ensemble du corps peuvent révéler un état pathologique. Il faut distinguer les tremblements normaux des tremblements dus à l'hypoglycémie ou provoqués par des troubles du système nerveux central (SNC) afin d'entreprendre des soins correctifs, si nécessaire.

Il est possible de constater une certaine maîtrise neuromusculaire, bien qu'elle soit très limitée. Par exemple, le nouveau-né allongé sur le ventre sur une surface ferme tournera la tête vers le côté. Si on le lève par les bras, il tentera de tenir sa tête alignée avec le corps. Divers réflexes permettent d'assurer sa sécurité et un apport alimentaire suffisant.

Réflexes archaïques du nouveau-né

Le nouveau-né possède de nombreux réflexes primitifs dits archaïques. Le moment auquel ces réflexes apparaissent et disparaissent reflète la maturité et l'intégrité de son système nerveux en développement ▶ 17.

17

L'évaluation des réflexes du nouveau-né est traitée dans le chapitre 17, *Évaluation et soins du nouveau-né et de la famille*.

16.3 Caractéristiques comportementales

Le nouveau-né en bonne santé doit accomplir des tâches comportementales et biologiques pour se développer normalement. Les caractéristiques comportementales forment la base de ses aptitudes sociales. Les nouveau-nés bien portants diffèrent les uns des autres par leur degré d'activité, leurs modalités d'alimentation et de sommeil, ainsi que par leur réactivité. Les réactions des parents envers leur nouveau-né sont souvent déterminées par ces différences. En montrant aux parents les caractéristiques uniques de leur enfant, l'infirmière les aide à acquérir une perception plus positive de celui-ci et à avoir des interactions plus nombreuses avec lui.

Tout comme les caractéristiques physiques, les réponses comportementales changent pendant la période de transition. L'échelle d'évaluation du comportement néonatal de Brazelton (Brazelton Neonatal Behavioral Assessment Scale [BNBAS]) permet d'évaluer systématiquement le comportement du nouveau-né (Brazelton, 1999; Brazelton & Nugent, 1996). Il s'agit d'un examen interactif qui évalue la réaction du nouveau-né dans 28 champs appartenant aux catégories présentées dans l'**ENCADRÉ 16.2**. Cet examen sert généralement d'outil de recherche ou de diagnostic, et son utilisation exige une formation spéciale.

En plus de son utilité pour l'évaluation des réactions neurologiques et comportementales à la naissance et plus tard, cette méthode peut servir d'outil pour évaluer les relations initiales entre le parent et l'enfant et de guide pour les parents, afin de les aider à se concentrer sur l'individualité de leur enfant et de développer un attachement plus profond avec lui ▶ 15.

15
Le chapitre 15, *Adaptation au rôle de parents*, décrit le processus d'attachement entre le parent et le nouveau-né.

ENCADRÉ 16.2 Catégories de comportements néonataux dans l'échelle d'évaluation du comportement néonatal de Brazelton (BNBAS)

- Habituation : pendant le sommeil, capacité de réagir à des stimuli distincts (lumière, bruit d'un hochet ou d'une clochette, piqûre d'épingle) puis d'inhiber cette réaction
- Orientation : en état de veille, qualité des niveaux de vigilance et capacité de prêter attention à des stimuli visuels et auditifs
- Performance motrice : qualité du mouvement et du tonus
- Degré de l'état : mesure du degré général de vigilance du nouveau-né et de son aptitude à être stimulé
- Régulation de l'état : réactions du nouveau-né à la stimulation
- Stabilité du système nerveux autonome : signes de stress (tremblements, tressaillements, coloration de la peau) liés à l'ajustement homéostatique (autorégulateur) du système nerveux
- Réflexes : évaluation de plusieurs réflexes néonataux

16.3.1 États de veille et de sommeil

Les variations de l'état de conscience du nouveau-né sont des états de veille et de sommeil. Les six états forment un continuum allant du sommeil profond à l'irritabilité extrême : on définit deux états de sommeil (sommeil profond et sommeil léger) et quatre états de veille (somnolence, veille calme, veille active et pleurs) (Blackburn, 2007) **FIGURE 16.13**. Chaque état a ses propres caractéristiques et des comportements qui lui sont associés. L'état d'éveil optimal est l'état de veille calme : le nouveau-né sourit, émet des sons, bouge de façon synchronisée avec la parole, observe le visage de ses parents et présente des réactions lorsque des gens lui parlent. Le nouveau-né réagit à des facteurs environnementaux internes et externes en gérant les éléments d'information sensorielle et en régulant ses états de veille et de sommeil ; la modulation des états est la capacité de ménager des transitions en douceur entre les divers états. La capacité de réguler les états de veille et de sommeil est essentielle pour le développement neurocomportemental de l'enfant. Plus le nouveau-né s'est approché du terme de la gestation, mieux il sera équipé pour s'adapter aux facteurs externes et internes qui agissent sur les modes de veille et de sommeil.

Le nouveau-né a recours à divers comportements intentionnels pour maintenir un état d'éveil optimal : 1) le retrait actif en augmentant la distance physique ; 2) le rejet en repoussant avec les mains et les pieds ; 3) la réduction de sa sensibilité en tombant endormi ou en tournant la tête pour rompre le contact visuel ; 4) l'utilisation de comportements signaux, comme l'agitation ou les pleurs. Ces comportements permettent au nouveau-né de s'apaiser lui-même et d'être à nouveau disponible pour interagir.

La proportion de sommeil paradoxal (actif) par rapport au temps total de sommeil diminue régulièrement pendant les six premières semaines de vie ; la proportion de sommeil calme augmente simultanément. Les périodes de veille s'allongent. Pendant les premières semaines, elles semblent dictées par la faim, mais bientôt un besoin de socialiser se manifeste également. Le nouveau-né dort en moyenne 17 heures par jour, et ses périodes de veille deviennent graduellement plus longues. Pendant la quatrième semaine de vie, certains nouveau-nés restent éveillés entre deux boires.

16.3.2 Autres facteurs influant sur le comportement du nouveau-né

Âge gestationnel

L'âge gestationnel du nouveau-né et le degré de maturité de son SNC influent sur le comportement observé. Chez le nouveau-né dont le SNC est immature (prématuré), le corps entier réagit à une piqûre d'épingle sur le pied, bien que la réaction puisse passer inaperçue pour un observateur inexpérimenté. Le nouveau-né plus développé ne fait que retirer le pied. L'immaturité du SNC se reflète dans les réflexes, les états de veille et de sommeil et la capacité (ou son absence) de réguler ou de moduler une transition en douceur entre les divers états. Les nouveau-nés prématurés ont de brèves périodes de vigilance, mais éprouvent de la difficulté à maintenir cet état sans devenir trop stimulés, ce qui peut entraîner une instabilité neurovégétative et nécessiter une intervention. Les nouveau-nés prématurés ou malades montrent des signes de fatigue ou de stress physiologique plus rapidement que les nouveau-nés bien portants nés à terme.

Temps

Le temps écoulé depuis la naissance a un impact sur le comportement des nouveau-nés qui tentent de s'autoréguler. Le temps écoulé depuis le dernier boire et le moment de la journée peuvent aussi avoir une influence sur les réactions du nouveau-né.

Stimuli

Les événements et les stimuli de l'environnement influent sur les réactions comportementales du nouveau-né. Celui-ci réagit à des stimuli animés et inanimés. Les infirmières en pouponnière de soins intensifs observent que les nouveau-nés réagissent aux bruits forts, aux lumières vives, aux alarmes des moniteurs et à la tension dans l'unité. Si une mère est tendue, nerveuse ou inconfortable en allaitant son nouveau-né, celui-ci peut sentir sa tension et avoir de la difficulté à se nourrir.

Médicaments

Les effets de la médication maternelle pendant le travail (p. ex., l'analgésie et l'anesthésie) sur le comportement du nouveau-né font l'objet de controverse. Certains chercheurs rapportent que les nouveau-nés de femmes à qui l'on a donné certains médicaments analgésiques peuvent montrer une perturbation des comportements néonataux normaux, c'est-à-dire plus de pleurs, une élévation de la température et une certaine difficulté à prendre le sein (Ransjö-Arvidson *et al.*, 2001). D'autres chercheurs soutiennent que l'effet de la médication maternelle sur le nouveau-né est inexistant (Chang & Heaman, 2006).

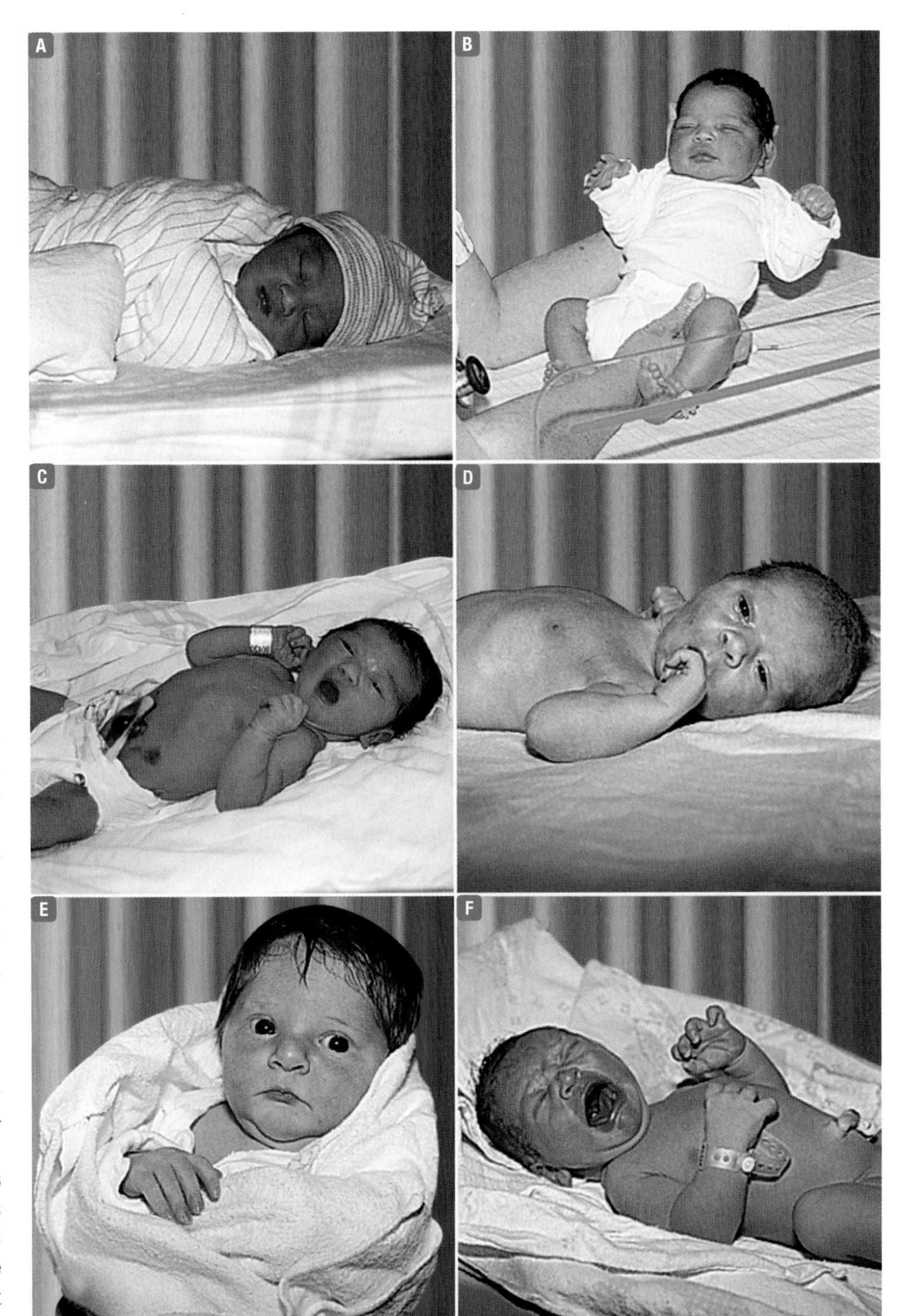

FIGURE 16.13
Résumé des états de veille et de sommeil du nouveau-né. A Sommeil profond. B Sommeil léger. C Somnolence. D Veille calme. E Veille active. F Pleurs.

16.3.3 Capacités sensorielles

Dès la naissance, le nouveau-né possède des capacités sensorielles indiquant qu'il est prêt à établir des interactions sociales, et il utilise effectivement ses réactions comportementales pour établir ses premiers dialogues. Ces réactions, associées à l'« apparence poupine » des nouveau-nés (p. ex., un front occupant une grande proportion du visage, des yeux plus larges que le bas du visage) ainsi que leur petite taille et leur vulnérabilité éveillent le désir de les tenir, de les protéger et d'interagir avec eux.

Vision

À la naissance, l'œil est structuralement incomplet, et ses muscles sont immatures. Le mécanisme d'accommodation n'est pas présent, mais il se développe pendant les trois premiers mois de vie. Les pupilles réagissent à la lumière, le réflexe de clignement se déclenche facilement, et le réflexe cornéen est activé par un toucher léger. Les nouveau-nés à terme peuvent voir des objets éloignés jusqu'à 50 cm. La distance à laquelle la

16

vision est la plus précise se situe entre 17 et 20 cm, ce qui correspond approximativement à celle séparant les visages de la mère et du nouveau-né pendant l'allaitement ou les cajoleries. Les nouveau-nés sont sensibles à la lumière ; ils froncent les sourcils sous l'effet d'une lumière vive dans leurs yeux et ils se tournent vers une lumière rouge tamisée. Si la pièce est obscurcie, ils ouvrent grand leurs yeux et regardent autour d'eux. À deux mois, ils peuvent détecter la couleur, mais à cinq jours ou moins, ils semblent plus attirés par des motifs en noir et blanc.

La réaction au mouvement est remarquable. Si l'on montre une lumière vive au nouveau-né (même à 15 minutes de vie), il la suivra des yeux ; certains tourneront même la tête pour le faire. Les yeux humains étant des objets brillants et luisants, les nouveau-nés suivront du regard les yeux de leurs parents. Ces derniers font souvent part de l'émoi que suscite chez eux ce comportement. Le développement du contact visuel est très important pour l'attachement parent-enfant. Les enfants dont les parents sont aveugles ou les parents qui ont un enfant aveugle doivent surmonter cet inconvénient pendant la formation de la relation.

L'acuité visuelle est surprenante ; même à l'âge de deux semaines, les nouveau-nés peuvent distinguer des motifs faits de bandes séparées de 3 mm. À six mois, leur vision est aussi précise que celle d'un adulte. Ils aiment mieux regarder des motifs plutôt que des surfaces unies, même si celles-ci sont brillamment colorées. Les nouveau-nés préfèrent les motifs plus complexes aux plus simples. Ils sont attirés par la nouveauté (changements du motif) à l'âge de deux mois. Le nouveau-né âgé de quelques semaines est donc capable de réagir activement à un environnement enrichi.

Audition

Dès que le liquide amniotique s'est écoulé des oreilles, l'audition du nouveau-né est comparable à celle d'un adulte. Des bruits forts d'environ 90 dB le font sursauter. Le nouveau-né réagit à des sons de basse fréquence, comme un battement cardiaque ou une berceuse, en réduisant son activité motrice ou en arrêtant de pleurer. Les sons de haute fréquence déclenchent une réaction d'alerte.

Le nouveau-né réagit volontiers à la voix de sa mère. Les recherches indiquent l'existence d'une écoute sélective des sons de la voix et des rythmes maternels pendant la vie intra-utérine qui prépare le fœtus à reconnaître la principale personne qui lui donne des soins, sa mère, et à interagir avec elle. Les nouveau-nés se sont habitués dans l'utérus à entendre le rythme régulier du cœur de leur mère. Ils réagissent en conséquence en se détendant et en cessant de s'agiter et de pleurer si l'on place un simulateur de battements cardiaques dans leur berceau.

Le développement du contact visuel est très important pour l'attachement parent-enfant.

La perte auditive est une anomalie majeure commune à la naissance ; environ 1 à 3 enfants nés à terme sur 1 000 ont une perte auditive bilatérale (American Academy of Pediatrics, 1999). Des études ont prouvé qu'un dépistage précoce favorise un meilleur développement de la parole, du langage, de l'écriture et de la communication (Korver *et al.*, 2010 ; McCann *et al.*, 2009 ; Yoshinaga-Itano, Coulter & Thompson, 2000). L'Ontario et le Nouveau-Brunswick ont été les premières provinces à implanter un programme universel de dépistage de la surdité chez les nouveau-nés en 2002 (Alberta College of Speech-Language Pathologists and Audiologists, 2008). Le Québec a reçu les fonds pour implanter un programme de dépistage auditif en juillet 2009, afin que tous les nouveau-nés québécois aient bientôt accès à ce dépistage avant même leur congé de l'établissement de naissance (Guide de Référence Santé, 2009) **FIGURE 16.14**.

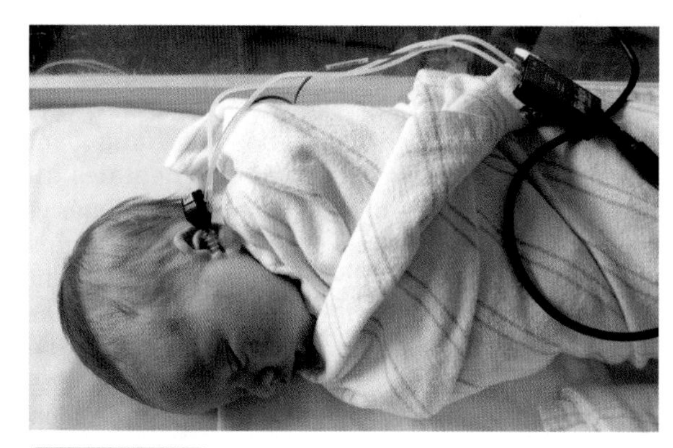

FIGURE 16.14
Un nouveau-né subit un test de dépistage auditif à la pouponnière.

Odorat

Les nouveau-nés réagissent aux odeurs fortes, comme celle de l'alcool ou du vinaigre, en détournant la tête. Les enfants nourris au sein sont capables de sentir le lait maternel et de distinguer leur mère des autres femmes qui allaitent grâce à son odeur (Lawrence & Lawrence, 2009).

Goût

Le nouveau-né peut distinguer les goûts et divers types de solutions qui engendrent chez lui des expressions faciales variées. Une solution insipide ne déclenche pas de réaction alors qu'une solution sucrée provoque une succion enthousiaste. Une solution sûre suscite un plissement des lèvres, et un liquide amer entraîne une grimace.

Les jeunes enfants sont très portés à utiliser leur bouche, à la fois pour satisfaire leurs besoins nutritifs adaptés à une croissance rapide et pour relâcher leur tension par la succion. Le développement précoce de la sensibilité péribuccale, de l'activité musculaire et du goût semblerait être une préparation pour la survie dans l'environnement extra-utérin.

Toucher

Toutes les parties du corps du nouveau-né réagissent au toucher. Le visage (en particulier la bouche), les mains et la plante des pieds semblent être les zones les plus sensibles. Des réflexes peuvent être déclenchés en touchant le nouveau-né. Les réactions du nouveau-né au toucher suggèrent que ce système sensoriel est bien préparé à recevoir et à traiter les messages tactiles. Le toucher et le mouvement sont essentiels pour la croissance et le développement normaux. Chaque enfant est toutefois unique, et des variations peuvent s'observer dans les réactions des nouveau-nés au toucher. Un trauma ou un stress subi à la naissance et l'usage de médicaments dépresseurs par la mère réduisent la sensibilité du nouveau-né au toucher ou aux stimuli douloureux.

16.3.4 Réaction aux stimuli environnementaux

Tempérament

Des recherches classiques (p. ex., Thomas, Birch, Chess & Robbins, 1961 ; Thomas, Chess & Birch, 1970) ont déterminé les variations individuelles du mode primaire de réactions des nouveau-nés et les ont décrites comme formant les divers tempéraments. Le style de réaction comportementale aux stimuli est guidé par le tempérament; celui-ci influence le seuil sensoriel du nouveau-né, sa capacité d'habituation et sa réaction aux comportements maternels. Le nouveau-né possède des caractéristiques individuelles qui déterminent ses réactions sélectives à divers stimuli de l'environnement interne ou externe.

Habituation

L'**habituation** est un mécanisme de protection qui permet au nouveau-né de s'habituer à des stimuli environnementaux. Il s'agit d'un phénomène psychologique et physiologique par lequel la réaction à un stimulus constant ou répétitif diminue graduellement. L'habituation se manifeste de diverses façons chez le nouveau-né à terme. Ainsi, si une lumière vive est dirigée dans ses yeux, il sursaute ou louche les deux ou trois premières fois. Le troisième ou quatrième éclat déclenche une réaction moindre et après cinq ou six éclats, le nouveau-né cesse de réagir (Brazelton, 1999; Brazelton & Nugent, 1996). Le même mode de réaction se reproduit pour un bruit de hochet ou une piqûre d'épingle au talon.

La capacité de s'habituer permet au nouveau-né de sélectionner les stimuli qui favorisent un apprentissage continu du monde social, évitant de ce fait la surcharge. L'expérience intra-utérine semble avoir programmé le nouveau-né pour le rendre particulièrement sensible à la voix humaine, aux sons doux et aux goûts sucrés.

Le nouveau-né se familiarise rapidement avec les sons de l'environnement domestique, et il est capable de dormir en leur présence. Les réactions sélectives du nouveau-né indiquent une organisation cérébrale permettant la mémorisation et la faculté de faire des choix. La capacité d'habituation dépend de l'état de conscience, de la faim, de la fatigue et du tempérament. Ces facteurs influent également sur la consolabilité, l'attitude à l'égard des câlins, l'irritabilité et les pleurs.

Consolabilité

La capacité de se consoler soi-même ou d'être consolé varie parmi les nouveau-nés. En état de pleurs, la plupart des nouveau-nés adoptent une méthode ou une autre pour réduire leur détresse. Il est fréquent qu'ils portent la main à leur bouche, en la suçant ou non, et qu'ils restent attentifs aux voix, aux bruits ou aux stimuli visuels. En raison de son immaturité, le nouveau-né prématuré aura plus de difficulté à se consoler soi-même et aura besoin de l'assistance d'un adulte pour se calmer.

Attitude à l'égard des câlins

La réaction du nouveau-né aux cajoleries est particulièrement importante pour les parents parce que c'est souvent à partir d'elle qu'ils jugent de leur habileté à s'occuper de l'enfant. Les nouveau-nés ne se moulent pas tous de la même façon aux formes des personnes qui les tiennent. La stimulation vestibulaire déclenchée lorsqu'une personne prend un nouveau-né et qu'elle le déplace a un effet apaisant sur lui et augmente sa vigilance.

Irritabilité

Certains nouveau-nés pleurent plus longtemps et plus fort que d'autres. Le seuil d'excitabilité de certains d'entre eux semble bas. Ils sont facilement troublés par des bruits inhabituels, la faim, l'humidité de la couche ou les nouvelles expériences et ils réagissent intensément à ces stimuli. D'autres, dont le seuil d'excitabilité s'avère élevé, ont besoin de beaucoup plus de stimulation et de changement pour être amenés à l'état de vigilance active.

Pleurs

Les pleurs d'un nouveau-né peuvent signaler la faim, la douleur, le désir d'attention ou l'agitation, et la plupart des mères apprennent à les distinguer. La durée des pleurs varie considérablement selon les nouveau-nés; certains peuvent ne pleurer que cinq minutes par jour alors que d'autres pleurent jusqu'à deux heures ou plus. La quantité de pleurs atteint un sommet pendant le deuxième mois, puis diminue. On peut noter un rythme diurne de pleurs, ceux-ci étant plus nombreux pendant la soirée. Les pleurs ne semblent pas varier selon la personne qui donne les soins.

Rose est née il y a deux heures, à 6 h 57, par accouchement vaginal après 37 2/7 semaines de gestation. Son indice d'Apgar était de 9-10. Son poids de naissance est de 3 135 g, elle mesure 52 cm, son périmètre crânien est de 34 cm et son périmètre thoracique, de 32 cm. Vous prenez les signes vitaux de Rose : F.R : 42 R/min ; F.C. : 138 batt./min ; température axillaire : 36,3 °C. La nouveau-née présente un léger tirage sous-costal et intercostal. ▶

MISE EN ŒUVRE DE LA DÉMARCHE DE SOINS

Collecte des données – Évaluation initiale – Analyse et interprétation

1. Les valeurs des mesures et des signes vitaux de Rose sont-elles dans les normes ? Justifiez votre réponse.
2. Outre la F.R. et la présence de tirage, quels éléments devrez-vous vérifier afin de bien évaluer le système respiratoire de Rose ?

SOLUTIONNAIRE
www.cheneliere.ca/lowdermilk

▶ Rose, maintenant âgée de 26 heures, pèse 3 053 g. Son état respiratoire et sa température se sont stabilisés. À l'examen physique, vous constatez la présence d'une éruption cutanée sous forme de macules, principalement sur le dos et le thorax. ◀

MISE EN ŒUVRE DE LA DÉMARCHE DE SOINS

3. La perte de poids de Rose est-elle dans les normes ? Justifiez votre réponse.
4. La présence de macules sur le corps de Rose nécessite-t-elle une intervention ? Justifiez votre réponse.

Planification des interventions – Décisions infirmières

Extrait

CONSTATS DE L'ÉVALUATION								
Date	Heure	N°	Problème ou besoin prioritaire	Initiales	RÉSOLU / SATISFAIT			Professionnels / Services concernés
					Date	Heure	Initiales	
2012-10-10	*06:57*	*1*	*Naissance à 37 2/7 semaines de gestation*	*V.D.*				

SUIVI CLINIQUE							
Date	Heure	N°	Directive infirmière	Initiales	CESSÉE / RÉALISÉE		
					Date	Heure	Initiales
2012-10-10	*06:57*	*1*	*Suivi postpartum habituel*	*V.D.*			

Signature de l'infirmière	Initiales	Programme / Service	Signature de l'infirmière	Initiales	Programme / Service
Valérie Duchesne	*V.D.*	*2500 Centre Mère-Enfant*			

5. Le contenu du plan thérapeutique infirmier (PTI) est-il adéquat ? Justifiez votre réponse.

Évaluation des résultats – Évaluation en cours d'évolution

6. Devrez-vous ajouter une donnée en lien avec la température de Rose au PTI ? Justifiez votre réponse.

APPLICATION DE LA PENSÉE CRITIQUE

Dans l'application de la démarche de soins auprès de Rose, l'infirmière a recours à un ensemble d'éléments (connaissances, expériences antérieures, normes institutionnelles ou protocoles, attitudes professionnelles) pour analyser la situation de santé de Rose et en comprendre les enjeux. La **FIGURE 16.15** illustre le processus de pensée critique suivi par l'infirmière afin de formuler son jugement clinique. Elle résume les principaux éléments sur lesquels l'infirmière s'appuie en fonction des données de Rose, mais elle n'est pas exhaustive.

VERS UN JUGEMENT CLINIQUE

CONNAISSANCES

- Normalités des mesures anthropométriques du nouveau-né
- Normalité des signes vitaux chez le nouveau-né
- Signes de détresse respiratoire
- Formule de calcul de perte de poids
- Manifestations normales du nouveau-né
- Indice d'Apgar

EXPÉRIENCES

- Travail auprès des nouveau-nés
- Expérience parentale personnelle

NORMES

- Suivi standard du nouveau-né
- Protocoles ou ordonnances collectives du nouveau-né : algorithme pour le suivi et les interventions liés à la température du nouveau-né

ATTITUDE

- Vigilance à détecter les variations normales et anormales des paramètres de Rose

PENSÉE CRITIQUE

ÉVALUATION

- Nombre de semaines de gestation
- Résultats de l'indice d'Apgar
- Évaluation physique : examen clinique incluant signes vitaux, mesures et manifestations normales ou anormales

JUGEMENT CLINIQUE

FIGURE 16.15

À retenir

VERSION REPRODUCTIBLE

www.cheneliere.ca/lowdermilk

- Au terme de la gestation, les divers systèmes anatomiques et physiologiques du nouveau-né ont atteint un degré de développement et de fonctionnement qui permet une existence physique indépendante de la mère.
- Le nouveau-né bien portant né à terme a des capacités sensorielles qui indiquent un état de préparation pour les interactions sociales.
- Il existe plusieurs différences notables entre le nouveau-né et l'adulte en ce qui concerne les systèmes respiratoire et urinaire, et la thermorégulation.
- La démarche de soins à la naissance est centrée sur le dégagement des voies respiratoires, la prévention de la déperdition de chaleur et la promotion de l'interaction entre les parents et le nouveau-né.
- Les pertes de chaleur d'un nouveau-né en bonne santé né à terme peuvent excéder sa capacité de produire de la chaleur, ce qui peut entraîner des complications métaboliques et respiratoires qui menacent son bien-être.
- Certains comportements réflexes sont importants pour la survie du nouveau-né.
- La personnalité individuelle et les caractéristiques du nouveau-né jouent un rôle majeur dans ses relations avec ses parents.
- Le comportement du nouveau-né est influencé par les états de veille et de sommeil et par certains autres facteurs.
- Chaque nouveau-né à terme a une prédisposition pour traiter la multitude de stimuli du monde extérieur.

CHAPITRE

Évaluation et soins du nouveau-né et de la famille

Écrit par :
Shannon E. Perry,
RN, CNS, PhD, FAAN

Adapté par :
Martine Guay, inf., B. Sc.
Margarida Ribeiro da Silva,
M. Sc., IPSNN

OBJECTIFS

 Guide d'études – SA17, RE03

Après avoir étudié ce chapitre, vous devriez être en mesure :

- d'expliquer les composantes de l'indice d'Apgar et son objectif ;
- de distinguer les caractéristiques particulières du prématuré, du peu prématuré, du nouveau-né à terme et du nouveau-né post-terme ;
- d'effectuer l'évaluation de l'âge gestationnel du nouveau-né ;
- de décrire la séquence à suivre pour procéder à l'évaluation du nouveau-né ;
- de reconnaître les variations par rapport aux constats physiologiques normaux pendant l'évaluation du nouveau-né ;
- de décrire les méthodes de prélèvement sanguin au talon, de collecte d'un échantillon d'urine et de ponction veineuse ;
- d'énumérer les éléments d'un environnement sécuritaire ;
- d'expliquer l'importance de la photothérapie dans le plan d'enseignement aux parents ;
- de déterminer les motifs de la circoncision dans les contextes canadien et québécois ;
- d'évaluer la douleur ressentie par le nouveau-né d'après des indications physiologiques et les manifestations comportementales ;
- d'expliquer les soins infirmiers requis par le nouveau-né ;
- de transmettre les conseils d'ordre préventif aux parents au moment du congé de l'hôpital.

Concepts clés

Cette carte conceptuelle illustre schématiquement les principaux concepts décrits dans le présent chapitre. Sa lecture vous permettra d'avoir une vue d'ensemble des notions qui y sont présentées.

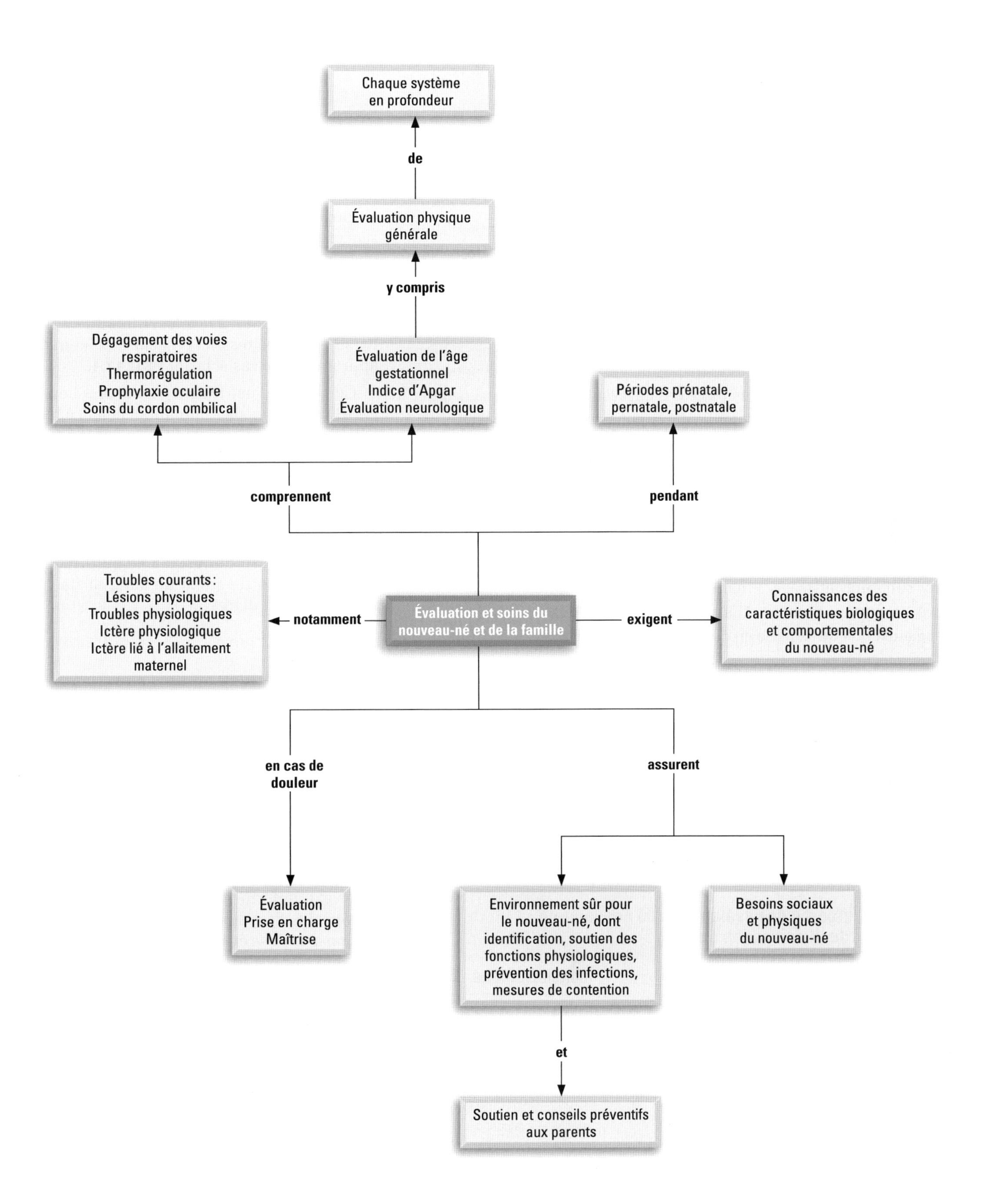

17

Bien que l'adaptation biopsychosociale à la vie extra-utérine se fasse généralement sans heurts, le bien-être du nouveau-né dépend des soins dont il bénéficiera dès sa naissance et au cours des premières heures de sa vie. Le présent chapitre porte sur l'évaluation physique du nouveau-né et sur les soins à lui apporter en période postnatale, que ce soit durant son séjour à l'hôpital ou en maison de naissance, ainsi que pendant les premiers jours à la maison. L'infirmière doit donc connaître la présentation d'un nouveau-né normal et la séquence des évaluations à faire auprès de lui, ainsi que le moment opportun pour les effectuer, afin de nuire le moins possible aux liens d'attachement qui se créent entre le nouveau-né et sa mère, dans les premières heures de vie. Une révision des physiopathologies variantes de la normale, telles que l'ictère physiologique et l'hypoglycémie, est présentée afin d'outiller l'infirmière dans la reconnaissance précoce de ces variantes. Ses connaissances de la normalité et de ses variantes, sa présence et son rôle essentiel dans les premières heures de vie du nouveau-né permettront donc à l'infirmière de mettre en place des interventions rapides, si nécessaire, dans le but de prévenir des complications potentiellement dévastatrices pour le nouveau-né. Le chapitre aborde également les conseils d'ordre préventif ayant trait aux soins du nouveau-né et du nourrisson à la maison, que l'infirmière prodigue à la cliente et à ses proches. Cet enseignement est un moment privilégié pour aborder les moyens simples qui permettront d'éviter à la cliente et à ses proches d'être déstabilisés par des situations quotidiennes normales au retour à la maison, comme calmer le nouveau-né, jouer avec lui et favoriser son apprentissage. Finalement, le chapitre traite aussi du phénomène très important et pourtant souvent minimisé de la douleur chez le nouveau-né ainsi que de sa prise en charge précoce et adéquate.

17.1 | De la naissance au congé

Dès la naissance du nouveau-né, l'infirmière doit procéder à un certain nombre d'évaluations de son état de santé, à des moments plus ou moins précis. Ces évaluations, décrites en détail dans les pages qui suivent, lui permettent de planifier les interventions immédiates et à moyen terme. Chaque examen doit tenir compte des résultats des évaluations précédentes et des antécédents en cours de grossesse (période prénatale) et d'accouchement (période pernatale) **TABLEAU 17.1**.

TABLEAU 17.1 Aperçu des évaluations du nouveau-né de la naissance au congé

ÂGE POSTNATAL	ÉVALUATION	CONSIDÉRATIONS
De 1 à 20 minutes de vie	• Évaluation initiale : – Évaluation rapide selon le protocole de réanimation néonatale – Indice d'Apgar	Interventions immédiates, si indiqué : réanimation néonatale
Dans les premières heures de vie	• Évaluation de l'âge gestationnel • Premier examen physique	Si le nouveau-né est considéré stable à l'évaluation initiale
Avant 24 heures de vie	• Évaluation physique complète	Évaluation méthodique et systématique

SOINS ET TRAITEMENTS INFIRMIERS

De la naissance aux premières heures de vie

La prestation des soins, qui s'amorce dès la naissance, est centrée sur l'évaluation et la stabilisation de l'état du nouveau-né. Durant cette période, celui-ci est sous la responsabilité première de l'infirmière, car le médecin ou la sage-femme s'affaire à prodiguer des soins à la mère. L'infirmière surveille les signes de détresse et procède aux interventions appropriées, le cas échéant **PSTI 17.1**.

Certains virus, tels le virus de l'hépatite B (VHB) et le virus de l'immunodéficience humaine (VIH), peuvent se transmettre au fœtus par le sang maternel ou le liquide amniotique imprégné de sang ; le nouveau-né constitue donc une source de contamination potentielle, à moins d'indication contraire. Comme le veulent les précautions usuelles, l'infirmière porte des gants non stériles pour prendre soin du nouveau-né jusqu'à ce qu'il reçoive un bain et que toute trace de sang et de liquide amniotique ait disparu.

Évaluation

Évaluation initiale

L'évaluation initiale renvoie à un examen rapide et immédiat du nouveau-né, dans les 30 secondes suivant sa naissance, comme le recommande la Société canadienne de pédiatrie (SCP) dans le cadre de son Programme de réanimation néonatale (White, 2007). Elle inclut l'évaluation des efforts respiratoires, du rythme et de la fréquence cardiaques et du tonus musculaire du nouveau-né. Cet examen s'assure de son succès dans sa transition à la vie extra-utérine et permet de décider, de façon universelle, des étapes initiales à suivre dans l'évaluation et la prise en charge de tous les nouveau-nés. Il mène donc à une prise en charge avec soins de routine ou à une réanimation plus poussée, selon l'état du nouveau-né. Cette évaluation se fait juste avant ou en même temps que l'indice d'Apgar, si l'état de santé du nouveau-né le permet **TABLEAU 17.2**. De plus, on soumet le nouveau-né dont l'état est stable à une brève évaluation physique et à celle de son âge gestationnel dans les premières heures de vie **TABLEAU 17.3**. Enfin, tous les nouveau-nés devront subir un examen physique exhaustif dans les 24 heures suivant leur naissance **TABLEAU 17.4**.

Indice d'Apgar

L'indice d'Apgar permet d'évaluer dans l'immédiat la vitalité du nouveau-né qui vient de naître par l'examen des cinq signes révélateurs de son état physiologique: 1) la fréquence cardiaque (F.C.), déterminée à l'auscultation à l'aide d'un stéthoscope ou à la palpation du cordon ombilical; 2) la respiration, déterminée par l'observation du cycle respiratoire; 3) le tonus musculaire, évalué par le degré de flexion et le mouvement des extrémités; 4) la réactivité, qui se manifeste en réaction à son environnement extérieur; 5) la coloration de la peau en général, qualifiée de pâle, de bleutée (cyanose) ou de rose **TABLEAU 17.2** . L'infirmière, souvent en collaboration avec le médecin, effectue le test dans les premières minutes de vie, soit à 1, à 5 et à 10 minutes, puis toutes les 5 minutes si nécessaire. Un indice obtenu de 0 à 3 indique une détresse profonde; celui qui varie de 4 à 6 révèle des difficultés modérées; l'indice allant de 7 à 10 traduit peu ou pas de difficulté d'adaptation. L'indice d'Apgar ne constitue pas un indicateur prévisionnel de l'évolution neurologique de l'enfant, mais un indicateur utile de l'état du nouveau-né. L'évaluation des fonctions cardiorespiratoires selon les recommandations du Programme de réanimation néonatale de la SCP doit se faire dans les 30 premières secondes de vie afin de s'assurer que la transition à la vie extra-utérine est adéquate; la réanimation, le cas échéant, doit être entreprise avant d'effectuer le premier indice d'Apgar à une minute de vie (SCP, 2006) ▶ 24.

TABLEAU 17.2 Indice d'Apgar

SIGNE	COTATION		
	0	1	2
F.C.	Absente	Lente (< 100 batt./min)	> 100 batt./min
Respiration	Absente	Lente, pleurs faibles	Pleurs vigoureux
Tonus musculaire	Flaccidité	Flexion partielle des extrémités	Bon tonus
Réactivité	Absence de réaction	Grimace	Pleurs ou cris
Coloration de la peau	Bleutée, pâle	Corps rose, extrémités bleutées	Complètement rose

Vidéo

Visionnez la vidéo *Indice d'Apgar* à l'adresse www.cheneliere.ca/lowdermilk.

Premier examen physique

Le premier examen physique s'effectue lorsque le nouveau-né est stable et qu'il a terminé sa transition à la vie extra-utérine de façon adéquate selon l'évaluation du Programme de réanimation néonatale de la SCP et l'indice d'Apgar. Il peut donc être fait immédiatement après la naissance d'un nouveau-né qui effectue très bien cette transition ou beaucoup plus tard si ce dernier nécessite une réanimation. Cet examen comporte une brève évaluation des divers systèmes **TABLEAU 17.3**:

1. Examen externe: noter la coloration de la peau, l'activité générale, la position; évaluer la perméabilité nasale en observant la respiration après avoir fermé une narine; examiner la peau pour voir s'il y a desquamation ou absence de tissu adipeux sous-cutané et évaluer sa température; vérifier si le cordon, les ongles ou le liquide amniotique sont tachés de méconium (des taches qui indiqueraient l'expulsion fœtale du méconium); noter la longueur des ongles et la formation de plis à la plante des pieds.
2. Poitrine: ausculter le cœur à l'apex pour déterminer la fréquence et le rythme cardiaques, la tonalité et la présence de bruits anormaux; évaluer la fréquence et les caractéristiques de la respiration ainsi que la présence de râles crépitants et d'autres bruits adventices; vérifier l'égalité des bruits respiratoires par l'auscultation et l'observation.
3. Abdomen: déterminer les caractéristiques de l'abdomen (arrondi, plat, concave) et vérifier l'absence d'anomalies; ausculter l'abdomen pour entendre les bruits intestinaux; dénombrer les vaisseaux sanguins dans le cordon et évaluer l'état général de celui-ci (p. ex., mince, émacié; épais, tortueux; marqué d'hématomes).
4. Fonction neurologique: évaluer le tonus musculaire et la présence des réflexes de Moro et de succion; palper la fontanelle antérieure et déterminer par la palpation le nombre et la taille des fontanelles et des sutures; noter si la fontanelle antérieure est bombée ou creusée.
5. Système génito-urinaire: noter les caractéristiques sexuelles externes et toute anomalie des organes génitaux; vérifier la perméabilité anale (présence de méconium) et noter le passage d'urine, le cas échéant.
6. Autres observations: noter les malformations structurales évidentes susceptibles de nécessiter une intervention médicale immédiate (p. ex., une omphalocèle, une méningocèle).

L'infirmière chargée des soins du nouveau-né dans les premiers instants de sa vie vérifie que le cycle respiratoire est bien établi, assèche minutieusement le nouveau-né, prend sa température et fixe des bracelets identiques à son poignet et à celui de sa mère. Certains

L'indice d'Apgar ne constitue pas un indicateur prévisionnel de l'évolution neurologique de l'enfant, mais un indicateur utile de l'état du nouveau-né.

24

Le Programme de réanimation néonatale de la SCP est décrit dans le chapitre 24, *Nouveau-né à risque*.

Jugement clinique

Mathis vient tout juste de naître par accouchement vaginal après 38 1/7 semaines de gestation. Il est rosé, mais présente de la cyanose aux mains et aux pieds. Ses pleurs sont vigoureux, particulièrement au moment de l'insertion de la poire nasale pour dégager ses voies respiratoires. Son indice d'Apgar à une minute de vie est de 9.

L'indice d'Apgar de Mathis révèle-t-il la présence d'une détresse? Justifiez votre réponse.

TABLEAU 17.3 Premier examen physique

EXAMEN PAR SYSTÈME OU ORGANE	RÉSULTATS ATTENDUS
Système nerveux central (SNC)	☐ Mobilité des membres supérieurs et inférieurs, tonus musculaire normal
	☐ Traits et mouvements symétriques
	☐ Présence des réflexes de succion, des points cardinaux, de Moro et de préhension
	☐ Fontanelle antérieure souple et plate
Système cardiovasculaire	☐ F.C. stable et régulière
	☐ Absence de souffles
	☐ Pouls forts et identiques des deux côtés
Système respiratoire	☐ Pas d'obstruction audible à l'auscultation bilatérale des poumons
	☐ Pas de tirage ni de battements des ailes du nez
	☐ Fréquence de 30 à 60 cycles respiratoires/min
	☐ Ampliation thoracique symétrique
	☐ Pas d'obstruction des voies respiratoires supérieures
Système génito-urinaire	☐ Garçon : ouverture urétrale à l'extrémité du pénis ; descente bilatérale des testicules
	☐ Fille : entrée du vagin apparente
Tractus gastro-intestinal	☐ Abdomen souple, sans distension
	☐ Cordon ombilical tenant et clampé
	☐ Anus semble perméable
Oreilles, nez, gorge	☐ Yeux clairs
	☐ Palais intact
	☐ Narines perméables
Peau	Couleur ☐ rose ☐ bleutée (acrocyanose)
	☐ Pas de lésion ni d'abrasion
	☐ Pas de desquamation
	☐ Angiomes
	☐ Bosse sérosanguine et modelage
	☐ Enflure causée par la ventouse obstétricale
	☐ Marques des forceps
	☐ Autre

Observations :

établissements prévoient également un bracelet pour le père ou le partenaire de la mère. Dans de nombreux établissements, le nouveau-né est déposé sur le ventre de sa mère pour qu'il y ait un contact peau à peau. Ce contact favorise la stabilisation et le maintien de la température du nouveau-né, l'introduction de l'allaitement, ainsi que la formation d'un lien d'attachement parental ▶ 15. Dans d'autres établissements, le nouveau-né sera enveloppé d'une couverture chaude avant d'être déposé dans les bras de sa mère ou d'être tenu par le père ou le partenaire, ou encore il sera réchauffé à l'aide d'un système de chauffage par rayonnement. À l'hôpital, le nouveau-né séjournera habituellement dans la chambre de sa mère ou, occasionnellement, à la pouponnière.

À la naissance, l'infirmière peut procéder au premier examen du nouveau-né tout en l'asséchant et en l'enveloppant d'une couverture ou encore en l'observant lorsqu'il repose sur le ventre de sa mère ou dans ses bras. Elle s'efforce de perturber le moins possible les premiers moments entre la mère et son nouveau-né. Si la respiration de celui-ci est efficace, que sa peau est rose et qu'il n'y a pas d'anomalies apparentes mettant sa vie en péril ou de facteurs de risque justifiant des soins immédiats particuliers (p. ex., un nouveau-né d'une mère diabétique), le reste de l'examen peut être reporté jusqu'à ce que les parents aient eu la possibilité d'interagir avec leur nouveau-né. L'admission et les autres procédures peuvent se dérouler dans la chambre de la mère ou à la pouponnière.

Le processus de soins auprès du nouveau-né et de sa famille dans les premières heures de la naissance figure dans l'**ENCADRÉ 17.1**.

15

Le lien d'attachement entre les parents et le nouveau-né et sa formation sont décrits dans le chapitre 15, *Adaptation au rôle de parents*.

Mise en œuvre d'une démarche de soins

ENCADRÉ 17.1 **Soins au nouveau-né et à sa famille**

COLLECTE DES DONNÉES – ÉVALUATION INITIALE

- Le premier examen a pour objectif de déceler des problèmes qui pourraient compromettre l'adaptation du nouveau-né. L'évaluation de l'âge gestationnel et l'examen approfondi auront lieu une fois que l'état du nouveau-né sera stable et que la mère et son nouveau-né auront établi un premier contact.
- L'évaluation comporte un volet psychosocial centré sur le lien d'attachement entre les parents et le nouveau-né, l'adaptation au rôle parental, l'adaptation de la fratrie, le soutien social et les besoins d'enseignement ainsi qu'un volet axé sur l'adaptation physique de la mère et du nouveau-né.

ANALYSE ET INTERPRÉTATION DES DONNÉES

Les problèmes découlant de la situation de santé sont déterminés après avoir fait l'analyse des constats de l'examen physique du nouveau-né. Dans le cas du nouveau-né, ils peuvent inclure :

- Dégagement inefficace des voies respiratoires lié à :
  - l'obstruction des voies respiratoires par du mucus, du sang ou du liquide amniotique ;
  - l'incapacité d'expulser le mucus en toussant ou en expectorant.
- Perturbation des échanges gazeux liée à :
  - l'obstruction des voies respiratoires ;
  - un mode de respiration inefficace.
- Risque élevé d'altération de la température corporelle lié au déséquilibre entre la déperdition et la production de chaleur.
- Douleur liée au prélèvement sanguin au talon, ou à une ponction veineuse.

Les problèmes découlant de la situation de santé propres aux parents peuvent concerner notamment :

- Capacité à exercer le rôle parental liée à :
  - la connaissance des habiletés sociales et des besoins de dépendance du nouveau-né ;
  - la connaissance des caractéristiques biologiques du nouveau-né.
- Capacité d'adaptation familiale liée à :
  - l'attitude positive et aux attentes réalistes à l'égard du nouveau-né et de l'adaptation au rôle parental ;
  - des comportements nourriciers des parents ;
  - l'expression verbale des aspects positifs du nouveau mode de vie.
- Risque de perturbation de l'attachement parent-enfant lié à :
  - un travail et à un accouchement difficiles ;
  - des complications dans la période postnatale ;
  - des complications ou des anomalies néonatales.
- Baisse de l'estime de soi de nature situationnelle liée à l'interprétation inexacte des signes comportementaux du nouveau-né.

RÉSULTATS ESCOMPTÉS

Les résultats escomptés ont trait au nouveau-né comme aux parents.

La planification des soins est établie dans le but d'atteindre les résultats suivants chez le nouveau-né :

- Maintien d'un mode de respiration efficace ;
- Maintien d'une thermorégulation équilibrée ;
- Prémunition contre l'infection ;
- Alimentation suffisante pour croître ;
- Établissement d'un mode d'élimination efficace ;
- Douleur réduite au minimum ;
- Absence de blessure ou de lésion.

Les résultats escomptés en ce qui concerne les parents sont les suivants :

- Acquisition des connaissances, des aptitudes et de l'assurance nécessaires pour prendre soin de leur nouveau-né ;
- Connaissance des caractéristiques biologiques et comportementales du nouveau-né ;
- Reconnaissance des écarts par rapport à la norme pour lesquels il est nécessaire de consulter le médecin ;
- Possibilités d'approfondir leur relation avec le nouveau-né ;
- Amorce de l'intégration du nouveau-né à la famille.

INTERVENTIONS INFIRMIÈRES

Les pages qui suivent abordent plusieurs stratégies d'intervention auprès du nouveau-né et de sa famille.

ÉVALUATION DES RÉSULTATS – ÉVALUATION EN COURS D'ÉVOLUTION

L'évaluation est axée sur les résultats escomptés. S'il y a lieu, le plan de soins et d'intervention est revu à la lumière des problèmes identifiés au cours de l'évaluation.

Interventions

L'état du nouveau-né peut changer brusquement dans les premières heures qui suivent la naissance. À l'évaluation doivent rapidement succéder les mesures appropriées.

La percussion thoracique et l'aspiration ne sont pas indiquées chez le nouveau-né en santé, qu'il soit peu prématuré ou à terme.

Vidéo

Visionnez la vidéo *Aspiration des sécrétions du nouveau-né* au www.cheneliere.ca/lowdermilk.

Dégagement des voies respiratoires

Généralement, le nouveau-né en bonne santé, né à terme par voie vaginale, dégage sans peine ses voies respiratoires. Pour la plupart des nouveau-nés, les sécrétions se déplacent par gravité, et le réflexe de la toux les amène jusqu'à l'oropharynx où elles sont expulsées ou avalées. Habituellement, le nouveau-né est positionné en **décubitus** dorsal, ou latéral s'il régurgite ou s'étouffe, la tête stabilisée (pas dans la position de Trendelenburg), appuyé sur une couverture pliée en rouleau pour faciliter la vidange des sécrétions.

En présence d'une grande quantité de mucus dans les voies respiratoires, l'infirmière peut l'aspirer par la bouche ou le nez à l'aide d'une poire nasale **FIGURE 17.1** et **PSTI 17.1**. La percussion thoracique et l'aspiration ne sont pas indiquées chez le nouveau-né en santé, qu'il soit peu prématuré ou à terme; les résultats probants entérinent seulement la succion nasopharyngée ou oropharyngée délicate pour libérer les sécrétions (Hagedorn, 2006). Le nouveau-né qui suffoque doit être soutenu la tête penchée sur le côté. L'infirmière procédera d'abord à l'aspiration buccale pour éviter que le nouveau-né n'inhale les sécrétions pharyngées en haletant lorsqu'il ne peut inspirer par le nez. Elle comprime la poire, puis insère l'embout d'un côté de la bouche plutôt qu'au centre afin de ne pas stimuler le réflexe pharyngé ou nauséeux. L'aspiration nasale s'effectue une narine à la fois. L'infirmière écoute la respiration du nouveau-né et ausculte sa poitrine pour entendre les bruits respiratoires afin de déceler les râles crépitants, les ronchus et le stridor, le cas échéant. De fins râles crépitants peuvent se faire entendre durant plusieurs heures après la naissance. Si l'aspiration à l'aide de la poire nasale ne parvient pas à expulser le mucus qui entrave la respiration, il peut y avoir lieu de passer à l'aspiration mécanique.

24

Les anomalies qui mettent en péril la respiration du nouveau-né sont abordées dans le chapitre 24, *Nouveau-né à risque*.

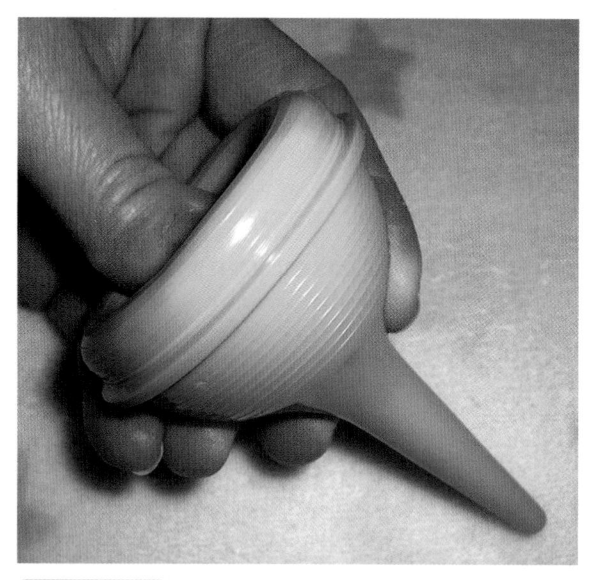

FIGURE 17.1
Poire nasale. La poire est comprimée avant l'insertion.

La poire nasale se trouve souvent dans le lit du nouveau-né à la pouponnière. L'infirmière peut donc offrir une démonstration de son utilisation aux parents et leur demander d'en faire une à leur tour **ENCADRÉ 17.2**. Les parents peuvent ensuite se munir d'un mouche-bébé au besoin.

Si l'obstruction persiste malgré l'aspiration, il est nécessaire d'en chercher la source afin de déterminer s'il s'agit d'une anomalie mécanique (p. ex., une fistule trachéoœsophagienne, une atrésie choanale) ▶ 24.

Il peut être indiqué de procéder à une aspiration plus profonde afin de déloger du mucus du nasopharynx ou de l'oropharynx postérieur. Il convient cependant d'en évaluer les risques au préalable. Pour éviter la **stimulation vagale** et l'**hypoxie**, il est recommandé d'insérer le cathéter et d'aspirer durant cinq secondes ou moins avant de retirer la sonde. Dans le cas de la succion sous vide, la pression devrait être réglée à moins de 80 mm Hg. Une fois le cathéter en place, l'aspiration est déclenchée en obturant la commande de façon intermittente à l'aide du pouce tout en tournant le cathéter sur lui-même en même temps qu'il est retiré. Il peut être nécessaire de répéter le geste afin de dégager complètement les voies respiratoires du nouveau-né. L'utilisation d'un appareil d'aspiration mécanique peut parfois s'avérer nécessaire. Le procédé d'utilisation de ce type d'appareils est décrit à l'**ENCADRÉ 17.3**.

Pratiques infirmières suggérées

ENCADRÉ 17.2 Aspiration à l'aide d'une poire nasale

- La poire nasale se trouve souvent dans le lit du nouveau-né.
- L'infirmière procède d'abord à l'aspiration buccale pour empêcher que le nouveau-né inhale les sécrétions pharyngées en haletant lorsqu'il ne peut inspirer par le nez.
- L'infirmière comprime la poire, puis insère l'embout d'un côté de la bouche, et non pas dans le centre de la bouche pour éviter de stimuler le réflexe pharyngé ou nauséeux.
- L'aspiration nasale s'effectue une narine à la fois.
- Lorsque les cris ou les pleurs du nouveau-né ne se font plus entendre à travers le roulement de mucus ou une bulle, l'infirmière cesse l'aspiration.
- L'infirmière peut offrir une démonstration pratique de l'utilisation de la poire nasale aux parents et leur demander par la suite d'en faire une à leur tour.

Maintien de l'apport en oxygène

Quatre conditions sont essentielles au maintien de l'apport suffisant en oxygène:

1. des voies respiratoires libres;
2. un mode de respiration efficace;
3. une circulation sanguine organique et périphérique établie et une fonction cardiaque efficace;
4. une thermorégulation équilibrée (l'exposition au stress dû au froid augmente les besoins en oxygène et en glucose).

Les complications potentielles de la respiration compromise figurent dans l'**ENCADRÉ 17.4.**

Thermorégulation

Les soins néonataux comprennent le maintien d'un environnement thermique optimal **PSTI 17.1** ▶ 16. Le stress dû au froid augmente les besoins en oxygène et peut épuiser les réserves de glucose du nouveau-né. Exposé au froid, celui-ci peut réagir en augmentant sa fréquence respiratoire (F.R.) au risque d'entraîner la **cyanose**. Afin de contribuer à stabiliser la température corporelle du nouveau-né, l'infirmière peut le déposer sur le ventre de sa mère (contact peau à peau) et le couvrir d'une couverture chaude, l'assécher et l'emmailloter dans une couverture chaude dans les premiers instants de sa naissance, couvrir sa tête et veiller à ce que la température ambiante dans l'unité de naissance soit maintenue entre 25 et 26 °C (SCP, 2006). De plus, le fait de laisser sur la peau du nouveau-né le vernix caseosa (enduit sébacé) qui le recouvre ne se traduit pas par une baisse de la température axillaire dans la première heure de sa naissance (Visscher *et al.*, 2005).

Lorsque le nouveau-né ne demeure pas en compagnie de sa mère dans la première heure ou les deux premières heures de sa naissance, l'infirmière l'assèche minutieusement puis le place sous une chaufferette à rayonnement ou dans un incubateur chaud jusqu'à ce que sa température corporelle se stabilise. Dans le cas de l'utilisation d'un réchauffeur à mécanisme asservi, la peau du nouveau-né devient le point de contrôle. Le panneau de commande est habituellement réglé à une température de 36 ou 37 °C. Le réchauffeur ainsi réglé fera en sorte que la température de la peau du nouveau-né à terme et en santé se maintienne entre 36,5 et 37,2 °C. Une sonde à thermorésistance (capteur automatique) est apposée au quadrant supérieur de l'abdomen du nouveau-né sous le rebord costal droit ou gauche (jamais au-dessus d'un os). Une pièce adhésive réflectrice recouvre la sonde pour la réchauffer. La sonde détectera toute variation de température occasionnée par des facteurs environnementaux externes ou propres au nouveau-né (vasoconstriction ou vasodilatation périphérique, métabolisme accru) afin de prévenir la brusque fluctuation de la température corporelle. Grâce à son mécanisme asservi, le réchauffeur module son réglage de température pour maintenir l'équilibre thermique du nouveau-né dans les valeurs de température prédéterminées. L'infirmière vérifie périodiquement le positionnement et la fixation du capteur. Elle prend la température axillaire toutes les heures, ou plus fréquemment s'il y a lieu, jusqu'à ce que la température du nouveau-né se stabilise. La période durant laquelle l'équilibre thermique s'établit varie d'un nouveau-né à un autre; il convient donc de personnaliser les soins afin que la thermorégulation s'installe.

L'infirmière s'efforce de réduire au minimum la déperdition de chaleur durant les interventions; par conséquent, elle place le nouveau-né sous une source de chaleur pour effectuer l'examen et d'autres activités. Le nouveau-né n'aura son premier bain que lorsque sa température sera stable et qu'il sera en mesure de s'adapter à la déperdition de chaleur occasionnée par cette activité. Aucun résultat probant n'a démontré qu'il y a un moment optimal pour ce premier bain du nouveau-né.

L'hypothermie guette même le nouveau-né à terme et en santé. Ainsi, la chute de température au-dessous des valeurs normales (hypothermie) peut survenir lorsque le nouveau-né naît en route vers l'hôpital ou dans une chambre de naissance trop fraîche, ou lorsque l'assèchement et l'enveloppement

Pratiques infirmières suggérées

ENCADRÉ 17.3 — Succion nasopharyngée à l'aide d'un appareil d'aspiration mécanique

Pour évacuer le mucus considérable ou tenace du nasopharynx:

- S'il s'agit d'aspiration sous vide, régler la pression à moins de 80 mm Hg. Pour éviter le laryngospasme pouvant provoquer une stimulation vagale et une bradycardie, il est recommandé d'insérer le cathéter doucement et d'aspirer durant cinq secondes ou moins avant de retirer le cathéter.
- Lubrifier le cathéter à l'eau stérile, puis l'insérer dans la bouche le long de la langue ou dans le nez par le haut de la narine.
- Une fois le cathéter en place, enclencher l'aspiration en appuyant de façon intermittente sur la commande à l'aide du pouce tout en tournant délicatement le cathéter sur lui-même pendant son retrait.
- Procéder de nouveau à l'insertion du cathéter et à l'aspiration jusqu'à ce que le son des pleurs du nouveau-né soit clair et que l'aspiration d'air dans les poumons soit entendue à l'auscultation.

Signes de complications possibles

ENCADRÉ 17.4 — Respiration anormale

- Bradypnée (≤ 25 cycles respiratoires [R]/min)
- Tachypnée (≥ 60 R/min)
- Bruits respiratoires inhabituels: râles crépitants, ronchi, sifflements, geignements expiratoires
- Détresse respiratoire: battements des ailes du nez, tirage, secousses du menton
- Coloration de la peau: bleutée (cyanose), marbrure
- Oxymétrie pulsée (SpO_2): < 95 %

16 Les types de pertes de chaleur et la thermorégulation du nouveau-né sont abordés dans le chapitre 16, *Adaptations physiologiques et comportementales du nouveau-né*.

Jugement clinique

Madame Nadège Durand, âgée de 32 ans, a accouché il y a 5 heures d'une petite fille après 39 5/7 semaines de grossesse. C'est son premier enfant. Au moment de l'évaluation de l'allaitement, elle vous fait part de son inquiétude quant aux éternuements répétés et à la présence d'une toux occasionnelle chez sa fille.

Ces signes sont-ils normaux? Justifiez votre réponse.

Plan de soins et de traitements infirmiers

PSTI 17.1 Nouveau-né en santé

PROBLÈME DÉCOULANT DE LA SITUATION DE SANTÉ	**Risque de dégagement inefficace des voies respiratoires** lié à la production de mucus en grande quantité
OBJECTIF	Le nouveau-né respirera aisément.
RÉSULTATS ESCOMPTÉS	**INTERVENTIONS INFIRMIÈRES ET JUSTIFICATIONS**
• Perméabilité des voies respiratoires • Clarté des bruits respiratoires • Absence de signes de détresse respiratoire	**Enseignement aux parents** • Mentionner aux parents que le bâillement, la toux et l'éternuement sont des réactions normales du nouveau-né en vue de dégager ses voies respiratoires. • Enseigner des techniques qui préviennent la suralimentation et la distension abdominale, ainsi que la nécessité de faire faire son rot au nouveau-né fréquemment afin de prévenir la régurgitation et l'aspiration. • Coucher le nouveau-né sur le dos afin de prévenir la suffocation. • Procéder, s'il y a lieu, à l'aspiration dans la bouche et le nasopharynx à l'aide d'une poire nasale ; déloger les sécrétions encroûtées des narines pour dégager les voies respiratoires et prévenir l'aspiration et l'obstruction respiratoire.
PROBLÈME DÉCOULANT DE LA SITUATION DE SANTÉ	**Risque de déséquilibre thermique** lié à la grande surface corporelle du nouveau-né en proportion de son poids
OBJECTIF	Le nouveau-né maintiendra sa température axillaire dans les normales attendues.
RÉSULTAT ESCOMPTÉ	**INTERVENTIONS INFIRMIÈRES ET JUSTIFICATIONS**
• Maintien de la température axillaire entre 36,5 et 37,2 °C.	**Enseignement aux parents** • Offrir un environnement thermique stable afin de déceler toute variation de la température du nouveau-né provoquée par d'autres facteurs. • Surveiller la température axillaire fréquemment afin de détecter toute fluctuation de température et d'intervenir rapidement. • Laver le nouveau-né à l'eau tiède lorsque sa température est stable, l'assécher minutieusement et éviter de l'exposer à des courants d'air afin d'empêcher la déperdition de chaleur par des mécanismes d'évaporation et de convection. • Rapporter toute fluctuation de la température promptement afin d'évaluer la présence d'une infection et de traiter celle-ci dans les plus brefs délais.
PROBLÈME DÉCOULANT DE LA SITUATION DE SANTÉ	**Risque d'infection** lié aux défenses immunologiques encore immatures du nouveau-né
OBJECTIF	Le nouveau-né ne montrera aucun signe d'infection.
RÉSULTAT ESCOMPTÉ	**INTERVENTIONS INFIRMIÈRES ET JUSTIFICATIONS**
• Absence de tout signe d'infection	• Revoir les antécédents maternels pour cerner les facteurs de risque afin d'évaluer si le nouveau-né est prédisposé à une infection. • Surveiller les signes vitaux afin de détecter rapidement tout signe d'infection, particulièrement l'instabilité thermique. • Administrer le traitement ophtalmique prophylactique prescrit afin de prévenir les conjonctivites. **Enseignement aux parents** • Veiller à ce que toutes les personnes qui prennent soin du nouveau-né, y compris les parents, adoptent une technique d'hygiène des mains efficace avant de manipuler le nouveau-né afin d'empêcher la transmission d'une infection. • Enseigner une technique de nettoyage et de séchage appropriée des organes génitaux afin de prévenir l'irritation de la peau, la contamination croisée et l'infection. • Veiller à ce que le cordon ombilical soit propre et sec et maintenu à l'air libre afin que cette zone demeure sèche pour réduire au minimum le risque d'infection. • En cas de circoncision, veiller à la propreté du prépuce et à ce que la couche soit lâche afin de prévenir tout trauma ou infection. • Mentionner aux parents la nécessité d'éviter les foules avec leur nouveau-né, de même que les irritants environnementaux, afin de réduire au minimum les sources d'infection potentielles.

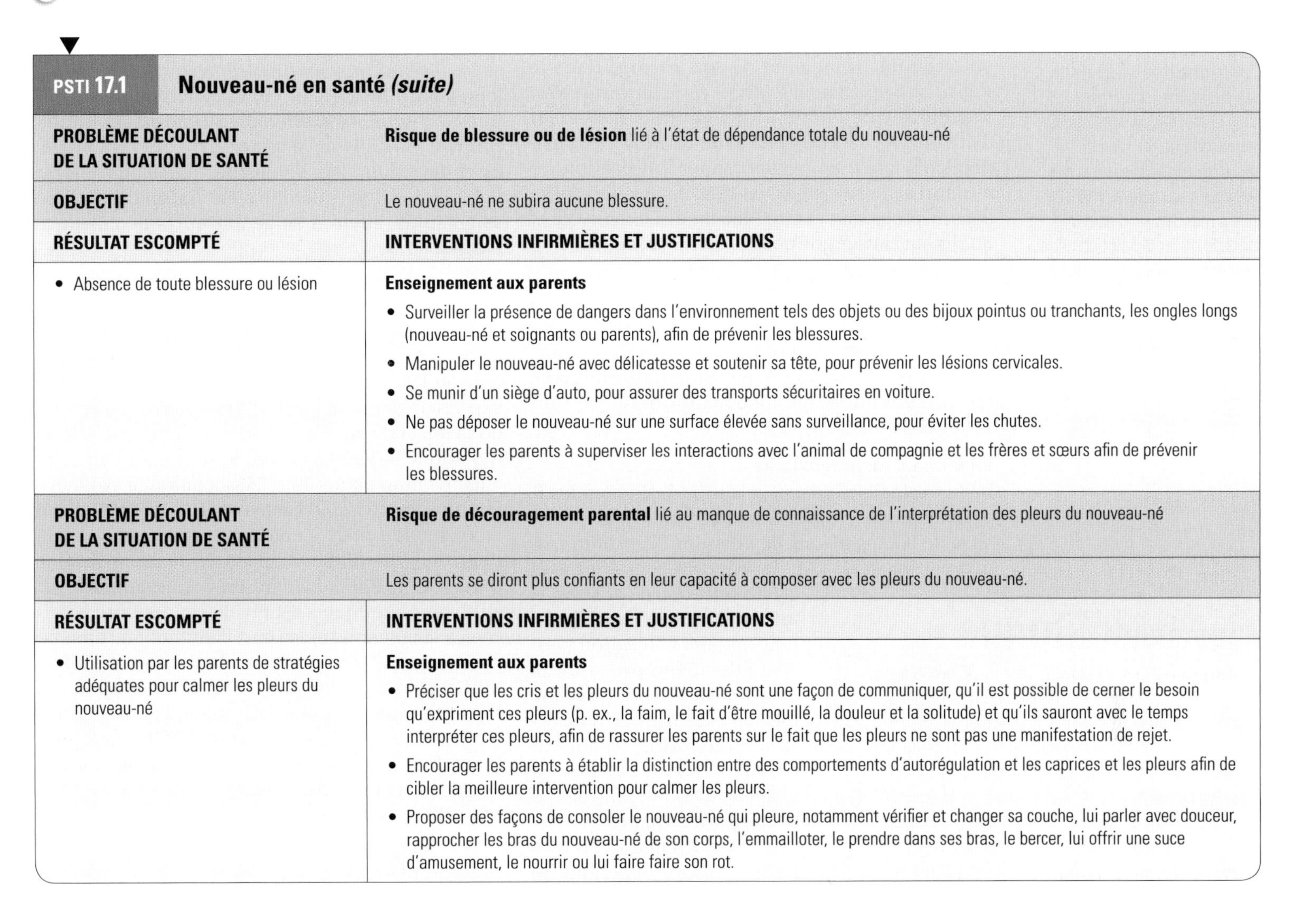

PSTI 17.1 Nouveau-né en santé *(suite)*

PROBLÈME DÉCOULANT DE LA SITUATION DE SANTÉ	**Risque de blessure ou de lésion** lié à l'état de dépendance totale du nouveau-né
OBJECTIF	Le nouveau-né ne subira aucune blessure.
RÉSULTAT ESCOMPTÉ	**INTERVENTIONS INFIRMIÈRES ET JUSTIFICATIONS**
• Absence de toute blessure ou lésion	**Enseignement aux parents** • Surveiller la présence de dangers dans l'environnement tels des objets ou des bijoux pointus ou tranchants, les ongles longs (nouveau-né et soignants ou parents), afin de prévenir les blessures. • Manipuler le nouveau-né avec délicatesse et soutenir sa tête, pour prévenir les lésions cervicales. • Se munir d'un siège d'auto, pour assurer des transports sécuritaires en voiture. • Ne pas déposer le nouveau-né sur une surface élevée sans surveillance, pour éviter les chutes. • Encourager les parents à superviser les interactions avec l'animal de compagnie et les frères et sœurs afin de prévenir les blessures.
PROBLÈME DÉCOULANT DE LA SITUATION DE SANTÉ	**Risque de découragement parental** lié au manque de connaissance de l'interprétation des pleurs du nouveau-né
OBJECTIF	Les parents se diront plus confiants en leur capacité à composer avec les pleurs du nouveau-né.
RÉSULTAT ESCOMPTÉ	**INTERVENTIONS INFIRMIÈRES ET JUSTIFICATIONS**
• Utilisation par les parents de stratégies adéquates pour calmer les pleurs du nouveau-né	**Enseignement aux parents** • Préciser que les cris et les pleurs du nouveau-né sont une façon de communiquer, qu'il est possible de cerner le besoin qu'expriment ces pleurs (p. ex., la faim, le fait d'être mouillé, la douleur et la solitude) et qu'ils sauront avec le temps interpréter ces pleurs, afin de rassurer les parents sur le fait que les pleurs ne sont pas une manifestation de rejet. • Encourager les parents à établir la distinction entre des comportements d'autorégulation et les caprices et les pleurs afin de cibler la meilleure intervention pour calmer les pleurs. • Proposer des façons de consoler le nouveau-né qui pleure, notamment vérifier et changer sa couche, lui parler avec douceur, rapprocher les bras du nouveau-né de son corps, l'emmailloter, le prendre dans ses bras, le bercer, lui offrir une suce d'amusement, le nourrir ou lui faire faire son rot.

dans les premiers instants de vie ne se font pas dans les règles. Le réchauffement du nouveau-né en hypothermie se fait avec diligence et vigilance. Le réchauffement rapide peut entraîner une crise d'apnée et de l'acidose. Il doit donc s'effectuer graduellement et sous surveillance au cours d'une période de deux à quatre heures.

Interventions immédiates

Il incombe à l'infirmière d'accomplir certains gestes dans les premiers instants suivant la naissance pour la sécurité du nouveau-né. Ces interventions peuvent toutefois être reportées d'une heure ou deux afin de ne pas interrompre le lien d'attachement qui se noue entre la mère et son nouveau-né.

Prophylaxie oculaire

Au Canada, l'application d'un onguent en prophylaxie dans les yeux du nouveau-né est recommandée, et elle est obligatoire dans certaines provinces (SCP, 2010) **FIGURE 17.2**. Cette mesure a pour objectif de prévenir l'ophtalmie du nouveau-né, une

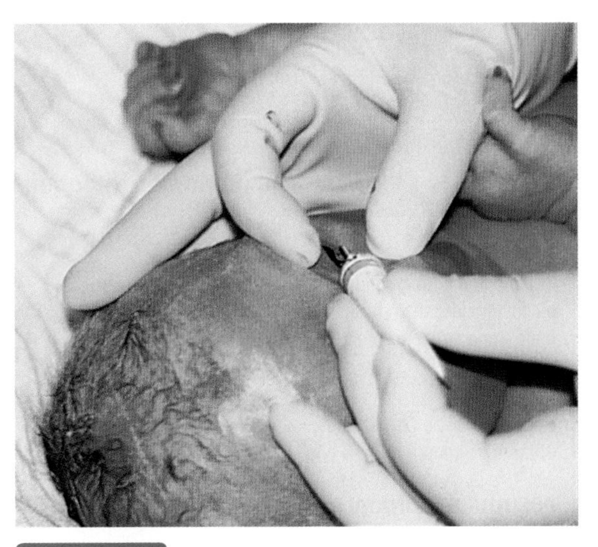

FIGURE 17.2
Application d'un onguent. Les paupières sont écartées à l'aide du pouce et de l'index, et le médicament est administré dans le sac conjonctival du canthus interne au canthus externe.

La vitamine K ne s'administre pas par voie intraveineuse (I.V.) dans la prévention de la maladie hémorragique du nouveau-né, sauf dans certains cas où le prématuré n'a pas suffisamment de masse musculaire. Il convient alors de diluer la solution et de l'administrer par perfusion sur une période de 10 à 15 minutes et de soumettre le nouveau-né à une surveillance cardiorespiratoire étroite. L'administration en bolus rapide peut causer un arrêt cardiaque.

inflammation oculaire découlant d'une infection à gonocoque ou à chlamydia contractée par le nouveau-né au moment de son passage dans le vagin. Le médicament utilisé à cette fin varie selon le protocole de l'hôpital; il s'agit habituellement d'érythromycine **ENCADRÉ 17.5**; les hôpitaux canadiens ont cessé de recommander l'utilisation du nitrate d'argent à cette fin en 1986 parce qu'il n'offre aucune protection contre l'infection à chlamydia et qu'il peut causer une conjonctivite chimique.

Les antibiotiques en application topique (comme l'érythromycine), le nitrate d'argent et la solution de povidone iodée 2,5 % sont inefficaces dans le traitement de la conjonctivite à chlamydia. Celle-ci peut être traitée par de l'érythromycine ou un sulfamide, en suspension orale, durant 14 jours (SCP, 2010).

Vitamine K en prophylaxie

L'administration intramusculaire (I.M.) de vitamine K est une mesure néonatale courante au Canada. Une dose de 0,5 mg à 1 mg de vitamine K est administrée par injection I.M. dans les six heures suivant la naissance afin de prévenir la maladie hémorragique du nouveau-né. L'injection peut être effectuée après que la mère a allaité pour la première fois dans la chambre de naissance ou l'unité d'accouchement (SCP, 2011a). La vitamine K est produite par les bactéries du tractus gastro-intestinal dès que la flore se forme. Au huitième jour, le nouveau-né en santé fabrique lui-même sa propre vitamine K **ENCADRÉ 17.6**.

Jugement clinique

Madame Carolanne Boisvert, âgée de 36 ans, a accouché par voie vaginale il y a environ 90 minutes d'une petite fille prénommée Lola. Le premier allaitement s'est bien déroulé. Vous constatez la présence du lien d'attachement parental qui se manifeste par des caresses et des paroles douces à l'intention du nouveau-né. Vous informez madame Boisvert que vous devez prodiguer quelques soins à Lola, tels que la prise de ses mesures, l'application de l'onguent ophtalmique et l'injection de la vitamine K.

Pourquoi lui administrerez-vous ces deux médicaments?

Soins du cordon ombilical

Le cordon est clampé immédiatement à la naissance. Le but des soins du cordon ombilical consiste à prévenir l'hémorragie et l'infection ou à en diminuer le risque. Le cordon ombilical est un milieu propice à la croissance bactérienne qui peut facilement devenir le siège d'une infection. Il faut enlever la pince lorsque le cordon s'est asséché et qu'il ne saigne plus, environ 24 heures après la naissance **FIGURE 17.3**.

Le protocole hospitalier précise la démarche de soins en ce qui a trait au cordon ombilical. Certains établissements recommandent la désinfection au moyen d'un agent antimicrobien comme la bacitracine ou la teinture à trois colorants, tandis que des experts préconisent l'utilisation d'alcool seulement, de savon et d'eau, d'eau stérile ou d'un dérivé iodé (povidone iodée) ou encore le séchage à l'air libre (cicatrisation naturelle). L'Association of Women's Health, Obstetric and Neonatal Nurses (AWHONN) recommande quant à elle le nettoyage de la plaie à l'eau stérile d'abord, puis à l'eau ordinaire (AWHONN, 2007). La teinture à trois colorants en application unique s'est révélée supérieure à l'alcool, à la povidone iodée ou à l'antibiotique topique pour ce qui est de réduire la colonisation ou l'infection; l'alcool prolonge le délai de séchage et de séparation du cordon (McConnell, Lee, Couillard & Sherril, 2004; Zupan, Garner & Omari, 2004). Dans de nombreux établissements québécois, le nettoyage à l'eau au moment du bain et le séchage à l'air libre sont préconisés.

Au changement de couche, il convient d'évaluer le cordon et l'ombilic afin de déceler un œdème, de la rougeur ou un écoulement purulent. Au besoin, l'infirmière nettoie le cordon et la peau de l'ombilic à l'aide de la préparation prescrite (p. ex.,

Pharmacothérapie

ENCADRÉ 17.5 **Prophylaxie oculaire: onguent ophtalmique d'érythromycine 0,5 %**

ACTION

Cet onguent antibiotique exerce un effet bactériostatique ou bactéricide, selon la sensibilité des agents pathogènes. Il offre une protection contre l'ophtalmie du nouveau-né.

INDICATION

La prévention de l'ophtalmie du nouveau-né dont la mère est atteinte de gonorrhée ou d'une infection à chlamydia.

POSOLOGIE NÉONATALE

Appliquer en un ruban de 1 à 2 cm dans le sac conjonctival inférieur de chaque œil.

EFFETS INDÉSIRABLES

Une conjonctivite chimique qui disparaît en 24 à 48 heures; une vision trouble temporaire.

INTERVENTIONS INFIRMIÈRES

- Administrer le médicament dans les deux heures suivant la naissance. Porter des gants non stériles. Nettoyer les yeux au préalable s'il y a lieu. Écarter doucement les paupières à l'aide du pouce et de l'index. Comprimer le tube et étendre l'onguent du canthus interne au canthus externe. Éviter le contact entre l'embout du tube et l'œil. Une minute après l'application, essuyer l'excédent de pommade. Surveiller les signes d'irritation. Décrire les modalités d'administration du traitement aux parents.
- La prophylaxie de l'ophtalmie du nouveau-né est une mesure fortement recommandée au Canada (SCP, 2010).

Pharmacothérapie

ENCADRÉ 17.6 **Vitamine K en prophylaxie : phytonadione**

ACTION

Apport de vitamine K au nouveau-né, car la flore intestinale, qui produit habituellement cette vitamine, est inexistante au cours de la première semaine de vie. La vitamine K favorise la formation des facteurs de coagulation (II, VII, IX et X) par le foie.

INDICATION

La prévention et le traitement de la maladie hémorragique du nouveau-né.

POSOLOGIE NÉONATALE

Administration I.M. d'une dose de 0,5 mg (poids de naissance de ≤ 1 500 g) à 1 mg (poids de naissance > 1 500 g) dans les six heures suivant la naissance ; une seconde dose peut être administrée en présence de signes ou d'un risque de saignement.

EFFETS INDÉSIRABLES

L'œdème, l'érythème et la douleur au site d'injection sont rares ; l'hémolyse, l'ictère et l'hyperbilirubinémie sont possibles, particulièrement chez le prématuré.

INTERVENTIONS INFIRMIÈRES

Porter des gants non stériles. Injecter le produit dans le milieu du muscle vaste externe à l'aide d'une seringue munie d'une aiguille de 1,5 cm de calibre 25. Nettoyer la peau au préalable à l'aide d'un tampon d'alcool et de chlorhexidine afin d'éliminer les microorganismes et de prévenir l'infection ; attendre une minute que l'alcool s'évapore. Immobiliser la jambe. Pincer le muscle entre le pouce et l'index. Insérer l'aiguille à un angle de 90° ; relâcher le muscle ; aspirer et, s'il n'y a pas de sang qui remonte dans la seringue, injecter le médicament lentement. Après avoir retiré l'aiguille, masser le site d'injection à l'aide d'un tampon sec pour favoriser l'absorption. Surveiller les signes de saignement du site d'injection.

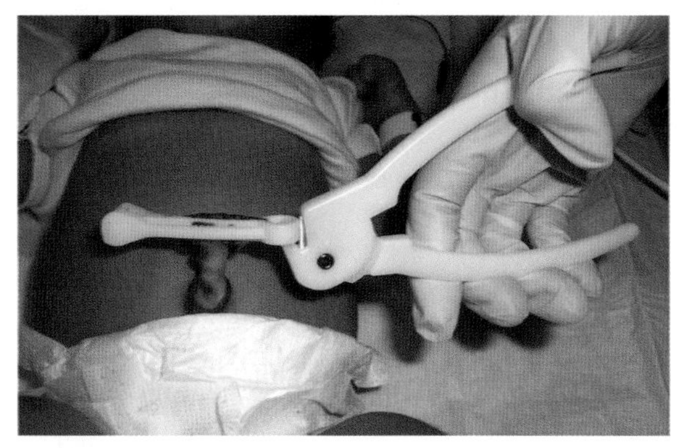

FIGURE 17.3
Enlèvement de la pince à l'aide d'un ciseau spécial lorsque le cordon est sec (environ 24 heures après la naissance).

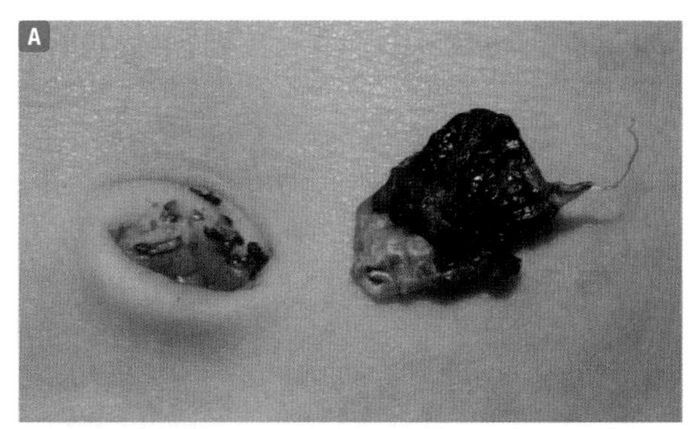

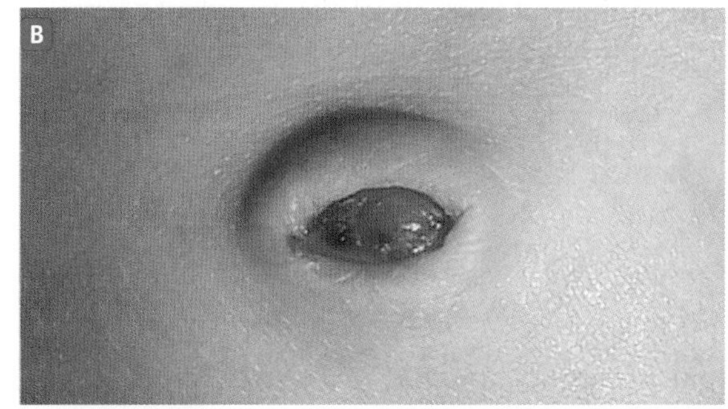

FIGURE 17.4
Chute du cordon ombilical. **A** Sang séché sur l'ombilic à la chute du cordon. **B** Début de la cicatrisation de l'ombilic.

de l'eau comme dans la plupart des établissements au Québec, de l'eau stérile, une solution d'érythromycine ou une teinture à trois colorants). Le cordon se désintègre comme de la gangrène sèche ; par conséquent, l'odeur à elle seule ne peut être une indication de l'omphalite (inflammation de la peau autour de l'ombilic). Plusieurs facteurs influent sur le délai de séparation, dont la nature des soins au cordon, les circonstances de la naissance et d'autres aspects périnataux. Ce délai est de 10 à 14 jours en moyenne. Au moment de la séparation, l'ombilic peut être recouvert de sang séché **FIGURE 17.4**.

Promotion de l'interaction entre les parents et le nouveau-né

Aujourd'hui, la pratique obstétricale tend à axer la démarche de soins sur la famille. En règle générale, les parents veulent partager ensemble l'expérience de la naissance et interagir avec leur enfant dès qu'il est né. Celui-ci peut être allaité peu après sa naissance. Le premier contact entre la mère et son nouveau-né est important dans la formation du lien d'attachement, et il

Jugement clinique

Julien est né par césarienne après 40 2/7 semaines de gestation il y a 12 heures. Comme sa température est stable, la démonstration du premier bain de Julien a été amorcée.

Outre les soins d'hygiène à apporter au cordon ombilical, quels seront les éléments d'information à transmettre aux parents en lien avec celui-ci ?

18

Les effets de l'allaitement sur le système immunitaire du nouveau-né sont expliqués dans le chapitre 18, *Nutrition et alimentation du nouveau-né.*

a également un effet favorable quant à la durée de l'allaitement. Par ailleurs, un premier contact mère-enfant dès la naissance produit des effets physiologiques bénéfiques. Les taux d'ocytocine et de prolactine de la mère augmentent, et la montée de lait s'amorce. Le nouveau-né acquiert peu à peu une immunité active grâce aux anticorps présents dans le colostrum ▶ 18.

SOINS ET TRAITEMENTS INFIRMIERS

De l'évaluation initiale au congé

Dans l'optique de soins périnataux centrés sur la famille, beaucoup d'hôpitaux favorisent la cohabitation et ont mis en place des variantes du modèle de soins en chambre de naissance où le nouveau-né demeure avec ses parents après sa naissance ou encore du modèle de soins intégrés voulant qu'une seule et même infirmière prodigue les soins à la mère et à son nouveau-né. En vertu de ces modèles, nombre d'interventions, dont la pesée et la prise des mesures (comme le périmètre crânien et la taille), l'application de l'onguent ophtalmique, l'administration de la vitamine K et l'examen physique, peuvent se dérouler dans la chambre de naissance. Dans un contexte de soins intégrés, l'infirmière doit posséder les compétences nécessaires à l'exercice de sa profession dans tous les secteurs de la périnatalité, à savoir les soins pernataux, néonataux et postnataux.

Lanugo : Poils très fins qui recouvrent l'ensemble du corps du fœtus entre la 12e et la 33e semaine de gestation.

Si un nouveau-né est transféré à la pouponnière, l'infirmière qui le reçoit vérifie son identité, veille à ce qu'il soit placé dans un environnement chaud et amorce le processus d'admission.

Évaluation

Évaluation de l'âge gestationnel

Comme la morbidité et la mortalité néonatales sont fortement liées à l'âge gestationnel et au poids à la naissance, l'évaluation de l'âge gestationnel est essentielle. L'échelle d'évaluation de l'âge gestationnel, dans sa version simplifiée, est un instrument de détermination de l'âge gestationnel d'usage courant (Ballard, Novak & Driver, 1979) **FIGURE 17.5**. Version abrégée de l'échelle Dubowitz, l'échelle de Ballard est utile dans la détermination de l'âge gestationnel allant de 35 à 42 semaines. Elle évalue six aspects physiques externes et six signes neuromusculaires. Chacun des signes ou aspects reçoit une note ; c'est la note totale qui détermine le stade de développement dans la période de la 26e à la 44e semaine de grossesse.

Le New Ballard Score, version révisée de l'échelle originale, peut être appliqué au prématuré, à compter de 20 semaines. L'échelle évalue les mêmes aspects physiques et signes neuromusculaires, mais elle comporte des notes de -1 et de -2 afin d'illustrer l'état du grand prématuré, notamment la fusion des paupières, le tissu mammaire imperceptible, la peau collante, friable et transparente, l'absence de **lanugo** et l'angle de flexion du poignet supérieur à 90° **FIGURE 17.5**. L'évaluation du prématuré de moins de 26 semaines devrait s'effectuer dans les 12 heures suivant sa naissance, alors que celui du prématuré de 26 semaines ou plus peut se faire dans les 96 heures suivant sa naissance. Par souci d'exactitude, les experts recommandent d'effectuer le premier examen dans les 48 premières heures de vie. Pour vérifier l'adaptation neuromusculaire du très grand prématuré, il est essentiel de procéder à un examen de suivi pour valider de nouveau les critères neuromusculaires. La version révisée de l'échelle Ballard surestime l'âge gestationnel de 2 à 4 jours chez le nouveau-né de moins de 37 semaines, particulièrement si son âge gestationnel se situe entre 32 et 37 semaines (Ballard *et al.*, 1991). L'**ENCADRÉ 17.7** énumère les gestes précis de l'évaluation de l'âge gestationnel.

Classification des nouveau-nés selon l'âge gestationnel et le poids à la naissance

La classification des nouveau-nés à la fois selon l'âge gestationnel et le poids à la naissance est beaucoup plus utile pour prévoir le risque de mortalité et encadrer la prise en charge du nouveau-né que l'emploi d'un seul de ces deux critères. Les données sur le poids à la naissance, la taille et le périmètre crânien sont représentées dans un graphique normalisé afin de les situer par rapport aux valeurs normales selon l'âge gestationnel. À chaque semaine gestationnelle correspond un intervalle de poids à la naissance **FIGURE 17.6**.

Les courbes de croissance intra-utérine de Battaglia et Lubchenco (1967) permettent de classer les nouveau-nés en fonction de leur poids à la naissance et de leur âge gestationnel. D'autres graphiques de croissance intra-utérine apparus depuis lors tiennent compte d'une plus grande variété de cas. Les principaux graphiques de croissance intra-utérine faisant office de points de repère sont ceux d'Alexander, Himes, Kaufman, Mor et Kogan (1996), représentatifs de plus de 3,1 millions de naissances vivantes aux États-Unis, ceux de Thomas, Peabody, Turnier et Clark (2000), ceux d'Arbuckle, Wilkins et Sherman (1993), aux États-Unis, ainsi que ceux de Kramer et de ses collaborateurs (2001), qui illustrent la croissance intra-utérine dans le contexte canadien. Thomas et ses collaborateurs concluent que la croissance intra-utérine, déterminée selon le périmètre crânien, le poids à la naissance et la taille, varie en fonction de l'origine ethnique et du sexe. Contrairement à

A

	−1	0	1	2	3	4	5
Posture							
Flexion du poignet	> 90°	90°	60°	45°	30°	0°	
Repli des bras		180°	140°-180°	110°-140°	90°-110°	< 90°	
Angle poplité	180°	160°	140°	120°	100°	90°	< 90°
Signe de l'écharpe							
Talon à l'oreille							

B

	−1	0	1	2	3	4	5
Peau	Poisseuse, friable, transparente	Rouge gélatineux, translucide	Rose lisse, veines visibles	Desquamation superficielle ou éruption cutanée, quelques veines	Fissures, plaques pâles, veines rares	Apparence de parchemin, fissuration profonde, pas de vaisseaux sanguins	Plissée, fissurée, ridée
Lanugo	Aucun	Minime	Abondant	Aminci	Plaques glabres	Glabre presque partout	
Plante des pieds	Talon-orteil : 40-50 mm : −1 < 40 mm : −2	> 50 mm, lisse	Légères marques rouges	Pli transverse antérieur seulement	Plis aux 2/3 antérieurs	Plis sur toute la plante du pied	
Seins	Imperceptibles	À peine perceptibles	Aréole plane, pas de mamelon	Aréole d'aspect pointillé, mamelon de 1-2 mm	Aréole surélevée, mamelon de 3-4 mm	Aréole épanouie, mamelon de 5-10 mm	
Yeux et oreilles	Fusion des paupières : lâche : −1 étroite : −2	Paupières ouvertes, pavillon plan, replié	Pavillon légèrement recourbé ; mou ; recul lent	Pavillon bien courbé ; recul accentué	Recul instantané et ferme	Cartilage épais, oreille ferme	
Organes génitaux (garçon)	Scrotum plat, mou	Scrotum plein, légère ligne médiane	Testicules dans le canal supérieur, ligne médiane à peine présente	Descente des testicules, ligne médiane estompée	Testicules descendus bonne ligne médiane	Testicules pendent, ligne médiane profonde	
Organes génitaux (fille)	Clitoris proéminent, lèvres minces	Clitoris proéminent, petites lèvres peu développées	Clitoris proéminent, grossissement des petites lèvres	Petites lèvres et grandes lèvres à égalité	Grandes lèvres plus grosses que petites lèvres	Grandes lèvres recouvrent clitoris et petites lèvres	

C

Note	Semaines
−10	20
−5	22
0	24
5	26
10	28
15	30
20	32
25	34
30	36
35	38
40	40
45	42
50	44

FIGURE 17.5

Estimation de l'âge gestationnel selon la nouvelle échelle Ballard de cotation du développement du nouveau-né. **A** Développement neuromusculaire. **B** Développement physique. **C** Notation. La version révisée de l'échelle évalue également le très grand prématuré, et elle est plus exacte pour l'évaluation des autres nouveau-nés.

d'autres auteurs, ces chercheurs constatent que l'altitude ne semble pas exercer d'influence notable sur le poids à la naissance. Une étude américaine révèle que le poids à la naissance, la taille et le périmètre crânien des nouveau-nés d'origine asiatique et latino-américaine sont inférieurs à la valeur moyenne de ces aspects des nouveau-nés blancs (Madan, Holland, Humbert & Benitz, 2002). Par

ENCADRÉ 17.7 Gestes de l'évaluation de l'âge gestationnel

POSTURE

Le nouveau-né calme et positionné en décubitus dorsal, observer le degré de flexion des bras et des jambes. Le tonus musculaire et le degré de flexion augmentent avec l'âge gestationnel. Accorder la note 4 à la pleine flexion des bras et des jambes[a].

FLEXION DU POIGNET

Le pouce de l'infirmière est appuyé sur la surface extérieure du bras au-dessous du poignet, et une délicate pression de l'index et du majeur est appliquée sur le dos de la main, le poignet du nouveau-né demeurant immobile. Mesurer l'angle formé par la base du pouce et l'avant-bras. Accorder la note 4 à la pleine flexion (main à plat, avant-bras sur sa surface ventrale)[a].

REPLI DES BRAS

Le nouveau-né en décubitus dorsal, replier ses avant-bras sur ses bras et maintenir ainsi durant cinq secondes ; déplier les avant-bras jusqu'à extension complète et libérer les bras d'un coup. Noter la rapidité et l'intensité du repli des bras en flexion. Accorder la note 4 au repli brusque[a].

ANGLE POPLITÉ

Le nouveau-né en décubitus dorsal, le bassin à plat sur une surface ferme, lui fléchir le genou, puis rapprocher la cuisse de l'abdomen. En tenant le genou entre le pouce et l'index, étendre la jambe avec l'autre index. Mesurer l'angle postérieur du genou (creux poplité). Accorder la note 5 à l'angle inférieur à 90°[a].

SIGNE DE L'ÉCHARPE

Le nouveau-né en décubitus dorsal, lui soutenir la tête dans l'alignement du corps d'une main et, de l'autre, tirer un bras du nouveau-né en direction de l'épaule opposée jusqu'à ce que sa main touche l'épaule. Noter la position du coude par rapport au milieu du corps. Accorder la note 4 lorsque le coude ne se rend pas jusqu'à la ligne médiane[a].

TALON À L'OREILLE

Le nouveau-né en décubitus dorsal, le bassin à plat sur une surface ferme, rapprocher un de ses talons le plus près possible de l'oreille du même côté. Noter la distance entre le pied et l'oreille et le degré de flexion du genou (même angle que l'angle poplité). Accorder la note 4 lorsque l'angle poplité est inférieur à 10°[a].

[a] La **FIGURE 17.5** illustre l'échelle et l'interprétation des notes.
Source : Adapté de Hockenberry & Wilson (2007).

ailleurs, quelques études canadiennes révèlent que le poids à la naissance des nouveau-nés amérindiens est supérieur à celui des nouveau-nés blancs, mais pas la taille ni le périmètre crânien (Munroe, Shah, Badgley & Bain, 1984). L'infirmière doit s'en remettre au graphique de croissance intra-utérine le plus récent, applicable à la population de nouveau-nés de référence, particulièrement en cas de naissances multiples.

L'on peut présumer que le nouveau-né dont le poids est approprié pour son âge gestationnel (du 10e au 90e centile) s'est développé à un rythme normal, quelle que soit la durée de la grossesse (accouchement prématuré, à terme ou post-terme). De même, le nouveau-né de poids élevé pour son âge gestationnel (supérieur au 90e centile) a probablement connu une croissance intra-utérine accélérée. Par ailleurs, le nouveau-né de faible poids pour son âge gestationnel à la naissance (inférieur au 10e centile) a probablement vécu une croissance limitée par une multitude de facteurs au cours de sa vie fœtale. Si l'âge gestationnel est déterminé à l'aide de l'échelle Ballard, le nouveau-né se rangera dans l'une ou l'autre des neuf catégories issues de la combinaison des critères suivants : il sera issu d'une naissance à terme, prématurée ou post-terme et possédera un poids approprié à son âge gestationnel, un faible poids pour son âge gestationnel ou un poids élevé pour son âge gestationnel. Il existe aussi un lien entre le poids à la naissance et la mortalité : plus le poids à la naissance est bas, plus la mortalité est élevée. Il en va de même pour l'âge gestationnel : plus l'âge gestationnel est bas, plus la mortalité est élevée (Stoll, 2007).

Selon la durée de la grossesse, le nouveau-né sera qualifié de :

- né avant terme ou prématuré, c'est-à-dire né avant la fin de la 37e semaine de grossesse, sans égard à son poids à la naissance ;
- peu prématuré (proche du terme), c'est-à-dire né dans la période allant de 34 0/7 semaines à 36 6/7 semaines de grossesse ;
- né à terme, c'est-à-dire né dans la période allant du début de la 38e semaine à la fin de la 42e semaine de grossesse (entre 37 0/7 et 41 6/7 semaines) ;
- né post-terme, c'est-à-dire né après la fin de la 42e semaine de grossesse ;
- postmature, c'est-à-dire né après 42 semaines de grossesse et qui affiche des signes de l'effet de l'insuffisance placentaire progressive.

Prématurité tardive

Ces dernières années, la prématurité tardive a fait l'objet d'une attention particulière. Dans bien des cas, le peu prématuré est de la taille et du poids du nouveau-né à terme, et sa prise en charge immédiate ainsi qu'à la pouponnière peut être la même que celle du nouveau-né en santé. Cependant, chez le peu prématuré, né entre 34 0/7 semaines et 36 6/7 semaines de grossesse, certains facteurs de risque découlant de son immaturité physiologique doivent être pris en compte par l'infirmière (Bakewell-Sachs, 2007 ; Engle, Jackson, Sendelbach, Manning & Frawley, 2007). Parmi ces

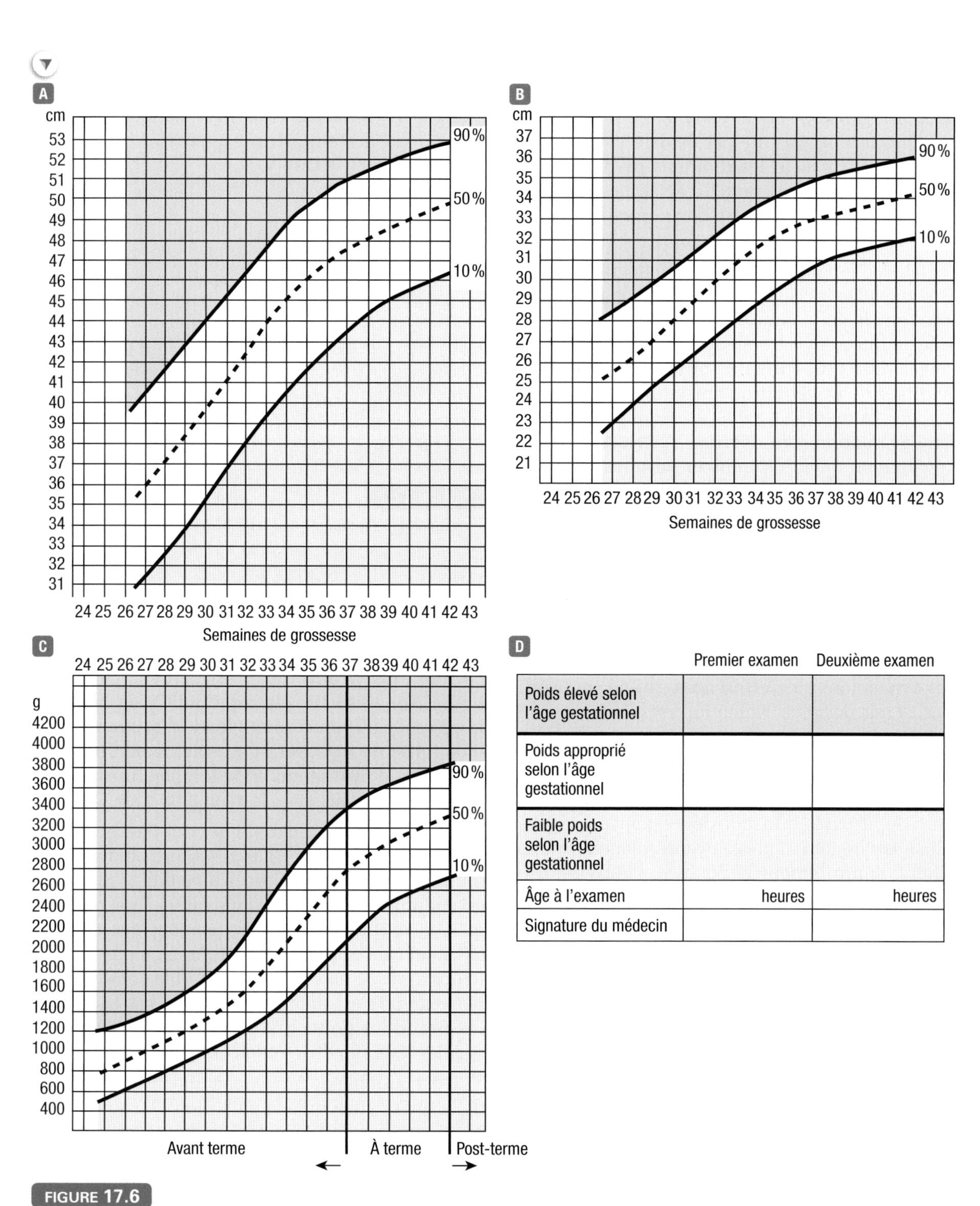

	Premier examen	Deuxième examen
Poids élevé selon l'âge gestationnel		
Poids approprié selon l'âge gestationnel		
Faible poids selon l'âge gestationnel		
Âge à l'examen	heures	heures
Signature du médecin		

FIGURE 17.6
Classification des nouveau-nés selon le développement et la croissance intra-utérine : centiles du poids à la naissance établis d'après des naissances vivantes d'âge gestationnel allant de 24 à 44 semaines de grossesse. A Taille en centimètres. B Périmètre crânien en centimètres. C Poids en grammes. D Résultats.

facteurs figurent la tendance à la détresse respiratoire, l'instabilité thermique, l'hypoglycémie, l'apnée, des difficultés à s'alimenter et l'hyperbilirubinémie. L'infirmière exerçant dans le domaine de la périnatalité se doit de connaître ces facteurs de risque et d'être à l'affût de l'apparition de problèmes liés à l'immaturité du peu prématuré (Whyte, 2010) ▶ 24.

Évaluation physique

L'évaluation du nouveau-né doit se faire de manière systématique, en évaluant et en vérifiant chacun des systèmes. Les experts recommandent de procéder en deux étapes, en faisant d'abord l'examen des caractéristiques qui dérangent le moins le nouveau-né (p. ex., l'observation de la coloration générale et de la posture, l'auscultation des bruits

24

La démarche de soins auprès du peu prématuré ainsi que les blessures potentielles causées par certaines techniques d'accouchement sont abordées dans le chapitre 24, *Nouveau-né à risque*.

cardiaques et respiratoires), puis en procédant selon une méthode allant de la tête aux pieds une fois que le nouveau-né est éveillé et actif. Les constats fournissent les données permettant de mettre en œuvre la démarche de soins auprès du nouveau-né et de fournir des conseils d'ordre préventif aux parents.

L'évaluation physique complète devrait être réalisée dans les 24 heures qui suivent la naissance, après que la température du nouveau-né est stabilisée ou lorsqu'il se trouve sous une lampe à infrarouges. Elle doit être faite en tenant compte des résultats de l'évaluation initiale, dont l'indice d'Apgar **TABLEAU 17.2**. Les directives concernant cette évaluation sont décrites à l'**ENCADRÉ 17.8**. L'évaluation devrait s'amorcer par une revue des antécédents maternels et des dossiers prénatal et périnatal, qui fourniront les renseignements permettant la reconnaissance de tout problème de santé éventuel. Cette évaluation porte aussi sur l'aspect général du nouveau-né, son comportement, la valeur de ses signes vitaux et sur les interactions mère-enfant. Toute variation par rapport à la normale et tout constat anormal sont aussi consignés. Des évaluations suivies du nouveau-né sont réalisées, et une dernière évaluation est effectuée avant son congé.

Vidéo

Visionnez la vidéo *Bruits cardiaques* à l'adresse www.cheneliere.ca/lowdermilk.

Vidéo

Visionnez la vidéo *Mesures du poids et de la taille du nouveau-né* au www.cheneliere.ca/lowdermilk.

16

Certains des constats possibles de l'évaluation physique du nouveau-né de la tête aux pieds sont décrits et illustrés dans le chapitre 16, *Adaptations physiologiques et comportementales du nouveau-né*.

Apparence générale

Il est possible d'estimer le degré de maturité du nouveau-né par l'évaluation de son apparence générale. Les caractéristiques à évaluer dans l'examen général comprennent la posture, l'activité, tout signe manifeste d'anomalies qui pourraient causer une détresse initiale, la présence d'ecchymoses ou d'autres conséquences de l'accouchement et l'état de vigilance **TABLEAU 17.4**. Au repos, le nouveau-né adopte normalement une position de flexion physiologique **FIGURE 17.7**.

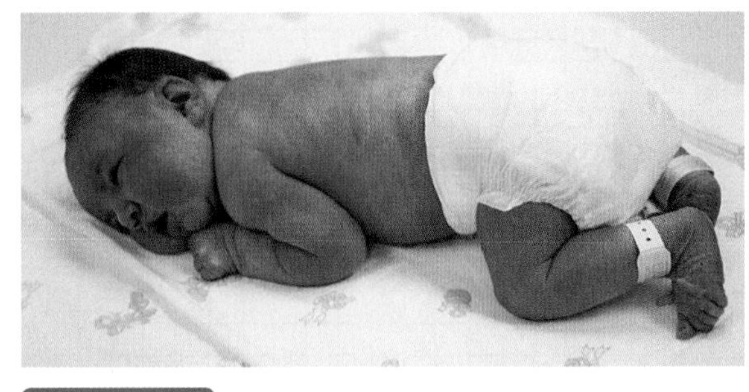

FIGURE 17.7
Position de flexion du nouveau-né éveillé en décubitus ventral

ENCADRÉ 17.8 Directives concernant l'évaluation physique du nouveau-né

- Effectuer l'évaluation dans un endroit normothermique exempt de stimulation.
- Veiller à ce que l'équipement et les fournitures soient fonctionnels et accessibles.
- Ne découvrir le nouveau-né que dans les seules parties du corps à examiner afin d'empêcher la déperdition de chaleur.
- Procéder de façon ordonnée (habituellement de la tête aux pieds) en tenant compte de ce qui suit :
  - commencer par ce qui doit être fait dans le calme, notamment l'observation de la respiration, de la position, de la coloration de la peau, du tonus musculaire et de l'état général ;
  - ausculter ensuite les poumons, le cœur et l'abdomen ;
  - poser en dernier les gestes incommodants telle la vérification des réflexes ;
  - déterminer le périmètre crânien et la taille au même moment afin de comparer les mesures[a].
- Procéder avec rapidité pour éviter d'imposer un stress indu au nouveau-né.
- Réconforter le nouveau-né durant et après l'examen ; faire participer le parent comme suit :
  - parler doucement ;
  - maintenir les mains du nouveau-né contre sa poitrine ;
  - emmailloter le nouveau-né et le tenir dans ses bras ;
  - lui proposer une suce (sucette d'amusement) ou un doigt ganté à sucer.

[a] Le poids, la taille et le périmètre crânien d'un nouveau-né devraient tous être près du même centile.

Signes vitaux

La température, la F.C. et la F.R. sont toujours évaluées. La P.A. n'est pas évaluée à moins de soupçonner des problèmes cardiaques. Une F.C. irrégulière, très lente ou très rapide, peut indiquer la nécessité d'évaluer plus à fond l'état circulatoire, y compris de mesurer la pression sanguine. Les modalités d'évaluation de la température et de la F.R. sont abordées dans le **TABLEAU 17.4**.

C'est le pouls apical qui devrait être pris chez tous les nouveau-nés. L'auscultation doit durer une minute entière, de préférence quand le nouveau-né est endormi ou en état de veille calme. Il est possible qu'il doive être tenu ou apaisé pendant la mesure. La F.C. peut varier de 80 à 170 batt./min ou plus peu de temps après la naissance et, quand la condition du nouveau-né s'est stabilisée, de 120 à 140 batt./min. On prend les pouls brachiaux et fémoraux pour vérifier leur symétrie et leur force.

Il est possible de procéder à une mesure de base de la SpO_2, ainsi qu'à la palpation des pouls périphériques (brachial, fémoral, pédieux) avant que le nouveau-né obtienne son congé de l'établissement de naissance, en particulier si une anomalie cardiaque congénitale est soupçonnée.

Mesures de base de la croissance physique

Des mesures de base sont prises et consignées pour aider à évaluer les progrès et à déterminer les modalités de la croissance du nouveau-né. Ces mesures peuvent être enregistrées sur des courbes de croissance.

Évaluation physique de la tête aux pieds

L'évaluation systématique doit se faire de façon méthodique et dans les 24 premières heures de vie du nouveau-né lorsqu'il est stable. Par exemple, en procédant de la tête aux pieds, l'infirmière s'assure que l'évaluation est complète **TABLEAU 17.5** ▶ 16.

TABLEAU 17.4	Évaluation physique du nouveau-né : apparence, signes vitaux et mesures de base		
RÉGION ÉVALUÉE ET PROCÉDURE D'ÉVALUATION	**OBSERVATIONS NORMALES**		**ÉCARTS PAR RAPPORT AUX RÉSULTATS NORMAUX : PROBLÈMES POSSIBLES (ÉTIOLOGIE)**
	RÉSULTATS NORMAUX	**VARIATIONS NORMALES**	
Posture			
• Examiner le nouveau-né avant de le déranger pour l'évaluation. • Consulter le dossier de la mère pour connaître la présentation du fœtus, sa position et le type d'accouchement (vaginal, chirurgical), puisque le nouveau-né adopte facilement la même position qu'il avait dans l'utérus.	• Tête, bras et jambes en flexion modérée ; poings fermés • Résistance à laisser déplier ses membres pour l'examen ou les mesures, pleurs possibles à l'occasion des tentatives • Fin des pleurs lorsqu'on lui permet de reprendre la position fœtale groupée (latérale) • Mouvements spontanés normaux asynchrones bilatéralement (les jambes se déplacent en pédalant), mais extension égale de tous les membres	• Siège décomplété : jambes plus droites et raides, nouveau-né adoptant au repos la position intra-utérine pendant quelques jours • Asymétrie faciale temporaire ou résistance des membres à l'extension attribuables à une pression prénatale sur un membre ou une épaule	• Hypotonie, posture relâchée lorsqu'éveillé (prématurité ou hypoxie intra-utérine, médication maternelle, trouble neuromusculaire telle l'amyotrophie spinale) • Hypertonie (chimiodépendance, trouble du SNC) • Limitation des mouvements d'un membre
Signes vitaux			
F.C. et pouls			
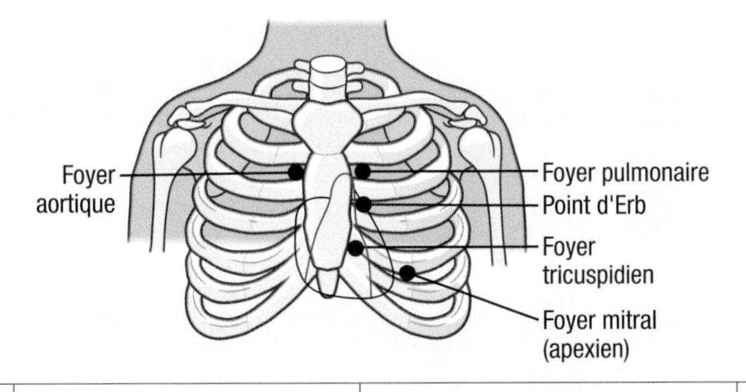			
• Thorax (poitrine) • Inspection – Palpation – Auscultation > Apex : valve bicuspide > Deuxième espace intercostal, à gauche du sternum : valve du tronc pulmonaire > Deuxième espace intercostal, à droite du sternum : valve de l'aorte > Jonction du processus xiphoïde et du sternum : valve tricuspide	• Pulsations visibles dans le 5e espace intercostal, sur la ligne médioclaviculaire gauche • Pouls apical, 4e espace intercostal 100-160 batt./min • Qualité : B1 (fermeture des valves bicuspide et tricuspide) et B2 (fermeture des valves de l'aorte et du tronc pulmonaire) secs et clairs	• De 80 à 100 batt./min (sommeil) à 180 batt./min (pleurs) ; parfois irrégulier pour de courtes périodes, surtout après les pleurs • Souffle, en particulier au-dessus de la base ou dans le 3e ou le 4e espace intercostal près du bord sternal gauche (foramen ovale, dont la fermeture anatomique survient à l'âge approximatif de un an)	• Tachycardie : persistante, ≥ 180 batt./min (syndrome de détresse respiratoire ; pneumonie) • Bradycardie : persistante, ≤ 80 batt./min (bloc cardiaque congénital, lupus maternel) • Souffle (peut-être fonctionnel) • Arythmies : rythme irrégulier • Bruits – Distant (pneumopéricarde) – Mauvaise qualité – Surajouté • Cœur du côté droit du thorax (dextrocardie, souvent accompagnée de l'inversion des intestins)
• Pouls périphériques : artères fémorale, brachiale, poplitée, tibiale postérieure	• Pouls périphériques égaux et forts		• Pouls périphériques faibles ou absents (débit cardiaque réduit, thrombus, possibilité de coarctation de l'aorte s'ils sont faibles à gauche et forts à droite) • Pouls bondissant

TABLEAU 17.4 Évaluation physique du nouveau-né : apparence, signes vitaux et mesures de base *(suite)*

RÉGION ÉVALUÉE ET PROCÉDURE D'ÉVALUATION	OBSERVATIONS NORMALES		ÉCARTS PAR RAPPORT AUX RÉSULTATS NORMAUX : PROBLÈMES POSSIBLES (ÉTIOLOGIE)
	RÉSULTATS NORMAUX	VARIATIONS NORMALES	
Température			
• Axillaire : méthode de choix pour détecter une fièvre. Si une fièvre est détectée par cette méthode, la SCP recommande de prendre la température par voie rectale pour une lecture plus fiable (Leduc & Woods, 2011). • Rectale • Les thermomètres temporal et auriculaire ne sont pas efficaces pour mesurer la température du nouveau-né.	• Température axillaire : 37 °C • Température stabilisée de 8 à 10 h après la naissance	• Température axillaire : 36,5-37,2 °C • Température rectale : 36,6-38 °C • Pertes de chaleur : par évaporation, conduction, convection, rayonnement	• Sous la normale (naissance prématurée, infection, température ambiante basse, habillement insuffisant, déshydratation) • Élevée (infection, température ambiante élevée, habillement excessif, proximité d'un appareil de chauffage ou exposition directe au soleil, chimiodépendance, diarrhée et déshydratation) • Température non stabilisée de 6 à 8 h après la naissance (si la mère a reçu du sulfate de magnésium, le nouveau-né est moins capable de conserver sa chaleur grâce à la vasoconstriction ; les analgésiques maternels réduisent peut-être la stabilité thermique du nouveau-né)
Fréquence et effort respiratoires			
• Observer les respirations quand le nouveau-né est au repos. • Compter les respirations pendant une minute entière (en observant ou en touchant doucement l'abdomen). • Guetter les bruits audibles sans stéthoscope. • Observer l'effort respiratoire. • Observer la symétrie des mouvements thoraciques.	• 40 R/min • Tendance à être superficielle et irrégulière quant à la fréquence, au rythme et à la profondeur quand le nouveau-né est éveillé • Des crépitants peuvent s'entendre après la naissance • Pas de bruits adventices audibles à l'inspiration et à l'expiration • Bruits respiratoires bronchiques : forts, clairs	• 30-60 R/min • Courts épisodes de respiration périodique et pas de signe de détresse respiratoire ou d'apnée (> 20 sec.) ; respiration périodique • Première période de réactivité : 50-60 R/min • Deuxième période (50-70 R/min) • Stabilisation (1-2 jours) : 30-40 R/min • Crépitants (légers)	• Épisodes apnéiques : > 20 sec. (prématuré : réchauffement ou refroidissement rapide du nouveau-né ; instabilité du SNC ou du glucose sanguin) • Bradypnée : < 25/min (narcose maternelle due aux analgésiques ou aux anesthésiques, trauma de la naissance) • Tachypnée : > 60 R/min (syndrome de détresse respiratoire, tachypnée transitoire du nouveau-né, hernie diaphragmatique congénitale • Bruits respiratoires – Crépitants (accusés), ronchi, respiration sifflante – Geignements expiratoires (rétrécissement des bronches) – Détresse indiquée par le battement des ailes du nez, des geignements expiratoires, des rétractions et une respiration laborieuse – Stridor (occlusion des voies respiratoires supérieures)
Pression artérielle (P.A.)			
• Pas prise de routine pour le nouveau-né bien portant né à terme • Pour une prise de la P.A. à l'artère brachiale, prendre la mesure à mi-chemin entre l'épaule et le coude. • Utiliser un moniteur oscillométrique calibré pour les pressions néonatales. – Vérifier le brassard du tensiomètre oscillométrique : la largeur du brassard influence les lectures ; utiliser un brassard de la bonne taille, c'est-à-dire dont la largeur du brassard équivaut à 40 % de la circonférence du bras et dont la longueur de la vessie du brassard occupe de 80 à 100 % de la circonférence du bras (Howlin & Brenner, 2010). – Prendre la mesure au repos, pour plus de précision.	• 80-90/40-50 mm Hg (étendue approximative) • À la naissance – Systolique : 60-80 mm Hg – Diastolique : 40-50 mm Hg • À 10 jours – Systolique : 95-100 mm Hg – Diastolique : 45-75 mm Hg	• Variation selon le niveau d'activité : veille, pleurs, sommeil	• Différence de pression entre le membre supérieur et le membre inférieur (coarctation de l'aorte) • Hypotension (septicémie, hypovolémie) • Hypertension (coarctation de l'aorte, atteinte rénale, thrombus)

TABLEAU 17.4	Évaluation physique du nouveau-né : apparence, signes vitaux et mesures de base *(suite)*		
RÉGION ÉVALUÉE ET PROCÉDURE D'ÉVALUATION	**OBSERVATIONS NORMALES**		**ÉCARTS PAR RAPPORT AUX RÉSULTATS NORMAUX : PROBLÈMES POSSIBLES (ÉTIOLOGIE)**
	RÉSULTATS NORMAUX	**VARIATIONS NORMALES**	
Poids[a]			
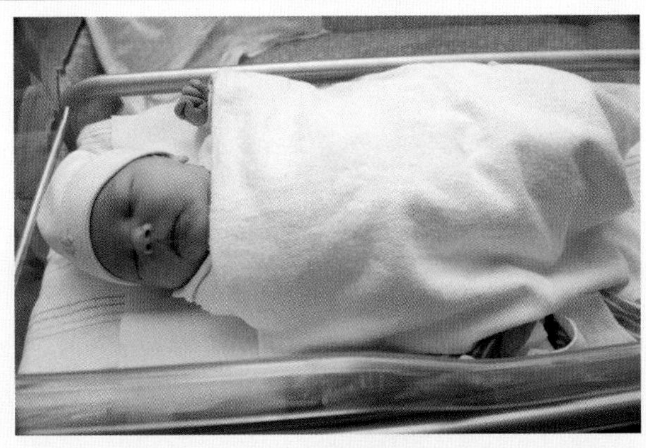 Nouveau-né nu et emmailloté en position fœtale. L'infirmière lui retirera son bonnet au moment de la pesée. La couverture a été préalablement pesée.			
• Placer une serviette ou une couverture sur le pèse-bébé et ajuster celui-ci à 0 g. Peser une autre couverture et en noter le poids. Emmailloter le nouveau-né nu en position fœtale pour qu'il se sente en sécurité et au chaud. Peser doucement le nouveau-né emmailloté et soustraire le poids de la couverture dans laquelle il est emmailloté. (Martel & Milette, 2006). • Peser le nouveau-né au même moment chaque jour. • Protéger le nouveau-né contre les pertes de chaleur.	• Fille : 3 400 g • Garçon : 3 500 g • Retour au poids de naissance dans les deux premières semaines	• 2 500-4 000 g • Perte pondérale acceptable : 10 % ou moins dans les 3 à 5 premiers jours • Chez la même mère, un deuxième enfant est souvent plus lourd que le premier (en moyenne)	• Poids ≤ 2 500 g (prématurité, poids de naissance bas pour l'âge gestationnel, trisomies 13, 21 ou 18, syndrome de Turner, nouveau-né infecté d'une maladie congénitale virale) • Poids ≥ 4 000 g (poids de naissance élevé pour l'âge gestationnel, diabète maternel, trait héréditaire) • Perte pondérale > 10-15 % (insuffisance de croissance, déshydratation) ; vérifier le succès de l'allaitement
Taille			
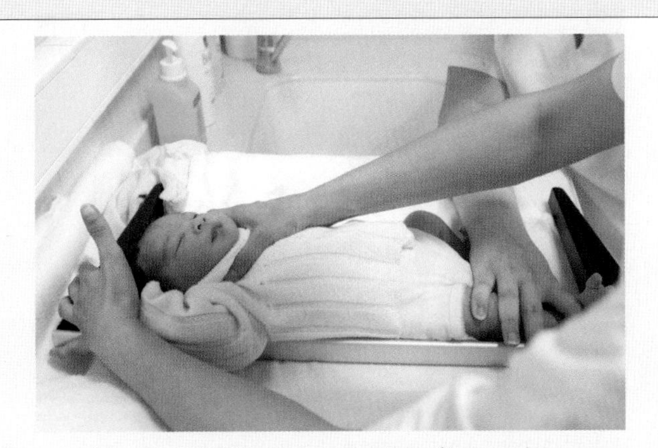 Mesure de la taille, du sommet de la tête aux talons.			
• Mesurer la taille du sommet de la tête aux talons ; le modelage de la tête et l'extension incomplète des genoux rendent difficile la mesure de la taille des nouveau-nés à terme. • Pour déterminer la longueur totale, inclure la longueur des jambes. Porter des gants non stériles si les mesures sont prises avant le premier bain du nouveau-né.	• 50 cm	• 45-55 cm	• < 45 cm ou > 55 cm (anomalie chromosomique, trait héréditaire) ; certains syndromes s'accompagnent de membres plus courts que la moyenne (dysplasies squelettiques, achondroplasie)

TABLEAU 17.4 Évaluation physique du nouveau-né : apparence, signes vitaux et mesures de base *(suite)*			
RÉGION ÉVALUÉE ET PROCÉDURE D'ÉVALUATION	**OBSERVATIONS NORMALES**		**ÉCARTS PAR RAPPORT AUX RÉSULTATS NORMAUX : PROBLÈMES POSSIBLES (ÉTIOLOGIE)**
	RÉSULTATS NORMAUX	**VARIATIONS NORMALES**	
Périmètre crânien			
	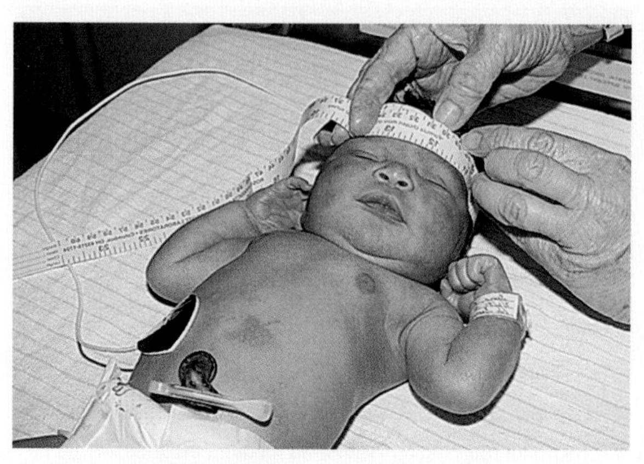 Mesure du périmètre crânien		
• Mesurer la tête à son plus grand diamètre : la circonférence occipito-frontale. • Il peut être nécessaire de reprendre la mesure le deuxième ou le troisième jour, après la résolution du modelage ou d'une bosse sérosanguine.	• 33-35 cm • La circonférence est à peu près la même (ou environ 2 cm de plus) que celle du thorax pendant 1 ou 2 jours après la naissance ; on mesure rarement le périmètre thoracique de façon systématique	• 32-36,8 cm	• Microcéphalie, tête ≤ 32 cm (rubéole maternelle, toxoplasmose, cytomégalovirus, soudure des sutures crâniennes [craniosynostose]) • Hydrocéphalie : sutures largement séparées, périmètre crânien supérieur au périmètre thoracique ≥ 4 cm (infection) • Augmentation de la pression intracrânienne (hémorragie, lésion volumineuse)
Périmètre thoracique			
	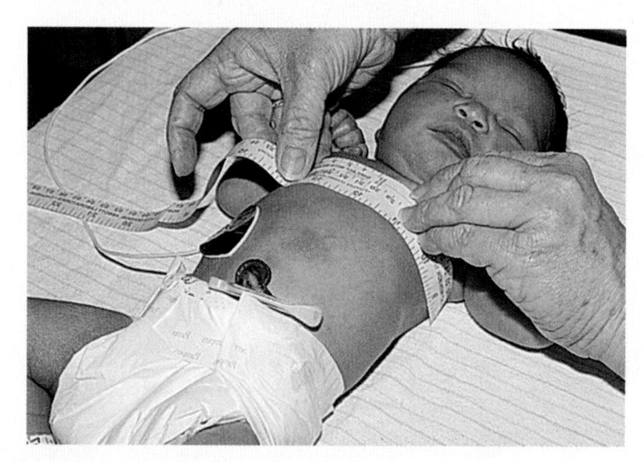 Mesure du périmètre thoracique		
• Mesurer au niveau des mamelons.	• 2-3 cm de moins que le périmètre crânien ; 30-33 cm en moyenne	• ≤ 30 cm	• Prématurité
Peau			
• Observer la coloration. • Inspecter et palper.	• Habituellement rose	• Marbrure • Syndrome d'Arlequin	• Rouge sombre (prématurité, polycythémie) • Grise (hypotension, mauvaise irrigation sanguine)

TABLEAU 17.4 Évaluation physique du nouveau-né : apparence, signes vitaux et mesures de base *(suite)*

RÉGION ÉVALUÉE ET PROCÉDURE D'ÉVALUATION	OBSERVATIONS NORMALES		ÉCARTS PAR RAPPORT AUX RÉSULTATS NORMAUX : PROBLÈMES POSSIBLES (ÉTIOLOGIE)
	RÉSULTATS NORMAUX	VARIATIONS NORMALES	
• Inspecter le nouveau-né à demi-nu dans un endroit chaud et sans courant d'air, bien éclairé, de préférence à la lumière du jour. • Examiner le nouveau-né alors qu'il est calme et éveillé.	• Varie selon l'origine ethnique ; la pigmentation de la peau commence à devenir plus profonde tout de suite après la naissance dans la couche basale de l'épiderme • Acrocyanose fréquente après la naissance	• Pléthore • Tache saumonée • Érythème toxique du nouveau-né • Milium • Pétéchies sur la zone de présentation • Ecchymoses causées par les forceps sur la tête (présentation du sommet) ou sur les fesses, les organes génitaux et les jambes (présentation du siège)	• Pâleur (problème cardiovasculaire, lésion du SNC, dyscrasie sanguine, perte de sang, transfusion de jumeau à jumeau, infection • Cyanose (hypothermie, infection, hypoglycémie, maladie cardiopulmonaire, malformations neurologiques ou respiratoires) • Pétéchies généralisées (déficience d'un facteur de coagulation, infection) • Ecchymoses généralisées (maladie hémorragique)
• Vérifier s'il y a un ictère.	• Aucun à la naissance	• Ictère physiologique chez jusqu'à 60 % des nouveau-nés à terme dans la 1re semaine de vie	• Ictère pendant les 24 premières heures (hémolyse accrue, iso-immunisation Rh, incompatibilité ABO)
• Rechercher les nævus et les contusions : inspecter et palper pour en noter la localisation, la taille, la répartition, les caractéristiques, la couleur et s'il y a obstruction des voies respiratoires ou de la cavité buccale.		• Tache mongolique chez les nouveau-nés noirs, asiatiques, inuits, amérindiens, latino-américains, méditerranéens et originaires du Sud-Est asiatique	• Hémangiomes • *Nævus flammeus* : tache de vin • Nævus vasculaire : angiome tubéreux • Angiome caverneux
• Vérifier l'état de la peau : examiner et palper pour en observer l'intégrité, le caractère lisse, la texture, l'œdème, les points de pression si le nouveau-né est malade et immobilisé.	• Limité à l'œdème des paupières (à cause de la prophylaxie oculaire) • Opacité : quelques gros vaisseaux sanguins indistinctement visibles sur l'abdomen	• Légèrement épaisse ; gerçures superficielles, desquamation, en particulier sur les mains et les pieds • Pas de vaisseaux sanguins visibles, quelques gros vaisseaux clairement visibles sur l'abdomen • Quelques égratignures d'ongles	• Œdème sur les mains, les pieds ; tibia gardant la dépression du doigt (godet) ; périorbitaire (surhydratation, anasarque) • Texture fine, lisse ou d'épaisseur moyenne ; éruption ou desquamation superficielle visible (prématurité, postmaturité) • Nombreux vaisseaux très visibles sur l'abdomen (prématurité) • Texture épaisse, parcheminée ; gerçures, desquamation (postmaturité) • Lambeaux de peau, palmure • Papules, pustules, vésicules, ulcères, macération (impétigo, candidose, herpès, érythème fessier)
• Peser le nouveau-né régulièrement. • Inspecter et palper – Pincer doucement la peau de l'abdomen et de l'intérieur de la cuisse entre le pouce et l'index pour vérifier s'il y a turgescence. – Noter la présence de dépôts de graisse sous-cutanée (coussinets adipeux) sur les joues, les fesses.	• Déshydratation : la perte de poids en est le meilleur indicateur • La peau revient immédiatement à son état précédent après avoir été pincée	• Perte normale de poids après la naissance : jusqu'à 10 % du poids de naissance • Peut être bouffi • Variations de la quantité de graisse sous-cutanée	• Peau lâche et ridée (prématurité, postmaturité, déshydratation : la peau reste pincée après l'avoir relâchée) • Peau tendue, serrée, luisante (œdème, froid extrême, choc, infection) • Insuffisance de graisse sous-cutanée, proéminence de la clavicule ou des côtes (prématurité, malnutrition)
• Vérifier le vernix caseosa : observer sa couleur et son odeur avant le bain ou avant de l'enlever.	• Blanchâtre, caséeux, inodore	• En général, plutôt présent dans les sillons et les plis	• Absent ou minimal (nouveau-né postmature) • Abondant (peu prématuré) • Coloration verte (évacuation possible de méconium dans l'utérus ou présence de bilirubine) • Odeur (possibilité d'infection intra-utérine)
• Évaluer le lanugo : inspecter ces poils fins et duveteux, leur quantité et leur distribution.	• Sur les épaules, le pavillon des oreilles, le front	• Abondance variable	• Absent (postmaturité) • Abondant (prématurité, surtout si le lanugo est abondant, long et épais sur le dos)

[a] Le poids, la taille et le périmètre crânien d'un nouveau-né devraient tous être près du même centile.

17

TABLEAU 17.5 Évaluation physique du nouveau-né de la tête aux pieds

RÉGION ÉVALUÉE ET PROCÉDURE D'ÉVALUATION	OBSERVATIONS NORMALES		ÉCARTS PAR RAPPORT AUX RÉSULTATS NORMAUX : PROBLÈMES POSSIBLES (ÉTIOLOGIE)
	RÉSULTATS NORMAUX	VARIATIONS NORMALES	
Tête			
• Palper la peau.	• (Voir Peau)	• Bosse sérosanguine, ecchymoses	• Céphalhématome
• Inspecter sa taille, sa forme.	• Représente le quart de la longueur du corps • Modelage	• Légère asymétrie due à la position intra-utérine • Pas de modelage (prématurité, présentation du siège, naissance par césarienne)	• Modelage important (trauma de naissance) • Renfoncement (fracture provenant d'un trauma)
• Palper et inspecter les fontanelles ; en noter la taille et l'état (ouvertes ou fermées).	• Fontanelle antérieure formant un losange de 5 cm, augmentant à mesure que le modelage s'estompe • Fontanelle postérieure triangulaire, plus petite que l'antérieure	• Variation de la taille des fontanelles selon l'importance du modelage • Il peut être difficile de palper les fontanelles en raison du modelage	• Fontanelles – Pleines, faisant saillie (tumeur, hémorragie, infection) – Grandes, plates, molles (malnutrition, hydrocéphalie, retard de développement osseux, hypothyroïdie) – Déprimées (déshydratation)
• Palper les sutures.	• Sutures palpables et distinctes	• Chevauchement possible des sutures avec le modelage	• Sutures – Largement écartées (hydrocéphalie) – Soudure prématurée (fusion) (craniosynostose)
• Inspecter l'allure, la distribution et la quantité de cheveux ; noter leur texture.	• Soyeux, mèches à plat ; croissance vers le visage et le cou	• Quantité variable	• Fins, laineux (prématurité) • Épis, motifs ou naissance des cheveux inhabituels ; ou rudes et cassants (troubles endocriniens ou génétiques)
Yeux			
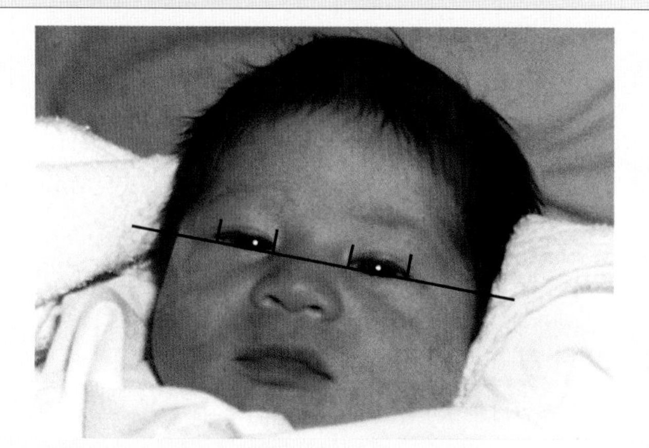 Yeux. Dans le pseudo-strabisme, les brides épicanthiques internes font paraître les yeux mal alignés, mais le réflexe cornéen à la lumière est parfaitement symétrique. La taille et la forme des yeux sont symétriques, et ils sont bien placés.			
• Vérifier leur position dans le visage.	• Chaque œil et l'espace entre eux sont équivalents à un tiers de la distance entre les canthus externes (commissures externes des paupières)	• Bride épicanthique : caractéristique chez certaines ethnies	• Bride épicanthique associée à d'autres signes (troubles chromosomiques comme les syndromes de Down ou du cri du chat)
• Vérifier la taille, le mouvement et le clignement des paupières.	• Réflexe de clignement	• Œdème si l'on a instillé des gouttes ou appliqué un onguent prophylactique	

TABLEAU 17.5	Évaluation physique du nouveau-né de la tête aux pieds *(suite)*		
RÉGION ÉVALUÉE ET PROCÉDURE D'ÉVALUATION	**OBSERVATIONS NORMALES**		**ÉCARTS PAR RAPPORT AUX RÉSULTATS NORMAUX : PROBLÈMES POSSIBLES (ÉTIOLOGIE)**
	RÉSULTATS NORMAUX	**VARIATIONS NORMALES**	
• Vérifier s'il y a écoulement.	• Aucun • Pas de larmes	• Un certain écoulement si l'on a utilisé du nitrate d'argent • Présence occasionnelle de larmes	• Écoulement purulent (infection) • La conjonctivite chimique due à des médicaments oculaires est fréquente et ne requiert pas de traitement
• Vérifier la présence des globes oculaires, leur taille et leur forme.	• Tous deux présents et de même taille, arrondis et fermes	• Hémorragie sous-conjonctivale	• Agénésie ou absence d'un globe oculaire ou des deux • Opacité du cristallin ou absence de reflet rétinien (cataracte congénitale, peut-être due à la rubéole, rétinoblastome [leucocorie]) • Lésions : colobome, absence d'une partie de l'iris (congénitale) • Coloration rosée de l'iris (albinisme) • Sclère ictérique (hyperbilirubinémie)
• Vérifier les pupilles.	• Présentes, de même taille, réactives à la lumière		• Pupilles : inégales, contractées, dilatées, fixes (pression intracrânienne, médicaments, tumeur)
• Évaluer les mouvements du globe oculaire.	• Aléatoires, saccadés, irréguliers, brève focalisation possible, suivant jusqu'à la ligne médiane	• Strabisme ou nystagmus transitoires jusqu'au troisième ou quatrième mois	• Strabisme persistant • Yeux de poupée (pression intracrânienne accrue) • Yeux en coucher de soleil (pression intracrânienne accrue)
• Vérifier les sourcils : quantité de poils, disposition.	• Distincts (pas réunis sur la ligne médiane)		• Réunis sur la ligne médiane (syndrome de Cornelia de Lange)
Nez			
• Observer sa forme, sa position, l'ouverture des narines, sa configuration.	• Sur la ligne médiane • Un peu de mucus, mais pas d'écoulement • Respiration nasale surtout • Éternuements pour dégager le nez	• Légère difformité (plat ou dévié d'un côté) à cause du passage dans la filière pelvigénitale	• Écoulement abondant (rarement, syphilis congénitale) ; blocage membraneux ou osseux avec cyanose au repos et retour à la coloration rosée pendant les pleurs (atrésie choanale) • Malformation (syphilis congénitale, trouble chromosomique) • Battement des ailes du nez (détresse respiratoire)
Oreilles			

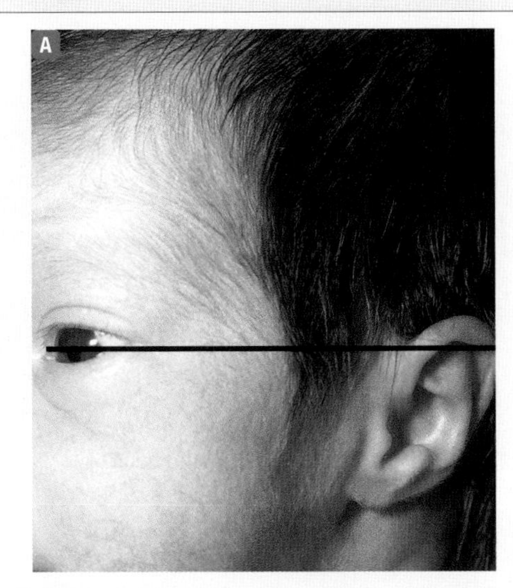

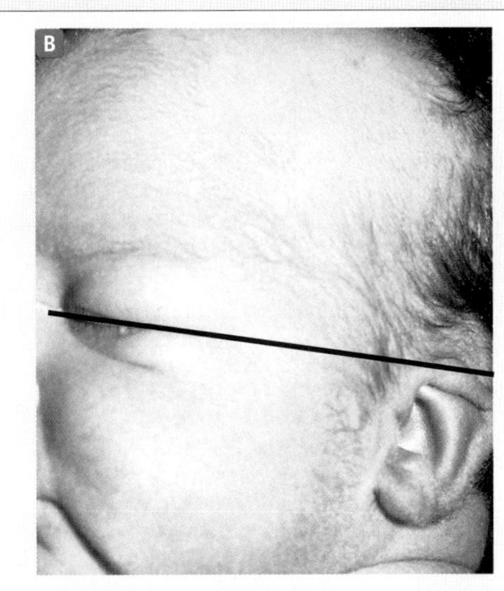

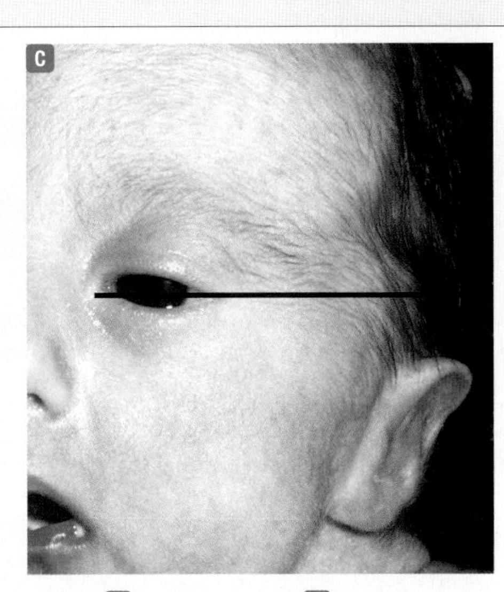

Emplacement des oreilles sur la tête par rapport à une ligne passant par le canthus interne et le canthus externe de l'œil. A Position normale. B Oreille formant un angle anormal. C Vraie implantation basse de l'oreille.

TABLEAU 17.5 Évaluation physique du nouveau-né de la tête aux pieds *(suite)*			
RÉGION ÉVALUÉE ET PROCÉDURE D'ÉVALUATION	**OBSERVATIONS NORMALES**		**ÉCARTS PAR RAPPORT AUX RÉSULTATS NORMAUX : PROBLÈMES POSSIBLES (ÉTIOLOGIE)**
	RÉSULTATS NORMAUX	**VARIATIONS NORMALES**	
• Observer leur taille, leur emplacement sur la tête, la quantité de cartilage, l'ouverture du conduit auditif.	• Emplacement normal : une ligne traversant le canthus interne et le canthus externe des yeux arrive au niveau de l'échancrure supérieure de l'oreille (son point de jonction avec le cuir chevelu) • Bien formées, cartilage ferme	• Taille : petites, grandes, flasques • Tubercule de Darwin (nodule sur la partie postérieure de l'hélix)	• Agénésie • Manque de cartilage (prématurité) • Implantation basse (trouble chromosomique, déficience intellectuelle, trouble rénal) • Appendice ou sinus préauriculaire • Taille : trop proéminentes ou saillantes
• Vérifier l'audition. • Pratiquer le dépistage universel de la surdité chez le nouveau-né pour déterminer les déficits.	• Réagit à la voix et aux autres sons.	• L'état (p. ex., un nouveau-né vigilant ou endormi) influe sur la réaction.	• L'absence de réaction à des bruits forts ne signifie pas que le nouveau-né est sourd.
Faciès			
• Observer l'apparence générale et la symétrie du visage.	• Arrondi et symétrique ; influencé par le type d'accouchement, le modelage ou les deux	• Difformités positionnelles	• Avec d'autres caractéristiques comme des oreilles implantées bas ou d'autres troubles structuraux (hérédité, aberration chromosomique)
Bouche			
• Inspecter et palper. • Examiner la muqueuse buccale – Sèche ou humide – Rose – Intacte • Évaluer la coloration, la configuration et les mouvements des lèvres.	• Symétrie des mouvements des lèvres	• Cyanose péribuccale transitoire	• Anomalies grossières de position, de taille, de forme (fente labiale ou palatine [ou les deux], gencives) • Cyanose, pâleur péribuccale (détresse respiratoire, hypothermie) • Asymétrie du mouvement des lèvres (paralysie du septième nerf crânien)
• Vérifier les gencives.	• Gencives roses	• Kystes par inclusion (perles d'Epstein ou nodules de Bohn, nodules blanchâtres et durs sur les gencives ou le palais)	• Dents prétemporaires ou temporaires (hérédité)
• Évaluer la coloration, la mobilité, les mouvements et la taille de la langue.	• Langue ne faisant pas saillie, bougeant librement, forme et mouvements symétriques • Coussinets adipeux dans les joues	• Frein de la langue court	• Macroglossie (prématurité, trouble chromosomique) • Muguet : plaques blanches dans les joues ou sur la langue qui peuvent saigner au toucher (*Candida albicans*)
• Examiner le palais (mou, dur) – Voûte – Uvule	• Palais mou et palais dur intacts • Uvule sur la ligne médiane	• Sillon anatomique dans le palais pour accueillir le mamelon ; disparaît à l'âge de trois ou quatre ans • Perles d'Epstein	• Fente du palais dur ou mou
• Observer le menton.	• Menton distinct		• Micrognathie : menton fuyant avec surocclusion importante (syndrome de Pierre Robin ou autre syndrome)
• Évaluer la quantité et les caractéristiques de la salive.	• Bouche humide et rose		• Salivation excessive et suffocation ou cyanose (atrésie de l'œsophage, fistule trachéoœsophagienne)

TABLEAU 17.5	Évaluation physique du nouveau-né de la tête aux pieds *(suite)*		
RÉGION ÉVALUÉE ET PROCÉDURE D'ÉVALUATION	**OBSERVATIONS NORMALES**		**ÉCARTS PAR RAPPORT AUX RÉSULTATS NORMAUX : PROBLÈMES POSSIBLES (ÉTIOLOGIE)**
	RÉSULTATS NORMAUX	**VARIATIONS NORMALES**	
• Vérifier les réflexes – Réflexe des points cardinaux – Réflexe de succion – Réflexe d'extrusion	• Réflexes présents	• La réaction réflexe dépend du degré de vigilance et de la faim.	• Absents (prématurité)
Cou			
• Inspecter et palper pour vérifier les mouvements, la flexibilité, la présence de masses ou de contusions.	• Court, épais, entouré de plis de peau ; pas de palmature		• Palmature (syndrome de Turner)
• Vérifier les muscles sternocléidomastoïdiens, les mouvements et la position de la tête.	• Tête tenue sur la ligne médiane (muscles sterno-cléidomastoïdiens égaux), pas de masses • Liberté des mouvements latéraux, de flexion et d'extension ; en rotation, le menton ne dépasse pas l'épaule	• Difformité positionnelle transitoire apparente quand le nouveau-né est au repos : mouvement passif de la tête possible	• Mouvement restreint, tête formant un angle (torticolis, opisthotonos) • Absence de maîtrise de la tête (naissance prématurée, syndrome de Down, hypotonie)
• Vérifier la position de la trachée et la glande thyroïde.	• Thyroïde non palpable		• Masses (thyroïde hypertrophiée) • Veines distendues (troubles cardiopulmonaires) • Acrochordons
Poitrine			
• Inspecter et palper : forme	• Presque circulaire, en forme de baril	• Extrémité du sternum possiblement proéminente	• Bombement de la poitrine, mouvements inégaux (pneumothorax, pneumomédiastin) • Malformation (thorax en entonnoir [pectus excavatum])
• Observer les mouvements respiratoires.	• Mouvements symétriques du thorax, mouvements synchrones de la poitrine et de l'abdomen pendant les respirations	• Rétractions occasionnelles, surtout pendant les pleurs	• Rétractions accompagnées ou non de détresse respiratoire (prématurité, syndrome respiratoire aigu grave) • Respiration paradoxale
• Examiner les clavicules.	• Clavicules intactes		• Fracture de la clavicule (trauma) ; crépitation
• Examiner les côtes.	• Cage thoracique symétrique, intacte ; côtes se déplacent avec les respirations		• Faible développement de la cage thoracique et de la musculature (prématurité)
• Examiner la taille, la position et le nombre de mamelons.	• Mamelons proéminents, bien formés ; placés symétriquement		• Mamelons – Surnuméraires, le long de la ligne médioclaviculaire – Mal positionnés ou largement espacés
• Vérifier le tissu mammaire.	• Nodule mammaire : environ 6 mm chez le nouveau-né à terme	• Nodule mammaire : de 3 à 10 mm • Sécrétion de lait des nouveau-nés	• Absence de tissu mammaire (prématurité) • Bruits : on peut entendre des bruits intestinaux en cas de hernie diaphragmatique (voir Abdomen)
• Ausculter bruits du cœur, F.C. et bruits respiratoires (voir Signes vitaux **TABLEAU 17.4**)			

TABLEAU 17.5	Évaluation physique du nouveau-né de la tête aux pieds *(suite)*		
RÉGION ÉVALUÉE ET PROCÉDURE D'ÉVALUATION	**OBSERVATIONS NORMALES**		**ÉCARTS PAR RAPPORT AUX RÉSULTATS NORMAUX : PROBLÈMES POSSIBLES (ÉTIOLOGIE)**
	RÉSULTATS NORMAUX	**VARIATIONS NORMALES**	
Abdomen			
• Inspecter et palper le cordon ombilical.	• Deux artères et une veine • Gris blanchâtre • Démarcation nette entre le cordon et la peau, pas de structure intestinale dans le cordon • Sec autour de la base, se desséchant • Inodore • Clamp du cordon maintenu en place pour 24 h		• Une seule artère (anomalie rénale) • Taché de méconium (détresse intra-utérine) • Saignement ou suintement autour du cordon (maladie hémorragique) • Rougeur ou écoulement autour du cordon (infection, persistance possible de l'ouraque)
		• Hernie ombilicale réductible	• Hernie : engagement du contenu abdominal par l'ouverture du cordon (p. ex., une omphalocèle) ; défaut recouvert d'une mince membrane fragile, possiblement considérable
• Inspecter la taille de l'abdomen et en palper le contour.	• Arrondi, proéminent, en forme de dôme parce que la musculature abdominale n'est pas complètement développée • Possibilité de palper le foie 1 ou 2 cm sous le rebord costal droit • Pas d'autres masses palpables • Pas de distension • Peu de veines visibles sur la surface abdominale	• Diastase légère (séparation) des muscles droits de l'abdomen	• Laparoschisis (gastroschisis) : hernie du contenu abdominal à côté ou au-dessus du cordon ; contenu non recouvert de tissu membraneux et pouvant comprendre le foie • Distension à la naissance : – Rupture d'un viscère, masses génito-urinaires ou malformations : hydronéphrose, tératomes, tumeurs abdominales – Légère (suralimentation, obstruction des voies gastro-intestinales hautes) – Marquée (obstruction des voies gastro-intestinales basses, malformation anorectale, sténose anale), souvent accompagnée de vomissements bilieux – Intermittente ou transitoire (suralimentation) • Obstruction intestinale partielle (sténose de l'intestin) • Péristaltisme visible (obstruction) • Rotation anormale de l'intestin ou adhérences • Septicémie (infection)
• Ausculter les bruits intestinaux et noter le nombre, l'importance et les caractéristiques des selles.	• Bruits présents en quelques minutes après la naissance chez le nouveau-né bien portant né à terme • Évacuation du méconium en 24-48 h après la naissance		• Aspect scaphoïde accompagné de bruits intestinaux dans le thorax et de détresse respiratoire grave (hernie diaphragmatique congénitale)

TABLEAU 17.5	Évaluation physique du nouveau-né de la tête aux pieds *(suite)*		
RÉGION ÉVALUÉE ET PROCÉDURE D'ÉVALUATION	**OBSERVATIONS NORMALES**		**ÉCARTS PAR RAPPORT AUX RÉSULTATS NORMAUX : PROBLÈMES POSSIBLES (ÉTIOLOGIE)**
	RÉSULTATS NORMAUX	**VARIATIONS NORMALES**	
• Évaluer la coloration.		• Une ligne noire due aux influences hormonales de la grossesse peut-être apparente	
• Observer les mouvements accompagnant la respiration.	• Respirations surtout diaphragmatiques, mouvements synchrones de l'abdomen et du thorax		• Réduction ou absence de mouvement abdominal accompagnant la respiration (paralysie du nerf phrénique, hernie diaphragmatique congénitale)
Organes génitaux			
Fille			
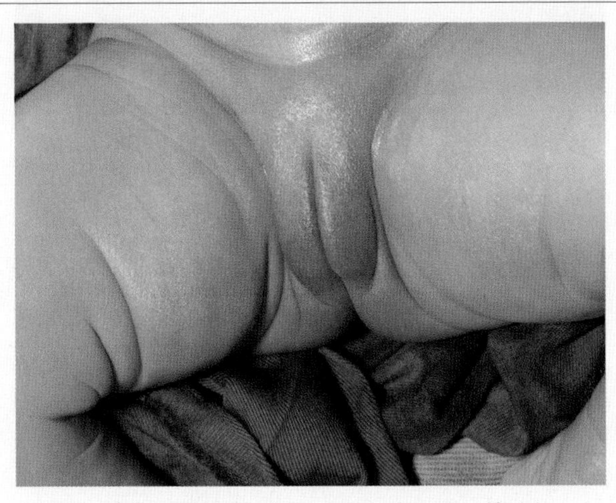 Organes génitaux externes du nouveau-né de sexe féminin			
• Inspecter et palper – Apparence générale – Clitoris – Grandes lèvres – Petites lèvres	• Organes génitaux féminins habituellement œdémateux, recouvrant les petites lèvres chez la nouveau-née à terme • Possible protrusion par-dessus les grandes lèvres	• Pigmentation accrue due aux hormones de la grossesse • Œdème et ecchymoses après une naissance par le siège • Du vernix caseosa peut se trouver entre les lèvres	• Organes génitaux ambigus : grande variabilité (petit pénis difficile à distinguer d'un clitoris hypertrophié) • Fille virilisée : clitoris extrêmement gros (hyperplasie surrénale congénitale) • Clitoris hypertrophié avec méat urétral à son extrémité, absence de scrotum, microphallus, soudure des lèvres
– Écoulement – Vagin	• Smegma • Orifice ouvert • Écoulement mucoïde • Protubérances hyménales/vaginales	• Écoulement teinté de sang d'une pseudo-menstruation due aux hormones de la grossesse	• Sténose du méat • Grandes lèvres largement séparées et petites lèvres proéminentes (prématurité) • Absence d'ouverture vaginale • Écoulement fécal (fistule)
– Méat urinaire	• Derrière le clitoris, difficile à voir	• Urine teintée de rouille (cristaux d'acide urique)	• Exstrophie de la vessie (vessie retournée elle-même à l'extérieur de la cavité abdominale)
• Vérifier l'élimination urinaire.	• De deux à six mictions par jour pendant le premier ou les deux premiers jours; six à huit mictions par jour au cinquième ou sixième jour	• Urine teintée de rouille (cristaux d'acide urique)	• Pas de miction pendant les 24 premières heures (agénésie rénale ; syndrome de Potter)

TABLEAU 17.5	Évaluation physique du nouveau-né de la tête aux pieds *(suite)*		
RÉGION ÉVALUÉE ET PROCÉDURE D'ÉVALUATION	**OBSERVATIONS NORMALES**		**ÉCARTS PAR RAPPORT AUX RÉSULTATS NORMAUX: PROBLÈMES POSSIBLES (ÉTIOLOGIE)**
	RÉSULTATS NORMAUX	**VARIATIONS NORMALES**	
Garçon			
	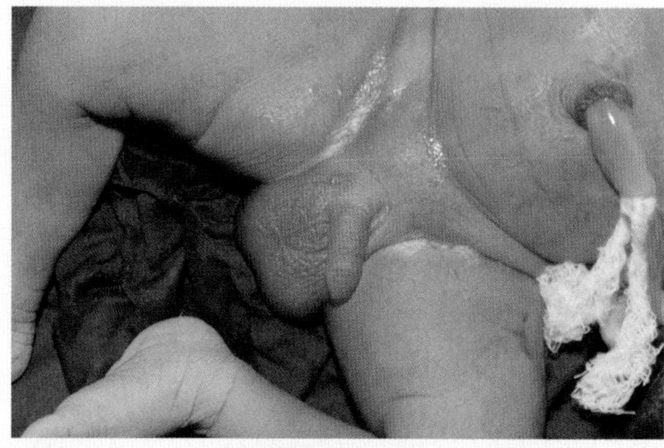 Organes génitaux du nouveau-né de sexe masculin		
• Inspecter et palper – Apparence générale – Pénis – Aspect du méat urétral: devrait être à l'extrémité du corps du pénis – Prépuce: ne pas rétracter le prépuce de force si non circoncis	• Le prépuce recouvre le gland (si non circoncis) et n'est pas rétractable; méat à l'extrémité du pénis	• Taille et pigmentation accrues à cause des hormones de la grossesse • Prépuce excisé si circoncis • Grande variation de la taille des organes génitaux	• Organes génitaux ambigus • Microphallus • Méat urétral ne se trouvant pas à l'extrémité du gland du pénis (hypospadias, épispadias, le prépuce peut être rétracté ou absent) • Ouverture du méat arrondie
• Scrotum – Plis	• Gros, œdémateux, pendant chez le nouveau-né à terme, couvert de plis	• Œdème scrotal et ecchymoses s'il y a eu naissance par le siège • Hydrocèle, petit, ne communiquant pas	• Scrotum lisse et testicules non descendus (prématurité, cryptorchidie) • Scrotum bifide • Hydrocèle • Hernie inguinale
• Testicules	• Palpables de chaque côté • Testicules rétractés, en particulier quand le nouveau-né a froid	• Renflement palpable dans le canal inguinal	• Non descendus (prématurité)
• Vérifier l'élimination urinaire.	• Miction en deçà de 24 heures, jet adéquat	• Urine teintée de rouille (cristaux d'acide urique)	• Pas de miction dans les 24 premières heures (agénésie rénale; syndrome de Potter)
Membres			
• Procéder à un examen général – Inspecter et palper – Degré de flexion – Amplitude des mouvements – Symétrie des mouvements – Tonus musculaire	• Adopte la position maintenue dans l'utérus • Attitude de flexion générale • Pleine amplitude de mouvements, mouvements spontanés	• Difformités positionnelles transitoires	• Mouvements limités (malformations) • Faible tonus musculaire (prématurité, médicaments maternels, anomalies du SNC)
• Examiner les bras et les mains – Inspecter et palper – Coloration – Intégrité – Situation appropriée • Vérifier le réflexe de préhension palmaire **TABLEAU 17.6**	• Plus longs que les jambes pendant la période néonatale • Contours et mouvements symétriques	• Petits tremblements parfois apparents • Un peu d'acrocyanose	• Asymétrie de mouvement (fracture/crépitation, trauma du nerf brachial, malformations) • Asymétrie du contour (malformations, fracture) • Amélie ou phocomélie (agents tératogènes) • Plis de flexion palmaires • Pli simien et auriculaire court et incurvé (syndrome de Down)

TABLEAU 17.5	Évaluation physique du nouveau-né de la tête aux pieds *(suite)*		
RÉGION ÉVALUÉE ET PROCÉDURE D'ÉVALUATION	**OBSERVATIONS NORMALES**		**ÉCARTS PAR RAPPORT AUX RÉSULTATS NORMAUX : PROBLÈMES POSSIBLES (ÉTIOLOGIE)**
	RÉSULTATS NORMAUX	**VARIATIONS NORMALES**	
• Compter les doigts.	• Cinq dans chaque main • Poings souvent serrés, le pouce sous les autres doigts		• Palmature des doigts : syndactylie • Doigts absents ou en surnombre • Flexion forte, rigide ; persistance des poings ; poings constamment placés devant la bouche (trouble du SNC) • Lit des ongles jauni (coloration due au méconium)
• Évaluer les articulations – Épaule – Coude – Poignet – Doigts	• Pleine amplitude de mouvements, contour symétrique		• Tonicité accrue, clonus, tremblements prolongés (trouble du SNC)
• Examiner les jambes et les pieds – Inspecter et palper – Coloration – Intégrité – Longueur par rapport aux bras, au corps et à l'autre membre • Vérifier le réflexe de préhension plantaire **TABLEAU 17.6**	• Aspect arqué parce que les muscles latéraux sont plus développés que les muscles médiaux	• Pieds semblant dirigés vers l'intérieur, mais pouvant facilement se déplacer latéralement, anomalies positionnelles tendant à se corriger quand le nouveau-né pleure • Acrocyanose	• Amélie, phocomélie (anomalie chromosomique, effet tératogène) • Température d'une jambe différant de celle de l'autre (insuffisance circulatoire, trouble du SNC)
• Compter les orteils	• Cinq à chaque pied		• Palmature, syndactylie (anomalie chromosomique) • Orteils absents ou en surnombre (anomalie chromosomique, trait familial)
• Fémur • Tête du fémur dans l'acétabulum quand les jambes sont fléchies et amenées en abduction	• Fémur intact		• Fracture du fémur (naissance par le siège difficile) • Dysplasie de la hanche (développementale)
• Principaux plis fessiers • Plante des pieds	• Égaux • Plante bien ridée (ou ratatinée) sur les deux tiers du pied chez le nouveau-né à terme • Coussinet adipeux plantaire donnant l'apparence d'un pied plat		• Dysplasie de la hanche • Plante des pieds – Peu de plis (prématurité) – Couverte de plis (postmaturité) • Pied bot congénital
• Évaluer les articulations – Hanche – Genou – Cheville – Orteils	• Pleine amplitude de mouvements, contour symétrique		• Hypermobilité des articulations (syndrome de Down)

TABLEAU 17.5	Évaluation physique du nouveau-né de la tête aux pieds *(suite)*		
RÉGION ÉVALUÉE ET PROCÉDURE D'ÉVALUATION	**OBSERVATIONS NORMALES**		**ÉCARTS PAR RAPPORT AUX RÉSULTATS NORMAUX : PROBLÈMES POSSIBLES (ÉTIOLOGIE)**
	RÉSULTATS NORMAUX	**VARIATIONS NORMALES**	

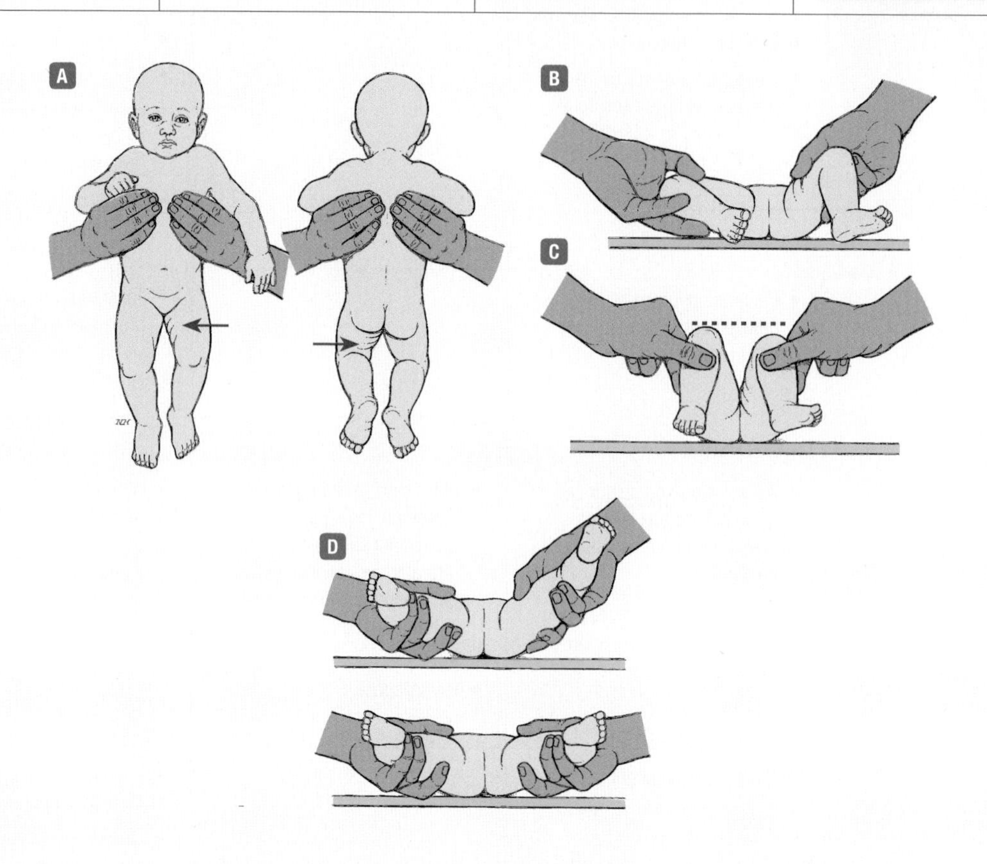

Signes de dysplasie congénitale de la hanche. **A** Asymétrie des plis fessiers et des plis de la cuisse et raccourcissement de la cuisse (signe de Galeazzi). **B** Abduction limitée de la hanche, constatée en flexion (manœuvre d'Ortolani). **C** Raccourcissement apparent du fémur, indiqué par la hauteur des genoux en flexion (signe d'Allis). **D** Test d'Ortolani, quand la tête du fémur entre et sort de l'acétabulum (chez les nourrissons âgés de un à deux mois).

Dos			
• Vérifier l'anatomie – Inspecter et palper – Colonne vertébrale – Épaules – Omoplates – Crêtes iliaques	• Colonne vertébrale droite et fléchie • Nouveau-né capable de lever et de supporter sa tête momentanément quand il est couché sur le ventre • Épaules, omoplates et crêtes iliaques alignées dans le même plan	• Difformités positionnelles mineures temporaires, correction par manipulation passive	• Limitation de mouvements (fusion ou difformité des vertèbres)
– Base de la colonne vertébrale : fossette ou sinus pilonidal			• Hydrorachis externe rétromédullaire (méningocèle, myéloméningocèle) • Nævus pigmentaire avec touffe de poils, localisé n'importe où le long de la colonne vertébrale, souvent associé au spina bifida occulta • Sinus (ouverture sur la moelle épinière)

TABLEAU 17.5 Évaluation physique du nouveau-né de la tête aux pieds *(suite)*

RÉGION ÉVALUÉE ET PROCÉDURE D'ÉVALUATION	OBSERVATIONS NORMALES		ÉCARTS PAR RAPPORT AUX RÉSULTATS NORMAUX : PROBLÈMES POSSIBLES (ÉTIOLOGIE)
	RÉSULTATS NORMAUX	VARIATIONS NORMALES	
Anus			
• Inspecter et palper – Emplacement – Ouverture • Vérifier la réaction du sphincter (réflexe anal actif). • Surveiller – Distension abdominale – Évacuation de méconium par l'anus – Écoulement fécal par le périnée, le pénis, le vagin	• Bon tonus du sphincter anal • Évacuation de méconium en 24 heures après la naissance • Réflexe anal présent, orifice anal ouvert	• Évacuation du méconium en 48 heures après la naissance	• Anus imperforé sans fistule • Atrésie et sténose rectale • Absence d'orifice anal ; écoulement de matières fécales par le vagin chez la fille ou par le méat urinaire chez le garçon (fistule rectale) ou le long du raphé périnéal (zone médiane entre la base du pénis et l'anus) : malformation anorectale
Selles			
• Surveiller leur fréquence, leur couleur, leur consistance.	• Méconium suivi de selles de transition et de selles jaunes molles		• Pas de selles (obstruction) • Selles liquides fréquentes (infection, photothérapie)

Évaluation neurologique

L'évaluation physique complète comprend une évaluation neurologique des réflexes du nouveau-né **TABLEAU 17.6**. Cette évaluation fournit des renseignements utiles sur le système nerveux du nouveau-né et sur son degré de maturation neurologique. Beaucoup de comportements réflexes (p. ex., le réflexe de succion et le réflexe des points cardinaux) sont importants pour que le développement s'effectue convenablement. D'autres réflexes comme les haut-le-cœur et l'éternuement sont des mécanismes de sécurité primitifs. L'évaluation doit être menée le plus tôt possible parce que des signes anormaux présents au début de la période néonatale pourraient demander une investigation plus poussée avant que le nouveau-né obtienne son congé de l'établissement.

Parmi les réflexes évalués figurent : le réflexe de préhension et le signe de Babinski. Dans le premier, un toucher sur la paume des mains ou sur la plante des pieds près de la base des doigts ou des orteils entraîne la flexion ou la préhension **FIGURE 17.8**. Pour vérifier le signe de Babinski, on passe un doigt vers le haut sur le côté externe de la plante du pied, du talon jusqu'à l'avant-pied ; le signe est positif si ce stimulus provoque la dorsiflexion du gros orteil et l'hyperextension des autres orteils **TABLEAU 17.6**.

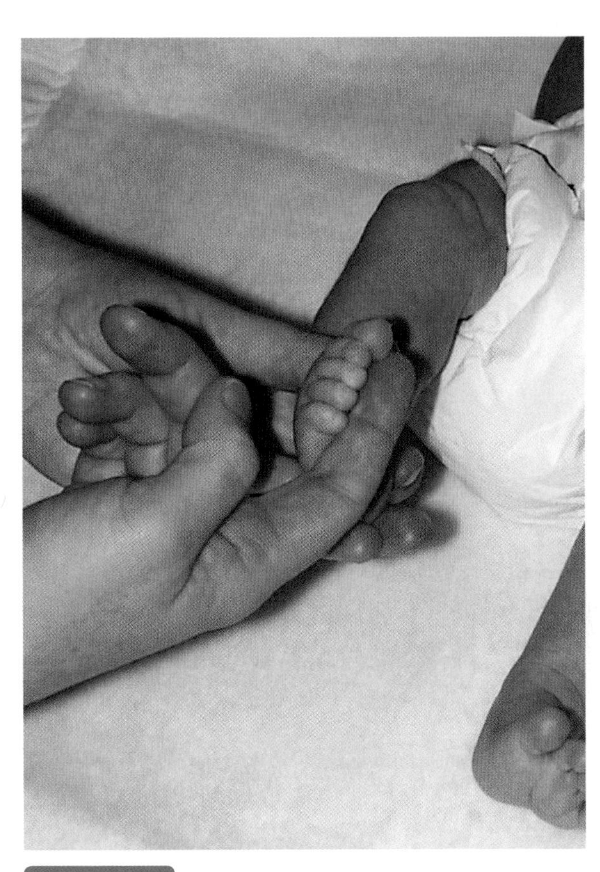

FIGURE 17.8 Réflexe plantaire de préhension

Vidéo

Visionnez la vidéo *Réflexes du nouveau-né* à l'adresse www.cheneliere.ca/lowdermilk.

TABLEAU 17.6 Évaluation des réflexes du nouveau-né[a]

RÉFLEXE	DÉCLENCHEMENT DU RÉFLEXE	RÉACTIONS CARACTÉRISTIQUES	PARTICULARITÉS
Réflexe de succion et réflexe des points cardinaux	• Toucher la lèvre du nouveau-né, sa joue ou la commissure de sa bouche avec le mamelon.	• Le nouveau-né tourne la tête vers le stimulus, ouvre la bouche, saisit le mamelon et tète.	• Il est difficile sinon impossible d'obtenir la réaction après que le nouveau-né a été nourri ; une réaction faible ou absente peut être attribuable à la prématurité ou à une anomalie neurologique. • Conseil aux parents : ne pas tenter de tourner la tête du nouveau-né vers le sein ou le mamelon, le laisser s'en saisir lui-même ; la réaction disparaît après trois ou quatre mois, mais peut persister jusqu'à l'âge de un an.
Réflexe de déglutition	• Nourrir le nouveau-né; la déglutition suit habituellement la succion et la prise de liquides	• La déglutition est habituellement coordonnée avec la succion et se fait en général sans haut-le-cœur, toux ou vomissement	• La succion et la déglutition sont souvent mal coordonnées chez le prématuré
Réflexe de préhension			
Palmaire	• Placer un doigt dans la paume de la main du nouveau-né.	• Les doigts du nouveau-né s'enroulent autour du doigt de l'infirmière.	• La réaction palmaire s'atténue en trois ou quatre mois ; les parents aiment ce contact avec le nouveau-né.
Plantaire	• Placer un doigt à la base des orteils.	• Les orteils se plient vers le bas **FIGURE 17.8**.	• La réaction plantaire s'atténue en huit mois.
Réflexe d'extrusion	• Toucher ou abaisser le bout de la langue.	• Le nouveau-né sort la langue.	• La réaction disparaît à quatre mois environ.
Réflexe glabellaire ou réflexe de McCarthy (signe de Myerson)	• Donner un petit coup sur le front, la racine du nez ou le maxillaire du nouveau-né dont les yeux sont ouverts.	• Le nouveau-né cligne des yeux aux quatre ou cinq premiers coups.	• Si le clignement persiste avec la répétition des petits coups, il y a lieu de penser à un trouble extrapyramidal.
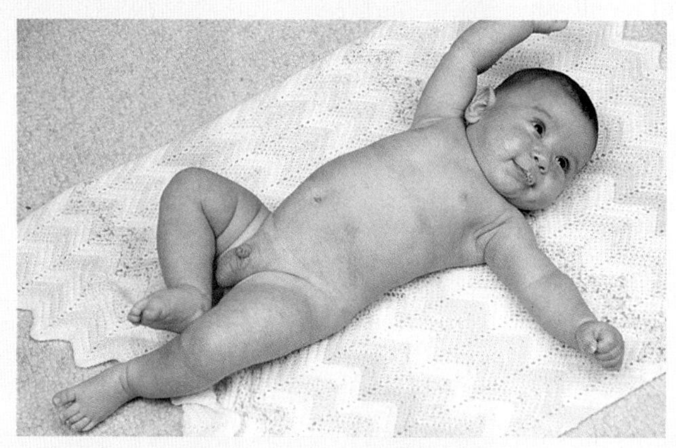 Attitude classique du réflexe tonique du cou.			
Réflexe tonique du cou (phénomène de Magnus)	• Quand le nouveau-né dort ou est en train de s'endormir, tourner rapidement sa tête d'un côté.	• Quand on tourne la tête du nouveau-né d'un côté, le bras et la jambe de ce côté s'étendent, alors que ceux du côté opposé fléchissent.	• Les réactions des jambes sont plus constantes. • La réaction complète disparaît en trois ou quatre mois ; une réaction partielle peut s'observer jusqu'à la troisième ou la quatrième année. • Après six semaines, la persistance de la réaction peut être le signe d'une infirmité motrice cérébrale.

TABLEAU 17.6 Évaluation des réflexes du nouveau-né[a] *(suite)*

RÉFLEXE	DÉCLENCHEMENT DU RÉFLEXE	RÉACTIONS CARACTÉRISTIQUES	PARTICULARITÉS
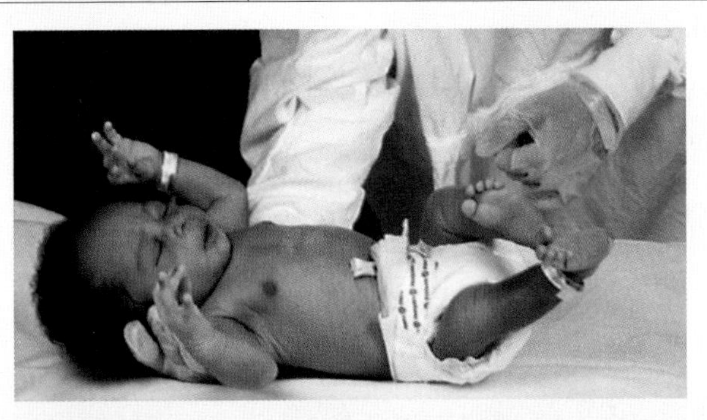 Réflexe de Moro			
Réflexe de Moro	• Tenir le nouveau-né en position semi-assise en permettant à sa tête et à son tronc de tomber vers l'arrière à un angle d'au moins 30°. • Placer le nouveau-né sur une surface plane et frapper cette surface pour le surprendre.	• On observe une abduction et une extension symétrique des bras; les doigts s'ouvrent en éventail, et l'index et le pouce forment un C; un léger tremblement peut être noté; les bras sont ensuite ramenés dans un mouvement d'embrassement et reviennent en flexion. • Les jambes peuvent réagir de façon similaire. • Le prématuré ne complète pas le mouvement d'embrassement; ses bras tombent plutôt vers l'arrière en raison de leur faiblesse.	• La réaction est présente à la naissance; la réaction complète peut s'observer jusqu'à la 8e semaine; entre la 8e et la 18e semaine, on ne voit qu'une secousse du corps; à 6 mois, la réaction a disparu si la maturation neurologique n'est pas retardée; la réaction peut être incomplète si le nouveau-né dort profondément; expliquer la réaction normale aux parents. • Une réaction asymétrique peut suggérer une lésion du plexus brachial, de la clavicule ou de l'humérus. • La persistance de la réaction après six mois peut indiquer un dommage cérébral.
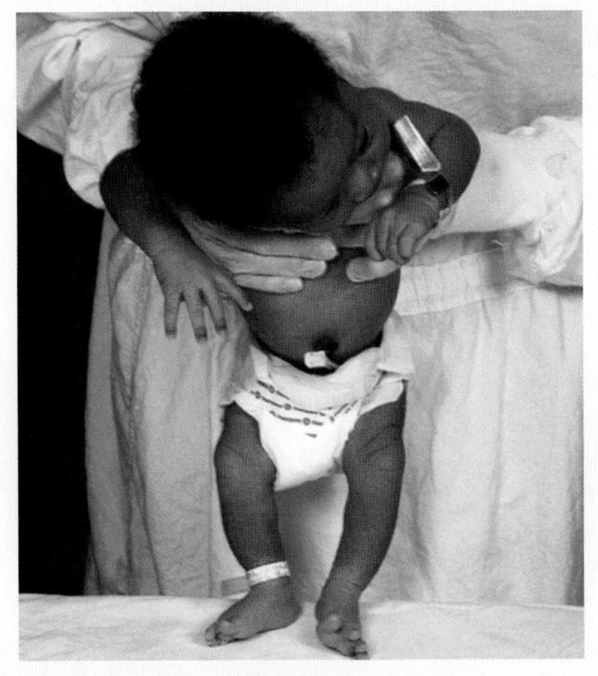 Réflexe de la marche automatique			
Réflexe de la marche automatique	• Tenir le nouveau-né à la verticale en permettant à un de ses pieds de toucher la surface de la table.	• Le nouveau-né simule la marche, alternant flexion et extension des pieds; les nouveau-nés à terme marchent sur la plante des pieds, et les prématurés le font sur les orteils.	• La réaction est normalement présente pendant trois ou quatre semaines.

TABLEAU 17.6 Évaluation des réflexes du nouveau-né[a] *(suite)*

RÉFLEXE	DÉCLENCHEMENT DU RÉFLEXE	RÉACTIONS CARACTÉRISTIQUES	PARTICULARITÉS
Réflexe natatoire	• Placer le nouveau-né sur l'abdomen.	• Le nouveau-né fait des mouvements de nage avec ses bras et ses jambes.	• La réaction devrait disparaître vers l'âge de six semaines.
Réflexes tendineux	• Utiliser un doigt plutôt que le marteau à réflexes pour déclencher le réflexe rotulien (ou patellaire) ; le nouveau-né doit être détendu.	• Le réflexe rotulien est présent ; même si le nouveau-né est détendu, il peut avoir une réaction globale non sélective.	
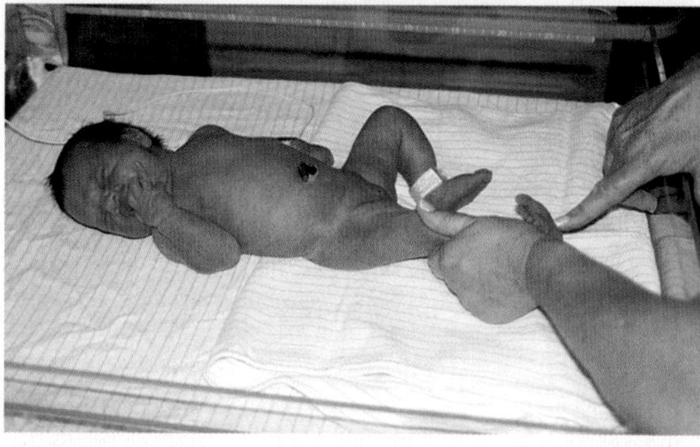 Réflexe d'extension croisée			
Réflexe d'extension croisée	• Le nouveau-né doit être couché sur le dos ; étirer une de ses jambes, pousser son genou vers le bas et stimuler le dessous du pied ; observer la jambe opposée.	• La jambe opposée entre en flexion, en adduction puis en extension.	• Ce réflexe devrait être présent pendant la période néonatale.
Réflexe de tressaillement	• Frapper brusquement dans ses mains ; le réflexe est plus facile à déclencher si le nouveau-né est âgé de 24 à 36 heures ou plus.	• Les bras s'écartent, coudes fléchis ; les poings restent serrés.	• La réaction devrait disparaître à l'âge de quatre mois. • La réaction se déclenche plus facilement chez les prématurés (aviser les parents de cette caractéristique).
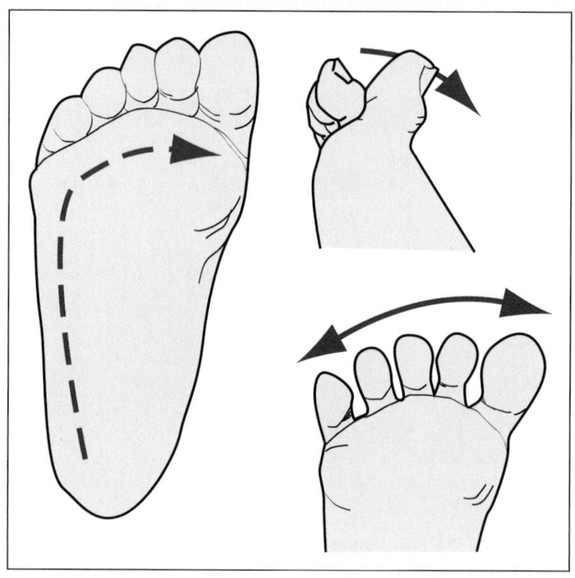 Signe de Babinski			
Signe de Babinski	• Passer le doigt du côté externe de la plante du pied, du talon à la base du petit orteil, puis à travers l'avant-pied.	• Signe positif : tous les orteils entrent en hyperextension, avec dorsiflexion du gros orteil.	• L'absence du réflexe appelle une évaluation neurologique ; le réflexe devrait disparaître après l'âge de un an.

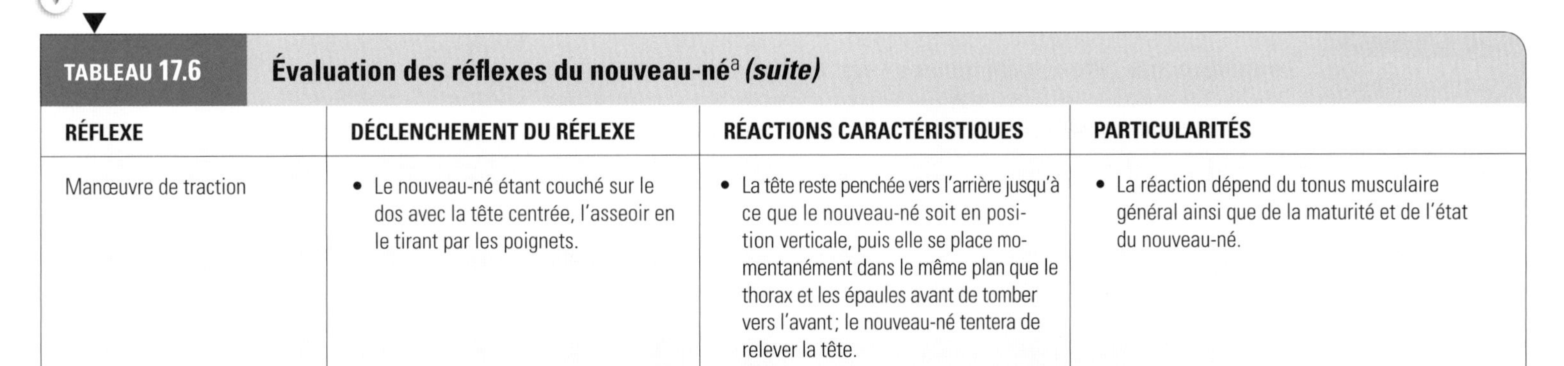

TABLEAU 17.6 Évaluation des réflexes du nouveau-né[a] *(suite)*

RÉFLEXE	DÉCLENCHEMENT DU RÉFLEXE	RÉACTIONS CARACTÉRISTIQUES	PARTICULARITÉS
Manœuvre de traction	• Le nouveau-né étant couché sur le dos avec la tête centrée, l'asseoir en le tirant par les poignets.	• La tête reste penchée vers l'arrière jusqu'à ce que le nouveau-né soit en position verticale, puis elle se place momentanément dans le même plan que le thorax et les épaules avant de tomber vers l'avant ; le nouveau-né tentera de relever la tête.	• La réaction dépend du tonus musculaire général ainsi que de la maturité et de l'état du nouveau-né.
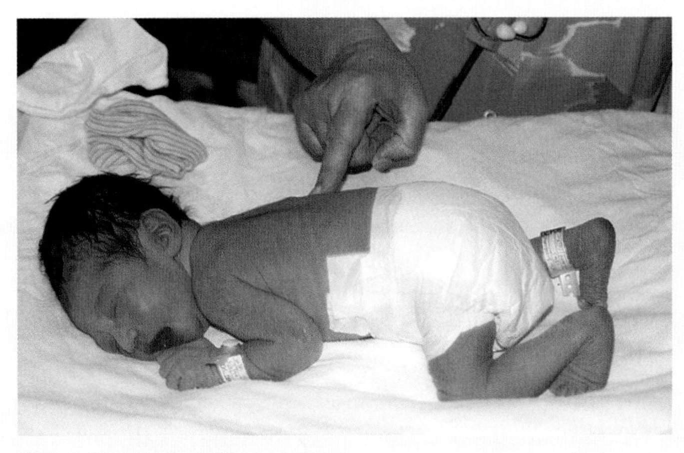 Réflexe d'incurvation latérale du tronc			
Réflexe d'incurvation latérale du tronc (réflexe de Galant)	• Coucher le nouveau-né sur le ventre sur une surface plane et passer un doigt dans son dos en descendant, à 4 ou 5 cm de la colonne vertébrale, d'abord d'un côté, puis de l'autre.	• Le tronc s'incurve, et le bassin se déplace vers le côté stimulé.	• La réaction est disparue à la quatrième semaine. • La réaction est variable, mais devrait être présente chez tous les nouveau-nés, y compris les prématurés. • L'absence de réaction suggère une dépression générale du système nerveux. • En cas de lésions transversales de la moelle épinière, il n'y a pas de réaction sous le niveau de la lésion.
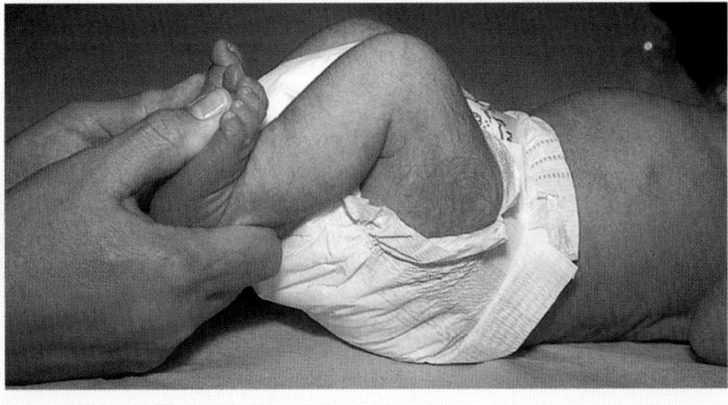 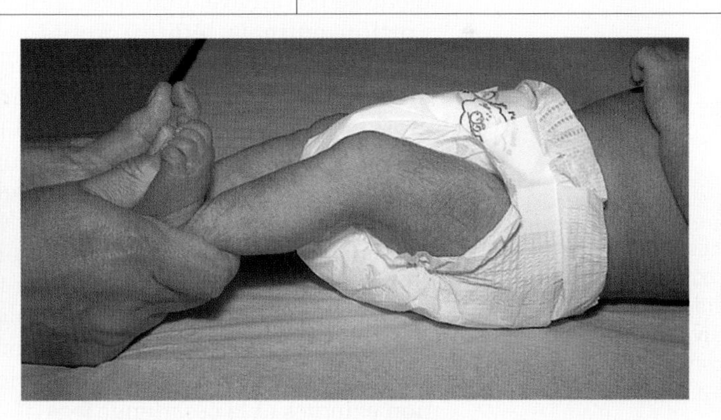 Réflexe cutané plantaire			
Réflexe cutané plantaire	• Placer le nouveau-né en décubitus dorsal, fléchir partiellement ses deux jambes et appliquer une pression sur la plante de ses pieds.	• Les deux membres devraient s'étendre en repoussant la pression de l'infirmière.	• L'absence du réflexe suggère une lésion ou une malformation de la moelle épinière. • Le réflexe peut être faible ou exagéré après une naissance par le siège.

TABLEAU 17.6 Évaluation des réflexes du nouveau-né[a] *(suite)*

RÉFLEXE	DÉCLENCHEMENT DU RÉFLEXE	RÉACTIONS CARACTÉRISTIQUES	PARTICULARITÉS
Autres réactions du nouveau-né : bâillement, étirement, éructation, hoquet, éternuement	• Ces réactions sont des comportements spontanés.	• Ces réactions peuvent être légèrement déprimées de façon temporaire en raison de l'analgésie ou de l'anesthésie de la mère, de l'hypoxie fœtale ou de l'infection.	• La plupart de ces comportements sont agréables pour les parents. • Les parents doivent être rassurés quant à la normalité de ces comportements. • Préciser aux parents que l'éternuement est généralement une réaction à la présence de poussières ou d'autre chose et ne signale pas un rhume. • Aucun traitement n'est nécessaire pour le hoquet ; la succion peut aider.

[a] Toutes les durées de persistance des réflexes sont basées sur le temps écoulé après 40 semaines de gestation ; ainsi, si le nouveau-né est né à 36 semaines de gestation, il faut ajouter 4 semaines à toutes les limites de temps données.

Source : Adapté de Zitelli & Davis (2007).

Dyschromie : Trouble de la pigmentation de la peau.

Purpura thrombopénique : Purpura pétéchial ou ecchymotique en rapport avec une thrombopénie.

16

La bosse sérosanguine et le céphalhématome sont abordés dans chapitre 16, *Adaptations physiologiques et comportementales du nouveau-né.*

17.1.1 Troubles courants du nouveau-né

Lésions physiques

L'expression traumatisme de la naissance désigne toute blessure physique subie par le nouveau-né durant le travail et l'accouchement. La plupart de ces blessures sont mineures et guérissent sans traitement durant la période néonatale, mais d'autres nécessitent une intervention, tandis que quelques-unes sont graves au point d'être mortelles.

Plusieurs facteurs prédisposent à un traumatisme de la naissance. Certains relèvent de la mère, notamment le dysfonctionnement utérin qui entraîne un travail long ou précipité, le déclenchement du travail avant ou après terme et la disproportion entre la tête du fœtus et l'ouverture pelvienne. La blessure peut survenir en raison de la dystocie occasionnée par la macrosomie, une grossesse multiple, la présentation anormale ou difficile, ou des anomalies congénitales. Des interventions intrapartum, dont la surveillance de la fréquence cardiaque fœtale et le prélèvement sanguin au cuir chevelu fœtal peuvent provoquer des lésions au cuir chevelu du nouveau-né. Des techniques d'accouchement peuvent également causer des blessures, notamment l'utilisation des forceps ou de la ventouse obstétricale, la version et l'extraction externes et la césarienne ▶ 16.

Lésions des tissus mous

L'augmentation de la pression durant l'accouchement qui entraîne la rupture des capillaires peut causer une hémorragie sous-conjonctivale ou une hémorragie rétinienne. Cette hémorragie se résorbera habituellement dans les cinq premiers jours de vie, sans plus de complications. Il importe de rassurer les parents et de leur dire que ces lésions sont bénignes.

Le nouveau-né peut présenter un érythème, des ecchymoses, des pétéchies, de l'abrasion, des lacérations ou un œdème fessier et aux extrémités. L'utilisation des forceps ou de la ventouse obstétricale peut laisser dans son sillage une **dyschromie** localisée. Les ecchymoses et l'œdème peuvent se produire partout sur le corps. Les pétéchies (hémorragies se manifestant par de petites taches rougeâtres) qui apparaissent à la naissance peuvent recouvrir le haut du tronc et le visage. Si elles sont de nature bénigne, ces lésions disparaîtront en deux ou trois jours sans que d'autres surgissent. Cependant, les ecchymoses et les pétéchies peuvent être les signes d'un trouble grave comme le **purpura thrombopénique**. Pour distinguer la zone hémorragique du *rash* cutané ou de la dyschromie, l'infirmière tente de blanchir la peau par la pression de deux doigts. Là où la peau est couverte de pétéchies et d'ecchymoses, elle ne pâlira pas parce que la pression ne dissipera pas l'épanchement sanguin tissulaire, alors que la peau des zones caractérisées par un *rash* ou la dyschromie blanchira.

Le traumatisme secondaire à la dystocie peut se manifester dans la partie du corps fœtal qui se présente à l'accouchement. Les forceps et la ventouse obstétricale peuvent provoquer des lésions et des ecchymoses au site d'application. Les forceps impriment en général une marque linéaire des deux côtés du visage qui adopte la forme des cuillères. Il est essentiel de veiller à la propreté de cette région pour réduire au minimum le risque d'infection. Habituellement, ces lésions disparaissent spontanément, sans traitement particulier, en quelques jours. Il est possible de diminuer la fréquence de ces lésions en optant pour la ventouse ou les forceps à cuillères coussinées.

La présentation de la face peut occasionner des ecchymoses **FIGURE 17.9**. Dans la présentation du

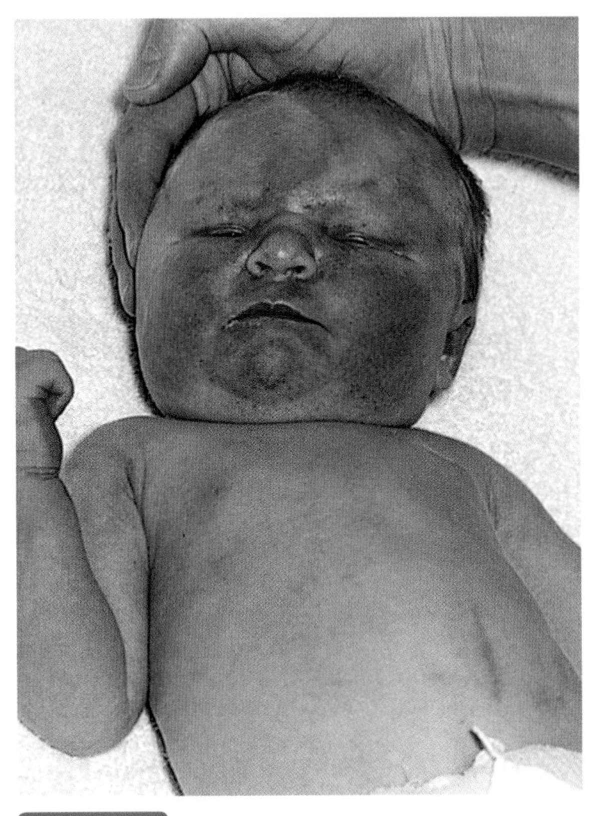

FIGURE 17.9

Visage couvert d'ecchymoses d'un nouveau-né à la suite d'un accouchement vaginal avec présentation de la face. Aux extrémités, les ecchymoses sont moins importantes. L'ictère résultant de la destruction des globules rouges en grande quantité a dû être traité par la photothérapie.

siège, des ecchymoses ou de l'enflure peuvent marquer les fesses ou les organes génitaux. Toute la tête peut être couverte d'ecchymoses et de pétéchies si le cordon a été enroulé autour du cou. Si les taches hémorragiques ne disparaissent pas spontanément en deux jours ou si l'état du nouveau-né se détériore, l'infirmière en informe le médecin.

Dans l'accouchement par césarienne, le médecin peut infliger accidentellement des lacérations au moyen du scalpel. Ces coupures peuvent se produire n'importe où, bien qu'elles soient plus fréquentes au cuir chevelu, aux fesses et aux cuisses. Habituellement superficielles, ces lacérations ne nécessitent rien d'autre qu'une désinfection. Les lèvres de la lacération profonde seront rapprochées à l'aide de bandelettes adhésives ou d'un pansement de rapprochement. La suture est rarement nécessaire.

Troubles physiologiques

Conjugaison de la bilirubine

La bilirubine est un produit dérivé de l'hémoglobine libérée par suite de la rupture des globules rouges et de la **myoglobine** dans les cellules musculaires. Les cellules réticulo-endothéliales dégradent l'hémoglobine, la décomposant en bilirubine, qui est libérée sous sa forme non conjuguée. Cette bilirubine libre (indirecte) est relativement insoluble, et elle se lie presque entièrement à l'albumine, une protéine plasmatique. La bilirubine libre peut sortir du système vasculaire et diffuser dans les tissus (p. ex., la peau, la sclère, la muqueuse buccale). Elle donne aux tissus la coloration jaune caractéristique de l'ictère (jaunisse).

Dans le foie, l'enzyme **glucuronyl-transférase** procède à la conjugaison de la bilirubine libre et du glucuronide. Conjuguée, la bilirubine (bilirubine directe) est soluble, et elle est excrétée par les **hépatocytes** (cellules du foie) en tant que composante de la bile. Avec les autres éléments de la bile, la bilirubine directe est excrétée dans les voies biliaires par lesquelles la bile est acheminée dans le duodénum. Les bactéries intestinales transforment la bilirubine en urobilinogène et en stercobilinogène. Le premier est éliminé par les voies urinaire et intestinale, alors que le second est excrété par la voie intestinale. La concentration sérique totale de bilirubine consiste en la somme de la concentration de la bilirubine conjuguée et de la concentration de la bilirubine libre.

Ictère physiologique

De 50 à 60 % des nouveau-nés à terme sont atteints d'un ictère au cours des trois premiers jours de leur vie. Le taux de bilirubine sérique inférieur à 86 mmol/L ne se traduit pas par la coloration jaune de la peau en général. Bien que le nouveau-né soit capable de transformer la bilirubine, l'hyperbilirubinémie physiologique demeure fréquente. L'**ictère physiologique du nouveau-né** ou hyperbilirubinémie néonatale est le lot de 80 % des prématurés. Il est plus fréquent chez les nouveau-nés d'origine asiatique, amérindienne et inuite que dans les autres groupes ethniques (Munroe *et al*, 1984). Bien que l'ictère néonatal soit bénin, la bilirubine peut s'accumuler dangereusement et mener à un état pathologique. L'ictère néonatal s'explique par le taux de production de bilirubine plus élevé chez le nouveau-né que chez l'adulte et par la grande quantité de bilirubine réabsorbée par l'intestin grêle du nouveau-né.

L'ictère physiologique évolue en deux phases chez le nouveau-né à terme. À la première phase, le taux de bilirubine des nouveau-nés blancs ou noirs nourris avec une préparation commerciale pour nourrissons (PCN) augmente progressivement jusqu'à 86 à 103 mmol/L dans les 60 à 72 premières heures suivant la naissance, puis il diminue et se stabilise à environ 34 à 42 mmol/L au 5e jour (Blackburn, 2007). Chez le nouveau-né d'origine asiatique ainsi nourri, le taux grimpe à une pointe de 170 à 238 mmol/L au 3e ou 4e jour avant de redescendre progressivement à 34 à 42 mmol/L dans la période du 7e au 10e jour suivant la naissance. À la seconde phase, le taux de bilirubine est

Myoglobine : Protéine musculaire contenant le même groupe prosthétique que l'hémoglobine, elle se comporte comme une réserve d'oxygène pour le muscle à action lente.

L'apparition de l'ictère dans les 24 premières heures suivant la naissance ou sa persistance au-delà des périodes mentionnées ci-contre indique habituellement la présence d'un état pathologique pour lequel il faudra poursuivre une investigation.

Urobilinogène : Produit de la dégradation de la bilirubine précurseur de l'urobiline, éliminé en faible quantité dans les urines et en quantité plus importante dans les matières fécales.

stable jusqu'au 12e au 14e jour de vie, alors qu'il revient à la valeur normale de 17 mmol/L (Blackburn, 2007). La fluctuation du taux de bilirubine varie selon l'origine ethnique, l'alimentation (lait maternel ou PCN) et l'âge gestationnel. Chez le prématuré nourri avec une PCN, le taux de bilirubine peut grimper jusqu'à 170 à 205 mmol/L dans les 5 ou 6 premiers jours et redescendre lentement en 2 à 4 semaines.

Tous les nouveau-nés doivent faire l'objet d'un dépistage de l'ictère.

Les caractéristiques de l'ictère physiologique sont les suivantes.

- Le nouveau-né ne présente aucun problème de nature cardiorespiratoire ou neurologique ni sur le plan du métabolisme des glucides, de l'alimentation et de l'élimination.
- Chez le nouveau-né à terme, l'ictère apparaît 24 heures après la naissance et disparaît à la fin du 7e jour.
- Chez le prématuré, l'ictère se manifeste 48 heures après la naissance et disparaît en 9 ou 10 jours.
- Le nomogramme du taux de bilirubine en fonction des heures de vie illustre que le taux de bilirubine sérique du nouveau-né avant son congé diminue sous le taux à risque élevé (en deçà du 95e centile) **FIGURE 17.10**.
- La concentration sérique de bilirubine libre ne dépasse pas habituellement 205 mmol/L chez le nouveau-né à terme et 257 mmol/L chez le prématuré.
- Le taux de bilirubine directe ne dépasse pas 26 mmol/L.
- La concentration de bilirubine indirecte ou non conjuguée n'augmente pas de plus de 86 mmol/L/jour.

Le **TABLEAU 17.7** énumère les causes de l'hyperbilirubinémie néonatale.

L'**enzyme glucuronidase bêta** présente dans l'intestin du nouveau-né est en mesure de transformer la bilirubine conjuguée en bilirubine libre, laquelle est ensuite réabsorbée par la muqueuse intestinale et acheminée au foie. Ce processus appelé cycle entérohépatique est intensifié chez le nouveau-né et serait le principal mécanisme à l'origine de l'ictère physiologique (Maisels, 2005). Nourrir le nouveau-né concourt à la baisse du taux de bilirubine sérique en stimulant le péristaltisme et en accélérant l'expulsion du méconium pour ainsi freiner la réabsorption de la bilirubine libre. L'alimentation favorise l'expansion de la flore intestinale qui transforme la bilirubine en **urobilinogène**. Enfin, le colostrum, laxatif naturel, favorise l'évacuation du méconium.

Tous les nouveau-nés doivent faire l'objet d'un dépistage de l'ictère. Pour distinguer la jaunisse cutanée de la coloration normale de la peau, l'infirmière applique une pression du doigt sur un os (p. ex., sur le nez, le front, le sternum) pendant plusieurs secondes afin de vidanger les capillaires locaux. En présence d'ictère, la zone ainsi blanchie sera jaune avant que les capillaires se remplissent. La détection de l'ictère passe par l'examen des sacs conjonctivaux et de la muqueuse buccale, particulièrement chez le nouveau-né à la peau foncée. L'examen visuel s'effectue à la lumière naturelle parce que la lumière artificielle et la réflexion des murs de la pouponnière peuvent modifier la coloration réelle de la peau. Toutefois, l'examen visuel ne révèle rien du taux exact de bilirubine sérique.

En général, les signes de l'ictère se manifestent d'abord à la tête, plus particulièrement à la sclère et sur les muqueuses, puis ils s'étendent au thorax, à l'abdomen et aux membres supérieurs et inférieurs. Le taux de bilirubine sérique indique le degré d'ictère. Les valeurs normales de la bilirubine libre sont de 3,4-24 mmol/L.

Il faut savoir que la détection de l'ictère ne repose pas exclusivement sur la mesure du taux de bilirubine par analyse sanguine ou bilirubinométrie transcutanée, mais également sur la détermination du moment d'apparition des manifestations de l'ictère clinique, de l'âge gestationnel à la naissance et de l'âge en heures depuis la naissance, sur

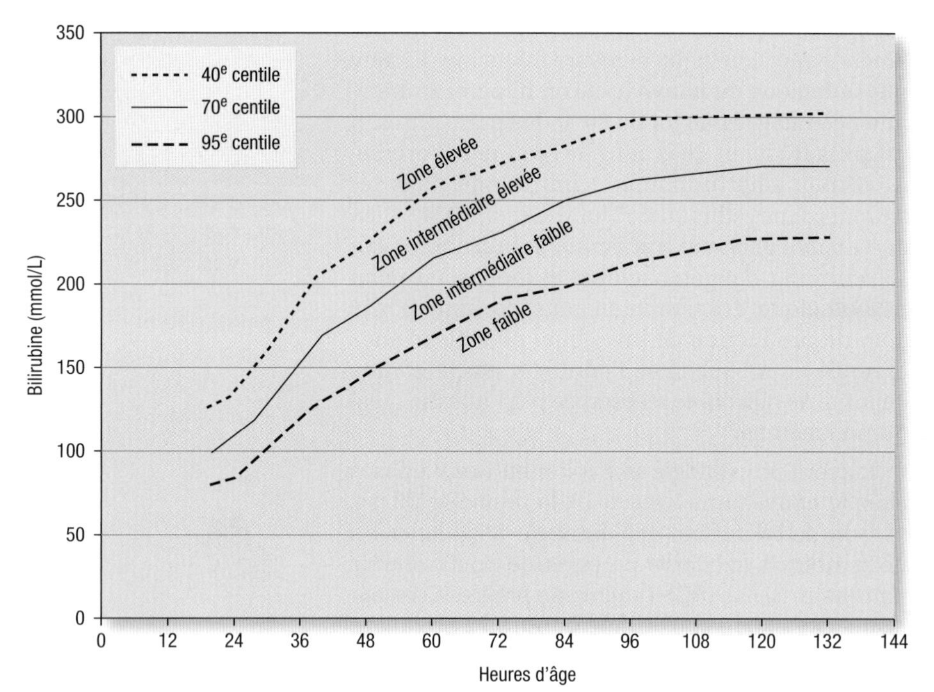

FIGURE 17.10

Nomogramme prédictif du risque de 2 840 nouveau-nés en santé d'âge gestationnel d'au moins 36 semaines et de poids à la naissance de 2 000 g au moins ou d'âge gestationnel d'au moins 35 semaines et de poids à la naissance de 2 500 g au moins, établi d'après les valeurs de la bilirubine sérique déterminée à intervalles réguliers. (Le nomogramme ne saurait représenter l'histoire naturelle de l'hyperbilirubinémie néonatale.)

TABLEAU 17.7	Causes de l'hyperbilirubinémie néonatale
MÉCANISME	**CAUSES**
Production de bilirubine accrue	
Destruction de l'hémoglobine accrue	• Incompatibilité fœtomaternelle liée au groupe sanguin (Rh, ABO) • Anomalies érythrocytaires congénitales • Déficit enzymatique congénital (glucose-6-phosphate déshydrogénase, galactosémie) • Sepsie • Hémorragie circonscrite (céphalhématome, ecchymoses)
Augmentation de la quantité d'hémoglobine	• Polyglobulie (transfusion maternofœtale ou entre jumeaux, faible poids pour l'âge gestationnel) • Clampement ou pincement tardif du cordon
Accélération du cycle entérohépatique	• Expulsion du méconium ralentie, iléus ou bouchon méconial • Jeûne ou allaitement repoussé • Atrésie ou sténose intestinale
Altération de la clairance hépatique de la bilirubine	
Altération de la production ou de l'activité de l'uridine diphosphate glucuronyl-transférase	• Immaturité • Troubles métaboliques ou endocriniens (p. ex., la maladie de Crigler et Najjar, l'hypothyroïdie, les troubles du métabolisme des acides aminés)
Altération de la fonction ou de la circulation sanguine hépatique (et, de ce fait, de la capacité de conjugaison)	• Sepsie (cause également de l'inflammation) • Asphyxie, hypoxie, hypothermie, hypoglycémie • Médicaments et hormones (p. ex., la novobiocine, le prégnandiol)
Occlusion hépatique (hyperbilirubinémie directe)	• Anomalies congénitales (atrésie biliaire, fibrose kystique) • Stase biliaire (hépatite, sepsie) • Quantité excessive de bilirubine (fréquente en cas d'hémolyse grave)

Source : Adapté de Blackburn (2007).

l'examen des antécédents familiaux, dont le groupe sanguin maternel et la présence de l'antigène Rh, et des antécédents d'hyperbilirubinémie dans la fratrie, ainsi que sur les signes d'hémolyse, le mode d'alimentation, l'état physiologique du nouveau-né et l'évolution de son taux de bilirubine.

L'ictère est de nature pathologique lorsque le taux de bilirubine sérique est tel qu'il peut entraîner une surdité de perception, une légère déficience cognitive et l'ictère nucléaire (ou kernictère), caractérisé par l'accumulation de bilirubine au cerveau, en l'absence de traitement. La terminologie médicale étant en constante mutation, le fait que l'on insiste moins de nos jours sur l'ictère pathologique tient plus de l'omission que de n'importe quel autre motif. Néanmoins, l'ictère du nouveau-né peut être considéré comme un ictère physiologique (comme déjà décrit) à moins d'indication contraire, auquel cas il peut être considéré comme étant de nature pathologique.

L'ictère nucléaire doit son appellation à la coloration jaune des noyaux gris centraux et de certaines zones du cortex cérébral, et l'accumulation de bilirubine cérébrale peut provoquer une encéphalopathie. Les lésions surviennent lorsque la concentration sérique s'élève à un taux toxique, quelle que soit la cause. Des résultats probants démontrent qu'une partie de la bilirubine indirecte traverse la barrière hématoencéphalique du nouveau-né qui présente une hyperbilirubinémie physiologique. Quand d'autres troubles sont présents outre l'hyperbilirubinémie, la perméabilité de la barrière hématoencéphalique se trouve accrue, augmentant ainsi le risque de lésions irréversibles. Le taux exact de bilirubine sérique susceptible de causer des lésions demeure inconnu. L'encéphalopathie due à l'hyperbilirubinémie provoque la dépression ou la stimulation du SNC. La baisse de l'activité générale, la léthargie, l'irritabilité, l'hypotonie et la crise épileptique sont des signes avant-coureurs. Ces signes discrets sont suivis de l'apparition de l'infirmité motrice cérébrale athétoïde, de la déficience intellectuelle et de la surdité. Le nouveau-né qui y survit sera peut-être aux prises avec des séquelles neurologiques, notamment la déficience intellectuelle, le trouble déficitaire de l'attention avec hyperactivité, un trouble moteur (**athétose** [ataxie] surtout), un trouble du comportement, un trouble perceptif ou la surdité de perception.

RAPPELEZ-VOUS...

La sclère (ou sclérotique) de l'œil est une membrane externe formant le blanc de l'œil. Elle est de couleur porcelaine chez les Blancs et jaune pâle chez les Noirs. On peut la voir sous la conjonctive bulbaire.

Athétose : Syndrome caractérisé par des mouvements spasmodiques involontaires de grande amplitude, touchant surtout les extrémités des membres et le visage.

Grâce à la bilirubinométrie transcutanée (BTc), une technique d'évaluation de la bilirubinémie par l'émission d'un éclair lumineux sans effraction tissulaire, il est facile de surveiller l'évolution du taux de bilirubine **FIGURE 17.11**. La méthode s'applique tant au nouveau-né à la peau claire qu'au nouveau-né à la peau foncée, et ses résultats sont en corrélation linéaire avec ceux de l'analyse sanguine chez le nouveau-né à terme. La BTc est utile dans le dépistage de l'ictère d'importance clinique, et elle vient éliminer la nécessité de prélever du sang. Le séjour à l'unité de naissance étant désormais bref, la méthode se révèle également utile comme outil d'évaluation dans le cadre des soins à domicile subséquents, comme l'illustrent des études dans une population homogène. Toutefois, étant donné que les résultats de la BTc varient selon l'origine ethnique, l'âge gestationnel et le poids à la naissance, l'application de la technique à des fins diagnostiques dans des groupes hétérogènes demeure limitée. De plus, l'intensité de l'ictère n'est pas toujours proportionnelle au degré d'hyperbilirubinémie. Les nouveaux appareils produisent des résultats exacts entre 37 et 78 mmol/L près chez la plupart des nouveau-nés dont le taux sérique est inférieur à 257 mmol/L (SCP, 2011b). Une fois la photothérapie instaurée, la BTc n'est plus d'aucune utilité aux fins de dépistage.

La prévision du risque de hausse soudaine du taux de bilirubine fondée sur la détermination de la bilirubinémie à intervalles réguliers est une mesure désormais recommandée officiellement par le Comité d'étude du fœtus et du nouveau-né de la Société canadienne de pédiatrie (SCP, 2011b) dans la surveillance du nouveau-né en santé né après 35 semaines de grossesse, avant son congé. Le nomogramme illustrant trois niveaux de risque (élevé, intermédiaire, bas) d'augmentation de la bilirubinémie s'avère utile dans la reconnaissance des nouveau-nés pour qui l'évaluation doit se poursuivre après le congé. Le dépistage universel de l'hyperbilirubinémie néonatale selon cette méthode peut avoir lieu dans le cadre de l'évaluation habituelle du nouveau-né (phénylcétonurie [PCU], galactosémie, entre autres) (SCP, 2011b). Le nomogramme prévisionnel permet d'estimer le risque d'hyperbilirubinémie justifiant le traitement médical ou la surveillance étroite. Des études démontrent l'exactitude du nomogramme dans la prévision de la hausse soudaine du taux de bilirubine nécessitant une évaluation ou un traitement (Keren *et al.*, 2008).

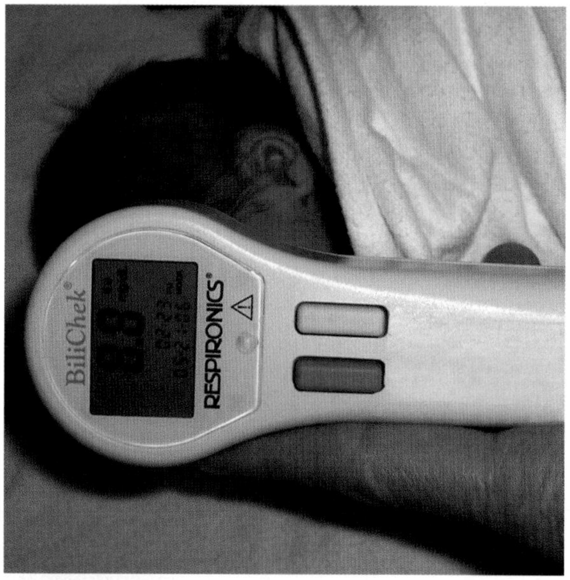

Clairance hépatique : Pourcentage d'une substance (médicament ou hormone) dégradée et rendue inactive au cours de son passage hépatique.

FIGURE 17.11
Bilirubinométrie transcutanée

Les facteurs associés au risque élevé sont l'âge gestationnel inférieur à 38 semaines, l'allaitement, des antécédents d'ictère dans la fratrie et l'apparition de l'ictère avant le congé de l'hôpital (SCP, 2011b). Les experts recommandent le suivi et la détermination du taux de bilirubine dans les 24 heures du congé du nouveau-né en santé (âge gestationnel de 35 semaines ou plus), dont le séjour hospitalier est de moins de 24 heures, et l'évaluation du risque d'hyperbilirubinémie à l'aide d'un outil tel le nomogramme prédictif. Il faut mesurer la concentration de bilirubine sérique totale ou de BTc chez tous les nouveau-nés au cours des 72 premières heures de vie (SCP, 2011b).

Ictère lié à l'allaitement maternel

L'allaitement est associé à une incidence d'ictère accrue. Cet ictère prend l'une ou l'autre des deux formes, bien que leur nomenclature respective varie selon l'expert. En outre, ces formes se chevauchent, et il peut être ardu de les distinguer l'une de l'autre (Blackburn, 2007). L'ictère lié à l'allaitement (jaunisse d'apparition précoce) se manifeste dans les 2 à 4 jours de la naissance chez près de 10 à 25 % des nouveau-nés allaités. Cet ictère découle probablement de l'apport calorique et liquidien insuffisant avant que l'écoulement de lait soit optimal ; en effet, l'apport insuffisant ralentit la **clairance hépatique** de la bilirubine (Blackburn, 2007).

L'apport calorique déficitaire (peu de lait), la perte de poids supérieure à 5 à 7 % dans les cinq premiers jours, la hausse du taux de bilirubine (libre) sérique, le ralentissement de l'élimination fécale et l'intensification de l'ictère forment une entité parfois appelée ictère d'inanition. Pour le prévenir, il est recommandé d'amorcer l'allaitement dans les premières heures de la naissance, de faire cohabiter la mère et le nouveau-né, de donner le sein de 10 à 12 fois par jour, de ne pas offrir de supplément alimentaire, de savoir déceler les signes de la faim et de combler ce besoin.

L'ictère lié au lait maternel (ictère d'apparition tardive) peut se manifester tôt comme la forme d'apparition hâtive ou apparaître dans les 4 à 6 jours de la naissance ; il survient chez 2 à 3 % des nouveau-nés allaités. Une fois qu'il a atteint sa valeur de pointe dans la deuxième semaine, le taux de bilirubine diminue progressivement. Même si ce taux demeure élevé durant 3 à 12 semaines, le nouveau-né se porte bien et ne présente aucun signe d'hémolyse ou de dysfonction hépatique. L'ictère peut être causé par des éléments présents dans le lait maternel (prégnandiol, acides gras, enzyme glucuronidase bêta) qui inhibent la conjugaison de la bilirubine ou en diminuent l'excrétion. Le ralentissement du transit intestinal chez le nouveau-né allaité pourrait favoriser la réabsorption de la bilirubine dans l'intestin (Blackburn, 2007) ▶ 18.

Hypoglycémie

L'hypoglycémie dans les premiers jours du nouveau-né à terme est définie comme étant une glycémie trop basse pour soutenir le fonctionnement neurologique, organique et tissulaire du nouveau-né ; cependant, nul ne connaît le taux exact qui correspond à cet état pour un nouveau-né en particulier. À la naissance, le nouveau-né est privé de la source maternelle de glucose au clampage de son cordon ombilical. Une baisse transitoire de la glycémie se produit alors chez la plupart des nouveau-nés à terme en santé, qui mobilisent leurs acides gras libres et leurs corps cétoniques pour former du glucose (Blackburn, 2007). L'insuline, qui pourrait faire baisser la glycémie du fœtus, ne traverse pas la barrière placentaire. L'asphyxie et d'autres agents stressants physiologiques peuvent occasionner de l'hypoglycémie en raison de la baisse de la réserve de glycogène, du ralentissement de la gluconéogenèse ou de la surutilisation du glycogène emmagasiné durant la vie fœtale.

L'hypoglycémie survient chez moins de 1 % des nouveau-nés en santé. Le poids inférieur à 2 000 g ou supérieur à 4 000 g, le faible poids ou le poids élevé pour l'âge gestationnel, le retard de croissance intra-utérin, l'âge gestationnel inférieur à 37 semaines, le diabète ou le déséquilibre glycémique maternel et la sepsie sont des facteurs de risque d'hypoglycémie. L'hypoglycémie néonatale est rarement le symptôme d'une maladie. Elle se manifeste par de l'irritabilité, de l'agitation, des cris ou des pleurs aigus, de la pâleur, de la sudation, de la léthargie, les difficultés d'alimentation, la crise épileptique et des difficultés respiratoires.

Pour ce qui est du nouveau-né à terme en santé d'une mère dont la grossesse et l'accouchement n'ont été marqués d'aucun incident, il est recommandé de surveiller la glycémie seulement s'il y a des facteurs de risque, qui peuvent être transitoires, mais récurrents, ou des manifestations cliniques d'hypoglycémie. Dans ces cas, il convient d'intervenir lorsque la glycémie est inférieure à 2,5 mmol/L. Le nouveau-né à terme en santé et allaité ne serait pas à risque, car le lait maternel renferme les éléments nécessaires au maintien d'une glycémie normale (Cornblath *et al.*, 2000). L'allaitement hâtif et fréquent, couplé à la thermorégulation par le contact peau à peau, normalise la glycémie de la plupart des nouveau-nés à terme de poids normal dans les 48 premières heures. La SCP (SCP, 2004) s'oppose donc à toute forme de supplément glucidique ou d'apport hydrique autre que l'allaitement et à la surveillance glycémique systématique, sauf en cas de présence de signes physiques évidents d'hypoglycémie.

Chez le nouveau-né à risque de défaillance métabolique due à une maladie maternelle (diabète, hypertension gestationnelle) ou à d'autres facteurs (hypoxie périnatale, infection, hypothermie, polyglobulie, malformation congénitale, hyperinsulinisme, faible poids pour l'âge gestationnel, anasarque fœtoplacentaire, administration de terbutaline), il est recommandé d'observer étroitement le nouveau-né et de surveiller sa glycémie dans les deux ou trois premières heures de vie. L'algorithme décisionnel de la SCP aide à la prise en charge de ces nouveau-nés **FIGURE 17.12**. Si la glycémie est inférieure à 2,0 mmol/L, il convient d'intervenir en amorçant l'allaitement maternel ou l'alimentation au biberon. Si l'allaitement ne fait pas remonter la glycémie, il faut administrer du dextrose par la voie I.V. Ce traitement a pour objectif de maintenir la glycémie au-dessus de 2,5 mmol/L (Cornblath *et al.*, 2000). En présence d'hyperinsulinisme grave, l'objectif glycémique est plus élevé (3,3 mmol/L) afin de prévenir de graves conséquences. La recherche n'a pas tout élucidé de l'hypoglycémie chez le prématuré, mais les experts proposent de maintenir la glycémie au-dessus de 2,6 mmol/L (Cornblath *et al.*, 2000). Il n'est pas indiqué de surveiller la glycémie du nouveau-né à terme en santé et asymptomatique (absence de risque).

L'apport glucidique, qu'il s'agisse de lait maternel ou de PCN, écarte habituellement l'éventualité de l'hypoglycémie chez le nouveau-né à terme qui présente un risque faible. L'administration I.V. de glucose est nécessaire dans les quelques cas d'hyperinsulinisme tenace ou d'épuisement du stock de glycogène.

Hypocalcémie

L'hypocalcémie s'installe quand la calcémie du nouveau-né à terme est inférieure à l'écart de 1,9 à 2 mmol/L et que celle du prématuré se situe à 1,75 mmol/L ou moins ; en théorie, la fraction ionisée correspond à la forme biologiquement active, et le taux de cette fraction va de 0,75 à 1,1 mmol/L

18

Le chapitre 18, *Nutrition et alimentation du nouveau-né*, présente les recommandations nutritionnelles dans ces cas.

Jugement clinique

Yassim est né à 36 1/7 semaines de gestation par accouchement vaginal il y a six heures. Ses parents sont d'origine maghrébine. Son poids de naissance étant de 2 318 g, Yassim possède un faible poids pour son âge gestationnel.

Il s'est déjà alimenté à deux reprises par allaitement maternel, son premier méconium est expulsé, et sa première miction a eu lieu. Yassim est calme, mais très réactif pendant les soins. La coloration de sa peau est normale selon son origine maghrébine, et son état respiratoire est adéquat. Vous devez surveiller les manifestations d'hypoglycémie puisque ce nouveau-né en présente quelques facteurs de risque.

Nommez les facteurs de risque liés à l'hypoglycémie présents chez Yassim. Puis, indiquez quatre caractéristiques présentes chez ce nouveau-né vous permettant de croire que sa glycémie est adéquate.

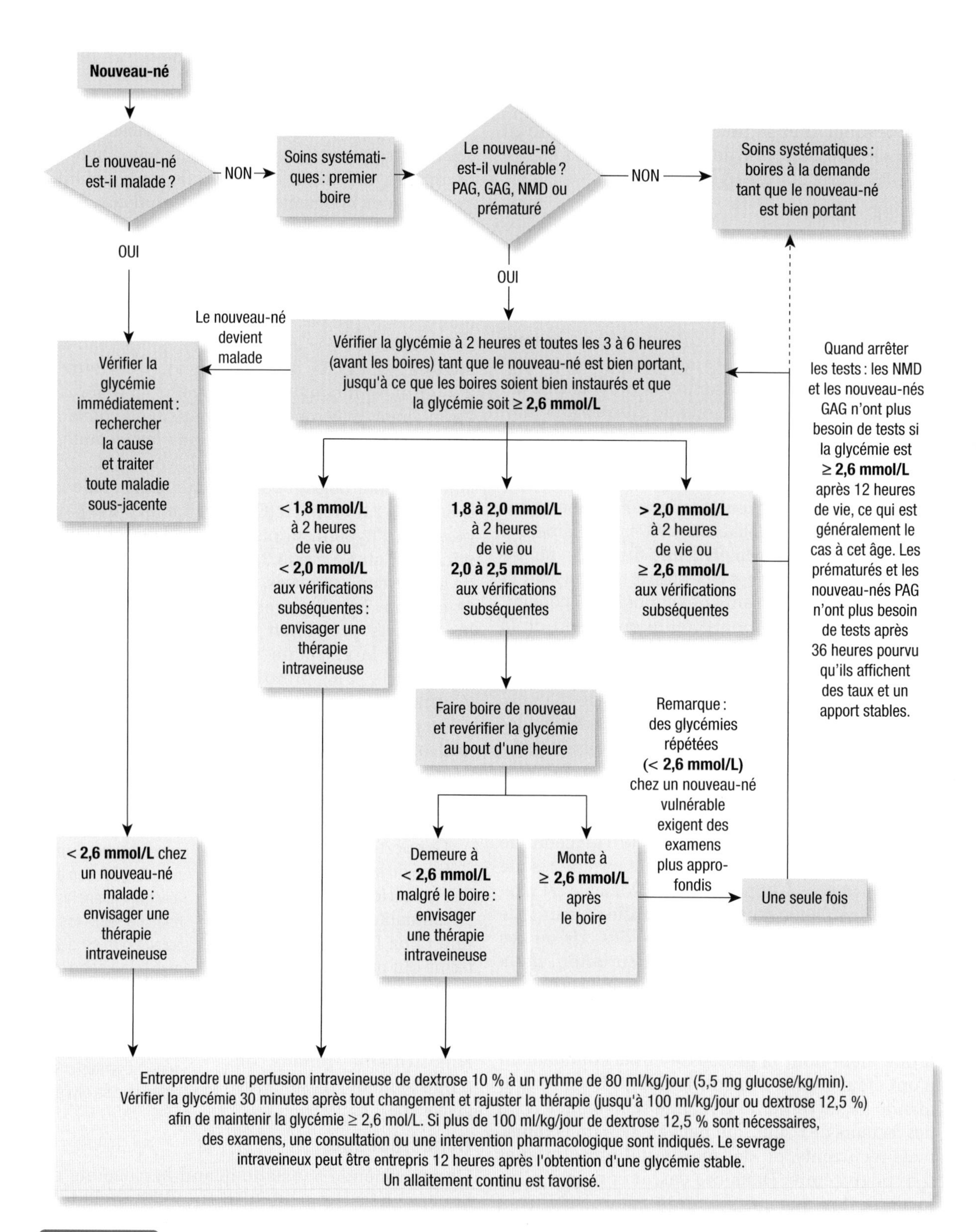

FIGURE 17.12

Algorithme décisionnel de la Société canadienne de pédiatrie pour le dépistage et la prise en charge immédiate des nouveau-nés vulnérables à l'hypoglycémie néonatale

selon la technique de mesure (Blackburn, 2007). Le nouveau-né d'une mère diabétique, celui qui a subi de l'asphyxie ou un trauma périnatal, le nouveau-né de faible poids à la naissance et le prématuré sont à risque d'hypocalcémie. L'hypocalcémie d'apparition hâtive survient en général dans les 24 à 48 premières heures de la naissance ; elle se manifeste par de l'agitation, des cris ou des pleurs aigus, de l'irritabilité, de l'apnée, une cyanose intermittente, de la distension abdominale et un laryngospasme lorsqu'elle n'est pas asymptomatique (Blackburn, 2007).

Dans la plupart des cas, l'hypocalcémie des premières heures de la naissance se résorbe spontanément en un à trois jours. Le traitement comprend l'apport de calcium d'une source comme le lait maternel enrichi ou la préparation destinée au prématuré. Dans certains cas, comme celui du nouveau-né de très faible poids à la naissance dont l'état est instable, par exemple, il faut administrer du calcium et du phosphore élémentaires par la voie I.V.

L'agitation est un symptôme de l'hypoglycémie comme de l'hypocalcémie ; par conséquent, si le traitement de l'hypoglycémie s'avère inefficace à enrayer ce signe, il y a lieu d'envisager la possibilité d'une hypocalcémie.

17.2 Analyses de laboratoire et examens paracliniques

Parce que le nouveau-né traverse une période de transition dans ses 28 premiers jours, de nombreux prélèvements sont nécessaires afin de déterminer s'il s'adapte sur le plan physiologique à son existence extra-utérine et de cerner les troubles qui pourraient avoir des répercussions néfastes au-delà de la période néonatale. Habituellement, le prélèvement sanguin s'effectue par la ponction au talon. Les analyses courantes sont la glycémie, la bilirubinémie, les tests de dépistage néonataux (p. ex., la PCU, la thyroxine [T_4], la drépanocytose, la galactosémie) et la détermination de la concentration de médicaments. Les valeurs normales des analyses en laboratoire courantes dans le cas du nouveau-né à terme figurent dans le **TABLEAU 17.8**.

TABLEAU 17.8 Analyses de laboratoire d'usage dans la période néonatale

ANALYSES DE LABORATOIRE	NOUVEAU-NÉ À TERME	PRÉMATURÉ
Analyses hématologiques		
Facteurs de coagulation		
• Temps de céphaline activé	• 2 min	
• Temps de saignement (méthode d'Ivy)	• 2-7 min	
• Rétraction du caillot	• Complète en 1-4 h	
• Fibrinogène	• 1,25-3,0 g/L	
Hémoglobine	• 145-225 g/L	150-170 g/L
Hématocrite	• 44-64 %	45-55 %
Réticulocytes	• 0,4-6 %	≤ 10 %
Hémoglobine fœtale	• 40-70 % du total	80-90 % du total
Érythrocytes	• 4-6 × 10^9/L	
Numération plaquettaire	• 150-300 × 10^9/L	120-180 × 10^9/L
Leucocytes	• 9-30 × 10^9/L	10-20 × 10^9/L
• Neutrophiles	• 54-62 %	47 %
• Éosinophiles et basophiles	• 1-3 %	
• Lymphocytes	• 25-33 %	33 %
• Monocytes	• 3-7 %	4 %
• Leucocytes immatures	• 10 %	16 %

TABLEAU 17.8	Analyses de laboratoire d'usage dans la période néonatale *(suite)*	
ANALYSES DE LABORATOIRE	**NOUVEAU-NÉ À TERME**	**PRÉMATURÉ**
Analyses biochimiques		
Bilirubine directe	• 0-17 mmol/L	
Bilirubine totale (cordon)	• < 34 mmol/L	
Bilirubine totale (sang périphérique)		
• 0-1 jour	• 103 mmol/L	
• 1-2 jours	• 137 mmol/L	
• 2-5 jours	• 205 mmol/L	
Gazométrie sanguine artérielle	• pH : 7,31-7,49 • Pression partielle de gaz carbonique dans le sang artériel ($PaCO_2$) : 26-41 mm Hg • Pression partielle de l'oxygène dans le sang artériel (PaO_2) : 60-70 mm Hg	
Gazometrie sanguine veineuse	• pH : 7,31-7,41 • $PaCO_2$: 40-50 mm Hg • PaO_2 : 40-50 mm Hg	
Glycémie	• 2,2-3,3 mmol/L	
Analyses d'urine		
Couleur	• Claire, jaune paille	
Densité spécifique	• 1,001-1,020	
Volume		
• Premiers jours	• 24-72 ml/1 000 g par jour	
• En une semaine	• Près de 200 ml par 24 h	
pH	• 5-7	
Protéines	• Négatif	
	• Peuvent être présentes dans les 2-4 premiers jours	
Glucose	• Négatif	
Corps cétoniques	• Négatif	
Érythrocytes	• 0-2	
Leucocytes	• 0-4	
Débris	• Négatif	
Osmolarité	• 100-600 mOsm/L	

Obligatoire en vertu de la législation du Québec et de la Saskatchewan, le dépistage génétique néonatal se pratique dans tout le Canada. Ces programmes de santé publique importants ont pour objectif de dépister à la naissance des maladies génétiques qui entraînent de graves problèmes de santé lorsqu'elles ne sont pas traitées dans les plus brefs délais. Toutes les provinces et les territoires procèdent au dépistage de la PCU et de l'hypothyroïdie ; le Québec y ajoute la tyrosinémie. Certains programmes de dépistage couvrent d'autres maladies (notamment la galactosémie et l'homocystinurie), mais seules l'Alberta, l'Ontario, la Saskatchewan et la Colombie-Britannique procèdent au dépistage universel de la fibrose kystique. Certains experts recommandent d'effectuer de nouveau le test de dépistage dans la première ou la deuxième semaine de vie si le prélèvement initial a été effectué dans les 24 premières heures suivant la naissance (Albers & Levy, 2005).

La population étant de plus en plus mobile, il se peut que des nouveau-nés à risque élevé de maladies métaboliques échappent au dépistage. Il importe donc de sensibiliser les familles à propos du programme de dépistage de la province ou du territoire où elles habitent. Il est possible de déceler plus de 30 troubles, outre les maladies enzymatiques courantes, par la spectrométrie de masse en tandem. La détection précoce des maladies enzymatiques grâce à cette technique peut prévenir l'aggravation du retard de développement et la morbidité connexe.

Le ministère de la Santé de chaque province et territoire est la meilleure source d'information sur les tests obligatoires offerts au pays. Le **TABLEAU 17.9** présente des troubles majeurs qui font l'objet du dépistage néonatal.

Le dépistage néonatal de la fibrose kystique est décrit à l'annexe 17.1W, présentée au www.cheneliere.ca/lowdermilk.

TABLEAU 17.9 Dépistage néonatal

TROUBLE OU MANIFESTATION	SYMPTÔMES	FRÉQUENCE	TRAITEMENT
PCU (classique) : hausse du taux de phénylalanine (concentration plasmatique > 20 mg/dl)	Déficience intellectuelle profonde si non détectée et traitée au stade précoce, eczéma, crises épileptiques, troubles du comportement, défaut de pigmentation, nette odeur de souris	• 1 personne sur 13 500 à 1 personne sur 20 000 • Plus fréquente chez les personnes blanches et amérindiennes	• Régime alimentaire particulier (peu ou pas de phénylalanine) durant toute la vie • Possibilité d'un supplément de tyrosine
Hypothyroïdie congénitale (primaire) : bas taux de T_4, haut taux de thyréostimuline	Asymptomatique à la naissance ; retard de croissance intellectuelle et motrice (mais le dépistage néonatal et le traitement ont fait baisser l'incidence de la déficience intellectuelle), petite taille, peau et cheveux épais et secs, cris ou pleurs rauques, constipation	• 1 cas sur 3 600 à 1 cas sur 5 000 naissances vivantes avec une certaine variation selon l'origine ethnique • 1 personne d'origine africaine sur 32 000 • 1 personne sur 2 000 personnes d'origine latino-américaine ou amérindienne	• Maintien du taux de T_4 dans la moitié supérieure de l'écart normal • Détermination périodique de l'âge osseux pour surveiller la croissance
Déficit en biotinidase : diminution ou absence d'activité de la biotinidase à la colorimétrie	Crises myocloniques, hypotonie, alimentation difficile, acidurie organique, infections fongiques, ataxie, éruption cutanée, surdité, alopécie, atrophie du nerf optique, retard du développement, coma et mort	• 1 personne sur 60 000 à 1 personne sur 137 000	• De 5 à 20 mg de biotine/jour, moins en cas de déficit partiel
Galactosémie (déficit en transférase)[a] : concentration de galactose élevée, peu ou pas de fluorescence	Hypotonie, léthargie, vomissements, diarrhée, acidose métabolique, sepsie due à *Escherichia coli* ou dysfonction hépatique ; déficience intellectuelle, ictère, cécité, cataractes, problèmes comportementaux à long terme et atteinte neurologique	• 1 personne sur 60 000 à 1 personne sur 250 000	• Régime alimentaire dépourvu en galactose et lactose • PCN au soya, aliments solides sans lactose
Homocystinurie[a] : élévation des taux de méthionine et d'homocystéine	Petite enfance : retard de croissance sans particularités ; diagnostic posé habituellement vers l'âge de trois ans : déficience intellectuelle, crises épileptiques, troubles du comportement, thrombose à un jeune âge, luxation du cristallin ; phénotype : grand et maigre	• 1 personne sur 150 000 à 1 personne sur 200 000 • Prévalence accrue en Irlande et en Nouvelle-Galles du Sud (Australie) (1 personne sur 60 000)	• Régime alimentaire dépourvu en méthionine et riche en cystine • Apport de vitamine B_6 si forme pyridoxinodépendante

▼

TABLEAU 17.9 Dépistage néonatal *(suite)*

TROUBLE OU MANIFESTATION	SYMPTÔMES	FRÉQUENCE	TRAITEMENT
Hyperplasie surrénale congénitale[a] : taux de 17-hydroxyprogestérone élevé, déséquilibre électrolytique	Hyponatrémie, hyperkaliémie, hypoglycémie, déshydratation ; perte de poids ; hypotension ; état de choc par déperdition de sel ; masculinisation de la fille ; masculinisation progressive chez les deux sexes	• 1 personne sur 10 000 à 1 personne sur 20 000 • Fréquence plus élevée chez les Alaskiens de souche (1 personne sur 300)	• Abaisser le taux de corticotrophine • Glucocorticothérapie et minéralocorticothérapie substitutives • Chirurgie correctrice des caractères sexuels ambigus (diagnostic d'intersexualité controversé)
Maladie microdrépanocytaire (drépanocytose et thalassémie)[a]	Infection à répétition, retard de croissance, pâleur, anémie hémolytique ; poussée d'anémie falciforme	• Anémie falciforme : 1 personne blanche sur 2 647, 1 personne d'origine africaine sur 375 et 1 personne d'origine latino-américaine sur 36 000	• Prévention : traitement de la méningococcie et de la pneumococcie • Hydroxyurée (antidrépanocytique) • Prévention de l'infection à parvovirus B19 (entrave la production des réticulocytes)

[a] Ces troubles ne font pas l'objet d'un dépistage systématique dans les établissements québécois, mais c'est le cas ailleurs au Canada.

Sources : Adapté de DeBaun & Vichinsky (2007) ; LaFranchini (2007) ; Lashley (2002) ; Rezvani (2007).

17.2.1 Prélèvements

Pour procéder à l'évaluation du nouveau-né et au dépistage néonatal, il est nécessaire de prélever du sang, par la ponction au talon ou la ponction veineuse, ou encore un échantillon d'urine.

Ponction au talon

Dans la plupart des cas, un technicien de laboratoire ou une infirmière effectue le prélèvement sanguin. Il se peut toutefois que l'infirmière doive prélever du sang par la ponction au talon aux fins de surveillance de la glycémie ou de dépistage des maladies métaboliques **TABLEAU 17.8**.

Il arrive parfois que l'infirmière réchauffe le talon au préalable : en effet, l'application de chaleur par un linge humide chaud, mais pas à l'excès, lâchement enroulé autour du talon durant 5 à 10 minutes favoriserait la vasodilatation locale. Des fournisseurs offrent des dispositifs chauffants qu'il faut savoir utiliser avec prudence afin d'éviter la brûlure. L'infirmière devrait porter des gants non stériles pour procéder à tout prélèvement. Elle nettoie le site de ponction à l'aide d'un agent antiseptique, immobilise le pied du nouveau-né d'une main et effectue la ponction de l'autre. La ponction à l'aide de la lancette automatique est moins douloureuse que celle effectuée avec une lancette manuelle.

Ostéochondrite nécrosante : Décalcification progressive et nécrosante des cartilages formateurs de certains os (hanche, talon, genoux) ou de leurs épiphyses.

L'**ostéochondrite nécrosante** due à la pénétration de la lancette dans l'os constitue la complication la plus grave de la ponction au talon. Pour la prévenir, la piqûre s'effectue à la face externe du talon à une profondeur maximale de 2,4 mm. Pour circonscrire le site de ponction, l'infirmière trace une ligne imaginaire en parallèle avec la face latérale du pied allant de l'espace entre le quatrième et le cinquième orteil jusqu'au talon, et une seconde ligne parallèle longeant le versant interne du pied, allant du gros orteil au talon **FIGURE 17.13A**. Un trauma répété à la partie du talon qui entre en contact avec le sol à la marche peut causer à la longue de la fibrose et la formation de tissu cicatriciel susceptibles d'entraîner des problèmes par la suite.

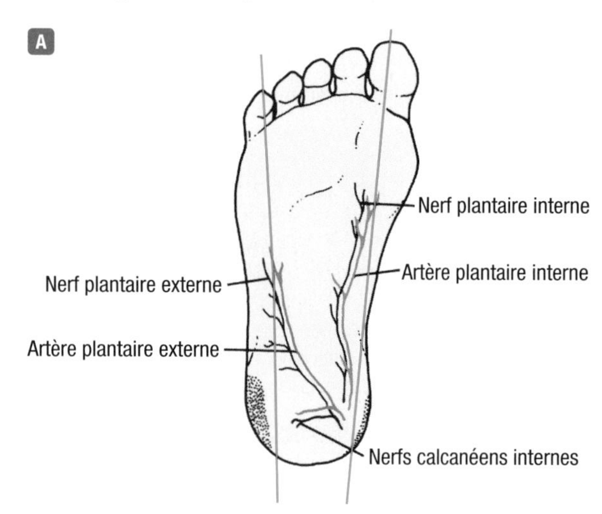

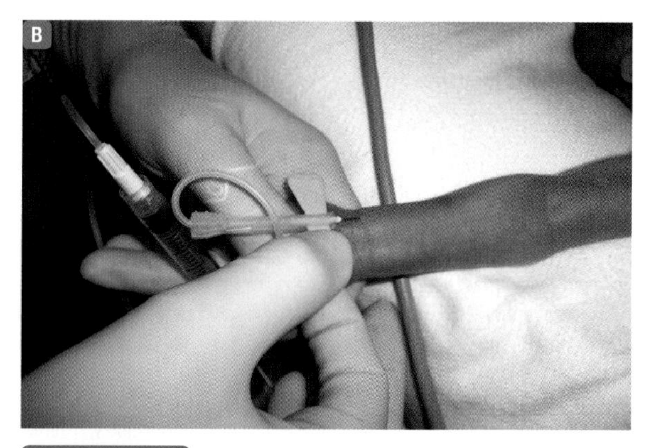

FIGURE 17.13
Ponction au talon et ponction veineuse. **A** Sites de la ponction au talon (zones grisées) aux fins de prélèvement de sang capillaire. **B** Ponction veineuse à l'aide d'une aiguille à ailettes.

Après le prélèvement, il convient d'exercer une pression au site de ponction à l'aide d'un tampon de gaze sec. Rien d'autre ne devrait être appliqué sur la peau pour que le saignement ne se prolonge pas. L'infirmière couvre le site d'un pansement adhésif, puis elle dispose de manière appropriée du matériel utilisé, passe en revue la demande d'analyses afin de confirmer l'identité du nouveau-né en question, puis vérifie l'étiquetage et l'acheminement du prélèvement au laboratoire.

La ponction au talon est non seulement traumatique, mais également douloureuse. Le nouveau-né qui a subi plusieurs piqûres au talon a tendance à fléchir le genou dès qu'on lui touche le pied. Pour rassurer le nouveau-né qui vient de subir une ponction et lui procurer un sentiment de sécurité, l'infirmière ou le parent le cajole et le réconforte ; l'infirmière applique les mesures analgésiques appropriées afin d'atténuer la douleur le plus possible. Dans certains établissements, une solution de sucrose est administrée au nouveau-né, de concert avec l'emploi d'une suce, avant le début de la procédure douloureuse (Johnston, Fernandes & Campbell-Yeo, 2011). Ce genre d'interventions non pharmaceutiques a démontré une réduction de la douleur ressentie chez le nouveau-né (voir également la section sur la gestion de la douleur, plus loin dans ce chapitre) (Lefrak *et al.*, 2006 ; SCP 2007).

Ponction veineuse

Le sang veineux peut être prélevé d'une veine de la région cubitale antérieure, de la veine saphène, d'une veine superficielle du poignet ou d'une veine du cuir chevelu, quoique rarement dans ce dernier cas. Si un site de ponction I.V. est mis en place, il convient de porter une attention particulière au liquide de perfusion afin de ne pas contaminer le prélèvement sanguin, ce qui altérerait les résultats de l'analyse.

Le positionnement de l'aiguille à la ponction veineuse revêt énormément d'importance. Bien qu'une aiguille ordinaire fasse l'affaire, l'aiguille à ailettes est préférable dans certains cas **FIGURE 17.13B**. L'aiguille de calibre 25 est appropriée chez le nouveau-né, car l'hémolyse demeure minime lorsque la technique est appliquée dans les règles. La patience reste de mise puisque le sang se déplace lentement dans une petite veine, et l'aiguille fine devra être maintenue en place plus longtemps que l'aiguille plus grosse. Le garrot est facultatif, mais il peut être utile pour accroître le flux sanguin. Habituellement, le nouveau-né est emmailloté dans le but de restreindre ses mouvements durant la ponction veineuse **FIGURE 17.14**. La **FIGURE 17.15** illustre d'autres mesures de contention. L'infirmière peut également lui donner une suce et lui administrer quelques gouttes d'une solution de sucrose approuvée à cette fin.

Le contenant de sang prélevé aux fins de gazométrie est conservé dans de la glace (afin de ralentir la dégradation des cellules sanguines) et acheminé immédiatement au laboratoire.

A
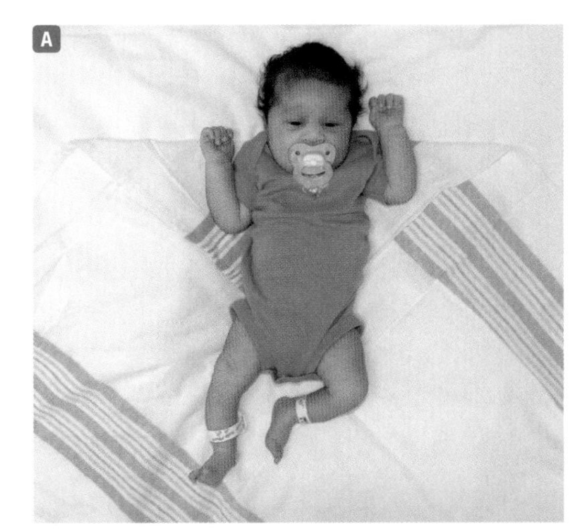
B
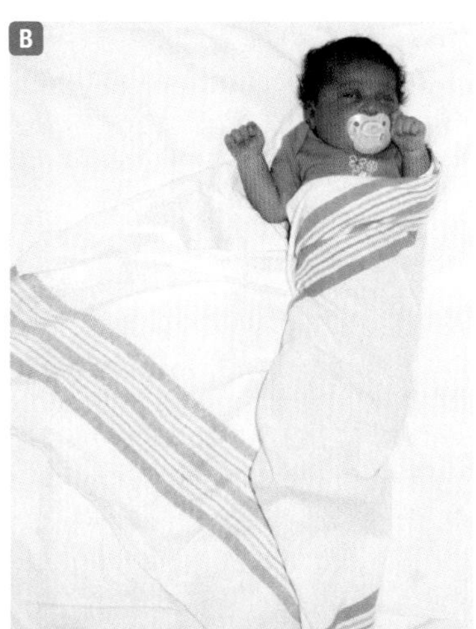
C
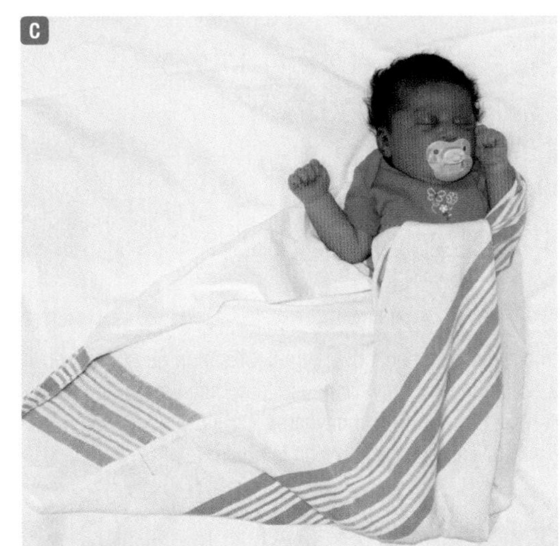
D
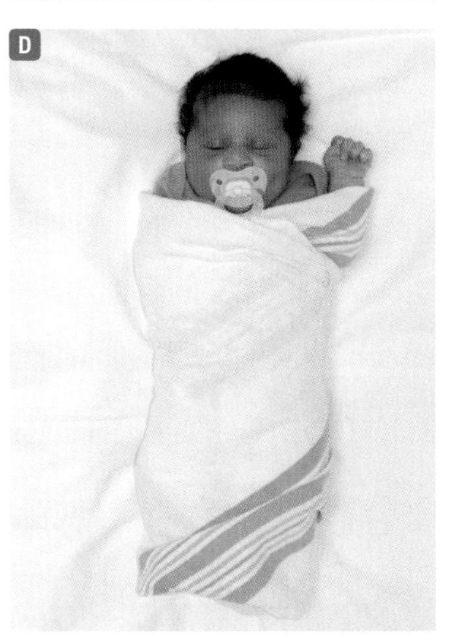

FIGURE 17.14

Emmailloter le nouveau-né pour contenir ses mouvements. **A** Le nouveau-né repose sur un angle replié de la couverture. **B** Le nouveau-né est enveloppé dans la couverture, un angle latéral replié sous lui. **C** L'angle inférieur de la couverture est replié sous le premier plan de la couverture, et l'autre angle latéral couvre le nouveau-né et est replié sous lui. **D** Nouveau-né emmailloté avec une main libre.

Il est essentiel d'exercer une pression sur le site de la ponction veineuse fémorale ou de la ponction artérielle à l'aide d'un tampon de gaze sec durant au moins trois à cinq minutes afin de prévenir le saignement. L'infirmière observe le nouveau-né fréquemment durant l'heure suivant la ponction veineuse afin de déceler un saignement ou la formation d'un hématome au site de la ponction. Elle consigne l'information ayant trait à la tolérance du nouveau-né à l'égard de cette intervention. À la fin de la ponction veineuse, l'infirmière ou le

Jugement clinique

Yassim est maintenant âgé de 34 heures de vie ; il vient d'obtenir son congé du centre hospitalier par le pédiatre de garde. Avant son départ, vous devez réaliser le test de dépistage génétique néonatal par prélèvement sanguin.

Afin de bien renseigner les parents sur l'objectif poursuivi par la réalisation de ce test, quels seront les éléments d'information à leur transmettre ?

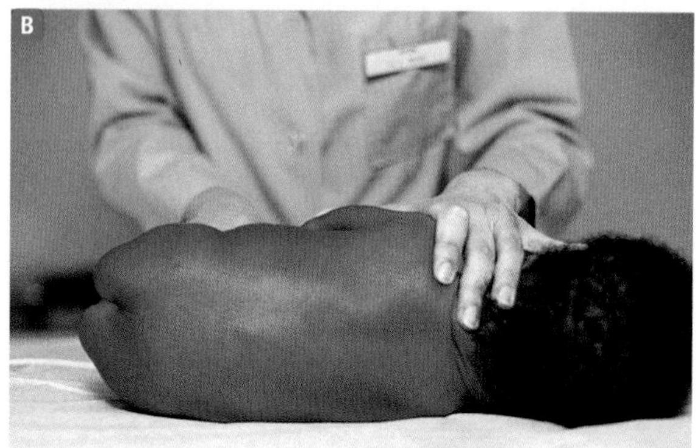

FIGURE 17.15

Autres moyens de contention. **A** Immobilisation du nourrisson en prévision d'une ponction veineuse fémorale. Le même moyen de contention s'applique au nouveau-né. **B** Décubitus latéral modifié en prévision d'une ponction lombaire.

ALERTE CLINIQUE

Seul du sang veineux ou capillaire est prélevé aux fins des analyses génétiques et du dépistage néonatal ; le sang du cordon ombilical ne peut être utilisé dans ce but.

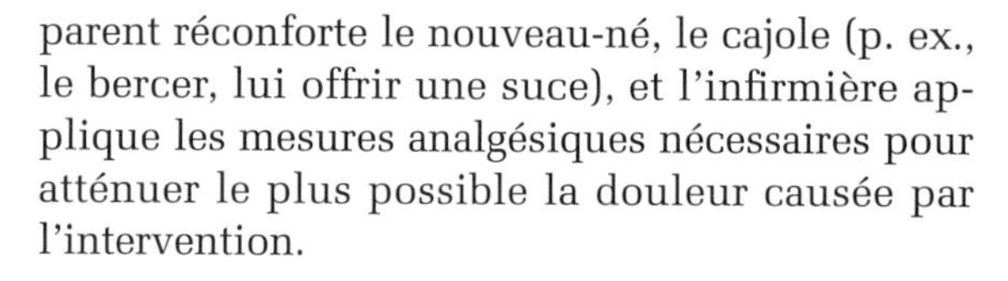

parent réconforte le nouveau-né, le cajole (p. ex., le bercer, lui offrir une suce), et l'infirmière applique les mesures analgésiques nécessaires pour atténuer le plus possible la douleur causée par l'intervention.

Échantillon d'urine

L'examen de l'urine est une analyse de laboratoire très utile dans l'évaluation du nouveau-né ; le mode ou la technique de prélèvement de l'urine peut influer sur les résultats de l'analyse. L'urine prélevée devrait être fraîche et analysée dans l'heure suivant le prélèvement.

Divers modèles de sacs de collecte sont offerts **FIGURE 17.16**. Le sac, prévu pour un usage unique, est fait de matière plastique transparente et comporte une bande adhésive au pourtour.

En prévision du prélèvement, l'infirmière positionne le nouveau-né en décubitus dorsal et lui enlève sa couche. Elle lave et assèche minutieusement les organes génitaux, le périnée et la peau avoisinante parce que la bande adhésive ne collera pas à la peau humide, poudrée ou huileuse. Elle retire la pellicule protectrice de la bande adhésive **FIGURE 17.16A**. Elle étire le périnée de la petite fille pour aplatir les plis cutanés ; elle appuie fermement la bande adhésive sur la peau autour du méat

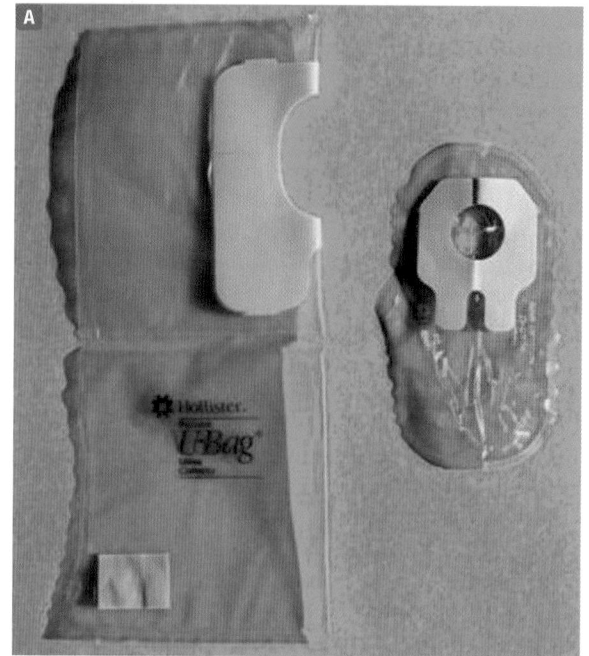

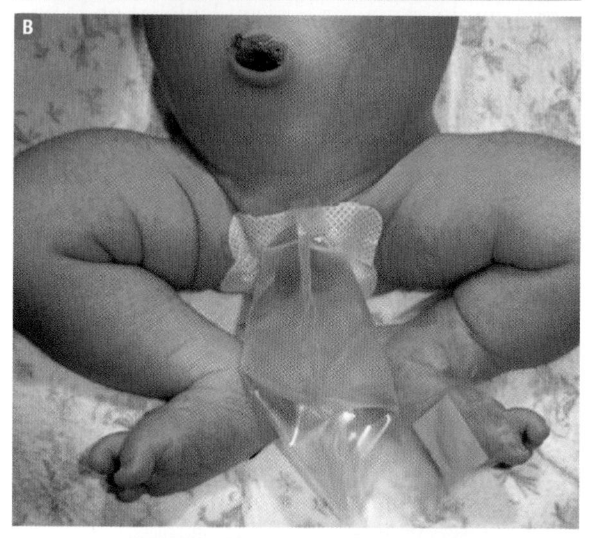

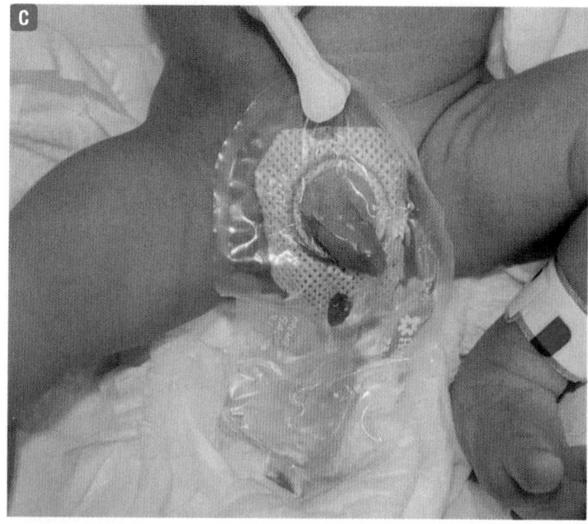

FIGURE 17.16

Prélèvement d'urine. **A** Pellicule protectrice sur la bande adhésive. **B** Pose du sac chez la fille. **C** Pose du sac chez le garçon.

urinaire et du vagin. (Commencer par la partie étroite de la bande en forme de papillon.) La meilleure façon de faire consiste à poser la bande adhésive d'abord sur la peau qui sépare le rectum du vagin et à terminer par le haut **FIGURE 17.16B**. Pour ce qui est du petit garçon, l'infirmière veille à ce que l'embouchure du sac recouvre le pénis (et le scrotum, selon la taille de l'ouverture) avant de retirer la pellicule protectrice de la bande adhésive ; une fois la pellicule retirée, elle appuie fermement les rebords sur le périnée, en vérifiant l'adhérence de la bande à la peau et l'absence de plis au pourtour **FIGURE 17.16C**. Ainsi, le sac est collé de façon étanche, ce qui réduit au minimum le risque de contamination par les fèces. Pour empêcher les fuites, une autre solution consiste également à couper une ouverture dans la couche, pour y insérer le sac, ce qui permet également de voir si l'échantillon a été recueilli.

L'infirmière remet la couche au nouveau-né, et elle vérifie le sac périodiquement. Quand il contient suffisamment d'urine (la quantité nécessaire varie selon le test), elle retire le sac. Elle observe la peau du nouveau-né à l'embouchure de celui-ci pour détecter des signes d'irritation. L'urine peut être aspirée du sac à l'aide d'une seringue ou versée dans un contenant directement du sac. Dans ce cas, l'infirmière tient le sac d'une main en le penchant pour éloigner l'urine du collet. Puis, elle retire le sac et verse l'urine dans un contenant stérile.

Le prélèvement d'urine durant 24 heures peut s'avérer ardu ; il peut être nécessaire de contenir le nouveau-né légèrement, notamment aux coudes, durant le prélèvement. Le sac de collecte de 24 heures est posé de la manière décrite ci-dessus, et l'urine se déverse dans un contenant. L'infirmière surveille étroitement le nouveau-né durant le prélèvement afin de détecter tout signe d'irritation ou de bris d'étanchéité du collet du sac.

Pour certains tests, l'urine peut être aspirée de la couche à l'aide d'une seringue dépourvue d'aiguille. Si la couche comporte un gel absorbant qui emprisonne l'urine, l'on place une petite compresse de gaze ou un tampon d'ouate dans la couche, qui s'imbibera d'urine que l'on pourra alors aspirer.

Contention

La contention peut s'avérer nécessaire afin d'éviter des blessures, de faciliter l'examen ou de restreindre les sensations désagréables durant un test, une intervention ou un prélèvement **FIGURE 17.14**. Voici les recommandations importantes dans l'application d'une mesure de contention :

- Veiller à ce que la mesure de contention ne cause pas d'irritation cutanée ou n'entrave pas la circulation sanguine.
- S'assurer que la position du corps est appropriée.
- Dans la mesure du possible, éviter les nœuds et les épingles. Si le nœud est incontournable, en faire un facile à dénouer. Faire preuve de prudence avec les épingles afin d'éviter de léser la peau du nouveau-né.
- Vérifier l'état du nouveau-né toutes les heures ou plus fréquemment s'il y a lieu.

L'infirmière peut également immobiliser le nouveau-né avec ses mains et son corps. La **FIGURE 17.15A** illustre cette façon de contenir les mouvements du nouveau-né.

17.2.2 Interventions

Environnement sûr

L'environnement sûr représente un élément fondamental de la prestation des soins au nouveau-né. Des organismes professionnels tels que l'American Academy of Pediatrics (AAP), Joint Commission, Occupational Safety and Health Administration (aux États-Unis) et des organismes de réglementation à l'échelle locale, provinciale ou territoriale surveillent la construction, l'entretien et le fonctionnement de la pouponnière des hôpitaux agréés. En outre, l'hôpital prévoit ses propres lignes directrices, normes et méthodes ayant pour objectif la protection des nouveau-nés sous ses soins. Les normes établies couvrent des aspects comme les facteurs environnementaux, les mesures de prévention des infections et la sécurité.

Facteurs environnementaux

Au chapitre des facteurs environnementaux figurent l'éclairage, l'élimination des risques de feu, la sécurité des appareils électriques, la ventilation et la régulation de la température (c.-à-d. un environnement chaud exempt de courants d'air) et de l'humidité (de 40 à 60 %) (AAP & American College of Obstetricians and Gynecologists [ACOG], 2007).

Prévention des infections

Les mesures de prévention des infections englobent l'espace suffisant pour permettre un dégagement minimal de 120 cm autour de chacun des lits de nouveau-né, ainsi que les installations pour procéder à l'hygiène des mains et pour le nettoyage et l'entreposage de l'équipement et des fournitures. Seuls les parents et le personnel participant à la prestation des soins aux mères et aux nouveau-nés devraient être présents dans ces espaces afin de réduire le risque de transmission de microorganismes pathogènes. Par contre, les visiteurs et les autres membres de la famille sont souvent admis auprès des nouveau-nés et de leur famille.

Le professionnel de la santé porte des gants non stériles lorsqu'il manipule le nouveau-né encore recouvert de sang et de liquide amniotique, lorsqu'il prélève du sang (p. ex., pour une ponction au talon), lorsqu'il panse une plaie vive (p. ex., une circoncision) ou lorsqu'il change la couche.

Le personnel doit se soumettre à une hygiène des mains minutieuse. En effet, avant de s'occuper d'un nouveau-né ou après avoir été en contact avec un objet potentiellement contaminé (p. ex., le clavier d'ordinateur, le téléphone, le dessus de comptoir), la procédure d'hygiène des mains représente la plus importante mesure de prévention des infections néonatales.

Les visiteurs et les professionnels de la santé, dont les infirmières, les médecins, les parents, les frères et sœurs et les grands-parents, doivent procéder à l'hygiène des mains avant d'entrer en contact avec le nouveau-né ou l'équipement. La personne atteinte d'une infection, plus précisément d'une infection des voies respiratoires, d'une infection digestive ou d'une infection cutanée, est tenue à l'écart du nouveau-né ou doit prendre des précautions particulières si elle travaille en présence de nouveau-nés.

L'attention ou la sensibilité des parents à l'égard des réactions sociales de leur nouveau-né se révèle essentielle à la formation d'une relation mutuellement gratifiante entre eux et au développement de leur lien d'attachement.

Sécurité

Les hôpitaux deviennent de plus en plus proactifs dans la protection des nouveau-nés contre l'enlèvement. La remise de bracelets d'identité correspondants aux parents et au nouveau-né, le port d'une bande d'identité pourvue d'un transpondeur, qui déclenche un signal d'alarme lorsque le bracelet est retiré ou lorsqu'une porte est franchie (sortie de l'unité de soins ou de l'établissement), le tracé de l'empreinte plantaire ou la photographie du nouveau-né à la naissance, alors qu'il est toujours avec sa mère, sont des mesures destinées à contrer la possibilité d'un enlèvement. Leur application est présentement à l'étude dans les hôpitaux canadiens, particulièrement dans les unités de soins de grandes dimensions. L'établissement identifie le personnel prodiguant des soins aux nouveau-nés à l'aide d'une photo, et les parents doivent être informés des mesures destinées à empêcher l'enlèvement dans la chambre de la mère (c.-à-d. connaître l'identité des personnes qui prennent soin du nouveau-né et veiller à ce que celui-ci ne soit pas sous la garde de quelqu'un qui ne porte pas l'insigne d'identité requis). Avant le congé, les parents doivent être informés des mesures à adopter pour réduire au minimum le risque d'enlèvement à domicile ou dans les environs.

Soutien des parents

L'attention ou la sensibilité des parents à l'égard des réactions sociales de leur nouveau-né se révèle essentielle à la formation d'une relation mutuellement gratifiante entre eux et au développement de leur lien d'attachement. Cette sensibilité s'affine au fur et à mesure que les parents en savent davantage sur les aptitudes sociales de leur nouveau-né.

Interaction sociale

Dans la période néonatale, les soins quotidiens sont les meilleurs moments d'interaction entre le nouveau-né et sa famille. À ces moments, la mère et le père peuvent en profiter pour parler à leur nouveau-né, jouer avec lui, le caresser, le cajoler et, peut-être, le masser. Sourire au nouveau-né le stimule à imiter cette expression faciale **FIGURE 17.17**. La surstimulation est toutefois à éviter après le boire et avant le sommeil. Les parents encouragent les interactions entre les frères et sœurs et le nouveau-né, et les supervisent, s'il y a lieu, selon l'âge des enfants **FIGURE 17.18**.

Alimentation du nouveau-né

Le nouveau-né est allaité dès que possible, dans les quatre heures de la naissance de préférence. Il est nourri lorsqu'il s'éveille en manifestant sa faim sans égard à la durée de l'intervalle entre deux boires. En règle générale, la mère allaite son nouveau-né

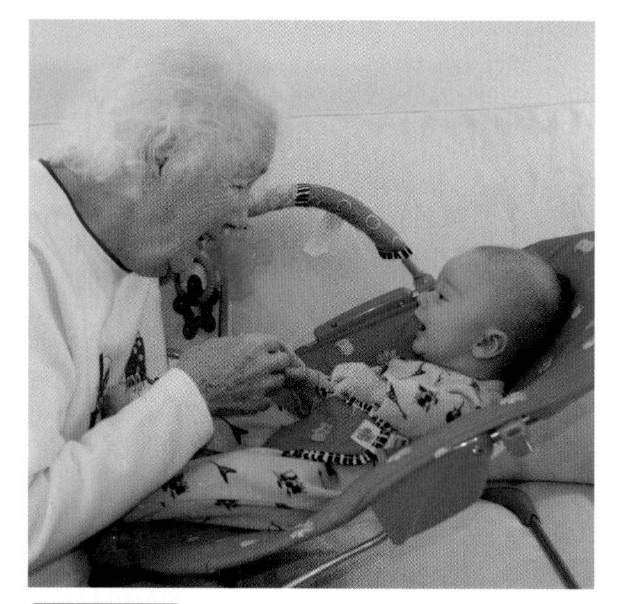

FIGURE 17.17
Une femme et son arrière-petit-enfant profitent d'une période d'interaction sociale.

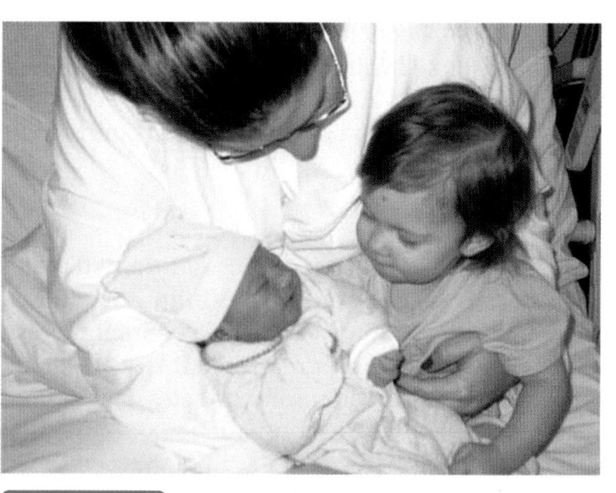

FIGURE 17.18
Une mère supervise sa fille qui fait connaissance avec le dernier-né.

toutes les deux ou trois heures (toutes les trois ou quatre heures ou lorsque le nouveau-né exprime sa faim s'il est nourri au biberon avec une PCN) durant le jour, et la nuit, seulement s'il se réveille. Le nouveau-né allaité boit plus fréquemment que le nouveau-né nourri au biberon parce que le lait maternel se digère plus vite (donc, l'estomac se vide plus rapidement) que la préparation dérivée du lait de vache destinée aux nourrissons. L'apport d'eau ou de dextrose n'est pas recommandé, car cela a tendance à diminuer l'allaitement. Aucune donnée probante n'appuie l'apport de dextrose ou d'eau au nouveau-né ▶ 18.

17.3 Interventions thérapeutiques et chirurgicales

17.3.1 Injection intramusculaire

Comme déjà mentionné, l'injection I.M. d'une seule dose de 0,5 à 1 mg de vitamine K peu après la naissance est d'usage courant.

La vaccination contre l'hépatite B est recommandée chez le nouveau-né le plus à risque de contracter cette maladie, c'est-à-dire celui d'une mère atteinte d'hépatite, ainsi que celui issu d'au moins un parent originaire d'un pays où la maladie est endémique (Institut national de santé publique [INSPQ], 2005). Si la mère est infectée ou porteuse chronique du virus de l'hépatite B (VHB), l'administration du vaccin et des immunoglobulines anti-hépatite B (*Hepatitis B Immune Globulin* [HBIG]) au nouveau-né, dans les 12 heures suivant sa naissance, est indiquée **ENCADRÉS 17.9** et **17.10**. Le vaccin est administré à un site, et les HBIG, à un autre. Le consentement parental est nécessaire au préalable.

Le choix du matériel et du site d'injection n'est pas laissé au hasard. Dans la plupart des cas, l'administration de la vitamine K et du vaccin contre l'hépatite B se fera à l'aide d'une seringue munie d'une aiguille de 1,5 cm de calibre 25. Le muscle choisi doit être suffisamment grand pour absorber le volume injecté, et l'infirmière dirige l'aiguille de façon à éviter les nerfs et les vaisseaux sanguins. Le volume maximal injecté dans un muscle du nouveau-né est de 0,5 ml. Le muscle vaste externe est le site d'injection I.M. de prédilection **FIGURE 17.19**. Le muscle fessier postérieur est très petit, peu développé et dangereusement près du nerf sciatique qui, en proportion, occupe une place plus grande chez le nouveau-né que chez l'enfant plus âgé. La masse

18

Le chapitre 18, *Nutrition et alimentation du nouveau-né*, aborde en détail la question des boires du nouveau-né.

Vidéo

Visionnez la vidéo *Injection intramusculaire* à l'adresse www.cheneliere.ca/lowdermilk.

Pharmacothérapie

ENCADRÉ 17.9 Vaccin contre l'hépatite B (Recombivax HB^MD^, Engerix-B^MD^)

ACTION

Le vaccin contre l'hépatite B stimule la formation d'anticorps dirigés contre le VHB chez 95 à 99 % des nouveau-nés en santé après les trois doses recommandées. Ces vaccins sont inactivés. La durée de la protection conférée par le vaccin est de plus de 20 ans chez les personnes en bonne santé.

INDICATION

L'immunisation contre l'infection causée par tous les sous-types connus du VHB. Dans les régions où la prévalence de l'hépatite B est faible, comme au Canada, la vaccination universelle est recommandée avant l'adolescence. Au Québec, un programme gratuit de vaccination contre l'hépatite B est réalisé annuellement en milieu scolaire en quatrième année du primaire. Certains nouveau-nés présentant des facteurs de risques particuliers peuvent recevoir le vaccin dès la naissance, par exemple, les nouveau-nés de mères porteuses de l'AgHBs (antigène de surface du VHB) ou de statut inconnu.

POSOLOGIE NÉONATALE

Les deux vaccins, Recombivax HB^MD^ et Engerix-B^MD^, s'administrent à trois reprises pour obtenir une immunogénicité adéquate. Chez tous les nouveau-nés, la deuxième dose devrait être administrée un mois après la première dose ; la troisième dose devrait être administrée six mois après la première dose. Chez les nouveau-nés à terme, on administre le vaccin peu après la naissance, à l'âge de un mois et à l'âge de six mois. Les doses varient selon l'indication et le vaccin utilisé. Le Recombivax HB^MD^ est administré à raison de 3 doses de 0,5 ml (5 mcg) chez les nouveau-nés de mères AgHBs positives, de statut inconnu ou ayant présenté une hépatite B aiguë pendant le 3e trimestre de la grossesse. Pour les autres indications, on l'administrera à raison de 3 doses de 0,25 ml (2,5 mcg). Pour l'Engerix-B^MD^, peu importe l'indication, on administrera aux nouveau-nés 3 doses de 0,5 ml (10 mcg).

EFFETS INDÉSIRABLES

Les effets indésirables courants sont l'éruption cutanée, la fièvre, l'érythème, l'enflure et la douleur au site de l'injection.

INTERVENTIONS INFIRMIÈRES

Le consentement parental est nécessaire au préalable. L'infirmière porte des gants non stériles et administre le vaccin par injection dans le tiers intermédiaire du muscle vaste externe à l'aide d'une seringue munie d'une aiguille de 1,5 cm de calibre 25. Auparavant, elle a nettoyé la peau au site d'injection avec un tampon d'alcool et de chlorhexidine afin de prévenir toute infection ; elle attend environ une minute que l'alcool s'évapore pour être certaine d'avoir chassé les microorganismes. Elle immobilise la jambe du nouveau-né, saisit le muscle entre ses doigts et insère l'aiguille à un angle de 90°. Elle relâche le muscle, aspire doucement à l'aide du piston et injecte lentement le médicament s'il n'y a pas de sang qui remonte dans la seringue. Après l'injection, elle masse le site de l'injection avec un tampon de gaze sec pour favoriser l'absorption du médicament. Le nouveau-né de la mère porteuse de l'AgHBs doit aussi recevoir les HBIG, qui s'administrent à un autre site d'injection.

Source : Adapté de Ministère de la Santé et des Services sociaux (MSSS) (2011).

Pharmacothérapie

ENCADRÉ 17.10 Immunoglobulines anti-hépatite B

ACTION
Les HBIG viennent hausser le titre d'anticorps dirigés contre l'antigène HBs. Elles préviennent au moins 95 % des infections chez les nouveau-nés de mères AgHBs positives.

INDICATION
Administrer aux nouveau-nés de mères AgHBs positives ou de statut inconnu ou ayant présenté une hépatite B aiguë au troisième trimestre de la grossesse.

POSOLOGIE NÉONATALE
Une dose de 0,5 ml en injection I.M. dans un délai de 12 heures après la naissance.

L'administration dans les heures qui suivent la naissance est importante, car l'efficacité diminue grandement après 48 heures.

EFFET INDÉSIRABLE
Comme pour tout produit biologique, l'hypersensibilité est possible.

INTERVENTIONS INFIRMIÈRES
Les HBIG doivent être administrées dans les 12 heures de la naissance. Les procédures d'administration du HBIG sont les mêmes que celles pour le vaccin contre l'hépatite B. Les HBIG peuvent être administrées au même moment que le vaccin, mais à un autre site.

RAPPELEZ-VOUS...

L'infirmière se sert d'une aiguille plus longue pour traverser les tissus sous-cutanés et pénétrer dans les tissus musculaires profonds.

musculaire du deltoïde du nouveau-né est trop petite pour que ce muscle soit le site d'une injection I.M. La clé de la prévention et de la réduction au minimum du risque de réaction locale à l'injection I.M. réside dans l'administration du médicament profondément dans le muscle; par conséquent, la taille de celui-ci, la longueur de l'aiguille et le volume du médicament injecté sont les principaux aspects à prendre en considération.

Si du sang remonte dans la seringue, l'infirmière retire l'aiguille du site d'injection et en choisit un autre. Après l'injection, l'infirmière veille à réconforter le nouveau-né et à disposer du matériel d'injection selon les règles. Elle ne doit jamais recapuchonner l'aiguille sur la seringue, elle doit la jeter au rebut dans le contenant prévu à cette fin. Elle consigne le nom et la quantité du médicament, la date et l'heure de l'injection, la voie d'administration ainsi que le site de l'injection dans le dossier du nouveau-né.

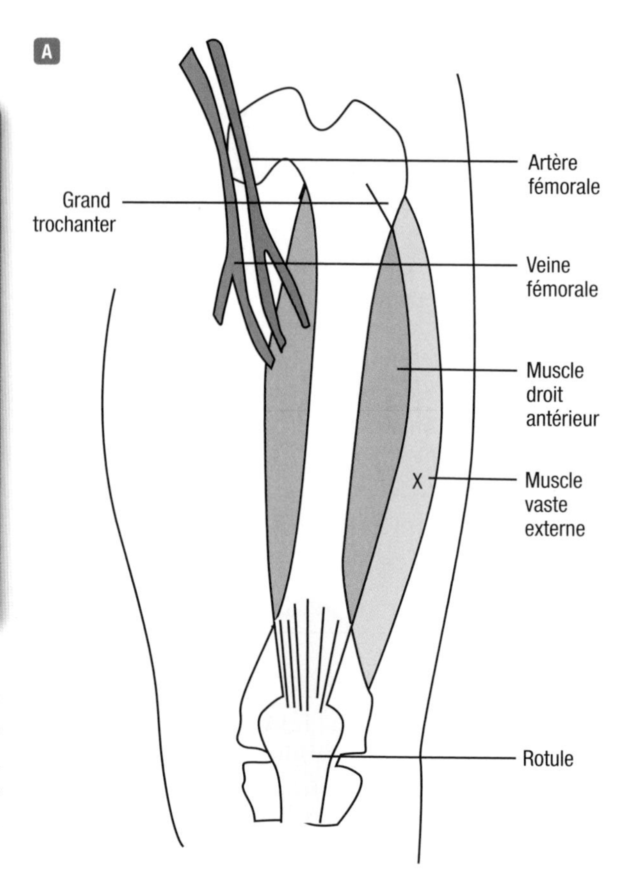

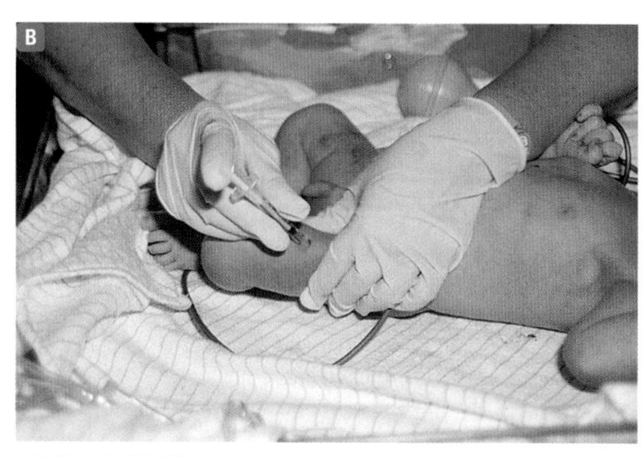

FIGURE 17.19
Injection intramusculaire. A Site d'injection approprié (X) chez le nouveau-né. B L'infirmière, qui porte des gants non stériles, immobilise la jambe du nouveau-né et injecte le médicament.

17.3.2 Traitement de l'hyperbilirubinémie

La prévention reste le meilleur moyen d'éviter l'hyperbilirubinémie. Étant donné que la bilirubine est excrétée dans le méconium, l'allaitement hâtif, qui stimule l'évacuation du méconium, participe à la prévention de l'hyperbilirubinémie. Il n'en demeure pas moins que, même si le méconium est évacué rapidement, le nouveau-né à terme peut ne pas parvenir à conjuguer la grande quantité de bilirubine provenant de la désintégration des érythrocytes fœtaux. Il s'ensuit que le taux de bilirubine sérique libre peut grimper au-delà de la limite supérieure de l'écart normal, de sorte que l'hyperbilirubinémie s'installe. L'objectif thérapeutique consiste alors à diminuer le taux sérique de bilirubine libre. Les deux traitements principaux sont la photothérapie et, rarement, l'exsanguinotransfusion. Cette modalité thérapeutique est réservée au nouveau-né dont la concentration sérique de bilirubine augmente rapidement en dépit du recours à la photothérapie intensive.

La prévention reste le meilleur moyen d'éviter l'hyperbilirubinémie. Étant donné que la bilirubine est excrétée dans le méconium, l'allaitement hâtif, qui stimule l'évacuation du méconium, participe à la prévention de l'hyperbilirubinémie.

Photothérapie

Le nouveau-né nu est placé sous une source de rayonnement à une distance de 45 à 50 cm. Cette distance peut varier selon le protocole de l'unité de soins et la nature de la source de rayonnement. S'il s'agit d'une source lumineuse habituelle, un panneau de plexiglas ou un écran est posé entre la source de lumière et le nouveau-né. Le traitement le plus efficace consiste en l'exposition à un rayonnement énergétique de lumière d'un bleu vert dont l'intensité va de 400 à 500 nm (Steffensrud, 2004). Pour que le traitement soit efficace, il est nécessaire de surveiller périodiquement l'intensité lumineuse de la lampe à l'aide d'un photomètre. La photothérapie se poursuit jusqu'à ce que le taux de bilirubine sérique diminue à un niveau acceptable. Le traitement cesse lorsqu'une nette tendance à la baisse des valeurs de la bilirubine est constatée.

Des précautions s'imposent en prévision de la photothérapie. D'abord, il est essentiel de protéger les yeux du nouveau-né en lui faisant porter un bandeau ou un masque opaque pour empêcher la surexposition à la lumière. Le bandeau doit recouvrir entièrement les yeux sans obstruer les narines. Pour prévenir l'**excoriation de la cornée**, l'infirmière ferme les yeux du nouveau-né avant de poser le bandeau. Elle le lui enlève périodiquement, notamment au moment des boires, pour vérifier l'état de ses yeux et les lui laver à l'eau, et afin de permettre aux parents d'établir un contact visuel avec leur enfant **FIGURE 17.20**.

Afin d'exposer la plus grande surface cutanée possible, l'infirmière peut remplacer la couche par une minuscule culotte faite d'un masque facial à usage unique qui protégera les organes génitaux et épargnera la literie, si elle dépose ensuite le nouveau-né sur une couche ouverte. Il faut absolument en retirer la bande de métal au préalable pour que le nouveau-né ne se brûle pas. Les lotions et les pommades sont à éviter durant la photothérapie parce qu'elles absorbent la chaleur et peuvent causer des brûlures.

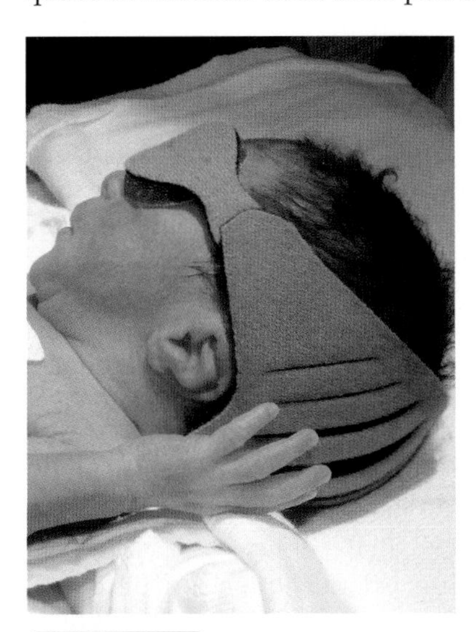

FIGURE 17.20
Masque protecteur pour les yeux pendant la photothérapie

La photothérapie peut faire fluctuer la température du nouveau-né dans une mesure qui varie notamment selon la nature du lit : un petit lit, un incubateur ou un lit chauffant par rayonnement. L'infirmière surveille donc étroitement la température du nouveau-né. Les sources lumineuses peuvent intensifier les pertes hydriques insensibles et contribuer ainsi à la déperdition liquidienne et à la déshydratation. Par conséquent, le nouveau-né doit être hydraté suffisamment. Chez le nouveau-né en santé, cette fonction d'hydratation est remplie par le lait maternel ou la PCN ; rien ne sert d'offrir de l'eau additionnée de glucose ou de l'eau ordinaire, car ces liquides ne favorisent pas l'excrétion de la bilirubine dans les selles, mais peuvent en fait entretenir le cycle entérohépatique pour ainsi retarder cette excrétion.

En outre, l'infirmière surveille étroitement le débit urinaire durant la photothérapie. Le débit peut être ralenti ou inchangé ; l'urine peut être d'une couleur dorée foncée ou brune.

Elle surveille également le nombre et la consistance des selles. La dégradation de la bilirubine accroît la motilité gastrique, ce qui se traduit par des selles molles qui peuvent provoquer l'excoriation et des lésions cutanées. Il importe de nettoyer les fesses du nouveau-né après chaque selle afin de maintenir l'intégrité cutanée. Une éruption maculopapuleuse peut apparaître durant la photothérapie, mais elle sera de courte durée. Parce qu'il devient difficile de cerner la couleur de la peau sous la lumière bleue, il est essentiel d'exercer une surveillance cardiorespiratoire si l'état du nouveau-né le commande.

Excoriation de la cornée : Abrasion de la membrane bombée qui se trouve devant l'œil.

Il existe un autre genre d'appareil de photothérapie utilisé au Québec et ailleurs : il s'agit de la Biliblanket[MD], un dispositif pourvu d'un panneau de fibre optique et d'un réflecteur de haute brillance. La couverture de fibre optique est souple ; elle peut s'enrouler autour du nouveau-né ou reposer à plat dans le lit pour diffuser son rayonnement continu. Même si la fibre optique ne dégage pas de chaleur comme la source lumineuse classique, il faut néanmoins prévoir une housse qui recouvrira le panneau de fibre optique afin d'éviter les brûlures, particulièrement chez le prématuré. Pendant la séance de photothérapie, le nouveau-né peut être couché dans un petit lit de bébé ouvert dans la chambre de sa mère ou être dans ses bras. L'infirmière suit le protocole de l'unité de soins en ce qui a trait à la protection des yeux du nouveau-né. La couverture peut également servir à la photothérapie à domicile, préconisée par certains établissements. Lorsque le taux de bilirubine grimpe en flèche, la photothérapie intensive est nécessaire ; l'on combine alors des sources de rayonnement classiques et la couverture de fibre optique pour accélérer la baisse du taux de bilirubine. L'infirmière note toutes les modalités de la photothérapie au dossier du nouveau-né.

Le rayonnement émis par la Biliblanket^MD provient d'une source à diode électroluminescente (DEL). Le nouveau-né est couché directement dans son lit où est déposée la source lumineuse. Il n'est pas nécessaire de régler la distance entre le nouveau-né et la source de lumière **FIGURE 17.21**. Le mode d'emploi de l'appareil précise les modalités de protection des yeux du nouveau-né. Le système DEL ne produit pas de chaleur, et il peut être couplé à un lit chauffant.

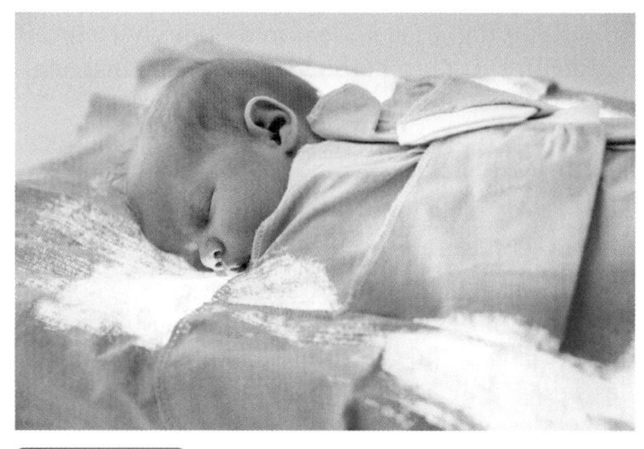

FIGURE 17.21
La Biliblanket^MD émet un rayonnement par diode électroluminescente (DEL). Le dispositif permet notamment d'assurer une photothérapie à domicile.

Enseignement aux parents

Le taux de bilirubine sérique augmente sans cesse jusqu'au cinquième jour de vie. Dans bien des cas, le séjour hospitalier se termine 48 heures après la naissance, ou même plus tôt. Il importe donc d'informer les parents sur l'ictère et son traitement. Ils devraient avoir à leur disposition des directives écrites à propos de l'évaluation de l'état de leur nouveau-né ainsi que le nom d'une personne-ressource à qui communiquer les résultats de cette évaluation et à qui exprimer leurs préoccupations. Dans la plupart des régions du Québec, une infirmière du CSSS procède à une visite à domicile dans le but d'évaluer l'état du nouveau-né et de surveiller la santé de la mère dans les jours qui suivent le congé. S'il s'avère nécessaire de mesurer le taux de bilirubine après le congé de l'hôpital, l'infirmière peut le faire au moyen de l'appareil de bilirubinométrie transcutanée ou recommander aux parents de se rendre en compagnie de leur nouveau-né au CSSS, à une clinique ou au centre hospitalier pour y faire faire un prélèvement sanguin à cette fin.

Jugement clinique

Madame Marie-Soleil Boutet, âgée de 39 ans, a accouché avant-hier soir d'un garçon après 36 2/7 semaines de grossesse. Celui-ci vient d'être transféré à la pouponnière pour le traitement de son ictère. Une Biliblanket^MD recouverte d'une housse a été installée sous le nouveau-né afin de diminuer sa bilirubine sérique, comme l'exige le protocole. Madame Boutet allaite son garçon et désire demeurer à son chevet.

Nommez quatre éléments de surveillance à transmettre à madame Boutet en vue d'assurer un suivi optimal de son nouveau-né.

Photothérapie à domicile

Il se peut que le nouveau-né à terme en santé quitte l'hôpital et que l'hyperbilirubinémie se manifeste par la suite et doive être traitée par la photothérapie. Certains établissements offrent des services de photothérapie à domicile pour le nouveau-né en santé et actif qui ne présente pas de signes ni de symptômes d'autres complications. Les parents doivent être prêts et aptes à prendre en charge l'administration et la surveillance du traitement, et la maison doit être pourvue de services fondamentaux tels le téléphone, le chauffage et l'électricité.

Dans les régions où ce programme existe, l'infirmière spécialisée de l'établissement d'où provient l'équipement de photothérapie à domicile est responsable de la mise en fonction de l'appareil et de l'enseignement aux parents à propos de son utilisation. L'infirmière qui se rend au domicile établit le calendrier de ses visites de façon à évaluer la réponse thérapeutique du nouveau-né ainsi que son poids, son alimentation, son débit urinaire et son élimination fécale ainsi que sa stabilité thermique. Il peut être important de donner davantage d'information aux parents, après avoir évalué leurs connaissances sur le traitement et leurs responsabilités. Il pourra être nécessaire également de prélever du sang aux fins d'analyse; les résultats des analyses seront communiqués au médecin traitant. À l'arrêt du traitement, il peut y avoir lieu de prescrire des visites de suivi. L'établissement reprendra son équipement.

17.3.3 Circoncision

La circoncision du nouveau-né est une intervention beaucoup moins courante au Québec que dans d'autres provinces canadiennes et aux États-Unis, et son utilité soulève la controverse. La SCP estime que les données disponibles sur les avantages et les inconvénients potentiels de la circoncision sont telles qu'elles ne permettent pas de recommander l'intervention systématique chez les nouveau-nés. La SCP ajoute que si la circoncision est pratiquée, elle doit s'effectuer sous analgésie; elle a réitéré cet énoncé de principe en 1996 (SCP, 1996). Le Comité d'étude du fœtus et du nouveau-né de la SCP révise présentement la question, mais rien ne laisse entrevoir un changement de position.

La circoncision est une question de choix parental et personnel, sauf dans de rares cas où il y a indication médicale à cause d'une malformation congénitale, par exemple. Les motifs qui incitent les parents à opter pour la circoncision sont les suivants : l'hygiène, la confession religieuse, la tradition, la culture ou les conventions sociales. Quel que soit le motif de cette décision, il est essentiel d'offrir aux parents de l'information objective et la possibilité de soupeser les effets bénéfiques et les risques de l'intervention. Au Québec, ces soins sont offerts dans très peu d'établissements ; l'infirmière suit alors le protocole en place.

17.4 Douleur chez les nouveau-nés

La douleur comporte des éléments physiologiques et des éléments psychologiques. Bien des professionnels de la santé, au fait du mécanisme psychologique de la douleur et de la réaction corporelle diffuse du nouveau-né à celle-ci, en étaient venus à la conclusion que le nouveau-né, plus particulièrement le prématuré, n'éprouve pas de douleur. Pourtant, le SNC est bien développé dès que la grossesse compte 24 semaines. Les structures périphérique et rachidienne qui transmettent le message nociceptif sont en place et fonctionnelles au deuxième trimestre. L'**axe hypophysosurrénalien** est lui aussi bien développé à ce moment, et la libération de **catécholamines** en réaction au stress déclenche la réaction de combat ou de fuite.

Les manifestations physiologiques qu'entraîne la douleur peuvent mettre la vie du nouveau-né en péril. Devant la douleur, le système cardiovasculaire peut devoir répondre à une demande accrue, le métabolisme s'accélère, et le système neuroendocrinien se déséquilibre. La réaction hormonométabolique du nouveau-né à terme est de plus grande ampleur et plus brève que celle de l'adulte. Le comportement du système nerveux sympathique du nouveau-né devant la douleur est encore immature, donc imprévisible, contrairement à celui de l'adulte.

La réaction du nouveau-né au stimulus douloureux est multiple ; elle est de nature comportementale, physiologique ou végétative, et métabolique.

17.4.1 Réactions du nouveau-né à la douleur

Les cris ou les pleurs, allant du gémissement au cri perçant, sont les manifestations comportementales les plus fréquentes du nouveau-né qui ressent de la douleur. Son expression faciale trahira la douleur qu'il ressent : grimaces, yeux plissés, sourcils froncés, sillons nasogéniens creusés, langue raidie et frémissante et bouche ouverte. Des mouvements de flexion et d'adduction parcourent le haut de son corps et ses membres inférieurs dans un effort pour se dégager du stimulus nociceptif. Chez le prématuré, le seuil de cette réaction motrice de flexion est plus bas que la normale. Le nouveau-né à qui l'on a administré un curare comme le vécuronium sera incapable de manifester une réaction comportementale ou visible à la douleur.

Les manifestations physiologiques qu'entraîne la douleur peuvent mettre la vie du nouveau-né en péril.

La stimulation nocive déclenche une cascade physiologique caractérisée par la fluctuation de la F.C., de la P.A. (augmentation ou diminution), de la pression intracrânienne, du tonus vagal, de la F.R. et de la saturation du sang artériel en oxygène (SaO_2) (Walden & Franck, 2003). Le nouveau-né sécrète alors de l'adrénaline, de la noradrénaline, du glucagon, de la corticostérone, du cortisol, de la 11-désoxycortone, du lactate, du pyruvate et du glucose (Walden & Franck, 2003).

17.4.2 Évaluation de la douleur chez le nouveau-né

Les aspects à prendre en compte dans l'évaluation de la douleur chez le nouveau-né sont l'état de santé de celui-ci, la nature et la durée du stimulus nociceptif, les facteurs environnementaux et l'état d'éveil du nouveau-né. Ainsi, le nouveau-né dont la santé est gravement compromise ne sera peut-être pas capable de réagir à la douleur même si, en fait, il en ressent.

Chaque client, l'adulte comme le nouveau-né, devrait être soumis à une évaluation de la douleur et bénéficier d'un plan de prise en charge de celle-ci, le cas échéant. Dans ses lignes directrices de pratique clinique, la National Association of Neonatal Nurses (NANN) précise que les infirmières œuvrant en néonatalogie devraient avoir acquis les aptitudes nécessaires à l'évaluation de la douleur. La douleur est évaluée et documentée à intervalles réguliers (Walden & Gibbins, 2008).

Il existe plusieurs instruments d'évaluation de la douleur du nouveau-né. Le diagnostic et la détermination de l'intensité de la douleur se fondent sur des indicateurs comportementaux et sur des indicateurs physiologiques. Parmi les outils d'évaluation dont la validité et la fiabilité sont éprouvées figurent le *Neonatal Infant Pain Scale* (NIPS) (Lawrence *et al.*, 1993) et le *Premature Infant Pain Profile* (PIPP) (Stevens, Johnston, Petryshen & Taddio, 1996). L'infirmière de l'unité de soins intensifs néonataux a aussi à sa disposition le CRIES (Krechel & Bildner, 1995) **TABLEAU 17.10**. Cet outil sert à l'évaluation de la douleur du prématuré et du nouveau-né à terme. Le nom de l'instrument, CRIES, a été formé d'après des indicateurs physiologiques et

L'annexe 17.2W présente en détail l'intervention, la prise en charge du nouveau-né et l'enseignement aux parents liés à la circoncision.

Catécholamine : Substance sympathomimétique, c'est-à-dire capable d'entraîner une réponse semblable à celle observée au moment de l'activation du système nerveux sympathique.

17

TABLEAU 17.10 **Échelle CRIES d'évaluation de la douleur postopératoire du nouveau-né**[a]

INDICATEUR	0	1	2
***C**rying* (pleurs)	Aucun	Aigus	Inconsolables
***R**equiring increased oxygen for saturation > 95 %* (apport d'oxygène accru pour que la SaO_2 > 95 %)	Non	< 30 %	> 30 %
***I**ncreased vital signs* (augmentation des signes vitaux)	F.C. et P.A. ≤ aux valeurs préopératoires	F.C. et P.A. < 20 % des valeurs préopératoires	F.C. et P.A. > 20 % des valeurs préopératoires
***E**xpression* (expression physique de la douleur)	Aucune	Grimace	Grimace et grognement
***S**leepless* (insomnie)	Non	Réveils fréquents	Éveil constant
Remarques et conseils pour la notation			
Crying (pleurs)	Les pleurs caractéristiques de la douleur sont aigus. • Absence de pleurs ou pleurs non aigus : 0 • Pleurs aigus, mais le nouveau-né s'apaise facilement : 1 • Pleurs aigus, le nouveau-né est inconsolable : 2		
Requiring increased oxygen for saturation > 95 % (apport d'oxygène accru pour que la SaO_2 > 95 %)	Surveiller les signes de manque d'oxygène. Le nouveau-né qui éprouve de la douleur voit son oxygénation diminuer comme en témoigne le dioxyde de carbone total ou la SaO_2. (Envisager la possibilité d'une autre cause de la fluctuation de l'oxygénation, tels l'atélectasie, le pneumothorax, la sédation excessive.) • Pas d'oxygène nécessaire : 0 • Apport d'oxygène nécessaire < 30 % : 1 • Apport d'oxygène nécessaire > 30 % : 2		
Increased vital signs (augmentation des signes vitaux)	Mesurer la P.A. en dernier, car cela peut réveiller le nouveau-né et rendre le reste de l'évaluation plus difficile. Comparer avec des paramètres préopératoires mesurés au moment d'une période calme. Multiplier la F.C. de référence par 0,2, puis additionner le produit de la multiplication à la F.C. de référence pour vérifier si elle dépasse la valeur de référence de 20 %. Faire de même pour la P.A., en utilisant la P.A. moyenne. • F.C. et P.A. inchangées ou < aux valeurs de référence : 0 • ↑ F.C. ou P.A., mais ↑ < 20 % des valeurs de référence : 1 • ↑ F.C. ou P.A. > 20 % de la valeur de référence : 2		
Expression (expression physique de la douleur)	La grimace est l'expression faciale la plus caractéristique de la douleur. Le froncement des sourcils, le plissement des yeux, le creusement des sillons nasogéniens, les lèvres et la bouche ouvertes forment la grimace. • Absence de grimace : 0 • Présence d'une grimace seulement : 1 • Présence d'une grimace et d'un grognement sans pleurs : 2		
Sleepless (insomnie)	Cet aspect est noté d'après l'état du nouveau-né dans l'heure précédant l'évaluation. • Le nouveau-né dormait : 0 • Le nouveau-né se réveillait fréquemment : 1 • Le nouveau-né était éveillé durant toute la période : 2		

[a] Outil d'évaluation de la douleur néonatale conçu à l'Université Columbia au Missouri.

Source : Adapté de Krechel & Bildner (1995).

comportementaux de la douleur: ***c****rying* (pleurs), ***r****equiring increased oxygen* (apport d'oxygène accru), ***i****ncreased vital signs* (augmentation des signes vitaux), ***e****xpression* (expression physique de la douleur) et ***s****leepless* (insomnie). Chaque indicateur se voit attribuer une note allant de zéro à deux. Le score total maximal, révélateur de la douleur la plus intense, est de 10. Lorsque le score excède quatre, la douleur est jugée importante. L'outil est applicable aux nouveau-nés allant de l'âge gestationnel de 32 semaines jusqu'à 20 semaines après la naissance (Pasero, 2002).

17.4.3 Prise en charge de la douleur chez le nouveau-né

L'objectif de la prise en charge de la douleur néonatale consiste à réduire au minimum l'intensité, la durée et les répercussions physiologiques de la douleur ainsi qu'à optimiser la capacité du nouveau-né à composer avec la douleur et à se rétablir. Le traitement englobe des mesures non pharmacologiques et l'administration de médicaments.

Mesures non pharmacologiques

La contention en emmaillotant le nouveau-né s'avère efficace dans la maîtrise des réactions motrices immatures intempestives. La contention peut également apporter un réconfort sensoriel (chaleur, sens du toucher et sens proprioceptif) au nouveau-né. La succion non nutritive (suce), avec ou sans sucrose, est également une mesure utile. Le contact peau à peau avec la mère et l'allaitement durant une intervention douloureuse peut contribuer à atténuer la douleur (Johnston *et al.*, 2011). Recourir à tous ces moyens favorise davantage le soulagement de la douleur. On peut également capter l'attention du nouveau-né à terme ou du nourrisson plus vieux par une stimulation visuelle, orale, auditive ou tactile (Clifford, Stringer, Christensen & Mountain, 2004; Lefrack *et al.*, 2006; SCP, 2007; Walden & Franck, 2003).

Pharmacothérapie

Les agents pharmacologiques sont utilisés pour atténuer la douleur liée aux soins chez le nouveau-né. Les interventions comme l'intubation et la circoncision se déroulent habituellement sous anesthésie locale, alors que l'anesthésie peut être topique en prévision de la circoncision, de la ponction lombaire, de la ponction veineuse ou de la ponction au talon. L'analgésie sans analgésiques opioïdes (acétaminophène) est efficace en cas de douleur d'intensité légère ou modérée due à un état inflammatoire. La morphine et le fentanyl sont les analgésiques opioïdes d'usage le plus répandu dans la pharmacothérapie de la douleur chez le nouveau-né. La perfusion I.V. ou l'administration I.V. en bolus de l'analgésique opioïde est un moyen sûr et efficace de maîtriser la douleur.

Le médicament destiné à maîtriser la douleur postopératoire chez le nouveau-né s'administre à intervalles réguliers jour et nuit ou par une perfusion continue. L'administration au besoin n'est pas la méthode efficace de prise en charge de la douleur chronique ou postopératoire du nouveau-né. Les tenants de la pratique classique estiment que l'administration continue d'un analgésique opioïde au nouveau-né dans la période postopératoire prolonge l'intubation. Par conséquent, ils préconisent l'arrêt du traitement plusieurs heures avant et après l'extubation, laissant la douleur faire rage. Furdon, Eastman, Benjamin et Horgan (1998) constatent quant à eux que l'analgésique opioïde administré en perfusion continue en l'absence de maladie pulmonaire ou neurologique abrège en réalité le délai d'extubation sans provoquer de dépression respiratoire nécessitant une nouvelle intubation.

L'analgésie épidurale, l'analgésie par blocage nerveux local ou régional et l'administration intradermique ou topique d'un anesthésique sont d'autres méthodes de prise en charge de la douleur chez les nouveau-nés. L'administration d'une solution de sucrose concentrée, surtout accompagnée d'une suce, peut atténuer la douleur due à la ponction au talon ou à la ponction veineuse (Stevens, Yamada & Ohlsson, 2004). De l'acétaminophène peut être administré par voie orale (P.O.) en prévision d'une intervention douloureuse comme la circoncision, la ponction veineuse ou la ponction au talon.

RAPPELEZ-VOUS...

Des valeurs normales des signes vitaux ne devraient pas être interprétées comme étant une absence de douleur.

Jugement clinique

Alice est née il y a 15 heures par accouchement vaginal. Elle doit subir un prélèvement au talon pour un contrôle de bilirubinémie. Vous planifiez administrer du sucrose et installer Alice en contact peau à peau pour l'allaitement juste avant le prélèvement.

Précisez les motifs de ces interventions.

17.5 Planification du congé et enseignement

Les soins du nouveau-né peuvent être une source d'anxiété pour les nouveaux parents. Le soutien du personnel infirmier durant le séjour hospitalier peut être déterminant en ce qu'il incitera les parents à rechercher de l'aide, le cas échéant. Qu'il s'agisse d'une mère ou d'un couple dont c'est le premier enfant, ou alors d'une adolescente dont la mère sera la principale personne à prendre soin du nouveau-né, et peu importe que les parents aient assisté ou non à des cours prénataux, les conseils d'ordre préventif sur la prestation des soins au nouveau-né seront appréciés. L'infirmière ne devrait pas envisager de couvrir tous les aspects en une seule séance, car cette abondance d'information risque de dépasser les parents et de les rendre nerveux. Cependant, étant donné que le séjour hospitalier après l'accouchement est désormais assez bref, la tâche d'enseigner tous les éléments nécessaires en peu de temps s'avère ardue. C'est pourquoi les CSSS offrent au Québec un programme de visites postnatales à domicile prévoyant cet enseignement aux parents, bien que l'infirmière à l'hôpital ait déjà transmis l'information essentielle.

L'infirmière établit ses priorités d'enseignement d'après le comportement des parents. Le cas échéant, elle doit relever les lacunes dans leurs connaissances avant d'amorcer son enseignement. Au Québec, toutes les familles reçoivent l'ouvrage *Mieux vivre avec notre enfant de la grossesse à deux ans*, publié par l'INSPQ, en début de suivi de grossesse ou, au plus tard, durant l'hospitalisation (INSPQ, 2011). Ce guide s'avère une source importante de renseignements sur la grossesse, la naissance et la petite enfance ; il est disponible en français et en anglais ainsi que sur Internet. L'infirmière peut donc utiliser ce guide pour valider les connaissances des parents et les aider à palier certaines lacunes, le cas échéant. En planifiant le congé avec eux, l'infirmière devrait aborder la croissance et le développement normaux de l'enfant ainsi que ses besoins évolutifs (p. ex., l'interaction personnelle et la stimulation, les jalons de la croissance, l'exercice physique, la prévention des blessures et les contacts sociaux) ainsi que les sujets abordés dans les paragraphes qui suivent. Elle passe aussi en revue la question de la sécurité **ENCADRÉ 17.11**.

17.5.1 Température

L'infirmière passe en revue les points suivants.

- Les causes de l'élévation de la température corporelle (p. ex., le nouveau-né revêtu à l'excès, la vasoconstriction qui accompagne le stress dû au froid ou la réaction minimale à l'infection) et la réaction aux températures ambiantes extrêmes.
- Les signes à mentionner, dont les températures élevée et basse qui s'accompagnent d'un

Guide d'enseignement

ENCADRÉ 17.11 Sécurité du nouveau-né

- Ne laissez jamais le bébé seul sur un lit, un sofa ou une table. En effet, le nouveau-né pourrait bouger au point de se déplacer et de tomber.
- Ne couchez jamais le bébé sur un coussin, un oreiller, un fauteuil à billes ou un lit d'eau pour qu'il y dorme, car il pourrait suffoquer. Veillez également à ce qu'il n'y ait pas d'oreillers, de gros jouets mous ou de toile de plastique mal ajustée dans le lit de bébé.
- Ne couvrez pas le bébé d'une courtepointe, d'une douillette ou de couvertures à cause des risques de suffocation. Il est préférable de le vêtir d'un pyjama plus chaud et de lui faire porter une gigoteuse pour éliminer le besoin de couvertures (SCP, 2011c).
- Ne couchez pas le bébé sur le ventre pour dormir dans les premiers mois. La SCP déconseille le décubitus ventral (SCP, 2011c), qui est associé à une incidence accrue du syndrome de mort subite du nourrisson (SMSN). Il est donc recommandé de placer le bébé sur le dos.
- Lorsque le bébé est dans un siège pour enfant posé à un endroit surélevé comme une table, un sofa ou le dessus d'un comptoir, demeurez à portée de main de votre enfant. Dans la mesure du possible, déposez le porte-bébé au sol près de vous.
- Le siège pour enfant n'est pas forcément un siège d'auto sécuritaire. Munissez-vous d'un siège d'auto sécuritaire, conforme aux normes en vigueur, pour vous déplacer dans un véhicule (automobile, camion, autobus ou minifourgonnette). Le siège d'auto est recommandé également dans le train et l'avion. Pour chaque déplacement en auto, l'enfant devrait être dans son siège d'auto. De la naissance jusqu'à ce qu'il pèse 9 kg, le bébé voyage dans un siège d'auto positionné vers l'arrière, installé sur la banquette arrière de la voiture **FIGURE 17.24**. Cela est particulièrement important dans le véhicule muni de coussins gonflables à l'avant, car le déploiement du sac gonflable peut être fatal pour le nouveau-né et le nourrisson.
- Au moment du bain, ne laissez jamais l'enfant seul. Le nouveau-né ou le nourrisson peut se noyer dans 2,5 à 5 cm d'eau.
- Assurez-vous que l'eau chaude de la maison est réglée à une température maximale de 49 °C. Vérifiez toujours au préalable la température de l'eau du bain en y trempant le coude.
- Rien ne doit encercler de près le cou du bébé. Ainsi, la corde ou le ruban qui retient la suce ne doit jamais être enroulé autour de son cou, car il pourrait l'étrangler.
- Assurez-vous que le lit de bébé est sécuritaire. Les lits achetés avant 1986 ne répondent pas aux normes canadiennes. Les barreaux ne devraient pas être espacés de plus de 6 cm les uns des autres. L'espace entre le matelas et les côtés de lit devrait être inférieur à 3 cm. Les barreaux sont dépourvus de bouton ou de pommeau décoratif.
- Éloignez le lit de bébé ou le parc des stores ou des rideaux, car le bébé pourrait s'étrangler avec les cordes ou les rubans.
- Éloignez le lit de bébé ou le parc des radiateurs et des calorifères, des prises d'air et des radiateurs électriques portatifs. La literie pourrait s'enflammer si elle était en contact avec ces sources de chaleur.
- Installez un détecteur de fumée à chaque étage de la maison. Vérifiez-en le fonctionnement chaque mois. Remplacez les piles deux fois par an.
- Ne fumez pas en présence du bébé et ne l'exposez pas à la fumée secondaire et tertiaire du tabac, ni à la maison ni ailleurs. L'exposition à la fumée secondaire ou tertiaire augmente beaucoup les risques de problèmes et de maladies respiratoires chez l'enfant, ainsi que le SMSN.
- Faites preuve de douceur avec votre nouveau-né. Ne soyez pas brusque. Il ne faut pas le prendre ni le balancer par les bras ni le projeter dans les airs.

comportement grincheux ou difficile, de léthargie, d'irritabilité, de baisse d'appétit et de pleurs.

- Les moyens de favoriser la thermorégulation, comme le fait de vêtir le nouveau-né de manière appropriée selon la température ambiante et de le protéger contre l'exposition à la lumière solaire directe.
- La précaution de vêtir le nouveau-né de pyjamas chauds ou d'une gigoteuse par-dessus un pyjama par temps froid.
- La prise de mesure de la température axillaire.

17.5.2 Respiration

L'infirmière passe en revue les points suivants.

- La fluctuation normale de la fréquence et du rythme respiratoires.
- Les réflexes de dégagement des voies respiratoires tel l'éternuement.
- La nécessité de protéger le nouveau-né contre :
  - le contact avec des personnes atteintes d'une infection des voies respiratoires, notamment d'une infection due au **virus respiratoire syncytial** ;
  - la fumée secondaire et tertiaire du tabac ;
  - la suffocation provoquée par la literie mal ajustée, un lit d'eau ou un fauteuil à billes ; la noyade (dans l'eau du bain) ; la compression et la contention dans de multiples couvertures ou dans une literie épaisse ; l'étranglement dû à un objet enroulé autour de son cou ; les dangers que représentent un lit, un moïse ou un parc qui n'est pas conforme aux normes.
- La position pendant le sommeil : sommeil sécuritaire – position dorsale (Agence de la santé publique du Canada [ASPC], 2011).
- La nécessité de ne pas utiliser de poudre pour nouveau-né en raison du risque d'aspiration. Si les parents tiennent à en faire usage, l'infirmière leur conseille une préparation d'amidon de maïs. Le parent verse un peu de préparation dans ses mains avant de l'appliquer sur la peau du nouveau-né plutôt que de la saupoudrer directement sur la peau de celui-ci.
- Les symptômes du rhume comme la congestion nasale et l'écoulement de mucus abondant, la toux, l'éternuement, la déglutition ou la respiration difficile, le manque d'appétit et la fièvre de faible intensité. Les mesures à adopter en cas de rhume sont les suivantes :
  - Offrir des boires de petite quantité, mais plus fréquents afin de ne pas épuiser le nouveau-né.
  - Tenir le nouveau-né à la verticale au moment du boire.
  - Soulever la tête du matelas à un angle de 30° pour que le nouveau-né ne dorme pas à plat (ne pas soulever sa tête à l'aide d'un oreiller).
  - Éviter les courants d'air ; ne pas couvrir le nouveau-né excessivement.
  - N'administrer que les médicaments prescrits par le médecin (ne pas utiliser de médicaments contre le rhume offerts en vente libre, car ils ne sont pas destinés aux nouveau-nés [Sharfstein, North & Serwint, 2007]).
  - Déposer quelques gouttes de solution saline dans les narines, puis aspirer à l'aide de la poire nasale afin de faciliter l'évacuation des sécrétions.

17.5.3 Alimentation

L'alimentation du nouveau-né est un des aspects dont l'infirmière traite le plus dans son enseignement aux parents ▶ 18.

17.5.4 Élimination

L'infirmière passe en revue les points suivants.

- La couleur habituelle de l'urine et le nombre de mictions (de deux à six) par jour.
- L'évolution de la couleur et de la consistance des selles (du méconium et des premières selles formées aux selles molles jaunes ou dorées), le nombre de celles-ci ainsi que l'odeur des selles du nouveau-né nourri au sein et de celles du nouveau-né nourri avec une PCN.
- Le nouveau-né nourri avec une PCN peut n'évacuer qu'une selle tous les deux jours dans les premières semaines ; ses selles sont soit pâteuses, soit quelque peu formées.
- Le nouveau-né nourri au sein évacue au moins 3 selles en 24 heures dans les premières semaines ; ses selles sont molles, elles ont l'apparence d'un mélange de moutarde et de fromage cottage et dégagent une odeur moins prononcée que celle des selles du nouveau-né nourri avec une PCN.

17.5.5 Façons de positionner et de tenir le nouveau-né

En 2011, la SCP a confirmé sa recommandation indiquant qu'il faut coucher le nouveau-né sur le dos dans les premiers mois de sa vie afin de prévenir le SMSN (SCP, 2011c). Le décubitus ventral est associé à une incidence accrue de SMSN. Le taux de mortalité due à celui-ci a chuté de plus de 50 % au Canada depuis 1999, année de la diffusion de cette recommandation sur la position du nourrisson durant son sommeil.

En raison de sa morphologie (poitrine arrondie et dos plat, rectiligne), il est facile pour le nouveau-né de rouler de la position étendue latérale à la

18

Le chapitre 18, *Nutrition et alimentation du nouveau-né*, se penche sur les modalités de l'alimentation, l'horaire des boires du nouveau-né et l'aspect des selles.

Virus respiratoire syncytial : Virus de la famille des paramyxovirus (*paramyxoviridæ*), responsable d'infections respiratoires chez le nourrisson et le jeune enfant.

position ventrale ; le décubitus latéral pour dormir n'est donc pas recommandé. À l'état d'éveil, le nouveau-né peut être positionné sur le ventre afin qu'il acquière le tonus musculaire qui lui permettra de ramper, pour autant que ce soit sous supervision parentale. Ces périodes en décubitus ventral sont également utiles dans la prévention de la déformation de la tête (plagiocéphalie positionnelle), ainsi que le fait d'alterner la direction dans laquelle est couché le nouveau-né, c'est-à-dire la tête vers le haut du lit un jour, la tête vers le pied du lit le lendemain (Cummings, 2011). La vigilance est de mise pour éviter que le nouveau-né se retourne sur lui-même et tombe en bas d'une surface plane surélevée. La personne qui prend soin d'un nouveau-né couché sur une telle surface le maintient en place d'une main si elle dirige son regard ailleurs que sur l'enfant. Il faut toujours soutenir la tête du nouveau-né, car il est incapable de le faire plus de quelques instants. La **FIGURE 17.22** illustre différentes façons de tenir le nouveau-né.

17.5.6 Éruptions cutanées

Érythème fessier

L'érythème fessier guette la grande majorité des nouveau-nés. Cette dermatite (ou inflammation cutanée) se manifeste par de la rougeur, de la desquamation et la formation de vésicules ou de papules. Divers facteurs contribuent à l'apparition de l'érythème fessier, notamment le changement de couche sporadique, la diarrhée, le port d'une culotte de plastique par-dessus la couche, la modification de l'alimentation du nourrisson comme

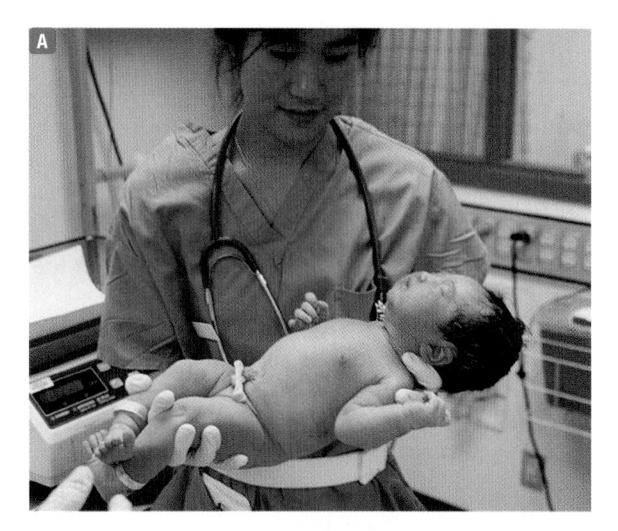

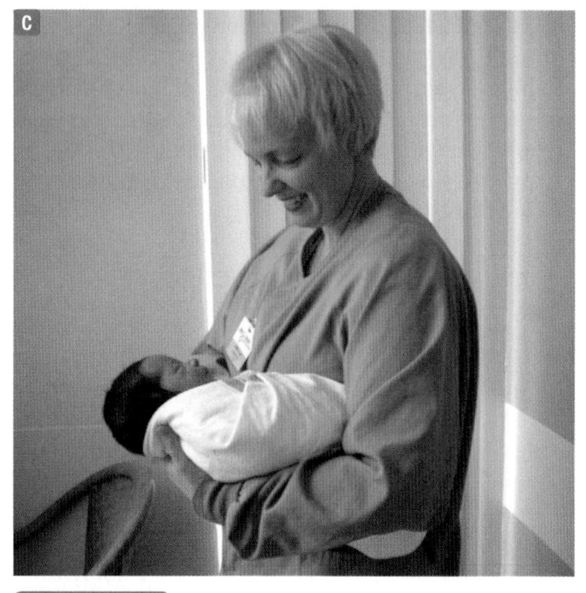

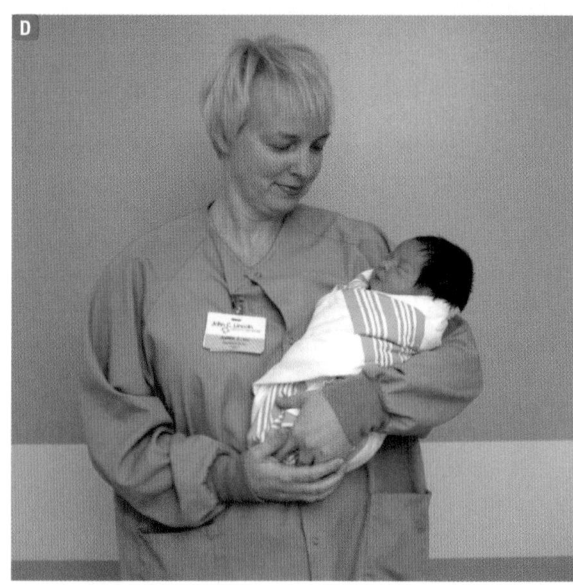

FIGURE 17.22

Façons de tenir le nouveau-né en toute sécurité en lui soutenant la tête. A Manière de tenir le nouveau-né lorsqu'on le déplace ; le nouveau-né est nu afin d'illustrer sa posture. B Manière de tenir le nouveau-né en position debout comme pour lui faire faire son rot. C Prise du « ballon de football ». D Manière de tenir le nouveau-né au creux des bras.

l'incorporation d'aliments solides ou certains aliments de la diète de la mère qui allaite.

L'érythème fessier peut être une source d'inquiétude pour les parents et incommoder le nouveau-né, mais dans la plupart des cas, il disparaît en quelques jours grâce à de simples mesures.

L'infirmière enseigne aux parents les mesures de prévention et de traitement de l'érythème fessier. Ainsi, il est important de vérifier l'état de la couche fréquemment et de la remplacer dès qu'elle est mouillée ou souillée. Le parent lave les fesses et la région pubienne à l'eau et au savon doux; s'il préfère les lingettes pour bébé, il les choisit inodores et sans alcool. Il attend que la peau du nouveau-né soit sèche avant de mettre une nouvelle couche. Laisser les fesses du nouveau-né à l'air libre peut favoriser l'assèchement de l'érythème, sans compter que cela réduit le risque de prolifération bactérienne, car les bactéries se multiplient en milieu humide et sombre. La pommade d'oxyde de zinc protège la peau de l'humidité et limite l'excoriation.

L'érythème fessier peut être une source d'inquiétude pour les parents et incommoder le nouveau-né, mais dans la plupart des cas, il disparaît en quelques jours grâce à ces simples mesures. Dans certains cas, il peut être nécessaire de consulter un médecin.

L'intérieur chaud et humide de la couche constitue un milieu propice à la croissance de candida (*C. albicans*); le microorganisme cause une dermatite dans la région anale, dans les plis inguinaux et dans le bas de l'abdomen. La région infectée, au pourtour net et ondulé, se caractérise par un érythème prononcé et des lésions en périphérie de la lésion principale. La principale source d'infection est l'hygiène inadéquate des mains de la personne qui prend soin du nourrisson. La dermatite peut également survenir deux ou trois jours après une infection buccale (muguet).

Le traitement consiste en l'application d'une pommade antifongique, comme le clotrimazole ou le miconazole, au changement de couche. Parfois, il est nécessaire d'administrer une solution antifongique orale, la nystatine ou le fluconazole par exemple, afin d'éliminer la source d'infection gastro-intestinale.

Autres éruptions

Une éruption peut apparaître sur les joues du nouveau-né s'il a les ongles longs et qu'il se gratte le visage ou s'il se frotte les joues contre ses draps, particulièrement s'ils sont souillés du contenu gastrique régurgité. À la naissance, la peau du nouveau-né se met à exfolier et à desquamer. Elle peut être réhydratée à l'aide d'une lotion au pH neutre que l'on utilise avec modération. L'érythème toxique est une éruption très fréquente chez le nouveau-né; elle disparaît sans traitement ▶ 16.

17.5.7 Habillement

La plupart des parents se demandent comment habiller le nouveau-né ou le nourrisson pour qu'il ait assez chaud. Ils peuvent en toute logique le vêtir comme ils s'habillent eux-mêmes, ajouter ou enlever des vêtements ou des couvertures s'il y a lieu. Un haut de coton et la couche peuvent suffire au tout-petit, selon la température ambiante. Le bonnet est nécessaire pour protéger le cuir chevelu et réduire au minimum la déperdition de chaleur par temps frais ou pour éviter l'érythème solaire (coup de soleil). Emmailloter le nouveau-né dans une couverture stabilise sa température corporelle et lui procure un sentiment de sécurité. Trop chaudement vêtu, le nouveau-né sera mal à l'aise par temps chaud, comme il le sera par temps frais s'il est trop légèrement vêtu. Les vêtements du nouveau-né devraient être faits de tissus qui ne prennent pas feu facilement. Il convient de couvrir les yeux du nouveau-né par temps ensoleillé. Il existe des lunettes de soleil conçues pour les enfants en bas âge **FIGURE 17.23**.

FIGURE 17.23
Lunettes de soleil destinées à protéger les yeux de l'enfant

17.5.8 Sécurité : utilisation du siège d'auto pour bébé

En automobile, le nouveau-né est assis dans un siège d'auto réglementaire installé sur la banquette arrière du véhicule, positionné vers l'arrière du véhicule **FIGURE 17.24**. La banquette arrière représente l'emplacement le plus sûr de l'automobile. Le siège d'auto qui fait face à l'arrière du véhicule offre la meilleure protection possible au cou relativement faible et à la tête relativement lourde du nouveau-né. L'impact d'une collision frontale se répercute sur la tête, le cou et le dos du nouveau-né assis dans son siège ainsi positionné; le dossier du siège d'auto soutient sa colonne vertébrale. Le siège d'auto est maintenu en place par la ceinture de

16
L'érythème toxique du nouveau-né est abordé dans le chapitre 16, *Adaptations physiologiques et comportementales du nouveau-né*.

FIGURE 17.24
Siège d'auto faisant face à l'arrière de la voiture installé sur la banquette arrière de la voiture. Le nouveau-né quitte l'hôpital dans son siège d'auto.

Jusqu'à ce qu'il pèse 9 kg et qu'il soit âgé de un an, le nourrisson s'assoit dans un siège d'auto orienté vers l'arrière du véhicule. Si le nourrisson pèse plus de 9 kg avant d'avoir un an, son siège d'auto doit tout de même faire face à l'arrière de l'automobile.

Le siège d'auto faisant face à l'arrière de la voiture ne doit pas être placé sur le siège avant de l'auto munie de coussins gonflables, sauf si ceux-ci ont été désactivés. Le déploiement du coussin gonflable peut grièvement blesser le nourrisson étant donné que le siège d'auto ainsi positionné se trouve à proximité du tableau de bord.

sécurité de l'automobile, tandis que le nourrisson est retenu par les sangles du système de harnais de son siège d'auto.

L'infirmière peut être appelée à observer le nouveau-né de moins de 37 semaines d'âge gestationnel et dont le poids est inférieur à 2 500 g assis dans un siège d'auto durant une certaine période (correspondant à la durée du trajet à destination de la maison) avant le congé. Elle surveille alors les signes d'apnée, de bradycardie et de baisse de la SaO_2. Il peut être nécessaire de soutenir la tête et le tronc du nouveau-né à l'aide d'une couverture pliée en forme de rouleau de chaque côté de lui dans le siège. Pour éviter que le nouveau-né glisse, la sangle qui va des épaules à la fourche devrait mesurer 14 cm. Par ailleurs, l'infirmière s'assure que le nouveau-né est installé correctement dans le siège d'auto au moment de son congé, suivant ainsi le protocole de son établissement. Elle peut également être appelée à vérifier la date de fabrication ou de péremption du siège.

17.5.9 Succion non nutritive

La succion est l'activité qui procure le plus de plaisir au nouveau-né. Cependant, l'allaitement, au sein ou au biberon, ne peut combler à lui seul ce besoin. En réalité, la succion est un tel besoin impérieux que le nouveau-né qui ne peut s'y adonner, en raison d'une fente labiale par exemple, suce sa langue. Certains nouveau-nés naissent avec les doigts munis d'un coussinet qui s'est formé pendant les moments de succion dans l'utérus. La recherche démontre que la succion non nutritive est avantageuse à bien des égards notamment en favorisant le gain de poids du prématuré et la stabilité du nouveau-né et en diminuant les pleurs.

La recherche démontre que la succion non nutritive est avantageuse à bien des égards notamment en favorisant le gain de poids du prématuré et la stabilité du nouveau-né et en diminuant les pleurs.

Selon les données disponibles, la suce (ou sucette d'amusement) serait un moyen de prévenir le SMSN. La SCP estime que les données sont insuffisantes pour qu'elle recommande l'usage de la suce pour réduire le risque de SMSN (SCP, 2011d). Cependant, ces données sont suffisantes pour que les professionnels de la santé hésitent avant de déconseiller systématiquement l'usage de la suce. Il est nécessaire de la nettoyer fréquemment, de la remplacer périodiquement et de ne pas la recouvrir d'une substance sucrée, quelle qu'elle soit (SCP, 2011d). Enfin, la SCP préconise d'attendre que l'allaitement soit bien établi avant d'offrir une suce au nouveau-né à terme en santé et nourri au sein.

Il arrive que des parents s'inquiètent de voir leur enfant sucer ses doigts, son pouce ou une suce et s'emploient à restreindre ce comportement naturel. Avant de les conseiller sur ce sujet, l'infirmière devrait chercher à savoir ce qu'ils en pensent et orienter ses conseils en ce sens. Ainsi, certains parents ne voient rien de mal dans le fait de sucer un doigt, mais ils s'opposent à la suce. En règle générale, il n'y a pas lieu de mettre un terme à l'une ou l'autre des pratiques à moins que l'enfant continue de sucer son pouce passé l'âge de quatre ans ou l'apparition des dents permanentes. Les parents peuvent consulter le pédiatre, le dentiste ou l'infirmière à ce propos.

Toutefois, il faut se pencher sur la question du recours quasi continuel à la suce pour apaiser le nouveau-né. Beaucoup de parents vont mettre une suce dans la bouche du nouveau-né dès qu'il se met à pleurer, ce qui renforce le principe de la manifestation d'un malaise suivie du soulagement.

Les parents qui optent pour la suce doivent prendre en considération certains aspects liés à la sécurité avant de s'en procurer. La suce maison ou mal conçue peut être dangereuse ; elle peut se retrouver entièrement dans la bouche si elle est petite ou une partie de la suce peut se détacher et se coincer dans le pharynx. La suce improvisée, comme la tétine coussinée parfois employée à l'hôpital, est dangereuse elle aussi : la tétine peut se détacher du collet de plastique et être aspirée. La suce sécuritaire est faite d'un seul tenant dont une partie forme une collerette suffisamment grande pour couvrir la bouche de l'enfant, et une autre sert de poignée facile à saisir **FIGURE 17.25**.

17.5.10 Bain, soins du cordon et de la peau

Le bain est utile à plusieurs égards. Il constitue l'occasion : 1) de laver le nouveau-né complètement ; 2) d'observer l'état du nouveau-né ; 3) de favoriser le bien-être du nouveau-né ; 4) d'interagir socialement avec la famille.

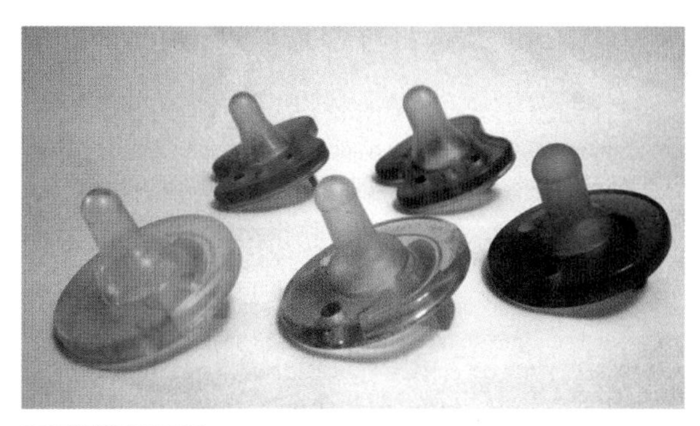

FIGURE 17.25

Suces sécuritaires pour le prématuré et le nouveau-né à terme. Faites d'un seul tenant, elles comportent une poignée facile à manipuler et une large collerette munie de trous de ventilation.

Au moment de laver le nouveau-né, il importe de préserver le manteau acide de la peau, qui est formé de la couche cornée de l'épiderme, de sueur, d'acides gras superficiels, de produits métaboliques et d'autres substances tels le liquide amniotique et des micro-organismes. À la naissance, la peau du nouveau-né est d'un pH de 6,4. En quatre jours, ce pH diminue pour se ranger dans l'écart bactériostatique (inférieur à 5) (Krebs, 1998). Par conséquent, seule de l'eau tiède est utilisée pour le bain durant ces quatre jours. L'huile ou le savon alcalin (p. ex., Ivory^MD), la poudre et la lotion sont à proscrire dans cette période parce qu'ils altèrent le manteau acide et font de la peau un milieu propice à la croissance bactérienne.

La toilette à l'éponge est d'usage courant, mais il appert que le bain par immersion provoque moins de déperdition de chaleur et de pleurs chez le nouveau-né **ENCADRÉ 17.12**. Le bain par immersion est une solution de rechange sûre à la toilette à l'éponge à condition que l'état du nouveau-né soit stable (pas de fluctuation de la température ni de maladie respiratoire ou cardiaque) et que celui-ci soit asséché tout de suite après et tenu au chaud (AWHONN, 2007). Il n'est pas nécessaire de donner un bain au nouveau-né chaque jour, même que cela risque de perturber l'intégrité de sa peau ; il est bien suffisant de nettoyer le périnée au changement d'une couche souillée et de laver le visage

Enseignement à la cliente et à ses proches

ENCADRÉ 17.12 Bain et toilette à l'éponge

PRÉVOIR LE BAIN DANS LE CALENDRIER DES ACTIVITÉS FAMILIALES

Prévoir le bain à n'importe quel moment de la journée pour autant que ce ne soit pas après un boire, car la manipulation risque de provoquer de la régurgitation.

PRÉVENIR LA DÉPERDITION DE CHALEUR

- La température de la pièce où se déroule le bain devrait être entre 22 et 24 °C et la pièce, exempte de courants d'air.
- Réduire au minimum la déperdition de chaleur durant le bain afin que le nouveau-né conserve son énergie. Procéder rapidement en n'exposant qu'une partie du corps à la fois et en l'asséchant minutieusement après l'avoir lavée.

RASSEMBLER LES ARTICLES ET LES VÊTEMENTS NÉCESSAIRES AVANT DE COMMENCER

- Vêtements appropriés à l'intérieur : couche, camisole, pyjama
- Savon doux, inodore
- Épingles de sûreté, le cas échéant, fermées et hors de la portée du nouveau-né
- Tampons de coton hydrophile
- Serviettes pour assécher le nouveau-né et débarbouillette propre
- Couverture
- Baignoire remplie d'eau à hauteur de 7,5 à 10 cm seulement

BAIN DU NOUVEAU-NÉ

- Emmener le nouveau-né à son bain lorsque tout est prêt.
- Ne jamais laisser le nouveau-né sur la table, le comptoir ou dans la baignoire sans surveillance, pas même durant une seconde ! S'il faut s'absenter, emmener le nouveau-né avec soi ou le remettre dans son lit.
- Vérifier la température de l'eau. Elle devrait laisser une sensation de chaleur agréable sur la peau du poignet ou du coude, à la température du corps (de 36,6 à 37,2 °C).
- Ne pas placer le nouveau-né sous l'eau courante – la température de l'eau peut fluctuer, risquant de l'ébouillanter ou de le refroidir. Le nouveau-né peut prendre son bain dans une baignoire même avant que le cordon ne tombe et que l'ombilic ne soit complètement cicatrisé.
- En cas de toilette à l'éponge, déshabiller le nouveau-né et l'envelopper dans une serviette en lui laissant la tête libre. Découvrir les parties du corps à laver, en veillant à ce que le reste du corps demeure couvert le plus possible afin de prévenir la déperdition de chaleur.
- Commencer par laver le visage à l'eau seulement, sans savon. Nettoyer les yeux en allant du coin interne de l'œil vers l'extérieur à l'aide de la débarbouillette, en utilisant une partie distincte pour chaque œil. Dans les deux ou trois premiers jours, il peut y avoir un écoulement dû à la réaction de la conjonctive au produit (érythromycine) utilisé en prévention de l'infection. Tout autre écoulement est jugé anormal et devrait être mentionné au professionnel de la santé.
- Nettoyer les oreilles et le nez à l'aide d'un tampon de coton mouillé ou d'un coin de la débarbouillette tortillé. Ne pas utiliser de coton-tige qui pourrait blesser le nouveau-né. Ne pas oublier de nettoyer également l'arrière des oreilles chaque jour.
- Laver le corps du nouveau-né à l'eau et au savon doux, rincer, puis assécher afin de réduire au minimum la déperdition de chaleur. Une main sous les épaules du nouveau-né, le soulever doucement pour exposer son cou ; lui relever le menton et lui laver le cou en veillant à nettoyer entre les plis de la peau. En lavant les mains et les pieds, écarter les doigts et les orteils pour ne rien oublier, puis rincer et assécher minutieusement. Laver la région génitale en dernier.
- Si les cheveux du nouveau-né doivent être lavés, l'emmailloter d'abord dans une serviette en lui laissant la tête libre. Tenir le nouveau-né d'une main comme un ballon de football (sous le bras) et lui laver les cheveux de l'autre. Laver le cuir chevelu à l'eau et au savon doux à l'aide d'une brosse souple ; bien rincer, puis assécher minutieusement. Dans bien des cas, il est possible de prévenir la calotte séborrhéique (ou chapeau) en enlevant les squames à l'aide d'un peigne fin ou d'une brosse après avoir lavé les cheveux. Si la calotte s'installe malgré cela, le médecin peut prescrire un shampoing médicamenté pour laver le cuir chevelu. Ne jamais utiliser un séchoir à cheveux parce qu'il souffle de l'air trop chaud pour le nouveau-né.

ENCADRÉ 17.12 Bain et toilette à l'éponge *(suite)*

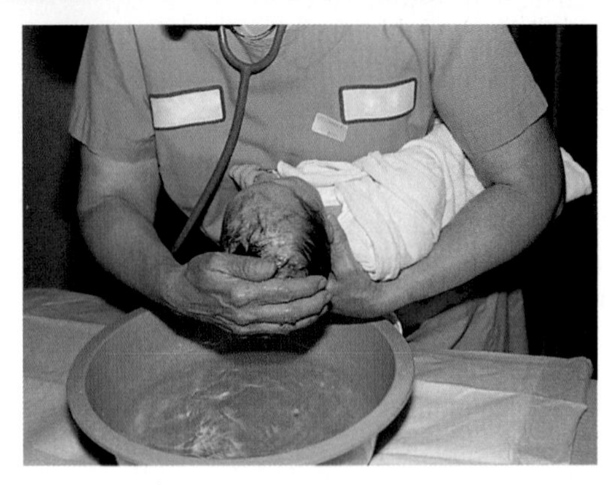

Envelopper le nouveau-né dans une serviette avant de lui laver les cheveux.

SOINS DE LA PEAU

- La peau du nouveau-né est sensible, elle ne devrait être lavée qu'avec de l'eau entre les bains. Le savon dessèche la peau, il faut donc le réserver exclusivement au bain. Il n'est pas recommandé de faire usage de crèmes, de lotions, de pommades ni de poudre. On peut appliquer une lotion sans alcool et inodore si la peau est excessivement sèche dans les deux ou trois premières semaines de la naissance ; les parents devraient demander conseil au professionnel de la santé au sujet des produits pour la peau. Certains experts conseillent de laver les vêtements du nouveau-né seuls à l'aide d'un détergent à lessive doux (Ivory Neige[MD]) et d'effectuer un double rinçage à l'eau claire.
- Le nettoyage vigoureux peut blesser la peau fragile du nouveau-né. Si celle-ci est recouverte de croûtes de selles ou d'autres matières durcies, humidifier la région pour les faire décoller ; il ne faut pas les enlever en frottant, car cela pourrait causer de l'abrasion. La douceur, l'assèchement en tapotant, non pas en frottant, et l'usage d'un savon doux inodore et incolore sont de mise. Les composés chimiques du parfum et de la coloration peuvent provoquer des éruptions cutanées.
- Le nouveau-né est très vulnérable à l'érythème solaire (coup de soleil) ; il ne devrait pas être exposé à la lumière solaire directe. Il convient de consulter un professionnel de la santé avant d'appliquer un écran solaire.
- Le nouveau-né est sujet à des éruptions cutanées normales. Le milium (ou milia) se manifeste par des boutons qui apparaissent dans les deux à quatre semaines de la naissance et disparaissent spontanément en six à huit mois. Les boutons de chaleur sont courants par temps chaud ; ils se manifestent par une fine rougeur dans les plis cutanés qui emprisonnent la sueur.

SOINS DU CORDON

Laver la région à la racine du cordon (jonction avec la peau) à l'eau et au savon. Mentionner au professionnel de la santé toute odeur, tout écoulement ou toute inflammation dans cette zone. La pince est enlevée lorsque le cordon est sec (habituellement en 24 heures). La couche ne devrait pas couvrir le cordon, car elle en freine le dessèchement et favorise l'infection quand elle est mouillée ou souillée. À la chute du cordon, dans les 10 à 14 jours de la naissance, de petites gouttes de sang au niveau de l'ombilic peuvent perler sur la peau du nouveau-né quand il pleure. Ce saignement est bénin et disparaîtra spontanément.

SOINS DES ONGLES

Ne pas couper les ongles des doigts et des orteils dans les premiers jours de la naissance. Les ongles doivent pousser suffisamment pour qu'il n'y ait pas de risque de blesser la peau en les coupant. Si le nouveau-né s'égratigne en se grattant, lui faire porter des mitaines non ajustées. Ne le faire qu'en dernier recours cependant, parce que cela l'empêche de se réconforter lui-même en suçant son pouce ou un autre doigt. Lorsque les ongles sont suffisamment longs, les couper droit à l'aide de ciseaux de manucure ou d'un coupe-ongles ou lui limer les ongles à l'aide d'une lime-émeri. Le meilleur moment pour couper les ongles du nouveau-né est pendant son sommeil. Veiller à ce que ses ongles restent courts.

RÉGION GÉNITALE

- Nettoyer la région génitale tous les jours, ainsi qu'après la miction et la défécation. Pour nettoyer la vulve, écarter les lèvres et laver doucement dans un mouvement allant du pubis à l'anus. Quant au petit garçon, laver doucement le pénis et le scrotum. Chez la plupart des nouveau-nés, le prépuce est collé au gland, mais il n'est pas utile de le dilater à cet âge, ni sur le plan hygiénique ni sur le plan médical.
- La peau du nouveau-né doit être complètement asséchée avant de lui remettre une couche. Laisser les fesses du nouveau-né à l'air libre favorise la guérison de l'érythème fessier. De plus, cela diminue le risque de croissance bactérienne, car les bactéries prolifèrent en milieu humide et sombre. La pommade d'oxyde de zinc peut être utile pour protéger la peau du nouveau-né contre l'humidité et l'excoriation.

quotidiennement. Jusqu'à ce que le nouveau-né ait eu un premier bain, le personnel infirmier qui prend soin de lui porte des gants non stériles.

Le moment du bain est une excellente occasion d'interaction sociale pour les parents et le nouveau-né. Les parents en profiteront pour parler au nouveau-né, le cajoler, le stimuler et l'inciter à imiter leur expression faciale et à sourire. Ils choisissent le moment qui leur convient le mieux, habituellement avant un boire.

Soins du cordon

Le cordon ombilical commence à se dessécher, à se ratatiner et à noircir dès le deuxième ou troisième jour de vie, en fonction notamment du mode de nettoyage. Il faut examiner l'ombilic fréquemment pour déceler les signes d'une infection (p. ex., une odeur nauséabonde, une rougeur, un écoulement purulent), d'un granulome (petit polype rouge apparemment à vif à la jonction du cordon ombilical), et des signes de saignement ou d'écoulement. La pince est enlevée lorsque le cordon est sec, ce qui se produit habituellement en 24 heures **FIGURE 17.3**. Le cordon tombe en 10 à 14 jours après la naissance, quoiqu'il puisse rester en place durant trois semaines dans certains cas. L'infirmière enseigne aux parents les soins à apporter au cordon (conformément au protocole infirmier ou de l'établissement) et leur donne une idée du moment où il tombera.

17.5.11 Soins de suivi du nouveau-né et du nourrisson

Puisque le séjour hospitalier est désormais abrégé, le lieu et la nature des soins prodigués au nouveau-né ont changé. Au Québec, une infirmière du CSSS communique avec la famille dans les 24 heures suivant le congé du nouveau-né et vient les visiter dans les jours qui suivent. Au cours de cette visite postnatale, l'infirmière examine le nouveau-né et assure le suivi tant sur le plan de l'alimentation, de l'apparition de l'ictère que de l'adaptation à la vie familiale. Il est essentiel de mentionner immédiatement au professionnel de la santé tout écart par rapport aux caractéristiques mentionnées dans l'**ENCADRÉ 17.13** ou tout signe de difficulté d'adaptation du nouveau-né.

Après cette visite à domicile postnatale, les parents devraient planifier les soins de suivi médical de leur nouveau-né comme suit : dans les 2 ou 3 semaines s'il est nourri au sein, dans les 2 à 4 semaines s'il est nourri avec une PCN, puis tous les 2 mois jusqu'à ce qu'il ait 6 ou 7 mois, et tous les 3 mois par la suite jusqu'à ce qu'il ait 18 mois ; enfin, à l'âge de 2 ans, de 3 ans, de 5 ans et tous les 2 ans par la suite.

Immunisation

L'infirmière passe en revue le calendrier de vaccination avec les parents. À l'heure actuelle, le vaccin anti-VHB est administré au nouveau-né avant qu'il quitte l'hôpital (si l'état sérologique de la mère le commande) ou dans le mois suivant la naissance. L'infirmière se doit de connaître ce calendrier, et elle remet le carnet de vaccination aux parents. Le sujet est également abordé dans le guide *Mieux vivre avec notre enfant de la grossesse à deux ans*. La capacité de l'enfant de se protéger contre les antigènes en formant des anticorps se développe peu à peu ; par conséquent, l'immunisation du nourrisson est séquentielle, adaptée à sa capacité à réagir aux antigènes. Chaque province et territoire a son propre calendrier de vaccination, qui est différent, ce que déplore la SCP, estimant que cela nuit à la santé des enfants et des adolescents canadiens (SCP, 2011e). Le **TABLEAU 17.11** présente le contenu du calendrier québécois de vaccination.

Réanimation cardiorespiratoire

Tous les travailleurs de la santé participant aux soins du nouveau-né doivent détenir une certification attestant leur aptitude à procéder à la réanimation cardiorespiratoire (RCR) du nourrisson et à la réanimation néonatale. Certains hôpitaux et certaines cliniques offrent des cours sur les premiers soins et la RCR avant la naissance ou aux parents d'un nouveau-né. Cela revêt d'autant plus d'importance que le nouveau-né est prématuré ou qu'il éprouve des problèmes cardiaques ou respiratoires. Les parents et les gardiens d'enfants devraient également être aptes à effectuer la RCR **ENCADRÉS 17.14** et **17.15** ▶ 24. Il est fortement recommandé que les parents et les gardiens suivent une formation de RCR.

17.5.12 Suggestions pratiques pour les premières semaines à la maison

Les premières semaines avec le nouveau-né sont marquées par de nombreux changements. La démarche de soins devrait être axée sur l'adaptation des parents quant aux soins à apporter au nouveau-né, à leurs nouveaux rôle et mode de vie, ainsi qu'à la modification de la structure familiale. Prendre soin d'un nouveau-né peut être une source d'anxiété avant que les parents ne gagnent en compétence et en assurance. Les conseils d'ordre préventif peuvent atténuer le choc du passage de l'hôpital ou de la maison de naissance au domicile qui pourrait assombrir la joie des parents ou leur causer un stress indu. Ainsi, l'infirmière peut enseigner aux parents plusieurs stratégies destinées à calmer le nouveau-né grincheux, à l'empêcher de pleurer et à l'apaiser pour favoriser le sommeil.

Enseignement à la cliente et à ses proches

ENCADRÉ 17.13 Soins au nouveau-né à la maison

- Couche mouillée : changement de 6 à 10 fois chaque jour dès le 3e ou 4e jour
- Allaitement : un boire toutes les 1,5 à 3 heures tous les jours (de 8 à 12 fois en 24 heures)
- Alimentation avec une PCN : miction telle que précisée ci-dessus et biberon de 90 à 120 ml toutes les 3 ou 4 heures
- Circoncision : laver la plaie à l'eau tiède seulement ; écoulement jaune, pas de saignement, PlastiBell[MD] intact durant 48 heures.
- Selles : au moins une fois en 48 heures pour le nouveau-né nourri à la PCN et au moins trois fois par jour pour le nouveau-né allaité
- Couleur de la peau : de rose à rouge-brun lorsque le nouveau-né pleure ; rose au repos ou pendant le sommeil (nouveau-né à la peau claire)
- Niveau d'activité : de quatre à cinq périodes d'éveil par jour et réaction aux bruits environnementaux et aux voix
- Ictère : ictère physiologique (pas dans les 24 premières heures), alimentation, miction et défécation comme elles sont précisées ici, ou soupçon d'ictère pathologique à mentionner au professionnel de la santé (apparition dans les 24 premières heures de la naissance, problème de compatibilité sanguine, hémolyse) ; baisse du niveau d'activité ; sous-alimentation ; coloration orange foncé de la peau du nouveau-né de peau claire, qui persiste au-delà du 5e jour
- Cordon : ne pas le couvrir avec la couche ; dessèchement, peau de l'ombilic rose (cercle érythémateux autour de l'ombilic peut être un signe d'omphalite)
- Signes vitaux : F.C. de 120 à 140 batt./min au repos ; F.R. de 30 à 55 R/min au repos sans tirage, geignements expiratoires, plainte ou battements des ailes du nez ; température axillaire entre 36,5 et 37,2 °C
- Position au coucher : sommeil sécuritaire – position dorsale

TABLEAU 17.11 Calendrier québécois de vaccination[a]

VACCIN	CALENDRIER
DCaT (diphtérie, tétanos, coqueluche)-Polio	À 2, 4 et 6 mois
Hib (*Haemophilus influenzae* de type b)	À 2 et 4 mois
Antipneumococcique	À 2, 4 et 12 mois
Salk inactivé	À 2 et 4 mois
Influenza (antigrippal)	Tous les ans après l'âge de 6 mois à 23 mois, en saison de l'influenza
RRO (rougeole, rubéole, oreillons)	À 12 et 18 mois
Varicelle	À 12 mois
Méningocoque de groupe C	À 12 mois

[a] Calendrier des 18 premiers mois.
Source : MSSS (2011).

24

La réanimation néonatale comme elle doit être pratiquée par l'infirmière au moment de la naissance est décrite dans le chapitre 24, *Nouveau-né à risque*.

17

Soins d'urgence

ENCADRÉ 17.14 Dégagement des voies respiratoires

Si le nourrisson s'étouffe, a du mal à respirer et à tousser, composer le 911.

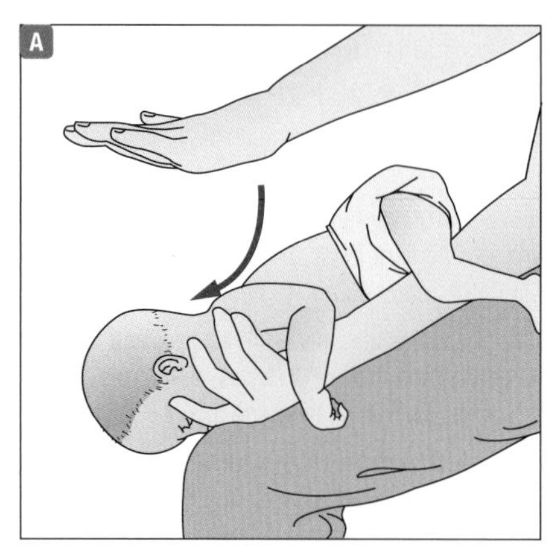

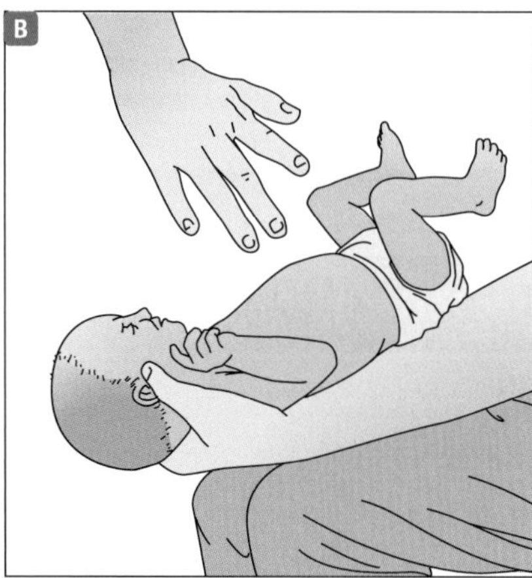

Coups dans le dos du plat de la main et poussée sur la poitrine pour dégager les voies respiratoires du nourrisson. A Coup dans le dos. B Poussée sur la poitrine.

COUPS DANS LE DOS

- Étendez le nourrisson sur le ventre contre votre avant-bras, la tête en bas, et soutenez-lui fermement la mâchoire.
- Appuyez le bras contre votre cuisse.
- Frappez le dos du nourrisson, entre ses omoplates, de quatre coups de la paume de votre main libre.

CHANGEMENT DE POSITION

- Appuyez votre main libre contre le dos du nourrisson afin de le tenir des deux mains, l'une soutenant son cou, sa mâchoire et sa poitrine, l'autre soutenant le dos.
- Tournez le nourrisson sur son dos, la tête plus basse que la poitrine, en lui soutenant la tête et le cou.
- Autre position : positionnez le nourrisson sur vos cuisses, la tête plus basse que le tronc ; soutenez-lui la tête solidement. Frappez-lui le dos, puis tournez-le d'un bloc.

POUSSÉES SUR LA POITRINE

- Poussez sur le tiers inférieur du sternum en direction de la gorge à quatre reprises.
- Enlevez le corps étranger s'il est visible.

DÉGAGEMENT DES VOIES RESPIRATOIRES

- Dégagez les voies respiratoires par la manœuvre de la tête inclinée et du menton soulevé et insufflez de l'air.
- Reprenez la séquence des coups dans le dos, du changement de position et de la poussée sur la poitrine.
- Continuez d'administrer ces soins d'urgence jusqu'à ce que vous constatiez des signes de rétablissement :
  - pouls périphériques palpables ;
  - retour à la normale de la taille de la pupille et de la sensibilité à la lumière ;
  - disparition de la marbrure et de la cyanose.
- Notez la durée de la manœuvre et les effets de l'intervention.

Directives pour les premiers jours à la maison

Il est essentiel d'aider les parents, particulièrement s'il s'agit de leur premier enfant, à prévoir ce qui se passera durant les premiers jours à la maison. Même la stratégie la plus simple peut se révéler très utile. Le guide *Mieux vivre avec notre enfant de la grossesse à deux ans* s'avère une excellente source de renseignements ; peuvent s'y ajouter une liste des ressources communautaires, à l'échelle locale ou nationale, et des sites Internet offrant de l'information fiable sur les soins à l'enfant, de même que le contenu des cours prénataux ou de l'enseignement durant le séjour hospitalier après l'accouchement. Les directives portant sur les premiers jours à la maison devraient minimalement aborder les activités de la vie quotidienne, les visiteurs, le degré d'activité et le repos.

Activités de la vie quotidienne

Étant donné les besoins d'un nouveau-né, la fatigue de la mère qui vient d'accoucher et les nombreuses choses à faire le jour du retour à la maison, les moindres soucis de la vie quotidienne peuvent générer du stress. De simples mesures comme le recours à des couches jetables, la préparation de mets congelés ou de repas à réchauffer au four à micro-ondes durant la grossesse ou l'option des mets à emporter peuvent atténuer ce stress en éliminant quelques tâches durant les premiers jours du nouveau-né à la maison. Prévoir le congé peu de temps après un boire permettra sans doute aux

Soins d'urgence

ENCADRÉ 17.15 **Réanimation cardiorespiratoire du nourrisson pour les parents**

ÉVALUER L'ÉTAT DU NOURRISSON

- Observez la couleur de la peau ; secouez doucement les épaules.
- Demandez à quelqu'un d'appeler le 911 ; effectuez la RCR pendant deux minutes avant d'appeler le 911 si vous êtes seul.

POSITIONNER LE NOURRISSON

- Mettez le nourrisson en position dorsale sur un plan dur qui soutient sa tête et son cou.

CIRCULATION

- Évaluez la circulation :
  - prenez le pouls à l'artère brachiale tout en maintenant la tête du nourrisson inclinée ;
  - en l'absence de pouls, amorcez la compression thoracique de même que la respiration bouche-à-bouche de manière coordonnée ;
  - en présence d'un pouls, amorcez la respiration bouche-à-bouche au rythme de 40 à 60 flux expiratoires insufflés/min jusqu'à ce que le nourrisson se remette à respirer spontanément.

COMPRESSION THORACIQUE SELON DEUX MÉTHODES QUE L'INFIRMIÈRE DOIT CONNAÎTRE

- Inclinez la tête du nourrisson, puis :
  - appuyez les pouces côte à côte sur le tiers intermédiaire du sternum et entourez la cage thoracique des autres doigts. S'il y a deux sauveteurs, comprimez le sternum de 1,25 à 2 cm (le tiers de la profondeur de la cage thoracique) ;
  - appuyez l'index sur une ligne imaginaire entre les mamelons. Appuyez le majeur et l'annulaire de cette main sur le sternum. S'il n'y a qu'un sauveteur, comprimez le sternum d'environ 1,25 à 2,5 cm (le tiers de la profondeur du thorax) par la pression du majeur et de l'annulaire.
- Assurez-vous de ne pas comprimer l'appendice xiphoïde.
- Libérez la pression tout en maintenant le pouce et les doigts sur la poitrine.
- S'il n'y a qu'un sauveteur, exercez 30 compressions pour 2 ventilations ; s'il y a deux sauveteurs, exercez 15 compressions pour 2 ventilations.
- Procédez à 100 compressions/min.
- Effectuez 5 cycles de 30 compressions et de 2 ventilations assistées (environ deux minutes) avant de composer le 911 de nouveau.
- Une fois les cycles terminés, vérifiez le pouls brachial.
- Lorsque la F.C. spontanée du nourrisson est de 80 batt./min cessez la compression thoracique.
- Notez le moment et la durée de l'intervention ainsi que ses effets.

VOIES RESPIRATOIRES

- Ouvrez les voies respiratoires en inclinant la tête du nourrisson vers l'arrière et en soulevant son menton.
- Une main sur le front du nourrisson, inclinez sa tête vers l'arrière.
- Appuyez les doigts de l'autre main sous l'os de la mâchoire inférieure.

RESPIRATION

- Détection des signes de respiration :
  - soulèvement du thorax ;
  - flux aérien expiratoire audible ;
  - perception tactile du flux aérien expiratoire.
- Respiration bouche-à-bouche :
  - inspirez ;
  - couvrez le nez et la bouche du nourrisson de votre bouche de façon étanche. NOTE : utilisez un masque muni d'un clapet de non-retour si possible ;
  - insufflez lentement (en 1 à 1,5 sec.) sa propre expiration, relevez la tête pour inspirer et insufflez de nouveau sa propre expiration. NOTE : insufflez l'air en dégonflant doucement les joues, ne pas insuffler d'un jet brusque.
- La poitrine du nourrisson devrait se soulever légèrement à l'insufflation ; maintenez les doigts appuyés sur la cage thoracique du nourrisson pour sentir le passage de l'air.

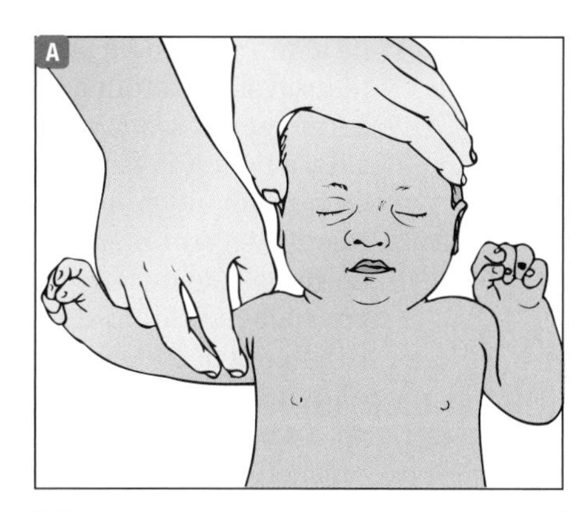

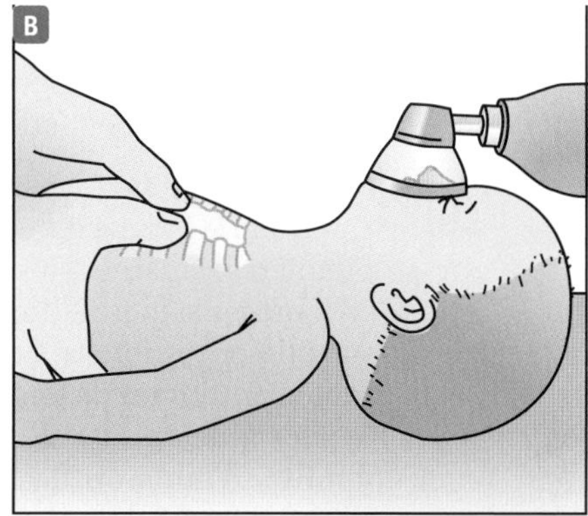

A Vérification du pouls brachial. **B** Position des pouces côte à côte dans la compression thoracique. **C** Ouverture des voies respiratoires.

Source : Adapté de Hazinski *et al.* (2010).

Le site de l'INSPQ *Mieux vivre avec notre enfant de la grossesse à deux ans* offre le guide en téléchargement gratuit ainsi que d'autres renseignements utiles aux parents et à l'infirmière: www.inspq.qc.ca/MieuxVivre.

parents de se rendre à la maison et de s'organiser en toute tranquillité avant le boire suivant.

Visiteurs

Les nouveaux parents submergés par la joie de l'arrivée de l'enfant ne sont pas toujours bien préparés au retour à la maison parce qu'ils n'en ont pas une idée réaliste. Ce scénario que peut rapporter une nouvelle mère est assez réaliste: « Après une heure passée dans la circulation, mes points me faisaient mal, et je ne pensais qu'à une chose, un bain de siège chaud et du temps seul à seul avec mon conjoint et le bébé. Mais juste comme nous sortions le bébé de son siège d'auto, une voiture pleine de visiteurs s'est garée devant la maison. J'étais sûre que j'allais me mettre à pleurer. »

L'infirmière peut aborder cette question des visiteurs avant le retour à la maison et aider les parents à trouver des moyens de contenir le flot de proches s'il y a lieu. À la famille et aux amis qui demandent en quoi ils peuvent être utiles, les parents pourraient suggérer d'apporter un repas prêt à manger ou surgelé ou de faire des courses. Les parents peuvent convenir d'un signe indiquant que la mère est fatiguée et que le moment est venu pour le conjoint d'inviter les visiteurs à passer dans une autre pièce ou à s'en aller. Des mères diront que le fait de se présenter en peignoir et de ne pas sembler prête à accueillir de la compagnie écourte la visite. Une affiche accrochée à la porte d'entrée priant les visiteurs de ne pas déranger la mère et le nouveau-né qui se reposent peut être utile également.

Activité et repos

Parce que la fatigue est un problème majeur dans les premières semaines suivant l'accouchement, il faut encourager la mère à limiter ses activités et à ne pas surestimer ses forces. Ses activités ne peuvent être soutenues durant de longues périodes. Il ne faut pas hésiter à demander de l'aide et du soutien de la famille, d'amis ou de voisins pour les repas, le ménage, les déplacements des autres enfants, entre autres. La mère doit s'accorder des périodes de repos réparties dans sa journée. Elle peut faire la sieste pendant que le nouveau-né dort. Une alimentation équilibrée est tout aussi essentielle au rétablissement, de même que pour contrer la fatigue.

Conseils de prévention concernant le nouveau-né

Les conseils de prévention destinés aux parents sont conçus pour offrir un aperçu de la croissance et du développement de leur enfant. Les parents qui savent vraiment à quoi s'attendre quant aux besoins et au comportement du nourrisson sont mieux préparés à s'adapter aux exigences de la vie avec un nouveau-né et à la parentalité comme telle.

Les nouveaux parents peuvent se sentir dépassés par la surabondance d'information. Les conseils de prévention devraient porter sur les aspects suivants: le cycle de sommeil et d'éveil du nouveau-né, l'interprétation des pleurs et les techniques d'apaisement, les points de repère du développement, l'enrichissement sensoriel et la stimulation du nourrisson, la détection des signes de maladie, ainsi que le calendrier de vaccination et le suivi de l'enfant en santé. Ces conseils prendront la forme de documentation écrite, d'une bande audio ou d'une vidéo. Encore une fois, le guide *Mieux vivre avec notre enfant de la grossesse à deux ans* constitue une source d'information fiable et facile à consulter. Comme les internautes sont de plus en plus nombreux, il peut aussi s'avérer utile de remettre aux parents une liste de sites Internet d'intérêt.

Mode de vie selon l'alternance du jour et de la nuit

L'infirmière peut préciser aux parents que le nouveau-né ne fait pas la différence entre le jour et la nuit et que c'est à eux de lui inculquer les habitudes diurnes et les habitudes nocturnes. L'infirmière y va de suggestions fondamentales pour que le nouveau-né s'adapte à l'alternance du jour et de la nuit, notamment:

- Dès la fin de l'après-midi, le nouveau-né est présent aux activités familiales, et ce, pendant toute la soirée. S'il s'endort dans le porte-bébé ou les bras de quelqu'un, ne pas le déranger. Ne le coucher dans son lit ou son moïse que pour le sommeil nocturne.
- Donner le bain au nouveau-né juste avant l'heure du coucher. Cette activité le calme et le réconforte, et elle lui permet de dépenser son énergie.
- Offrir le dernier boire vers 23 h, puis coucher le nouveau-né dans son lit.
- Installer une veilleuse pour s'éclairer aux boires et aux changements de couche nocturnes afin de ne pas inonder la pièce de lumière. Parler au nouveau-né à voix basse, le manipuler avec douceur et ne faire que les gestes nécessaires à l'allaitement et au changement de couche. Le boire nocturne n'est pas une occasion de s'amuser! Le nouveau-né se rendormira d'autant mieux que la pièce baigne dans l'obscurité et la quiétude.

La plupart des nouveau-nés se conformeront à un horaire stable, prévisible; cependant, certains ne s'y font jamais. Les parents se faciliteront la tâche s'ils sont disposés à être souples et à lâcher prise durant les premières semaines.

Interprétation des pleurs et techniques d'apaisement

Les pleurs sont le premier moyen de communication du nourrisson. Certains nouveaux-né pleurent beaucoup, d'autres moins, mais aucun n'y échappe. Les pleurs expriment la faim, le malaise, la gêne que cause la couche mouillée, la maladie, la lassitude, et, parfois, rien ne semble les motiver du tout. Plus les jours passent, plus les parents interprètent avec justesse les pleurs de leur enfant. De nombreux nourrissons traversent une période difficile dans la journée, surtout en fin d'après-midi ou au début de la soirée, au moment où tout le monde est habituellement fatigué. La tension ambiante a pour effet de prolonger et d'intensifier les pleurs. Les nouveaux-né connaissent également des périodes de pleurs inconsolables pendant lesquelles rien ne semble les réconforter. Ces périodes peuvent s'étirer jusqu'à ce que le nouveau-né s'endorme, à bout de force. Il se peut qu'en faisant cela, le nourrisson s'efforce en fait de dépenser un trop-plein d'énergie afin de pouvoir se calmer lui-même. L'infirmière rassure les parents en leur précisant que ces pleurs cesseront avec le temps, au fur et à mesure que l'enfant se développe.

Les pleurs dus aux coliques sont une source d'inquiétude fréquente pour les nouveaux parents. Le nouveau-né qui souffre de coliques pleure sans arrêt durant des heures, fléchit ses jambes sur son ventre et passe du gaz en grande quantité. Les coliques et leurs causes demeurent mal connues. Les parents peuvent consulter l'infirmière ou le pédiatre s'ils sont inquiets à ce propos.

La stimulation sensorielle sous certaines formes peut apaiser le nouveau-né et favoriser le sommeil. Quelle que soit la nature de cette stimulation (tactile, vestibulaire, auditive ou visuelle), elle doit se faire de façon douce, lente et rythmique, régulière et périodique. La chaleur, le tapotement, le frottement du dos, le vêtement de tissu texturé sont des formes de stimulation tactile. Emmailloter le nouveau-né afin qu'il soit recroquevillé sur lui-même (comme dans l'utérus) constitue une forme de stimulation tactile générale et constante qui procure un sentiment de sécurité **FIGURE 17.14D**. La stimulation vestibulaire est particulièrement efficace ; elle découle d'un léger mouvement rythmique comme le balancement ou le bercement, ou elle s'effectue en tenant le nouveau-né à la verticale appuyé sur son épaule.

L'infirmière peut enseigner aux parents diverses stratégies qui contribueront à apaiser le nouveau-né difficile, à empêcher les pleurs ou à favoriser le calme ou le sommeil **ENCADRÉ 17.16**.

Guide d'enseignement

ENCADRÉ 17.16 Techniques d'apaisement

- Beaucoup de nouveau-nés se sentent perdus au centre d'un grand lit de bébé. Ils préfèrent être confinés dans un petit espace chaud et douillet à l'image de la vie intra-utérine. Le cas échéant, optez pour un petit lit pliant, un landau, un moïse ou un berceau, ou délimitez un petit espace dans le lit de bébé à l'aide d'une couverture pliée en rouleau.
- Portez le bébé dans une poche ventrale ou dorsale.
- Emmaillotez le bébé dans une couverture. Il y sera recroquevillé dans une position semblable à celle qu'il avait dans l'utérus ; cela lui procure un sentiment de sécurité.
- Réchauffez la literie du lit de bébé à l'aide d'une bouillotte ou d'un coussin chauffant réglé à basse température qu'il faudra enlever avant de coucher le bébé. Des draps froids peuvent le faire sursauter.
- Dans certains cas, la succion aide le bébé à s'endormir. La mère qui allaite peut laisser le bébé téter au sein sachant que cela le réconforte ou elle préférera lui offrir une suce. Dans les deux premières semaines de la vie du nouveau-né, stimulez son réflexe de succion en tapotant son palais à l'aide de la suce. Vers l'âge de trois mois, le bébé est capable de trouver son pouce et de le sucer pour se réconforter lui-même.
- Un bruit rythmé et monotone simulant le son intra-utérin du cœur de la mère et de la circulation sanguine peut être apaisant pour le bébé. La proximité du lave-vaisselle ou du lave-linge peut être bénéfique au bébé grincheux ; par contre, il ne faut pas laisser le bébé sur ce genre d'appareils sans surveillance.
- Le mouvement peut être apaisant également. Emmenez le bébé en voiture ou allez vous promener avec le bébé dans le landau ou la poussette. Bercez le bébé dans une berceuse ou dans son berceau.
- Placez le bébé le ventre contre vos cuisses ; frottez-lui le dos en soulevant vos jambes ou en les balançant latéralement.
- Le bébé aime beaucoup le contact peau à peau. Ce contact, conjugué à la chaleur de l'eau tiède, aide à apaiser le bébé grincheux. Remplissez la baignoire, étendez-vous dans l'eau et couchez le bébé sur votre poitrine en faisant en sorte qu'il ait de l'eau jusqu'au cou ; tenez-le bien tout en le cajolant.
- Faites en sorte que le bébé voit votre visage, adressez-vous à lui d'une voix douce.
- Il se peut que votre bébé trouve le temps long tout simplement. Emmenez-le dans la pièce où se trouve le reste de la famille. Modifiez sa position ; de nombreux bébés aiment être à la verticale, appuyés contre l'épaule de la personne qui le tient.

Étapes du développement

Les parents qui connaissent la croissance et le développement de l'enfant en général ont des attentes réalistes à l'égard de leur nouveau-né. En effet, s'ils sont conscients des limites de l'enfant selon le stade de son développement, ils sont mieux en mesure de s'adapter à la parentalité. Sachant que le nouveau-né est unique, la famille pourra lui offrir un environnement enrichissant optimal.

Brazelton (1995) est à l'origine de la théorie des « points forts » voulant que les poussées de développement (cognitif, moteur ou émotionnel) de l'enfant entraînent un changement dans le système familial (enfant, parents et famille). Tout juste avant la poussée, le nourrisson traverse une brève période de désorganisation, qui peut être stressante pour les parents. Ces périodes sont prévisibles, et l'infirmière peut offrir des conseils d'ordre préventif aux parents afin qu'ils sachent mieux ce qui les attend et qu'ils se préparent en prévision de ces poussées de croissance.

L'infirmière devrait remettre un aperçu des premiers mois de la croissance et du développement de l'enfant sous forme écrite aux parents afin qu'ils puissent le consulter à leur gré. Ici encore, le guide *Mieux vivre avec notre enfant de la grossesse à deux ans* sera une bonne source d'information. Le **TABLEAU 17.12** résume les faits marquants de la croissance et du développement du nourrisson au cours des trois premiers mois.

Jugement clinique

Madame Eva Saida Naima, âgée de 24 ans, a donné naissance à son premier enfant par césarienne il y a deux jours. L'allaitement de sa fille prénommée Yasmine se déroule à merveille. Très curieuse et attentive au bon développement de son enfant, la cliente profite de vos visites pour vous poser de nombreuses questions. Elle vous demande entre autres si elle doit privilégier un mobile coloré ou un mobile neutre favorisant le calme dans le lit de sa fille.

Que devriez-vous répondre à madame Naima et pour quelle raison ?

TABLEAU 17.12	**Croissance et développement chez le nourrisson**	
UN MOIS	**DEUX MOIS**	**TROIS MOIS**
Physique		
• Gain de 150 à 210 g par semaine dans les six premiers mois • Gain de taille de 2,5 cm par mois dans les six premiers mois • Augmentation du périmètre crânien de 1,5 cm par mois dans les six premiers mois • Présence de solides réflexes archaïques ou primaires • Affaiblissement du phénomène des yeux de poupée et du réflexe de danse • Prédominance de la respiration par le nez (majorité des enfants)	• Fermeture de la fontanelle postérieure • Disparition du réflexe de reptation	• Affaiblissement des réflexes archaïques ou primaires
Motricité globale		
• En décubitus ventral, en flexion le bassin surélevé sans que les genoux soient fléchis sous l'abdomen (les genoux sont fléchis sur l'abdomen à la naissance)[a] • En décubitus ventral, bouge la tête de chaque côté, soulève la tête quelques instants[a] • Chute de la tête vers l'arrière, particulièrement lorsqu'on le fait passer de la position couchée à la position assise • Suspendu en position ventrale, tient sa tête en parallèle avec son corps, dans la ligne médiane de celui-ci, pendant quelques instants • Réflexe tonique du cou asymétrique en décubitus dorsal • Flexion des hanches et des genoux lorsqu'on le tient en position debout • En position assise, dos arrondi uniformément et absence de maîtrise du port de tête	• Diminution de la flexion en décubitus ventral : hanches à plat, jambes étendues, bras fléchis et tête tournée[a] • Chute de la tête vers l'arrière moins prononcée lorsqu'on le fait passer de la position couchée à la position assise • Suspendu en position ventrale, maintient sa tête sur le même plan que le reste de son corps • En décubitus ventral, soulève la tête presque à un angle de 45° • En position assise, la tête est droite, mais penche vers l'avant • Réflexe tonique du cou asymétrique à intermittence	• En position assise, la tête est bien droite, mais elle penche encore vers l'avant • Légère chute de la tête en arrière seulement lorsqu'on le fait passer de la position couchée à la position assise • Position du corps symétrique • En décubitus ventral, soulève la tête et les épaules d'un angle allant de 45 à 90° • En position debout, supporte son poids quelques instants • Se regarde les mains
Motricité fine		
• Mains fermées la plupart du temps • Fort réflexe de préhension • Mains serrées sur le hochet	• Mains ouvertes souvent • Affaiblissement du réflexe de préhension	• Tient solidement le hochet, mais ne tente pas de le prendre[a] • Disparition du réflexe de préhension • Mains ouvertes au repos • Se prend les mains, tire sur la couverture ou ses vêtements
Aspect sensoriel		
• Suit des yeux un objet qui se déplace dans un champ de 45° lorsque l'objet est à une distance de 20 à 25 cm de lui ; acuité visuelle de l'ordre de 20 sur 100[a, b] • Suit la lumière dans la ligne médiane • Silencieux lorsqu'il entend une voix	• Fixation binoculaire et convergence en regardant des objets de près • Étendu sur le dos, suit un jouet qui tombe • Recherche du regard la provenance des sons • Tourne la tête du côté où provient un son entendu près de l'oreille	• Suit des yeux un objet qui se déplace jusqu'à la périphérie (180°)[a] • Tourne la tête du côté d'où provient le son et regarde dans cette direction[a] • Coordonne peu à peu les divers stimuli sensoriels
Vocalisation		
• Pleure pour manifester son mécontentement • Produit de faibles sons gutturaux • Produit des sons de plaisir durant le boire	• Vocalise distinctement (ce ne sont pas des pleurs)[a] • Les pleurs se différencient les uns des autres • Roucoule • Vocalise au son d'une voix connue	• Pousse des cris perçants pour exprimer son contentement[a] • Roucoule et gazouille • Vocalise lorsqu'il sourit • Se met à « parler » abondamment lorsqu'on lui parle • Diminution des pleurs durant les périodes d'éveil

TABLEAU 17.12 Croissance et développement chez le nourrisson *(suite)*

UN MOIS	DEUX MOIS	TROIS MOIS
Socialisation et cognition		
• Stade sensorimoteur : phase I de l'exercice des réflexes archaïques ou primaires (de la naissance à un mois) et phase II des réactions circulaires primaires (de un à quatre mois) • Regarde avec attention le visage du parent qui lui parle	• Sourit intentionnellement en réaction à divers stimuli[a]	• Captivé par ce qui l'entoure • Cesse de pleurer lorsque le parent entre dans la pièce • Reconnaît les visages et des objets familiers, comme le biberon • Se rend compte qu'une situation donnée est inhabituelle

[a] Étape qui marque la consolidation d'aspects essentiels du développement nécessaire à l'acquisition d'aptitudes plus avancées.

[b] Le degré d'acuité visuelle varie selon la méthode d'évaluation.

Source : Adapté de Hockenberry & Wilson (2007).

Stimulation

Le nourrisson prend conscience de lui et de son environnement en interagissant avec ses parents. L'infirmière peut leur enseigner des façons de stimuler le développement de leur enfant et d'enrichir son milieu d'apprentissage. Le cas échéant, l'infirmière à domicile peut évaluer l'environnement du nourrisson et offrir des suggestions aux parents quant à la promotion de son développement physique, cognitif ou émotionnel. Les **ENCADRÉS 17.17** et **17.18** offrent des suggestions en matière d'apprentissage du nourrisson durant ses premiers mois, tandis que le **TABLEAU 17.13** présente des formes de stimulation visuelle, auditive, tactile ou cinétique.

Détection des signes de maladie

Non seulement l'infirmière insiste sur l'importance des consultations de suivi de l'enfant en santé, mais elle aborde également la question des signes de maladie, particulièrement ceux de l'ictère que les parents doivent connaître si le séjour du nouveau-né à l'hôpital a été court **ENCADRÉ 17.19**. Ainsi, les parents doivent communiquer rapidement avec l'infirmière ou le pédiatre s'ils ont noté des signes d'intensification de l'ictère ou de maladie et se procurer des médicaments offerts en vente libre, comme l'acétaminophène, utiles pour juguler certains symptômes.

Enseignement à la cliente et à ses proches

ENCADRÉ 17.17 Apprentissage du nouveau-né

- Le nouveau-né découvre des choses tous les jours. Cet apprentissage peut être facilité par le jeu en compagnie des parents à l'aide de jouets éducatifs.
- Parler au nouveau-né abondamment. Lui décrire les moindres faits et gestes : « Entends-tu le chien qui jappe ? » Nommer les objets que l'on voit ou que l'on utilise : « Ça, c'est la débarbouillette. » Décrire ce que l'on fait : « Bon, si on mettait la camisole ! »
- Regarder le nouveau-né dans les yeux. Jouer à varier les expressions du visage : sourire, sortir la langue, ouvrir grand les yeux. En vieillissant, le nouveau-né se mettra à imiter ces expressions.
- Le nouveau-né aime la musique et le mouvement rythmique. Le bercer ou le balancer en chantant d'une voix douce.
- Prêter attention à sa façon de répondre quand une personne parle ou chante. Il se tournera vers elle, il la regardera dans les yeux, il bougera ses bras et ses jambes et il fera entendre des sons.
- Le nouveau-né aime les couleurs vives et les contrastes appuyés. Lui faire voir des images et des objets en noir et blanc, d'autres d'une couleur primaire (rouge, bleu, jaune) et de gros motifs. Veiller à ce que les mobiles et les jouets colorés soient bien à sa vue.
- Le nouveau-né aime à être tenu à la verticale. Appuyé contre une épaule, il peut regarder son univers, et cette position offre une stimulation vestibulaire. Le laisser faire quelques instants s'il lève la tête. Être prêt à lui soutenir la tête avec la main.

Enseignement à la cliente et à ses proches

ENCADRÉ 17.18 Apprentissage du nourrisson âgé de un mois

Entre l'âge de un à deux mois, le nourrisson gère de mieux en mieux ses mouvements ; il maîtrise davantage son port de tête et peut même tenir un objet dans sa main quelques instants. Il développe également ses aptitudes sociales. Il adopte des attitudes destinées à favoriser une interaction avec ses parents : il sourit, il roucoule, il les regarde longuement dans les yeux et il les suit des yeux.

Durant cette période, les parents peuvent favoriser l'apprentissage de leur nourrisson par diverses activités.

- Le coucher sur le ventre sur une couverture étendue au sol ; s'étendre le ventre au sol devant son nourrisson. Lui parler pour l'inciter à lever la tête vers soi.
- Le tourner sur le dos et en jouant avec ses jambes. Le faire pédaler comme sur un vélo. Tenter de lui faire donner un coup de pied.
- Jouer avec ses mains au son de comptines comme « Tape, tape, tape » ; embrasser ses doigts ; mettre ses mains sur le visage du parent ; lui faire voir ses mains en les plaçant devant ses yeux ; l'inciter à regarder ses mains.
- L'encourager à regarder les objets, à les suivre des yeux. Capter son attention à l'aide d'un jouet qui fait du bruit, comme un hochet ou un petit carillon, ou en plaçant un objet de couleur vive à 30 cm de ses yeux ; déplacer le jouet d'un côté, puis de l'autre. Le nourrisson couché sur le dos ou assis dans le siège pour enfant peut regarder des jouets suspendus à une structure de jeu.
- Continuer à lui parler et à chanter beaucoup. Décrire ce que l'on fait en sa présence et ce qui se passe dans l'environnement immédiat.
- Faire en sorte qu'il soit en compagnie de la famille quand elle est réunie, durant les repas par exemple. On peut l'asseoir dans un siège berçant pour bébé ou une balançoire pour enfant.

TABLEAU 17.13 Jeu chez le nouveau-né et le nourrisson : activités de la naissance à trois mois

ÂGE (MOIS)	STIMULATION VISUELLE	STIMULATION AUDITIVE	STIMULATION TACTILE	STIMULATION VESTIBULAIRE
De la naissance à un mois	• Se tenir près du nouveau-né pour le regarder. • Lui présenter des objets brillants à 22 à 25 cm du milieu de son visage. • Suspendre des mobiles faits d'éléments blanc et noir qui font contraste.	• Parler au nouveau-né, chanter d'une voix douce. • Lui faire entendre de la musique (CD, radio, télévision). • Mettre une horloge ou un métronome qui marque le temps près de lui.	• Prendre le nouveau-né dans ses bras, le caresser, le cajoler. • Tenir le nouveau-né au chaud. • L'emmailloter s'il aime ça.	• Bercer le nouveau-né, l'étendre dans un berceau. • Le promener dans le landau.
De deux à trois mois	• Présenter des objets brillants au nourrisson. • Égayer sa chambre par des images ou des miroirs au mur. • Emmener le nourrisson avec soi d'une pièce à une autre pour accomplir des tâches. • Assoir le nourrisson dans un siège pour enfant afin qu'il voie son environnement à la verticale.	• Parler au nourrisson. • Le faire participer aux réunions familiales. • Lui faire entendre divers bruits de l'environnement outre ceux de la maison. • Lui offrir un hochet, poser des mobiles sonores.	• Caresser le nourrisson au moment du bain, aux changements de couche. • Peigner ses cheveux à l'aide d'une brosse souple.	• Assoir le nourrisson dans une balançoire pour enfant. • L'emmener en auto. • Lui faire faire des exercices avec ses bras et ses jambes comme s'il nageait. • Utiliser une barre de jeu pour berceau.

Sources : Adapté de Hockenberry & Wilson (2007) ; Pagana & Pagana (2006).

ENCADRÉ 17.19 Signes de maladie

- Fièvre : température axillaire (sous le bras durant 3 ou 4 minutes) supérieure à 38 °C ; hausse constante de la température.
- Hypothermie : température axillaire inférieure à 36,5 °C.
- Manque d'appétit ou d'intérêt pour le lait ou la nourriture ; refus de s'alimenter à deux boires consécutifs.
- Vomissements : plus de un épisode de vomissements en jet ou vomissements fréquents dans une période de six heures.
- Diarrhée : deux selles liquides vertes. (NOTE : le nouveau-né allaité a des selles plus molles que celles du nouveau-né nourri avec une PCN. La selle diarrhéique sera cernée d'eau, alors que la selle du nouveau-né allaité ne l'est pas).
- Constipation : moins de 2 couches souillées par jour durant 48 heures ou moins de 3 couches souillées par jour au 5e jour de vie.
- Rétention urinaire : aucune couche mouillée pendant 18 à 24 heures ou moins de 6 couches mouillées par jour après les 3 ou 4 premiers jours de la naissance.
- Trouble respiratoire : respiration laborieuse et battement des ailes du nez ou absence de respiration durant plus de 15 secondes. (Il est normal que la respiration du nouveau- né soit irrégulière ; sa F.R. est de 30 à 40 R/min. Dénombrer les respirations durant une minute.)
- Cyanose au moment du boire ou à d'autres moments.
- Léthargie : somnolence, nouveau-né difficile à réveiller ou sommeil plus long que six heures (la plupart des nouveau-nés dorment durant de brèves périodes, habituellement pendant une à quatre heures, puis se réveillent car ils ont faim).
- Pleurs inconsolables (rien n'apaise le nouveau-né) ou pleurs aigus continuels.
- Saignement ou écoulement purulent du cordon ombilical ou de la plaie de la circoncision.
- Écoulement oculaire.

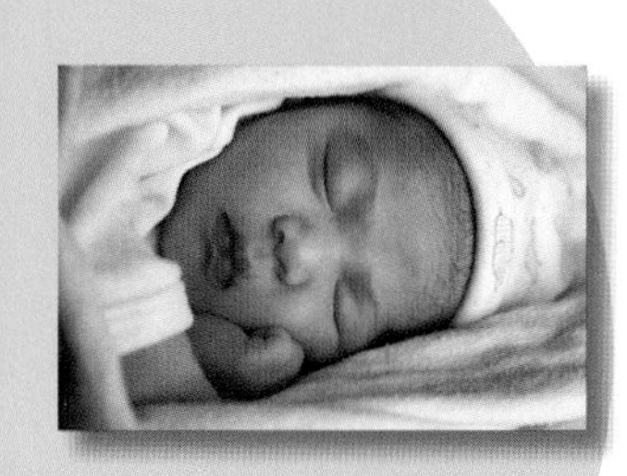

Myriam est née hier soir à 19 h 15 par accouchement vaginal à 38 3/7 semaines de gestation d'une mère de groupe sanguin A positif. Son poids de naissance est de 3 452 g. Cette petite fille à la peau foncée présente un céphalhématome consécutif à l'utilisation de la ventouse obstétricale. Myriam est le second enfant de la famille. Son frère de deux ans a été traité par photothérapie à l'âge de deux jours.

Il est 8 h 20. Myriam a une F.R. à 35 R/min, une F.C. à 124 batt./min et une température axillaire de 36,9 °C. Elle a les yeux ouverts, elle porte les poings à sa bouche et présente quelques légers mouvements de succion. Vous procédez à l'examen visuel de Myriam et aidez sa mère à installer celle-ci pour la mise au sein. ▶

SOLUTIONNAIRE

www.cheneliere.ca/lowdermilk

MISE EN ŒUVRE DE LA DÉMARCHE DE SOINS

Collecte des données – Évaluation initiale – Analyse et interprétation

1. Nommez deux facteurs de risque de l'ictère présents chez Myriam.
2. Pourquoi l'utilisation de la ventouse peut-elle augmenter le risque d'ictère chez la petite Myriam ?
3. Étant donné la couleur de la peau de Myriam, quel élément devriez-vous évaluer au cours de l'inspection pour confirmer la présence ou non d'ictère ?
4. Comment interprétez-vous les valeurs des signes vitaux de Myriam ?

Planification des interventions – Décisions infirmières

5. Dans le plan thérapeutique infirmier (PTI) de la petite Myriam, qu'est-ce qui justifie la directive s'appliquant pour le problème prioritaire numéro 2 ?

Extrait

CONSTATS DE L'ÉVALUATION								
Date	Heure	N°	Problème ou besoin prioritaire	Initiales	RÉSOLU / SATISFAIT			Professionnels / Services concernés
					Date	Heure	Initiales	
2012-11-09	*19:15*	*1*	*Naissance par accouchement vaginal*					
			à 38 3/7 semaines de gestation	*M.T.*				
2012-11-10	*08:20*	*2*	*Risque d'ictère*	*M.T.*				

SUIVI CLINIQUE							
Date	Heure	N°	Directive infirmière	Initiales	CESSÉE / RÉALISÉE		
					Date	Heure	Initiales
2012-11-09	*19:15*	*1*	*Appliquer le suivi standard du nouveau-né.*	*M.T.*			
2012-11-10	*08:20*	*2*	*Dir. à la mère : allaiter q.2-3 h*	*M.T.*			

Signature de l'infirmière	Initiales	Programme / Service	Signature de l'infirmière	Initiales	Programme / Service
Mélanie Tisseyre	*M.T.*	*2500 Centre Mère-Enfant*			

▶ À 15 h 30, Myriam est très somnolente pendant l'allaitement. Ses succions sont faibles et non soutenues. Elle a fait deux mictions depuis sa naissance et trois selles méconiales. Vous procédez à une lecture de bilirubinémie transcutanée et obtenez un résultat de 78 mmol/L. Selon le tableau de référence inclus dans l'ordonnance collective de votre centre hospitalier, vous devez continuer la surveillance de l'ictère, mais n'avez aucune intervention particulière à réaliser en lien avec le résultat. ▶

MISE EN ŒUVRE DE LA DÉMARCHE DE SOINS

Évaluation des résultats – Évaluation en cours d'évolution

6. Quel signe présent chez Myriam associez-vous à la dépression du SNC ?
7. Sachant que l'hyperbilirubinémie peut provoquer une encéphalopathie, quels sont les autres signes avant-coureurs de cette complication à surveiller chez Myriam ?

▶ À 20 h, Myriam présente des signes de faim et tète avec vigueur pendant l'allaitement ; elle ne présente aucun signe visible d'ictère. ◀

MISE EN ŒUVRE DE LA DÉMARCHE DE SOINS

Planification des interventions – Décisions infirmières

8. Allez-vous ajuster l'extrait du PTI ? Justifiez votre réponse.

APPLICATION DE LA PENSÉE CRITIQUE

Dans l'application de la démarche de soins auprès de Myriam, l'infirmière a recours à un ensemble d'éléments (connaissances, expériences antérieures, normes institutionnelles ou protocoles, attitudes professionnelles) pour analyser la situation de santé de Myriam et en comprendre les enjeux. La **FIGURE 17.26** illustre le processus de pensée critique suivi par l'infirmière afin de formuler son jugement clinique. Elle résume les principaux éléments sur lesquels l'infirmière s'appuie en fonction des données de Myriam, mais elle n'est pas exhaustive.

VERS UN JUGEMENT CLINIQUE

CONNAISSANCES

- Normalités des paramètres vitaux du nouveau-né
- Facteurs de risque de l'ictère
- Physiopathologie de l'ictère physiologique du nouveau-né
- Manifestations de l'ictère
- Différences entre les manifestations d'ictère chez un nouveau-né blanc par rapport à un nouveau-né noir
- Complication de l'ictère (encéphalopathie) et ses manifestations
- Interventions infirmières en lien avec l'ictère

EXPÉRIENCES

- Travail auprès des nouveau-nés
- Expérience parentale personnelle
- Expérience de travail auprès d'une clientèle multiethnique

NORMES

- Suivi standard du nouveau-né
- Ordonnance collective sur la gestion de l'ictère chez le nouveau-né

ATTITUDE

- Vigilance à détecter les manifestations anormales chez Myriam

PENSÉE CRITIQUE

ÉVALUATION

- Signes vitaux
- Facteurs de risque d'ictère
- Manifestations de l'ictère et de sa principale complication (encéphalopathie)
- Signes avant-coureurs de l'encéphalopathie (léthargie, irritabilité, hypotonie, crise épileptique)
- Bilirubinémie transcutanée
- Impact de l'allaitement sur la diminution de l'ictère
- Signes de dépression du système nerveux central (somnolence, succions faibles)

JUGEMENT CLINIQUE

FIGURE 17.26

À retenir

VERSION REPRODUCTIBLE

www.cheneliere.ca/lowdermilk

- L'évaluation du nouveau-né se fonde sur de l'information ayant trait aux périodes prénatale, pernatale et postnatale.
- L'examen immédiat du nouveau-né comprend l'indice d'Apgar et l'évaluation générale de l'état physique.
- L'indice d'Apgar est un indicateur utile de l'état du nouveau-né, mais pas un indicateur prévisionnel du développement neurologique de l'enfant.
- La connaissance des caractéristiques biologiques et comportementales du nouveau-né est essentielle à l'évaluation et à l'interprétation des données.
- L'évaluation du nouveau-né doit se faire systématiquement afin d'évaluer chaque système en profondeur.
- Les interventions infirmières telles que la percussion thoracique et l'aspiration ne doivent être pratiquées que lorsque nécessaire.
- L'évaluation de l'âge gestationnel est essentielle à la planification adéquate des soins au nouveau-né.
- L'une des principales responsabilités de l'infirmière consiste à offrir un environnement sûr au nouveau-né par des mesures telles que l'identification de celui-ci, le soutien des fonctions physiologiques, la prévention des infections et les mesures de contention.
- L'ictère physiologique du nouveau-né est un trouble courant et doit faire l'objet d'un dépistage systématique.
- Le nouveau-né a des besoins sociaux et physiques.
- Il est essentiel d'évaluer et de maîtriser la douleur ressentie par le nouveau-né.
- Les conseils d'ordre préventif ont pour fonction de préparer les nouveaux parents à ce qui les attend après le congé de l'hôpital.
- Tous les parents devraient suivre une formation sur la réanimation cardiorespiratoire des jeunes enfants.

CHAPITRE

Nutrition et alimentation du nouveau-né

Écrit par :
Kathryn Rhodes Alden, EdD, MSN, RN, IBCLC

Adapté par :
Denise Moreau, inf., Ph. D.

OBJECTIFS

 Guide d'études – SA18

Après avoir étudié ce chapitre, vous devriez être en mesure :

- d'énoncer les recommandations courantes concernant l'alimentation du nouveau-né ;
- de discuter de la situation de l'allaitement maternel au Canada ;
- de décrire les avantages de l'allaitement maternel pour les enfants, les mères, les familles et la société ;
- d'expliquer le rôle de l'infirmière dans la promotion et le soutien de l'allaitement maternel ;
- de préciser comment l'infirmière peut aider une famille à choisir une méthode d'alimentation pour son nouveau-né ;
- de décrire les besoins nutritionnels des nouveaux-nés puis des nourrissons ;
- de décrire l'anatomie et la physiologie de l'allaitement maternel ;
- de reconnaître les signes de faim chez un nouveau-né puis un nourrisson ;
- d'énoncer les indicateurs maternels et infantiles d'un allaitement maternel efficace ;
- d'expliquer les interventions infirmières qui facilitent et favorisent le succès de l'allaitement maternel ;
- de reconnaître les problèmes courants liés à l'allaitement maternel et les interventions infirmières appropriées pour les résoudre ;
- de décrire les préparations commerciales pour nourrissons en poudre, concentrées et prêtes à servir ;
- d'élaborer un plan d'enseignement destiné à une famille qui utilise les préparations commerciales pour nourrissons.

Concepts clés

Cette carte conceptuelle illustre schématiquement les principaux concepts décrits dans le présent chapitre. Sa lecture vous permettra d'avoir une vue d'ensemble des notions qui y sont présentées.

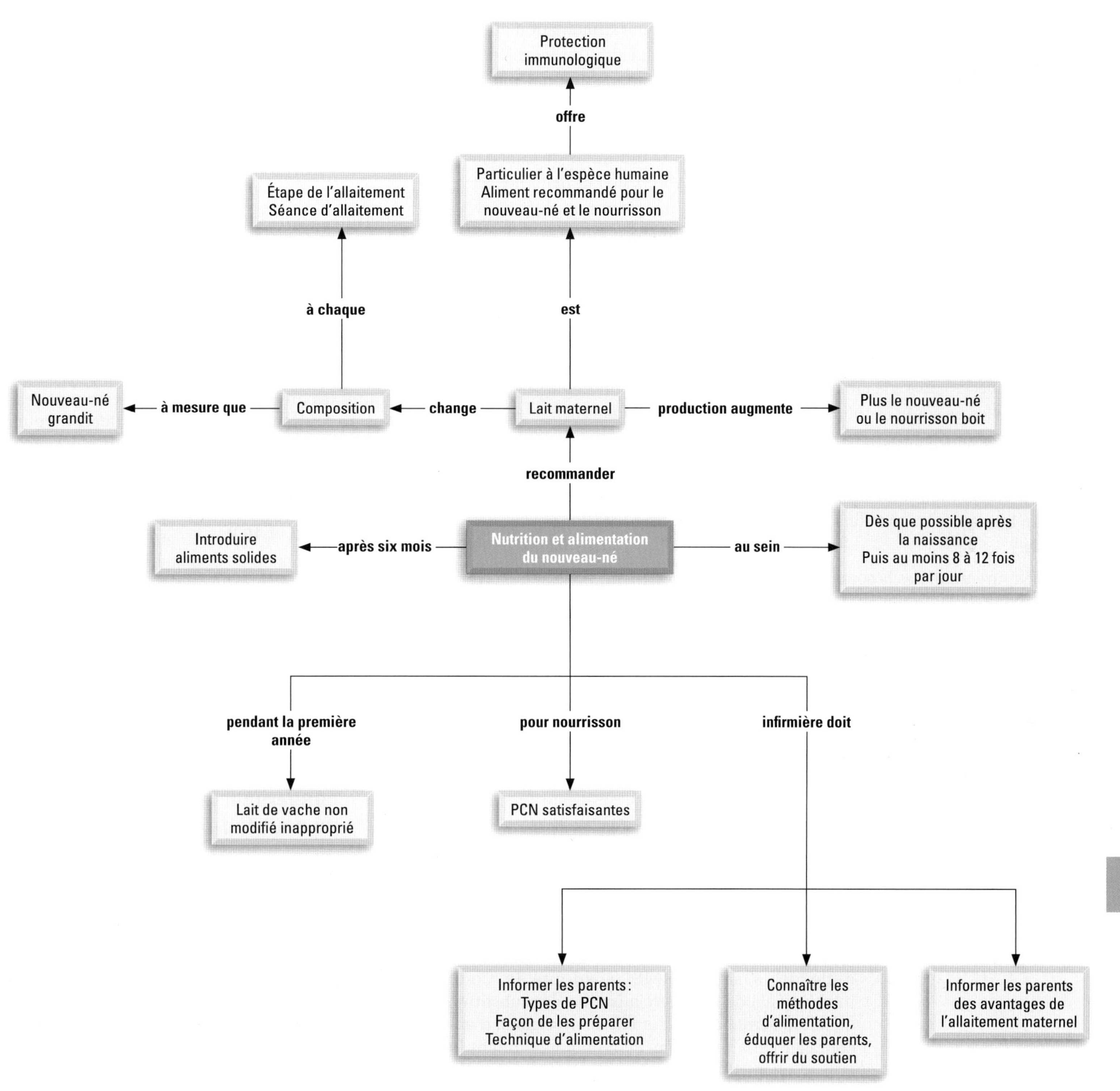

18

Le lait maternel constitue le meilleur aliment pour les nouveau-nés et les nourrissons puisqu'il assure une alimentation optimale. Le régime alimentaire du nouveau-né doit lui fournir les éléments nutritifs dont il a besoin pour croître et se développer normalement. Sans porter de jugement de valeur sur leur choix final, l'infirmière devrait encourager les parents à choisir l'allaitement maternel (Association canadienne de santé publique, 2009; Association des infirmières et infirmiers du Canada, 2008; Organisation mondiale de la santé/UNICEF, 2003). Le lait maternel est unique, et il répond spécifiquement aux besoins des nouveau-nés. Sa composition change au cours de la croissance de l'enfant de façon à répondre aux besoins nutritionnels de celui-ci. Il s'agit d'une substance très complexe qui contient des anticorps et des agents nutritionnels ainsi que des facteurs de croissance, des enzymes favorisant la digestion et l'absorption des nutriments et des acides gras favorisant la croissance et le développement neurologique. Les préparations commerciales pour nourrissons fournissent généralement les nutriments nécessaires à la croissance et au développement normaux de l'enfant, mais elles ne sont pas tout à fait équivalentes au lait maternel.

Que les parents choisissent de nourrir leur nouveau-né avec du lait maternel ou avec une préparation commerciale pour nourrissons, l'infirmière doit leur offrir son soutien et un enseignement continu. L'enseignement aux parents doit être fondé sur les résultats de recherches récentes et sur les normes de pratique.

Ce chapitre traite des besoins nutritionnels du nourrisson, de sa naissance jusqu'à l'âge de six mois, et des façons de satisfaire ces besoins pour que l'enfant grandisse et se développe normalement. Il traite plus particulièrement de la période néonatale, où les méthodes d'alimentation et les habitudes alimentaires sont établies.

18.1 Alimentation du nouveau-né

18.1.1 Historique de l'initiative Hôpitaux amis des bébés

Depuis plus de 30 ans, l'allaitement maternel fait l'objet d'une promotion institutionnalisée en matière de santé maternelle et infantile un peu partout dans le monde. En 1981, l'Organisation mondiale de la santé (OMS) a adopté le Code international de commercialisation des substituts du lait maternel qui a pour but de protéger et d'encourager l'allaitement au sein en condamnant le don d'échantillons gratuits ou subventionnés de préparations commerciales pour nourrissons (PCN) dans les hôpitaux et tous les secteurs du système de santé.

En 1989, l'OMS et l'UNICEF ont proposé *Dix conditions pour le succès de l'allaitement maternel*. Puis, en 1990, la Déclaration d'Innocenti a été élaborée et adoptée par les participants à la réunion de l'OMS et de l'UNICEF qui s'est tenue sous le thème « L'allaitement maternel dans les années 90 : une initiative mondiale ». Cette déclaration demandait aux pays membres de désigner un coordonnateur, de créer un comité national pour la promotion de l'allaitement maternel, de faire en sorte que les unités de naissance respectent les Dix conditions proposées en 1989, de prendre des mesures pour mettre en œuvre le Code de 1981 et, enfin, de promulguer des lois protégeant le droit d'allaiter pour les femmes qui travaillent.

En 1991, pour donner suite à la Déclaration d'Innocenti, l'OMS, l'UNICEF et l'Association internationale de pédiatrie ont lancé l'initiative Hôpitaux amis des bébés au cours d'une réunion internationale sur l'allaitement. Cette initiative, fondée sur des résultats probants, a pour objectif principal de créer une culture de l'allaitement partout dans le monde en faisant en sorte que toutes les unités de naissance deviennent des centres de soutien à l'allaitement maternel. Pour devenir Amis des bébés, les maisons de naissance et les hôpitaux doivent respecter certaines conditions qui dérivent des Dix conditions de l'OMS/UNICEF de 1989 et du Code international de 1981 **ENCADRÉS 18.1** et **18.2**.

À ce jour, plus de 20 000 établissements dans 152 pays sont désignés Amis des bébés (OMS & UNICEF, 2010). Toutefois en 2007, le Comité canadien pour l'allaitement ne dénombrait que quatre hôpitaux ou maisons de naissance, quatre CLSC et un CSSS certifiés Amis des bébés au Canada (Comité canadien pour l'allaitement, 2009).

18.1.2 Recommandations canadiennes concernant l'alimentation du nouveau-né

L'allaitement exclusif est recommandé pendant les six premiers mois du nourrisson né à terme et en bonne santé, suivi de l'introduction d'aliments complémentaires solides ayant une teneur élevée en nutriments, plus particulièrement en fer, tout en poursuivant l'allaitement jusqu'à l'âge de deux ans et même au-delà (Kramer & Kakuma 2004; OMS/UNICEF 2003; Société canadienne de pédiatrie, Les diététistes du Canada & Santé Canada, 2005). Le nourrisson qui est sevré du lait maternel avant l'âge de 6 mois ou tout enfant nourri avec des PCN doit recevoir une préparation enrichie de fer jusqu'à l'âge de 12 mois; en outre, le lait de vache ne convient absolument pas aux besoins des nourrissons âgés de moins de 12 mois (Association canadienne de santé publique [ACSP] 2009; Kramer & Kakuma 2004; OMS/UNICEF 2003).

ENCADRÉ 18.1 **Conditions pour qu'un établissement soit certifié Ami des bébés**

Tout établissement qui fournit des services de maternité et des soins aux nouveau-nés devrait remplir les conditions suivantes :

1. Avoir une politique d'allaitement maternel écrite et systématiquement portée à la connaissance de l'ensemble du personnel soignant.
2. Donner à tout le personnel soignant les compétences nécessaires pour mettre en œuvre cette politique.
3. Informer toutes les femmes enceintes des avantages de l'allaitement et de sa pratique.
4. Aider les mères à commencer l'allaitement dans la demi-heure suivant la naissance.
5. Indiquer aux mères comment pratiquer l'allaitement et comment entretenir la lactation même si elles sont séparées de leur enfant.
6. Ne donner aux nouveau-nés aucun aliment ni aucune boisson autre que le lait maternel, sauf indication médicale.
7. Pratiquer la cohabitation. Laisser le nouveau-né avec sa mère 24 heures par jour.
8. Encourager l'allaitement à la demande du nouveau-né.
9. Ne donner aux nouveau-nés allaités aucune tétine artificielle ou suce.
10. Encourager la formation de groupes de soutien à l'allaitement maternel et en informer les mères dès la sortie de l'hôpital ou du centre de naissance.

Source : Adapté de UNICEF (2004).

ENCADRÉ 18.2 **Résumé du Code international de commercialisation des substituts du lait maternel**

- Il est interdit de faire de la publicité pour les laits artificiels, suces ou biberons auprès du public.
- Il est interdit de donner des échantillons gratuits aux mères.
- Il est interdit de faire la promotion de ces produits dans les établissements de soins de santé, y compris par la distribution gratuite ou par leur vente à prix modiques.
- Il est interdit aux représentants de compagnies de donner des conseils aux mères.
- Il est interdit d'offrir des cadeaux ou des échantillons au personnel de la santé.
- Aucun texte ni image idéalisant l'alimentation artificielle, y compris des images de nouveau-nés, ne peut figurer sur l'étiquette des produits.
- L'information donnée au personnel de la santé doit être scientifique et documentaire.
- Tous les renseignements sur l'alimentation artificielle, y compris ceux qui figurent sur l'étiquette, devraient comprendre de l'information sur les bienfaits de l'allaitement et sur les coûts et les dangers associés à l'alimentation artificielle.
- Des produits inappropriés, comme le lait condensé et sucré, ne devraient pas être conseillés pour l'alimentation des nouveau-nés.
- Tous les produits devraient être d'excellente qualité et devraient être conçus en fonction du climat et des conditions de conservation qui prévalent dans le pays où ils seront utilisés.

Source : Adapté de OMS (1981).

Malgré ses bienfaits, l'allaitement maternel peut être contre-indiqué dans certaines situations exceptionnelles (Association des infirmières et infirmiers autorisés de l'Ontario [AIIAO], 2006). Par exemple, le nouveau-né qui présente une galactosémie ne doit pas être nourri au sein. Une femme qui a une tuberculose active, une infection active par le virus de l'immunodéficience humaine (VIH) ou un virus lymphotrope humain à cellules T de type 1 ou 2 ne doit pas allaiter son enfant. L'allaitement n'est pas recommandé à une femme qui reçoit une chimiothérapie ou des isotopes radioactifs (p. ex., pour les examens paracliniques). De plus, la consommation de certaines drogues et l'allaitement sont incompatibles (ACSP, 2009 ; Lawrence & Lawrence, 2005).

18.2 Situation de l'allaitement maternel au Canada

L'enquête du Système canadien de surveillance périnatale de 2006 sur l'expérience de la maternité rapporte que 90 % des femmes soumises à l'étude, interrogées durant la grossesse, avaient l'intention d'allaiter leur enfant et que le taux d'amorce de l'allaitement maternel a été de 90,3 %. À trois mois, le taux d'allaitement exclusif est tombé à 51,7 % alors que

Jugement clinique

Madame Alejandra Lugdar, âgée de 23 ans, est enceinte de 20 semaines de son premier enfant. Elle vous indique qu'elle compte l'allaiter jusqu'à l'âge de six mois, puis lui donner du lait de vache, comme sa mère le lui a conseillé.

Est-ce acceptable de procéder ainsi ? Justifiez votre réponse.

celui de l'allaitement partiel était de 67,6 %. Seulement 14,4 % des nourrissons ont été allaités exclusivement pendant 6 mois comparativement à un taux d'allaitement partiel de 53,9 % (Chalmers *et al.*, 2009).

Cette enquête a également permis d'établir un lien entre certaines variables sociodémographiques et les taux d'amorce de l'allaitement maternel et d'allaitement exclusif, ces variables étant l'âge des mères, leur niveau d'éducation et de revenu. Ainsi, le taux d'amorce de l'allaitement et le taux d'allaitement exclusif pendant au moins six mois sont plus élevés chez les mères plus âgées que chez les plus jeunes. De même, plus le niveau d'éducation des mères et le revenu familial sont élevés, plus ces mères choisissent non seulement d'allaiter, mais elles allaitent également plus longtemps (ASPC 2008 ; Chalmers *et al.*, 2009).

En 2006, une enquête de Statistique Canada auprès des peuples autochtones rapporte que bien que les taux d'amorce de l'allaitement maternel soient très semblables, la durée de l'allaitement diffère entre les Inuit, les Métis et les peuples des Premières nations. En effet, la durée moyenne d'allaitement chez les mères inuites était de 14 mois, alors qu'elle était de 8 mois chez les mères des Premières nations et de 7 mois chez les Métis (Nathoo & Ostry, 2009 ; Statistique Canada, 2006).

18.3 Avantages de l'allaitement maternel

De nombreux travaux de recherche ont montré les effets bénéfiques du lait maternel pour les nourrissons pendant leur première année de vie. Entre autres, il semble réduire l'incidence et la gravité des maladies infectieuses ainsi que les hospitalisations. Il améliorerait aussi le développement cognitif et favoriserait un meilleur attachement mère-enfant. L'allaitement maternel présente aussi de nombreux avantages et bienfaits pour les mères, les familles et la société en général (Horta, Bahl, Martines & Victora, 2007 ; Ip *et al.*, 2007 ; Lawrence & Lawrence, 2005 ; Société canadienne de pédiatrie *et al.*, 2005). Les infirmières et les autres professionnels de la santé qui discutent des avantages de l'allaitement maternel avec les parents doivent avoir une connaissance approfondie de ceux-ci, autant d'un point de vue physiologique que psychosocial. Le **TABLEAU 18.1** présente les avantages de l'allaitement maternel.

Le taux d'amorce de l'allaitement et le taux d'allaitement exclusif pendant au moins six mois sont plus élevés chez les mères plus âgées.

18.4 Rôle de l'infirmière

L'infirmière a un contact étroit avec la famille pendant la grossesse et la période périnatale, ce qui lui donne une occasion unique de faire de l'enseignement et d'offrir son soutien. Les principes directeurs de *Les soins à la mère et au nouveau-né dans une perspective familiale* (Santé Canada, 2000) constituent la base de la structure des services nationaux, provinciaux, régionaux et locaux pour les soins à la mère et au nouveau-né. Ces lignes directrices sont conçues à l'intention des intervenants de la santé, dont les infirmières, à qui il incombe de favoriser l'allaitement maternel en fournissant des renseignements justes et cohérents, en dissipant les mythes et les erreurs et en orientant les femmes vers ce mode d'alimentation de leur nouveau-né. L'infirmière doit faire valoir les avantages de l'allaitement maternel et offrir son soutien de manière à influencer favorablement le début de l'allaitement. S'il est recommandé que l'infirmière adopte une attitude positive à l'égard de l'allaitement maternel et qu'elle adhère aux Dix conditions pour le succès de celui-ci, elle doit toutefois permettre à la femme de faire un choix libre et éclairé entre l'allaitement maternel ou la PCN comme mode d'alimentation de son nouveau-né. D'ailleurs, à l'occasion du lancement de l'initiative Hôpitaux amis des bébés au Canada, il a été suggéré d'ajouter les deux conditions suivantes aux Dix conditions pour le succès de l'allaitement maternel : celle de ne pas juger la mère qui choisit la PCN plutôt que l'allaitement maternel et celle de se faire le devoir, en tant que professionnelle de la santé, d'offrir le même soutien aux mères qui allaitent qu'à celles qui n'allaitent pas (Nathoo & Ostry, 2009).

La plupart des femmes qui choisissent d'allaiter leur nouveau-né connaissent les avantages de cette méthode d'alimentation pour leur enfant. Un grand nombre d'entre elles souhaitent vivre cette expérience unique de formation de liens affectifs entre une mère et son nouveau-né qu'offre l'allaitement. Les femmes choisissent généralement la même méthode d'alimentation pour tous leurs enfants. Si le premier enfant a été allaité, les autres le seront probablement, alors que si les tentatives précédentes d'allaitement ont échoué, les femmes choisissent plutôt de nourrir les nouveau-nés suivants avec des PCN (Taylor, Geller, Risica, Kirtania & Cabral, 2008). Divers facteurs ont un impact sur ce choix tels que les connaissances, la culture et l'attitude de l'entourage de la mère, pour n'en nommer que quelques-uns. Le soutien du conjoint et de la famille influe grandement sur la décision d'une mère d'allaiter son nouveau-né. Une femme

TABLEAU 18.1	Avantages de l'allaitement maternel
POUR LE NOUVEAU-NÉ ET LE NOURRISSON	• Lait parfaitement adapté aux besoins du nouveau-né et du nourrisson ; fournit les enzymes actives non allergènes, les protéines, les minéraux et les vitamines nécessaires ainsi que les gras essentiels • Lait facile à digérer • Incidence et gravité réduites des maladies infectieuses et de leur séjour hospitalier : méningite bactérienne, bactériémie, diarrhée, infections des voies respiratoires inférieures et gastro-intestinales, entérocolite nécrosante, otite moyenne, infection des voies urinaires, septicémie tardive du nouveau-né prématuré • Réduction de la mortalité postnéonatale • Protection possible contre le syndrome de mort subite du nourrisson (SMSN) • Incidence réduite des diabètes de type 1 et de type 2 et des maladies auto-immunes • Incidence réduite des lymphomes, de la leucémie, de la maladie de Hodgkin et de la maladie de Crohn • Risque réduit d'obésité et d'hypercholestérolémie • Prévention de la suralimentation en permettant au nouveau-né de se limiter lui-même en cessant de boire lorsqu'il n'a plus faim • Incidence et gravité réduites d'eczéma, d'asthme et d'allergies alimentaires ou autres • Amélioration possible du développement cognitif de l'enfant, principalement dans le cas d'allaitement exclusif prolongé • Développement accru de la mâchoire et troubles réduits de malocclusion et de malposition des dents • Effet analgésique pour les nouveau-nés subissant des interventions douloureuses telles qu'une ponction veineuse
POUR LA MÈRE	• Saignement postpartum réduit et involution utérine plus rapide • Risque réduit de cancer du sein, de l'utérus et de l'ovaire • Risque réduit de souffrir d'un diabète de type 1 et de type 2 • Retour plus rapide au poids d'avant la grossesse • Risque réduit d'ostéoporose postménopausique • Expérience unique de formation de liens affectifs ; favorise un meilleur attachement mère-enfant • Acquisition du rôle maternel favorisé
POUR LES FAMILLES ET LA SOCIÉTÉ	• Pratique ; prêt à servir (pas de préparation et toujours à la température idéale) • Écologique et pratique : aucun biberon ou autre matériel nécessaire. Ne laisse aucun déchets ou résidus polluants • Économique : moins cher que les PCN • Coûts réduits des soins annuels liés à la santé • Réduction possible du taux d'absentéisme parental au travail dû à la maladie infantile

Sources : Adapté de ASPC (2009a) ; Gartner *et al.* (2005) ; Horta *et al.* (2007) ; Kramer *et al.* (2008) ; Lawrence & Lawrence (2005) ; Société canadienne de pédiatrie *et al.* (2005).

qui sait que son conjoint préfère l'allaitement est plus susceptible de choisir cette méthode (Scott, Binns, Graham & Oddy, 2006). Elle a aussi plus de chance d'allaiter son nouveau-né avec succès si son conjoint et sa famille, surtout les grands-mères du nouveau-né, ont une attitude positive envers cette méthode et qu'ils la soutiennent dans cette démarche (Clifford & McIntyre, 2008 ; Reid, Schmied & Beale, 2010).

Les parents qui choisissent de nourrir leur enfant avec des PCN prennent souvent cette décision parce qu'ils ne connaissent pas ou ne comprennent pas les avantages de l'allaitement maternel. De plus, de nombreuses femmes trouvent l'alimentation au biberon plus pratique ou moins gênante que l'allaitement. Certaines considèrent les préparations comme une façon de permettre au père, aux autres membres de la famille et au personnel de la garderie de nourrir l'enfant. D'autres doutent de leur capacité à produire une quantité suffisante de lait ou un lait de bonne qualité. D'autres encore pensent que l'allaitement maternel est incompatible avec une vie sociale active ou qu'il les empêchera de retourner au travail.

La meilleure façon d'encourager une mère à allaiter son nouveau-né consiste à lui transmettre de l'information le plus tôt possible pendant sa grossesse et même avant celle-ci. Chaque rencontre de l'infirmière avec une femme enceinte est une occasion de lui transmettre des renseignements, de réfuter les mythes, de corriger la fausse information et de la faire parler de ses préoccupations personnelles. L'éducation et la préparation prénatales à l'allaitement maternel influent sur les décisions relatives à l'alimentation du nouveau-né, sur le succès de l'allaitement et sur sa durée (Rosen, Krueger, Carney & Graham, 2008). L'enseignement prénatal doit idéalement se faire en présence du père, du conjoint ou d'une autre personne de soutien et doit inclure de l'information sur les avantages de l'allaitement maternel et sur la façon dont cette personne peut participer aux soins de l'enfant **ENCADRÉ 18.3**.

Il est souvent utile de mettre en communication des femmes enceintes et des mères ayant des antécédents semblables et qui allaitent ou ont allaité avec succès. Les groupes de soutien de femmes

Pratique fondée sur des résultats probants

ENCADRÉ 18.3 Utilité de l'enseignement prénatal sur l'allaitement maternel

QUESTIONS CLINIQUES

- L'enseignement prénatal au sujet de l'allaitement maternel favorise-t-il le choix de cette méthode et son utilisation exclusive continue pendant trois à six mois ?
- Dans l'affirmative, quelles stratégies d'enseignement prénatal sont les plus efficaces ?

RÉSULTATS PROBANTS

- Stratégies de recherche : directives d'organisations professionnelles, méta-analyses, examens systématiques, essais cliniques aléatoires, études prospectives non aléatoires et études rétrospectives depuis 2006.
- Bases de données : Cumulative Index to Nursing and Allied Health Literature, Cochrane, Medline et sites Web des organismes suivants : Association of Women's Health, Obstetric and Neonatal Nurses, Centers for Disease Control and Prevention, National Institute for Health and Clinical Excellence et Academy of Breastfeeding Medicine.

ANALYSE CRITIQUE ET SYNTHÈSE DES DONNÉES

- Après l'examen des ouvrages scientifiques indiquant que l'attitude et le soutien continu des professionnels de la santé influent significativement sur la décision d'avoir recours à l'allaitement maternel exclusif et sur la durée de celui-ci, comme publié par le Groupe d'étude canadien sur les soins de santé préventifs (GECSSP) (Palda, Guise, Wathen & GECSSP, 2004), l'Academy of Breastfeeding Medicine (ABM) Protocol Committee (2006) a publié des directives demandant aux professionnels de la santé de présenter les avantages de l'allaitement maternel à leurs clientes dès la visite initiale au premier trimestre. Ces directives encouragent une discussion continue avec la cliente et sa famille sur les plans d'alimentation et sur les attitudes et les expériences passées dans ce domaine. Les deux parents sont encouragés à suivre des cours prénataux d'allaitement maternel avant de prendre une décision.
- Un examen systématique *Cochrane* de 9 essais d'enseignement prénatal ayant porté sur 2 284 femmes a montré qu'il est difficile de comparer les avantages et les stratégies d'enseignement prénatal en raison des grandes variations entre les interventions et les critères d'évaluation (Gagnon & Sandall, 2007). Une difficulté particulière de l'étude de ce sujet est de répartir aléatoirement les femmes par rapport aux interventions ou aux contrôles, quand cette répartition peut contredire leur choix. Les chercheurs n'ont pu déterminer les avantages ou les meilleures stratégies d'éducation prénatale.
- Toutefois, un essai clinique aléatoire subséquent ayant porté sur 450 Singapouriennes en bonne santé qui étaient à plus de 34 semaines de gestation a montré que le nombre de femmes qui décident d'allaiter et la durée de l'allaitement augmentent significativement si les femmes suivent un cours prénatal (vidéo, enseignement individualisé et documents écrits) ou 2 séances de soutien postnatal (enseignement individualisé à l'hôpital et 2 semaines après l'accouchement, ainsi que documents écrits) en comparaison des femmes recevant les soins habituels (Su *et al.*, 2007).
- Les cours prénataux de groupe peuvent aussi être efficaces et exiger moins de temps de la part des professionnels de la santé. Dans un essai clinique aléatoire plus récent ayant porté sur 1 047 femmes enceintes, les participantes ont été choisies au hasard pour suivre, en groupe, des séances hebdomadaires de formation et d'entraide à partir de 18 semaines de grossesse jusqu'à terme. Parmi ces femmes, on a noté une augmentation notable de la décision d'allaiter, des connaissances prénatales accrues, une meilleure préparation au travail et à l'accouchement ainsi qu'une satisfaction bonifiée en comparaison des femmes ayant reçu les soins courants (Su *et al.*, 2007). Aucune différence de coûts n'a été observée, et les poids à la naissance sont restés semblables. Il est intéressant de noter que le nombre de naissances prématurées a été significativement plus faible parmi les femmes du groupe de soutien (Ickovics *et al.*, 2007).

RECOMMANDATIONS POUR LA PRATIQUE INFIRMIÈRE

Les ouvrages scientifiques et l'opinion d'experts confirment l'importance de l'éducation prénatale dans la décision d'avoir recours à l'allaitement maternel exclusif et dans la durée de celui-ci. Dans le cas d'une femme primipare ou qui n'a pas de soutien social à l'allaitement maternel, il apparaît particulièrement important que le personnel de soins lui en parle au début de la grossesse ou avant, si possible, et profite de chaque rencontre pour éduquer davantage les futurs parents aux nombreux avantages de cette méthode. L'utilisation combinée de l'enseignement individualisé et de documents écrits ainsi que de matériel multimédia non commerciaux est recommandée. Les séances éducatives de groupe permettent une utilisation efficace du temps de travail de l'éducatrice et apportent les soutiens émotionnel et social supplémentaires des familles participantes qui sont à des étapes semblables de la grossesse.

RÉFÉRENCES

Academy of Breastfeeding Medicine (ABM) Protocol Committee (2006). ABM clinical protocol n° 14 : Breastfeeding-friendly physician's office, part 1 : Optimizing care for infants and children. *Breastfeeding Medicine, 1*(2), 115-119.

Gagnon, A.J., & Sandall, J. (2007). Individual or group antenatal education for childbirth or parenthood, or both. *Cochrane Database of Systematic Reviews, 3*, CD 002869.

Ickovics, J.R., Kershaw, T.S., Westdahl, C., Magriles, U., Massey, Z., Reynolds, H., *et al.* (2007). Group prenatal care and perinatal outcomes : A randomized, controlled trial. *Obstetrics and Gynecology, 110*(2 Pt 1), 330-339.

Palda, V.A., Guise, J.M., Wathen, C.N., & Groupe d'étude canadien sur les soins de santé préventifs [GECSSP] (2004). Interventions visant à promouvoir l'allaitement maternel : application des données probantes à la pratique clinique. *Journal de l'Association médicale canadienne, 170* (6).

Su, L.L., Chong, Y.S., Chan, Y.H., Chan, Y.S., Fok, D., Tun, K.T., *et al.* (2007). Antenatal education and postnatal support strategies for improving rates of exclusive breastfeeding : Randomized controlled trial. *BMJ, 335*(7620), 596.

qui allaitent présentent de l'information sur l'allaitement maternel et permettent à ces femmes d'interagir et de discuter de leurs préoccupations **FIGURE 18.1**. Les programmes d'entraide comme ceux mis sur pied par la Ligue La Leche, les groupes d'entraide au Québec (comme Nourri-Lait, Allaitement Québec, Entraide Naturo-Lait, Chantelait, Le Re-lait) et d'autres en Ontario (comme Amies-allaitement, Compagnes de l'allaitement, M.O.M.S. [mères qui offrent du soutien téléphonique à d'autres mères]), sans oublier les groupes de clavardage (Internet), sont très utiles et aidants.

Pour une femme qui a un accès limité à des soins de santé, la période postnatale peut représenter la première occasion de recevoir de l'information sur l'allaitement maternel et de préparer des conditions favorables afin d'éviter la plupart des complications. La cliente qui a mentionné vouloir nourrir son nouveau-né au biberon peut tirer profit de l'information donnée sur les avantages de l'allaitement maternel. L'infirmière peut lui proposer d'essayer de nourrir son nouveau-né au sein et ainsi l'inciter à changer la méthode d'alimentation choisie.

L'infirmière et les autres professionnels de la santé ont la responsabilité d'encourager le sentiment de compétence et de confiance de la mère qui allaite et de valoriser sa contribution inégalable à la bonne santé et au bien-être de son enfant. Une femme qui reconnaît l'efficacité de l'allaitement et qui croit que le lait maternel est l'aliment idéal pour son nourrisson est susceptible d'allaiter plus longtemps (O'Brien, Buikstra & Hegney, 2008). Les raisons les plus courantes de l'arrêt de l'allaitement maternel sont une production insuffisante de lait, des mamelons douloureux et des difficultés à faire boire l'enfant (Lewallen *et al.*, 2006). Une aide précoce et continue ainsi que le soutien de professionnels de la santé dans la prévention et la résolution des problèmes d'allaitement peuvent favoriser le succès de l'allaitement et en faire une expérience satisfaisante pour la mère et son enfant (Renfrew & Hall, 2008). De nombreux organismes de soins de santé offrent les services de consultantes en lactation. Ces professionnelles de la santé, généralement des infirmières, ont une formation spécialisée et de l'expérience dans le soutien des mères qui allaitent et auprès des nouveau-nés. Les professionnels de la santé disposent de directives d'aide à l'allaitement fondées sur des résultats probants (Association of Women's Health, Obstetric and Neonatal Nurses, 2007 ; International Lactation Consultant Association, 1999 ; Palda, Guise, Wathen & GECSSP, 2004).

Une femme qui reconnaît l'efficacité de l'allaitement et qui croit que le lait maternel est l'aliment idéal pour son nourrisson est susceptible d'allaiter plus longtemps.

FIGURE 18.1
Groupe de soutien de femmes qui allaitent accompagné par une consultante en lactation

18.4.1 Influences culturelles sur le choix d'une méthode d'alimentation

Selon Purnell & Paulanka (2008), la culture se rapporte à la totalité des modèles ou des comportements socialement transmis à l'égard des arts, des croyances, des valeurs, des coutumes et des habitudes de vie de tous les produits du travail humain et des caractéristiques de la pensée des personnes composant la population. La culture guide la perspective, la vision du monde et la prise de décision. Les façons de voir explicites et implicites sont apprises et transmises à l'intérieur de la famille et partagées par la majorité des membres d'une même culture. Les professionnels de la santé doivent être sensibles aux différences culturelles parce qu'il ne fait aucun doute que les croyances et les pratiques culturelles influent grandement sur les méthodes d'alimentation d'un nouveau-né.

Au Canada, de façon générale, on remarque que la plupart des immigrantes en provenance de pays plus pauvres choisissent de nourrir leur nouveau-né avec des PCN parce qu'elles croient qu'il s'agit d'une meilleure méthode, plus « moderne », ou parce qu'elles veulent s'adapter à la culture de leur pays d'adoption et ont l'impression que l'alimentation aux PCN est plus courante. Les croyances et les pratiques en matière d'allaitement varient d'une culture à l'autre. Par exemple, chez les musulmanes, la coutume veut que la femme allaite pendant 24 mois. Avant le premier allaitement, elle frotte un petit morceau de datte ramollie sur le palais du nouveau-né. Puisque cette culture accorde de l'importance à l'intimité et à la pudeur, les musulmanes peuvent choisir, pendant leur séjour à l'hôpital, de nourrir leur nouveau-né au biberon avec du lait maternel extrait ou avec une PCN (Shaikh & Ahmed, 2006).

Colostrum : Liquide laiteux, riche en anticorps, présent dans les cellules acineuses des seins, du début de la grossesse jusqu'aux premiers jours de la période postnatale.

En raison des croyances sur la nature dangereuse ou inadéquate du **colostrum**, certaines cultures imposent des restrictions sur l'allaitement pendant un certain nombre de jours après la naissance. C'est le cas de nombreuses cultures du sud de l'Asie, des îles du Pacifique et de certaines parties de l'Afrique subsaharienne. Avant que le lait maternel soit jugé « propre à l'ingestion », les nouveau-nés sont nourris d'aliments dits prélactés tels que du miel ou du beurre clarifié, qui sont censés aider à éliminer le méconium (Laroia & Sharma, 2006 ; Shaikh & Ahmed, 2006). Dans d'autres cultures, l'allaitement commence immédiatement après la naissance, et le sein est offert chaque fois que l'enfant pleure. Une pratique courante parmi les femmes latino-américaines consiste à combiner l'allaitement maternel et l'alimentation avec des préparations pendant la première semaine de vie. Dans certains cas, cela peut causer des problèmes de production de lait et de refus du sein par le nouveau-né et entraîner la fin précoce de l'allaitement maternel (Bunik *et al.*, 2006).

Certaines cultures ont des croyances et des pratiques particulières concernant l'ingestion par la mère d'aliments qui favorisent la production de lait. Les Coréennes mangent souvent de la soupe aux algues et du riz pour améliorer la production de lait. Les femmes hmongs croient que le poulet bouilli, le riz et l'eau chaude sont les seuls aliments appropriés pendant le premier mois postpartum. L'équilibre entre les forces énergétiques, le froid et le chaud (ou le yin et le yang) fait partie intégrante de l'alimentation de la mère qui allaite. Les Latino-Américains, les Vietnamiens, les Chinois, les Indiens et les Arabes fondent souvent leurs choix d'aliments sur ces croyances. Les aliments « chauds » sont considérés comme idéaux pour les nouvelles mères. Cette croyance n'est pas nécessairement liée à la température ou au caractère piquant des aliments. Par exemple, le poulet et le brocoli sont considérés comme « chauds » tandis que de nombreux fruits et légumes frais sont considérés comme « froids ». Les familles apportent souvent les aliments désirés dans l'établissement de soins de santé.

18.5 Besoins nutritionnels du nouveau-né

18.5.1 Liquides

Pendant les 2 premiers jours de vie, le besoin en liquides d'un nouveau-né en bonne santé (de plus de 1 500 g) est de 60 à 80 ml d'eau par kilogramme de poids corporel par jour. Du 3e au 7e jour, ce besoin est de 100 à 150 ml/kg/jour et du 8e au 30e jour, de 120 à 180 ml/kg/jour (Dell & Davis, 2006). En général, il n'est pas nécessaire de donner de l'eau au nouveau-né nourri au sein puisque l'eau constitue 87 % du lait maternel. Par contre, le nouveau-né alimenté avec des PCN peut avoir besoin d'eau supplémentaire entre les boires ; cette eau doit être préalablement bouillie et tiédie. Ses besoins en eau seront davantage augmentés s'il fait chaud, s'il a la diarrhée ou s'il fait de la fièvre. Toutefois, il est recommandé d'éviter de donner de l'eau au nourrisson de moins de quatre mois dans l'heure précédant le boire pour ne pas nuire à son appétit (Institut national de santé publique du Québec [INSPQ], 2011).

En général, il n'est pas nécessaire de donner de l'eau au nouveau-né nourri au sein puisque l'eau constitue 87 % du lait maternel.

Puisqu'un nouveau-né n'a pas une grande marge de fluctuation dans l'équilibre des liquides, sa consommation et sa perte de liquides doivent être surveillées de près. Le nouveau-né perd de l'eau par l'urine et un peu par la transpiration. Dans des circonstances normales, le nouveau-né vient au monde avec une certaine réserve de liquides, et une partie de la perte de poids des premiers jours de vie est attribuable à la perte de liquides. Certains nouveau-nés n'ont toutefois pas cette réserve, possiblement en raison de l'hydratation maternelle inadéquate pendant le travail ou l'accouchement.

18.5.2 Énergie

Le nouveau-né a besoin d'un apport calorique suffisant pour obtenir l'énergie nécessaire à sa croissance, à sa digestion, à son activité physique et au maintien de ses fonctions métaboliques **FIGURE 18.2**. Les besoins énergétiques varient en fonction de l'âge, du degré de maturité, de l'environnement thermique, du taux de croissance, de l'état de santé et du degré d'activité. Pendant ses 3 premiers mois, le nourrisson a besoin de 110 kcal/kg/jour. Entre son 3e et son 6e mois, ses besoins

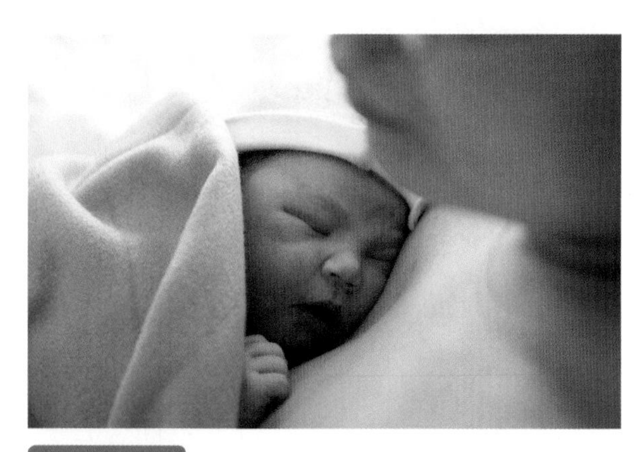

FIGURE 18.2
Le nouveau-né qui reçoit un apport calorique suffisant obtient l'énergie nécessaire à sa croissance et à son activité physique.

sont de 100 kcal/kg/jour, puis ils diminuent légèrement à 95 kcal/kg/jour entre l'âge de 3 et 6 mois et augmentent à 100 kcal/kg/jour de 9 mois à 1 an (Institute of Medicine [IOM] 2005 ; Société canadienne de pédiatrie *et al.*, 2005).

Le lait maternel fournit 67 kcal/100 ml. La majeure partie de cette énergie provient des matières grasses du lait. Les PCN imitent le contenu calorique du lait maternel. Une préparation normale contient généralement 67 kcal/100 ml, mais la composition varie d'une marque à l'autre.

18.5.3 Glucides

Les apports nutritionnels de référence (ANREF) adéquats en glucides sont de 60 g/jour pour les 6 premiers mois de vie et de 95 g/jour pour les 6 mois suivants (IOM, 2005 ; Société canadienne de pédiatrie *et al.*, 2005). Puisque le nouveau-né a seulement de petites réserves de **glycogène hépatique**, les glucides doivent représenter au moins de 40 à 50 % des calories totales de son alimentation. De plus, le nouveau-né peut avoir une capacité limitée de gluconéogenèse (synthèse de glucose à partir des acides aminés et d'autres substances) et de cétogenèse (synthèse de cétones à partir des matières grasses), les mécanismes qui offrent des sources d'énergie de remplacement.

Puisque le lactose est le principal glucide du lait maternel et des PCN, il est le glucide le plus abondant dans l'alimentation jusqu'à l'âge de six mois. Le lactose fournit des calories sous une forme facilement assimilable. De plus, sa dégradation et son absorption lentes favorisent l'assimilation du calcium. Des solides du sirop de maïs ou des polymères du glucose sont ajoutés aux préparations pour nourrisson comme suppléments au lactose du lait de vache afin de fournir suffisamment de glucides.

Les oligosaccharides, une autre forme de glucides présente dans le lait maternel, sont essentiels au développement de la microflore intestinale du nouveau-né. Ces prébiotiques favorisent un environnement acide dans les intestins, ce qui prévient le développement des bactéries à Gram négatif et d'autres bactéries pathogènes, et augmente la résistance de l'enfant aux maladies gastro-instestinales (Walker, 2006).

18.5.4 Matières grasses

Les ANREF moyens recommandés en matières grasses pour le nourrisson de moins de 6 mois sont de 31 g/jour (IOM, 2005 ; Société canadienne de pédiatrie *et al.*, 2005). Pour que le lait maternel ou les PCN fournissent la quantité adéquate de calories, au moins 15 % de leurs calories doivent provenir des matières grasses (triglycérides).

Les matières grasses contenues dans le lait maternel sont les lipides, les triglycérides et le cholestérol. Ce dernier est un élément essentiel à la croissance de l'encéphale. Le lait maternel contient de l'acide linoléique, des acides gras essentiels, ainsi que de l'acide arachidonique et de l'acide docosahexanoïque, des acides gras polyinsaturés à longue chaîne. Les acides gras jouent un rôle important dans la croissance, le développement nerveux et les fonctions visuelles. Le lait de vache contient moins d'acides gras essentiels et ne fournit aucun acide gras polyinsaturé. La plupart des fabricants de PCN ajoutent maintenant de l'acide arachidonique et de l'acide docosahexanoïque à leurs produits. Des études ayant porté sur des nourrissons recevant des suppléments de ces deux acides ont montré des résultats variables en matière d'acuité visuelle et de fonction cognitive (Heird, 2007 ; Simmer, Patole & Rao, 2008).

La plupart des PCN contiennent du lait de vache modifié, mais les matières grasses du lait ont été retirées et remplacées par d'autres matières grasses, telles que de l'huile de maïs, que l'enfant peut digérer et absorber. Si un nourrisson est alimenté avec du lait entier ou évaporé non additionné de glucides, il peut subir une perte fécale excessive de matières grasses (et donc d'énergie), car le lait se déplace trop rapidement dans ses intestins pour permettre l'absorption adéquate de ces gras. Il peut s'ensuivre un gain de poids insuffisant.

Glycogène hépatique : Forme sous laquelle les hydrates de carbones sont présents dans le foie, où ils constituent une réserve destinée à se transformer en glucose suivant les besoins de l'organisme.

18.5.5 Protéines

Les protéines de bonne qualité du lait maternel, des PCN ou d'autres aliments complémentaires sont nécessaires à la croissance du nouveau-né et du nourrisson. C'est pendant la période néonatale que les besoins en protéines par unité de poids corporel d'un être humain sont le plus élevé. Chez les moins de 6 mois, les ANREF moyens en protéines sont de 9,1 g/jour (IOM 2005 ; Société canadienne de pédiatrie *et al.*, 2005).

Dans le lait maternel, la proportion de deux protéines, la lactalbumine (lactosérum ou petit-lait) et la caséine (caillé), est d'environ 60:40 en comparaison de 80:20 dans la plupart des PCN à base de lait de vache. Ce rapport lactalbumine-caséine du lait maternel le rend plus digestible et produit les selles molles caractéristiques des nouveau-nés allaités. Une autre protéine du lait maternel, la lactoferrine (lactosérum), a des propriétés sidéropexiques (fixation du fer) et bactériostatiques, particulièrement contre les organismes aérobies, anaérobies et les levures à Gram positif et Gram négatif. La caséine du lait maternel améliore l'absorption du fer, ce qui empêche la prolifération des bactéries dépendantes du fer dans les voies gastro-intestinales (Lawrence & Lawrence, 2005).

La teneur en acides aminés du lait maternel est particulièrement adaptée aux capacités métaboliques du nouveau-né. Par exemple, ses concentrations en cystine et en taurine sont élevées, et ses concentrations en phénylalanine et en méthionine sont faibles.

18.5.6 Vitamines

Le lait maternel contient toutes les vitamines nécessaires à la nutrition du nouveau-né et du nourrisson, avec les variations individuelles dues à l'alimentation de la mère et à ses particularités génétiques. Les PCN sont additionnées de vitamines dans des concentrations semblables à celles du lait maternel. Bien que le lait de vache contienne des quantités adéquates de vitamine A et de vitamines du complexe B, il faut l'enrichir de vitamine C (acide ascorbique), de vitamine E et de vitamine D.

Jugement clinique

Madame Lily Brown, âgée de 41 ans, vient d'accoucher à terme de son deuxième enfant. Sa fille aînée, Lesley, est maintenant âgée de 10 ans ; à l'époque, madame Brown ne l'avait pas allaitée. Elle souhaite maintenant allaiter exclusivement son nouveau-né et vous demande si elle doit lui donner des suppléments.

Que devriez-vous lui répondre ?

La vitamine D facilite l'absorption intestinale de calcium et de phosphore, la minéralisation osseuse et la réabsorption du calcium des os. Tous les nouveau-nés allaités, exclusivement ou partiellement, doivent recevoir 400 unités internationales de vitamine D chaque jour, dès leurs premiers jours de vie (Société canadienne de pédiatrie *et al.*, 2005). Les autres nourrissons et les enfants plus âgés qui consomment quotidiennement moins de un litre de lait enrichi de vitamine D doivent aussi recevoir quotidiennement cette quantité de vitamine D.

La vitamine K, nécessaire à la coagulation du sang, est produite par les bactéries intestinales. Toutefois, à la naissance, l'intestin est stérile, et il faut quelques jours avant que la flore intestinale s'établisse et produise de la vitamine K. Pour prévenir les hémorragies du nouveau-né, on donne une injection de vitamine K à tous les enfants qui naissent, peu importe la méthode d'alimentation choisie (Société canadienne de pédiatrie, 2011).

L'apport en vitamine B_{12} du nouveau-né allaité dépend de l'alimentation et des réserves de la mère. Une mère qui est strictement végétarienne (ou végétalienne) et celle qui consomme peu de produits laitiers, d'œufs ou de viande présentent un risque de carence en vitamine B_{12}. Le nouveau-né allaité par une mère végétalienne doit recevoir des suppléments de vitamine B_{12} dès sa naissance.

18.5.7 Minéraux

La teneur en minéraux des PCN reflète celle du lait maternel. Le lait de vache non modifié a une teneur beaucoup plus élevée en minéraux que le lait maternel, un autre facteur qui le rend inapproprié pour le nourrisson de moins de neuf mois. La teneur en minéraux du lait maternel est généralement plus élevée pendant les premiers jours après l'accouchement, et elle diminue légèrement tout au long de l'allaitement.

Le rapport calcium/phosphore du lait maternel est de 2:1, une proportion optimale pour la minéralisation osseuse. Bien que le lait de vache ait une forte teneur en calcium, son rapport calcium/phosphore est faible, ce qui cause une absorption réduite de calcium. C'est pourquoi les enfants nourris au lait de vache non modifié présentent un risque d'hypocalcémie, de convulsions et de tétanie. Le rapport calcium/phosphore dans les préparations se situe entre celui du lait maternel et du lait de vache. Les ANREF moyens en calcium sont de 210 mg/jour pour les moins de 6 mois et de 270 mg/jour pour les nourrissons de 7 mois à 1 an (IOM, 2005 ; Société canadienne de pédiatrie *et al.*, 2005).

Tous les types de lait ont de faibles teneurs en fer. Toutefois, le fer du lait maternel s'absorbe plus facilement que celui du lait de vache, des préparations enrichies en fer ou des céréales pour nourrisson. Le nouveau-né allaité puise dans ses réserves de fer accumulées *in utero* et profite des concentrations élevées de lactose et de vitamine C du lait maternel, qui facilitent l'absorption du fer. Le nourrisson qui est exclusivement nourri au sein maintient normalement des concentrations adéquates d'hémoglobine pendant ses six premiers mois. Après cette période, il faut lui donner des céréales enrichies de fer et d'autres aliments riches en fer. Le nourrisson qui est sevré de l'allaitement maternel avant l'âge de 6 mois et tout enfant alimenté avec des PCN doit être nourri avec une préparation enrichie en fer jusqu'à l'âge de 12 mois (Société canadienne de pédiatrie *et al.*, 2005).

Le lait maternel et les PCN ont une faible teneur en fluor. En quantité excessive, ce minéral qui joue un rôle important dans la prévention de la carie dentaire peut causer des taches blanchâtres sur les dents permanentes (fluorose). Les experts recommandent de ne pas donner de suppléments de fluor aux moins de six mois. Entre l'âge de six mois et trois ans, la quantité de suppléments de fluor donnée doit être basée sur la concentration de l'eau potable en fluor (Société canadienne de pédiatrie *et al.*, 2005).

18.6 Anatomie et physiologie de la lactation

18.6.1 Anatomie du sein en lactation

Chacun des seins d'une femme est composé d'environ 15 à 20 segments (ou lobes) enchâssés dans des tissus adipeux et conjonctif et qui sont riches en vaisseaux sanguins, en vaisseaux lymphatiques et en nerfs **FIGURE 18.3**. Chaque lobe contient du tissu glandulaire et se divise en lobules composés de petites cavités appelées alvéoles à l'intérieur desquelles le lait est synthétisé. Les alvéoles sont entourées de cellules myoépithéliales qui se contractent pour projeter le lait vers le mamelon pendant l'expression du lait. Le lait sort du mamelon par de nombreux pores d'où il est transféré au nouveau-né qui tète. Le rapport du tissu glandulaire au tissu adipeux dans le sein en lactation est d'environ 2:1 en comparaison de 1:1 dans un sein qui n'est pas en lactation. Chaque sein comporte un réseau complexe de canaux galactophores entrelacés qui transportent le lait des alvéoles jusqu'au mamelon. Ces conduits se dilatent au moment de l'expression du lait. On croyait auparavant que les canaux galactophores convergeaient sous le mamelon pour former des sinus lactifères, qui servaient de réservoir de lait. Des travaux de recherche basés sur l'échographie de seins en lactation ont montré que de tels sinus n'existent pas et qu'on trouve en fait du tissu glandulaire directement sous le mamelon (Geddes, 2007; Ramsay, Kent, Hartmann, & Hartmann, 2005) **FIGURE 18.4**.

La taille et la forme des seins ne sont pas des indicateurs précis de leur capacité de production du lait.

La dimension des seins est déterminée par le tissu adipeux et les antécédents génétiques. Il est important de reconnaître le fait que la taille et la forme des seins ne sont pas des indicateurs précis de leur capacité de production du lait et de rassurer les mères à ce sujet. Bien que presque toutes les femmes puissent produire du lait, un petit nombre d'entre elles ont des glandes mammaires insuffisamment développées pour nourrir exclusivement leur nouveau-né avec leur lait maternel. Ces femmes subissent généralement peu de changement de poitrine pendant la puberté ou le début de la grossesse. Dans certains cas, elles peuvent tout de même réussir à allaiter leur nouveau-né et parviennent ainsi à lui offrir le supplément nutritionnel pour favoriser sa croissance optimale. Il existe des dispositifs qui permettent de donner des suppléments de PCN pendant la tétée **FIGURE 18.5**.

En raison des effets des œstrogènes, de la progestérone, de l'hormone lactogène placentaire et d'autres hormones de la grossesse, les seins subissent des changements en préparation à la lactation. Leur taille augmente en raison de la croissance des tissus glandulaires et adipeux. Pendant la grossesse, la circulation sanguine des seins est presque doublée. Ils deviennent plus sensibles, et leurs veines sont plus apparentes. Les mamelons se dressent, et les aréoles deviennent plus foncées. La taille des mamelons et des aréoles peut augmenter. À environ 16 semaines de gestation, les alvéoles commencent à produire

Jugement clinique

Madame Nora Mikkonen, âgée de 28 ans, est enceinte de 26 semaines. Elle a toujours eu une petite poitrine et a peur de ne pas produire autant de lait que les femmes ayant une plus grosse poitrine.

Que devriez-vous lui dire pour la rassurer à ce sujet ?

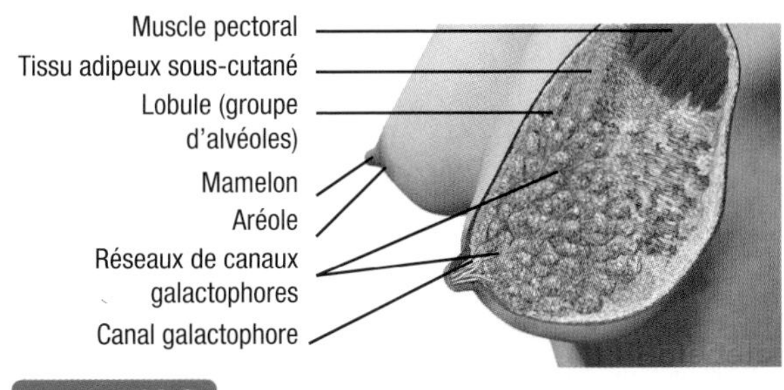

FIGURE 18.3
Anatomie d'un sein en lactation

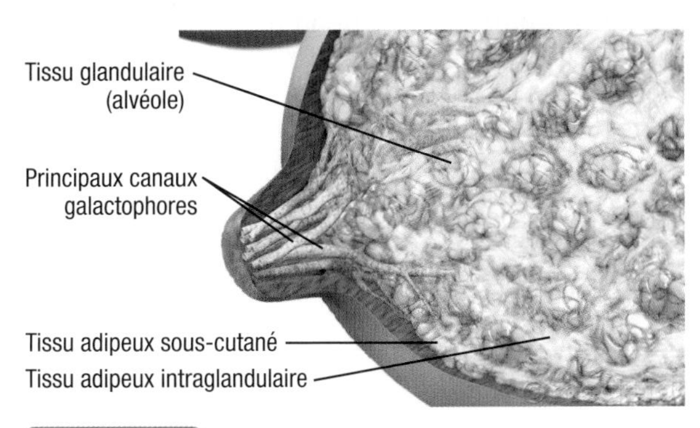

FIGURE 18.4
Image agrandie des glandes lactifères (alvéoles) et des canaux galactophores

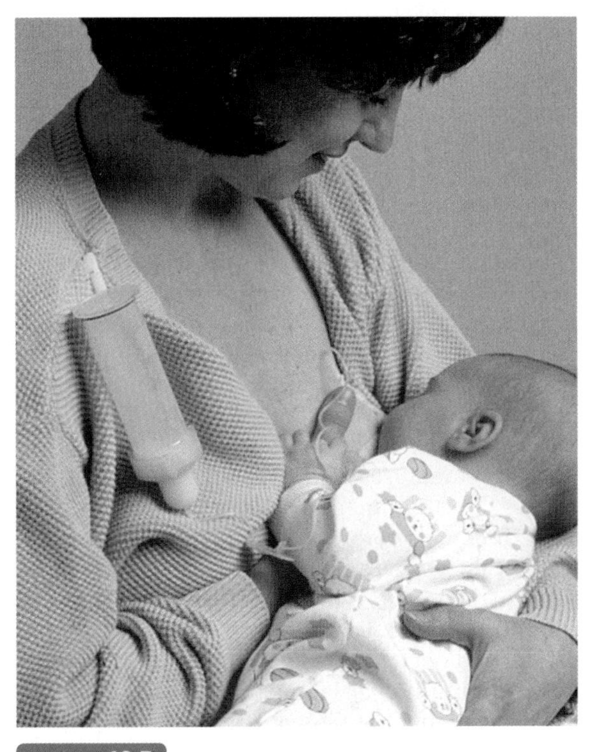

FIGURE 18.5
Dispositif d'aide à l'allaitement

du colostrum (premier lait). Les glandes de Montgomery, situées dans l'aréole, grandissent, et leurs sécrétions augmentent. Ces sécrétions offrent une protection contre le stress mécanique de la succion (tétée) et l'invasion par les agents pathogènes. Leur odeur peut être un moyen de communication avec le nouveau-né (Geddes, 2007).

Jugement clinique

Madame Mikkonen se demande ce que sont ces bosses qui ont grossi tout autour de ses aréoles depuis qu'elle est enceinte.

Qu'est-ce qui explique ce phénomène?

18.6.2 Lactogenèse

Après l'accouchement, une chute subite des concentrations d'œstrogènes et de progestérone de la mère déclenche la libération de prolactine par l'adénohypophyse. Au cours de la grossesse, la prolactine prépare les seins à la sécrétion du lait. Pendant la lactation, elle favorise la synthèse et la sécrétion du lait. La concentration de prolactine est maximale pendant les 10 jours qui suivent l'accouchement. Elle diminue graduellement avec le temps, mais reste supérieure à la concentration de base pendant toute la durée de la lactation. La prolactine est produite en réaction à la tétée du nouveau-né et à l'éjection du lait **FIGURE 18.6A**. (Note: Les seins en lactation ne se vident jamais complètement. Les alvéoles produisent constamment du lait quand le nouveau-né tète.) La production du lait varie en fonction de la demande, c'est-à-dire que les seins produisent du lait à mesure qu'il est éjecté. Une consommation insuffisante de lait peut entraîner la diminution de la production de celui-ci.

L'ocytocine est l'autre hormone essentielle à la lactation. Quand le mamelon est stimulé par le nouveau-né qui tète, l'hypothalamus donne le signal à l'adénohypophyse de produire de l'ocytocine. Cette hormone est responsable du réflexe d'éjection du lait **FIGURE 18.6B**. Les cellules myoépithéliales entourant les alvéoles réagissent à l'ocytocine en se contractant et en poussant le lait dans les canaux galactophores jusqu'aux mamelons. Il peut y avoir de nombreuses éjections à chaque tétée. Des pensées, des vues, des sons ou des odeurs que la mère associe à son nouveau-né (ou à d'autres), par exemple entendre des pleurs, peuvent tous provoquer le réflexe d'éjection du lait. De nombreuses femmes mentionnent une sensation de picotements dans les seins pendant l'éjection, mais certaines détectent l'éjection seulement en observant le nouveau-né qui tète et déglutit. Le réflexe d'éjection du lait peut aussi se produire pendant l'activité sexuelle, car il y a une sécrétion d'ocytocine durant l'orgasme. Ce réflexe peut être inhibé par la peur, la douleur, le stress et la consommation d'alcool.

L'ocytocine est une hormone qui stimule le muscle lisse de l'utérus durant l'accouchement et dans les premiers jours de la période postnatale. Le réflexe d'éjection du lait peut être déclenché pendant le travail, comme le montre l'écoulement de colostrum. Ce réflexe prépare les seins à un allaitement immédiat du nouveau-né après sa naissance. L'ocytocine joue un rôle important: elle provoque la contraction de l'utérus après l'accouchement afin de maîtriser le saignement postpartum et de favoriser l'involution utérine. La mère qui allaite son nouveau-né présente donc un risque moindre d'hémorragie postpartum. Ces contractions utérines (ou tranchées) qui se produisent pendant l'allaitement sont souvent douloureuses pendant et après l'allaitement au cours des trois à cinq premiers jours après la naissance, particulièrement

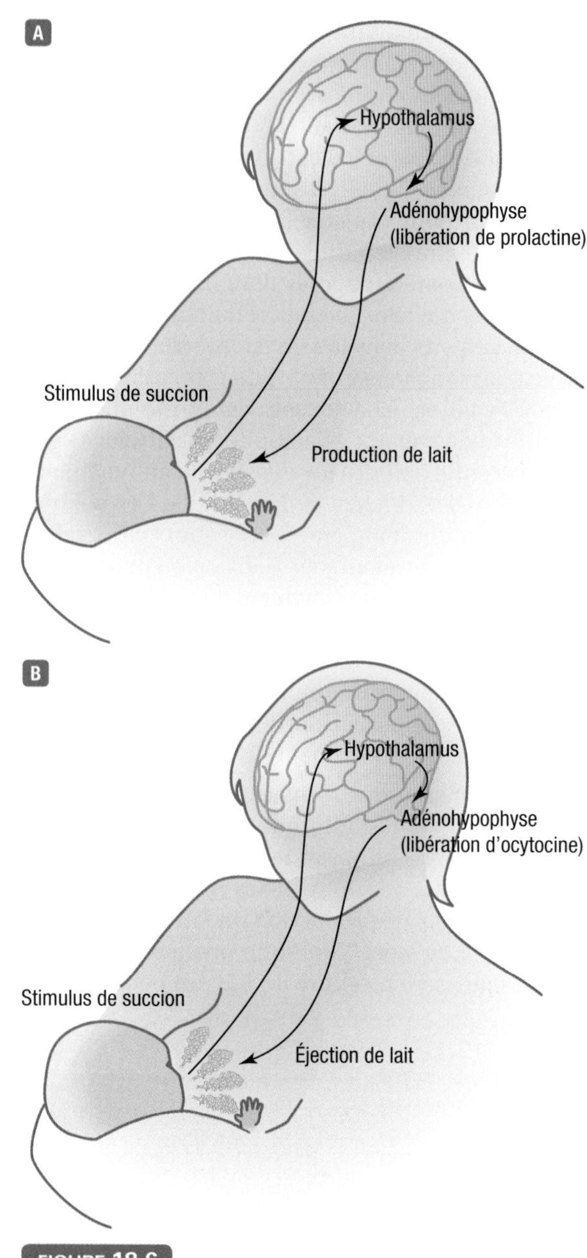

FIGURE 18.6

Réflexes de l'allaitement maternel. A Production de lait. B Éjection de lait.

pour les femmes multipares, mais elles cessent généralement dans la semaine qui suit l'accouchement.

L'érection (durcissement) du mamelon joue un rôle important dans la lactation. Quand l'enfant pleure, tète le sein ou se frotte contre celui-ci, le mamelon se dresse, ce qui favorise la propulsion du lait dans les canaux galactophores jusqu'aux pores du mamelon. La taille, la forme et la capacité d'érection du mamelon varient d'une femme à l'autre. Certaines femmes ont des **mamelons invaginés** ou plats qui ne se dressent pas au moment de la stimulation. Ces femmes auront probablement besoin d'aide pour mettre le nouveau-né au sein efficacement. Toutefois, les nouveau-nés sont généralement capables d'apprendre à téter diligemment l'aréole de tout type de mamelon.

18.6.3 Caractéristiques du lait maternel

Le lait maternel est la nourriture idéale pour le développement optimal du nouveau-né. Il s'agit d'une substance dynamique dont la composition change afin de répondre aux besoins nutritionnels et immunologiques variables de l'enfant au cours de sa croissance et de son développement. Le lait maternel répond aux besoins particuliers de chaque nouveau-né. Par exemple, le lait produit par la mère d'un nouveau-né prématuré a une composition différente de celui d'une femme dont l'enfant est né à terme.

Le lait maternel a des composants immunologiques actifs qui offrent une protection contre une large gamme d'infections causées par des bactéries, des virus et des protozoaires. La principale immunoglobuline sécrétoire du lait maternel est l'IgA, mais il contient également de l'IgG, de l'IgM, de l'IgD et de l'IgE. Les autres composants immunologiques contenus dans le lait maternel sont énoncés au **TABLEAU 18.2**; ils sont tous absents des PCN.

La composition et le volume du lait maternel varient selon l'étape de la lactation. La **lactogenèse** se divise en trois étapes.

À la première étape, qui commence à environ 16 à 18 semaines de grossesse et qui s'étend jusqu'à 3 à 5 jours après l'accouchement, les seins se préparent à la production de lait en produisant du colostrum, un liquide épais et jaunâtre, plus concentré que le lait mature et extrêmement riche en immunoglobulines. Il contient plus de protéines et de minéraux que le lait mature, mais moins de matières grasses. Sa teneur élevée en protéines facilite la liaison de la bilirubine, et son action laxative facilite l'élimination précoce du méconium.

Le colostrum se transforme graduellement en lait mature, transition appelée montée de lait ou deuxième étape de la lactogenèse. Entre le troisième et le cinquième jour après l'accouchement, la plupart des femmes ont eu cette abondante sécrétion de lait.

La composition du lait maternel continue à changer pendant environ 10 jours, jusqu'à ce que le lait mature soit formé. Il s'agit de la troisième étape de la lactogenèse (Lawrence & Lawrence, 2005).

La composition du lait mature change au cours de la tétée. Sa teneur en matières grasses augmente pendant celle-ci. Le lait de début de tétée, d'une couleur blanc bleuâtre, est composé de lait maigre (environ 60 % du volume) et de lait entier (environ 35 % du volume). Il contient surtout du lactose, des protéines et des vitamines hydrosolubles. Le lait de fin de tétée, ou crème (environ 5 % du volume), est généralement éjecté de 10 à 20 minutes après le début de la tétée, mais il peut arriver avant. Il contient les matières grasses riches en calories qui sont nécessaires pour que le nouveau-né ait une croissance optimale et soit rassasié entre les tétées. En raison de la composition variable du lait maternel au cours d'une tétée, il est important que celle-ci dure assez longtemps pour fournir une alimentation équilibrée au nouveau-né.

La production du lait maternel augmente graduellement à mesure que le nouveau-né grandit; ainsi, lorsqu'il atteint l'âge de 2 semaines, sa mère produit de 720 à 900 ml de lait par 24 heures. Les nouveau-nés et les nourrissons ont des poussées de croissance assez prévisibles (à l'âge d'environ 10 jours, 3 semaines, 6 semaines, 3 mois et 6 mois), quand les tétées plus fréquentes stimulent une production accrue de lait. Durant ces périodes, il est important que la fréquence et la durée des boires soient gérées en fonction de la demande du nouveau-né. Ces poussées de croissance durent généralement de 24 à 48 heures, et le nouveau-né reprend ensuite son rythme habituel d'alimentation. Cet ajustement de la production de lait aux besoins du nouveau-né illustre bien la capacité des seins à répondre au principe de l'offre et de la demande.

18.7 Allaitement du nouveau-né

Afin de pouvoir offrir des soins efficaces à la mère qui allaite et à son nouveau-né, les professionnels de la santé doivent bien connaître l'anatomie du sein, la physiologie de la lactation, la composition et les bienfaits du lait maternel ainsi que les avantages de l'allaitement. Ils doivent également posséder de solides connaissances sur les techniques d'allaitement et sur les interventions appropriées aux problèmes courants de celui-ci. Pendant son séjour à l'hôpital, la mère doit être encouragée à participer activement à chaque séance d'allaitement qui lui sera offerte pour accroître sa confiance et favoriser une expérience d'allaitement satisfaisante pour elle-même et son nouveau-né.

TABLEAU 18.2	Résumé des propriétés immunitaires du lait maternel
COMPOSANT	**ACTION**
Globules blancs	
Lymphocyte B	Produit des anticorps qui ciblent des microorganismes pathogènes précis.
Macrophage	Tue les microorganismes dans l'intestin du nouveau-né, produit des lysozymes et active d'autres composantes du système immunitaire.
Neutrophile	Peut agir comme un phagocyte en ingérant des bactéries dans l'appareil digestif du nouveau-né.
Lymphocyte T	Tue directement les cellules infectées ou envoie des messages chimiques permettant de mobiliser d'autres défenses.
	Prolifère en présence d'organismes qui causent des maladies graves au nouveau-né.
	Fabrique des composés qui peuvent renforcer la réaction immunitaire du nouveau-né.
Molécules	
IgA sécrétoire	Se lie aux microorganismes dans le tube digestif du nouveau-né, ce qui empêche ceux-ci de traverser les parois intestinales et d'aller dans les tissus corporels.
Protéine de liaison de la vitamine B_{12}	Réduit la quantité de vitamine B_{12}, laquelle est nécessaire à la croissance des bactéries.
Facteur bifidus	Favorise la croissance de *Lactobacillus bifidus*, une bactérie inoffensive, dans l'intestin du nouveau-né. La croissance d'une telle bactérie non pathogène aide à tenir les bactéries nocives éloignées.
Acides gras	Endommage les membranes de certains virus et les détruit.
Fibronectine	Augmente l'activité antimicrobienne des macrophages et aide à réparer les tissus qui ont été endommagés par les réactions immunitaires dans l'intestin du nouveau-né.
IFNγ	Améliore l'activité antimicrobienne des cellules immunitaires.
Hormones et facteurs de croissance	Accélèrent la maturation des voies digestives du nouveau-né. La maturation des muqueuses initialement peu « étanches » de l'intestin rend le nouveau-né moins vulnérable aux microorganismes.
Lactoferrine	Se lie au fer, un minéral nécessaire à la survie de nombreuses bactéries. En réduisant la quantité de fer disponible, la lactoferrine nuit à la croissance des bactéries pathogènes.
Lysozyme	Tue les bactéries en endommageant leurs parois cellulaires.
Mucine	Adhère aux bactéries et aux virus, les empêchant ainsi de se fixer aux surfaces des muqueuses.
Oligosaccharide	Se lie aux microorganismes et les empêche de se fixer aux surfaces des muqueuses.

Source : Adapté de Newman (2005).

Réflexe des points cardinaux : Réflexe qui se déclenche lorsqu'on stimule l'un des coins de la bouche ou la joue de l'enfant ; celui-ci oriente sa tête du côté de la zone excitée, en cherchant à téter le « sein » évoqué par la stimulation.

La mère doit reconnaître les comportements de son nouveau-né relatifs à l'allaitement, tels les signes de faim. Elle doit savoir qu'il est préférable de commencer à nourrir son nouveau-né lorsqu'il montre certains des signes suivants (même pendant un sommeil léger) plutôt que d'attendre qu'il pleure de façon désespérée ou qu'il tombe endormi :

- le nouveau-né porte ses mains à sa bouche ou frotte ses mains l'une contre l'autre ;
- le nouveau-né fait des mouvements de succion ;
- le nouveau-né se tourne vers tout ce qui touche sa région péribuccale et tente de sucer (**réflexe des points cardinaux**).
- le nouveau-né porte des objets à sa bouche.

Pendant ses trois premiers jours de vie, le nouveau-né consomme normalement de petites quantités de lait. À mesure qu'il s'adapte à la vie extra-utérine et que son tube digestif élimine le méconium, sa consommation de lait augmente et passe de 15 à 30 ml par tétée pendant les 24 premières heures à un volume de 60 à 90 ml à la fin de la première semaine.

À la naissance et dans les mois suivants, toutes les sécrétions du tube digestif contiennent des enzymes adaptées à la digestion du lait maternel. La capacité de digérer des aliments autres que le lait dépend du développement physiologique du nourrisson. Les capacités de digestion salivaire, gastrique, pancréatique et intestinale augmentent avec l'âge et indiquent que l'âge naturel où des aliments solides peuvent être introduits dans l'alimentation peut être d'environ six mois.

Le nouveau-né naît avec un réflexe d'extrusion de la langue qui l'incite à pousser hors de sa bouche tout ce qui est placé sur sa langue. Ce réflexe disparaît vers l'âge de six mois, ce qui est une autre indication de sa préparation physiologique à la consommation d'aliments solides.

Une introduction précoce de nourriture solide dans l'alimentation peut rendre le nouveau-né plus sujet aux allergies alimentaires. La prise régulière d'aliments solides peut causer la diminution de l'ingestion de lait maternel ou de PCN et un arrêt précoce de l'allaitement.

Dans les jours qui suivent la naissance, les interventions infirmières visent surtout à aider la mère et le nouveau-né à atteindre un certain degré de succès et de satisfaction dans l'allaitement avant le congé de l'hôpital ou de la maison de naissance. Les interventions qui favorisent le succès de l'allaitement portent entre autres sur la mise au sein et les positions de l'allaitement, une mise au sein efficace et les signes d'alimentation adéquate, dont un transfert de lait adéquat, une bonne prise de l'aréole et l'efficacité d'une tétée ainsi que sur les soins autonomes tels que la prévention de l'engorgement. Il est important de fournir aux parents une liste de ressources disponibles après leur congé de l'hôpital.

La période idéale pour commencer l'allaitement est tout de suite après l'accouchement. Le nouveau-né qui ne présente pas de complications doit pouvoir rester en contact direct peau à peau avec sa mère jusqu'à ce qu'il soit capable de téter pour la première fois (INSPQ, 2011 ; Santé Canada 2000). Chaque mère doit recevoir de l'enseignement, de l'aide et du soutien concernant les positions d'allaitement et la mise au sein jusqu'à ce qu'elle soit capable de le faire de façon autonome **ENCADRÉ 18.4** et **PSTI 18.1**.

18.7.1 Positions de l'allaitement

Les quatre positions élémentaires de l'allaitement sont la position du ballon de football (sous le bras), de la madone, de la madone inversée et allongée sur le côté. Au début, il est conseillé d'utiliser la position qui facilite le plus la mise au sein tout en offrant un confort maximal à la mère. La position du ballon de football est souvent recommandée pour les premières tétées parce que la mère peut voir la bouche du nouveau-né quand elle le guide vers le mamelon.

Vidéo

Visionnez la vidéo *Enseignement de l'allaitement* au www.cheneliere.ca/lowdermilk.

Les mères qui ont subi une césarienne préfèrent généralement la position du ballon de football. La position de la madone inversée fonctionne également

Mise en œuvre d'une démarche de soins

ENCADRÉ 18.4 Cliente allaitante et son nouveau-né

COLLECTE DES DONNÉES – ÉVALUATION INITIALE

Les actions à entreprendre pour évaluer l'allaitement sont les suivantes :

- Vérifier la capacité de la cliente à reconnaître les signes de faim chez son nouveau-né.
- Évaluer la préparation physique et psychologique de la cliente à l'allaitement.

ANALYSE ET INTERPRÉTATION DES DONNÉES

Les problèmes découlant de la situation de santé peuvent inclure :

- Risque d'allaitement inefficace lié :
  - aux connaissances insuffisantes de la cliente concernant les réflexes du nouveau-né et les techniques d'allaitement ;
  - au manque de soutien par le père de l'enfant, la famille ou les amis ;
  - au manque de confiance en soi, à l'anxiété ou à la peur de l'échec de la cliente ;
  - à un mauvais réflexe de succion du nouveau-né ;
  - à la difficulté de réveiller le nouveau-né endormi.
- Risque d'une alimentation déséquilibrée, inférieure aux besoins corporels lié :
  - aux besoins caloriques et nutritifs accrus pendant l'allaitement (cliente) ;
  - à la mise au sein incorrecte et à l'incapacité de transférer le lait (nouveau-né).
- Risque de carence en volume liquidien lié à une succion inefficace du nouveau-né.

RÉSULTATS ESCOMPTÉS

La planification des soins est établie dans le but d'atteindre les résultats suivants.

Nouveau-né

- Gain de poids approprié.
- Capacité de prendre le sein et de se nourrir efficacement au moins huit fois par jour.
- Hydratation adéquate (mouiller 1 couche par jour jusqu'au 5e jour, puis de 6 à 8 couches par jour et avoir au moins 3 ou 4 selles par 24 h).
- Sommeil ou satiété entre les tétées.

Cliente

- Capacité de verbaliser et de démontrer sa compréhension des techniques d'allaitement, y compris au moins deux des quatre positions de l'allaitement et la mise au sein.
- Aucune douleur aux mamelons due à l'allaitement.
- Capacité d'exprimer sa satisfaction de son expérience d'allaitement.
- Alimentation équilibrée avec des apports caloriques et liquidiens appropriés afin de permettre l'allaitement.

INTERVENTIONS INFIRMIÈRES

Les interventions infirmières portant sur la cliente qui allaite et sur son nouveau-né sont présentées plus bas.

ÉVALUATION DES RÉSULTATS – ÉVALUATION EN COURS D'ÉVOLUTION

L'évaluation est basée sur les résultats escomptés, et la planification des soins est revue au besoin en se fondant sur l'évaluation.

bien pour les premières tétées, particulièrement si le nouveau-né est petit. La position allongée sur le côté permet à la mère de se reposer tout en allaitant. Les femmes qui ont des douleurs et une enflure périnéales préfèrent généralement cette position. La position de la madone est la position d'allaitement la plus courante avec les nouveau-nés qui ont appris à prendre le sein facilement et à se nourrir efficacement. Avant le congé de l'hôpital, il peut être utile d'aider la mère à essayer toutes les positions pour lui donner confiance en ses capacités de changer de position à la maison **FIGURE 18.7**.

Il est important de rappeler l'importance de procéder à l'hygiène des mains avant l'allaitement. Pendant celui-ci, la mère doit être installée le plus confortablement possible. L'infirmière peut lui suggérer de prendre le temps de vider sa vessie et de satisfaire ses autres besoins avant de commencer une

Plan de soins et de traitements infirmiers

PSTI 18.1 Allaitement maternel et nutrition du nouveau-né

PROBLÈME DÉCOULANT DE LA SITUATION DE SANTÉ	**Allaitement inefficace** lié aux connaissances insuffisantes de la cliente
OBJECTIFS	• La cliente exprimera une satisfaction accrue envers l'allaitement. • Le nouveau-né montrera qu'il n'a plus faim et ne veut plus téter.
RÉSULTATS ESCOMPTÉS	**INTERVENTIONS INFIRMIÈRES ET JUSTIFICATIONS**
• Reconnaissance par la cliente d'une mise au sein efficace • Prise du sein par le nouveau-né et tétée effectuée par glissement des mâchoires et en ayant une déglutition audible • Sensation de « traction » sur les seins chez la cliente, mais pas de douleur des mamelons pendant la tétée	**Enseignement à la cliente** • Observer une séance d'allaitement afin de faire une évaluation de base qui permettra le renforcement positif et la détermination des problèmes. • Évaluer les connaissances de la cliente et sa motivation en matière d'allaitement afin de reconnaître sa volonté d'obtenir des résultats efficaces et afin d'avoir un point de départ pour l'enseignement. • Décrire les conditions favorables à l'allaitement, afin de faciliter ces périodes. • Montrer des façons de stimuler le réflexe de succion, diverses positions d'allaitement et l'utilisation d'oreillers pendant une séance d'allaitement afin de favoriser le bien-être de la cliente et du nouveau-né, et une mise au sein efficace. • Enseigner à surveiller la position de la bouche du nouveau-né sur l'aréole et la position de sa tête et de son corps afin d'encourager une mise au sein adéquate ou de la corriger, le cas échéant. • Enseigner des façons de stimuler le nouveau-né afin de le garder éveillé, par exemple en lui mettant une couche, en le déshabillant, en le massant ou lui faisant faire son rot, afin de permettre une séance d'allaitement complète et satisfaisante. • Donner de l'information de base à la cliente concernant son alimentation pendant la lactation, l'extraction de son lait à la main ou au tire-lait et la conservation du lait extrait pour lui permettre d'envisager des solutions de rechange. **Soutien à l'allaitement** • S'assurer que la cliente a de l'information écrite complète sur l'allaitement qui appuie les instructions orales et les démonstrations. • Diriger la cliente vers des groupes de soutien ou vers une consultante en lactation, ou les deux, au besoin, pour lui permettre d'obtenir davantage de renseignements et de soutien.
PROBLÈME DÉCOULANT DE LA SITUATION DE SANTÉ	**Alimentation inefficace** du nouveau-né liée à sa difficulté à téter de façon efficace
OBJECTIF	Le nouveau-né s'alimentera efficacement.
RÉSULTATS ESCOMPTÉS	**INTERVENTIONS INFIRMIÈRES ET JUSTIFICATIONS**
• Coordination de la succion et de la déglutition chez le nouveau-né • Prise de poids progressive du nouveau-né	**Alimentation optimale** • Évaluer les facteurs qui peuvent contribuer à une succion et à une déglutition inefficaces, afin d'obtenir les données nécessaires à la planification des soins. • Évaluer la présence de pathologies à risque tel les trisomies ou les troubles neurologiques, afin d'adapter la méthode d'alimentation aux capacités du nouveau-né. • Modifier la méthode d'alimentation au besoin pour satisfaire les besoins hydriques et nutritifs du nouveau-né. **Soutien à l'allaitement** • Enseigner à la cliente à observer les signes de faim du nouveau-né et proposer des façons d'améliorer la prise du sein de son nouveau-né pour permettre une alimentation plus efficace. • Favoriser une atmosphère calme et détendue afin d'offrir une expérience d'allaitement agréable pour la cliente et le nouveau-né. • Diriger la cliente vers une consultante en lactation pour qu'elle obtienne un soutien spécialisé.

PSTI 18.1	Allaitement maternel et nutrition du nouveau-né *(suite)*
PROBLÈME DÉCOULANT DE LA SITUATION DE SANTÉ	**Anxiété de la cliente** liée à une alimentation inefficace du nouveau-né
OBJECTIFS	• La cliente mentionnera un degré d'anxiété moins élevé. • La cliente considérera l'allaitement comme satisfaisant.
RÉSULTAT ESCOMPTÉ	**INTERVENTIONS INFIRMIÈRES ET JUSTIFICATIONS**
• Perception d'être plus compétente pendant l'allaitement	**Soutien à l'allaitement** • Surveiller l'anxiété maternelle pendant les séances d'allaitement afin d'obtenir les données nécessaires à la planification des soins. • Faire des commentaires positifs et valoriser chaque effort portant sur l'amélioration de l'alimentation afin de réduire l'anxiété. • Faire verbaliser la cliente afin d'assurer un soutien et une écoute active. • Encourager le contact peau à peau avec son nouveau-né afin de favoriser l'attachement. • Surveiller le poids, les *ingesta* et les *excreta* et les cycles éveil/sommeil du nouveau-né afin d'obtenir des données sur l'efficacité de l'alimentation. • Demander l'aide de personnes de soutien pour vérifier l'amélioration de la technique d'allaitement. • Donner de l'information concernant l'aide à la lactation afin de réduire l'anxiété après le congé de l'hôpital. • Amorcer un suivi (appels téléphoniques, suivi avec l'infirmière ou la consultante en lactation) au besoin pour évaluer les progrès, détecter tout problème et offrir du soutien.

séance d'allaitement. La mère doit placer le nouveau-né à hauteur de ses seins en le posant sur des oreillers ou des couvertures pliées, le tourner complètement sur le côté, face à elle, pour que le ventre du nouveau-né soit contre le sien et que ses bras entourent son sein. La bouche du nouveau-né doit être directement devant le mamelon. La mère doit supporter le cou et les épaules du nouveau-né avec sa main et ne pas pousser sur son occiput. Le corps de l'enfant doit être bien aligné (oreilles, épaules et hanches en ligne droite) pendant la mise au sein et la tétée.

18.7.2 Mise au sein

La mise au sein consiste à placer la bouche du nouveau-né de façon étanche sur le mamelon, l'aréole et le sein de façon à créer une succion adéquate pour l'éjection du lait. En préparation à la mise au sein pour les premières tétées, la mère doit exprimer manuellement quelques gouttes de colostrum ou de lait et l'étendre sur son mamelon. Cela le lubrifie et peut inciter le nouveau-né à ouvrir la bouche quand il goûte le lait.

Pour faciliter la mise au sein, la mère tient le sein d'une main en plaçant le pouce en dessus et les doigts en dessous en bordure de l'aréole. Elle comprime légèrement le sein, comme elle le ferait avec un sandwich avant d'en prendre une bouchée, pour permettre au nouveau-né de prendre une grande partie de l'aréole dans sa bouche et pas seulement le mamelon (INSPQ, 2011). La plupart des femmes doivent tenir leur sein pendant la tétée pendant au moins quelques jours jusqu'à ce que le nouveau-né sache bien téter **FIGURE 18.8**.

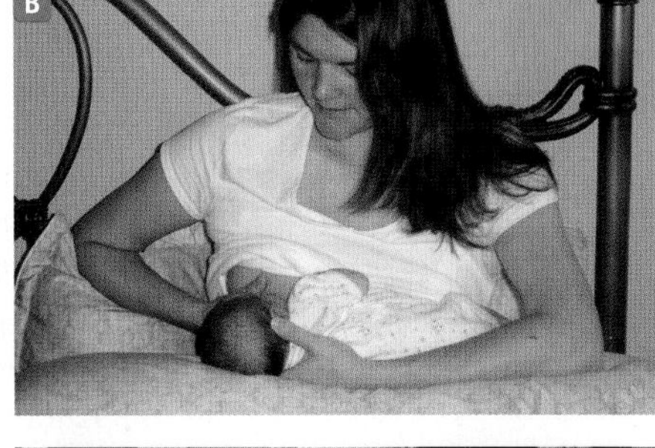

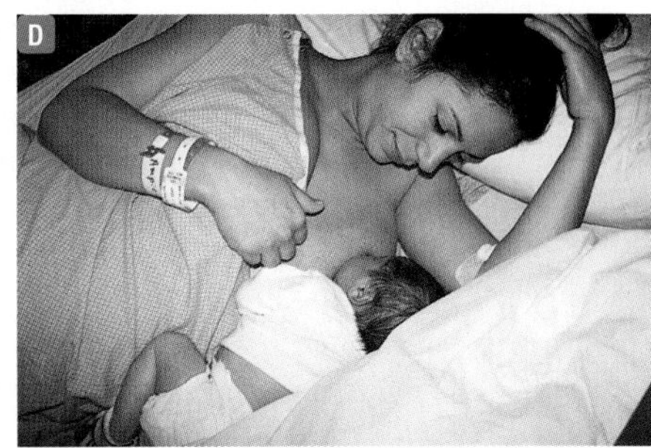

FIGURE 18.7
Positions de l'allaitement. A Ballon de football (sous le bras). B Madone inversée. C Madone. D Allongée sur le côté.

La portion d'aréole que le nouveau-né prend dans sa bouche dépend de la taille de sa bouche, de l'aréole et du mamelon. En général, la bouche du nouveau-né doit couvrir le mamelon et un rayon aréolaire d'environ 2 à 3 cm autour du mamelon. Si l'allaitement est douloureux, le nouveau-né n'a probablement pas saisi une assez grande portion de l'aréole dans sa bouche ou il a pris une portion inégale entraînant une asymétrie de la prise, et le nouveau-né pince alors le mamelon.

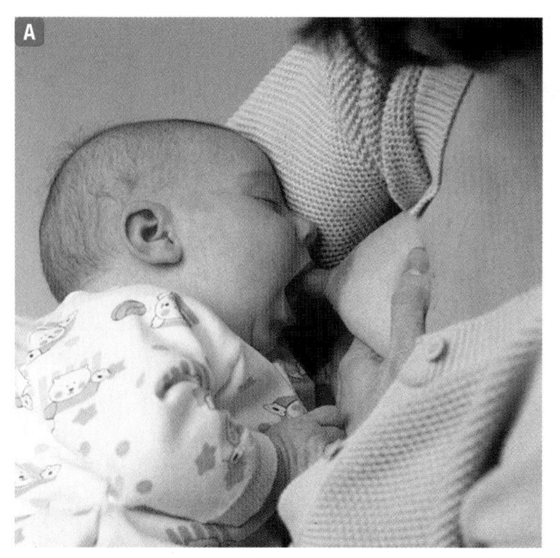

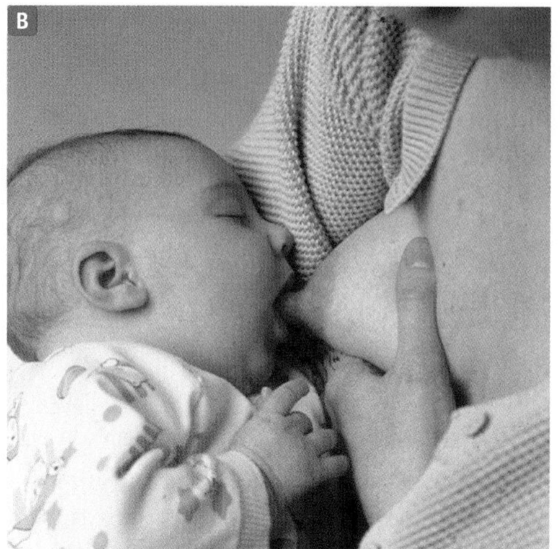

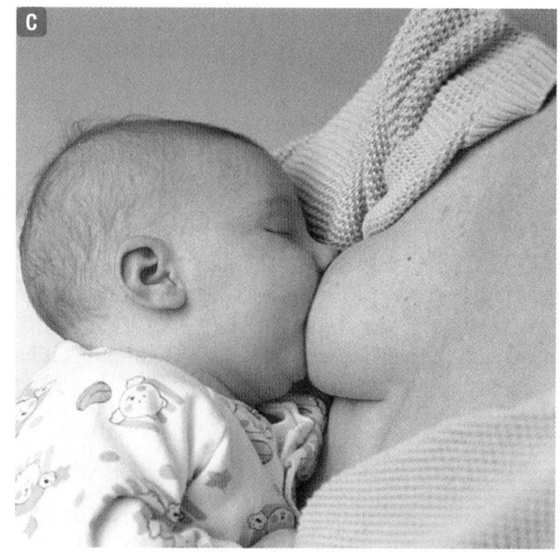

FIGURE 18.8

Mise au sein. A Il faut chatouiller la lèvre inférieure du nouveau-né avec le mamelon jusqu'à ce qu'il ouvre grand sa bouche. B Quand sa bouche est grande ouverte, il faut amener rapidement le nouveau-né vers le sein. C Le nouveau-né doit avoir la plus grande portion possible d'aréole (partie foncée autour du mamelon) dans sa bouche et non seulement le mamelon.

Quand la mise au sein est correcte, les joues et le menton du nouveau-né touchent le sein. Il ne faut pas comprimer le sein autour de son nez pour le laisser respirer. Si la mère s'inquiète de la respiration du nouveau-né, elle peut soulever légèrement les hanches de celui-ci pour changer l'angle formé par la tête et le sein. Si les narines du nouveau-né sont fermées par le sein, il aura le réflexe de reculer sa tête pour respirer.

Si le nouveau-né tète correctement : 1) la mère sent une traction ferme sur ses mamelons, mais pas de pincement ni de douleur ; 2) les joues du nouveau-né sont arrondies et non creusées ; 3) ses mâchoires glissent doucement avec la succion ; 4) sa déglutition est généralement audible. La succion crée un vide dans la bouche quand le sein est comprimé entre la langue et le palais. Si la mère sent un pincement ou une douleur après la succion initiale ou si elle ne sent pas une forte traction sur le mamelon, elle doit évaluer la mise au sein et la position d'allaitement. Dès qu'il y a des signes de mise au sein et de succion inadéquates, elle doit retirer le nouveau-né du sein et recommencer la mise au sein. Pour éviter les lésions du mamelon au moment du retrait du sein, la mère doit arrêter la succion du nouveau-né en insérant un doigt entre les gencives de celui-ci et l'y laisser tant que le mamelon n'est pas complètement hors de la bouche **FIGURE 18.9**.

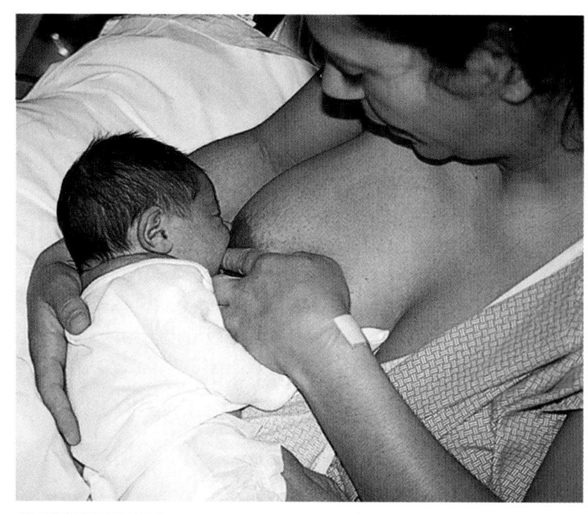

FIGURE 18.9

Façon de retirer le nouveau-né du sein

18.7.3 Éjection ou expression du lait

Quand le nouveau-né commence à téter le mamelon, le réflexe d'éjection du lait est stimulé **FIGURE 18.6B**.

Les signes suivants indiquent l'éjection du lait.

- La mère peut sentir des picotements dans les mamelons et les seins, mais de nombreuses femmes ne sentent jamais l'éjection du lait.
- Le nouveau-né qui tétait de façon rapide et superficielle se met à téter plus lentement et fortement.
- La déglutition est audible.
- Au cours des premiers jours de l'allaitement, la mère sent des crampes utérines et peut avoir une augmentation des lochies pendant et après l'allaitement.
- La mère se sent détendue ou somnolente pendant l'allaitement.
- Le sein opposé peut couler.

18.7.4 Fréquence des tétées

Un nouveau-né doit être allaité au minimum 8 fois par 24 heures. La fréquence des tétées varie d'un nouveau-né à l'autre. Certains se nourrissent toutes les 2 ou 3 heures au cours d'une période de 24 heures.

D'autres peuvent se nourrir par périodes, c'est-à-dire chaque heure ou presque pendant trois à cinq tétées puis dormir pendant trois ou quatre heures entre ces périodes. Pendant les 24 ou 48 premières heures après la naissance, la plupart des nouveau-nés ne se réveillent pas aussi fréquemment pour se nourrir. Les parents doivent comprendre qu'il est important de réveiller leur nouveau-né pour le nourrir au moins toutes les trois heures le jour et toutes les quatre heures la nuit. (La fréquence de l'allaitement est déterminée en comptant à partir du début d'une tétée jusqu'au début de la suivante.) Une fois que le nouveau-né se nourrit bien et a gagné un poids suffisant ou adéquat, on peut faire une **alimentation à la demande**. Dans ce cas, c'est lui qui détermine la fréquence des tétées. (Il doit alors être allaité au moins 8 fois par 24 heures.) Les professionnels de la santé doivent déconseiller aux parents d'imposer un horaire strict d'alimentation au nouveau-né.

La fréquence de l'allaitement est déterminée en comptant à partir du début d'une tétée jusqu'au début de la suivante.

Le nouveau-né doit être nourri dès qu'il montre des signes de faim. Les pleurs sont un signe tardif de la faim, et le nouveau-né peut s'affoler s'il doit attendre trop longtemps sa tétée. Certains nouveau-nés tombent dans un sommeil profond quand leur besoin en nourriture n'est pas satisfait. Pour bien voir les signes de faim du nouveau-né et y répondre, il faut le garder près de soi. Le nouveau-né doit rester avec sa mère pendant la période de récupération qui suit l'accouchement et pendant le séjour à l'hôpital. À la maison, il doit rester près de ses parents pour que ceux-ci puissent voir quand il a faim. On recommande à la mère de dormir près de son nouveau-né pour faciliter l'allaitement (INSPQ, 2011 ; Santé Canada, 2000). Le partage du lit est un sujet de préoccupation en raison du lien entre l'incidence plus élevée du **syndrome de mort subite du nourrisson** et le partage du lit avec un adulte ▶ 24. Les experts recommandent de placer le nouveau-né dans un berceau ou un lit d'enfant conforme aux normes courantes de sécurité, dans la même pièce que les parents, séparé d'eux, mais à proximité le jour ou la nuit (ASPC, 2009b ; Ateah & Hamelin, 2008 ; Blair, Ward Platt, Smith, Flemming & CESDI SUDI Research Group, 2006).

18.7.5 Durée des tétées

La durée des tétées est très variable, car le taux de transfert du lait varie d'un couple mère-enfant à l'autre. Cependant, à mesure que l'enfant grandit, il tète plus efficacement, ce qui réduit la durée de la tétée.

Certaines femmes préfèrent allaiter d'un seul côté pendant une tétée. Dans ce cas, elles doivent alterner les seins d'une tétée à l'autre pour qu'ils soient également stimulés et vidés. Il est inapproprié de leur recommander d'allaiter pendant une période fixe. Une mère peut déterminer quand son nouveau-né a terminé son repas. Le tétage et la déglutition ralentissent, le sein ramollit et le nouveau-né semble repu et peut s'endormir ou relâcher le mamelon.

Si un nouveau-né semble s'alimenter efficacement et qu'il a un débit urinaire adéquat, mais une prise de poids insuffisante, il est possible que la mère change de sein trop tôt. Le premier lait, riche en lactose et pauvre en gras, peut provoquer des selles explosives, des gaz douloureux et des pleurs inconsolables. Pour recevoir le dernier lait plus riche en matières grasses, le nouveau-né doit téter le même sein jusqu'à ce qu'il ramollisse, ce qui permet généralement le gain de poids.

18.7.6 Indicateurs d'un allaitement efficace

Quand l'allaitement du nouveau-né est établi, les parents doivent pouvoir reconnaître les signes d'un allaitement efficace. Cela leur permettra de détecter les problèmes qui surgissent et de rechercher l'aide appropriée **TABLEAU 18.3**.

Pendant les premiers jours de l'allaitement, les parents peuvent trouver utile de tenir un journal où ils notent l'heure et la durée des tétées ainsi que les mictions et les selles du nouveau-né. Ces données renseignent les professionnels de la santé sur l'efficacité de l'allaitement et les aident à évaluer si celui-ci est adéquat. La tenue de ce journal est conseillée aux parents jusqu'à la visite de suivi en soins pédiatriques.

Le nombre de couches mouillées et de selles est un très bon indicateur de l'efficacité de l'allaitement, mais les parents doivent aussi connaître les changements escomptés des caractéristiques du débit urinaire et des selles au début de la période néonatale. À mesure que le volume de lait maternel augmente, l'urine devient plus diluée et jaune pâle. Une urine foncée et concentrée peut indiquer un apport alimentaire inadéquat et une déshydratation (les nouveau-nés qui ont un ictère peuvent avoir une urine foncée en raison de l'excrétion de bilirubine). Un ou deux jours après sa naissance, le nouveau-né élimine le méconium, qui est noir verdâtre, épais et collant. Deux ou trois jours après la naissance, les selles deviennent plus vertes, moins épaisses et moins collantes. Si la mère a eu sa montée de lait trois ou quatre jours après l'accouchement, les selles du nouveau-né commenceront à être jaune verdâtre et plus liquides. Vers la fin de la première semaine, les selles d'un nouveau-né allaité sont jaunes, molles et grumeleuses (semblables à un mélange de moutarde et de fromage cottage). Si le nouveau-né élimine encore du méconium après son troisième ou quatrième jour, l'efficacité de l'allaitement et du transfert de lait doit être évaluée plus en détail.

Syndrome de mort subite du nourrisson : Décès brutal et inattendu d'un nourrisson jusque-là bien portant. Il survient vers le troisième mois et souvent avant le cinquième mois.

24

Les facteurs de risque en lien avec le syndrome de mort subite du nourrisson sont décrits dans le chapitre 24, *Nouveau-né à risque*.

TABLEAU 18.3 Indicateurs d'un allaitement efficace

MÈRE	NOUVEAU-NÉ
• Début d'une abondante production de lait (montée de lait) le troisième ou le quatrième jour • Sensation de traction ferme, mais pas de douleur au mamelon quand le nouveau-né tète • Contractions utérines et saignement vaginal accru pendant l'allaitement (première semaine ou moins) • Sensation de détente et endormissement pendant l'allaitement • Sensation de soif accrue • Ramollissement ou allègement des seins pendant l'allaitement • Possibilité de sentir une montée de chaleur ou des picotements dans les seins pendant l'expression du lait et d'avoir un écoulement de lait du sein opposé	• Prise du sein facile • Poussées de 15 à 20 succions/déglutitions par séance d'allaitement • Déglutition audible • Lâcher prise du sein facile à la fin de l'allaitement. • Manifestations d'être repu après l'allaitement • Production de 3 selles importantes et de 6 à 8 mictions toutes les 24 heures après le 4e jour

Pendant le premier mois, le nouveau-né allaité a généralement de 5 à 10 selles par jour, souvent pendant l'allaitement. Cela change graduellement, et il peut continuer à avoir plus de une selle par jour ou il peut avoir seulement une selle tous les deux ou trois jours. Tant que le nouveau-né continue de prendre du poids et semble en bonne santé, cette diminution du nombre de selles est normale.

18.7.7 Suppléments, biberons et suces

Il est recommandé que tous les nouveau-nés et nourrissons allaités, exclusivement ou partiellement, reçoivent 400 unités internationales de vitamine D quotidiennement, dès les premiers jours de vie jusqu'à l'âge de 1 an (Société canadienne de pédiatrie *et al.*, 2005). Quand l'allaitement est adéquat, d'autres suppléments sont rarement nécessaires.

Le nouveau-né peut avoir besoin de suppléments alimentaires en cas de faible poids à la naissance, d'hypoglycémie, de déshydratation, de perte de poids, de gain de poids lent ou de problèmes du métabolisme. Les suppléments peuvent aussi être indiqués si la mère a une lactogenèse retardée, des douleurs intolérables pendant l'allaitement, a une maladie grave ou est absente, a une insuffisance glandulaire primitive, prend des médicaments qui sont incompatibles avec l'allaitement ou a déjà subi une chirurgie mammaire telle qu'une augmentation ou une réduction (Walker, 2006) **TABLEAU 18.4**. La plupart des médicaments sont excrétés dans le lait maternel, mais en quantité trop faible pour causer des effets indésirables au nouveau-né et au nourrisson. Plus rarement toutefois, certains médicaments suscitent des inquiétudes, que ce soit en raison de leur effet sur la diminution de la production de lait (le clomiphène, les dérivés de l'ergot, les œstrogènes et la pseudoéphédrine), de leur passage important dans le lait maternel ou de leur profil de toxicité (Morin & Ferreira, 2010). Parmi les médicaments qui suscitent des inquiétudes figurent certains antibiotiques tels que les tétracyclines et le chloramphénicol, ainsi que les anticonvulsivants, comme le lamotrigine et le phénobarbital. Certains antinéoplasiques ont des effets préoccupants en allaitement en raison de leur profil de toxicité. L'allaitement n'est pas nécessairement contre-indiqué chez une femme qui prend du lithium, mais il ne devrait être considéré que chez les femmes sélectionnées avec précaution. Compte tenu du mécanisme d'action et de la quantité d'iode que contient l'amiodarone (Amiodarone[MD]), un médicament utilisé pour les problèmes de rythme cardiaque, les inquiétudes portent sur les effets potentiels pour le nourrisson sur le plan cardiaque et thyroïdien. Des auteurs considèrent que l'allaitement est à éviter pendant un traitement de longue durée à l'amiodarone, mais qu'un traitement de moins de 1 semaine n'est pas contre-indiqué si l'on attend de 24 à 48 heures après la fin du traitement pour recommencer l'allaitement. Enfin, les données sur la compatibilité des bêtabloquants avec l'allaitement sont variables d'un agent à l'autre. Comme certains sont compatibles alors que d'autres ne le sont pas, la prudence est de mise. L'acébutolol, l'aténolol et le sotalol se diffusent bien dans le lait maternel et risquent de s'accumuler chez un nourrisson étant donné qu'ils sont éliminés par les reins (immatures en début de vie). Il est donc préférable d'utiliser d'autres agents durant l'allaitement (Morin & Ferreira, 2010).

Il est généralement inutile d'offrir une préparation commerciale à un nouveau-né qui vient d'être allaité uniquement pour s'assurer qu'il a assez mangé. Cette pratique est à éviter. Elle peut réduire la production de lait parce que le nouveau-né est trop nourri et ne s'allaite plus assez souvent. Les suppléments perturbent le système de production du lait en fonction de la demande. Les parents peuvent interpréter l'enthousiasme du nouveau-né à prendre le biberon comme un signe de production

Pharmacothérapie

TABLEAU 18.4 Médicaments, drogues et substances excrétés dans le lait

MÉDICAMENTS, DROGUES ET SUBSTANCES	CLASSIFICATION	MÉDICAMENTS, DROGUES ET SUBSTANCES	CLASSIFICATION
Acétaminophène (Tylenol[MD], Atasol[MD])	6	Acétate de médroxyprogestérone (Depo-Provera[MD])	6
Alcool (éthanol)	6	Mépéridine (Demerol[MD])	6
Acide acétylsalicylique (Excedrin[MD], Fiorinal[MD], Aspirin[MD], Entrophen[MD])	5	Méthadone	6
Caféine	6	Morphine	6
Cocaïne	2	Naproxène (Anaprox[MD], Naprosyn[MD], Aleve[MD])	6
Codéine	6	Oxycodone	Non classée
Héroïne	2	Phénobarbital	5
Ibuprofène (Advil[MD], Motrin[MD])	6	Phénytoïne (Dilantin[MD])	6
Indométhacine (Indocin[MD])	6	Propylthiouracile	6
Kétorolac trométhamine (Toradol[MD])	6	Thyroxine (Synthroid[MD]) et liothyronine sodique (Cytomel[MD])	6
Marijuana	2	Tolbutamide (Orinase[MD])	6

Le comité de pharmacologie (Committee on Drugs) de l'American Academy of Pediatrics (AAP) a classifié les médicaments qui sont transférés dans le lait maternel de la façon suivante :

1. Médicaments contre-indiqués pendant l'allaitement
2. Drogues contre-indiquées pendant l'allaitement
3. Composés radioactifs qui exigent l'arrêt temporaire de l'allaitement
4. Médicaments dont les effets sur l'allaitement sont inconnus, mais qui peuvent être préoccupants
5. Médicaments qui ont des effets notables connus sur certains enfants allaités et qui doivent être donnés avec prudence aux femmes qui allaitent
6. Médicaments pris par la mère qui sont généralement compatibles avec l'allaitement
7. Agents alimentaires et environnementaux qui ont un effet sur l'allaitement

Source : Adapté de Morin & Ferreira (2010).

insuffisante de lait maternel. Ils doivent savoir qu'un nouveau-né tète automatiquement un biberon parce que l'écoulement libre de lait de la tétine déclenche le réflexe de succion et de déglutition.

Au début de l'allaitement maternel, le passage du sein au biberon ou du biberon au sein peut désorienter le nouveau-né. Les allaitements au sein et au biberon requièrent des habiletés motrices orales différentes. L'utilisation de la langue, des joues et des lèvres ainsi que le mode de déglutition varient beaucoup d'un nouveau-né à l'autre. Même si le passage du sein au biberon est facile pour certains nouveau-nés, il peut poser des difficultés considérables pour d'autres. Puisqu'il est impossible de prédire si un nourrisson s'y adaptera bien ou non, il est préférable d'éviter le biberon jusqu'à ce que l'allaitement au sein soit bien établi, généralement après trois ou quatre semaines.

Si des suppléments de PCN sont nécessaires, les parents peuvent utiliser un dispositif d'appoint qui permet de donner le supplément au nouveau-né pendant l'allaitement. Ils peuvent aussi utiliser une cuillère, un compte-gouttes, un verre ou une seringue. S'ils choisissent le biberon, il est recommandé d'utiliser une tétine à débit lent. Bien que certains parents combinent l'alimentation au sein et au biberon, de nombreux enfants passent directement du sein au verre quand ils grandissent.

On déconseille l'utilisation d'une suce avant que l'allaitement maternel soit bien établi, à savoir environ un mois (Canadian Foundation for the

Jugement clinique

Madame Hélène Dreyfus est âgée de 26 ans et vient tout juste d'accoucher d'un garçon né à terme et en santé. Elle a choisi d'allaiter son nouveau-né, même si sa sœur aînée lui a dit qu'à cause de cela, elle ne pourrait pas lui donner une suce.

La sœur de madame Dreyfus a-t-elle raison ? Justifiez votre réponse.

Study of Infant Deaths [CFSID], 2010 ; INSPQ, 2011). Des études ont permis d'établir un lien entre l'introduction hâtive d'une suce et la fin précoce de l'allaitement, la diminution de l'allaitement exclusif et le sevrage précoce. Cependant, en raison du lien qui existe entre l'utilisation d'une suce à l'heure du coucher et le risque réduit du SMSN, les experts recommandent d'offrir une suce au nourrisson au moment de la sieste ou du coucher (American Academy of Pediatrics [AAP], 2005).

Il existe un lien entre l'utilisation d'une suce à l'heure du coucher et le risque réduit du SMSN.

18.7.8 Situations particulières

Nouveau-né endormi ou somnolent

Pendant les premiers jours de vie, il peut être nécessaire de réveiller certains nouveau-nés pour les nourrir. Les parents doivent être attentifs aux signes comportementaux ou de faim tels que des mouvements rapides des yeux sous les paupières, des mouvements de succion ou des mouvements des mains vers la bouche. De tels signes indiquent que le moment est approprié pour tenter un allaitement. Si le nouveau-né est tiré d'un sommeil profond, les tentatives d'allaitement sont plus susceptibles d'échouer. Pour bien le réveiller, on peut le découvrir, changer sa couche, l'asseoir à la verticale, lui parler sur des tons variés, lui masser doucement la poitrine ou le dos et caresser la paume de ses mains ou la plante de ses pieds. On peut aussi le placer peau à peau sur sa mère et l'amener vers les seins quand il montre des signes de faim **ENCADRÉ 18.5**.

Nouveau-né difficile

Un nouveau-né se réveille parfois en pleurant de façon désespérée. Il peut avoir faim, mais être incapable de se concentrer sur l'allaitement tant qu'il ne s'est pas calmé. Les parents peuvent l'envelopper dans une couverture, le tenir contre eux, lui parler doucement et le laisser téter un doigt propre jusqu'à ce qu'il soit assez calme pour prendre le sein. Ils peuvent aussi le calmer en le plaçant peau à peau sur sa mère **ENCADRÉ 18.6**.

Un nouveau-né peut être difficile ou irritable pendant l'allaitement en raison de lésions causées par l'accouchement, telles qu'une ecchymose sur la tête ou une clavicule fracturée. On peut le soulager en changeant la position d'allaitement.

Le nouveau-né qui a subi une aspiration prolongée ou une intubation à la naissance peut avoir une aversion pour la stimulation orale. Il peut crier et se raidir si l'on approche quelque chose de sa bouche. Les parents devront peut-être le tenir et le bercer pendant un certain temps avant d'essayer de l'allaiter.

Un nouveau-né peut devenir difficile et sembler insatisfait pendant la tétée si le mamelon n'entre pas assez profondément dans sa bouche. L'allaitement peut commencer par des succions et des déglutitions bien organisées, mais le nouveau-né peut commencer à repousser le sein et à pleurer. La mère doit tenir son sein tout au long de l'allaitement pour garder le mamelon dans la même position pendant que le nouveau-né tète et que le sein se ramollit.

Un nouveau-né peut aussi être difficile ou irritable en raison de troubles gastro-intestinaux (p. ex., des crampes, des douleurs dues aux gaz). Ceux-ci peuvent être attribuables à une alimentation occasionnelle avec une PCN ou à un aliment que la mère a ingéré. Cependant, la plupart des femmes peuvent avoir une alimentation normale sans que cela cause de troubles gastro-intestinaux à leur enfant. Aucun aliment n'est déconseillé aux femmes qui allaitent, car chaque couple mère-enfant réagit de façon particulière aux aliments. Il est toutefois important de mentionner que le goût du lait maternel change en fonction des aliments et des épices ingérés par la mère. Si une femme soupçonne qu'un aliment cause des troubles gastro-intestinaux à son enfant, elle doit l'éliminer de son alimentation pendant deux semaines, le réintroduire et voir si les symptômes réapparaissent. Quand il existe d'importants antécédents familiaux d'intolérance aux protéines laitières, le nourrisson peut manifester des symptômes semblables à des coliques. Si le risque d'allergie est élevé, on peut conseiller à la mère d'éviter les arachides et d'autres allergènes possibles (Becker & Scott, 2008).

Des pleurs ou des refus persistants d'être allaité peuvent être un signe de maladie. Dans les deux

ENCADRÉ 18.5 Façons de réveiller un nouveau-né endormi

- L'étendre sur le dos et le découvrir.
- Changer sa couche.
- Le tenir debout et le tourner d'un côté à l'autre.
- Lui parler.
- Lui masser doucement, mais fermement la poitrine et le dos.
- Lui frotter la paume des mains et la plante des pieds.
- Le bercer doucement d'une position couchée à une position assise et vice versa jusqu'à ce que ses yeux s'ouvrent.
- Le placer peau à peau sur la poitrine de sa mère.
- Augmenter l'éclairage pour le stimuler ou diminuer l'éclairage pour l'encourager à ouvrir les yeux.

ENCADRÉ 18.6 Façons de calmer un nouveau-né

- L'envelopper dans une couverture.
- Le tenir contre soi.
- Le bercer doucement.
- Lui parler calmement.
- Réduire les stimuli de l'environnement.
- Le placer peau à peau sur sa mère.
- Le laisser sucer le doigt propre d'un adulte.

cas, les parents doivent en informer leur professionnel de la santé. Les infections des oreilles, le mal de gorge et la candidose buccale (muguet) peuvent rendre le nourrisson difficile et l'empêcher de bien s'alimenter.

Gain de poids lent

Les nouveau-nés exclusivement allaités présentent leur perte de poids maximale le troisième jour, et ils perdent en moyenne de 6 à 8 % de leur poids de naissance. Les nouveau-nés qui perdent plus de 10 % de leur poids de naissance doivent faire l'objet d'une évaluation attentive par une personne possédant une formation et de l'expérience dans le soutien des mères allaitantes (Société canadienne de pédiatrie, 2007). Une fois que la production de lait mature est commencée, le nourrisson devrait prendre de 110 à 200 g par semaine ou de 20 à 28 g par jour pendant ses 3 premiers mois. (Les enfants allaités ne prennent généralement pas de poids aussi rapidement que les enfants nourris avec des PCN.) Le professionnel de la santé doit évaluer et surveiller le nouveau-né qui continue à perdre du poids après 5 jours, qui n'est pas revenu à son poids de naissance après 14 jours ou dont le poids est inférieur à celui du 10e centile après un mois.

Il faut enseigner aux parents les signes indicateurs d'un allaitement inefficace, notamment un gain de poids insuffisant, un débit urinaire faible et une alimentation fréquente **ENCADRÉ 18.7**. Si un de ces signes est présent, ils doivent en informer leur professionnel de la santé.

ENCADRÉ 18.7 Indicateurs d'un allaitement inefficace

- Le nouveau-né mouille moins de six couches par jour à l'âge de quatre jours.
- Le nouveau-né a moins de trois selles par jour après son quatrième jour.
- Les selles sont encore formées de méconium (noires et goudronneuses) à l'âge de quatre jours.
- Les mamelons de la mère sont douloureux pendant l'allaitement.
- Les mamelons de la mère présentent des lésions (contusions, gerçures, saignements).
- La production de lait n'a pas augmenté (les seins ne sont pas pleins) au quatrième jour.
- Le nouveau-né semble vouloir constamment s'alimenter.
- Le nouveau-né perd du poids après son quatrième jour.
- Le nouveau-né prend moins de 14 g/jour après son quatrième jour.
- Le nouveau-né n'est pas revenu à son poids de naissance à l'âge de 10 jours.

Un gain de poids lent est parfois dû à un allaitement inadéquat. Les tétées peuvent être courtes ou peu fréquentes ou le nouveau-né peut prendre le sein incorrectement ou téter de façon inefficace. Les autres causes possibles sont la maladie ou l'infection, la malabsorption ou des situations qui augmentent les besoins énergétiques du nouveau-né, telles qu'une cardiopathie congénitale, la fibrose kystique ou simplement un poids faible pour l'âge gestationnel. Il faut distinguer le gain de poids lent du retard de croissance, lequel peut être un trouble grave exigeant une intervention médicale.

Un gain de poids lent peut aussi être attribuable à des facteurs maternels. Le vidage des seins peut être incomplet, l'allaitement peut être douloureux ou les périodes d'allaitement peuvent s'avérer inappropriées. Un tissu mammaire glandulaire inadéquat ou une chirurgie mammaire passée peuvent perturber la production de lait. Une hémorragie grave pendant ou après la grossesse, une maladie ou la prise de médicaments peuvent réduire la production de lait. Le stress et la fatigue ont aussi un effet négatif sur celle-ci.

Dans la plupart des cas, la solution consiste à améliorer la technique d'alimentation. Il faut évaluer la position d'allaitement et la mise au sein et apporter des correctifs. L'ajout de 1 ou de 2 tétées par période de 24 heures peut aider. Si le problème est dû à la somnolence du nouveau-né, il faut enseigner aux parents les techniques de réveil **ENCADRÉ 18.5**.

Le massage intermittent des seins peut aider à augmenter la quantité de lait ingérée par le nourrisson. La mère se masse le sein, de la paroi thoracique jusqu'au mamelon, dès que le nouveau-né prend une pause. Cette technique peut aussi augmenter la teneur en matières grasses du lait, ce qui favorise la prise de poids du nourrisson.

Quand le nourrisson souffre d'une carence calorique et a besoin de suppléments, on peut lui donner du lait maternel qui a été extrait ou une PCN en utilisant un dispositif d'appoint, une cuillère, un verre, une seringue ou un biberon. La plupart du temps, les suppléments sont nécessaires pendant une courte période seulement jusqu'à ce que le nourrisson prenne du poids et s'alimente adéquatement.

Ictère

Le type d'ictère (ou hyperbilirubinémie) le plus souvent observé chez le nouveau-né à terme est appelé **ictère physiologique du nouveau-né** ▶ 17. L'hyperbilirubinémie du nouveau-né est causée par la concentration de bilirubine qui augmente constamment pendant les trois ou quatre premiers jours après la naissance, atteint un sommet autour du cinquième jour et diminue par la suite. Cette affection peut être due à une alimentation insuffisante et à des selles peu fréquentes du nouveau-né nourri au sein. Le colostrum a un effet laxatif naturel, et il favorise le passage précoce du méconium. La bilirubine est principalement excrétée du corps par les intestins. Si les selles sont peu fréquentes, la bilirubine des selles peut être réabsorbée dans l'organisme du nouveau-né, ce qui favorise l'hyperbilirubinémie. Le nouveau-né qui reçoit des suppléments d'eau ou d'eau glucosée est plus susceptible de souffrir d'hyperbilirubinémie, car seulement de faibles quantités de bilirubine sont excrétées par les reins. Il existe un lien entre un

17

Le chapitre 17, *Évaluation et soins du nouveau-né et de la famille*, traite en détail de l'ictère physiologique du nouveau-né et de la photothérapie.

apport calorique diminué (moins de lait), la réduction des selles et l'augmentation de l'ictère.

> *Le lait maternel favorise la maturation rétinienne du nouveau-né prématuré, améliore ses fonctions neurocognitives et diminue ses risques d'entérocolite nécrosante.*

Pour prévenir l'ictère précoce, le nouveau-né doit être allaité fréquemment pendant ses premiers jours de vie. La fréquence accrue des tétées est liée à des concentrations réduites en bilirubine.

Pour traiter cette affection, on évalue les critères suivants de l'allaitement maternel : la fréquence et la durée des tétées, la position, la mise au sein et le transfert de lait. Des facteurs tels que la somnolence ou la léthargie du nouveau-né ou l'engorgement mammaire peuvent nuire à l'allaitement et doivent être corrigés. S'il faut augmenter l'ingestion de lait du nouveau-né, on peut utiliser un dispositif d'aide à l'allaitement pour distribuer du lait maternel supplémentaire ou une PCN pendant que le nourrisson tète. La bilirubine peut atteindre des concentrations telles qu'un traitement de photothérapie s'avère nécessaire.

L'ictère tardif (ou lié au lait maternel) touche un petit nombre de nouveau-nés allaités. Il se développe au cours de la 2e semaine de vie et atteint un sommet entre la 6e et la 14e journée. Le développement, le gain de poids et les selles des nouveau-nés touchés sont normaux ; toutes les causes pathologiques d'ictère ont été exclues. En présence d'autres facteurs de risque, l'hyperbilirubinémie peut être assez grave pour qu'une photothérapie soit nécessaire. La plupart des cas d'ictère lié au lait maternel ne nécessitent aucune intervention. Certains professionnels de la santé peuvent recommander l'interruption temporaire de l'allaitement pendant 12 à 24 heures pour permettre la diminution des concentrations de bilirubine, mais cette méthode n'est pas courante (Blackburn, 2007 ; Page-Goertz, 2008).

Tout nouveau-né allaité qui présente un ictère doit faire l'objet d'une évaluation attentive portant sur les facteurs suivants : une perte de poids de plus de 7 %, un apport réduit en lait, des selles peu fréquentes (moins de 3 ou 4 selles par jour le 4e jour) et un débit urinaire réduit (moins de 4 à 6 couches mouillées par jour). De plus, il faut mesurer sa concentration de bilirubine sérique ou effectuer un monitorage transcutané (Société canadienne de pédiatrie, 2006).

Nouveau-né prématuré

Le lait maternel est l'aliment idéal pour le nouveau-né prématuré ▶ 24. Il offre à celui-ci des avantages uniques et supplémentaires par rapport au nouveau-né à terme et en bonne santé. En effet, le lait maternel favorise la maturation rétinienne du nouveau-né prématuré, améliore ses fonctions neurocognitives et diminue ses risques d'entérocolite nécrosante. L'allaitement permet une meilleure stabilité physiologique que l'allaitement au biberon (Lawrence & Lawrence, 2005).

24

Les aspects spécifiques aux soins du nouveau-né prématuré sont traités dans le chapitre 24, *Nouveau-né à risque*.

Initialement, le lait d'une femme ayant accouché prématurément présente des concentrations plus élevées en glucides, en matières grasses, en protéines, en sodium, en chlorure, en potassium, en fer et en magnésium que celui d'une mère ayant accouché à terme. Le lait « prématuré » ressemble davantage au lait « à terme » entre la quatrième et la sixième semaine. On peut ajouter des suppléments au lait maternel si la croissance du nouveau-né prématuré est insuffisante (Lanese & Cross, 2008).

Selon leur âge gestationnel et leur condition physique, de nombreux nouveau-nés prématurés sont capables de se nourrir au sein quelques fois par jour. La femme qui ne peut allaiter son nouveau-né prématuré doit commencer à tirer son lait le plus tôt possible après l'accouchement au moyen d'un tire-lait électrique pour usage hospitalier **FIGURE 18.10**. Pour établir une production optimale de lait, la mère doit utiliser un tire-lait double et pomper les deux seins simultanément de 8 à 12 fois par jour pendant les 10 à 14 premiers jours. On doit lui enseigner à manipuler et à conserver correctement son lait afin de réduire la contamination et la croissance bactériennes. La méthode kangourou (porter l'enfant en ayant un contact peau à peau) est conseillée jusqu'à ce que le nouveau-né soit capable de se nourrir au sein et que l'allaitement soit établi, car cette méthode stimule la production de lait (Lanese & Cross, 2008).

L'allaitement maternel ou l'alimentation avec du lait maternel a généralement des bienfaits émotionnels sur les mères d'un nouveau-né prématuré. Elles trouvent gratifiant de pouvoir offrir le meilleur aliment possible pour la santé de leur nouveau-né et croient que l'allaitement maternel favorise un contact étroit avec leur enfant.

FIGURE 18.10 Tire-lait électrique pour usage hospitalier

Nouveau-né prématuré proche du terme

Le nouveau-né venu au monde entre la 34 0/7e et la 36 6/7e semaine de gestation est considéré comme un nouveau-né prématuré proche du terme, aussi appelé peu prématuré. Celui-ci présente des risques de troubles de l'alimentation, car il a de petites réserves d'énergie, mais un besoin élevé en énergie. Il est généralement somnolent et a de courtes et rares périodes d'éveil. Il peut se fatiguer facilement quand il se nourrit et présente une succion et un tonus faibles, des facteurs qui peuvent contribuer à un apport insuffisant de lait. Le contact peau à peau précoce et prolongé favorise l'allaitement et prévient l'hypothermie. Puisque ce nouveau-né est plus sujet à l'apnée de position que le nouveau-né à terme, on conseille à la mère d'utiliser la position du ballon de football (sous le bras) pour le nourrir et de ne pas fléchir sa tête, car cela peut nuire à sa respiration. Le nouveau-né proche du terme ou prématuré a souvent besoin de suppléments. Le lait extrait est le supplément idéal, et il doit être préférablement donné à la poitrine à l'aide d'un dispositif d'aide à l'allaitement (Walker, 2008a).

Allaitement de plusieurs nouveau-nés

L'allaitement maternel est particulièrement bénéfique aux jumeaux, aux triplets et aux autres enfants multiples nés d'un même accouchement en raison de ses avantages immunologiques et nutritionnels. De plus, il permet à la mère d'interagir fréquemment avec chaque nouveau-né. La plupart des mères sont capables de produire une quantité suffisante de lait pour plusieurs nouveau-nés. Les soins de nouveau-nés multiples peuvent être épuisants. Les parents ont besoin de soutien et d'aide pour apprendre à organiser les séances d'allaitement **FIGURE 18.11**.

Expression et conservation du lait maternel

L'expression du lait maternel est une pratique courante, qui est généralement effectuée pour obtenir du lait afin de permettre à une personne autre que la mère de nourrir l'enfant. Elle est le plus souvent utilisée quand la mère travaille (Labiner-Wolfe, Fein, Shealy & Wang, 2008). L'expression du lait est parfois nécessaire ou souhaitable en cas d'engorgement mammaire, de douleurs ou de lésions des mamelons, de séparation de la mère et du nouveau-né, par exemple quand un nouveau-né prématuré reste à l'hôpital après que sa mère a obtenu son congé, ou quand la mère laisse le nourrisson à une gardienne et sera absente pour l'allaitement.

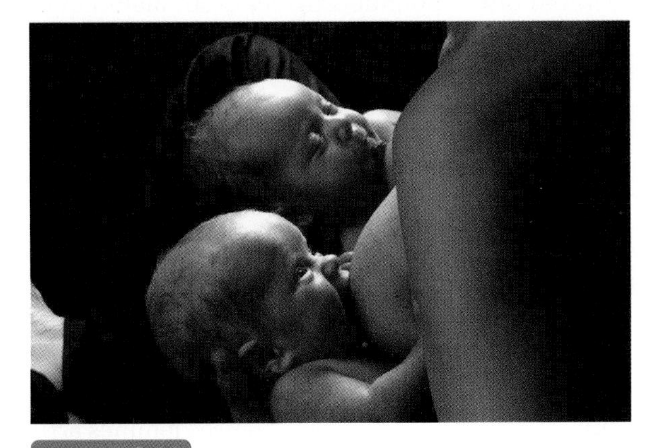

FIGURE 18.11
Allaitement de jumeaux

Puisque l'expression au tire-lait et l'extraction manuelle sont rarement aussi efficaces qu'un nourrisson, l'évaluation de la production de lait ne doit jamais être fondée uniquement sur le volume extrait.

Expression manuelle

Il faut enseigner à toutes les mères comment exprimer leur lait manuellement. Après avoir procédé à l'hygiène des mains, la femme place une main sur son sein au bord de l'aréole. En plaçant son pouce en dessus et ses doigts en dessous, elle exerce une pression à partir de sa paroi thoracique et comprime doucement le sein en faisant rouler son pouce et ses doigts en avant vers le mamelon. Elle refait ces mouvements de façon rythmique jusqu'à ce que le lait commence à sortir. Elle n'a qu'à maintenir une pression légère et constante pendant que le lait s'écoule. Le pouce et les doigts ne doivent pas pincer le sein ou glisser vers le mamelon. La mère doit tourner sa main pour atteindre toutes les parties du sein (INSPQ, 2011).

Expression mécanique (tirage)

On recommande à la plupart des femmes de commencer le tirage seulement quand la production de lait est bien établie et que le nouveau-né prend le sein et se nourrit bien (Newman & Pitman, 2006). Toutefois, si l'allaitement maternel est retardé après l'accouchement, par exemple si le nouveau-né est malade ou prématuré, la mère doit commencer à tirer son lait avec un tire-lait électrique dès que possible et le faire régulièrement jusqu'à ce que le nouveau-né soit capable de se nourrir efficacement au sein.

Il existe de nombreuses méthodes de tirage. Certaines femmes tirent leur lait au réveil le matin ou quand le nouveau-né a bu, mais n'a pas vidé les seins complètement. D'autres préfèrent tirer leur lait après l'allaitement ou peuvent tirer un sein pendant que le nouveau-né tète l'autre sein. Le double tirage (tirage des deux seins en même temps) épargne du temps et peut stimuler la production de lait plus que le simple tirage **FIGURE 18.12**.

La quantité de lait obtenue pendant le tirage dépend du type de tire-lait utilisé, de l'heure, du temps écoulé depuis la dernière tétée, de la production de lait ainsi que de l'expérience et du degré de confort de la mère avec le tirage (il est désagréable pour certaines femmes). La couleur et la consistance du lait maternel peuvent varier, selon l'heure du tirage, l'âge du nourrisson et les aliments ingérés par la mère.

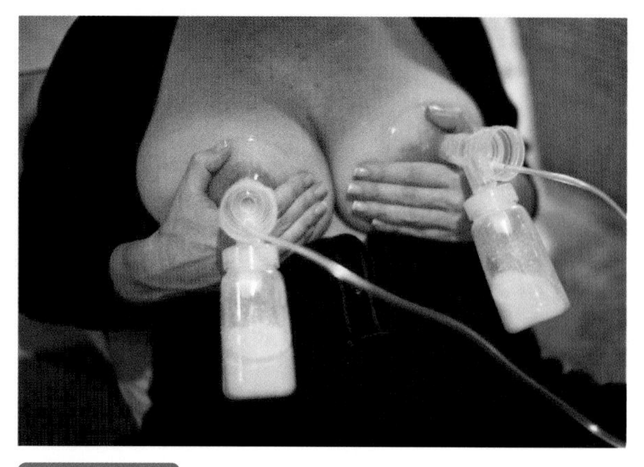

FIGURE 18.12
Tirage des deux seins

Le lait maternel ne doit jamais être décongelé ou chauffé dans un four à micro-ondes. Celui-ci ne chauffe pas les aliments également et peut causer l'emprisonnement de bulles bouillantes au centre du liquide. Ces bulles peuvent ne pas être détectées au moment de la vérification de la température de quelques gouttes de lait. Des nourrissons ont subi de graves brûlures à la bouche, à la gorge et au tube digestif supérieur après avoir bu du lait chauffé aux micro-ondes. De plus, la cuisson au four à micro-ondes (de 72 à 98 °C) détruit considérablement les facteurs anti-infectieux et la vitamine C. La sûreté de la cuisson au micro-ondes à basse température reste à démontrer (Lawrence & Lawrence, 2005).

Types de tire-lait Il existe de nombreux types de tire-lait dont le prix et l'efficacité varient. Avant d'acheter ou de louer un tire-lait, il peut être utile à la mère de demander l'aide d'une infirmière ou d'une consultante en lactation pour déterminer le type d'appareil qui répond le mieux à ses besoins. La collerette (dispositif en entonnoir qui s'adapte au mamelon ou à l'aréole) doit bien s'adapter au mamelon pour prévenir la douleur et les lésions de celui-ci et la diminution possible de la production de lait (INSPQ, 2011). Il faut conseiller à la femme de régler le tire-lait électrique à la plus faible succion et d'augmenter graduellement celle-ci au besoin. Le massage des seins avant et pendant le tirage peut augmenter la quantité de lait obtenue (Mannel, 2008).

Les tire-lait manuels sont moins chers et conviennent à la femme qui veut un dispositif portable et silencieux. Ces tire-lait sont le plus souvent utilisés par des femmes qui tirent leur lait occasionnellement **FIGURE 18.13**.

Les tire-lait électriques universels, ou à usage hospitalier, reproduisent le plus fidèlement la succion et la pression d'un nouveau-né qui tète. Ils sont particulièrement appropriés quand l'allaitement est retardé après l'accouchement (p. ex., si le nouveau-né est prématuré ou malade) ou quand la mère et le nouveau-né sont séparés pendant de longues périodes. Puisque les tire-lait à usage hospitalier sont très lourds et coûtent cher, on peut louer des versions portables pour l'utilisation domestique.

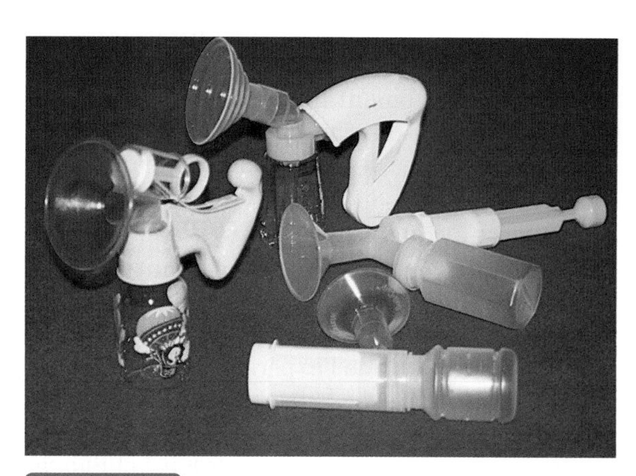

FIGURE 18.13
Tire-lait manuels

Les tire-lait électriques doubles à cycle automatique sont efficaces et faciles à utiliser. Ils sont principalement conçus pour les femmes qui travaillent. Certains de ces appareils sont vendus avec des sacs de transport avec glacière pour conserver le lait exprimé.

Il existe aussi de plus petits tire-lait électriques ou à piles. Ils sont généralement utilisés pour le tirage occasionnel, mais certains modèles conviennent aux femmes qui travaillent ou qui tirent régulièrement leur lait.

Conservation du lait maternel

Un contenant adéquat pour la conservation à long terme du lait maternel doit être rigide, par exemple en plastique rigide ou en verre, et avoir un joint étanche. Pour la conservation à court terme (moins de 72 heures), un sac en plastique destiné à la conservation du lait maternel peut être utilisé en toute sécurité.

Pour un nouveau-né à terme et en bonne santé, le lait maternel fraîchement extrait peut être conservé sans danger à la température ambiante pendant huit heures et réfrigéré pendant cinq jours. Il peut être congelé pendant 6 mois au congélateur d'un réfrigérateur ayant une porte de congélateur séparée et pendant 12 mois dans un surgélateur. Les directives de conservation du lait pour les nouveau-nés hospitalisés sont plus strictes. Quand le lait est entreposé, le contenant doit être daté, et le plus vieux lait doit être utilisé en premier (Jones & Tully, 2006).

Pour décongeler le lait, la méthode idéale est de placer le contenant au réfrigérateur pour qu'il décongèle graduellement ou dans l'eau chaude, mais non brûlante (environ 37 °C) pour qu'il décongèle plus rapidement. Il ne faut surtout pas utiliser le micro-ondes pour décongeler le lait maternel ni les PCN. Le lait pourrait s'en trouver modifié ; de plus, le four à micro-ondes chauffe de façon inégale et souvent à des températures trop hautes et pourrait ainsi occasionner des brûlures (INSPQ, 2011). Ce lait ne peut pas être recongelé et doit être utilisé dans les 24 heures. Il faut agiter le lait décongelé pour mélanger les couches qui se sont séparées (ABM, 2004 ; Jones & Tully, 2006) **ENCADRÉ 18.8**.

Mère allaitante qui retourne au travail

Bien que le retour au travail soit la raison courante d'un sevrage précoce, de nombreuses femmes arrivent à combiner avec succès l'allaitement maternel et leur emploi, leurs études ou d'autres occupations.

Guide d'enseignement

ENCADRÉ 18.8 **Directives de conservation du lait maternel pour l'utilisation domestique**

- Procédez à l'hygiène des mains avant d'exprimer ou de tirer le lait maternel.
- Lavez les contenants de conservation du lait dans de l'eau chaude savonneuse et bien les rincer. Vous pouvez aussi les mettre au lave-vaisselle. Si l'eau n'est pas propre, faites bouillir les contenants après le lavage. Des sacs en plastique conçus spécialement pour la conservation du lait maternel peuvent être utilisés pour la conservation à court terme (moins de 72 heures).
- Notez la date d'expression sur le contenant avant l'entreposage. Utilisez une étiquette à l'épreuve de l'eau.
- Entreposez le lait en portions de 60 à 120 ml pour éviter le gaspillage.
- Entreposez le lait maternel au réfrigérateur ou au congélateur (il est possible de l'entreposer avec d'autres aliments).
- Placez les contenants de lait maternel au centre ou à l'arrière du réfrigérateur ou du congélateur et non dans la porte.
- Remplissez seulement aux trois quarts un contenant qui sera congelé afin de laisser de l'espace pour l'expansion du liquide au haut du contenant.
- Pour décongeler graduellement le lait maternel, placez le contenant au réfrigérateur. Pour une décongélation plus rapide, placez-le sous l'eau chaude courante. Ne le faites jamais bouillir ou ne le mettez jamais au four à micro-ondes.
- Conservez le lait décongelé au réfrigérateur pendant 24 heures au maximum.
- Ne recongelez jamais le lait maternel décongelé.
- Agitez le contenant de lait avant de nourrir le nouveau-né et vérifiez la température du lait sur l'intérieur du poignet.
- Jetez tout lait inutilisé qui reste dans le biberon après l'allaitement.

DIRECTIVES DE CONSERVATION DU LAIT MATERNEL

MÉTHODE	NOUVEAU-NÉ EN BONNE SANTÉ	NOUVEAU-NÉ HOSPITALISÉ
Température ambiante (25 °C)	< 6 heures	< 4 heures
Réfrigérateur (4 °C)	< 8 jours	< 8 jours
Congélateur d'un réfrigérateur à une porte	2 semaines	Non recommandé
Congélateur d'un réfrigérateur à deux portes (−5 °C) (pas dans la porte)	< 6 mois	< 3 mois
Surgélateur (−20 °C)	< 12 mois	< 6 mois

Source : Adapté de Jones & Tully (2006).

La production de lait peut être perturbée par des tétées omises. L'organisme de certaines femmes adapte la production de lait en fonction des périodes où elles sont avec leur nourrisson pour l'allaitement, tandis que d'autres mères doivent tirer leur lait pour éviter la diminution rapide de leur production.

Les femmes qui retournent au travail ont souvent de la difficulté à poursuivre l'allaitement, en raison par exemple d'horaires de travail peu adaptables, de pauses trop courtes pour permettre le tirage du lait ainsi que du manque d'intimité, d'espace et de soutien de la part des superviseurs ou des collègues. Un nombre croissant de femmes travaillent à la maison et peuvent reprendre leurs activités professionnelles avant la fin du congé de maternité prévu. Il peut aussi être difficile de concilier l'allaitement continu et le travail en raison de la fatigue, des questions relatives à la garde de l'enfant, d'autres exigences et des responsabilités ménagères (Walker, 2006).

Les femmes qui travaillent peuvent continuer à allaiter grâce à des conseils et un soutien appropriés. Elles doivent être encouragées à établir des objectifs réalistes de travail et d'allaitement et être bien informées des avantages, des inconvénients et des risques des diverses méthodes d'allaitement. Puisque les femmes occupent une place importante sur le marché du travail, de nombreuses entreprises prévoient le retour au travail des mères qui allaitent leur nourrisson. Plusieurs lieux de travail et campus offrent maintenant des salles d'allaitement qui combinent l'espace et l'intimité nécessaires au tirage du lait. Dans certains cas, les mères qui allaitent peuvent amener leur nourrisson au travail.

Allaitement en public

Au Canada, les mères ont le droit d'allaiter en public. Ce droit est protégé par la *Charte canadienne des droits et libertés* (Partie I, art. 15 et 28). La Cour suprême du Canada ainsi que d'autres instances juridiques ont déjà statué en faveur de l'allaitement maternel. Il existe déjà une jurisprudence à ce sujet. Pour l'instant, seules la Colombie-Britannique et l'Ontario détaillent précisément les droits des mères qui allaitent dans leurs lois provinciales. Toutefois, la Charte des droits et libertés de la personne est très claire : la discrimination est interdite, quelle que soit la situation, et cette discrimination fondée sur le sexe est illégale (Charte des droits et libertés de la personne, L.R.Q., c. C-12, art. 4, 10 et 15).

Sevrage

Le sevrage commence quand on donne au nourrisson des aliments autres que le lait maternel, et il se termine avec le dernier allaitement. Le sevrage graduel, qui s'étend sur des semaines ou des mois, est plus facile pour la mère et l'enfant que le sevrage brusque. Celui-ci risque d'être difficile pour les deux et de s'avérer physiquement désagréable pour la mère.

Le sevrage peut être amorcé par la mère ou l'enfant. Dans ce dernier cas, l'enfant omet des tétées à son propre rythme, ce qui permet généralement la diminution graduelle de la production de lait maternel. Dans le sevrage amorcé par la mère, celle-ci choisit les tétées à omettre. Cela se fait plus facilement en sautant l'allaitement pour lequel le nourrisson a le moins d'intérêt ou celui où il est le plus susceptible de dormir. À une fréquence de quelques jours, elle omet ensuite une autre tétée et ainsi de suite jusqu'à ce que le nourrisson soit graduellement sevré.

Un nourrisson peut être sevré directement du sein au verre. On offre généralement le biberon à un nourrisson de moins de six mois. Si le nourrisson est sevré avant l'âge de un an, il faut lui donner une PCN plutôt que du lait de vache.

Un sevrage brusque peut être nécessaire, mais il cause souvent un engorgement mammaire. Pour soulager la douleur, la mère peut prendre un analgésique léger, porter un soutien-gorge spécial, appliquer de la glace ou des feuilles de chou sur ses seins et se tirer de petites quantités de lait au besoin. Les experts recommandent d'éviter le tirage du lait, car les seins doivent rester assez pleins pour favoriser une diminution de la production de lait.

Le sevrage représente souvent une période chargée d'émotions pour la mère. De nombreuses femmes sentent que le sevrage est la fin d'une relation spéciale et satisfaisante avec leur nourrisson et ont besoin de temps pour s'adapter à ces changements. Un sevrage brusque peut provoquer chez la mère un sentiment de culpabilité et de déception. Certaines femmes vivent une période de deuil après le sevrage. Les infirmières et d'autres personnes de soutien peuvent aider la mère en discutant avec elle d'autres façons de continuer cette relation intime avec son enfant, par exemple en ayant un contact peau à peau pendant qu'elle lui donne le biberon ou le tient dans ses bras et le berce. Le soutien du père de l'enfant et d'autres membres de la famille est essentiel pendant cette période.

Banques de lait

Les banques de lait maternel sont très importantes pour les nourrissons qui ne peuvent être alimentés au sein, mais dont la survie dépend du lait maternel. En raison des propriétés anti-infectieuses, stimulatrices de croissance et hautement nutritives du lait maternel, on utilise le lait de mères donneuses dans de nombreuses unités néonatales de soins intensifs pour des nouveau-nés prématurés ou malades quand le lait de leur mère n'est pas disponible. Le lait de mères donneuses est aussi utilisé comme agent thérapeutique pour divers troubles médicaux, par exemple pour des personnes qui ont reçu une greffe et qui sont immunodéprimées.

Un sevrage brusque peut provoquer chez la mère un sentiment de culpabilité et de déception.

Les directives suivies par les banques de lait maternel peuvent être consultées sur le site de la HMBANA au www.hmbana.org.

La Human Milk Banking Association of North America (HMBANA) a établi des directives pour les activités des banques de lait maternel qui sont revues chaque année. Les banques de lait maternel recueillent, examinent (dépistage), traitent et distribuent le lait de mères donneuses qui allaitent leur propre nourrisson et se tirent quelques millilitres supplémentaires de lait chaque jour pour en faire don à une banque. Toutes les donneuses font l'objet d'un dépistage, qui est effectué grâce à une entrevue et à des analyses sérologiques afin de détecter des maladies transmissibles. Le lait donné est gardé congelé jusqu'à ce qu'il subisse un traitement thermique permettant de détruire les agents pathogènes potentiels. Il est ensuite recongelé et conservé jusqu'à ce qu'il soit distribué pour être utilisé. Le traitement thermique offre au receveur de lait maternel une protection qu'il est impossible d'offrir à un receveur de tissu ou d'organe. Le lait donné est administré seulement sur ordonnance. La banque demande un certain montant par millilitre de lait pour payer les coûts de traitement, mais les directives de la HMBANA interdisent de rémunérer les mères donneuses.

À ce jour, 11 banques de lait de donneuses font partie de la HMBANA, qui traite plus de 30 millions de millilitres de lait par année. En Amérique du Nord, les banques de lait ont vu le jour en 1919 à Boston, aux États-Unis. Elles ont continué d'exister jusque dans les années 1980, lorsque de nombreuses banques ont dû fermer par crainte de la transmission du VIH. Au Canada, pour l'instant, la seule banque se trouve à Vancouver, en Colombie-Britannique. Elle ne peut répondre aux besoins de tous les nouveau-nés prématurés du Canada. C'est pourquoi la Société canadienne de pédiatrie recommande la création de banques de lait maternel au Canada (Kim & Unger, 2010). Héma-Québec a récemment lancé une étude pour évaluer la faisabilité d'un tel projet au Québec (Héma-Québec, 2010).

18.7.9 Autosoins de la mère allaitante

Alimentation

En général, une femme qui allaite doit avoir une alimentation saine et équilibrée qui compte de 300 à 400 calories quotidiennes de plus que normalement (Santé Canada, 2009). Selon Otten, Pitzi Hellwig & Meyers (2006), les besoins énergétiques estimatifs d'une femme qui allaite sont de 2 230 kcal par jour pour les femmes de 19 à 30 ans, de 2 130 kcal par jour pour les femmes de 31 à 50 ans pendant les 6 premiers mois de l'allaitement et de respectivement 2 300 kcal par jour, puis de 2 200 kcal par jour pendant les 6 mois suivants (Santé Canada, 2009). Même avec cet apport calorique accru, la femme qui allaite perd généralement du poids plus rapidement que celle qui nourrit son nourrisson avec une PCN (Becker & Scott, 2008). L'allaitement facilite la perte de poids chez la mère parce qu'il puise dans les réserves de gras accumulé durant la grossesse. La perte de poids, environ 1 kg par mois, sera lente, mais continue (ASPC, 2009a ; Comité canadien pour l'allaitement, 2009).

On ne connaît aucun aliment particulier qu'une femme qui allaite doit consommer ou éviter. Il est toutefois préférable que les mères qui allaitent limitent leur consommation de caféine (notamment le café, le thé et le chocolat) et d'alcool (AIIAO, 2006). La plupart des femmes peuvent avoir une alimentation normale qui respecte leurs préférences et leurs pratiques culturelles. Idéalement, elles doivent avoir une alimentation équilibrée et riche en éléments nutritifs qui contient suffisamment de calcium, de minéraux et de vitamines liposolubles. Il est possible qu'on leur recommande de continuer à prendre les vitamines qu'elles prenaient avant leur accouchement tant qu'elles allaitent. Les femmes qui allaitent ont généralement besoin de plus de vitamine A, de vitamine C et de zinc. Leurs besoins en fer sont toutefois inférieurs à ceux des femmes enceintes (IOM, 2006).

Il faut encourager la mère à boire pour étancher sa soif, mais la consommation d'eau n'augmente pas la production de lait. De plus, il n'est pas nécessaire que la mère boive du lait pour en produire.

Perte de poids

Les médicaments ou les régimes qui favorisent la perte de poids ne sont pas recommandés pour la mère allaitante. De nombreuses femmes subissent une perte de poids graduelle pendant l'allaitement, car elles puisent dans les réserves de matières grasses emmagasinées pendant leur grossesse. Cela peut être un argument incitatif supplémentaire pour l'allaitement maternel. Une perte de poids importante et rapide peut avoir des effets néfastes puisque les contaminants liposolubles auxquels la mère a été exposée sont emmagasinés dans ses réserves de graisses corporelles et peuvent être libérés dans son lait. La perte de poids peut aussi entraîner une diminution de la production de lait. Pour la plupart des femmes, une perte de poids de 1 à 2 kg par mois est sans danger. Si elle devient plus importante, on recommande une évaluation détaillée du poids du nourrisson et de ses habitudes d'alimentation (Lawrence & Lawrence, 2005).

Repos

La mère qui allaite doit se reposer le plus possible, surtout au cours de la semaine ou des deux semaines qui suivent l'accouchement. La fatigue, le stress et les préoccupations peuvent perturber la production et l'éjection de lait. L'infirmière peut encourager la mère à dormir quand son nouveau-né fait la sieste. L'allaitement en position couchée sur le côté favorise aussi le repos. Le père, les grands-parents ou d'autres proches et des amis peuvent aider à effectuer les tâches domestiques et à s'occuper des autres enfants.

Soins des seins

Les habitudes normales d'hygiène corporelle suffisent pour maintenir la propreté des seins d'une femme qui allaite. Il est préférable de ne pas savonner les mamelons puisque le savon peut les assécher.

Les crèmes ou les onguents ne sont pas conseillés. Ils ne doivent pas être utilisés de façon régulière, car ils peuvent empêcher la sécrétion d'huile naturelle par les glandes de Montgomery sur l'aréole. La lanoline modifiée à teneur réduite en allergènes peut être utilisée sans danger sur des mamelons secs ou endoloris. Elle peut favoriser la cicatrisation en milieu humide. Puisque la lanoline est un produit de la laine, les femmes allergiques à celle-ci ne doivent pas l'utiliser. Elle est aussi contre-indiquée en cas de douleur aux mamelons possiblement due à une candidose.

La mère qui a des mamelons plats ou inversés peut porter des coquilles d'allaitement dans son soutien-gorge. Ces dispositifs en plastique rigide exercent une légère pression autour de la base des mamelons pour permettre l'éversion de ceux-ci. La femme peut commencer à les porter au cours de son dernier mois de grossesse. Ces coquilles empêchent également le contact entre les mamelons endoloris et le soutien-gorge ou les vêtements **FIGURE 18.14**.

Si une femme a besoin d'un soutien mammaire, elle sera probablement inconfortable si elle ne porte pas de soutien-gorge, car le ligament qui supporte les seins (le ligament de Cooper) s'étirera et sera

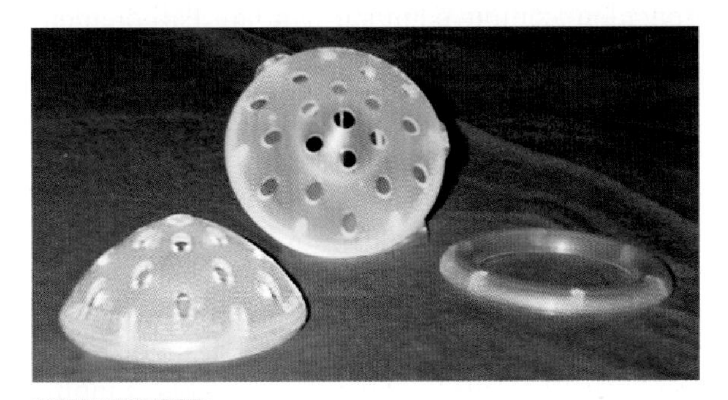

FIGURE 18.14
Coquilles d'allaitement

RAPPELEZ-VOUS...

Les femmes qui allaitent devraient consommer chaque jour deux ou trois portions de plus que ce qui est suggéré dans le *Guide alimentaire canadien* pour combler leurs besoins en énergie et nutriments.

douloureux. Le soutien-gorge doit être bien ajusté et offrir un soutien non contraignant. Un soutien-gorge mal ajusté ou avec armature pourrait causer l'engorgement des canaux galactophores.

Si l'écoulement de lait entre les allaitements pose un problème, la femme peut porter des coussinets pour sein (jetables ou lavables) à l'intérieur de son soutien-gorge. Les coussinets en papier ou en coton sont préférables aux coussinets doublés en plastique parce que ces derniers emprisonnent l'humidité et peuvent rendre les seins douloureux et plus vulnérables aux gerçures.

Sensations sexuelles

Certaines femmes ressentent des contractions utérines rythmiques pendant l'allaitement. De telles sensations ne sont pas rares, car les contractions utérines et l'éjection du lait sont toutes deux déclenchées par l'ocytocine. Toutefois, elles peuvent surprendre certaines femmes qui trouvent qu'elles ressemblent à un orgasme.

Allaitement et contraception

L'allaitement retarde le retour de l'ovulation et des menstruations, mais l'ovulation peut se produire avant les premières menstruations postnatales. Les méthodes contraceptives qui sont le moins susceptibles de perturber la lactation sont les méthodes barrières (diaphragmes et capes cervicales, spermicides, condoms) et les dispositifs intra-utérins. Les contraceptifs hormonaux, notamment les pilules contraceptives, les contraceptifs injectables et les implants, peuvent réduire la production de lait. Ces contraceptifs doivent être évités pendant les six premières semaines postnatales. Ils sont aussi déconseillés si la femme a une faible production de lait, a des antécédents d'échec de lactation, de chirurgie mammaire, de naissances multiples ou de naissance prématurée et si la santé de la mère ou du nourrisson est compromise (ABM Protocol Committee, 2006). Si des contraceptifs hormonaux sont utilisés, les pilules ou les injections contraceptives contenant uniquement des progestatifs (Depo-Provera^MD) sont moins susceptibles de perturber la production de lait que d'autres contraceptifs hormonaux. L'implant à étonogestrel (Implanon^MD) est considéré comme étant sûr pendant l'allaitement (Hohmann & Creinin, 2007). La méthode de l'allaitement maternel et de l'aménorrhée est une méthode naturelle d'espacement des naissances qui ne perturbe pas l'allaitement et qui est efficace à 98,5 % lorsque les critères d'utilisation sont respectés (Seréna Québec, 2008).

Allaitement pendant la grossesse

Une femme qui allaite peut concevoir un enfant et continuer d'allaiter pendant la grossesse à moins d'une contre-indication médicale (p. ex., un risque de travail prématuré). Une femme enceinte qui allaite doit porter une attention particulière à son alimentation afin d'assurer la croissance normale du fœtus.

La sensibilité des mamelons au début de la grossesse peut causer des malaises pendant l'allaitement. De plus, le goût et la composition du lait maternel sont modifiés pendant la grossesse, ce qui peut inciter certains nourrissons à se sevrer eux-mêmes. La production de lait peut diminuer vers le quatrième ou le cinquième mois de grossesse (Lauwers & Swisher, 2005).

À la naissance du nouveau-né, il y a une production de colostrum. L'allaitement d'un nouveau-né et d'un nourrisson plus âgé est appelé **allaitement en tandem**. L'infirmière doit rappeler à la mère de toujours nourrir le nouveau-né en premier pour s'assurer qu'il reçoit une alimentation adéquate. Le principe de production en fonction de la demande fonctionne dans cette situation, comme dans le cas de l'allaitement de multiples nourrissons.

Médicaments, autres substances et allaitement

Malgré les nombreuses inquiétudes qui existent au sujet de la compatibilité des médicaments et de l'allaitement, peu de médicaments sont formellement contre-indiqués pendant celui-ci **TABLEAU 18.4**. Les facteurs à considérer au moment de l'évaluation de la sûreté d'un médicament particulier pendant l'allaitement sont entre autres la pharmacocinétique du médicament dans l'organisme maternel, son absorption, son métabolisme, sa distribution et sa mise en réserve dans l'organisme du nourrisson ainsi que son excrétion par celui-ci. L'âge gestationnel, l'âge chronologique et le poids corporel de l'enfant ainsi que les habitudes d'allaitement doivent aussi être pris en compte. Il faut avertir la femme qui allaite d'éviter tout médicament, sauf ceux qui sont jugés essentiels, et de consulter son médecin avant de prendre quelque médicament que ce soit. Si une mère qui allaite prend un médicament qui a un effet suspect sur le nourrisson, on lui conseille de prendre le médicament tout de suite après la tétée ou quand elle pense que celui-ci va s'endormir pour une longue période. Il existe de la documentation présentant de l'information détaillée sur les médicaments et l'allaitement (Hale, 2008).

La consommation d'alcool n'est pas recommandée pour la femme qui allaite. Toutefois, si elle décide d'en consommer, elle peut en réduire les effets en se limitant à un seul verre et en attendant deux heures après avoir bu pour allaiter son nourrisson. La mère qui tire son lait pour un enfant malade ou prématuré doit éviter l'alcool complètement jusqu'à ce que celui-ci soit en bonne santé (Lawrence & Lawrence, 2005).

Le tabagisme peut perturber la production de lait. De plus, il expose le nourrisson aux risques de la fumée secondaire. Que la mère fume ou qu'elle porte un timbre de nicotine, cette substance est transférée par le lait maternel au nourrisson, mais son effet sur celui-ci n'est pas bien connu. Il faut conseiller à la mère fumeuse qui allaite d'attendre deux heures après avoir fumé avant de nourrir son enfant et de ne jamais fumer quand elle est dans la même pièce que lui.

L'ingestion de caféine peut être liée à la diminution de la concentration en fer du lait et à l'anémie subséquente du nourrisson. La caféine ingérée par la mère peut rendre ce dernier irritable et perturber ses habitudes de sommeil. La consommation de deux portions de caféine par jour ne cause aucun effet fâcheux à la plupart des femmes. Toutefois, certains nourrissons sont sensibles à de petites quantités de caféine. Dans ce cas, la mère devrait limiter sa consommation. La caféine est présente dans le café, le thé, le chocolat et de nombreuses boissons gazeuses.

Les plantes médicinales et les tisanes sont de plus en plus utilisées pendant l'allaitement. Bien que certaines plantes soient considérées comme étant sans danger, d'autres contiennent des composés dont l'action pharmacologique peut avoir des effets indésirables. La collecte des antécédents détaillés de la mère doit inclure l'utilisation de tout remède à base de plante médicinale. Chaque remède doit ensuite faire l'objet d'une évaluation permettant de vérifier sa compatibilité avec l'allaitement.

Contaminants de l'environnement

Le lait maternel est souvent utilisé pour mesurer l'exposition d'une communauté à des contaminants de l'environnement parce qu'il y a une corrélation étroite entre les concentrations de contaminants dans le lait et celles présentes dans les réserves de graisse. Sauf dans des situations exceptionnelles, l'allaitement n'est pas contre-indiqué en raison de l'exposition à des contaminants de l'environnement tels que le dichlorodiphényltrichloroéthane (DDT, un insecticide) et le tétrachloroéthylène (utilisé dans les établissements de nettoyage à sec) (Lawrence & Lawrence, 2005).

18.7.10 Préoccupations courantes de la mère allaitante

La mère qui allaite peut souffrir de certains troubles courants. Ces complications sont la plupart du temps évitables si la mère possède des connaissances appropriées sur l'allaitement. La détection précoce et la résolution rapide de ces problèmes sont importantes pour prévenir l'interruption de l'allaitement et pour favoriser le confort et le bien-être de la mère. Le soutien émotionnel de l'infirmière ou de la consultante en lactation est essentiel pour soulager la frustration et l'anxiété de la mère et pour prévenir l'arrêt précoce de l'allaitement.

Engorgement

L'**engorgement mammaire** est une réaction courante des seins à un changement hormonal soudain et au début d'une augmentation importante du volume de lait. Il se produit généralement de 3 à 5 jours après l'accouchement, pendant la montée de lait, et il dure environ 24 heures. La circulation sanguine vers les seins augmente et cause l'enflure des tissus entourant les canaux galactophores. Ceux-ci peuvent être comprimés, ce qui peut empêcher l'écoulement du lait. Les seins sont fermes, sensibles et chauds et peuvent sembler brillants et tendus. Les aréoles sont fermes, et les mamelons peuvent être aplatis, ce qui rend difficile la prise du sein par le nouveau-né. Puisque la contre-pression exercée sur les glandes mammaires pleines inhibe la production de lait, celle-ci peut diminuer si le lait n'est pas extrait.

Engorgement mammaire : Enflure douloureuse du tissu mammaire due à une augmentation rapide de la production de lait et à la congestion veineuse causant l'œdème du tissu interstitiel. L'écoulement insuffisant de lait cause l'accumulation de celui-ci dans les seins ; se produit généralement entre le troisième et le cinquième jour après la naissance ou dans le cas d'un sevrage brusque.

L'engorgement, quand il se produit, est temporaire et se règle généralement en 24 heures. On conseille à la mère de nourrir son nouveau-né toutes les deux heures, pour ramollir au moins un sein, et de tirer le lait de l'autre sein au besoin pour le ramollir. Le tirage du lait pendant l'engorgement ne causera pas d'augmentation problématique de la production de lait.

On peut obtenir de l'information sur les propriétés actives des plantes médicinales auprès du Centre antipoison du Québec : 1 800 463-5060.

En raison de l'enflure du tissu mammaire entourant les canaux galactophores, on recommande l'application de glace pendant 15 à 20 minutes, suivie d'une pause de 45 minutes et ainsi de suite entre les tétées. La glace doit couvrir les deux seins. De grands sacs de pois ou de maïs congelés sont pratiques à cette fin et peuvent être recongelés entre les utilisations.

L'annexe 18.1W, *Approche complémentaire pour aider à réduire l'enflure des seins,* présente des techniques alternatives pour aider à atténuer ce problème.

Les anti-inflammatoires, tels que l'ibuprofène, peuvent réduire la douleur et l'enflure associées à l'engorgement. L'ibuprofène aide aussi à réduire la fièvre souvent associée à l'engorgement.

Puisque la chaleur augmente la circulation sanguine, l'application de chaleur sur des seins déjà engorgés produit généralement l'inverse du but recherché. Occasionnellement, toutefois, une douche chaude peut provoquer l'écoulement de lait ou la mère peut être capable de se tirer manuellement assez de lait pour ramollir suffisamment l'aréole et permettre au nouveau-né de prendre le sein et de se nourrir.

Seins douloureux

Une légère sensibilité des mamelons pendant les premiers jours de l'allaitement est courante. Une douleur grave ou de l'irritation, des gerçures ou des saignements des mamelons ne sont toutefois pas normaux ; la cause est le plus souvent une mauvaise position d'allaitement, une mise au sein incorrecte, une succion inadéquate ou une candidose. Une douleur grave aux mamelons peut être due à un vasospasme ou au syndrome de Raynaud (Walker, 2008b). La meilleure façon de prévenir la douleur aux mamelons consiste à adopter une technique d'allaitement appropriée. La restriction du temps d'allaitement ne prévient pas la douleur aux mamelons.

Dans les jours qui suivent l'accouchement, la mère peut éprouver de la sensibilité aux tétées initiales du nouveau-né, qui devrait disparaître rapidement quand le lait commence à couler et agit comme lubrifiant. Pour rendre les premières tétées moins douloureuses, la mère peut extraire quelques gouttes de colostrum ou de lait afin de mouiller le mamelon et l'aréole avant l'allaitement. Si elle a encore mal au mamelon après les premières succions, il faut l'aider à évaluer la mise au sein et la position du nouveau-né. Si la douleur persiste, la mère doit arrêter la succion en plaçant un doigt dans la bouche du nouveau-né et retirer celui-ci de son sein. La modification de la position de la mère ou du nouveau-né peut soulager les douleurs aux mamelons. La mère doit ensuite essayer à nouveau la mise au sein en s'assurant que la bouche du nouveau-né est grande ouverte avant de le placer rapidement sur son sein **FIGURE 18.8**. Une mise au sein faite avant que le nouveau-né ait la bouche grande ouverte cause souvent la douleur aux mamelons.

L'infirmière ou la consultante en lactation peut évaluer la succion du nouveau-né en insérant un doigt ganté propre dans sa bouche et en stimulant sa succion. Si la langue ne dépasse pas la gencive inférieure et que la mère mentionne une douleur ou un pincement pendant la tétée, le nouveau-né peut souffrir d'ankyloglossie, une affection caractérisée par un frein lingual trop court ou trop rigide. Cette affection est parfois corrigée par une chirurgie qui dégage la langue et qui permet un allaitement moins douloureux et plus efficace (Dollberg, Botzer, Grunis & Mimouni, 2006).

Le traitement des mamelons douloureux consiste d'abord à éliminer la cause. L'évaluation et l'intervention précoces sont essentielles pour favoriser la continuation de l'allaitement. Quand le problème est déterminé et corrigé, les mamelons devraient guérir en quelques jours, même si le nouveau-né est allaité régulièrement. On conseille à la femme de commencer l'allaitement avec le sein le moins douloureux. Après l'allaitement, elle doit se laver les mamelons à l'eau pour enlever la salive du nouveau-né. Elle peut s'extraire quelques gouttes de lait, les appliquer sur le mamelon et laisser sécher à l'air libre. Les mamelons douloureux doivent être exposés à l'air le plus possible. Les coquilles mammaires portées dans le soutien-gorge permettent la circulation d'air tout en empêchant le contact entre les mamelons douloureux et les vêtements.

La guérison rapide des mamelons douloureux est essentielle pour soulager les malaises de la mère, continuer l'allaitement et prévenir la mastite. Un grand nombre de crèmes, d'onguents et de gels sont utilisés pour traiter des mamelons douloureux, mais l'eau chaude, la lanoline purifiée et l'hydrogel sont les seuls traitements qui ont fait l'objet d'études et dont les effets ont été démontrés. La lanoline purifiée soulage la douleur en retenant l'humidité naturelle de la peau et en prévenant l'irritation. Elle doit être appliquée sur les mamelons après l'allaitement et n'a pas besoin d'être enlevée pour l'allaitement suivant. Les pansements hydrogel, faits de gel à la glycérine ou de polymère hydrophile à base de solution saline, aussi appliqués après l'allaitement, créent un milieu humide propice à la guérison. Une crème antibiotique peut être recommandée en cas de fissures, d'irritation ou de saignement, mais les mamelons doivent être lavés avant l'allaitement (Riordan, 2005).

Si les mamelons sont extrêmement douloureux ou irrités et si la mère ne peut tolérer l'allaitement, elle devra peut-être utiliser un tire-lait électrique pendant 24 à 48 heures pour favoriser la guérison avant de recommencer l'allaitement. Elle doit utiliser un tire-lait qui videra efficacement les seins **FIGURE 18.10**.

Candidoses

La douleur des mamelons qui apparaît après l'accouchement est souvent due à une infection à *Candida* (une levure). La mère mentionne généralement un début soudain de douleur et de sensibilité, de brûlements ou de picotements intenses des mamelons et peut ressentir des douleurs vives, des élancements ou des brûlements dans les seins pendant et après l'allaitement. Les seins ont une apparence quelque peu rosée et brillante ou peuvent être écailleux ou squameux ; une éruption cutanée, de petites ampoules ou du muguet peuvent aussi être visibles. La douleur est la plupart du temps beaucoup plus intense que ne le laisse croire l'apparence du mamelon. Les infections à levure des mamelons sont extrêmement douloureuses et peuvent provoquer l'arrêt précoce de l'allaitement si elles ne sont pas diagnostiquées et traitées rapidement.

Les nourrissons peuvent montrer ou non des symptômes de candidose. Le muguet oral et l'érythème fessier (rougeurs et boutons) sont des signes courants d'une infection à levure. Un nourrisson atteint est généralement très difficile ou irritable et a beaucoup de gaz. Il peut repousser le sein dès le début de la tétée en pleurant et en montrant des signes apparents de douleur.

Les facteurs prédisposants les plus courants des infections à levure des mamelons sont les infections vaginales à levure, l'utilisation antérieure d'antibiotiques et les lésions des mamelons. Le muguet oral du nourrisson est une cause courante de candidose des mamelons et des seins de la mère.

La mère et l'enfant doivent être traités en même temps, même si celui-ci ne montre pas de signes visibles d'infection. Le traitement type de la mère est une crème antifongique, telle que du miconazole, appliquée sur les mamelons après l'allaitement et, dans certains cas, un antifongique général, tel que le fluconazole, pris pendant environ deux semaines. Pour les nourrissons, la plupart des pédiatres prescrivent un antifongique oral, tel que la nystatine, le miconazole ou le fluconazole. Le traitement doit continuer pendant au moins sept jours après le début de l'amélioration des symptômes. Procéder à l'hygiène complète des mains est essentiel pour prévenir la propagation des levures (Walker, 2008b).

Obstruction des canaux galactophores

Un canal galactophore peut devenir obstrué ou engorgé et causer l'enflure et la sensibilité d'une région des seins. En général, cette région ne se vide pas ou ne ramollit pas pendant l'allaitement ou le tirage du lait. Une petite goutte blanche peut aussi être visible au bout du mamelon. Il s'agit du caillé qui bloque l'écoulement du lait. La mère n'a pas de fièvre ni de symptômes généralisés.

L'obstruction des canaux galactophores résulte le plus souvent d'un vidage inadéquat des seins, qui peut être dû à un vêtement trop serré, un soutien-gorge mal ajusté ou avec armature ou à l'utilisation constante de la même position d'allaitement. L'application d'une compresse chaude sur la région touchée et sur le mamelon avant l'allaitement favorise le vidage du sein et l'écoulement de l'obstruction. Une couche jetable trempée dans l'eau chaude fait une bonne compresse.

On recommande d'allaiter fréquemment le nouveau-né en lui donnant d'abord le sein atteint pour permettre un vidage plus complet. Il faut conseiller à la mère de masser la région touchée pendant que le nouveau-né tète ou qu'elle tire son lait. Pour libérer un canal obstrué, il peut être utile de prendre diverses positions d'allaitement et d'allaiter sans soutien-gorge.

L'obstruction des canaux galactophores peut accroître la susceptibilité à une infection mammaire. Si ce trouble est récurrent, la prise de lécithine, un agent émulsifiant des matières grasses, peut se révéler utile (Walker, 2008b).

Mastite

Bien que le terme mastite signifie « inflammation des glandes mammaires ou des seins », il est plus souvent utilisé pour désigner une infection des seins causée par une bactérie. La mastite se caractérise par l'apparition soudaine de symptômes semblables à ceux de la grippe, notamment de la fièvre, des frissons, des courbatures et des maux de tête. On note une douleur et une sensibilité localisées et une rougeur chaude sur les seins, souvent en pointe de tarte **FIGURE 18.15**. La mastite touche plus communément le quadrant supérieur externe de un sein ou des deux. La majorité des cas se produisent pendant les six premières semaines de l'allaitement, mais cette affection peut apparaître n'importe quand (ABM Protocol Committee, 2008).

Certains facteurs peuvent prédisposer une femme à la mastite. Le vidage inadéquat des seins est courant et peut être lié à l'engorgement, à l'obstruction des canaux galactophores, à la diminution soudaine du nombre d'allaitements, au sevrage soudain ou au port d'un soutien-gorge avec armature. Des mamelons douloureux et gercés peuvent causer une mastite en fournissant une porte d'entrée aux microorganismes responsables (le plus souvent *Staphylococcus*, *Streptococcus* et *Escherichia coli*). Le stress et la fatigue, la maladie de la mère ou d'un membre de la famille, une lésion aux seins et une mauvaise alimentation de la mère sont aussi des facteurs prédisposants à cette affection. Une femme qui souffre d'un diabète insulinodépendant peut présenter un risque accru de mastite (ABM Protocol Committee, 2008).

Il faut enseigner les signes de la mastite à la mère qui allaite avant le congé de l'hôpital et lui dire d'appeler immédiatement son professionnel de la santé en cas de symptômes. Le traitement comprend des antibiotiques tels que la céphalexine ou la dicloxacilline pendant une période de 10 à 14 jours et des analgésiques et antipyrétiques tels que l'ibuprofène. Il faut lui recommander de se reposer le plus possible et de nourrir son nouveau-né ou de tirer son lait fréquemment, en s'efforçant de vider adéquatement le côté atteint. L'application de compresses chaudes sur le sein avant l'allaitement ou le tirage du lait peut être utile. Il est important qu'une femme souffrant d'une mastite boive suffisamment de liquides et ait une alimentation équilibrée (ABM Protocol Committee, 2008).

Les complications de la mastite sont entre autres l'abcès, la mastite chronique ou l'infection fongique du sein. La plupart des complications peuvent être évitées par un diagnostic et un traitement précoces.

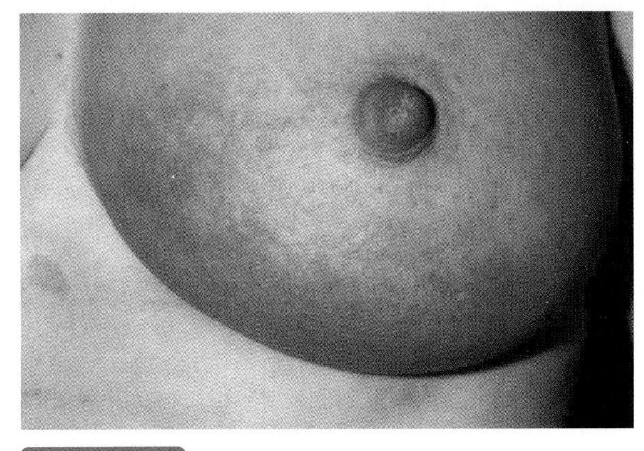

FIGURE 18.15
La mastite est une infection des seins causée par une bactérie.

18.7.11 Suivi après le congé de l'hôpital

Des troubles de mamelons douloureux, d'engorgement et d'ictère sont susceptibles de survenir après le congé de l'hôpital. Un des rôles de l'infirmière est d'éduquer et de préparer la mère aux difficultés qu'elle pourrait rencontrer à son retour à la maison. Il faut lui donner une liste de ressources de soutien concernant les problèmes courants de l'allaitement et des directives sur les situations où il est approprié de consulter. Les ressources communautaires pour les femmes qui allaitent sont entre autres les consultantes en allaitement des hôpitaux et des cliniques, les infirmières des cliniques de pédiatrie ou d'obstétrique, les infirmières des cliniques d'allaitement, les groupes de soutien tels que La Ligue La Leche et les marraines d'allaitement. On peut également donner aux parents une liste de sites Web qui présentent de l'information actuelle et exacte sur l'allaitement.

Un ou deux jours après le congé, un suivi téléphonique effectué par les infirmières de l'hôpital, de la maison de naissance ou d'une clinique peut aider à déterminer s'il y a des problèmes et permet d'offrir des conseils et un soutien. Un professionnel de la santé doit examiner le nouveau-né âgé de trois à cinq jours et ensuite de deux ou trois semaines afin d'évaluer son gain de poids et d'encourager la mère et lui offrir un soutien (AAP, 2005).

18.8 Alimentation avec des préparations commerciales

18.8.1 Enseignement aux parents

L'infirmière doit toujours respecter le choix des parents quant au mode d'alimentation de leur nouveau-né. Les parents qui choisissent de nourrir leur nouveau-né avec une PCN ont généralement besoin d'obtenir de l'information, des conseils et du soutien. Ils peuvent avoir besoin d'aide concernant l'utilisation et la préparation du lait, ainsi que sur la position à prendre pour tenir le nouveau-né pendant le boire. L'infirmière doit encourager les parents à prendre leur enfant dans leurs bras pour le nourrir et combler ses besoins de chaleur, de sécurité et d'affection.

Première alimentation

Idéalement, la première alimentation avec une PCN se fait peu de temps après la naissance, lorsque le nouveau-né présente des signes vitaux stables, une respiration efficace, des bruits intestinaux, un réflexe de succion active ainsi que les signes de faim préalablement décrits.

Fréquence de l'alimentation et quantité

Au cours de ses 24 à 48 premières heures de vie, le nouveau-né boit généralement de 10 à 15 ml de PCN par séance d'alimentation. Le volume ingéré augmente graduellement pendant sa première semaine. La plupart des nouveau-nés boivent de 90 à 150 ml de préparation par séance d'alimentation à la fin de la deuxième semaine ou avant. Le nouveau-né doit être nourri toutes les trois ou quatre heures au moins, même s'il faut le réveiller pour le faire. Des horaires d'alimentation rigides ne sont toutefois par recommandés. Si le nouveau-né a un gain de poids adéquat, on peut le laisser dormir la nuit et le nourrir seulement au réveil. La plupart des nouveau-nés ont besoin de 6 à 8 séances d'alimentation par 24 heures. À l'âge de trois ou quatre semaines, le nouveau-né a généralement des habitudes d'alimentation assez prévisibles. Un horaire d'alimentation arbitraire à des intervalles déterminés peut ne pas répondre à ses besoins, mais on peut généralement déplacer ses boires à des heures qui conviennent à la famille.

Les parents remarquent généralement une augmentation de l'appétit du nouveau-né vers l'âge de 7 à 10 jours, de 3 semaines, de 6 semaines, de 3 mois et de 6 mois. Ces augmentations de l'appétit correspondent à des poussées de croissance. Il faut augmenter d'environ 30 ml la quantité de préparation par séance d'alimentation pour répondre aux besoins de l'enfant à ces périodes.

Techniques d'alimentation

Les parents qui choisissent l'alimentation au biberon avec des PCN ont souvent besoin d'obtenir de l'information sur les techniques d'alimentation. Ils doivent toujours tenir le nouveau-né pendant le boire. Ils doivent s'asseoir confortablement et tenir le nouveau-né près d'eux dans une position semi-verticale en soutenant bien sa tête. La séance d'alimentation est une occasion de créer des liens avec le nouveau-né en le touchant, lui parlant, lui chantant des chansons ou en lui faisant la lecture. Les parents doivent voir l'alimentation comme un moment de relaxation et de tranquillité avec leur enfant.

On ne doit jamais appuyer un biberon sur un oreiller ou sur un autre objet et laisser le nouveau-né ainsi sans surveillance. Cette pratique présente des risques d'étouffement de l'enfant et le prive d'une interaction importante pendant l'alimentation. De plus, on a établi un lien entre cette façon de faire et la carie du biberon, ou carie des dents de lait, attribuable au contact continu des dents avec les glucides de la préparation quand le nouveau-né suce sporadiquement la tétine.

Le biberon doit être tenu de façon que la tétine se remplisse de liquide, mais que l'air du biberon n'y entre pas **FIGURE 18.16**. Si le nouveau-né s'endort, tourne la tête de côté ou arrête de téter, cela

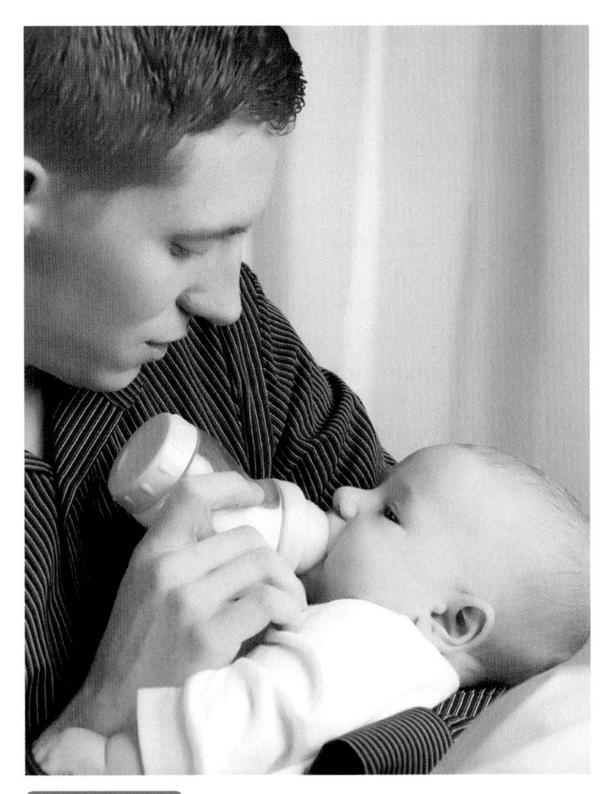

FIGURE 18.16
Un père nourrit son fils au biberon. Il donne un angle au biberon pour que le lait remplisse la tétine.

indique généralement qu'il est repu. Il faut enseigner aux parents à reconnaître ces signes et à éviter de suralimenter leur enfant, ce qui peut contribuer à l'obésité.

Puisque la plupart des nouveau-nés avalent de l'air quand ils sont nourris au biberon, il faut leur faire faire un rot plusieurs fois pendant une séance d'alimentation. On enseigne aux parents les diverses positions qu'ils peuvent utiliser pour faire faire le rot au nouveau-né **FIGURE 18.17**.

Préoccupations courantes

Les parents doivent savoir quoi faire si leur nouveau-né régurgite. Ils devront peut-être lui donner moins de nourriture ou des portions plus petites et plus fréquentes. Ils diminueront peut-être la régurgitation en lui faisant faire son rot plusieurs fois pendant une séance d'alimentation, par exemple quand il tète plus lentement ou arrête de téter. Ils peuvent aussi le tenir à la verticale pendant 30 minutes après l'avoir nourri et ne pas le faire sauter ou le coucher sur son abdomen quand il vient de boire. La régurgitation peut être due à une suralimentation ou être un symptôme de reflux gastro-œsophagien. Les parents doivent signaler au professionnel de la santé le vomissement de un tiers ou plus des aliments à la plupart des séances d'alimentation ou des vomissements en jet. Il faut avertir les parents de ne pas changer de PCN sans en parler à leur professionnel de a santé.

Biberons et tétines

On trouve diverses marques et divers types de biberons et de tétines dans le commerce. La plupart des nouveau-nés s'alimentent bien avec n'importe quel type de ceux-ci. Les biberons actuellement offerts sur le marché canadien ne contiennent pas de polycarbonate, un plastique dur et transparent qui peut libérer du bisphénol A au contact d'un liquide chaud ou bouillant. Le gouvernement canadien a interdit la vente et l'importation de biberons en polycarbonate afin de protéger la santé des nouveau-nés et des nourrissons, même s'il reconnaît que les quantités de bisphénol A libérées par ces biberons

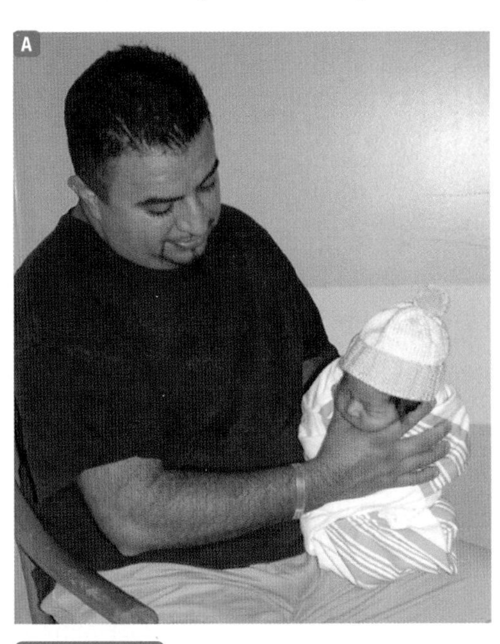

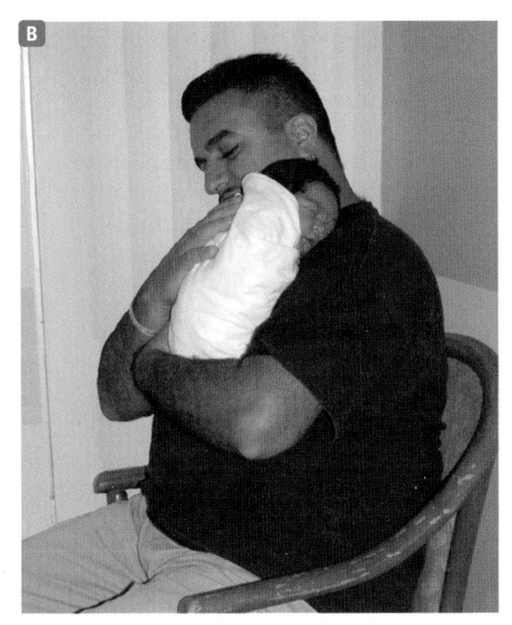

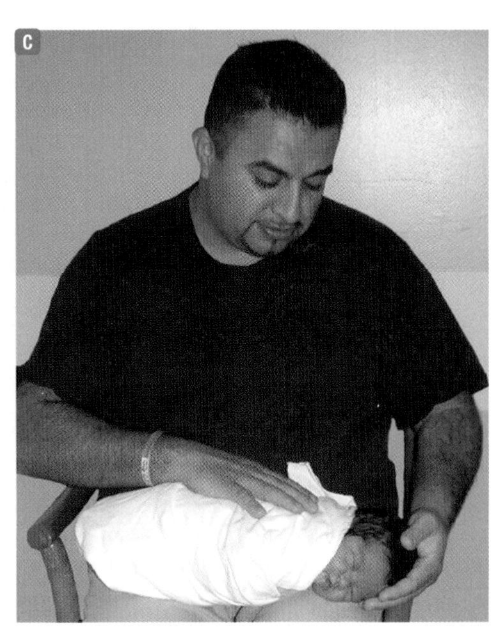

FIGURE 18.17
Positions pour faire faire le rot à un nouveau-né. A Assise. B Sur l'épaule. C Sur les genoux.

sont très petites et probablement insuffisantes pour nuire à la santé. Par conséquent, il est donc préférable de se procurer des biberons neufs et d'éviter l'utilisation de biberons usagés (INSPQ, 2011).

Après chaque boire, il faut rincer le biberon, la tétine et le capuchon à l'eau froide et s'assurer de faire passer l'eau dans le trou de la tétine pour enlever le surplus de lait. Les biberons et tétines doivent ensuite être lavés à l'eau chaude savonneuse, à l'aide d'une brosse spéciale afin de garantir un lavage complet. Il faut frotter soigneusement l'intérieur et l'extérieur du biberon et de la tétine et bien nettoyer les rainures qui vissent ensemble, tant sur l'anneau de plastique que sur le biberon (INSPQ, 2011). Il n'est pas nécessaire de les faire bouillir sauf si la qualité de l'eau utilisée est douteuse ou si le nourrisson a un muguet oral. Un biberon coudé peut être préférable à un biberon droit, car il favorise les positions physiologiques de l'enfant, améliore le degré de confort de celui-ci et réduit la nécessité du rot.

Choix de la préparation commerciale

Le lait maternel est l'aliment idéal du nouveau-né et du nourrisson. Les PCN sont conçues pour ressembler le plus possible au lait maternel, mais aucune ne l'imite parfaitement. La composition exacte d'une PCN varie selon le fabricant, mais toute préparation doit respecter des normes précises. Les PCN offertes sont toutes de qualité comparable.

Les nouveau-nés qui ne sont pas nourris au sein doivent être nourris avec des préparations enrichies en fer.

Les préparations du commerce sont faites à partir de lait de vache modifié de façon à offrir une valeur nutritive très semblable à celle du lait maternel. Les matières grasses sont enlevées, la teneur en protéines est réduite, et de l'huile végétale et des glucides sont ajoutés. On ajoute du lactosérum déminéralisé à certaines préparations à base de lait de vache pour leur donner un rapport lactosérum/caséine de 60:40. Les préparations standards à base de lait de vache, peu importe la marque de commerce, ont sensiblement la même teneur en vitamines, en minéraux, en protéines, en glucides et en acides aminés essentiels, mais présentent de légères variations, par exemple en ce qui a trait à la source de glucides, aux suppléments de nucléotides visant à améliorer la fonction immunitaire et aux suppléments d'acides gras polyinsaturés à longue chaîne, d'acide docosahexanoïque et d'acide arachidonique, qui sont censés améliorer les fonctions visuelles et cognitives. Au Canada, la composition, le traitement, l'emballage et l'étiquetage de toutes les préparations commerciales pour nourrissons sont régis par le Règlement sur les aliments et drogues (Ministère de la Justice du Canada, 2011). Les nutriments des PCN enrichies de fer répondent aux besoins nutritionnels des nourrissons nés à terme et en santé jusqu'à l'âge de 9 à 12 mois.

Quatre catégories principales de préparations pour nourrisson sont offertes dans le commerce.

1. Les préparations à base de protéines de lait de vache telles Enfamil[MD] et Similac[MD].
2. Les préparations à base de protéines de soya telle Isomil[MD]. Jusqu'à 20 % des nourrissons canadiens sont alimentés avec une préparation à base de soya probablement en raison d'une allergie manifeste ou présumée aux protéines de lait de vache. Les préparations de soya sont recommandées pour les nourrissons souffrant de galactosémie et de carence héréditaire en lactase ; elles peuvent aussi être utilisées pour ceux qui ont une déficience secondaire en lactase. Toutes les préparations de soya en vente au Canada sont enrichies de fer.
3. Les préparations sans lactose à base de protéines de lait de vache, telle Enfamil sans lactose[MD], conviennent aux nourrissons qui ont une intolérance au lactose. Ces préparations spéciales sont destinées aux nourrissons, peu nombreux, qui ne peuvent tolérer ni les préparations à base de protéines de lait de vache ni celles à base de protéines de soya. Ces nourrissons souffrent, le plus souvent, d'allergies alimentaires confirmées, d'intolérance aux glucides ou de syndrome de malabsorption.
4. Les préparations d'hydrolysat de protéines ; deux types de ces préparations sont offerts au Canada : les préparations partiellement hydrolysées (actuellement à base de lactosérum) telle Bon Départ[MD], destinées aux nourrissons prédisposés à l'atopie, et les préparations hydrolysées (actuellement à base de caséine) comme Alimentum[MD], destinées aux nourrissons qui ont une allergie confirmée aux protéines de lait de vache ou de soya. Les nourrissons qui ont des allergies à IgE confirmées dues au lait de vache doivent être alimentés avec une préparation de protéines bien hydrolysées parce que de 10 à 14 % des enfants intolérants aux préparations à base de lait de vache sont aussi allergiques aux protéines de soya. Il n'est pas prouvé que les préparations à base de protéines de soya sont efficaces contre les coliques ou dans la prévention des allergies du nourrisson en bonne santé ou à risque élevé (Société canadienne de pédiatrie *et al.*, 2005 ; Société canadienne de pédiatrie, 2009).

Les autres types de lait, tels le lait de chèvre, le lait écrémé ou à faible teneur en matières grasses, le lait condensé ou le lait cru non pasteurisé de toute source animale, ne doivent pas être donnés aux nourrissons, car ils ne permettent pas d'assurer leur croissance et peuvent contenir trop de protéines ou présenter un rapport calcium-phosphore inadéquat. De plus, puisque les nourrissons ont besoin de gras pour assurer le développement de leur cerveau, il est préférable de ne pas donner de lait à 2 % de matières grasses aux enfants avant l'âge de 2 ans. Enfin, les boissons enrichies à base de soya ne conviennent pas aux nourrissons. Elles sont incomplètes et très peu nutritives par rapport au lait maternel ou aux PCN (INSPQ, 2011).

Types de préparations commerciales et mode d'utilisation

Les préparations du commerce sont vendues sous trois formes : en poudre, concentrées et prêtes à servir. Toutes les formes sont équivalentes en matière de contenu nutritionnel, mais leur coût varie considérablement.

- Les préparations en poudre sont les moins coûteuses. Elles se préparent facilement en mélangeant un godet de poudre avec 60 ml d'eau.
- Les préparations liquides concentrées coûtent plus cher que celles en poudre. Elles doivent être diluées avec une quantité égale d'eau et peuvent être conservées au réfrigérateur pendant 48 heures après leur ouverture.
- Les préparations prêtes à servir sont les plus chères, mais les plus faciles à utiliser. On verse la quantité désirée dans le biberon. Une fois ouverte, la boîte peut être conservée au réfrigérateur pendant 48 heures. Ce type de préparation se vend en biberons individuels jetables très pratiques.

L'étiquette des PCN doit présenter des directives de préparation et d'utilisation du produit avec des images et des symboles destinés aux personnes qui ne peuvent pas lire. Certains fabricants traduisent les directives dans diverses langues, telles que l'espagnol, le vietnamien, le chinois et l'arabe, pour éviter les équivoques et les erreurs de préparation. Il est important de faire comprendre aux familles que les proportions des préparations ne doivent pas être modifiées, c'est-à-dire qu'il ne faut pas diluer le produit pour en obtenir une plus grande quantité ni le concentrer pour fournir plus de calories. Puisque les reins du nouveau-né sont immatures, une préparation trop concentrée peut procurer des quantités de protéines et de minéraux qui dépassent leur capacité d'excrétion. Au contraire, une préparation trop diluée (parfois pour épargner de l'argent) ne fournira pas suffisamment de calories au nouveau-né et ne permettra pas sa croissance adéquate. L'eau utilisée pour mélanger le produit en poudre ou concentré ne doit contenir aucun fluor, surtout au cours des six premiers mois. Une quantité excessive de fluor peut tacher les dents permanentes quand elles apparaîtront.

L'Organisation mondiale de la santé (OMS) recommande d'utiliser de l'eau bouillie ramenée à une température de 70 °C ou plus pour préparer les poudres. Même si elles sont différentes de celles du fabricant, il est préférable de suivre les recommandations de l'OMS. Les poudres ne sont pas stériles et peuvent contenir des bactéries ; ainsi, en ajoutant de l'eau très chaude à la poudre, les bactéries dangereuses pour le nourrisson seront détruites (INSPQ, 2011).

Si les conditions d'hygiène de la maison semblent incertaines, l'infirmière doit recommander l'utilisation d'une préparation prête à servir ou enseigner aux parents comment stériliser la préparation. Les deux méthodes traditionnelles de stérilisation sont la stérilisation finale et la méthode aseptique. La méthode de stérilisation finale consiste à placer la préparation dans les biberons, à mettre les tétines à l'envers sur les biberons et à les recouvrir d'un bouchon que l'on visse lâchement avec l'anneau. On fait alors bouillir les biberons ensemble dans l'eau pendant 25 minutes. La méthode aseptique consiste à faire bouillir séparément les biberons, les anneaux, les bouchons, les tétines et tout autre matériel nécessaire, tel qu'un entonnoir, et à verser ensuite la préparation dans les biberons. Toute préparation qui reste dans le biberon après la séance d'alimentation doit être jetée, car la salive du nourrisson s'est mélangée au produit **ENCADRÉ 18.9.**

Suppléments de vitamines et de minéraux

Une PCN enrichie de fer contient tous les nutriments nécessaires à un nourrisson pendant ses six premiers mois de vie. Après 6 mois, il faut ajouter 0,25 mg de fluor par jour dans l'eau si elle n'est pas fluorée. Les nourrissons qui ne sont pas alimentés au sein et qui consomment moins de 1 L de lait enrichi en vitamine D par jour doivent recevoir 400 unités internationales de vitamine D quotidiennement (Société canadienne de pédiatrie *et al.*, 2005 ; Wagner, Grier, Section on Breastfeeding & Committee on Nutrition, 2008).

Sevrage

L'enfant nourri au biberon apprendra graduellement à utiliser un verre, et ses parents prépareront de moins en moins de biberons. Le biberon donné avant le coucher est généralement le dernier qui reste. Puisqu'un nourrisson a un fort besoin de sucer, si on lui enlève le biberon trop précocement ou soudainement, il compensera en suçant ses doigts, son pouce, une suce ou même sa langue. Le sevrage du biberon doit

Puisqu'un nourrisson a un fort besoin de sucer, si on lui enlève le biberon trop précocement ou soudainement, il compensera en suçant ses doigts, son pouce, une suce ou même sa langue.

18

donc être fait graduellement, car le nourrisson est habitué au bien-être que lui procure la succion.

Introduction des aliments solides

Pendant ses quatre à six premiers mois, l'enfant reçoit une quantité équilibrée de nutriments du lait maternel ou des PCN. Il est faux de penser que l'ingestion d'aliments solides l'aidera à faire ses nuits. Les parents ne doivent pas mettre de céréales dans son biberon. L'introduction d'aliments solides avant l'âge de quatre à six mois peut entraîner une suralimentation et une ingestion réduite de lait maternel ou de PCN. Le nouveau-né est incapable de montrer qu'il n'a plus faim comme le fait un enfant plus âgé, qui peut détourner la tête. Le lait maternel et les PCN contiennent les quantités équilibrées de glucides, de protéines et de matières grasses qui sont nécessaires à la croissance adéquate du nouveau-né et du nourrisson.

La courbe de croissance individuelle de l'enfant aide à déterminer le moment propice à l'introduction des solides dans son alimentation. Le professionnel de la santé, dont le pédiatre ou l'infirmière, recommandera à quel moment il est approprié de le faire. L'horaire d'introduction des aliments solides et les types d'aliments appropriés seront discutés au cours des rencontres avec ces professionnels de la santé.

Enseignement à la cliente et à ses proches

ENCADRÉ 18.9 Préparation des produits et techniques d'alimentation

PRÉPARATION DES PRODUITS

- Procédez soigneusement à l'hygiène des mains et lavez le biberon et la tétine.
- Ramollissez les nouvelles tétines qui semblent trop fermes ou rigides en les faisant bouillir dans l'eau pendant cinq minutes avant de les utiliser.
- Nettoyez la surface de travail.
- Rassemblez tous les objets et les ustensiles préalablement stérilisés.
- Nettoyez la boîte de conserve à l'eau chaude (s'il y a lieu) avant de l'ouvrir avec un ouvre-boîte propre.
- Notez la date de péremption sur la boîte du produit. Il doit être utilisé avant cette date. Toute boîte de préparation périmée non ouverte doit être retournée au lieu d'achat.
- Lisez les directives apparaissant sur l'étiquette du produit et mélangez en suivant exactement ces directives.
- Mélangez la préparation concentrée ou en poudre avec l'eau bouillie.
- Vérifiez la taille du trou de la tétine en tenant à l'envers un biberon préparé. La préparation devrait s'écouler goutte à goutte de la tétine. Si elle coule en un jet, le trou est trop grand, et cette tétine ne doit pas être utilisée. S'il faut agiter le biberon pour que la préparation s'écoule, le trou est trop petit. Vous pouvez acheter une nouvelle tétine ou agrandir le trou en y insérant une aiguille à coudre et en faisant bouillir la tétine pendant cinq minutes.
- Si la tétine s'affaisse quand le nourrisson tète, desserrez légèrement l'anneau pour laisser entrer un peu d'air.
- Fermez et réfrigérez une boîte ouverte de préparation prête à servir ou concentrée. Toute portion non utilisée doit être jetée après 48 heures.
- Conservez à température ambiante les bouteilles ou boîtes non ouvertes de préparations.
- Réchauffez une préparation réfrigérée en plaçant la bouteille dans un chaudron d'eau chaude. Ne réchauffez jamais les aliments pour bébé au four à micro-ondes. Vérifiez la température de la préparation en laissant tomber quelques gouttes sur l'intérieur de votre poignet. Si sa chaleur est agréable, sa température convient.

TECHNIQUES ET CONSEILS D'ALIMENTATION

- Un nouveau-né doit être nourri au moins toutes les trois ou quatre heures et ne doit jamais passer plus de quatre heures sans boire jusqu'à ce qu'un gain de poids satisfaisant soit établi. Cela peut prendre jusqu'à deux semaines. Si un nouveau-né pleure ou est irritable entre les séances d'alimentation, vérifiez si sa couche doit être changée et s'il a besoin d'être pris et bercé. S'il continue à pleurer et à agir comme s'il avait faim, nourrissez-le. L'appétit des nouveau-nés ne suit pas un horaire régulier.
- La quantité de préparation que boit un nouveau-né augmente graduellement. Le premier jour, ou environ, la plupart des nouveau-nés consomment entre 15 et 30 ml par séance d'alimentation. Cette quantité augmente à mesure que l'enfant grandit. S'il reste de la préparation dans le biberon à la fin du boire, elle doit être jetée parce que la salive du nouveau-né peut la gâter.
- Tenez un journal d'alimentation du nouveau-né, où vous noterez la quantité de préparation bue à chaque séance pendant la première semaine ou environ. De plus, notez le nombre de couches mouillées et de selles. Apportez ce journal au moment de votre premier rendez-vous chez le pédiatre avec le nouveau-né.
- Pour nourrir le nouveau-né, tenez-le près de vous dans une position semi-couchée. Parlez-lui pendant qu'il boit. C'est un moment idéal pour interagir avec lui et le câliner ou le bercer.
- Placez la tétine dans la bouche du nouveau-né sur sa langue. Elle doit toucher son palais pour stimuler son réflexe de succion. Tenez le biberon comme un crayon. Gardez-le incliné pour que la tétine reste pleine de lait et que le nouveau-né n'avale pas d'air.
- Il est normal pour un nouveau-né de prendre quelques tétées et de s'arrêter brièvement avant de téter à nouveau. Certains nouveau-nés prennent plus de temps que d'autres à se nourrir. Il faut être patient. Il peut être nécessaire de garder l'enfant éveillé et de l'encourager à téter. Stimulez sa succion en déplaçant doucement la tétine dans sa bouche.
- Le nouveau-né peut avaler de l'air quand il tète. Faites-lui faire son rot plusieurs fois pendant une séance d'alimentation. Avec le temps, vous saurez quand l'interrompre pour lui faire faire son rot.
- Après les deux ou trois premiers jours, les selles d'un nouveau-né nourri avec une PCN sont jaunes et molles, mais formées. Le nouveau-né peut faire une selle à chaque boire pendant les deux premières semaines, mais la fréquence peut diminuer à une ou deux selles par jour. Une seule selle toutes les 48 heures n'est pas anormale pour un nouveau-né nourri avec une PCN.

CONSEILS DE SÉCURITÉ

- Tenez le nouveau-né dans vos bras pendant toute la durée de l'alimentation et ne le laissez jamais seul. Il ne faut jamais appuyer le biberon sur un objet. Le nouveau-né peut inhaler la préparation ou s'étouffer avec de la préparation régurgitée. Un enfant qui s'endort avec un biberon de lait ou de jus peut être sujet aux caries dentaires quand ses dents de lait apparaissent.
- Vous devriez savoir comment utiliser une poire d'aspiration pour aider un nouveau-né qui s'étouffe.

Analyse d'une situation de santé

Jugement **clinique**

Madame Joanie Burelle, âgée de 27 ans, vient d'accoucher à 40 2/7 semaines de son deuxième enfant, il y a 15 minutes. C'est un beau garçon de 3 583 g et qui mesure 49,5 cm. Elle désire l'allaiter. L'allaitement de son premier enfant, qui a maintenant trois ans, s'est mal déroulé, et elle a cessé de l'allaiter à l'hôpital à la deuxième journée. Elle a donc beaucoup d'appréhensions à allaiter celui-ci, mais elle désire mettre les efforts qu'il faut pour que cela fonctionne. ▶

SOLUTIONNAIRE

www.cheneliere.ca/lowdermilk

MISE EN ŒUVRE DE LA DÉMARCHE DE SOINS

Collecte des données – Évaluation initiale – Analyse et interprétation

1. Lorsque vous vous préparez à mettre le nouveau-né de madame Burelle au sein, celle-ci vous dit que son premier enfant n'a été allaité que trois heures après l'accouchement en raison d'un problème de santé. Est-ce trop tôt après l'accouchement actuel pour mettre son nouveau-né au sein ? Justifiez votre réponse.
2. Son nouveau-né prend très bien le sein et tète goulûment depuis cinq minutes lorsque la cliente sent que ses saignements vaginaux augmentent beaucoup et que les contractions utérines recommencent. Qu'est-ce qui explique ce phénomène ?
3. Après l'allaitement, madame Burelle vous demande comment elle saura que son nouveau-né aura faim. Énumérez au moins trois signes visibles d'un nourrisson qui commence à avoir faim.

MISE EN ŒUVRE DE LA DÉMARCHE DE SOINS

Planification des interventions – Décisions infirmières

Extrait

CONSTATS DE L'ÉVALUATION

Date	Heure	N°	Problème ou besoin prioritaire	Initiales	RÉSOLU / SATISFAIT			Professionnels / Services concernés
					Date	Heure	Initiales	
2012-05-08	*15:40*	*1*	*Accouchement vaginal normal après*	*N.B.*				
			40 semaines 2/7 de grossesse					

SUIVI CLINIQUE

Date	Heure	N°	Directive infirmière	Initiales	CESSÉE / RÉALISÉE		
					Date	Heure	Initiales
2012-05-08	*15:40*	*1*	*Suivi postpartum habituel*	*N.B.*			

Signature de l'infirmière	Initiales	Programme / Service	Signature de l'infirmière	Initiales	Programme / Service
Nathalie Bergevin	*N.B.*	*Unité mère-enfant*			

4. À ce stade-ci de l'hospitalisation de la cliente, le contenu du plan thérapeutique infirmier (PTI) est-il acceptable ? Justifiez votre réponse.

▶ Le lendemain, madame Burelle se plaint de douleur au sein droit. Elle commence à présenter une rougeur au mamelon. ▶

MISE EN ŒUVRE DE LA DÉMARCHE DE SOINS

Évaluation des résultats – Évaluation en cours d'évolution

5. Que doit-elle modifier dans son allaitement pour remédier à cette situation ?

▶ Vous remarquez que la cliente n'allaite qu'en position de madone. ▶

MISE EN ŒUVRE DE LA DÉMARCHE DE SOINS

Planification des interventions – Décisions infirmières

6. Pourquoi est-il pertinent d'enseigner d'autres positions d'allaitement à madame Burelle ?

7. Quelles autres positions d'allaitement pouvez-vous enseigner à la cliente ?

▶ Quelques heures avant son congé de l'hôpital et son départ pour la maison, à sa deuxième journée postpartum, madame Burelle se plaint d'avoir les seins très gros, durs et douloureux. Elle a de la difficulté à mettre son nouveau-né au sein tellement ils sont durs. ◀

MISE EN ŒUVRE DE LA DÉMARCHE DE SOINS

Évaluation des résultats – Évaluation en cours d'évolution

8. Selon vous, qu'arrive-t-il à madame Burelle ?

Planification des interventions – Décisions infirmières

9. Que pouvez-vous aussi conseiller à madame Burelle pour diminuer ses malaises ?

APPLICATION DE LA PENSÉE CRITIQUE

Dans l'application de la démarche de soins auprès de madame Burelle, l'infirmière a recours à un ensemble d'éléments (connaissances, expériences antérieures, normes institutionnelles ou protocoles, attitudes professionnelles) pour analyser la situation de santé de la cliente et en comprendre les enjeux. La **FIGURE 18.18** illustre le processus de pensée critique suivi par l'infirmière afin de formuler son jugement clinique. Elle résume les principaux éléments sur lesquels l'infirmière s'appuie en fonction des données de cette cliente, mais elle n'est pas exhaustive.

VERS UN JUGEMENT CLINIQUE

CONNAISSANCES

- Positions d'allaitement
- Problèmes pouvant survenir durant l'allaitement et moyens à prendre pour y remédier
- Physiologie de l'allaitement
- Signes qu'un nouveau-né a faim
- Conditions qui favorisent le succès de l'allaitement
- Caractéristiques des montées laiteuses et moyens à prendre pour les soulager

EXPÉRIENCES

- Travail auprès des femmes qui allaitent
- Expérience personnelle d'allaitement
- Expérience d'allaitement d'une personne de son entourage

NORMES

- Suivi postpartum habituel
- Conditions favorisant l'allaitement, dans les établissements certifiés Amis des bébés

ATTITUDES

- Patience au cours de l'enseignement de l'allaitement, qui est difficile au début
- Attitude d'écoute devant les peurs, les questionnements et les doutes de la cliente pendant l'allaitement
- Soutien tout au long de l'apprentissage de l'allaitement

PENSÉE CRITIQUE

ÉVALUATION

- Mise au sein rapide à la suite de l'accouchement
- Déroulement de l'allaitement
- Façon dont la cliente donne le sein et dont son nouveau-né le prend
- État tégumentaire des seins de la cliente à la suite de l'allaitement
- Malaises causés par les montées laiteuses et connaissances de la cliente sur les moyens de remédier à ces problèmes
- Écoulements vaginaux à la suite de l'accouchement

JUGEMENT CLINIQUE

FIGURE 18.18

À retenir

VERSION REPRODUCTIBLE

www.cheneliere.ca/lowdermilk

- Le lait maternel a des caractéristiques particulières à l'espèce humaine et est l'aliment recommandé pour le nouveau-né et le nourrisson. Il offre une protection immunologique contre de nombreuses infections et maladies.
- Le lait maternel change de composition à chaque étape de l'allaitement, à chaque séance d'allaitement et à mesure que le nourrisson grandit.
- Pendant la période prénatale, les futurs parents doivent être informés des avantages de l'allaitement maternel pour les nouveau-nés, les mères et la société.
- Le nouveau-né doit être nourri au sein dès que possible après sa naissance et au moins de 8 à 12 fois par jour ensuite.
- Il existe des indicateurs précis et mesurables d'un allaitement maternel efficace.
- La production de lait maternel est basée sur un principe de production en fonction de la demande. Plus le nouveau-né ou le nourrisson boit, plus grande est la quantité de lait produite.
- Les PCN fournissent une alimentation satisfaisante pour la plupart des nourrissons.
- Il faut toujours tenir le nouveau-né ou le nourrisson pendant l'allaitement ou l'alimentation.
- Les parents doivent être informés des types de PCN, de la façon appropriée de préparer ces produits et de la technique adéquate d'alimentation.
- Les aliments solides doivent être introduits dans l'alimentation du nourrisson après l'âge de six mois.
- Le lait de vache non modifié est un aliment inapproprié pour un nourrisson pendant sa première année.
- Les infirmières doivent bien connaître les méthodes d'alimentation du nouveau-né et doivent éduquer les familles à ce sujet et leur offrir leur soutien.

Ressources

VERSION COMPLÈTE ET DÉTAILLÉE

www.cheneliere.ca/lowdermilk

Références Internet

ORGANISMES ET ASSOCIATIONS

Association canadienne pour la santé mentale > Comprendre la maladie mentale > Les troubles de l'humeur > La dépression > La dépression post-partum
www.cmha.ca

Association of Women's Health, Obstetric and Neonatal Nurse > Education and Resources > Childbearing
www.awhonn.org

Canadian Diabetes Association > Diabetes and You > What is Diabetes? > Gestational Diabetes
www.diabetes.ca

Childbirth and Postpartum Professional Association of Canada
www.cappacanada.ca

Fédération québécoise pour le planning des naissances > Autres dossiers > Fiches thématiques
- **> Césarienne élective**
- **> Diagnostic prénatal**

www.fqpn.qc.ca

Institut de Gasquet
www.degasquet.com

Parents orphelins
www.parentsorphelins.org

Regroupement pour la trisomie 21
www.trisomie.qc.ca

Société canadienne de pédiatrie > Évaluateurs du PRN > Au sujet du PRN
www.cps.ca

Société des obstétriciens et gynécologues du Canada > Renseignements sur la santé des femmes > Grossesse > Échographie
www.sogc.org/index_f.asp

ORGANISMES GOUVERNEMENTAUX

Bibliothèque de Santé Génésique de l'Organisation mondiale de la santé > Grossesse et naissance
- **> Problèmes médicaux au cours de la grossesse**
- **> Complications de la grossesse**

http://apps.who.int/rhl/fr/

Monographies

Dayran, J. (2008). *Les dépressions périnatales.* Paris : Masson.

Foussier, V., & Tubiana, P. (2009). *Diabète et grossesse.* Paris : Josette Lyon.

Kattwinkel, J., Bloom, R.S., Cropley, C., American Heart Association, American Academy of Pediatrics & Société canadienne de pédiatrie (2006). *Le manuel de réanimation néonatale* (5e éd.). Ottawa, Ont. : Société canadienne de pédiatrie.

Articles, rapports et autres

Richard, C., Badlissi, D., & Cousineau, A. (2011). *Évaluation du programme OLO dans les centres de santé et de services sociaux du Québec.* [En ligne]. www.agencelanaudiere.qc.ca/ASSS/Publications/OLO-%C3%89VALUATION-version%20finale.pdf (page consultée le 13 novembre 2011).

Beaufils, M. (2010). Hypertensions de la grossesse. *Néphrologie & thérapeutique, 6*(3), 200-214.

Centre de toxicomanie et de santé mentale (CAMH) (2006). *La dépression du post-partum : aperçu clinique.* Toronto : CAMH.

Criddle, L.M. (2009). Trauma in pregnancy. *Am J Nurs, 109*(11), 28-38.

Fritel, X. (2009). Césarienne et troubles génitosexuels du post-partum. *Pelvi-périnéologie, 4*(3), 207-212.

Tazi, A., & Poyart, C. (2007). Le risque bactériologique au cours de la grossesse. *Revue Francophone des Laboratoires, 389*, 46-48.

Multimédia

La télévision des parents.com > Vidéos > A > Accouchement césarienne
www.latelevisiondesparents.com

Santé pratique.fr > Ma famille > Être enceinte
- **> Césarienne – Présentation anormale du fœtus à l'accouchement**
- **> Diabète gestationnel**
- **> Décollement placentaire**

www.santepratique.fr

Telequebec.tv > Émissions > Pilule, une petite granule, Une > Segments d'épisodes > Dossier de la semaine
- **> Saison 7 (2010-2011)/157 > Deuil périnatal**
- **> Saison 8 (2011-2012)/173 > Dépression post-partum**

http://video.telequebec.tv

PARTIE

Complications périnatales

CHAPITRE

Évaluation de la grossesse à risque élevé

Écrit par:
Kitty Cashion, RN, BC, MSN

Adapté par:
Myriam Asri, inf., M. Sc.

OBJECTIFS

 **Guide d'études – SA19, RE04**

Après avoir étudié ce chapitre, vous devriez être en mesure:

- de différencier les composantes biophysiques, psychosociales, sociodémographiques et environnementales des grossesses à risque élevé;
- d'analyser les facteurs de risque déterminés par l'anamnèse, l'examen physique et les examens paracliniques;
- de distinguer les divers examens paracliniques, le moment et le but de leur utilisation durant la grossesse;
- de concevoir un plan d'enseignement pour expliquer la surveillance antepartum ainsi que les examens paracliniques et leurs résultats à la cliente et à sa famille.

Concepts clés

Cette carte conceptuelle illustre schématiquement les principaux concepts décrits dans le présent chapitre. Sa lecture vous permettra d'avoir une vue d'ensemble des notions qui y sont présentées.

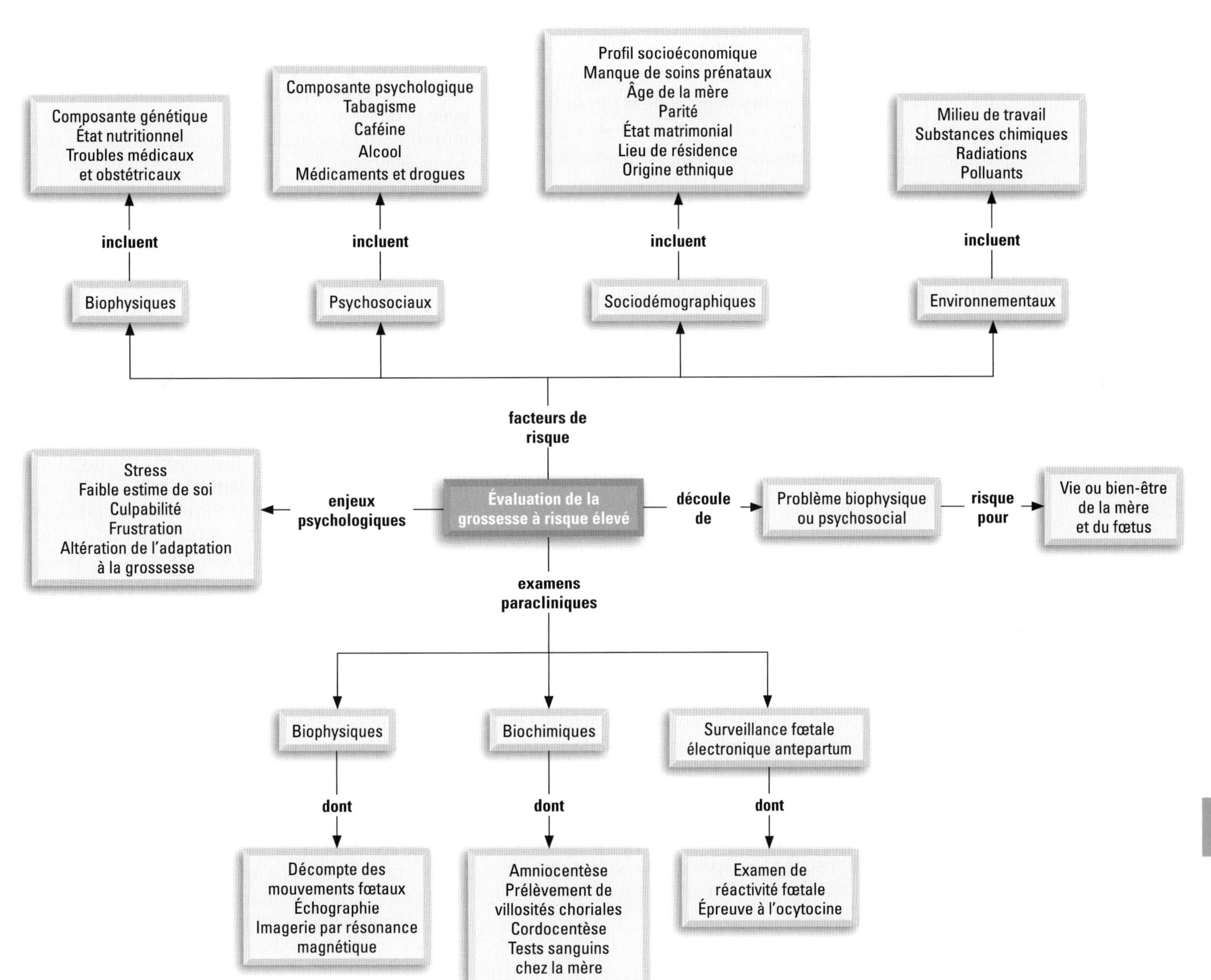

19

Bien que la grossesse soit un phénomène physiologique naturel, certaines complications peuvent avoir des conséquences négatives graves à court et à long terme sur la mère et le fœtus. Une grossesse à risque élevé suppose que la santé ou la vie de la mère ou du fœtus sont compromises par une maladie concomitante ou propre à la grossesse. En 2010, sur près de 400 000 naissances au Canada, le Québec en dénombrait 88 300; de 10 à 20 % de ces naissances se classent dans la catégorie à risque élevé en raison de complications touchant la mère ou le fœtus (Centre hospitalier universitaire de Sherbrooke, 2009; Institut de la statistique du Québec, 2011a; Statistique Canada, 2011a). Soigner ces clientes à risque élevé requiert une connaissance de l'anatomie, de l'embryologie et de la physiologie normale d'une grossesse en plus des pathologies potentiellement associées à cette dernière. L'implication de plusieurs intervenants est donc essentielle à l'issue favorable de la grossesse, et l'infirmière joue un rôle déterminant dans la reconnaissance et la prise en charge précoce de ces complications. Ce chapitre présente les facteurs associés au diagnostic des grossesses à risque élevé ainsi que les examens paracliniques (examens biophysiques et biochimiques) et les moyens de surveillance utilisés pour les dépister et suivre l'évolution de la grossesse chez ces femmes.

24

L'incompatibilité ABO ainsi que son impact sur la santé du nouveau-né sont abordés dans le chapitre 24, *Nouveau-né à risque*.

RAPPELEZ-VOUS...

Une alimentation inadéquate durant la grossesse augmente les risques d'accoucher d'un nouveau-né de faible poids (moins de 2 500 g à la naissance) et de morbidité néonatale.

19.1 Évaluation des facteurs de risque

Une grossesse à risque élevé est diagnostiquée dès que la possibilité d'une issue défavorable pour la mère ou le fœtus se présente, et ce, pour tous les types de complication. Les grossesses considérées, à risque élevé sont souvent associées à une **insuffisance utéroplacentaire**, qui consiste en une diminution graduelle de la capacité du placenta à fournir au fœtus les substances dont il a besoin, et elles s'accompagnent de complications potentielles graves dont le retard de la croissance fœtale, l'**hypoxie** et l'**asphyxie** fœtales, la mort fœtale et autres morbidités néonatales. Autrefois, les grossesses à risque de complications étaient seulement évaluées selon des facteurs médicaux. Aujourd'hui, leur évaluation est faite de façon beaucoup plus globale, et les facteurs sont regroupés en catégories, en lien avec les conséquences possibles sur la santé de la mère et du fœtus.

19.1.1 Facteurs de risque et leurs composantes

Il existe quatre catégories de facteurs de risque, à savoir les facteurs biophysiques, psychosociaux, sociodémographiques et environnementaux (Gilbert, 2007a). Ces facteurs sont souvent multiples et interreliés. Chacun des facteurs de risque comprend un nombre de composantes déterminées au moment de la collecte des données auprès de la femme enceinte et de sa famille. Ces composantes augmentent le potentiel de risque pour la grossesse et peuvent avoir un effet domino.

Facteurs biophysiques

Ces facteurs perturbent le développement ou le fonctionnement de la mère ou du fœtus. Les troubles médicaux et obstétricaux incluent les maladies antérieures, les complications liées aux grossesses antérieures (interrompues ou non) et les maladies ou les complications associées à la grossesse actuelle.

Composante génétique

Des facteurs de risque génétiques peuvent interférer avec le développement fœtal ou néonatal normal, entraîner des anomalies congénitales (p. ex., des gènes défectueux, des troubles héréditaires [comme le spina bifida] et des anomalies chromosomiques transmissibles [comme l'hémophilie], des grossesses multiples, une grosseur anormale du fœtus) ou occasionner des complications chez la mère (p. ex., l'incompatibilité ABO ▶ 24).

État nutritionnel

Une nutrition adéquate est essentielle à la croissance et au développement normaux du fœtus; elle constitue l'un des déterminants les plus importants de l'issue de la grossesse. La malnutrition est largement reconnue comme étant un facteur contribuant au développement de nouveau-nés de faible poids à la naissance (Duquette, Payette, Moutquin, Demmers & Desrosiers-Choquette, 2008). Ces nouveau-nés présentent des taux de morbidité plus élevés que ceux venus au monde avec un poids approprié (Duquette *et al.*, 2008). Cependant, la nutrition est un facteur de risque modifiable. Certains programmes, comme le *Programme canadien de nutrition prénatale* (Agence de la santé publique du Canada [ASPC], 2007) et le programme OLO au Québec (Fondation OLO, 2011), sont des moyens qui ont été mis en œuvre afin de diminuer les conséquences néfastes de la malnutrition sur les femmes enceintes ciblées à risque de déficit nutritionnel.

Les facteurs influant sur l'état nutritionnel sont le jeune âge de la mère, des grossesses rapprochées (p. ex., trois grossesses au cours des deux années précédentes), la consommation de tabac, d'alcool ou de drogues, un apport alimentaire inadéquat en raison d'une maladie chronique ou de particularités alimentaires, la présence de nausées liées à la grossesse, un gain pondéral trop faible ou excessif et un hématocrite inférieur à 33 %.

Troubles médicaux et obstétricaux

Les troubles médicaux antérieurs à la grossesse (p. ex., les troubles pulmonaires, le diabète), les complications survenues au cours des grossesses antérieures (retard de croissance intra-utérin [RCIU], mort fœtale) et les maladies liées à la grossesse actuelle (p. ex., l'hypertension ou des saignements vaginaux) exposent la cliente à un risque plus élevé de complication **TABLEAU 19.1** et **ENCADRÉ 19.1**.

Facteurs psychosociaux

Certains comportements maternels, comme ceux liés à une perturbation psychologique, et des habitudes de vie inadéquates peuvent avoir un effet négatif sur la santé de la mère et du fœtus.

Composante psychologique

La grossesse provoque des bouleversements physiologiques, psychologiques et sociaux profonds et complexes ; dans certains cas, il est possible de faire une association entre la détresse émotionnelle et les complications à l'accouchement. Par exemple, une étude a associé un niveau de stress perçu plus élevé avant la 20e semaine de gestation à une influence négative sur l'issue de la grossesse, plus particulièrement l'accouchement préterme (Roy-Matton, Moutquin, Brown, Carrier & Bell, 2011). La composante psychologique englobe également certains troubles intrapsychiques précis, des habitudes de vie marquées par les dépendances, des antécédents de mauvais traitements subis durant l'enfance ou infligés par un conjoint, des réseaux de soutien social inadéquats, des situations familiales dysfonctionnelles ou éclatées, des perturbations ou des conflits relatifs au rôle maternel, ainsi que diverses autres situations de crise.

Tabagisme

Les effets négatifs de l'usage du tabac pendant la grossesse sur la mère et le fœtus sont documentés. Osadchy, Kazmin et Koren (2009) recensent plusieurs études démontrant l'augmentation des risques de complications de grossesse et des issues néonatales liées à l'usage du tabac : le décollement placentaire, le placenta praevia, le RCIU, un plus grand nombre de cas de rupture des membranes et d'accouchement prématuré ainsi qu'un taux de fausse couche, de mort fœtale et de mort subite du nourrisson plus élevé. Ces risques sont aggravés si l'usage du tabac est combiné à un statut socioéconomique faible, un état nutritionnel inadéquat et la consommation d'alcool.

Caféine

Il n'y aurait pas de lien établi entre les anomalies congénitales chez l'être humain et la consommation de caféine. Toutefois, une étude démontre que la consommation de plus de 200 mg de caféine par jour (équivalant à deux tasses de café ou à cinq cannettes de cola par jour) pourrait exposer la femme enceinte à un risque doublement plus important d'avortement spontané et à un RCIU (Weng, Odouli & Li, 2008).

Alcool

Les effets de l'alcool sur la grossesse ne sont pas encore quantifiés avec précision et son mode d'action reste en bonne partie à élucider. Cependant, les excès occasionnels d'alcool à certains stades cruciaux de l'embryogenèse peuvent constituer un risque particulièrement élevé d'issues indésirables chez les nouveau-nés, dont le syndrome d'alcoolisation fœtale (Carson *et al.*, 2010) ▶ 24. Il a été démontré que « la quantité d'alcool consommée était directement liée à des anomalies cognitives chez un groupe de nouveau-nés exposés à l'alcool dont les mères avaient consommé plus de 0,04 once [1,18 ml] d'alcool absolu par jour » (Carson *et al.*, 2010). Les effets de l'alcool varient en fonction de la quantité ou de la façon de consommer ainsi que de la capacité de la mère à le métaboliser. Actuellement, aucun test ne permet d'établir le degré de risque de complications néonatales indésirables en fonction de la consommation d'alcool. Cependant, une des

TABLEAU 19.1 **Facteurs biophysiques associés à une hausse de complications de grossesse exigeant une surveillance fœtale accrue**

FACTEURS BIOPHYSIQUES	COMPLICATIONS
Antécédents obstétricaux	
Maternels	• Troubles hypertensifs de la grossesse • Décollement placentaire
Fœtaux	• RCIU • Mort fœtale
Grossesse en cours	
Maternels	• Grossesse prolongée (> 294 jours, > 42 semaines) • Troubles hypertensifs de la grossesse • Diabète prégrossesse • Diabète gestationnel nécessitant de l'insuline • Rupture prématurée des membranes préterme • Décollement chronique (stable) • Allo-imunisation • Résultats anormaux au dépistage sérique maternel (gonadotrophine chorionique humaine [hCG] ou alphafœtoprotéine [AFP] > 2,0 MoM), en l'absence d'une anomalie fœtale confirmée • Accident de la route au cours de la grossesse • Saignements vaginaux • Obésité morbide • Âge maternel avancé • Technologies de procréation assistée
Fœtaux	• Diminution du nombre de mouvements fœtaux • RCIU • Présence soupçonnée d'un oligohydramnios/polyhydramnios • Grossesse multiple • Travail préterme

Source : Adapté de Liston, Sawchuck & Young (2007).

24

Le syndrome d'alcoolisation fœtale est décrit dans le chapitre 24, *Nouveau-né à risque*.

Signes de complications possibles

ENCADRÉ 19.1 Troubles obstétricaux spécifiques et facteurs de risque associés

POLYHYDRAMNIOS
- Diabète de type 2
- Anomalies congénitales fœtales

RETARD DE CROISSANCE INTRA-UTÉRIN
- Causes maternelles:
  - troubles hypertensifs de la grossesse
  - diabète
  - maladie rénale chronique
  - collagénose avec manifestations vasculaires
  - thrombophilie
  - cardiopathie cyanogène
  - faible gain pondéral
  - tabagisme, consommation d'alcool et de drogues illicites
  - multiparité
- Causes fœtoplacentaires:
  - anomalies chromosomiques
  - malformations congénitales
  - infection intra-utérine
  - syndromes génétiques (p. ex., la trisomie 13, la trisomie 18)
  - développement anormal du placenta

OLIGOHYDRAMNIOS
- Agenèse rénale (syndrome de Potter)
- Rupture prématurée des membranes
- Grossesse prolongée (> 42 semaines)
- Insuffisance utéroplacentaire
- Troubles hypertensifs chez la mère

ANOMALIES CHROMOSOMIQUES
- Mère âgée de 35 ans ou plus (exemple de risque: trisomie 21)
- Maladies héréditaires dominantes (p. ex., la dystrophie myotonique) ou récessive (p. ex., l'ataxie de Charlevoix-Saguenay ou la fibrose kystique)

Sources: Adapté de Baschat, Galan, Ross & Gabbe (2007); Corporation de recherche et d'action sur les maladies héréditaires (2011); Gilbert (2007a); Resnik & Creasy (2009); Simpson & Otano (2007).

Les probabilités d'accoucher d'un enfant atteint de trisomie 21 en lien avec l'âge de la mère sont énoncées dans le tableau 19.1W, présenté au www.cheneliere.ca/lowdermilk.

directives cliniques de la Société des obstétriciens et gynécologues du Canada (SOGC) sur la consommation d'alcool et la grossesse énonce qu'en l'absence de données suffisantes portant sur le lien causal entre la grossesse et la consommation d'alcool, « l'abstinence constitue le choix prudent pour une femme enceinte ou qui pourrait le devenir » (Carson *et al.*, 2010).

Médicaments et drogues

Les médicaments et les drogues peuvent nuire au développement du fœtus par plusieurs mécanismes. Ils exercent des effets tératogènes, causent des troubles métaboliques ou provoquent l'altération ou la dépression du système nerveux central (SNC). Cela inclut les médicaments offerts en vente libre et ceux vendus avec ordonnance, ainsi que les drogues illicites comme l'héroïne, la cocaïne et la marijuana.

Facteurs sociodémographiques

Les composantes sociodémographiques peuvent exposer la mère, le fœtus et sa famille à un risque plus élevé de complications de grossesse. Le faible revenu, le manque de soins prénataux, l'âge de la mère au moment de la grossesse, la parité, l'état civil, le lieu de résidence et l'origine ethnique sont quelques éléments à considérer. Par exemple, une adolescente de 16 ans, primipare, monoparentale, ayant un faible revenu, habitant dans une région éloignée et isolée a un portrait sociodémographique qui indique la présence potentielle et imminente de facteurs de risque biopsychologiques importants comme le déficit nutritionnel et le stress **FIGURE 19.1**.

Profil socioéconomique

Le profil socioéconomique, et plus particulièrement le faible revenu, est reconnu comme étant un indicateur de santé déterminant (Liu *et al.*, 2010). Il comporte plusieurs aspects qui peuvent avoir un impact sur la santé: une situation financière difficile, un faible niveau d'éducation, un emploi précaire et peu rémunéré, le manque de ressources matérielles et psychologiques. Un profil socioéconomique défavorable (voire la pauvreté) est associé

FIGURE 19.1
L'âge de la mère et le faible revenu sont des facteurs sociodémographiques qui peuvent avoir un impact sur l'issue de la grossesse.

à une hausse des complications comme le RCIU, le faible poids à la naissance, l'accouchement prématerme, le faible indice d'Apgar à 5 minutes (inférieur à 7) et la mort fœtale (Liu *et al.*, 2010) ▶ 17.

Manque de soins prénataux

L'incapacité de diagnostiquer les complications et de s'y attaquer de façon précoce constitue un facteur de risque majeur. Le manque de soins prénataux, ou leur refus, est tributaire des éléments suivants : les difficultés financières ou l'inaccessibilité des soins, les longues attentes avant de recevoir les services, l'environnement peu accueillant ou les visites dépersonnalisées et la mauvaise compréhension des mères quant à la nécessité de recevoir des soins dès le début de la grossesse, puis de façon continue, ainsi que leur méfiance à l'endroit des professionnels de la santé et du système de soins.

Âge de la mère

Les femmes qui se situent aux extrémités de leur vie fertile présentent une fréquence accrue de complications.

| Mères adolescentes | Au Canada, le pourcentage global des naissances vivantes chez les mères adolescentes âgées de 10 à 19 ans est passé de 6,8 % en 1995 à 4,8 % en 2004 (ASPC, 2008). Ce taux a chuté de 4,2 % en 2001 à 2,7 % en 2010 au Québec (Institut de la statistique du Québec, 2011b). Un nombre plus grand de complications est observé chez les jeunes mères (âgées de moins de 15 ans). Elles présentent un taux de mortalité maternel supérieur comparativement aux mères de 20 ans et plus, et ce dernier est encore plus important dans le cas où la grossesse survient moins de 6 ans après le déclenchement des premières règles. Ces complications incluent aussi l'anémie, la prééclampsie, la durée prolongée du travail, la tension pelvienne et la disproportion céphalopelvienne. Les composantes sociales d'une maternité précoce sont la scolarité moins avancée, le revenu moindre, un taux de divorce plus élevé et un plus grand nombre de grossesses.

| Mères d'âge mûr (plus de 35 ans) | L'âge moyen des Canadiennes enceintes est passé de 23,7 ans en 1969 à 29,2 ans en 2005 (Lisonkova, Janssen, Sheps, Lee & Dahlgren, 2010) puis à 29,3 ans en 2008 (Statistique Canada, 2011b). Au Canada, les mères âgées de 35 ans et plus sont associées à 1 naissance sur 5 (Institut canadien d'information sur la santé [ICIS], 2011). Au Québec, le taux de grossesses dont l'âge maternel est supérieur à 35 ans était de 7,2 % en 2001 ; il a augmenté à 16,4 % en 2010 (Institut de la statistique du Québec, 2011b). Les complications de grossesse qui guettent les mères de plus de 35 ans ne résultent pas seulement de leur âge, mais également d'autres facteurs tels que le nombre et l'espacement des grossesses antérieures, les prédispositions génétiques des parents, les antécédents médicaux (p. ex., l'hypertension artérielle), les habitudes de vie, la nutrition et les soins prénataux. La probabilité accrue de maladies chroniques et de complications associées au suivi médical plus effractif de la grossesse et du travail, en plus des caractéristiques démographiques, expose aussi la femme d'âge mûr à un risque plus élevé de complications. Les femmes de plus de 35 ans présentent un risque accru d'hypertension artérielle préexistante ou gestationnelle, de prééclampsie, de diabète gestationnel, de placenta praevia, de décollement placentaire et d'accouchement par césarienne. Les femmes de 40 ans et plus présenteraient plus de risque de décollement placentaire (ICIS, 2011). Leurs nouveau-nés sont également sujets à un risque de complications telles que l'accouchement prématuré (particulièrement chez les primipares), le faible poids à la naissance et les anomalies non chromosomiques, chromosomiques et congénitales (ICIS, 2011).

Parité

Le nombre de grossesses antérieures constitue un facteur de risque associé à l'âge et peut être considéré sous deux facettes : la primiparité et la multiparité. Une première grossesse, surtout si elle se situe à l'une ou l'autre des extrémités du continuum de la vie fertile, comporte un risque plus grand de prééclampsie et de dystocie. Par ailleurs, l'intervalle entre les grossesses est aussi un facteur de risque lorsque ce dernier est court (donc des grossesses rapprochées), particulièrement chez les femmes non mariées (Auger *et al.*, 2008).

État matrimonial

Les mères célibataires ont des taux de mortalité et de morbidité de grossesse accrus. Elles présentent un risque plus élevé de prééclampsie et de soins prénataux inadéquats, et le facteur de risque du jeune âge y est associé. Selon une étude montréalaise, le fait de ne pas être mariée est lié à un risque d'un nouveau-né de faible poids à la naissance (Auger *et al.*, 2008).

Lieu de résidence

Le lieu de résidence est un facteur de risque à deux dimensions : le lieu géographique comme tel, ainsi que l'environnement sociodémographique et socioéconomique de la femme et de sa famille. L'accessibilité aux soins prénataux varie considérablement selon les régions. Les femmes des zones urbaines bénéficient de visites prénatales plus fréquentes que celles des zones rurales, qui ont moins accès aux soins spécialisés ; par conséquent, elles présentent un taux plus important de mortalité maternelle. Le statut socioéconomique du voisinage, associé au niveau de revenu et d'éducation, à l'emploi dans la région, au taux de criminalité, à la qualité des infrastructures et au réseau de soutien social, est lié à des risques ou à des complications de naissance (Liu *et al.*, 2011).

17

L'indice d'Apgar est décrit dans le chapitre 17, *Évaluation et soins du nouveau-né et de la famille.*

Origine ethnique

> *Une grossesse à risque élevé peut générer du stress, une faible estime de soi, de la culpabilité, de la frustration et altérer l'attachement parental et l'adaptation familiale à la grossesse.*

L'origine ethnique n'est pas un risque comme tel, mais un indicateur de facteurs de risque sociodémographiques. Ainsi, chez les populations amérindiennes isolées, les risques sociodémographiques sont le faible revenu, le faible niveau de scolarité, l'apport alimentaire précaire et l'accès limité aux soins de santé spécialisés (Sayers, 2009). Par exemple, la population amérindienne présente des facteurs de risque spécifiques et cumulatifs comme les grossesses à l'adolescence, le tabagisme, la consommation d'alcool, l'obésité, le diabète gestationnel ou maternel, la malnutrition, le risque d'infection et le stress (Sayers, 2009). Ces facteurs expliquent en partie les taux plus élevés de morbidité et de mortalité maternelles (Gracey & King, 2009), ainsi que les taux accrus de mortalité néonatale des populations amérindiennes canadiennes par rapport à ceux des autres populations au pays (Sayer, 2009). Les taux élevés de mort fœtale chez les Amérindiens (deux ou trois fois plus élevés que dans les autres populations) et les taux importants de mortalité infantile chez les Inuits (cinq ou six fois plus élevés que chez les autres Canadiens) reflètent eux aussi le risque associé à l'origine ethnique (ASPC, 2008).

Facteurs environnementaux

Diverses substances présentes dans l'environnement peuvent influer sur la fertilité et le développement fœtal, ainsi que sur les probabilités de morbidité et de mortalité néonatales. Les facteurs environnementaux comprennent les risques du milieu où évolue la femme enceinte, au travail ou ailleurs, ce qui inclut la présence de substances chimiques dans l'environnement (p. ex., des pesticides, du plomb, du mercure), la radiation et les polluants (Silbergeld & Patrick, 2005).

19.1.2 Enjeux psychologiques liés aux grossesses à risque élevé

Lorsqu'une femme reçoit un diagnostic de grossesse à risque élevé, elle et sa famille éprouveront probablement un stress. Lorsqu'une grossesse est considérée à risque élevé, la femme enceinte et son fœtus font l'objet d'une surveillance étroite jusqu'à l'accouchement. L'étiquette « grossesse à risque élevé » exacerbe souvent le sentiment de vulnérabilité. Une grossesse à risque élevé peut générer du stress, une faible estime de soi, de la culpabilité, de la frustration et altérer l'attachement parental et l'adaptation familiale à la grossesse. Si la femme craint pour son propre bien-être, elle peut ressentir de l'ambivalence à propos de la grossesse ou elle peut éprouver de la difficulté à accepter la réalité de celle ci. Sa situation pourrait compromettre sa préparation adéquate à la venue du nouveau-né, par exemple être dans l'impossibilité de fréquenter les cours prénataux si elle est en repos à la maison ou hospitalisée. La famille peut alors ressentir un sentiment de frustration puisqu'il est plus complexe de préparer la venue de l'enfant et de s'engager dans les rôles de parents ou autres. Un des rôles importants de l'infirmière est d'aider la femme et sa famille à retrouver la maîtrise de leur vie en procurant soutien et encouragements, en les informant sur le trouble obstétrical en cause et sa prise en charge, et en offrant le plus de choix possible en lien avec les soins nécessaires à la femme enceinte.

La SOGC a publié une brochure d'éducation publique sur le diagnostic prénatal qui peut être utile à l'infirmière au cours de son enseignement. Il est possible de la consulter au www.sogc.org/health/pdf/prenatal_f.pdf.

19.1.3 Examens et moyens d'évaluation prénataux

Le but principal des examens et des méthodes de surveillance prénataux est le dépistage de complications maternelles ou fœtales potentielles **FIGURE 19.2**. Idéalement, l'évaluation permet de reconnaître une complication fœtale avant la survenue d'une asphyxie antepartum, afin d'intervenir pour prévenir ou atténuer les complications périnatales. La réussite d'une évaluation des risques antepartum se traduit par une diminution du nombre de conséquences pathologiques associées à l'asphyxie fœtale ou néonatale (Liston *et al.*, 2007). Le **TABLEAU 19.2** présente les issues pathologiques fœtales et néonatales possibles associées à l'asphyxie antepartum.

Les antécédents obstétricaux maternels, la gravité des troubles maternels et fœtaux actuels et l'âge gestationnel au moment de leur apparition déterminent le moment approprié pour entreprendre la surveillance anténatale. Les examens et la

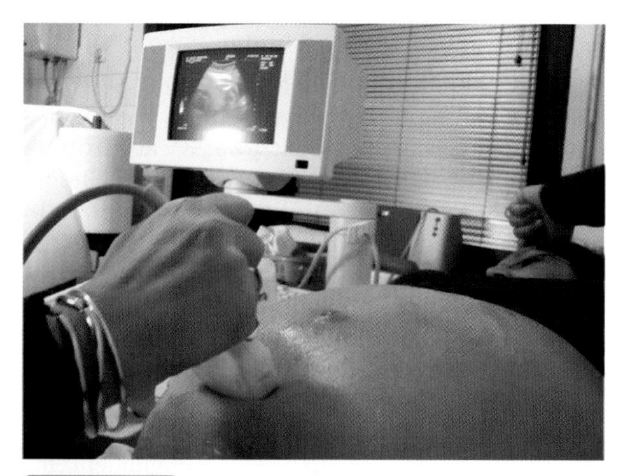

FIGURE 19.2
Lorsqu'une grossesse est considérée à risque élevé, la femme enceinte et son fœtus doivent bénéficier d'une surveillance accrue jusqu'à la fin de la grossesse.

surveillance sont choisis en fonction de leur niveau de risque (effractif ou non) et de leur efficacité. Les résultats sont interprétés à la lumière du tableau clinique complet de la cliente. Les éléments de la condition préexistante ou actuelle de la grossesse qui sont associés à une hausse de morbidité et de mortalité périnatales en présence desquels une surveillance fœtale accrue est indiquée sont énumérés dans le **TABLEAU 19.1**.

Les examens biophysique et biochimique ainsi que les moyens de surveillance anténataux sont décrits dans les sections suivantes afin de mieux comprendre leur but et leurs mécanismes dans la prévention et la surveillance des grossesses à risque élevé.

TABLEAU 19.2 Issues indésirables fœtales et néonatales associées à l'asphyxie antepartum[a]

ISSUES FŒTALES	ISSUES NÉONATALES
• Mort fœtale • Acidose métabolique à la naissance	• Mortalité • Acidose métabolique • Lésion rénale hypoxique • Entérocolite nécrosante • Hémorragie intracrânienne • Convulsions • Infirmité motrice cérébrale • Encéphalopathie néonatale

[a] L'asphyxie est définie comme une hypoxie s'accompagnant d'une acidose métabolique.
Source : Adapté de Liston *et al.* (2007).

19.2 Examens biophysiques

19.2.1 Test de décompte des mouvements fœtaux

L'évaluation quotidienne de l'activité fœtale par la mère représente un mode de surveillance commun et simple pour valider l'état de bien-être fœtal. Le **test de décompte des mouvements fœtaux (TDMF)** se fait à la maison ; la méthode est non effractive, peu coûteuse, facile à comprendre, et elle n'interfère généralement pas avec les activités quotidiennes de la mère. L'acidémie, l'acidose fœtale et la baisse de perfusion placentaire sont associées à une diminution du nombre de mouvements fœtaux (Liston *et al.*, 2007). La présence de mouvements ressentis par la mère est généralement un signe rassurant de santé fœtale. Le TDMF est utilisé pour surveiller le fœtus au cours de grossesses présentant des facteurs de risque susceptibles de compromettre l'oxygénation du fœtus **ENCADRÉ 19.1**. Les femmes enceintes présentant des facteurs de risque d'une issue périnatale indésirable devraient faire le TDMF, en débutant entre la 26e et la 32e semaine de grossesse (Liston *et al.*, 2007). Ce test devrait en fait être recommandé à toutes les femmes enceintes au cours du troisième trimestre, et elles devraient être incitées à l'effectuer si elles perçoivent une baisse du nombre de mouvements (Liston *et al.*, 2007).

Diverses méthodes sont utilisées pour dénombrer les mouvements fœtaux. L'une d'elles consiste à les compter une fois par jour pendant 60 minutes. Une autre façon courante est de demander aux mères de compter l'activité fœtale deux ou trois fois par jour pendant 60 minutes chaque fois. La femme enceinte devrait compter jusqu'à six mouvements en deux heures ; idéalement, elle devrait le faire tôt en soirée et en position de décubitus latéral (Liston *et al.*, 2007). La SOGC recommande aux femmes qui ne perçoivent pas six mouvements dans une période de deux heures de communiquer avec leur professionnel de la santé dès que possible, car elles doivent alors subir d'autres tests antepartum (Liston *et al.*, 2007). Selon la situation et les facteurs de risque de la mère, une évaluation plus approfondie doit être faite immédiatement, par exemple l'**examen de réactivité fœtale (ERF)**, le **profil biophysique (PBP)** et l'**épreuve à l'ocytocine (ÉO)** ou une combinaison de ces tests. Il est à noter que les mouvements fœtaux sont ressentis par 87 à 90 % des femmes ; donc, le TDMF est inapproprié pour les autres (Liston *et al.*, 2007).

L'évaluation quotidienne de l'activité fœtale par la mère représente un mode et de surveillance commun et simple pour valider l'état de bien-être fœtal.

La présence, l'augmentation abrupte, la diminution ou l'absence de mouvements fœtaux sont des éléments importants de l'enseignement à la femme enceinte et à sa famille. Il importe donc de leur montrer la méthode à utiliser, la façon de consigner les résultats dans un tableau de décompte et d'encourager la femme à signaler les anormalités tout en lui donnant les coordonnées d'un professionnel de la santé accessible en tout temps, souvent le centre hospitalier. De plus, étant donné le taux élevé de résultats faux négatifs au moment du TDMF, c'est-à-dire que la femme ne ressent pas de mouvements, et les autres tests n'indiquant pas de signe de détresse chez le fœtus, la cliente doit être informée et rassurée de la possibilité d'une fausse alarme.

Pendant l'évaluation des mouvements fœtaux, il est important de se rappeler que ceux-ci se manifestent durant le cycle d'éveil fœtal et qu'ils s'atténuent parfois temporairement si la femme prend des antidépresseurs, consomme de l'alcool ou fume la cigarette. L'obésité peut réduire la capacité de la mère à percevoir les mouvements fœtaux. Il est faux de croire que le nombre de mouvements fœtaux diminue à mesure que la grossesse arrive à terme.

19.2.2 Échographie

L'échographie diagnostique constitue une technique importante et sécuritaire pour la surveillance fœtale prénatale. Elle procure aux professionnels de la santé des renseignements cruciaux sur l'activité fœtale et l'âge gestationnel et sur les courbes de croissance fœtale normales ou anormales. Elle offre un

Le mécanisme de l'échographie est présenté à l'encadré 19.1W, disponible au www.cheneliere.ca/lowdermilk.

complément visuel pour la réalisation plus sécuritaire de tests effractifs (échoguidage), elle permet de visualiser l'anatomie fœtale et placentaire et de vérifier le bien-être du fœtus (Richards, 2007). L'échographie peut être réalisée par voie abdominale ou transvaginale durant la grossesse. Les deux méthodes donnent un plan bidimensionnel ou tridimensionnel à partir duquel une image est produite **FIGURES 19.3A** et **19.3B**. Les appareils modernes procurent une vue en quatre dimensions, également appelée échographie tridimensionnelle dynamique, c'est-à-dire que les images du fœtus sont visibles en mouvement tout en étant de grande qualité. Durant l'examen, la vessie de la cliente devrait être pleine, ce qui pousse l'utérus vers le haut et génère une image plus claire du fœtus. Un gel est appliqué sur l'abdomen pour déplacer facilement un transducteur sur la peau et, ainsi, rehausser la transmission et la réception des ondes sonores. De petits oreillers sont placés sous la tête et les genoux de la mère pour assurer son confort. L'écran est placé de façon à permettre à la femme et à la personne qui l'accompagne d'observer les images, si elles le souhaitent.

Des pistes de réflexion sur l'usage de l'échographie en quatre dimensions sont suggérées dans l'encadré 19.2W, au www.cheneliere.ca/lowdermilk.

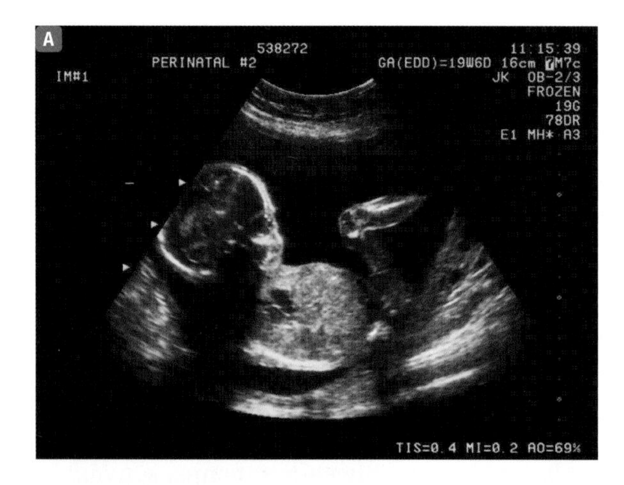

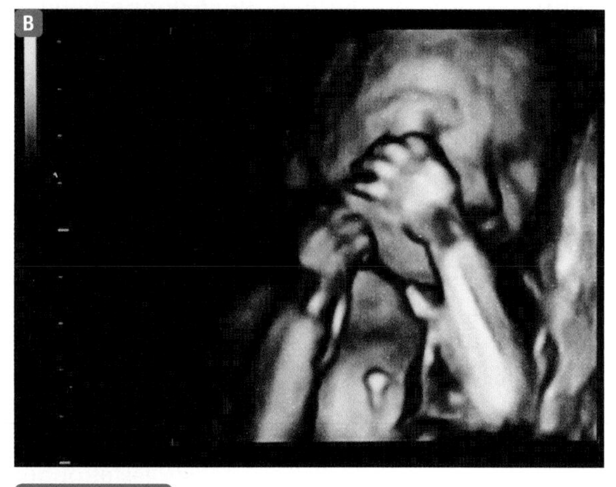

FIGURE 19.3

A Fœtus vu à l'échographie bidimensionnelle. B Fœtus vu à l'échographie tridimensionnelle.

L'échographie transvaginale, qui consiste à insérer une sonde à l'intérieur du vagin, permet d'examiner les structures anatomiques pelviennes plus en détail et de diagnostiquer très tôt une grossesse intra-utérine. La plupart des femmes enceintes tolèrent bien l'examen échographique transvaginal parce qu'il s'effectue sans qu'elles aient la vessie pleine. Cet examen sera d'une utilité particulière chez les femmes obèses dont l'épaisseur des tissus abdominaux empêche une pénétration adéquate des ondes sonores par l'approche abdominale. Une échographie transvaginale peut s'effectuer alors que la femme se trouve en position gynécologique ou si son bassin est soulevé au moyen d'un coussin. Cette bascule du bassin permet une visualisation optimale des structures pelviennes. La sonde munie du transducteur est glissée dans un condom, un doigt de gant chirurgical ou un autre dispositif de protection. La sonde est ensuite lubrifiée au moyen d'un gel hydrosoluble. Puis, la personne chargée de l'examen ou la cliente elle-même, dans certains cas, insère la sonde dans le vagin. Durant l'examen, la position de la sonde ou l'inclinaison de la table d'examen peuvent être modifiées pour mieux voir les structures pelviennes. Cet examen n'est pas douloureux normalement, bien que la femme sente la pression exercée par les mouvements de la sonde. Idéalement, l'échographie transvaginale est utilisée au cours du premier trimestre pour dépister les grossesses ectopiques, surveiller le développement de l'embryon, faciliter le dépistage des anomalies et établir l'âge gestationnel.

Catégories d'échographie

Trois catégories d'échographie ont été établies : l'examen standard, l'examen restreint et l'examen spécialisé (ou ciblé) (American College of Obstetricians and Gynecologists [ACOG], 2004). L'examen standard, le plus souvent utilisé, est pratiqué par un échographiste ou par un autre professionnel de la santé (p. ex., un obstétricien ou un médecin de famille spécialisé). La section suivante décrit en détail les indications de l'échographie standard. Elle sert principalement à détecter la viabilité fœtale, à déterminer la présentation du fœtus, à évaluer l'âge gestationnel, à localiser le placenta, à examiner les structures anatomiques fœtales pour dépister les malformations et à déterminer le volume de liquide amniotique (VLA). L'examen restreint est utilisé pour certaines indications précises, par exemple, reconnaître la présentation fœtale durant le travail ou mesurer l'activité de la fréquence cardiaque fœtale (F.C.F.) lorsqu'on ne peut la détecter par d'autres méthodes (ACOG, 2004). Pour sa part, l'examen spécialisé (ou ciblé) s'effectue chez la femme soupçonnée d'avoir un fœtus présentant une malformation anatomique ou physiologique. Les indications de cet examen complet incluent des signes d'anomalie à l'examen clinique, surtout en présence de polyhydramnios ou d'oligohydramnios, des taux élevés d'**alphafœtoprotéine (AFP)** et la présence d'anomalies détectables à l'échographie chez les frères ou sœurs déjà nés.

Indications

Généralement, l'échographie permet des diagnostics plus hâtifs, ce qui favorise le traitement ou la mise en place rapide des paramètres de surveillance pendant la grossesse et, ainsi, la réduction de la gravité et de la durée de la morbidité. Par exemple, un diagnostic précoce d'anomalies fœtales donne plusieurs choix à la famille: la chirurgie intra-utérine ou un autre traitement pour le fœtus, l'interruption de grossesse ou la préparation en vue des soins requis par un nouveau-né atteint d'une anomalie **ENCADRÉ 19.2**. Les principales indications de l'utilisation de l'échographie, selon le trimestre de la grossesse, sont énumérées dans le **TABLEAU 19.3**.

Bien qu'aucun effet indésirable n'ait été associé à l'échographie obstétricale, il ne faut pas perdre de vue la possibilité d'un risque n'ayant pas encore été établi (Bly & Van den Hof, 2005). La SOGC recommande que l'échographie soit utilisée avec prudence et que l'exposition aux ondes échographiques soit limitée au minimum et à des fins médicales seulement. Cela exclut donc son utilisation, comme le recommande la SOGC, dans le but de visualiser ou de photographier le fœtus ou encore pour déterminer le sexe de celui-ci lorsqu'aucune indication médicale ne le cautionne (Van den Hof & Bly, 2007).

ENCADRÉ 19.2 Considérations éthiques

L'amniocentèse, la cordocentèse et le prélèvement de villosités choriales (P.V.C.) sont des tests prénataux utilisés pour le diagnostic des anomalies fœtales pendant la grossesse. Ces interventions sont effractives, et elles comportent des risques qui doivent être bien expliqués à la cliente et à sa famille. L'annonce des résultats peut entraîner des décisions qui impliquent des enjeux importants. La réalisation de ces tests soulève la question de l'interruption volontaire de grossesse puisqu'il n'existe aucun traitement pour les fœtus présentant des anomalies génétiques graves. Le rôle de l'infirmière et des professionnels de la santé est d'accompagner (par l'écoute et l'enseignement) la cliente et sa famille dans leurs décisions et de leur offrir l'information sur les ressources (CSSS, groupe d'aide, ministre du culte ou autre représentant spirituel) disponibles pour les aider.

Activité cardiaque fœtale

L'activité cardiaque fœtale peut être observée dès la 6e ou la 7e semaine de gestation au moyen d'appareils d'échographie et dès la 10e ou la 12e semaine de gestation en **examen doppler**. À l'opposé, la mort fœtale est confirmée en l'absence de mouvements cardiaques, en présence d'un œdème du cuir chevelu fœtal, de macération et de chevauchement des os du crâne visualisé à l'aide de l'échographie.

La SOGC a produit un dépliant destiné aux futurs parents qui s'intitule *Utilisation de l'échographie au cours de la grossesse.* Il peut être consulté au www.sogc.org/health/pdf/UltrasoundF.pdf.

Évaluations échographiques spécifiques

Âge gestationnel

Dans certaines circonstances, l'échographie sera utilisée pour dater la gestation, par exemple s'il y a une incertitude quant à la date des dernières règles normales, un arrêt récent des contraceptifs oraux, des épisodes de saignements au cours du

TABLEAU 19.3 Principales utilisations de l'échographie durant la grossesse

PREMIER TRIMESTRE	DEUXIÈME TRIMESTRE	TROISIÈME TRIMESTRE
• Confirmer la grossesse (taille et localisation du fœtus). • Confirmer la viabilité du fœtus. • Déceler la présence ou l'absence de mouvements cardiaques ou corporels fœtaux. • Déterminer l'âge gestationnel (en mesurant la longueur du fœtus du vertex au coccyx). • Déterminer le nombre de sacs gestationnels. • Déceler les grossesses multiples. • Déterminer la cause d'un saignement vaginal. • Guider le P.V.C. • Détecter la présence d'anomalies utérines, telles qu'un utérus bicorne, des fibromes ou des masses annexielles (kystes ovariens ou grossesse ectopique).	• Confirmer l'âge gestationnel et la viabilité du fœtus. • Confirmer le nombre de fœtus et leurs positions. • Détecter le polyhydramnios ou l'oligohydramnios. • Détecter les anomalies congénitales. • Déceler un RCIU. • Évaluer la position du placenta. • Guider l'amniocentèse.	• Confirmer l'âge gestationnel et la viabilité du fœtus. • Détecter la macrosomie. • Détecter les anomalies congénitales. • Détecter un RCIU. • Détecter un placenta praevia ou un décollement placentaire. • Guider l'amniocentèse ou la version par manœuvre externe. • Déterminer la position fœtale. • Déterminer le PBP. • Déterminer le VLA. • Procéder à un examen doppler du flux sanguin. • Déterminer la maturité placentaire. • Détecter la présence de masses annexielles. • Mesurer la longueur du col utérin.

premier trimestre, une taille de l'utérus ne concordant pas avec les dates ou dans le cas de circonstances associées à un risque élevé. En fait, la SOGC recommande que les femmes enceintes se voient systématiquement offrir une échographie du deuxième trimestre entre la 18e et la 22e semaine de gestation. Cette échographie devrait chercher à déterminer l'âge gestationnel, le nombre de fœtus et l'emplacement du placenta (Cargill & Morin, 2009). Les méthodes échographiques utilisées pour estimer l'âge fœtal comportent la détermination de la dimension du sac gestationnel (vers 8 semaines), la mesure de la longueur du vertex (extrémité de la tête) au coccyx (entre la 7e et la 12e semaine), la mesure du diamètre bipariétal (après 12 semaines) et la mesure de la longueur du fémur (après 12 semaines). Parmi les mesures biométriques qui sont habituellement signalées dans un rapport échographique standard, il y a également la circonférence de la tête et la circonférence abdominale (Cargill & Morin, 2009) **FIGURE 19.4**. La précision de l'examen échographique effectué pour dater la grossesse entre la 14e et la 22e semaine de gestation est comparable à celle de l'échographie du premier trimestre. Cependant, après la 22e semaine, la datation échographique est moins fiable en raison de la taille variable des fœtus (Richards, 2007).

Jugement clinique

À la suite de son échographie de 32 semaines, madame Bérénice Laurent, âgée de 28 ans, est si heureuse d'avoir pu voir son petit fœtus qu'elle aimerait payer pour une échographie 4D et ainsi garder des souvenirs impérissables. Elle se demande s'il est dangereux pour le fœtus de subir autant d'échographies.

Que devriez-vous lui dire ? Justifiez votre réponse.

Croissance du fœtus

La croissance fœtale est déterminée en tenant compte du potentiel de croissance intrinsèque et des facteurs socioenvironnementaux. Un gain pondéral insuffisant ou excessif chez la mère, une grossesse antérieure caractérisée par un RCIU, une infection chronique, la prise de substances pouvant être tératogènes (tabac, alcool, médicaments offerts en vente libre ou drogues illicites), le diabète de type 2, l'hypertension chez la mère, la grossesse multiple et d'autres complications médicales ou chirurgicales justifient le recours à une évaluation échographique de la croissance fœtale.

Une évaluation basée sur plusieurs mesures, à savoir celles du diamètre bipariétal, de la longueur des membres et de la circonférence abdominale, permet de faire la distinction entre les écarts de taille résultant d'une erreur de date, d'un RCIU ou de la macrosomie. Le RCIU peut être symétrique (le fœtus est petit dans tous les paramètres évalués) ou asymétrique (la croissance de la tête et celle du corps ne coïncident pas). Le RCIU symétrique est le reflet d'un trouble chronique ou de longue date et résulte, dans certains cas, d'un faible potentiel génétique de croissance, d'une infection intra-utérine, de sous-nutrition, d'un tabagisme important ou d'une aberration chromosomique. La croissance asymétrique suggère pour sa part un déficit aigu ou tardif, par exemple une insuffisance placentaire consécutive à l'hypertension, à la maladie rénale ou à la maladie cardiovasculaire. Le retard de croissance fœtale demeure l'un des troubles le plus souvent associés à la mort fœtale. Les fœtus macrosomiques (qui pèsent 4 000 g ou plus) sont exposés à un risque accru de blessures traumatiques et d'asphyxie durant l'accouchement. La macrosomie peut également être symétrique ou asymétrique.

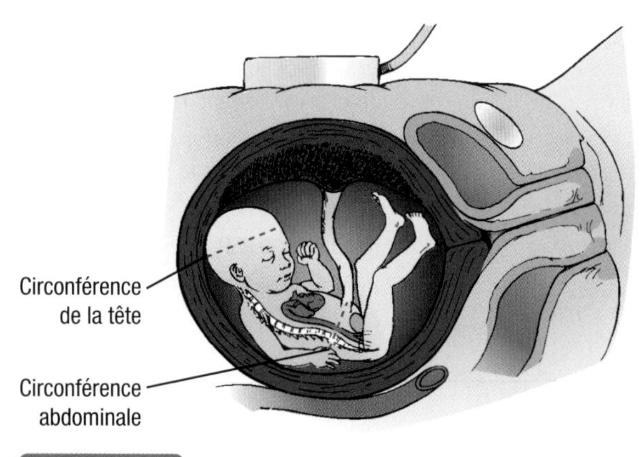

FIGURE 19.4

Sites appropriés (lignes pointillées) pour mesurer la circonférence de la tête et la circonférence abdominale par échographie

Anatomie fœtale

L'échographie sert à visualiser les structures anatomiques (selon l'âge gestationnel), notamment la tête (y compris les ventricules cérébraux et les vaisseaux sanguins), le cou, la colonne vertébrale, le cœur, l'estomac, l'intestin grêle, le foie, les reins, la vessie et les membres supérieurs et inférieurs. Elle confirme l'anatomie normale et elle dépiste les malformations fœtales majeures. La présence d'une anomalie influera sur le choix du lieu pour l'accouchement (p. ex., un centre spécialisé ou un centre hospitalier) et sur la méthode d'accouchement (vaginal ou par césarienne) de manière à optimiser l'issue de la grossesse et l'état de santé du nouveau-né. L'échographie permet aussi de déterminer le nombre de fœtus et leur présentation et de planifier ainsi les traitements et la méthode d'accouchement appropriée.

Troubles génétiques et anomalies physiques chez le fœtus

Une technique de dépistage prénatal appelée mesure de la clarté nucale (CN) repose sur l'examen échographique des liquides à la base du cou du fœtus entre la 10e et la 14e semaine de gestation ; cette technique permet de détecter de possibles anomalies fœtales **FIGURE 19.5A**. Un épanchement de plus de 3 mm est jugé anormal. Une mesure de clarté nucale élevée seule indique un risque d'atteinte cardiaque congénitale. Alliée à des taux de marqueurs sériques maternels bas, une mesure de clarté nucale élevée est le signe possible d'un risque accru à l'égard de certaines anomalies chromosomiques chez le fœtus, y compris les trisomies 13, 18 et 21. L'échographie permet aussi la prise de mesures fœtales comme celle de l'os nasal. L'hypoplasie nasale est reconnue comme étant une caractéristique de la trisomie 21 (Van der Hof & Wilson, 2005), qui précisera la nécessité d'une investigation plus effractive **FIGURE 19.5B**. Si la clarté nucale est anormale, l'**amniocentèse** (un examen paraclinique génétique) sera recommandée à la mère (ACOG, 2007 ; Demianczuk & Van der Hof, 2003 ; Gilbert, 2007a).

Position et fonction placentaires

Le mode de croissance utérine et placentaire et l'ampleur de la vessie de la mère influent sur la localisation du placenta à l'échographie. Au cours du premier trimestre, il est difficile de distinguer le placenta peu développé de l'endomètre. À partir des 14e à 16e semaines, le placenta est clairement visualisé, mais s'il se trouve à la partie inférieure de l'utérus, sa position par rapport à l'ouverture interne du col subit parfois une modification considérable selon que la vessie de la mère est plus ou moins pleine. Dans environ 4 à 6 % de toutes les grossesses où ce test échographique est effectué durant le second trimestre, le placenta semble recouvrir l'ouverture interne du col utérin. Toutefois, plus de 90 % des cas de placenta praevia diagnostiqués au cours du deuxième trimestre se seront normalisés au terme de la grossesse, principalement à cause de l'élongation du segment utérin inférieur pendant la grossesse. Par conséquent, si un placenta praevia est diagnostiqué avant la 24e semaine de gestation, il faut répéter l'examen échographique entre la 28e et la 32e semaine pour le confirmer (Francois & Foley, 2007).

Jugement clinique

Au cours de la première échographie à 20 semaines de grossesse de madame Janie Léger, âgée de 30 ans, le gynécologue lui avait dit que son placenta recouvrait partiellement son col. Il l'avait informée des risques de saignements et de l'aviser immédiatement si elle en présentait. Aucun saignement n'est survenu. La cliente est stressée à l'approche de sa deuxième échographie, à 32 semaines, car elle a peur de ne pouvoir accoucher naturellement en raison de la position du placenta.

Que doit savoir madame Léger quant à ce risque en lien avec le placenta qui recouvre son col ?

L'échographie peut aussi servir à évaluer le vieillissement du placenta. La formation de dépôts de calcium est importante dans les grossesses prolongées (plus de 42 semaines), et cela est significatif puisque plus ces dépôts grossissent, plus la surface disponible et adéquatement irriguée par le sang maternel diminue. En outre, les vaisseaux sanguins du placenta vieillissent et s'épaississent, ce qui nuit au transport de l'oxygène. Les effets négatifs exacts de ces changements placentaires des grossesses prolongées ne sont pas encore élucidés, et la plupart des fœtus continuent de croître malgré l'état du placenta (Gilbert, 2007a).

Mesure d'appoint aux tests effractifs

L'amniocentèse est plus sécuritaire lorsqu'il est possible d'établir la position précise du fœtus, du placenta et des poches de liquide amniotique. En aidant à visualiser les structures tout au long de cette intervention effractive, l'échographie a contribué à réduire les risques procéduraux autrefois associés à l'amniocentèse, tels que l'hémorragie fœtomaternelle consécutive à une perforation du placenta. L'échographie facilite également la technique de la **cordocentèse** (aussi appelée prélèvement percutané de sang ombilical) et le P.V.C. en situant avec précision le cordon et le **chorion frondosum.**

Chorion frondosum : Partie du placenta où se trouvent les villosités placentaires.

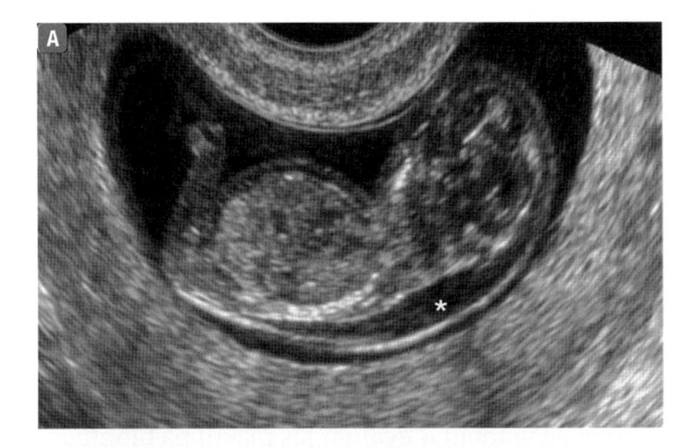

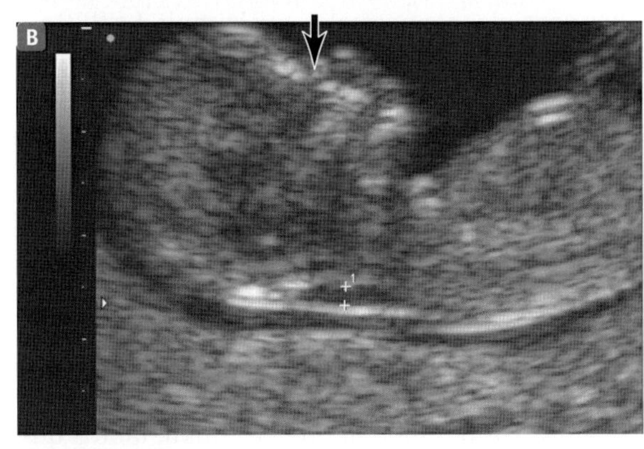

FIGURE 19.5

Mesure de la clarté nucale fœtale. **A** Clarté nucale augmentée. Échographie transvaginale effectuée à 12 semaines qui montre un espace sonolucent (partie plus noire avec l'astérisque) de l'extrémité extérieure de l'os occipital jusqu'à la limite cutanée extérieure, et ce, directement sur la ligne médiane. **B** Clarté nucale (++) et os du nez (flèche) chez un fœtus de 12 semaines.

Évaluation du bien-être fœtal

Certains paramètres physiologiques propres au fœtus sont évalués au moyen de l'échographie, notamment le VLA, les formes d'ondes vasculaires émises par sa circulation, ses mouvements cardiaques, ses mouvements respiratoires, sa production urinaire et les mouvements de ses membres et de sa tête. L'évaluation de ces paramètres seuls ou combinés dresse un tableau relativement fiable du bien-être fœtal. Les paramètres de ces observations sont explicités dans les sections suivantes.

Examen doppler

L'échographie permet d'étudier le débit sanguin de façon non effractive chez les fœtus et dans le placenta. Cette méthode représente un progrès majeur réalisé en périnatalité. L'examen doppler est une mesure d'appoint utile dans la prise en charge des grossesses à risque, particulièrement celles associées à des troubles d'hypertension, de RCIU, de diabète de type 2, à des grossesses multiples et au travail prématuré.

L'effet doppler est le nom donné au décalage entre la fréquence de l'onde émise et de l'onde reçue lorsqu'elle se réfléchit sur un objet en mouvement. Un faisceau d'ultrasons réfléchi par un groupe de globules rouges est un bon exemple de cet effet. La vélocité des globules rouges est alors déterminée par l'ampleur du changement de fréquence des ondes sonores qu'ils réfléchissent **FIGURE 19.6**.

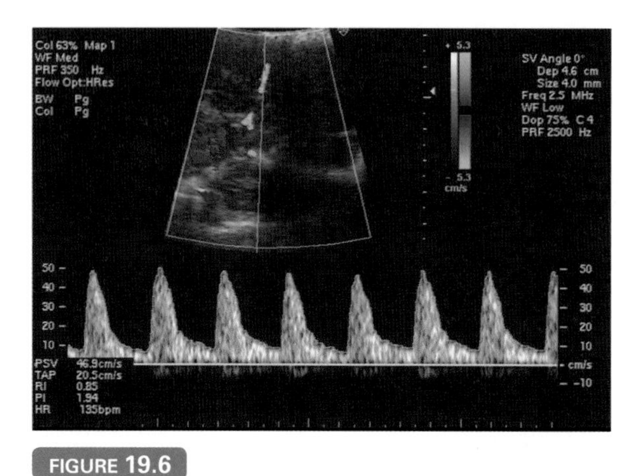

FIGURE 19.6

Forme d'ondes représentant la vélocité du flux sanguin dans l'artère ombilicale

Les fréquences modifiées prennent l'aspect d'un tracé de la vélocité du flux sanguin en fonction du temps. La forme de ces ondes est analysée pour déterminer le flux sanguin et la résistance dans une circulation donnée. La vitesse de propagation de l'onde provenant des artères ombilicale et utérine, présentée sous forme d'un rapport systolique/diastolique (S/D), commence à être décelable dès la 15e semaine de grossesse. En raison du déclin progressif de la résistance dans les artères ombilicale et utérine, ce rapport diminue normalement à mesure que la grossesse avance. Souvent, un RCIU est observé chez les fœtus dont ces rapports demeurent élevés pour leur âge gestationnel (Druzin, Smith, Gabbe & Reed, 2007). L'absence ou l'inversion du flux durant la diastole indiquent une grave réduction de la circulation sanguine artérielle (Tucker, Miller & Miller, 2009). Dans le cas de grossesse prolongée, un rapport S/D élevé indique une faible perfusion placentaire. Des résultats anormaux sont observés en présence de certaines anomalies chromosomiques (trisomie 13 et 18), de même que chez les fœtus de mères souffrant de lupus érythémateux disséminé. L'exposition à la nicotine consécutive au tabagisme chez la mère accroîtrait également le rapport S/D.

Volume de liquide amniotique

Les anomalies du VLA ont souvent un lien avec certaines anomalies fœtales. L'**oligohydramnios** (diminution de liquide amniotique) peut se déterminer par des critères subjectifs, dont l'absence de poches de liquide amniotique dans la cavité utérine et l'impression d'un tassement des parties du fœtus qui semble de petite taille. L'un des critères objectifs de la diminution du VLA s'établit lorsque la plus volumineuse des poches de liquide mesurée sur deux plans perpendiculaires est inférieure à 2 cm (Harman, 2009; Liston *et al.*, 2007). Une augmentation du VLA porte le nom de **polyhydramnios**. Les critères subjectifs de la polyhydramnios incluent la présence de plusieurs poches de liquide amniotique volumineuses, l'impression que le fœtus flotte et que ses membres bougent librement. La polyhydramnios est normalement défini par la présence de poches de liquide amniotique de plus de 8 cm (Gilbert, 2007b; Liston *et al.*, 2007).

La mesure du VLA total est faite au moyen d'une méthode qui consiste à faire la somme de la profondeur verticale (en centimètres) de la plus volumineuse poche de liquide amniotique dans les quatre quadrants entourant l'ombilic de la mère, ce qui fournit l'**indice de liquide amniotique (ILA)**, ou indice de Phélan **TABLEAU 19.4**.

Profil biophysique

L'échographie en temps réel permet un examen détaillé des caractéristiques physiques et physiologiques du fœtus pendant son développement. Il permet également d'évaluer les réactions biophysiques normales et anormales aux stimuli. Le PBP est un examen dynamique non effractif du fœtus, qui se fonde sur des indicateurs aigus et chroniques de certaines maladies fœtales. Il englobe la mesure du VLA, des mouvements respiratoires fœtaux, des mouvements fœtaux et du tonus fœtal déterminé par échographie et de la réactivité de la F.C.F. obtenue au moyen de l'ERF. Le PBP peut donc être considéré comme un examen physique du fœtus, et il inclut la mesure des signes vitaux. La réactivité de la F.C.F., les mouvements respiratoires fœtaux, les mouvements fœtaux et le tonus fœtal témoignent de l'état du SNC au moment de l'examen, tandis que le VLA révèle le bon fonctionnement placentaire sur une période prolongée (Tucker *et al.*, 2009). L'établissement du score PBP et sa prise en charge sont expliqués dans les **TABLEAUX 19.5** et **19.6**.

Le PBP est fréquemment utilisé dans le cadre des tests prénataux parce qu'il s'agit d'un prédicteur fiable du bien-être fœtal.

Le PBP est fréquemment utilisé dans le cadre des tests prénataux parce qu'il s'agit d'un prédicteur fiable du bien-être fœtal. Un PBP de 8 à 10 est considéré comme normal en présence d'un VLA normal. Le test possède entre autres avantages une excellente sensibilité et un taux faible de résultats faux négatifs (Tucker *et al.*, 2009). L'un des inconvénients du PBP est qu'il requiert une longue période d'observation si le fœtus se trouve dans un état de sommeil. En outre, il est impossible de le réviser à moins d'enregistrer l'examen échographique (Druzin *et al.*, 2007).

19.2.3 Imagerie par résonance magnétique

L'**imagerie par résonance magnétique (IRM)** est une technique radiologique non effractive utilisée pour le diagnostic obstétrical et gynécologique. Comme la tomodensitométrie (TDM), l'IRM procure d'excellentes images des tissus mous. Contrairement à la TDM toutefois, l'IRM ne fait pas appel aux radiations ionisantes. Elle permet de visualiser et d'évaluer les structures vasculaires internes sans avoir à injecter d'agents de contraste à base d'iode. L'IRM peut fournir des images en plusieurs plans. De plus, les os, les graisses et les structures renfermant des gaz ne produisent aucune interférence. Enfin, contrairement à l'échographie, l'imagerie des structures pelviennes profondes ne requiert pas que la vessie de la mère soit pleine.

TABLEAU 19.4 Valeurs normales et anormales de l'indice de liquide amniotique et risques associés

INDICE DE LIQUIDE AMNIOTIQUE[a]	INTERPRÉTATION	EXEMPLES DE RISQUE ASSOCIÉS
5-10 cm	Oligohydramnios	• Anomalie congénitale (p. ex., l'agnésie rénale) • RCIU • Souffrance fœtale intrapartum
≥ 10 et < 20-25 cm (varie selon l'âge gestationnel)	Normal	• Aucun
> 25 cm	Polyhydramnios	• Malformation du tube rénal • Obstruction du tube digestif du fœtus • Grossesse multiple • Anarsaque fœtal

[a] Il est à noter que les valeurs de l'ILA varient en fonction de l'âge gestationnel et que ce tableau indique des références générales à des fins explicatives.

Source : Adapté de Tucker *et al.* (2009).

TABLEAU 19.5 Composantes du profil biophysique fœtal incluant l'examen de réactivité fœtale

COMPOSANTES BIOPHYSIQUES	CRITÈRES	
	NORMAL (SCORE DE 2 POINTS PAR ÉLÉMENT)	ANORMAL (SCORE DE 0 POINT PAR ÉLÉMENT)
Mouvements respiratoires fœtaux	Au moins un épisode d'une durée de plus de 30 sec. au cours d'une période d'observation de 30 min	Absents ou aucun épisode d'une durée ≥ 30 sec. en l'espace de 30 min
Mouvements corporels globaux	Au moins 3 mouvements distincts du corps ou des membres en l'espace de 30 min (épisodes de mouvements continus actifs considérés comme un seul mouvement)	2 épisodes de mouvements du corps ou des membres ou moins en l'espace de 30 min
Tonus fœtal	Au moins un épisode d'extension active avec retour à la flexion des membres ou du tronc du fœtus, ouverture et fermeture de la main considérées comme un tonus normal	Soit extension lente avec retour à une flexion partielle, soit mouvement d'un membre en extension complète ou absence de mouvements fœtaux
VLA qualitatif	Au moins 1 poche de liquide amniotique mesurant 2 cm dans 2 plans perpendiculaires	Absence de poches de liquide amniotique ou présence de 1 poche mesurant moins de 2 cm dans 2 plans perpendiculaires
ERF	Au moins 2 épisodes d'accélération ≥ à 15 battements/minute (batt./min) au-delà de la fréquence de base et que la durée ≥ 15 sec. et < 2 min, du début de l'accélération au retour à la fréquence de base ; de plus, ces dernières doivent être associées aux mouvements fœtaux habituels en l'espace de 40 min	Moins de 2 accélérations ou accélération < 15 batt./min, durée de 15 sec. en l'espace de 40 à 80 min

Sources : Adapté de Liston *et al.* (2007) ; Manning (1992).

TABLEAU 19.6	Prise en charge du profil biophysique selon le score obtenu à l'examen de réactivité fœtale	
SCORE	**INTERPRÉTATION**	**PRISE EN CHARGE**
• 10/10 • 8/10 (liquide normal)	Risque d'asphyxie fœtale extrêmement rare	• Intervenir en fonction des risques obstétricaux et maternels. • Répéter le test toutes les semaines ; répéter 2 fois/sem. chez les clientes diabétiques et à partir de 41 sem. de gestation.
• 8/10 (liquide anormal)	Danger grave et chronique pour le fœtus probable	• Déterminer la présence de membranes intactes et de signes de fonctionnement de l'appareil rénal. Dans l'affirmative, l'accouchement du fœtus à terme est indiqué. • Répéter le test toutes les semaines ; répéter 2 fois/sem. chez les clientes diabétiques et à partir de 41 sem. de gestation. • L'oligohydramnios est une indication qu'il faut procéder à l'accouchement. • Chez le fœtus préterme < 34 sem., le recours à une surveillance intensive peut être privilégié en vue de maximiser la maturité fœtale.
• 6/10 (liquide normal)	Test équivoque : asphyxie fœtale possible	• Répéter le test dans les 24 h.
• 6/10 (liquide anormal)	Asphyxie fœtale probable	• Procéder à l'accouchement du fœtus à terme, surtout en présence d'oligohydramnios. • Chez le fœtus préterme < 34 sem., une surveillance intensive peut être privilégiée, en vue de maximiser la maturité fœtale.
• 4/10	Probabilité élevée d'asphyxie fœtale	• Procéder à l'accouchement en raison d'indications fœtales. • Prolonger la durée du test à 120 min ; si le score demeure ≤ 4, procéder à l'accouchement, peu importe l'âge gestationnel.
• 2/10	Asphyxie fœtale presque assurée	• Procéder à l'accouchement en raison d'indications fœtales.
• 0/10	Asphyxie fœtale	• Procéder à l'accouchement en raison d'indications fœtales.

Sources : Adapté de Liston *et al.* (2007) ; Manning *et al.* (1990) ; Manning (1992).

L'IRM permet de procéder à un examen structural du fœtus (SNC, thorax, abdomen, voies urogénitales, système musculosquelettique) et d'évaluer :

- la croissance globale ;
- le placenta (position, densité et présence de maladie trophoblastique) ;
- le VLA, les structures maternelles (utérus, col, annexes et structures pelviennes) ;
- l'état biochimique (pH, teneur en adénosine triphosphate) des tissus et organes ;
- les anomalies métaboliques ou fonctionnelles des tissus mous.

La femme s'allonge sur une table qui glisse dans le tunnel de l'aimant principal, semblable à un appareil de TDM. Selon le type d'examen, l'intervention prend de 20 à 60 minutes, durant lesquelles la cliente doit demeurer parfaitement immobile, sauf pendant de brèves pauses. Étant donné que les épreuves d'IRM prennent du temps, il est presque inévitable que le fœtus bouge, et ses mouvements peuvent brouiller certains détails anatomiques.

Il est recommandé d'informer les femmes enceintes qu'il n'existe actuellement aucune donnée indiquant que le recours à l'IRM clinique pendant la grossesse a produit des effets nuisibles (Chodirker *et al.*, 2001). Étant donné que l'IRM nécessite l'utilisation d'un liquide de contraste à base de gadolinium et que son innocuité n'a pas été prouvée, cet examen ne doit être envisagé que si l'étude diagnostique s'avère importante pour la santé de la mère et du fœtus (Garcia-Bournissen, Shrim & Koren, 2006).

19.3 Évaluation biochimique

L'évaluation biochimique suppose des analyses biologiques (p. ex., l'examen chromosomique de cellules exfoliées) et chimiques (p. ex., le rapport lécithine/sphingomyéline [L/S] et le taux de bilirubine). Les techniques diagnostiques utilisées pour obtenir les spécimens requis incluent l'amniocentèse, le P.V.C., la cordocentèse et le prélèvement d'échantillons sanguins maternels **TABLEAU 19.7**.

TABLEAU 19.7	Sommaire des techniques de surveillance biochimiques	
TEST	**RÉSULTATS POSSIBLES**	**PORTÉE CLINIQUE**
Sang maternel		
Test de Coombs	Dosage de 1:8 et ↑	Incompatibilité Rh significative
AFP	Voir AFP ci-dessous	
Analyse du liquide amniotique		
Couleur	Méconium	Hypoxie ou asphyxie possible
Profil pulmonaire		Maturité pulmonaire fœtale
• Rapport L/S	> 2:1	
• Phosphatidylglycérol	Présent	
• Test de maturité pulmonaire fœtale	≥ 45 mg/g	
Créatinine	> 2 mg/dl	Âge gestationnel > 36 sem.
Bilirubine (OD, 450/nm)	< 0,015	Âge gestationnel > 36 sem., grossesse normale
	Taux élevés	Maladie hémolytique fœtale par une allo-immunisation anti-Rh
Cellules lipidiques	> 10 %	Âge gestationnel > 35 sem.
AFP	Taux élevés après 15 sem. de gestation	Persistance de la gouttière neurale ou autre malformation du tube neural
Osmolalité	Déclin après 20 sem. de gestation	Analyse de la progression selon l'âge gestationnel
Troubles génétiques • liés au sexe • chromosomiques • métaboliques	Selon les cellules cultivées pour déterminer le caryotype et l'activité enzymatique	Counseling auprès de la cliente et de sa famille nécessaire

19.3.1 Amniocentèse

L'amniocentèse consiste à prélever un échantillon de liquide amniotique qui renferme des cellules fœtales **FIGURE 19.7A**. L'intervention est normalement réalisée vers la 15e semaine de gestation (Wilson, 2005), alors que l'utérus devient un organe abdominal et que le liquide amniotique s'y trouve en quantité suffisante. Les objectifs de ce prélèvement comprennent le diagnostic prénatal de diverses anomalies génétiques ou congénitales (touchant le tube neural en particulier) en déterminant le caryotype fœtal, ainsi que le diagnostic d'anomalies moléculaires (maladies hémolytiques fœtales) et biochimiques (Wilson, 2005). Elle permet également l'évaluation de la maturité pulmonaire. Sous échoguidage direct, une aiguille est insérée à travers l'abdomen et dans l'utérus, puis une petite quantité de liquide amniotique est aspirée dans une seringue ; l'échantillon est ensuite envoyé pour les analyses **FIGURE 19.7B**.

L'échoguidage au cours de l'amniocentèse est considéré comme une technique ayant diminué le risque de complications procédurales. Certaines complications peuvent toutefois survenir chez la mère et le fœtus.

- Complications maternelles : hémorragie, hémorragie fœtomaternelle avec risque d'allo-immunisation anti-Rh maternelle, infection, travail préterme, décollement placentaire, perforation intestinale ou vésicale accidentelle et embolie amniotique ;
- Complications fœtales : décès, hémorragie, infection du liquide amniotique (amnionite), lésion directe causée par l'aiguille, risque de fausse couche de 0,6 à 1 % (Wilson, Langlois & Jonhson, 2007) ou déclenchement prématuré du travail et perte de liquide amniotique.

Il est à noter que les complications mineures se produisent dans 1 à 5 % des cas (Wilson, 2005).

En raison du risque d'hémorragie fœtomaternelle associé à l'amniocentèse, l'administration d'une dose de 300 mcg d'immunoglobuline Rh après l'intervention est une pratique standardisée pour la femme Rh négative.

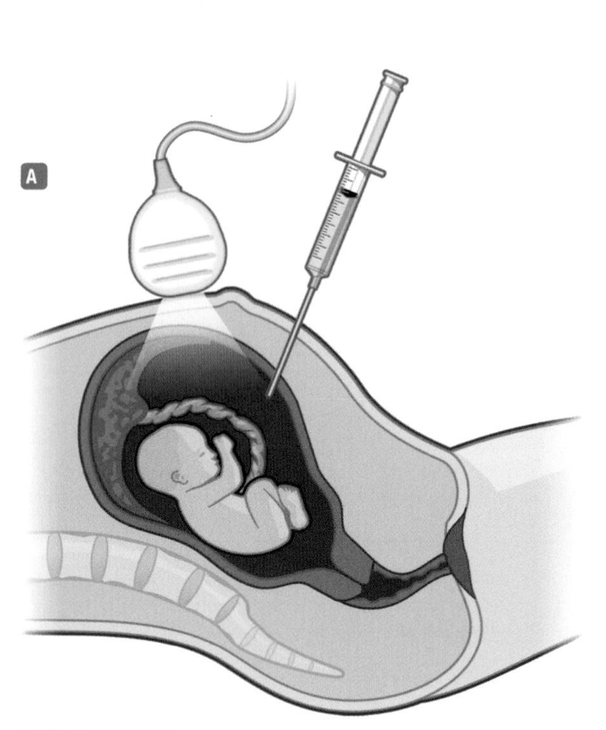

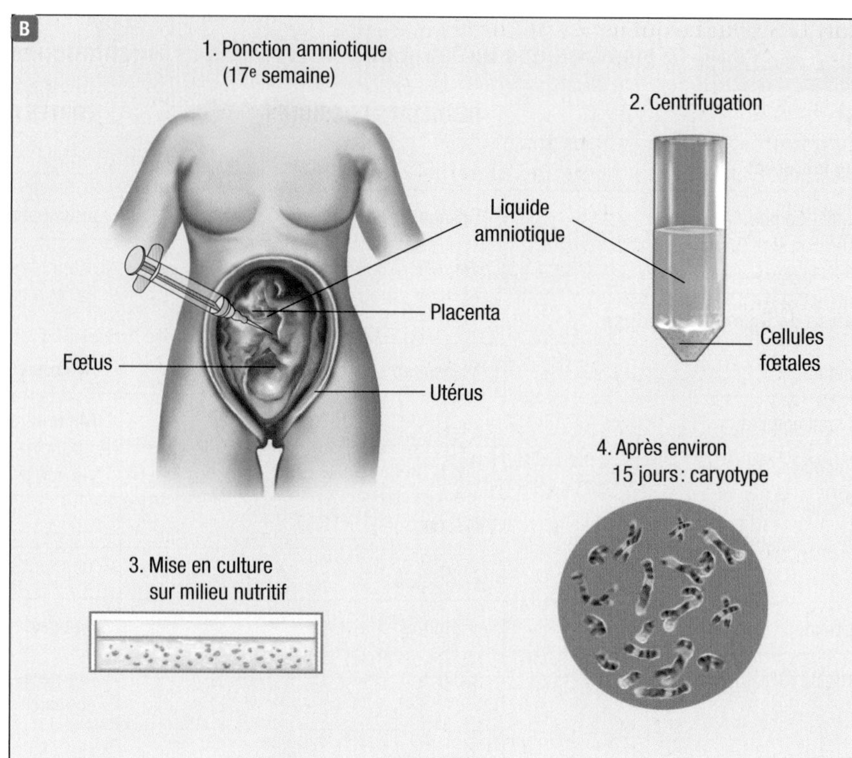

FIGURE 19.7

A Amniocentèse transabdominale. B Utilisation du spécimen de liquide amniotique pour l'amniocentèse et les analyses de laboratoire.

Indications

Investigation génétique

Selon l'évaluation prénatale, les femmes plus âgées se voient recommander une investigation des troubles génétiques et, plus systématiquement, celles qui ont déjà un enfant souffrant d'une anomalie chromosomique ou qui présentent des antécédents familiaux de ce type d'anomalies **ENCADRÉS 19.3** et **19.4**. Certains troubles héréditaires du métabolisme (comme la maladie de Tay-Sachs, l'hémophilie et la thalassémie) peuvent également être détectés. Les cellules fœtales sont mises en culture pour déterminer le caryotype des chromosomes ▶ 5. La détermination du caryotype permet aussi d'établir le sexe du fœtus, ce qui devient important si un trouble héréditaire lié à l'X fragile (qui atteint davantage les fœtus mâles) est soupçonné.

> **5**
> Les troubles génétiques découverts par la réalisation du caryotype des chromosomes sont expliqués dans le chapitre 5, *Génétique, conception et développement fœtal.*

L'analyse biochimique des enzymes présentes dans le liquide amniotique permet de déceler certaines anomalies métaboliques congénitales. Par exemple, les taux d'AFP dans le liquide amniotique sont mesurés à la suite de taux élevés d'AFP dans le sérum maternel. Des taux d'AFP élevés dans le liquide amniotique aident à confirmer un diagnostic de malformation du tube neural, comme le spina bifida ou l'anencéphalie, ou encore d'anomalie de la paroi abdominale, comme l'**omphalocèle**. Cette augmentation de l'AFP est le résultat d'une fuite accrue de liquide céphalorachidien dans le liquide amniotique causée par une occlusion incomplète du tube neural. Les taux d'AFP peuvent aussi augmenter dans les cas de grossesses multiples normales ainsi qu'en présence d'**atrésie** intestinale, probablement causée par l'absence de déglutition chez le fœtus.

En parallèle, le test sur la présence d'acétylcholinestérase indique souvent un problème fœtal (Wapner, Jenkins & Khalek, 2009). Dans de tels cas, une échographie fœtale de suivi est recommandée.

Maturité pulmonaire fœtale

L'examen du liquide amniotique ou du contenu cellulaire exfolié amniotique permet d'évaluer la maturité fœtale avec précision. Ces analyses de laboratoire déterminent si la grossesse est à terme et établissent le degré de maturité pulmonaire fœtale. Une façon rapide de calculer le rapport L/S approximatif repose sur le test de stabilité des bulles (test de Clements). Un mélange de liquide amniotique fraîchement prélevé et d'éthanol est obtenu par dilutions sériées. Quinze minutes après l'agitation du mélange, la quantité de bulles présentes à la surface des diverses dilutions témoigne de la présence de surfactant. Actuellement, le test de maturité pulmonaire fœtale est souvent utilisé. Il donne des résultats similaires à ceux du rapport L/S pour ce qui est de prédire la maturité pulmonaire (Mercer, 2009).

Maladie hémolytique fœtale

L'amniocentèse a aussi comme indication la reconnaissance et le suivi de la maladie hémolytique fœtale dans les cas d'allo-immunisation. Ce test est habituellement effectué quand le ratio du dosage d'anticorps de la mère a atteint 1:8 et qu'il est en augmentation **TABLEAU 19.7**. Bien que la cordocentèse demeure l'intervention de choix pour traiter la maladie hémolytique fœtale, elle est actuellement moins utilisée pour la dépister. La vélocimétrie doppler de l'artère cérébrale médiane fœtale a remplacé la cordocentèse pour prédire l'anémie associée à la maladie hémolytique fœtale avec précision et de façon non effractive (Tucker *et al.*, 2009).

ENCADRÉ 19.3 Élimination de l'âge maternel comme indication des tests prénataux effractifs

Depuis 1979, l'âge maternel de 35 ans et plus représentait une indication normale pour les tests prénataux effractifs. Or, en 2007, la SOGC publiait les recommandations suivantes.

1. Toutes les Canadiennes enceintes, sans égard à l'âge, devraient se voir offrir, par l'intermédiaire d'un processus de consentement éclairé, un test de dépistage prénatal visant les aneuploïdies fœtales importantes (p. ex., le syndrome de Down et la trisomie 18) [...].
2. L'âge maternel constitue une norme minimale de faible qualité en matière de dépistage prénatal des aneuploïdes et devrait être abandonné à titre d'indication pour la mise en œuvre d'un dépistage effractif. L'amniocentèse et le P.V.C. ne devraient pas être offerts en l'absence de résultats issus d'un dépistage de marqueurs multiples, sauf en ce qui concerne les femmes âgées de plus de 40 ans.

Cela implique qu'il n'est plus recommandé de suggérer une amniocentèse aux femmes âgées de 35 à 40 ans, sans que le dépistage de marqueurs multiples (clarté nucale conjointement avec des marqueurs biochimiques) ait été analysé.

Source : Summers, Langlois, Wyatt & Wilson (2007).

Pratique fondée sur des résultats probants

ENCADRÉ 19.4 Grossesse à un âge maternel avancé

QUESTIONS CLINIQUES

- Quels risques associe-t-on plus particulièrement à la grossesse chez la femme d'âge mûr ?
- Qu'elles soient d'âge mûr ou plus jeunes, les primipares ont-elles des attentes et des besoins différents sur le plan des soins ou des traitements infirmiers ?

RÉSULTATS PROBANTS

- Stratégies de recherche : lignes directrices des sociétés médicales, méta-analyses, revues systématiques, essais aléatoires contrôlés, études prospectives non aléatoires et études rétrospectives depuis 2006.
- Bases de données interrogées : CINAHL, Cochrane, Medline, National Guideline Clearinghouse, TRIP Database Plus et les sites Web de l'Association of Women's Health, Obstetric, and Neonatal Nurses (AWHONN) et les Centers for Disease Control and Prevention.

ANALYSE CRITIQUE ET SYNTHÈSE DES DONNÉES

- La période de vie fertile peut s'échelonner sur une quarantaine d'années. Beaucoup de femmes retardent le moment d'avoir des enfants jusqu'à la trentaine, voire la quarantaine. Les mères d'âge mûr sont plus susceptibles d'avoir une meilleure instruction et de jouir d'un statut socioéconomique plus élevé comparativement aux jeunes mères, mais la vigueur de la jeunesse leur fait parfois défaut.
- La grossesse à un âge plus avancé est un facteur de risque associé non seulement à la trisomie 21 (syndrome de Down), mais également à la mort fœtale, à la prématurité, ainsi qu'aux fœtus petits pour leur âge gestationnel (RCIU) et aux nouveau-nés de faible poids à la naissance, en particulier chez les primipares âgées de plus de 40 ans (Delpisheh, Brabin, Attia & Brabin, 2008). Une revue systématique de 37 études confirme que le risque de mort fœtale augmente significativement après l'âge de 35 ans (Huang, Sauve, Birkett, Gergusson & van Walraven, 2007).
- Fait intéressant à noter, même l'âge avancé du père peut influer sur sa descendance. Une étude danoise regroupant 102 879 couples qui ont eu un enfant entre 1980 et 1996 a fait état d'un risque significativement plus grand de mortalité chez les enfants conçus par des pères âgés de plus de 45 ans. Le risque de mortalité a persisté à l'âge adulte (Zhu, Vestergaard, Madsen & Olsen, 2008).

RECOMMANDATIONS POUR LA PRATIQUE INFIRMIÈRE

- L'accouchement se déroulera normalement sans complications chez la plupart des mères d'âge mûr. Le personnel infirmier peut poser des questions ouvertes au sujet du fœtus et de la grossesse pour évaluer le bien-être psychosocial et émotionnel de la cliente. Selon Suplee et ses collaborateurs (2007), les primipares d'âge mûr peuvent avoir passé de nombreuses années à tenter de concevoir. Elles considèrent donc ce nouveau rôle comme une « dernière chance ». L'infirmière peut aider la cliente à rendre ces attentes réalistes à l'égard de ce changement important.
- Certaines femmes s'attendent à vivre un accouchement sans problèmes, bien géré et dépourvu de risques, suivi d'un retour rapide à la normale ; l'infirmière rappelle à ces clientes qu'elles doivent faire preuve d'ouverture d'esprit en ce qui concerne l'accouchement et la réalité postpartum. D'autres se demandent si elles possèdent toutes les capacités physiques et mentales nécessaires ; elles se considèrent « à risque élevé » et croient qu'elles auront besoin de recevoir beaucoup de soins. L'infirmière peut aider la cliente anxieuse à se concentrer sur les aspects normaux et positifs et l'encourager à visualiser la présence imminente de son nouveau-né dans ses bras. Étant donné que ces femmes vivent parfois loin de leurs proches, que leurs parents sont âgés et que leur partenaire travaille peut-être de longues heures, beaucoup de primipares d'âge mûr ne disposent pas toujours d'un réseau de soutien social solide ou se rendent même compte de l'isolement qu'elles risquent d'éprouver. Même après la naissance, l'infirmière peut proposer des ressources à la cliente, qui prendront la forme de groupes et de services de soutien, ainsi qu'encourager le réseautage et les groupes récréatifs de nouvelles mères (Suplee, Dawley & Bloch, 2007).

RÉFÉRENCES

Delpisheh, A., Brabin, L., Attia, E., & Brabin, B.J. (2008). Pregnancy late in life : A hospital-based study of birth outcomes. *J Womens Health, 17*(6), 965-970.

Huang, L., Sauve, R., Birkett, N., Gergusson, D., & van Walraven, C. (2007). Maternal age and risk of stillbirth : A systematic review. *CMAJ, 178*(2), 165-172.

Suplee, P.D., Dawley, K., & Bloch, J.R. (2007). Tailoring peripartum nursing care for women of advanced maternal age. *J Obstet Gynecol Neonatal Nurs, 36*(6), 616-623.

Zhu, J.L., Vestergaard, M., Madsen, K.M., & Olsen, J. (2008). Paternal age and mortality in children. *Eur J Epidemiol, 23*(7), 443-447.

Une vidéo présentant le prélèvement transcervical des villosités choriales est accessible à l'adresse suivante : www.atlasducorpshumain.fr/grossesse/202-prelevement-des-villosites-choriales.html.

En raison du risque d'hémorragie fœtomaternelle associé au P.V.C., l'administration d'une dose de 120 à 300 mcg d'immunoglobuline Rh après l'intervention est une pratique standardisée pour la femme Rh négative.

19.3.2 Prélèvement des villosités choriales

Les avantages combinés d'un diagnostic plus précoce et de résultats rapides font du **prélèvement des villosités choriales (P.V.C.)** une méthode fréquemment utilisée pour les analyses génétiques au cours du premier trimestre (Wilson, 2005). Le P.V.C. a les mêmes indications cliniques que l'amniocentèse, mais il ne peut dépister les marqueurs sérologiques maternels puisque le prélèvement est fœtal.

Cette intervention est pratiquée entre 10 et 13 6/7 semaines de gestation (Wilson, 2005) ; elle suppose le prélèvement de petits spécimens tissulaires provenant de la portion fœtale du placenta. Étant donné que les villosités choriales trouvent leur origine dans le zygote, ce tissu témoigne avec justesse de la constitution génétique du fœtus.

Le P.V.C. s'effectue par voie transcervicale ou par voie transabdominale selon l'emplacement du placenta ; dans les deux cas, le spécimen est constitué de 5 à 25 mg de tissu chorial (Wilson, 2005). Le prélèvement transcervical suppose l'introduction échoguidée d'un cathéter stérile par le col, suivie de l'aspiration d'un petit spécimen chorial dans une seringue. Le cathéter d'aspiration ou les pinces de biopsie doivent être positionnés de façon à éviter la rupture du sac amniotique **FIGURE 19.8**.

Pour l'approche abdominale, une aiguille de rachicentèse de calibre 18 avec stylet est insérée par technique stérile à travers la paroi abdominale dans le chorion frondosum, et ce, sous échoguidage. Le stylet est ensuite retiré, et le tissu chorial est aspiré dans une seringue **FIGURE 19.9**.

Les complications liées à ces deux interventions sont des saignotements ou des saignements vaginaux immédiats ; les risques sont augmentés de 10 à 20 % dans le cas de la méthode transcervicale (Wilson, 2005). Les autres complications associées aux deux méthodes comprennent la perte de la grossesse (de 1 à 6 % de risque ajouté au risque préexistant d'avortements spontanés) (Wilson, 2005), la rupture des membranes amniotiques (dans 0,1 % des cas) et la chorioamnionite (dans 0,5 % des cas). Le risque d'une anomalie des membres ou du visage associé au P.V.C. s'avère plus élevé si la technique est pratiquée avant la neuvième semaine de gestation. C'est pourquoi le P.V.C. n'est généralement pas effectué avant la 10e semaine de grossesse (Simpson & Otano, 2007 ; Wilson, 2005). Un rapport de l'Organisation mondiale de la santé n'a pas associé le P.V.C. à des risques accrus de perte fœtale ou d'anomalies (Wilson, 2005).

Le recours à l'amniocentèse et au P.V.C. a diminué depuis les progrès de l'évaluation prénatale à l'aide de marqueurs de dépistage non effractifs. Ces examens incluent la mesure de la CN, les tests de dépistage réalisés sur le sérum maternel au cours des premier et second trimestres ainsi que l'échographie au cours du second trimestre (Wapner *et al.*, 2009).

19.3.3 Cordocentèse

L'accès direct à la circulation sanguine fœtale pendant les second et troisième trimestres est possible par la cordocentèse. Cette méthode est la plus utilisée pour procéder à des prélèvements sanguins du fœtus ou pour lui administrer des transfusions. La

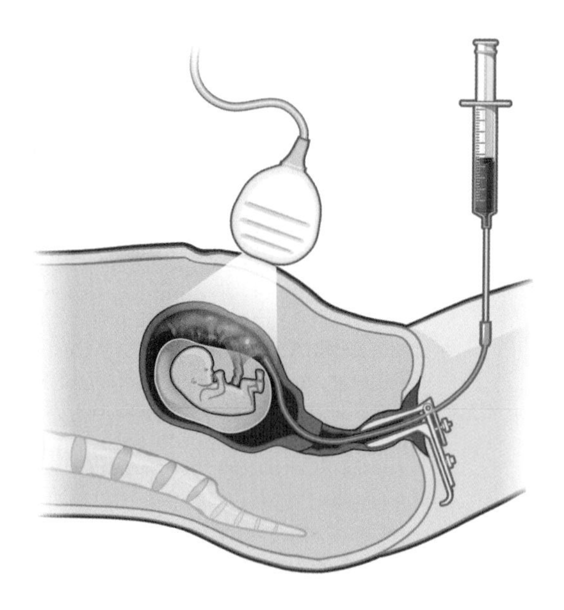

FIGURE 19.8
Prélèvement transcervical des villosités choriales

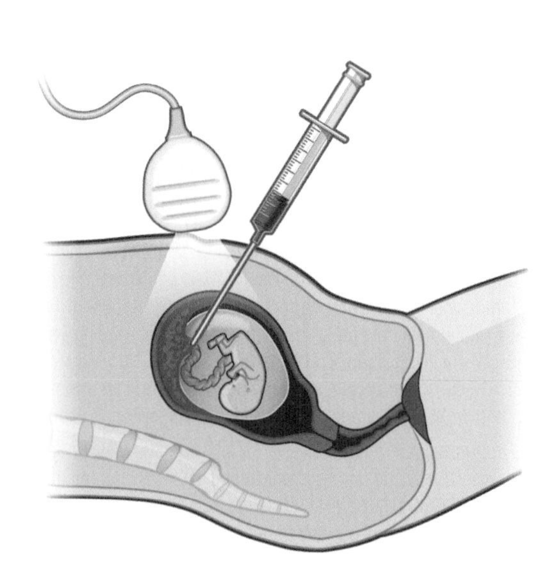

FIGURE 19.9
Prélèvement transabdominal des villosités choriales

cordocentèse suppose l'introduction, sous échoguidage, d'une aiguille de rachicentèse de calibre 22 directement dans un vaisseau ombilical fœtal, préférablement la veine. Idéalement, la ponction du cordon ombilical est faite près de l'insertion du placenta **FIGURES 19.10** et **19.11**. À cet endroit, le cordon est bien ancré et plus stable. Ainsi, le risque de contaminer l'échantillon avec le sang maternel du placenta se trouve réduit. Un petit échantillon du prélèvement est généralement envoyé immédiatement pour analyse par la technique Kleihauer-Betke (test d'Apt) pour s'assurer que le prélèvement est bel et bien du fœtus (Simpson & Otano, 2007). Les indications de la cordocentèse sont mixtes, donc à la fois à des fins de dépistage et de traitement, entre autres pour l'établissement du caryotype de fœtus souffrant de malformations, le diagnostic prénatal d'un trouble héréditaire de la coagulation, le dépistage d'une infection fœtale, l'évaluation et le traitement de l'allo-immunisation et la thrombocytopénie chez le fœtus (Wapner *et al.*, 2009).

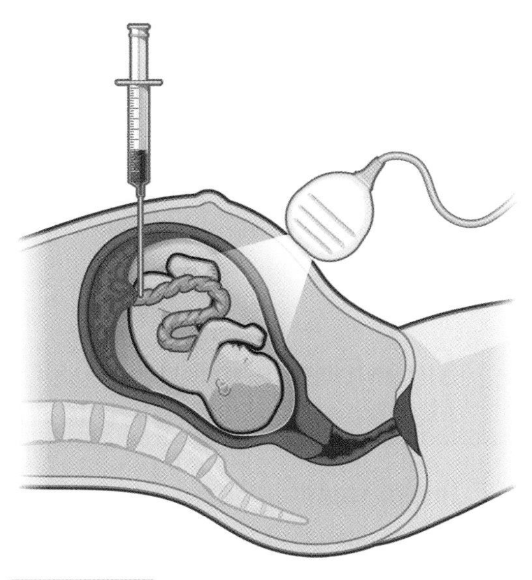

FIGURE 19.10
Technique de cordocentèse échoguidée

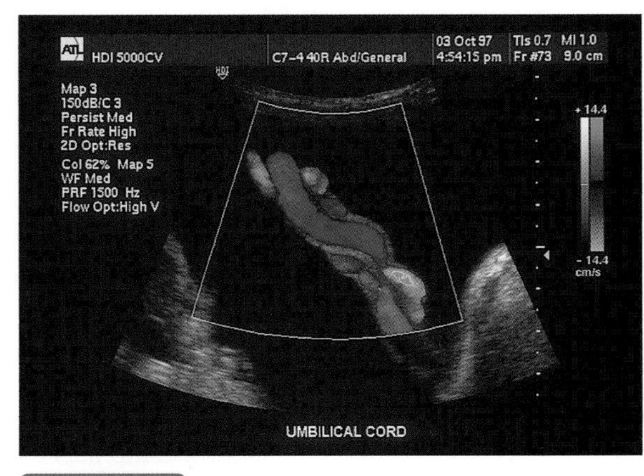

FIGURE 19.11
Cordon ombilical visualisé à l'échographie à 26 semaines de gestation. Le vaisseau bleu est la veine, et les vaisseaux rouges sont les deux artères ombilicales.

Chez le fœtus exposé à un risque d'anémie hémolytique allo-immune, la cordocentèse permet d'établir avec précision le type sanguin et la numération des globules rouges. Si le fœtus est porteur d'anticorps maternels, un test sanguin direct permet de confirmer le degré d'anémie consécutive à l'hémolyse. Une transfusion intra-utérine chez le fœtus gravement anémique peut s'effectuer quatre ou cinq semaines plus tôt avec la cordocentèse comparativement à la voie intrapéritonéale.

Les complications procédurales sont la fausse couche, les saignements dans le cordon ombilical au point de ponction, l'hémorragie fœtomaternelle, dont la formation d'un hématome, et une bradycardie fœtale transitoire (Chodirker *et al.*, 2001). Les complications maternelles sont rares et incluent l'hémorragie et l'hémorragie transplacentaire (Simpson & Otano, 2007). Le suivi postintervention est la surveillance continue de la F.C.F. allant de quelques minutes à une heure et la reprise de l'échographie une heure plus tard afin de vérifier l'absence de saignements et d'hématome.

RAPPELEZ-VOUS...

Les principaux signes d'hémorragie maternelle sont une réduction de la pression artérielle, la tachycardie, la pâleur, l'agitation et une diminution de l'état de conscience.

19.3.4 Tests sanguins chez la mère

Marqueurs sériques maternels

Au Canada, le dépistage des anomalies de la moelle épinière par défaut de soudure nécessite le dépistage sérique maternel par un dosage de l'AFP. Celle-ci fait partie des cinq marqueurs sériques maternels couramment utilisés au cours des premier et deuxième trimestres :

- AFP ;
- gonadotrophine chorionique humaine (hCG) ;
- estriol non conjugué ;
- inhibine-A ;
- taux de protéine plasmatique placentaire A.

Ces tests de dépistage permettent de fournir un portait des risques obstétricaux associés à des valeurs ne se situant pas dans la plage normale et de déterminer les mesures de surveillance à mettre en place, en lien avec les résultats anormaux (Gagnon & Wilson, 2008). Les taux de marqueurs sériques peuvent être influencés par des facteurs maternels tels que l'origine ethnique, le tabagisme, la consanguinité, l'altitude géographique et le taux d'hémoglobine (Gagnon & Wilson, 2008).

Alphafœtoprotéine

La mesure des taux d'AFP sériques maternels (AFPSM) sert pour le dépistage des malformations du tube neural durant la grossesse. Le test permet de détecter précocement, vers la 18e semaine de gestation, environ 80 à 85 % de tous les cas de persistance de la gouttière neurale et de défaut de fermeture de la paroi abdominale. Ce dépistage est recommandé chez toutes les femmes enceintes.

La cause des malformations du tube neural n'a pas été découverte, mais 95 % de tous les enfants atteints naissent de mères n'ayant aucun antécédent de telles anomalies (Wapner *et al.*, 2009). Le taux de malformation du tube neural est en baisse en raison de l'utilisation prophylactique de l'acide folique avant la conception et au début de la grossesse (Manning, 2009). Ces mesures ont fait chuter le taux canadien de malformations du tube neural à 0,86 par 1 000 naissances (De Wals *et al.*, 2007).

Un complément d'information portant sur la mesure des analytes est offert dans le tableau 19.2W, présenté au www.cheneliere.ca/lowdermilk.

L'AFP est fabriquée par le foie du fœtus, et des taux croissants sont détectés dans le sérum des femmes enceintes, de la 14e à la 34e semaine de grossesse. Si la présence d'AFP dans le liquide amniotique coïncide avec un diagnostic de maladie du tube neural, la mesure de l'AFPSM est uniquement un outil de dépistage qui permet de reconnaître les candidates aux examens paracliniques plus probants que sont l'amniocentèse et l'échographie. Un dosage de l'AFPSM peut être effectué avec une fiabilité raisonnable à n'importe quel moment entre la 15e et la 22e semaine de gestation (la période idéale se situant entre la 16e et la 18e semaine) (Wapner *et al.*, 2009).

Après avoir déterminé le taux d'AFPSM, on le compare aux valeurs normales pour chaque semaine suivante de la gestation. En présence de résultats anormaux, le suivi comprend une consultation en génétique s'il y a des antécédents familiaux de malformation du tube neural, un dosage répété de l'AFP, l'échographie et, parfois, l'amniocentèse.

Autres marqueurs sériques maternels couramment utilisés

Les autres marqueurs sériques maternels permettent de pousser l'investigation. Le triple test effectué entre la 16e et la 18e semaine de gestation mesure les taux de trois marqueurs sériques maternels, à savoir l'AFPSM, l'œstriol non conjugué et la hCG. Si le fœtus souffre du syndrome de Down, les taux d'AFPSM et d'œstriol non conjugué sont bas, tandis que le taux d'hCG est élevé. Des valeurs basses des trois marqueurs sont associées à la trisomie 18 (Gilbert, 2007a). En associant ces trois marqueurs à l'âge maternel, la détection de certaines trisomies est considérablement facilitée.

Au Québec, un programme de dépistage prénatal de la trisomie 21 a été élaboré par le ministère de la Santé et des Services sociaux. La documentation peut être consultée au www.msss.gouv.qc.ca/sujets/santepub/depistage-prenatal/index.php?Accueil.

Le quadruple test ajoute un marqueur additionnel, une hormone placentaire appelée inhibine-A, pour préciser le dépistage du syndrome de Down chez les femmes de moins de 35 ans ou présentant des risques. Un faible taux d'inhibine-A signifie un syndrome de Down possible (Gilbert, 2007a). L'ajout de l'inhibine-A aux trois autres marqueurs accroît de 70 à 80 % le taux de détection du syndrome de Down (Simpson & Otano, 2007). Comme pour le triple test de dépistage, le moment idéal pour procéder au quadruple test se situe entre la 16e et la 18e semaine de gestation (Gilbert, 2007a).

On a aussi recours à l'analyse d'autres marqueurs maternels comme prédicteurs des anomalies fœtales. Par exemple, une baisse des taux de protéine plasmatique placentaire A, *pregnancy-associated placental protein A*, (ou PAPP-A) est noté chez les femmes dont le fœtus est porteur du syndrome de Down (Simpson & Otano, 2007).

Comme pour l'AFPSM, ces tests ne servent qu'à titre de mesures de dépistage et non comme outils diagnostiques formels. Un dosage définitif de l'AFP présente dans le liquide amniotique et une analyse chromosomique, combinés à une échographie fœtale, doivent confirmer un diagnostic.

Test de Coombs

Le test de Coombs indirect (ou test indirect à l'antiglobuline) est un outil de dépistage de l'incompatibilité Rh. Si le dosage maternel d'anticorps anti-Rh est supérieur à 1:8, l'amniocentèse permettra de déterminer le taux de bilirubine dans le liquide amniotique afin d'établir la gravité de l'anémie hémolytique fœtale. Le test de Coombs permet aussi de détecter d'autres anticorps susceptibles d'exposer le fœtus à un risque d'incompatibilité avec les antigènes maternels.

19.4 Surveillance fœtale électronique antepartum

19.4.1 Indications

Les examens prénataux du premier et du second trimestres visent principalement à diagnostiquer les anomalies fœtales. L'objectif des examens du troisième trimestre consiste à déterminer si le milieu intra-utérin soutient le développement adéquat du fœtus. Ces examens servent souvent à établir le moment le plus approprié de l'accouchement chez les femmes exposées à un risque d'insuffisance utéroplacentaire. Le déclin graduel de la fonction placentaire rend le fœtus vulnérable à un apport inadéquat en nutriments pouvant l'exposer à un RCIU. Par la suite, la fonction respiratoire peut se détériorer et entraîner une hypoxie fœtale, voire une asphyxie à plus long terme. Les indications courantes de l'ERF et de l'ÉO se trouvent dans l'**ENCADRÉ 19.5**.

Il n'y a aucune contre-indication clinique à l'ERF, mais les résultats peuvent ne pas être concluants à 26 semaines de gestation et moins. Les contre-indications absolues à l'ÉO sont les suivantes : travail prématuré, placenta praevia, vasa praevia, béance du col, grossesses multiples, antécédents d'incision de césarienne classique (Tucker *et al.*, 2009). Bien que peu utilisée, l'ÉO ne doit pas être réalisée chez des femmes dont l'accouchement par voie vaginale est contre-indiqué au moment du test, puisque cet examen pourrait provoquer un accouchement prématuré (Liston *et al.*, 2007).

19.4.2 Examen de réactivité fœtale

L'ERF est la technique la plus répandue pour l'évaluation prénatale du fœtus. Il s'agit d'un test de dépistage idéal, que la majorité des établissements utilisent comme principale méthode d'examen fœtal prénatal. L'ERF est fiable parce que le fœtus normal présentera des réactions caractéristiques de sa fréquence cardiaque en réponse à ses mouvements. Chez le fœtus à terme, des accélérations de la F.C.F. accompagnent le mouvement dans plus de 85 % des cas (Druzin *et al.*, 2007). Le plus souvent, l'absence d'accélération de la F.C.F. s'explique par l'état de sommeil du fœtus. Par contre, la prise de médicaments tels que les analgésiques opioïdes et les barbituriques, les bêtabloquants, ainsi que le tabagisme maternel et la présence de malformations fœtales peuvent également nuire à l'interprétation du test (Druzin *et al.*, 2007 ; Gilbert, 2007a). L'ERF s'effectue facilement et rapidement en clinique ambulatoire puisqu'il est non effractif, relativement peu coûteux et ne présente aucune contre-indication. L'ERF comporte toutefois certains inconvénients : le test doit être effectué régulièrement, et il présente des taux élevés de résultats faux positifs. De plus, l'ERF est légèrement moins sensible que l'ÉO ou le PBP pour détecter la détresse fœtale (Tucker *et al.*, 2009).

Réalisation de l'examen

La femme s'assoit dans un fauteuil à bascule légèrement incliné ou se place en position semi-Fowler sur une civière de manière à favoriser la perfusion utérine et à prévenir l'hypotension en position couchée. La F.C.F. est enregistrée par un transducteur doppler, et un tocodynamomètre est appliqué sur l'utérus au niveau abdominal pour détecter les contractions utérines. On demande à la femme d'enregistrer les mouvements du fœtus en appuyant sur le bouton d'une manette reliée au moniteur. Le mouvement est alors marqué d'un trait sur le tracé lorsqu'elle presse le bouton. Les signes d'activité fœtale et l'accélération concomitante de la F.C.F. sont observés sur le tracé. Étant donné que la plupart des accélérations s'accompagnent de mouvements fœtaux, ces derniers n'ont pas besoin d'être enregistrés pour que le test soit jugé réactif. Cependant, cette période du test représente un bon moment pour sensibiliser la cliente à la présence et à l'importance des mouvements fœtaux. Le test dure au moins 20 minutes, mais il peut se prolonger jusqu'à 40, ou 80 minutes si le fœtus dort et que l'interprétation de l'ERF est atypique ou anormale.

ENCADRÉ 19.5 Indications courantes de la surveillance fœtale électronique par l'examen de réactivité fœtale et par l'épreuve à l'ocytocine

- Diabète de type 2 chez la mère
- Hypertension chronique
- Troubles hypertensifs de la grossesse
- RCIU
- Anémie falciforme
- Cardiopathie cyanogène maternelle
- Postmaturité
- Antécédents de mort fœtale
- Diminution des mouvements fœtaux
- Allo-immunisation
- Hyperthyroïdie
- Collagénose
- Maladie rénale chronique

La pratique courante consiste à tenter de « réveiller » le fœtus lorsqu'il dort. Le professionnel de la santé suggère parfois à la femme de boire du jus d'orange ou de prendre du glucose pour faire augmenter sa glycémie (si elle n'est pas diabétique) et stimuler ainsi les mouvements fœtaux. Cette pratique est courante ; toutefois, les recherches n'ont pas confirmé son efficacité (Druzin *et al.*, 2007 ; Liston *et al.*, 2007). La manipulation externe du fœtus est parfois utilisée pour le stimuler, mais comme cette méthode, selon les données probantes, n'entraîne pas d'amélioration des tracés atypiques ou anormaux, elle n'est pas recommandée (Liston *et al.*, 2007). Aussi, bien que le **test de stimulation vibroacoustique** ait démontré une baisse de la durée de la période d'évaluation et du nombre de cardiotocogrammes prénataux non réactifs, son utilisation n'est pas recommandée au Canada pour stimuler des accélérations cardiaques fœtales, parce que la fiabilité prévisionnelle et l'innocuité de cette modalité demeurent inconnues (Liston *et al.*, 2007).

Test de stimulation vibroacoustique : Test prénatal visant à susciter une réponse cardiaque fœtale au bruit ; consiste à appliquer une source sonore (larynx artificiel) sur l'abdomen de la mère à la hauteur de la tête du fœtus.

Jugement clinique

Madame Léger a reçu un diagnostic de diabète de grossesse. Le gynécologue lui parle d'examens de réactivité fœtale qu'elle devra passer deux fois par semaine.

Expliquez-lui comment se réalise ce test et précisez-lui la normalité des résultats.

Interprétation

L'ancienne terminologie qualifiait un ERF de réactif ou de non réactif. Depuis 2007, la SOGC recommande trois catégories d'interprétation de l'ERF, à savoir des résultats normaux, atypiques ou anormaux **FIGURES 19.12A** et **19.12B** (Liston *et al.*, 2007). Leurs critères d'interprétation sont détaillés dans le **TABLEAU 19.8**.

Un ERF atypique ou anormal exige une évaluation plus approfondie. Souvent, la première étape est de prolonger la durée du test, habituellement en y ajoutant 40 minutes, dans l'espoir que le fœtus se réveille et que le test devienne réactif. Puis, dans le cas d'un ERF qui demeure atypique après 80 minutes, une évaluation approfondie du tableau clinique global et de l'état fœtal doit être faite

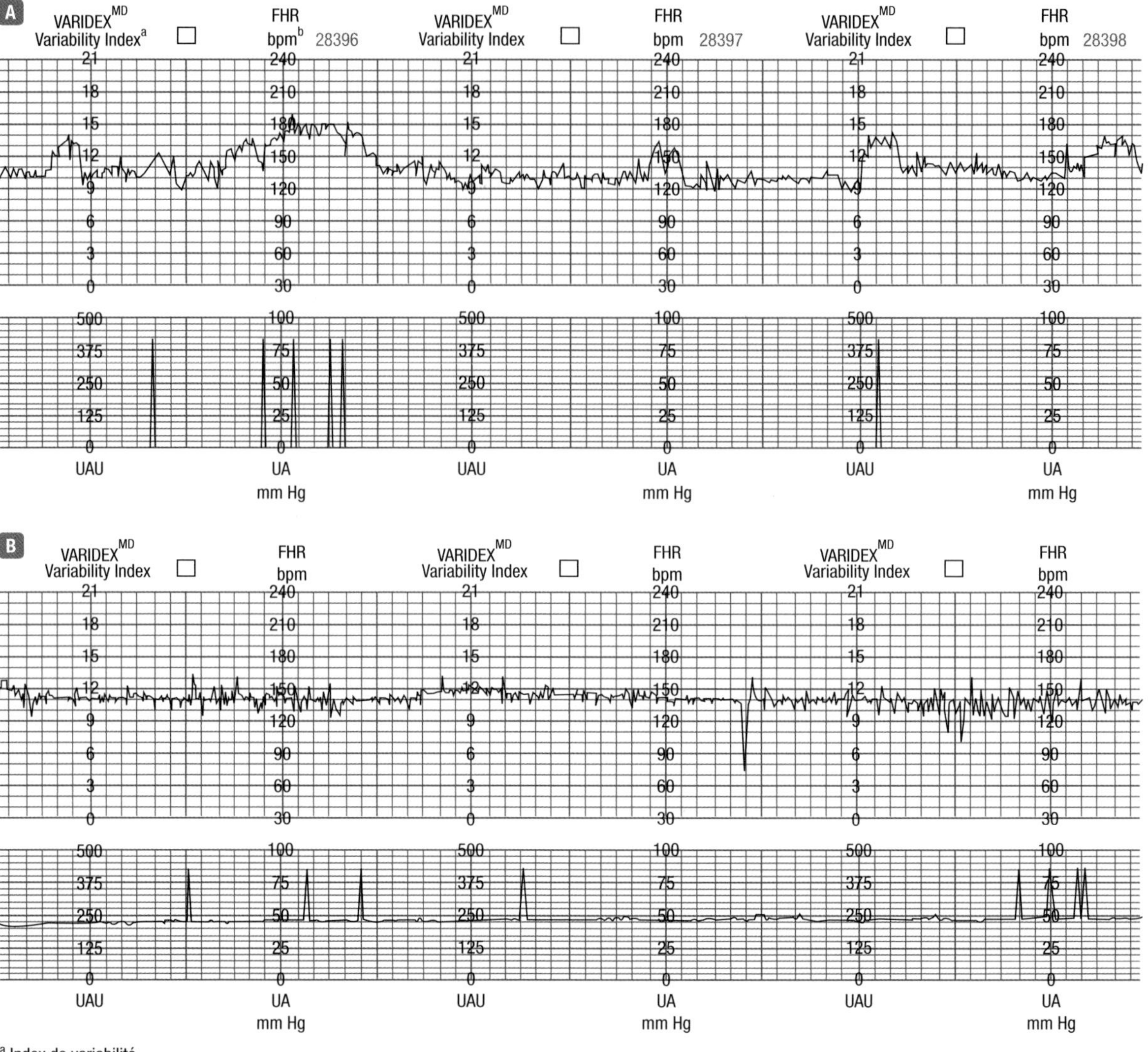

a Index de variabilité
b F.C.F batt./min

FIGURE 19.12

A Examen de réactivité fœtale normal. B Examen de réactivité fœtale atypique.

Lorsque l'ERF est jugé atypique ou anormal, l'infirmière devrait aviser le médecin traitant dès qu'une telle classification devient apparente. En présence d'un ERF anormal, le médecin traitant devrait évaluer la situation clinique et la documenter immédiatement.

(Liston *et al.*, 2007). Cela nécessite que l'infirmière avise le médecin traitant dès que la situation est découverte; celui-ci approfondira l'investigation par un test de PBP ou par une épreuve à l'ocytocine (Liston *et al.,* 2007). En présence d'un résultat d'ERF anormal, le médecin traitant ou désigné devra évaluer la situation clinique et la documenter immédiatement afin que les mesures urgentes soient mises en place dès que possible (Liston, *et al.* 2007). Il peut s'agir de mesures d'investigation plus approfondie, voire d'un accouchement. Dans le cas d'un accouchement provoqué, il est possible que la femme et sa famille soient transférées vers un centre hospitalier spécialisé.

Bien qu'il n'existe pas de résultats de recherche probants, la SOGC a formulé, par consensus, une recommandation à l'égard de la fréquence de l'ERF. Dans la plupart des cas, un ERF normal permet de prédire une bonne issue prénatale pendant une semaine (considérant que l'état fœtomaternel est stable) (Liston *et al.*, 2007). Lorsque l'ERF s'avère nécessaire, l'examen est normalement répété une ou deux fois par semaine jusqu'à la fin de la grossesse (Druzin *et al.*, 2007 ; Tucker *et al.*, 2009), mais il peut être fait jusqu'à deux fois par jour dans le cas de la surveillance de grossesses à risque instable.

19.4.3 Épreuve à l'ocytocine

L'ÉO est peu utilisée au Canada (Davies, 2000), et encore moins depuis l'apparition d'autres méthodes d'évaluation du bien-être fœtal comme le PBP ou l'analyse doppler des vaisseaux sanguins (Liston *et al.*, 2007). Il s'agit du premier test d'évaluation fœtale électronique à avoir été utilisé. L'ÉO évalue la réaction de la F.C.F. à des contractions provoquées et a été conçue pour déceler les troubles de la fonction placentaire (Liston *et al.*, 2007). Les contractions utérines réduisent la circulation sanguine utérine et la perfusion placentaire. Si cette

TABLEAU 19.8	Interprétation de l'examen de réactivité fœtale		
PARAMÈTRE	**ERF NORMAL (ANCIENNEMENT APPELÉ RÉACTIF)**	**ERF ATYPIQUE (ANCIENNEMENT APPELÉ NON RÉACTIF)**	**ERF ANORMAL (ANCIENNEMENT APPELÉ NON RÉACTIF)**
Fréquence de base	• 110-160 batt./min	• 100-110 batt./min • > 160 batt./min < 30 min • ↑ de la fréquence de base	• Bradycardie < 100 batt./min • Tachycardie >160 batt./min pendant > 30 min • Fréquence de base erratique
Variabilité	• 6-25 batt./min (modérée) • ≤ 5 batt./min (absente ou minimale) pendant < 40 min	• ≤ 5 batt./min (absente ou minimale) pendant 40-80 min	• ≤ 5 batt./min (absente ou minimale) pendant ≥ 80 min • ≥ 25 batt./min > 10 min • Sinusoïdale
Décélérations	• Aucune ou occasionnelles variables < 30 sec.	• Décélérations variables, durée 30-60 sec.	• Décélérations variables, durée > 60 sec. • Décélération(s) tardive(s)
Accélérations • Fœtus à terme	• ≥ 2 accélérations avec pic de ≥ 15 batt./min, durée de 15 sec. < 40 min	• ≤ 2 accélérations avec pic de ≥ 15 batt./min, durée de 15 sec. en 40-80 min	• ≤ 2 accélérations avec pic de ≥ 15 batt./min, durée de 15 sec. en > 80 min
• Fœtus préterme (< 32 semaines)	• ≥ 2 accélérations avec pic de ≥ 10 batt./min, durée de 10 sec. < 40 min	• ≤ 2 accélérations de ≥ 10 batt./min, durée de 10 sec. en 40-80 min	• ≤ 2 accélérations de ≥ 10 batt./min, durée de 10 sec. en > 80 min
Mesure	• Poursuite optionnelle de l'évaluation, en fonction du tableau global.	• Approfondissement de l'évaluation requis	• Mesure urgente requise. • Évaluation globale de la situation et poursuite de l'exploration au moyen de l'échographie ou du PBP • Accouchement inévitable dans certains cas

Source : Adapté de Liston *et al.* (2007).

diminution suffit à provoquer de l'hypoxie chez le fœtus, il en résultera un ralentissement de sa F.C.F. Le test a pour but de reconnaître un fœtus qui est stable au repos, mais qui démontre des signes de détresse au moment où survient un stress, soit au cours de contractions provoquées par l'ÉO.

La femme s'installe en position semi-Fowler ou assise dans un fauteuil à bascule légèrement incliné pour favoriser la perfusion utérine et prévenir l'hypotension de la position couchée. La surveillance fœtale électronique se fait au moyen du transducteur échographique fœtal et du tocodynamomètre utérin. Le tracé est observé pendant 10 à 20 minutes pour obtenir une fréquence et une variabilité de référence et pour surveiller de possibles contractions spontanées. Il existe deux types d'ÉO, à savoir l'épreuve endogène (contractions utérines par stimulation des mamelons) et l'épreuve exogène (par administration d'ocytocine). La SOCG recommande que ce test soit envisagé en présence d'un ERF atypique, à titre d'indicateur indirect du caractère adéquat ou non de la fonction utéroplacentaire intrapartum (Liston *et al.*, 2007). Le test ne doit pas être effectué si l'accouchement vaginal est contre-indiqué, et l'épreuve devrait être faite dans un établissement où il est possible de pratiquer une césarienne d'urgence.

SOINS ET TRAITEMENTS INFIRMIERS

Grossesse à risque élevé

Le rôle de l'infirmière est principalement d'informer et de soutenir la cliente au cours d'examens comme l'échographie, l'IRM, le P.V.C., la cordocentèse et l'amniocentèse. Dans certains cas, elle peut assister le médecin durant l'intervention. Dans de nombreux contextes, l'infirmière procède régulièrement aux ERF et à leur interprétation et, plus rarement, à l'ÉO ; l'examen initial et les interventions requises en cas de résultats atypiques ou anormaux sont amorcés par l'infirmière selon les normes en vigueur dans son établissement. Ces évaluations requièrent une formation poussée et relèvent d'une ordonnance collective ou individuelle ainsi que d'algorithme décisionnel établis avec la collaboration interdisciplinaire de spécialistes obstétricaux. L'enseignement à la cliente est au cœur du rôle infirmier périnatal et englobe la détermination des facteurs de risque, la préparation en vue des interventions, l'interprétation des résultats et le soutien psychosocial.

En présence d'une unité fœtoplacentaire saine, les contractions utérines ne provoquent généralement aucune décélération tardive. S'il y a insuffisance utéroplacentaire, le contraire se produit, et les contractions engendreront des décélérations tardives ou répétitives qui donnent lieu à l'interprétation d'un ERF atypique ou anormal.

Analyse d'une situation de santé

Jugement **clinique**

Madame Laure Ouellet, âgée de 41 ans, est enceinte de 14 semaines. Elle est de groupe sanguin B négatif, et il s'agit de sa troisième grossesse. Sauf des nausées matinales au début de la grossesse qui se sont dissipées il y a deux semaines, elle n'éprouve aucun problème. Ses autres enfants, deux filles, ont 10 et 14 ans. La présente grossesse est issue d'une nouvelle relation. ▶

SOLUTIONNAIRE

www.cheneliere.ca/lowdermilk

MISE EN ŒUVRE DE LA DÉMARCHE DE SOINS

Collecte des données – Évaluation initiale – Analyse et interprétation

1. Madame Ouellet est un peu nerveuse pour son fœtus en raison de son âge, et elle désire être informée des risques que court son enfant. Énumérez-lui les troubles dont pourrait souffrir son fœtus.

2. L'infirmière décide de déterminer un plan thérapeutique infirmer (PTI) même si la cliente sera revue régulièrement sur une base ambulatoire. Précisez la donnée clinique qui justifie que le problème prioritaire « Risque d'hémorragie fœtomaternelle » apparaisse dans le PTI.

Planification des interventions – Décisions infirmières

Extrait

CONSTATS DE L'ÉVALUATION

Date	Heure	N°	Problème ou besoin prioritaire	Initiales	RÉSOLU / SATISFAIT			Professionnels / Services concernés
					Date	Heure	Initiales	
2012-07-17	*14:00*	*1*	*Risque d'hémorragie fœtomaternelle*	R.M.A.				

Signature de l'infirmière	Initiales	Programme / Service	Signature de l'infirmière	Initiales	Programme / Service
Rose-Marie Augustin	R.M.A.	Clinique Mère-Enfant			

3. Madame Ouellet veut subir le test de CN, car elle veut savoir si son fœtus est atteint de trisomie 21. Expliquez-lui en quoi consiste ce test et précisez-lui la normalité recherchée.

▶ Le résultat de la mesure de la CN est anormal puisque l'épanchement de liquide est de 3,2 mm. Le médecin recommande à madame Ouellet de subir une amniocentèse. ▶

MISE EN ŒUVRE DE LA DÉMARCHE DE SOINS

4. Madame Ouellet a très peur que le médecin pique son fœtus avec l'aiguille qui sert à aspirer le liquide. Que devriez-vous dire à la cliente pour la rassurer ?

5. Sachant que madame Ouellet est du groupe sanguin B négatif, que devriez-vous lui administrer à la suite de l'amniocentèse qu'elle a subie ?

▶ Le fœtus de madame Ouellet n'est pas atteint de trisomie 21. La cliente est très soulagée du résultat. ◀

MISE EN ŒUVRE DE LA DÉMARCHE DE SOINS

Évaluation des résultats – Évaluation en cours d'évolution

6. Madame Ouellet devrait-elle bénéficier d'un suivi de grossesse différent de celui des autres femmes plus jeunes ? Justifiez votre réponse.

APPLICATION DE LA PENSÉE CRITIQUE

Dans l'application de la démarche de soins auprès de madame Ouellet, l'infirmière a recours à un ensemble d'éléments (connaissances, expériences antérieures, normes institutionnelles ou protocoles, attitudes professionnelles) pour analyser la situation de santé de la cliente et en comprendre les enjeux. La **FIGURE 19.13** illustre le processus de pensée critique suivi par l'infirmière afin de formuler son jugement clinique. Elle résume les principaux éléments sur lesquels l'infirmière s'appuie en fonction des données de cette cliente, mais elle n'est pas exhaustive.

VERS UN JUGEMENT CLINIQUE

CONNAISSANCES

- Risques pour la mère et le fœtus d'une grossesse à un âge avancé
- Clarté nucale et amniocentèse
- Pertinence des tests effractifs et non effractifs devant être effectués pour le suivi des grossesses à risque
- Risques auxquels est exposé le fœtus lorsque la mère a un groupe sanguin Rh négatif

EXPÉRIENCES

- Expérience personnelle d'avoir reçu un diagnostic de fœtus souffrant peut-être de trisomie
- Expérience personnelle de grossesse à un âge avancé
- Travail auprès de femmes ayant un enfant trisomique
- Expérience auprès de femmes ayant eu une grossesse après l'âge de 40 ans

NORME

- Suivi de grossesse normal jusqu'au résultat de l'amniocentèse

ATTITUDES

- Avoir une attitude d'empathie et de non-jugement devant le risque de diagnostic de trisomie
- Être à l'écoute des craintes de la cliente

PENSÉE CRITIQUE

ÉVALUATION

- Âge avancé de la cliente au moment de sa troisième grossesse (41 ans)
- Degré d'inquiétude de madame Ouellet à la suite de son résultat anormal au test de la clarté nucale (épanchement de 3,2 mm)
- Préoccupations de la cliente quant à l'amniocentèse
- Connaissances de la cliente sur l'amniocentèse
- Résultat de l'amniocentèse

JUGEMENT CLINIQUE

FIGURE 19.13

À retenir

VERSION REPRODUCTIBLE

www.cheneliere.ca/lowdermilk

- Une grossesse à risque élevé découle d'un problème biophysique ou psychosocial concomitant ou exclusif à la grossesse, et elle met en péril la vie ou le bien-être de la mère ou du fœtus.
- Les facteurs de risque sont biophysiques, sociodémographiques, psychosociaux et environnementaux, et ils peuvent compromettre l'issue de la grossesse et la santé du fœtus ou du nouveau-né.
- Les examens d'évaluation biophysique comprennent le décompte des mouvements fœtaux, l'échographie et l'IRM.
- Les évaluations biochimiques comprennent l'amniocentèse, le P.V.C., la cordocentèse et les tests sanguins maternels.
- Un ERF normal est un indicateur de bien-être fœtal.
- Le fait de recevoir un diagnostic de grossesse à risque élevé peut occasionner de l'anxiété chez la femme enceinte et sa famille, en plus de celle liée aux risques procéduraux des examens et des moyens de surveillance de la grossesse présentant des facteurs de risque.

CHAPITRE

Grossesse à risque : maladies préexistantes

Écrit par :
Kitty Cashion, RN, BC, MSN

Adapté par :
Dalila Benhaberou-Brun, inf., M. Sc.

OBJECTIFS

 Guide d'études – SA20, RE05

Après avoir étudié ce chapitre, vous devriez être en mesure :

- de distinguer les types de diabète ainsi que leurs facteurs de risque respectifs pour la grossesse ;
- de comparer les besoins en insuline pendant la grossesse, après l'accouchement et pendant la lactation ;
- de reconnaître les risques ou les complications maternels et fœtaux liés au diabète pendant la grossesse ;
- d'élaborer un plan de soins et de traitements infirmiers pour la femme enceinte atteinte d'un diabète antérieur à la grossesse ou d'un diabète gestationnel ;
- d'expliquer les effets des troubles thyroïdiens sur la grossesse ;
- de distinguer les différents traitements pour les femmes enceintes atteintes d'une cardiopathie de classe I à classe IV ;
- de décrire les différents types d'anémie et leurs effets sur la grossesse ;
- d'expliquer les soins de la femme enceinte atteinte d'un trouble pulmonaire ;
- de décrire les effets des troubles neurologiques sur la grossesse ;
- d'énumérer des soins fournis à des femmes dont la grossesse est compliquée par des troubles auto-immuns ;
- de décrire les soins offerts aux femmes enceintes qui consomment de l'alcool, des médicaments ou des drogues illicites, qui en abusent, ou qui en sont dépendantes.

Concepts clés

Cette carte conceptuelle illustre schématiquement les principaux concepts décrits dans le présent chapitre. Sa lecture vous permettra d'avoir une vue d'ensemble des notions qui y sont présentées.

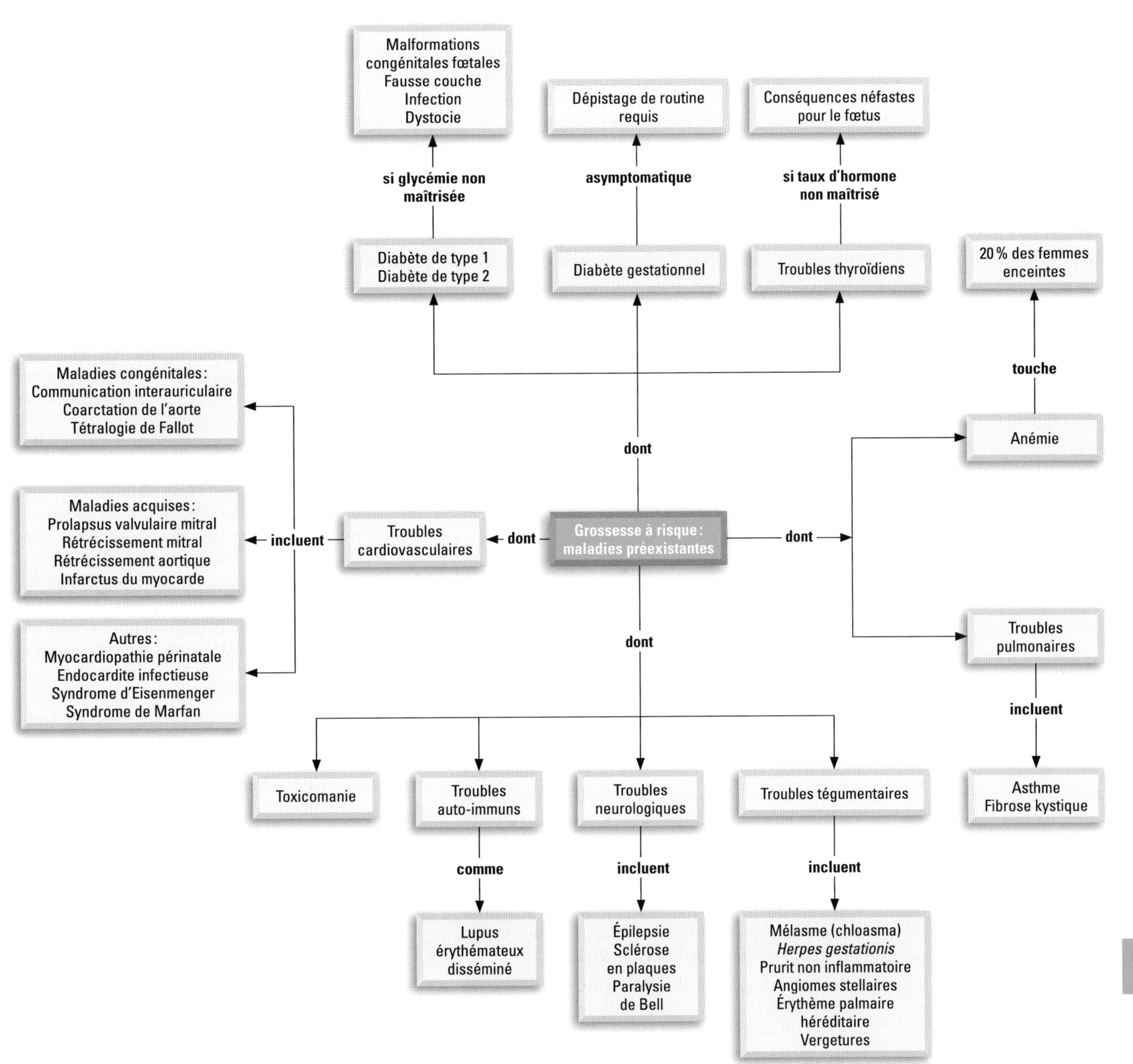

20

Pour la plupart des femmes, la grossesse s'inscrit dans le cours normal de la vie. Toutefois, certaines femmes nécessitent des soins particuliers, car leur grossesse représente un risque considérable parce qu'elle se déroule dans des conditions exceptionnelles, avec une maladie préexistante. Cependant, lorsqu'une femme est motivée, qu'elle participe activement à son plan de traitement et qu'une équipe interdisciplinaire veille attentivement à l'application de celui-ci, il est souvent possible d'assurer une issue positive de la grossesse.

Assurer des soins efficaces et sécuritaires à la femme qui vit une grossesse à risque élevé et à son fœtus représente un défi de taille. En plus des besoins particuliers liés à la maladie préexistante, cette cliente éprouve également les sentiments, les besoins et les inquiétudes rattachés à une grossesse normale. L'objectif premier des soins infirmiers est d'arriver à un résultat optimal tant pour la femme enceinte que pour le fœtus.

Le présent chapitre traite du diabète et d'autres troubles métaboliques et cardiovasculaires. Des troubles particuliers du système respiratoire, du système gastro-intestinal, du système tégumentaire et du système nerveux central ainsi que la toxicomanie sont également abordés. Pour tous ces troubles, les interventions infirmières propres aux périodes prénatale (avant l'accouchement), pernatale (pendant l'accouchement) et postnatale (après l'accouchement) sont présentées.

20.1 | Troubles métaboliques

20.1.1 Classification des types de diabète

Le système de classification actuel du diabète comprend quatre groupes: le diabète de type 1, le diabète de type 2, le diabète gestationnel et d'autres types précis (p. ex., le diabète causé par des défauts génétiques de la fonction des cellules bêta ou un diabète d'origine médicamenteuse) (Association canadienne du diabète [ACD], 2008; Moore & Catalano, 2009). Environ 90 % de toutes les femmes enceintes diabétiques souffrent de diabète gestationnel (Gilbert, 2007). Celles qui ont un **diabète antérieur à la grossesse** sont majoritairement (65 %) atteintes de diabète de type 2 (Chan & Johnson, 2006).

La prévalence du diabète connaît une croissance rapide partout dans le monde. En 2009, près de 760 000 personnes au Québec souffraient d'une forme ou d'une autre de diabète (Diabète Québec, 2009). Le diabète est actuellement le trouble endocrinien le plus courant associé à la grossesse; il touche environ de 4 à 14 % des femmes enceintes, et ce taux pourrait atteindre près de 18 % si de nouveaux critères diagnostiques étaient appliqués (Gilbert, 2007; Ryan, 2010). Le taux de mortalité périnatale chez les femmes enceintes souffrant de diabète qui reçoivent un traitement adéquat, à l'exclusion des grandes malformations congénitales, est approximativement le même que pour toute autre femme enceinte (Landon, Catalano & Gabbe, 2007). La clé d'un résultat optimal repose sur la maîtrise stricte de la glycémie maternelle avant la conception, ainsi que pendant toute la grossesse. Par conséquent, pour les femmes diabétiques, l'accent est mis sur les conseils fournis avant la grossesse.

Le site Internet de l'ACD, www.diabetes.ca, ainsi que celui de Diabète Québec, www.diabete.qc.ca, donnent de l'information à jour sur la maladie, destinée aux professionnels de la santé et aux personnes atteintes.

Une grossesse compliquée par le diabète est toujours considérée comme à risque élevé et doit impliquer les spécialités suivantes: obstétrique, périnatalogie, médecine interne ou endocrinologie, ophtalmologie, néphrologie, néonatalogie, soins infirmiers et nutrition, ainsi qu'un intervenant en travail social, au besoin. Un résultat favorable à ce genre de grossesse exige l'engagement et la collaboration de la femme enceinte et de sa famille avec l'équipe de soins, de préférence avant le début de la grossesse (Landon *et al.*, 2007).

Diabète de type 1

Le diabète de type 1 désigne un ensemble de troubles métaboliques caractérisés par une **hyperglycémie** qui découle de lacunes dans la sécrétion ou l'action de l'insuline, ou les deux (ACD, 2008). L'insuline, produite par les îlots de Langerhans du pancréas, régularise le taux de glucose sanguin en permettant au glucose de pénétrer dans les cellules adipeuses et musculaires pour servir de source d'énergie. Le diabète de type 1 est principalement provoqué par la destruction des cellules bêta du pancréas. L'apparition de la maladie de type 1 est généralement soudaine à un jeune âge, et les personnes atteintes présentent une carence absolue en insuline. Le diabète de type 1 comprend les cas dont on croit actuellement qu'ils sont causés par un processus auto-immun ainsi que d'autres cas de cause inconnue (ACD, 2008; Landon *et al.*, 2007). Lorsque l'insuline est absente pour promouvoir l'absorption de glucose par les cellules adipeuses et musculaires, ce glucose s'accumule dans le sang, provoquant une hyperglycémie. L'hyperglycémie cause une hyperosmolarité du sang, qui attire du liquide intracellulaire dans le réseau vasculaire, entraînant une déshydratation des cellules et une augmentation du volume sanguin. En conséquence, les reins fonctionnent pour excréter de grandes quantités d'urine (polyurie) dans le but de tenter de maîtriser un volume vasculaire excessif et aussi pour excréter le glucose inutilisable (glycosurie). La polyurie, accompagnée

L'organisme compense son incapacité à transformer des glucides en énergie en brûlant des protéines et des graisses, ce qui se traduit par une perte de tissu musculaire et une dégradation de tissu adipeux.

de la déshydratation cellulaire, cause une soif excessive (polydipsie).

L'organisme compense son incapacité à transformer des glucides en énergie en brûlant des protéines et des graisses, ce qui se traduit par une perte de tissu musculaire et une dégradation de tissu adipeux. Toutefois, le produit final de ce métabolisme se présente sous forme de cétones et d'acides gras qui, en quantités excessives, se traduisent par l'acidocétose et l'acétonurie. La dégradation des graisses et des tissus musculaires entraîne une perte de poids. Cette dégradation des tissus provoque un état d'inanition qui pousse la personne atteinte à manger de façon excessive (polyphagie).

Avec le temps, le diabète non contrôlé peut causer d'importants changements dans la microcirculation et la macrocirculation. Ces changements structuraux influent sur le cœur, les yeux, les reins et le système nerveux. Les complications liées au diabète comprennent l'athérosclérose prématurée, la rétinopathie, la néphropathie et la neuropathie.

Diabète de type 2

Le diabète de type 2 représente la forme la plus répandue de la maladie (90 % des cas) et touche des personnes qui ont une résistance à l'insuline. Les étiologies propres au diabète de type 2 demeurent inconnues. Souvent, ce diabète demeure non diagnostiqué pendant plusieurs années, parce que l'hyperglycémie se développe graduellement avant que la personne ressente finalement les signes classiques de polyurie, de polydipsie et de polyphagie. La majorité des personnes qui souffrent du diabète de type 2 sont obèses ou présentent un excédent de gras, principalement dans la région abdominale. Les autres facteurs de risque comprennent le vieillissement, un mode de vie sédentaire, les antécédents familiaux et la génétique, la puberté, l'hypertension et un diabète antérieur à la grossesse. Le diabète de type 2 comporte souvent une prédisposition génétique (ACD, 2008; Moore & Catalano, 2009).

Diabète gestationnel

Le diabète gestationnel désigne toute intolérance au glucose, quel qu'en soit le degré, qui commence ou est décelé pour la première fois pendant la grossesse. Cela n'exclut pas la possibilité que l'intolérance au glucose ait précédé la grossesse ni qu'une médication puisse être nécessaire pour la maîtrise optimale de la glycémie. La cliente atteinte d'un diabète gestationnel devrait faire l'objet d'une nouvelle évaluation de trois à six semaines après l'accouchement et tant qu'elle allaite, parce qu'elle est plus à risque de développer un diabète de type 2 (ACD, 2008; Moore & Catalano, 2009).

Classification de White des diabètes pendant la grossesse

Dans les années 1940, la D[re] Priscilla White a mis au point une classification s'appliquant spécifiquement aux femmes enceintes **TABLEAU 20.1**. Le système reposait sur l'âge au moment du diagnostic, sur la durée de la maladie et sur la présence d'une affection vasculaire (Moore & Catalano, 2009). Modifié au fil des ans, il est encore utilisé pour évaluer le risque tant maternel que fœtal. Les femmes des classes A à C connaissent généralement un bon résultat de grossesse, tant que leur taux de glucose sanguin demeure bien maîtrisé. Les femmes des classes D à T connaissent toutefois généralement un moins bon résultat de grossesse, parce qu'elles ont déjà contracté une affection vasculaire dans le contexte d'un diabète antérieur à la grossesse et de longue date.

Changements métaboliques liés à la grossesse

Une grossesse normale se caractérise par des modifications complexes du métabolisme maternel du glucose, de la production d'insuline et de l'homéostasie métabolique. L'adaptation du métabolisme maternel permet une nutrition adéquate à la fois de la mère et du fœtus en développement. Le glucose, principal carburant du fœtus, est acheminé à travers le placenta par le processus de diffusion avec médiation du porteur. Cela signifie que le taux de glucose du fœtus est directement proportionnel au taux maternel. L'insuline ne traverse pas le placenta. À la 10e semaine de gestation environ, le fœtus commence à sécréter sa propre insuline à des taux suffisants pour utiliser le glucose reçu de la mère. Par conséquent, à mesure que le taux de glucose maternel augmente, celui du fœtus augmente aussi, ce qui provoque une demande et une sécrétion accrues d'insuline chez lui.

RAPPELEZ-VOUS...

Les glucides constituent la principale source d'énergie du régime alimentaire (de 45 % à 65 % de l'énergie consommée).

TABLEAU 20.1 Classification de White (modifiée) des diabètes pendant la grossesse

Diabète gestationnel	
Classe A1	La cliente a deux valeurs anormales ou plus à l'épreuve d'hyperglycémie par voie orale (P.O.) avec une glycémie normale à jeun. La glycémie est maîtrisée au moyen du régime alimentaire.
Classe A2	La cliente n'avait pas de diagnostic de diabète avant la grossesse, mais elle a besoin d'un médicament pour maîtriser sa glycémie.
Diabète antérieur à la grossesse	
Classe B	La maladie débute après l'âge de 20 ans et dure depuis moins de 10 ans.
Classe C	La maladie débute entre l'âge de 10 et 19 ans ou dure depuis une période qui varie de 10 à 19 ans, ou les deux.
Classe D	La maladie commence avant l'âge de 10 ans ou dure depuis moins de 20 ans, ou les deux.
Classe F	La cliente souffre de néphropathie diabétique.
Classe R	La cliente souffre de rétinopathie proliférante.
Classe T	La cliente a subi une transplantation rénale.

Sources : Adapté de Landon *et al.* (2007) ; Moore & Catalano (2009).

Pendant le premier trimestre de la grossesse, l'état métabolique de la femme enceinte est très influencé par la hausse des taux d'œstrogènes et de progestérone. Ces hormones stimulent les cellules bêta du pancréas afin d'accroître la production d'insuline, ce qui favorise une utilisation périphérique accrue du glucose et une baisse de la glycémie, les taux à jeun étant réduits de 10 % environ **FIGURE 20.1A**. Ce phénomène s'accompagne d'une augmentation des réserves de glycogène dans les tissus et d'une baisse de la production hépatique de glucose, ce qui favorise des valeurs encore plus basses de glycémies à jeun. Par suite de ces changements métaboliques normaux de la grossesse, la femme diabétique de type 1 est sujette à l'**hypoglycémie** au premier trimestre.

Aux deuxième et troisième trimestres, la grossesse exerce un effet diabétogène sur l'état métabolique maternel. En raison des grands changements hormonaux, l'organisme présente moins de tolérance au glucose, une résistance accrue à l'insuline, une baisse des réserves de glycogène hépatique et une production hépatique accrue de glucose. Les taux croissants d'hormone chorionique somatotropique, d'œstrogènes, de progestérone, de prolactine, de cortisol et d'insulinase augmentent l'insulinorésistance par leur effet antagoniste de l'insuline. L'insulinorésistance est un mécanisme d'économie de glucose qui en assure un approvisionnement abondant pour le fœtus. Les besoins maternels en insuline augmentent graduellement autour de la 18e à la 24e semaine de gestation jusqu'à la 36e semaine environ. Ces besoins peuvent doubler et même quadrupler en fin de grossesse **FIGURES 20.1B** et **20.1C**.

À l'accouchement, l'expulsion du placenta provoque une brusque chute des taux d'hormones placentaires, de cortisol et d'insulinase **FIGURE 20.1D**. Les tissus maternels retrouvent rapidement leur sensibilité à l'insuline d'avant la grossesse. Chez la mère qui n'allaite pas, l'équilibre insuline-glucide préalable à la grossesse se rétablit habituellement en l'espace de 7 à 10 jours **FIGURE 20.1E**. La lactation utilise du glucose maternel ; les besoins d'insuline de la mère allaitante restent par conséquent faibles pendant toute cette période. À la fin du sevrage, le besoin d'insuline revient au taux d'avant la grossesse **FIGURE 20.1F**.

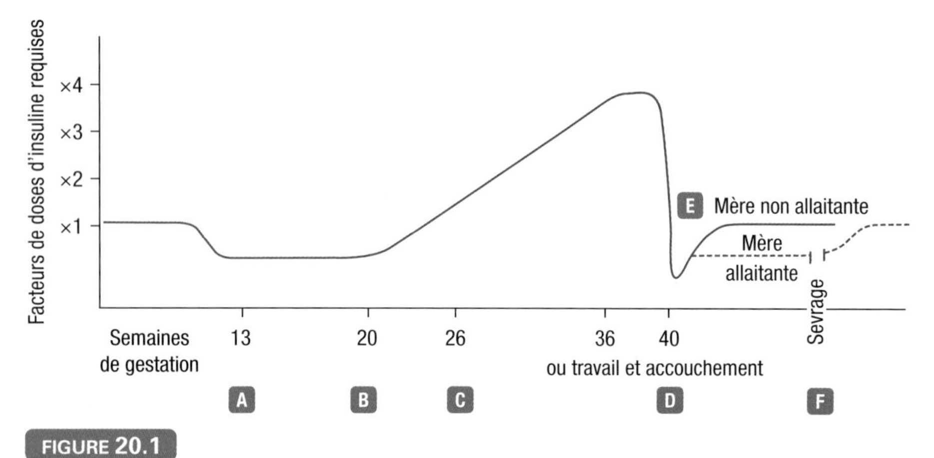

FIGURE 20.1

Évolution des besoins en insuline pendant la grossesse. A Premier trimestre : le besoin d'insuline diminue à cause d'une production accrue d'insuline par le pancréas et d'une sensibilité périphérique accrue à l'insuline ; les nausées, les vomissements et l'apport alimentaire diminué, combinés au transfert de glucose à l'embryon ou au fœtus, contribuent à l'hypoglycémie. B Deuxième trimestre : le besoin d'insuline augmente, car les hormones placentaires, le cortisol et l'insulinase agissent comme des antagonistes de l'insuline, en atténuant l'effet. C Troisième trimestre : le besoin d'insuline peut doubler, et même quadrupler, mais il se stabilise habituellement après 36 semaines de gestation. D Jour de l'accouchement : les besoins maternels d'insuline chutent brusquement, pour se rapprocher des taux antérieurs à la grossesse. E La mère allaitante conserve un besoin moindre d'insuline, jusqu'à 25 % de moins qu'avant la grossesse ; le besoin d'insuline de la mère non allaitante revient au taux d'avant la grossesse en l'espace de 7 à 10 jours. F Le sevrage du nourrisson allaité fait revenir le besoin d'insuline de la mère au taux d'avant la grossesse.

20.1.2 Problèmes liés au diabète durant la grossesse

Le diabète antérieur à la grossesse est l'appellation parfois donnée au diabète de type 1 ou de type 2 que la femme peut présenter avant la grossesse, compliqué ou non par une maladie vasculaire, une rétinopathie, une néphropathie ou une autre séquelle diabétique. Environ 2 femmes enceintes sur 1 000 souffrent de diabète avant de devenir enceintes. Le type 2 est plus courant que le type 1. Presque toutes les femmes atteintes d'un diabète antérieur à la grossesse sont insulinodépendantes durant la grossesse. Selon le système de classification de White, ces femmes entrent dans les classes B à T **TABLEAU 20.1**.

L'état diabétogène de la grossesse qui s'impose au métabolisme fragilisé de la femme atteinte d'un diabète antérieur à la grossesse a des conséquences importantes. Les adaptations hormonales au fait d'être enceinte ont un impact sur la maîtrise glycémique, et la grossesse peut accélérer la progression des complications vasculaires.

Pendant le premier trimestre, la glycémie maternelle est habituellement à un taux réduit, et la réaction insulinique au glucose se trouve améliorée, ce qui permet une meilleure maîtrise glycémique. Il faut parfois réduire la dose d'insuline d'une femme dont le diabète est bien maîtrisé pour éviter l'hypoglycémie. Les nausées, les vomissements et les fringales typiques du début de la grossesse entraînent des fluctuations alimentaires qui perturbent la glycémie maternelle et qui peuvent aussi entraîner une réduction de la dose d'insuline.

Le besoin d'insuline augmente régulièrement après le premier trimestre ; il faut donc modifier la dose d'insuline en conséquence afin de prévenir l'hyperglycémie. L'insulinorésistance commence dès la 14e à la 16e semaine de grossesse et continue de s'accentuer jusqu'à l'atteinte d'un taux stable pendant les dernières semaines de gestation.

Consultation préalable à la conception

Toute femme diabétique en âge de procréer devrait avoir une consultation préalable à la conception, car celle-ci est associée à une réduction de la mortalité périnatale et des anomalies congénitales (Moore & Catalano, 2009) **ENCADRÉ 20.1**. Idéalement, une femme souffrant d'un diabète antérieur à la grossesse obtient une consultation avant la conception afin de fixer le meilleur moment pour la grossesse, d'établir une maîtrise glycémique avant la conception et de diagnostiquer toute complication vasculaire du diabète (Delissaint & McKyer, 2011). Cependant, l'ACD estime que moins de 50 % des femmes diabétiques reçoivent des soins préconceptionnels (ACD, 2008).

Le conjoint de la femme diabétique devrait participer à la consultation. Il faut également informer le couple des modifications prévisibles dans le traitement du diabète et de la nécessité d'adopter une approche interdisciplinaire des soins de santé. Il est aussi important d'aborder la surveillance fréquente de la mère et du fœtus. La contraception constitue un autre aspect central de la consultation préalable à la conception pour aider le couple à planifier efficacement la grossesse (Mersereau *et al.*, 2011).

Risques et complications pour la mère

Bien que les taux de morbidité et de mortalité maternels aient considérablement baissé, la femme diabétique enceinte risque toujours de connaître

Pratique fondée sur des résultats probants

ENCADRÉ 20.1 Consultation préalable à la conception

QUESTIONS CLINIQUES

- Que faut-il recommander aux femmes diabétiques qui souhaitent être enceintes ?
- Quels conseils en diététique faut-il leur donner pour les aider dans la maîtrise glycémique ?

RÉSULTATS PROBANTS

- Stratégies de recherche : lignes directrices d'organisations professionnelles, métaanalyses, examens systématiques, essais cliniques comparatifs aléatoires, études prospectives non aléatoires et études rétrospectives depuis 2006.
- Bases de données utilisées : CINAHL, Cochrane, Medline, National Guideline Clearinghouse, base de données TRIP et sites Web de l'Association of Women's Health, Obstetric, and Neonatal Nurses et du Royal College of Obstetricians and Gynaecologists.

ANALYSE CRITIQUE ET SYNTHÈSE DES DONNÉES

- Il est plus difficile de traiter le diabète pendant la grossesse, lorsque les changements hormonaux, l'insulinorésistance et la croissance du fœtus entraînent des variations fréquentes de la maîtrise glycémique. Les anomalies, la fausse couche, la mort fœtale, l'accouchement prématuré, la macrosomie entraînant un trauma ou une césarienne et l'hypoglycémie représentent les risques fœtaux liés au diabète pendant la grossesse. Les risques maternels comprennent une augmentation des cas de rétinopathie, de néphropathie, de prééclampsie et les blessures découlant d'un accouchement opératoire ou d'une césarienne.
- L'ACD recommande d'offrir une consultation préalable à la conception aux femmes pour les renseigner sur les façons de maintenir le taux d'hémoglobine glyquée (A1c) à moins de 6,5 % pendant la grossesse. Durant les neuf mois de gestation, l'ACD fixe les objectifs à des taux de glycémie dont la valeur varie entre 3,8-5,2 mmol/L à jeun, entre 5,5-7,7 mmol/L une heure après la première bouchée d'un repas, et entre 5 et 6,6 mmol/L deux heures après un repas. Il est également recommandé d'évaluer d'éventuelles complications comme la néphropathie et la rétinopathie, ainsi que de fournir des conseils sur un mode de vie sain et sur la prise de suppléments d'acide folique.
- Dans les directives professionnelles sur le traitement du diabète pendant la grossesse publiées par le National Institute for Health and Clinical Excellence (NICE) (2008), il est recommandé d'offrir aux femmes une consultation préalable à la conception pour optimiser l'issue de la grossesse. La femme doit maintenir une bonne maîtrise glycémique avant la conception ainsi que pendant toute la grossesse. Il faut renseigner la femme diabétique qui souhaite être enceinte sur le rôle du régime alimentaire, du poids et de l'exercice, sur les risques de l'hypoglycémie, les effets des nausées et des vomissements sur la maîtrise de la maladie, les risques de macrosomie et l'évaluation des risques de rétinopathie et de néphropathie. Elle doit aussi être mise au courant des risques de l'hypoglycémie sur le nouveau-né, ainsi que de la possibilité de souffrir plus tard d'obésité et de diabète. Elle doit comprendre l'importance de la maîtrise glycémique pendant le travail et l'accouchement. Selon ces directives, la femme est encouragée à atteindre un indice de masse corporelle inférieur à 27 et un taux de HbA1c inférieur à 6,1 % avant la conception (NICE, 2008).
- Toute personne diabétique doit être renseignée sur les bienfaits de suivre un régime à faible indice glycémique. Les aliments à faible indice glycémique ralentissent la digestion et limitent le pic glycémique postérieur aux repas. La prévention des extrêmes glycémiques est particulièrement importante pendant la grossesse. Selon une métaanalyse de Cochrane, les femmes diabétiques et leurs enfants gagnent à manger des aliments à faible indice glycémique comme les fruits, les légumes, les grains entiers et les légumineuses (Tieu, Crowther & Middleton, 2008).

RECOMMANDATIONS POUR LA PRATIQUE INFIRMIÈRE

- L'infirmière est particulièrement bien placée pour conseiller la cliente diabétique sur l'importance de réguler la glycémie et d'adopter des habitudes saines avant de devenir enceinte. La mère diabétique et son nouveau-né tirent profit des bonnes habitudes prises par la femme en matière de régime alimentaire et d'exercice ainsi que du traitement médical de la maladie. L'enseignement du régime à faible indice glycémique s'avère particulièrement utile.
- La cliente diabétique doit obtenir tous les renseignements dont elle a besoin pour prendre des décisions éclairées concernant sa santé et lui permettre de se traiter elle-même en collaboration avec l'équipe soignante.
- L'infirmière doit transmettre un message positif sur la grossesse, fournir un soutien continu ainsi qu'assurer une surveillance et un suivi fréquents. Elle doit fournir à la cliente des numéros de téléphone en cas d'urgence ainsi que d'autres ressources accessibles en tout temps si elle a des questions. L'infirmière doit encourager et féliciter souvent la femme enceinte diabétique parce qu'elle offre à son nouveau-né le meilleur début de vie possible.

RÉFÉRENCES

American Association of Clinical Endocrinologists (AACE) Diabetes Mellitus Clinical Practice Guidelines Taskforce (2007). AACE diabetes mellitus guidelines : Diabetes and pregnancy. *Endoc Pract, 13*(Suppl. 1), 55-59.

National Institute for Health and Clinical Excellence (NICE) (2008). *Diabetes in pregnancy. NICE Clinical Guideline N° 63.* London : NICE.

Tieu, J., Crowther, C., & Middleton, P. (2008). Dietary advice in pregnancy for preventing gestational diabetes mellitus. *Cochrane Database of Systematic Reviews, 2,* CD 006674.

des complications. Une mauvaise maîtrise glycémique durant la période de conception et les premières semaines de la grossesse est associée à une fréquence accrue de fausse couche chez la femme diabétique. Celle qui maintient une bonne maîtrise glycémique avant la conception et pendant le premier trimestre n'est pas plus exposée à faire une fausse couche qu'une femme enceinte non diabétique (Moore & Catalano, 2009).

La femme diabétique est plus susceptible d'avoir une césarienne par défaut de progression du travail ou de descente du fœtus, ou d'avoir un accouchement vaginal avec assistance (épisiotomie, forceps ou ventouse obstétricale) (Garabedian & Deruelle, 2010 ; Landon *et al.*, 2007 ; Moore & Catalano, 2009).

Une femme qui est diabétique avant d'être enceinte risque de connaître diverses complications obstétricales et médicales. En général, ce risque augmente proportionnellement à la durée et à la gravité du diabète. Une étude a montré que les taux de prééclampsie, d'accouchement prématuré, de césarienne et de mortalité maternelle étaient beaucoup plus élevés chez les femmes ayant un diabète antérieur à la grossesse que chez les autres femmes (Fadl, Ostlund, Magnuson & Hanson, 2010). Près du tiers des femmes qui font du diabète depuis plus de 20 ans, par exemple, souffrent de prééclampsie. Les femmes atteintes de néphropathie et d'hypertension en plus du diabète sont aussi de plus en plus susceptibles de présenter des symptômes de prééclampsie. Le taux de troubles hypertensifs pour toutes les grossesses diabétiques atteint entre 15 et 30 %. L'hypertension chronique se produit dans 10 à 20 % de toutes les grossesses diabétiques et dans près de 40 % des grossesses de femmes souffrant d'une affection rénale ou d'une vascularisation rétinienne antérieure à la grossesse (Moore & Catalano, 2009). Un suivi très étroit, surtout concernant les médicaments antihypertenseurs, est conseillé avant et pendant la grossesse pour diminuer les risques liés à l'hypertension (Sullivan, Umans & Ratner, 2011).

Polyhydramnios : Présence d'une quantité excessive de liquide amniotique (plus de 2 000 ml) dans la cavité qui entoure le fœtus.

Le **polyhydramnios** se manifeste environ 10 fois plus souvent dans un diabète gestationnel ; il est associé à une mauvaise maîtrise de la glycémie et des taux élevés d'**hémoglobine glyquée (A1c)** (Idris, Wong, Thomae, Gardener & McIntyre, 2010). Le polyhydramnios est associé à la perte des eaux et au déclenchement du travail prématurés ainsi qu'à l'hémorragie postpartum (Cunningham *et al.*, 2005).

Les infections sont plus fréquentes et plus graves chez les femmes enceintes diabétiques. Les troubles du métabolisme des glucides modifient la résistance normale de l'organisme aux infections. La réaction inflammatoire, la fonction leucocytaire et le pH vaginal sont tous touchés. Les infections vaginales, en particulier la candidose vaginale, et les infections des voies urinaires sont plus fréquentes chez la femme enceinte diabétique (Société des obstétriciens et gynécologues du Canada [SOGC], 2010a). L'infection entraîne une insulinorésistance accrue et peut aboutir à une acidocétose (Harvey, 1992). L'infection postpartum est plus fréquente chez la femme diabétique insulinodépendante.

L'**acidocétose** (accumulation de corps b cétoniques dans le sang résultant d'une hyperglycémie et entraînant une acidose métabolique) se produit plus souvent pendant les deuxième et troisième trimestres. Lorsque le métabolisme maternel subit le stress de la maladie ou de l'infection, la femme diabétique court un risque accru d'acidocétose diabétique. Celle-ci peut également survenir lorsque la cliente ne suit pas son traitement à la lettre ou si elle présente un diabète non diagnostiqué auparavant (Moore & Catalano, 2009). L'emploi de médicaments bêtamimétiques, comme la terbutaline utilisée en tocolyse pour arrêter le travail prématuré, peut aussi contribuer au risque d'hyperglycémie et d'acidocétose diabétique (Iams, Romero & Creasy, 2009).

L'acidocétose diabétique peut survenir à des taux de glycémie plus bas chez la femme enceinte que chez la femme non enceinte (Guo, Yang, Li & Zhao, 2008). En réaction à des facteurs de stress comme l'infection ou la maladie, l'hyperglycémie survient à la suite d'une production hépatique accrue de glucose et d'une réduction périphérique de son utilisation. Des hormones de stress sont libérées, entravant l'action de l'insuline pour accentuer l'insulinodéficience. Des acides gras sont mobilisés depuis les réserves adipeuses pour entrer dans la circulation, et leur oxydation libère des corps cétoniques dans la circulation périphérique. L'acidose métabolique se déclare alors. Le taux excessif de glycémie et de corps cétoniques entraîne une diurèse osmotique, avec perte subséquente de liquide et d'électrolytes, baisse de volume et déshydratation cellulaire. L'acidocétose diabétique constitue une urgence médicale ; elle doit être traitée immédiatement pour éviter le coma ou la mort. L'acidocétose peut provoquer le décès fœtal intra-utérin et constitue également une cause de travail prématuré (Hawthorne, 2011). La prévalence d'acidose diabétique pendant la grossesse est passée d'un taux de plus de 20 % antérieurement à environ 2 % aujourd'hui. Le taux de décès fœtal intra-utérin découlant de l'acidocétose diabétique, qui a déjà atteint environ 35 %, se chiffre maintenant autour de 10 % ou moins (Moore & Catalano, 2009) **TABLEAU 20.2**.

Le risque d'hypoglycémie augmente également. En début de grossesse, lorsque la production hépatique de glucose diminue et que l'utilisation périphérique du glucose s'accroît, l'hypoglycémie devient fréquente, souvent pendant le sommeil.

TABLEAU 20.2	Distinction entre l'hyperglycémie (acidocétose diabétique) et l'hypoglycémie (choc insulinique)		
CAUSES	**APPARITION**	**SYMPTÔMES**	**INTERVENTIONS**
Hyperglycémie (acidocétose diabétique)			
• Insuffisance d'insuline • Excès ou mauvais types d'aliments • Infection, blessures, maladie • Stress émotionnel • Manque d'exercice	• Lente (heures ou jours)	• Soif • Nausées ou vomissements • Douleur abdominale • Constipation • Somnolence • Vision obscurcie • Miction accrue • Céphalées • Peau sèche, rouge • Respiration rapide • Pouls (P) rapide, faible • Haleine d'acétone (fruitée) • Valeurs de laboratoire – Urine : positive pour sucre et acétone – Glycémie : $\geq$ 11 mmol/L	• Aviser le médecin. • Administrer de l'insuline en fonction de la glycémie. • Administrer une perfusion de liquide, comme une solution salée normale ; du potassium si la diurèse est adéquate ; du bicarbonate si le pH $<$ 7. • Surveiller les résultats d'analyses de laboratoire pour le sang et l'urine.
Hypoglycémie (choc insulinique)			
• Excès d'insuline • Insuffisance alimentaire (repas manqués ou retardés) • Excès d'exercice ou de travail • Indigestion, diarrhée, vomissements	• Rapide (insuline régulière) • Graduelle (insuline modifiée ou agents hypoglycémiants oraux)	• Irritabilité • Faim • Sudation • Nervosité • Changement de personnalité • Faiblesse • Fatigue • Vision floue ou double • Étourdissements • Céphalées • Pâleur ; moiteur de la peau • Respiration peu profonde • P rapide • Valeurs de laboratoire – Urine : négative pour sucre et acétone – Glycémie : $<$ 4 mmol/L	• Mesurer la glycémie à la première apparition des symptômes. • Manger ou boire immédiatement 15 g de glucides simples. • Mesurer de nouveau la glycémie après 15 min, et manger ou boire un autre 15 g de glucides simples si la glycémie demeure basse. • Mesurer de nouveau la glycémie après 15 min. • Aviser le médecin si la glycémie ne change pas. • Si la cliente est inconsciente, administrer 50 % de dextrose par bolus, de 5 à 10 % de dextrose dans une perfusion aqueuse ou 1 mg de glucagon. • Prélever des échantillons de sang et d'urine pour les analyses de laboratoire.

Plus tard dans la grossesse, à mesure que l'on ajuste la dose d'insuline pour maintenir l'**euglycémie** (glycémie normale), l'hypoglycémie peut également se manifester. La femme ayant des antécédents d'hypoglycémie grave avant la grossesse présente un risque accru d'hypoglycémie grave pendant la gestation. Des épisodes hypoglycémiques de légers à moyens ne semblent pas avoir d'effet néfaste marqué sur le bien-être fœtal.

Risques et complications pour le fœtus et le nouveau-né

Dès sa conception, l'enfant d'une mère diabétique court un risque accru de complications, qui peuvent survenir dans les périodes prénatale, pernatale ou postnatale. Les taux de morbidité et de mortalité du nouveau-né liés à un diabète gestationnel baissent considérablement avec une gestion stricte de la glycémie maternelle pendant la grossesse.

Malgré l'amélioration des soins aux femmes enceintes diabétiques, la mort fœtale intra-utérine, aussi appelée mortinaissance, demeure une grande préoccupation. Environ 2 à 5 % de tous les décès fœtaux se produisent chez les femmes enceintes souffrant d'un diabète antérieur à la grossesse. L'hyperglycémie, l'acidocétose, les anomalies congénitales, les infections et l'obésité maternelle semblent être des causes de décès fœtal. Au troisième trimestre, l'acidose fœtale constitue la cause la plus probable du décès du fœtus (Paidas & Hossain, 2009).

La cause la plus importante de décès dans un diabète gestationnel est la malformation congénitale, qui compte pour 30 à 50 % de tous les décès périnataux (Lindsay, 2006). La prévalence des malformations congénitales est liée à la gravité et à la durée du diabète. L'hyperglycémie, au cours du premier trimestre de la grossesse, lorsque les organes et les systèmes organiques se forment, est la cause principale d'anomalies congénitales liées au diabète. Les anomalies observées chez les nouveau-nés touchent surtout le système cardiovasculaire, le système nerveux central (SNC) et le système musculosquelettique (Cunningham *et al.*, 2005 ; Moore & Catalano, 2009 ; SOGC, 2007a) **TABLEAU 20.3**.

24

Le chapitre 24, *Nouveau-né à risque*, aborde plus en détail les complications néonatales liées au diabète maternel.

Le pancréas du fœtus commence à sécréter de l'insuline après 10 à 14 semaines de gestation. Le fœtus réagit à l'hyperglycémie maternelle en sécrétant de grandes quantités d'insuline (hyperinsulinisme). L'insuline agit comme hormone de croissance, faisant produire au fœtus des réserves excessives de glycogène, de protéines et de tissus adipeux, ce qui augmente sa taille (**macrosomie**) et son poids. Une mauvaise maîtrise glycémique plus tard dans la grossesse, en particulier chez la femme diabétique sans maladie vasculaire, augmente le taux de macrosomie fœtale (ACD, 2008). La macrosomie a été définie de plusieurs façons, y compris un poids à la naissance excédant 4 000 g, un poids à la naissance supérieur au 90e centile et un excès de graisse dans le tissu sous-cutané du nouveau-né. La macrosomie se manifeste dans environ 40 % des grossesses où le diabète est antérieur à la grossesse et dans près de 50 % des diabètes gestationnels (Landon *et al.*, 2007 ; Mitanchez, 2010 ; Moore & Catalano, 2009). Les nouveau-nés de mères diabétiques ont tendance à connaître une augmentation disproportionnée de la taille des épaules, du tronc et du thorax. Par conséquent, le risque de dystocie de l'épaule est plus élevé chez ces nouveau-nés que chez ceux ayant un poids de naissance élevé ; mais il est possible de réduire ce risque au moyen d'une gestion plus serrée de la glycémie (Horvath *et al.*, 2010).

Un nouveau-né d'une mère diabétique est plus susceptible de subir des blessures pendant l'accouchement que celui dont la mère n'est pas diabétique, et un fœtus ayant un poids de naissance élevé est le plus à risque de connaître ce genre de complications ▶ 24. Les blessures fœtales courantes associées à un diabète gestationnel comprennent une paralysie du plexus brachial, une blessure au nerf facial, une fracture de l'humérus ou de la clavicule et un céphalhématome. La plupart de ces blessures se produisent pendant un accouchement vaginal difficile et dans le cas d'une dystocie des épaules (Moore & Catalano, 2009). L'hypoglycémie à la naissance est également un risque qui touche le nouveau-né d'une mère diabétique.

TABLEAU 20.3 Malformations associées au diabète préexistant

SYSTÈME	ANOMALIE
SNC	Anomalies de la moelle épinière par défaut de soudure, microcéphalie, macrocéphalie, hydrocéphalie
Système cardiovasculaire	Communication interventriculaire (CIV), communication interauriculaire (CIA), tétralogie de Fallot, coarctation, cardiomégalie
Système gastro-intestinal	Sténose du pylore, atrésie duodénale, imperforation anale/rectale, hernies
Système génito-urinaire	Kystes rénaux, hypospadias, cryptorchidisme, hypoplasie des testicules, organes génitaux ambigus
Système musculosquelettique	Réduction des membres, pied bot, contractures
Autre	Fente palatine

Source : Adapté de SOGC (2007a).

SOINS ET TRAITEMENTS INFIRMIERS

Diabète de type 1 en période prénatale

Lorsqu'une femme enceinte diabétique amorce des soins prénataux, une évaluation complète de son état de santé est effectuée. La première consultation comporte un examen physique complet pour évaluer l'état de santé actuel de la cliente. Outre l'examen prénatal habituel, des efforts particuliers sont faits pour évaluer les effets du diabète, en particulier la présence d'une rétinopathie, d'une néphropathie, d'une neuropathie ou d'une coronaropathie liées au diabète (Gilbert, 2007) **ENCADRÉ 20.2**.

En plus des analyses prénatales de routine, il se peut que la fonction rénale de référence soit évaluée au moyen d'un prélèvement d'urine de 24 heures pour mesurer l'excrétion totale de protéines et l'élimination de créatinine. Une analyse et une culture d'urine sont effectuées afin d'évaluer la présence d'une infection des voies urinaires, laquelle se produit souvent durant la grossesse. À cause du risque que la femme souffre aussi d'une maladie thyroïdienne, des tests de la fonction thyroïdienne pourront également être faits (ce sujet est traité plus avant dans les troubles thyroïdiens). Le taux

ENCADRÉ 20.2 Diabète antérieur à la grossesse

COLLECTE DES DONNÉES – ÉVALUATION INITIALE

La collecte de données effectuée auprès d'une cliente enceinte diabétique qui amorce des soins prénataux porte sur les aspects suivants :

Entrevue

- Estimer les besoins en apprentissage :
  - diabète pendant la grossesse ;
  - complications fœtales possibles ;
  - plan de traitement.
- Évaluer l'état émotionnel :
  - adaptation à la grossesse tout en étant diabétique ;
  - attitude quant aux risques élevés de la grossesse ;
  - crainte de complications maternelles et fœtales ;
  - changements majeurs dans le mode de vie afin de respecter le plan de traitement ;
  - réseau de soutien.
- Déterminer les personnes importantes et leur rôle :
  - leurs réactions à la grossesse et au plan de traitement ;
  - leur participation au plan de traitement.

Examen physique

- Évaluer l'état de santé actuel.
- Effectuer l'examen prénatal habituel.
- Établir les effets du diabète sur la grossesse :
  - effectuer un électrocardiogramme (ECG) de référence pour évaluer l'état cardiovasculaire ;
  - évaluer la rétinopathie avec suivi au besoin par un ophtalmologiste chaque trimestre, et plus souvent si une rétinopathie est diagnostiquée ;
  - mesurer la pression artérielle (P.A.) ;
  - surveiller la prise de poids ;
  - évaluer la hauteur utérine.

Analyses de laboratoire

- HbA1c
- Prélèvement d'urine de 24 heures pour mesurer l'excrétion totale de protéines et l'élimination de créatinine
- Analyse et culture d'urine : à la première consultation prénatale et tout le long de la grossesse
- Bandelette réactive pour mesurer les corps cétoniques dans l'urine
- Tests de la fonction thyroïdienne

ANALYSE ET INTERPRÉTATION DES DONNÉES

Les problèmes découlant de la situation de santé chez une femme souffrant d'un diabète antérieur à la grossesse peuvent inclure :

- Manque de connaissances lié au diabète durant la grossesse, au traitement et aux effets possibles sur la cliente enceinte et sur le fœtus.
- Anxiété, peur, chagrin dysfonctionnel, sentiment d'impuissance, perturbation de l'image corporelle, diminution circonstancielle de l'estime de soi, détresse spirituelle, difficulté à tenir son rôle parental et perturbation de la dynamique familiale liés :
  - au fait de porter l'étiquette de diabétique ;
  - aux effets du diabète et à ses séquelles possibles sur la cliente enceinte et sur le fœtus.
- Risque de blessure au fœtus lié à :
  - une insuffisance utéroplacentaire ;
  - un trauma à la naissance.
- Risque de blessure maternelle lié :
  - au défaut de suivre un régime diabétique ;
  - à une mauvaise administration de l'insuline ;
  - à de l'hypoglycémie et de l'hyperglycémie ;
  - à une césarienne ou un accouchement vaginal opératoire ;
  - à une infection postpartum.

RÉSULTATS ESCOMPTÉS

La planification des soins est établie dans le but d'atteindre les résultats suivants :

- Expression de sa compréhension du diabète durant la grossesse, du plan de traitement et de l'importance de la maîtrise glycémique.
- Atteinte et maintien de la maîtrise glycémique.
- Manifestation d'une adaptation adéquate.
- Absence de complication (morbidité ou mortalité maternelle).
- Accouchement à terme d'un nouveau-né en santé.

INTERVENTIONS INFIRMIÈRES

Période prénatale

- Donner une consultation prénatale de routine hebdomadaires ou toutes les deux semaines au cours des premier et deuxième trimestres, et une ou deux fois par semaine au cours du troisième trimestre.
- Fournir de l'enseignement :
  - suivi à domicile de la glycémie ;
  - importance de respecter un horaire quotidien constant pour assurer une gestion étroite de la glycémie ;
  - importance de bons soins des pieds et des soins généraux de la peau.
- Encourager un régime alimentaire sain à l'aide de conseils donnés par une nutritionniste.
- Procéder au traitement à l'insuline.
- Promouvoir l'exercice, selon l'ordonnance du médecin.
- Assurer la surveillance fœtale :
  - échographies pendant la grossesse pour établir l'âge gestationnel, surveiller la croissance fœtale et évaluer le polyhydramnios et les anomalies ;
  - détermination du taux d'alphafœtoprotéine sérique maternelle pour dépister les anomalies du tube neural ;
  - décompte des mouvements fœtaux quotidiens (à compter de la 28e semaine de gestation) ;
  - examens de réactivité fœtale (ERF), tests à l'ocytocine ou profils biophysiques une ou deux fois par semaine (à compter de la 24e semaine de gestation ou plus tôt).

Période pernatale

- Établir la glycémie toutes les heures.
- Administrer régulièrement de l'insuline par voie intraveineuse (I.V.), selon les besoins, pour maintenir le taux de glycémie au niveau désiré.
- Surveiller en continu la fréquence cardiaque fœtale.
- Observer tout signe de dystocie fœtale.
- S'assurer de la présence d'un spécialiste des soins néonataux à l'accouchement.

ENCADRÉ 20.2 **Diabète antérieur à la grossesse *(suite)***

Période postnatale

- Surveiller le taux de glycémie et modifier la dose d'insuline, au besoin.
- Observer tout signe de complications (prééclampsie, hémorragie, infection).
- Encourager la cliente à allaiter.
- Fournir de l'information en planification familiale.

ÉVALUATION DES RÉSULTATS – ÉVALUATION EN COURS D'ÉVOLUTION

L'évaluation de l'efficacité des soins repose sur les résultats escomptés, lesquels sont étroitement liés au degré de maîtrise du métabolisme de la mère pendant la grossesse.

d'HbA1c est mesuré. En présence d'une hyperglycémie prolongée, une partie de l'hémoglobine demeure saturée de glucose pendant toute la vie du globule rouge. Ainsi, un test sur l'HbA1c permet de mesurer la maîtrise glycémique sur une période récente, plus précisément au cours des quatre à six semaines précédentes. Un taux d'HbA1c supérieur à 7 indique une glycémie élevée au cours des quatre à six semaines précédentes (Gilbert, 2007). La glycémie est mesurée à jeun ou de façon aléatoire (une ou deux heures après un repas) à chacune des consultations pendant la grossesse **FIGURE 20.2**. Il est aussi possible que l'infirmière examine les carnets d'autosurveillance de la glycémie de la cliente.

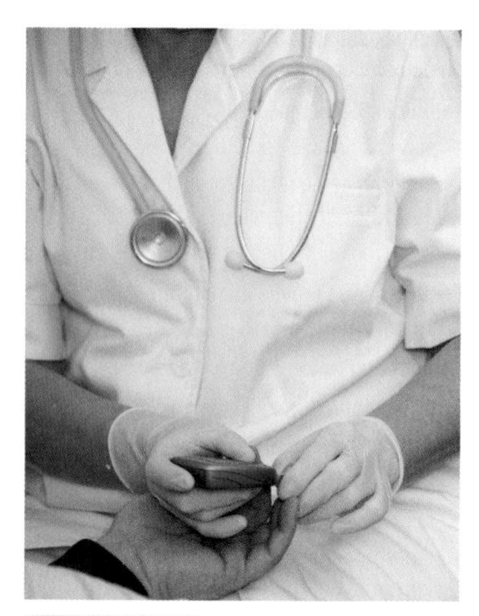

FIGURE 20.2
Une infirmière interprète le résultat affiché par la mesure de la glycémie.

TABLEAU 20.4 **Taux de glycémie visés pendant la grossesse**

MOMENT DE LA JOURNÉE	GLYCÉMIE VISÉE
Avant un repas ou à jeun	> 3,5, mais < 5,2 mmol/L
Après un repas (1 h)	< 7,1 à 7,7 mmol/L
Après un repas (2 h)	< 6,6 mmol/L

Sources : Adapté de Landon *et al.* (2007) ; Moore & Catalano (2009).

À cause du risque élevé qu'elle court, la femme enceinte diabétique fait l'objet d'une surveillance fréquente et approfondie. Au cours des premier et deuxième trimestres, il faut prévoir des consultations prénatales de routine hebdomadaires ou toutes les deux semaines tandis qu'au dernier trimestre, la cliente a une ou deux consultations par semaine.

Le traitement médical vise principalement à ce que la cliente atteigne et maintienne une euglycémie constante, avec une glycémie de l'ordre de 3,5-5,2 mmol/L avant les repas, ne dépassant pas de 7,1 à 7,7 mmol/L une heure après les repas (Moore & Catalano, 2009) **TABLEAU 20.4**. Une alimentation appropriée, la prise d'insuline et de l'exercice permettent d'atteindre l'euglycémie. L'objectif premier des soins infirmiers est de fournir à la cliente les connaissances, les compétences et la motivation dont elle a besoin pour atteindre et maintenir une excellente maîtrise glycémique **PSTI 20.1**.

Pour atteindre l'euglycémie, la cliente et sa famille doivent s'engager à modifier leur mode de vie, ce qui peut parfois sembler énorme. Pour maîtriser la glycémie, la femme doit se plier à un horaire quotidien régulier. Elle doit se lever et se coucher, manger, faire de l'exercice et s'injecter de l'insuline aux mêmes moments chaque jour. La glycémie est mesurée afin d'établir à quel point les principaux éléments de la thérapie (alimentation, insuline et exercice) interagissent pour la maîtriser. La femme enceinte diabétique doit porter un bracelet d'identification médicale en tout temps et toujours avoir sous la main, lorsqu'elle quitte la maison, de l'insuline, des seringues et des sources de sucre rapide.

Le soin des pieds et les soins généraux de la peau sont importants, car la femme diabétique est à risque d'infections, de problèmes visuels et de changements neurologiques. Elle doit se laver chaque jour et porter une attention particulière au soin du périnée et des pieds. Les lotions, crèmes ou huiles peuvent aider à soulager la peau sèche. La cliente doit éviter de se vêtir avec des vêtements serrés, et elle doit porter en tout temps des souliers ou des pantoufles bien ajustés, de préférence avec des chaussettes ou des bas. Les pieds sont inspectés

Plan de soins et de traitements infirmiers

PSTI 20.1 Femme enceinte atteinte d'un diabète antérieur à la grossesse

PROBLÈME DÉCOULANT DE LA SITUATION DE SANTÉ	**Risque d'autogestion inefficace** lié au manque de connaissance de l'impact de la grossesse sur la maîtrise du diabète
OBJECTIF	La cliente ne présentera aucune complication liée à l'autogestion de son diabète.
RÉSULTATS ESCOMPTÉS	**INTERVENTIONS INFIRMIÈRES ET JUSTIFICATIONS**
• Description par la cliente des effets possibles du diabète sur la grossesse et le fœtus • Maintien d'une glycémie maternelle dans les normales attendues • Assiduité aux visites pour suivi de grossesse	**Enseignement – diabète** • Évaluer les connaissances de la cliente sur le processus de la maladie, son traitement, ses effets sur la grossesse et le fœtus, ainsi que sur les complications possibles afin d'établir une base de données pour orienter l'enseignement à lui fournir. • Réviser les aspects physiopathologiques du diabète, les effets sur la grossesse et le fœtus, ainsi que les complications possibles afin d'encourager une bonne compréhension de l'information et le respect du plan de traitement. • Réviser la surveillance de la glycémie et observer le procédé d'administration de l'insuline, afin d'établir le degré de confort et de compétence de la cliente et de renforcer l'enseignement au besoin. • Discuter des questions de l'alimentation et de l'exercice afin d'encourager l'autogestion du diabète. • Passer en revue les signes et les symptômes de l'hypoglycémie et de l'hyperglycémie ainsi que les interventions appropriées afin d'assurer une reconnaissance rapide des complications et de permettre l'autogestion du diabète. • Fournir à la cliente les numéros de téléphone de l'équipe de soins de santé afin de pouvoir intervenir rapidement et de répondre à ses questions et ainsi la rassurer. • Passer en revue l'information sur les examens paracliniques, le calendrier des visites médicales et le plan de traitement prévu pour encourager la cliente à participer aux soins.
PROBLÈME DÉCOULANT DE LA SITUATION DE SANTÉ	**Risque de préjudice au fœtus** par suite d'une glycémie maternelle élevée
OBJECTIF	Le fœtus naîtra à terme, en bonne santé.
RÉSULTATS ESCOMPTÉS	**INTERVENTIONS INFIRMIÈRES ET JUSTIFICATIONS**
• Maintien d'une glycémie maternelle dans les normales attendues • Absence de signes d'hypertension gestationnelle • Paramètres de suivi du développement du fœtus normaux	**Enseignement – diabète** • Réviser la surveillance de la glycémie et observer l'administration de l'insuline, afin de corriger ou de renforcer l'enseignement au besoin. **Bien-être fœtal** • Évaluer la maîtrise actuelle du diabète de la cliente afin d'établir le risque de mortalité fœtale et d'anomalies congénitales. • Surveiller la hauteur utérine à chaque visite prénatale afin d'établir si la croissance fœtale est adéquate. • Surveiller les signes et les symptômes d'hypertension gestationnelle pour en reconnaître les premières manifestations parce que les femmes enceintes diabétiques courent un risque plus élevé d'en souffrir. • Évaluer les mouvements fœtaux et la fréquence cardiaque à chaque visite prénatale et effectuer les tests d'évaluation fœtale pour apprécier le bien-être fœtal. • Enseigner à la mère le décompte des mouvements fœtaux pour permettre une intervention immédiate en cas de complications.
PROBLÈME DÉCOULANT DE LA SITUATION DE SANTÉ	**Anxiété** liée à la possibilité de complications maternelles et fœtales, comme en témoignent les inquiétudes exprimées par la cliente
OBJECTIF	La cliente affirmera se sentir moins anxieuse.
RÉSULTATS ESCOMPTÉS	**INTERVENTIONS INFIRMIÈRES ET JUSTIFICATIONS**
• Recherche d'information auprès de sources crédibles • Augmentation du sentiment de soutien	**Soutien relationnel** • Encourager une relation ouverte avec la cliente pour susciter la confiance au moyen d'une communication thérapeutique. • Écouter les sentiments et les inquiétudes exprimés par la cliente afin de reconnaître toute idée ou information erronée pouvant contribuer à l'anxiété et rectifier l'information au besoin. • Passer en revue les dangers possibles et donner des renseignements concrets pour corriger toute idée ou information erronée. • Encourager la cliente à parler de ses inquiétudes aux membres de l'équipe de soins pour susciter sa collaboration.

régulièrement, et les ongles d'orteil coupés droits ; la cliente doit demander une aide professionnelle pour tout problème de pied. Elle doit également éviter les écarts extrêmes de température.

Des contractions utérines peuvent se produire pendant l'exercice ; dans ce cas, il faut aviser la cliente qu'elle doit arrêter immédiatement de faire de l'exercice, boire deux ou trois verres d'eau et s'allonger sur le côté pendant une heure. Si les contractions continuent, elle doit communiquer immédiatement avec son professionnel de la santé.

Alimentation

La grossesse crée des problèmes et des besoins nutritionnels particuliers, et la cliente doit donc apprendre à intégrer ces changements à la planification de son régime alimentaire. Une nutritionniste donne généralement la consultation à ce sujet.

La gestion de l'alimentation pendant la grossesse doit se fonder sur la glycémie, non sur la glycosurie. Le régime nutritionnel est individualisé pour tenir compte de facteurs comme le poids et les habitudes alimentaires d'avant la grossesse, l'état de santé général, l'appartenance ethnique, le mode de vie, l'étape de la grossesse, la connaissance de la nutrition et l'insulinothérapie. Les objectifs diététiques sont que la cliente ait un gain de poids qui correspond à celui d'une grossesse normale (Ferrara *et al.*, 2011) et de réduire au minimum les fluctuations glycémiques importantes (Grant, Wolever, O'Connor, Nisenbaum & Josse, 2011).

Santé Canada a émis des recommandations quant au gain de poids pendant la grossesse, basées sur l'indice de masse corporel (IMC) avant celle-ci (Santé Canada, 2010). Les repas sont pris à l'heure prévue et ne sont jamais sautés. Les collations sont soigneusement planifiées en fonction de l'insulinothérapie, pour éviter les fluctuations de glycémie. Le total des calories peut se répartir sur trois repas et trois collations, dont une au coucher (ACD, 2008). Il est recommandé de prendre une collation substantielle au coucher, comportant au moins 25 g de glucides et des protéines ou des matières grasses, pour aider à prévenir l'hypoglycémie et la cétose d'inanition pendant la nuit (Moore & Catalano, 2009).

Les glucides ne doivent pas représenter plus de 50 % de l'alimentation. Les 50 % restants doivent être répartis également entre les matières grasses et les protéines **ENCADRÉ 20.3**. Les glucides simples doivent être limités. Les glucides complexes riches en fibres sont recommandés, parce que l'amidon et les protéines de ces aliments contribuent à régulariser la glycémie par une libération plus soutenue du glucose (Gilbert, 2007 ; Moore & Catalano, 2009).

Exercice

Toute prescription d'exercice pendant une grossesse à risque doit être faite par le professionnel de la santé et faire l'objet d'un suivi attentif pour éviter les complications, surtout chez les femmes atteintes de vasculopathie. Ces dernières dépendent habituellement complètement de l'insuline exogène et courent un risque accru de connaître de grandes fluctuations de la glycémie et de l'acidocétose, qui peuvent être aggravées par l'exercice.

Le professionnel de la santé qui prescrit de l'exercice dans le cadre du plan de traitement doit bien expliquer les restrictions qui s'appliquent. L'exercice n'a pas à être énergique pour être bénéfique ; 30 minutes de marche par jour, de quatre à six fois par semaine, sont suffisantes pour la plupart des femmes enceintes (Mottola, 2008). Les exercices sans mise en charge, des exercices des bras ou l'utilisation d'un vélo à position allongée peuvent être recommandés. Le meilleur moment pour faire de l'exercice est la période après les repas, lorsque la glycémie monte. Pour surveiller l'effet de l'insuline sur le taux de glucose, la femme peut mesurer sa glycémie avant, pendant et après l'exercice.

Insulinothérapie

L'administration d'une dose adéquate d'insuline est le principal moyen de maintenir l'euglycémie pendant la grossesse et d'assurer ainsi un métabolisme approprié du glucose chez la mère et le fœtus, si l'apport alimentaire ne suffit pas à atteindre les cibles glycémiques (ACD, 2008). Les besoins en insuline changent énormément au fur et à mesure que la grossesse avance ; il faut donc modifier souvent la dose d'insuline. Au cours du premier trimestre, de la 3e à la 7e semaine de gestation, les besoins d'insuline augmentent, tandis que de la 7e à la 15e semaine, ils diminuent. Cependant, il peut être nécessaire de réduire la dose d'insuline en raison d'une hypoglycémie. Une dose de 0,7 unité/kg est généralement prescrite au cours du premier trimestre. Pendant les deuxième et troisième trimestres, à cause de l'insulinorésistance, la posologie doit être grandement augmentée pour maintenir le taux de glycémie désiré. Les besoins en insuline se stabilisent généralement après 35 semaines de gestation et diminuent même beaucoup après 38 semaines (Moore & Catalano, 2009).

Guide d'enseignement

ENCADRÉ 20.3 Suivi diététique

- Observez le régime alimentaire prescrit.
- Conservez une alimentation équilibrée, qui répond à vos besoins alimentaires quotidiens pour une grossesse normale.
- Répartissez votre apport alimentaire quotidien entre trois repas et trois collations, selon vos besoins personnels.
- Prenez une collation substantielle avant le coucher afin de prévenir une baisse glycémique marquée pendant la nuit.
- Prenez les doses quotidiennes de vitamines et de fer prescrites par votre professionnel de la santé.
- Évitez les aliments riches en sucre raffiné.
- Mangez régulièrement chaque jour ; ne sautez jamais un repas ou une collation.
- Mangez des aliments riches en fibres alimentaires.
- Évitez l'alcool, la nicotine et la caféine.

L'infirmière donne l'enseignement sur l'administration de l'insuline et sur l'ajustement de la posologie pour maintenir l'euglycémie .

Pendant la grossesse, les systèmes de perfusion automatique continue d'insuline sont parfois utilisés. La pompe à insuline est conçue pour imiter le plus fidèlement possible l'action de l'insuline du pancréas **FIGURE 20.3**. Cet appareil portatif à piles se porte dans la majorité des activités quotidiennes. La pompe assure une perfusion régulière d'insuline à un taux de référence établi, et elle peut varier sur une période de 24 heures. Elle administre également un bolus d'insuline avant le repas, pour maîtriser la glycémie après celui-ci. Un cathéter en plastique de petit calibre est inséré dans le tissu sous-cutané, habituellement dans l'abdomen, et rattaché à la seringue de la pompe par un tube de raccordement. Le cathéter sous-cutané et le tube de raccordement sont changés tous les deux ou trois jours, même si le tube de perfusion peut demeurer en place pendant plusieurs semaines sans causer de complications locales. Bien que la pompe à perfusion soit pratique et permette généralement une bonne maîtrise glycémique, elle occasionne aussi parfois certaines complications, comme un défaut de la pompe, la précipitation de l'insuline dans le mécanisme de la pompe, la formation d'un abcès ou un mauvais captage du site de perfusion. L'utilisation de la pompe à insuline est donc généralement réservée à une cliente avertie et motivée, qui peut compter sur des professionnels de la santé qualifiés et qui a accès à des services d'urgence jour et nuit (Moore & Catalano, 2009). La supériorité de la pompe à insuline sur les multiples injections n'a pas été établie en ce qui concerne les conséquences sur la santé maternelle et infantile (de Valk & Visser, 2011).

Suivi de la glycémie

Le test de glycémie à domicile constitue la méthode de soins standard pour le suivi de la glycémie pendant la grossesse. Il représente le principal outil à la disposition de la femme enceinte pour évaluer son degré de maîtrise glycémique.

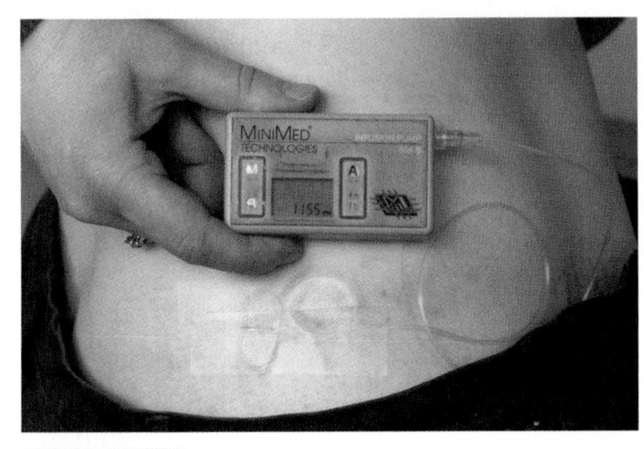

FIGURE 20.3
Exemple de pompe à insuline

Il faut demander à la cliente de signaler immédiatement au professionnel de la santé qui la suit les épisodes d'hypoglycémie (moins de 3,3 mmol/L) et d'hyperglycémie (plus de 11 mmol/L) afin de pouvoir changer son alimentation ou modifier l'insulinothérapie.

La femme enceinte diabétique est beaucoup plus susceptible de faire de l'hypoglycémie que de l'hyperglycémie; l'hypoglycémie constitue une menace importante, parce que les signes ne sont pas toujours évidents à détecter (de Valk & Visser, 2011). La plupart des épisodes d'hypoglycémie légère ou modérée sont traitables par la consommation P.O. de 15 g de glucides simples (sucre rapide) **ENCADRÉ 20.4**. En cas d'hypoglycémie grave donnant lieu à une baisse ou à une perte de conscience ou à une incapacité à déglutir, la femme doit recevoir une injection de glucagon ou du glucose par voie I.V. Comme l'hypoglycémie peut survenir très rapidement et parce qu'un épisode même modéré peut altérer le jugement, il est crucial que les membres de la famille, les amis et les collègues de travail de la cliente sachent en reconnaître rapidement les signes et les symptômes et puissent amorcer le traitement approprié au besoin.

L'hyperglycémie peut rapidement se transformer en acidocétose diabétique, laquelle comporte un risque accru de mort fœtale (Cunningham *et al.*, 2005; Moore & Catalano, 2009). La femme enceinte et sa famille doivent être particulièrement attentives aux signes et symptômes d'hyperglycémie, en particulier si la cliente souffre d'une infection ou d'une autre maladie **ENCADRÉ 20.5**.

Analyse d'urine

Même si la glycosurie n'est pas recommandée pendant la grossesse, l'analyse d'urine pour la détection des cétones a toujours une place importante dans le traitement du diabète. Surveiller les cétones

L'enseignement sur l'autoadministration de l'insuline et le maintien de l'euglycémie à la cliente enceinte est le même que celui prodigué aux autres clients atteints de diabète. Il est décrit en détail à l'annexe 20.1W, présentée au www.cheneliere.ca/lowdermilk.

L'infirmière doit bien connaître le glucomètre utilisé par la cliente, car les valeurs glycémiques varient d'un appareil à l'autre.

Guide d'enseignement

ENCADRÉ 20.4 Traitement de l'hypoglycémie

- Connaissez bien les signes et les symptômes de l'hypoglycémie: nervosité, céphalées, fatigue, tremblements, irritabilité, tachycardie, faim, vision trouble, peau moite, picotements de la bouche ou des extrémités.
- Mesurez votre glycémie dès qu'apparaissent les symptômes d'hypoglycémie.
- Si votre glycémie est inférieure à 3,3 mmol/L, buvez immédiatement 15 g de glucides simples (sucre rapide), par exemple:
  - 125 ml de jus d'orange non sucré;
  - 125 ml de boisson gazeuse (non diète);
  - 125 ml de lait écrémé.
- Reposez-vous pendant 15 minutes, puis mesurez de nouveau votre glycémie.
- Si votre glycémie est supérieure à 3,3 mmol/L, mangez un repas afin de stabiliser le taux de sucre.
- Si votre glycémie est toujours inférieure à 3,3 mmol/L, buvez une autre portion de l'un des sucres rapides énumérés précédemment.
- Attendez 15 minutes, puis mesurez de nouveau votre glycémie. Si le taux est toujours inférieur à 3,3 mmol/L, communiquez immédiatement avec votre professionnel de la santé. Ne tentez pas de vous autotraiter.

Source: Adapté de Gilbert (2007).

Guide d'enseignement

ENCADRÉ 20.5 Actions à poser en cas de maladie

- Assurez-vous de prendre l'insuline même si votre appétit et votre apport alimentaire sont moindres qu'à l'habitude (le besoin d'insuline augmente en présence d'une maladie ou d'une infection).
- Communiquez avec votre professionnel de la santé pour lui transmettre les renseignements suivants :
  - symptômes de la maladie (p. ex., des nausées, des vomissements, de la diarrhée) ;
  - fièvre ;
  - glycémie la plus récente ;
  - cétones dans l'urine ;
  - heure et quantité de la dernière dose d'insuline.
- Augmentez votre consommation orale de liquides pour éviter la déshydratation.
- Reposez-vous le plus possible.
- Dans l'impossibilité de joindre votre professionnel de la santé, et si votre glycémie dépasse 11 mmol/L avec présence de cétones dans l'urine, sollicitez un traitement d'urgence à l'établissement de santé le plus près. Ne tentez pas de vous autotraiter.

dans l'urine permet de déceler un apport calorique ou un apport en glucides inadéquats (Gilbert, 2007). L'infirmière peut enseigner à la cliente à effectuer une analyse d'urine quotidienne pour la détection des cétones, avec la première urine du matin. L'analyse peut également être effectuée si un repas est retardé ou sauté, en cas de maladie ou lorsque la glycémie dépasse 11 mmol/L.

Complications nécessitant une hospitalisation

Il arrive qu'il soit nécessaire d'hospitaliser une femme diabétique en cours de grossesse pour réguler l'insulinothérapie et stabiliser la glycémie. Une infection, qui peut aboutir à de l'hyperglycémie et à de l'acidocétose diabétique, constitue une indication d'hospitalisation, peu importe l'âge gestationnel. L'hospitalisation pendant le troisième trimestre dans un but d'observation étroite de la mère et du fœtus peut être nécessaire si le diabète de la cliente est mal maîtrisé. En outre, les femmes diabétiques courent un risque de 10 à 20 % plus élevé que les femmes non diabétiques de souffrir également d'hypertension antérieure à la grossesse ou de prééclampsie, lesquelles peuvent rendre nécessaire l'hospitalisation (Moore & Catalano, 2009).

Surveillance fœtale

Les techniques diagnostiques de surveillance fœtale sont fréquemment employées pour évaluer la croissance et le bien-être du fœtus (Thiebaugeorges & Guyard-Boileau, 2010). La surveillance fœtale a pour objectifs de déceler le plus tôt possible la fragilisation fœtale et de prévenir le décès intra-utérin ou un accouchement prématuré. Au début de la grossesse, on tente d'établir la date probable de l'accouchement. Un échogramme de référence est obtenu au premier trimestre pour évaluer l'âge gestationnel (McNamara & Odibo, 2011). Des échographies de suivi sont faites habituellement au cours de la grossesse, parfois aussi souvent qu'à toutes les quatre à six semaines, afin d'évaluer la croissance et le poids fœtaux et de déceler le polyhydramnios, la macrosomie et les anomalies congénitales.

Comme le fœtus d'une femme diabétique court un risque plus élevé de présenter des anomalies du tube neural (p. ex., le spinabifida, l'anencéphalie, la microcéphalie), l'alphafœtoprotéine du sérum maternel est mesurée entre 15 et 20 semaines de gestation, idéalement entre 16 et 18 semaines (Wapner, Jenkins & Khalek, 2009). Ce test s'accompagne souvent d'une échographie détaillée visant à examiner le fœtus pour déceler des anomalies du tube neural.

Une échographie fœtale est parfois effectuée entre 20 et 22 semaines de gestation pour déceler des anomalies cardiaques, surtout chez les femmes ayant eu une maîtrise glycémique déficiente au début de la grossesse, laquelle se manifeste par un taux anormal d'HbA1c à la première consultation prénatale (Moore & Catalano, 2009). Certains médecins refont ce test à la 34e semaine de gestation. La femme atteinte d'une maladie vasculaire peut faire l'objet d'une échographie doppler de l'artère ombilicale pour déceler toute fragilisation fœtale.

La majorité des mesures de surveillance fœtale sont concentrées au cours du troisième trimestre, lorsque le risque de souffrance fœtale est plus élevé. Les tests effectués avant l'accouchement ont pour objectifs de prévenir le décès fœtal intra-utérin et d'optimiser les chances de la cliente d'accoucher en toute sécurité par voie vaginale. Il faut enseigner à la femme enceinte à faire elle-même le décompte des mouvements fœtaux quotidiens, à compter de la 28e semaine de gestation. Les futures mères ressentent de 87 à 90 % des mouvements fœtaux **FIGURE 20.4**. Le meilleur moment est en soirée, où le fœtus bouge et où la femme peut s'attendre à environ six mouvements sur une période de deux heures. Si les mouvements sont difficiles à percevoir ou s'ils diminuent, il faut consulter un professionnel de la santé ou se rendre à l'hôpital (Moore & Catalano, 2009 ; SOGC, 2007b).

Un test biophysique (ERF, épreuve à l'ocytocine [ÉO] ou profil biophysique [PBP]) est généralement effectué autour de la 34e semaine de gestation à raison de une ou deux fois par semaine pour évaluer le bien-être fœtal. Pour une femme diabétique ayant une mauvaise maîtrise glycémique ou qui fait de l'hypertension, ce test devrait être fait à partir de la 28e semaine environ (Moore & Catalano, 2009) ▶ 19.

19

Les examens à effectuer chez les femmes à risque élevé d'issue de grossesse défavorable sont décrits dans le chapitre 19, *Évaluation de la grossesse à risque élevé*.

Détermination de la date et du mode d'accouchement

Le meilleur moment pour l'accouchement se situe entre 38,5 et 40 semaines de gestation, si la maîtrise métabolique est bonne et si les paramètres de surveillance fœtale avant l'accouchement restent dans les limites normales. Les motifs pour procéder à une délivrance avant terme comprennent une mauvaise maîtrise métabolique, l'aggravation d'un trouble d'hypertension, la macrosomie fœtale ou un retard de croissance intra-utérin (RCIU) (Cunningham *et al.*, 2005; Hutcheon *et al.*, 2011a; Moore & Catalano, 2009).

De nombreux médecins prévoient un déclenchement programmé entre 38 et 40 semaines de gestation. Une amniocentèse est effectuée pour confirmer la maturité pulmonaire si l'accouchement se produit avant 38,5 semaines. Dans le cas du diabète gestationnel, le phosphatidylglycérol du liquide amniotique (supérieur à 3 %) est le meilleur moyen d'établir la maturité pulmonaire fœtale. Si les poumons fœtaux sont immatures, l'accouchement doit être retardé jusqu'à 40 semaines de gestation, tant que les résultats de l'évaluation fœtale demeurent rassurants. Après ce temps, toutefois, un traitement classique perd de ses avantages par rapport à l'augmentation du risque de mort fœtale si la grossesse se poursuit. L'accouchement, malgré une faible maturité pulmonaire, peut devenir essentiel si les tests suggèrent une fragilisation fœtale et une aggravation de l'état maternel, comme une défaillance rénale ou une prééclampsie grave (Moore & Catalano, 2009; Mozurkewich, Chilimigras, Koepke, Keeton & King, 2009).

La plupart des femmes souffrant d'un diabète accouchent par voie vaginale. Toutefois, le taux de césarienne pour celles qui sont atteintes de diabète gestationnel s'établit entre 4,2 à 12,9 % selon une récente étude canadienne (Abeinhaim & Benjamin, 2011). Toutes grossesses confondues, le taux de césarienne canadien s'établissait en 2006 à 26,3 % (Institut canadien d'information sur la santé [ICIS], 2008). Selon ces auteurs, plus l'IMC de ces clientes est élevé, plus le risque s'accroît. L'ACD note que la césarienne est plus souvent pratiquée lorsqu'on s'attend à ce que le poids fœtal soit supérieur à 4 500 g, afin de réduire le risque de dystocie de l'épaule, une des principales complications (ACD, 2008). Cette recommandation semble entraîner une petite amélioration du résultat néonatal (Moore & Catalano, 2009). La souffrance fœtale et l'échec du déclenchement jouent aussi un rôle dans le taux élevé de césarienne chez ces femmes (Gilbert, 2007).

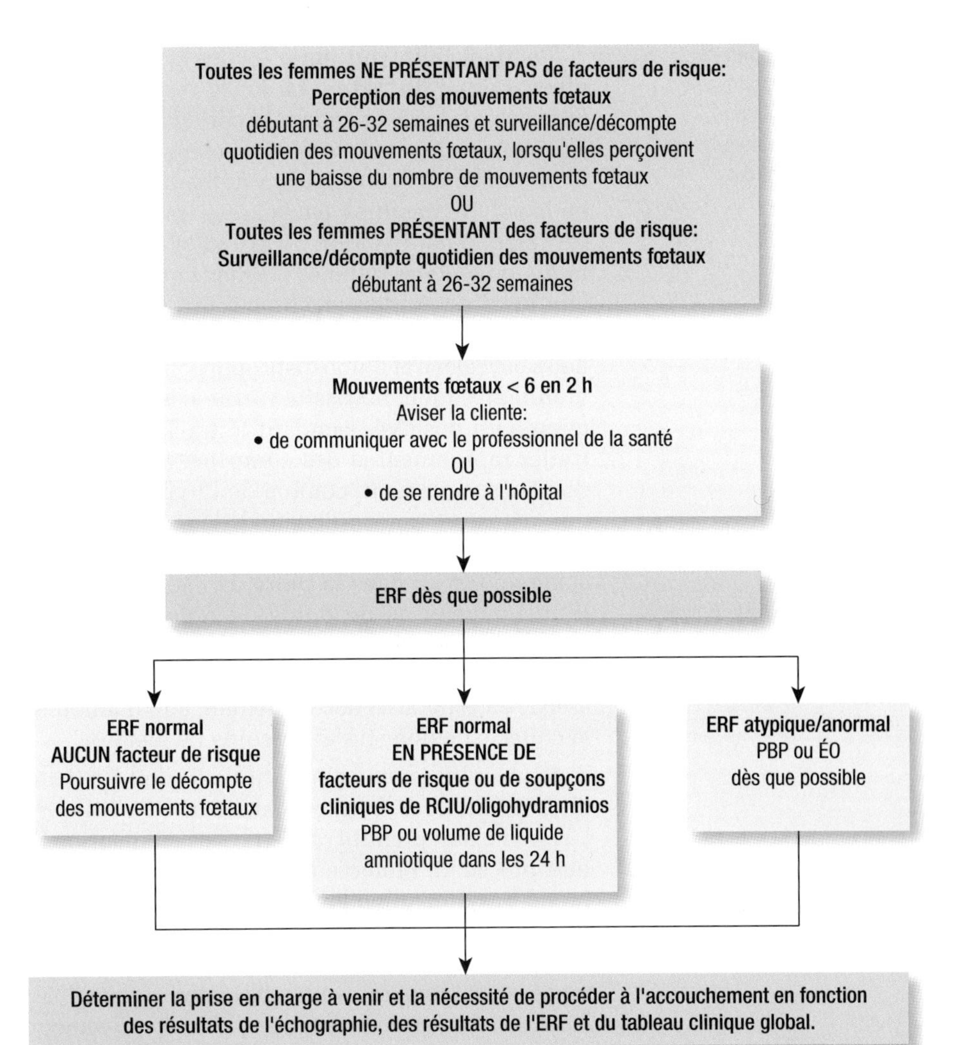

FIGURE 20.4

Algorithme relatif aux mouvements fœtaux

SOINS ET TRAITEMENTS INFIRMIERS

Diabète de type 1 en période pernatale

Pendant la période pernatale, c'est-à-dire au cours de l'accouchement, la cliente atteinte d'un diabète antérieur à la grossesse est surveillée attentivement afin de prévenir des complications liées à la déshydratation, à l'hypoglycémie et à l'hyperglycémie. La plupart des femmes dépensent beaucoup d'énergie (calories) pour accomplir le travail ainsi que pour gérer le stress associé à celui-ci et à l'accouchement; cette dépense calorique varie selon la personne. Il faut surveiller étroitement la maîtrise glycémique et l'hydratation pendant le travail. Au début, un cathéter I.V. est installé pour maintenir une perfusion liquidienne de solution saline normale ou d'une solution de lactate Ringer. Le liquide de la perfusion est ensuite changé pour un liquide contenant 5 % de dextrose pendant le travail actif. En général, de l'insuline par perfusion continue ou par perfusion jumelée à la ligne I.V. principale est administrée. La glycémie est mesurée toutes les heures, et la perfusion et l'insuline sont ajustées pour maintenir la glycémie autour de 7,7 mmol/L (Landon *et al.*, 2007). La glycémie doit être maintenue à ce taux, car l'hyperglycémie pendant le travail peut causer des problèmes métaboliques chez le nouveau-né, en particulier de l'hypoglycémie.

Homéostasie des glucides : Capacité de l'organisme à maintenir la glycémie dans les limites des valeurs normales.

Pendant le travail, on effectue le **monitorage électronique du fœtus**. La mère reste assise ou allongée sur le côté pendant la période d'alitement liée au travail, afin d'éviter l'hypotension en décubitus dorsal que causerait un fœtus de forte taille ou le polyhydramnios. On laisse le travail progresser lorsque la dilatation du col et la descente du fœtus suivent des rythmes normaux et que le bien-être fœtal est évident. Le travail qui ne progresse pas peut être le signe d'un nouveau-né de poids de naissance élevé et d'une disproportion céphalopelvienne, lesquels nécessitent une césarienne. La cliente est observée pendant le travail afin de la traiter rapidement si des complications liées au diabète surviennent, comme de l'hyperglycémie, une cétose et une acidocétose. Une dystocie de l'épaule peut se produire pendant le deuxième stade du travail dans le cadre de l'accouchement d'un nouveau-né de poids de naissance élevé ▶ 22. Un néonatologiste, un pédiatre ou une infirmière praticienne spécialisée en néonatalogie assiste en général à l'accouchement afin d'amorcer la collecte de données et les soins néonataux.

22

Les interventions infirmières liées à la dystocie de l'épaule sont abordées dans le chapitre 22, *Travail et accouchement à risque*.

Si une césarienne est planifiée, elle doit être faite tôt le matin pour faciliter la maîtrise glycémique. La cliente doit prendre sa pleine dose d'insuline la nuit précédant l'intervention chirurgicale. Elle ne prend pas d'insuline le matin de l'intervention et ne consomme rien oralement. L'anesthésie épidurale est recommandée, car on peut déceler plus rapidement l'hypoglycémie si la cliente est éveillée. Après la césarienne, il faut surveiller attentivement la glycémie. En général, une échelle d'insuline est utilisée pour maîtriser la glycémie jusqu'à ce que la femme se remette à manger normalement (Moore & Catalano, 2009).

SOINS ET TRAITEMENTS INFIRMIERS

Diabète de type 1 en période postnatale

Pendant les 24 premières heures suivant l'accouchement, les besoins en insuline diminuent considérablement, car la principale source d'insulinorésistance, le placenta, a disparu. La femme atteinte d'un diabète de type 1 peut n'avoir besoin que de la moitié ou des deux tiers de sa dose d'insuline prénatale le premier jour suivant l'accouchement, à condition de s'alimenter avec un régime complet (Landon *et al.*, 2007). Si elle a accouché par césarienne, il se peut qu'elle reçoive une perfusion de glucose et d'insuline jusqu'à ce qu'elle recommence à manger normalement (Moore & Catalano, 2009). Il faut parfois plusieurs jours après l'accouchement avant que se rétablisse l'**homéostasie des glucides** **FIGURES 20.1D** et **20.1E**. Le taux de glycémie est surveillé attentivement pendant la période postnatale, et la posologie d'insuline est ajustée en conséquence, souvent au moyen d'une échelle d'insuline. La cliente insulinodépendante doit réaliser l'importance de bien manger aux moments prévus. Après l'accouchement, la femme atteinte d'un diabète de type 2 n'a souvent besoin que de 30 à 50 % de la dose d'insuline qu'elle prenait pendant la grossesse (Moore & Catalano, 2009).

Pendant les 24 premières heures suivant l'accouchement, les besoins en insuline diminuent considérablement, car la principale source d'insulinorésistance, le placenta, a disparu.

Pendant la période postnatale, la prééclampsie ou l'éclampsie (ou les deux), une hémorragie ou une infection sont des complications possibles (Hutcheon, Lisonkova & Joseph, 2011b). Une hémorragie peut se produire si l'utérus maternel a été trop distendu (polyhydramnios, fœtus de poids élevé à la naissance) ou trop stimulé (induction à l'ocytocine). Une infection postpartum comme l'endométrite est plus susceptible de toucher la femme diabétique que la femme non diabétique.

La mère diabétique est encouragée à allaiter, parce que l'allaitement exercerait un effet antidiabétogène sur les enfants des femmes diabétiques et sur celles souffrant d'un diabète antérieur à la grossesse (Kim, 2010 ; Lindsay, 2006 ; Moore & Catalano, 2009). Cet effet est important, parce qu'un enfant né d'une mère atteinte d'un diabète de type 2 court un risque de 70 % d'être aussi atteint du diabète de type 2 plus tard dans sa vie. En outre, un fœtus exposé à l'hyperglycémie avant sa naissance est plus à risque de souffrir d'obésité dans son enfance (Gilbert, 2007).

Le besoin d'insuline peut baisser à la moitié du taux d'avant la grossesse, à cause des glucides utilisés dans la production du lait maternel. Les taux de glucose étant moins élevés que la normale, la femme allaitante présente un risque accru d'hypoglycémie, en particulier au début de la période postnatale et après les séances d'allaitement, surtout celles en fin de soirée (Moore & Catalano, 2009). La mère diabétique allaitante peut être exposée à un risque accru de mastite et de candidose du sein. La dose d'insuline, réduite pendant la lactation, doit être recalculée au moment du sevrage **FIGURE 20.1F**.

Au début, la mère peut avoir de la difficulté à allaiter. Une mauvaise maîtrise métabolique peut retarder la lactogenèse et contribuer à réduire la production de lait (Moore & Catalano, 2009). Le contact initial avec le nouveau-né et la possibilité de l'allaiter peuvent être retardés si la mère accouche par césarienne ou si le nouveau-né est placé dans une unité de soins intensifs néonataux ou dans une pouponnière spécialisée pour observation pendant les premières heures après l'accouchement. Le soutien et l'aide du personnel infirmier et de spécialistes de l'allaitement peuvent faciliter les premières expériences d'allaitement de la mère et l'encourager à persévérer.

La nouvelle mère a besoin d'obtenir de l'information sur la contraception et la planification familiale. Cette dernière est particulièrement importante pour la femme diabétique afin de protéger sa santé et de favoriser des résultats optimaux au cours de grossesses futures. La femme et son conjoint doivent être informés des risques et des avantages des méthodes contraceptives avant le congé de l'hôpital. Les méthodes non hormonales (diaphragme, condom pour homme et pour femme) sont souvent recommandées, car elles sont sûres et abordables, et sans risque inhérent pour la femme diabétique. Si le risque accru d'infection n'inquiète pas la cliente diabétique, elle peut choisir d'utiliser un dispositif intra-utérin (DIU) (Landon *et al.*, 2007).

L'emploi de contraceptifs hormonaux par les femmes diabétiques est controversé, en raison du risque de complications thromboemboliques et vasculaires et de leur effet sur le métabolisme des glucides. Le médecin peut prescrire un contraceptif oral à faible dose à la cliente qui ne présente pas de problème vasculaire ni d'autre facteur de risque (Shawe, Mulnier, Nicholls & Lawrenson, 2008). La minipilule, qui ne contient que de la progestérone, peut également être prescrite, car elle a peu d'effet sur le métabolisme des glucides. Il est nécessaire de surveiller de près la P.A. et la glycémie de la cliente pour déceler toute complication (Landon *et al.*, 2007).

Les opinions sont partagées concernant l'utilisation de progestatifs parentéraux à action prolongée, comme la médroxyprogestérone (Depo-Provera[MD]). Certains professionnels de la santé recommandent leur emploi pour les femmes qui ne parviennent pas à prendre leur contraceptif oral tous les jours. Plus récentes, les méthodes contraceptives transdermiques (timbre) et transvaginale (anneau vaginal) sont efficaces chez les femmes dont le diabète est bien maîtrisé (Bonnema, McNamara & Spencer, 2010).

Les risques associés à la grossesse augmentent proportionnellement à la durée et à la gravité du diabète. De plus, la grossesse peut contribuer aux changements vasculaires découlant de cette affection. Il faut aborder ce sujet avec la cliente et son conjoint. La stérilisation est souvent pratiquée chez la femme qui ne veut plus d'enfant, dont la maîtrise métabolique est faible ou qui souffre d'une vasculopathie importante (Beydoun, Beydoun & Tamim, 2009).

20.1.3 Diabète gestationnel

Le **diabète gestationnel** est une complication qui touche environ de 3 à 9 % de l'ensemble des femmes enceintes (Moore & Catalano, 2009). Selon la classification de White, les femmes atteintes entrent dans les classes A1 et A2 **TABLEAU 20.1**. Une étude canadienne a démontré que les femmes originaires d'Asie ou du Sud-Est asiatique sont plus susceptibles de souffrir de diabète gestationnel que les femmes blanches (Retnakaran, Hanley, Connely, Sermer & Zinman, 2006). Le diabète gestationnel réapparaît si la cliente a d'autres grossesses, et elle risque davantage de souffrir de diabète plus tard dans sa vie (Moore & Catalano, 2009). Cette tendance est particulièrement vraie chez les femmes dont le diabète gestationnel survient et est diagnostiqué tôt dans la grossesse ou qui sont obèses (Landon *et al.*, 2007). Les facteurs classiques de risque de diabète gestationnel comprennent un âge maternel de plus de 25 ans, un nouveau-né de poids de naissance élevé à une grossesse antérieure, une mort fœtale intra-utérine inexpliquée à une grossesse antérieure, une grossesse antérieure avec diabète gestationnel, de forts antécédents familiaux de diabète du type 2 ou de diabète gestationnel, l'obésité ou une glycémie à jeun supérieure à 11 mmol/L. La femme à risque élevé de diabète gestationnel fait souvent l'objet d'un dépistage à sa première consultation prénatale, puis entre la 24e et la 28e semaine, si le premier test était négatif (Landon *et al.*, 2007).

Le diagnostic de diabète gestationnel est habituellement posé dans la deuxième moitié de la grossesse. Comme les besoins fœtaux en nutriments augmentent à la fin du deuxième trimestre et au troisième trimestre, l'alimentation fait hausser les taux de glycémie à des niveaux plus élevés et soutenus. En même temps, à cause des effets antagonistes de l'insuline provenant des hormones placentaires, du cortisol et de l'insulinase, l'insulinorésistance augmente aussi. Par conséquent, la demande maternelle d'insuline peut tripler. L'organisme de la majorité des femmes enceintes est en mesure d'accroître la production d'insuline pour compenser l'insulinorésistance et maintenir l'euglycémie. Lorsque le pancréas devient incapable de produire suffisamment d'insuline, ou que cette dernière n'est pas utilisée efficacement, un diabète gestationnel peut s'ensuivre.

Aucune augmentation de la fréquence d'anomalies congénitales n'a été observée chez les nouveau-nés de mères qui s'étaient mises à souffrir de diabète gestationnel après le premier trimestre, parce que la période critique de formation des organes est alors déjà passée (Moore & Catalano, 2009). Cependant, Anderson et ses collaborateurs (2005) ont constaté que les femmes obèses avant la conception (IMC supérieur à 30) qui souffrent de diabète gestationnel courent un plus grand risque d'accoucher d'un nouveau-né présentant des déficiences du SNC.

Dépistage du diabète gestationnel

Un dépistage du diabète gestationnel doit être effectué pour toute femme enceinte entre la 24e et la 28e semaine de la gestation (ACD, 2008). Le test de dépistage le plus souvent utilisé consiste à administrer 50 g de glucose P.O. puis à mesurer la glycémie une heure plus tard. Il n'est pas nécessaire que la cliente soit à jeun. Une valeur glycémique de 7,8 à 10,2 mmol/L est considérée comme positive et doit être suivie d'une épreuve d'hyperglycémie provoquée par voie orale (HGPO) de trois heures. Cet examen a lieu après un jeûne de une nuit et au moins trois jours de régime alimentaire sans restriction (au moins 150 g de glucides) et d'activité physique. Il est recommandé à la femme d'éviter la caféine, qui a tendance à faire monter la glycémie, et de s'abstenir de fumer pendant les 12 heures précédant l'épreuve. Pour l'épreuve d'HGPO de trois heures, il faut avoir un taux de glycémie à jeun, que l'on mesure avant d'administrer 100 g de glucose. La glycémie est ensuite mesurée une, deux et trois heures plus tard. La femme reçoit un diagnostic de diabète gestationnel si deux valeurs ou plus sont atteintes ou dépassées (Moore & Catalano, 2009) **FIGURE 20.5**.

Les problèmes de santés potentiels et les résultats escomptés des soins sont essentiellement les mêmes pour les clientes atteintes de diabète gestationnel que pour les femmes souffrant d'un diabète antérieur à la grossesse, sauf que le calendrier de planification est réduit parce que le diagnostic est habituellement posé plus tard dans la grossesse.

SOINS ET TRAITEMENTS INFIRMIERS

Diabète gestationnel

Période prénatale

Le traitement commence immédiatement après avoir posé le diagnostic de diabète gestationnel, et la femme et sa famille ont peu ou pas de temps pour s'adapter. À chaque étape du plan de

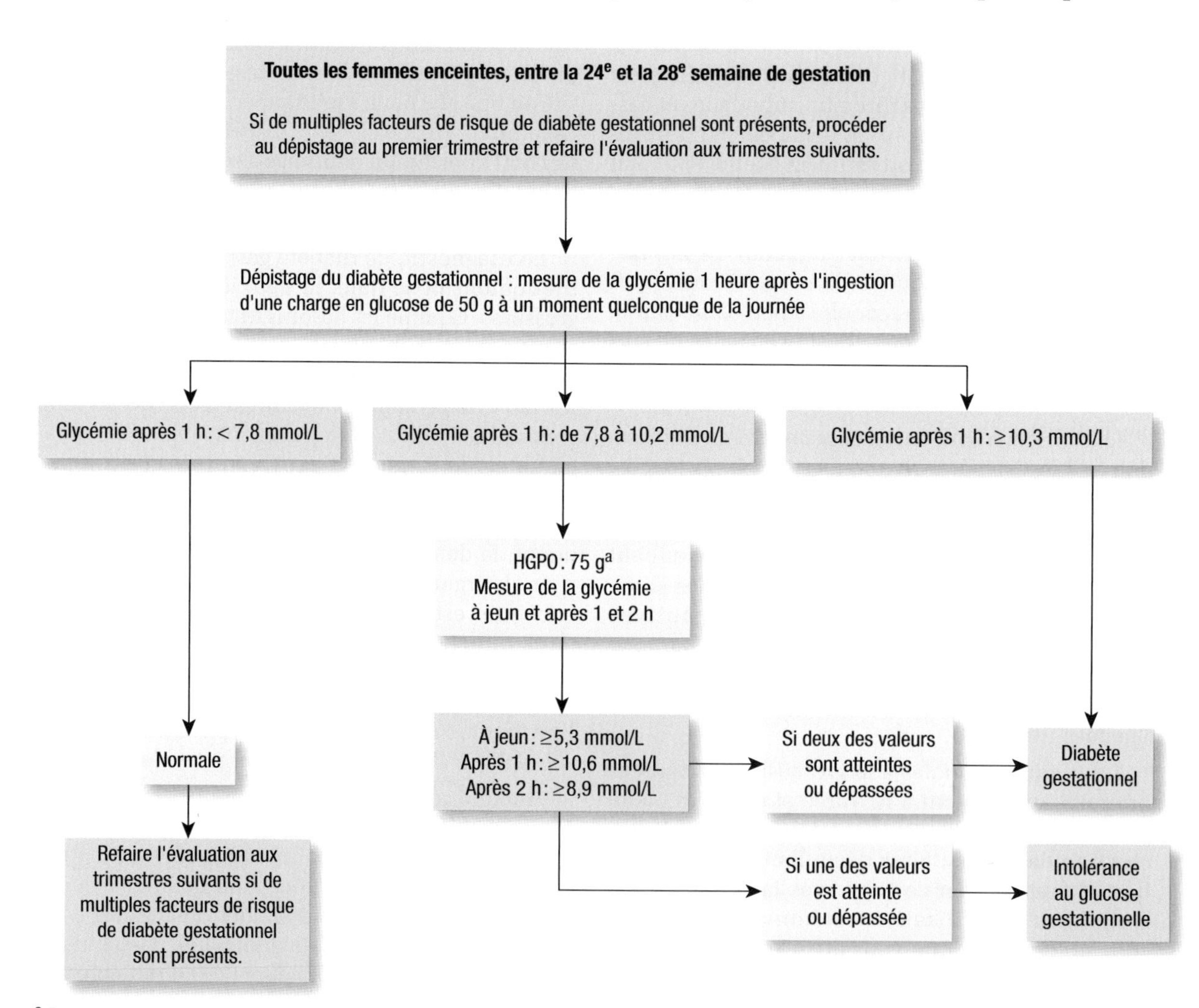

[a] En raison de la controverse que suscitent les examens paracliniques, d'autres méthodes acceptées peuvent être utilisées.

FIGURE 20.5

Dépistage et diagnostic du diabète gestationnel

traitement, l'infirmière et les autres professionnels de la santé doivent renseigner la cliente et sa famille et leur fournir des explications détaillées et complètes pour s'assurer qu'ils comprennent et respectent les interventions nécessaires et qu'ils y participent. Il faut aussi aborder les complications possibles et souligner la nécessité de maintenir l'euglycémie pendant toute la grossesse. Il peut être rassurant pour la femme et sa famille de savoir que le diabète gestationnel disparaît généralement après la grossesse. Comme dans le diabète antérieur à la grossesse, le but de la thérapie est une maîtrise étroite de la glycémie. La glycémie à jeun doit être de l'ordre de 3,5 à 5,2 mmol/L et ne pas dépasser 7,1 à 7,7 mmol/L une heure après un repas (glycémie postprandiale) (ACD, 2008).

Alimentation

La modification du régime alimentaire est l'élément central du traitement du diabète gestationnel. La prescription habituelle est de 30 kcal/kg/jour si le poids était normal avant la conception. Pour une femme obèse, la prescription va généralement jusqu'à 25 kcal/kg/jour, soit 1 500 à 2 000 kcal/jour pour la plupart des femmes. Les glucides sont limités à environ 50 % de l'apport calorique (Moore & Catalano, 2009). Il faut recommander à la cliente de consulter une nutritionniste.

Exercice

L'exercice chez la femme atteinte de diabète gestationnel contribue à baisser la glycémie et pourrait aider à diminuer le besoin en insuline (Gilbert, 2007). Il faut encourager la cliente active à maintenir un programme d'exercice (Doran & Davis, 2011).

Suivi de la glycémie

La surveillance de la glycémie permet d'établir si l'alimentation et l'exercice permettent de maintenir l'euglycémie. Il faut demander à la cliente de mesurer sa glycémie plusieurs fois par jour à une fréquence variable selon la personne. Cependant, l'horaire habituel est le matin au réveil, après le déjeuner, avant et après le dîner, après le souper et au coucher.

Médicaments pour maîtriser la glycémie

Jusqu'à 20 % des femmes atteintes de diabète gestationnel ont besoin d'insuline pendant leur grossesse pour maintenir une glycémie adéquate, même si elles observent le régime alimentaire prescrit. Contrairement aux femmes diabétiques insulinodépendantes, les clientes atteintes de diabète gestationnel peuvent être traitées initialement uniquement au moyen du régime alimentaire et de l'exercice. L'insulinothérapie est commencée si la glycémie à jeun dépasse 5,2 mmol/L ou 6,6 mmol/L deux heures après un repas (Gilbert, 2007). Il est courant d'administrer du glyburide, un agent hypoglycémiant oral, plutôt que de l'insuline. Seule une petite quantité de ce médicament traverse le placenta jusqu'au fœtus ; cela en fait un médicament de choix pendant la grossesse. Il est aussi utilisé par les femmes souffrant de diabète de type 2 qui ont besoin d'insuline pour arriver à maîtriser leur glycémie. Des études récentes ont montré que le glyburide doit être pris au moins 30 minutes (de préférence 1 heure) avant un repas de sorte que son effet de pointe couvre le taux de glycémie 2 heures après un repas. Comme les épisodes d'hypoglycémie peuvent se produire entre les repas, il est recommandé de toujours avoir des sources de sucre rapide sur soi (Moore & Catalano, 2009). Le glyburide peut être indiqué pour toute femme diabétique qui ne peut pas ou ne veut pas prendre d'insuline par voie d'injection ou qui a une déficience cognitive.

Surveillance fœtale

La cliente qui maîtrise bien sa glycémie par le respect d'un régime alimentaire court un faible risque de complications fœtales. Elle subira généralement peu d'examens fœtaux prénataux si elle maintient des taux de glycémie à jeun et deux heures après les repas dans les limites normales et ne présente aucun autre facteur de risque. Il peut être pertinent de faire passer un ERF deux fois par semaine, à compter de la 32e semaine de gestation, à la femme qui souffre d'hypertension, a des antécédents de mort fœtale intra-utérine à une grossesse antérieure, pour qui l'on suspecte un nouveau-né à poids de naissance élevé ou qui a besoin d'insuline pour maîtriser sa glycémie (Landon *et al.*, 2007). En général, une femme atteinte de diabète gestationnel peut poursuivre sa grossesse jusqu'à 40 semaines ou jusqu'à ce que le travail commence spontanément. La croissance fœtale doit cependant être surveillée avec attention, car il semble que le risque de macrosomie s'accroît au fur et à mesure que la grossesse approche de la 40e semaine (Landon *et al.*, 2007).

Période pernatale

Pendant le travail et l'accouchement, la glycémie est mesurée toutes les heures afin de maintenir un taux de 4,4 à 6,6 mmol/L (Moore & Catalano, 2009). Ces valeurs glycémiques diminuent la prévalence d'hypoglycémie néonatale. La cliente peut nécessiter une perfusion régulière d'insuline pendant le travail pour maintenir ce taux. Le diabète gestationnel ne constitue pas une indication de césarienne, mais celle-ci peut s'avérer nécessaire en présence de prééclampsie ou de macrosomie.

Période postnatale

La majorité des femmes atteintes de diabète gestationnel retrouvent une glycémie normale après l'accouchement. L'intolérance aux glucides est évaluée au moyen d'un test de tolérance par la prise P.O. de 75 g de glucose de 6 à 12 semaines après l'accouchement ou après la fin de l'allaitement. L'obésité est un facteur de risque élevé de souffrir ultérieurement de diabète. Il faut encourager la cliente qui a des antécédents de diabète gestationnel à modifier son mode de vie, y compris perdre du poids et faire de l'exercice pour réduire ce risque (Gilbert, 2007). L'enfant né d'une femme atteinte de diabète gestationnel court le risque de devenir obèse pendant l'enfance ou l'adolescence (Lindsay, 2006).

20.1.4 Troubles thyroïdiens

Hyperthyroïdie

Au Canada, la fonction thyroïdienne est testée chez tous les nouveau-nés dans la semaine suivant leur naissance même si les mères n'ont jamais présenté de troubles thyroïdiens. Cela fait partie du test de dépistage universel.

Goitre : Tumeur grosse et spongieuse sur la partie antérieure du cou, entre la peau et la trachée-artère, formée par une augmentation du corps thyroïde.

L'**hyperthyroïdie** est rare pendant la grossesse et ne se produit que dans 1 ou 2 grossesses sur 1 000 (Nader, 2009). Chez 90 à 95 % des femmes enceintes, l'hyperthyroïdie est causée par la maladie de Basedow-Graves, une **maladie auto-immune** (Nader, 2009). Les manifestations cliniques de l'hyperthyroïdie sont l'intolérance à la chaleur, la **diaphorèse**, la fatigue, l'anxiété, la labilité émotionnelle et la tachycardie. Comme nombre de ces symptômes se manifestent pendant n'importe quelle grossesse, il peut être difficile de diagnostiquer la maladie. Certains signes peuvent aider à différencier l'hyperthyroïdie des changements normaux occasionnés par la grossesse, notamment une perte de poids, un **goitre** et une fréquence du pouls supérieure à 100 battements par minute (batt./min) (Nader, 2009). Les résultats d'analyses de laboratoire comportent un indice élevé de thyroxine libre (T_4) et de triiodothyronine (T_3) et un taux beaucoup plus bas d'hormone thyréotrope (Cunningham *et al.*, 2005 ; Nader, 2009). Qu'elle soit légère ou grave, l'hyperthyroïdie doit être traitée pendant la grossesse, car la femme qui ne bénéficie pas de soins ou qui est traitée de façon inadéquate court un risque accru de fausse couche, d'accouchement avant terme, d'accouchement d'un enfant mort-né, ou d'un nouveau-né ayant un goitre ou un faible poids à la naissance (Lazarus, 2011). La plupart des nouveau-nés de femmes souffrant d'hyperthyroïdie ont une fonction thyroïdienne normale. La femme souffrant d'hyperthyroïdie est aussi plus à risque de présenter une prééclampsie grave et une insuffisance cardiaque (Cunningham *et al.*, 2005 ; Nader, 2009).

Jugement clinique

Madame Rosalie Pilote, âgée de 37 ans, est atteinte d'hyperthyroïdie ; elle vient d'apprendre qu'elle est enceinte. Elle s'inquiète quant à l'issue de sa grossesse et se demande si son enfant aura lui aussi un trouble thyroïdien.

Que devriez-vous lui répondre à ce sujet ?

Pendant la grossesse, l'hyperthyroïdie est principalement traitée au moyen de médicaments ; au Canada, c'est surtout le propylthiouracile (PTU) qui est prescrit (Louvigné, 2006). La posologie initiale habituelle s'établit à 50 mg toutes les huit heures ; certaines femmes nécessitent des doses plus élevées. Une amélioration clinique est généralement notée après deux semaines de traitement, mais il faut attendre de six à huit semaines avant que le médicament fasse pleinement effet. Pendant le traitement, le taux de T_4 de la cliente est mesuré chaque mois, et ces résultats sont utiles pour diminuer l'administration du médicament à la plus petite dose efficace pour empêcher l'apparition d'**hypothyroïdie** fœtale ou néonatale. De nombreuses femmes peuvent arrêter le traitement entre 32 et 36 semaines de gestation. Le PTU traverse facilement le placenta et peut produire de l'hypothyroïdie fœtale, laquelle se caractérise par un goitre, une bradycardie et un RCIU (Mestman, 2007 ; Nader, 2009).

Le PTU est habituellement bien toléré par la mère ; ses effets secondaires possibles pour celle-ci sont le prurit, des éruptions cutanées, de la fièvre causée par le médicament, de l'hépatite, un bronchospasme et un syndrome de type lupus. Un effet secondaire plus grave se manifeste par l'agranulocytose, plus courant avec une posologie élevée de PTU. Les symptômes de l'agranulocytose sont la fièvre et un mal de gorge. La cliente doit signaler immédiatement ces symptômes à son professionnel de la santé et cesser de prendre ce médicament. La thérapie au PTU peut également provoquer une leucopénie bénigne passagère. Des bêtabloquants comme le propranolol (Indéral-LA^MD) ou l'aténolol (Tenormin^MD) peuvent être employés dans des cas graves d'hyperthyroïdie afin de maîtriser les symptômes maternels, surtout la fréquence cardiaque (F.C.). L'usage à long terme de ces médicaments n'est pas recommandé à cause du risque de RCIU, de bradycardie et d'hypoglycémie (Nader, 2009).

Après l'accouchement, les professionnels de la santé avisaient jusqu'à récemment la femme qui allaite et qui prend du PTU que le médicament ne se retrouve pas en forte concentration dans le lait maternel et qu'il ne semble pas nuire à la fonction thyroïdienne du nouveau-né. Cependant, une étude récente semble, au contraire, remettre en cause le PTU durant l'allaitement (Karras, Tzotzas, Kaltsas & Krassas., 2010). En attendant les résultats d'autres études, la fonction thyroïdienne des nouveau-nés devrait être surveillée (Inoue, Arata, Koren & Ito, 2009).

Il faut éviter d'employer de l'iode radioactif dans le diagnostic ou le traitement de l'hyperthyroïdie, parce que la dose thérapeutique donnée pour traiter la maladie thyroïdienne maternelle peut aussi détruire la thyroïde du fœtus (La Fondation canadienne de la Thyroïde, 2009). Dans les cas graves, un traitement chirurgical de l'hyperthyroïdie peut être envisagé, soit une thyroïdectomie partielle, de préférence au deuxième trimestre, mais il est aussi possible de le faire au premier ou au troisième trimestre. La chirurgie est généralement réservée aux femmes atteintes d'une forme grave de la maladie, à celles pour qui la médication se révèle toxique ou aux clientes qui sont incapables d'observer le régime médicamenteux prescrit. Les risques associés à la chirurgie sont l'hypoparathyroïdie et la paralysie du nerf laryngé récurrent (Nader, 2009).

Hypothyroïdie

L'hypothyroïdie pendant la grossesse est moins courante (1,3 sur 1 000) que l'hyperthyroïdie. L'hypothyroïdie est souvent associée à des troubles menstruels et à des problèmes de fertilité, y compris un risque accru de fausse couche (Cunningham *et al.*, 2005). La carence en iode est rare au Canada, mais elle demeure une cause courante d'hypothyroïdie maternelle, fœtale et néonatale ailleurs dans le monde (Nader, 2009). L'hypothyroïdie adulte résulte habituellement de la destruction glandulaire causée par des autoanticorps, le plus souvent par la thyroïdite de Hashimoto. La prise de poids, la léthargie, la diminution de la capacité d'exercice et l'intolérance au froid sont des symptômes caractéristiques de l'hypothyroïdie. Les femmes qui sont légèrement symptomatiques peuvent aussi souffrir de constipation, d'enrouement, de la perte de cheveux, avoir les ongles cassants et la peau sèche. Les résultats d'analyses de laboratoire pendant la grossesse devraient révéler des taux élevés de thyroxine, avec ou sans faible taux de T_4 (Lazarus, 2011).

La femme enceinte dont l'hypothyroïdie n'est pas traitée devient plus à risque d'une fausse couche, de prééclampsie, d'hypertension gestationnelle, d'un hématome rétroplacentaire, d'un accouchement prématuré et d'une mort fœtale (Nader, 2009). Le nouveau-né d'une mère ayant une maladie hypothyroïdienne peut être de faible poids à la naissance. Un traitement précoce peut améliorer ces résultats (Drews & Seremak-Mrozikiewicz, 2011).

L'hypothyroïdie se traite au moyen de suppléments d'hormones thyroïdiennes. La lévothyroxine (p. ex., la L-thyroxine [Synthroid[MD]]) est le médicament le plus souvent prescrit pendant la grossesse. Au début, on en administre habituellement de 0,1 à 0,15 mg par jour, puis on ajuste la dose de 25 à 50 mcg toutes les quatre à six semaines, au besoin, selon le taux maternel de thyréostimuline (TSH) (Nader, 2009). L'objectif de la pharmacothérapie est de maintenir le taux de TSH de la cliente à l'extrémité inférieure de la fourchette de taux normaux pour une femme enceinte. Les femmes qui ont peu ou pas de tissus thyroïdiens fonctionnels nécessitent des doses plus élevées de L-thyroxine. Aussi, plus la grossesse avance, plus les besoins de doses accrues d'hormones thyroïdiennes augmentent. Cette hausse de la demande pendant la grossesse peut être liée aux taux plus élevés d'œstrogènes (Louvigné, 2006).

Le nouveau-né dépend des hormones thyroïdiennes maternelles jusqu'à environ 18 semaines de gestation, moment où le fœtus commence à produire ces hormones. Un taux normal de T_4 au début de la grossesse est important pour assurer le bon développement du cerveau du fœtus. Des études ont montré qu'une hypothyroïdie maternelle, même légère, au cours du premier trimestre avait été associée à des dommages neuropsychologiques à long terme du fœtus. De plus amples recherches doivent être menées sur ce sujet (Mestman, 2007).

Thyroïdite du postpartum

La thyroïdite du postpartum se manifeste fréquemment chez des femmes ayant des antécédents de maladie thyroïdienne. Lorsqu'elle survient après un accouchement, cette thyroïdite ressemble beaucoup à la maladie de Hashimoto. Contrairement aux thyroïdites subaiguës, la thyroïdite du postpartum montre une fréquence accrue des récurrences (10 %) et évolue plus souvent vers une hypothyroïdie permanente (10 %) (La Fondation canadienne de la Thyroïde, 2011).

La crise thyréotoxique constitue une complication grave, mais rare, d'une hyperthyroïdie non diagnostiquée ou traitée partiellement. Un traitement rapide est essentiel : on administre des liquides par voie I.V. et de l'oxygène par inhalation avec des doses élevées de PTU P.O. Après l'administration de celui-ci, on donne de l'iodure. Les autres médicaments comprennent des antipyrétiques, de la dexamétazone et des bêtabloquants.

SOINS ET TRAITEMENTS INFIRMIERS

Troubles thyroïdiens

L'enseignement à la cliente enceinte souffrant d'un mauvais fonctionnement de la thyroïde est essentiel. Les points importants à discuter comprennent la maladie et l'effet qu'elle peut avoir sur la femme, sa famille et le fœtus ; le médicament et les effets secondaires possibles ; la nécessité d'une supervision médicale suivie ; et l'importance d'adhérer au traitement.

La cliente a souvent besoin de l'aide de l'infirmière pour faire face aux malaises et à la frustration causés par les symptômes de la maladie. Par exemple, il peut être aidant de conseiller à une cliente souffrant d'hyperthyroïdie qui présente des symptômes de nervosité et d'hyperactivité de canaliser son surplus d'énergie dans des activités tranquilles comme la lecture ou l'artisanat. Pour remédier au malaise lié à l'hypersensibilité à la chaleur (hyperthyroïdie) ou à l'intolérance au froid (hypothyroïdie), l'infirmière conseille à la cliente de s'habiller adéquatement et de maintenir une température de la pièce confortable, ainsi que d'éviter les températures extrêmes.

Consulter une nutritionniste peut aider la cliente à maintenir un régime alimentaire bien équilibré. La femme souffrant d'hyperthyroïdie qui a un gain

Il faut aviser la femme enceinte à qui l'on a prescrit un supplément de fer de prendre la L-thyroxine à un moment différent de la journée, parce que le sulfate de fer réduit l'absorption de la T_4.

Jugement clinique

Madame Tamara Castro, âgée 23 ans, en est à sa 20e semaine de grossesse. Elle présente de l'hypothyroïdie. Vous la rencontrez dans le cadre de son suivi à la clinique GARE (grossesse à risque élevé). Vous constatez qu'elle prend quotidiennement de la lévothyroxine 0,125 mg depuis le début de sa grossesse. Le dernier résultat du dosage de la TSH est de 0,34 milli-unités internationales/L (valeurs normales : 0,4-4,0 mUI/L).

Qu'arrivera-t-il si la dose de lévothyroxine de la cliente n'est pas augmentée ?

d'appétit et une faible prise de poids et la cliente atteinte d'hypothyroïdie qui souffre d'anorexie et de léthargie ont besoin d'être conseillées sur les bons aliments à consommer pour répondre aussi bien aux besoins maternels que fœtaux.

20.1.5 Phénylcétonurie maternelle

La phénylcétonurie (PCU), une cause reconnue de déficience mentale, est une erreur innée du métabolisme causée par un caractère récessif autosomique qui crée un déficit de l'enzyme phénylalanine hydrolase. L'absence de cet enzyme diminue la capacité du corps de métaboliser l'acide aminé phénylalanine qui se trouve dans tous les aliments protéiniques. Il se produit par conséquent une accumulation toxique de phénylalanine dans le sang, laquelle a un effet sur le développement et la fonction du cerveau. La phénylcétonurie touche environ 1 naissance vivante sur 25 000 (Institut national de santé publique du Québec [INSPQ], 2005).

La PCU a été la première erreur innée du métabolisme faisant l'objet d'un dépistage systématique au Canada. Depuis 1969, tous les nouveau-nés subissent un test de dépistage de ce trouble peu après leur naissance. Le diagnostic et le traitement rapides diminuent grandement la prévalence de déficience mentale, mais la durée optimale du traitement n'est toujours pas connue (Aminoff, 2009).

La solution pour prévenir les anomalies fœtales causées par la PCU consiste à cibler les femmes en âge de procréer porteuses du trouble et à leur faire suivre un régime alimentaire. Le dépistage d'une PCU maternelle homozygote à la première consultation prénatale peut être justifié, surtout chez les femmes présentant des antécédents familiaux du trouble, qui ont une faible intelligence d'origine inconnue ou qui ont donné naissance à des enfants microcéphales. Idéalement, la cliente atteinte de PCU doit respecter un régime alimentaire contenant peu de phénylalanine avant la conception et pendant toute la grossesse. Le changement de régime alimentaire comporte généralement l'exclusion de tous les aliments à haute teneur en protéines, comme la viande, le lait, les œufs, les noix ainsi que les produits du blé. Le taux de phénylalanine est surveillé au moins une fois, mais de préférence deux fois par semaine pendant toute la grossesse (Gilbert, 2007). Les experts recommandent un taux de 2 à 6 mg/dl de phénylalanine maternelle pendant la grossesse. Ce taux est associé à une diminution des séquelles fœtales (Cunningham *et al.*, 2005; Gilbert, 2007). Un taux élevé de phénylalanine maternelle est associé à la microcéphalie, à la déficience mentale et à une cardiopathie congénitale chez les enfants (Aminoff, 2009; Cunningham *et al.*, 2005). L'échographie est utilisée pour surveiller le fœtus au début du premier trimestre, et un accouchement vaginal spontané est attendu.

Il faut conseiller à la femme atteinte de PCU de ne pas allaiter son nouveau-né, parce que son lait contient une concentration élevée de phénylalanine (Aminoff, 2009). Si une cliente décide d'allaiter malgré les risques encourus, il faut surveiller étroitement le taux de phénylalanine dans son sang (Lawrence & Lawrence, 2005; Riordan, 2005). Les mères allaitantes peuvent aussi ajouter à l'alimentation de leur nouveau-né une préparation lactée spéciale ne contenant pas (ou peu) de phénylalanine (Riordan, 2005).

20.2 Troubles cardiovasculaires

Pendant une grossesse normale, le système cardiovasculaire maternel subit de nombreux changements qui imposent un effort physiologique accru au cœur. Les principaux changements cardiovasculaires qui surviennent pendant une grossesse normale et qui ont une incidence sur la femme enceinte souffrant de problèmes cardiovasculaires comprennent l'augmentation du volume intravasculaire, la diminution de la résistance vasculaire systémique, les changements dans le débit cardiaque (D.C.) pendant le travail et l'accouchement, ainsi que les changements dans le volume intravasculaire qui se produisent juste après l'accouchement. La grossesse implique un effort physique qui se poursuit pendant quelques semaines après l'accouchement. Normalement, le cœur compense facilement l'effort supplémentaire, ce qui permet de bien tolérer la grossesse, le travail et l'accouchement, mais une cliente atteinte de cardiopathie peut présenter des difficultés hémodynamiques.

Si les changements cardiovasculaires ne sont pas bien tolérés, une insuffisance cardiaque peut se développer pendant la grossesse, le travail ou la période postnatale. De plus, si une maladie myocardique, une valvulopathie ou une anomalie cardiaque congénitale se développe chez la cliente, il pourra se produire une **décompensation cardiaque** (incapacité du cœur de maintenir un D.C. suffisant).

La cardiopathie complique de 0,2 à 4 % des grossesses dans les pays industrialisés (Regitz-Zagrosek *et al.*, 2011). La fièvre rhumatismale, auparavant responsable de la majorité des cas de cardiopathie pendant la grossesse, est en déclin. Aujourd'hui, l'hypertension artérielle et la cardiopathie congénitale sont de plus en plus souvent la cause de

Pendant une grossesse normale, le système cardiovasculaire maternel subit de nombreux changements qui imposent un effort physiologique accru au cœur.

cardiopathie chez les femmes enceintes. Grâce au meilleur traitement de la cardiopathie congénitale pendant l'enfance, l'issue de grossesse pour la femme atteinte de cette affection est généralement positive. Cependant, la cardiopathie compte pour 15 % de la mortalité maternelle pendant la grossesse (Gilbert, 2007). L'**ENCADRÉ 20.6** présente les groupes de risques de cardiopathie maternelle et les taux de mortalité connexes. La grossesse est considérée à très haut risque chez la femme souffrant d'une de ces affections cardiaques: hypertension pulmonaire, syndrome de Marfan avec une participation aortique et syndrome d'Eisenmenger (Ananaba, Hare & Franklin, 2011); en effet, le taux de mortalité maternelle, qui atteint environ 50 % dans ces cas, est extrêmement élevé (Gilbert, 2007).

ENCADRÉ 20.6 Groupes de risques de cardiopathie maternelle

GROUPE I (TAUX DE MORTALITÉ < 1 %)

- Communication interauriculaire (CIA)
- Persistance du canal artériel
- Prolapsus valvulaire mitral avec régurgitation
- Tétralogie de Fallot (corrigée avec une bonne réparation)
- Rétrécissement mitral ou régurgitation aortique selon les classes I et II de la NYHA

GROUPE II (TAUX DE MORTALITÉ DE 5 À 20 %)

- Rétrécissement mitral selon les classes III et IV de la NYHA ou avec fibrillation auriculaire
- Sténose aortique
- Coarctation de l'aorte sans participation de la valvule
- Tétralogie de Fallot non corrigée
- Infarctus du myocarde antérieur
- Syndrome de Marfan avec aorte normale
- Valve cardiaque artificielle

GROUPE III (TAUX DE MORTALITÉ ~ 50 %)

- Hypertension pulmonaire
- Endocardite
- Syndrome de Marfan avec participation aortique
- Syndrome d'Eisenmenger

Source: Adapté de Gilbert (2007).

Le degré d'incapacité vécu par la cliente atteinte d'une cardiopathie est souvent un facteur plus important pour le traitement et le pronostic pendant la grossesse que le diagnostic du type de maladie cardiovasculaire. La classification des cardiopathies organiques établie par la New York Heart Association (NYHA) est une norme largement acceptée:

- Classe I: asymptomatique sans limitation de l'activité physique;
- Classe II: symptomatique avec une légère limitation de l'activité physique;
- Classe III: symptomatique avec une limitation marquée de l'activité;
- Classe IV: symptomatique avec incapacité de faire quelque exercice physique que ce soit sans malaise.

Aucune classification de la cardiopathie ne peut être employée de manière stricte ou absolue, mais celle de la NYHA constitue un guide de base pratique pour le traitement si les conditions suivantes sont réunies: des visites prénatales fréquentes, une bonne coopération de la cliente et des soins obstétricaux appropriés. Le suivi médical se fait en équipe, avec le cardiologue, l'obstétricien et les infirmières. La classification fonctionnelle de la femme enceinte peut changer à cause des modifications hémodynamiques qui touchent le système cardiovasculaire. Une augmentation du D.C. de 30 à 45 % se produit par rapport aux valeurs au repos chez une femme non enceinte; la plus grande part de l'augmentation se produit au premier trimestre, et le pic survient entre la 20e et la 26e semaine de gestation (Blanchard & Shabetai, 2009). La classification fonctionnelle de la maladie est établie à trois mois, puis à sept ou à huit mois de gestation. Une femme enceinte peut passer de la classe I à la classe II, III ou IV pendant la grossesse au fur et à mesure qu'augmentent le D.C. et le stress exercé sur le cœur.

La fausse couche et la mort fœtale se produisent plus fréquemment chez la femme enceinte qui souffre d'un trouble cardiaque que chez une femme en bonne santé. En outre, un RCIU est courant, probablement à cause de la faible pression d'oxygène chez la mère (Blanchard & Shabetai, 2009).

Le diagnostic de cardiopathie se fonde sur les antécédents cardiaques, l'examen physique et les résultats des radiographies et de l'échocardiographie. La majorité des études diagnostiques ne sont pas effractives et peuvent être faites pendant la grossesse. Le diagnostic différentiel de cardiopathie comporte également d'éliminer les problèmes respiratoires et les autres causes possibles de douleur thoracique.

20.2.1 Maladies cardiaques congénitales

Communication interauriculaire

La communication interauriculaire (CIA) consiste en un orifice anormal dans la cloison qui sépare les deux oreillettes. Elle est l'une des causes d'un shunt gauche-droite et constitue la malformation congénitale la plus courante pendant la grossesse. Cette malformation peut ne pas être décelée parce que la femme demeure habituellement asymptomatique. La femme enceinte qui présente une CIA vivra probablement une grossesse sans complication **FIGURE 20.6**. Cependant, certaines femmes peuvent présenter une insuffisance cardiaque droite ou de l'arythmie à mesure que la grossesse avance en raison de l'accroissement du volume de plasma.

Coarctation de l'aorte

La coarctation de l'aorte consiste en un rétrécissement de l'isthme de l'aorte. Une cliente présentant cette lésion souffre d'hypertension dans ses

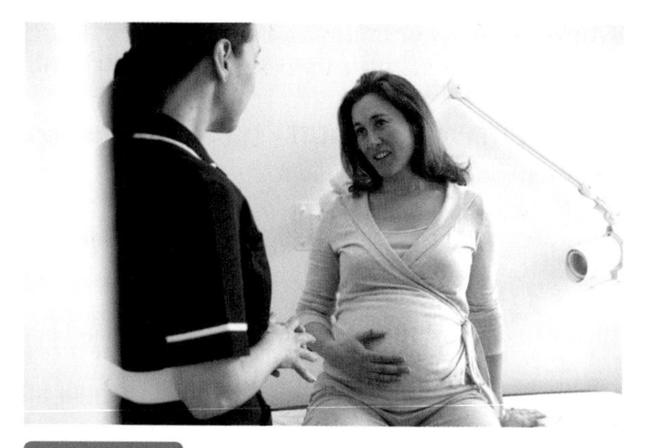

FIGURE 20.6

Certaines malformations cardiaques ne sont pas décelées avant la grossesse parce qu'elles peuvent être asymptomatiques.

membres supérieurs, mais d'hypotension dans ses membres inférieurs. La coarctation de l'aorte est une lésion cardiaque congénitale acyanogène. Lorsqu'il est possible de le faire, la lésion est corrigée par chirurgie avant la grossesse (Silversides *et al.*, 2010). Cependant, la grossesse est généralement sans danger. Le taux de mortalité maternelle atteint environ 3 % (Blanchard & Shabetai, 2009). Les complications possibles sont l'hypertension, une insuffisance cardiaque congestive, un accident vasculaire cérébral, un anévrisme disséquant ou rompu (Blanchard & Shabetai, 2009). Pour traiter une coarctation non corrigée de l'aorte pendant la grossesse, on a recours essentiellement au repos et aux médicaments bêtabloquants. L'accouchement vaginal est possible avec une anesthésie épidurale et la réduction de la durée du deuxième stade du travail à l'aide d'une ventouse obstétricale ou de forceps, au besoin. La cliente doit prendre les bêtabloquants pendant toute la durée de la grossesse. En raison du risque d'endocardite, une antibioprophylaxie est recommandée à l'accouchement. Le taux de mort fœtale atteint environ 10 % (Cunningham *et al.*, 2005).

Tétralogie de Fallot

La tétralogie de Fallot est la cardiopathie cyanogène la plus courante pendant la grossesse (Blanchard & Shabetai, 2009). Elle se caractérise par une CIV, un rétrécissement pulmonaire, une dextraposition de l'aorte, une hypertrophie du ventricule cardiaque droit entraînant un shunt droite-gauche. Une réparation chirurgicale avant la conception est préférable, parce que la grossesse ne crée pas un risque important une fois que la CIV et le rétrécissement pulmonaire sont réparés. Cependant, une femme dont la tétralogie de Fallot n'est pas corrigée est plus à risque de présenter un shunt droite-gauche pendant la grossesse, lequel réduit le débit sanguin dans la circulation pulmonaire et accroît l'hypoxémie, pouvant causer une syncope ou la mort. Il est critique de maintenir le retour veineux chez la femme présentant une tétralogie de Fallot non corrigée. La fin du troisième trimestre et le début de la période postnatale constituent les périodes les plus dangereuses pour elle, car l'utérus élargi par la grossesse réduit le retour veineux, tout comme l'accumulation de sang dans les extrémités après l'accouchement. Il faut alors recommander à la cliente de porter des bas de contention. La perte de sang pendant l'accouchement peut également nuire au retour veineux; il faut donc s'assurer de maintenir une volémie adéquate (Blanchard & Shabetai, 2009).

20.2.2 Maladies cardiaques acquises

Prolapsus valvulaire mitral

Le prolapsus valvulaire mitral (PVM) est une condition courante et bénigne. Des critères diagnostiques échocardiographiques plus précis permettent maintenant de réduire grandement l'estimation de la prévalence pour le PVM (peut-être 1 % de la population féminine) par rapport à l'estimation antérieure (Blanchard & Shabetai, 2009). La plupart des cas sont asymptomatiques. Quelques femmes peuvent éprouver de l'anxiété, des palpitations, une dyspnée à l'effort et une syncope. En général, aucun traitement particulier n'est nécessaire, sauf dans le cas d'une tachyarythmie symptomatique et, rarement, d'une insuffisance cardiaque (Cunningham *et al.*, 2005). La douleur thoracique et l'arythmie sont habituellement traitées par de l'aténolol ou du métoprolol (Lopressor[MD]). Lorsque les symptômes sont inhabituellement graves, la fonction thyroïdienne doit également être vérifiée (Blanchard & Shabetai, 2009). Les changements hémodynamiques qui accompagnent la grossesse peuvent modifier ou atténuer le souffle et le bruit du prolapsus valvulaire mitral, ainsi que ses symptômes. La grossesse est généralement bien tolérée, à moins que ne survienne une endocardite infectieuse. Dans ce cas, une antibioprophylaxie est généralement administrée avant l'accouchement (Cunningham *et al.*, 2005; Easterling & Stout, 2007).

Rétrécissement mitral

Le rétrécissement mitral est presque toujours causé par une cardite rhumatismale, laquelle résulte d'un rhumatisme articulaire aigu (RAA) (Easterling & Stout, 2007). Le RAA survient soudainement, souvent plusieurs semaines sans symptôme après une infection de la gorge au streptocoque bêtahémolytique du groupe A mal traitée. Les épisodes de RAA créent une réaction auto-immune dans les valvules cardiaques (habituellement la valvule mitrale) et les cordages tendineux. Cette lésion est classée en tant que RAA.

Le rétrécissement mitral consiste en un resserrement de l'orifice de la valvule mitrale causé par un durcissement des feuillets valvulaires, gênant la circulation sanguine de l'oreillette aux ventricules. À mesure que diminue l'orifice de la valvule mitrale, la dyspnée augmente, survenant d'abord à l'effort et, à la longue, au repos. Une sténose marquée combinée à l'augmentation du volume sanguin et du D.C. dans une grossesse normale peut causer un œdème pulmonaire, une fibrillation auriculaire, une insuffisance cardiaque droite, une endocardite infectieuse, une embolie pulmonaire et une hémoptysie massive (Blanchard & Shabetai, 2009; Cunningham *et al.*, 2005). Environ 25 % des femmes présentant un rétrécissement mitral peuvent devenir symptomatiques pour la première fois pendant la grossesse. La mortalité maternelle est liée à la capacité fonctionnelle. Presque tous les décès maternels liés à un rétrécissement mitral se produisent chez les femmes entrant dans les classes III ou IV de la NYHA (Cunningham *et al.*, 2005).

Le traitement pharmacologique pour la cliente ayant des antécédents de cardite rhumatismale comprend une prophylaxie composée d'une dose P.O. quotidienne de pénicilline G ou d'une injection mensuelle de pénicilline G benzathine (Bicillin L-A[MD]), de diurétiques pour prévenir un œdème pulmonaire et de bêtabloquants ou d'inhibiteurs calciques pour empêcher une tachycardie (Easterling & Stout, 2007). Une cardioversion peut être nécessaire si une fibrillation auriculaire réapparaît. Une femme atteinte d'une fibrillation auriculaire chronique peut avoir besoin de digoxine ou de bêtabloquants pour maîtriser la F.C. Une anticoagulothérapie peut aussi s'avérer nécessaire pour empêcher une embolie (Blanchard & Shabetai, 2009).

Le traitement de la cliente qui présente un rétrécissement mitral comporte généralement une diminution des activités, un régime alimentaire sans sodium, une augmentation du repos au lit en plus du traitement pharmacologique susmentionné. La femme enceinte atteinte d'un rétrécissement mitral doit faire l'objet d'une surveillance clinique et d'échocardiogrammes pour surveiller la taille atriale et ventriculaire, ainsi que la fonction des valves cardiaques. Une prophylaxie pour une endocardite avant l'accouchement et pour des infections pulmonaires peut être donnée aux femmes à risque élevé (Blanchard & Shabetai, 2009; Easterling & Stout, 2007).

Pendant le travail, il faut s'assurer que la femme est bien analgésiée pour empêcher une tachycardie; l'anesthésie épidurale est généralement utilisée (Easterling & Stout, 2007). Il faut encourager la cliente à accoucher dans la position de décubitus latéral gauche et éviter la position couchée sur le dos. Il est également important de réduire la durée du deuxième stade du travail en utilisant une ventouse obstétricale ou des forceps afin d'atténuer l'effort cardiaque. Une césarienne ne devrait être effectuée que sur des indications obstétricales. Il faut procéder à une diurèse énergique immédiatement après l'accouchement, parce que les échanges hydriques peuvent mettre la femme en danger de faire un œdème pulmonaire (Blanchard & Shabetai, 2009).

Les femmes qui entrent dans les classes III ou IV de cardiopathie établies par la NYHA peuvent nécessiter une intervention chirurgicale. On a déjà procédé avec succès à une chirurgie valvulaire et à une commissurotomie ouverte pendant la grossesse. Aujourd'hui, la valvulotomie par ballonnet est généralement la méthode privilégiée. L'intervention chirurgicale s'impose uniquement lorsqu'aucun traitement médical ne permet de maîtriser les symptômes.

Jugement clinique

Madame Clara Mercier, âgée de 29 ans, est enceinte de 12 semaines. Elle présente un rétrécissement mitral depuis quelques années. Elle prend du bisoprolol et du furosémide (Lasix[MD]).

Pourquoi prend-elle ces médicaments?

Infarctus du myocarde

L'infarctus du myocarde, qui constitue un événement ischémique aigu, se produit rarement chez les femmes en âge de procréer (Blanchard & Shabetai, 2009). Une augmentation de la prévalence de ce trouble est cependant prévue en raison de la hausse de l'âge auquel les femmes ont des enfants et à cause d'autres facteurs de risque comme le stress, le tabagisme et l'usage de la cocaïne. Souvent, les femmes souffrant d'une maladie coronarienne présentent des facteurs de risque classiques comme le tabagisme, l'hyperlipidémie, l'obésité, l'hypertension et l'utilisation antérieure de contraceptifs oraux (Kealey, 2010). Enfin, les changements cardiaques qui se produisent normalement chez la femme enceinte peuvent provoquer une première apparition de symptômes.

L'infarctus du myocarde survient le plus souvent au cours du dernier trimestre et chez les femmes âgées de plus de 33 ans. Le taux de mortalité maternelle par suite d'un infarctus du myocarde atteint environ 20 %. Les femmes enceintes sont plus à risque de mourir au moment où l'infarctus se produit ou pendant le travail et l'accouchement (Blanchard & Shabetai, 2009). Le risque de mortalité maternelle augmente si la femme accouche dans les deux semaines suivant un infarctus du myocarde (Easterling & Stout, 2007). Lorsqu'une femme fait un infarctus du myocarde pendant sa grossesse ou après l'accouchement, il faut l'évaluer pour s'assurer qu'elle ne souffre pas de thrombophilie (carence en protéines découlant de l'inhibition de la coagulation), comme le syndrome des antiphospholipides.

La femme enceinte présentant un infarctus du myocarde doit être traitée de la même façon que si elle n'était pas enceinte, en lui administrant de l'oxygène, de l'acide acétylsalicylique (Aspirin[MD]), des bêtabloquants, des nitrates et de l'héparine (Kealey, 2010). Une cliente qui a souffert d'une cardiopathie symptomatique pendant la grossesse doit continuer de prendre ses médicaments pour le cœur et recevoir de l'oxygène pendant le travail. Comme la douleur peut entraîner une tachycardie et accroître les demandes sur le cœur, il est crucial de la soulager pendant le travail. Le décubitus latéral gauche demeure la meilleure position pour prévenir la pression sur la veine cave, et l'accouchement vaginal est préférable, mais sans poussée de la cliente et avec l'aide d'une ventouse obstétricale ou de forceps (Easterling & Stout, 2007). Pour les cas instables en fin de grossesse, une césarienne d'urgence devrait être envisagée (Kealey, 2010).

20.2.3 Autres maladies cardiaques

Myocardiopathie périnatale

La **myocardiopathie périnatale** constitue une insuffisance cardiaque congestive avec une myocardiopathie. Les critères classiques permettant de diagnostiquer une myocardiopathie périnatale sont le développement d'une insuffisance cardiaque congestive pendant le dernier mois de la grossesse ou pendant les cinq premiers mois de la période postnatale, l'absence de cardiopathie avant le dernier mois de la grossesse, une fraction d'éjection ventriculaire gauche de moins de 45 % et, surtout, l'absence d'une autre cause d'insuffisance cardiaque. La cause de cette maladie est inconnue (Blanchard & Shabetai, 2009); les théories suggèrent une prédisposition génétique ou l'auto-immunité.

Jugement clinique

Madame Flavie Malenfant, âgée de 38 ans, se trouve en phase active du troisième stade du travail à la salle d'accouchement. Ayant des antécédents de myocardiopathies, elle est sous analgésie épidurale.

Quel est le but de cette intervention médicale?

Les facteurs de risque associés à cette maladie sont l'âge maternel supérieur à 35 ans, la grossesse multiple, la prééclampsie, l'hypertension gestationnelle, la multiparité, l'ascendance africaine et un traitement tocolytique prolongé (Abboud, Murad, Chen-Scarabelli, Saravolatz & Scarabelli, 2007). Les résultats cliniques sont ceux d'une insuffisance cardiaque congestive. Les manifestations cliniques comprennent la dyspnée, la fatigue et l'œdème, ainsi que des résultats radiologiques de cardiomégalie.

La myocardiopathie périnatale se traite comme une insuffisance cardiaque congestive, avec des diurétiques, des restrictions quant au sodium et aux liquides, des réducteurs de la pression diastolique et de la digoxine (Bhakta, Biswaw & Banerjee, 2007). L'anticoagulation peut être nécessaire si les cavités cardiaques sont très dilatées et se contractent mal en raison du risque accru de formation de caillot. Les inhibiteurs de l'enzyme de conversion de l'angiotensine, souvent prescrits afin de réduire la pression diastolique, sont administrés uniquement pendant la période postnatale, car ils peuvent entraîner un dysfonctionnement rénal fœtal. Pendant le travail, l'anesthésie épidurale sert très souvent à soulager la douleur pour diminuer le travail cardiaque et réduire la tachycardie. On procède à une césarienne seulement en présence d'indications obstétricales (Easterling & Stout, 2007).

Chez la moitié des femmes atteintes de myocardiopathie périnatale, le dysfonctionnement ventriculaire gauche se résout en six mois. Ces femmes se portent généralement bien. Cependant, s'il ne se résout pas dans les six mois, environ 85 % des femmes atteintes de myocardiopathie périnatale mourront dans les quatre ou cinq ans. Le décès résulte en général d'une insuffisance cardiaque congestive progressive, d'une arythmie ou d'une thromboembolie (Easterling & Stout, 2007). Le taux de récurrence pour la myocardiopathie est élevé, à savoir entre 20 et 50 %. Le risque de récurrence s'accroît si la fonction ventriculaire gauche de la femme n'est pas complètement rétablie après le premier épisode de myocardiopathie périnatale (Blanchard & Shabetai, 2009).

Endocardite infectieuse

L'endocardite infectieuse, ou l'inflammation de la paroi la plus interne du cœur (endocarde) causée par l'invasion de microorganismes, est un trouble peu courant pendant la grossesse (Cunningham *et al.*, 2005). Elle est parfois observée chez les femmes qui s'injectent des drogues illicites. L'endocardite infectieuse, qui entraîne l'incompétence des valvules cardiaques et, par conséquent, une insuffisance cardiaque congestive et une embolie cérébrale, peut entraîner la mort. Elle est traitée au moyen d'antibiotiques.

Syndrome d'Eisenmenger

Le syndrome d'Eisenmenger consiste en un shunt droite-gauche ou bidirectionnel pouvant toucher le plan atrial ou le plan ventriculaire du cœur, et il est combiné à une résistance vasculaire pulmonaire accrue. Il est associé à une malformation de la structure cardiaque sous-jacente, c'est-à-dire à une CIV (plus courante) ou à la persistance du canal artériel (Blanchard & Shabetai, 2009). Le syndrome d'Eisenmenger comporte un taux de mortalité élevé, à savoir 50 % pour les mères et 50 % pour les fœtus. En raison de l'issue défavorable de la grossesse, une femme atteinte du syndrome d'Eisenmenger devrait éviter d'être enceinte. Une mort soudaine peut se produire à n'importe quel moment, mais les périodes pendant et après l'accouchement sont les plus dangereuses (Blanchard & Shabetai, 2009). La morbidité maternelle peut résulter d'une insuffisance cardiaque droite ou d'un

En raison de l'issue défavorable de la grossesse, une femme atteinte du syndrome d'Eisenmenger devrait éviter d'être enceinte.

choc cardiogénique (Cunningham *et al.*, 2005). Il est possible de recommander à une femme enceinte atteinte de ce syndrome de mettre fin à sa grossesse si elle fait de l'hypertension pulmonaire.

Si une femme choisit de poursuivre sa grossesse malgré les risques encourus, des mesures pour maintenir le débit pulmonaire, le repos au lit, l'usage de bas de contention et l'oxygénothérapie sont recommandés (Wang, Zhang & Liu, 2011). Il peut être nécessaire d'hospitaliser la cliente pour lui fournir les meilleurs soins possible (Blanchard & Shabetai, 2009). Pendant le travail et l'accouchement, l'anesthésie régionale faite par des analgésiques opioïdes soulage la douleur sans causer une instabilité hémodynamique excessive. Il faut empêcher l'hypotension coûte que coûte, parce qu'elle donne lieu à une augmentation du shunt droite-gauche, ce qui accroît la résistance vasculaire pulmonaire et aggrave le shunt. Il faut également empêcher la surcharge de volume ou une résistance systémique excessive, car elles ajoutent du stress au côté droit défaillant du cœur. Le recours à une césarienne est évité le plus possible, sauf en cas d'indications obstétricales (Easterling & Stout, 2007).

Syndrome de Marfan

Le syndrome de Marfan est un trouble à transmission autosomique (héréditaire) caractérisé par une faiblesse généralisée du tissu conjonctif qui entraîne la dilatation de l'anneau aortique. La luxation du cristallin, la difformité du thorax antérieur, une scoliose des membres longs, le relâchement des articulations et l'arachnodactylie sont d'autres signes et symptômes du syndrome de Marfan. Le diagnostic est généralement posé en se fondant sur les antécédents familiaux et l'examen des yeux, du système cardiovasculaire et des traits squelettiques (Easterling & Stout, 2007).

La majorité des décès découlant du syndrome de Marfan sont causés par une dissection ou une rupture d'anévrisme. Globalement, le taux de mortalité maternelle associé à ce syndrome dépasse 50 %. Cependant, le taux de mortalité diminue grandement lorsque le diamètre de l'anneau aortique mesure plus de 4,0 cm (Easterling & Stout, 2007).

Une femme atteinte du syndrome de Marfan doit obtenir des conseils avant la conception afin d'être au fait des risques auxquels elle s'expose pendant une grossesse (Bowater & Thorne, 2010). Cinquante pour cent des enfants nés d'une femme souffrant du syndrome de Marfan en seront aussi atteints. Il faut effectuer une évaluation précise de l'anneau aortique au moyen d'une échocardiographie transœsophagienne, d'une tomodensitométrie ou d'une imagerie par résonance magnétique pour évaluer le risque précis pour la femme et recommander un traitement. La réparation de l'aorte est recommandée dans les cas où le diamètre de l'anneau aortique mesure entre 5,5 et 6,0 cm, de préférence avant que la cliente soit enceinte. Une femme dont l'anneau aortique mesure moins de 4,0 cm peut cependant tenter une grossesse avec un léger risque (Easterling & Stout, 2007).

Pendant la grossesse, le traitement de la cliente comporte la restriction des activités et l'usage de bêtabloquants pour maintenir une F.C. au repos de 70 batt./min environ. Il faut également prévenir la tachycardie pendant le travail. Une femme dont le diamètre de l'anneau aortique est inférieur à 4,0 cm peut accoucher par voie vaginale. En raison des inquiétudes concernant la pression accrue exercée sur l'aorte pendant le travail, certains préconisent toutefois l'accouchement par césarienne pour une femme dont le diamètre de l'anneau aortique est plus grand (Blanchard & Shabetai, 2009).

20.2.4 Transplantation cardiaque

De plus en plus de femmes ayant subi une transplantation cardiaque mènent une grossesse à terme avec succès. Avant la conception, il faut évaluer la qualité de la fonction ventriculaire et le rejet possible du transplant. Il importe également de vérifier si le régime immunodépresseur de la cliente est stable. La conception doit être reportée d'une année au moins après une transplantation afin de prévenir les crises de rejet (Blanchard & Shabetai, 2009). Pendant le travail, il peut être nécessaire d'administrer à la cliente des bêtabloquants pour empêcher une tachycardie, en raison de la dénervation vagale résultant de la chirurgie de transplantation. L'accouchement vaginal est souhaité. Dans la première semaine suivant l'accouchement, le nouveau-né peut présenter des signes des effets immunodépresseurs. Bien que les données sur le sujet soient peu nombreuses, il semble que les nouveau-nés allaités par des mères qui prennent de la cyclosporine en absorbent des quantités indécelables (Weiner & Buhimschi, 2004).

SOINS ET TRAITEMENTS INFIRMIERS

Cardiopathie

L'existence d'une cardiopathie rend plus difficile la décision de devenir enceinte. Si la grossesse n'est pas planifiée, l'infirmière doit déterminer le désir de la cliente de poursuivre sa grossesse après avoir examiné les risques rattachés à son état cardiaque. Le conjoint et la famille de la cliente doivent prendre part à la discussion. Une femme très limitée par sa cardiopathie peut décider de mettre fin à sa grossesse. Si elle choisit de la poursuivre, elle devra être suivie hebdomadairement, car sa grossesse est à risque élevé **ENCADRÉ 20.7**.

Période prénatale

Les soins de la femme enceinte atteinte de cardiopathie sont axés sur la minimisation du stress que

Mise en œuvre d'une démarche de soins

ENCADRÉ 20.7 **Cardiopathie**

COLLECTE DES DONNÉES – ÉVALUATION INITIALE

La collecte des données pour une femme enceinte atteinte d'une cardiopathie peut comprendre ce qui suit.

Entrevue

- Évaluer les antécédents personnels et familiaux : maladies cardiovasculaires importantes, y compris cardiopathie congénitale, infections streptococciques, RAA, affection valvulaire, endocardite, insuffisance cardiaque congestive, angine ou infarctus du myocarde ;
- Examiner les facteurs qui ajoutent du stress sur le cœur :
  - anémie ;
  - infection ;
  - œdème.
- Évaluer les symptômes de décompensation cardiaque.
- Connaître les médicaments courants.
- Identifier les agents stressants courants.

Examen physique

- Surveiller :
  - quantité et forme de l'œdème ;
  - signes vitaux ;
  - prise de poids et courbe de celle-ci.
- Observer les signes de décompensation cardiaque.
- Examiner les résultats d'analyses de laboratoire et des examens paracliniques :
  - analyse d'urine et analyse sanguine (formule sanguine et chimie du sang) ;
  - effectuer un électrocardiogramme à 12 dérivations au début de la grossesse, si aucun n'a été fait auparavant ;
  - effectuer des électrocardiogrammes et des études d'oxymétrie pulsée (SpO2), selon les indications.

ANALYSE ET INTERPRÉTATION DES DONNÉES

Les problèmes découlant de la situation de santé peuvent inclure :

Période prénatale

- Peur liée au risque périnatal accru.
- Manque de connaissances lié à :
  - l'état cardiaque ;
  - la grossesse et à son incidence sur l'état cardiaque ;
  - la nécessité de modifier les activités d'autosoins.
- Intolérance à l'activité liée à l'état cardiaque.
- Risque de déficit dans les soins personnels (hygiène, habillement et apparence personnelle) lié :
  - à la fatigue ou à l'intolérance à l'activité ;
  - au besoin de repos au lit.

Période pernatale

- Anxiété liée à la peur pour la sécurité du nouveau-né pendant l'accouchement.
- Peur de mourir liée à l'impression d'être incapable physiologiquement de faire face au stress du travail.
- Risque de perturbation des échanges gazeux lié à l'état cardiaque.

Période postnatale

- Risque de perturbation des échanges gazeux lié à l'état cardiaque.
- Risque d'excès de volume liquidien lié au réacheminement de liquides extravasculaires.
- Allaitement inefficace lié à la fatigue découlant de l'état cardiaque.

RÉSULTATS ESCOMPTÉS

La planification des soins est établie dans le but d'atteindre les résultats suivants :

- Expression verbale de la compréhension du trouble, de son traitement et du résultat probable.
- Description de son rôle dans le traitement, y compris quand et comment prendre les médicaments, adapter son alimentation, se préparer au traitement et y participer.
- Adaptation aux réactions émotionnelles suscitées par les risques pour la grossesse et le nouveau-né.
- Adaptation aux agents stressants de la grossesse, du travail et de l'accouchement.
- Reconnaissance des réseaux de soutien et capacité d'y faire appel.
- Accouchement à terme ou à un point de viabilité pour l'enfant.

INTERVENTIONS INFIRMIÈRES

Les interventions infirmières requises pour l'atteinte des résultats escomptés comprennent, notamment :

- Passer en revue les signes et les symptômes de décompensation cardiaque avec la cliente enceinte et sa famille.
- Fournir à la cliente l'enseignement suivant, reposant sur les classes de la NYHA :
  - La femme atteinte d'une cardiopathie de classe I ou II :
    > a besoin de 8 à 10 heures de sommeil chaque nuit et doit faire une sieste d'une demi-heure après les repas ;
    > doit limiter ses activités au degré permis pour sa classe de cardiopathie.
  - La femme atteinte d'une cardiopathie de classe II :
    > doit éviter les efforts intenses et interrompre toute activité qui provoque des signes et symptômes, même mineurs, de décompensation cardiaque ;
    > sera probablement admise à l'hôpital à l'approche de son terme (ou plus tôt en présence de signes de surcharge cardiaque ou d'arythmie).
  - La femme atteinte d'une cardiopathie de classe III :
    > doit demeurer alitée une bonne partie de la journée.
- Traiter rapidement les infections ; administrer des antibiotiques prophylactiques prescrits contre l'endocardite infectieuse.
- Fournir des conseils en nutrition. Orienter au besoin la cliente vers une nutritionniste.
- Enseigner à la cliente comment éviter la constipation et les efforts qui en résultent pour aller à la selle (manœuvre de Valsalva).
- Administrer les médicaments prescrits pour le cœur.
- Surveiller les doses de médicaments.
- Surveiller les résultats de l'analyse sanguine de la cliente.
- Examiner les résultats des tests de maturité et de bien-être fœtal et la suffisance placentaire.
- Souligner la nécessité d'une supervision médicale étroite.

ÉVALUATION DES RÉSULTATS – ÉVALUATION EN COURS D'ÉVOLUTION

L'infirmière se sert des résultats escomptés énoncés précédemment comme critères d'évaluation des soins de la femme atteinte de cardiopathie.

subit le cœur, qui devient plus marqué entre 28 et 32 semaines de gestation, lorsque les changements hémodynamiques atteignent leur sommet. Les facteurs qui augmentent le risque de décompensation cardiaque sont ainsi évités. Le travail du système cardiovasculaire doit être diminué en traitant adéquatement tout état coexistant de stress émotionnel, d'hypertension, d'anémie, d'hyperthyroïdie ou d'obésité.

Les signes et les symptômes de décompensation cardiaque sont enseignés à la première consultation prénatale et revus aux consultations suivantes. L'**ENCADRÉ 20.8** présente d'autres renseignements à inclure dans l'enseignement à la cliente.

Les infections sont traitées rapidement, car une infection respiratoire, urinaire ou gastro-intestinale peut compliquer l'état en accélérant la F.C. et en propageant directement des organismes (p. ex., des streptocoques) au muscle cardiaque. La cliente doit aviser son médecin en cas de signe d'infection ou d'exposition à une infection. Elle peut recevoir les vaccins contre la grippe et les pneumocoques. La SOGC ne recommande pas l'administration d'antibiotiques prophylactiques contre l'endocardite infectieuse, mais leur usage est requis chez les clientes qui accouchent par césarienne (SOGC, 2010b).

Il est nécessaire de conseiller la cliente en matière de nutrition, de préférence en présence de sa famille. La femme enceinte a besoin d'avoir une alimentation équilibrée, de prendre des suppléments de fer et d'acide folique, de consommer des aliments à teneur élevée en protéines et suffisamment de calories pour lui permettre de prendre du poids. Comme les suppléments de fer peuvent causer de la constipation, la femme enceinte doit augmenter sa consommation de liquides et de fibres. Un laxatif émollient peut également lui être prescrit au besoin. Il est important que la femme atteinte de cardiopathie évite l'effort à la défécation, ce qui causerait une **manœuvre de Valsalva** (expiration forcée contre une voie aérienne fermée qui, à la libération, entraîne une poussée de sang au cœur et surcharge le système cardiaque). L'apport en potassium de la cliente est surveillé pour prévenir l'hypokaliémie, surtout si elle prend des diurétiques. Il est conseillé d'orienter la cliente vers une nutritionniste.

Des médicaments cardiaques sont prescrits à la femme enceinte selon les besoins, en tenant compte du bien-être du fœtus. Les changements hémodynamiques qui se produisent pendant la grossesse, comme l'augmentation du volume plasmatique et l'élimination rénale accrue des médicaments, peuvent modifier la posologie nécessaire pour établir et maintenir un taux médicamenteux thérapeutique.

Si une anticoagulothérapie devient nécessaire pendant la grossesse pour traiter des affections comme une phlébothrombose récurrente, une embolie pulmonaire, une cardite rhumatismale ou des valves prothétiques, l'héparine doit être choisie, car ce médicament à molécule de grande taille ne traverse pas le placenta. L'infirmière doit être au courant des objectifs du traitement et surveiller étroitement les valeurs des analyses de laboratoire pertinentes (p. ex., le temps de prothrombine, le rapport international normalisé). La cliente devra peut-être apprendre à s'autoadministrer de l'héparine ou de l'héparine à faible poids moléculaire. Elle a également besoin d'un enseignement nutritionnel précis pour éviter les aliments riches en vitamine K, comme les légumes en feuilles vert foncé, qui neutralisent les effets de l'héparine. Elle devra également prendre un supplément d'acide folique.

Il peut être nécessaire d'effectuer des tests de maturité et de bien-être fœtal. Les autres traitements sont directement liés à la classification de la cardiopathie de la cliente. L'infirmière doit lui souligner la nécessité de se plier à une supervision médicale étroite **PSTI 20.2**.

Signes de complications possibles

ENCADRÉ 20.8 Décompensation cardiaque

SIGNES SUBJECTIFS

À surveiller par la femme enceinte :

- Fatigue croissante ou difficulté à respirer, ou les deux, pendant les activités habituelles
- Impression d'étouffement
- Toux fréquente
- Palpitations ; sensation que le cœur bat la chamade
- Œdème généralisé : du visage, des pieds, des jambes, des doigts (p. ex., une bague qui ne s'enfile plus)

SIGNES OBJECTIFS

À évaluer par l'infirmière :

- P faible, rapide, irrégulier (≥ 100 batt./min)
- Œdème progressif généralisé
- Crépitements aux bases pulmonaires après deux inspirations et expirations et non dissipés par la toux
- Orthopnée ; dyspnée croissante
- Fréquence respiratoire (F.R.) rapide (≥ 25 R/min)
- Toux grasse, fréquente
- Cyanose des lèvres et des ongles

RAPPELEZ-VOUS...

La fièvre et la chaleur provoquent une augmentation de la F.C. par un accroissement des échanges énergétiques.

Période pernatale

La période pernatale est celle qui suscite le plus d'appréhension chez les clientes et les professionnels de la santé. La femme qui est atteinte de cardiopathie a d'autant plus raison d'être anxieuse, car le travail et l'accouchement représentent une charge supplémentaire pour son système cardiovasculaire déjà affaibli.

Les données recueillies sont les mêmes que pour toute femme qui accouche, avec en plus une évaluation de la décompensation cardiaque. De plus, une gazométrie du sang artériel peut être nécessaire pour évaluer si l'oxygénation est adéquate. Un cathéter de Swan-Ganz peut être utilisé pour bien surveiller l'état hémodynamique pendant le travail et l'accouchement. En général, la cliente fait l'objet

Plan de soins et de traitements infirmiers

PSTI 20.2 Femme enceinte atteinte de cardiopathie

PROBLÈME DÉCOULANT DE LA SITUATION DE SANTÉ	**Risque de décompensation cardiaque** lié à l'intolérance à l'activité de la cliente enceinte atteinte de cardite rhumatismale
OBJECTIF	La cliente adoptera des modifications à son mode de vie pour réduire ses activités.
RÉSULTATS ESCOMPTÉS	**INTERVENTIONS INFIRMIÈRES ET JUSTIFICATIONS**
• Élaboration d'un programme réaliste d'activités • Augmentation des périodes de repos • Recours à des ressources de soutien aidantes	**Gestion du mode de vie** • Aider la cliente à cerner les facteurs qui diminuent sa tolérance à l'activité et explorer l'étendue de ses limites pour établir une base d'évaluation. • Aider la cliente à établir un programme personnalisé d'activité et de repos tenant compte de ses milieux de vie et de travail, ainsi que du soutien de sa famille et de ses amis, pour faciliter l'observance du traitement. • Enseigner à la cliente à surveiller ses réactions physiologiques à l'activité (p. ex., son P, sa F.R.) et à réduire les activités qui lui causent de la fatigue ou de la douleur pour maintenir un D.C. adéquat et prévenir toute blessure possible au fœtus. • S'assurer de la collaboration des proches et des amis de la cliente pour l'aider à diminuer le rythme de ses activités et pour la seconder dans les fonctions liées à son rôle ainsi que dans les activités d'autosoins trop exigeantes pour accroître la probabilité qu'elle respecte les restrictions des activités. • Suggérer à la cliente de tenir un journal de ses activités dans lequel elle inscrira le moment, la durée, l'intensité de l'activité et la réaction physiologique à l'effort pour évaluer l'efficacité du programme d'activités et son assiduité à le mettre en pratique. • Discuter de diverses activités tranquilles de diversion auxquelles pourrait s'adonner la cliente pour diminuer la possibilité qu'elle s'ennuie pendant les périodes de repos.
PROBLÈME DÉCOULANT DE LA SITUATION DE SANTÉ	**Risque d'autogestion inefficace du plan de soins** lié à la présence d'une cardiopathie chez la cliente enceinte
OBJECTIF	La cliente participera activement à la mise en place d'un plan de soins et de traitements infirmiers adapté à son état.
RÉSULTATS ESCOMPTÉS	**INTERVENTIONS INFIRMIÈRES ET JUSTIFICATIONS**
• Description par la cliente de mesures pour réduire les facteurs de risque de complications liées à son état • Participation à l'élaboration du plan de traitement • Recours à des ressources de soutien pertinentes au besoin	**Facilitation à l'adaptation** • Cerner les facteurs, comme le manque de connaissance de l'incidence de la cardiopathie sur la grossesse, pouvant empêcher la cliente de participer au régime thérapeutique pour encourager des interventions précoces, comme lui enseigner l'importance de se reposer. • Enseigner à la cliente et à sa famille comment certains facteurs, comme le manque de repos ou l'omission de prendre les médicaments prescrits, peuvent nuire à la grossesse pour informer la cliente et promouvoir une prise en charge personnelle de la situation. • Encourager chez la cliente l'expression des sentiments concernant la maladie et son incidence possible sur la grossesse pour susciter un sentiment de confiance. • Déterminer quelles sont les ressources communautaires existantes pour augmenter le soutien. • Encourager la cliente à verbaliser la façon dont elle compte appliquer le plan de traitement pour évaluer les effets de l'enseignement.
PROBLÈME DÉCOULANT DE LA SITUATION DE SANTÉ	**Diminution du D.C.** liée à l'augmentation du volume sanguin au cours de la grossesse chez la cliente enceinte souffrant de cardiopathie
OBJECTIF	La cliente présentera des signes d'une perfusion tissulaire adéquate tout au long de la grossesse.
RÉSULTATS ESCOMPTÉS	**INTERVENTIONS INFIRMIÈRES ET JUSTIFICATIONS**
• F.C., P et P.A. normaux • Bruits du cœur et bruits respiratoires normaux • Coloration de la peau, turgescence cutanée et remplissage capillaire normaux • Diurèse normale • Absence d'œdème périphérique • Fréquence cardiaque fœtale (F.C.F.) et activité fœtale normales	**Enseignement – prévention** • Préciser l'importance des cycles d'activité et de repos pour prévenir les complications cardiaques. • Souligner l'importance de consulter fréquemment un professionnel de la santé afin d'obtenir une surveillance adéquate de la grossesse à risque élevé. • Expliquer à la cliente et à sa famille les signes de décompensation cardiaque afin qu'ils sachent quand il est urgent de communiquer avec un professionnel de la santé. • Enseigner à la cliente à se coucher sur le côté gauche pour accroître le flux sanguin utéroplacentaire et à élever les jambes lorsqu'elle est assise pour promouvoir le retour veineux. **Surveillance clinique** • Surveiller les *ingesta* et les *excreta* et vérifier les signes d'œdème pour déceler la présence de complications rénales ou de problèmes de retour veineux. • Surveiller la F.C.F. et l'activité fœtale et effectuer un ERF, tel qu'il est prescrit, pour évaluer l'état du fœtus et déceler toute insuffisance utéroplacentaire.

d'un monitorage électrocardiographique ainsi que d'un monitorage continu de la P.A. et de la saturation du sang artétiel en oxygène (SaO_2) (par la mesure de la SpO_2), et l'on vérifie en continu la fréquence cardiaque fœtale (F.C.F.).

Pendant le travail et l'accouchement, les soins infirmiers se concentrent sur la fonction cardiaque. L'infirmière réduit au minimum l'anxiété de la cliente en maintenant une atmosphère calme dans les salles de travail et d'accouchement. Elle fournit de l'enseignement d'ordre préventif en tenant la cliente et sa famille au courant du progrès du travail et des événements qui surviendront probablement, en plus de répondre à leurs questions. Elle appuie la mise en application de la méthode de préparation à la naissance de la cliente autant que le permet son état cardiaque. Enfin, elle effectue toute intervention infirmière qui favorise le confort, comme le massage du dos.

Pour soutenir la fonction cardiaque, la tête et les épaules de la cliente sont maintenues élevées, et les parties de son corps reposent sur des oreillers. La position allongée sur le côté facilite habituellement l'hémodynamique pendant le travail. Les médicaments et le traitement symptomatique sont utilisés pour soulager les malaises. L'anesthésie épidurale régionale soulage davantage la douleur que les analgésiques opioïdes et provoque moins de changements hémodynamiques (Cunningham *et al.*, 2005).

Les agents bêtaadrénergiques comme la terbutaline (Bricanyl Turbuhaler MD) peuvent causer divers effets secondaires, y compris la tachycardie, un pouls irrégulier, une ischémie myocardique et un œdème pulmonaire. L'ocytocine synthétique peut être utilisée pour déclencher le travail. Ce médicament ne semble pas produire de constriction notable des artères coronaires à la posologie prescrite pour le déclenchement du travail ou pour la gestion de l'atonie utérine postnatale. Les agents de mûrissement cervical contenus dans la prostaglandine sont habituellement bien tolérés, mais il faut les administrer avec précaution **ENCADRÉ 20.9**.

En l'absence de problèmes obstétricaux, un accouchement vaginal est recommandé. Il peut s'effectuer alors que la femme est couchée sur le côté afin de faciliter la perfusion utérine. Si la cliente est couchée sur le dos, il faut placer un coussin sous une hanche pour déplacer l'utérus latéralement et réduire le danger d'hypotension dans cette position. La cliente doit plier les genoux et poser ses pieds à plat sur le lit. Pour éviter de comprimer les veines poplitées et d'accroître le volume sanguin dans le thorax par effet de gravité, les étriers ne sont pas utilisés. La poussée à glotte ouverte est recommandée.

Pendant le travail et l'accouchement, les soins infirmiers se concentrent sur la fonction cardiaque. L'infirmière réduit au minimum l'anxiété de la cliente en maintenant une atmosphère calme dans les salles de travail et d'accouchement.

Conseil juridique

ENCADRÉ 20.9 **Urgences cardiaques et métaboliques**

Le traitement des urgences comme un trouble ou un arrêt cardiorespiratoire maternel ou une crise métabolique maternelle doit être consigné dans les politiques, procédés et protocoles de l'établissement.

Il faut éviter la manœuvre de Valsalva au moment des poussées dans le deuxième stade du travail, car elle réduit le volume vasculaire diastolique et bloque la sortie du ventricule gauche. L'administration d'oxygène à l'aide d'un masque est importante. Il est possible d'avoir recours à l'épisiotomie, à la ventouse obstétricale ou aux forceps pour réduire la durée du deuxième stade du travail et réduire la charge sur le cœur pendant cette période. On ne recommande généralement pas d'accoucher par césarienne une femme qui est atteinte d'une cardiopathie, en raison du risque de déplacements liquidiens phénoménaux, des changements hémodynamiques prolongés et de l'augmentation de la perte sanguine.

La femme enceinte atteinte d'une cardiopathie de classe II ou supérieure pourra se voir prescrire une prophylaxie à la pénicilline, si elle n'y est pas allergique, afin de la protéger contre une endocardite infectieuse pendant le travail et au début de la puerpéralité. Une cliente allergique à la pénicilline pourra recevoir de la vancomycine. Une solution d'ocytocine administrée par voie I.V. immédiatement après l'accouchement peut servir à empêcher une hémorragie causée par l'atonie utérine. Les dérivés de l'ergot de seigle ne sont pas utilisés, car ils augmentent la perte sanguine, et il faut s'assurer de maintenir l'équilibre liquidien et une perfusion sanguine. Si la cliente souhaite avoir une stérilisation tubaire, il faut attendre quelques jours avant de procéder à la chirurgie pour assurer l'homéostasie.

Période postnatale

Il est essentiel de surveiller l'apparition de tout signe de décompensation cardiaque pendant la période postnatale. Les 24 à 48 premières heures suivant l'accouchement sont les plus difficiles sur le plan hémodynamique pour la femme. Une hémorragie ou une infection, ou les deux, peuvent aggraver son état cardiaque. La cliente atteinte

Une F.C. de 100 batt./min ou plus ou une F.R. de 25 R/min ou plus sont inquiétantes. L'infirmière doit vérifier fréquemment l'état respiratoire au cas où de la dyspnée, de la toux ou des crépitations pulmonaires apparaissent. Elle note également la couleur et la température de la peau. Une peau pâle, moite et froide peut être un signe de choc cardiogénique.

Jugement clinique

Madame Gina Romero, âgée de 30 ans, se présente à l'unité de maternité. Sa grossesse est à terme, et elle est en travail actif. La cliente a des antécédents de cardiopathie.

Quelle est la position à privilégier pour elle durant le travail ? Justifiez votre réponse.

ALERTE CLINIQUE

La période immédiate après l'accouchement est dangereuse pour une femme ayant une fonction cardiaque fragile. Le D.C. augmente rapidement à mesure que le liquide extravasculaire est remobilisé dans la zone vasculaire. Au moment de l'accouchement, la pression à l'intérieur de l'abdomen chute ; il n'y a plus de pression sur les veines, les vaisseaux splanchniques s'engorgent, et il y a une augmentation du flux sanguin au cœur.

d'une cardiopathie peut continuer d'avoir besoin d'un cathéter de Swan-Ganz et du monitorage de la gazométrie du sang artériel.

Les soins de la période postnatale sont adaptés à la capacité fonctionnelle de la cliente. L'infirmière évalue les signes vitaux, la SpO_2, elle ausculte les poumons et le cœur, vérifie la présence d'un œdème, évalue la quantité et la nature des saignements, le tonus et la hauteur de l'utérus, la diurèse, la douleur (surtout la douleur thoracique), le cycle activité-repos, les *ingesta*, les interactions entre la mère et le nouveau-né, ainsi que l'état émotionnel de la cliente. La tête de lit est relevée, et la cliente est encouragée à s'allonger sur le côté. Le repos au lit peut lui être prescrit, avec ou sans accès à la salle de bains. Elle est autorisée à se remettre à marcher progressivement. L'infirmière peut devoir aider la cliente à s'habiller et à faire sa toilette et d'autres activités. L'élimination sans effort est favorisée au moyen de laxatifs émollients, d'aliments et de liquides adéquats.

La cliente peut avoir besoin de l'aide d'un proche pour prendre soin du nouveau-né. L'allaitement n'est pas contre-indiqué, mais il n'est pas approprié pour toutes les femmes atteintes d'une cardiopathie (Lawrence & Lawrence, 2005 ; Riordan, 2005). La cliente qui choisit d'allaiter nécessitera du soutien. Elle peut, par exemple, avoir besoin d'aide pour trouver une position confortable pour allaiter et placer le nouveau-né. Afin d'aider la cliente à conserver son énergie, il faudra peut-être lui amener le nouveau-né pour boire, puis le reprendre après l'allaitement. Une femme qui allaite pourra avoir besoin de moins de médicaments que d'habitude pour son problème cardiaque, surtout de diurétiques. Les diurétiques peuvent causer une diurèse néonatale pouvant entraîner de la déshydratation, et il est donc important de surveiller étroitement la cliente qui allaite pour déterminer si la posologie peut être réduite tout en restant efficace.

Si la cliente est incapable d'allaiter et n'a pas l'énergie nécessaire pour nourrir son nouveau-né, celui-ci peut être laissé à son chevet afin qu'un lien affectif puisse se tisser entre eux. Le nouveau-né doit être tenu à la hauteur des yeux de la mère et près de ses lèvres et suffisamment proche pour qu'elle puisse le toucher **FIGURE 20.7**. L'infirmière peut l'encourager à parler au nouveau-né et à le réconforter, ce qui contribuera également à l'attachement mère-enfant.

La préparation au congé fait l'objet d'une planification attentive avec la cliente et sa famille. Il faut s'occuper de trouver auprès de la famille, des amis et d'autres personnes des gens qui pourront aider au foyer. Il faut planifier les périodes de repos et de sommeil, l'activité et le régime alimentaire. Le couple peut aussi avoir besoin de renseignements sur la reprise des relations sexuelles et la contraception ou sur la stérilisation.

FIGURE 20.7
Le nouveau-né que la mère ne peut pas allaiter est tenu près d'elle pour favoriser les liens d'attachement.

Il faut donner des conseils en matière de contraception à la cliente souffrant d'une cardiopathie congénitale (Silversides, Sermer & Siu, 2009). En général, les complications associées à la grossesse sont plus élevées que celles liées à n'importe quelle méthode contraceptive (Easterling & Stout, 2007). La chirurgie visant à effectuer une stérilisation permanente n'est cependant pas sans danger pour une cliente souffrant d'une cardiopathie de classe III ou IV (Gilbert, 2007). Une femme qui est particulièrement à risque de thromboembolie doit éviter de prendre des contraceptifs oraux composés d'œstrogènes et de progestine, mais elle peut sans danger prendre ceux contenant uniquement de la progestine. Les progestines parentérales (p. ex., le Depo-Provera[MD]) sont inoffensifs et efficaces pour les clientes atteintes d'une cardiopathie. Certaines femmes présentant des lésions cardiaques congénitales peuvent utiliser un DIU. Il existe un risque théorique de voir se développer une endocardite, mais le risque réel pour les femmes qui utilisent ce dispositif est probablement très minime (Easterling & Stout, 2007).

La surveillance de la décompensation cardiaque se poursuit pendant les premières semaines qui suivent l'accouchement, en raison des changements hormonaux ayant une incidence sur l'hémodynamique. Le D.C. maternel se stabilise généralement dans les deux semaines suivant l'accouchement (Easterling & Stout, 2007).

La préparation au congé fait l'objet d'une planification attentive avec la cliente et sa famille. Il faut planifier les périodes de repos et de sommeil, l'activité et le régime alimentaire.

Tant les hommes que les femmes atteints d'une cardiopathie congénitale présentent un risque accru d'avoir des enfants qui en seront aussi atteints. Le risque pour les mères souffrant de cardiopathie est plus élevé, soit environ deux ou trois fois plus que les pères. Les enfants nés avec une cardiopathie congénitale de parents qui en sont aussi atteints semblent hériter du risque de malformation cardiaque en général parce qu'ils ont souvent la même anomalie que les parents (Easterling & Stout, 2007). Il est donc essentiel d'offrir une consultation préconceptionnelle ainsi qu'une consultation génétique avant une grossesse.

20.3 | Anémie

L'anémie est un trouble médical courant pendant la grossesse qui touche entre 20 et 60 % des femmes enceintes (Kilpatrick, 2009). Elle entraîne une réduction de la capacité de transport d'oxygène du sang que le cœur tente de compenser en augmentant le D.C. Cet effort accroît la charge du cœur et cause un stress à la fonction ventriculaire. Par conséquent, l'anémie qui se produit en même temps que n'importe quelle autre complication (p. ex., la prééclampsie) peut conduire à une défaillance cardiaque congestive.

Le volume de concentration de globules rouges, c'est-à-dire l'hématocrite, constitue un indicateur indirect de la capacité de transport de l'oxygène. Les valeurs normales d'hématocrite de la femme non enceinte se situent entre 37 et 47 %. Cependant, la valeur normale pour la femme enceinte avec des réserves adéquates de fer peut être aussi basse que 33 %. Selon les Centers for Disease Control and Prevention, l'anémie pendant la grossesse est définie comme égale à un taux d'hémoglobine inférieur à 110 g/L aux premier et troisième trimestres, et inférieur à 105 g/L au deuxième trimestre (Kilpatrick, 2009). Un taux d'hémoglobine de moins de 60 à 80 mg/L est considéré comme une anémie grave (Blackburn, 2007).

Une femme qui souffre d'anémie pendant la grossesse ne tolérera pas bien une perte de sang pendant l'accouchement, même minime. Cette cliente risque davantage d'avoir besoin d'une transfusion sanguine. Les femmes qui font de l'anémie présentent une prévalence plus élevée de complications puerpérales, comme une infection, que les femmes non enceintes dont les valeurs hématologiques sont normales.

Une femme qui souffre d'anémie pendant la grossesse ne tolérera pas bien une perte de sang pendant l'accouchement, même minime. Cette cliente risque davantage d'avoir besoin d'une transfusion sanguine.

Les soins à la femme enceinte anémique exigent de l'infirmière qu'elle distingue l'anémie physiologique normale de la grossesse des états pathologiques. La majorité des cas d'anémie pendant la grossesse sont causés par une carence en fer (anémie ferriprive). Les autres types comprennent une grande variété d'anémies héréditaires et acquises, comme une carence en folate, la drépanocytose et la thalassémie.

20.3.1 Anémie ferriprive

L'anémie ferriprive est la forme d'anémie la plus courante pendant la grossesse. Elle est diagnostiquée en vérifiant le taux de ferritine sérique ainsi que les taux d'hémoglobine et d'hématocrite de la cliente. Le taux de ferritine sérique reflète les réserves en fer. Une valeur de ferritine sérique inférieure à 12 ng/ml en présence d'une valeur d'hémoglobine faible indique une anémie ferriprive. Il semble exister un lien entre une anémie ferriprive maternelle, surtout une anémie grave, et un accouchement prématuré et un nouveau-né de faible poids à la naissance, bien qu'il ne soit pas certain que ces issues défavorables de la grossesse soient causées par l'anémie ferriprive (Samuels, 2007). En général, même le fœtus d'une femme anémique reçoit des réserves en fer adéquates de la mère, mais cette dernière se retrouve avec un taux de fer encore plus réduit (Blackburn, 2007).

L'anémie ferriprive est généralement évitable ou facilement traitable au moyen de prise de suppléments de fer. En raison de la quantité accrue de fer nécessaire au développement du fœtus et aux réserves de la mère, la femme enceinte est souvent encouragée à prendre un supplément de fer prophylactique (Blackburn, 2007 ; Gilbert, 2007). Une dose quotidienne d'un comprimé de 325 mg de sulfate de fer assure une prophylaxie adéquate. Chaque comprimé est composé de 60 mg de fer élémentaire, dont 10 % est absorbé. La plupart des femmes souffrant d'une anémie ferriprive peuvent absorber autant de fer qu'elles en ont besoin en prenant un comprimé de 325 mg de sulfate de fer, deux fois par jour (Samuels, 2007). Il est essentiel d'enseigner l'importance de la thérapie ferrique à la cliente enceinte. Certaines femmes enceintes qui souffrent déjà de nausées et de vomissements à cause de la grossesse ne tolèrent pas les comprimés de fer, qui peuvent avoir pour effets secondaires les mêmes maux. Dans cette situation, la cliente peut alors suivre une thérapie ferrique parentérale en lui administrant du fer par voie intramusculaire (I.M.) ou I.V. Une femme souffrant d'anémie grave peut nécessiter des transfusions sanguines (Samuels, 2007).

L'infirmière doit enseigner à la cliente l'importance des suppléments de

RAPPELEZ-VOUS...

La prise d'un supplément de vitamines et de minéraux ne comble qu'en partie les besoins nutritionnels de la femme enceinte. Une alimentation fondée sur le *Guide alimentaire canadien* demeure primordiale.

Traitement martial : Administration de fer.

fer dans la prévention ou le traitement de l'anémie ferriprive. De plus, elle doit lui enseigner comment réduire les effets secondaires gastro-intestinaux du **traitement martial**.

20.3.2 Carence en folate

Le folate est une vitamine hydrosoluble contenue naturellement dans les légumes à feuilles vertes, les agrumes, les œufs, les légumineuses et les grains entiers. On constate souvent une carence en folate, même chez les femmes qui s'alimentent bien. Une alimentation déficiente, la cuisson avec de grandes quantités d'eau ainsi qu'une consommation accrue d'alcool peuvent contribuer à cette carence. Le besoin en folate augmente pendant la grossesse, à cause des demandes fœtales, mais aussi parce que cette vitamine est moins bien absorbée par le tractus gastro-intestinal pendant la grossesse. L'apport quotidien d'acide folique recommandé pour la femme enceinte est de 0,4 mg par jour (Agence de la santé publique du Canada [ASPC], 2005). Les vitamines prénatales sur prescription et offertes en vente libre contiennent une plus grande quantité d'acide folique que cette dose et devraient donc être suffisantes pour prévenir et traiter une carence en folate. Les femmes les plus à risque de souffrir d'une telle carence sont celles qui ont une hémoglobinopathie importante, qui prennent des anticonvulsivants ou qui ont une grossesse multiple. Ces femmes devront prendre des doses plus importantes d'acide folique que la normale (Samuels, 2007).

La carence en folate est la cause la plus courante d'anémie mégaloblastique pendant la grossesse, mais il faut également considérer la possibilité d'une carence en vitamine B_{12}. L'anémie mégaloblastique se produit rarement avant le troisième trimestre de la grossesse (Kilpatrick, 2009; Samuels, 2007). Une femme qui souffre d'anémie mégaloblastique causée par une carence en acide folique présente les symptômes et les signes habituels d'anémie (pâleur, fatigue et léthargie), ainsi que la **glossite** et la rugosité de la peau associées à l'anémie mégaloblastique (Kilpatrick, 2009). Une carence en acide folique s'améliore rapidement après le début d'un traitement. Cette carence touche rarement le fœtus et n'est pas une cause importante de morbidité périnatale. La carence en fer est souvent liée à la carence en folate (Samuels, 2007).

Glossite : Inflammation de la langue.

20.3.3 Drépanocytose

La drépanocytose (anémie falciforme) est une affection causée par la présence d'hémoglobine anormale dans le sang. Le trait drépanocytaire (hémoglobine anormale S) se manifeste par une déformation en faucille de globules rouges dont la durée de vie est normale. La majorité des gens qui présentent le trait drépanocytaire sont asymptomatiques. La cliente porteuse de ce trait nécessite une consultation génétique, et son conjoint doit subir des tests pour déterminer le risque qu'ils aient des enfants porteurs du trait drépanocytaire ou atteints de ce type d'anémie.

La grossesse de la femme porteuse du trait drépanocytaire se déroule habituellement bien. Cette grossesse comporte cependant un risque accru de prééclampsie, de mort intra-utérine, d'accouchement prématuré, de nouveau-né de faible poids de naissance et d'endométrite postpartum. Un risque plus élevé d'infection urinaire et de carence en fer a également été observé (Kilpatrick, 2009; Samuels, 2007).

La drépanocytose est une forme d'anémie hémolytique familiale, héréditaire et récessive qui touche les personnes ayant des ancêtres africains ou méditerranéens. Ces personnes présentent habituellement des types d'hémoglobine anormaux (SS ou SC). La durée de vie des globules rouges chez une personne atteinte de drépanocytose est de 5 à 10 jours seulement, contre 120 jours pour un globule rouge normal. Environ 800 nouveau-nés sont porteurs sains au Québec, et 40 sont atteints chaque année par la maladie, particulièrement chez les populations d'origine africaine (Ministère de la Santé et des Services sociaux [MSSS], 2011a) **FIGURE 20.8**. Les personnes qui souffrent de drépanocytose sont sujettes à des attaques récidivantes (crises) de fièvre et de douleur, le plus souvent à l'abdomen, aux articulations ou aux extrémités, même si en fait, presque tous les systèmes organiques peuvent être touchés. Ces attaques résulteraient de l'occlusion vasculaire qui se produit lorsque les globules rouges prennent la forme caractéristique de faucille. Les crises sont habituellement déclenchées par la déshydratation, l'hypoxie ou une acidose (Samuels, 2007).

FIGURE 20.8
Environ 800 nouveau-nés québécois sont porteurs sains du trait drépanocytaire chaque année. Le trait héréditaire touche particulièrement les personnes d'origine africaine.

Il faut conseiller à la femme qui est atteinte de drépanocytose d'obtenir une consultation génétique avant de devenir enceinte. Tous les enfants nés d'une femme atteinte de drépanocytose seront touchés d'une façon ou d'une autre par la maladie. Le conjoint de la cliente doit être examiné pour établir si le couple risque d'avoir des enfants souffrant de drépanocytose ou présentant le trait drépanocytaire. Une femme atteinte de drépanocytose court le risque de connaître une issue défavorable de grossesse, comme une fausse couche, un retard de croissance intra-utérin et une mort fœtale. La mortalité maternelle demeure rare, mais la morbidité maternelle est élevée et comporte un risque accru de prééclampsie et d'infection, surtout l'infection des voies urinaires et des poumons. La fréquence des crises douloureuses semble aussi augmenter pendant la grossesse (Samuels, 2007).

Il faut conseiller à la femme qui est atteinte de drépanocytose d'obtenir une consultation génétique avant de devenir enceinte. Tous les enfants nés d'une femme atteinte de drépanocytose seront touchés d'une façon ou d'une autre par la maladie.

Pendant sa grossesse, la cliente fait l'objet d'une surveillance étroite pour déceler tout signe d'une infection des voies urinaires ou une prééclampsie. De plus, elle passera une série d'échographies afin de surveiller la croissance du fœtus et elle subira probablement des épreuves fœtales régulièrement au cours du troisième trimestre. Les infections sont traitées énergiquement au moyen d'antibiotiques. Si des crises surviennent, elles sont traitées par l'analgésie, l'oxygène et l'hydratation. Certaines autorités recommandent de procéder à des transfusions prophylactiques pour améliorer la capacité de transport de l'oxygène et de mettre fin à la synthèse de la drépanocytose. D'autres, cependant, croient que les transfusions prophylactiques n'améliorent pas le pronostic fœtal ou néonatal (Samuels, 2007). Un programme de dépistage national de la drépanocytose a été suggéré à l'échelle provinciale chez les populations d'origine multiethnique (Lieberman, Kirby, Ozolins, Mosko & Friedman, 2009 ; Robitaille, Delvin & Hume, 2006).

En l'absence de complications, la grossesse peut être poursuivie jusqu'à terme. La cliente atteinte de drépanocytose doit être encouragée à accoucher en position allongée sur le côté. Elle pourra avoir besoin de recevoir de l'oxygène supplémentaire. Il faut s'assurer de maintenir une hydratation adéquate tout en prévenant une surcharge liquidienne. Il est recommandé d'avoir recours à un blocage nerveux (p. ex., une anesthésie épidurale ou une anesthésie spinale et épidurale combinée), parce qu'il assure un excellent soulagement de la douleur. L'accouchement vaginal est le mode d'accouchement privilégié ; la césarienne n'est choisie qu'en présence d'indications obstétricales (Samuels, 2007).

20.3.4 Thalassémie

La thalassémie constitue une forme d'anémie relativement fréquente, dans laquelle l'hémoglobine est produite en quantité insuffisante pour remplir les globules rouges. Il s'agit d'un trouble héréditaire comportant la synthèse anormale de la chaîne alpha ou bêta d'hémoglobine. La bêtathalassémie est la forme la plus courante ; elle touche habituellement les personnes d'ascendance méditerranéenne, nord-africaine, moyen-orientale et asiatique (Kilpatrick, 2009).

La bêtathalassémie mineure est la forme hétérozygote de ce trouble. Les personnes atteintes de bêtathalassémie hétérozygote sont porteuses du trouble et sont habituellement asymptomatiques (Samuels, 2007). Elles peuvent espérer une durée de vie normale malgré un taux relativement réduit d'hémoglobine. La grossesse n'aggrave pas la bêtathalassémie mineure, et le trouble ne nuit pas à la grossesse (Origa *et al.*, 2010). Une femme qui souffre de ce trouble n'a pas à subir d'épreuves fœtales avant l'accouchement (Samuels, 2007). Un traitement martial ne doit être prescrit qu'aux clientes souffrant d'une carence en fer, bien qu'il soit recommandé à toutes les femmes atteintes de bêtathalassémie mineure de prendre des suppléments d'acide folique.

La forme homozygote de la bêtathalassémie est connue sous le nom de thalassémie majeure, ou maladie de Cooley. Les personnes atteintes de cette forme de la maladie présentent généralement une **hépatosplénomégalie** et des difformités osseuses découlant d'une expansion massive du tissu de la moelle. Ces personnes meurent habituellement relativement jeunes d'une infection ou de complications cardiovasculaires. Celles qui atteignent l'âge d'avoir des enfants sont souvent infertiles. Les femmes atteintes de cette maladie qui deviennent enceintes souffrent habituellement d'anémie grave et d'une insuffisance cardiaque congestive, bien que des grossesses menées à terme aient été signalées. Le traitement d'une femme enceinte atteinte de bêtathalassémie majeure est très semblable à celui d'une femme souffrant de drépanocytose pendant la grossesse (Samuels, 2007).

Hépatosplénomégalie : Augmentation conjointe du volume du foie et de la rate.

La femme atteinte de drépanocytose ne souffre pas de carence en fer. Il faut donc éviter de lui donner un supplément de fer, même celui compris dans les vitamines prénatales, car il pourrait causer une surcharge de fer.

20.4 | Troubles pulmonaires

Toute femme enceinte peut éprouver des difficultés respiratoires accrues au fur et à mesure que la grossesse progresse et que l'utérus élargi fait pression sur la cavité thoracique. Une maladie pulmonaire aggrave ces difficultés.

RAPPELEZ-VOUS...

L'infirmière doit évaluer la respiration à l'insu de la personne. Si celle-ci est avertie des intentions de l'infirmière, elle peut en effet volontairement changer la fréquence et l'amplitude de sa respiration.

20.4.1 Asthme

L'asthme est un trouble inflammatoire chronique touchant les voies trachéobronchiques, dans lequel se produit une réaction accrue des voies respiratoires à une variété de stimuli. L'asthme se caractérise par des périodes d'exacerbation et de rémission. Les exacerbations se déclenchent par l'action d'allergènes, d'un changement marqué de la température ambiante ou d'une tension émotionnelle. Dans de nombreux cas, la cause réelle demeure inconnue, mais il est fréquent que la personne présente des antécédents familiaux d'allergie. En réaction à un stimulus, il se produit un rétrécissement étendu, mais réversible des voies aériennes hyperréactives, causant une difficulté respiratoire. Les manifestations cliniques sont un sifflement expiratoire, une toux productive avec des expectorations épaisses, de la dyspnée ou toute combinaison de ces manifestations.

L'asthme est peut-être le trouble médical potentiellement grave le plus courant pendant la grossesse (Rey & Boulet, 2007). Il se produit dans 4 à 8 % de toutes les grossesses. Les taux de prévalence et de morbidité sont en augmentation, mais le taux de mortalité liée à l'asthme a diminué au cours des dernières années (Whitty & Dombrowski, 2009). Les personnes d'origine africaine âgées de 15 à 44 ans sont deux fois plus susceptibles d'être hospitalisées à cause de l'asthme et cinq fois plus à risque de mourir de ce trouble que les personnes blanches (Whitty & Dombrowski, 2007).

La marche à suivre pour traiter l'asthme pendant les périodes prénatale, pernatale et postnatale est décrite dans l'encadré 20.1W, présenté au www.cheneliere.ca/lowdermilk.

L'effet de l'asthme sur la grossesse est imprévisible. La gravité de la maladie demeure la même chez un tiers des femmes enceintes, s'améliore dans un tiers des cas et empire dans le tiers restant. Lorsque la maladie s'exacerbe, les symptômes les plus graves se manifestent habituellement entre la 24e et la 38e semaine de la grossesse (Gilbert, 2007). L'asthme maternel peut causer un RCIU et un accouchement prématuré (Breton *et al.*, 2009 ; Whitty & Dombrowski, 2009).

L'objectif ultime du traitement de l'asthme pendant la grossesse est de maintenir une oxygénation adéquate du fœtus en prévenant des épisodes hypoxiques chez la mère. L'atteinte de cet objectif nécessite la surveillance objective de la fonction pulmonaire (p. ex., le débit expiratoire de pointe et le volume expiratoire maximal par seconde), l'évitement ou la maîtrise de ce qui déclenche l'asthme (p. ex., les acariens de la poussière, les squames animales, le pollen, la fumée de feu de bois), l'enseignement à la cliente sur l'importance de maîtriser l'asthme pendant la grossesse et de suivre un traitement adapté. La pharmacothérapie utilisée couramment pour traiter l'asthme met l'accent sur le traitement de l'inflammation des voies aériennes afin de réduire leur hyperréactivité et de prévenir les symptômes de l'asthme. Le traitement privilégié actuellement pour traiter l'asthme persistant pendant la grossesse consiste à réduire l'inflammation des voies aériennes au moyen de bronchodilatateurs et de corticostéroïdes (Rocklin, 2011 ; Whitty & Dombrowski, 2009).

Jugement clinique

Madame Soriana Montague, âgée de 25 ans, souhaite devenir enceinte. Elle est asthmatique.

Sur quels aspects votre enseignement portera-t-il afin de diminuer l'incidence de ses crises d'asthme ? Donnez deux éléments.

Pendant la grossesse, une femme qui souffre d'asthme léger ou grave devra subir des échographies afin d'établir la croissance fœtale et dater la grossesse. Il faut faire de nouvelles échographies après une exacerbation de l'asthme pour évaluer l'activité et la croissance fœtale, ainsi que le volume du liquide amniotique. Une femme qui souffre d'asthme léger ou grave commencera probablement les épreuves fœtales à la 32e semaine de la grossesse (Whitty & Dombrowski, 2009). Les infections respiratoires sont traitées, et l'inhalation de brume ou de vapeur est le moyen utilisé pour favoriser l'expectoration du mucus. Dans le cas d'exacerbations graves, il faudra peut-être administrer du salbutamol, des stéroïdes, de l'aminophylline, des bêta-adrénergiques et de l'oxygène. Une cliente souffrant d'exacerbations graves qui ne réagit pas au traitement pourra devoir être intubée et recevoir une ventilation artificielle (Rey & Boulet, 2007 ; Whitty & Dombrowski, 2007).

Comme les crises d'asthme peuvent survenir pendant le travail, les médicaments contre l'asthme sont maintenus pendant le travail et la période postnatale.

La femme asthmatique court un risque accru d'hémorragie pendant la période postnatale. Le médicament recommandé en cas de saignement excessif est l'ocytocine. Si l'on utilise plutôt de la prostaglandine E_2 ou E_1, il faut surveiller l'état respiratoire de la cliente (Whitty & Dombrowski, 2009). En général, seule une petite quantité des médicaments contre l'asthme se retrouve dans le lait maternel ; ils peuvent donc être administrés même si la cliente allaite son nouveau-né. La théophylline dans le lait maternel peut cependant causer des vomissements, des difficultés d'alimentation, de l'agitation et de l'arythmie cardiaque chez les nouveau-nés sensibles (Whitty & Dombrowski, 2009). La condition asthmatique de la femme redevient ce qu'elle était avant la grossesse environ trois mois après l'accouchement.

20.4.2 Fibrose kystique

La fibrose kystique (FK) est un trouble génétique récessif autosomique répandu, dans lequel les glandes exocrines produisent un excès de sécrétions épaisses qui causent des problèmes tant aux fonctions respiratoires que digestives. La plupart des personnes atteintes de FK souffrent de maladie pulmonaire obstructive chronique (MPOC) et d'insuffisance pancréatique exocrine, et elles présentent un taux élevé d'électrolytes dans la sueur. La morbidité et la mortalité sont habituellement causées par une MPOC progressive (Whitty & Dombrowski, 2009).

Comme le gène de la FK a été identifié en 1989, les couples peuvent obtenir une consultation génétique pour savoir s'ils sont porteurs. Au Canada, 3 343 personnes étaient recensées dans le Registre canadien de données sur les patients fibrokystiques (Fondation canadienne de la fibrose kystique, 2008). La maladie touche 1 naissance vivante sur 3 200, et 91 nouveaux diagnostics sont établis annuellement (Fondation canadienne de la fibrose kystique, 2008). Les personnes atteintes de FK vivent à présent plus longtemps qu'auparavant, parce que la maladie est diagnostiquée plus tôt et que l'antibiothérapie et le soutien nutritionnel se sont améliorés. Les hommes ont tendance à vivre un peu plus longtemps (l'âge médian de survie est de 48,8 ans) que les femmes, dont l'âge médian de survie s'établit à 42,9 ans. Bien que la plupart des hommes atteints de FK soient infertiles, parce que leur canal déférent est bloqué, les femmes atteintes de la maladie sont souvent fertiles et peuvent devenir enceintes (Whitty & Dombrowski, 2007).

La grossesse est bien tolérée par les femmes qui se nourrissent adéquatement, qui souffrent d'une pneumopathie obstructive légère et d'une insuffisance pulmonaire minimale (Whitty & Dombrowski, 2009). Chez les femmes gravement atteintes, la grossesse est souvent compliquée par une hypoxémie chronique et de fréquentes infections pulmonaires. Les facteurs de risque pouvant prédire une issue défavorable de la grossesse sont un mauvais état nutritionnel antérieur à celle-ci, une maladie pulmonaire majeure avec de l'hypoxémie, de l'hypertension pulmonaire, une maladie du foie et du diabète (Whitty & Dombrowski, 2009). Les infections pulmonaires graves causent des taux supérieurs de mortalité maternelle et périnatale. La prévalence d'accouchement prématuré, de RCIU et d'**insuffisance utéroplacentaire** augmente (Whitty & Dombrowski, 2009).

Les soins d'une femme enceinte souffrant de FK nécessitent un travail d'équipe. Idéalement, la femme devrait atteindre 90 % de son poids corporel idéal avant de devenir enceinte. Il est recommandé de prendre de 11 à 12 kg pendant la grossesse. Une femme qui ne parvient pas à prendre le poids recommandé au moyen de suppléments oraux pourra devoir être alimentée par une sonde nasogastrique pendant la nuit. Si la malnutrition est grave, il pourra être nécessaire d'avoir recours à une hyperalimentation parentérale. Il est suggéré de surveiller fréquemment pendant toute la grossesse les données suivantes : le poids, la glycémie, l'hémoglobine, la protéine totale, la sérumalbumine, le temps de prothrombine et les vitamines liposolubles A et E. Les enzymes pancréatiques sont modifiées, au besoin (Whitty & Dombrowski, 2009).

Idéalement, des examens fonctionnels des poumons doivent être effectués avant la grossesse puis, au besoin, pendant celle-ci. Il est essentiel de déceler et de traiter tôt toute infection au moyen d'antibiotiques I.V. ainsi que d'une kinésithérapie de drainage et du drainage des bronches (Whitty & Dombrowski, 2009).

L'évaluation de l'état fœtal est cruciale, car le fœtus court le risque de subir une insuffisance utéroplacentaire, laquelle peut entraîner un RCIU. L'état nutritionnel de la mère et son gain de poids pendant la grossesse ont une grande incidence sur la croissance du fœtus. Il faut mesurer systématiquement la hauteur utérine et effectuer des échographies pour évaluer la croissance du fœtus et le volume du liquide amniotique. Il est souvent recommandé de faire le décompte des mouvements fœtaux à partir de la 28e semaine. Un ERF est commencé à compter de la 32e semaine ou plus tôt si des signes de fragilité du fœtus sont observés (Whitty & Dombrowski, 2009).

Pendant le travail, il faut doser les liquides et surveiller l'équilibre électrolytique. La hausse du D.C. d'une cliente souffrant d'hypertension pulmonaire ou d'un cœur pulmonaire peut occasionner une insuffisance cardiopulmonaire. Une perte importante de sodium par la sueur peut entraîner une hypovolémie. En présence d'un cœur pulmonaire, on doit s'inquiéter d'une surcharge de liquides. Il faut administrer de l'oxygène par masque facial pendant le travail, et il est recommandé de surveiller la SaO_2. Une anesthésie épidurale ou locale constitue l'analgésie de choix pour l'accouchement. L'accouchement vaginal est recommandé, tandis que la césarienne est réservée aux indications obstétricales.

L'allaitement semble être sans danger tant que la teneur du lait en sodium n'est pas anormale (Lawrence & Lawrence, 2005). Il faut tirer le lait et le jeter tant que la teneur en sodium n'a pas été établie. Il faut également vérifier périodiquement la teneur en sodium, en chlorure et en matière grasse totale des échantillons de lait de la mère, et la courbe de croissance du nouveau-né est surveillée.

20.5 | Troubles tégumentaires

La surface de la peau peut présenter plusieurs états physiologiques pendant la grossesse. Les troubles dermatologiques provoqués par celle-ci

Jugement clinique

Madame Ève-Marie Gauthier, âgée de 22 ans, est atteinte de FK. Sa grossesse en est à 18 semaines.

Compte tenu du risque pour le fœtus de souffrir d'insuffisance utéroplacentaire, qu'est-ce qui expliquerait qu'il présente un retard de croissance intra-utérine ?

Insuffisance utéroplacentaire : Baisse de la fonction placentaire entraînant une diminution de l'apport d'oxygène au fœtus et potentiellement l'hypoxie et l'acidose fœtale. Pendant le travail, elle se manifeste par des décélérations tardives de la fréquence cardiaque fœtale en réponse aux contractions utérines.

L'isotrétinoïne (Accutane[MD]), couramment prescrite pour traiter l'acné kystique, a de puissants effets tératogènes. Le fœtus qui y est exposé présente un risque de malformations craniofaciales, cardiaques et du SNC. Ce médicament ne doit pas être pris pendant la grossesse.

Pemphigus : Terme générique désignant les maladies de la peau et des muqueuses caractérisées par la formation de bulles liquides (phlyctènes).

RAPPELEZ-VOUS...

L'examen de la peau peut révéler de nombreuses caractéristiques, dont les variations dans l'oxygénation, la circulation, l'hydratation, l'alimentation et les lésions tissulaires localisées.

comprennent les suivants : mélasme (chloasma), *herpes gestationis*, prurit non inflammatoire de la grossesse, angiomes stellaires (étoiles vasculaires), érythème palmaire héréditaire de Lane et vergetures (ou stries). Les problèmes de peau qui sont généralement aggravés par la grossesse comprennent ceux-ci : acné simple (au premier trimestre), érythème polymorphe, dermatite herpétiforme (boutons de fièvre et herpès génital), granulome ulcéreux des organes génitaux (corps de Donovan), condylome acuminé (verrues génitales), **neurofibromatose (maladie de von Recklinghausen)** et **pemphigus**. Les troubles de la peau qui s'améliorent généralement avec la grossesse sont l'acné simple (au troisième trimestre), la parakératose séborrhéique (pellicules) et le psoriasis (Cunningham *et al.*, 2005). La dermite atypique, le lupus érythémateux et l'*herpes simplex* peuvent évoluer de façon imprévisible pendant la grossesse. Les explications, des mesures de bon sens et le fait de rassurer la cliente devraient dissiper les craintes de celle-ci lorsqu'il s'agit de changements de la peau normaux. Cependant, les problèmes apparaissant pendant et peu après la grossesse peuvent être très difficiles à diagnostiquer et à traiter.

Le prurit est un symptôme important de plusieurs maladies de la peau liées à la grossesse. Le prurit de la grossesse qui cause des démangeaisons généralisées sans la présence d'une éruption se développe chez près de 14 % des femmes enceintes. Il se limite souvent à l'abdomen et est habituellement causé par la distension de la peau et la formation de stries. Le prurit de la grossesse n'entraîne pas d'issue défavorable de la grossesse. Les symptômes sont traités par la lubrification de la peau, un antiprurigineux topique et un antihistaminique P.O. L'usage d'une lampe à ultraviolet et l'exposition prudente au soleil peuvent aider à diminuer la démangeaison. Le prurit de la grossesse disparaît généralement peu après l'accouchement, mais peut réapparaître dans la moitié des autres grossesses (Rapini, 2009).

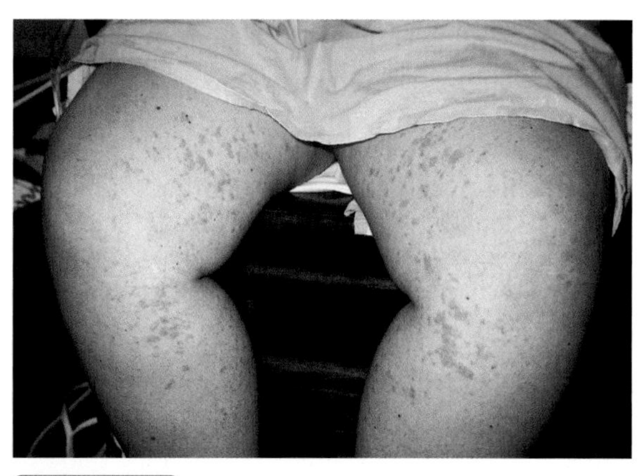

FIGURE 20.9

Papules et plaques urticariennes et prurigineuses de la grossesse. Des lésions peuvent aussi être présentes sur les bras, le dos, l'abdomen et les fesses.

Les papules et plaques urticariennes et prurigineuses (aussi appelées éruption polymorphe) de la grossesse sont une autre cause courante de prurit **FIGURE 20.9**. Elles apparaissent généralement chez les primipares au cours du troisième trimestre et se manifestent surtout sur l'abdomen, mais peuvent aussi se répandre sur les bras, les cuisses, le dos et les fesses. Ces papules et plaques causent presque toujours le prurit, et la démangeaison est grave dans 80 % des cas. Elles ne sont cependant pas liées à un pronostic maternel ou fœtal défavorable. Leur traitement vise donc simplement à soulager les malaises de la mère au moyen d'antiprurigineux topiques, de stéroïdes topiques et d'antihistaminiques P.O. Il peut être nécessaire d'administrer de la prednisone à la cliente qui présente des symptômes graves. L'éruption polymorphe disparaît habituellement avant l'accouchement ou quelques semaines après. Dans de rares cas, elle peut perdurer ou même se manifester après l'accouchement. En général, elle ne réapparaît pas aux grossesses ultérieures (Papoutsis & Kroumpouzos, 2007 ; Rapini, 2009).

La cholestase intrahépatique de la grossesse est un trouble du foie unique à la grossesse qui se caractérise par un prurit généralisé. La démangeaison touche généralement la paume des mains et la plante des pieds, mais peut aussi se manifester sur n'importe quelle partie du corps. Il n'y a pas de lésions de la peau. Les femmes atteintes de cholestase intrahépatique obtiennent des résultats élevés d'acides biliaires sériques et d'explorations fonctionnelles hépatiques. Un ictère peut être présent ou non. La moitié des clientes atteintes de cholestase intrahépatique ont une urine foncée et des selles pâles. La cause de ce trouble est inconnue, mais environ la moitié des personnes atteintes est inconnue ont des antécédents familiaux de la maladie. Elle se produit davantage pendant les mois d'hiver qu'à toute autre période de l'année.

Les principaux risques liés à cette maladie sont l'imprégnation de méconium, la mort fœtale et l'accouchement prématuré, qui découlent probablement de l'accroissement des taux d'acides biliaires sériques. Le traitement consiste en l'administration d'acide ursodéoxycholique, qui permet de maîtriser efficacement le prurit et les anomalies d'analyses de laboratoire associées à la cholestase intrahépatique, ainsi qu'à surveiller continuellement les explorations fonctionnelles hépatiques et les acides biliaires (Cappell, 2007 ; Williamson & Mackillop, 2009). Les épreuves fœtales avant l'accouchement sont obligatoires. S'il n'y a pas d'amélioration des explorations fonctionnelles hépatiques, on déclenche artificiellement le travail entre la 36e et la 37e semaine de la grossesse, si les poumons du fœtus ont atteint leur maturité. Les symptômes disparaissent, et les anomalies observées dans les analyses de laboratoire se résorbent dans les deux à quatre semaines suivant l'accouchement.

La cholestase intrahépatique peut réapparaître au moment de grossesses ultérieures ou avec la prise de contraceptifs oraux (Cappell, 2007).

20.6 | Troubles neurologiques

La femme atteinte d'un trouble neurologique qui se retrouve enceinte doit composer avec les effets tératogéniques éventuels de ses médicaments prescrits, des changements dans sa mobilité pendant la grossesse et de son aptitude à prendre soin de l'enfant.

20.6.1 Épilepsie

L'épilepsie est un trouble cérébral qui provoque des crises récurrentes et qui représente le trouble neurologique le plus fréquent pendant la grossesse. Moins de 1 % de toutes les femmes enceintes souffrent d'épilepsie (Aminoff, 2009). L'épilepsie est soit acquise (moins de 15 % des cas), soit idiopathique (plus de 85 % des cas) ; il est donc impossible de cerner une cause précise des crises. La majorité des femmes épileptiques qui deviennent enceintes vivent habituellement une grossesse normale (Samuels & Niebyl, 2007).

Idéalement, une femme épileptique devrait se voir offrir une consultation avant de devenir enceinte. Il faut obtenir la liste des médicaments qu'elle a pris et la fréquence des crises. Si elle a eu de fréquentes crises avant la grossesse, ce sera probablement aussi le cas pendant celle-ci (Aminoff, 2009). Il est par conséquent essentiel de bien maîtriser les crises avant la grossesse, même si cela nécessite un changement de médication. De nombreuses études ont fait état d'une augmentation de la prévalence d'anomalies congénitales, y compris le bec-de-lièvre et la fissure palatine, de cardiopathie congénitale ou d'une anomalie du tube neural chez les nouveau-nés de femmes prenant des médicaments anticonvulsivants. Même si la carbamazépine (Tegretol[MD]) et l'acide valproïque (Depakene[MD]) causent des anomalies du tube neural chez le fœtus, ces médicaments sont encore largement utilisés (Kulaga, Sheehy, Zargarzadeh, Moussally & Bérard, 2011). On recommande l'administration de n'importe quel médicament anticonvulsivant permettant de bien maîtriser les crises d'épilepsie, quels que soient les risques d'anomalies fœtales, car le plus important pendant la grossesse est de prévenir les crises pour éviter de mettre le fœtus et la mère en danger (Samuels & Niebyl, 2007). Le risque de malformations congénitales graves est influencé par le type de médicaments antiépileptiques, mais aussi par la dose (Tomson *et al.*, 2011). Ainsi, le spina bifida est plus souvent associé à la prise de la carbamazépine durant le premier trimestre (Jentink *et al.*, 2010). L'acide valproïque, lui, est proscrit, car il a été démontré qu'il causait plus de malformations que n'importe quelle autre molécule utilisée dans le traitement de l'épilepsie (Tomson *et al.*, 2011).

On recommande à la femme épileptique de prendre un supplément de 5 mg d'acide folique par jour, car il permet de réduire les anomalies du tube neural (SOGC, 2011a). La cliente est encouragée à prendre quotidiennement une vitamine prénatale contenant de la vitamine D, parce que les médicaments anticonvulsivants peuvent nuire à la production de la forme active de cette vitamine (Samuels & Niebyl, 2007).

Pendant la grossesse, un seul médicament anticonvulsivant doit être prescrit, à la plus petite dose possible permettant d'empêcher efficacement les crises. L'augmentation du volume plasmatique total normal, qui est un changement normal pendant la grossesse, peut avoir un effet sur le métabolisme et la distribution des médicaments. Il faut par conséquent vérifier la concentration sanguine des médicaments anticonvulsivants et modifier leur posologie au besoin. Si elle collabore et est surveillée étroitement, la femme épileptique ne devrait voir aucun changement dans la fréquence des crises ou noter une diminution de celles-ci. Une augmentation des crises découle généralement de l'inobservation par la cliente de la pharmacothérapie anticonvulsive ou d'une privation de sommeil (Samuels & Niebyl, 2007).

Outre les anomalies congénitales, le fœtus d'une femme épileptique risque de subir un RCIU. Il est donc important d'établir avec précision le plus tôt possible l'âge gestationnel. Cette donnée diminuera toute confusion concernant la croissance fœtale. On procède au dépistage sérique maternel autour de la 16e semaine et à une échographie entre 18 et 22 semaines pour évaluer la présence d'une anomalie du tube neural ou d'autres anomalies fœtales. Il n'est pas nécessaire d'effectuer un ERF plus tard dans la grossesse, sauf si la cliente présente d'autres facteurs médicaux ou obstétricaux augmentant le risque d'une mort fœtale (Samuels & Niebyl, 2007).

Il peut être compliqué de bien gérer les médicaments anticonvulsivants pendant un travail prolongé. Au cours du travail, l'absorption des médicaments pris oralement est imprévisible, surtout si des vomissements se produisent. Une cliente qui prend de la phénytoïne (Dilantin[MD]) ou du phénobarbital peut recevoir ces médicaments par voie parentérale pendant le travail. Il n'existe aucune forme parentérale de la carbamazépine ; par conséquent, on peut administrer plutôt de la phénytoïne par voie I.V. L'accouchement vaginal est la méthode d'accouchement privilégiée (Samuels & Niebyl, 2007).

Il faut surveiller fréquemment les taux de médicaments anticonvulsivants pendant les premières semaines suivant l'accouchement, car ils peuvent augmenter rapidement. Si leur posologie a été augmentée pendant la grossesse, il faudra la réduire rapidement à son niveau antérieur à celle-ci. Tous

RAPPELEZ-VOUS...

Dans le cas de l'allaitement maternel, il faut savoir que si un médicament est distribué dans les glandes mammaires, le nouveau-né risque de l'ingérer.

les principaux médicaments anticonvulsivants se retrouvent dans le lait maternel, mais ils n'empêchent pas l'allaitement. La carbamazépine et le phénobarbital peuvent avoir un effet secondaire sédatif sur le nouveau-né (Samuels & Niebyl, 2007).

Au Québec, tous les nouveau-nés reçoivent une dose de vitamine K dans les heures qui suivent leur naissance.

Pendant la période néonatale, les nouveau-nés peuvent souffrir d'une maladie hémorragique liée à l'exposition à des médicaments anticonvulsivants dans l'utérus, qui cause une carence en vitamine K. Certaines autorités recommandent de donner une dose quotidienne de vitamine K pendant les dernières semaines de la grossesse aux femmes qui prennent des médicaments anticonvulsivants, mais cette pratique n'est pas considérée comme la norme (Samuels & Niebyl, 2007). Au Québec, tous les nouveau-nés reçoivent une dose de vitamine K dans les heures qui suivent leur naissance ▶ 17.

17

Les traitements de prophylaxie qui sont donnés en intervention immédiate au nouveau-né sont abordés dans le chapitre 17, *Évaluation et soins du nouveau-né et de la famille*.

Une femme souffrant d'épilepsie idiopathique peut utiliser la plupart des méthodes de contraception. Par contre, les médicaments anticonvulsivants couramment prescrits, tels que la carbamazépine, le phénobarbital et la phénytoïne, diminuent l'efficacité des contraceptifs oraux. Une femme qui prend un contraceptif oral à faible dosage est particulièrement à risque d'avoir des métrorragies et une grossesse non prévue (Samuels & Niebyl, 2007). L'acide valproïque et les médicaments anticonvulsivants plus récents ne causeraient pas d'échec de la contraception orale (Aminoff, 2009). Il faut informer les couples qui souhaitent procréer que les enfants nés de femmes souffrant d'une épilepsie dont la cause est inconnue courent quatre fois plus de risques que la population générale de souffrir d'une épilepsie idiopathique. L'épilepsie du père ne semble pas accroître le risque qu'un enfant en soit atteint (Samuels & Niebyl, 2007).

Plainte visuelle : Trouble (tel que la vision double, les maux de tête, les étourdissements, les nausées, les brûlements ou les picotements des yeux) associé aux problèmes oculovisuels.

20.6.2 Sclérose en plaques

La sclérose en plaques (SP), qui consiste en la démyélinisation inégale de la moelle épinière et du SNC, pourrait être un trouble viral, mais dont la cause est inconnue **FIGURE 20.10**. Le Canada est le pays qui affiche l'un des taux les plus élevés au monde. Ici, les femmes sont trois fois plus susceptibles d'être atteintes de la SP que les hommes (Société canadienne de la sclérose en plaques, 2011). L'apparition des symptômes, qui comprend la faiblesse de l'un ou des deux membres inférieurs, des **plaintes visuelles**, des difficultés d'élocution et une perte de coordination, se produit généralement entre l'âge de 20 et de 40 ans. La maladie se caractérise par des exacerbations et des rémissions. La grossesse ne semble pas l'aggraver (Samuels & Niebyl, 2007).

Les rémissions pendant la grossesse sont courantes. Une exacerbation, si elle se produit, est plus susceptible d'avoir lieu au troisième trimestre ou après l'accouchement. Le traitement pourra

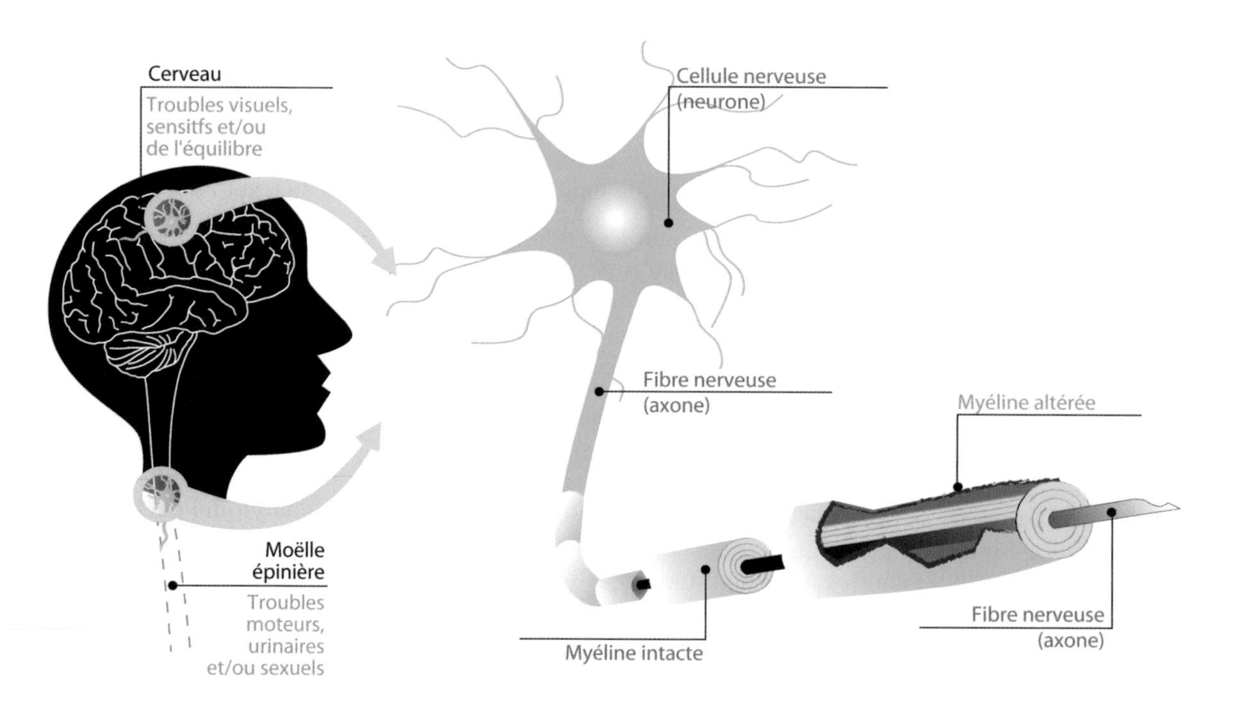

FIGURE 20.10
Démyélinisation de la moelle épinière et du SNC

comprendre des corticostéroïdes et des médicaments immunosuppresseurs. Plusieurs nouveaux médicaments sont utilisés pour traiter la maladie. Cependant, l'on ne devrait y recourir que si les avantages semblent nettement dépasser les risques potentiels (Samuels & Niebyl, 2007).

Une femme devenue paraplégique ou qui présente des lésions dans la région lombosacrée par suite de la SP peut sentir très peu de douleur pendant le travail. Il peut être difficile pour elle de déterminer à quel moment celui-ci commence. Les contractions utérines se font normalement, mais une femme dans cette situation a de la difficulté à pousser efficacement pendant le deuxième stade du travail. Il peut alors être nécessaire d'utiliser des forceps ou une ventouse obstétricale (Samuels & Niebyl, 2007). En général, le poids à la naissance et l'âge gestationnel des nouveau-nés de mères ayant la SP sont similaires à ceux des nouveau-nés des autres mères (van der Kop *et al.*, 2011).

20.6.3 Paralysie de Bell

La paralysie de Bell est une paralysie faciale idiopathique grave dont la cause demeure inconnue, mais qui est assez fréquente, surtout chez les femmes en âge de procréer **FIGURE 20.11**. L'incidence chez les femmes est de deux à quatre fois plus élevée que chez les hommes. Le lien entre la paralysie de Bell et la grossesse a été cité pour la première fois par Bell en 1830. Les femmes enceintes en sont atteintes trois ou quatre fois plus souvent que les femmes non enceintes. La prévalence atteint son point culminant le plus souvent pendant le troisième trimestre et la période postnatale. La femme qui commence à souffrir de la paralysie de Bell pendant la grossesse est aussi plus à risque de souffrir de prééclampsie (Cunningham *et al.*, 2005).

Les manifestions cliniques de la paralysie de Bell sont l'apparition soudaine d'une faiblesse faciale unilatérale, celle-ci atteignant son point culminant dans les 48 heures suivant la manifestation du symptôme (Cunningham *et al.*, 2005; Tiemstra & Khatkhate, 2007), de la douleur dans la région de l'oreille, de la difficulté à fermer l'œil du côté du visage touché, de l'hyperacousie (acuité auditive exceptionnelle) et parfois d'une perte du goût (Aminoff, 2009).

Aucun effet de la paralysie de Bell n'a été observé chez les nouveau-nés. Le pronostic maternel est généralement bon, sauf lorsqu'il y a un blocage complet de la conduction nerveuse. Un traitement aux stéroïdes peut améliorer le pronostic; cependant, ses avantages n'ont pas toujours été prouvés dans les études de recherche passées. Pour qu'ils soient efficaces, les stéroïdes doivent être administrés dans les cinq ou six jours suivant le début de la paralysie (Aminoff, 2009). Les soins de soutien comprennent la prévention des blessures à la cornée exposée, le massage du muscle facial, une mastication soigneuse et l'extraction manuelle des aliments à l'intérieur de la joue touchée. Bien que 80 % des hommes et des femmes non enceintes touchés se rétablissent à un degré satisfaisant en l'espace de un an, seulement environ la moitié des femmes atteintes pendant la grossesse connaissent le même sort (Cunningham *et al.*, 2005).

Jugement clinique

Madame Nataly Pearson est âgée de 20 ans. Elle est atteinte de SP et enceinte de 21 semaines.

Sa grossesse risque-t-elle d'aggraver l'évolution de sa maladie? Justifiez votre réponse.

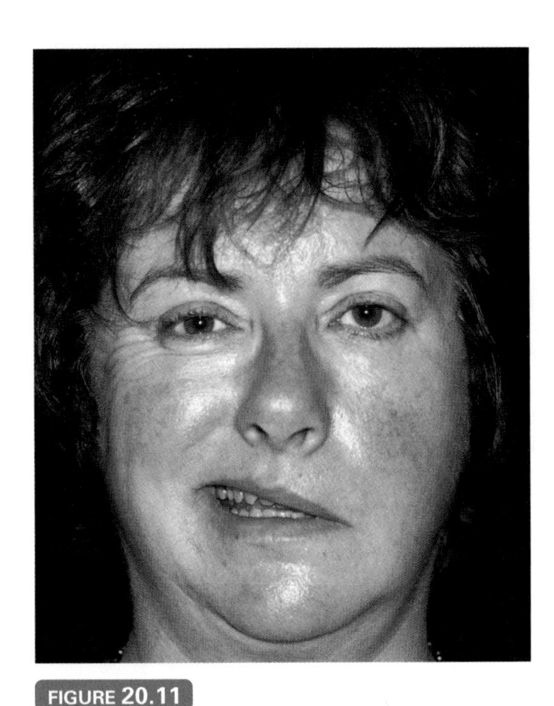

FIGURE 20.11
Paralysie de Bell chez la femme

20.7 | Troubles auto-immuns

Les **troubles auto-immuns** regroupent un grand nombre d'affections qui perturbent la fonction du système immunitaire. Dans ces types de troubles, le système immunitaire du corps est incapable de distinguer ce qui le constitue de ce qui lui est étranger. L'organisme produit donc des anticorps qui s'attaquent aux antigènes normalement présents, causant des dommages aux tissus. Les troubles auto-immuns peuvent apparaître pendant la grossesse, parce que 70 % des personnes atteintes d'une maladie auto-immune sont des femmes en âge de procréer (Gilbert, 2007). Les maladies auto-immunes courantes comprennent le lupus érythémateux disséminé (LED), le syndrome des antiphospholipides, la polyarthrite rhumatoïde et la sclérodermie généralisée (Holmgren & Branch, 2007).

20.7.1 Lupus érythémateux disséminé

Le LED est une maladie inflammatoire multisystémique et chronique qui touche la peau, les articulations, les reins, les poumons, le système nerveux, le foie et d'autres organes du corps. La cause exacte de cette maladie demeure inconnue, mais l'interaction de plusieurs facteurs pourrait être impliquée, y compris des facteurs immunologiques, environnementaux, hormonaux et génétiques. Le LED est la maladie auto-immune grave la plus courante chez les femmes en âge de procréer. Il touche de 2 à 4 fois plus souvent les femmes d'origine africaine et latino-américaines que les femmes blanches, et il est de 5 à 10 fois plus courant chez les femmes que chez les hommes. La plupart des cas de LED apparaissent chez les adolescents ou les jeunes adultes (Gilbert, 2007 ; Holmgren & Branch, 2007).

Les premiers symptômes les plus courants du LED sont la fatigue, la perte de poids, l'arthralgie, l'arthrite et la myalgie. Bien que le diagnostic de LED soit posé en se fondant sur les signes et les symptômes cliniques, il doit être confirmé par la présence d'autoanticorps circulants. Le LED se caractérise par une série de poussées et de rémissions (Holmgren & Branch, 2007).

Si le diagnostic a été établi et que la femme désire avoir un enfant, il lui est conseillé d'attendre d'être en rémission pendant au moins six mois avant de tenter de devenir enceinte (Gilbert, 2007). Une poussée de lupus pendant la grossesse ou la période postnatale se produit chez 15 à 60 % des femmes atteintes de LED. Outre l'exacerbation, les autres risques maternels comprennent un taux accru de fausse couche, de néphrite, de prééclampsie, la nécessité d'accoucher prématurément, ainsi qu'un risque accru de césarienne. Les risques fœtaux comprennent la mort fœtale, le RCIU et l'accouchement prématuré (Yan Yuen, Krizova, Ouimet & Pope, 2008).

Une femme ne doit pas prendre d'acide acétylsalycique après la 24e semaine de sa grossesse, en raison d'un risque accru d'une fermeture prématurée du canal artériel du fœtus.

La pharmacothérapie est limitée pendant la grossesse chez les femmes qui sont en rémission ou qui souffrent d'une forme légère de LED. L'usage des médicaments immunosuppresseurs doit être arrêté avant la grossesse. Les anti-inflammatoires non stéroïdiens et l'acide acétylsalycique (Aspirin^MD) sont habituellement les médicaments anti-inflammatoires les plus utilisés, mais leur usage n'est pas recommandé pendant la grossesse. La thérapie d'entretien avec de l'hydroxychloroquine ou de faibles doses de glucocorticoïde peut être poursuivie. L'hydroxychloroquine, un antipaludique, est peut-être le meilleur médicament pour la thérapie d'entretien du LED pendant la grossesse parce qu'elle en réduit grandement l'activité et ne semble avoir aucun effet néfaste sur le fœtus (Abarientos *et al.*, 2011).

24

Le chapitre 24, *Nouveau-né à risque*, porte entre autres sur les effets de la toxicomanie maternelle sur le nouveau-né.

Les soins prénataux consistent autrement en la surveillance étroite pour déceler les complications courantes de la grossesse, comme l'hypertension artérielle, la protéinurie et un RCIU. On effectue fréquemment des échographies pour surveiller la croissance fœtale. Les tests d'évaluation fœtale, notamment le décompte quotidien des mouvements fœtaux, les ERF et l'évaluation du volume du liquide amniotique, commencent généralement entre la 30e et la 32e semaine. Des échographies et des évaluations fœtales plus fréquentes sont nécessaires si la femme présente une poussée de LED, de l'hypertension artérielle, une protéinurie ou en présence des signes d'un RCIU (Holmgren & Branch, 2007).

Une femme atteinte de LED peut connaître une exacerbation pendant le travail. Même en l'absence d'une poussée de LED pendant le travail, toutes les femmes qui ont pris des stéroïdes pendant l'année en nécessiteront une plus grosse dose pendant le travail (Holmgren & Branch, 2007). L'accouchement vaginal est privilégié, mais le recours à la césarienne est courant lorsqu'il y a des complications maternelles et fœtales.

Comme il est difficile d'établir quelles clientes, le cas échéant, risquent d'avoir une poussée de LED après l'accouchement, toutes ces femmes doivent être étroitement suivies pendant la période postnatale. Tout médicament d'entretien que la cliente a cessé de prendre pendant la grossesse doit être recommencé à la même dose que celle prescrite avant celle-ci (Holmgren & Branch, 2007).

Une femme qui souffre de LED doit limiter le nombre de ses grossesses en raison de l'augmentation des issues défavorables périnatales et du pronostic maternel réservé (Cunningham *et al.*, 2005). La période postnatale est le moment le plus sûr pour procéder à une stérilisation tubaire, si la cliente souhaite cette opération, ou lorsque la maladie est en rémission. Les contraceptifs oraux doivent être utilisés avec prudence, car une affection vasculaire accompagne souvent le LED. Un DIU (cuivre) augmente le risque d'infection et ne devrait probablement pas être prescrit aux femmes qui prennent des médicaments immunosuppresseurs. Les contraceptifs ne contenant que de la progestine représentent des moyens contraceptifs efficaces, sans effet connu sur les poussées de LED (Culkwell, Curtis & del Carmen Carvioto, 2009).

20.8 Toxicomanie

Le terme toxicomanie fait référence à l'usage continu de substances toxiques malgré les problèmes qui en découlent dans les aspects physiques, sociaux et interpersonnels d'une personne. L'abus à répétition peut empêcher la personne de s'acquitter de ses principales obligations personnelles, professionnelles et scolaires, ainsi qu'occasionner des problèmes juridiques liés à l'usage de substances illégales, en plus de soulever des questions éthiques (SOGC, 2011b). Il est ici question des soins prodigués à la femme enceinte toxicomane ▶ 24.

Comme beaucoup de femmes enceintes sont réticentes à révéler leur usage de substances toxiques ou la mesure dans laquelle elles le font, les données obtenues sur la prévalence varient beaucoup **FIGURE 20.12**. Environ 14 % des femmes canadiennes ont rapporté consommer de l'alcool ou fumer pendant leur grossesse (SOGC, 2011b). Dans le dernier *Rapport sur la santé périnatale*, 6,7 % des femmes déclaraient avoir pris des drogues dans les trois mois précédant leur grossesse (ASPC, 2008). Dans ses dernières directives de 2011, la SOGC recommande d'obtenir le consentement de la femme enceinte avant d'effectuer un dépistage toxicologique (SOGC, 2011b).

Les effets néfastes de l'alcool et des drogues illicites sur la femme enceinte et le fœtus sont bien attestés (Gilbert, 2007 ; Wisner *et al.*, 2007). L'alcool et les autres drogues se transmettent facilement de la mère au fœtus par le placenta. Fumer pendant la grossesse crée de sérieux risques pour la santé : complications de saignement, fausse couche, mort fœtale, prématurité, faible poids à la naissance et syndrome de mort subite du nourrisson (Gilbert, 2007 ; Wisner *et al.*, 2007). Des anomalies congénitales ont été observées chez les nouveau-nés dont les mères avaient pris des drogues durant leur grossesse. La méthadone constitue le traitement standard de maintien d'une femme enceinte ayant une dépendance aux opioïdes (Wisner *et al.*, 2007).

Moins de 10 % des femmes enceintes toxicomanes sont traitées pour leur dépendance. La tare sociale, l'étiquetage et la culpabilité les en empêchent souvent (Brady & Ashley, 2005). Fréquemment, les femmes ne demandent pas d'aide parce qu'elles ont peur de perdre la garde de leurs enfants ou de faire face à un signalement au Directeur de la protection de la jeunesse (DPJ) **ENCADRÉ 20.10**. Les femmes enceintes qui abusent de substances toxiques connaissent souvent mal les effets de ces substances sur elles, leur grossesse et leur fœtus. Dans le passé, les programmes de traitement pour toxicomanie ne tenaient pas compte des problèmes touchant leurs femmes enceintes,

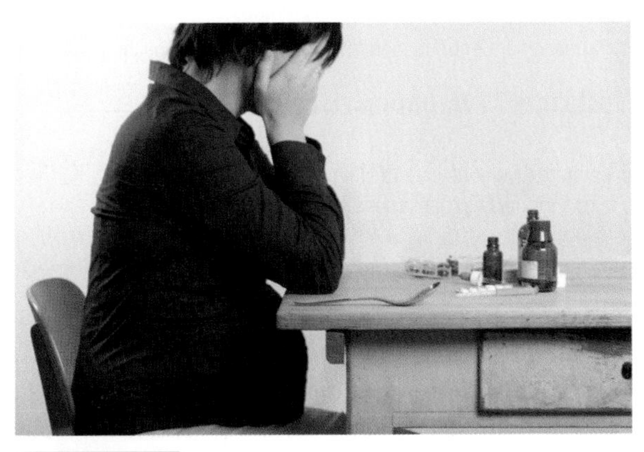

FIGURE 20.12

Les femmes enceintes dépendantes à des drogues et à des médicaments sont souvent réticentes à révéler leurs habitudes au professionnel de la santé.

Conseil juridique

ENCADRÉ 20.10 — Test de dépistage de drogues pendant la grossesse

Au Québec, on signale au DPJ une femme enceinte qui consomme des substances psychoactives. Si la femme ne participe pas à un programme de désintoxication ou est jugée inapte à prendre soin de son enfant, ce dernier peut être retiré et placé en famille d'accueil.

comme le besoin d'obtenir des soins obstétricaux ainsi que des soins pour leurs autres enfants. Les femmes enceintes toxicomanes qui souffrent aussi d'un trouble psychiatrique font face au discrédit social rattaché à la toxicomanie et au manque de connaissances et de formation dans le traitement de troubles coexistants (Brady & Ashley, 2005).

SOINS ET TRAITEMENTS INFIRMIERS

Toxicomanie

Dépistage

Les questions pour le dépistage de l'abus d'alcool et de drogues doivent faire partie de l'évaluation globale effectuée à la première visite prénatale de la femme enceinte. Les professionnels des soins de première ligne sont responsables de détecter et de prendre la responsabilité de ces cas. Des tests d'urine toxicologiques peuvent être effectués pour dépister l'usage de drogues illicites. L'urine peut contenir des traces de drogues plusieurs jours, voire des semaines après leur ingestion, selon la rapidité avec laquelle elles sont métabolisées et excrétées par l'organisme. Il est aussi possible d'analyser le méconium (du nouveau-né) et les cheveux pour déterminer la consommation passée de drogues sur une période plus longue (Gilbert, 2007).

Évaluation

Une fois que les résultats de dépistage indiquent qu'une femme a un problème d'abus d'une substance toxique, l'infirmière suit le processus de soins à cet égard **ENCADRÉ 20.11**. Étant donné le style de vie souvent associé à la consommation de drogues, les femmes toxicomanes sont à risque de contracter des infections transmises sexuellement et par le sang, y compris le virus de l'immunodéficience humaine (VIH). Les analyses de laboratoire comprendront probablement le dépistage de la syphilis, des hépatites B et C, et celui du VIH. L'infirmière pourra également demander à la cliente de passer un test de dépistage de la tuberculose. Une échographie initiale suivie d'une série d'échographies est habituellement réalisée pour déterminer l'âge gestationnel, parce que la consommation de drogues peut avoir provoqué une aménorrhée ou parce

Mise en œuvre d'une démarche de soins

ENCADRÉ 20.11 **Abus de substances toxiques**

COLLECTE DES DONNÉES – ÉVALUATION INITIALE

La collecte des données d'une femme enceinte toxicomane peut comprendre ce qui suit :

Entrevue

- Dépister l'abus d'alcool ou de drogues, ou les deux, à la première consultation prénatale. Il faut consigner la fréquence et la quantité de chaque drogue consommée par la cliente, dans l'ordre suivant :
  - médicaments offerts en vente libre et médicaments prescrits ;
  - drogues légales (p. ex., la caféine, la nicotine, l'alcool) ;
  - drogues illicites (p. ex., la marijuana, la cocaïne, les méthamphétamines, l'héroïne).
- Évaluer toute violence physique passée ou actuelle.
- Évaluer toute violence sexuelle passée ou actuelle.
- Évaluer les antécédents de maladie psychiatrique.
- Évaluer les barrières à l'obtention de soins, comme la pression des pairs, la situation socioéconomique, le stress psychologique ou d'autres facteurs exogènes.

Examen physique

- Effectuer l'examen physique complet.

Analyses de laboratoire

- Hémogramme complet
- Syphilis
- Sérologie des hépatites B et C
- VIH
- Tuberculose
- Test toxicologique de l'urine pour toute drogue dont l'usage est soupçonné ou pour les drogues couramment consommées dans la collectivité
- Test de la fonction hépatique si l'on soupçonne un abus d'alcool
- Évaluer la grossesse et le fœtus :
  - échographie pour déterminer l'âge gestationnel et le poids fœtal ;
  - ERF.

ANALYSE ET INTERPRÉTATION DES DONNÉES

Les problèmes découlant de la situation de santé pour une cliente toxicomane peuvent inclure :

- Risque d'infection lié :
  - au mode de vie ;
  - à la malnutrition ;
  - à la méthode d'administration de la drogue.
- Déficit dans les soins personnels ou l'hygiène, lié aux effets des substances consommées.
- Adaptation inefficace liée :
  - au manque de réseau de soutien ;
  - à la faible estime de soi ;
  - au déni.
- Risque d'un attachement fragile entre la mère et le nouveau-né lié à :
  - la culpabilité ;
  - l'abus continu d'une substance toxique.
- Impuissance liée :
  - au manque de ressources ;
  - à une relation avec un ou plusieurs conjoints violents.
- Risque de suicide lié à :
  - la dépression ;
  - l'impulsivité lorsque la cliente fait usage de substances toxiques.

RÉSULTATS ESCOMPTÉS

Le résultat escompté à long terme idéal est l'abstinence complète, mais il peut être impossible à atteindre. La cliente doit participer à la fixation de résultats à court terme :

- Respect des rendez-vous pris pour les soins prénataux et postnataux pour elle-même et pour les soins au nouveau-né.
- Minimisation des effets de l'abus de substances toxiques sur le fœtus.
- Capacité à prendre soin du nouveau-né dans un environnement sécuritaire.
- Stabilisation des symptômes physiologiques de la cliente et capacité à prendre soin d'elle-même et de son nouveau-né.
- Établissement d'un lien d'attachement avec son nouveau-né.
- Participation à un programme de désintoxication.

INTERVENTIONS INFIRMIÈRES

Les interventions infirmières requises pour l'atteinte des résultats escomptés comprennent, notamment :

- Établir une relation de confiance.
- Maintenir une attitude neutre et non punitive.
- Déterminer la volonté de la cliente de changer.
- Motiver la cliente à changer son mode de vie en la renseignant sur les risques pour la santé et sur les effets de l'abus de substances toxiques sur son fœtus.
- L'orienter vers des services communautaires et sociaux au besoin.
- Orienter la cliente vers une clinique spécialisée dans les services aux toxicomanes enceintes lorsqu'elle est prête à entreprendre un programme de désintoxication.
- Fournir encouragements et soutien.
- Souligner l'importance de se rendre aux rendez-vous prénataux.
- Promouvoir le lien d'attachement entre la mère et l'enfant après l'accouchement.

ÉVALUATION DES RÉSULTATS – ÉVALUATION EN COURS D'ÉVOLUTION

Évaluer une femme enceinte toxicomane est difficile parce qu'il est impossible de projeter les effets à long terme. Les réalisations positives à court terme sont indicatives d'un certain succès.

que la femme peut ne pas connaître la date de sa dernière menstruation.

Premiers soins

L'intervention auprès de la femme toxicomane enceinte commence par donner de l'information sur les effets précis de chaque drogue consommée sur la grossesse, le fœtus et le nouveau-né. L'infirmière doit expliquer les conséquences de la consommation périnatale et recommander l'abstinence comme ligne de conduite la plus prudente à adopter, sauf si la cliente abuse d'opioïdes. Les femmes sont souvent plus disposées à changer leur mode de vie pendant la grossesse qu'à tout autre

moment de leur vie. Celle qui consomme des drogues à l'occasion est souvent en mesure de s'arrêter pour de bon lorsqu'elle reçoit de l'information, du soutien et un suivi continu pendant le reste de la grossesse. Un dépistage périodique tout le long de celle-ci peut aider les femmes qui ont admis leur toxicomanie à maintenir l'abstinence.

Le traitement de la toxicomanie dépend du type, de la fréquence et de la quantité de drogue consommée. La grossesse est la période de leur vie où les femmes sont le plus susceptibles d'essayer d'arrêter de fumer. Y arriver avant de devenir enceinte est l'idéal, mais même cesser de fumer avant 16 semaines de gestation diminue grandement les risques. Les programmes d'abandon du tabac pendant la grossesse sont efficaces et devraient être offerts à toutes les femmes enceintes qui fument. De nombreuses ressources sur le sujet sont également offertes sous forme de documents et en ligne.

La désintoxication, un traitement à court terme à l'hôpital ou à l'externe et la participation à des groupes de soutien autonomes sont possibles pour traiter l'abus d'alcool et de drogues (tels que les Alcooliques Anonymes). Une femme enceinte alcoolique devrait être orientée vers un programme de désintoxication approprié. Pour sevrer une cliente alcoolique pendant sa grossesse, on lui administre des benzodiazépines (diazépam [Valium[MD]], lorazépam [Ativan[MD]] (Wisner *et al.*, 2007). Il faut aussi prêter attention à l'état nutritionnel de la cliente (Gilbert, 2007; Wisner *et al.*, 2007).

Le traitement de maintien à la méthadone pour les femmes enceintes héroïnomanes ou qui consomment d'autres analgésiques opioïdes est actuellement considéré comme la norme. Il doit être offert dans le cadre d'un programme de soins intégrés comprenant une thérapie comportementale et des services de soutien. Il a été montré que ce traitement diminue l'abus d'opioïdes et d'autres drogues, réduit l'activité criminelle, améliore le fonctionnement individuel et réduit le taux d'infection par le VIH. De plus, le poids à la naissance et la circonférence de la tête sont plus élevés chez les nouveau-nés de femmes recevant un tel traitement. Cependant, de 30 à 80 % des nouveau-nés exposés à des opioïdes dans l'utérus, y compris la méthadone, nécessitent un traitement pour le syndrome d'abstinence néonatale (Wisner *et al.*, 2007).

Il faut conseiller à la femme enceinte qui consomme de la cocaïne de cesser immédiatement l'usage de cette drogue. Cette cliente aura besoin de beaucoup d'assistance (comme un programme de désintoxication, du counseling individuel ou de groupe) et de participer à un groupe de soutien pour réussir ce changement majeur de mode de vie.

Les méthamphétamines sont des stimulants ayant des caractéristiques vasoconstrictrices semblables à celles de la cocaïne. Tout comme les cocaïnomanes, les consommatrices de méthamphétamines sont incitées à cesser immédiatement leur usage pendant la grossesse. Malheureusement, parce que ces consommatrices sont psychologiquement très dépendantes de la drogue, le taux de rechute est très élevé.

Les soins aux toxicomanes ne sont jamais faciles, particulièrement pendant et après l'accouchement, en raison de leurs comportements manipulateurs. En général, ces femmes ont beaucoup de difficulté à se maîtriser et ont une faible tolérance à la douleur. Un plus grand besoin de dépendance et de piètres compétences parentales peuvent aussi être évidents. Malgré cela, ces femmes se doivent d'être traitées comme les autres. L'infirmière doit encourager le lien d'attachement mère-enfant en cernant les points forts de la cliente et en renforçant des sentiments et des comportements maternels positifs.

Le site j'Arrête, à l'adresse www.jarrete.qc.ca, contient de plus amples renseignements sur la désaccoutumance au tabac.

Puisque toutes les substances toxiques se retrouvent dans le lait maternel, certaines en plus grandes quantités que d'autres, l'allaitement est contre-indiqué chez les femmes qui consomment des amphétamines, de l'alcool, de la cocaïne, de l'héroïne ou de la marijuana (Lawrence & Lawrence, 2005). La méthadone n'est cependant pas une contre-indication à l'allaitement. Les besoins nutritifs et de sécurité du nouveau-né sont primordiaux. Chez certaines femmes, le désir d'allaiter peut être une motivation suffisamment forte pour maintenir l'abstinence.

Fumer peut interférer avec le réflexe d'éjection. Une femme qui fume pendant la période postnatale et qui allaite doit éviter de fumer deux heures avant de faire boire son nouveau-né afin de minimiser la présence de nicotine dans le lait et d'améliorer le réflexe d'éjection. Il faut encourager toute cliente fumeuse à ne pas fumer dans la même pièce que son enfant, parce que l'exposition à la fumée secondaire peut augmenter la probabilité que celui-ci souffre de problèmes respiratoires, mais aussi de troubles du comportement à long terme (Tiesler *et al.*, 2011).

Jugement clinique

Madame Monica Donizetti, âgée de 28 ans, vient de donner naissance à son premier enfant. Elle a fumé tout au long de sa grossesse à raison d'une trentaine de cigarettes par jour.

Sur quel aspect de votre enseignement allez-vous insister pour prévenir les complications respiratoires du nouveau-né à la maison ? Justifiez votre réponse.

Suivi

Avant de donner son congé à une mère toxicomane et à son nouveau-né, il faut avoir évalué la situation à son domicile afin de s'assurer que l'environnement sera sécuritaire pour l'enfant et qu'une autre personne pourra en prendre soin si la mère n'est pas capable de le faire. Divers intervenants prendront part à l'évaluation (DPJ, service social de l'hôpital, infirmière-liaison de l'hôpital, infirmière à domicile du CSSS) pour s'assurer que la nouvelle mère pourra répondre aux besoins du nouveau-né (MSSS, 2011b). Il est parfois demandé à des membres de la famille ou à des amis d'aider activement la mère et l'enfant après leur sortie. Une infirmière peut visiter la cliente à domicile pour évaluer sa capacité à prendre soin du nouveau-né et lui donner des conseils et du soutien. Lorsqu'il existe de sérieuses inquiétudes quant au bien-être du nouveau-né, le cas est généralement orienté vers les services de protection de l'enfance.

Analyse d'une situation de santé

Jugement clinique

Madame Tina Sedaris, âgée de 30 ans, est enceinte de 32 semaines. Elle se présente à la clinique de médecine familiale pour un suivi de grossesse. Elle est pâle et dit ressentir les symptômes suivants depuis quelque temps : fatigue, dyspnée à l'effort, étourdissements et nausées au moment des changements de position, ainsi que des palpitations. Elle s'inquiète pour son enfant et pour l'issue de la grossesse. ▶

MISE EN ŒUVRE DE LA DÉMARCHE DE SOINS

Collecte des données – Évaluation initiale – Analyse et interprétation

1. Vous effectuez une glycémie capillaire et vérifiez les signes vitaux de la cliente. Qu'est-ce qui justifie cette évaluation ?

SOLUTIONNAIRE

www.cheneliere.ca/lowdermilk

▶ La glycémie capillaire de la cliente est de 6,5 mmol/L. Madame Sedaris a mangé il y a deux heures. Sa P.A. est de 134/84 mm Hg en position assise, son pouls est à 86 batt./min et sa F.R., à 28 R/min. ▶

MISE EN ŒUVRE DE LA DÉMARCHE DE SOINS

2. Que devez-vous conclure de ces résultats ?
3. L'obstétricienne demande que les taux d'hémoglobine, d'hématocrite et de ferritine soient vérifiés. Quel est le but de ces analyses sanguines dans l'évaluation de l'état actuel de cette cliente ?

Planification des interventions – Décisions infirmières

Extrait

Extrait des notes d'évolution

2012-08-29 15:30
Depuis quelque temps, dit être fatiguée et avoir de la difficulté à respirer au moment d'un effort comme faire une promenade sur un terrain plat pendant 15 minutes. Se plaint d'étourdissements et de nausées lorsqu'elle se lève du lit.

CONSTATS DE L'ÉVALUATION

Date	Heure	N°	Problème ou besoin prioritaire	Initiales	RÉSOLU / SATISFAIT			Professionnels / Services concernés
					Date	Heure	Initiales	
2012-08-29	15:30	1	Signes d'anémie					

SUIVI CLINIQUE

Date	Heure	N°	Directive infirmière	Initiales	CESSÉE / RÉALISÉE		
					Date	Heure	Initiales

Signature de l'infirmière	Initiales	Programme / Service	Signature de l'infirmière	Initiales	Programme / Service
Dorine Lambert	D.L.	Clinique Santé +			

▶ Les résultats sanguins révèlent une anémie ferriprive. L'obstétricienne prescrit la médication suivante : sulfate ferreux 325 mg, b.i.d. Madame Sedaris ne connaît pas cette médication et se demande si des précautions particulières s'appliquent en raison de sa grossesse. ▶

MISE EN ŒUVRE DE LA DÉMARCHE DE SOINS

4. Même si madame Sedaris consulte sur une base ambulatoire, est-il approprié de déterminer un plan thérapeutique infirmier (PTI) pour cette cliente ? Justifiez votre réponse.

▶ Puisque madame Sedaris manque de connaissances sur la nouvelle médication qu'elle doit prendre, vous préparez un plan d'enseignement en lien avec la prise du sulfate ferreux. ▶

MISE EN ŒUVRE DE LA DÉMARCHE DE SOINS

5. Indiquez deux points d'enseignement à aborder en priorité avec la cliente.

▶ Madame Sedaris revient à la clinique deux semaines plus tard pour évaluer l'efficacité de son traitement. Elle dit qu'elle a maintenant un problème de constipation depuis qu'elle prend du fer. ▶

MISE EN ŒUVRE DE LA DÉMARCHE DE SOINS

6. Indiquez deux conseils à donner à la cliente pour la soulager de son malaise.

Évaluation des résultats – Évaluation en cours d'évolution

7. Vous questionnez madame Sedaris pour savoir si elle ressent des contractions utérines et si elle a observé des pertes vaginales sanguines ou liquides. Dans quel but lui posez-vous ces questions ?

▶ Madame Sedaris ressent aussi des nausées et a des vomissements malgré le fait qu'elle applique les interventions pour soulager ces malaises. Elle croit qu'il serait préférable de ne plus prendre le sulfate ferreux.◀

MISE EN ŒUVRE DE LA DÉMARCHE DE SOINS

Planification des interventions – Décisions infirmières

8. Que devriez-vous répondre à la cliente à propos de son intention ?

20

APPLICATION DE LA PENSÉE CRITIQUE

Dans l'application de la démarche de soins auprès de madame Sedaris, l'infirmière a recours à un ensemble d'éléments (connaissances, expériences antérieures, normes institutionnelles ou protocoles, attitudes professionnelles) pour analyser la situation de santé de la cliente et en comprendre les enjeux. La **FIGURE 20.13** illustre le processus de pensée critique suivi par l'infirmière afin de formuler son jugement clinique. Elle résume les principaux éléments sur lesquels l'infirmière s'appuie en fonction des données de cette cliente, mais elle n'est pas exhaustive.

VERS UN JUGEMENT CLINIQUE

CONNAISSANCES

- Physiopathologie de l'anémie
- Manifestations cliniques de l'anémie
- Signes d'hypoglycémie et d'hypotension orthostatique
- Conséquences de l'anémie sur le fœtus et la mère
- Examens paracliniques de l'anémie
- Indications et effets indésirables du sulfate ferreux
- Moyens d'atténuer les effets indésirables causés par la prise de sulfate ferreux
- Signes d'un début de travail

EXPÉRIENCES

- Soins auprès de la clientèle de périnatalité
- Expérience en enseignement à la clientèle
- Expérience personnelle de problèmes de santé associés à la grossesse

NORME

- Suivi médical de l'anémie ferriprive au cours de la grossesse

ATTITUDE

- Rassurer la cliente par rapport à ses inquiétudes pour son enfant et sur l'issue de la grossesse

PENSÉE CRITIQUE

ÉVALUATION

- Signes vitaux pour éliminer la possibilité d'hypotension orthostatique
- Glycémie capillaire pour éliminer la possibilité d'hypoglycémie
- Signes et symptômes d'anémie : fatigue, étourdissements, dyspnée à l'effort, nausées
- Inquiétudes de la cliente quant aux conséquences de l'anémie sur la santé du fœtus
- Résultats des analyses de laboratoire : hémoglobine, hématocrite, ferritine
- Effets indésirables du sulfate ferreux (constipation)
- Présence de contractions utérines et de pertes vaginales pour déterminer un début de travail

JUGEMENT CLINIQUE

FIGURE 20.13

À retenir

VERSION REPRODUCTIBLE

www.cheneliere.ca/lowdermilk

- L'absence de maîtrise de la glycémie maternelle avant la grossesse et au cours du premier trimestre peut occasionner des malformations congénitales fœtales.
- Les besoins en insuline de la mère augmentent au fur et à mesure que la grossesse avance et peuvent quadrupler une fois à terme, en raison de l'insulinorésistance créée par les hormones placentaires, l'insulinase et le cortisol.
- Une mauvaise maîtrise glycémique avant et pendant la grossesse peut entraîner des complications maternelles, comme une fausse couche, une infection et une dystocie (accouchement difficile) causée par une macrosomie fœtale.
- Le monitorage étroit de la glycémie, l'administration d'insuline au besoin et une consultation auprès d'une nutritionniste sont utilisés pour créer un environnement intra-utérin permettant la croissance et le développement normaux du fœtus dans une grossesse compliquée par le diabète de type 1.
- Comme le diabète gestationnel est asymptomatique dans la majorité des cas, toutes les femmes font l'objet d'un dépistage de routine pendant la grossesse.
- Le dysfonctionnement thyroïdien nécessite une surveillance étroite du taux d'hormone thyroïdienne pour ajuster la thérapie et empêcher toute conséquence néfaste pour le fœtus.
- Le stress occasionné par les adaptations maternelles normales de la grossesse sur un cœur dont la fonction est déjà éprouvée peut causer une décompensation cardiaque.
- La morbidité ou la mortalité maternelles représentent un risque important de la grossesse compliquée par un rétrécissement mitral.
- L'anémie, qui est le trouble médical le plus courant pendant la grossesse, touche au moins 20 % des femmes enceintes.
- L'asthme est la complication sous-jacente la plus commune de la grossesse, et la prévalence et la morbidité liées à ce trouble sont en hausse.
- Le prurit est un symptôme courant des maladies de la peau inflammatoires propres à la grossesse.
- Une femme enceinte épileptique doit prendre un seul médicament anticonvulsivant, à la dose efficace la plus petite pour éliminer les crises, si c'est possible.
- Le lupus érythémateux disséminé est la maladie auto-immune grave la plus courante touchant les femmes en âge de procréer.
- Les toxicomanes qui décident de cesser toute consommation de drogue ou d'alcool en période périnatale ont besoin de beaucoup de soutien, notamment de la famille et des amis, de l'équipe soignante et du milieu de la désintoxication.
- Les professionnels de la santé qui offrent des soins à des clientes toxicomanes doivent leur montrer de la compassion et ne pas les juger.

CHAPITRE

Grossesse à risque : états gestationnels

Écrit par :
Kitty Cashion, RN, BC, MSN

Adapté par :
Francine de Montigny, inf., Ph. D.
Chantal Verdon, inf., Ph. D. (c)

OBJECTIFS

 Guide d'études – SA21, RE06

Après avoir étudié ce chapitre, vous devriez être en mesure :

- de distinguer les caractéristiques déterminantes de l'hypertension gestationnelle, de la prééclampsie, de l'éclampsie et de l'hypertension préexistante ;
- de décrire les mécanismes physiopathologiques de la prééclampsie et de l'éclampsie ;
- de décrire le traitement avant, pendant et après l'accouchement de la femme présentant une hypertension gestationnelle légère ou grave ;
- de décrire le traitement avant, pendant et après l'accouchement de la femme souffrant de prééclampsie légère ou grave ;
- de décrire le traitement avant la conception et avant, pendant et après l'accouchement de la femme présentant une hypertension préexistante ;
- d'expliquer les effets de l'hyperémèse gravidique sur le bien-être de la mère et du fœtus ;
- de décrire le traitement de la femme souffrant d'hyperémèse gravidique à l'hôpital et à domicile ;
- de distinguer les causes, les signes et les symptômes, les complications possibles et le traitement d'une fausse couche, d'une grossesse ectopique, d'une dilatation prématurée récurrente du col utérin et d'une môle hydatiforme ;
- de comparer les signes, les symptômes, les complications possibles et le traitement du placenta praevia et de l'hématome rétroplacentaire ;
- d'expliquer les moyens diagnostiques et le traitement de la coagulation intravasculaire disséminée ;
- de faire la distinction entre les signes et les symptômes, les effets sur la grossesse et le fœtus, ainsi que le traitement pendant la grossesse des infections transmissibles sexuellement courantes et d'autres infections ;
- d'expliquer les principes de base des soins destinés à une femme enceinte opérée à l'abdomen ;
- d'expliquer les conséquences d'un trauma sur la mère et le fœtus pendant la grossesse ;
- de reconnaître les priorités dans l'évaluation et les mesures de stabilisation d'une femme enceinte victime d'un trauma ;
- d'expliquer la façon d'adapter la technique de réanimation cardiorespiratoire à une femme enceinte.

Concepts clés

Cette carte conceptuelle illustre schématiquement les principaux concepts décrits dans le présent chapitre. Sa lecture vous permettra d'avoir une vue d'ensemble des notions qui y sont présentées.

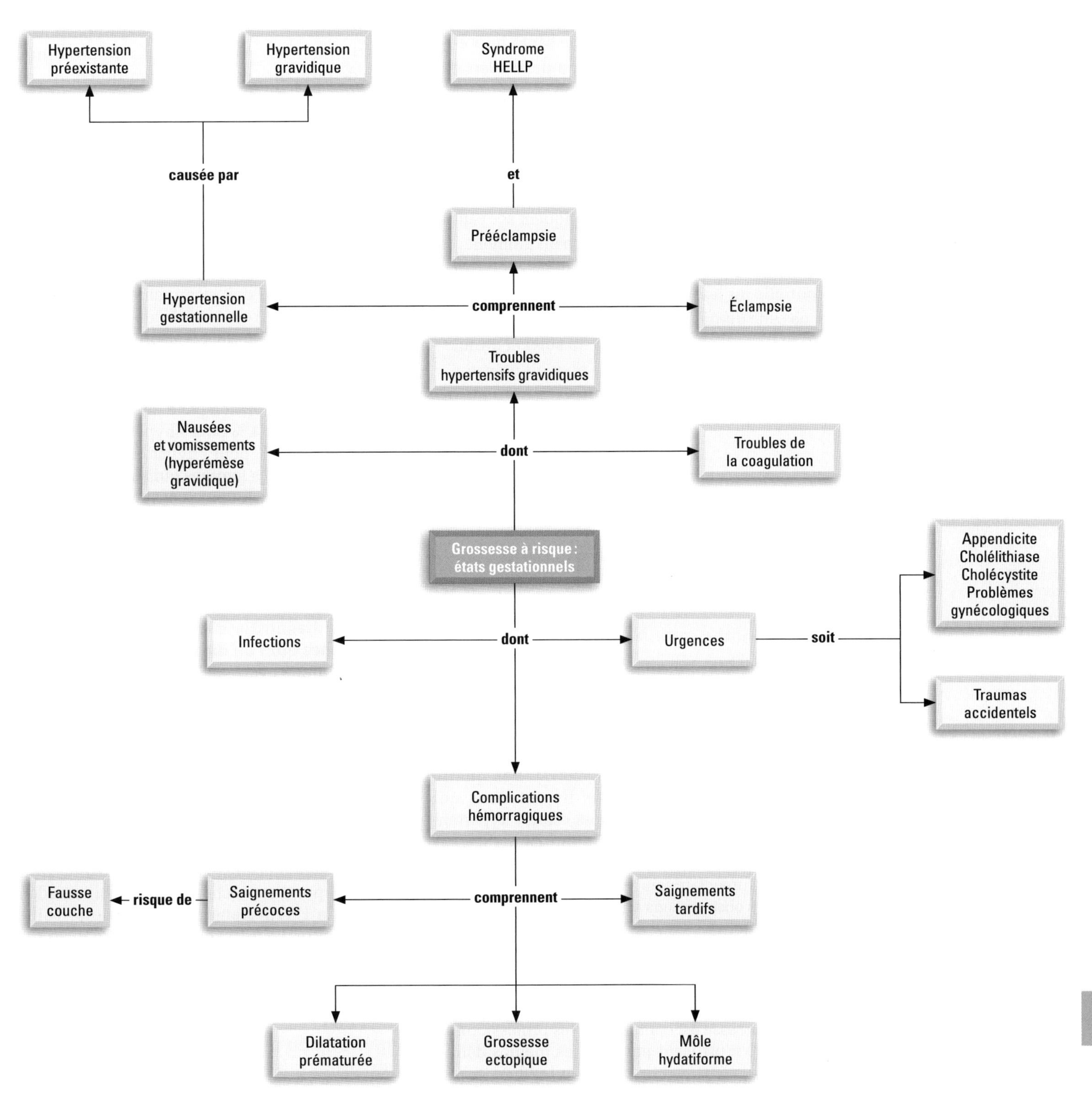

21

Bien que la grossesse soit un événement physiologique qui se déroule normalement bien pour la plupart des femmes, certaines d'entre elles éprouvent des problèmes de santé importants pendant cette période. Ces problèmes peuvent avoir une grande incidence non seulement sur l'issue de la grossesse, mais aussi sur la santé et même sur la survie de la mère et de l'enfant. Certains de ces troubles sont attribuables à la grossesse elle-même, tels que l'hypertension gestationnelle, l'hyperémèse gravidique, les complications hémorragiques et les troubles de la coagulation. D'autres problèmes, comme les infections, les urgences chirurgicales et les traumas, peuvent aussi survenir pendant la grossesse; ils compliquent souvent les décisions liées aux traitements d'une cliente, car ils perturbent momentanément deux vies. La prise en charge de ces problèmes de santé de façon rapide et efficace est donc essentielle au bon déroulement de la grossesse et vitale pour une issue positive de cette dernière. L'infirmière, en raison de sa proximité avec la femme enceinte et de sa capacité d'assurer un suivi continu, se trouve dans une situation extrêmement privilégiée afin de pouvoir prévenir certaines de ces complications ou d'en diminuer les conséquences sur la grossesse et sa conclusion.

21.1 Hypertension gestationnelle

21.1.1 Importance et prévalence

Les troubles hypertensifs gravidiques demeurent la complication médicale la plus courante pendant la grossesse, et ils touchent entre 5 et 10 % des femmes enceintes (Caetano *et al.*, 2004). Ils sont une cause importante de morbidité et de mortalité maternelles (Santé Canada, 2004; Sibai, 2007). Les quatre principaux types de troubles hypertensifs qui surviennent pendant la grossesse sont l'hypertension gestationnelle, la prééclampsie, l'hypertension préexistante et l'hypertension préexistante avec prééclampsie surajoutée (Gilbert, 2007; Société des obstétriciens et gynécologues du Canada [SOGC], 2008a).

RAPPELEZ-VOUS...

Une seule mesure de P.A. élevée ne suffit pas à poser un diagnostic d'hypertension.

21.1.2 Classification

La classification des troubles d'hypertension pendant la grossesse est confuse, car les professionnels de la santé n'utilisent pas tous les mêmes définitions. Le système de classification le plus courant employé aujourd'hui au Canada est celui de la SOGC (2008a). Un résumé de ce système de classification figure dans le **TABLEAU 21.1**.

Les troubles hypertensifs demeurent la complication médicale la plus courante pendant la grossesse, et ils touchent entre 5 et 10 % des femmes enceintes.

Hypertension gestationnelle

L'hypertension gestationnelle est une hypertension préexistante à la grossesse ou gravidique lorsqu'elle survient après 20 semaines de grossesse. Les femmes enceintes qui souffrent de l'un ou de l'autre de ces deux types d'hypertension gestationnelle ne présentent pas de protéinurie (0,5 g de protéines dans un échantillon d'urine de 24 heures) (SOGC, 2008a). Il y a hypertension lorsque la pression systolique est supérieure à 140 mm Hg ou que la pression diastolique est supérieure à 90 mm Hg. La surveillance de la pression artérielle (P.A.) se fait à plusieurs reprises au moment des suivis prévus en clinique. La fréquence de ceux-ci dépend des résultats obtenus. Si une lecture est jugée inquiétante, il faut reprendre la P.A. après 15 minutes (SOGC, 2008a). La SOGC a publié des recommandations exhaustives sur la mesure adéquate de la P.A. (SOGC, 2008a). L'**ENCADRÉ 21.1** fournit des indications détaillées sur la façon de la mesurer.

L'hypertension gestationnelle est la cause la plus fréquente d'hypertension pendant la grossesse, avec une prévalence de 1 % pour l'hypertension préexistante et de 5 ou 6 % pour l'hypertension gravidique (SOGC, 2008a). Les femmes qui souffrent d'hypertension gravidique n'ont jamais présenté de signes d'hypertension avant 20 semaines de grossesse. Lorsque l'hypertension préexistante ou gravidique est légère, l'accouchement se passe généralement bien. Certaines femmes seront atteintes d'hypertension accompagnée d'une protéinurie, ce qui changera leur diagnostic en une prééclampsie. Les clientes chez qui l'on diagnostique une hypertension gravidique avant la 34e semaine de grossesse ont 35 % de risque de souffrir de prééclampsie (SOGC, 2008a).

Hypertension préexistante

L'hypertension préexistante est définie comme étant de l'hypertension qui se produit avant la grossesse ou qui est diagnostiquée avant la 20e semaine de gestation. L'hypertension que l'on diagnostique d'abord pendant la grossesse et qui dure plus de six semaines après l'accouchement est aussi considérée comme de l'hypertension préexistante (Sibai, 2007). D'autres sources indiquent qu'un diagnostic d'hypertension n'est valable que lorsque la P.A. ne retourne pas à la normale 12 semaines après l'accouchement (Roberts & Funai, 2009).

Hypertension préexistante avec prééclampsie surajoutée

Les femmes atteintes d'hypertension préexistante peuvent présenter une prééclampsie surajoutée, laquelle augmente la morbidité tant maternelle

TABLEAU 21.1 Classification des troubles hypertensifs de la grossesse

TYPE	DESCRIPTION
Hypertension gestationnelle	
• Hypertension préexistente • Hypertension gravidique	• Est déjà présente avant la grossesse ou survient avant 20 semaines de grossesse. • Se manifeste après 20 semaines de grossesse, sans présence de protéinurie.
Prééclampsie	
• Prééclampsie • Prééclampsie grave	• L'hypertension préexistante devient une prééclampsie s'il y a présence de protéinurie nouvelle ou aggravée (appelée hypertension résistante ou qui s'aggrave), accompagnée d'autres états indésirables. • L'hypertension gravidique devient une prééclampsie s'il y présence ou non d'une protéinurie nouvelle ou s'il y a présence d'états indésirables. • La prééclampsie grave survient avant 34 semaines de grossesse, et elle inclut une protéinurie importante.
Éclampsie	
• Éclampsie	• L'éclampsie entraîne l'apparition de convulsions ou d'un coma non attribuables à d'autres causes chez une femme souffrant de prééclampsie.

Sources : Adapté de American College of Obstetricians and Gynecologists (ACOG) (2002) ; Sibai (2007) ; SOGC (2008a).

ENCADRÉ 21.1 Mesure de la pression artérielle

- Prévenir la cliente de ne pas fumer et de ne pas boire de caféine 30 minutes avant la mesure de la P.A.
- Faire asseoir la cliente en maintenant la position du bras à la hauteur du cœur.
- Laisser la cliente se reposer tranquillement dans cette position pendant cinq minutes avant de prendre sa pression.
- Toujours utiliser le bras où la P.A. est la plus élevée et consigner cette information dans le dossier pour les suivis subséquents.
- Tenir le bras à l'horizontale, à la hauteur du cœur.
- Utiliser le brassard de la bonne taille (il devrait couvrir environ 80 % de la partie supérieure du bras ou correspondre à 1 ½ fois la circonférence du bras).
- Maintenir un rythme lent et constant de dégonflage.
- Noter la moyenne de deux mesures prises à intervalle de 24 heures ou à domicile afin de détecter une hypertension circonstancielle pouvant être associée au syndrome de la blouse blanche et pour réduire le plus possible la variation de la P.A. dans le temps.
- Utiliser le bruit de Korotkoff de phase V (disparition du bruit) pour consigner la valeur diastolique.
- Utiliser du matériel fiable. Le sphygmomanomètre au mercure est l'appareil le plus fiable.
- Interpréter avec prudence les valeurs de la P.A. si l'on passe d'un appareil manuel à un appareil électronique.

Source : Adapté de SOGC (2008a).

que fœtale. On diagnostique une prééclampsie surajoutée dans les cas suivants (Sibai, 2007) :

- femme souffrant d'hypertension avant la 20e semaine de sa grossesse ;
- apparition de protéinurie (égale ou supérieure à 0,5 g de protéines dans un échantillon d'urine de 24 heures) ;
- femme souffrant d'hypertension et de protéinurie avant la 20e semaine de sa grossesse ;
- augmentation importante de l'hypertension, plus un des facteurs suivants :
  - apparition de symptômes ;
  - thrombopénie ;
- taux élevé d'enzymes hépatiques.

Prééclampsie

La prééclampsie est un état propre à la grossesse ; elle se produit lorsqu'une femme normotendue présente des symptômes d'hypertension et de protéinurie après la 20e semaine de gestation, accompagnés de un ou de plusieurs états indésirables tels que des céphalées persistantes (nouvelles ou inhabituelles), des troubles de la vue, des douleurs abdominales ou du quadrant supérieur droit qui persistent, des nausées, des vomissements, une douleur thoracique et de la dyspnée (SOGC, 2008a). La prééclampsie est un trouble systémique angiospastique, généralement catégorisé comme léger ou grave à des fins de traitement (American College of Obstetricians and Gynecologists [ACOG], 2002 ; National High

Jugement clinique

Madame Annie-Claude Labrecque, âgée de 29 ans, est enceinte de 24 semaines. Il s'agit de sa première grossesse. Elle se présente à l'accueil obstétrical du centre hospitalier près de chez elle, car elle se plaint d'une céphalée inhabituelle. Vous prenez ses signes vitaux et obtenez les données suivantes : P.A. : 148/95 mm Hg ; pouls (P) : 76 batt/min ; fréquence respiratoire (F.R.) : 14 R/min ; température (T°) buccale : 36,7 °C. La cliente dit ne pas ressentir de nausées et vous précise que ses valeurs de P.A. habituelles sont d'environ 125/75.

Indiquez au moins cinq autres éléments à évaluer chez madame Labrecque afin de formuler un constat d'évaluation pertinent. Justifiez votre réponse.

Blood Pressure Education Program Working Group on High Blood Pressure in Pregnancy, 2000). Le **TABLEAU 21.2** contient une liste des critères de classement de la prééclampsie légère ou grave, et le **TABLEAU 21.3** présente les changements courants observés dans les résultats d'analyses de laboratoire attribuables à une prééclampsie légère et à une forme de prééclampsie grave (syndrome HELLP).

La protéinurie se définit comme étant une concentration d'au moins 30 mg/dl (≥ 2+ sur la bandelette réactive) ou plus dans au moins un des échantillons d'urine, sans résultat probant d'une infection urinaire. Dans un échantillon d'urine de 24 heures, la protéinurie se définit comme étant une concentration d'au moins 0,3 g sur 24 heures. En raison de l'écart entre les dosages aléatoires des protéines, il est recommandé, si possible, d'utiliser un échantillon des urines recueillies pendant 24 heures pour diagnostiquer la protéinurie ou d'avoir recours à une collecte temporisée corrigée pour tenir compte de l'excrétion de la créatinine s'il est impossible d'obtenir un échantillon d'urine de 24 heures (ACOG, 2002 ; Longo, Dola & Pridjian, 2003).

Étiologie

La prééclampsie se produit uniquement dans le contexte d'une grossesse, et elle touche plus souvent les femmes primipares. Les signes et les symptômes n'apparaissent qu'au cours de la grossesse et disparaissent rapidement après l'accouchement et l'expulsion du placenta. Les causes de la prééclampsie

TABLEAU 21.2 Différences de manifestations entre une prééclampsie légère et une prééclampsie grave

EFFETS	PRÉÉCLAMPSIE LÉGÈRE	PRÉÉCLAMPSIE GRAVE
Effets sur la mère		
P.A.	S'établit à ≥ 140/90 mm Hg à intervalle de 4 à 6 heures, à l'intérieur d'une période maximale d'une semaine	Monte à ≥ 160/110 mm Hg à 2 occasions distinctes à intervalle de 6 heures, chez une femme enceinte alitée
Protéinurie		
Bandelette réactive qualitative	≥ 2+ sur la bandelette réactive	≥ 3+ sur la bandelette réactive
Analyse quantitative de 24 heures	Protéinurie de ≥ 0,3 g dans un échantillon de 24 heures	Protéinurie de ≥ 3 à 5 g dans un échantillon de 24 heures
Diurèse	Apport liquidien total égal à ≥ 25-30 ml/h	< 400 à 500 ml/24 h
Céphalée	Absente ou passagère	Persistante ou grave
Problèmes visuels	Absents	Vue trouble, photophobie
Douleur épigastrique ou dans le quadrant supérieur droit, nausées et vomissements	Absents	Peuvent être présents
Thrombopénie	Absente	Peut être présente
Affaiblissement de la fonction hépatique	Absent	Peut être présent
Œdème pulmonaire	Absent	Peut être présent
Effets sur le fœtus		
Perfusion du placenta	Réduite	• Diminution de la perfusion s'exprimant par un retard de croissance intra-utérin (RCIU) • Diminution des mouvements fœtaux • Réactivité fœtale inquiétante • Profil biophysique avec score plus faible • Croissance fœtale asymétrique

Sources : Adapté de ACOG (2002) ; Sibai (2007) ; SOGC (2008a).

TABLEAU 21.3 **Changements courants observés dans les résultats d'analyses de laboratoire pour les cas de prééclampsie**

PARAMÈTRES	RÉSULTAT NORMAL, FEMME NON ENCEINTE	PRÉÉCLAMPSIE	SYNDROME HELLP
Hémoglobine, hématocrite	De 120 à 160 g/L, de 37 à 47 %	Peut ↑	↓
Plaquettes (cellules/mm^3)	De 150 000 à 400 000/mm^3	Inchangées ou < 100 000/mm^3	< 100 000/mm^3
Temps de prothrombine (TP), temps de thromboplastine partielle (TTP)	De 8,8 à 11,6 sec., de 60 à 70 sec.	Inchangé	Inchangé
Fibrinogène	De 2 à 4 g/L	De 3 à 6 g/L	↓
Produits de la dégradation de la fibrine	Absents	Absents ou présents	Présents
Azote uréique du sang	De 7 à 20 mg/dl	↑	↑
Créatinine	De 0,5 à 1,1 mg/dl	> 1,2 mg/dl	↑
Lacticodéshydrogénase (LDH)[a]	De 45 à 90 unités/L	↑	↑ (> 600 unités/L)
Aspartate aminotransférase, sérum glutamo-oxaloacétique transaminase (S.G.O.T.)	De 9 à 25 unités/L	Inchangés ou un peu plus élevés	↑ (> 70 unités/L)
Glutamate pyruvate transaminase (G.P.T.) ou alanine amino transférase (ALAT ou ALT)	De 7 à 30 U/L	Inchangée ou un peu plus élevée	↑
Clairance de la créatinine	De 80 à 125 ml/min	De 130 à 180 ml/min	↓
Kératocytes ou schistocytes	Absents	Absents	Présents
Acide urique	De 2 à 6,6 mg/dl	> 5,9 mg/dl	> 10 mg/dl
Bilirubine (totale)	De 0,1 à 1 mg/dl	Inchangée ou augmentée	↑ (> 1,2 mg/dl)

[a] Les valeurs LDH varient selon l'analyse ou le test effectué.

Sources : Adapté de ACOG (2002) ; Cunningham *et al.* (2005) ; Sibai (2007) ; Wilson (2010).

demeurent inconnues, et elles peuvent varier d'une femme à l'autre. Par exemple, la pathogénie pour une femme primipare en bonne santé qui souffre de prééclampsie légère lorsque sa grossesse est presque à terme ou pendant le travail peut être très différente de celle d'une femme souffrant déjà d'une affection vasculaire ou de diabète, ayant une grossesse multiple ou qui souffre de prééclampsie grave plus tôt dans sa grossesse (Sibai, 2007). L'**ENCADRÉ 21.2** présente une liste des facteurs de risque associés à l'apparition de la prééclampsie.

De nombreuses théories ont été proposées pour expliquer les causes de la prééclampsie. Les théories toujours à l'étude comprennent l'invasion anormale de trophoblastes, une anomalie de la coagulation, une lésion à l'endothélium vasculaire, une inadaptation cardiovasculaire et des carences ou des excès alimentaires. Des facteurs immunologiques et une prédisposition génétique pourraient aussi jouer un rôle important dans l'apparition des symptômes (Sibai, 2007).

ENCADRÉ 21.2 **Facteurs de risque associés à l'apparition de la prééclampsie**

- Primiparité :
  - femme âgée de plus de 40 ans
  - intervalle de 10 ans ou plus entre les grossesses
- Antécédents familiaux de prééclampsie (mère ou sœur)
- Obésité
- Grossesse multiple
- Prééclampsie pendant une grossesse précédente
- Mauvaise issue d'une grossesse précédente :
  - RCIU
  - hématome rétroplacentaire
  - mort fœtale
- Conditions médicales ou génétiques préexistantes :
  - hypertension préexistante à la grossesse
  - affection rénale
  - diabète de type 1 (insulinodépendant)
  - thrombophilie :
    - syndrome des antiphospholipides
    - protéine C, protéine S, déficit en antithrombine

Sources : Adapté de Sibai (2007) ; SOGC (2008a).

Jugement clinique

Madame Marie-Claude Bilodeau, âgée de 41 ans, est enceinte depuis huit semaines de son premier enfant. La cliente a reçu un diagnostic de diabète de type 1 à l'âge de neuf ans. Madame Bilodeau est une femme active qui suit son régime diabétique à la lettre et qui présentait un indice de masse corporelle (IMC) de 24 avant sa grossesse.

Madame Bilodeau est-elle à risque de souffrir de prééclampsie ? Justifiez votre réponse.

Filtration glomérulaire : Passage d'un ultrafiltrant de plasma sanguin au travers de la paroi des capillaires des glomérules rénaux pour former l'urine primitive, que son passage dans les tubules rénaux transformera en urine définitive.

Physiopathologie

La prééclampsie peut d'abord être légère, puis s'aggraver et se transformer en éclampsie. On considère actuellement que les changements pathologiques qui se produisent chez une femme souffrant de prééclampsie résultent de perturbations dans la perfusion placentaire et du dysfonctionnement des cellules endothéliales (Gilbert, 2007 ; Peters, 2008). Ces changements pathologiques sont présents bien avant le diagnostic clinique de la prééclampsie (Roberts & Funai, 2009). En règle générale, pendant la grossesse, les artères spiralées dans l'utérus se distendent, passant de vaisseaux musculaires à parois épaisses à des vaisseaux sacciformes plus minces au diamètre beaucoup plus grand. Ce changement accroît la capacité des vaisseaux, qui peuvent alors répondre à l'augmentation du volume sanguin pendant la grossesse. Comme ce remodelage vasculaire ne se produit pas normalement, en tout ou en partie, chez les femmes qui souffrent de prééclampsie, il y a une diminution de la perfusion placentaire et une hypoxie (Peters, 2008). On pense que l'**ischémie** placentaire cause un dysfonctionnement des cellules endothéliales en stimulant la libération d'une substance toxique pour ces cellules. Cette anomalie entraîne un angiospasme généralisé, lequel provoque une piètre irrigation des tissus dans tous les systèmes organiques, une hausse de la résistance vasculaire et de la P.A., ainsi qu'un accroissement de la perméabilité des cellules endothéliales qui donnent lieu à une perte de protéines et de liquide intravasculaires et, finalement, à une diminution du volume plasmatique. Le principal facteur pathogénique n'est pas l'augmentation de la P.A., mais la réduction du volume plasmatique **FIGURE 21.1** (Gilbert, 2007 ; Peters, 2008 ; Roberts & Funai, 2009). Donc, selon la théorie la plus populaire, la pathogenèse de la prééclampsie est un processus à deux étapes qui débouche sur une discordance entre l'offre utéroplacentaire et les demandes fœtales. Il en résulte un dysfonctionnement des cellules endothéliales maternelles et des manifestations maternelles (et fœtales) de la prééclampsie. La **FIGURE 21.2** montre comment le dysfonctionnement des cellules endothéliales cause de nombreux signes et symptômes courants de la prééclampsie.

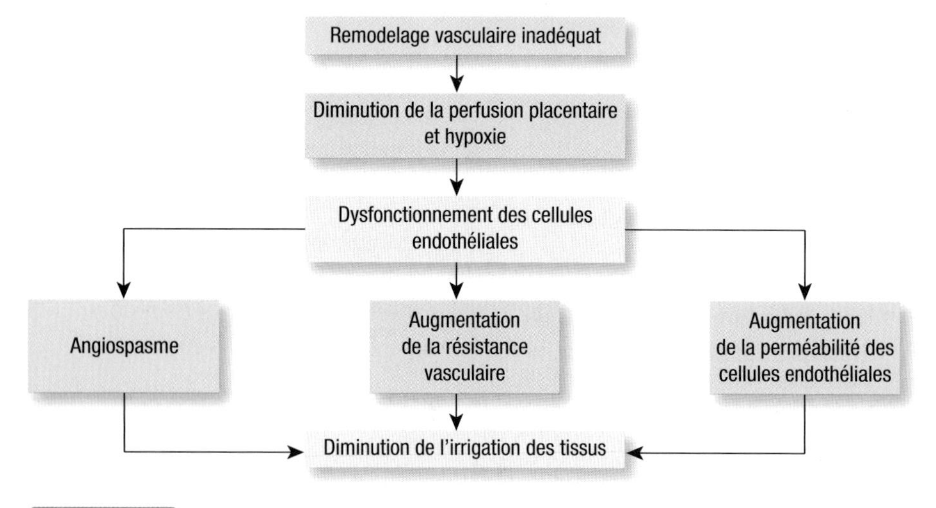

FIGURE 21.1

Étiologie de la prééclampsie : perturbations de la perfusion placentaire et dysfonctionnement des cellules endothéliales

La réduction de la perfusion du foie diminue la **filtration glomérulaire** et entraîne des changements glomérulaires dégénératifs et, à la longue, de l'**oligurie**. Les changements pathologiques des cellules endothéliales des glomérules (endothéliose glomérulaire) sont propres à la prééclampsie. Les protéines, surtout l'albumine, passent dans l'urine. La clairance de l'acide urique diminue, tandis que le taux d'acide urique sérique augmente. Le sodium et l'eau ne sont pas éliminés. Il peut se produire une nécrose tubulaire aiguë et une insuffisance rénale (Gilbert, 2007 ; Peters, 2008 ; Roberts & Funai, 2009).

La pression osmotique plasmatique liée aux protéines diminue lorsqu'il y a une réduction du taux de la sérumalbumine. Le volume intravasculaire baisse lorsque le liquide sort de l'espace intravasculaire, ce qui entraîne une hémoconcentration, une augmentation de la viscosité sanguine et un **œdème** des tissus. La valeur d'hématocrite augmente lorsque le liquide quitte l'espace intravasculaire. Dans le cas d'une prééclampsie grave, le volume sanguin peut diminuer jusqu'au niveau antérieur à la grossesse ou plus bas ; la femme présente alors un œdème grave et prend rapidement du poids. Un angiospasme artériolaire peut causer une lésion endothéliale et contribuer à une hausse de la perméabilité capillaire, laquelle fait augmenter l'œdème et diminuer encore plus le volume intravasculaire, prédisposant la femme qui souffre de prééclampsie à présenter un œdème pulmonaire (Gilbert, 2007 ; Roberts & Funai, 2009) **FIGURE 21.2**.

La réduction de la perfusion du foie entrave la fonction hépatique. Le taux d'enzymes hépatiques augmente par suite des lésions hépatiques. S'il y a un œdème hépatique ou une hémorragie sous-capsulaire, la femme pourra se plaindre de sentir une douleur épigastrique ou une douleur dans le quadrant supérieur droit. La rupture d'un hématome sous-capsulaire peut mettre en danger la vie de la femme, et elle nécessite une intervention chirurgicale d'urgence (Gilbert, 2007).

Les angiospasmes artériolaires et la réduction de l'écoulement sanguin vers la rétine entraînent l'apparition de symptômes oculaires comme un scotome (points noirs) et une vision floue. Les complications neurologiques associées à la prééclampsie comprennent un œdème et une hémorragie au cerveau, ainsi que l'augmentation de l'irritabilité du système nerveux central (SNC), laquelle entraîne des céphalées, une hyperréflectivité, un clonus du pied positif et des crises convulsives (Gilbert, 2007 ; Longo *et al.*, 2003 ; Roberts & Funai, 2009).

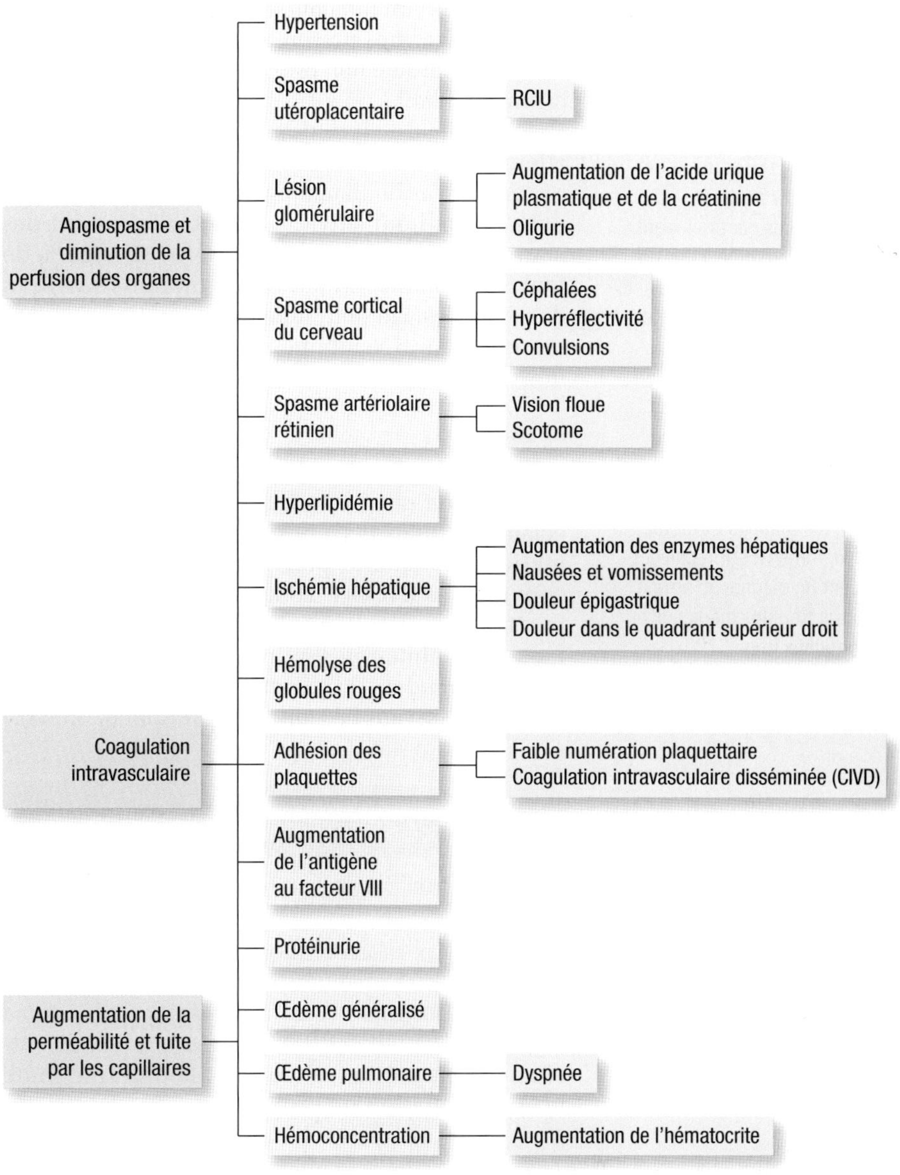

La prééclampsie contribue grandement au RCIU et à la prévalence des hématomes rétroplacentaires (Hull & Resnik, 2009 ; Peters, 2008). La diminution de la perfusion placentaire entraîne un vieillissement dégénératif prématuré du placenta. Le taux de complications fœtales est directement proportionnel à la gravité de la maladie (Longo *et al.*, 2003).

Syndrome HELLP

Le syndrome HELLP (acronyme de *hemolysis, elevated liver enzymes, low platelet count*) est un diagnostic qui se pose en laboratoire pour une forme de prééclampsie grave comportant un dysfonctionnement hépatique, qui se caractérise par de l'hémolyse, un taux élevé d'enzymes hépatiques et une faible numération plaquettaire. Il ne s'agit donc pas d'une maladie distincte. Toutefois, aucun consensus n'a encore été atteint quant aux analyses de laboratoire à utiliser pour diagnostiquer ce syndrome ou aux valeurs pouvant être considérées comme anormales (Sibai, 2007). Le **TABLEAU 21.3** présente une liste des changements courants observés dans les résultats d'analyses de laboratoire chez les femmes atteintes du syndrome HELLP. Ce syndrome produit une forme unique de coagulopathie. La numération plaquettaire est faible, mais les analyses des facteurs de coagulation, le TP, le TTP et le temps de saignement demeurent normaux. Dans certains cas, l'hémolyse ne se produit pas, et le syndrome est plutôt appelé syndrome ELLP ou syndrome HELLP partiel (Sibai, Dekker & Kupferminc, 2005).

Comme il n'existe pas encore de critères standards pour le diagnostic du syndrome HELLP, la prévalence déclarée du syndrome varie. Il toucherait entre 5 et 20 % des femmes blanches souffrant de prééclampsie (Emery, 2005 ; Gilbert, 2007). Le syndrome HELLP semble se produire plus fréquemment chez les femmes blanches. Un diagnostic de syndrome HELLP est associé à un risque accru de complications périnatales, comme un œdème pulmonaire, une insuffisance rénale aiguë, une CIVD, un hématome rétroplacentaire, une hémorragie ou insuffisance hépatique, le syndrome de détresse respiratoire aiguë, une sepsie et un accident vasculaire cérébral (Sibai, 2007). Le syndrome est associé à une augmentation du risque du décès de la mère. Le taux de mortalité périnatale se situe entre 7,4 et 20,4 %, et celui de mortalité maternelle, à environ 1 % (Sibai, 2007). Le taux d'accouchement prématuré chez les femmes présentant le syndrome HELLP atteint près de 70 %, dont 15 % se produisent avant la 28e semaine de gestation. La plupart des morts périnatales surviennent avant la 28e semaine de gestation, en association avec un hématome rétroplacentaire ou un grave RCIU (Sibai, 2007).

Le taux de complications fœtales est directement proportionnel à la gravité de la prééclampsie.

Le tableau clinique du syndrome HELLP est souvent non spécifique. Une majorité de clientes rapportent avoir senti un

FIGURE 21.2
Conséquences du dysfonctionnement des cellules endothéliales

ALERTE CLINIQUE

Il est extrêmement important de comprendre que de nombreuses femmes atteintes du syndrome HELLP peuvent ne pas présenter de signes ou de symptômes généralement associés à une prééclampsie grave. Par exemple, même si la plupart des femmes atteintes font de l'hypertension, dans la moitié des cas, la P.A. peut être seulement un peu plus élevée que la normale. Une femme peut ne pas présenter de protéinurie. Par conséquent, les femmes atteintes du syndrome HELLP reçoivent souvent un diagnostic erroné d'autres troubles médicaux ou chirurgicaux (Sibai, 2007).

malaise pendant plusieurs jours, et certaines présentent un syndrome non précis ressemblant à un virus. Beaucoup de femmes atteintes (entre 30 et 90 %) ressentent une douleur épigastrique ou une douleur dans le quadrant supérieur droit, et elles ont des nausées et des vomissements. Entre 33 et 61 % de toutes les femmes atteintes du syndrome souffrent de céphalées. Un petit nombre présente des symptômes d'une thrombopénie, comme des ecchymoses ou de l'hématurie (Sibai, 2007).

Les meilleures méthodes de prévention sont les soins prénataux visant au repérage des femmes à risque et à la détection précoce de la maladie.

Éclampsie

L'éclampsie consiste en l'apparition de convulsions ou de coma chez une femme souffrant de prééclampsie, mais n'ayant pas d'antécédents d'anomalie préexistante pouvant donner lieu à des convulsions (ACOG, 2002). Le moment de l'apparition de l'éclampsie varie ; un tiers des femmes atteintes en souffre pendant la grossesse, un tiers pendant le travail, et un tiers dans les 72 heures suivant l'accouchement (Emery, 2005).

SOINS ET TRAITEMENTS INFIRMIERS

Reconnaître et prévenir la prééclampsie

De nombreux essais cliniques ont été menés pour étudier diverses méthodes de prévention de la prééclampsie. Ces interventions ont comporté la prise d'Aspirin[MD] à faible dose, d'antioxydants, de calcium, de magnésium et de zinc ; la diminution de la consommation de protéines ou de sodium ; la prise de suppléments d'huile de poisson. Aucune de ces interventions n'a eu d'effets positifs importants sur la prévention ou la réduction de la gravité de la prééclampsie (Sibai, 2007).

Il n'existe aucun test fiable pouvant être utilisé comme outil de dépistage de routine pour prédire la prééclampsie. Des résultats de recherche présentés par Cockey (2005) laissent entendre que les femmes seraient plus susceptibles de souffrir de prééclampsie si elles ont un faible taux du facteur de croissance du placenta dans leur urine. Ce faible taux était apparent dans l'urine des femmes participant à l'étude entre la 25e et la 28e semaine de grossesse. Ce résultat prépare le terrain pour l'élaboration d'un outil de dépistage pour les femmes qui présentent un risque élevé de souffrir de prééclampsie (Cockey, 2005).

Bien que les recherches actuelles soient prometteuses, il reste beaucoup de travail à faire avant d'avoir accès à un test de dépistage de la prééclampsie. Entre-temps, les meilleures méthodes de prévention sont les soins prénataux visant au repérage des femmes à risque et à la détection précoce de la maladie. Les infirmières doivent connaître les stratégies qui sont étudiées et utiliser les résultats les plus fiables possible pour conseiller les femmes sur les interventions pour lesquelles il existe des résultats probants **ENCADRÉ 21.3**.

Lorsqu'une cliente présente un trouble hypertensif pendant la grossesse, les soins de première importance consistent à faire une évaluation approfondie de son état au moyen d'un questionnaire, d'un examen physique et d'analyses de laboratoire **ENCADRÉ 21.4**.

Pratique fondée sur des résultats probants

ENCADRÉ 21.3 Facteurs de risque et prévention de la prééclampsie

QUESTIONS CLINIQUES

- Quels sont les facteurs de risque de la prééclampsie ?
- Une fois le risque reconnu, y a-t-il un moyen de prévenir l'apparition des symptômes ?

RÉSULTATS PROBANTS

- Stratégies de recherche : lignes directrices d'organisations professionnelles, métaanalyses, examens systématiques, essais cliniques comparatifs aléatoires depuis 2007.
- Choix des bases de données : CINAHL, Cochrane, Medline, National Guideline Clearinghouse, base de données TRIP, base de données AHRQ et les sites Web de l'Association of Women's Health, Obstetric, and Neonatal Nurses, du National Institute for Health and Clinical Excellence et de la SOGC.

ANALYSE CRITIQUE ET SYNTHÈSE DES DONNÉES

- La prééclampsie peut mettre la vie du fœtus en danger en nuisant à la perfusion placentaire et faire du tort à la mère qui peut souffrir d'hypertension et de convulsions. En plus des facteurs de risque établis fondés sur les antécédents médicaux, un examen systématique de l'association entre les infections maternelles et la prévalence de la prééclampsie a révélé que la parodontopathie et l'infection urinaire étaient aussi des facteurs de risque (Conde-Agudelo, Villar & Lindheimer, 2008).
- Une autre analyse systématique de 16 études a conclu que les femmes souffrant d'une infection bactérienne ou virale couraient deux fois plus de risque de souffrir de prééclampsie que les femmes sans infection (Rustveld, Kelsey & Sharma, 2008). Les auteurs suggèrent que cette association est liée à l'inflammation provoquée par la prééclampsie.
- La prévention de la prééclampsie chez les femmes à risque plus élevé a donné des résultats variables. Les directives cliniques de la SOGC (2008) recommandaient la prise d'Aspirin[MD] à faible dose avant la 16e semaine de grossesse ainsi que des suppléments de calcium chez les femmes ayant un faible apport calcique.

ENCADRÉ 21.3 Facteurs de risque et prévention de la prééclampsie *(suite)*

- Une métaanalyse Cochrane de 10 essais cliniques comparatifs aléatoires auxquels 65 000 femmes ont participé a conclu que les vitamines antioxydantes A et E ne diminuent pas le risque de prééclampsie (Rumbold, Duley, Crowther & Haslam, 2008).
- Les directives cliniques de la SOGC recommandent en particulier de ne pas réduire l'apport en calories ou en sodium pendant la grossesse et de ne pas traiter les femmes à l'aide de prostaglandines ni de diurétiques thiazidiques.
- Les résultats probants soulignent l'importance, pour les femmes enceintes à risque, de faire de l'exercice régulièrement, de prendre des multivitamines contenant du folate et de ne pas consommer d'alcool ni de tabac. Il peut leur être bénéfique d'éviter la prise de poids entre les grossesses, ainsi que de se reposer davantage et de réduire le stress pendant le troisième trimestre (SOGC, 2008).

RECOMMANDATIONS POUR LA PRATIQUE INFIRMIÈRE

- Une femme qui est à risque de souffrir de prééclampsie, surtout de prééclampsie grave ou précoce, peut compromettre sa propre santé et celle de son fœtus en croissance, et donner lieu à l'accouchement d'un nouveau-né prématuré ou petit pour son âge gestationnel. Le dépistage des facteurs de risque permet une observation plus diligente de l'apparition de la prééclampsie et, peut-être, de la prévention.
- Il faut renseigner toute femme à risque sur les suppléments qu'elle peut se procurer sur ordonnance ou en vente libre, ainsi que sur les signes et les symptômes de la maladie.
- Il faut s'assurer de procéder à une évaluation approfondie aux visites prénatales et de demeurer à l'affût de tout signe de prééclampsie lorsqu'une cliente a souffert d'infections, en particulier une parodontopathie ou une infection urinaire.
- Il est conseillé aux femmes de ne pas boire d'alcool, de ne pas fumer et de réduire leur stress, ce qui diminue la production des radicaux libres. Certains traitements, comme l'administration d'Aspirin[MD] à faible dose, fonctionnent mieux s'ils sont commencés avant la 16e semaine ou même avant la conception.
- Le personnel médical doit se tenir au courant des résultats probants, lesquels peuvent parfois être contradictoires. Enfin, les femmes à risque de souffrir de prééclampsie et surtout celles qui en sont atteintes doivent avoir l'occasion de poser des questions et d'exprimer leurs peurs concernant cette condition mal connue.

RÉFÉRENCES

Conde-Agudelo, A., Villar, J., & Lindheimer, M. (2008). Maternal infections and risk of preeclampsia : Systematic review and metaanalysis. *Am J Obstet Gynecol, 198*(1), 7-22.

Rumbold, A., Duley, L., Crowther, C.A., & Haslam, R.R. (2008). Antioxidants for preventing pre-eclampsia. *Cochrane Database of Systematic Reviews, 1*, CD 004227.

Rustveld, L. O., Kelsey, S. F., & Sharma, R. (2008). Association between maternal infections and preeclampsia : A systematic review of epidemiological studies. *Matern Child Health J, 12*(2), 223-242.

SOGC (2008). Diagnosis, evaluation, and management of the hypertensive disorders of pregnancy. *J Obstet Gynaecol Can, 30*(3), s1-s6.

Examen physique

Le personnel affecté aux soins des femmes enceintes doit s'assurer de prendre et de consigner la P.A. de façon uniformisée, car les mesures de celle-ci varient en fonction de la position de la mère et de la technique de mesure utilisée. Les appareils de lecture électronique de la P.A. sont moins précis dans les états de grand débit, comme la grossesse, ainsi que chez les clientes hypertendues ou hypotendues **ENCADRÉ 21.1**.

Dans le cadre de l'examen physique, l'infirmière vérifie aussi la présence ou non d'un œdème, même si ce dernier n'entre plus dans les symptômes de la prééclampsie. Elle évalue sa distribution, son degré et la dépression laissée par un doigt. Un **œdème déclive** est un œdème des membres inférieurs ou des membres les plus dépendants du corps, où la pression hydrostatique est plus élevée. Si une femme enceinte marche, l'œdème peut être tout d'abord visible aux pieds et aux chevilles. Si elle est alitée, l'œdème se manifestera probablement dans la région sacrée. Un **œdème à godet** garde une légère dépression après une pression du doigt sur la région enflée. La dépression, causée par le déplacement du liquide qui s'éloigne du point de pression, disparaît normalement après 10 à 30 secondes. Bien qu'un œdème soit difficile à quantifier, la méthode décrite à la **FIGURE 21.3** peut être employée pour consigner des degrés relatifs de formation d'un œdème dans les membres.

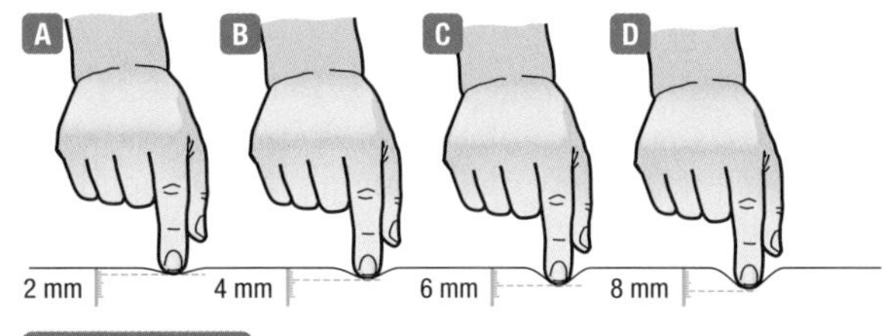

FIGURE 21.3

Évaluation d'un œdème à godet des membres inférieurs. A 1+. B 2+. C 3+. D 4+.

Les réflexes tendineux sont évalués comme mesure de base ainsi que pour déceler tout changement. On évalue également les réflexes bicipitaux et rotuliens ainsi que le clonus de pied, et les résultats de ces évaluations sont consignés **FIGURE 21.4** et **TABLEAU 21.4**. Pour déclencher le réflexe bicipital, l'infirmière donne un coup à l'aide du marteau percuteur sur son pouce, placé au-dessus du tendon du biceps **FIGURE 21.4A**. La réaction normale est la flexion du bras à la hauteur du coude, qui est décrite comme une réaction 2+. Pour le déclenchement du réflexe rotulien, la femme est assise, ses jambes pendant librement au bout de la table d'examen, ou elle est couchée sur le côté avec le genou légèrement fléchi **FIGURE 21.4B**. L'infirmière frappe un coup avec le marteau percuteur directement sur le tendon rotulien, en bas de la rotule. La réaction normale est l'extension de la jambe ou un coup de pied. Pour évaluer les réflexes hyperactifs (clonus) à l'articulation de la cheville, l'infirmière soutient la jambe

Œdème à godet: Persistance de l'empreinte des doigts lorsqu'une pression est exercée sur la peau d'un membre œdémateux.

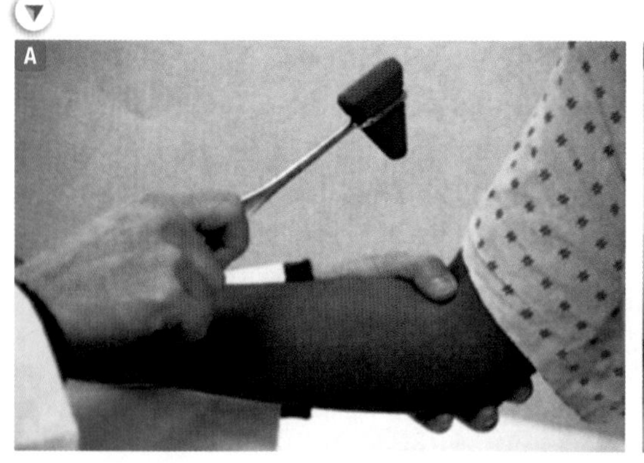
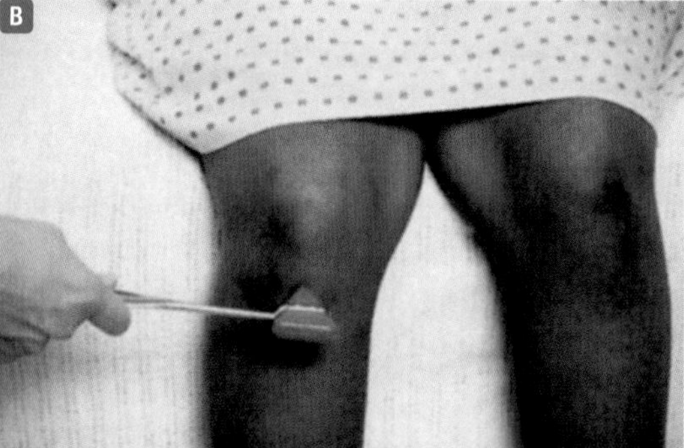
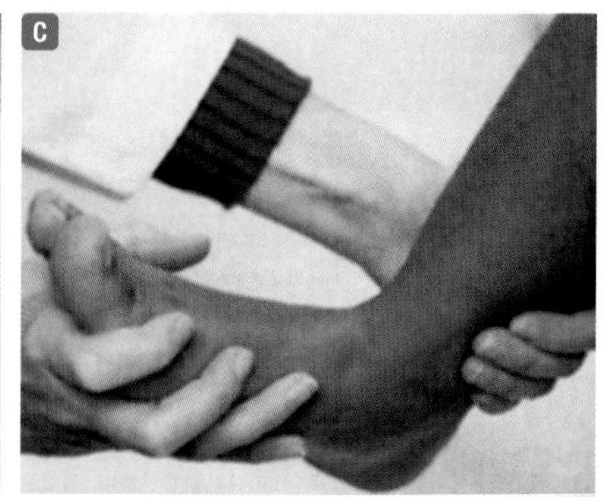

FIGURE 21.4

A Réflexe bicipital. B Réflexe rotulien, les jambes de la cliente pendent librement au bout de la table d'examen. C Test du clonus du pied.

TABLEAU 21.4	Évaluation des réflexes tendineux
DEGRÉ	**RÉACTION AU TEST DU RÉFLEXE TENDINEUX**
0	Aucune réaction
1+	Réaction lente ou faible
2+	Réaction active ou prévue
3+	Réaction plus brusque que prévu, légèrement hyperactive
4+	Réaction brusque, hyperactive, avec clonus intermittent ou passager

Source : Adapté de Seidel, Ball & Dains (2011).

de la personne avec le genou plié **FIGURE 21.4C**. À l'aide d'une main, elle effectue une flexion dorsale brusque du pied, maintient la position pendant un moment, puis relâche le pied. Une réaction normale (clonus négatif) se produit lorsqu'elle ne sent aucun tremblement (contraction) rythmique quand le pied est maintenu en dorsiflexion et qu'elle ne voit aucun tremblement lorsque le pied est relâché en position de flexion plantaire. Une réaction anormale (clonus positif) se produit lorsque l'infirmière sent des tremblements rythmiques de une ou de plusieurs pulsions quand le pied est maintenu en dorsiflexion et qu'elle voit des tremblements quand le pied est relâché en position de flexion plantaire.

Jugement clinique

Madame Marie-Josée Lagacé, âgée de 34 ans, est enceinte de son deuxième enfant. Elle est traitée chez elle pour hypertension gestationnelle légère. À l'occasion de votre visite à son domicile, la cliente vous précise qu'elle connaît bien les éléments à évaluer et à respecter puisqu'à sa première grossesse, il y a quatre ans, elle devait mettre en application les mêmes recommandations. Elle doit prendre sa P.A., faire un examen d'urine avec une bandelette réactive et calculer les mouvements du fœtus tous les jours. De plus, elle doit respecter la restriction des activités que lui a imposée son médecin.

Précisez à madame Lagacé les résultats nécessitant un signalement immédiat à un professionnel de la santé.

Hypertension et prééclampsie gestationnelles légères

Le traitement des femmes souffrant d'hypertension gestationnelle légère ou de prééclampsie légère vise à assurer la sécurité de la mère et l'accouchement d'un nouveau-né en bonne santé aussi près que possible du terme. À terme ou près du terme, la planification des soins pour une femme faisant de l'hypertension gestationnelle ou de la prééclampsie légère consistera probablement à déclencher artificiellement le travail après le mûrissement cervical, au besoin. Toutefois, lorsque l'un ou l'autre des troubles est diagnostiqué plus tôt pendant la grossesse, il peut ne pas être dans l'intérêt du fœtus de procéder immédiatement à l'accouchement. Le traitement des femmes présentant ces troubles avant la 37e semaine de grossesse est sujet à controverse (Sibai, 2007).

Soins à domicile

Une femme qui fait de l'hypertension gestationnelle légère et de la prééclampsie légère peut être traitée en toute sécurité à domicile, par des programmes officiels de soins à domicile antepartum, pourvu qu'elle et son fœtus soient examinés fréquemment (SOGC, 2008a). L'admissibilité aux soins à domicile dépend de la distance entre la résidence et l'hôpital (SOGC, 2008a). Pour que les soins à domicile donnent de bons résultats, il faut que la cliente soit bien renseignée sur la prééclampsie et qu'elle soit très motivée à suivre le plan de soins. La femme et sa famille doivent recevoir tous les enseignements, et il faut leur laisser le temps d'assimiler l'information, de poser des questions et d'exprimer leurs inquiétudes. Les connaissances de la cliente sont en lien direct avec son respect du programme de traitement prescrit. Pour améliorer les connaissances, on peut utiliser les aides visuelles, les vidéos, des feuillets à distribuer et des présentations avec démonstration en retour faite par la cliente. De plus, il faut tenir compte des effets de la maladie, de la langue de la cliente, de son âge, de ses croyances, de sa culture et de son réseau de soutien **ENCADRÉ 21.4**.

Évaluations maternelle et fœtale

L'évaluation maternelle comprend la mesure de l'hématocrite, la numération plaquettaire, des

Mise en œuvre d'une démarche de soins

ENCADRÉ 21.4 **Prééclampsie légère**

COLLECTE DES DONNÉES – ÉVALUATION INITIALE

La collecte des données doit porter entre autres sur les antécédents et les symptômes d'hypertension et de prééclampsie, ainsi que sur les résultats de divers examens et d'analyses de laboratoire.

- Recueillir les antécédents et noter les symptômes :
  - antécédents en matière de diabète, de maladie du rein et d'hypertension ;
  - antécédents de prééclampsie au cours d'une grossesse précédente ;
  - antécédents familiaux en matière de troubles hypertensifs, de diabète et d'autres états de santé chroniques ;
  - antécédents sociaux quant à la situation familiale, aux croyances culturelles, au niveau d'activité et aux habitudes de vie (fumer, boire de l'alcool ou consommer des drogues) ;
  - symptômes actuels : présence de céphalées, douleur épigastrique ou troubles de la vision.
- Procéder à l'examen physique :
  - P.A ;
  - œdème ;
  - réflexes tendineux ;
  - tonus et sensibilité de l'utérus ; présence de saignement vaginal.
- Vérifier les analyses de laboratoire :
  - analyses de sang hebdomadaires : hématocrite, numération plaquettaire et analyses de la fonction hépatique (LDH, S.G.O.T., G.P.T.) ;
  - prélèvement d'urine de 24 heures pour la mesure des protéines effectué chaque semaine ;
  - détermination par un professionnel de la santé des protéines dans l'urine au moyen d'une bandelette réactive, deux fois par semaine (ou analyse quotidienne effectuée à domicile par la cliente).
- Vérifier l'épreuve fœtale :
  - compte quotidien des mouvements du fœtus ;
  - examen de réactivité fœtale (ERF) ou profil biophysique, une ou deux fois par semaine.

ANALYSE ET INTERPRÉTATION DES DONNÉES

Les problèmes découlant de la situation de santé peuvent inclure :

- Anxiété liée à la prééclampsie et ses effets sur la femme et le fœtus.
- Stratégie d'adaptation inefficace de la cliente ou invalidante pour la famille liée :
  - aux activités restreintes de la cliente et à l'inquiétude concernant une grossesse avec complications ;
  - au deuil d'une grossesse normale ;
  - à l'incapacité de la cliente de poursuivre ses activités de la vie quotidienne ;
  - au manque de compréhension de la situation de santé (pouvant être causé par la langue, la culture ou les croyances).
- Sentiment d'impuissance lié à l'incapacité d'empêcher ou de maîtriser l'évolution et les résultats.
- Irrigation tissulaire inefficace liée à :
  - de l'hypertension ;
  - des angiospasmes cycliques ;
  - un œdème cérébral ;
  - une hémorragie.
- Risque d'accident pour le fœtus lié à :
  - une insuffisance utéroplacentaire ;
  - un accouchement prématuré ;
  - un hématome rétroplacentaire.

RÉSULTATS ESCOMPTÉS

La planification des soins est établie dans le but d'atteindre les résultats suivants :

- Reconnaissance et signalement immédiat de tout signe d'une anomalie et de tout symptôme indiquant une aggravation de son état ;
- Respect du traitement curatif médical pour réduire au minimum les risques pour elle-même et son fœtus ;
- Connaissance des réseaux de soutien disponibles et recours à ceux-ci ;
- Verbalisation de ses peurs et de ses inquiétudes concernant l'adaptation à son état et à sa situation ;
- Absence de signe de prééclampsie et de ses complications ;
- Naissance d'un nouveau-né en bonne santé ;
- Absence de séquelle liée à son état ou à son traitement.

INTERVENTIONS INFIRMIÈRES

Les interventions infirmières requises pour l'atteinte des résultats escomptés comprennent, notamment :

- Souligner l'importance des rendez-vous à domicile, à la clinique ou au cabinet du médecin qui permettent au personnel de la santé d'effectuer les prises de sang et la collecte des échantillons d'urine.
- Enseigner comment faire les autoévaluations, y compris mesurer la P.A., utiliser les bandelettes réactives pour l'analyse de l'urine et faire le compte quotidien des mouvements du fœtus.
- Souligner la nécessité de se rendre aux rendez-vous pour les analyses avant l'accouchement (ultrasons, ERF, profil biophysique) pour évaluer la croissance et le bien-être du fœtus, ainsi que le volume du fluide amniotique.

Les autres mesures de soins comprennent les suivantes :

- Enseigner comment s'adapter à la restriction des activités **ENCADRÉ 21.6**.
- Recommander une diète comme pour toute autre femme enceinte.
- Examiner les signes cliniques à signaler.
- Faire participer la cliente et sa famille à la planification des soins.
- Offrir un soutien émotionnel et psychologique.
- Évaluer les réseaux de soutien.

ÉVALUATION DES RÉSULTATS – ÉVALUATION EN COURS D'ÉVOLUTION

L'efficacité des soins prodigués à la cliente souffrant de prééclampsie légère est évaluée en fonction des résultats escomptés.

analyses de la fonction hépatique et une évaluation du taux de protéines dans un échantillon d'urine de 24 heures une fois par semaine (SOGC, 2008a). De plus, une femme qui fait de l'hypertension gestationnelle légère ou qui souffre d'une prééclampsie légère est généralement vue deux fois par semaine pour évaluer sa P.A. et le taux de protéines dans son urine au moyen d'une bandelette réactive. Il est possible aussi qu'on demande à une cliente de mesurer sa P.A. et son taux de protéines chaque jour **ENCADRÉ 21.5**. L'évaluation fœtale comprend généralement le compte quotidien des mouvements

Guide d'enseignement

ENCADRÉ 21.5 Évaluation et communication des signes cliniques de prééclampsie

- Mesurez votre P.A. sur le même bras en position assise pour des lectures précises et uniformes. Posez votre bras sur une table dans une position horizontale à la hauteur du cœur.
- Signalez immédiatement au professionnel de la santé toute augmentation de la P.A.
- Faites un prélèvement d'urine et une analyse par bandelette réactive pour évaluer la protéinurie.
- Signalez au professionnel de la santé un résultat de protéinurie de 2+ ou plus, ou toute diminution de la diurèse.
- Allez à tous vos rendez-vous prénataux afin de détecter immédiatement toute modification de votre état et de celui du bébé.
- Évaluez quotidiennement l'activité du fœtus. Une diminution de l'activité (quatre mouvements ou moins par heure) peut être un signe de souffrance fœtale et doit être signalée.
- Tenez un registre ou un journal quotidien des données pour l'infirmière de soins à domicile ou apportez-le à la prochaine visite prénatale.
- Signalez immédiatement au professionnel de la santé toute céphalée, tout étourdissement, une vision trouble ou de l'irritabilité musculaire.

Jugement clinique

Madame Viviane Bourassa, âgée de 35 ans, est enceinte de 33 semaines. Il s'agit de sa troisième grossesse. Elle est traitée à domicile pour prééclampsie légère. Elle se présente au centre hospitalier à la suite d'une augmentation de ses manifestations. Elle dit souffrir d'une forte céphalée et être incommodée par des nausées et des vomissements. Vous relevez les données suivantes : P.A. : 169/117 mm Hg ; P : 90 batt./min ; F.R. : 16 R/min. Vous procédez à son auscultation pulmonaire.

Pourquoi ausculterez-vous madame Bourassa ?

fœtaux, un ERF ou un profil biophysique une ou deux fois par semaine jusqu'à l'accouchement. L'évaluation par ultrasons du volume de fluide amniotique et l'estimation du poids fœtal sont effectuées au moment où une femme obtient un diagnostic d'hypertension gestationnelle légère ou de prééclampsie légère, puis périodiquement, selon les résultats (Sibai, 2007).

Restriction des activités

L'alitement complet ou partiel pendant toute la durée de la grossesse est encore souvent recommandé dans les cas de prééclampsie légère. Il n'y a cependant aucun résultat probant qui confirme que cette pratique améliore l'issue de la grossesse. De plus, on sait que l'alitement prolongé accroît le risque de thrombophlébite (Sibai, 2007). Les autres résultats physiologiques néfastes liés à l'alitement complet comprennent le déconditionnement cardiovasculaire, la diurèse accompagnée d'une perte hydrique, électrolytique et pondérale, l'atrophie musculaire et le stress psychologique. Ces changements apparaissent dès le premier jour de l'alitement et se poursuivent pendant toute la durée du traitement. Pour ces raisons, il est préférable de restreindre les activités de la cliente plutôt que de recommander un alitement complet (Sibai, 2007 ; SOGC, 2008a).

Une femme atteinte de prééclampsie légère se sentira généralement bien ; il est donc probable qu'elle ressente de l'ennui à restreindre ses activités. Les activités de diversion, les visites d'amis, les conversations téléphoniques et la création d'un environnement confortable et pratique peuvent l'aider à faire face à l'ennui **ENCADRÉ 21.6**. Les exercices légers (exercices d'amplitude, étirements, exercices de Kegel et bascule du bassin) sont importants pour le maintien du tonus musculaire, du débit sanguin, de la régularité de la fonction intestinale et d'un sentiment de bien-être. Les techniques de relaxation peuvent aider à réduire le stress associé à la situation de risque élevé ainsi que préparer la femme pour le travail et l'accouchement.

Dans les cas de prééclampsie légère, il est préférable de restreindre les activités de la cliente plutôt que de recommander un alitement complet.

Alimentation

Une femme qui souffre d'hypertension gestationnelle légère ou de prééclampsie légère peut avoir un régime alimentaire normal ; elle n'a pas à suivre une diète hyposodique. Les diurétiques et les médicaments antihypertenseurs ne sont pas administrés parce qu'ils peuvent empêcher de reconnaître la progression de la maladie à un stade grave. De plus, les recherches ont montré que, dans ce contexte, l'administration de médicaments antihypertenseurs n'améliore pas l'issue de la grossesse (Sibai, 2007).

Dans le cas des femmes qui souffrent d'hypertension gestationnelle légère ou de prééclampsie légère ou grave à 37 semaines de gestation, il faut envisager l'accouchement immédiat (SOGC 2008a). Pendant le travail et la période suivant immédiatement l'accouchement, une femme qui souffre d'hypertension gestationnelle légère n'a pas à suivre un traitement au sulfate de magnésium comme prophylaxie des crises, car moins de 1 femme sur 500 souffrant d'hypertension gestationnelle légère présente des symptômes d'éclampsie. Jusqu'à présent, les recherches n'ont pas donné de résultats probants selon lesquels l'administration de sulfate de magnésium préviendrait les crises chez les femmes atteintes de prééclampsie légère (Sibai, 2007). Par conséquent, la décision de donner du sulfate de

Guide d'enseignement

ENCADRÉ 21.6 **Adaptation à la restriction des activités**

À DOMICILE

- Clarifiez avec le professionnel de la santé en quoi consiste la restriction des activités. Posez des questions sur le niveau d'activités, la position, le droit d'aller aux toilettes, les activités permises, l'hygiène personnelle, la mobilité, la diète et les visiteurs.
- Installez votre ordinateur sur votre table de chevet ou utilisez un ordinateur portatif. Il sera utile pour communiquer avec vos amis, régler vos comptes et magasiner, au besoin. Utilisez aussi votre ordinateur pour communiquer avec des groupes de soutien sur Internet et obtenir de l'information.
- Prévoyez une télévision, un lecteur de DVD pour regarder des films et une radio, un lecteur de CD ou un lecteur MP3 pour écouter de la musique.
- Déléguez les responsabilités aux membres de la famille ou à des amis autant que possible pour passer à l'épicerie, faire le lavage, laisser les vêtements au nettoyeur et aller les chercher, accueillir les réparateurs, s'occuper des soins aux enfants, organiser les repas.
- Gardez un téléphone sur votre table de chevet pour prendre les rendez-vous, discuter avec les enseignants des enfants, appeler les amis et la famille.
- Utilisez un matelas coussin de type gaufrier et plusieurs oreillers (oreillers pour le corps).
- Gardez une grande poubelle à portée de main.
- Placez une boîte ou une caisse près du lit ou du sofa pour ranger des articles comme :
  - gobelets avec couvercles et pailles flexibles ;
  - assiettes de papier ;
  - fourchettes, cuillères et couteaux de plastique ;
  - interphone de surveillance ou émetteur-récepteur portatif ;
  - serviettes humides ;
  - calepin pour noter les questions à poser aux fournisseurs, les numéros de téléphone, les listes de choses à faire ;
  - enveloppes et timbres ;
  - menus de repas pour livraison ;
  - documents à lire (livres, livres audio, magazines) ;
  - casse-tête.
- Remplissez un miniréfrigérateur ou une glacière de bouteilles d'eau ou d'autres boissons, ou de collations santé.
- Prévoyez du temps à passer en famille pour des visites et des discussions, surtout avec les jeunes enfants.
- Explorez votre intérêt pour un nouveau passe-temps comme la broderie, le bricolage, la lecture sur un nouveau sujet.
- Choisissez et effectuez des exercices et des activités (musique) de relaxation.

À L'HÔPITAL

- Clarifiez avec le professionnel de la santé en quoi consiste l'alitement. Posez des questions sur le niveau d'activités, la position, le droit d'aller aux toilettes, les visites des enfants, les activités permises, l'hygiène personnelle, la mobilité, la diète et les autres visiteurs.
- Les suggestions suivantes, en plus de celles pertinentes pour la maison, pourront être utiles à l'hôpital.
  - Apportez votre propre oreiller, votre shampoing et votre revitalisant.
  - Ayez un fauteuil roulant pour les sorties à l'extérieur ou pour visiter d'autres clientes avant l'accouchement, s'il est permis de le faire.
  - Apportez un ordinateur portatif ayant un lecteur de DVD pour regarder des films, si possible.
  - Demandez à vos amis d'apporter des collations et des aliments sains à l'occasion de leurs visites plutôt que des fleurs.
  - Explorez votre intérêt pour les jeux portatifs.
  - Prévoyez avec le personnel l'horaire des visites en fonction, par exemple, de l'examen obstétrical, de la prise des signes vitaux, de l'évaluation infirmière.
  - Apportez des bouchons d'oreille pour réduire les bruits ambiants de l'hôpital.
  - Gardez un grand calendrier et une horloge à la vue. Notez les événements importants sur le calendrier.

magnésium à ces femmes relève actuellement de la préférence du professionnel de la santé.

Hypertension et prééclampsie gestationnelles graves

Une femme qui souffre d'hypertension gestationnelle grave est plus à risque de connaître des complications pendant sa grossesse qu'une femme souffrant de prééclampsie légère. C'est la raison pour laquelle une cliente qui fait de l'hypertension gestationnelle grave doit être traitée comme si elle souffrait de prééclampsie grave. Une femme chez qui l'on diagnostique une hypertension gestationnelle grave ou une prééclampsie grave doit être hospitalisée immédiatement pour une période d'observation de 24 heures. Pendant cette période, on lui administrera du sulfate de magnésium pour empêcher les crises d'éclampsie et des médicaments antihypertenseurs au besoin afin de garder sa P.A. sous 160 mm Hg pour la systolique et sous 110 mm Hg pour la diastolique. Une femme qui n'a pas encore atteint la 34e semaine de grossesse reçoit des corticostéroïdes pour accélérer la maturité des poumons du fœtus (Sibai, 2007 ; SOGC, 2008a). Cette période d'observation permet d'évaluer aussi bien l'état de la mère que celui du fœtus. L'évaluation de la

Jugement clinique

L'équipe médicale prescrit divers examens et traitements pour madame Bourassa, dont l'administration de sulfate de magnésium et de corticostéroïdes.

Quelle sera l'utilité de ces médicaments ?

mère consiste à surveiller la P.A., la diurèse, l'état cérébral ainsi que la présence de douleur épigastrique, de sensibilité au toucher, de travail ou de saignement vaginal. Sont analysés en laboratoire la numération plaquettaire, le taux d'enzymes hépatiques et la créatininémie **TABLEAU 21.3**. L'évaluation du fœtus comporte le monitorage continu de la fréquence cardiaque fœtale (F.C.F.), un profil biophysique et une évaluation par ultrasons de la croissance du fœtus et du liquide amniotique (Sibai, 2007).

Un plan de soins est établi selon les résultats obtenus pendant cette période d'observation. Si la femme est au moins à la 34e semaine de sa grossesse, elle accouchera probablement rapidement, soit par césarienne ou par déclenchement artificiel du travail. À la 34e semaine, les risques associés à la continuation de la grossesse sont considérés comme plus grands que ceux liés à un accouchement prématuré (Sibai, 2007).

Une femme qui compte moins de 34 semaines de grossesse peut faire l'objet d'une surveillance étroite et poursuivre sa grossesse **ENCADRÉ 21.7**, pourvu que sa P.A. soit bien maîtrisée et que les épreuves fœtales soient rassurantes. Selon ce plan de traitement, la femme est hospitalisée dans un établissement de soins tertiaires qui peut fournir des soins intensifs maternels et néonataux, au besoin. La majorité des femmes traitées dans un contexte d'observation étroite présentent un signe maternel ou fœtal d'accouchement dans les deux semaines, mais certaines peuvent poursuivre leur grossesse pendant plusieurs semaines. Les femmes dont la P.A. n'est pas maîtrisée ou qui souffrent de thrombopénie, ou d'un taux élevé d'enzymes hépatiques avec de la douleur épigastrique et une sensibilité au toucher, devront accoucher tout de suite. Malgré ces complications, de nombreuses femmes ont un accouchement vaginal; une hypertension gestationnelle grave ou une prééclampsie grave seule ne signifie pas que la femme accouchera par césarienne (Sibai, 2007).

Une femme qui souffre de prééclampsie grave éprouve de nombreux problèmes, et les soins infirmiers doivent être axés tant sur la mère que sur le fœtus. Il faut surveiller leur état, donner les enseignements à la cliente concernant le processus de la maladie et mettre en place des mesures de soutien pour la femme et sa famille. La collecte de données consiste en un examen du SNC, du système cardiovasculaire, du système respiratoire et du système urinaire. L'infirmière écoute par auscultation les bruits respiratoires à l'affût de crépitants ou de bruits affaiblis, qui peuvent être le signe d'un œdème pulmonaire. Elle installera aussi probablement une sonde à ballonnet pour mesurer la débitmétrie avec précision. Elle sera aussi responsable de faire faire les tests en laboratoire au fur et à mesure qu'ils sont demandés **PSTI 21.1**.

Le médecin peut demander une évaluation du bien-être fœtal (p. ex., un ERF, un profil biophysique) en raison du risque d'hypoxie par suite d'une insuffisance utéroplacentaire. Le monitorage fœtal électronique est effectué au moins une fois par jour. Un examen vaginal peut être fait pour vérifier les changements du col de l'utérus. La palpation abdominale permet d'établir la tonicité utérine ainsi que la taille, l'activité et la position du fœtus. La cliente qui souffre de prééclampsie grave doit rester couchée, et des précautions sont prises pour prévenir les crises. Il importe ainsi de réduire au minimum le bruit et les stimuli externes. Il faut aussi s'assurer d'avoir rapidement à portée de main les médicaments, les fournitures et le matériel nécessaires en cas d'urgence (ACOG, 2002) **ENCADRÉ 21.8**.

RAPPELEZ-VOUS...

L'auscultation pulmonaire permet à l'infirmière de déceler une diminution des murmures vésiculaires et de détecter la présence de bruits adventices tels que des crépitants ou des sibilants.

Guide d'enseignement

ENCADRÉ 21.7 Alimentation en cas de prééclampsie grave

- Observez un régime alimentaire nutritif et équilibré (de 60 à 70 g de protéines, 1 200 mg de calcium et suffisamment de magnésium, de zinc et de vitamines). Consultez une nutritionniste pour connaître le régime alimentaire qui vous convient le mieux.
- Maintenez une consommation normale de sel (il n'est pas nécessaire de la restreindre); il est cependant recommandé de limiter les aliments très salés comme les charcuteries, les bretzels, les croustilles, les cornichons marinés et la choucroute.
- Mangez des aliments riches en fibres (grains entiers, fruits et légumes crus).
- Buvez entre six et huit verres d'eau par jour.
- Évitez l'alcool et les produits du tabac et limitez votre consommation de caféine.

ENCADRÉ 21.8 Mesures de précaution à l'hôpital dans le cas de prééclampsie grave

- Milieu:
  - calme
  - non stimulant
  - éclairage tamisé
- Précautions contre les crises:
  - matériel d'aspiration fonctionnel et prêt à être utilisé
  - matériel d'administration d'oxygène fonctionnel et prêt à être utilisé
- Cloche d'appel à portée de la main
- Médicaments d'urgence à portée de la main:
  - hydralazine
  - labétalol
  - nifédipine
  - sulfate de magnésium
  - gluconate de calcium
- Trousse d'accouchement d'urgence

Plan de soins et de traitement infirmiers

PSTI 21.1 Prééclampsie grave

PROBLÈME DÉCOULANT DE LA SITUATION DE SANTÉ	**Risque de complications pour la mère et le fœtus** lié à l'irritabilité du SNC associée à la prééclampsie
OBJECTIFS	• La cliente présentera une diminution des signes d'irritabilité du système nerveux central. • La cliente ne présentera pas de signes de toxicité au sulfate de magnésium.
RÉSULTATS ESCOMPTÉS	**INTERVENTIONS INFIRMIÈRES ET JUSTIFICATIONS**
• Réflexes tendineux $\leq$ 2+ • Absence de clonus • Absence de crises convulsives • Absence d'altération de l'état de conscience • Fréquence et amplitude respiratoires normales • Diurèse normale • P.A. normale • Absence de signes de souffrance fœtale	**Prévention de l'irritabilité du SNC** • Consigner les données de base (p. ex., les réflexes tendineux, le clonus) pour évaluer l'efficacité du traitement. • Administrer du sulfate de magnésium par voie intraveineuse (I.V.) selon l'ordonnance du médecin pour ↓ l'hyperréflectivité et ↓ le risque de crises convulsives. • Maintenir un environnement calme et sombre afin d'éviter les stimuli pouvant précipiter les crises. **Surveillance – sulfate de magnésium** • Surveiller la F.C.F. ; surveiller chez la mère les signes vitaux, l'état de conscience, la diurèse et les réflexes tendineux ; surveiller le débit de la perfusion I.V., le taux sérique de sulfate de magnésium, pour évaluer et prévenir tout signe de toxicité liée au sulfate de magnésium. • Avoir du gluconate de calcium (antidote) à portée de la main, pour l'administrer en cas de toxicité liée au sulfate de magnésium.
PROBLÈME DÉCOULANT DE LA SITUATION DE SANTÉ	**Risque d'irrigation tissulaire insuffisante** liée à une prééclampsie consécutive à un angiospasme artériolaire
OBJECTIF	La cliente présentera des signes d'une perfusion tissulaire adéquate.
RÉSULTATS ESCOMPTÉS	**INTERVENTIONS INFIRMIÈRES ET JUSTIFICATIONS**
• Fréquence cardiaque (F.C.), pouls (P) et P.A. normaux • Bruits du cœur et bruits respiratoires normaux • Coloration de la peau, turgescence cutanée et remplissage capillaire normaux • Diurèse normale • Absence d'œdème périphérique • F.C.F. et activité fœtale normales	**Prévention** • Administrer du sulfate de magnésium par voie I.V. conformément à l'ordonnance du médecin pour relâcher les angiospasmes et ↑ la perfusion rénale. • Recommander à la cliente le repos au lit dans la position latérale gauche pour améliorer au maximum la circulation utéroplacentaire, ↓ la P.A. et ↑ la diurèse. • Surveiller la F.C.F., la variabilité des données de base et l'absence de décélération tardive pour évaluer les données probantes de l'oxygénation utéroplacentaire adéquate.
PROBLÈMES DÉCOULANT DE LA SITUATION DE SANTÉ	• **Risque de surcharge liquidienne** lié à l'augmentation de la rétention sodique consécutive à l'administration de sulfate de magnésium • **Risque d'échanges gazeux perturbés** liés à un œdème pulmonaire consécutif à une hausse de la résistance vasculaire pulmonaire • **Risque de diminution du débit cardiaque (D.C.)** lié à l'administration de médicaments antihypertenseurs • **Risque de complications fœtales** lié à une insuffisance utéroplacentaire consécutive à l'administration de médicaments antihypertenseurs
OBJECTIFS	• La cliente ne présentera pas de signes de surcharge liquidienne. • La cliente présentera des signes d'oxygénation et de perfusion adéquates. • Le fœtus ne présentera pas de signes de souffrance.
RÉSULTATS ESCOMPTÉS	**INTERVENTIONS INFIRMIÈRES ET JUSTIFICATIONS**
• Équilibre des *ingesta* et des *excreta* (*I/E*), taux sérique de créatinine normal, absence d'œdème périphérique, absence de crépitants à l'auscultation • Fréquence et amplitude respiratoires normales, saturométrie normale, absence d'altération de l'état de conscience, paramètres hémodynamiques normaux • Coloration de la peau, turgescence cutanée et remplissage capillaire normaux • F.C.F. et activité fœtale normales	**Surveillance clinique** • Détecter des signes de surcharge liquidienne, d'échanges gazeux insuffisants, de diminution du D.C. et de souffrance foetale pour prévenir les complications. • Consigner les résultats et signaler au médecin tout signe de détérioration de l'état de la cliente afin de permettre une intervention en temps opportun.

RAPPELEZ-VOUS...

La technique d'injection en Z permet aux tissus de refermer le site d'injection et évite le retour d'une partie du médicament.

En cas de soupçon d'une intoxication au magnésium, la perfusion doit être cessée immédiatement. Du gluconate de calcium, l'antidote du sulfate de magnésium, peut alors être prescrit (10 ml d'une solution à 10 %, ou 1 g) et administré lentement par voie I.V., en général par le médecin, pendant au moins trois minutes pour empêcher des réactions indésirables comme les arythmies, la bradycardie et la fibrillation ventriculaire.

Le sulfate de magnésium étant aussi un agent tocolytique, il peut allonger le travail. Une femme souffrant de prééclampsie à qui l'on administre du sulfate de magnésium pourra avoir besoin de recevoir plus d'ocytocine pendant le travail qu'une autre qui n'en reçoit pas.

Soins pernataux

Les soins pernataux visent à détecter tôt toute anomalie de la F.C.F. ou de la progression de l'état de la mère, d'une hypertension gestationnelle légère à une hypertension gestationnelle grave ou à une prééclampsie grave, ainsi qu'à prévenir toute complication pour la mère. Les soins pernataux offerts par l'infirmière dans ces cas comportent le monitorage continu de la mère et du fœtus pendant la durée du travail. Comme une femme qui souffre de prééclampsie grave est plus à risque de faire un hématome rétroplacentaire, il faut continuellement surveiller la F.C.F. et les contractions utérines et observer la présence de saignement vaginal. Le monitorage fœtal électronique continu demeure aussi important, parce que le fœtus fait face à un risque d'hypoxie et d'intolérance au travail (Sibai, 2007).

Le sulfate de magnésium est le médicament de choix pour la prévention et le traitement des convulsions causées par la prééclampsie ou l'éclampsie.

Sulfate de magnésium Un des objectifs importants des soins offerts à une femme qui souffre de prééclampsie grave est de prévenir ou d'arrêter les convulsions. Le sulfate de magnésium est le médicament de choix pour la prévention et le traitement des convulsions causées par la prééclampsie ou l'éclampsie (Cunningham *et al.*, 2005 ; Sibai, 2007). Son utilisation est recommandée pour le traitement de la prééclampsie grave, du syndrome HELLP et de l'éclampsie. Le sulfate de magnésium est administré par voie I.V. au moyen d'une pompe à perfusion volumétrique dans une perfusion secondaire reliée à la primaire (perfusion en Y). Une dose initiale d'attaque de 4 g de sulfate de magnésium selon le protocole ou l'ordonnance du médecin est perfusée en bolus (SOGC, 2008a). Cette dose est suivie d'une dose d'entretien de sulfate de magnésium diluée dans un soluté I.V. prescrit par le médecin (p. ex., 40 g de sulfate de magnésium dans 1 000 ml de solution de lactate Ringer) et administrée au moyen d'une pompe à perfusion à débit de 1 g/h (SOGC, 2008a). Cette dose devrait maintenir un taux sérique de magnésium thérapeutique de 4 à 7 mEq/L (Cunningham *et al.*, 2005 ; Gilbert, 2007). Après la dose initiale d'attaque, il peut se produire une baisse passagère de la P.A. consécutive au relâchement du muscle lisse causé par le sulfate de magnésium (Cunningham *et al.*, 2005 ; Gilbert, 2007) **ENCADRÉ 21.9**.

Le sulfate de magnésium est rarement administré par voie intramusculaire (I.M.) pour trois raisons : on ne peut pas en gérer la vitesse d'absorption, les injections sont douloureuses, et les tissus peuvent devenir nécrosés. Il arrive cependant qu'on l'administre ainsi à certaines femmes qui sont transportées à un centre de soins tertiaires. La dose donnée est de 4 à 5 g dans chaque fesse, pour un total de 10 g (parfois, 1 % de procaïne est ajouté à la solution pour réduire la douleur causée par l'injection) et peut être répétée toutes les quatre heures. La technique d'injection en Z doit être utilisée pour une injection I.M. profonde suivie d'un léger massage.

Le sulfate de magnésium inhibe la libération d'acétylcholine aux synapses, ce qui a pour effet de réduire l'irritabilité neuromusculaire et la conduction cardiaque, ainsi que de diminuer l'irritabilité du SNC. Puisque le magnésium circule librement, sans être lié aux protéines, et qu'il est excrété dans l'urine, il faut consigner avec précision la diurèse maternelle. Si la fonction rénale diminue, le sulfate de magnésium ne sera pas entièrement excrété et pourra devenir toxique. Le sulfate de magnésium étant un dépresseur du SNC, l'infirmière surveille les signes et les symptômes de toxicité liée au magnésium. L'administration de sulfate de magnésium peut donner comme effets secondaires une sensation de chaleur, des bouffées vasomotrices et une sensation de brûlure au site de perfusion. Les symptômes d'une toxicité légère comprennent la léthargie, une faiblesse musculaire, la diminution ou l'absence des réflexes tendineux et un trouble de l'élocution. L'augmentation de la toxicité peut se manifester par l'hypotension maternelle, une bradycardie, une bradypnée et un arrêt cardiaque (Gilbert, 2007). On peut faire une prise de sang pour déterminer la magnésémie quand on soupçonne une toxicité légère ou grave **ENCADRÉ 21.9**.

Le sulfate de magnésium ne semble pas nuire à la F.C.F. d'un fœtus à terme qui est en bonne santé. La magnésémie chez le fœtus est approximativement égale à celle de la mère. Des recherches ont montré que les doses de sulfate de magnésium qui préviennent les crises chez la mère sont sûres pour le fœtus (Roberts & Funai, 2009). Un taux toxique de sulfate de magnésium chez le nouveau-né peut causer une difficulté respiratoire et une hyperréflectivité au moment de l'accouchement (Cunningham *et al.*, 2005). L'équipe de soins néonataux doit assister à l'accouchement pour appliquer les méthodes de réanimation, au besoin.

Gestion de la pression artérielle

On peut prescrire des médicaments antihypertenseurs pour diminuer la P.A. chez une femme atteinte d'hypertension et de prééclampsie graves. L'application d'un traitement antihypertenseur réduit les taux de morbidité et de mortalité maternelles associés à une insuffisance cardiaque gauche et à une hémorragie cérébrale. Comme un

ENCADRÉ 21.9 **Soins de la cliente souffrant de prééclampsie qui reçoit du sulfate de magnésium**

ENSEIGNEMENT À LA CLIENTE ET À LA FAMILLE

- Expliquer la technique :
  - voie d'administration et débit de perfusion ;
  - but de la perfusion en Y.
- Fournir les raisons de l'administration du médicament :
  - adapter l'information en fonction de la réceptivité de la cliente ;
  - expliquer que le sulfate de magnésium est utilisé pour prévenir la progression de la maladie ;
  - expliquer que le sulfate de magnésium est utilisé pour prévenir les crises, et non pour faire baisser la P.A.
- Préciser les réactions prévues au médicament :
  - initialement, la cliente aura des bouffées de chaleur ; elle aura chaud, se sentira sous sédation et nauséeuse. Elle peut avoir une sensation de brûlure au site de perfusion, en particulier pendant le bolus ;
  - la sédation se poursuivra.
- Assurer la surveillance :
  - maternelle : P.A., P, réflexes tendineux, niveau de conscience, diurèse (sonde à ballonnet), présence de céphalées, troubles visuels, douleur épigastrique ;
  - fœtale : F.C.F. et activité fœtale.

ADMINISTRATION

- Vérifier l'ordonnance du médecin.
- Aider la cliente à se coucher sur le côté gauche.
- Préparer la solution et l'administrer au moyen d'un appareil de contrôle de perfusion (pompe).
- Administrer par perfusion en Y une solution de 40 g de sulfate de magnésium dans 1 000 ml de solution de lactate Ringer au moyen d'un appareil de contrôle de perfusion au taux prescrit. Dose initiale d'attaque : bolus initial de 4 g en 15 à 30 minutes ; dose d'entretien : 1 g/h, conformément au protocole de l'hôpital ou à l'ordonnance du médecin.

ÉVALUATIONS MATERNELLE ET FŒTALE

- Surveiller la P.A., le P, la F.R., la F.C.F. et les contractions toutes les 15 à 30 minutes, selon l'état de la cliente.
- Surveiller au moins toutes les heures les *I/E*, la protéinurie, les réflexes tendineux, la présence de céphalées, les troubles de vision, le niveau de conscience et la douleur épigastrique.
- Limiter l'apport horaire de liquide à un total de 100 à 125 ml/h ; la diurèse devrait être d'au moins 25 à 30 ml/h.

ÉTATS À SIGNALER

- P.A. : systolique ≥ 160 mm Hg, diastolique ≥ 110 mm Hg, ou les deux
- F.R. : ≤ 12 R/min
- Diurèse : < 25 à 30 ml/h
- Présence de céphalées, de troubles visuels, baisse du niveau de conscience ou douleur épigastrique
- Augmentation de la gravité ou perte des réflexes tendineux, augmentation de l'œdème, protéinurie
- Toute valeur de laboratoire anormale (taux de magnésium, numération plaquettaire, clairance de la créatinine, taux d'acide urique, S.G.O.T., G.P.T., TP, TTP, fibrinogène, produits de dégradation de la fibrine)
- Tout autre changement important dans l'état de la mère ou du fœtus

MESURES D'URGENCE

- Garder les médicaments d'urgence et le matériel d'intubation à portée de la main.
- Garder les côtés de lit levés.
- Garder la lumière tamisée et un environnement calme.

certain degré d'hypertension maternelle est nécessaire pour maintenir la perfusion utéroplacentaire, le traitement antihypertenseur ne doit pas trop faire baisser la P.A. ni trop rapidement. De nombreux professionnels de la santé choisissent une cible de moins de 110 mm Hg pour la pression diastolique et de moins de 160 mm Hg pour la pression systolique (Cunningham *et al.*, 2005 ; Sibai *et al.*, 2005). Il n'y a pas de consensus universel sur le degré d'hypertension nécessitant un traitement pour prévenir les complications. En général, cependant, une pression systolique soutenue de 160 à 180 mm Hg ou plus, une pression diastolique soutenue de 105 à 110 mm Hg ou une pression moyenne de 130 mm Hg ou plus donnent lieu à un traitement (Sibai, 2007).

L'hydralazine par voie I.V. demeure l'agent antihypertenseur de choix pour le traitement pernatal de l'hypertension chez les femmes souffrant de prééclampsie grave (Cunningham *et al.*, 2005 ; Sibai, 2007). Une recherche a montré que le labétalol par voie I.V. ou la nifédipine par voie orale (P.O.) sont aussi efficaces que l'hydralazine dans la gestion de la P.A., avec moins d'effets secondaires (Sibai, 2007). La nifédipine, le labétalol ou le methyldopa peuvent être utilisés pendant la grossesse ou la période postnatale pour gérer la pression artérielle (ACOG, 2002 ; Cunningham *et al.*, 2005 ; Sibai, 2007). Le choix de l'agent dépend de la réaction de la cliente et de la préférence du médecin. Le **TABLEAU 21.5** présente une comparaison des agents antihypertenseurs utilisés pour traiter l'hypertension pendant la grossesse.

21

Pharmacothérapie

TABLEAU 21.5 Gestion pharmacologique de l'hypertension pendant la grossesse

MÉDICAMENT	ACTION/INDICATION	EFFETS MATERNELS	EFFETS FŒTAUX	INTERVENTIONS INFIRMIÈRES
Hydralazine (Apresoline[MDPr])				
Vasodilatateur artériolaire	Artérioles périphériques : relaxation des muscles lisses et ↓ de la résistance vasculaire périphérique ; l'effet sur les artérioles ↓ plutôt la P.A. diastolique. Utilisé dans le traitement de l'hypertension gestationnelle grave.	Hypotension, céphalées, bouffées vasomotrices, palpitations, tachycardie réflexe et ↑ du D.C., rétention hydrosodée (œdème), oligurie, ↓ possible du débit sanguin utéroplacentaire, ↑ des besoins d'oxygène, nausées et vomissements.	Tachycardie ; décélérations tardives et bradycardie si la P.A. diastolique maternelle < 90 mm Hg.	Évaluer l'effet du médicament ; aviser la mère et la famille des effets prévus du médicament ; vérifier fréquemment la P.A., car une ↓ abrupte peut entraîner un état de choc et, peut-être, un hématome rétroplacentaire ; si plusieurs doses sont données, attendre au moins 20 min après la première pour vérifier ses effets ; évaluer la diurèse ; garder la cliente alitée sur le côté gauche, les ridelles relevées ; utiliser avec précaution si la cliente souffre de tachycardie.
Labétalol (Trandate[MDPr])				
Bloquant α-adrénergique et β-adrénergique (effet de β quatre fois plus prononcé)	Blocage des récepteurs α-adrénergiques dans les artérioles périphériques causant la vasodilatation et la ↓ de la résistance vasculaire périphérique. Le blocage des récepteurs β-adrénergiques dans le myocarde prévient la tachycardie réflexe et l'↑ du D.C. ; ↓ de la P.A. systolique et de la F.C. sans changement important du débit cardiaque. Utilisé dans l'hypertension gestationnelle grave ou légère.	Bien toléré en général ; hypotension orthostatique et étourdissements, bouffées vasomotrices, céphalées, tremblements ; petit changement dans la F.C.	Minimaux, causerait plus de bradycardie fœtale lorsqu'administré par la voie I.V.	Voir hydralazine ; mieux toléré que l'hydralazine, moins susceptible de causer de l'hypotension excessive ou de la tachycardie ; moins d'hypertension rebond qu'avec l'hydralazine. Éviter chez les mères asthmatiques ; risques de bronchospasme. Fait partie des agents les plus utilisés chez la femme enceinte au Canada avec le méthyldopa.
Méthyldopa (Aldomet[MD])				
Agoniste α_2-adrénergique central	Stimulation des récepteurs α-adrénergiques qui réduit le tonus sympathique et ainsi la résistance vasculaire périphérique. Autres propriétés : interfère avec la neurotransmission chimique (↓ de l'activité de la rénine et inhibition de la production de noradrénaline et sérotonine) pour ↓ la résistance vasculaire périphérique ; profil d'effets indésirables sur le SNC important. Utilisé surtout dans le traitement de maintien de l'hypertension gestationnelle.	Somnolence, faiblesse, vertiges, céphalées, hypotension orthostatique, constipation, congestion nasale ; effets rares : fièvre d'origine médicamenteuse chez 1 % des femmes et résultat positif au test de Coombs direct chez 10 à 20 % des femmes.	Après un traitement de quatre mois de la mère, résultat positif au test de Coombs direct chez le nouveau-né.	Suivi de l'efficacité et des effets indésirables auprès de la cliente. Fait partie des agents les plus utilisés chez la femme enceinte au Canada avec le labétalol.

TABLEAU 21.5	Gestion pharmacologique de l'hypertension pendant la grossesse *(suite)*			
MÉDICAMENT	**ACTION/INDICATION**	**EFFETS MATERNELS**	**EFFETS FŒTAUX**	**INTERVENTIONS INFIRMIÈRES**
Nifédipine (Adalat^MD, Procardia^MD)				
Bloqueur des canaux calciques	Artérioles : vasodilatation directe des artérioles périphériques et ↓ de la résistance vasculaire périphérique en relaxant le muscle lisse vasculaire. Utilisé dans l'hypertension gestationnelle grave (capsules ou comprimés) ou légère.	Céphalées, bouffées vasomotrices, œdème périphérique, palpitations, tachycardie réflexe avec ↑ du D.C. ; risque de blocage neuromusculaire si administré simultanément avec du sulfate de magnésium (risque < 1 %) ; peut perturber le travail.	Minimaux	Voir hydralazine ; utiliser avec prudence si la cliente reçoit aussi du sulfate de magnésium (blocage neuromusculaire réversible avec l'administration de gluconate de calcium par voie I.V.). Attention d'utiliser la bonne formulation de nifédipine selon l'indication.

SOINS ET TRAITEMENTS INFIRMIERS

Hypertension et prééclampsie gestationnelles graves

Soins postnataux

Pendant toute la période postnatale, et plus spécifiquement dans les six premières semaines de la période postnatale, il faut évaluer attentivement les signes vitaux, les *I/E*, les réflexes tendineux, le niveau de conscience, le tonus utérin et les lochies (SOGC, 2008a). L'évaluation de l'effet du médicament et de ses effets secondaires se poursuit jusqu'à l'arrêt de la médication. Étant donné que le sulfate de magnésium potentialise l'action des analgésiques opioïdes, des dépresseurs du SNC et des inhibiteurs calciques, ces médicaments doivent être administrés avec précaution. Même si une femme n'a eu aucune convulsion avant l'accouchement, elle pourrait en avoir après. L'infirmière doit également vérifier la présence de tout symptôme de prééclampsie comme des céphalées, des troubles de la vision ou de la douleur épigastrique.

L'hypertension peut persister pendant quelques jours ou quelques semaines après l'accouchement. Une femme qui souffre d'hypertension ou de prééclampsie gestationnelle grave obtient généralement son congé de l'hôpital avec une ordonnance de médicament antihypertenseur comme le labétalol ou la nifédipine. Dans ce cas, il faut vérifier régulièrement la P.A., à domicile par l'infirmière du CSSS, ou au bureau du médecin. Souvent, la P.A. redevient normale quelques semaines après l'accouchement, et la cliente peut cesser de prendre le médicament antihypertenseur.

L'infirmière assure un soutien émotionnel important à la cliente et à sa famille au cours de cette période stressante. Elle doit évaluer les mécanismes d'adaptation et orienter la cliente vers les ressources appropriées, si nécessaire. À la suite d'une prééclampsie grave, le nouveau-né peut être prématuré et placé dans une unité de néonatologie. La mère et sa famille peuvent être inquiètes de la survie du nouveau-né, et les fluctuations quotidiennes de l'état de celui-ci peuvent être épuisantes émotionnellement (Simpson & James, 2005). Le stress émotionnel peut également diminuer la capacité de la cliente de comprendre l'information. C'est la raison pour laquelle l'infirmière doit s'assurer de la présence de membres de la famille aux enseignements précédant la sortie de l'hôpital et leur remettre des documents écrits.

La cliente doit être avisée que le risque d'être atteinte de prééclampsie ou d'éclampsie pendant une autre grossesse est plus élevé et que les soins prénataux complets sont essentiels à l'évaluation et à l'intervention précoce (Duckitt & Harrington, 2005). Une femme qui souffre de prééclampsie est également plus à risque de faire de l'hypertension non gestationnelle plus tard dans sa vie, surtout si la prééclampsie a été diagnostiquée avant terme. De plus, des résultats probants suggèrent que les femmes atteintes de prééclampsie auraient un risque accru de souffrir plus tard d'une maladie coronarienne. La période postnatale est donc bien choisie pour renseigner la cliente sur les changements à apporter à son mode de vie qui pourront réduire le risque de souffrir de ces troubles (Sibai, 2007).

Le traitement au sulfate de magnésium peut causer un relâchement utérin et un écoulement important de lochies. Il faut évaluer régulièrement le tonus de l'utérus et l'écoulement des lochies.

Éclampsie

L'éclampsie est généralement précédée de divers signes et symptômes, comme une céphalée persistante, une vision trouble, une douleur épigastrique aiguë, une douleur dans le quadrant supérieur droit de l'abdomen ou un état mental modifié. Toutefois, des convulsions peuvent se produire soudainement chez une femme dont l'état semblait stable et qui ne présentait que de petites hausses de la P.A. (Sibai, 2007). Les convulsions dans les cas d'éclampsie sont impressionnantes. Il se produit

Nystagmus : Mouvement d'oscillation rythmique et involontaire des yeux.

une contraction tonique de tous les muscles du corps (les bras sont fléchis, les poings sont serrés, les jambes sont inversées) avant les convulsions tonicocloniques. Pendant cette phase, les muscles se relâchent et se contractent en alternance. La respiration s'arrête puis reprend avec de longues inhalations profondes et stertoreuses. Surviennent alors l'hypotension, puis le coma. Le **nystagmus** et les secousses musculaires continuent pendant un certain temps. La désorientation et l'amnésie ralentissent le rétablissement immédiat. Une crise peut se produire ou non quelques minutes après la première convulsion. Pendant les convulsions, ni la femme ni le fœtus ne reçoivent d'oxygène ; les crises éclamptiques produisent donc une forte agression métabolique sur la mère et le fœtus (Cunningham *et al.*, 2005).

SOINS ET TRAITEMENTS INFIRMIERS

Éclampsie

Soins immédiats

Pendant une convulsion, la première chose à faire est de dégager les voies respiratoires de la cliente **ENCADRÉ 21.10**. Sa sécurité est la priorité. Lorsque les convulsions se produisent, il faut tourner la femme sur le côté pour éviter qu'elle n'aspire des vomissements et qu'elle ne souffre du syndrome de l'hypotension en position couchée. Il faut s'assurer que les ridelles sont levées et rembourrées au moyen d'une couverture pliée ou d'un oreiller. Des femmes souffrant d'éclampsie ont déjà subi des fractures en tombant de leur lit pendant qu'elles faisaient une crise.

Lorsque les convulsions cessent, on aspire les aliments et les liquides de la glotte, puis on administre 10 L d'oxygène au moyen d'un masque facial bien ajusté. En l'absence de perfusion I.V., il faut en installer une au moyen d'une aiguille de calibre 18. Si une ligne I.V. était installée avant la crise, elle pourrait être infiltrée et devra être réinstallée immédiatement. Une dose initiale d'attaque de 4 g de sulfate de magnésium est injectée par voie I.V. en bolus pendant 15 à 30 minutes, suivie d'une dose d'entretien de 1 g à l'heure par perfusion continue (SOGC, 2008a). Si l'éclampsie se déclare après le début du traitement au sulfate de magnésium, il est possible de donner plus de sulfate de magnésium ou un autre anticonvulsivant (p. ex., le diazépam [Valium[MD]]) (Sibai *et al.*, 2005 ; Sibai, 2007). Le diazépam peut avoir comme effets fœtaux et néonataux une diminution de la variation de la F.C.F., une hypotonie néonatale, un affaiblissement de la respiration et une diminution du réflexe de succion. Lorsque le taux de magnésium dans le sang s'avère adéquat, il est rare qu'une femme souffrant d'éclampsie subisse d'autres crises (Chan & Winkle, 2006 ; Cunningham *et al.*, 2005).

Soins d'urgence

ENCADRÉ 21.10 Éclampsie

SIGNES ET SYMPTÔMES DE CONVULSIONS TONICOCLONIQUES

- Phase d'invasion : pendant deux ou trois secondes, les yeux sont fixes, et les muscles faciaux se contractent.
- Phase de contraction : pendant 15 à 20 secondes, les yeux sont globuleux et injectés de sang, et tous les muscles du corps sont en contraction tonique.
- Phase de convulsion : les muscles se relâchent et se contractent en alternance (clonique), la respiration arrête et recommence avec une longue inhalation profonde et stertoreuse ; le coma s'ensuit.

INTERVENTIONS

- Dégager les voies respiratoires : tourner la tête d'un côté, placer un oreiller sous une épaule ou le dos, si possible.
- Demander de l'aide.
- Protéger la cliente en levant les ridelles.
- Observer et consigner les convulsions.

APRÈS DES CONVULSIONS OU UNE CRISE

- Ne pas laisser la cliente seule jusqu'à ce qu'elle soit entièrement éveillée.
- Observer l'apparition de signes de coma après les convulsions.
- Avoir recours à l'aspiration au besoin.
- Administrer de l'oxygène par masque facial bien ajusté à raison de 10 L/min.
- Commencer à administrer des liquides par voie I.V. et surveiller les signes de surcharge liquidienne.
- Administrer du sulfate de magnésium ou un autre médicament anticonvulsant selon l'ordonnance du médecin.
- Installer une sonde à ballonnet.
- Surveiller la P.A.
- Surveiller l'état fœtal et utérin.
- Expédier les analyses de laboratoire demandées par le médecin pour surveiller la fonction rénale, la fonction hépatique, le processus de coagulation et le taux de médicament.
- Fournir des soins d'hygiène et un milieu calme.
- Soutenir et renseigner la femme et sa famille.
- Être prête à aider à l'accouchement lorsque l'état de la femme devient stable.

Après une convulsion, il faut évaluer rapidement l'activité utérine, l'état du col et l'état fœtal. Pendant la convulsion, il peut y avoir eu une rupture des membranes, le col de l'utérus peut s'être dilaté parce que l'utérus devient hypercontractile et hypertonique, et l'accouchement peut être imminent. Le tracé de la F.C.F. peut montrer des signes de bradycardie, de décélérations tardives, de variabilité de la ligne isoélectrique absente ou minimale, ou une combinaison de ces éléments. En général, ces résultats disparaissent quelques minutes après la fin de la convulsion, et l'hypoxie de la femme se corrige (Sibai, 2007).

Des analyses de laboratoire sont effectuées pour évaluer les taux d'enzymes hépatiques et la numération plaquettaire afin de vérifier la présence du syndrome HELLP. D'autres tests peuvent aussi être réalisés pour déterminer les taux d'électrolytes et le profil de coagulation pour évaluer la CIVD **TABLEAU 21.3**. En cas d'hémorragie ou de choc, on fait une transfusion de sang total ou d'un concentré de globules rouges, car la femme qui souffre d'éclampsie court un risque élevé d'avoir un hématome rétroplacentaire. L'aspiration étant une cause importante de morbidité et de mortalité maternelles après une crise, il se peut qu'une radiographie pulmonaire ou une gazométrie du sang artériel soit prescrite.

Lorsque les crises de la cliente sont maîtrisées, il faut décider du moment de l'accouchement et de la méthode. L'éclampsie seule ne signifie pas que l'on doive procéder immédiatement à une césarienne. La voie d'accouchement, soit le déclenchement artificiel du travail ou la césarienne, dépend de l'état de la mère et du fœtus, de l'âge gestationnel du fœtus, de la présence du travail et de la **cotation de Bishop** (Sibai, 2007). En général, une anesthésie n'est pas recommandée, en raison du risque accru d'aspiration, mais la douleur maternelle peut être soulagée par une épidurale ou par des analgésiques opioïdes systémiques. On ne recommande pas non plus de faire une anesthésie de conduction aux femmes souffrant d'éclampsie qui présentent une coagulopathie ou une numération plaquettaire inférieure à 50 000 cellules/mm^3 (Sibai, 2007).

L'éclampsie postpartum tardive désigne l'éclampsie qui se produit 48 heures après l'accouchement, mais avant 4 semaines postnatales. Les femmes souffrant de cette forme d'éclampsie peuvent montrer des signes cliniques de prééclampsie pendant le travail ou l'accouchement, ou immédiatement après l'accouchement, tandis que certaines présentent les symptômes initiaux et des convulsions 48 heures après l'accouchement (Sibai *et al.*, 2005).

Hypertension préexistante

L'hypertension préexistante touche environ 1 % des femmes enceintes (Gilbert, 2007). De ce nombre, 95 % sont atteintes d'hypertension artérielle essentielle. Chez les 5 % restants, l'hypertension est secondaire à un trouble médical comme une maladie rénale, une collagénose avec manifestations vasculaires ou une maladie endocrinienne (Sibai, 2007). Parmi les effets fœtaux de l'hypertension préexistante figurent le RCIU et des nouveau-nés petits pour leur âge gestationnel (Cunningham *et al.*, 2005).

Idéalement, le traitement de l'hypertension commence avant la conception. Une évaluation permet d'établir la cause et la gravité de l'hypertension de la femme, ainsi que la présence d'autres maladies. Il est aussi recommandé d'effectuer une évaluation de tout dommage aux organes cibles (p. ex., au cœur, aux yeux, au rein) causé par l'hypertension. Il faut encourager la cliente à modifier son mode de vie avant de devenir enceinte, y compris cesser de fumer et de boire de l'alcool, participer à un programme d'exercice physique au besoin et perdre du poids si elle fait de l'embonpoint. Il est aussi recommandé que la femme adopte une diète comprenant un maximum de 2,4 g de sodium par jour (Gilbert, 2007). Ces changements au mode de vie doivent être maintenus pendant toute la grossesse.

Les femmes qui souffrent d'hypertension préexistante sont considérées comme étant à risque élevé ou faible d'éprouver des complications pendant leur grossesse en fonction de leurs antécédents et des signes physiques qu'elles présentent (Sibai, 2007). Les femmes à risque élevé sont traitées au moyen de médicaments antihypertenseurs, et leur santé ainsi que celle du fœtus sont évaluées régulièrement. L'objectif du traitement est de maintenir une P.A. systolique de 150 à 160 mm Hg ou moins et une P.A. diastolique de 100 à 110 mm Hg ou moins (Chan & Winkle, 2006; Cunningham *et al.*, 2005). Le chlorhydate de méthyldopa est le médicament le plus souvent recommandé pour traiter l'hypertension chronique gestationnelle. Toutefois, il demeure rarement utilisé pour traiter l'hypertension chronique chez les femmes qui ne sont pas enceintes, et il peut être inopportun de changer de médicament en raison de la grossesse. De plus, le méthyldopa peut occasionner une sécheresse de la bouche et de la somnolence chez de nombreuses femmes enceintes. Le labétalol peut donc s'avérer un premier choix plus approprié pour réguler la P.A. pendant la grossesse (Sibai, 2007). L'hydralazine, les bêtabloquants et les inhibiteurs calciques

Jugement clinique

Madame Annie Bellavance, âgée de 32 ans, est hospitalisée dans une unité GARE (grossesse à risque élevé) pour prééclampsie grave. Elle en est à sa 31e semaine de grossesse. Elle vient tout juste de présenter une crise convulsive d'une durée d'environ 25 secondes. Étant à son chevet, vous vous êtes assurée de sa sécurité, avez avisé l'équipe médicale et avez observé la crise afin de bien la consigner au dossier. La cliente est présentement éveillée et reçoit de l'oxygène à 10 L/min par masque facial, un bolus de 4 g de sulfate de magnésium en perfusion I.V. à 174 ml/h.

Nommez trois éléments en lien avec la grossesse de la cliente à évaluer rapidement.

Cotation de Bishop : Méthode de cotation destinée à évaluer la possibilité de provoquer le travail selon l'état du col ; plus le score est élevé, plus les conditions sont propices à la provocation du travail.

Immédiatement après une crise, la cliente peut être très désorientée et agitée et nécessiter temporairement l'utilisation de mesures de contention. Il est important de maintenir un milieu calme et un éclairage tamisé. Il peut s'écouler plusieurs heures avant que la cliente ne retrouve toutes ses facultés mentales. Elle ne doit pas être laissée seule. Il est important de soutenir la famille, de lui expliquer le traitement et ses raisons, ainsi que les progrès de la cliente.

Jugement clinique

Madame Geneviève Fulham, âgée de 28 ans et traitée pour hypertension avec du chlorhydate de méthyldopa, vient d'accoucher par voie vaginale d'un petit garçon prénommé Alexis. Lorsque vous l'aidez à installer le nouveau-né pour la première tétée, la cliente se dit un peu inquiète puisqu'elle prend de la médication et qu'elle veut allaiter Alexis. Elle craint un effet négatif chez lui.

Que devriez-vous dire à madame Fulham pour la rassurer à ce sujet?

représentent aussi des choix possibles (Chan & Winkle, 2006; Cunningham *et al.*, 2005). Les femmes à faible risque peuvent ne pas avoir besoin de prendre de médicaments antihypertenseurs pendant leur grossesse (Sibai, 2007).

La date de l'accouchement dépend de chaque situation, mais une femme qui reste à faible risque peut poursuivre sa grossesse jusqu'à la 40e semaine (Sibai, 2007). Cependant, les femmes à risque élevé font l'objet d'une surveillance étroite, et la méthode et la date de l'accouchement dépendent de l'état de la mère et du fœtus.

Après l'accouchement, la femme est surveillée étroitement pour déceler toute complication comme un œdème pulmonaire, une insuffisance rénale ou cardiaque et une encéphalopathie (Sibai, 2007). Les femmes qui font de l'hypertension préexistante peuvent allaiter si elles le souhaitent. Le taux de méthyldopa qui passe dans le lait maternel semble être faible et est considéré comme sécuritaire. Le labétalol se retrouve aussi en faible concentration dans le lait maternel. On sait peu de choses sur le transfert des inhibiteurs calciques, comme la nifédipine, dans le lait maternel, mais on n'a noté aucun effet secondaire apparent chez les nouveau-nés et les nourrissons (Sibai, 2007).

21.2 | Nausées et vomissements

7

Les malaises liés à la grossesse et les soins infirmiers qui y sont associés sont abordés dans le chapitre 7, *Soins infirmiers de la famille pendant la grossesse.*

Les nausées et vomissements, aussi appelés nausées matinales, font partie des malaises normaux liés à la grossesse ▶ 7. Ils surviennent chez 50 à 90 % des femmes enceintes (SOGC, 2002b); ils débutent entre les deux premiers mois de la grossesse et durent environ jusqu'au quatrième mois. Ils peuvent survenir à n'importe quelle heure du jour. Même si ces symptômes sont pénibles, ils demeurent généralement bénins et n'occasionnent pas de changements métaboliques importants ou de risques pour la mère et le fœtus. La cause des nausées et des vomissements pendant la grossesse est mal connue. Le relâchement du muscle lisse de l'estomac et les taux plus élevés d'œstrogènes, de progestérone et de gonadotrophine chorionique humaine (hCG) pourraient être une explication. Les grossesses au cours desquelles les femmes éprouvent des nausées et des vomissements ont en général une issue plus favorable que celles où ces symptômes sont absents (Gordon, 2007).

21.2.1 Hyperémèse gravidique

Lorsque les vomissements pendant la grossesse deviennent assez abondants pour provoquer une perte de poids et des déséquilibres acidobasiques, hydriques et électrolytiques, le trouble est appelé **hyperémèse gravidique** (ou *hyperemesis gravidarum*). Ce syndrome se produit dans 1 % de toutes les naissances vivantes (SOGC, 2002a). L'hyperémèse gravidique commence en général pendant le premier trimestre, mais environ 10 % des femmes qui en souffrent continuent de présenter des symptômes pendant toute la grossesse (Kelly & Savides, 2009). Elle a été associée aux femmes primipares, à celles qui ont pris du poids et qui ont des antécédents de migraine, à une grossesse multiple, à la maladie trophoblastique gestationnelle ou aux femmes qui portent un fœtus atteint d'une anomalie chromosomique ou de la trisomie 21 (Davis, 2004; Kelly & Savides, 2009). Il est intéressant de noter que les femmes qui portent une fille sont plus susceptibles de souffrir d'hyperémèse gravidique (Kelly & Savides, 2009). Il peut aussi y avoir des antécédents familiaux d'hyperémèse (Gilbert, 2007). De plus, on étudie la possibilité qu'il y ait un lien entre le facteur psychologique et ce trouble (Cunningham *et al.*, 2005).

Parmi les complications qui accompagnent l'hyperémèse gravidique grave, on note la rupture de l'œsophage et des carences en vitamine K et en thiamine qui entraînent une encéphalopathie de Wernicke (qui touche le SNC) (Cunningham *et al.*, 2005; Kelly & Savides, 2009). Une petite taille pour l'âge gestationnel, un faible poids à la naissance, la prématurité et un indice d'Apgar inférieur à sept après cinq minutes sont les complications que le fœtus et le nouveau-né peuvent présenter (Kelly & Savides, 2009).

Étiologie

La cause de l'hyperémèse gravidique demeure obscure. Plusieurs théories ont été proposées, mais aucune n'explique adéquatement le trouble. Celui-ci pourrait être lié à un taux élevé d'œstrogènes ou de hCG et à de l'hyperthyroïdisme passager pendant la grossesse. La dysrythmie gastrique, le reflux œsophagien et la motilité gastrique réduite peuvent aussi contribuer à l'apparition du trouble (Kelly & Savides, 2009).

Chez certaines femmes, les facteurs psychologiques peuvent aussi jouer un rôle. L'ambivalence envers la grossesse et le stress accru peuvent être associés à cette manifestation (Cunningham *et al.*, 2005; Davis, 2004). Des sentiments conflictuels quant au futur rôle de mère, les changements corporels et la modification du mode de vie peuvent contribuer aux épisodes de vomissements, surtout si ces sentiments sont excessifs ou non résolus.

Manifestations cliniques

La femme qui souffre d'hyperémèse gravidique a généralement perdu beaucoup de poids et souffre de déshydratation. Elle peut aussi présenter les symptômes suivants : muqueuses sèches, baisse de la P.A., augmentation de la fréquence du pouls et faible turgescence cutanée. Elle est souvent incapable de garder toute nourriture, même les liquides clairs ingérés. Les analyses de laboratoire peuvent révéler un déséquilibre électrolytique.

SOINS ET TRAITEMENTS INFIRMIERS

Hyperémèse gravidique

Évaluation

Dès qu'une femme enceinte souffre de nausées et de vomissements, la priorité est de procéder à une évaluation approfondie pour déterminer la gravité du problème. Dans la plupart des cas, il est recommandé de demander à la femme de se rendre immédiatement au bureau du médecin ou aux urgences, parce que la gravité du syndrome est souvent difficile à établir par téléphone.

L'évaluation doit porter sur la fréquence, la gravité et la durée des épisodes de nausées et de vomissements. Si la femme fait état de vomissements, il faut aussi en noter la quantité approximative et la couleur. L'infirmière se renseigne également sur la présence d'autres symptômes comme la diarrhée, l'indigestion et la douleur ou la distension abdominale. Elle demande à la cliente de lui signaler tout facteur précipitant lié à l'apparition des symptômes et les traitements pharmacologiques ou non pharmacologiques qu'elle a utilisés, le cas échéant. Il est aussi important de noter le poids antérieur à la grossesse et le gain ou la perte de poids pendant celle-ci.

L'infirmière pèse la cliente et prend ses signes vitaux. Elle procède à un examen complet en portant une attention particulière aux signes de déséquilibre hydroélectrolytique et à l'état nutritionnel. Le test de laboratoire primordial est de déterminer la cétonurie. Les autres tests pouvant être demandés comprennent une analyse d'urine, un hémogramme complet et la détermination des taux d'électrolytes, d'enzymes hépatiques et de bilirubine. Ces tests aident à éliminer la présence de maladies sous-jacentes comme la gastroentérite, la pyélonéphrite, la pancréatite, la cholécystite et l'hépatite (Cunningham *et al.*, 2005). Compte tenu du lien qui existe entre l'hyperémèse gravidique et l'hyperthyroïdie, le taux d'hormone thyroïdienne peut aussi être mesuré (Nader, 2009).

Dès qu'une femme enceinte souffre de nausées et de vomissements, la priorité est de procéder à une évaluation plus approfondie pour déterminer la gravité du problème.

L'évaluation psychosociale consiste à demander à la femme si elle vit de l'anxiété, des peurs ou de l'inquiétude par rapport à sa propre santé et aux effets sur l'issue de la grossesse. Il faut aussi évaluer l'anxiété des membres de la famille et leur conception de leur rôle de soutien auprès de la mère.

Soins immédiats

La femme qui ne peut pas boire de liquides clairs sans les vomir est habituellement traitée par voie I.V. afin de rétablir l'équilibre hydroélectrolytique. Dans le passé, ce traitement avait lieu à l'hôpital. Aujourd'hui, il est souvent réalisé avec succès à domicile, même dans le cas d'un traitement entéral. Des médicaments peuvent être donnés si les nausées et les vomissements persistent. Les médicaments souvent prescrits sont la pyridoxine (vitamine B_6), la doxylamine (Unisom[MD]), la prométhazine et la métoclopramide (Kelly & Savides, 2009). Les autres options de médicaments antiémétiques sont la prochlorpérazine et l'ondansétron (Zofran[MD]) (Gordon, 2007). La chlorpromazine administrée par le rectum peut être très efficace dans les cas difficiles à traiter. Les corticostéroïdes (méthylprednisolone [Medrol[MD]] ou l'hydrocortisone) peuvent aussi être utilisés pour traiter l'hyperémèse gravidique réfractaire (Cunningham *et al.*, 2005 ; Kelly & Savides, 2009). Enfin, la nutrition entérale ou parentérale peut être utilisée lorsqu'une femme ne réagit pas aux autres traitements (Cunningham *et al.*, 2005 ; Kelly & Savides, 2009).

Les soins infirmiers offerts à la femme qui souffre d'hyperémèse gravidique consistent en la mise en œuvre du plan de soins médicaux, que ces soins soient prodigués à l'hôpital ou à domicile. L'infirmière peut administrer et surveiller le traitement par voie I.V., donner des médicaments et des suppléments et surveiller les réactions de la femme à ces interventions. Elle observe la cliente et demeure à l'affût de tout signe de complication, comme une acidose métabolique (secondaire à l'inanition), un ictère ou une hémorragie ; elle avise le médecin si l'un ou l'autre se manifeste. La surveillance comporte l'évaluation des nausées de la femme, des haut-le-cœur sans vomissement et des vomissements, étant donné que ces symptômes, bien qu'ils soient liés, sont distincts. L'infirmière doit consigner avec exactitude les *I/E*, y compris la quantité de vomissements. Pour aider à soulager les malaises qui accompagnent

Jugement clinique

Madame Naomie Voyer, âgée de 24 ans, est enceinte de neuf semaines ; il s'agit de sa première grossesse. Elle se présente à l'accueil obstétrical de l'hôpital pour nausées et vomissements importants. Elle n'a aucune céphalée. Vous relevez les données suivantes : P.A. : 106/54 mm Hg ; P : 96 batt./min ; F.R. : 14 R/min.

Afin de déterminer la gravité du problème, nommez au moins 10 éléments sur lesquels portera votre évaluation.

21

ces troubles, l'infirmière peut s'occuper de l'hygiène orale de la cliente pendant que celle-ci n'ingère rien. Elle peut également contribuer au confort de la cliente en l'aidant à trouver une bonne position et en lui assurant un milieu paisible exempt d'odeur désagréable.

Les troubles hémorragiques pendant la grossesse sont des urgences médicales.

Lorsque les vomissements ont cessé, la cliente reçoit de faibles quantités de nourriture à intervalles fréquents. Elle peut d'abord boire de petites quantités de liquide et manger des aliments non irritants comme des craquelins, des toasts et du poulet cuit au four. Le régime est enrichi lentement, selon la tolérance de la cliente, jusqu'au rétablissement d'une alimentation saine. Comme des troubles de sommeil peuvent accompagner l'hyperémèse gravidique, il faut encourager la cliente à bien se reposer. L'infirmière peut l'aider à cet égard en coordonnant les traitements et les périodes de visite pour que la cliente puisse bénéficier de repos entre les deux.

Suivi

Après plusieurs jours de traitement, la majorité des femmes sont capables de s'alimenter oralement. Elles doivent être encouragées à manger de petits repas fréquents composés d'aliments appétissants, souvent non gras, secs, sucrés et salés. Pendant cette période, il est fréquent que la cliente ne soit pas attirée par certains aliments qu'elle apprécie en temps normal **ENCADRÉ 21.11**. De nombreuses femmes enceintes ont de la difficulté à tolérer les odeurs de cuisson. Le fait que d'autres membres de la famille préparent les repas pourra aider à réduire, même si ce n'est que temporairement, les nausées et les vomissements de la cliente. Il est recommandé à cette dernière d'aviser immédiatement son professionnel de la santé si les nausées et les vomissements reprennent.

Pouvoir oxyphorique: Capacité de l'hémoglobine de fixer et de transporter l'oxygène vers les diverses parties du corps.

La femme qui souffre d'hyperémèse gravidique a besoin qu'on reconnaisse l'effet débilitant sur les plans physique et émotionnel des manifestations de ce trouble et le stress qu'elles occasionnent pour sa famille. Elle apprécie le calme et la compassion, car l'irritabilité, la tendance à pleurer fréquemment et les changements d'humeur touchent souvent les femmes qui en souffrent. Le bien-être du fœtus est une préoccupation importante pour elles. L'infirmière peut faire en sorte de créer un climat qui permet à la cliente d'exprimer ses inquiétudes et l'aider à cerner et à mobiliser des sources de soutien. La famille doit être incluse dans le plan de soins aussi souvent que possible, car sa participation peut aider à réduire une partie du stress émotionnel associé à ce trouble.

Guide d'enseignement

ENCADRÉ 21.11 Diète et conseils en cas d'hyperémèse gravidique

- Mangez fréquemment, au moins toutes les deux ou trois heures et prenez des liquides ou des solides en alternance.
- Prenez une collation avant de dormir.
- Mangez des aliments secs, non irritants, à faible teneur en gras et à haute teneur en protéines. Les aliments froids peuvent être mieux tolérés que les aliments servis chauds.
- En général, mangez ce qui semble bon, plutôt que d'essayer de manger des repas équilibrés.
- Mangez du salé et du sucré ; même la soi-disant malbouffe est acceptable.
- Mangez les protéines après le sucré.
- Les produits laitiers peuvent être plus faciles à garder que les autres aliments.
- En cas de vomissements lorsque l'estomac est vide, essayez de sucer un bâtonnet glacé.
- Essayez l'infusion de gingembre. Pelez et coupez en dés un petit morceau de gingembre et faites-le infuser dans de l'eau bouillante.
- Essayez le soda au gingembre chaud (avec du sucre, pas d'édulcorant artificiel) ou de l'eau avec une tranche de citron.
- Buvez les liquides dans un gobelet avec un couvercle.

Source : Adapté de Gilbert (2007).

21.3 Complications hémorragiques

Les saignements pendant la grossesse peuvent compromettre le bien-être de la mère et du fœtus. La perte de sang maternel diminue le **pouvoir oxyphorique**, lequel prédispose la femme à un risque accru d'**hypovolémie**, d'anémie, d'infection et d'accouchement prématuré, en plus de nuire à l'apport en oxygène au fœtus. Les risques fœtaux découlant d'une hémorragie maternelle comprennent la perte de sang ou l'anémie, l'**hypoxémie**, l'**hypoxie**, l'**anoxie** et un accouchement prématuré. Les troubles hémorragiques pendant la grossesse sont des urgences médicales. La prévalence et le type de saignement varient selon le trimestre. La rupture d'une grossesse ectopique et d'un hématome rétroplacentaire a la prévalence la plus élevée de mortalité maternelle. Il est essentiel d'évaluer rapidement la situation et d'agir de toute urgence pour sauver la vie de la mère et celle du fœtus.

21.3.1 Saignement à un stade précoce de la grossesse

Un saignement en début de grossesse est inquiétant pour la femme et préoccupant pour les professionnels de la santé. Les troubles de saignement courants en début de grossesse comprennent la fausse couche (avortement spontané), la dilatation prématurée récurrente du col utérin, la grossesse ectopique et la môle hydatiforme (grossesse môlaire).

Fausse couche

L'avortement spontané désigne l'arrêt d'une grossesse par suite de causes naturelles avant 20 semaines de gestation. Les 20 semaines constituent une balise, le moment à partir duquel le fœtus est viable et peut survivre à l'extérieur de l'utérus. Un poids fœtal de moins de 500 g peut aussi servir à définir un avortement spontané (Cunningham *et al.*, 2005). Le terme fausse couche est utilisé dans le texte qui suit parce qu'il est plus approprié que celui d'avortement dans le contexte de la communication avec les clientes. Parler d'avortement peut être perçu comme une façon peu délicate de s'exprimer envers les familles qui vivent un deuil.

Prévalence et étiologie

Au Canada, environ 20 % de toutes les grossesses cliniquement reconnues se terminent par une fausse couche (Statistique Canada, 2007). La majorité des fausses couches, à savoir plus de 80 %, se produit au début de la grossesse, avant 12 semaines de gestation (Cunningham *et al.*, 2005).

De toutes les pertes de grossesse cliniquement reconnues, au moins la moitié résulte d'anomalies chromosomiques (Simpson & Jauniaux, 2007). Une fausse couche précoce peut aussi être la conséquence d'un déséquilibre endocrinien (p. ex., chez les femmes qui ont des anomalies de la phase lutéale ou qui sont atteintes de diabète insulinodépendant avec une glycémie élevée au premier trimestre), de facteurs immunologiques (p. ex., la présence d'anticorps antiphospholipides), d'infections (p. ex., la bactériurie et la *Chlamydia trachomatis*), de troubles systémiques (p. ex., le lupus érythémateux) et de facteurs génétiques (Cunningham *et al.*, 2005; Gilbert, 2007).

Une fausse couche tardive se produit entre la 12e et la 20e semaine de grossesse. Des facteurs maternels en sont généralement la cause, comme l'âge avancé de la mère et la parité, les infections chroniques, la dilatation prématurée du col de l'utérus et d'autres anomalies de l'appareil génital, des maladies chroniques débilitantes, une nutrition inadéquate et la consommation de drogues (Cunningham *et al.*, 2005). Peu de choses permettent d'empêcher une interruption de grossesse d'origine génétique, mais le traitement des troubles maternels, la vaccination contre les maladies infectieuses, des soins prénataux précoces et adéquats ainsi que le traitement rapide des complications de la grossesse peuvent aider grandement à prévenir d'autres causes d'une fausse couche.

Types

Il existe divers types de fausses couches, soit la menace de fausse couche, la fausse couche inévitable, incomplète, complète ou la rétention fœtale. Tous les types de fausses couches peuvent se reproduire à une grossesse subséquente. À l'exception de la menace d'avortement, toutes les fausses couches peuvent mener à une infection **FIGURE 21.5**.

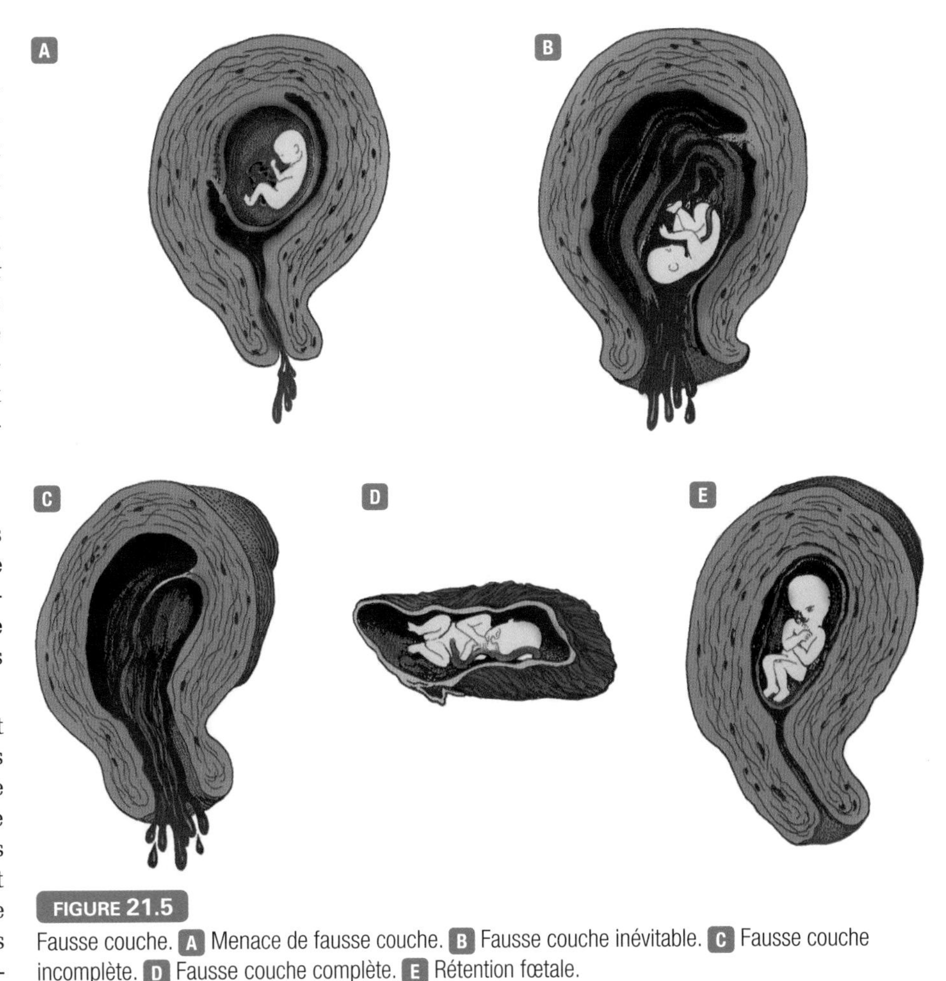

FIGURE 21.5
Fausse couche. **A** Menace de fausse couche. **B** Fausse couche inévitable. **C** Fausse couche incomplète. **D** Fausse couche complète. **E** Rétention fœtale.

Manifestations cliniques

Les signes et les symptômes d'une fausse couche sont fonction de la durée de la grossesse. Un saignement utérin, des contractions utérines ou des douleurs utérines au début de la grossesse constituent des signes inquiétants de menace de fausse couche jusqu'à preuve du contraire.

Si la fausse couche se produit avant la sixième semaine de la grossesse, la femme peut ne signaler que des menstruations abondantes. Une fausse couche qui survient entre la 6e et la 12e semaine de grossesse cause une perte de sang et un malaise moyens. Après la 12e semaine, la fausse couche se caractérise par une douleur forte, semblable à celle éprouvée pendant le travail, parce que le fœtus doit être expulsé. Le diagnostic de la fausse couche se fonde sur les signes et les symptômes présents **TABLEAU 21.6**.

Jugement clinique

Madame Frédérique Duchesne, âgée de 24 ans, vient d'obtenir un résultat positif à son test de grossesse qu'elle s'est procuré la veille en pharmacie. C'est la première fois qu'elle réalise un tel test. À la fois joyeuse et incrédule, elle vous appelle au CSSS pour s'assurer de la validité du résultat obtenu. Vous la rassurez. Elle en profite pour vous partager son inquiétude quant à l'issue de cette grossesse, sa meilleure amie ayant subi deux fausses couches dans la dernière année. Madame Duchesne vous demande quel est le pourcentage des grossesses se terminant ainsi et quels sont les signes qui pourraient laisser présager une éventuelle fausse couche.

Que devriez-vous lui répondre ?

Les symptômes d'une menace de fausse couche comprennent un saignement vaginal léger, l'orifice cervical demeurant fermé, parfois accompagnés de faibles crampes utérines **FIGURE 21.5A**.

Dans une fausse couche inévitable et une fausse couche incomplète, le saignement utérin peut être de léger à abondant, l'orifice cervical étant ouvert **FIGURES 21.5B** et **21.5C**. Du tissu peut être expulsé avec le sang. Il peut y avoir des crampes utérines, de faibles à fortes. Une fausse couche inévitable s'accompagne souvent de la rupture des membranes et de la dilatation du col de l'utérus, tandis que le passage de produits de la conception est certain. Une fausse couche incomplète comporte l'expulsion du fœtus avec la rétention du placenta (Cunningham *et al.*, 2005).

TABLEAU 21.6 Évaluation de la fausse couche et traitement habituel

TYPE DE FAUSSE COUCHE	SAIGNEMENT	CRAMPES UTÉRINES	EXPULSION DE TISSUS	DILATATION DU COL DE L'UTÉRUS	TRAITEMENT
Menace	Léger, taches brunâtres (*spotting*)	Faibles	Non	Non	• On recommande généralement le repos au lit (ne fait pas l'unanimité), la sédation ainsi que la réduction du stress, de la stimulation sexuelle et l'évitement de l'orgasme. • On peut administrer un analgésique à base d'acétaminophène. • Tout autre traitement dépend de la réaction de la cliente à celui-ci.
Inévitable	Moyen	Faibles à fortes	Non	Oui	• On recommande le repos au lit en l'absence de douleur, de fièvre et de saignement. • En présence de douleur, de la rupture des membranes, de saignement ou de fièvre, on procède habituellement à l'arrêt rapide de la grossesse au moyen de la dilatation du col et d'un curetage.
Incomplète	Abondant	Fortes	Oui	Oui, avec tissus dans le col	• Peut nécessiter ou non une dilatation additionnelle du col avant le curetage. • On peut procéder au curetage avec aspiration.
Complète	Léger	Faibles	Oui	Non (le col de l'utérus s'est déjà fermé après le passage des tissus)	• Aucune autre intervention n'est nécessaire si les contractions utérines sont suffisantes pour empêcher une hémorragie et s'il n'y a pas d'infection. • L'aspiration ou un curetage peuvent être effectués afin de s'assurer qu'il ne reste aucun tissu fœtal ou maternel dans l'utérus.
Rétention fœtale	Aucun ou légères taches brunâtres	Aucune	Non	Non	• Si l'évacuation spontanée de l'utérus ne se produit pas à l'intérieur d'un mois, on met fin à la grossesse selon la méthode appropriée à la durée de celle-ci. • Les facteurs de coagulation sont surveillés jusqu'à ce que l'utérus soit vide. • La CIVD et une hémorragie non maîtrisée avec du sang ne pouvant pas se coaguler peuvent survenir dans le cas de décès fœtal après la 12e semaine, si les produits de conception sont conservés pendant plus de 5 semaines. • Il est possible d'effectuer un traitement au moyen de la dilatation du col et d'un curetage ou en administrant 800 mg de misoprostol.
Septique	Variable, en général nauséabond	Variables	Variable	Oui, en général	• On procède à l'arrêt immédiat de la grossesse selon la méthode appropriée à la durée de celle-ci. • Une culture du col et un antibiogramme sont effectués, et une antibiothérapie à large spectre (ampicilline) est amorcée. • Un traitement pour le choc septique est entrepris au besoin.
À répétition (soit trois fausses couches consécutives ou plus)	Variable	Variables	Oui	Oui, en général	• Le traitement varie selon le type. • On peut effectuer un cerclage prophylactique si la fausse couche est causée par une dilatation prématurée du col. • Les tests utiles comprennent : test cytogénétique parental et analyses d'anticoagulant circulant et d'anticorps anticardiolipine.

Dans le cas d'une fausse couche complète, le col de l'utérus s'est déjà fermé après le passage de tous les tissus fœtaux, et il peut y avoir un léger saignement **FIGURE 21.5D**. La cliente peut aussi ressentir de faibles crampes utérines.

L'expression rétention fœtale désigne une grossesse au cours de laquelle le fœtus est mort, mais où les produits de conception restent dans l'utérus pendant plusieurs jours, voire quelques semaines **FIGURE 21.5E**. Elle peut être diagnostiquée par échographie après que l'utérus cesse de grossir ou même diminue de taille. Il peut n'y avoir aucun saignement ni crampe, et l'orifice cervical reste fermé.

Une fausse couche précoce à répétition (habituelle) désigne trois interruptions spontanées de grossesse ou plus avant la 20e semaine. Souvent, la cause n'est pas claire, mais de multiples facteurs pourraient être en jeu (Pandey, Rani & Agrawal, 2005). On étudie aussi l'effet des anticorps anticardiolipines sur la grossesse et comme indice d'avortement spontané à répétition (Velayuthaprabhu & Archunan, 2005). Les femmes qui ont des antécédents de fausses couches à répétition courent plus de risque d'avoir un accouchement prématuré, un placenta praevia et des anomalies fœtales (Cunningham *et al.*, 2005).

Les fausses couches peuvent devenir septiques, même si cela se produit plus rarement. Les symptômes d'une fausse couche septique comprennent la fièvre et une douleur abdominale. Le saignement vaginal, qui varie de léger à abondant, a habituellement une odeur nauséabonde.

SOINS ET TRAITEMENTS INFIRMIERS

Fausse couche

Soins initiaux

Le traitement dépend du type de fausse couche et des signes et symptômes qui y sont associés **TABLEAU 21.6**. Dans le passé, la menace d'une fausse couche était traitée par des soins de soutien. Il est possible de mesurer à répétition les niveaux de hCG pour évaluer la viabilité de la grossesse. Au début de celle-ci, la concentration de cette hormone devrait doubler tous les 1,4 à 2 jours jusqu'à 60 à 70 jours environ de gestation (Cunningham *et al.*, 2005). Si l'on craint une fausse couche, deux échantillons quantitatifs de hCG bêta sont prélevés à 48 heures d'intervalle pour déterminer le taux sérique. Dans l'éventualité d'une grossesse normale, le taux de hCG bêta double pendant cette période. Un taux de hCG bêta qui augmente ou baisse sans raison indique une perte de grossesse.

Le traitement de suivi dépend de la situation : si la menace de fausse couche se matérialise en une fausse couche réelle ou si les symptômes diminuent et que la grossesse se poursuit **ENCADRÉ 21.12**. La dilatation et le curetage sont une intervention chirurgicale qui consiste à dilater le col de l'utérus et à insérer une curette pour gratter les parois de l'utérus et en enlever le contenu. Cette intervention est pratiquée couramment pour traiter les fausses couches inévitables et les fausses couches incomplètes. Le rôle de l'infirmière consiste alors à donner de plus amples explications à la cliente, à répondre à ses questions ou à ses inquiétudes, et à la préparer pour l'intervention.

La dilatation et l'évacuation, effectuées après 16 semaines de grossesse, consistent à dilater considérablement le col de l'utérus puis à enlever le contenu de celui-ci au moyen d'un instrument stérile.

Avant l'exécution de l'une ou de l'autre intervention chirurgicale, il faut obtenir l'histoire de santé complète de la cliente et effectuer un examen pelvien. On prodigue les soins préopératoires et postopératoires à la cliente qui a besoin d'une intervention chirurgicale en raison d'une fausse couche. On lui administre un analgésique ou une anesthésie, selon l'intervention prévue.

Le traitement en consultation externe d'une cliente qui perd son fœtus au cours du premier trimestre peut consister en l'administration par voie vaginale de misoprostol pendant un maximum de deux jours (Moodliar, Bagratee & Moodley, 2005 ; Zhang *et al.*, 2005). Aucune différence n'a été notée dans les effets psychologiques à court terme d'une période d'attente ou d'un traitement chirurgical immédiat. On procède à une évacuation chirurgicale si la cliente présente des signes d'infection, des signes vitaux instables ou un saignement impossible à arrêter (Butler, Kelsberg, St. Anna & Crawford, 2005).

Dans un cas de fausse couche incomplète ou inévitable, ou de rétention fœtale (de 16 à 20 semaines de gestation), on peut administrer des prostaglandines dans le sac amniotique ou un suppositoire vaginal pour provoquer le travail ou l'augmenter et faire sortir les produits de la conception. De l'ocytocine est parfois administrée par voie I.V.

Les soins infirmiers sont les mêmes que ceux prodigués aux femmes dont le travail est provoqué ▶ 22. Il peut être nécessaire de fournir des soins spéciaux aux femmes qui souffrent d'effets secondaires des prostaglandines, comme les nausées, les vomissements ou la diarrhée. Si les produits de la conception ne sont pas expulsés entièrement, la femme peut être préparée pour une évacuation manuelle ou chirurgicale du fœtus dans l'utérus.

Après la délivrance, de 10 à 20 unités d'ocytocine dans 1 000 ml de liquide I.V. peuvent être

22

Les soins en cas de travail provoqué sont abordés dans le chapitre 22, *Travail et accouchement à risque*.

Mise en œuvre d'une démarche de soins

ENCADRÉ 21.12 **Fausse couche**

COLLECTE DES DONNÉES – ÉVALUATION INITIALE

L'examen clinique de la cliente permet de recueillir les données pertinentes à l'évaluation de la possibilité d'une fausse couche ou des soins à prodiguer si celle-ci survient.

- Faire l'anamnèse de la grossesse (dernières menstruations, grossesses précédentes, pertes de grossesse).
- Procéder à l'entrevue :
  - douleur (type, emplacement, intensité, durée)
  - saignement (quantité, apparence) ;
  - allergies ;
  - état émotionnel.
- Réaliser l'examen physique :
  - signes vitaux ;
  - examen vaginal au moyen du spéculum ;
  - échographie.
- Vérifier les analyses de laboratoire :
  - hCG bêta (grossesse) ;
  - hémoglobine (anémie) ;
  - globules blancs (infection).

ANALYSE ET INTERPRÉTATION DES DONNÉES

Les problèmes découlant de la situation de santé peuvent inclure :

- Anxiété ou peur liée à l'issue inconnue de la grossesse et au fait de ne pas bien connaître les interventions médicales.
- Déficit de volume liquidien lié à un saignement excessif consécutif à la fausse couche.
- Douleur aiguë liée à des contractions utérines.
- Deuil anticipé lié à l'issue imprévue de la grossesse.
- Diminution situationnelle de l'estime de soi liée à l'incapacité de mener une grossesse à terme.
- Risque d'infection lié à :
  - un traitement chirurgical ;
  - un col de l'utérus dilaté.

RÉSULTATS ESCOMPTÉS

La planification des soins est établie dans le but d'atteindre les résultats suivants chez la cliente ayant subi une fausse couche :

- Expression des effets de la perte du fœtus pour elle-même et sa famille.
- Connaissance des réseaux de soutien et recours à ceux-ci.
- Absence de signe et de symptôme de complications physiologiques ou psychologiques (p. ex., une hémorragie, une infection, une dépression).
- Expression du soulagement de la douleur.

INTERVENTIONS INFIRMIÈRES

Les interventions infirmières requises pour l'atteinte des résultats escomptés comprennent, notamment :

- Stabiliser l'état physiologique :
  - installer une ligne I.V. ;
  - effectuer les premières analyses de laboratoire : type sanguin et Rh, hémoglobine, hématocrite, test de Coombs indirect.
- Administrer les médicaments prescrits (antiémétiques, utérotoniques, antibiotiques, analgésiques).
- Préparer la femme pour l'évacuation manuelle ou chirurgicale de l'utérus si les produits de la conception n'ont pas été expulsés.
- Expliquer les interventions à la cliente.
- Offrir le choix de voir l'embryon ou le fœtus.
- Fournir de l'enseignement sur la façon de reconnaître les réactions au deuil et d'y faire face.
- Fournir de l'enseignement à la sortie de l'hôpital (médicaments, besoin de repos, signes physiques normaux, reprise de l'activité sexuelle, planification familiale **ENCADRÉ 21.13** ;
- Orienter la cliente vers un groupe de soutien ou vers une aide psychologique.
- Faire le suivi au moyen d'appels téléphoniques.

ÉVALUATION DES RÉSULTATS -ÉVALUATION EN COURS D'ÉVOLUTION

L'évaluation repose sur les résultats préétablis axés sur la cliente.

administrées pour prévenir une hémorragie. En cas de saignement excessif après la fausse couche, on peut donner des produits d'ergot comme le maléate d'ergonovine ou un dérivé de la prostaglandine comme le carboprost trométhamine (Hemabate[MD]) pour faire contracter l'utérus ▶ 23. Des antibiotiques sont administrés au besoin. Des analgésiques, comme des agents antiprostaglandines, peuvent diminuer les malaises provoqués par les crampes. Il peut être nécessaire de procéder à une transfusion sanguine en cas de choc ou d'anémie. La femme ayant un facteur Rh négatif qui n'est pas iso-immunisée reçoit une injection intramusculaire d'immunoglobuline du facteur Rh_0 (D) dans les 72 heures suivant la fausse couche (Cunningham *et al.*, 2005).

23 La pharmacothérapie utilisée dans le traitement de l'hémorragie postpartum est abordée dans le chapitre 23, *Complications postpartum*.

La partie psychosociale des soins se concentre sur ce que représente l'interruption de la grossesse pour la femme, son partenaire et sa famille. Le deuil lié à la perte périnatale est complexe et propre à chaque personne (Hutti, 2005). L'infirmière explique à la cliente la nature de la fausse couche, les interventions prévues et les conséquences possibles sur la procréation future.

Comme pour toute autre perte fœtale ou néonatale, la femme doit avoir la possibilité de voir l'embryon ou le fœtus. En outre, elle peut vouloir

Enseignement à la cliente et à ses proches

ENCADRÉ 21.13 Sortie de l'hôpital après une fausse couche

- Nettoyer le périnée après chaque miction ou selle et changer les compresses périnéales souvent.
- Se doucher (pas de bains) pendant les deux premières semaines.
- Éviter les tampons, les douches vaginales et les rapports sexuels vaginaux pendant deux semaines.
- Aviser le médecin en cas de température élevée ou de pertes vaginales nauséabondes.
- Manger des aliments riches en fer et en protéines pour promouvoir la réparation des tissus et le remplacement des globules rouges.
- Demander de l'aide auprès de groupes de soutien, d'un psychologue, de son médecin de famille, d'un membre du clergé ou d'un conseiller professionnel, au besoin.
- Se donner le temps (ainsi qu'au conjoint) d'intégrer son deuil avant de redevenir enceinte.

Source : Adapté de Gilbert (2007).

savoir comment l'hôpital en dispose ou si elle doit prendre une décision à cet effet ▶ 24.

Suivi à domicile

La femme retournera probablement chez elle quelques heures après le curetage ou dès que ses signes vitaux seront stabilisés, que le saignement vaginal deviendra léger ou qu'elle sera remise de l'anesthésie. L'enseignement donné avant la sortie de l'hôpital doit souligner l'importance de se reposer. Si la cliente a perdu beaucoup de sang, on lui prescrira probablement du fer. L'enseignement comprend aussi des renseignements sur les aspects physiques normaux, comme les crampes, le type et la quantité de saignement, la reprise des activités sexuelles et la planification familiale. Souvent, la femme et son conjoint souhaitent savoir quand elle pourra redevenir enceinte (Gilbert, 2007). Les soins de suivi doivent comporter l'évaluation du rétablissement physique et émotionnel de la femme. Au besoin, l'infirmière peut orienter la cliente vers des groupes de soutien locaux **ENCADRÉ 21.13**.

Bien que ce ne soit pas une pratique adoptée dans chaque région du Québec (de Montigny, Verdon, Lacharité & Baker, 2010), la relance téléphonique après une perte périnatale est importante. La cliente peut être reconnaissante de recevoir un appel le jour où elle devait en principe accoucher. Les appels donnent l'occasion à la cliente de poser des questions, de demander conseil et de recevoir de l'information pour l'aider à surmonter sa peine.

Dilatation prématurée récurrente du col utérin (béance du col)

Une autre cause de fausse couche tardive est la dilatation prématurée récurrente du col utérin (béance du col), qui était définie autrefois comme la dilatation passive et indolore du col pendant le deuxième trimestre de la grossesse. Cette définition attribue au col un rôle de tout ou rien, c'est-à-dire qu'il est fermé ou dilaté. Selon les recherches actuelles, le degré de fermeture serait variable, et il s'exprimerait le long d'un continuum déterminé en partie par la longueur cervicale. Parmi les autres facteurs connexes, on compte la composition du tissu cervical et il circonstances particulières associées à la grossesse, comme le stress et le mode de vie maternels. Iams (2009) propose l'expression insuffisance cervicale.

Étiologie

Les facteurs étiologiques comprennent des antécédents de trauma cervicaux telles des lacérations cervicales pendant l'accouchement, une dilatation cervicale excessive pour un curetage ou une biopsie, l'ingestion de diéthylstibestrol par la mère de la cliente au moment où elle était enceinte de la cliente. Cependant, comme le diéthylstibestrol n'a pas été utilisé depuis le début des années 1970, ce facteur de risque n'aura plus bientôt qu'un intérêt historique (Ludmir & Owen, 2007). La grossesse gémellaire à elle seule n'entraîne pas une insuffisance cervicale ni ne justifie le cerclage cervical prophylactique (Ludmir & Owen, 2007). Les autres causes sont un col court congénital et des anomalies cervicales ou utérines.

Diagnostic

La béance du col est un diagnostic clinique qui se fonde sur l'histoire de santé. Des périodes de travail courtes, la perte récurrente de la grossesse à un âge gestationnel de plus en plus jeune, une dilatation cervicale en avance au moment de la première présentation et des antécédents de chirurgie ou de trauma cervicaux antérieurs sont des caractéristiques suggérant une insuffisance du col (Iams, 2009). Un examen par ultrasons du col pendant la grossesse permet de diagnostiquer objectivement cette condition. Un petit col (moins de 25 mm de long) est un indice de béance du col. Souvent, mais pas toujours, le col court s'accompagne d'un effacement cervical ou de l'effacement de l'orifice cervical interne (Iams, 2009 ; Ludmir & Owen, 2007 ; Rust, Atlas, Kimmel, Roberts & Hess, 2005).

24

Le deuil périnatal et le rôle de l'infirmière auprès de la femme et sa famille sont traités dans le chapitre 24, *Nouveau-né à risque*.

Les mesures prises pour disposer de l'embryon ou du fœtus varient selon l'hôpital. L'infirmière doit être au courant de la procédure habituelle de l'établissement où elle travaille. Elle doit aussi prendre le temps de connaître les particularités culturelles des familles qu'elle accompagne quant à la disposition du corps du fœtus.

Chorioamnionite : Réaction inflammatoire des membranes fœtales due à la présence de bactéries ou de virus dans le liquide amniotique où s'infiltrent des polynucléaires neutrophiles.

SOINS ET TRAITEMENTS INFIRMIERS

Dilatation prématurée récurrente du col utérin

Le traitement médical comporte l'alitement, la prise d'antibiotiques, d'anti-inflammatoires et de suppléments de progestérone (Iams, 2009). Il se peut qu'on choisisse plutôt de faire un traitement chirurgical consistant en un cerclage cervical. Pendant la grossesse, la technique McDonald est souvent la méthode de choix. Selon cette technique, une bande de fascia homologue ou un ruban non résorbable (filet de Mersilene) peut être placé autour du col sous la muqueuse pour en resserrer l'orifice interne (Cunningham *et al.*, 2005) **FIGURE 21.6**. Le cerclage peut être décrit en fonction du moment où la procédure a lieu pendant la grossesse, ou selon qu'il est facultatif (prophylactique), urgent ou naissant (Rust & Roberts, 2005).

Un cerclage prophylactique est habituellement réalisé entre 11 et 15 semaines de grossesse. Le cerclage peut être enlevé au choix (en clinique ou au cabinet du médecin) à la 37e semaine de grossesse ou il peut être laissé en place jusqu'à ce que le travail spontané commence. À l'occasion, le cerclage est laissé en place, et l'on procède à une césarienne. On ignore encore quel est le meilleur traitement dans le cas de la diminution de la compétence du col. Les résultats des recherches actuelles indiquent que le placement sélectif du cerclage pendant la grossesse en se fondant sur l'examen par ultrasons à répétition du col utérin peut donner une issue de grossesse tout aussi bonne que celle obtenue après le placement d'un cerclage prophylactique. La surveillance par ultrasons commence à 15 ou 16 semaines de gestation. On propose à la cliente de lui installer un cerclage si la longueur du col devient inférieure à 20 à 25 mm avant la 23e ou la 24e semaine de grossesse (Iams, 2009). Parmi les risques associés à cette intervention se trouvent la rupture prématurée des membranes, un travail avant terme et la **chorioamnionite**. Il n'existe pas encore de consensus, mais la limite pour le placement du cerclage est souvent fixée à 24 semaines.

L'infirmière évalue les sentiments de la cliente en ce qui a trait à sa grossesse et à sa compréhension de la béance du col. Il est aussi important d'évaluer ses réseaux de soutien. Comme le diagnostic de béance du col n'est fait généralement qu'après la perte de un ou de deux fœtus, la cliente peut se sentir coupable ou responsable de cette perte imminente. Il convient donc d'évaluer ses réactions antérieures au stress et la pertinence des stratégies d'adaptation. La cliente a besoin du soutien des professionnels de la santé et de sa famille.

Si l'on procède à un cerclage cervical, l'infirmière surveille la cliente après l'opération pour détecter tout signe de contractions, de rupture prématurée des membranes ou d'infection. L'enseignement avant la sortie de l'hôpital est axé sur le suivi continu de ces aspects à domicile.

Jugement clinique

Madame Lisa Fournier, âgée de 33 ans, en est à la 19e semaine de sa deuxième grossesse. Elle vient d'obtenir son congé du centre hospitalier à la suite d'un cerclage cervical pour col court. Vous lui recommandez de rester alitée quelques jours et d'éviter les rapports sexuels jusqu'au prochain examen médical. Enfin, vous l'informez des signes qui la pousseraient à être réadmise à l'unité obstétricale.

Outre la rupture des membranes, quels sont ces signes ?

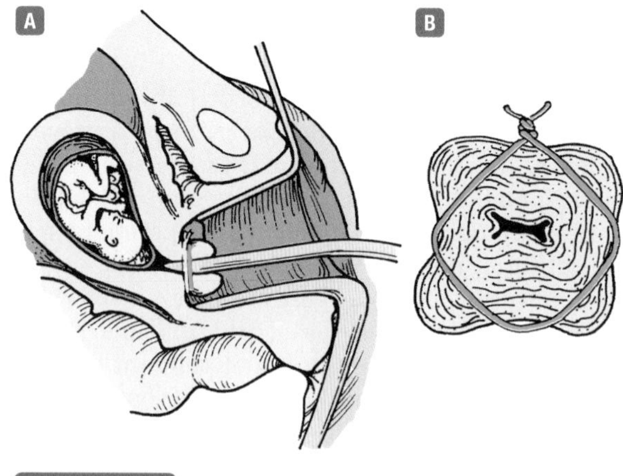

FIGURE 21.6

A Correction par cerclage du col pour éviter la dilatation prématurée de l'orifice cervical. B Vue transversale de l'orifice interne du col fermé.

Suivi à domicile

Immédiatement après un cerclage cervical, la cliente doit généralement rester alitée pendant quelques jours au moins. On lui conseillera aussi probablement d'éviter les rapports sexuels jusqu'à l'examen postopératoire. Par la suite, les décisions relatives à l'activité physique et aux rapports sexuels dépendent de l'état du col de l'utérus de la cliente, lequel est établi au toucher et par ultrasons (Ludmir & Owen, 2007). La femme doit bien comprendre l'importance de restreindre ses activités à son retour à la maison ainsi que la nécessité d'une observation et d'une supervision étroites. Des agents tocolytiques pourront lui être prescrits pour prévenir les contractions utérines et une plus ample dilatation du col. Dans ce cas, l'infirmière doit expliquer la réaction prévue et les effets secondaires possibles. Elle doit aussi inciter la cliente à être attentive à tout signe de travail prématuré, de rupture prématurée des membranes et d'infection, et lui préciser de les signaler à son médecin. Enfin, la cliente devrait connaître les signes justifiant une réadmission immédiate à l'hôpital, soit des contractions fortes à intervalles de moins de cinq minutes, la rupture des membranes, une forte pression périnéale et le besoin de pousser. Si le traitement échoue et que le fœtus naît avant d'être viable,

l'infirmière doit accompagner la femme et son partenaire dans leur deuil. Si le fœtus est né prématurément, l'infirmière doit fournir des conseils d'ordre préventif et du soutien.

Grossesse ectopique

Prévalence et étiologie

Une grossesse ectopique signifie que l'ovule fertilisé est implanté à l'extérieur de la cavité utérine. La prévalence de la grossesse ectopique au Canada en 2004-2005 s'établissait à 11,9 pour 1 000 grossesses déclarées (Agence de la santé publique du Canada, 2008). Les grossesses ectopiques sont souvent appelées grossesses tubaires parce qu'environ 95 % d'entre elles se produisent dans une trompe de Fallope. Même si cela est beaucoup moins courant, elles peuvent aussi se produire sur un ovaire, sur le col de l'utérus ou dans la cavité abdominale. De toutes les grossesses ectopiques, plus de la moitié (environ 55 %) se produisent dans l'ampoule, soit la partie la plus large de la trompe utérine (Gilbert, 2007) **FIGURE 21.7**.

La grossesse ectopique est responsable de 13,6 % de toutes les mortalités maternelles liées à la grossesse (Santé Canada, 2004). Il s'agit de la cause la plus courante de mortalité maternelle au cours du premier trimestre (Cunningham *et al.*, 2005). De plus, la grossesse ectopique est une cause importante d'infertilité. Les femmes ont plus de difficulté à concevoir après une grossesse ectopique et courent plus de risque d'en faire une par la suite.

La prévalence signalée est en hausse. Cette augmentation est probablement attribuable à l'amélioration des techniques de diagnostic, comme des analyses plus fiables de hCG bêta et l'échographie transvaginale, qui permettent de diagnostiquer un plus grand nombre de cas. Les autres raisons comprennent la prévalence accrue des infections tubaires transmissibles sexuellement, la popularité de méthodes contraceptives prédisposant aux grossesses ectopiques (p. ex., le dispositif intra-utérin), l'utilisation de méthodes de stérilisation tubaire qui accroissent le risque de grossesses ectopiques, le recours plus fréquent à des techniques de reproduction assistée ainsi qu'à la chirurgie tubaire (Cunningham *et al.*, 2005 ; Gilbert, 2007).

La grossesse ectopique est classée selon le lieu d'implantation (p. ex., une implantation tubaire, ovarienne ou abdominale). L'utérus est le seul organe capable de contenir un fœtus et de mener une grossesse à terme. Seulement environ 5 % des grossesses abdominales mènent à l'accouchement d'un nouveau-né viable. Toutefois, on procède généralement à une chirurgie pour enlever l'embryon ou le fœtus dès qu'on constate une grossesse abdominale, en raison du risque élevé d'hémorragie associé à ce type de grossesse (Gilbert, 2007). Le risque de malformation fœtale est aussi élevé en raison des malformations de pression résultant d'oligohydramnios. Les problèmes les plus courants sont une asymétrie faciale ou crânienne, diverses déformations articulaires, une anomalie des membres et des anomalies du SNC (Cunningham *et al.*, 2005 ; Gilbert, 2007) **FIGURE 21.8**.

Manifestations cliniques

La majorité des cas de grossesse ectopique (tubaire) sont diagnostiqués avant la rupture grâce aux trois symptômes les plus classiques : une douleur abdominale, un retard de menstruation, un saignement vaginal anormal (taches brunâtres légères de type *spotting*) qui se produit généralement de six à huit semaines après la dernière menstruation normale (Gilbert, 2007). La douleur abdominale est présente

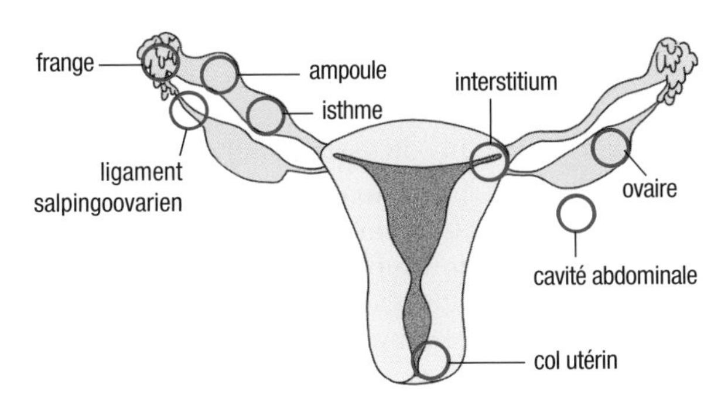

FIGURE 21.7
Lieux d'implantation des grossesses ectopiques. En ordre de fréquence d'apparition : ampoule, isthme, interstitium, frange, ligament salpingoovarien, ovaire, cavité abdominale et col utérin (orifice externe).

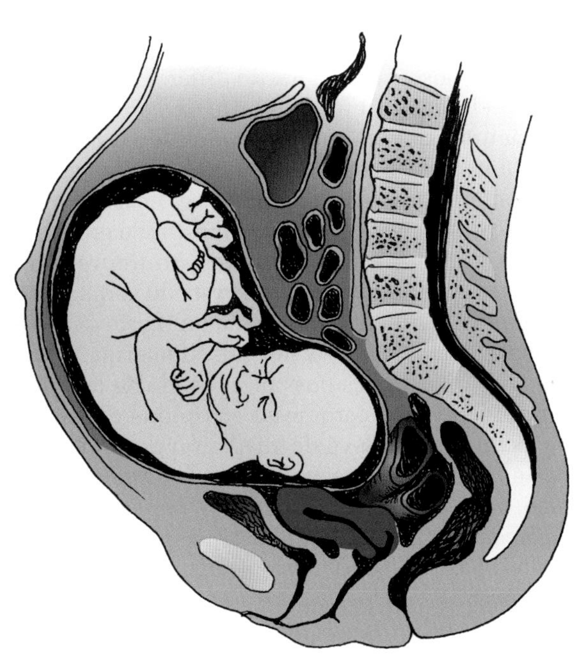

FIGURE 21.8
Grossesse ectopique abdominale

21

dans presque tous les cas. Elle se manifeste généralement au début comme une douleur sourde unilatérale dans le quadrant inférieur. Le malaise peut se transformer en coliques lorsque le tube se distend puis en des douleurs aiguës semblables à des coups de couteau (Cunningham *et al.*, 2005 ; Gilbert, 2007). Il se transforme ensuite en une douleur diffuse, constante et forte généralisée dans le basventre (Gilbert, 2007). Jusqu'à 99 % des femmes qui font une grossesse ectopique signalent avoir une menstruation retardée de une ou deux semaines, ou qui est moins abondante qu'à l'habitude, ou une menstruation irrégulière. Des saignements vaginaux intermittents légers ou moyens, rouge foncé ou bruns se produisent chez 80 % des femmes.

Lorsque la grossesse ectopique n'est diagnostiquée qu'après sa rupture, la femme peut sentir une douleur irradiée dans l'épaule ainsi qu'une douleur abdominale généralisée, unilatérale, aiguë ou profonde dans le quadrant inférieur. La douleur irradiée dans l'épaule résulte d'une irritation diaphragmatique causée par le sang répandu dans la cavité péritonéale. La femme peut présenter des signes de choc, comme une perte de connaissance et un vertige, en raison du saignement dans la cavité abdominale et non nécessairement à cause du saignement vaginal apparent. Il est aussi possible de constater une coloration bleue autour du nombril (signe de Cullen), qui indique un **hémopéritoine**, dans le cas de la rupture d'une grossesse ectopique intraabdominale non diagnostiquée.

Hémopéritoine : Épanchement sanguin dans la cavité péritonéale.

SOINS ET TRAITEMENTS INFIRMIERS

Grossesse ectopique

Avant de poser un diagnostic différentiel de grossesse ectopique, il faut prendre en considération plusieurs troubles ayant de nombreux signes et symptômes en commun. De nombreuses femmes qui font une grossesse ectopique se présentent aux urgences durant le premier trimestre de grossesse avec des saignements ou des douleurs. Une fausse couche, la rupture d'un kyste du corps jaune, une appendicite, une salpingite, un kyste ovarien, une torsion de l'ovaire et une infection urinaire sont tous des diagnostics possibles. La clé de la détection précoce de la grossesse ectopique consiste à avoir un indice élevé de suspicion de cet état de santé. Toute femme souffrant de douleur abdominale, de saignement vaginal ou de pertes vaginales légères et qui a obtenu un test de grossesse positif devrait faire l'objet d'un dépistage pour grossesse ectopique.

RAPPELEZ-VOUS...

La cicatrisation par deuxième intention signifie que la plaie demeure ouverte jusqu'à ce qu'elle soit comblée par du tissu cicatriciel (granulation). Les lèvres de la plaie ne sont pas accolées.

Les outils les plus utilisés pour dépister une grossesse ectopique sont l'analyse des taux de hCG bêta et l'échographie transvaginale. Les analyses en laboratoire comportent l'établissement des taux sériques de progestérone et de hCG bêta. Si l'une ou l'autre de ces valeurs est inférieure à celles attendues dans le cas d'une grossesse normale, on demande à la femme de revenir dans 48 heures pour subir des mesures sériques. L'échographie transvaginale sert à confirmer une grossesse intra-utérine ou tubaire (Farquhar, 2005). Le sac intra-utérin devrait être visible à l'échographie abdominale à la 5e ou 6e semaine du cycle menstruel ou 28 jours suivant l'ovulation. Une échographie transvaginale permet de déceler une gestation intra-utérine aussi tôt qu'une semaine après une menstruation retardée. Lorsque le taux de hCG bêta est supérieur à 1 000 milliunités internationales/ml, on aperçoit un sac gestationnel dans la moitié des cas (Cunningham *et al.*, 2005).

Il faut également évaluer la présence de saignement actif chez la cliente, lequel est associé à une rupture tubaire. S'il y a un saignement interne, l'évaluation peut révéler les symptômes de vertige, de douleur à l'épaule, d'hypotension et de tachycardie. On ne procédera à un examen vaginal qu'une seule fois et encore, avec beaucoup de précautions. Chez 20 % des femmes qui font une grossesse tubaire, il est possible de sentir une masse à la palpation. Une rupture de la masse peut survenir lorsqu'on fait un examen bimanuel ; il est donc essentiel que le toucher demeure très léger.

Soins immédiats

Traitement chirurgical

Le traitement chirurgical choisi dépend de l'emplacement et de la cause de la grossesse ectopique, de la mesure dans laquelle les tissus sont touchés et du désir de la femme d'avoir d'autres enfants. L'une des options consiste à enlever une trompe utérine (salpingectomie). S'il n'y a pas eu rupture de la trompe et que la femme souhaite conserver sa fertilité, on peut plutôt procéder à une salpingostomie (Hajenius *et al.*, 2007). Dans ce cas, une incision est pratiquée au-dessus de l'emplacement de la grossesse dans la trompe, et les produits de conception sont enlevés avec beaucoup de précautions. Cette incision n'est pas suturée ; on la laisse plutôt se refermer par deuxième intention, car cette méthode crée moins de tissus cicatriciels.

L'infirmière doit fournir des soins préopératoires et postopératoires à la femme qui fait une grossesse ectopique et qui doit subir une chirurgie. Avant la chirurgie, elle évalue les signes vitaux (pouls, F.R. et P.A.) toutes les 15 minutes ou au besoin, selon la gravité du saignement et l'état de la cliente. Les analyses de laboratoire préopératoires comprennent la détermination du groupe sanguin et du facteur Rh, un hémogramme complet et les taux sériques de hCG bêta. L'échographie sert à confirmer une grossesse extra-utérine. Une transfusion sanguine peut être nécessaire. L'infirmière vérifie le facteur Rh et les anticorps de la femme, et elle administre de l'immunoglobuline Rh_0(D) s'il y a lieu.

Traitement médical

Le traitement médical consiste en l'administration de méthotrexate pour faire disparaître la grossesse tubaire. Le méthotrexate est un antimétabolite et un antifolique qui détruit rapidement les cellules en mitose. La femme qui présente une grossesse ectopique et qui est stable sur le plan hémodynamique peut faire l'objet d'une thérapie au méthotrexate si la masse n'est pas rompue et qu'elle mesure moins de 3,5 cm de diamètre selon l'échographie, si aucune activité cardiaque fœtale n'est notée à l'échographie, si le taux sérique de hCG est inférieur à 5 000 unités internationales/L et si la femme accepte de se soumettre à une surveillance suite au traitement (Cunningham *et al.*, 2005; Murray, Baakdah, Bardell & Tulandi, 2005). La thérapie au méthotrexate permet d'éviter la chirurgie et constitue un moyen sûr, efficace et rentable de traiter plusieurs cas de grossesse tubaire (Hajenius *et al.*, 2007). L'infirmière explique à la cliente la façon dont agit le médicament, ses effets secondaires possibles, les personnes-ressources à appeler en cas d'inquiétudes ou de problèmes, ainsi que l'importance du suivi **ENCADRÉ 21.14**.

Suivi

L'infirmière encourage la femme, son partenaire et sa famille à exprimer leurs sentiments et leurs inquiétudes relativement à la perte du fœtus. Il faut également aborder la question de la fertilité future. La cliente devrait utiliser une méthode de contraception pendant au moins trois cycles menstruels, le temps de permettre à son corps de guérir (Gilbert, 2007). Toute femme à qui l'on a diagnostiqué une grossesse ectopique doit être avisée de communiquer avec son médecin dès qu'elle pense être de nouveau enceinte en raison du risque accru de faire une autre grossesse ectopique. Elle peut avoir besoin d'être orientée vers un groupe de soutien qui l'aidera à vivre son deuil ou son infertilité. Outre l'interruption de la grossesse actuelle, il est possible qu'elle vive une autre perte de grossesse dans l'avenir ou qu'elle devienne infertile.

Pendant une thérapie au méthotrexate, la femme qui consomme de l'alcool et prend des vitamines contenant de l'acide folique (comme des vitamines prénatales) augmente son risque d'éprouver des effets secondaires ou d'exacerber la grossesse ectopique.

Môle hydatiforme (grossesse môlaire)

Une môle hydatiforme (grossesse môlaire) est une croissance proliférante bénigne du trophoblaste placentaire dont les **villosités choriales** se transforment en vésicules œdémateuses, cystiques, avasculaires et transparentes qui sont groupées en grappes. La môle est une maladie trophoblastique gestationnelle, un terme qui regroupe un éventail de maladies proliférantes trophoblastiques liées à la grossesse sans un fœtus viable. Outre la môle, il existe aussi la néoplasie trophoblastique gestationnelle, qui désigne un tissu trophoblastique tenace présumé être malin (Gilbert, 2007). Alors qu'elle était auparavant toujours fatale, cette maladie est devenue, grâce au diagnostic et au traitement

Villosités choriales: Minuscules extensions vasculaires à la surface du chorion qui se projettent dans les sinus sanguins maternels de l'utérus; elles contribuent à la formation du placenta et sécrètent la gonadotrophine chorionique humaine.

ENCADRÉ 21.14 **Considérations infirmières à l'égard des clientes qui suivent une thérapie au méthotrexate pour une grossesse ectopique**

ADMINISTRATION

- Obtenir la taille et le poids actuels de la cliente.
- S'assurer que les analyses de laboratoire et les examens paracliniques suivants ont été faits:
  - hémogramme, groupe sanguin, facteur Rh et anticorps;
  - tests des fonctions hépatique et rénale;
  - taux sériques de hCG bêta (doivent être $< 5\,000$ unités internationales/L);
  - échographie transvaginale confirmant la taille de la masse et l'absence d'activité cardiaque fœtale.
- Administrer 50 mg/m^2 de méthotrexate par voie I.M.
- Administrer de l'immunoglobine Rh_0(D) (de 50 à 300 mcg I.M. comme prescrit à une femme dont le Rh est négatif).

ENSEIGNEMENT À LA CLIENTE ET À LA FAMILLE

- Expliquer l'action du méthotrexate.
- Renseigner la cliente sur les effets secondaires possibles:
  - les douleurs dues aux gaz, la stomatite et la conjonctivite sont courantes;
  - parmi les effets rares: pleurite, gastrite, dermatite, alopécie, entérite, taux accru d'enzymes hépatiques et suppression de la moelle osseuse.
- Conseiller à la cliente:
  - de cesser de prendre des suppléments d'acide folique;
  - d'éviter de consommer des aliments causant des gaz;
  - d'éviter de s'exposer au soleil, car le médicament rend la peau photosensible;
  - d'éviter les activités ardues;
  - de ne rien mettre dans son vagin: ne pas utiliser de tampons, ne pas effectuer de douches vaginales et ne pas avoir de rapports sexuels vaginaux;
  - d'aviser immédiatement son médecin si elle éprouve une douleur abdominale, laquelle peut être le signe d'une rupture imminente ou actuelle.

SUIVI

- Dire à la cliente de se rendre à la clinique ou au cabinet du médecin, selon les directives de ce dernier, pour mesurer le taux de hCG bêta.
- Si le taux de hCG bêta ne baisse pas adéquatement, il pourra être nécessaire de donner une autre dose de méthotrexate.
- Aviser la cliente qu'elle devra retourner à la clinique ou au cabinet du médecin chaque semaine jusqu'à ce que le taux de hCG bêta soit < 15 unités internationales/L. Des visites hebdomadaires pendant quelques mois pourront être nécessaires jusqu'à l'atteinte du taux désiré.

Sources: Adapté de Gilbert (2007); Murray *et al.* (2005).

précoces, le cancer gynécologique qu'on arrive le mieux à traiter (Cohn, Ramaswamy & Blum, 2009).

Prévalence et étiologie

La môle hydatiforme touche de 0,6 à 1,1 grossesse sur 1 000 en Amérique du Nord (Sermer et Macfee, 1995 cités dans SOGC, 2002a). On n'en connaît pas la cause, mais elle pourrait être liée à un défaut ovulaire ou à une carence nutritionnelle. Les femmes les plus à risque d'une grossesse môlaire sont celles qui ont subi un traitement de stimulation de l'ovulation au citrate de clomifène (Clomid^MD), les jeunes adolescentes et les femmes âgées de plus de 40 ans. Les autres facteurs de risque comprennent des antécédents de fausse couche et des facteurs nutritionnels (carence en carotène et graisse animale) (Bess & Wood, 2006; Cohn *et al.*, 2009).

Types

Une môle hydatiforme peut être partielle ou complète. La môle complète découle de la fécondation d'un ovule dont le noyau est absent ou inactivé **FIGURE 21.9A**. Le noyau d'un spermatozoïde (23,X) se dédouble (pour produire le nombre diploïde 46,XX) parce que l'ovule ne possède pas de matériau génétique ou parce que ce matériau est inactif. La môle ressemble à une grappe de raisin blanc **FIGURE 21.9B**. Les vésicules remplies de liquide croissent rapidement, donnant à l'utérus une taille supérieure à celle prévue pour l'âge de la grossesse. En général, la môle complète ne contient pas de fœtus ni de placenta, de membranes amniotiques ou de liquide. Il n'y a pas de placenta pour accueillir le sang maternel; il se produit donc des hémorragies dans la cavité utérine et des saignements vaginaux. Dans environ 8 à 15 % des cas de môle complète, la môle devient un choriocarcinome ou une maladie trophoblastique gestationnelle (Berkowitz & Goldstein, 1996 cités dans SOGC, 2002a).

Dans le cas des môles partielles, les études chromosomiques montrent souvent un caryotype de 69,XXY, 69,XXX ou 69,XYY. Cet arrangement résulte de la fécondation par deux spermatozoïdes d'un ovule en apparence normal **FIGURE 21.10**. Une môle partielle comporte souvent des parties embryonnaires ou fœtales et un sac amniotique. On constate habituellement des anomalies congénitales (Cunningham *et al.*, 2005). Le potentiel d'évolution maligne se chiffre entre 1,5 et 6 % (Berkowitz & Goldstein, 1996 cités dans SOGC, 2002a).

Manifestations cliniques

Dans les premiers stades, il n'y a pas de différence entre les manifestations cliniques d'une môle hydatiforme et celles d'une grossesse normale. Plus tard, un saignement vaginal se produit dans presque 84 % des cas (Berkowitz & Goldstein, 1996 cités dans SOGC, 2002a). L'écoulement vaginal, léger ou abondant, peut être brun foncé (comme du jus de pruneaux) ou rouge vif. Il peut se poursuivre pendant quelques jours seulement ou revenir par intermittence pendant des semaines. Au début de la grossesse, environ la moitié des femmes atteintes ont un utérus beaucoup plus distendu que peut le

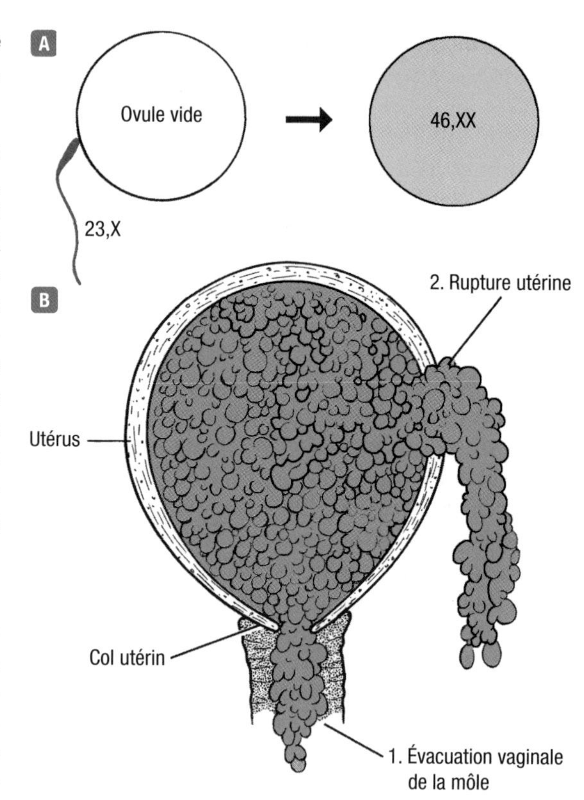

FIGURE 21.9

A Origine chromosomique d'une môle complète. Un seul spermatozoïde (couleur) féconde un ovule vide. Le dédoublement des 23,X du spermatozoïde produit le nombre diploïde 46,XX complètement homozygote. Un processus similaire se produit avec la fécondation d'un ovule vide par deux spermatozoïdes ayant des groupes différents de 23,X ou de 23,Y; cela rend donc possibles les deux caryotypes 46,XX et 46,XY. B Rupture utérine avec môle hydatiforme. 1. Évacuation de la môle par le col utérin. 2. Rupture de l'utérus et écoulement de la môle dans la cavité péritonéale (rare).

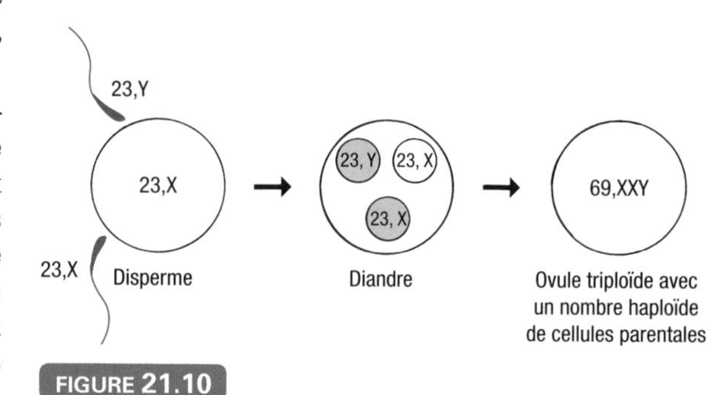

FIGURE 21.10

Origine chromosomique d'une môle partielle triploïde. Un ovule normal avec nombre haploïde 23,X est fécondé par 2 spermatozoïdes pour un total de 69 chromosomes. Les configurations possibles des chromosomes sexuels sont XXY, XXX ou XYY.

laisser présager la date de la dernière menstruation. Le pourcentage des femmes ayant un utérus très hypertrophié augmente proportionnellement au temps écoulé depuis la dernière menstruation. Environ 25 % des femmes touchées ont un utérus plus petit que le laisse supposer la date de la dernière menstruation.

Il est essentiel d'évaluer et de diagnostiquer rapidement la cause du saignement pour réduire les risques de morbidité et de mortalité maternelles et fœtales.

Une anémie découlant des pertes sanguines, des nausées et des vomissements excessifs (hyperémèse gravidique) ainsi que des crampes abdominales causées par la distension de l'utérus sont courants. Des vésicules, qui sont souvent des villosités avasculaires œdémateuses, peuvent aussi être expulsées de l'utérus. La prééclampsie se produit chez environ 70 % des femmes présentant une large môle qui croît rapidement ; elle survient alors plus tôt que dans le cas d'une grossesse normale. Si une prééclampsie se produit avant 24 semaines de grossesse, il faut alors rechercher la possibilité d'une môle. L'hyperthyroïdisme est une autre complication grave de la môle. Après le traitement de la môle, la fonction thyroïdienne revient généralement à la normale. Une môle partielle cause peu de ces symptômes et peut être prise par erreur pour une fausse couche incomplète ou pour une rétention fœtale (Cohn *et al.*, 2009 ; Nader, 2009 ; Roberts & Funai, 2009).

Diagnostic

Pour diagnostiquer les môles, on utilise les taux sériques de hCG et l'échographie transvaginale ; cette dernière méthode est la plus précise. À la place d'un embryon ou d'un fœtus, ou à ses côtés, on observe de multiples masses intra-utérines diffuses ayant l'aspect d'une tempête de neige. Le tissu trophoblastique sécrète l'hormone hCG. Dans une grossesse môlaire, les taux de hCG sont constamment élevés ou augmentent après 10 à 12 semaines de grossesse, alors qu'ils devraient commencer à baisser dans le cas d'une grossesse normale (Gilbert, 2007).

SOINS ET TRAITEMENTS INFIRMIERS

Môle hydatiforme

Traitement

Bien que la plupart des môles disparaissent par avortement spontané, le curetage par aspiration constitue, au besoin, une méthode sécuritaire, rapide et efficace d'évacuation d'une môle (Cunningham *et al.*, 2005 ; Gilbert, 2007). Il n'est pas recommandé d'induire le travail au moyen d'agents ocytociques ou de prostaglandines, à cause du haut risque d'embolisation des tissus trophoblastiques (Gilbert, 2007). L'administration d'immunoglobine $Rh_0(D)$ est recommandée aux femmes qui ont un facteur Rh négatif, afin de prévenir l'allo-immunisation.

L'infirmière renseigne la cliente et sa famille sur le processus de la maladie et sur ses conséquences possibles, ainsi que sur la nécessité d'un suivi prolongé. Elle accompagne la cliente et son partenaire dans l'expression des émotions liées à la perte d'une grossesse qui n'était pas normale. Elle les renseigne sur les groupes de soutien ou sur le soutien psychologique qui pourraient leur être utiles, au besoin. Elle explique qu'il est important de reporter une autre grossesse à plus tard et suggère une méthode contraceptive en insistant sur l'importance de choisir une méthode fiable et régulière.

Pour éviter toute confusion possible avec les signes d'une grossesse, il est préférable que la cliente attende de six mois à un an avant de redevenir enceinte. Toutes les méthodes contraceptives sont acceptables, sauf le dispositif intra-utérin. Les contraceptifs oraux demeurent la méthode la plus efficace.

Suivi

Le suivi comprend de fréquents examens physiques et pelviens ainsi que la mesure toutes les deux semaines du taux de hCG bêta jusqu'à ce qu'il revienne à la normale et le demeure pendant trois semaines. Les mesures mensuelles sont effectuées pendant six mois, puis une fois par deux mois pendant un an. Un titre à la hausse et un grossissement de l'utérus peuvent être des indices d'un choriocarcinome (une maladie trophoblastique gestationnelle maligne). Les femmes qui souffrent d'une grossesse môlaire complète courent entre 15 et 28 % de risque de nécessiter une chimiothérapie pour traiter une maladie trophoblastique persistante (Wolfberg, Berkowitz, Goldstein, Feltmate & Lieberman, 2005). Il peut être nécessaire de diriger la cliente vers des ressources communautaires appropriées.

Les ressources en ligne de la Société internationale pour l'étude des maladies du trophoblaste (www.isstd.org) peuvent être utiles.

21.3.2 Saignement à un stade avancé de la grossesse

Les principales causes de saignement à un stade avancé de la grossesse sont le placenta praevia et le décollement prématuré du placenta (hématome rétroplacentaire). Il est essentiel d'évaluer et de diagnostiquer rapidement la cause du saignement pour réduire les risques de morbidité et de mortalité maternelles et fœtales

TABLEAU 21.7.

Placenta praevia

En raison des avancées réalisées dans le domaine de l'échographie, surtout l'échographie transvaginale, et d'une meilleure compréhension de l'évolution de la

Jugement clinique

Madame Marie-France Soucy, âgée de 32 ans et enceinte de 33 semaines, est suivie pour prééclampsie légère. Elle se présente à l'accueil obstétrical de l'hôpital en raison de la présence d'un léger saignement rouge foncé ayant débuté il y a environ cinq heures.

À quelle hypothèse de problème associez-vous cette manifestation ? Justifiez votre réponse.

TABLEAU 21.7 **Sommaire des constatations : hématome rétroplacentaire et placenta praevia**

CONSTATATIONS	PLACENTA PRAEVIA	HÉMATOME RÉTROPLACENTAIRE		
		TYPE 1 DÉCOLLEMENT LÉGER (de 10 à 20 %)	TYPE 2 DÉCOLLEMENT MOYEN (de 20 à 50 %)	TYPE 3 DÉCOLLEMENT MARQUÉ (> 50 %)
Saignement, externe, vaginal	Minime à grave, et peut être mortel	Minime	Absent à modéré	Absent à modéré
Perte sanguine totale	Variable	< 500 ml	De 1 000 à 1 500 ml	> 1 500 ml
Couleur du sang	Rouge vif	Rouge foncé	Rouge foncé	Rouge foncé
Choc	Peu courant	Rare ; absent	Léger	Fréquent, souvent soudain, profond
Coagulopathie	Aucune	Rare ; absente	CIVD occasionnelle	CIVD fréquente
Tonus utérin	Normal	Normal	Accru, localisé ou diffus dans l'utérus ; l'utérus ne se relâche pas entre les contractions	Tonique, contraction utérine persistante, utérus rigide
Sensibilité (douleur)	Absente	Habituellement absente	Présente	Douleur utérine déchirante sans relâche
Résultats échographiques				
Emplacement du placenta	Anormal, segment utérin inférieur	Normal, segment utérin supérieur	Normal, segment utérin supérieur	Normal, segment utérin supérieur
Hauteur du repère de présentation	Élevée, non engagée	Variable à engagée	Variable à engagée	Variable à engagée
Position fœtale	Souvent transversale, siège ou oblique	Répartition habituelle[a]	Répartition habituelle[a]	Répartition habituelle[a]
Hypertension préexistante ou provoquée par la grossesse	Répartition habituelle[a]	Répartition habituelle[a]	Souvent présente	Souvent présente
Effets sur le fœtus	Rythme normal de F.C.F.	Rythme normal de F.C.F.	Rythme non rassurant de F.C.F.	Rythme non rassurant de F.C.F. ; possibilité de décès

[a] La répartition habituelle désigne les variations courantes de prévalence constatées en l'absence de problème concomitant.

Placenta praevia : Placenta qui se développe de façon irrégulière sur le segment inférieur de l'utérus, entraînant lors de l'accouchement la présentation du placenta avant celle du fœtus.

relation entre le placenta et l'orifice cervical interne au fur et à mesure que la grossesse progresse, les définitions et les classifications du **placenta praevia** ont changé. Dans le cas d'un placenta praevia, le placenta s'insère dans le segment utérin inférieur du col de l'utérus ou il est suffisamment proche du col pour causer un saignement lorsque celui-ci se dilate ou lorsque le segment inférieur s'efface (Hull & Resnik, 2009) **FIGURE 21.11**. Dans une échographie transvaginale, le placenta est classé comme un placenta praevia complet s'il couvre entièrement l'orifice cervical. Dans un placenta praevia marginal, le pourtour placentaire, observé à l'échographie transvaginale, est à 2,5 cm ou moins de l'orifice cervical interne. Lorsque la relation exacte entre le placenta et l'orifice cervical interne n'a pas été déterminée ou dans le cas d'un placenta praevia apparent au cours du deuxième trimestre, on utilise le terme placenta bas (Hull & Resnik, 2009).

Prévalence et étiologie

Le placenta praevia touche 2,8 grossesses sur 1 000 dans le cas de grossesse unique et 3,9 grossesses sur 1 000 dans le cas de grossesse gémellaire (Ananth, Demissie, Smulian & Vintzileos, 2003, cités dans SOGC, 2007). Selon certains résultats probants, la prévalence de placenta praevia serait en augmentation, peut-être en raison du nombre plus élevé de césariennes. Outre le fait d'avoir déjà eu une césarienne, les autres facteurs de risque d'avoir un placenta praevia sont un âge maternel avancé (plus de 35 ans), la multiparité, avoir déjà subi un curetage et fumer (Hull & Resnik, 2009). Fumer la cigarette entraîne une diminution de l'oxygénation utéroplacentaire et une augmentation du besoin d'avoir une superficie placentaire accrue. Le placenta praevia est plus susceptible de toucher les femmes qui portent des grossesses gémellaires ou multiples, en raison de la plus grande superficie placentaire associée à celles-ci. Les femmes qui ont eu un placenta praevia à l'occasion d'une grossesse précédente sont plus susceptibles que les autres d'en présenter un autre, possiblement à cause d'une prédisposition génétique. Avoir subi une césarienne ou un curetage au cours d'une grossesse précédente par suite d'une fausse couche ou d'un avortement provoqué est un facteur de risque d'un placenta praevia parce que les deux occasionnent des dommages à l'endomètre, ainsi que des cicatrices à l'utérus (Francois & Foley, 2007; Hull & Resnik, 2009).

Manifestations cliniques

Un placenta praevia donne généralement lieu à un saignement vaginal indolore rouge vif au cours du deuxième ou du troisième trimestre. Dans le passé, on diagnostiquait généralement un placenta praevia après un épisode de saignement. Aujourd'hui, toutefois, la plupart des cas sont décelés par échographie avant un saignement vaginal important (Francois & Foley, 2007). Ce saignement se produit en raison de l'éclatement des vaisseaux sanguins placentaires par suite de l'étirement et de l'amincissement du segment utérin inférieur (Francois & Foley, 2007). Le saignement initial est généralement léger et arrête lorsque des caillots se forment; cependant, il peut réapparaître à n'importe quel moment (Gilbert, 2007).

Les signes vitaux peuvent être normaux, même en cas de perte sanguine abondante, car la femme enceinte peut perdre jusqu'à 40% de son volume sanguin sans manifester de signes de choc. Le tableau clinique et une baisse de la production urinaire peuvent constituer de meilleurs indices d'hémorragie que les signes vitaux seuls. La F.C.F. est rassurante, à moins d'un décollement important du placenta.

L'examen de l'abdomen révèle habituellement un utérus mou, distendu et non sensible, avec un tonus normal. Le repère de présentation du fœtus demeure généralement élevé parce que le placenta occupe le segment utérin inférieur. Ainsi, la hauteur utérine est souvent plus élevée que c'est généralement le cas pour l'âge gestationnel donné. En raison de l'emplacement anormal du placenta, il est courant que le fœtus se présente par le siège ou en position transverse ou oblique.

Conséquences maternelles et fœtales

Les complications associées au placenta praevia comprennent la rupture prématurée des membranes, le travail et l'accouchement prématurés, des traumas aux structures adjacentes à l'utérus découlant d'interventions chirurgicales, des complications de l'anesthésie, des réactions aux transfusions sanguines, une hyperperfusion de liquides, d'autres insertions anormales du placenta, une hémorragie postpartum, l'anémie, une thrombophlébite et une infection (Cunningham *et al.*, 2005).

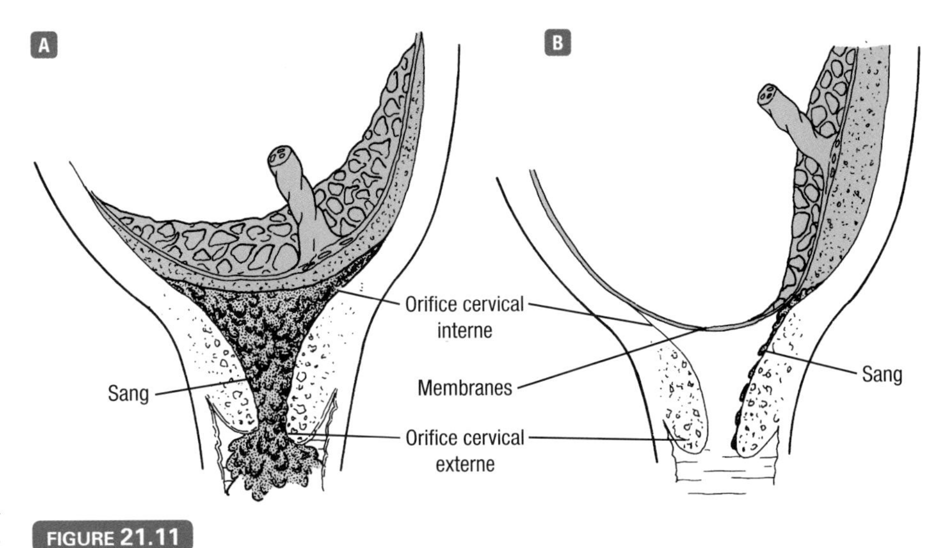

FIGURE 21.11
Types de placenta praevia. A Complet. B Marginal.

Le plus grand risque de mortalité fœtale survient en cas d'accouchement prématuré. Une présentation anormale et l'anémie fœtale représentent d'autres risques fœtaux (Gilbert, 2007). On a associé au placenta praevia un nouveau-né de petite taille pour son âge gestationnel ou une restriction de la croissance intra-utérine, association qui pourrait s'expliquer par de mauvais échanges placentaires ou une hypovolémie découlant de la perte sanguine ainsi que de l'anémie maternelles (Gilbert, 2007).

Diagnostic

Jusqu'à preuve du contraire, on doit présumer qu'une femme qui présente un saignement vaginal indolore après la 20e semaine de grossesse a un placenta praevia. Il faut d'abord effectuer une échographie transabdominale puis une échographie transvaginale, à moins que la première indique clairement que le placenta ne se trouve pas dans le segment inférieur. L'échographie transvaginale permet mieux que l'échographie transabdominale de déterminer avec précision l'emplacement du placenta (Hull & Resnik, 2009). Si l'échographie révèle une insertion normale du placenta, on peut effectuer un examen au spéculum pour éliminer des causes locales de saignement (p. ex., une cervicite, des polypes, un cancer du col de l'utérus) et obtenir un profil de coagulation pour écarter d'autres causes de saignements.

On doit présumer qu'une femme qui présente un saignement vaginal indolore après la 20e semaine de grossesse a un placenta praevia.

SOINS ET TRAITEMENTS INFIRMIERS

 Placenta praevia

Une fois que le diagnostic de placenta praevia est posé, un plan de traitement est élaboré en fonction de l'âge gestationnel, de la quantité de saignement et de l'état fœtal **ENCADRÉ 21.15**.

Interventions cliniques

L'observation et le repos au lit sont les traitements offerts à la cliente dont le fœtus compte moins de 36 semaines et qui présente une F.C.F. rassurante, dont les saignements (< 250 ml) sont faibles ou ont cessé et qui n'est pas en travail. L'objectif d'un tel traitement est de donner le temps au fœtus de se développer (Gilbert, 2007). La femme sera tout d'abord hospitalisée dans une unité de naissance afin qu'on surveille de façon continue la F.C.F. et les contractions. On doit installer immédiatement une perfusion I.V. avec un cathéter de gros calibre. Les premières analyses de laboratoire à effectuer sont l'hémoglobine, l'hématocrite, la numération plaquettaire et les analyses de coagulation. Il faut garder en tout temps un échantillon de typage et dépistage dans la banque de sang afin de pouvoir faire une épreuve de compatibilité croisée, au besoin. Si la grossesse est à moins de 34 semaines, la cliente doit recevoir des corticostéroïdes prénataux (Francois & Foley, 2007 ; Gilbert, 2007).

Mise en œuvre d'une démarche de soins

ENCADRÉ 21.15 Placenta praevia

COLLECTE DES DONNÉES – ÉVALUATION INITIALE

La collecte des données chez une cliente qui a un placenta praevia repose sur l'examen clinique de celle-ci avant d'évaluer la menace pour la suite de la grossesse.

- Recueillir l'histoire de santé de la grossesse (gravidité, parité, date prévue de l'accouchement).
- Réaliser l'entrevue :
  - état général ;
  - saignement (quantité, couleur, événement déclencheur, douleur connexe).
- Procéder à l'examen physique :
  - signes vitaux ;
  - état fœtal ;
  - examen abdominal (mou, distendu, non sensible, avec un tonus normal).
- Vérifier les analyses de laboratoire :
  - numération globulaire ;
  - groupe sanguin et facteur Rh ;
  - profil de coagulation ;
  - groupe sanguin possible et épreuve de comptabilité croisée.
- S'assurer d'obtenir l'interprétation de l'échographie abdominale ou transvaginale, ou les deux.

ANALYSE ET INTERPRÉTATION DES DONNÉES

Les problèmes découlant de la situation de santé peuvent inclure :

- D.C. diminué lié à des pertes sanguines excessives secondaires au placenta praevia.
- Déficit de volume liquidien lié à des pertes sanguines excessives secondaires au placenta praevia.
- Irrigation tissulaire périphérique inefficace liée à l'hypovolémie et à une dérivation sanguine vers la circulation centrale.
- Anxiété ou peur liée à la condition clinique et à l'issue de la grossesse.
- Deuil anticipé chez la mère lié à une menace réelle ou apparente de la grossesse ou pour la survie du nouveau-né.

RÉSULTATS ESCOMPTÉS

La planification des soins se base sur les résultats escomptés suivants chez la cliente ayant un placenta praevia :

- Expression verbale de la compréhension de son état et du traitement.
- Reconnaissance et utilisation des réseaux de soutien disponibles.
- Démonstration de sa capacité à respecter les limites d'activités imposées.
- Absence de complications liées au saignement.
- Naissance d'un nouveau-né en santé à terme.

INTERVENTIONS INFIRMIÈRES

Les interventions infirmières requises pour l'atteinte des résultats escomptés comprennent, notamment :

- Assurer le repos au lit avec droit d'utiliser la salle de bains et restriction des activités.
- Surveiller les signes vitaux de la cliente.
- Surveiller la perte de sang :
  - estimer et noter de la quantité de sang sur les serviettes hygiéniques, le couvre-matelas et la literie ;
  - obtenir les résultats d'hémoglobine et d'hématocrite.
- Conserver en tout temps un échantillon de typage et dépistage dans la banque de sang de l'hôpital.
- Surveiller la condition fœtale : effectuer un ERF ou un profil biophysique une ou deux fois par semaine.
- Imposer à la cliente un repos pelvien :
  - pas d'examen vaginal ;
  - pas de douche vaginale ;
  - pas de rapports sexuels vaginaux.
- Offrir du soutien émotionnel à la cliente, à son partenaire et à sa famille. Examiner avec eux leur plan afin de réorganiser les activités familiales, s'il y a d'autres enfants à la maison.
- Administrer les médicaments conformément à l'ordonnance.
- Offrir des activités divertissantes.
- Aviser l'aumônier de l'hôpital ou tout autre service de soutien, selon les besoins exprimés par la cliente.
- Être prête pour une césarienne d'urgence en tout temps.

ÉVALUATION DES RÉSULTATS – ÉVALUATION EN COURS D'ÉVOLUTION

L'efficacité des soins prodigués à la cliente qui a un placenta praevia est évaluée en fonction des résultats escomptés.

Si le saignement cesse, la femme devra probablement rester couchée, mais elle pourra utiliser la salle de bains et devra restreindre ses activités (se doucher et se déplacer dans sa chambre d'hôpital pendant 15 à 30 minutes, quatre fois par jour). Aucun examen vaginal ou rectal n'est effectué, et la cliente est en « repos pelvien » (rien dans le vagin). Des échographies pourront être faites toutes les deux ou trois semaines. La surveillance fœtale pourra consister en un ERF ou un profil biophysique, une ou deux fois par semaine. On évalue le saignement en vérifiant la quantité apparaissant sur les serviettes hygiéniques, sur le couvre-matelas et sur la literie. Les séries de résultats de laboratoire sont évaluées afin de déceler une chute des taux d'hémoglobine et d'hématocrite, ainsi que les changements dans les résultats de coagulation. On surveille également tout signe d'un accouchement prématuré. Du sulfate de magnésium peut être administré pour **tocolyse** lorsque des contractions utérines sont observées (Francois & Foley, 2007 ; Gilbert, 2007).

Tocolyse : Inhibition des contractions utérines.

La femme qui a un placenta praevia doit toujours être considérée comme susceptible de nécessiter des soins d'urgence parce qu'une perte de sang massive peut entraîner rapidement un choc hypovolémique si le saignement reprend. Il est toujours possible qu'elle ait besoin d'avoir une césarienne d'urgence. Un placenta praevia chez une femme dont la grossesse n'est pas encore à terme peut exiger un transfert dans un centre hospitalier tertiaire qui dispose d'une unité néonatale de soins intensifs, où l'on pourra prendre soin d'un nouveau-né prématuré, le cas échéant. Beaucoup d'hôpitaux ne sont pas équipés pour offrir des soins chirurgicaux d'urgence jour et nuit, sept jours par semaine. Il peut donc être nécessaire de transférer la cliente à un établissement de soins tertiaires où elle pourra accoucher par césarienne, au besoin.

Soins à domicile

À l'occasion, une cliente qui a un placenta praevia peut obtenir son congé de l'hôpital et être traitée à la maison jusqu'à ce qu'elle accouche. Pour ce faire, l'état de la femme doit être stable, et elle ne doit avoir présenté aucun saignement vaginal pendant au moins 48 heures avant sa sortie de l'hôpital (Hull & Resnik, 2009). La cliente doit également répondre à d'autres critères stricts. Elle doit accepter et être capable de respecter les restrictions en matière d'activités (repos au lit avec droit d'usage de la salle de bains et repos pelvien), avoir accès à un téléphone, être sous la supervision étroite de sa famille ou d'amis et toujours avoir accès à un moyen de transport. Si le saignement reprend, elle devra retourner immédiatement à l'hôpital. Il lui faut également se rendre aux rendez-vous prévus pour les épreuves fœtales, les analyses de laboratoire et les soins prénataux. Il est possible de prévoir des visites à domicile par une infirmière en soins périnataux.

La femme qui a un placenta praevia doit toujours être considérée comme susceptible de nécessiter des soins d'urgence.

Si l'hospitalisation ou les soins à domicile avec restriction d'activités se prolongent, la femme peut s'inquiéter de ne pas pouvoir assumer ses responsabilités professionnelles ou familiales, ou elle peut s'ennuyer à cause de l'inactivité. Il faut l'encourager à participer aux soins et aux décisions autant que possible. L'infirmière doit aussi lui proposer des distractions ou l'encourager à participer à des activités qu'elle apprécie et auxquelles elle peut s'adonner, même alitée. Une bonne stratégie d'adaptation pour la cliente alitée à l'hôpital consiste à se joindre à un groupe de soutien formé de femmes qui vivent la même situation ou, dans le cas d'une femme alitée à domicile, à un groupe en ligne **ENCADRÉ 21.6**.

Traitement actif

Si la femme compte 36 semaines ou plus de gestation ou souffre d'un saignement excessif ou persistant, il est recommandé de procéder à une césarienne (Hull & Resnik, 2009). Le traitement prend fin dès que l'un ou l'autre des facteurs suivants se produit : le fœtus est à terme, un saignement excessif survient, le travail actif commence ou pour toute autre raison obstétricale (p. ex., une chorioamnionite) (Gilbert, 2007). La césarienne est indiquée pour la plupart des femmes dont la présence d'un placenta praevia est confirmée par échographie (Francois & Foley, 2007 ; Hull & Resnik, 2009). L'accouchement vaginal peut être tenté pour une cliente atteinte d'une migration ou d'un mouvement du placenta par rapport à l'orifice interne (Cunningham *et al.*, 2005).

Si la césarienne est planifiée, l'infirmière effectue une évaluation continue des états maternel et fœtal tout en préparant la cliente pour la chirurgie. Elle mesure fréquemment les signes vitaux de la mère afin de déceler toute baisse de la P.A., une accélération du pouls, des changements dans le niveau de conscience et l'oligurie. L'évaluation fœtale se fait par monitorage électronique pour déceler tout signe d'hypoxie.

La perte sanguine ne cesse pas toujours à l'accouchement du nouveau-né. Les vaisseaux sanguins du segment utérin inférieur peuvent continuer de saigner à cause de la faible musculature de ce segment. Le mécanisme naturel de contrôle du saignement, formé de l'entrecroisement de faisceaux musculaires de la partie supérieure de l'utérus qui provoquent une ligature franche par contraction autour des vaisseaux restés ouverts, ne se fait pas de cette manière dans la partie inférieure de l'utérus. Une hémorragie postpartum peut donc survenir même si le fond utérin est contracté fermement.

Il est très important d'offrir du soutien émotionnel à la mère, à son partenaire et à sa famille. Une cliente qui a des saignements s'inquiète non seulement de son propre bien-être, mais aussi de celui de son fœtus. Elle doit être encouragée à parler de ses craintes et de ses émotions. Si la femme et la personne qui la soutient ou sa famille souhaitent obtenir de l'aide spirituelle, l'infirmière peut aviser l'agent de la pastorale de l'hôpital ou les renseigner sur d'autres ressources de soutien.

Décollement prématuré du placenta (hématome rétroplacentaire)

Le décollement prématuré du placenta, aussi appelé hématome rétroplacentaire ou *abruptio placentæ*, désigne le détachement d'une partie ou de la totalité du placenta normalement inséré depuis le site d'insertion dans l'utérus **FIGURE 21.12**. Le décollement survient dans la région de la caduque basale, après la 20e semaine de grossesse et avant la naissance.

Prévalence et étiologie

Le décollement prématuré du placenta représente une complication sérieuse qui compte pour une proportion importante de morbidité et de mortalité maternelles et fœtales. Il y aurait environ 1 cas d'hématome rétroplacentaire sur 100 grossesses (Oyelese & Ananth, 2006 cités dans Walker, Whittle, Keating & Kingdom, 2010). Environ un tiers des saignements qui se produisent avant l'accouchement est causé par un hématome rétroplacentaire (Francois & Foley, 2007).

L'hypertension maternelle, qu'elle soit chronique ou liée à la grossesse, est le facteur de risque le plus souvent indiqué dans les cas de décollement du placenta. La consommation de cocaïne est aussi un facteur de risque parce qu'elle entraîne une rupture des vaisseaux dans le lit placentaire. Le trauma avec coup à l'abdomen, résultant la plupart du temps d'un accident de la route ou de violence familiale, représente une cause fréquente de décollement placentaire (Francois & Foley, 2007). Les autres facteurs de risque comprennent le tabagisme, un hématome rétroplacentaire à une grossesse précédente et la rupture prématurée des membranes (Cunningham *et al.*, 2005 ; Hull & Resnik, 2009). Le décollement du placenta est plus susceptible de toucher une grossesse unique qu'une grossesse gémellaire (Francois & Foley, 2007). La femme qui a vécu deux décollements antérieurs s'expose à un risque de récurrence de 25 % pour la grossesse suivante (Hull & Resnik, 2009).

Classification

La classification la plus répandue de l'hématome rétroplacentaire est fondée sur son type et sur sa gravité. Ce système de classification est présenté dans le **TABLEAU 21.7**.

Manifestations cliniques

Le décollement peut être partiel ou complet, ou ne toucher que le pourtour placentaire. Le saignement du site placentaire peut s'infiltrer entre les membranes de la caduque basale et s'écouler par le vagin (de 70 à 80 % des cas), rester caché (hémorragie rétroplacentaire) (de 10 à 20 % des cas), ou les deux (Francois & Foley, 2007 ; Gilbert, 2007) **FIGURE 21.13**. Les symptômes cliniques

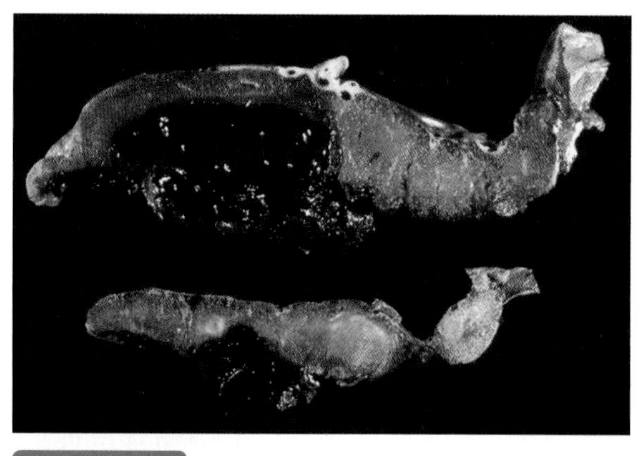

FIGURE 21.12
Hématome rétroplacentaire. Décollement prématuré du placenta normalement inséré. Un large caillot rétroplacentaire est présent.

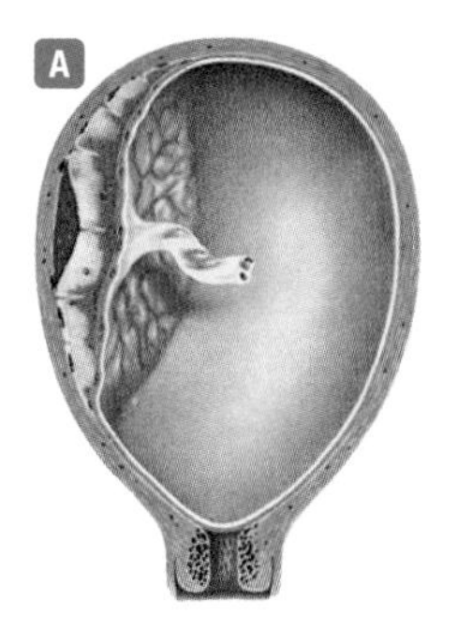

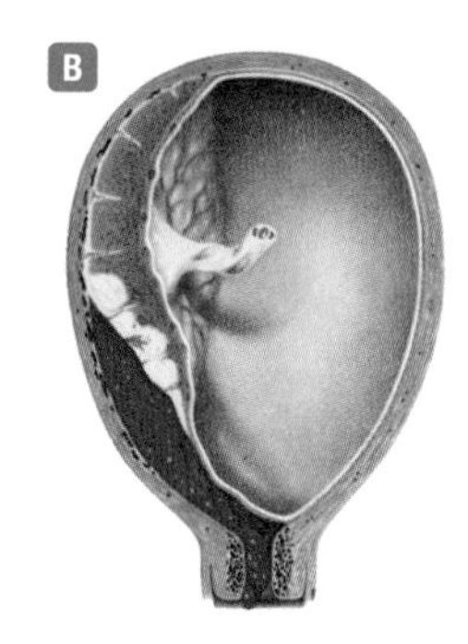

FIGURE 21.13
Hématome rétroplacentaire. A Décollement partiel (hémorragie cachée). B Décollement partiel (hémorragie apparente). C Décollement complet (hémorragie cachée).

varient selon le degré de décollement. Lorsqu'on procède à une césarienne, la présence de caillots sanguins à l'entrée de l'utérus peut être observée. Un caillot sanguin sera souvent attaché à la surface postérieure du placenta (appelée caillot rétroplacentaire).

Parmi les symptômes classiques de l'hématome rétroplacentaire figurent le saignement vaginal, la douleur abdominale, la sensibilité et les contractions utérines (Cunningham *et al.*, 2005; Hull & Resnik, 2009). Le saignement peut entraîner une hypovolémie maternelle (p. ex., un choc, une oligurie, une anurie) et une coagulopathie. On note une hypertonicité utérine allant de légère à grave. La douleur va de faible à aiguë, et elle se localise dans une région de l'utérus ou est diffuse dans tout l'utérus, accompagnée d'une rigidité abdominale.

Un saignement étendu du myomètre endommage le muscle utérin. Si du sang s'accumule entre le placenta décollé et la paroi utérine, il peut se produire un **syndrome de Couvelaire.** L'utérus a alors un aspect rougeâtre ou violacé, plutôt que sa couleur habituelle rose bonbon, et a perdu sa contractilité. Un choc peut survenir, sans rapport avec la perte sanguine. Les résultats d'analyses de laboratoire comprennent un résultat positif du test d'Apt (sang dans le liquide amniotique), une baisse des taux d'hémoglobine et d'hématocrite (pouvant se manifester plus tard) et une baisse des niveaux de facteurs de coagulation. Des défauts de coagulation, comme la CIVD, se développent chez environ 40 % des femmes pour qui le décollement est marqué (Francois & Foley, 2007). Un test de Kleihauer-Betke peut être prescrit pour établir la présence d'un saignement fœtal qui est retourné dans la circulation de la mère (hémorragie transplacentaire), même si ce test semble n'avoir aucune valeur dans l'examen général approfondi des clientes ayant un décollement. Ce test peut être utile pour orienter la thérapie à l'immunoglobuline Rh_0(D) chez les femmes ayant un facteur Rh négatif qui ont eu un décollement (Hull & Resnik, 2009).

Conséquences maternelles et fœtales

Le pronostic pour la mère dépend de l'ampleur du décollement placentaire, de la perte sanguine globale, du degré de coagulopathie présente et du temps écoulé entre le décollement placentaire et la naissance. Les complications maternelles sont associées au décollement ou à son traitement. L'hémorragie, le choc hypovolémique, l'hypofibrinémie et la thrombocytopénie sont associés à un décollement grave. L'ischémie peut entraîner une défaillance rénale et une nécrose pituitaire. Dans de rares cas, une femme ayant un facteur Rh négatif peut réagir si une hémorragie se transmettant du fœtus à la mère se produit et si le fœtus a un facteur Rh positif.

L'hématome rétroplacentaire est associé à un taux de mortalité périnatale de 20 à 30 %. Lorsque la moitié ou plus du placenta est touchée, il est probable que le fœtus meure. Les autres risques fœtaux et néonataux comprennent un RCIU et l'accouchement prématuré (Francois & Foley, 2007; Hull & Resnik, 2009). Après un hématome rétroplacentaire, un nouveau-né est plus à risque de présenter des anomalies neurologiques et d'être touché par le syndrome de mort subite du nourrisson (Cunningham *et al.*, 2005; Francois & Foley, 2007).

Diagnostic

L'hématome rétroplacentaire est principalement un diagnostic clinique. Bien que l'échographie puisse servir à écarter un hématome rétroplacentaire, elle ne permet pas de déceler tous les cas de décollement. Ainsi, on pourra déceler à l'échographie une masse rétroplacentaire, mais des résultats négatifs ne veulent pas dire qu'il ne peut pas y avoir un décollement mettant la vie en danger. En fait, au moins 50 % des décollements ne sont pas visibles à l'échographie (Hull & Resnik, 2009). Une hypofibrinémie et des résultats probants d'une CIVD appuient le diagnostic, mais de nombreuses femmes ayant un hématome rétroplacentaire ne présenteront pas de symptômes de coagulopathie. Le diagnostic d'un décollement se confirme après l'accouchement au moyen de l'examen du placenta. Un caillot adhérent à la surface maternelle du placenta et un creux dans la surface placentaire sous-jacente sont habituellement présents (Francois & Foley, 2007; Gilbert, 2007).

On soupçonnera fortement la présence d'un hématome rétroplacentaire chez la cliente qui manifeste un début soudain de douleur utérine intense et souvent localisée, avec ou sans saignement vaginal. L'évaluation initiale se fait à peu de choses près comme celle utilisée pour le placenta praevia. L'examen physique révèle habituellement une douleur abdominale, une sensibilité utérine et des contractions. On peut mesurer la hauteur du fond de l'utérus pendant un certain temps, car une augmentation de la hauteur indique un saignement caché. Environ 60 % des fœtus vivants présentent des tracés de F.C.F. non rassurants, et une augmentation du tonus utérin au repos peut aussi être notée sur le tracé du moniteur (Francois & Foley, 2007). Une coagulopathie, attestée par des résultats anormaux d'études de coagulation (fibrinogène, numération des plaquettes, TP, temps de céphaline, produit de dégradation de la fibrine), peut être présente lorsqu'il y a un décollement important ou complet.

Syndrome de Couvelaire : Ensemble de symptômes, appelé également apoplexie utéro-placentaire, qui se caractérise par l'apparition d'un hématome (collection de sang) qui décolle le placenta de la paroi de l'utérus.

SOINS ET TRAITEMENTS INFIRMIERS

Hématome rétroplacentaire

Interventions cliniques

Le traitement dépend de la gravité de la perte sanguine ainsi que de la maturité et de l'état du fœtus. Si le décollement est léger, si le fœtus compte moins de 36 semaines et qu'il n'est pas en détresse, une période d'attente peut être mise en œuvre. La cliente est alors hospitalisée et suivie attentivement à l'affût de signes de saignement et de travail. L'état du fœtus est également surveillé au moyen du monitorage intermittent de la F.C.F., par un ERF ou un profil biophysique jusqu'à ce que l'on puisse établir le degré de maturité du fœtus ou jusqu'à ce que l'état de la cliente se détériore au point d'imposer un accouchement d'urgence. Des corticostéroïdes seront donnés à la cliente pour accélérer la maturation pulmonaire fœtale (Cunningham *et al.*, 2005). On peut administrer de l'immunoglobuline $Rh_0(D)$ à une cliente ayant un Rh négatif en cas d'hémorragie du fœtus vers la mère.

Traitement actif

L'accouchement rapide est le traitement privilégié si le fœtus est à terme ou si le saignement passe de léger à abondant et si la mère ou le fœtus est en danger. Il faut alors installer au moins un cathéter I.V. de gros calibre (16 ou 18). On surveille fréquemment les signes vitaux maternels pour déceler tout signe de détérioration de l'état hémodynamique, comme une accélération du pouls et une baisse de la P.A. Les analyses de laboratoire en série comprennent la mesure de l'hématocrite ou de l'hémoglobine et des études de coagulation. Le monitorage fœtal électronique est obligatoire. Une sonde à ballonnet est installée pour mesurer constamment la diurèse, qui est une excellente mesure indirecte de la perfusion des organes maternels. On peut procéder à une transfusion sanguine, au remplacement de liquides et à l'administration de produits sanguins s'il y a un problème de coagulation.

L'accouchement par voie vaginale est habituellement réalisable et souhaitable, surtout si le fœtus est mort à l'intérieur de l'utérus. On peut déclencher le travail ou l'augmenter, pourvu que l'on surveille étroitement l'état de la mère et du fœtus. La césarienne devrait être réservée aux cas de souffrance fœtale ou à d'autres complications obstétricales. Elle ne devrait jamais être pratiquée sur une cliente qui souffre d'une coagulopathie grave et non corrigée, car l'intervention pourrait entraîner un saignement non maîtrisable (Francois & Foley, 2007).

Les soins infirmiers à la cliente atteinte d'un décollement allant de léger à grave sont exigeants, car il faut surveiller étroitement et de façon continue l'état de la mère et du fœtus. L'infirmière renseigne la cliente et sa famille sur les caractéristiques de l'hématome rétroplacentaire, notamment sa cause, son traitement et le résultat escompté. Il est extrêmement important d'offrir du soutien émotionnel à la femme et à sa famille, car ceux-ci peuvent vivre le deuil d'un fœtus en plus de faire face à la maladie grave de la mère.

Insertion vélamenteuse du cordon et du placenta *(vasa prævia)*

L'insertion vélamenteuse du cordon ombilical cause le *vasa prævia* dans 1 cas sur 50 et constitue une anomalie placentaire rare, associée à la fécondation *in vitro*, au spina bifida, à l'omphalocèle, à la prématurité, à l'hémorragie antepartum, au RCIU, au placenta praevia ou à une grossesse multiple (SOGC, 2009). Les vaisseaux du cordon commencent à se diviser à la hauteur des membranes et s'étendent vers le placenta **FIGURE 21.14**. La rupture des membranes ou une traction sur le cordon peut déchirer un ou plusieurs des vaisseaux fœtaux; en conséquence, le fœtus peut rapidement se mettre à saigner abondamment et mourir. L'insertion marginale du cordon (placenta bordé) **FIGURE 21.15A** accroît le risque d'hémorragie fœtale, en particulier après le décollement du placenta.

Il arrive, dans de rares cas, que le placenta se divise en deux lobes distincts ou plus, ce qui donne lieu à un placenta accessoire **FIGURE 21.15B**. Chaque lobe est doté d'une circulation distincte. Les vaisseaux se réunissent en périphérie, et les branches principales s'unissent pour former les vaisseaux du cordon. Les vaisseaux sanguins unissant les lobes peuvent être soutenus seulement par les membranes fœtales et risquent donc de se déchirer pendant le travail, l'accouchement ou la délivrance. Pendant l'expulsion du placenta, un ou plusieurs lobes peuvent rester fixés à la caduque basale et ainsi empêcher la contraction de l'utérus et augmenter le risque d'hémorragie postpartum.

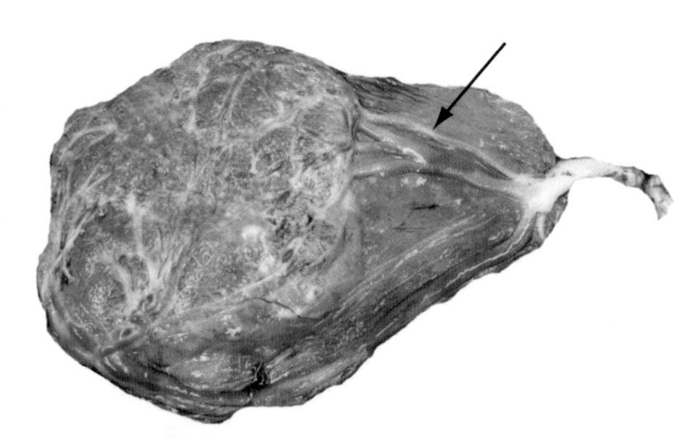

FIGURE 21.14
Vasa prævia (insertion vélamenteuse du cordon ombilical). La flèche montre l'insertion vélamenteuse du cordon ombilical dans le placenta.

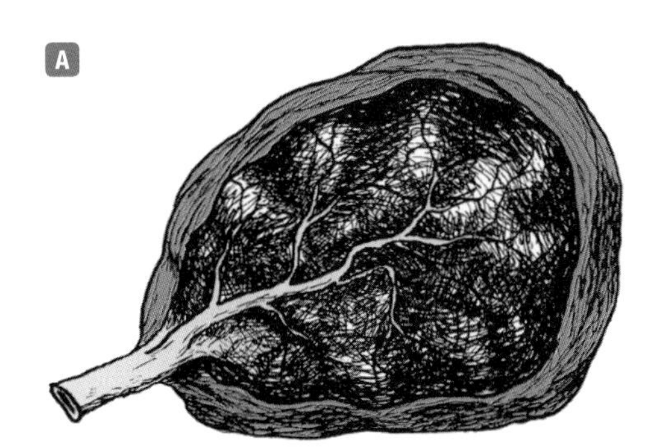

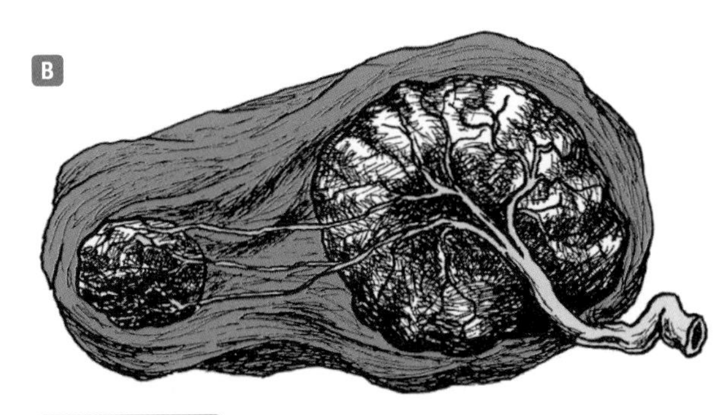

FIGURE 21.15
Insertion variable du cordon et du placenta. A Placenta bordé. B Placenta accessoire.

21.4 Troubles de la coagulation

21.4.1 Coagulation normale

Il existe généralement un équilibre délicat (homéostasie) entre les systèmes hémostatique et fibrinolytique qui s'opposent. Le système hémostatique arrête le flux sanguin provenant des vaisseaux blessés en formant d'abord un clou homéostatique puis un caillot fibrineux. Le processus de coagulation repose sur une interaction de facteurs de coagulation, chacun d'eux entraînant des effets en cascade. Le système fibrinolytique représente le processus par lequel le caillot fibrineux se décompose en produits de dégradation fibrinolytique et par lequel la circulation est rétablie.

21.4.2 Problèmes de coagulation

Coagulation intravasculaire disséminée

La CIVD, ou coagulopathie de consommation, désigne une forme pathologique de coagulation diffuse qui consomme de grandes quantités de facteurs de coagulation, causant des saignements étendus, internes ou externes (Cunningham *et al.*, 2005). La CIVD n'est jamais un diagnostic primaire. Elle résulte plutôt d'un problème qui a déclenché la coagulation en cascade, soit extrinsèquement, par la libération de grandes quantités de thromboplastine provenant des tissus, soit intrinsèquement, par de lourds dommages à l'intégrité vasculaire.

Chez la cliente enceinte, la CIVD est le plus souvent déclenchée par la libération de grandes quantités de thromboplastine provenant des tissus, par exemple dans un cas d'hématome rétroplacentaire, de rétention de fœtus mort ou de syndrome anaphylactoïde de la grossesse (embolie du liquide amniotique). La prééclampsie grave, le syndrome HELLP et l'infection à Gram négatif sont des exemples d'états pouvant déclencher la CIVD à cause de lourds dommages à l'intégrité vasculaire (Cunningham *et al.*, 2005 ; Gilbert, 2007). La CIVD représente une suractivation du processus de coagulation et du système fibrinolytique, ce qui se traduit par un épuisement des plaquettes et des facteurs de coagulation, qui donne lieu à la formation de plusieurs caillots fibrineux se propageant dans l'appareil vasculaire et la microcirculation de l'organisme. Les cellules sanguines sont détruites en traversant ces vaisseaux encombrés de fibrine. La CIVD présente donc une manifestation clinique d'hémorragie, d'anémie et d'ischémie (Cunningham *et al.*, 2005 ; Labelle & Kitchens, 2005). Un résumé des manifestations cliniques et des analyses de laboratoire propres à la CIVD figure à l'**ENCADRÉ 21.16**.

ENCADRÉ 21.16 Manifestations cliniques et résultats des tests de dépistage pour les clientes souffrant de coagulation intravasculaire disséminée

RÉSULTATS POSSIBLES DE L'EXAMEN PHYSIQUE

- Saignement spontané des gencives, du nez
- Suintement, saignement excessif du site de ponction veineuse, du site d'accès I.V. ou du site d'insertion de la sonde urinaire
- Pétéchie, par exemple, sur le bras où a été placé le brassard du tensiomètre
- Autres signes d'ecchymose
- Hématurie
- Saignement gastro-intestinal
- Tachycardie
- Diaphorèse

RÉSULTATS DES TESTS DE DÉPISTAGE DES TROUBLES DE LA COAGULATION

- ↓ plaquettes
- ↓ fibrinogène
- ↓ facteur V (proaccélérine)
- ↓ facteur VIII (facteur antihémolytique)
- TP plus long
- TTP plus long
- ↑ produits de dégradation de fibrine
- ↑ test D-dimère (fragment de dégradation de fibrine particulier)
- Frottis sanguin: globules rouges fragmentés

Sources : Adapté de Cunningham *et al.* (2005) ; Labelle & Kitchens (2005) ; Roberts & Funai (2009).

SOINS ET TRAITEMENTS INFIRMIERS

Coagulation intravasculaire disséminée

Interventions cliniques

Dans tous les cas de CIVD, le traitement médical consiste à corriger la cause sous-jacente, comme l'extraction du fœtus mort, le traitement d'une infection, d'une prééclampsie ou d'une éclampsie, ou l'enlèvement d'un hématome rétroplacentaire. Les autres formes habituelles de traitement comprennent le remplacement de volume, un traitement portant sur les composants sanguins, l'optimisation de l'oxygénation et de l'état de perfusion, ainsi que la réévaluation continue des paramètres de laboratoire (Francois & Foley, 2007). L'administration de vitamine K et le facteur VIIa activé recombinant pourraient aussi être considérés comme des thérapies auxiliaires (Francois & Foley, 2007).

Une infection d'origine congénitale peut avoir un effet sur la durée et la qualité de vie d'un enfant.

Les interventions infirmières comprennent l'évaluation des signes de saignement **ENCADRÉ 21.16** et des signes de complications découlant de l'administration de sang et de produits sanguins, l'administration de fluide ou d'une transfusion sanguine, comme prescrit, la surveillance cardiaque et hémodynamique, ainsi que la protection de la cliente de toute blessure. L'insuffisance rénale étant une conséquence de la CIVD, l'infirmière doit surveiller étroitement la débitmétrie au moyen d'une sonde à ballonnet. La débitmétrie doit être maintenue à plus de 30 ml/h (Gilbert, 2007). L'infirmière vérifie régulièrement les signes vitaux. Si la CIVD se produit avant l'accouchement, la femme doit être maintenue en position couchée du côté gauche afin de maximiser le flux sanguin vers l'utérus. Selon la prescription du médecin ou le protocole de l'hôpital, on peut administrer de 8 à 10 L/min d'oxygène avec un masque facial bien ajusté. Les évaluations fœtales sont effectuées pour surveiller le bien-être du fœtus (Labelle & Kitchens, 2005). La CIVD guérit habituellement au moment de l'accouchement et lorsque les anomalies de coagulation se résorbent.

Comme la cliente et sa famille vivront probablement de l'anxiété et de l'inquiétude concernant l'état de santé de la mère et le pronostic, il est important que l'infirmière leur explique la nature des soins et leur fournisse un soutien émotionnel pendant toute cette période critique.

21.5 Infections acquises pendant la grossesse

21.5.1 Infections transmissibles sexuellement

Durant la grossesse, les infections transmissibles sexuellement (ITS) représentent une part importante du taux de morbidité ▶ 3. Certaines conséquences de l'infection maternelle, comme l'infertilité et la stérilité, sont permanentes. Les séquelles psychosociales peuvent comprendre un changement des relations interpersonnelles et une baisse de l'estime de soi. Une infection d'origine congénitale peut avoir un effet sur la durée et la qualité de vie d'un enfant.

La présente section se concentre sur les effets de plusieurs ITS courantes sur la grossesse et le fœtus **TABLEAU 21.8**. Ces effets varient aussi selon que l'infection a déjà été traitée au moment du travail et de l'accouchement.

3

Le chapitre 3, *Problèmes de santé courants*, traite du diagnostic et du traitement des ITS.

TABLEAU 21.8 Effets des infections transmissibles sexuellement courantes sur la mère et le fœtus

INFECTION	EFFETS SUR LA MÈRE	EFFETS SUR LE FŒTUS
Chlamydia	• Grossesse ectopique • Rupture prématurée des membranes • Travail prématuré • Endométrite postpartum	• Faible poids de naissance • Conjonctivite chez le nouveau-né • Pneumonie chez les nourrissons âgés de < 6 mois
Gonorrhée	• Fausse couche • Grossesse ectopique • Travail prématuré • Rupture prématurée des membranes • Infection intraamniotique • Chorioamnionite • Endométrite postpartum • Sepsie postpartum	• Accouchement prématuré • RCIU • Ophtalmie néonatale

TABLEAU 21.8	Effets des infections transmissibles sexuellement courantes sur la mère et le fœtus *(suite)*	
INFECTION	**EFFETS SUR LA MÈRE**	**EFFETS SUR LE FŒTUS**
Streptocoque de groupe B	• Infection urinaire • Chorioamnionite • Endométrite postpartum • Sepsie • Méningite (rare)	• Accouchement prématuré • Infections néonatales (p. ex, la bactériémie, la méningite, la pneumonie)
Virus *herpes simplex*	• Infection intra-utérine (rare)	• Infection congénitale (rare)
Virus du papillome humain (VPH)	• Dystocie en présence de grandes lésions • Saignement excessif des lésions après le trauma de l'accouchement	
Syphilis	• Fausse couche • Accouchement prématuré	• RCIU • Accouchement prématuré • Mort fœtale • Infection congénitale

Sources : Adapté de Agence de la santé publique du Canada (2010) ; Duff, Sweet & Edwards (2009) ; Gilbert (2007) ; SOGC (2008d).

SOINS ET TRAITEMENTS INFIRMIERS

Infections transmissibles sexuellement

Interventions cliniques

On connaît actuellement 20 ITS ayant une incidence sur le résultat de la grossesse (Gilbert, 2007). Les facteurs qui influent sur le développement et le traitement de ces infections pendant la grossesse comprennent des antécédents d'ITS ou d'infection pelvienne, le nombre actuel de partenaires sexuels, la fréquence des relations et l'activité sexuelle prévue pendant la grossesse. Les choix liés au mode de vie peuvent également avoir un effet sur les ITS dans la période périnatale. Les facteurs de risque comprennent la prise de drogues par voie I.V. ou le fait d'avoir un partenaire qui consomme des drogues de cette façon. Les autres éléments du mode de vie qui augmentent la susceptibilité aux ITS (par effet inhibiteur sur le système immunitaire) sont le tabagisme, la consommation d'alcool, une nutrition inadéquate ainsi qu'un niveau élevé de fatigue ou de stress personnel.

L'examen physique et les analyses de laboratoire pour établir la présence d'ITS chez la femme enceinte sont les mêmes que pour la femme non enceinte.

Le traitement d'ITS particulières peut être différent pour la femme enceinte et peut même varier selon le stade de la grossesse. Le **TABLEAU 21.9** présente le traitement des ITS courantes pendant

TABLEAU 21.9	Traitement des infections transmissibles sexuellement courantes pendant la grossesse	
INFECTION TRANSMISSIBLE SEXUELLEMENT	**TRAITEMENT RECOMMANDÉ**	**CONSIDÉRATIONS INFIRMIÈRES**
Chlamydia	• Azithromycine, 1 dose de 1 g P.O. ou amoxicilline, 1 dose de 500 mg P.O. 3 fois par jour (t.i.d.) pendant 7 jours.	• Effectuer un dépistage à la première visite prénatale. • Demander à la cliente de prendre le médicament après les repas avec 250 ml d'eau. • Demander au partenaire de passer un test et de se faire traiter au besoin.
Virus *herpes simplex*	• Acyclovir, 400 mg t.i.d. à compter de la 36e semaine de gestation et poursuivre jusqu'à l'accouchement si la femme est atteinte d'herpès récidivant comme traitement suppressif pour prévenir une crise pendant le travail. • Des analgésiques oraux et des anesthésiques topiques peuvent être prescrits en cas de grand malaise.	• Expliquer les mesures de confort à la cliente : garder les lésions sèches et propres ; prendre des bains fréquents puis sécher la région atteinte au séchoir à cheveux, réglage bas ; appliquer des compresses sur les lésions (lait froid, avoine colloïdale) q.2 à 4 h ; prendre des bains de siège. • La cliente doit s'abstenir d'avoir des rapports sexuels quand elle a des lésions. • Si la cliente a des lésions au moment du travail, on procède habituellement à une césarienne pour éviter la transmission périnatale.

TABLEAU 21.9 Traitement des infections transmissibles sexuellement courantes pendant la grossesse *(suite)*

INFECTION TRANSMISSIBLE SEXUELLEMENT	TRAITEMENT RECOMMANDÉ	CONSIDÉRATIONS INFIRMIÈRES
Gonorrhée	• Ceftriaxone, 1 dose de 125 mg I.M. ou cefixime, 1 dose de 400 mg P.O. plus traitement pour la chlamydia, comme indiqué.	• Effectuer un dépistage à la première visite prénatale ; répéter au troisième trimestre en cas de risque élevé. • Demander au partenaire de passer un test et de se faire traiter au besoin.
Streptocoque de groupe B	• Pénicilline G, dose initiale de 5 millions d'unités I.V. au début du travail, suivie de 2,5 millions d'unités I.V. q.4 h jusqu'à l'accouchement. • Si la cliente est allergique à la pénicilline, mais pas à risque élevé d'anaphylaxie, le médicament de choix est la céfazoline en dose initiale de 2 g I.V. puis 1 g q.8 h jusqu'à l'accouchement.	• Effectuer un dépistage à 35 ou 37 semaines de gestation ; en cas de résultat positif, traiter la cliente. Si le résultat est inconnu ou si la cliente fait de la fièvre pendant le travail, administrer le traitement. • Si aucun résultat de dépistage n'est disponible lorsque la cliente est admise pour accoucher, on peut utiliser un test rapide et précis (RCP) d'amplification en chaîne par polymérase.
Hépatite B	• Aucun pour les femmes enceintes infectées.	• Effectuer le dépistage à la première visite prénatale ainsi que pendant le troisième trimestre en cas de risque élevé. • Traitement de soutien : alitement, régime riche en protéines et faible en gras, apport accru de liquides. • La cliente doit éviter les médicaments qui sont métabolisés par le foie.
VPH	• Les solutions de 50 à 80 % d'acide trichloracétique ou d'acide biochloracétique avec 70 % d'alcool sont les plus efficaces. • Application topique aux verrues une fois par semaine ; les lésions peuvent être enlevées au ciseau, au scalpel, par curetage, par électrochirurgie ou par cryochirurgie. • Ne traiter que les clientes qui ont de multiples lésions confluentes.	• Il n'a pas été montré que la podophylline, le podofilox et l'imiquimod pouvaient être utilisés sans risque pendant la grossesse. • De la gelée de xylocaïne peut être appliquée sur les lésions en cas de sensations de brûlure. • Demander au partenaire de subir des tests et de se faire traiter au besoin. • Les couples doivent utiliser des condoms au cours des rapports sexuels. • Expliquer à la cliente que fumer peut diminuer l'efficacité de la thérapie.
Syphilis	• Benzathine (pénicilline G), 1 dose de 2,4 millions d'unités I.M. ; si la cliente souffre de syphilis depuis plus de un an ou ne sait pas depuis combien de temps, alors administrer une dose de 2,4 millions d'unités I.M., 1 dose par semaine pendant 3 semaines pour un total de 7,2 millions d'unités de benzathine (pénicilline G). • Il n'existe aucun autre choix de médicament que la pénicilline pendant la grossesse ; la cliente ayant des antécédents d'allergie à la pénicilline doit être désensibilisée et traitée à la pénicilline.	• Effectuer le dépistage de routine à la première visite prénatale et au cours du 3e trimestre (entre 28 et 32 semaines de grossesse idéalement). • Les femmes qui sont traitées pendant le deuxième trimestre sont à risque d'un travail prématuré si elles ont une réaction de Jarisch-Herxheimer. • Le traitement guérit l'infection maternelle et prévient la syphilis congénitale dans 98 % des cas. • Le partenaire doit subir un test et se faire traiter au besoin.
Trichomonas	• Métronidazole, 1 dose unique de 2 g P.O.	• Il faut traiter une femme enceinte qui présente des symptômes de trichomonas, mais il n'est pas recommandé de faire le dépistage de routine et le traitement de toutes les femmes enceintes. • Demander au partenaire de se faire traiter. • La cliente doit éviter l'alcool et les produits vinaigrés pour éviter les nausées et les vomissements, les crampes intestinales et les céphalées. • Traitement non recommandé pendant la lactation ; cesser l'allaitement, traiter l'infection ; reprendre l'allaitement 48 h après la dernière dose. La cliente peut extraire son lait et le jeter pendant cette période pour ne pas interrompre la lactation.
Candidose	• Agents topiques offerts en vente libre ; butoconazole, clotrimazole ou terconazole pendant sept jours.	• Le traitement du partenaire n'est pas nécessaire puisque la candidose ne se transmet pas par rapport sexuel. • Les médicaments peuvent être pris pendant la lactation.
Vaginose bactérienne	• Métrodinazole P.O. pendant au moins sept jours chez une femme à risque de travail prématuré (p. ex., qui a déjà eu un accouchement prématuré).	• Le dépistage de routine et le traitement sont non recommandés pour une femme à faible risque d'un travail prématuré. • Le dépistage doit être fait à la première visite prénatale pour une cliente à risque élevé d'un accouchement prématuré (p. ex., qui a déjà eu un accouchement prématuré).

Sources : Adapté de Duff *et al.* (2009) ; SOGC (2004).

la grossesse. L'infirmière doit expliquer à la cliente infectée comment prendre les médicaments qui lui sont prescrits, la renseigner sur le besoin d'évaluation et de traitement de son ou de ses partenaires et passer en revue les mesures préventives à employer pour éviter la réinfection.

21.5.2 Infections (complexe TORCH)

Une femme enceinte et son fœtus peuvent être atteints par les infections du complexe TORCH. La toxoplasmose, d'autres infections (p. ex., l'hépatite), le virus de la rubéole, le cytomégalovirus (CMV) et le virus *herpes simplex* forment le groupe d'infections TORCH. Il s'agit d'organismes capables de traverser le placenta et de nuire au développement du fœtus. En général, toutes les infections TORCH produisent des symptômes semblables à ceux de la grippe chez la mère, mais déclenchent des effets plus graves chez le fœtus et le nouveau-né. Le **TABLEAU 21.10** traite des infections TORCH et de leurs effets sur la mère et le fœtus ▶ 24.

21.5.3 Infections des voies urinaires

Les infections des voies urinaires constituent la complication médicale la plus courante de la grossesse, et elles touchent environ 20 % de toutes les femmes enceintes. Elles sont également responsables de 10 % de toutes les hospitalisations pendant la grossesse (Duff *et al.*, 2009). Ces infections comprennent la bactériurie asymptomatique, la cystite et la pyélonéphrite. Les infections urinaires sont généralement causées par des organismes coliformes qui font partie intégrante de la flore

24

Les effets des infections du complexe TORCH sur les nouveau-nés et leur traitement sont abordés dans le chapitre 24, *Nouveau-né à risque*.

TABLEAU 21.10 Infections maternelles : complexe TORCH

INFECTION	EFFETS SUR LA MÈRE	EFFETS SUR LE FŒTUS	PRÉVENTION, IDENTIFICATION ET TRAITEMENT
Toxoplasmose (protozoaire)	• Infections généralement symptomatiques • Infection aiguë semblable à la mononucléose • Cliente immunisée après un premier épisode (sauf cliente immunovulnérable)	• Risque d'infection congénitale si l'infection maternelle a lieu pendant le troisième trimestre. • Risque de dommage au fœtus plus élevé si l'infection maternelle se produit pendant le premier trimestre.	• Employer une bonne procédure d'hygiène des mains. • Éviter de manger de la viande crue et de toucher la litière de chats infectés ; s'il y a des chats au domicile, effectuer un test de toxoplasmose. • Si le titre augmente au début de la grossesse, l'interruption de grossesse est à envisager.
Hépatite A (virus)	• Insuffisance hépatique (très rare) • Fièvre légère, malaise, peu d'appétit, douleur dans le quadrant supérieur droit de l'abdomen, ictère et selles de couleur pâle	• Presque jamais de transmission périnatale.	• Se propage par contact fécal-oral, surtout dans les métiers culinaires ; de la gammaglobuline peut être administrée en prophylaxie pour l'hépatite A. • Vaccin contre l'hépatite A (sans danger pendant la grossesse).
Hépatite B (virus)	• Transmissible sexuellement • Environ 10 % des clientes deviennent porteuses chroniques • Chez certaines personnes atteintes d'hépatite B chronique : symptômes de maladies hépatiques chroniques graves (cirrhose ou carcinome hépatocellulaire)	• Infection pendant l'accouchement. • Vaccination maternelle pendant la grossesse ne devrait pas poser de risque au fœtus (pas de données probantes à cet égard).	• Se transmet généralement par des aiguilles contaminées, des seringues ou des transfusions sanguines ; peut aussi se transmettre oralement ou par coït (avec une période d'incubation plus longue) ; l'immunoglobuline de l'hépatite B peut être administrée en prophylaxie après l'exposition au virus. • Vaccin contre l'hépatite B recommandé pour les populations à risque. • Populations à risque : femmes de l'Asie, des îles du Pacifique, de l'Asie du Sud-Est continentale, d'Haïti, de l'Afrique du Sud, de l'Alaska (Inuites). • Autres femmes à risque : soignantes, usagères de drogues prises par voie I.V., femmes ayant des partenaires multiples ou un seul partenaire présentant des risques multiples.

TABLEAU 21.10 **Infections maternelles : complexe TORCH *(suite)***

INFECTION	EFFETS SUR LA MÈRE	EFFETS SUR LE FŒTUS	PRÉVENTION, IDENTIFICATION ET TRAITEMENT
Rubéole (virus)	• Éruptions, fièvre, symptômes légers (céphalée, malaise, myalgie et arthralgie) • Ganglions lymphatiques suboccipitaux parfois enflés • Conjonctivite légère	• Risque d'anomalies congénitales de 90 % lorsque l'infection maternelle survient avant la 11e semaine de gestation ; de 33 % entre la 11e et la 12e semaine de gestation ; de 11 % entre la 13e et la 14e semaine de gestation ; de 24 % entre la 15e et la 16e semaine de gestation ; de 0 % après la 16e semaine de gestation. Ainsi, le risque d'anomalies congénitales à la suite d'une infection maternelle est essentiellement limité aux 16 premières semaines de gestation. • Très peu de fœtus touchés si l'infection se produit après 18 semaines de gestation. • Anomalies congénitales les plus courantes associées au syndrome de la rubéole congénitale : surdité, défaut des yeux (p. ex., des cataractes ou la rétinopathie), défauts du SNC, défauts cardiaques.	• Vaccination des femmes enceintes contre-indiquée ; grossesse à éviter pendant un mois après la vaccination. • Allaitement possible après la vaccination. • Vaccin peut être administré en même temps que des préparations immunoglobulines comme l'immunoglobuline Rh.
CMV (virus de l'herpès)	• Adultes asymptomatiques pour la plupart ou ont des symptômes légers de la grippe • Présence d'anticorps du CMV n'empêche pas entièrement la réinfection	• Infection possible du fœtus à travers le placenta. • Infection beaucoup plus probable en cas de primo-infection maternelle. • Indices courants d'infection congénitale : hépatosplénomégalie, calcification intracrânienne, ictère, limitation de croissance, microcéphalie, choriorétinite, déficience auditive, thrombocytopénie, hyperbilirubémie, hépatite.	• Transmission possible du virus par la transplantation d'un organe infecté, la transfusion de sang infecté, un contact sexuel ou un contact avec de la salive ou de l'urine contaminés. • Virus peut se réactiver et causer la maladie dans l'utérus ou pendant l'accouchement à une grossesse ultérieure ; l'infection fœtale peut se produire pendant le passage dans la filière pelvigénitale infectée. • Prévention : – utilisation de produits sanguins CMV négatif s'il est nécessaire de faire une transfusion à la femme enceinte ; – enseignement à toutes les femmes enceintes de la procédure d'hygiène des mains soigneusement après avoir touché les couches et les jouets d'un nouveau-né.
Herpès génital (virus *herpes simplex*, type 1 ou type 2)	• Infection primaire avec des vésicules douloureuses, des ganglions lymphatiques inguinaux sensibles à la pression, une méningite virale (rare) • Infections récurrentes beaucoup plus modérées et courtes	• Rares occurrences d'infections traversant le placenta qui causent une infection congénitale ; se produit généralement avec une infection maternelle primaire. • Présence de risque surtout lorsqu'il y a infection alors que la cliente est à un stade avancé de sa grossesse.	• Près des deux tiers des femmes qui ont des anticorps *herpes simplex* type 2 ont été infectées asymptomatiquement ; cependant, une cliente asymptomatique peut donner naissance à un nouveau-né gravement infecté. • Risque de transmission plus élevé pendant un accouchement par voie vaginale si la cliente présente des lésions ; dans ce cas, la césarienne est recommandée. • Acyclovir peut être utilisé pour traiter les crises récurrentes pendant la grossesse ou comme thérapie suppressive tard dans la grossesse pour empêcher une crise pendant le travail et l'accouchement.

Sources : Adapté de Duff *et al.* (2009) ; SOGC (2008b, 2008c).

périnéale. La source la plus courante des infections urinaires est la bactérie Gram négative *Escherichia coli*, responsable de 85 % des cas. Une autre bactérie Gram négative qui cause des infections urinaires est la *Klebsiella pneumoniæ*. Les organismes Gram positifs comme les streptocoques du groupe B, les entérocoques et les staphylocoques sont responsables de moins de 10 % de toutes les infections (Gilbert, 2007).

Bactériurie asymptomatique

La bactériurie asymptomatique désigne la présence persistante de bactéries dans le tractus urinaire des femmes qui ne présentent aucun symptôme. Un échantillon d'urine de la partie intermédiaire de la miction contenant plus de 100 000 organismes/ml constitue un diagnostic. Lorsqu'elle n'est pas traitée, la bactériurie asymptomatique entraîne une infection symptomatique pendant la grossesse chez 40 % des femmes infectées (Colombo & Samuels, 2007). C'est la raison pour laquelle l'ACOG recommande de faire passer un test de dépistage de la bactériurie asymptomatique à toutes les femmes enceintes à la première visite prénatale (Colombo & Samuels, 2007). Cette infection a été associée à un accouchement prématuré et à un nouveau-né de faible poids à la naissance (ACOG & American Academy of Pediatrics [AAP], 2007 ; Cunningham *et al.*, 2005).

On traite la bactériurie asymptomatique à l'aide d'antibiotiques. Les antibiotiques souvent prescrits sont l'amoxicilline, l'ampicilline, la céfalexine (Keflex^MD^), la ciprofloxacine (Cipro^MD^), la lévofloxacine (Levaquin^MD^), la nitrofurantoïne et la triméthoprime-sulfaméthoxazole). Plusieurs régimes, dont une dose unique, un traitement de 3 ou de 10 jours, sont possibles (Cunningham *et al.*, 2005). Une seconde culture d'urine est généralement demandée une semaine ou deux après la fin de la thérapie, parce qu'environ 15 % des femmes ne réagissent pas à celle-ci ou sont réinfectées (Colombo & Samuels, 2007). Les femmes qui présentent des récurrences persistantes ou fréquentes de bactériurie peuvent faire l'objet d'une thérapie suppressive, généralement de la nitrofurantoïne chaque soir au coucher, jusqu'à la fin de la grossesse (Cunningham *et al.*, 2005).

Cystite

La cystite (infection vésicale) se caractérise par une dysurie, une miction impérieuse et une pollakiurie ainsi qu'une douleur abdominale basse ou suspubienne. L'urine contient habituellement des globules blancs et des bactéries. Une hématurie microscopique ou macroscopique peut aussi être présente. En général, les symptômes se confinent à la vessie plutôt que de devenir généralisés. La cystite ne présente généralement pas de complications, mais elle entraîne parfois une infection ascendante des voies urinaires. Approximativement 40 % des femmes enceintes souffrant de pyélonéphrite manifestent des symptômes d'infection vésicale avant de présenter ceux de pyélonéphrite (Cunningham *et al.*, 2005).

La cystite se traite souvent au moyen d'une antibiothérapie d'une durée de trois jours, laquelle guérit l'infection dans 90 % des cas. Les antibiotiques souvent prescrits sont l'amoxicilline, l'ampicilline, la céfalexine, la ciprofloxacine, la lévofloxacine, la nitrofurantoïne et la triméthoprime-sulfaméthoxazole (Cunningham *et al.*, 2005). La phénazopyridine (Pyridium^MD^), un analgésique urinaire, est souvent prescrit en même temps qu'un antibiotique pour soulager les symptômes causés par l'irritation des voies urinaires. Quoique la phénazopyridine soit efficace pour soulager la dysurie, la miction impérieuse et la pollakiurie, l'infirmière doit informer la cliente que le médicament colore l'urine et les larmes en orange. Elle doit également l'aviser d'éviter de porter des lentilles de contact pendant le traitement et que l'urine peut tacher les sous-vêtements de façon permanente.

Pyélonéphrite

La pyélonéphrite (infection rénale) est la complication médicale et la cause autre qu'obstétricale d'hospitalisation la plus courante pendant la grossesse (Colombo & Samuels, 2007 ; Cunningham *et al.*, 2005). Les complications maternelles les plus courantes associées à la pyélonéphrite comprennent l'anémie, la septicémie, un dysfonctionnement rénal transitoire et une insuffisance pulmonaire. Une femme atteinte de pyélonéphrite peut commencer à souffrir d'urosepsis, du syndrome de sepsie et de dysfonctionnement rénal. En outre, les femmes enceintes atteintes d'infection rénale aiguë peuvent souffrir d'un trouble pulmonaire ressemblant au syndrome de détresse respiratoire de l'adulte, fort probablement par suite d'un dommage du tissu alvéolaire causé par la libération d'endotoxines d'une bactérie Gram négative (Colombo & Samuels, 2007 ; Cunningham *et al.*, 2005). On pense qu'une pyélonéphrite récurrente cause la mort fœtale et un RCIU (Colombo & Samuels, 2007).

La pyélonéphrite apparaît généralement pendant le deuxième trimestre de la grossesse et est souvent causée par la bactérie *E. coli*. L'infection se produit plus souvent dans le rein droit (Jolley & Wing, 2010). L'apparition des symptômes de la pyélonéphrite est souvent soudaine, accompagnée de fièvre, de frissons et de douleur continue dans la région lombaire du dos. On peut aussi noter de l'anorexie, des nausées et des vomissements. En général, un ou deux angles costovertébraux seront douloureux à la pression.

Une femme qui obtient un diagnostic de pyélonéphrite est admise immédiatement à l'hôpital. Une antibiothérapie I.V. est ensuite commencée dès qu'on a recueilli les échantillons d'urine et de sang en vue de leur culture et de l'épreuve de sensibilité. L'ampicilline, la gentamicine, la céfazoline sodique (Ancef[MD]) ou la ceftriaxone sodique (Rocephin[MD]) sont souvent prescrites au début parce que ce sont des antibiotiques polyvalents habituellement efficaces. Il faut surveiller la cliente afin de déceler la présence possible d'une sepsie (Cunningham *et al.*, 2005).

Les symptômes cliniques disparaissent généralement en l'espace de deux jours après le début de l'antibiothérapie. Il faudra peut-être changer les antibiotiques, selon les résultats des premiers tests de culture et de douleur à la pression ou si la cliente ne réagit pas à la thérapie dans les 48 heures (Gilbert, 2007). La majorité des femmes deviennent afébriles en l'espace de 72 heures. Si aucune amélioration clinique n'est observée dans les 48 à 72 heures, il faut effectuer une échographie pour évaluer l'obstruction des voies urinaires. Lorsqu'une cliente devient afébrile, on lui administre des antibiotiques P.O. plutôt que des antibiotiques I.V. (Cunningham *et al.*, 2005).

Jugement clinique

Madame Lina Gagné, âgée de 28 ans et enceinte de 21 semaines, reçoit un traitement d'antibiotiques pour une cystite. Elle songe sérieusement à cesser la prise de ceux-ci puisque ses douleurs mictionnelles ont complètement cessé et qu'elle craint l'apparition d'une infection aux levures.

Que devriez-vous répondre à madame Gagné concernant son intention de cesser la prise d'antibiotiques ? Justifiez votre réponse.

En général, l'antibiothérapie est poursuivie pendant 7 à 10 jours après que la cliente est sortie de l'hôpital. Une seconde culture d'urine sera probablement faite une ou deux semaines après la fin de l'antibiothérapie. Une infection récurrente se manifeste chez 30 à 40 % des femmes qui suivent un traitement pour la pyélonéphrite. C'est la raison pour laquelle il faut procéder à une culture d'urine chaque trimestre pendant le reste de la grossesse. De nombreuses femmes prennent un antibiotique prophylactique (souvent de la nitrofurantoïne une ou deux fois par jour) jusqu'à la fin de leur grossesse (Colombo & Samuels, 2007 ; Cunningham *et al.*, 2005).

Guide d'enseignement

ENCADRÉ 21.17 Prévention des infections des voies urinaires

- Essuyez-vous de l'avant vers l'arrière après la miction ou des selles.
- Portez des sous-vêtements ou des bas-culottes avec une fourche en coton.
- Évitez de porter des vêtements serrés, surtout les jeans.
- Limitez le temps passé dans des vêtements d'exercice humides.
- Évitez les sels de bain ou les bains moussants.
- Évitez le papier hygiénique coloré ou parfumé.
- Cessez d'utiliser un désodorisant aérosol d'hygiène féminine si vous ressentez une sensibilité.
- N'ignorez pas le besoin de miction.
- Urinez avant et après les rapports sexuels et avant d'aller au lit la nuit.
- Buvez au moins huit verres de liquide (surtout de l'eau) chaque jour.

Enseignement à la cliente

L'infirmière est souvent responsable d'enseigner à la cliente comment prendre son médicament en toute sécurité et efficacité. Cet enseignement est particulièrement important en ce qui a trait aux antibiotiques parce que le public en général fait souvent un mauvais emploi de ce type de médicament. Il faut informer la cliente qu'elle doit prendre les antibiotiques pendant toute la période prescrite et non pas cesser de les prendre lorsqu'elle se sent mieux. Une antibiothérapie qui est interrompue avant terme risque de donner lieu à la création d'autres microorganismes résistants aux médicaments. Il faut prendre les antibiotiques à heure fixe sur 24 heures de sorte que la concentration sanguine de médicament dans le corps demeure constante. Enfin, de nombreuses femmes contractent une infection aux levures après avoir pris des antibiotiques, parce que le médicament tue la flore normale dans les voies génito-urinaires, ainsi que les microorganismes pathogènes. L'infirmière doit donc encourager la cliente qui prend des antibiotiques à manger du yogourt, du fromage ou du lait contenant des cultures probiotiques.

Il faut également enseigner à la cliente des moyens simples d'éviter de contracter d'autres infections des voies urinaires dans l'avenir **ENCADRÉ 21.17**.

21.6 Urgences chirurgicales pendant la grossesse

Les clientes enceintes peuvent contracter les mêmes maladies médicales ou chirurgicales que les femmes non enceintes en âge de procréer. La chirurgie abdominale est aussi souvent nécessaire chez les femmes enceintes que chez les femmes non enceintes, d'âge comparable. La grossesse peut cependant compliquer le diagnostic. La distension de l'utérus et le déplacement des organes internes peuvent rendre plus difficile la palpation abdominale, modifier la position d'un organe touché ou changer les signes et les symptômes habituels associés à un trouble particulier. Les deux conditions abdominales non gynécologiques les plus courantes nécessitant une chirurgie pendant la grossesse sont l'appendicite et la cholélithiase symptomatique (Lu & Curet, 2007).

21.6.1 Appendicite

L'appendicite est la cause non gynécologique la plus courante d'urgence chirurgicale abdominale aiguë pendant la grossesse, et elle se produit dans 1 grossesse sur 1 500 (Lu & Curet, 2007). Le diagnostic de l'appendicite est souvent retardé parce que ses signes et ses symptômes imitent certains changements normaux de la grossesse, comme les nausées, les vomissements et une leucocytémie accrue (Cunningham *et al.*, 2005). Au fur et à mesure que la grossesse progresse, l'appendice est poussé vers le haut et la droite, par rapport à son emplacement anatomique habituel. À cause de ces changements, la rupture de l'appendice et la présence subséquente d'une péritonite surviennent deux ou trois fois plus souvent chez la femme enceinte que chez la femme non enceinte.

Le diagnostic de l'appendicite est souvent retardé parce que ses signes et ses symptômes imitent certains changements normaux de la grossesse.

Le symptôme le plus courant d'appendicite chez la femme enceinte est une douleur abdominale ressentie dans le quadrant inférieur droit, quel que soit l'âge gestationnel. Les nausées et les vomissements sont souvent présents, mais la perte de l'appétit n'est pas un indice fiable de l'appendicite. Les femmes non enceintes qui en souffrent présentent souvent des symptômes de fièvre, de tachycardie, de langue sèche et de douleur abdominale localisée à la pression ; cependant, ces symptômes sont moins susceptibles d'être des indices d'une appendicite chez une femme enceinte. En raison de l'augmentation physiologique de la leucocytémie pendant la grossesse, ce test n'est pas utile pour poser le diagnostic. Il faut effectuer une analyse d'urine et une radiographie pulmonaire pour écarter une infection des voies urinaires et une pneumonie du lobe inférieur droit, étant donné que ces deux états peuvent causer des douleurs abdominales basses (Kelly & Savides, 2009).

L'échographie se révèle utile pendant les premier et deuxième trimestres de la grossesse pour diagnostiquer une appendicite. Elle est moins efficace pendant le troisième trimestre, parce que l'examen devient techniquement plus difficile. Pendant le troisième trimestre, la tomodensitométrie hélicoïdale peut être plus utile que les autres techniques d'imagerie (Lu & Curet, 2007). On peut avoir recours à l'imagerie par résonance magnétique si les autres techniques d'imagerie n'ont pas permis de confirmer la présence d'une appendicite (Kelly & Savides, 2009).

Une intervention chirurgicale d'urgence pour enlever l'appendice demeure le traitement standard (Kelly & Savides, 2009). L'appendicectomie avant la rupture ne nécessite généralement pas d'antibiothérapie ni de thérapie aux tocolytiques. Si la chirurgie est reportée après la rupture, on prescrit alors de multiples antibiotiques. La rupture entraîne généralement un travail prématuré et, parfois, la perte du fœtus.

21.6.2 Cholélithiase et cholécystite

La cholélithiase (présence de calculs biliaires dans la vésicule biliaire) et la cholécystite (inflammation de la vésicule biliaire) sont courantes pendant la grossesse, probablement en raison du taux plus élevé d'hormones, ainsi que de la pression exercée par l'utérus distendu qui interfère avec la circulation normale et le drainage de la vésicule biliaire. En fait, le deuxième problème non gynécologique le plus courant nécessitant une chirurgie pendant la grossesse est la cholélithiase symptomatique, qui se produit dans 1 grossesse sur 1 600 (Blackburn, 2007 ; Lu & Curet, 2007).

Une femme qui souffre de cholécystite aiguë manifeste généralement une intolérance aux aliments gras, une douleur abdominale due à des coliques qui irradie dans le dos ou dans l'épaule, ainsi que des nausées et des vomissements. Elle peut aussi faire de la fièvre. On utilise souvent l'échographie pour détecter la présence de calculs ou la dilatation du canal cholédoque (Lu & Curet, 2007).

En général, la chirurgie de la vésicule biliaire doit être reportée après la puerpéralité. La cliente peut habituellement être traitée de façon classique pendant le reste de sa grossesse. La thérapie consiste généralement en l'hydratation par voie I.V., le repos digestif avec aspiration gastrique par voie nasale, aucune ingestion d'aliments et l'administration d'analgésiques opioïdes. On ne doit pas administrer de morphine comme analgésique, car elle peut causer des spasmes intracanalaires. Des antibiotiques sont donnés en présence de données probantes d'une cholécystite ou d'une infection (Lu & Curet, 2007).

Les clientes souffrant d'un ictère rétentionnel, de pancréatite biliaire ou de péritonite présumée, ou celles pour qui un traitement médical classique n'a pas donné de résultat, peuvent être traitées par des interventions chirurgicales associées à la cholécystectomie ou à la cholécystotomie. Le deuxième trimestre est la meilleure période pour opérer une cliente enceinte, car les risques de **tératogenèse**, de fausse couche et d'accouchement prématuré sont alors plus faibles. La cholécystectomie laparoscopique semble alors être sûre (Lu & Curet, 2007).

Tératogenèse : Production pathologique de malformations fœtales.

21.6.3 Problèmes gynécologiques

La grossesse prédispose la femme à avoir des problèmes ovariens, surtout pendant le premier trimestre. Il peut se produire des kystes de l'ovaire et une torsion des kystes de l'ovaire ou une torsion des tissus annexes. Parmi les autres problèmes possibles se trouvent la rétention ou l'augmentation d'un kyste du corps jaune et une invasion bactérienne des organes reproducteurs ou autres organes intrapéritonéaux. Les échographies en série, les I.R.M. et l'imagerie transvaginale doppler couleur servent à diagnostiquer la plupart des anomalies ovariennes (Cunningham *et al.*, 2005). Les masses ovariennes diminuent généralement entre la 16e et la 20e semaine de gestation; si elles ne le font pas, alors une opération chirurgicale non urgente peut être faite pour enlever les masses. Une laparotomie ou une laparoscopie peut être nécessaire pour établir le bon diagnostic entre une grossesse ectopique précoce, une appendicite ou un processus infectieux.

SOINS ET TRAITEMENTS INFIRMIERS

Urgences chirurgicales pendant la grossesse

Interventions cliniques

L'évaluation initiale de la femme enceinte ayant besoin d'une intervention chirurgicale est axée sur les signes et les symptômes qu'elle présente. Il faut obtenir ses antécédents complets et effectuer un examen physique. Les analyses de laboratoire comprennent minimalement un hémogramme et une analyse d'urine. D'autres analyses de laboratoire et examens paracliniques peuvent être nécessaires pour arriver à poser un diagnostic. Il faut également surveiller la F.C.F., l'activité du fœtus ainsi que l'activité utérine. Une vigilance constante doit être maintenue pour tout symptôme annonçant des complications obstétricales. L'importance de l'évaluation préchirurgicale dépend de l'imminence de l'intervention et du trouble particulier.

Lorsque la chirurgie devient nécessaire pendant la grossesse, la cliente et sa famille s'inquiètent souvent des effets de l'intervention et des médicaments sur le bien-être du fœtus et sur le cours de la grossesse. Une grande partie des soins infirmiers préopératoires consiste à encourager la cliente à exprimer ses peurs et ses inquiétudes ainsi qu'à poser ses questions.

Les soins préopératoires de la cliente enceinte diffèrent de ceux offerts à la femme non enceinte sur un plan important, à savoir la présence d'au moins une autre personne: le fœtus. Si ce dernier est considéré comme viable, il faut effectuer le monitorage continu de la F.C.F. et des contractions utérines. Les interventions comme la préparation du site opératoire et le moment de l'installation des perfusions I.V. et d'une sonde urinaire varient selon le médecin et l'établissement. Néanmoins, il y a toujours restriction totale des aliments solides et des liquides, ou des instructions précises sont données sur le type et la quantité de liquides clairs que la cliente peut consommer avant la chirurgie. Il peut être nécessaire de procéder à une préparation des intestins, par des liquides clairs et des laxatifs, par exemple, avant la chirurgie. L'ingestion d'aliments est limitée plusieurs heures avant l'intervention prévue. Même si elle n'a rien ingéré, mais plus important encore, si la chirurgie est décidée d'urgence, il y un risque que la femme vomisse ou aspire le contenu de son estomac dans les bronches. Aussi, il faut prendre des précautions spéciales avant de procéder à une anesthésie (p. ex., l'administration d'un antiacide).

Pendant l'opération, l'infirmière en périnatalité peut renseigner le personnel chirurgical sur les besoins spéciaux de la cliente enceinte qui subit une chirurgie. Une intervention visant à améliorer l'oxygénation fœtale consiste à placer la femme dans une position d'inclinaison latérale sur la table d'opération pour empêcher la compression de la veine cave. Le monitorage continu du fœtus et de l'utérus est recommandé pendant l'intervention, en raison du risque de travail prématuré. La surveillance peut se faire au moyen d'un gel de transmission ultrasonique et stérile ainsi que d'un manche stérile pour le transducteur. Pendant une chirurgie abdominale, on peut palper manuellement les contractions utérines.

Dans la période de rétablissement immédiat, les observations et les soins généraux pertinents au rétablissement postopératoire sont amorcés. La cliente est évaluée fréquemment plusieurs heures après l'intervention. Peu importe qu'elle se trouve dans le secteur de réveil postanesthésique chirurgical ou dans l'unité de travail et d'accouchement, il faudra probablement entreprendre ou reprendre le monitorage utérin et fœtal en permanence à cause du haut risque de travail prématuré. Une tocolyse peut être nécessaire en cas de travail prématuré ▶ 22.

22

Le traitement tocolytique en cas de travail prématuré est abordé dans le chapitre 22, *Travail et accouchement à risque*.

Les plans pour le retour au domicile de la cliente et sa convalescence doivent être établis dès que possible avant son congé. Il existe des services de soutien à domicile offerts par les CSSS où la continuité de soins est possible. La cliente est alors dirigée vers ces services pour une évaluation de sa situation afin d'obtenir l'aide nécessaire à la garde des enfants, aux soins à domicile, à une aide financière ou à une autre forme de soutien. Certains soins pourront être exécutés par la cliente, et une évaluation quant à l'enseignement et à l'exécution de certains traitements peut être organisée avant son congé de l'hôpital. Idéalement, la cliente et les membres de sa famille pouvant l'accompagner et la soutenir devraient avoir l'occasion de pratiquer les soins sous supervision avant le congé, de manière à sentir qu'ils les maîtrisent suffisamment bien pour en assurer seuls l'administration. L'**ENCADRÉ 21.18** présente l'information à communiquer à la cliente avant son congé.

Les soins préopératoires de la cliente enceinte diffèrent de ceux offerts à la femme non enceinte sur un plan important, à savoir la présence d'au moins une autre personne: le fœtus.

Enseignement à la cliente et à ses proches

ENCADRÉ 21.18 Soins postopératoires à domicile

Au cours de l'enseignement à la cliente et à ses proches sur la prise en charge des soins à domicile, l'infirmière abordera les aspects suivants.

- Soins du site d'incision
- Régime alimentaire et élimination nécessaire selon la fonction gastro-intestinale
- Signes et symptômes de complications : infection de la plaie, thrombophlébite, pneumonie
- Matériel nécessaire et technique de mesure de la température
- Calendrier recommandé pour la reprise des activités quotidiennes
- Traitements et médicaments prescrits
- Liste de personnes-ressources avec leur numéro de téléphone
- Calendrier des visites de suivi
- Si l'accouchement n'a pas eu lieu :
  - évaluation de l'activité fœtale (décompte des mouvements fœtaux)
  - signes de travail prématuré

21.7 Trauma pendant la grossesse

Un trauma peut survenir pendant la grossesse, parce que la majorité des femmes enceintes poursuivent leurs activités habituelles. La femme enceinte court les mêmes risques que la femme non enceinte d'être victime d'un accident de la route, d'une chute, d'un accident de travail, de violence ou d'autres blessures. Le traitement d'une cliente enceinte victime d'un trauma se complique par le fait que le personnel soignant qui traite les victimes est rarement aussi expérimenté dans les soins aux femmes enceintes que dans ceux offerts aux victimes non enceintes (Lutz, 2005).

21.7.1 Importance

Environ 8 % des grossesses seraient compliquées par un trauma majeur, et les conséquences d'un trauma sont la première cause non obstétricale de décès maternel. Le risque augmente au fur et à mesure qu'avance la grossesse, parce que plus de traumas sont signalés au troisième trimestre que plus tôt dans la grossesse. Les accidents de la route, les chutes et la violence sont les principaux exemples de traumas contondants pendant la grossesse tandis que les blessures par arme à feu et par arme blanche sont les exemples les plus courants de traumas pénétrants chez les femmes enceintes (Gilbert, 2007 ; Lu & Curet, 2007).

L'effet du trauma sur la grossesse dépend de la durée de la gestation, du type et de la gravité du trauma, ainsi que du degré de perturbation des caractéristiques physiologiques du fœtus et de l'utérus. Le trauma accroît la prévalence de fausse couche, de travail prématuré, d'hématome rétroplacentaire et de mort fœtale (Cunningham *et al.*, 2005 ; Mattox & Goetzl, 2005). Les autres effets fœtaux courants du trauma sont la rupture prématurée des membranes, une transfusion fœtomaternelle, des blessures du crâne impliquant un risque hypoxique. Le trauma cause plus souvent la mort fœtale que la mort maternelle (Gilbert, 2007).

Des considérations spéciales pour la mère et le fœtus sont nécessaires lorsqu'un trauma se produit pendant la grossesse, en raison des changements physiologiques qui accompagnent cette dernière et de la présence du fœtus. La survie de celui-ci dépend de celle de la mère ; par conséquent, après un trauma, l'état de la femme enceinte doit être stabilisé immédiatement, et il faut lui prodiguer les soins appropriés pour assurer un pronostic fœtal optimal.

21.7.2 Caractéristiques physiologiques maternelles

Pour offrir des soins optimaux à une femme enceinte après un trauma, il faut bien comprendre l'état physiologique de la grossesse et les conséquences du trauma. Le corps de la femme enceinte présentera des réactions différentes de celui d'une femme qui ne l'est pas. Compte tenu des diverses réactions à une blessure pendant la grossesse, il faut adapter les stratégies de traitement pour s'assurer que la réanimation, la réhydratation, l'évaluation de la position ainsi que la plupart des autres interventions sont adéquates. Les adaptations maternelles importantes selon le système atteint par le trauma sont résumées dans le **TABLEAU 21.11**.

Pendant le premier trimestre, l'utérus et la vessie, confinés dans le bassin osseux, sont moins à risque de lésion dans les cas de trauma abdominal. Cependant, après la 14e semaine de grossesse, l'utérus devient un organe abdominal, et le risque de lésion dans les cas de trauma abdominal s'accroît. Pendant les deuxième et troisième trimestres, le globe vésical devient aussi un organe abdominal et est plus à risque de lésion et de rupture. Les lésions à l'intestin se produisent moins souvent pendant la grossesse qu'à d'autres moments, car l'utérus distendu procure une certaine protection.

TABLEAU 21.11 Adaptations maternelles pendant la grossesse et réaction à un trauma

SYSTÈME	MODIFICATION	RÉACTIONS CLINIQUES
Respiratoire	↑ consommation d'oxygène	↑ risque d'acidose
	↓ volume courant	↑ risque de problèmes respiratoires
	↑ capacité résiduelle fonctionnelle	
	Alcalose compensée chronique	↓ pouvoir tampon du sang
	↓ pression partielle du gaz carbonique dans le sang artériel ($PaCO_2$)	
	↓ taux sérique de bicarbonate	
Cardiovasculaire	↑ volume circulant, 1 600 ml	Perte possible de 1 000 ml de sang
	↑ D.C.	Aucun signe de choc avant que la perte de sang ne soit supérieure à 30 % du volume sanguin
	↑ F.C.	
	↓ résistance vasculaire systémique	↓ perfusion placentaire en position couchée sur le dos
	↓ P.A.	
	Déplacement du cœur vers le haut, à gauche	Emplacement du choc de la pointe, quatrième espace intercostal
Rénal	↑ flux plasmatique rénal	
	Dilatation des uretères et de l'urètre	↑ risque de stase, d'infection
	Déplacement de la vessie vers l'avant	↑ risque de trauma vésical
Gastro-intestinal	↓ mobilité gastrique	↑ risque d'aspiration
	↑ production d'acide chlorhydrique	
	↓ compétence du sphincter gastro-œsophagien	Régurgitation passive des acides gastriques si la tête est plus basse que l'estomac
Reproducteur	↑ débit sanguin aux organes	Risque d'↑ de perte sanguine
	Distension utérine	Compression de la veine cave en position couchée sur le dos
Musculosquelettique	Déplacement des viscères abdominaux	↑ risque de blessure, modification du réflexe de réaction
	Congestion veineuse pelvienne	↑ risque de fracture pelvienne
	Ramollissement du cartilage	Changement du centre de gravité
	Tête fœtale dans le bassin	↑ risque de blessure fœtale
Hématologique	↑ facteurs de coagulation	↑ risque de formation d'un thrombus
	↓ activité fibrinolytique	

La concentration élevée de progestérone pendant la grossesse fait en sorte que les muscles lisses se relâchent, et cette hormone modifie en profondeur le tractus gastro-intestinal. La motilité gastro-intestinale diminue, ce qui ralentit le processus de vidange gastrique. Ainsi, l'assistance respiratoire d'une cliente enceinte inconsciente est cruciale, car il y a un risque accru d'aspiration pulmonaire du contenu gastrique (Lu & Curet, 2007).

L'assistance respiratoire d'une cliente enceinte inconsciente est cruciale, car il y a un risque accru d'aspiration pulmonaire du contenu gastrique.

Une femme enceinte a une moins grande tolérance à l'hypoxie et à l'apnée, parce que sa capacité résiduelle fonctionnelle se trouve réduite et que sa perte rénale de bicarbonate est plus élevée. L'acidose se développe plus rapidement chez une femme enceinte que chez une femme qui ne l'est pas.

Le D.C. augmente de 44 à 50 % par rapport aux valeurs antérieures à la grossesse et est tributaire de la position de la cliente pendant le troisième trimestre. Du fait de la compression de la veine cave inférieure et de l'aorte descendante par l'utérus de la femme enceinte, le D.C. chute si la femme est en position couchée sur le dos. Il faut donc éviter cette position, même chez une cliente souffrant d'une blessure à la colonne cervicale.

La volémie s'accroît de 50 % pendant la grossesse, et une femme enceinte peut tolérer facilement une grande perte sanguine sans présenter de signes cliniques. L'instabilité hémodynamique, qui est indicative du besoin d'une transfusion, peut ne devenir apparente que lorsque la perte sanguine atteint près de 1 000 à 2 000 ml. Les signes cliniques d'une hémorragie ne deviennent apparents que lorsqu'il y a une perte de 30 % de la volémie (Lu & Curet, 2007).

21.7.3 Caractéristiques physiologiques fœtales

La perfusion des artères utérines, qui constituent la principale source d'approvisionnement en sang de l'unité utéroplacentaire, nécessite une P.A. maternelle adéquate, car ces vaisseaux n'ont pas de mécanisme d'autorégulation. Ainsi, l'hypotension artérielle maternelle réduit la perfusion utérine et fœtale. Un choc maternel donne lieu à une vasoconstriction des vaisseaux splanchniques et des artères utérines, laquelle fait baisser le flux sanguin et l'approvisionnement du fœtus en oxygène. Le monitorage fœtal électronique peut aider à évaluer l'état de la mère après un trauma, car il rend compte de la réaction cardiaque fœtale à l'hypoxie et à l'hypoperfusion. Une femme enceinte peut souffrir d'hypoperfusion avant de présenter des signes cliniques de choc, comme une augmentation de la F.C. et une diminution de la P.A. Le tracé de la F.C.F. peut révéler un danger maternel en montrant les signes d'une hypoxie fœtale, y compris d'une tachycardie ou de décélérations tardives ou prolongées, surtout lorsqu'elles sont combinées à une variabilité absente ou minimale de la fréquence de base.

21.7.4 Traumas accidentels

Les traumas accidentels regroupent les traumas contondants de l'abdomen, les traumas thoraciques de contusion ou pénétrants, ainsi que les traumas pénétrants à l'abdomen. Les accidents de la route causent la grande majorité des traumas contondants de l'abdomen et des traumas thoraciques pendant la grossesse . À la suite d'un trauma abdominal, même mineur, il est essentiel d'évaluer chez la mère les signes et les symptômes d'hématome rétroplacentaire (Gilbert, 2007). Si le trauma donne lieu à une fracture pelvienne, il faut évaluer les signes cliniques d'hémorragie interne. Quant au fœtus, il est recommandé d'examiner la présence d'une fracture du crâne fœtal ou d'une hémorragie intracrânienne, puisque le crâne et le cerveau sont les plus souvent atteints dans le cas d'un traumatisme maternel pendant la grossesse (Lu & Curet, 2007).

Les accidents de voiture peuvent également entraîner des traumas thoraciques susceptibles de mettre la vie de la mère en danger. La contusion pulmonaire doit être soupçonnée dans les cas de blessure thoracique, surtout après un trauma causé par accélération ou décélération, comme il s'en produit lorsqu'un véhicule roulant à grande vitesse percute un objet fixe. Les blessures pénétrantes au thorax peuvent entraîner un pneumothorax ou un hémothorax. Ce type de blessure est habituellement causé par un accident de voiture ou par une blessure à l'arme blanche.

Les traumas pénétrants à l'abdomen sont généralement causés par des blessures par arme à feu et par arme blanche. La gravité des blessures infligées au fœtus dépend du point et de l'angle d'entrée du projectile ou de la lame, ainsi que de l'âge gestationnel du fœtus. Les traumas pénétrants nécessitent une exploration chirurgicale, comme chez les clientes qui ne sont pas enceintes.

SOINS ET TRAITEMENTS INFIRMIERS

Femme enceinte ayant subi un trauma

Stabilisation immédiate

Les priorités de stabilisation pour la femme enceinte ayant subi un trauma sont les mêmes que pour la femme non enceinte. La grossesse ne devrait pas entraîner une quelconque restriction des interventions ou manœuvres habituelles de diagnostic, de traitement pharmacologique ou de réanimation (ACOG & AAP, 2007). La réaction initiale de nombreux membres d'une équipe de traumatologie lorsqu'ils prennent soin d'une femme enceinte consiste à évaluer tout d'abord l'état fœtal parce qu'ils ont des craintes quant à la santé du nouveau-né. Ils devraient plutôt effectuer une évaluation méthodique de l'état maternel afin d'assurer une collecte et une analyse complète des données et une stabilisation de l'état de la mère. La survie du fœtus dépend de celle de la mère, et la stabilisation de l'état maternel améliore les chances de survie du fœtus.

Examen primaire

L'évaluation systématique commence par un examen primaire et par les bases de la réanimation : établir

Les priorités de soins pour la femme enceinte après un trauma devraient d'abord être sa réanimation et la stabilisation de son état, puis la stabilisation des besoins du fœtus.

Les traumas de l'abdomen et du thorax sont décrits plus en détail à l'annexe 21.1W, au *www.cheneliere.ca/lowdermilk*.

et maintenir les voies respiratoires, assurer une respiration adéquate, maintenir le volume circulatoire adéquat et effectuer une défibrillation s'il y a lieu. S'il faut procéder à la défibrillation, on place les électrodes un espace intercostal plus haut que d'habitude, car le cœur est déplacé légèrement par l'utérus distendu.

Éviter l'hyperextension du cou chez la victime d'un trauma ; procéder plutôt à la subluxation en avant de la mâchoire inférieure.

Une fois que les voies respiratoires sont dégagées, il faut s'assurer que l'oxygénation est adéquate en observant les mouvements de la paroi de la cage thoracique. En l'absence du phénomène respiratoire, on procède à la ventilation de la cliente et à son intubation. Bien que les directives relatives à l'intubation et à la ventilation artificielle d'une femme enceinte soient semblables à celles d'une femme non enceinte, on suggère de ventiler la femme enceinte à 100 % d'oxygène (Vanden Hoek *et al.*, 2010). Une cliente enceinte doit être traitée comme présentant un risque élevé d'aspiration, parce qu'elle est plus susceptible d'aspirer le contenu gastrique que la femme non enceinte (Lu & Curet, 2007). On lui administre de 10 à 12 L/min d'oxygène supplémentaires au moyen d'un masque facial bien ajusté pour maintenir l'oxygénation adéquate du fœtus. La présence d'une blessure pénétrante ou d'un **volet costal** sur la paroi de la cage thoracique est vérifiée. S'il y a un volet costal, la respiration est rapide et laborieuse, les mouvements de la paroi de la cage thoracique ne sont pas coordonnés ni symétriques, et une crépitation provenant des fragments d'os s'entend à la palpation.

Volet costal : Portion de la paroi thoracique désolidarisée de l'ensemble du squelette par une ou plusieurs lignes de fractures costales, et qui entraîne une respiration paradoxale.

Chez la majorité des clientes grièvement blessées, il est nécessaire d'installer rapidement deux lignes I.V. de gros calibres (de 14 à 16). Il est important d'installer les lignes lorsque les veines sont encore distendues. Un arrêt cardiaque pendant la période de stabilisation immédiate se produit souvent à cause d'une profonde hypovolémie et nécessite une réanimation liquidienne massive. Comme la volémie augmente de 50 % pendant la grossesse, il faut ajuster à la hausse les formules publiées pour les adultes non enceintes servant à estimer les cristalloïdes et la transfusion sanguine.

Le remplacement des globules rouges et d'autres composants sanguins est prévisible, et une prise de sang est donc faite afin d'établir le groupe sanguin et de réaliser l'épreuve de compatibilité croisée, la numération globulaire complète et la numération plaquettaire. Une transfusion de sang total du groupe approprié ou d'un concentré de globules rouges est habituellement nécessaire pour améliorer l'oxygénation fœtale et pour remplacer le sang perdu. En cas d'extrême urgence, du sang de groupe O, Rh négatif, peut être administré sans vérification de la compatibilité.

Autant que possible, il faut éviter de donner des médicaments vasopresseurs pour rétablir la P.A. maternelle jusqu'à ce que le volume liquidien soit rétabli. Bien que les agents vasopresseurs aient pour effet de réduire la perfusion de l'utérus, il est recommandé de les administrer s'ils sont nécessaires à la réanimation réussie de la mère (Lu & Curet, 2007).

Après 24 semaines de gestation, le meilleur moyen d'assurer le retour veineux au cœur consiste à placer l'utérus en position latérale gauche afin que son poids ne vienne pas comprimer la veine cave inférieure ou l'aorte descendante. Cette manœuvre facilite les efforts pour établir le flux sanguin par la réanimation et la stabilisation (Lu & Curet, 2007). Si, en raison des efforts de réanimation ou de l'immobilisation de la colonne cervicale, il est impossible de placer la femme dans une position latérale, alors il faut orienter manuellement l'utérus vers la gauche ou placer un coussin angulaire (ou une couverture ou une serviette roulée) sous le côté droit de la planche dorsale ou de la civière.

Réanimation cardiorespiratoire pour la femme enceinte

Heureusement, les cas d'arrêt cardiaque sont rares pendant la grossesse. Outre s'il y a trauma, on procède généralement à la réanimation cardiorespiratoire (RCR) d'une femme enceinte si ses voies respiratoires sont obstruées par suite d'un étouffement **FIGURE 21.16, ENCADRÉS 21.19** et **21.20**. Chez les femmes qui ne sont pas enceintes, la compression thoracique n'est pas une technique particulièrement efficace pour rétablir un D.C. adéquat. Cela est encore plus vrai chez la cliente enceinte en raison de la compression aortocave causée par l'utérus **gravide**. Ainsi, certaines autorités recommandent d'effectuer un massage cardiaque à cœur ouvert tôt dans le processus de réanimation pour augmenter la perfusion de l'organe. Si la RCR ne donne pas de résultats concluants dans les quatre à cinq minutes, il est souvent recommandé de faire une césarienne périmortem afin de faciliter les efforts de réanimation (Cunningham *et al.*, 2005 ; Lu & Curet, 2007 ; Vanden Hoek *et al.*, 2010). Enlever l'agent stressant de la grossesse tôt au début du processus de réanimation peut accroître les chances de survie de la mère et du fœtus. Il faut aussi procéder à une césarienne si le fœtus est viable et que l'arrêt cardiorespiratoire maternel semble impossible à traiter. Selon une étude, 98 % des enfants nés dans les cinq minutes suivant un arrêt cardiaque de la mère étaient normaux sur le plan neurologique. Toutefois, le taux de survie de nouveaux-nés en bonne santé diminue à mesure que le temps augmente entre l'arrêt cardiaque maternel et l'accouchement (Cunningham *et al.*, 2005 ; Lu & Curet, 2007).

Examen secondaire et soins de suivi

Après les mesures immédiates de réanimation et la réussite des mesures de stabilisation, il faut effectuer un examen secondaire de la mère et du fœtus.

FIGURE 21.16
Manœuvre de compression thoracique (auparavant connue sous le nom de manœuvre de Heimlich). Désobstruction des voies respiratoires chez une femme dans les derniers stades de la grossesse (peut aussi être utilisée chez une femme obèse).

On exécute alors un examen physique complet de tous les systèmes de l'organisme.

En plus d'aider à la stabilisation de la cliente, l'infirmière devra probablement apporter du soutien moral à la femme et à sa famille. D'autres membres de celle-ci peuvent avoir été grièvement blessés ou tués. L'infirmière collabore avec le personnel d'autres unités du même hôpital ainsi que d'autres centres hospitaliers pour s'assurer que la femme et sa famille obtiennent des réponses à leurs questions et que les renseignements donnés ne se

Soins d'urgence

ENCADRÉ 21.19 Réanimation cardiorespiratoire pour la femme enceinte

VOIES RESPIRATOIRES

- Établir l'absence de réaction.
- Activer le système médical d'urgence et obtenir le défibrillateur externe automatisé (DEA), s'il est disponible.
- Placer la femme sur une surface plane et ferme et déplacer l'utérus au moyen d'un coussin angulaire (p. ex., une serviette roulée placée sous la hanche droite) ou manuellement, ou la placer en position latérale gauche.
- Ouvrir les voies respiratoires en effectuant la manœuvre du renversement de la tête et d'élévation du menton.

RESPIRATION

- Si la femme ne respire pas, effectuer deux insufflations. Chaque insufflation doit durer une seconde.
- Si le secouriste est seul, il doit débuter avec les compressions.

CIRCULATION

- Établir l'absence de pouls en prenant le pouls carotidien.
- Si aucun pouls n'est décelé, commencer les compressions thoraciques à un rythme de 100/min. Les compressions thoraciques peuvent être faites légèrement plus haut sur le sternum, si l'utérus est suffisamment distendu pour déplacer le diaphragme plus haut.
- La profondeur des compressions doit être d'au moins 2 cm.
- Après 5 cycles de 30 compressions et 2 respirations (ou environ 2 minutes), vérifier le pouls. S'il n'y pas de pouls, continuer la RCR.

DÉFIBRILLATION

- Utiliser un DEA conformément au protocole standard pour analyser le rythme cardiaque et administrer une décharge au besoin.

DÉGAGEMENT DE L'OBSTRUCTION DES VOIES RESPIRATOIRES

- Si la femme enceinte est incapable de parler ou de tousser, effectuer les manœuvres de dégagement de l'obstruction des voies respiratoires **ENCADRÉ 21.20.**

Source : Adapté de Fondation des maladies du cœur (2010).

Soins d'urgence

ENCADRÉ 21.20 Dégagement des voies respiratoires pour la femme enceinte : compressions thoraciques

1. Se tenir derrière la femme et placer ses bras sous ses aisselles pour entourer sa poitrine.
2. Placer un poing fermé (côté pouce) au milieu du sternum et placer l'autre main sur le poing.
3. Effectuer des compressions thoraciques vers l'arrière jusqu'à ce que le corps étranger soit expulsé ou que la femme devienne inconsciente.
4. Si la femme enceinte perd connaissance en raison d'un corps étranger obstruant ses voies respiratoires, la placer sur le dos et s'agenouiller à côté d'elle. Déplacer l'utérus au moyen d'un coussin angulaire (p. ex., une serviette roulée placée sous la hanche droite) ou manuellement, ou placer la femme en position latérale gauche).
5. Ouvrir la bouche de la femme en soulevant sa mâchoire et sa langue, retirer si possible le corps étranger en balayant l'intérieur de la bouche avec un doigt en crochet et tenter la respiration de secours. S'il n'y a toujours pas de ventilation, placer les mains en position de compression thoracique.
6. Effectuer cinq compressions thoraciques fermes pour dégager l'obstruction.
7. Répéter les séquences précédentes de compression thoracique, du balayage de la bouche avec un doigt, puis tenter de ventiler la femme.
8. Continuer la séquence ci-dessus jusqu'à ce que les voies respiratoires de la femme ne soient plus obstruées ou qu'une personne appelée à l'aide soit arrivée pour prendre la relève.
9. Si la femme est inconsciente, faire les compressions thoraciques comme pour une personne qui ne présente pas de pouls.

Source : Adapté de Ashcraft, Hazinski, Samson & Schexnayder (2010).

7

La façon recommandée de porter la ceinture de sécurité chez les femmes enceintes est illustrée dans le chapitre 7, *Soins infirmiers de la famille pendant la grossesse*.

2

La violence conjugale et les risques qu'elle représente pour la femme enceinte et son enfant sont traités dans le chapitre 2, *Évaluation clinique et promotion de la santé*.

contredisent pas. Il peut également être nécessaire d'offrir un soutien de deuil.

La femme qui souffre d'un trauma mineur peut obtenir son congé après avoir fait l'objet d'un monitorage fœtal électronique adéquat qui se révèle rassurant quant à l'état du fœtus et à l'absence de contractions utérines (Cunningham *et al.*, 2005). Ses signes vitaux doivent être stables, sans manifestation de saignement au moment du congé. Il ne doit y avoir aucune contraction utérine, et le tracé de la F.C.F. doit être rassurant avant qu'on y mette fin et que la femme obtienne son congé (Cunningham *et al.*, 2005). Il faut aviser la cliente de communiquer immédiatement avec son professionnel de la santé si elle remarque des changements dans les mouvements fœtaux ou des signes ou des symptômes indicatifs d'un travail prématuré, de la rupture prématurée des membranes ou d'un hématome rétroplacentaire.

Si le trauma est survenu à la suite d'un accident de la route, il faut rappeler à la cliente l'importance de bien attacher sa ceinture de sécurité pour tous ses déplacements, même s'ils sont très courts. Pendant la grossesse, la ceinture à l'épaule est passée entre les seins et par-dessus la partie supérieure de l'abdomen au-dessus de l'utérus. La ceinture abdominale doit être passée par-dessus le bassin, sous l'utérus (Gilbert, 2007) ▶ 7. Si le trauma est le résultat de violence familiale, la cliente pourra avoir besoin d'obtenir de l'information sur le cycle de la violence conjugale ▶ 2, d'être dirigée vers un organisme d'application de la loi, un centre de soutien psychologique ou pour avoir de l'aide afin d'établir un plan de sécurité.

Analyse d'une situation de santé

Jugement clinique

Madame Justine Dubois, âgée de 31 ans, est enceinte de 32 semaines. Il s'agit de son premier enfant. Elle est suivie à domicile pour prééclampsie légère. Sous la recommandation de son médecin de famille, elle se présente à l'accueil obstétrical pour aggravation de ses manifestations. Elle présente une P.A. de 167/112 mm Hg, une céphalée persistante et une protéinurie à 2+.

Vous demandez à madame Dubois de s'étendre sur une civière, installez le moniteur électronique de la F.C.F. et poursuivez votre évaluation. ▶

SOLUTIONNAIRE

www.cheneliere.ca/lowdermilk

MISE EN ŒUVRE DE LA DÉMARCHE DE SOINS

Collecte des données – Évaluation initiale – Analyse et interprétation

1. À quelle hypothèse de problème associez-vous les manifestations de madame Dubois?
2. Quels seront les neuf éléments supplémentaires à inclure dans l'évaluation initiale de la cliente?
3. Quelle méthode d'évaluation utiliserez-vous pour vérifier si madame Dubois présente des signes d'œdème pulmonaire?

Planification des interventions – Décisions infirmières

Extrait

CONSTATS DE L'ÉVALUATION

Date	Heure	N°	Problème ou besoin prioritaire	Initiales	RÉSOLU / SATISFAIT			Professionnels/ Services concernés
					Date	Heure	Initiales	
2012-10-10	10:45	1						

SUIVI CLINIQUE

Date	Heure	N°	Directive infirmière	Initiales	CESSÉE / RÉALISÉE		
					Date	Heure	Initiales
2012-10-10	10:45	1					

Signature de l'infirmière	Initiales	Programme / Service	Signature de l'infirmière	Initiales	Programme / Service
		2500 Centre mère-enfant			
		2500 Centre mère-enfant			

Extrait des notes d'évolution

2012-10-10 10:45
P.A. 167/112, céphalée persistante,
protéinurie 2+.

MISE EN ŒUVRE DE LA DÉMARCHE DE SOINS

4. Après avoir vérifié la réponse à la question 1, ajoutez dans l'extrait du PTI de la cliente une directive infirmière spécifique qui permettra d'assurer le suivi du problème prioritaire.

▶ À la suite de la rencontre avec l'obstétricien de garde, madame Dubois est aussitôt admise à l'unité GARE. L'équipe médicale prescrit du sulfate de magnésium afin de prévenir l'apparition de crises convulsives, des corticostéroïdes pour favoriser la maturation pulmonaire du fœtus et du labétalol. Vous installez une sonde à ballonnet à madame Dubois, réalisez les analyses de laboratoire selon l'ordonnance collective et réévaluez ses signes vitaux. ▶

MISE EN ŒUVRE DE LA DÉMARCHE DE SOINS

5. Quel sera l'objectif poursuivi par l'administration du labétalol?

6. Quelle est l'utilité de l'installation d'une sonde à ballonnet à madame Dubois?

Évaluation des résultats – Évaluation en cours d'évolution

7. Au moment de l'administration du sulfate de magnésium, il faut évaluer les signes de toxicité que madame Dubois pourrait présenter. Nommez-en au moins sept.

8. L'administration du sulfate de magnésium se fait par voie I.V. Nommez au moins 10 éléments à évaluer chez madame Dubois en lien avec ce traitement.

9. Quelle est la diurèse horaire minimalement acceptable pour madame Dubois?

▶ L'état de madame Dubois s'améliore. Sa P.A. diminue et se maintient aux alentours de 130-140/80-90 mm Hg. Elle ne présente plus de céphalée. Vous limitez les stimuli dans la chambre de la cliente et lui soulignez l'importance de demeurer au repos au lit dans la position latérale gauche. ▶

MISE EN ŒUVRE DE LA DÉMARCHE DE SOINS

10. Précisez l'utilité du repos en position latérale gauche pour madame Dubois.

Planification des interventions – Décisions infirmières

Extrait

SUIVI CLINIQUE							
Date	Heure	N°	Directive infirmière	Initiales	CESSÉE / RÉALISÉE		
					Date	Heure	Initiales
2012-10-10	10:45	1	*Vérifier P.A. q.4 h*	F.J	2012-10-10	17:15	B.B.
2012-10-10	17:15	1	*Vérifier P.A. q.4 h ad. P.A. syst. < 160 et diast. < 110*	B.B.			

Signature de l'infirmière	Initiales	Programme / Service	Signature de l'infirmière	Initiales	Programme / Service
Florence Jolicœur	F.J.	2500 Centre mère-enfant	*Bernice Bokondo*	B.B.	2500 Centre mère-enfant

▶ L'infirmière clinicienne a ajusté le PTI de la cliente en modifiant la directive inscrite (vérifiez la bonne réponse à la question 4). ◀

MISE EN ŒUVRE DE LA DÉMARCHE DE SOINS

11. Cet ajustement est-il acceptable? Justifiez votre réponse.

APPLICATION DE LA PENSÉE CRITIQUE

Dans l'application de la démarche de soins auprès de madame Dubois, l'infirmière a recours à un ensemble d'éléments (connaissances, expériences antérieures, normes institutionnelles ou protocoles, attitudes professionnelles) pour analyser la situation de santé de la cliente et en comprendre les enjeux. La **FIGURE 21.17** illustre le processus de pensée critique suivi par l'infirmière afin de formuler son jugement clinique. Elle résume les principaux éléments sur lesquels l'infirmière s'appuie en fonction des données de cette cliente, mais elle n'est pas exhaustive.

VERS UN JUGEMENT CLINIQUE

CONNAISSANCES

- Différences entre la prééclampsie légère et grave
- Manifestations de la prééclampsie légère et grave
- Indications des médicaments prescrits
- Signes de toxicité du sulfate de magnésium
- Méthode de l'auscultation pulmonaire
- Utilité des analyses de laboratoire liées à la prééclampsie
- Utilité d'une sonde à ballonnet
- Diurèse horaire minimalement acceptable pour une prééclampsie grave

EXPÉRIENCES

- Travail dans une unité de grossesse à risque élevé
- Expérience personnelle ou auprès d'une femme de son entourage ayant vécu une grossesse à risque

NORMES

- Protocoles de surveillance pour la prééclampsie grave
- Protocole pour l'administration du sulfate de magnésium

ATTITUDE

- Démontrer de l'empathie à l'égard des inquiétudes de la cliente

PENSÉE CRITIQUE

ÉVALUATION

- Manifestations de la prééclampsie de la cliente
- Signes de toxicité au moment de l'administration du sulfate de magnésium
- Surveillance et interprétation des résultats des analyses de laboratoire
- Diurèse horaire acceptable
- Préoccupations de la cliente quant à l'évolution de son état de santé

JUGEMENT CLINIQUE

FIGURE 21.17

À retenir

VERSION REPRODUCTIBLE

www.cheneliere.ca/lowdermilk

- Les troubles hypertensifs pendant la grossesse sont une cause principale de morbidité et de mortalité maternelles et infantiles à l'échelle mondiale.
- La cause de la prééclampsie demeure inconnue, et il n'existe pas de tests fiables pour prédire quelles sont les femmes à risque d'en souffrir.
- La prééclampsie est un trouble multisystémique et ne représente pas seulement une augmentation de la P.A.
- Le syndrome HELLP, qui devient habituellement apparent au cours du troisième trimestre de la grossesse, est une variante de prééclampsie grave, non une maladie distincte.
- Le sulfate de magnésium, l'agent anticonvulsif de choix pour prévenir l'éclampsie, nécessite une surveillance étroite des réflexes, de la respiration et de la débitmétrie ; son antidote, le gluconate de calcium, doit être gardé à portée de la main.
- Le but des interventions d'urgence durant une complication d'éclampsie est de prévenir l'automutilation, d'assurer une oxygénation adéquate, de réduire le risque d'aspiration, de maîtriser les crises au moyen du sulfate de magnésium et de corriger l'acidémie maternelle.
- La cliente souffrant d'hyperémèse gravidique peut perdre beaucoup de poids et souffrir de déshydratation ; le traitement se concentre alors sur le rétablissement de l'équilibre hydroélectrolytique et sur la prévention de la récurrence des nausées et des vomissements.
- Certaines fausses couches se produisent pour des raisons inconnues. Dans de nombreux autres cas, cependant, un mauvais développement fœtal ou placentaire et des facteurs maternels sont en cause.
- Le type de fausse couche et les signes et les symptômes déterminent les soins directs prodigués.
- La dilatation prématurée récurrente du col utérin (béance du col) peut être traitée au moyen d'un cerclage cervical ; il est demandé à la cliente de restreindre ses activités et de prêter attention aux signes de travail prématuré, de rupture prématurée des membranes et d'infection.
- La grossesse ectopique est une cause importante de morbidité et de mortalité maternelles.
- Les deux catégories de maladies trophoblastiques gestationnelles sont la môle hydatiforme et la néoplasie trophoblastique gestationnelle. On mesure les titres de hCG bêta pour confirmer le diagnostic et faire le suivi après le traitement.
- Le placenta praevia et le décollement prématuré du placenta (hématome rétroplacentaire) se distinguent par le type de saignement, la tonicité de l'utérus et la présence ou l'absence de douleur.
- Les infections des voies urinaires constituent la complication médicale la plus courante de la grossesse.
- La pyélonéphrite est la complication médicale la plus courante de la grossesse et la cause non obstétricale la plus fréquente d'hospitalisation pendant celle-ci.
- Chez la femme enceinte, la distension de l'utérus, le déplacement des organes internes et la modification des résultats d'analyses de laboratoire peuvent rendre difficile le diagnostic différentiel lorsqu'il faut procéder d'urgence à une chirurgie abdominale.
- Les soins préopératoires d'une femme enceinte diffèrent, sous un aspect important, de ceux qui sont prodigués à une femme non enceinte : la présence d'un fœtus.
- Les accidents de la route, les chutes et la violence sont les causes principales de trauma contondant pendant la grossesse.
- La survie du fœtus dépend de celle de la mère ; après un trauma, il faut accorder la priorité à la réanimation et à la stabilisation de la femme enceinte avant de s'inquiéter du sort du fœtus.
- Même un trauma léger peut entraîner d'importantes complications pour la grossesse, y compris un hématome rétroplacentaire, une hémorragie fœtomaternelle, un travail et un accouchement prématurés ainsi que la mort du fœtus.
- Dans le cas d'un arrêt cardiaque chez une femme enceinte, les techniques spécialisées de réanimation cardiaque doivent être modifiées légèrement. L'utérus doit être positionné latéralement, et il faut placer les électrodes un espace intercostal plus haut que d'habitude.

CHAPITRE

Travail et accouchement à risque

Écrit par :
Kitty Cashion, RN, BC, MSN

Adapté par :
Catherine Cantin, M. Sc., IPSNN

OBJECTIFS

 Guide d'études – SA22

Après avoir étudié ce chapitre, vous devriez être en mesure :

- de distinguer l'accouchement prématuré et le faible poids à la naissance ;
- d'énumérer les facteurs de risque majeurs de l'accouchement prématuré spontané ;
- d'analyser les interventions courantes destinées à prévenir l'accouchement prématuré spontané ;
- d'expliquer l'indication du tocolytique et l'usage prénatal du glucocorticoïde en cas de travail prématuré ;
- d'évaluer les effets de l'alitement sur la femme enceinte et sa famille ;
- d'expliquer les interventions infirmières en cas de provocation ou de stimulation du travail, d'utilisation des forceps ou de la ventouse obstétricale à l'accouchement, d'accouchement par césarienne et d'accouchement vaginal après césarienne ;
- d'expliquer les soins à apporter en cas de grossesse prolongée ;
- d'expliquer les éléments de prise en charge des urgences obstétricales.

Concepts clés

Cette carte conceptuelle illustre schématiquement les principaux concepts décrits dans le présent chapitre. Sa lecture vous permettra d'avoir une vue d'ensemble des notions qui y sont présentées.

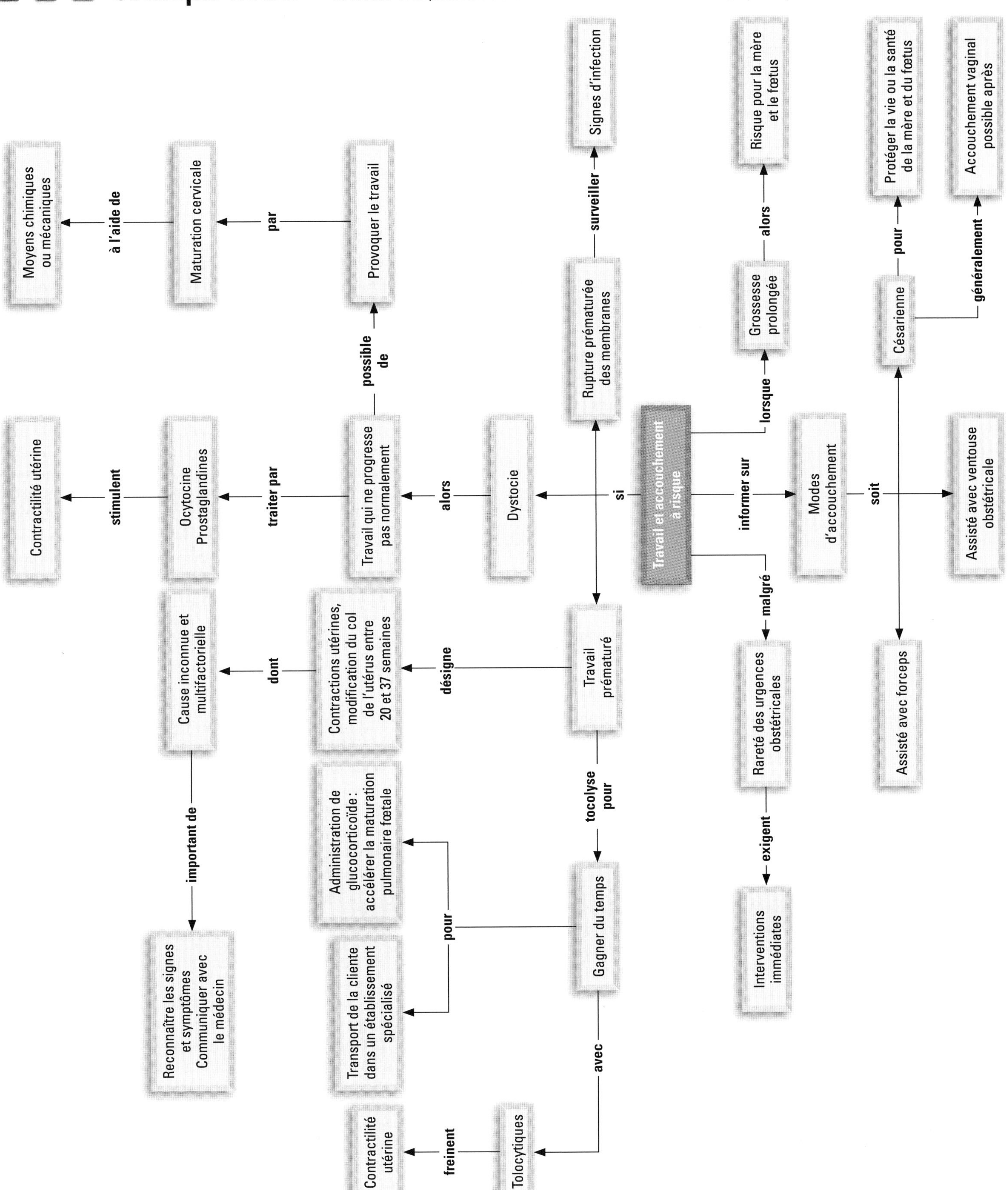

Le travail et l'accouchement représentent l'aboutissement de la grossesse. Certaines complications mettant en péril le fœtus et la parturiente peuvent survenir à tout moment au cours de cette période. Ces complications ont pour conséquence l'augmentation du risque de morbidité et de mortalité périnatales. Certaines sont prévues, particulièrement si la grossesse est à risque, d'autres sont inattendues ou imprévisibles. L'infirmière en obstétrique joue un rôle majeur dans l'accompagnement des familles et la surveillance de la santé de la mère et du fœtus durant ce moment crucial ; il lui incombe de maintenir ses connaissances à jour sur le sujet. Il est de la responsabilité première de l'infirmière de connaître le déroulement normal de l'accouchement afin d'être en mesure d'en prévenir et d'en déceler les écarts et de mettre en œuvre les interventions infirmières, le cas échéant. En présence de complications, la prise en charge optimale de la parturiente, du fœtus et de la famille n'est possible que si l'infirmière et les autres membres de l'équipe obstétricale mettent en application leur savoir et leurs aptitudes dans un esprit de concertation afin de prodiguer des soins compétents et empreints d'humanité. Le présent chapitre s'attarde au travail et à l'accouchement prématurés, à la dystocie, à la grossesse prolongée et aux urgences obstétricales.

22.1 Travail et accouchement prématurés

RAPPELEZ-VOUS...

Une alimentation inadéquate pendant la grossesse augmente les risques d'insuffisance de poids chez le nouveau-né et de mortalité néonatale.

Le **travail prématuré** consiste en une modification de l'état du col et des contractions utérines survenant dans la période allant de la 20e à la fin de la 37e semaine de grossesse. L'**accouchement prématuré** est celui qui se produit avant la fin de la 37e semaine de grossesse (Iams & Romero, 2007). La prématurité caractérisait 7,6 % des naissances vivantes au Québec en 2008 (Institut de la statistique du Québec, 2011a) et 7,8 % des naissances vivantes au Canada en 2007 (Statistique Canada, 2009). Le taux de prématurité est en hausse dans les dernières années. La prématurité demeure le principal problème encore irrésolu en périnatalité (Iams, Romero & Creasy, 2009).

Dans près de 75 % des cas, l'accouchement prématuré est un **accouchement prématuré tardif**, c'est-à-dire qu'il se produit entre la 34e et la 36e semaine complète de grossesse. Bien que ces nouveau-nés soient sujets à des complications notables, ce sont les 31 % de prématurés nés avant 33 semaines de grossesse et les 22 % de prématurés nés avec un très faible poids de naissance (inférieur à 1 500 g) qui sont les plus frappés par la mortalité et la morbidité grave infantiles (Réseau Néonatal Canadien^MD, 2010) ▶ 24.

24

Les facteurs de risque et les soins et traitements relatifs au nouveau-né peu prématuré sont discutés dans le chapitre 24, *Nouveau-né à risque.*

22.1.1 Accouchement prématuré et faible poids à la naissance

Bien que leur signification soit différente, les expressions accouchement prématuré (ou prématurité) et faible poids à la naissance ont souvent été employées l'une pour l'autre sans distinction par le passé. L'accouchement prématuré est celui qui survient à un certain moment de la grossesse, plus précisément à moins de 37 semaines, sans égard au poids du nouveau-né, alors que le faible poids à la naissance est une expression qui désigne le seul aspect du poids au moment de la naissance (à savoir moins de 2 500 g). Comme le poids à la naissance était beaucoup plus facile à déterminer que l'âge gestationnel, le faible poids à la naissance a été assimilé à la naissance prématurée dans nombre de milieux et de publications. Cependant, la prématurité est beaucoup plus dangereuse que le faible poids à la naissance parce que l'interruption de la vie intra-utérine avant terme se traduit par la naissance d'un nouveau-né dont les systèmes sont immatures. Le nouveau-né de faible poids n'est pas forcément un prématuré ; son faible poids peut être dû à d'autres facteurs que la naissance prématurée comme le retard de croissance intra-utérin (RCIU) où la croissance fœtale insuffisante n'est pas immanquablement liée au déclenchement du travail. Par ailleurs, le prématuré peut peser plus de 2 500 g à la naissance. Les naissances de faible poids caractérisaient 5,6 % des naissances au Québec en 2008 (Institut de la statistique du Québec, 2011a). Aujourd'hui, il est possible de distinguer les issues de grossesses liées à l'âge gestationnel de celles liées au poids à la naissance grâce aux percées technologiques dans la datation de la grossesse (Iams *et al.*, 2009).

L'augmentation des naissances prématurées tardives et des grossesses multiples est à l'origine de la hausse de l'incidence de la prématurité dans les pays développés. Le recours accru à la procréation assistée a entraîné dans son sillage l'augmentation des grossesses multiples (Iams *et al.*, 2009). Par ailleurs, le fait que les médecins soient de plus en plus disposés à mettre un terme à la grossesse après 32 à 34 semaines lorsque des facteurs maternels ou obstétricaux mettent en péril la santé de la mère ou du fœtus contribue également à la hausse des naissances prématurées (Iams & Romero, 2007).

La tendance actuelle veut que les accouchements prématurés se rangent dans deux catégories : les accouchements spontanés et les accouchements sur indication médicale. La naissance prématurée spontanée est le fruit du déclenchement précoce du travail. Des états comme le travail prématuré alors que les membranes sont intactes, la **rupture prématurée des membranes avant terme**, l'insuffisance cervicale ou l'amniotite aboutissent à l'accouchement prématuré dans bien des cas. Les facteurs de risque de l'accouchement prématuré spontané sont présentés dans l'**ENCADRÉ 22.1**.

Un accouchement prématuré est dit sur indication médicale lorsqu'il constitue un moyen d'éliminer le risque maternel ou fœtal que comporte la poursuite de la grossesse. La hausse des accouchements prématurés tardifs des dernières années est imputable pour beaucoup à l'augmentation du nombre d'accouchements prématurés sur indication médicale (Iams *et al.*, 2009). Les motifs courants de ces accouchements sont présentés dans l'**ENCADRÉ 22.2**.

La tendance actuelle veut que les accouchements prématurés se rangent dans deux catégories : les accouchements spontanés et les accouchements sur indication médicale. La naissance prématurée spontanée est le fruit du déclenchement précoce du travail.

22.1.2 Prévision du travail et de l'accouchement prématurés spontanés

Des antécédents d'accouchement prématuré, la grossesse multiple, le saignement après le premier trimestre et un faible indice de masse corporelle chez la mère constituent des facteurs de risque majeurs de l'accouchement prématuré spontané (Iams & Romero, 2007). Parmi les autres facteurs de risque figurent le fait de ne pas être une femme blanche (en particulier, d'être une femme noire), le statut socioéconomique défavorisé, le faible degré d'instruction, la tension occasionnée par un stress chronique, le tabagisme, la toxicomanie, un emploi très exigeant physiquement et la **parodontopathie** (Iams *et al.*, 2009). Une étude récente examinant les issues de naissance au sein des quatre régions canadiennes habitées majoritairement par la population inuite a constaté un taux de naissance prématurée substantiellement plus élevée chez ces personnes comparativement au reste de la population canadienne (Luo *et al.*, 2010). En outre, le risque d'accouchement prématuré serait d'origine génétique. Les parentes d'une femme née prématurément ou qui a accouché prématurément présentent un risque accru d'accouchement prématuré spontané (Iams *et al.*, 2009).

De nombreux systèmes de cotation du risque ont été conçus dans l'espoir de reconnaître les femmes enceintes dont le travail est susceptible de se déclencher prématurément. Toutefois, aucun d'eux ne s'est révélé très efficace dans la prévision de l'accouchement prématuré, en raison de l'absence de facteurs de risque connus chez 50 % des femmes qui accouchent prématurément. Il importe donc d'informer les femmes, avant la conception ou en début de grossesse du moins, à propos de la prématurité.

Marqueurs biochimiques

La recherche s'est abondamment penchée sur la fibronectine fœtale, une glycoprotéine présente dans le plasma et produite durant la grossesse. Un test pour sa détection est désormais commercialisé au Canada et aux États-Unis en tant qu'examen paraclinique du travail prématuré. Celui-ci consiste à prélever du liquide cervical et vaginal à l'aide d'un écouvillon au cours de l'examen vaginal. La fibronectine fœtale est habituellement présente dans le liquide cervical et le liquide vaginal au début et à la fin de la grossesse.

La présence de fibronectine fœtale à la fin du deuxième trimestre ou au début du troisième peut être due à de l'inflammation placentaire, qui serait une cause d'accouchement prématuré spontané. Cependant, ce marqueur ne s'avère pas très sensible comme indicateur prévisionnel de l'accouchement prématuré. Avant 35 semaines de grossesse, l'examen positif ne permet de prévoir l'accouchement prématuré que dans 25 % des cas. Le test gagnerait en sensibilité s'il était effectué plus tôt au cours de la grossesse. Dès 1997, une étude indiquait que l'examen effectué dans la période de la 22e à la 24e semaine de grossesse prévoit l'accouchement avant 28 semaines de grossesse dans 65 % des cas (Patricot, Pallant-Delaroa & Mathian, 1997). L'examen est souvent utilisé pour dépister les femmes dont le travail ne se déclenchera pas de façon prématurée du fait que l'accouchement prématuré est fort peu probable en présence d'un résultat négatif. En effet, une étude canadienne a démontré que lorsque cet examen est utilisé chez des clientes symptomatiques de travail préterme entre la 24e et la 34e semaine complète de gestation, un résultat négatif de la fibronectine fœtale conférait 97,4 % de chance de ne pas accoucher dans les sept prochains jours (Skoll, St. Louis, Amiri, Delisle & Lalji, 2006). Le dépistage par la détection de la fibronectine fœtale chez les femmes à bas risque d'accouchement

Parodontopathie : Atteinte des tissus de soutien de la dent (gencive, os et racine).

ENCADRÉ 22.1 Facteurs de risque de l'accouchement prématuré spontané

- Infection des voies génitales
- Personne non blanche
- Grossesse multiple
- Saignement au deuxième trimestre
- Faible poids avant la grossesse
- Antécédents d'accouchement prématuré spontané

Source : Adapté de Iams *et al.* (2009).

ENCADRÉ 22.2 Motifs courants de l'accouchement prématuré sur indication médicale

- Éclampsie
- Souffrance fœtale
- RCIU
- Hématome rétroplacentaire
- Mort fœtale tardive
- Diabète et diabète gestationnel
- Néphropathie
- Hypersensibilité à l'antigène Rh
- Malformation congénitale

Source : Adapté de Iams *et al.* (2009).

prématuré n'est pas recommandé par l'American College of Obstetricians and Gynecologists (ACOG) en raison de la faible valeur prédictive positive du test (Iams *et al.*, 2009).

Longueur du col utérin

La longueur endocervicale est un autre indicateur prévisionnel potentiel de l'accouchement prématuré. Cette longueur se modifie avant que l'activité utérine ne se manifeste ; donc, la mesure de la longueur cervicale peut être utile pour reconnaître les femmes dont le travail a commencé. Toutefois, comme le raccourcissement cervical prématuré se produit durant des semaines, ni l'examen cervical numérique ni l'échographie ne sont très sensibles comme indicateurs prévisionnels de l'accouchement prématuré imminent (Iams *et al.*, 2009). La Société des obstétriciens et gynécologues du Canada (SOGC) recommande de ne pas intervenir si la longueur du col est de plus de 3 cm avant la 34e semaine, car l'accouchement prématuré est peu probable (SOGC, 2001a).

22.1.3 Causes du travail et de l'accouchement prématurés spontanés

À l'heure actuelle, l'infection est la seule cause certaine du travail prématuré. Le saignement au site d'implantation utérine du placenta au premier ou au deuxième trimestre serait une autre cause de travail et d'accouchement prématurés. L'ischémie utéroplacentaire ou l'hémorragie à la couche déciduale du placenta qui en découle activerait d'une façon quelconque le travail prématuré. L'inflammation intra-utérine, qui accompagne l'infection et l'hémorragie déciduale et qui compromet la circulation sanguine utérine, contribue au déclenchement du travail prématuré. Le stress maternel ou fœtal, la distension utérine excessive, la réaction allergique et la baisse du taux de progestérone sont d'autres facteurs qui peuvent entrer en jeu dans le déclenchement prématuré du travail. Il est de plus en plus évident que le travail prématuré est causé par de multiples processus pathologiques qui, tôt ou tard, entraînent les contractions, les modifications du col ou la rupture des membranes (Iams *et al.*, 2009 ; Romero & Lockwood, 2009).

Deux études proposent de prévenir l'accouchement prématuré chez les femmes ayant des antécédents d'accouchement prématuré en leur administrant de la progestérone en prophylaxie. Dans l'une d'elles, la progestérone fut administrée quotidiennement sous forme de suppositoires vaginaux. L'autre prévoit une injection intramusculaire (I.M.) de 17-alpha-hydroxyprogestérone par semaine. Les deux études constatent que l'administration de progestérone réduit du tiers le risque de récurrence de l'accouchement prématuré. Le mode d'action de la progestérone dans la prévention de cette récurrence est incertain ; la recherche devra l'élucider (Meis & Society for Maternal-Fetal Medicine, 2005 ; Romero & Lockwood, 2009). La SOGC recommande aux femmes et à leurs professionnels de la santé d'être conscients que le fait d'avoir déjà connu un travail préterme spontané ou la présence d'un col utérin court (inférieur à 15 mm entre la 22e et la 26e semaine de gestation) décelé par échographie transvaginale pourraient être utilisés à titre d'indications pour un traitement prophylactique à la progestérone. Ce traitement devrait débuter après la 20e semaine de gestation et prendre fin lorsque le risque de prématurité est faible (SOGC, 2008a).

RAPPELEZ-VOUS...

Le but des mesures préventives primaires est d'éviter l'apparition des symptômes.

SOINS ET TRAITEMENTS INFIRMIERS

Travail et accouchement prématurés

Parce que le risque de travail prématuré peut concerner toutes les femmes enceintes, l'infirmière évalue les connaissances de la cliente sur ce sujet dès le début de la grossesse, et l'évaluation du risque se poursuit tout au long de la période prénatale. L'infirmière précise les problèmes découlant de la situation de santé, ses interventions et les résultats escomptés dans chaque cas en fonction des constats de l'autoévaluation de la femme enceinte **ENCADRÉ 22.3**.

Prévention

Les stratégies de prévention primaire axées sur les facteurs de risque du travail et de l'accouchement prématurés sont moins coûteuses sur le plan des ressources humaines et financières que les soins et les services de santé à la fine pointe que nécessitent le prématuré, toute sa vie durant dans bien des cas, et sa famille. L'on devrait prévoir des programmes de promotion de la santé et de prévention de la maladie qui encouragent la population en général, et les femmes en âge de procréer en particulier, à adopter un mode de vie sain. Le ministère de la Santé et des Services sociaux du Québec (MSSS) s'est doté d'un tel programme avec sa *Politique de périnatalité 2008-2018* (MSSS, 2008). Offrir du counseling à la femme ayant des antécédents d'accouchement prématuré avant une autre grossesse peut s'avérer utile pour cerner les facteurs de risque modifiables **PSTI 22.1**. Ainsi, la cessation du tabagisme est une mesure éprouvée de prévention du travail et de l'accouchement prématurés (Freda, 2006 ; Iams *et al.*, 2009). Nombre d'interventions destinées à prévenir l'accouchement prématuré spontané, recommandées par le passé, sont encore prescrites, bien que certaines d'entre elles ne donnent pas de résultats concluants. La recherche doit se poursuivre, d'autant plus que les mécanismes physiopathologiques de l'accouchement prématuré sont de mieux en mieux connus (Iams *et al.*, 2009).

Mise en œuvre d'une démarche de soins

ENCADRÉ 22.3 **Travail prématuré**

COLLECTE DES DONNÉES – ÉVALUATION INITIALE

L'infirmière évalue les connaissances de la cliente enceinte à propos des aspects suivants :

- Mesurer les dangers de l'accouchement prématuré.
- Reconnaître les symptômes du travail prématuré.
- Connaître la conduite à tenir en présence de symptômes de travail prématuré.

L'infirmière évalue également la cliente en travail prématuré sous les angles suivants :

- Évaluer son état psychosocial.
- Évaluer son état émotionnel.
- Mesurer l'impact du diagnostic et du traitement sur la dynamique familiale.

ANALYSE ET INTERPRÉTATION DES DONNÉES

Les problèmes découlant de la situation de santé peuvent inclure :

- Risque de déséquilibre du volume liquidien (maternel) lié à l'administration d'un tocolytique afin de stopper le travail prématuré.
- Perturbation de la dynamique familiale liée à la nécessité pour la mère de réduire ses activités en raison du travail prématuré.
- Chagrin (deuil) par anticipation lié à la possibilité de la naissance d'un prématuré.
- Risque de perturbation de l'attachement parent-enfant lié à la nécessité que le prématuré reçoive des soins de santé.

RÉSULTATS ESCOMPTÉS

La planification des soins est établie dans le but d'atteindre les résultats suivants :

- Reconnaissance des signes et des symptômes du travail prématuré, autoévaluation et détermination de la nécessité d'intervenir.
- Respect des directives et communication avec le médecin si des symptômes apparaissent.
- Absence de symptômes de travail prématuré ou conduite appropriée s'ils surviennent.
- Poursuite de la grossesse au moins jusqu'à 37 semaines.
- Accouchement à terme d'un nouveau-né en santé.

INTERVENTIONS INFIRMIÈRES

Les interventions infirmières requises pour atteindre les résultats escomptés comprennent, notamment :

- Expliquer à la femme enceinte les signes et les symptômes du travail prématuré **ENCADRÉ 22.4**.
- Enseigner les réactions appropriées aux symptômes de travail prématuré **ENCADRÉ 22.5**.
- Administrer les médicaments prescrits (p. ex., un corticostéroïde, un tocolytique).
- Appuyer la cliente et sa famille dans la modification de leur style de vie, le cas échéant, destinée à diminuer le risque d'accouchement prématuré.
- Apporter son concours dans la planification du transport de la cliente enceinte à la maternité d'un hôpital si l'accouchement prématuré semble inévitable.
- Se tenir prête à collaborer à la stabilisation de l'état du nouveau-né prématuré et à ses soins initiaux si l'accouchement apparaît imminent.

ÉVALUATION DES RÉSULTATS – ÉVALUATION EN COURS D'ÉVOLUTION

L'infirmière peut être raisonnablement certaine de l'efficacité des interventions lorsque celles-ci produisent les résultats escomptés.

Détection précoce et prise en charge

Même si l'accouchement prématuré est souvent inévitable, la détection précoce du travail prématuré demeure essentielle afin de mettre en œuvre des interventions qui ont fait leurs preuves dans la réduction de la morbidité et de la mortalité néonatales. Il s'agit de transporter la mère vers un hôpital apte à prendre en charge des prématurés avant qu'elle accouche, de lui administrer un antibiotique durant le travail afin de prévenir l'infection néonatale au streptocoque du groupe B et un corticostéroïde avant la naissance afin de prévenir ou de réduire la morbidité ou la mortalité néonatales liées au syndrome de détresse respiratoire, à l'hémorragie ventriculaire ou à l'entérocolite nécrosante (Iams & Romero, 2007).

Étant donné que plus de la moitié des accouchements prématurés se produisent en l'absence de facteurs de risque évidents, toutes les femmes enceintes devraient connaître les symptômes du travail prématuré **ENCADRÉ 22.4**. Elles doivent savoir quoi faire si ces symptômes apparaissent. Il y a lieu d'intervenir rapidement, d'administrer le corticostéroïde sans tarder et de transporter la femme enceinte à un hôpital capable de prendre en charge le nouveau-né. Les actions recommandées en présence de signes et de symptômes de travail prématuré figurent à l'**ENCADRÉ 22.5**. Plus précisément, l'enseignement à la cliente à propos des contractions ou des crampes dans la période allant de la 20e à la 37e semaine devrait insister sur le fait qu'il ne s'agit pas d'un malaise normal durant la grossesse, mais bien d'indications d'un travail prématuré possible **FIGURE 22.1**.

Jugement clinique

Madame Carmina Preston, âgée de 22 ans, est enceinte de 32 semaines de son premier enfant (G1 P0 A0). Elle se présente à l'hôpital et affirme avoir des contractions depuis une heure.

À quelle situation est-elle exposée ?

Modifications du mode de vie

Restriction des activités

La restriction des activités, qu'il s'agisse d'alitement ou de diminution des tâches professionnelles, est une mesure couramment prescrite dans la prévention de l'accouchement prématuré. Il faut noter que l'alitement n'est pas une mesure bénigne et qu'aucun résultat probant dans la littérature ne corrobore l'efficacité réelle de cette intervention en matière de diminution du taux d'accouchement prématuré (Iams *et al.*, 2009 ; Maloni, 2010). En réalité, l'ACOG (2003) précise, dans son bulletin d'information sur la prise en charge du travail

RAPPELEZ-VOUS...

Chaque système du corps humain risque une détérioration lorsque la mobilité est altérée.

Plan de soins et de traitement infirmiers

PSTI 22.1 Travail prématuré

PROBLÈME DÉCOULANT DE LA SITUATION DE SANTÉ	**Insuffisance des connaissances** sur le travail prématuré
OBJECTIF	La cliente et le conjoint reconnaîtront les signes et les symptômes d'un travail prématuré.
RÉSULTAT ESCOMPTÉ	**INTERVENTIONS INFIRMIÈRES ET JUSTIFICATIONS**
• Énumération des signes et des symptômes du travail prématuré	**Enseignement** • Évaluer les connaissances des conjoints sur les signes et les symptômes anormaux durant la grossesse pour déterminer l'enseignement à prodiguer. • Décrire les signes et les symptômes qui constituent des signes avant-coureurs du travail prématuré afin que la cliente et son conjoint puissent détecter les problèmes le plus tôt possible. • Remettre aux conjoints des directives écrites précisant les signes avant-coureurs du travail prématuré et la conduite à tenir si de tels signes surgissent afin que le couple puisse revoir cette information à son gré et agir de façon appropriée sans tarder en présence de l'un ou l'autre de ces signes. • Offrir une démonstration de l'évaluation et du chronométrage des contractions afin que le couple soit apte à évaluer les signes du travail.
PROBLÈME DÉCOULANT DE LA SITUATION DE SANTÉ	**Risque de lésions maternelles ou fœtales** lié à la récurrence du travail prématuré
OBJECTIF	La cliente et le fœtus ne présenteront pas de séquelles du travail prématuré.
RÉSULTATS ESCOMPTÉS	**INTERVENTIONS INFIRMIÈRES ET JUSTIFICATIONS**
• Capacité d'autoévaluation des signes du travail récurrent • Recours à des mesures soutenues de prévention du travail récurrent	**Enseignement – surveillance** • Enseigner au couple les modalités de la surveillance quotidienne des contractions afin qu'il détecte les signes d'aggravation. • Insister sur la nécessité pour la cliente ou son conjoint de communiquer avec un professionnel de la santé dès la rupture des membranes ou l'apparition d'un saignement vaginal, de crampes, d'une tension pelvienne ou de lombalgie parce que ces symptômes traduisent le travail en cours. • Inciter la cliente à surveiller quotidiennement son poids, son régime alimentaire, son apport liquidien et ses signes vitaux afin de cerner les problèmes potentiels. **Prévention** • Insister sur le respect de l'alitement modifié (se reposer la plus grande partie de la journée étendue sur un canapé, un fauteuil inclinable ou un lit ; se lever pour aller à la salle de bains ou prendre une douche ; prendre ses repas à la table) pour diminuer le risque de déclenchement du travail. • Encourager la cliente à s'installer en position de décubitus latéral pour améliorer la circulation sanguine placentaire. • Rappeler au couple de s'abstenir d'avoir des relations sexuelles et de stimuler les mamelons si ces activités provoquent des contractions pour diminuer le risque de déclenchement du travail. • Enseigner des techniques de relaxation qui réduiront le tonus utérin et atténueront l'anxiété et le stress. • Rappeler à la cliente la nécessité de prendre les médicaments prescrits par le médecin, dont le tocolytique, afin de stopper les contractions utérines. • Examiner les effets indésirables des médicaments avec la cliente et insister sur la nécessité d'en faire état dans l'immédiat, le cas échéant, afin d'éviter les complications iatrogènes. • Proposer à la famille de répartir autrement les tâches habituellement exécutées par la cliente afin d'atténuer son stress et de lui enlever l'envie de s'y remettre. • Si la famille compte de jeunes enfants, favoriser un autre mode d'organisation des activités ayant trait à ceux-ci afin qu'il soit plus facile pour la cliente de se conformer à la directive d'alitement modifié.
PROBLÈME DÉCOULANT DE LA SITUATION DE SANTÉ	**Anxiété** liée au travail prématuré et à l'éventualité de l'accouchement prématuré
OBJECTIF	La cliente mentionnera une atténuation des sentiments de crainte ou d'anxiété.
RÉSULTATS ESCOMPTÉS	**INTERVENTIONS INFIRMIÈRES ET JUSTIFICATIONS**
• Mise en application de stratégies d'adaptation efficaces • Sentiment d'être soutenue par ses proches	**Diminution de l'anxiété** • Offrir un environnement calme et apaisant, et inciter la famille à accorder un soutien émotionnel qui facilitera l'adaptation. • Encourager l'expression verbale des craintes afin d'estomper l'intensité de la réaction émotionnelle.

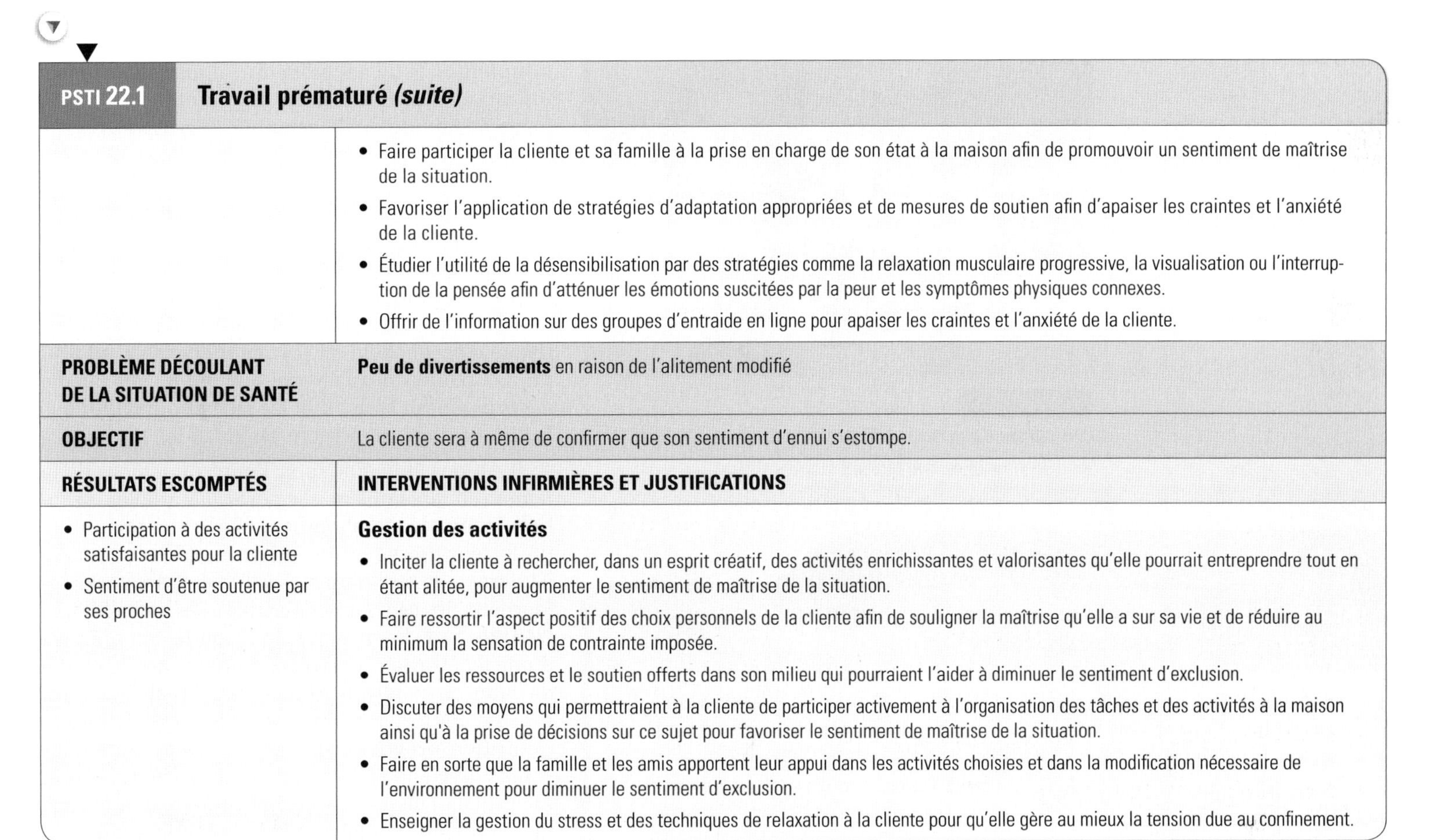

PSTI 22.1 Travail prématuré *(suite)*

	• Faire participer la cliente et sa famille à la prise en charge de son état à la maison afin de promouvoir un sentiment de maîtrise de la situation. • Favoriser l'application de stratégies d'adaptation appropriées et de mesures de soutien afin d'apaiser les craintes et l'anxiété de la cliente. • Étudier l'utilité de la désensibilisation par des stratégies comme la relaxation musculaire progressive, la visualisation ou l'interruption de la pensée afin d'atténuer les émotions suscitées par la peur et les symptômes physiques connexes. • Offrir de l'information sur des groupes d'entraide en ligne pour apaiser les craintes et l'anxiété de la cliente.
PROBLÈME DÉCOULANT DE LA SITUATION DE SANTÉ	**Peu de divertissements** en raison de l'alitement modifié
OBJECTIF	La cliente sera à même de confirmer que son sentiment d'ennui s'estompe.
RÉSULTATS ESCOMPTÉS	**INTERVENTIONS INFIRMIÈRES ET JUSTIFICATIONS**
• Participation à des activités satisfaisantes pour la cliente • Sentiment d'être soutenue par ses proches	**Gestion des activités** • Inciter la cliente à rechercher, dans un esprit créatif, des activités enrichissantes et valorisantes qu'elle pourrait entreprendre tout en étant alitée, pour augmenter le sentiment de maîtrise de la situation. • Faire ressortir l'aspect positif des choix personnels de la cliente afin de souligner la maîtrise qu'elle a sur sa vie et de réduire au minimum la sensation de contrainte imposée. • Évaluer les ressources et le soutien offerts dans son milieu qui pourraient l'aider à diminuer le sentiment d'exclusion. • Discuter des moyens qui permettraient à la cliente de participer activement à l'organisation des tâches et des activités à la maison ainsi qu'à la prise de décisions sur ce sujet pour favoriser le sentiment de maîtrise de la situation. • Faire en sorte que la famille et les amis apportent leur appui dans les activités choisies et dans la modification nécessaire de l'environnement pour diminuer le sentiment d'exclusion. • Enseigner la gestion du stress et des techniques de relaxation à la cliente pour qu'elle gère au mieux la tension due au confinement.

prématuré, que les médecins ne devraient pas recourir à l'alitement de façon automatique. Une étude exploratoire descriptive a démontré qu'un grand nombre d'obstétriciens, de médecins de famille et de sages-femmes canadiens continuent à prescrire l'alitement et la restriction d'activité comme stratégies préventives à l'accouchement prématuré, bien qu'aucune recommandation à cet effet n'ait été émise par la SOGC (Sprague, O'Brien, Newburn-Cook, Heaman & Nimrod, 2008). En effet, la recherche démontre que l'alitement entraîne des effets physiques indésirables, qu'il accroît le risque de thrombose, d'atrophie musculaire, d'ostéoporose et de déconditionnement cardiovasculaire (Iams & Romero, 2007). Pour de nombreuses femmes qui ont été alitées pendant leur grossesse, ces symptômes persistent six semaines après l'accouchement (Maloni & Park, 2005). En outre, l'alitement a des répercussions psychologiques, émotionnelles, sociales et financières sur la femme et sa famille. L'**ENCADRÉ 22.6** énumère les effets indésirables de l'alitement.

ENCADRÉ 22.4 Signes et symptômes du travail prématuré

ACTIVITÉ UTÉRINE
- Contractions fréquentes, espacées de moins de 10 minutes, durant au moins 1 heure
- Contractions utérines douloureuses ou indolores

MALAISES
- Crampes dans le bas de l'abdomen semblables à celles provoquées par la flatulence, accompagnées de diarrhée dans certains cas
- Lombalgie (plus bas que la taille) sourde, intermittente
- Crampes douloureuses comme des crampes menstruelles
- Douleur ou tension sus-pubienne
- Tension ou lourdeur pelvienne
- Pollakiurie

ÉCOULEMENT VAGINAL
- Écoulement qui diffère de l'écoulement habituel par sa nature et sa quantité : plus épais (mucoïde) ou plus liquide (aqueux) ; sanguinolent, brun ou incolore, en plus grande quantité ; odorant
- Rupture des membranes amniotiques

Restriction de l'activité sexuelle

Il est fréquent de recommander à la femme à risque d'accouchement prématuré de ralentir son activité sexuelle. Cependant, aucune recherche ne s'est penchée sur l'effet de l'abstinence sexuelle chez la femme qui présente des facteurs de risque précis (p. ex., le col court). Cette mesure peut donc se révéler inutile, et la femme pourra alors se questionner sur le bien-fondé de cette recommandation (Iams *et al.*, 2009). Par contre, si des

Si des symptômes de travail prématuré apparaissent après les rapports sexuels, il est essentiel de les cesser jusqu'à la fin de la 37e semaine de grossesse.

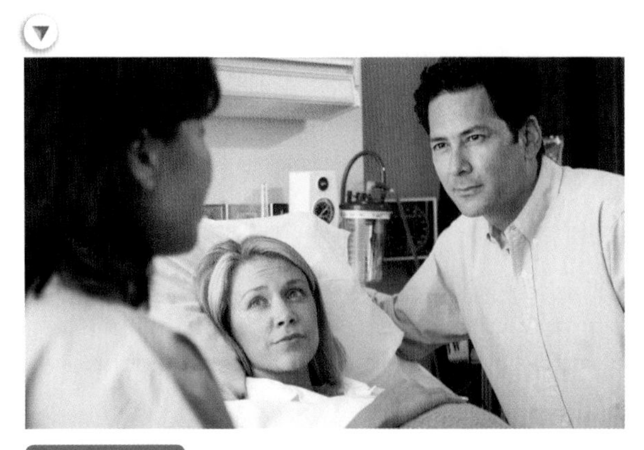

FIGURE 22.1
Une infirmière précise à des futurs parents les signes et les symptômes du travail prématuré.

Guide d'enseignement

ENCADRÉ 22.5 Que faire en présence de symptômes de travail prématuré ?

- Au moment où vous ressentez les symptômes, buvez deux ou trois verres d'eau ou de jus.
- Urinez.
- Étendez-vous sur le côté durant une heure.
- Palpez votre abdomen pour sentir les contractions.
- Si les symptômes persistent, communiquez avec votre professionnel de la santé ou rendez-vous à l'hôpital.
- Si les symptômes disparaissent, reprenez doucement vos activités, mais pas ce que vous faisiez quand les symptômes sont apparus.
- Si les symptômes surgissent de nouveau, communiquez avec votre professionnel de la santé ou rendez-vous à l'hôpital.
- Si l'un ou l'autre des symptômes suivants se manifestent, communiquez avec votre professionnel de la santé immédiatement :
  - contractions toutes les 10 minutes ou moins durant une heure ;
  - saignement vaginal ;
  - écoulement vaginal odorant ;
  - écoulement liquide provenant du vagin.

ENCADRÉ 22.6 Effets indésirables de l'alitement

RÉPERCUSSIONS PHYSIQUES SUR LA MÈRE

- Perte de poids
- Amyotrophie, faiblesse musculaire
- Déminéralisation et décalcification osseuses
- Baisse du volume plasmatique et du débit cardiaque
- Tendance à la coagulation accrue ; risque de thrombophlébite
- Déconditionnement cardiaque
- Altération des habitudes intestinales
- Perturbation du sommeil, fatigue
- Prolongation du rétablissement postnatal

RÉPERCUSSIONS PSYCHOSOCIALES SUR LA MÈRE

- Perte du sentiment de maîtrise de la situation liée au renversement de rôle
- Dysphorie et anxiété, dépression, hostilité, colère
- Sentiment de culpabilité provenant de la difficulté à se conformer à la restriction des activités et à l'incapacité à exercer ses responsabilités habituelles
- Ennui et solitude
- Instabilité émotionnelle (sautes d'humeur)

RÉPERCUSSIONS SUR LE RÉSEAU DE SOUTIEN

- Stress dû au renversement de rôle, aux responsabilités accrues, à la perturbation des habitudes familiales
- Contraintes financières découlant de la perte du revenu de la mère
- Crainte et anxiété au sujet du bien-être de la mère et du fœtus

symptômes de travail prématuré apparaissent après les rapports sexuels, il est essentiel de les cesser jusqu'à la fin de la 37e semaine de grossesse.

Soins à domicile

La femme à risque élevé d'accouchement prématuré se fait dire de « se la couler douce » à la maison durant des semaines, voire des mois. De nombreux médecins ne recommandent désormais que l'alitement modifié. Les soins à domicile destinés à la femme à risque d'accouchement prématuré constituent tout un défi pour l'infirmière qui doit aider cette cliente et ses proches à surmonter les mêmes difficultés que la famille dont un membre est invalide.

Il est possible d'adapter l'environnement de la femme en rassemblant à sa portée les articles essentiels (p. ex., le téléphone, un téléviseur, une radio, un lecteur de cédéroms, un ordinateur avec accès à Internet, des collations, des livres, des revues, des journaux, les articles nécessaires à ses passe-temps) **FIGURE 22.2**. Positionner le lit ou le canapé près d'une fenêtre dans une pièce à proximité de la salle de bains ou couvrir le lit d'un matelas alvéolé pour plus de confort sont des mesures utiles. L'horaire quotidien prévoyant les repas, les activités, les soins d'hygiène et la toilette (douche, vêtements et maquillage) chasse l'ennui et procure à la femme un sentiment de maîtrise de la situation et la sensation d'être dans son état normal. En règle générale, la formule de l'alitement modifié prévoit l'usage de la salle de bains et la présence à la table au moment des repas.

22.1.4 Suppression de l'activité utérine

Le tocolytique est un médicament qui stoppe le travail une fois que les contractions et le changement cervical ont commencé. Habituellement, ce traitement ne prolonge pas la grossesse assez longtemps pour que la croissance et le développement du fœtus se poursuivent. Le but du traitement consiste en fait à repousser l'accouchement suffisamment longtemps pour mettre en œuvre des interventions qui ont fait leurs preuves dans la diminution de la morbidité et de la mortalité néonatales (Iams *et al.*, 2009). Les contre-indications maternelles et fœtales au traitement tocolytique sont énumérées à l'**ENCADRÉ 22.7**, tandis que l'**ENCADRÉ 22.8** présente la démarche de soins à effectuer auprès de la cliente enceinte soumise au traitement tocolytique.

La sélection du tocolytique approprié repose sur l'examen de l'efficacité pratique, des risques et des effets indésirables de chacun des médicaments. Santé Canada n'a approuvé aucun des médicaments utilisés aux fins de tocolyse dans l'indication de l'interruption du travail prématuré. Dans ces circonstances, des médicaments commercialisés à

FIGURE 22.2
Femme enceinte dont les activités sont restreintes pour cause de prévention du travail prématuré. Étendue sur le canapé durant le jour, elle a à sa portée les articles nécessaires à ses occupations.

ENCADRÉ 22.7 Contre-indications de la tocolyse

CHEZ LA MÈRE

- Hypertension
- Saignement vaginal important
- Cardiopathie

CHEZ LE FŒTUS

- Âge gestationnel de 36 semaines ou plus
- Mort fœtale tardive
- Anomalie mortelle
- Chorioamnionite
- Signes de souffrance fœtale aiguë ou chronique

Source : Adapté de Iams *et al.* (2009).

d'autres fins, par exemple pour le traitement de l'asthme ou de l'hypertension, l'activité anti-inflammatoire ou analgésique, sont employés hors indications (c.-à-d. qu'ils se révèlent efficaces dans une indication précise sans avoir été conçus ou mis à l'épreuve pour cette indication) (Iams *et al.*, 2009).

Le sulfate de magnésium, dont les effets dans le traitement de l'éclampsie et l'innocuité apparente par rapport au bêtaadrénergique sont bien connus des cliniciens, est le tocolytique le plus répandu. Toutefois, peu de données probantes démontrent son efficacité tocolytique. Selon toute probabilité, le sulfate de magnésium favorise la relaxation des muscles lisses en prenant la place du calcium dans les cellules (Iams & Romero, 2007 ; Rideout, 2005). Il s'administre par la voie intraveineuse (I.V.). Il peut s'avérer un choix judicieux en présence de contre-indications aux autres tocolytiques (Iams & Romero, 2007 ; Iams *et al.*, 2009).

L'agoniste des récepteurs bêta$_2$-adrénergiques est également d'usage répandu dans la tocolyse. Toutefois, il peut entraîner de nombreuses réactions cardiopulmonaires et métaboliques indésirables tant chez la mère que chez le fœtus en raison de son mécanisme d'action. Par conséquent, il est de plus en plus remplacé par des médicaments plus sûrs, qui provoquent moins d'effets indésirables. L'agoniste des récepteurs bêta$_2$-adrénergiques ne saurait être utilisé chez la femme atteinte d'une maladie cardiaque, confirmée ou soupçonnée, d'hypertension, d'éclampsie légère ou grave, ou de diabète préexistant ou gestationnel (Iams & Romero, 2007 ; Iams *et al.*, 2009).

La terbutaline, le stimulant bêta$_2$-adrénergique le plus répandu dans la tocolyse, produit une relaxation des muscles lisses utérins en stimulant les récepteurs bêta$_2$-adrénergiques. Une seule dose de terbutaline en injection sous-cutanée (S.C.) peut faciliter le diagnostic de travail prématuré. Une étude illustre que la femme dont les contractions persistent ou reprennent après une seule injection de terbutaline est fort probablement en travail prématuré alors que la femme dont les contractions cessent ne l'est sans doute pas. Le médicament est habituellement administré par injection S.C. pour faciliter le transport de la femme à un établissement de soins tertiaires ou pour amorcer la tocolyse en attendant qu'un autre tocolytique à début d'action lent, administré en même temps, fasse effet. Rien de concluant ne démontre que l'administration orale (P.O.) ou S.C. à long terme de terbutaline soit efficace dans la diminution du taux de prématurité ou de morbidité néonatale (Iams & Romero, 2007 ; Iams *et al.*, 2009).

L'inhibiteur calcique nifédipine (Adalat XL[MD]) exerce également un effet

Pratiques infirmières suggérées

ENCADRÉ 22.8 Cliente soumise au traitement tocolytique

- Préciser le but et les effets indésirables du traitement tocolytique prescrit.
- Positionner la cliente en décubitus latéral gauche afin d'améliorer la circulation sanguine placentaire et de réduire la tension sur le col.
- Surveiller les signes vitaux maternels, la fréquence cardiaque fœtale (F.C.F.) et l'état du travail conformément au protocole hospitalier et aux normes professionnelles.
- Examiner la mère et vérifier l'état du fœtus pour déceler des signes de réactions indésirables au médicament tocolytique **TABLEAU 22.1**.
- Déterminer l'équilibre hydrique maternel par la pesée quotidienne et l'évaluation des *ingesta* et des *excreta*.
- Restreindre l'apport liquidien à 2,5 à 3 L par jour, particulièrement si un bêtaadrénergique est prescrit.
- Offrir du soutien psychosocial et la possibilité pour la cliente et la famille d'exprimer leurs sentiments et leurs préoccupations.
- Proposer des mesures favorisant le bien-être, le cas échéant (p. ex., changer la literie).
- Encourager le divertissement et la relaxation.

Jugement clinique

Madame Élizabeth Dumas, âgée de 24 ans, est enceinte de 34 semaines de son troisième enfant (G3 P2 A0). Elle vient d'être admise pour travail prématuré. Sa pression artérielle (P.A.) est de 130/84 mm Hg, et sa pulsation est à 78 batt./min). Elle ne présente pas de perte vaginale. La F.C.F. varie entre 128 et 144 batt./min. Ses grossesses et accouchements antérieurs se sont déroulés normalement.

Selon vous, madame Dumas est-elle une bonne candidate pour une tocolyse ? Justifiez votre réponse.

TABLEAU 22.1 Tocolyse en cas de travail prématuré

MÉDICAMENT ET MÉCANISME D'ACTION	POSOLOGIE ET VOIE D'ADMINISTRATION	EFFETS INDÉSIRABLES	INTERVENTIONS INFIRMIÈRES
Sulfate de magnésium			
Réduction de la contractilité du myomètre ; compétition avec le calcium réduisant la disponibilité de celui-ci pour la contractilité	• Perfusion I.V. à la concentration de 40 g/L, par tubulure de dérivation dont le débit est réglé par une pompe • Dose d'attaque : de 4 à 6 g administrée en 20 à 30 min • Dose d'entretien : de 1 à 4 g/h • Utilisation exclusive à des fins de stabilisation • Administration cessée après 24 à 48 h de la dose d'entretien ou en présence d'effets indésirables intolérables	• Maternels (atténuation possible de ces effets lorsque la dose d'attaque est terminée) – Bouffées vasomotrices, sudation, sensation de brûlure au site d'accès I.V., nausées et vomissements, sécheresse buccale, somnolence, vision floue, diplopie, céphalées, occlusion intestinale, faiblesse musculaire généralisée, léthargie, étourdissements – Hypocalcémie – Essoufflement – Hypotension transitoire – Effets indésirables intolérables : › Fréquence respiratoire < 12 R/min › Œdème pulmonaire › Absence de réflexes tendineux › Douleur thoracique › Hypotension grave › Altération de l'état de conscience › Faiblesse musculaire extrême › Débit urinaire < 25-30 ml/h ou > 100 ml en 4 h › Concentration sérique de magnésium de 10 mEq/L (9 mg/dl ou 3,7 mmol/L) ou plus • Fœtaux (rares) – ↓ mouvements respiratoires fœtaux – ↓ variations de la F.C.F. – Absence de réactivité fœtale au *Non stress test* – Aucun effet neuroprotecteur	• Évaluer la mère et le fœtus pour en déterminer l'état de base avant de commencer le traitement, puis avant et après chaque augmentation de la dose ; respecter le protocole de l'établissement. • Surveiller la concentration sérique de magnésium lorsque la dose est élevée ; la marge thérapeutique va de 4 à 7,5 mEq/L (5-8 mg/dl ou 2,1-3,3 mmol/L). • Cesser la perfusion et communiquer avec le médecin à l'apparition d'effets indésirables intolérables. • Veiller à préparer du gluconate de calcium (1 g ou 10 ml d'une solution 10 %) prêt à administrer en urgence pour contrecarrer les effets toxiques du sulfate de magnésium, le cas échéant. • Le sulfate de magnésium est contre-indiqué en cas de myasthénie grave. • Le volume de perfusion I.V. devrait se limiter à 125 ml/h.
Inhibiteur calcique			
Nifédipine (Adalat[MD]) : relaxation des muscles lisses, incluant l'utérus, par blocage de l'entrée du calcium	• Dose initiale : de 10 à 20 mg P.O. par la voie orale q.3-6 h à moins que les contractions ne soient rares, puis de 30 à 60 mg d'une préparation à longue durée d'action administrée q.8-12 h durant 48 h pour permettre la corticothérapie anténatale (dose optimale inconnue jusqu'à maintenant et plusieurs régimes possibles)	• Maternels (majoritairement bénins et transitoires) – Hypotension – Céphalée – Bouffées congestives – Étourdissement – Nausées • Fœtaux – Hypotension (incertain)	• Ne pas utiliser avec le sulfate de magnésium en raison du risque d'effets cardiaques et de blocage neuromusculaire (réversible avec administration de gluconate de calcium I.V.). • Ne pas administrer en même temps qu'un bêtamimétique, ni tout de suite après, en raison des effets sur la fréquence cardiaque (F.C.) et la P.A. • Évaluer la mère et le fœtus conformément au protocole de l'établissement ; prêter attention aux signes d'effets indésirables. • Ne pas recourir à la voie d'administration sublinguale.

TABLEAU 22.1 **Tocolyse en cas de travail prématuré *(suite)***

MÉDICAMENT ET MÉCANISME D'ACTION	POSOLOGIE ET VOIE D'ADMINISTRATION	EFFETS INDÉSIRABLES	INTERVENTIONS INFIRMIÈRES
Inhibiteur de la cyclo-oxygénase (synthèse des prostaglandines) (AINS)			
Indométhacine (Indocid P.D.A.[MD]) : relaxation de la musculature utérine par inhibition des prostaglandines	• Dose d'attaque : de 50 mg à 100 mg P.O. ou 50 mg par voie intrarectale, puis de 25 à 50 mg P.O. q.4-6 h durant 48 h	• Maternels (courants) – Nausées et vomissements – Brûlures d'estomac – Moins fréquents, mais plus graves : › Hémorragie digestive › Prolongation du temps de saignement › Thrombopénie › Asthme en cas d'hypersensibilité à l'acide acétylsalicylique • Fœtaux et néonataux – Fermeture prématurée du canal artériel – Oligohydramnios en raison de la baisse du débit urinaire fœtal – Hypertension pulmonaire néonatale – Entérocolite nécrosante – Hémorragie intraventriculaire (risque potentiel)	• Utiliser en cas d'échec des autres méthodes seulement si la grossesse compte moins de 32 semaines. • Vérifier la durée du traitement : 48 h au maximum. • Ne pas utiliser en cas d'insuffisance rénale ou hépatique, d'ulcère peptique actif, d'hypertension non maîtrisée, d'asthme ou de troubles de la coagulation. • Peut masquer la fièvre maternelle. • Évaluer la mère et le fœtus conformément au protocole de l'établissement ; prêter attention aux signes d'effets indésirables. • Déterminer le volume de liquide amniotique et l'état du canal artériel fœtal avant le traitement, puis dans les 48 h suivant la fin du traitement ; l'évaluation est critique si le traitement dure plus longtemps que 48 h. • Administrer avec des aliments pour atténuer le malaise digestif. • Surveiller les signes d'hémorragie postpartum.

Sources : Adapté de Conde-Agudelo, Romero & Kusanovic (2011) ; Di Renzo, Roura & Association of Perinatal Medicine-Study Group on "Preterm Birth" (2006) ; Gilbert (2007) ; Iams & Romero (2007) ; Iams *et al.* (2009) ; King, Flenady, Papatsonis, Dekker & Carbonne (2011) ; SOGC (2008b) ; Soraisham, Dalgeish & Singhal (2010).

tocolytique ; autrement dit, il diminue ou arrête les contractions utérines en empêchant l'entrée de calcium dans les cellules des muscles lisses. La nifédipine est de plus en plus utilisée à cette fin en raison de sa facilité d'administration et de la faible survenue d'effets indésirables chez la mère et le fœtus. Le médicament est absorbé rapidement après son administration P.O. Les effets indésirables maternels, dont les céphalées, les bouffées congestives, les étourdissements et les nausées, sont en général d'intensité légère et dus principalement à l'hypotension qui s'installe à l'administration. Néanmoins, le cas d'une jeune femme en santé ayant reçu une seconde dose de nifédipine et ayant subi un infarctus du myocarde a été rapporté (Iams & Romero, 2007 ; Iams *et al.*, 2009). La nifédipine et le sulfate de magnésium ne font pas bon ménage : leur administration concomitante peut causer l'affaiblissement de la musculature striée. La nifédipine ne devrait pas être administrée non plus en même temps que le bêtamimétique ni tout de suite après (Iams & Romero, 2007 ; Iams *et al.*, 2009).

Des essais cliniques révèlent que l'indométhacine (Indocid P.D.A.[MD]), un anti-inflammatoire non stéroïdien (AINS), stoppe le travail prématuré en s'opposant à la sécrétion des prostaglandines. Le médicament est habituellement bien toléré, et il ne produit que rarement des effets indésirables maternels graves. Toutefois, trois cas d'effets indésirables fœtaux ou néonataux graves ont suscité une grande inquiétude quant à son utilisation comme tocolytique. Il s'agit d'un cas de constriction du canal artériel, d'un cas d'oligoamnios ainsi que d'un cas d'hypertension pulmonaire néonatale. Il est donc recommandé de le réserver au traitement bref du travail prématuré quand la grossesse compte moins de 32 semaines (Iams & Romero, 2007 ; Iams *et al.*, 2009).

Jugement clinique

Madame Élise Mathieu, âgée de 29 ans, est enceinte de 33 semaines de son premier enfant. Son travail a débuté prématurément. Actuellement, elle est sous thérapie I.V. de sulfate de magnésium depuis cinq heures, à une dose d'entretien de 2 g/h.

Mis à part le sulfate de magnésium, à quelle autre thérapie devrait-elle être soumise ? Justifiez votre réponse.

22.1.5 Activation de la maturité pulmonaire du fœtus

Administration prénatale d'un glucocorticoïde

L'administration prénatale d'un glucocorticoïde à la mère sous forme d'une injection I.M. afin d'accélérer la maturation pulmonaire du fœtus est désormais considérée comme l'une des interventions de prévention de la morbidité et de la mortalité liées à l'accouchement prématuré les plus efficaces et rentables. Il est démontré que le glucocorticoïde en administration prénatale réduit notablement l'incidence du syndrome de détresse respiratoire du nouveau-né, de l'hémorragie ventriculaire, de l'entérocolite nécrosante et de la mortalité néonatale sans accroître le risque d'infection de la mère ou du nouveau-né (Mercer, 2009a). Le Comité de médecine fœto-maternelle de la SOGC recommande l'administration d'une cure unique prénatale de corticostéroïdes à toute femme enceinte, entre la 24e et la 34e semaine de grossesse, ayant un risque d'accoucher avant terme dans les sept jours qui suivent (SOGC, 2003a). En règle générale, la femme candidate à la tocolyse l'est également pour la glucocorticothérapie prénatale (Mercer, 2009a). Les modalités de l'administration prénatale du glucocorticoïde sont présentées dans l'**ENCADRÉ 22.9**. La femme enceinte, dont la grossesse compte 24 à 34 semaines, à risque d'accouchement prématuré dans les sept jours devrait être soumise à une cure de glucocorticothérapie prénatale. Comme l'effet bénéfique optimal se manifeste 24 heures après la première injection, l'administration en temps opportun s'avère essentielle (Mercer, 2009a).

22.1.6 Préparation à un accouchement prématuré inévitable

Quand le travail a enclenché une dilatation cervicale de 4 cm ou plus, l'accouchement est presque inévitable. Si l'accouchement est imminent, il convient de se préparer à la naissance d'un prématuré de faible poids. L'infirmière doit savoir que le travail prématuré peut évoluer rapidement jusqu'à l'accouchement et que le très petit fœtus passera dans un col qui n'est pas complètement dilaté. Elle doit se rappeler également que la présentation anormale (p. ex., une présentation du siège) est plus fréquente à l'accouchement prématuré qu'à l'accouchement à terme. Elle doit donc être prête à l'accouchement en urgence d'un prématuré selon une présentation céphalique ou du siège, en l'absence de l'obstétricien ou de la sage-femme. Un professionnel de la santé compétent en réanimation néonatale devrait être présent à l'accouchement. L'infirmière rassemble l'équipement, les fournitures et les médicaments nécessaires à la réanimation néonatale. Si l'accouchement a lieu dans un hôpital qui n'est pas en mesure de prendre en charge les prématurés, il y a lieu de prévoir le transport immédiat du nouveau-né dans un établissement de soins secondaires ou tertiaires.

L'infirmière doit savoir que le travail prématuré peut évoluer rapidement jusqu'à l'accouchement et que le très petit fœtus passera dans un col qui n'est pas complètement dilaté.

Pharmacothérapie

ENCADRÉ 22.9 Corticothérapie anténatale avec bêtaméthasone ou dexaméthasone

ACTION

Stimule la maturation pulmonaire fœtale en favorisant la production d'enzymes à l'origine de la synthèse et de la libération du surfactant pulmonaire dans les alvéoles.

INDICATION

Administrer une cure unique prénatale de corticostéroïdes à toute femme enceinte entre la 24e et la 34e semaine de grossesse ayant un risque d'accouchement avant terme dans les sept jours qui suivent.

POSOLOGIE ET VOIE D'ADMINISTRATION

La bêthaméthasone et la dexaméthasone sont avantageuses pour le fœtus, bien que plusieurs auteurs semblent privilégier la bêtaméthasone.

- Bêtaméthasone : 2 doses de 12 mg en injection I.M. à un intervalle de 24 h
- Dexaméthasone : 4 doses de 6 mg en injection I.M. à des intervalles de 12 h

EFFETS INDÉSIRABLES

- Œdème pulmonaire
- Possibilité d'aggravation de l'état de santé de la mère (diabète, hypertension)

INTERVENTIONS INFIRMIÈRES

- Injection I.M. profonde dans la fesse
- Enseignement des signes de reconnaissance d'œdème pulmonaire
- Détermination de la glycémie et auscultation des bruits pulmonaires

Source : Crane (2003).

22.1.7 Mort fœtale tardive et mort néonatale

La prématurité, des anomalies congénitales ou des troubles génétiques incompatibles avec la vie sont les principales causes de mort fœtale tardive ou de mort néonatale. Dans bien des cas, les parents savent avant la naissance que le fœtus est mort ou qu'il est atteint d'un trouble mortel et qu'il décédera vraisemblablement peu de temps après la naissance. Parfois, la mort fœtale est inattendue, diagnostiquée seulement une fois la mère admise à l'unité de naissance. Quoi qu'il en soit, l'infirmière œuvrant en périnatalité doit être prête à affronter cette situation, à prodiguer des soins empreints d'humanité aux clientes et à leur famille.

Si la mort fœtale tardive ou la mort néonatale est prévisible, les parents et les membres de l'équipe soignante doivent en discuter avant la naissance afin de déterminer la conduite à tenir qui conviendra à tout le monde. Les parents devront savoir s'ils souhaitent un accouchement par **césarienne** si l'on détecte une F.C.F. anormale. Si ce n'est pas le cas, la F.C.F. ne sera probablement pas surveillée durant le travail.

Une autre décision majeure est celle qui concerne la réanimation néonatale et la durée de celle-ci, le cas échéant. Parfois, il est impossible de déterminer si la réanimation est faisable tant que l'on ne connaît pas la taille et l'apparence physique du nouveau-né. Lorsque celui-ci est trop petit, trop peu développé ou s'il présente des malformations trop importantes pour que la réanimation soit possible, des soins de soutien sont offerts. Le nouveau-né est tenu au chaud, au chevet de la mère ou à la pouponnière, selon le souhait des parents, jusqu'à la fin. Les parents peuvent être présents et tenir l'enfant dans leurs bras s'ils le désirent.

La femme qui vient d'accoucher devrait avoir la possibilité de choisir entre demeurer à l'unité de naissance ou être dirigée vers une autre unité de soins de l'hôpital. Elle peut désirer s'éloigner du son des pleurs de nouveau-nés et ne pas vouloir côtoyer des parents qui viennent d'avoir un nouveau-né en santé. Par contre, elle ne trouvera peut-être pas les mêmes soins postnataux et services de soutien aux personnes endeuillées à une autre unité où le personnel s'y connaît moins bien dans ce domaine. Qu'il s'agisse d'une mort fœtale ou d'une mort néonatale, les parents ont les mêmes besoins ▶ 24.

22.2 Rupture prématurée des membranes

La **rupture prématurée des membranes** désigne la rupture spontanée de la poche des eaux suivie de l'écoulement de liquide amniotique qui survient avant le travail, quel que soit l'âge gestationnel du fœtus (Mercer, 2007). La rupture prématurée des membranes avant terme, soit la rupture des membranes avant 37 semaines de grossesse, est à l'origine de près du tiers des accouchements prématurés (Mercer, 2007). La rupture prématurée des membranes avant terme découle vraisemblablement de l'affaiblissement pathologique des membranes dû à l'inflammation, au stress provoqué par les contractions utérines ou à d'autres facteurs occasionnant une hausse de la pression utérine. L'infection urogénitale est associée à la rupture prématurée des membranes avant terme (Mercer, 2007 ; Mercer 2009b). Le diagnostic de rupture prématurée des membranes avant terme est posé sur la constatation d'un flux intempestif ou d'un écoulement lent de liquide provenant du vagin.

La **chorioamnionite**, à savoir l'infection de la cavité amniotique, représente la complication maternelle la plus courante de la rupture prématurée des membranes avant terme. L'hématome rétroplacentaire, la septicémie et la mort sont des complications maternelles graves, mais rares (Mercer, 2007 ; Mercer, 2009b). Les complications fœtales de la rupture prématurée des membranes avant terme sont imputables principalement à l'infection intra-utérine, à la compression du cordon ombilical et à l'hématome rétroplacentaire. Lorsque cette rupture se produit avant 20 semaines de grossesse, elle peut entraîner l'hypoplasie pulmonaire fœtale (Mercer, 2009b).

22.2.1 Soins et traitements

La prise en charge de la rupture prématurée des membranes est individualisée en fonction de l'évaluation du risque de complications maternelles, fœtales et néonatales que comporte la poursuite de la grossesse ou le déclenchement du travail et l'accouchement dans l'immédiat. Au terme de la grossesse, l'accouchement demeure la meilleure option étant donné que l'infection constitue le plus grand risque pour la mère, le fœtus ou le nouveau-né. Si le travail ne commence pas rapidement de façon spontanée après la rupture prématurée des membranes, il devra probablement être provoqué (Mercer, 2009b).

Si les risques que comporte l'accouchement prématuré pour le fœtus ou le nouveau-né sont jugés plus importants que le risque d'infection, la prise en charge de la rupture prématurée des membranes sera marquée par l'attente vigilante ou la prudence. Quand cette rupture se produit, la femme est habituellement hospitalisée dans l'espoir de prolonger sa grossesse et de favoriser le développement du fœtus à moins que ne survienne une infection intra-utérine, un saignement vaginal important, un hématome rétroplacentaire, le travail prématuré ou un danger pour le fœtus (Mercer, 2009b).

Généralement, la prise en charge classique de la rupture prématurée des membranes avant terme consiste en l'évaluation fœtale quotidienne par l'examen de réactivité fœtale (ERF) et l'établissement du profil biophysique ▶ 19. S'ajoute à cela la surveillance du travail, des signes d'hématome rétroplacentaire et d'infection intra-utérine. La femme dont la grossesse compte moins de 34 semaines recevra de la corticothérapie prénatale, un traitement ayant fait ses preuves dans

Au terme de la grossesse, l'accouchement demeure la meilleure option étant donné que l'infection constitue le plus grand risque pour la mère, le fœtus ou le nouveau-né.

Jugement clinique

En se rendant à son travail, madame Manuella Rodriguez, âgée de 21 ans et enceinte de 35 semaines de son deuxième enfant (G2 P1 A0), constate qu'elle perd du liquide par son vagin. Elle se dirige à l'hôpital où on l'informe que ses membranes sont rompues. Elle n'a pas de contractions pour l'instant.

Doit-on induire l'accouchement de madame Rodriguez immédiatement ? Justifiez votre réponse.

24

Les interventions infirmières précises visant à répondre aux besoins particuliers des parents et des familles endeuillés sont abordées dans le chapitre 24, *Nouveau-né à risque*.

19

L'ERF est abordé en détail dans le chapitre 19, *Évaluation de la grossesse à risque élevé*.

Chorioamnionite : Réaction inflammatoire des membranes fœtales due à la présence de bactéries ou de virus dans le liquide amniotique où s'infiltrent des polynucléaires neutrophiles.

Pratique fondée sur des résultats probants

ENCADRÉ 22.10 **Corticothérapie durant le travail prématuré pour favoriser la maturation pulmonaire**

QUESTION CLINIQUE

Que dire aux clientes à propos de la corticothérapie prénatale (bêtaméthasone) destinée à accélérer la maturation pulmonaire du fœtus en cas de risque d'accouchement prématuré?

RÉSULTATS PROBANTS

- Stratégies: lignes directrices publiées par des associations professionnelles, méta-analyses, études systématiques, essais cliniques comparatifs et à répartition aléatoire, études prospectives sans répartition aléatoire et études rétrospectives depuis 2006.
- Bases de données: CINAHL, Cochrane, Medline, National Guideline Clearinghouse et TRIP Database Plus.

ANALYSE CRITIQUE ET SYNTHÈSE DES DONNÉES

- Le prématuré est prédisposé au syndrome de détresse respiratoire, particulièrement si ses poumons n'ont pas produit suffisamment de surfactant. La cure de corticothérapie prénatale a pour but d'accélérer la maturation pulmonaire du fœtus en présence d'un risque d'accouchement prématuré. Une étude systématique Cochrane couvrant 21 essais cliniques comptant dans l'ensemble 3 885 femmes et 4 269 nouveau-nés a examiné les résultats de la corticothérapie prénatale. Les chercheurs constatent que la corticothérapie a pour effet de diminuer les issues indésirables suivantes: la mortalité néonatale, l'hémorragie cérébrale, l'entérocolite nécrosante, la nécessité de l'assistance respiratoire, l'admission aux soins intensifs et l'infection dans les 48 premières heures (Roberts & Dalziel, 2006). En outre, la corticothérapie exerce des effets bénéfiques en cas de rupture prématurée des membranes et d'hypertension gravidique. Ces effets sont d'une telle ampleur que les chercheurs appuient la pratique d'une cure de corticothérapie prénatale pour presque toutes les femmes à risque d'accouchement prématuré.
- Les résultats spectaculaires d'une étude de cohorte rétrospective de prématurés nés à 23 semaines (à un âge pour lequel le pronostic vital est très sombre) indiquent que la cure de corticothérapie prénatale a produit une baisse de 82 % du taux de mortalité (Hayes *et al.*, 2008).
- Si la grossesse se poursuit durant au moins une autre semaine, les effets bénéfiques du traitement persistent-ils? Une étude de cohorte rétrospective de 357 femmes, soumises à la corticothérapie au cours de leur grossesse (comptant de 26 à 34 semaines, selon la femme) s'est penchée sur l'état des nouveau-nés. Les auteurs concluent que lorsque l'intervalle entre le traitement et la naissance est supérieur à 14 jours, la ventilation assistée et l'emploi de surfactant sont beaucoup plus nécessaires que lorsque l'accouchement se produit dans les 2 à 14 jours du traitement (Ring *et al.*, 2007).
- En supposant que les effets bénéfiques du traitement s'estompent avec le temps, y a-t-il lieu d'administrer de nouveau le traitement si la grossesse se poursuit et, dans l'affirmative, à quel moment? Une autre étude systématique Cochrane a examiné 5 essais cliniques comparatifs et à répartition aléatoire comptant dans l'ensemble 2 000 femmes enceintes dont la grossesse comptait de 23 à 33 semaines au moment de la première cure de corticothérapie et qui ont poursuivi leur grossesse durant au moins 7 mois. Les auteurs constatent qu'une seconde cure à intervalle de sept jours diminue l'occurrence et la gravité de la maladie pulmonaire néonatale dans les premières semaines de vie (Crowther & Harding, 2007). Toutefois, la reprise du traitement est également associée à un faible poids à la naissance et à un risque accru d'accouchement par césarienne. En dépit de cela, les chercheurs recommandent la seconde cure de corticothérapie en raison de ses effets bénéfiques à brève échéance, mais ils préconisent d'étudier le sujet davantage.

RECOMMANDATIONS POUR LA PRATIQUE INFIRMIÈRE

- La perspective d'un accouchement prématuré peut bouleverser les futurs parents qui s'inquiéteront alors du risque de complications pour leur nouveau-né. La corticothérapie prénatale améliore de façon spectaculaire la probabilité de survie tout en ne comportant que des risques minimes de complications.
- Bien que la décision de soumettre la femme à risque d'accouchement prématuré à une ou deux cures de corticothérapie soit du ressort médical, les infirmières qui administrent ces médicaments doivent savoir ce que révèlent les données probantes sur ce sujet et être en mesure d'en soupeser les risques et les bienfaits avec les clients.

RÉFÉRENCES

Crowther, C.A., & Harding, J.E. (2007). Repeat doses of prenatal corticosteroids for women at risk for preterm birth for preventing neonatal respiratory disease. *Cochrane Database of Systematic Reviews, 3*, CD 003935.

Hayes, E.J., Paul, D.A., Stahl, G.E., Seibel-Seamon, J., Dysart, K., Leiby, B.E., *et al.* (2008). Effect of antenatal corticosteroids on survival for neonates at 23 weeks gestation. *Obstet Gynecol, 111*(4), 921-926.

Ring, A.M., Garland, J.S., Stafeil, B.R., Carr, M.N., Peckman, G.S., & Percon, R.A. (2007). The effect of a prolonged time interval between antenatal corticosteroid administration and delivery on outcomes in preterm neonates: A cohort study. *Am J Obstet Gynecol, 196*(5), 457, e1-e6.

Roberts, D., & Dalziel, S. (2006). Antenatal corticosteroids for accelerating fetal lung maturation for women at risk for preterm birth. *Cochrane Database of Systematic Reviews, 3*, CD 004454.

Jugement clinique

En quoi consiste la surveillance quotidienne de madame Rodriguez, hospitalisée pour rupture prématurée des membranes?

la réduction du risque de complications néonatales, dont le syndrome de détresse respiratoire, l'entérocolite nécrosante et l'hémorragie ventriculaire **ENCADRÉ 22.10**. Enfin, la femme enceinte se verra administrer un antibiotique à large spectre (p. ex., l'ampicilline, l'érythromycine) durant sept jours afin de traiter ou de prévenir l'infection utérine (Mercer, 2007; Mercer, 2009b; SOGC, 2009a). Il est recommandé qu'à la suite d'une rupture prématurée des membranes avant terme à 32 semaines de gestation ou moins, des antibiotiques soient administrés aux femmes qui ne sont pas en travail afin de prolonger la grossesse et d'atténuer la morbidité maternelle et néonatale. En ce qui concerne les femmes qui connaissent une rupture prématurée des membranes avant terme à plus de 32 semaines de gestation, l'administration d'antibiotiques visant la prolongation de la grossesse est recommandée lorsque la maturité pulmonaire fœtale ne peut être prouvée ou lorsque l'accouchement n'est pas planifié (SOGC, 2009a).

La vigilance dans la détection des signes d'infection constitue un élément majeur des soins infirmiers et de l'enseignement à la cliente dont les membranes se sont rompues prématurément avant terme. Celle-ci doit veiller à la propreté de sa région génitale et à ce que rien ne pénètre dans son vagin. Elle doit mentionner tout signe d'infection (p. ex., la fièvre, un écoulement vaginal nauséabond, un pouls rapide) à son médecin dans les plus brefs délais **ENCADRÉ 22.11**. En présence de chorioamnionite, le travail sera provoqué. Si le travail se déclenche prématurément, le médecin prescrira la tocolyse dans l'espoir de gagner du temps afin d'acheminer la cliente vers un hôpital en mesure de prodiguer des soins au prématuré ou d'administrer la corticothérapie prénatale ou l'antibiothérapie à une concentration efficace (Gilbert, 2007; Mercer, 2007).

Guide d'enseignement

ENCADRÉ 22.11 Rupture prématurée des membranes avant terme

Que faire en cas de rupture prématurée des membranes avant terme?

- Vérifiez votre température toutes les quatre heures le jour.
- Communiquez avec le professionnel de la santé si votre température est supérieure à 38 °C .
- Respectez les consignes ayant trait à l'alitement modifié.
- N'insérez rien dans le vagin.
- Abstenez-vous de toute relation sexuelle.
- Déterminez la présence de contractions utérines.
- Dénombrez les mouvements du fœtus chaque jour.
- Ne prenez pas de bain.
- Surveillez les signes d'écoulement vaginal nauséabond et de sensibilité ou de douleur utérine au toucher.
- Après la miction ou la selle, essuyez-vous d'un mouvement allant de l'avant à l'arrière.
- Conformez-vous au traitement antibiotique prescrit.
- Présentez-vous aux consultations médicales prévues.

22.3 Dystocie

L'expression travail difficile (**dystocie**) désigne le travail long, difficile ou anormal; cet état est dû à diverses affections regroupées selon les cinq facteurs qui influent sur le travail. Les estimations veulent que le travail difficile soit le lot de 8 à 11 % des accouchements (Gilbert, 2007). La dystocie représente la deuxième indication en importance de l'accouchement par césarienne après un accouchement par césarienne précédent (Nielsen, Galan, Kilpatrick & Garrison, 2007). Les causes de la dystocie sont les suivantes:

1. des contractions utérines ou des poussées inefficaces (puissance): il s'agit de la cause la plus courante (Cunningham *et al.*, 2005);
2. une altération de la structure pelvienne (passage);
3. l'origine fœtale, soit la présentation ou la position inhabituelle, des anomalies, une grande taille et le nombre de fœtus (passager);
4. la position maternelle durant le travail et l'accouchement;
5. la réaction psychologique de la mère au travail, qui tient à son expérience, à sa préparation, à sa culture et à ses traditions, ainsi qu'à son réseau de soutien.

Ces cinq facteurs sont interdépendants. Dans l'évaluation de la cliente dont le travail est inhabituel, l'infirmière doit tenir compte de l'interaction de ces facteurs entre eux et de leur influence sur le travail. La dystocie est soupçonnée lorsque les caractéristiques des contractions sont différentes du schéma habituel ou en l'absence de progression de la dilatation cervicale ou de la descente et de l'expulsion fœtale.

22.3.1 Travail difficile

Le travail est dit difficile lorsque des contractions utérines anormales entravent le processus de dilatation cervicale usuel, l'effacement du col (puissance primaire) ou la descente (puissance secondaire).

Gilbert (2007) énumère plusieurs facteurs qui accroissent apparemment le risque de dystocie, notamment:

- l'embonpoint maternel;
- la petite taille de la mère;
- l'âge maternel avancé;
- des problèmes d'infertilité;
- des anomalies utérines (p. ex., une malformation congénitale, l'hyperdistension comme cela se produit dans la grossesse multiple, le polyhydramnios);
- la présentation ou la position inhabituelle du fœtus;
- la disproportion céphalopelvienne (ou la disproportion fœtopelvienne);
- la surstimulation utérine à l'aide **d'ocytocine**;
- la déshydratation et le déséquilibre électrolytique de la mère, la fatigue, la crainte;
- l'analgésie ou l'anesthésie inopportune.

Jugement clinique

Madame Paula Pietro, âgée de 30 ans, est à 36 semaines de grossesse (G1 P0 A0). Ses membranes sont rompues depuis quatre heures. Son travail n'étant pas commencé, elle doit recevoir de l'ampicilline 1 g I.V. q.4 h jusqu'à son accouchement.

Cette thérapie I.V. est-elle appropriée à la situation de la cliente? Justifiez votre réponse.

L'activité utérine anormale est qualifiée d'hypertonie ou d'hypotonie utérine. Lorsqu'il y a hypertonie utérine, les contractions peuvent être fréquentes et douloureuses, mais elles sont inefficaces quand il s'agit de favoriser l'effacement et la dilatation du col. S'il y a hypotonie, la hausse de la pression utérine durant la contraction est insuffisante pour promouvoir l'effacement et la dilatation du col (Gilbert, 2007).

Dysfonction utérine hypertonique

La cliente aux prises avec un dysfonctionnement utérin dû à l'hypertonie (ou **dysfonction utérine hypertonique**), qui entraîne un travail difficile primaire, est dans bien des cas une nouvelle mère

12

L'évaluation continue du progrès maternel pendant les premier, deuxième, troisième et quatrième stades du travail est présentée dans le chapitre 12, *Soins infirmiers de la famille pendant le travail et l'accouchement.*

nerveuse, dont l'utérus se relâche mal. Ces contractions se produisent habituellement à la phase de latence du premier stade (dilatation cervicale de 4 cm tout au plus) et sont désordonnées en général. La puissance des contractions se manifeste au centre de l'utérus plutôt qu'au fond. Par conséquent, l'utérus est incapable d'exercer une pression descendante afin de pousser le fœtus qui se présente vers le col. Il se peut que l'utérus ne se détende pas complètement entre les contractions.

Cette femme s'épuisera vraisemblablement et s'inquiétera de ce que la douleur intense et la stagnation du travail lui font perdre toute maîtrise de la situation. Le repos thérapeutique, dont les modalités sont une douche ou un bain chaud et l'administration d'un analgésique comme la morphine, la mépéridine (Demerol[MD]) ou la nalbuphine (Nubain[MD]) ou l'administration d'un sédatif tel la sertraline (Zoloft[MD]) destiné à inhiber les contractions utérines, à atténuer la douleur et à favoriser le sommeil, est habituellement prescrit dans la prise en charge de l'hypertonie utérine (Battista & Wing, 2007; Gilbert, 2007).

Jugement clinique

Le travail de madame Bernice Duhamel (G1), âgée de 27 ans, a commencé depuis sept heures. Elle se dit épuisée. Son col est dilaté à 2 cm et effacé à 60 %. Elle ressent de fortes contractions, et son utérus reste tendu entre les contractions.

En quoi le repos thérapeutique lui serait-il favorable?

Dysfonction utérine hypotonique

La **dysfonction utérine hypotonique** (ou inertie utérine secondaire) est l'autre forme de dysfonction utérine et la plus courante. La cliente évolue normalement à la phase active du travail, puis les contractions s'affaiblissent et perdent de leur efficacité ou cessent tout simplement. L'utérus se plisse facilement, même au point culminant des contractions. La pression intra-utérine durant la contraction est trop faible pour que le col se raccourcisse ou se dilate. La disproportion céphalopelvienne et la présentation anormale en sont les principales causes.

Dans cet état, la cliente pourra s'épuiser et présenter un risque accru d'infection. Si les contractions ne sont pas suffisamment fortes pour provoquer la modification du col de l'utérus, le travail sera stimulé à l'aide d'ocytocine (Battista & Wing, 2007).

Puissance secondaire

La puissance secondaire, qui se manifeste dans les poussées, s'estompe quand la dose analgésique est élevée. L'anesthésie épidurale peut bloquer le réflexe de poussée et ainsi diminuer l'efficacité des efforts d'expulsion volontaires. L'épuisement dû au manque de sommeil ou au long travail et à la fatigue découlant de l'hydratation et de l'alimentation insuffisantes entrave les efforts volontaires de la femme. La position maternelle peut s'opposer à l'effet de la gravité et réduire la puissance et l'efficience des contractions.

Au nombre des interventions infirmières destinées à améliorer la poussée figurent le positionnement et l'encadrement maternels ▶ 12. Si l'accouchement spontané s'annonce impossible, l'accouchement assisté par ventouse obstétricale ou par forceps ou l'accouchement par césarienne sera nécessaire. Ces interventions sont présentées plus loin dans ce chapitre.

Schémas de travail anormal

Friedman (1989) a cerné six schémas de travail anormal et les a classés en phases selon la nature de la dilatation cervicale et de la descente fœtale. Ce sont:

1. la phase de latence prolongée;
2. la phase de dilatation active prolongée;
3. l'arrêt secondaire sans changement;
4. la descente prolongée;
5. l'arrêt de la descente;
6. l'échec de la descente.

Le **TABLEAU 22.2** présente ces schémas de travail qui sont dus à diverses causes, dont les contractions utérines inefficaces, les contractures pelviennes, la disproportion céphalopelvienne, la présentation ou la position fœtale anormale, l'analgésie hâtive, l'analgésie ou l'anesthésie par blocage nerveux, l'anxiété et le stress. L'évolution au cours de la première ou de la seconde phase du travail peut être prolongée ou interrompue. Cette évolution au ralenti peut être illustrée par un graphique du travail dont un axe représente la dilatation cervicale et la descente fœtale et l'autre, le temps. La courbe du travail en cours sera comparée à celle prévue chez une nullipare ou une multipare pendant les premier et deuxième stades du travail. En présence de travail anormal, il convient d'en informer le médecin traitant.

Travail précipité

L'expression **travail précipité** désigne le travail bref qui, du début des contractions à la naissance du nouveau-né, dure moins de trois heures. Comme tel, le travail précipité n'est pas habituellement la source d'une morbidité ou d'une mortalité maternelle ou néonatale importante (Battista & Wing, 2007).

Les contractions utérines hypertoniques, quand elles deviennent soutenues sans période de relâchement, peuvent donner lieu au travail précipité. De telles contractions surviennent en cas de séparation placentaire, lorsque les contractions sont en nombre excessif ou s'il y a eu consommation récente de cocaïne (Battista & Wing, 2007). La rupture utérine, des lacérations de la filière pelvigénitale, le syndrome anaphylactoïde de grossesse (embolie amniotique) et l'hémorragie postpartum figurent parmi les complications maternelles. Les complications fœtales comprennent l'hypoxie en raison des rares périodes de relaxation entre les

TABLEAU 22.2 Schémas de travail anormal

SCHÉMA	NULLIPARE	MULTIPARE
Phase de latence prolongée	> 20 h	> 14 h
Phase de dilatation active prolongée	< 1,2 cm/h	< 1,5 cm/h
Arrêt secondaire sans changement	≥ 2 h	≥ 2 h
Descente prolongée	< 1 cm/h	> 2 cm/h
Arrêt de la descente	≥ 1 h	≥ ½ h
Échec de la descente	Pas de changements durant la phase de transition et le deuxième stade	
Travail précipité (dilatation)	> 5 cm/h	10 cm/h

contractions et, parfois, un trauma intracrânien dû à l'accouchement rapide (Cunningham *et al.*, 2005).

La femme pour qui le travail est précipité n'arrive pas à croire que celui-ci a commencé si rapidement, elle s'inquiète du fait qu'il progresse si vite, sent la panique monter à la perspective de ne pas avoir le temps de se rendre à l'hôpital, puis se sent rassurée et soulagée quand elle y est.

22.3.2 Altérations de la structure pelvienne

Dystocie pelvienne

Des contractures figeant le diamètre pelvien, réduisant ainsi la capacité du bassin osseux au détroit supérieur, à l'excavation pelvienne, au détroit inférieur ou à plus d'un plan, peuvent causer une dystocie pelvienne.

La disproportion du bassin est la cause la plus rare de dystocie (Cunningham *et al.*, 2005). Des anomalies congénitales, la malnutrition maternelle, une tumeur ou un trouble médullaire inférieur peuvent être à l'origine des contractures pelviennes. Si la taille de son bassin est encore trop petite, l'adolescente enceinte sera prédisposée à la dystocie pelvienne. Enfin, la déformation pelvienne peut découler d'un accident de la route ou d'un trauma quelconque.

Dystocie des tissus mous

La dystocie des tissus mous est due à l'obstruction de la filière pelvigénitale par une anomalie anatomique qui ne concerne pas le bassin osseux. L'obstruction peut découler du placenta praevia (placenta qui se développe sur le segment inférieur de l'utérus) qui viendra obstruer partiellement ou entièrement l'ouverture interne du col. Elle peut avoir d'autres causes, dont le léiomyome (fibrome) dans le segment inférieur de l'utérus, la tumeur ovarienne, la vessie pleine ou le rectum plein, qui empêchent le fœtus de s'engager dans la filière pelvigénitale. Parfois, l'obstruction tient à un œdème cervical se formant durant le travail lorsque le col est coincé entre la présentation fœtale et la symphyse pubienne ou à la poussée prématurée qui entrave la dilatation complète. Une infection transmissible sexuellement (p. ex., l'infection due au virus du papillome humain) peut altérer l'intégrité tissulaire cervicale et compromettre l'effacement et la dilatation du col.

22.3.3 Origine fœtale

Une anomalie, la grande taille du fœtus, la présentation anormale, la mauvaise position ou la grossesse multiple peut être la source de la dystocie d'origine fœtale. Les complications de la dystocie d'origine fœtale sont l'asphyxie néonatale, la blessure ou la fracture fœtale et la lacération vaginale. Bien que l'accouchement vaginal spontané soit possible, il est nécessaire dans bien des cas de recourir aux forceps ou à la ventouse obstétricale ou de pratiquer une césarienne.

Anomalies

L'ascite majeure, la grosse tumeur, l'anomalie du tube neural (p. ex., le myéloméningocèle) et l'hydrocéphalie sont des anomalies fœtales susceptibles de provoquer la dystocie. Ces anomalies modifient le rapport entre l'anatomie fœtale et la capacité pelvienne maternelle et viennent s'opposer à la descente fœtale dans la filière pelvigénitale.

Disproportion céphalopelvienne

La **disproportion céphalopelvienne** (ou disproportion fœtopelvienne) désigne la disproportion entre la taille du fœtus et celle du bassin maternel. Dans cette situation, le fœtus est trop gros par rapport au bassin maternel pour que l'accouchement vaginal soit possible. Bien que cette disproportion tienne souvent à la grande taille fœtale (ou macrosomie) (c.-à-d. 4 000 g ou plus), le problème réside souvent dans la mauvaise position de la présentation fœtale, non dans une réelle disproportion (Battista & Wing, 2007). La macrosomie est associée à l'obésité ou au diabète maternel, à la multiparité ou à la grande taille de l'un ou des deux parents. Si le bassin maternel est trop petit, de forme inhabituelle ou déformé, la disproportion est d'origine maternelle, et le fœtus peut fort bien être de taille moyenne ou plus petite. Malheureusement, il est impossible de prévoir avec exactitude la disproportion céphalopelvienne (Battista & Wing, 2007).

Position fœtale

La position occipito-sacrée (droite ou gauche) persistante est la malposition fœtale la plus courante ; le fœtus s'installe ainsi à la phase de latence du premier stade du travail dans environ 15 % des cas, et près de 5 % des fœtus sont dans cette position à la naissance (Gilbert, 2007) ▶ 9. Le travail, particulièrement la seconde phase (active) du deuxième stade, se prolonge. La cliente souffre d'une cruelle dorsalgie due à la pression qu'exerce la tête (occiput) du fœtus sur la paroi sacrée. L'**ENCADRÉ 22.12** propose des mesures d'atténuation de la dorsalgie et de rotation du fœtus en position antérieure (pubienne) afin de faciliter l'accouchement (Gilbert, 2007 ; Stremler *et al.*, 2005).

9

L'importance de la position de la tête fœtale pendant le travail et l'accouchement est abordée dans le chapitre 9, *Travail et accouchement*.

Mauvaise présentation fœtale

La mauvaise présentation, autre que céphalique ou la tête la première, est une autre complication fréquente du travail et de l'accouchement. La présentation du siège demeure la mauvaise présentation la plus courante, à la fréquence de 3 ou 4 % des cas (Lanni & Seeds, 2007). Il y a trois sortes de présentation du siège : 1) le siège décomplété (hanches du fœtus en flexion, ses genoux en extension) ; 2) le siège complet (membres inférieurs du fœtus repliés) ; 3) pied (un seul ou les deux) et siège où les pieds se présentent avant le siège (Gilbert, 2007) **FIGURE 22.3**. La présentation du siège est associée à la grossesse multiple, à la prématurité, à des anomalies fœtales ou maternelles et au polyhydramnios. Cette présentation est également fréquente en présence de certains troubles génétiques (p. ex., les trisomies 13, 18 et 21, le syndrome de Potter [agénésie rénale], la dystrophie myotonique) ou de troubles neuromusculaires en raison peut-être de l'amplitude articulaire réduite dans l'utérus. Le diagnostic repose sur la palpation abdominale et l'examen vaginal, et il est habituellement confirmé par l'échographie (Lanni & Seeds, 2007 ; Thorp, 2009).

Durant le travail, la descente de la présentation du siège peut être lente, car le siège ne stimule pas la dilatation autant que la tête. Cette présentation comporte un risque de **prolapsus du cordon ombilical** si les membranes se rompent hâtivement. La présence de méconium dans le liquide amniotique n'est pas forcément un signe de souffrance fœtale, car l'évacuation du méconium est provoquée par la pression qui s'exerce sur l'abdomen fœtal au cours du passage dans la filière pelvigénitale. Les bruits cardiaques fœtaux s'entendent le mieux à l'ombilic ou juste au-dessus.

ENCADRÉ 22.12 Travail dorsal – position occipito-sacrée

MESURES D'ATTÉNUATION DE LA DORSALGIE DURANT LA CONTRACTION

- Contrepression : exercer une pression du poignet ou du bas de la main sur la région sacrée.
- Application de chaleur ou de froid : appliquer sur la région sacrée.
- Double compression de la hanche :
  - la parturiente remonte ses genoux vers sa poitrine afin que ses hanches soient en flexion ;
  - le conjoint, l'infirmière ou l'accompagnatrice appuie ses mains sur les fesses de la parturiente et y imprime un mouvement vers le haut et le centre du bassin avec les paumes des mains.
- Pression sur les genoux :
  - la parturiente s'assoit, les genoux écartés de quelques centimètres, les pieds à plat au sol ou sur un tabouret ;
  - le conjoint, l'infirmière ou l'accompagnatrice appuie les mains sur les genoux de la parturiente, le bas de la main au sommet du tibia et pousse les genoux vers les hanches de la parturiente en se penchant vers celle-ci.
- Utilisation de la méthode Bonapace :
  - pratiquer le massage non douloureux au site de la douleur (bas du dos, abdomen, cuisses) ;
  - appliquer une pression douloureuse sur des zones réflexes du corps de la parturiente ;
  - pratiquer le détournement de l'attention de la douleur.

MESURES DE ROTATION DE LA TÊTE DU FŒTUS (UTILES ÉGALEMENT POUR SOULAGER LA DORSALGIE)

- Coups portés au côté de l'abdomen : frapper doucement l'abdomen dans la direction vers laquelle la tête du fœtus devrait se tourner.
- Position à quatre pattes : la parturiente peut s'agenouiller en s'appuyant sur un ballon, sur l'assise coussinée d'une chaise ou sur la table de chevet.
- Accroupissement.
- Balancement du bassin.
- Monter un escalier.
- Position latérale : s'étendre du côté vers lequel le fœtus devrait se tourner.
- Élargissement du bassin du côté de la fente avant :
  - la parturiente se tient debout près d'une chaise placée pour qu'elle puisse allonger la jambe du côté où se trouve le dos du fœtus ou dans la direction de l'occiput fœtal ;
  - elle pose son pied sur l'assise de la chaise, les orteils en direction du fond de l'assise, puis elle allonge la jambe ;
  - autre position de fente avant : à genoux.

Source : Bonapace (2009).

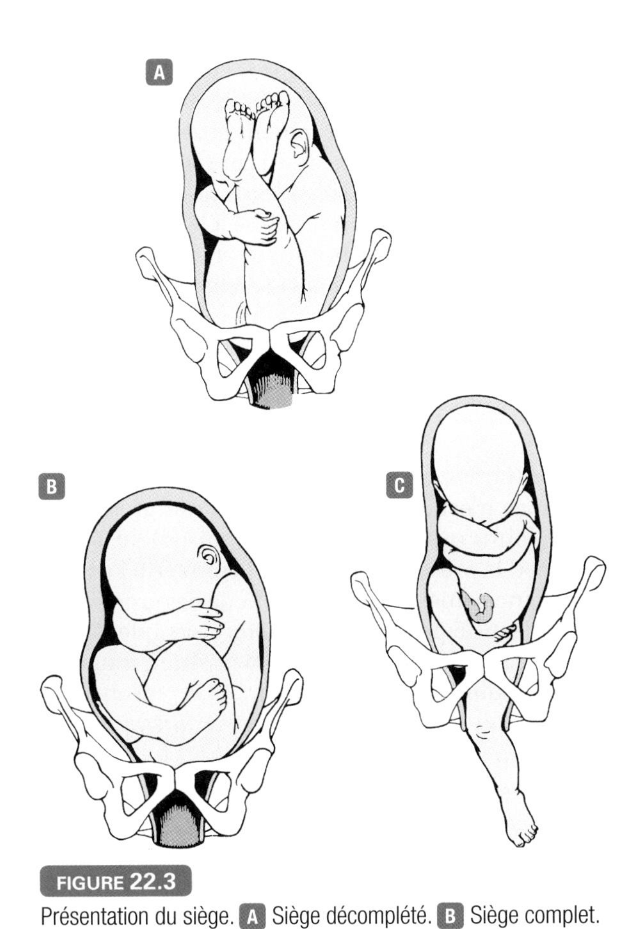

FIGURE 22.3
Présentation du siège. A Siège décompleté. B Siège complet. C Pied et siège.

L'accouchement vaginal se produit par déplacement du fœtus durant le travail, plus précisément par des mouvements de son siège et de ses membres inférieurs au fil de la descente **FIGURE 22.4**. Les risques que comporte l'accouchement vaginal de la présentation du siège sont le prolapsus du cordon ombilical (surtout en cas de présentation pied et siège) et le coincement de la tête qui vient en dernier (particulièrement chez le prématuré). Grâce à son expérience, à son jugement clinique et à ses compétences, l'obstétricien veillera au déroulement sans heurts de l'accouchement vaginal en cas de présentation du siège. Les critères de l'accouchement vaginal en cas de présentation du siège (Thorp, 2009) sont les suivants :

- présentation : siège décompleté ou siège complet ;
- poids fœtal estimatif allant de 2 000 à 3 800 g ;
- bassin (maternel) obstétrical normal ;
- tête fœtale en flexion.

On peut tenter la manœuvre de la **version céphalique externe** pour positionner le fœtus en présentation du sommet **FIGURE 22.5**. Si la manœuvre échoue, le médecin pratiquera probablement une césarienne (Gilbert, 2007). La SOGC a émis des recommandations à propos de l'accouchement du siège par voie vaginale (SOGC, 2009b).

Les présentations de la face et du front sont rares ; elles sont associées à des anomalies fœtales, à des contractures pelviennes ou à la disproportion

Jugement clinique

Madame Maryse Simoneau, âgée de 31 ans, est à 39 semaines de grossesse (G2 P1 A0). Elle est admise à l'unité de naissance en début de travail. Au cours de votre évaluation initiale, vous constatez qu'il s'agit d'une présentation du siège.

Madame Simoneau pourra-t-elle envisager un accouchement vaginal normal ? Justifiez votre réponse.

Version céphalique externe : Changement de position imposé au fœtus, pour qu'il se présente par la tête, par la manipulation externe de l'abdomen maternel.

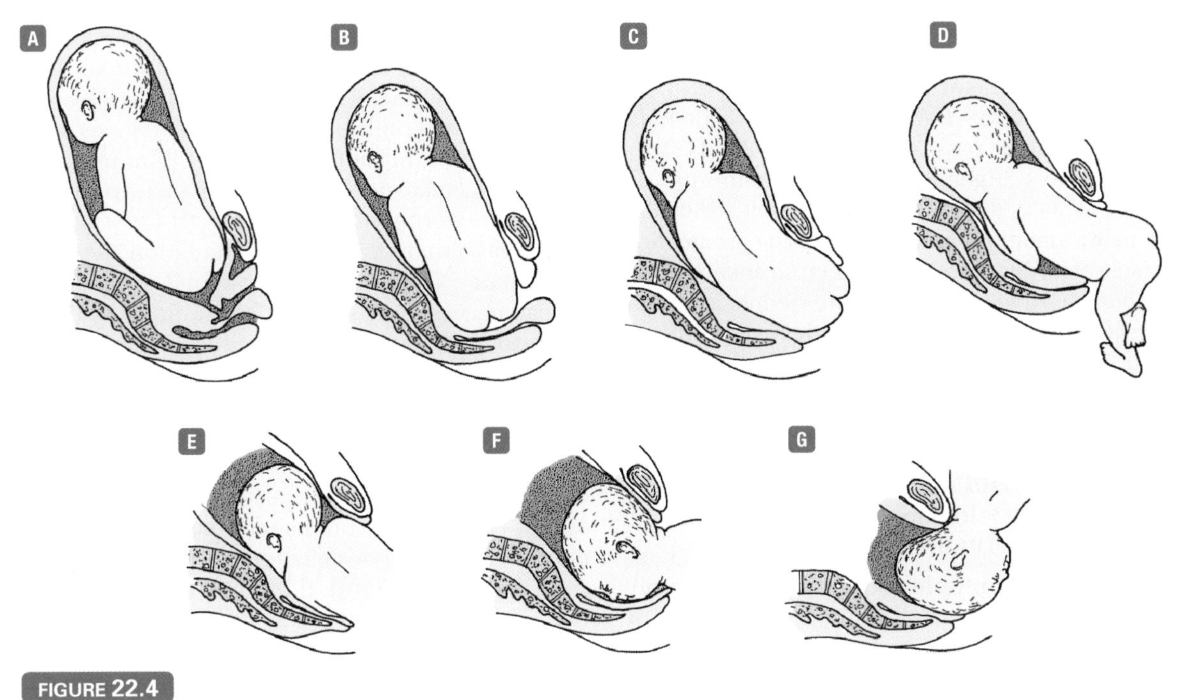

FIGURE 22.4
Déplacement fœtal de la présentation du siège durant le travail. A Présentation du siège avant le déclenchement du travail. B Engagement et rotation interne. C Flexion latérale. D Rotation externe. E Rotation interne des épaules et de la tête. F Visage contre la paroi sacrée, occiput contre la paroi pubienne. G Expulsion de la tête en flexion progressive au fil de l'élévation du corps fœtal.

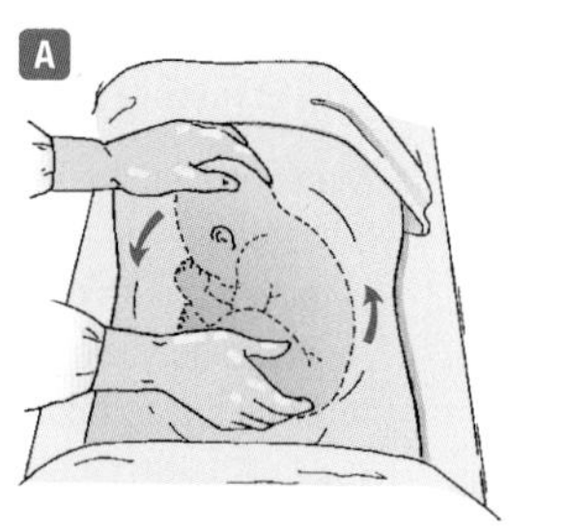
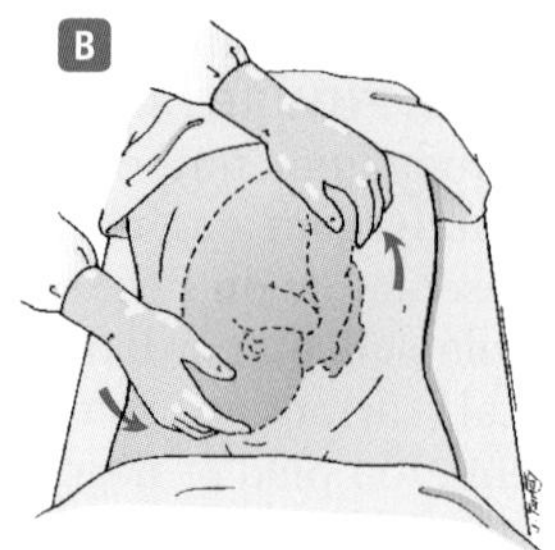

FIGURE 22.5

Version externe de la présentation du siège en présentation du sommet. La version s'accomplit en douceur. A Le siège est remonté, tandis que la tête est poussée vers le bas ou le détroit supérieur. B La tête est dirigée vers le détroit supérieur, alors que le siège est tiré vers le haut.

fœtopelvienne. L'accouchement vaginal est possible si le fœtus se positionne en présentation du sommet, quoiqu'il s'effectuera à l'aide des forceps dans la plupart des cas. Si la présentation demeure inchangée, si le travail stagne ou en cas de souffrance fœtale, l'accouchement se fera par césarienne.

En règle générale, il faut pratiquer une césarienne en cas de position fœtale transversale (présentation de l'épaule) bien que l'on puisse tenter la version céphalique externe si la grossesse compte au moins 36 semaines (Thorp, 2009).

Grossesse multiple

La grossesse multiple est celle où plus de un fœtus (jumeaux, triplés, quadruplés) se développent dans l'utérus. Les nouveau-nés issus d'une grossesse multiple représentaient 3,1 % des naissances vivantes au Québec en 2009 (Institut de la statistique du Québec, 2011b). Selon le *Rapport sur la santé périnatale au Canada – Édition 2008*, le taux de naissance multiple est passé de 2,2 % en 1995 à 3,0 % en 2004 au pays (Agence de la santé publique du Canada [ASPC], 2008). Cette hausse serait attribuable aux médicaments et aux techniques de procréation assistée et à l'âge avancé de la femme enceinte. Par comparaison avec une femme plus jeune, la femme âgée de 35 ans ou plus est naturellement prédisposée à la grossesse multiple. Bien que le taux de naissances gémellaires augmente toujours, le perfectionnement des traitements de l'infertilité a pour effet de réduire les naissances multiples plus nombreuses, dont le taux s'est stabilisé selon toute apparence (Clearly-Goldman, Chitkara & Berkowitz, 2007 ; Malone et D'Alton, 2009).

Les recommandations de la SOGC au sujet de la prise en charge des grossesses gémellaires sont énumérées dans l'encadré 22.1W au www.cheneliere.ca/lowdermilk.

La grossesse multiple risque plus de se compliquer (p. ex., un travail difficile) que la grossesse simple. La fréquence plus élevée de complications fœtales ou néonatales et le risque plus élevé de mortalité périnatale découlent principalement du faible poids de naissance en raison de la prématurité ou du RCIU (ou des deux) en partie à cause du dysfonctionnement placentaire ou de la transfusion d'un jumeau à l'autre. La souffrance et l'asphyxie fœtales durant l'accouchement sont des risques potentiels s'il y a prolapsus du cordon ombilical et déclenchement de la séparation placentaire à la naissance du premier nouveau-né. Les enfants issus d'une grossesse multiple peuvent être à risque accru de paralysie cérébrale et d'autres incapacités neurodéveloppementales à long terme (ASPC, 2008).

En outre, des complications fœtales telles des anomalies congénitales ou une présentation anormale peuvent donner lieu à de la dystocie et à la possibilité accrue d'accouchement par césarienne. Ainsi, ce n'est que dans 40 à 45 % des grossesses gémellaires que les jumeaux se présentent par le sommet, la présentation la plus favorable à l'accouchement vaginal. Dans 35 à 40 % de ces grossesses, un jumeau se présente par la tête, alors que l'autre se présente par le siège ou est en position transversale (Malone & D'Alton, 2009).

La santé de la mère peut être compromise en raison du risque plus important d'hypertension, d'anémie et d'hémorragie liée à l'atonie utérine, à un hématome rétroplacentaire, à la présence de plus de un placenta ou à l'adhérence des placentas. La durée des stades du travail peut être différente de celle attendue dans le cas d'une grossesse simple.

Le travail d'équipe et la planification constituent les éléments essentiels de la prise en charge de l'accouchement en cas de grossesse multiple, surtout s'il y a plus de deux fœtus. L'infirmière remplit la fonction majeure de la coordination de nombreux professionnels de la santé hautement compétents. Il est de la toute première importance de détecter et de traiter le plus tôt possible les complications maternelles, fœtales ou néonatales de la grossesse multiple afin qu'il en aille pour le mieux tant pour la mère que pour ses enfants. Le positionnement maternel et le soutien actif favoriseront la progression du travail et la circulation sanguine placentaire. L'accouchement vaginal de jumeaux pourra nécessiter la stimulation du travail à l'aide d'ocytocine, l'anesthésie épidurale, la version interne ou externe et le recours aux forceps ou à la ventouse obstétricale. L'accouchement par césarienne est souvent prévu lorsqu'il y a plus de deux fœtus, et chacun des nouveau-nés sera pris en charge par sa propre équipe soignante présente à sa naissance. Des recommandations sur la prise en charge des grossesses gémellaires ont été émises par la SOGC (2000). Il importe d'offrir du soutien émotionnel en permettant à la mère d'exprimer ses émotions et ses sentiments et en lui décrivant le déroulement de l'accouchement, en lui précisant son état et celui des fœtus et des nouveau-nés tout au long de l'accouchement afin d'apaiser son anxiété et son stress.

22.3.4 Position maternelle

La position maternelle détermine les relations fonctionnelles entre les contractions utérines, le fœtus et le bassin maternel. En outre, la position peut être avantageuse ou désavantageuse pour le travail sur le plan mécanique en renforçant l'effet de la gravité et l'interrelation des parties du corps qui entrent en jeu dans la progression du travail ou en s'y opposant. Ainsi, la position debout au cours du deuxième stade du travail abrège l'accouchement, qui est moins douloureux, cause moins de lésions périnéales et nécessite moins d'interventions que l'accouchement en d'autres positions (Roberts & Hanson, 2007).

Limiter les mouvements de la mère ou imposer à celle-ci la position couchée ou la position gynécologique pendant le travail peut en entraver la progression. Le risque de dystocie augmente lorsque la femme est confinée à l'une ou l'autre de ces positions; par le fait même, la nécessité de stimuler le travail, de recourir aux forceps ou à la ventouse obstétricale ou de pratiquer une césarienne s'accroît.

Les techniques de positionnement de Bernadette de Gasquet représentent une option intéressante à la limitation des mouvements maternels durant l'accouchement et propose un regard nouveau sur la biomécanique obstétricale et la prévention des traumas périnéaux. Utilisant les bases de l'Approche Posturo-Respiratoire (APOR), ces techniques ont pour but de faire avancer le travail naturellement en jouant sur le positionnement maternel, aidant de ce fait la descente et l'expulsion du fœtus.

22.3.5 Réaction psychologique

Les hormones et les neurotransmetteurs sécrétés en réaction au stress (p. ex., les catécholamines) peuvent causer la dystocie. Les sources de stress ne sont pas les mêmes pour toutes les femmes, mais la douleur et l'absence de soutien sont deux facteurs qui entrent souvent en jeu dans la dystocie. L'alitement et la restriction des mouvements peuvent générer un stress psychologique qui vient s'ajouter au stress physiologique provoqué par l'immobilité chez la femme en travail qui ne prend pas de médicaments. L'anxiété, quand elle est omniprésente, peut inhiber la dilatation cervicale, prolonger ainsi le travail et intensifier la perception nociceptive. Elle s'accompagne également de la sécrétion accrue d'hormones liées au stress (p. ex., le bêtaendorphine, l'hormone adrénocorticotrope, le cortisol, l'adrénaline). Ces hormones influent sur le comportement des muscles lisses de l'utérus. En concentration élevée, elles peuvent causer de la dystocie en diminuant la contractilité utérine.

SOINS ET TRAITEMENTS INFIRMIERS

Dystocie

L'évaluation des risques se poursuit tout au long du travail. L'infirmière passe en revue les antécédents de la parturiente en matière de travail, et elle observe ses réactions physiques et psychologiques actuelles pour déceler tout facteur susceptible d'entraîner de la dystocie. Ensuite, elle détermine les problèmes découlant de la situation de santé, planifie ses interventions et précise les résultats escomptés en fonction des constats de son évaluation. Nombre d'interventions destinées à atténuer la dystocie (p. ex., la version céphalique externe, la maturation cervicale, la provocation ou l'intensification du travail, les interventions techniques [forceps ou ventouse obstétricale, césarienne]) sont mises en œuvre en collaboration avec les autres membres de l'équipe soignante.

Dans la prestation des soins à la cliente éprouvant des complications du travail ou de l'accouchement, les membres de l'équipe soignante sont tenus de respecter les normes professionnelles ainsi que de faire preuve de diligence **ENCADRÉS 22.13** et **22.14**.

De l'information sur les positions pendant le travail est disponible au www.infosaccouchement.org.

22.3.6 Procédures obstétricales

Version

La version est la manœuvre consistant à déplacer le fœtus d'une présentation à une autre. Le médecin l'effectue de l'extérieur ou de l'intérieur.

Version céphalique externe

La version céphalique externe consiste à déplacer le fœtus d'une présentation du siège ou de l'épaule

Conseil juridique

ENCADRÉ 22.13 Diligence en cas de complications du travail ou de l'accouchement

- Documenter les signes et les symptômes, les interventions et les réactions de la cliente dans les notes d'évolution au dossier conformément aux protocoles, aux normes, aux méthodes et aux directives de l'unité de soins.
- Déterminer la mesure dans laquelle la cliente (et sa famille, le cas échéant) connaît les interventions auxquelles elle consent.
- Décrire en détail à la cliente les activités qui se déroulent et les interventions nécessaires pour son bien-être et celui de son enfant.
- Veiller à la sécurité de la cliente en administrant les médicaments et en appliquant les traitements dans les règles.
- Poursuivre la surveillance maternelle et fœtale jusqu'à la naissance de l'enfant, conformément aux directives, méthodes et protocoles de l'unité de soins, même en ce qui concerne la décision de pratiquer une césarienne.
- Prodiguer des soins de qualité, conformes aux protocoles hospitaliers et aux normes professionnelles, avec diligence.

Mise en œuvre d'une démarche de soins

ENCADRÉ 22.14 Dystocie

COLLECTE DES DONNÉES – ÉVALUATION INITIALE

L'infirmière fait une évaluation continue de la cliente en travail afin de vérifier que celui-ci progresse normalement.

- Procéder à l'anamnèse : dystocie au cours d'une grossesse antérieure.
- Effectuer l'examen physique :
  - caractéristiques des contractions utérines (fréquence, intensité, durée) ;
  - progression de l'effacement et de la dilatation du col ;
  - caractéristiques du tracé de la F.C.F. (fréquence de référence, fluctuation, ralentissement) ;
  - présentation (type et hauteur) et position fœtale ;
  - état des membranes amniotiques (intactes ou rompues) ;
  - caractéristiques du bassin maternel.
- Évaluer l'état psychologique : anxiété.

ANALYSE ET INTERPRÉTATION DES DONNÉES

Les problèmes découlant de la situation de santé peuvent inclure :

- Risque de lésions maternelles ou fœtales lié aux interventions mises en œuvre pour contrer la dystocie.
- Impuissance liée au manque d'emprise sur la situation.
- Risque d'infection lié :
  - à la rupture prématurée des membranes ;
  - aux interventions.
- Stratégies d'adaptation individuelle inefficaces liées à :
  - un réseau de soutien insuffisant ;
  - l'épuisement ;
  - la douleur.

RÉSULTATS ESCOMPTÉS

La planification des soins est établie dans le but d'atteindre les résultats suivants :

- Compréhension des causes et du traitement du travail difficile.
- Participation à la mise en œuvre des interventions recommandées par l'équipe soignante pour faciliter la progression du travail et de l'accouchement.
- Constatation que la douleur s'atténue.
- Poursuite du travail et accouchement avec peu ou pas de complications comme l'infection, des lésions ou une hémorragie.
- Mise au monde d'un nouveau-né en santé qui n'a pas subi de souffrance ni de lésions néonatales.

INTERVENTIONS INFIRMIÈRES

Les interventions infirmières requises pour l'atteinte des résultats escomptés comprennent, notamment :

- Transmettre sans tarder les signes et symptômes pertinents au médecin traitant.
- Mettre en œuvre les interventions prescrites ou prévues au protocole de l'unité de soins ou participer à celles-ci.
- Veiller à ce que la cliente et ses proches obtiennent de l'information sur les motifs de chacune des interventions.
- Voir à ce que la cliente et ses proches obtiennent des réponses satisfaisantes à leurs questions.
- Offrir du soutien et de l'encouragement à la cliente et à ses proches durant le travail et l'accouchement.

ÉVALUATION DES RÉSULTATS – ÉVALUATION EN COURS D'ÉVOLUTION

L'infirmière peut raisonnablement estimer que les soins et les interventions ont été efficaces s'ils ont produit les résultats escomptés.

à une présentation du sommet. La manœuvre, accomplie à l'unité de naissance, peut être entreprise après 37 semaines de grossesse et lorsque le travail a commencé. Elle consiste à appliquer en douceur une pression constante sur l'abdomen **FIGURE 22.5**. Avant toute tentative de version, la femme subit une échographie pour déterminer la position fœtale, repérer le cordon ombilical, écarter la possibilité d'un placenta praevia, cerner les caractéristiques du bassin maternel, évaluer la quantité de liquide amniotique et l'âge gestationnel et déceler toute anomalie. L'on procède à l'ERF pour établir le bien-être du fœtus ou à la surveillance de la F.C.F. durant une certaine période (p. ex., de 10 à 20 minutes). La cliente doit accorder son consentement éclairé. Dans bien des cas, le médecin prescrit un tocolytique pour détendre la musculature utérine et faciliter la manœuvre (Thorp, 2009). Voici les contre-indications de la version céphalique externe (Thorp, 2009) :

- anomalies utérines ;
- saignement au troisième trimestre ;
- grossesse multiple ;
- polyhydramnios ;
- signes d'insuffisance utéroplacentaire ;
- enroulement du cordon autour de la nuque (visible à l'échographie) ;
- accouchement par césarienne ou autre chirurgie utérine importante par le passé ;
- disproportion céphalopelvienne évidente.

La version a plus de chance de réussir lorsque la femme a déjà des enfants, que la quantité de liquide amniotique est normale et que le fœtus n'est pas encore engagé dans la filière pelvigénitale (Cunningham *et al.*, 2005). En cas d'échec de la version, l'ACOG recommande de pratiquer une césarienne (Thorp, 2009).

Durant la manœuvre, l'infirmière surveille continuellement la F.C.F. afin de déceler précocement la bradycardie ou tout autre ralentissement, elle vérifie les signes vitaux maternels et évalue le bien-être maternel, car l'intervention peut être incommodante pour la cliente. Une fois la version terminée, l'infirmière continue de surveiller les signes vitaux maternels, l'activité utérine et les signes de saignement vaginal. Elle maintient la surveillance de la F.C.F. durant encore une heure. La femme dont le facteur Rh est négatif se voit administrer l'immunoglobuline antigène D parce que la manœuvre peut causer un saignement fœtomaternel (Lanni & Seeds, 2007; Thorp, 2009; SOGC, 2003b).

Version interne

Pour effectuer la version interne, le médecin déplace le fœtus de l'intérieur de l'utérus à l'aide de sa main afin de transformer la présentation inhabituelle en présentation céphalique (tête) ou podalique (pied). La version interne est rare, accomplie le plus souvent en cas de grossesse gémellaire afin d'expulser le second fœtus. Bien qu'aucune étude ne se soit penchée sur l'efficacité et les complications possibles de cette dernière, des données empiriques laissent entendre que son efficacité est élevée, que les complications qui y sont associées sont minimes et que la douleur qu'elle engendre équivaut à celle d'un examen du col. La SOGC recommande l'utilisation de la version interne, seule ou conjointement avec l'accouchement instrumental, pour minimiser les risques concernant la femme enceinte ou le fœtus (SOGC, 2004). L'accouchement par césarienne peut être privilégié en cas de présentation anormale dans la grossesse multiple (SOGC, 2000). La fonction de l'infirmière dans cette situation consiste à surveiller l'état du fœtus et à offrir du soutien à la mère.

22.3.7 Provocation du travail

Provoquer le travail revient à déclencher chimiquement ou mécaniquement les contractions utérines avant qu'elles commencent spontanément dans le but d'amorcer l'accouchement. Le travail peut être provoqué au choix ou pour des motifs indiqués. En 2004-2005, les taux de déclenchement médical et chirurgical du travail au Canada s'établissaient respectivement à 19,1 % et 8,4 % des accouchements en milieu hospitalier (ASPC, 2008). Ces taux sont semblables à ceux déclarés par les États-Unis et par plusieurs autres pays industrialisés.

Provoquer le travail est justifié lorsque la poursuite de la grossesse peut être dangereuse pour la mère ou le fœtus pourvu qu'il n'y ait pas de contre-indications à la rupture des membranes ou à l'intensification des contractions utérines par un moyen artificiel (Thorp, 2009). Les indications et les contre-indications de la provocation du travail paraissent à l'**ENCADRÉ 22.15**.

La provocation au choix est celle qui se produit en dehors de toute indication médicale. Dans bien des cas, la provocation au choix n'a pour but que d'accommoder la cliente ou son médecin. Cependant, le travail est parfois provoqué en raison d'une situation inhabituelle, notamment pour apaiser les craintes et l'anxiété d'une mère qui a déjà perdu un enfant en période périnatale ou lorsqu'il faut réunir une équipe interdisciplinaire chevronnée qui prendra en charge les complications maternelles ou néonatales prévues dès la naissance du nouveau-né (Battista & Wing, 2007). L'accouchement par césarienne et la **prématurité iatrogène** sont les deux risques majeurs que comporte la provocation du travail au choix (Battista & Wing, 2007). La SOGC ne recommande pas le déclenchement du travail par convenance (SOGC, 2001b). Pour éviter la prématurité iatrogène, le travail ne devrait pas être provoqué avant la 39e semaine complète de grossesse (ACOG, 1999; Cherouny, Federico, Haraden, Leavitt Gullo & Resar 2005). Les femmes entre la 41e +0 et la 42e +0 semaine de gestation devraient se voir offrir un déclenchement du travail puisque les données actuelles indiquent que cette pratique entraîne une baisse du taux de mortalité périnatale sans hausse du risque de césarienne (SOGC, 2008c).

Le travail peut être provoqué chimiquement ou mécaniquement. L'administration I.V. d'ocytocine et l'amniotomie sont les deux méthodes les plus courantes au Canada et aux États-Unis. On a de plus en plus recours aux prostaglandines pour provoquer le travail **ENCADRÉS 22.16** et **22.17**. La prostaglandine E_1 (PGE_1) (misoprostol) en administration vaginale s'est révélée plus efficace dans la maturation cervicale et la provocation du travail que la prostaglandine E_2 (PGE_2) en administration vaginale ou cervicale. Le misoprostol a d'abord été commercialisé dans l'indication de la prévention de l'ulcère gastroduodénal induit par un AINS. Même

Prématurité iatrogène: Naissance prématurée provoquée par un acte médical, un traitement ou un médicament, par exemple.

Jugement clinique

Madame Mélissa Bédard, âgée de 38 ans, en est à 40 semaines de grossesse (G3 P1 A1). Son groupe sanguin est de facteur Rh négatif. Le fœtus se présentant en siège, le médecin a tenté une version céphalique externe qui a bien fonctionné. Il a ensuite prescrit l'administration de l'immunoglobuline antigène D.

Justifiez l'administration de ce produit à ce stade-ci de la grossesse de madame Bédard.

ENCADRÉ 22.15 **Indications et contre-indications de la provocation du travail**

INDICATIONS

- Complications hypertensives de la grossesse
- Mort fœtale
- Chorioamnionite
- Diabète
- Grossesse prolongée, particulièrement en présence de polyhydramnios
- RCIU
- Rupture prématurée des membranes lorsque le développement fœtal est à terme

CONTRE-INDICATIONS ABSOLUES

- Souffrance fœtale aiguë, grave
- Présentation de l'épaule (position transversale)
- Présentation flottante
- Hémorragie non maîtrisée
- Placenta praevia
- Incision utérine passée qui interdit le déclenchement du travail

CONTRE-INDICATIONS RELATIVES

- Multiparité nombreuse (5 grossesses ou plus qui se sont terminées après 20 semaines)
- Grossesse multiple
- Disproportion céphalopelvienne présumée
- Présentation du siège
- Impossibilité de surveiller la F.C.F. ou les contractions (ou les deux) tout au long du travail

Source: Adapté de Thorp (2009).

Jugement clinique

Madame Stéphanie Bergeron (G1 P0 A0), âgée de 28 ans, se présente à l'unité de naissance à la demande du médecin. Elle en est à 41 semaines de grossesse.

En vous basant sur le système de cotation de Bishop, dont le résultat se situe à 9 pour cette cliente, croyez-vous qu'il est pertinent de provoquer le travail de madame Bergeron ? Justifiez votre réponse.

si le fabricant affirme depuis longtemps que le misoprostol est efficace dans la maturation cervicale ainsi que la provocation du travail, Santé Canada et la Food and Drug Administration (FDA) aux États-Unis ne l'ont pas encore approuvé dans ces indications (Thorp, 2009).

La provocation du travail est d'autant mieux réussie si l'état du col y est favorable, autrement dit, si le col s'y prête. Le système de **cotation de Bishop TABLEAU 22.3** permet d'évaluer l'état du col en prévision de la provocation du travail. Ainsi, le score de 8 ou plus sur cette échelle de 13 points indique que le col est souple, antérieur, effacé dans une proportion minimale de 50 %, dilaté d'au moins 2 cm et que la présentation est engagée. Lorsque le score est d'au moins 8, la provocation réussit habituellement (Gilbert, 2007).

Méthodes de maturation du col utérin

Méthodes chimiques

Des préparations contenant la PGE_1 ou la PGE_2 se sont révélées efficaces dans la maturation (assouplissement et amincissement) du col de l'utérus en prévision de la provocation du travail. Les avantages de la prostaglandine dans cette indication sont la moindre nécessité de provoquer le travail à l'aide d'ocytocine, la diminution du délai de déclenchement du travail de l'ocytocine et la réduction de la dose d'ocytocine nécessaire pour provoquer effectivement le travail (Gilbert, 2007). La PGE_1 est moins coûteuse et plus efficace que la PGE_2 dans la provocation du travail et de l'accouchement, mais elle comporte un risque accru d'hyperstimulation de l'utérus qui s'accompagne de la fluctuation de la F.C.F. et de l'évacuation de méconium dans le liquide amniotique (Battista & Wing, 2007).

Pharmacothérapie

ENCADRÉ 22.16 Prostaglandine E_1 : misoprostol

ACTION

La PGE_1 stimule la maturation cervicale, assouplit le col qui commence à se dilater et à s'effacer ; elle stimule également les contractions utérines.

INDICATION

Stimulation de la maturation cervicale avant de provoquer le travail à l'aide d'ocytocine lorsque le score Bishop est de 6 ou moins (SOGC, 2001b), provocation du travail ou de l'avortement (agent abortif).

POSOLOGIE

- Le misoprostol est offert en comprimés de 100 mcg et de 200 mcg. Pour obtenir la dose appropriée, il faut couper un comprimé. Selon les établissements, le service de pharmacie se charge de cette préparation.
- Insérer de 25 à 50 mcg dans la commissure postérieure du vagin du bout de l'index et du majeur sans l'aide de lubrifiant. Répéter toutes les 3 à 6 heures au besoin jusqu'à concurrence de 300 à 400 mcg en 24 heures, jusqu'à l'apparition de contractions régulières (au moins 3 contractions en 10 minutes), jusqu'à la maturation cervicale (score Bishop d'au moins 8) ou jusqu'à ce que des effets indésirables importants surviennent. En règle générale, la posologie est de 25 mcg en administration vaginale toutes les 4 heures. Le médicament est contre-indiqué chez la femme ayant subi une césarienne par le passé, à cause du risque de rupture utérine.
- Le médicament peut aussi s'administrer P.O. à raison de 50 à 100 mcg toutes les 4 à 6 heures ; toutefois, les effets indésirables gastro-intestinaux sont accrus, et le médicament administré ainsi peut être moins efficace ; les données sont insuffisantes pour recommander l'administration P.O.

EFFETS INDÉSIRABLES

Il est plus probable qu'à une dose élevée, le médicament entraîne des effets indésirables tels que les nausées et les vomissements, la diarrhée, la fièvre, l'hyperstimulation utérine ou l'accélération des contractions utérines (tachysystolie utérine), qui peut s'accompagner de la fluctuation critique de la F.C.F., ou l'évacuation fœtale de méconium.

INTERVENTIONS INFIRMIÈRES

- Décrire l'intervention à la cliente et à sa famille. Veiller à l'obtention du consentement éclairé conformément aux directives de l'établissement.
- Évaluer la mère et le fœtus avant chaque dose et durant le traitement selon la fréquence prévue au protocole de l'établissement. Vérifier les signes vitaux et l'état de santé de la mère, établir le tracé de la F.C.F. ; déterminer les caractéristiques de la grossesse, dont le degré de maturation cervicale et la nécessité de provoquer le travail ; surveiller les signes de travail, son imminence et calculer le score Bishop. Savoir que le tracé de la F.C.F. inquiétant, la fièvre, l'infection, le saignement vaginal ou l'hypersensibilité maternelle ainsi que des contractions régulières en progression constituent des contre-indications à l'emploi du misoprostol.
- Faire preuve de prudence en cas d'antécédents d'asthme, de glaucome, d'insuffisance rénale ou hépatique ou de cardiopathie.
- Prévoir une miction avant l'intervention.
- Veiller à ce que la cliente soit en position de décubitus dorsal ou latéral durant 30 à 40 minutes après l'administration du médicament.
- Se préparer à enlever l'excédent de médicament à l'aide des doigts recouverts d'un tampon de gaze imbibé de solution salée.
- Administrer l'ocytocine (provocation du travail) une fois que quatre heures se seront écoulées depuis la dernière dose de misoprostol, si le col est mûr, mais que le travail n'a pas commencé.
- Documenter tous les signes et symptômes et l'administration des médicaments.
- Le misoprostol n'est pas recommandé en cas d'accouchement par césarienne antérieur ou de présence d'une cicatrice utérine.
- Santé Canada et la FDA aux États-Unis n'ont pas autorisé officiellement la commercialisation du misoprostol dans les indications de la maturation cervicale et de la provocation du travail.

Sources : Adapté de Association des pharmaciens du Canada (2011a) ; Moleti (2009) ; SOGC (2001b) ; Thorp (2009).

Pharmacothérapie

ENCADRÉ 22.17 **Prostaglandine E_2 : dinoprostone (Cervidil[MD], Prepidil[MD])**

ACTION

La PGE_2 stimule la maturation cervicale, assouplit le col qui commence à se dilater et à s'effacer ; elle sensibilise le myomètre à l'ocytocine et stimule également les contractions utérines. Toutefois, on l'utilise plutôt dans l'amorce ou la prolongation de la maturation du col.

INDICATION

Stimulation de la maturation cervicale avant de provoquer le travail à l'aide d'ocytocine lorsque le score Bishop est de 6 ou moins. Utilisé chez les clientes ayant une indication médicale ou obstétricale pour le déclenchement du travail.

POSOLOGIE

- Insert Cervidil[MD] : insertion vaginale de 10 mg de dinoprostone à libération progressive (environ 0,3 mg l'heure) durant 12 heures. Cervidil[MD] est placé en position transversale dans la commissure postérieure du vagin. On l'enlève lorsque le travail actif commence ou après une période de 12 heures.
- Gel Prepidil[MD] : application de 0,5 mg de dinoprostone à l'aide d'une seringue contenant 2,5 ml du gel. Le gel est administré par un cathéter fixé à la seringue, inséré dans le canal cervical juste en dessous du détroit supérieur. La dose peut être répétée toutes les 6 heures au besoin jusqu'à concurrence de 1,5 mg en 24 heures.

EFFETS INDÉSIRABLES

Les céphalées, les nausées et les vomissements, la diarrhée, la fièvre, l'hypotension, l'hyperstimulation utérine ou l'accélération des contractions utérines qui peut s'accompagner de la fluctuation critique de la F.C.F. ou l'évacuation fœtale de méconium sont les effets indésirables potentiels.

INTERVENTIONS INFIRMIÈRES

- Décrire l'intervention à la cliente et à sa famille. Veiller à l'obtention du consentement éclairé conformément aux directives de l'établissement.
- Évaluer la mère et le fœtus avant chaque dose et durant le traitement selon la fréquence prévue au protocole de l'établissement. Vérifier les signes vitaux et l'état de santé de la mère, établir le tracé de la F.C.F. ; déterminer les caractéristiques de la grossesse, dont le degré de maturation cervicale et la nécessité de provoquer le travail ; surveiller les signes de travail, son imminence et calculer le score Bishop. Savoir que le tracé de la F.C.F. inquiétant, la fièvre, l'infection, le saignement vaginal ou l'hypersensibilité maternelle ainsi que des contractions régulières en progression constituent des contre-indications à l'emploi du dinoprostone.
- Faire preuve de prudence en cas d'antécédents d'asthme, de glaucome, d'insuffisance rénale ou hépatique ou de cardiopathie.
- Faire en sorte que le Prepidil[MD] soit à la température ambiante avant de l'administrer. Ne pas accélérer le réchauffement du gel à l'aide d'eau chaude ou d'une autre source de chaleur (p. ex., au four à micro-ondes).
- Le Cervidil[MD] se conserve au congélateur jusqu'à son utilisation ; il est inutile de le décongeler ou de le réchauffer.
- Prévoir une miction avant l'intervention.
- Veiller à ce que la cliente soit en position de décubitus dorsal ou latéral durant 15 à 30 minutes après l'administration du Prepidil[MD] ou durant deux heures après la mise en place de Cervidil[MD].
- Retirer Cervidil[MD] en tirant sur le fil et administrer de la terbutaline à la dose de 0,25 mg en injection S.C. si des effets indésirables majeurs se produisent. Il n'y a pas moyen d'enlever le gel Prepidil[MD] en cas d'accélération des contractions utérines ou de fluctuation inquiétante de la F.C.F.
- Ne pas administrer l'ocytocine destinée à provoquer le travail avant que six heures se soient écoulées depuis la dernière application du gel Prepidil[MD]. Le médicament peut être administré de 30 à 60 minutes après le retrait de Cervidil[MD].
- Documenter tous les signes et symptômes dans les notes d'évolution et les médicaments administrés sur le formulaire réservé à cet effet (FADM).
- Le médicament n'est pas recommandé en cas d'accouchement par césarienne antérieur ou de présence d'une cicatrice utérine.
- Santé Canada a autorisé la commercialisation du dinoprostone dans les indications de la maturation cervicale et de la provocation du travail.

Sources : Adapté de Association des pharmaciens du Canada (2011a) ; Moleti (2009) ; Pfizer inc. (2009) ; SOGC (2001b).

Méthodes mécaniques

La dilatation mécanique entraîne la maturation cervicale en stimulant la sécrétion des prostaglandines endogènes. Une sonde à ballonnet est introduite dans le canal cervical afin de provoquer la maturation et la dilatation du col. Le dilatateur hygroscopique (qui absorbe le liquide des tissus avoisinants et le retient) est également utile dans la maturation du col. Le laminaire (tige d'un matériau naturel comme une algue marine) ou le dilatateur synthétique renfermant du sulfate de magnésium s'insère au-delà du col sans rompre les membranes. Ces dilatateurs augmentent de volume en absorbant le liquide ambiant, et c'est ainsi qu'ils occasionnent la dilatation. Comparativement aux prostaglandines, les méthodes mécaniques sont moins efficaces pour provoquer l'accouchement dans les 24 heures, mais elles ne sont pas associées à une hausse du taux

TABLEAU 22.3 **Système de cotation de Bishop**

	SCORE				TOTAL
	0	1	2	3	
Dilation (cm)	0	1-2	3-4	≥ 5	
Effacement (%)	0-30	40-50	60-70	≥ 80	
Hauteur de la présentation (cm)	−3	−2	−1,0	+1, +2	
Consistance cervicale	Ferme	Moyenne	Souple		
Position cervicale	Postérieure	Intermédiaire	Antérieure		

d'accouchement par césarienne. En outre, elles sont moins susceptibles de stimuler l'utérus à l'excès (Thorp, 2009).

Pour éviter le prolapsus du cordon ombilical, la présentation doit être engagée et reposée contre le col avant l'amniotomie.

Du nombre des méthodes mécaniques recommandées dans la maturation cervicale au fil des ans figurent la stimulation mammaire, l'acte sexuel, l'ingestion d'huile de ricin et l'enlèvement des membranes. Toutefois, rien ne confirme l'efficacité et l'innocuité de ces méthodes, et l'utilisation de certaines d'entre elles peut entraîner des effets indésirables (Moleti, 2009; Thorp, 2009).

ALERTE CLINIQUE

L'amniotomie ne doit jamais être tentée s'il y a présence d'un *vasa prævia* connu. La présence de vaisseaux appartenant à la circulation fœtoplacentaire au niveau des membranes amniotiques avoisinant l'orifice interne du col utérin rend le fœtus à risque d'exsanguination et d'asphyxie suite à cette intervention.

Amniotomie

L'amniotomie (rupture chirurgicale du sac amniotique) est un moyen de provoquer le travail lorsque l'état du col y est favorable (mûr) ou d'intensifier le travail lorsqu'il stagne. Cette intervention abrège le travail dans certains cas, même si l'on n'utilise pas l'ocytocine. Toutefois, elle comporte des risques, notamment l'infection amniotique et le ralentissement variable de la F.C.F. (Gilbert, 2007). Le prolapsus du cordon ombilical et des lésions fœtales peuvent également survenir. La cliente qui a subi une amniotomie amorce ou poursuit le travail sans savoir comment ni quand se déroulera l'accouchement.

Avant de subir l'intervention, la cliente devrait savoir à quoi s'attendre. Elle doit être rassurée quant au caractère indolore, pour elle et le fœtus, de la rupture des membranes, même si elle peut ressentir un certain malaise lorsque l'instrument coupant, Amnihook[MD] ou autre, pénètre dans le vagin et le col **ENCADRÉ 22.18**. Pour éviter le prolapsus du cordon ombilical, la présentation doit être engagée et reposée contre le col avant l'intervention (Battista & Wing, 2007). La femme doit être exempte d'infection génitale active (p. ex., l'herpès) et séronégative pour le virus de l'immunodéficience humaine (VIH).

L'infirmière surveille la température de la cliente au moins toutes les quatre heures après la rupture des membranes, plus fréquemment en présence de signes ou de symptômes d'infection. Si la température est égale ou supérieure à 38 °C, elle en informe le médecin. L'infirmière surveille d'autres signes et symptômes d'infection, dont les frissons, la sensibilité utérine à la palpation, l'écoulement vaginal nauséabond et la tachycardie fœtale (Gilbert, 2007). Elle applique des mesures de soutien, notamment le remplacement fréquent des protège-draps et le nettoyage périnéal.

22.3.8 Ocytocine

L'ocytocine est une hormone provenant du lobe postérieur de l'hypophyse qui stimule les contractions utérines et favorise l'éjection du lait. L'ocytocine synthétique (Pitocin[MD]) peut être utile pour provoquer le travail ou intensifier le travail qui progresse lentement en raison de la faiblesse des contractions utérines. Les principales indications de provoquer le travail sont la grossesse prolongée au-delà de 41 semaines complètes, la rupture prématurée des membranes, le RCIU important, la surveillance fœtale inquiétante, une condition médicale maternelle (p. ex., le diabète de type 1, une maladie rénale, l'hypertension ou une affection pulmonaire importante), le syndrome antiphospholipidique, une chorioamniotite soupçonnée ou établie, un décollement placentaire ou une mort fœtale (SOGC, 2001b). À l'heure actuelle, le médicament est administré dans la majorité des accouchements au Canada même s'il est également l'un des médicaments qui produisent le plus d'effets indésirables à l'accouchement **ENCADRÉ 22.19**. Les erreurs les plus courantes

Pratiques infirmières suggérées

ENCADRÉ 22.18 Amniotomie

INTERVENTION

- Décrire l'intervention à la cliente.
- Évaluer la F.C.F. avant l'intervention pour en déterminer la valeur de référence.
- Mettre quelques protège-draps, qui absorberont le liquide, sous les fesses de la cliente.
- Positionner la cliente sur un bassin de lit coussiné ou sur une serviette repliée en rouleau pour soulever ses hanches.
- Collaborer avec le médecin qui exécute l'intervention en mettant à sa disposition des gants stériles et un lubrifiant en prévision de l'examen vaginal.
- Désemballer la trousse stérile contenant Amnihook[MD] ou la pince d'Allis, tendre l'instrument au médecin, qui l'introduit dans le vagin le long de ses doigts pour rompre les membranes.
- Évaluer de nouveau la F.C.F.
- Déterminer la couleur, la consistance et l'odeur du liquide.
- Surveiller la température de la cliente toutes les deux heures ou selon la fréquence précisée au protocole.
- Surveiller les signes et les symptômes d'infection.

DOCUMENTATION

- Consigner les éléments d'information suivants :
  - l'heure de la rupture ;
  - la couleur, l'odeur et la consistance du liquide ;
  - la F.C.F. avant et après l'intervention ;
  - l'état de la cliente (sa réaction à l'intervention).

Pharmacothérapie

ENCADRÉ 22.19 Ocytocine (Pitocin^MD)

ACTION

Hormone provenant du lobe postérieur de l'hypophyse, l'ocytocine stimule les contractions utérines et favorise l'éjection du lait maternel. Pitocin^MD est une forme synthétique de cette hormone.

INDICATION

La provocation et la stimulation du travail ainsi que la prévention de l'hémorragie postpartum sont ses principales indications (SOGC, 2001b, 2009c).

POSOLOGIE

- La solution d'ocytocine prévue pour injection I.V. est mélangée avec un soluté pour obtenir la concentration souhaitée. Les concentrations fréquemment utilisées sont de 10 ou de 20 unités dans 1 000 ml de soluté ou de 30 unités dans 500 ml de soluté.
- L'ocytocine est administrée en perfusion I.V. par une dérivation de la tubulure de perfusion principale qui commence au site d'injection proximal (branchement le plus près du site d'injection extemporanée). Une pompe régule le débit de perfusion.
- L'administration commence au débit de 1 milliunité/min ; ce débit augmente par tranche de 1 ou 2 milliunités/min à intervalles de 30 à 60 min, sans dépasser 20 milliunités/min.
- Le but de cette intervention consiste à obtenir des contractions utérines utiles, évaluées comme suit :
  - des contractions au taux constant de 200 à 220 unités Montevideo ;

  OU
  - un schéma stable d'une contraction toutes les 2 ou 3 minutes, qui dure de 80 à 90 secondes, aisément perceptible à la palpation.

INTERVENTIONS INFIRMIÈRES

- Préciser les motifs de l'administration de l'ocytocine à la cliente et à sa famille.
- Décrire les effets escomptés du médicament en ce qui a trait à la nature des contractions : la contraction s'intensifie plus rapidement, se maintient à son point culminant plus longtemps et se termine plus rapidement que la contraction habituelle ; les contractions se feront plus régulières et plus fréquentes également.
- Se rappeler que la réponse thérapeutique varie considérablement d'une femme à une autre ; dans certains cas, une très petite dose suffira à produire des contractions efficaces, tandis que la dose devra être plus grande dans d'autres cas.
- Évaluer l'état du fœtus selon un mode de surveillance électronique ; examiner le tracé de la F.C.F. toutes les 15 minutes et à chaque modification de la dose.
- Surveiller le déroulement des contractions et le tonus utérin au repos toutes les 15 minutes et à chaque modification de la dose.
- Mesurer la P.A., le pouls et les cycles respiratoires toutes les 30 à 60 minutes et à chaque modification de la dose.
- Calculer les *ingesta* et les *excreta*; limiter l'apport liquidien I.V. à 1 L en 8 heures ; le débit urinaire devrait être d'au moins 120 ml toutes les 4 heures.
- Effectuer l'examen vaginal selon les indications.
- Surveiller l'apparition d'effets indésirables, dont les nausées, les vomissements, les céphalées et l'hypotension.
- Vérifier l'hyperstimulation utérine selon une définition normalisée qui ne tient pas compte d'une F.C.F. inquiétante ou de la perception nociceptive de la cliente **ENCADRÉ 22.20**.
- Pour réduire au minimum le risque d'effets néfastes, administrer l'ocytocine à une concentration standard (p. ex., de 30 unités dans 500 ml de soluté). À cette concentration, il est moins risqué de confondre la dose d'ocytocine et la quantité du soluté perfusé parce que la dilution produit une solution au rapport de un pour un (1 milliunité/min = 1 ml/h).
- Régler la perfusion d'ocytocine au débit qui correspond à la dose la plus basse possible pour faire progresser le travail. Habituellement, l'administration cesse ou la dose diminue à la rupture des membranes et à la phase active du premier stade du travail.
- Consigner l'heure du début de la perfusion et les moments où la dose est augmentée ou diminuée et lorsque la perfusion est interrompue.
- Documenter les interventions mises en œuvre en cas de tachysystolie utérine et de F.C.F. inquiétante et la réaction de la cliente à ces interventions.
- Documenter les communications avec le médecin traitant.

Sources : Adapté de Clark, Simpson, Knox & Garite (2009) ; Mahlmeister (2008) ; Simpson & Knox (2009) ; SOGC (2001b, 2001c).

dans l'administration d'ocytocine pendant le travail ont trait à la dose (Clark, Simpson, Knox & Garite, 2009 ; Mahlmeister, 2008 ; Simpson et Knox, 2009).

L'ocytocine comporte des risques tant pour la mère que pour le fœtus. Son utilisation demeure conseillée lorsqu'il faut envisager la possibilité d'un déclenchement du travail quand les avantages d'un accouchement vaginal surpassent les risques du déclenchement pour la mère et le fœtus. Les risques pour la mère sont la douleur, l'hématome rétroplacentaire, la rupture utérine, l'accouchement non nécessaire par césarienne motivé par le tracé inquiétant de la F.C.F., l'hémorragie postpartum et l'infection. Si les contractions sont trop fréquentes ou prolongées, le fœtus est à risque d'hypoxémie et d'acidémie, susceptibles d'occasionner un ralentissement tardif et une fluctuation minime, voire absente, de la F.C.F. par rapport à la valeur de référence. L'administration d'ocytocine a pour but de stimuler des contractions d'intensité et de durée normales à la dose la plus basse possible (Simpson & Knox, 2009).

Bien que chaque établissement hospitalier émette son propre protocole de perfusion d'ocytocine, la posologie recommandée à l'heure actuelle au Canada consiste en une dose initiale de 1 à 4 milliunités/min. On peut ensuite l'augmenter d'au plus 1 à 2 milliunités/min toutes les 30 à 60 minutes jusqu'à ce que les contractions deviennent régulières comme dans le travail normal, sans dépasser 20 milliunités/min. Cette posologie se fonde sur les caractéristiques pharmacocinétiques de l'ocytocine. L'utérus réagit dans les trois à cinq minutes de l'administration I.V. du médicament. La demi-vie (délai de métabolisme et d'élimination de la moitié de la dose) de l'ocytocine est de 10 à 12 minutes. Enfin, c'est en 40 minutes environ que

Soins d'urgence

ENCADRÉ 22.20 — Ocytocine et tachysystolie utérine

SIGNES ET SYMPTÔMES

- Plus de 5 contractions en 10 minutes
- Une série de contractions isolées durant plus de deux minutes
- Des contractions de durée normale survenant à une minute les unes des autres

INTERVENTIONS (EN CAS DE FRÉQUENCE CARDIAQUE FŒTALE NON PRÉOCCUPANTE)

- Positionner la cliente en décubitus latéral (l'un ou l'autre côté).
- Administrer un soluté par voie I.V. en bolus : 500 ml de solution de lactate Ringer.
- Si l'activité utérine ne revient pas à la normale en 10 minutes, diminuer la dose d'ocytocine d'au moins la moitié. Si l'activité utérine ne se normalise pas en 10 autres minutes, cesser la perfusion d'ocytocine jusqu'à ce que moins de 5 contractions surviennent en 10 minutes.

INTERVENTIONS (EN CAS DE FRÉQUENCE CARDIAQUE FŒTALE INQUIÉTANTE)

- Cesser la perfusion d'ocytocine immédiatement.
- Positionner la cliente en décubitus latéral (l'un ou l'autre côté).
- Administrer un soluté par voie I.V. en bolus : 500 ml de solution de lactate Ringer.
- Stimuler le cuir chevelu fœtal par un toucher vaginal.
- Envisager la possibilité d'administrer de l'oxygène à raison de 10 L/min à l'aide d'un masque facial en circuit ouvert si les interventions précédentes échouent à rétablir la F.C.F.
- En l'absence de réponse, envisager la possibilité d'administrer de la nitroglycérine : de 50 à 200 mcg I.V.
- Informer le médecin traitant des actions entreprises et des réponses maternelle et fœtale.

REPRISE DE L'ADMINISTRATION D'OCYTOCINE À LA DISPARITION DE L'HYPERSTIMULATION

- Lorsque la perfusion d'ocytocine a été interrompue durant moins de 20 à 30 minutes, reprendre l'administration à la moitié du débit qui a occasionné l'hyperstimulation.
- Lorsque la perfusion d'ocytocine a été interrompue durant plus de 30 à 40 minutes, reprendre l'administration à la dose initiale.

Sources : Adapté de Mahlmeister (2008) ; Simpson & Knox (2009) ; SOGC (2001b).

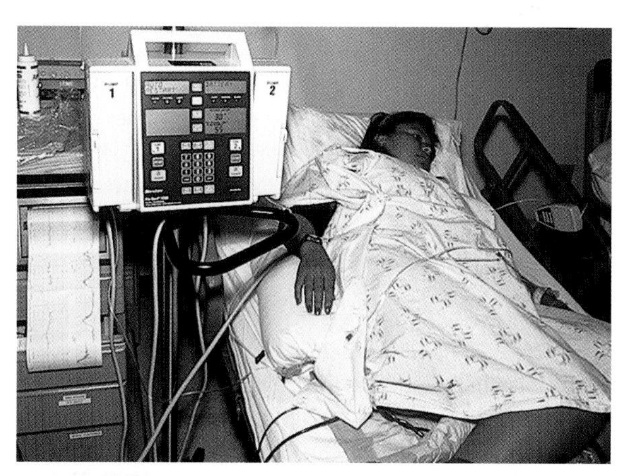

FIGURE 22.6
Perfusion d'ocytocine à une cliente en décubitus latéral gauche

l'état stationnaire s'installe, c'est-à-dire le point d'équilibre entre le taux de perfusion I.V. et le taux d'élimination du médicament (Mahlmeister, 2008) **FIGURE 22.6**. La dose basse (physiologique) comme celle mentionnée précédemment est moins susceptible de stimuler l'utérus à l'excès et de causer de la souffrance fœtale, sans compter que cela se traduit par une diminution de l'utilisation d'ocytocine sans influer sur la durée du travail ou sur le taux d'accouchement par césarienne (Battista & Wing, 2007 ; Gilbert, 2007).

Les protocoles d'administration de l'ocytocine prévoyant une dose initiale plus élevée et une augmentation de la dose plus rapide que la posologie dont il est question au paragraphe précédent abrègent le travail et sont associés à un taux moindre d'accouchement à l'aide des forceps et d'accouchement par césarienne pour cause de dystocie. Par contre, de tels protocoles sont plus susceptibles de stimuler l'utérus à l'excès et d'accroître le taux d'accouchement par césarienne pour motif de souffrance fœtale (Battista & Wing, 2007 ; Gilbert, 2007 ; Simpson & Knox, 2009).

SOINS ET TRAITEMENTS INFIRMIERS

Préparation et administration de l'ocytocine

Le personnel du service d'obstétrique (médecins et infirmières) devrait rédiger un protocole de préparation et d'administration de l'ocytocine, fondé sur des données probantes. En outre, d'autres précautions à propos de l'emploi de ce médicament sous haute surveillance sont recommandées, dont l'administration à une concentration standard, l'évaluation de l'hyperstimulation utérine selon une définition normalisée qui ne tient pas compte de la F.C.F. inquiétante ou de la perception nociceptive de la cliente, sans compter un protocole standard de traitement de l'hyperstimulation utérine provoquée par l'ocytocine (Simpson & Knox, 2009).

La définition des contractions utérines excessives a suscité énormément de confusion. Le Eunice Kennedy Shriver National Institute of Child Health and Human Development, en collaboration avec l'ACOG et la Society for Maternal-Fetal Medicine, a parrainé un atelier en avril 2008 dans le but de revoir les définitions, l'interprétation et les recommandations issues de la recherche quant à la surveillance fœtale pernatale. Les participants à cet atelier ont également recommandé d'uniformiser les définitions ayant trait aux contractions utérines en usage dans la pratique clinique. Pour ce groupe, la tachysystolie utérine désigne la survenue de plus de 5 contractions en 10 minutes en moyenne au cours d'une période de 30 minutes. Le terme tachysystolie s'applique au travail spontané comme au travail provoqué. Le groupe recommande en outre que les termes hyperstimulation et hypercontractilité soient abandonnés parce qu'ils ne sont pas définis (Macones, Hankins, Spong, Hauth & Moore, 2008). En 2009, l'ACOG a publié un bulletin d'information sur la pratique qui vient appuyer la mise en œuvre des recommandations formulées par les participants à cet atelier (ACOG, 2009). Au Canada, la SOGC définit l'activité utérine excessive comme étant plus de 5 contractions en 10 minutes ou des contractions durant plus de 120 secondes (SOGC, 2001b).

22.3.9 Augmentation du travail

L'augmentation du travail consiste en la stimulation des contractions utérines une fois que le travail s'est déclenché naturellement, mais qu'il n'évolue pas comme il le devrait. En règle générale, cette mesure est adoptée dans le cadre de la prise en charge de l'hypotonie utérine, qui a pour conséquence de ralentir la progression du travail (phase active prolongée). L'administration d'ocytocine et l'amniotomie sont les méthodes d'augmentation courantes. Il convient de recourir aux méthodes non effractives tels la vidange vésicale, la déambulation, le positionnement, la relaxation, l'alimentation et l'hydratation avant de procéder à des interventions effractives. L'administration du médicament, l'évaluation infirmière et la démarche de soins dans l'augmentation du travail à l'aide d'ocytocine sont les mêmes que dans la provocation du travail à l'aide d'ocytocine.

Certains médecins préconisent la prise en charge active du travail, plus précisément l'augmentation du travail par l'administration d'ocytocine, afin qu'il devienne efficient, pour que l'accouchement survienne dans les 12 heures de l'arrivée à l'unité de travail. Les fervents de cette méthode estiment que l'intervention hâtive (dès que le travail de la nullipare n'évolue pas au rythme de 1 cm/h) par l'administration d'ocytocine à une dose plus élevée que la concentration dite normale (dose pharmacologique) à des intervalles fréquents (dose initiale de 6 milliunités/min qui augmente de 6 milliunités/min toutes les 15 minutes) abrège le travail (Gilbert, 2007).

La prise en charge active du travail prévoit également des critères diagnostiques stricts du travail actif avec effacement maximal, l'amniotomie dans l'heure de l'arrivée en l'absence de rupture spontanée des membranes de la parturiente et la présence assidue d'une infirmière qui prend soin de la parturiente tout au long du travail. De nombreux obstétriciens américains privilégient les protocoles d'administration de l'ocytocine à dose élevée sans appliquer les autres volets de la prise en charge active. Pourtant, une étude de vaste envergure examinant des essais cliniques publiés sur l'efficacité pratique de la prise en charge active du travail selon divers protocoles conclut que la présence d'une infirmière attitrée offrant un soutien émotionnel et physique constant est le seul élément de la prise en charge qui abrège effectivement le travail et qui contribue à diminuer le taux d'accouchement par césarienne (Clark *et al.*, 2009 ; Gilbert, 2007). La SOGC (2001b), quant à elle, recommande d'utiliser la dose minimale d'ocytocine pour déclencher un travail actif et de ne pas augmenter les intervalles à plus de 30 minutes entre chaque augmentation.

En cas de tachysystolie utérine, les interventions sont entreprises sans tarder. L'infirmière informe le médecin traitant des interventions mises en œuvre et des réponses maternelle et fœtale.

22.3.10 Accouchement vaginal opératoire

L'accouchement vaginal opératoire est celui qui se déroule à l'aide de forceps ou de la ventouse obstétricale. Pour les deux instruments, les indications et les conditions préalables sont les mêmes. La décision de recourir aux forceps ou à la ventouse relève de l'expérience et de la préférence du médecin. L'accouchement vaginal opératoire prend plusieurs formes qui tiennent principalement à la hauteur et à la position de la tête du fœtus par rapport à la filière pelvigénitale maternelle **TABLEAU 22.4**.

Il existe des contre-indications à ce type d'accouchement (SOGC, 2004). Les contre-indications relatives sont :

- une attitude non favorable de la tête fœtale ;
- la rotation supérieure à 45° à partir de l'occiput antérieur ou de l'occiput postérieur (pour la ventouse obstétricale) ;
- la station mi-pelvienne ;
- la prématurité fœtale.

TABLEAU 22.4	Critères des types d'accouchement assisté par instrument
POSITION	**DESCRIPTION**
Vulve	• Le cuir chevelu est visible, sans séparation des lèvres. • Le crâne fœtal a atteint le plancher pelvien. • La suture sagittale est dans le diamètre antéropostérieur ou dans la position occipito-antérieure ou occipito-postérieure droite/gauche (la rotation n'excède pas 45°). • La tête fœtale a atteint ou presque atteint le périnée.
Détroit inférieur	• Le sommet du crâne est à la station +2 cm ou plus et non pas sur le plancher pelvien. • Deux subdivisions : a) rotation de 45° ou moins ; b) rotation de plus de 45°.
Détroit moyen	• La tête fœtale est engagée. • Le sommet du crâne est au-delà de la station +2 cm.

Source : SOGC (2004).

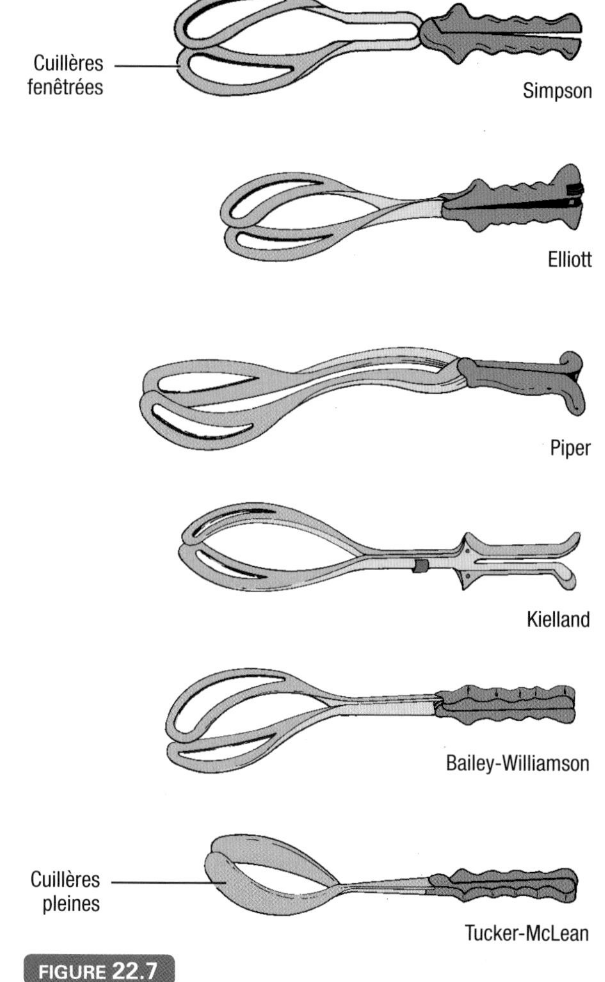

FIGURE 22.7
Types de forceps. Les pinces Piper sont utilisées pour faciliter l'expulsion de la tête dans une présentation du siège.

Les contre-indications absolues sont :

- la présentation par le front ou n'étant pas du sommet ;
- la tête fœtale non engagée ;
- la dilatation incomplète du col ;
- des signes cliniques de disproportion fœto-pelvienne ;
- une coagulopathie fœtale.

Accouchement assisté avec forceps

L'accouchement assisté avec forceps est celui où l'expulsion du fœtus est facilitée par un instrument comportant deux cuillères courbées qui se referment sur la tête de celui-ci. La cuillère comprend deux courbures : la courbure céphalique qui reprend la forme de la tête fœtale, et la courbure pelvienne qui s'apparente à la courbe de la filière pelvienne. Les deux branches sont croisées à une articulation médiane dont le mécanisme repose sur une tige, une vis ou une rainure. L'ouverture se verrouille afin d'éviter la compression de la tête du fœtus **FIGURE 22.7**.

La prolongation du deuxième stade du travail et la nécessité d'y mettre un terme pour des motifs maternels (p. ex., l'épuisement, une maladie cardiopulmonaire ou une maladie vasculaire cérébrale de la mère) représentent les indications maternelles de l'accouchement assisté avec forceps (Nielsen *et al.*, 2007). Les indications fœtales sont la souffrance fœtale, certaines présentations anormales, l'arrêt de la rotation ou l'expulsion de la tête dans une présentation du siège. Le recours aux forceps est en baisse au profit de l'extraction par la ventouse obstétricale ou de l'accouchement par césarienne (Nielsen *et al., 2007*; Thorp, 2009). Le taux d'accouchement assisté avec forceps a diminué considérablement au Canada pour passer de 7,4 % en 1995-1996 à 4,6 % en 2004-2005 (ASPC, 2008).

Compte tenu du risque de compression du cordon ombilical entre la tête du fœtus et les forceps, qui ralentirait la F.C.F., celle-ci est évaluée et consignée avant et après l'application des forceps.

Pour que l'accouchement assisté avec forceps soit réussi, il doit s'effectuer dans des conditions précises. D'abord, la dilatation cervicale doit être complète pour prévenir toute lacération ou hémorragie. La vessie doit être vide, et la présentation, engagée. Les membranes sont rompues afin qu'il soit possible de déterminer avec exactitude la position de la tête du fœtus et la hauteur de la présentation et pour que les forceps puissent saisir fermement la tête de celui-ci **FIGURE 22.8**. Enfin, la mère doit avoir un bassin de la taille suffisante par rapport au poids du fœtus selon les estimations.

Déroulement

Le médecin positionne les cuillères de l'instrument et en verrouille les poignées. La traction s'effectue habituellement durant les contractions. La parturiente poussera durant les contractions ou s'en abstiendra, conformément aux directives du médecin. Si la F.C.F. diminue, le médecin retirera les forceps, puis les réinsérera.

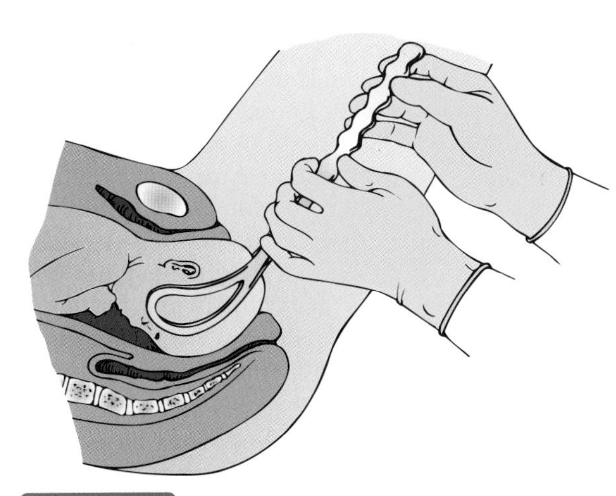

FIGURE 22.8
Extraction de la tête dans le détroit inférieur à l'aide de forceps

SOINS ET TRAITEMENTS INFIRMIERS

Accouchement assisté avec forceps

Dans l'éventualité d'un accouchement assisté avec forceps, l'infirmière veille à obtenir les forceps demandés par le médecin. Elle en décrira l'usage à la parturiente en lui précisant que les cuillères se mouleront à la tête du fœtus, une cuillère sur chaque oreille, comme deux cuillères à soupe entourent un œuf.

Après l'accouchement, la cliente est soumise à un examen afin de déceler des lacérations vaginales ou cervicales, de la rétention urinaire ou la formation d'un hématome des tissus mous pelviens. Les complications potentielles liées à l'utilisation de forceps pour le nouveau-né sont le trauma oculaire externe mineur, l'hémorragie rétinienne, les fractures du crâne, la paralysie du nerf facial, le céphalhématome, l'hémorragie sous-aponévrotique, l'hémorragie intracrânienne et les lacérations du cuir chevelu (SOGC, 2004). Il convient d'informer les professionnels de la santé qui prodiguent les soins au nouveau-né et à sa mère du recours aux forceps pendant l'accouchement.

Accouchement assisté avec ventouse obstétricale

L'**accouchement assisté avec ventouse obstétricale** (ou extraction à vide) est un mode d'accouchement selon lequel une coupe à vide est posée sur la tête du fœtus, créant une pression négative pour faciliter l'expulsion de la tête **FIGURE 22.9**. Bien que la SOGC reconnaît la prématurité fœtale comme étant une contre-indication relative de l'accouchement vaginal opératoire, cette méthode n'est pas appliquée si l'accouchement a lieu à moins de 34 semaines de grossesse vu l'immaturité des vaisseaux sanguins cérébraux et le risque accru de saignement intracrânien (Cunningham *et al.*, 2005; Nielsen *et al.*, 2007; SOGC, 2004) **TABLEAU 22.4**. La facilité de la pose de la ventouse et l'anesthésie brève constituent les avantages de l'accouchement assisté par ventouse obstétricale par rapport à l'accouchement assisté avec forceps; il est également plus facile d'acquérir les aptitudes techniques nécessaires à l'utilisation sécuritaire de la ventouse que d'acquérir celles exigées par l'emploi des forceps (Thorp, 2009). Au Canada, le taux d'accouchement assisté avec ventouse obstétricale est passé de 9,4 % entre 1995-1996 à 10,3 % entre 2004-2005 (ASPC, 2008).

Déroulement

Le médecin pose la coupe à vide sur la tête du fœtus. Il existe essentiellement deux types de ventouses obstétricale en usage actuellement: un dispositif autonome grâce auquel le médecin peut à la fois positionner la coupe à vide sur la tête du fœtus et générer la pression négative souhaitée pour créer le vide. S'il utilise l'autre dispositif, il peut poser la coupe sur la tête du fœtus, puis l'infirmière branche la tubulure d'aspiration à l'unité d'aspiration murale ou à une pompe manuelle afin de générer la pression négative voulue par le médecin. Qu'il s'agisse de l'un ou de l'autre dispositif, une bosse sérosanguine se forme sur la tête du fœtus sous la coupe à vide au fur et à mesure que la pression est créée **FIGURE 22.9**. La parturiente pousse lorsque le médecin applique la traction. Une fois la tête sortie, la ventouse est enlevée. Si l'extraction à l'aide de la ventouse échoue, le médecin optera pour l'utilisation des forceps ou il pratiquera une césarienne.

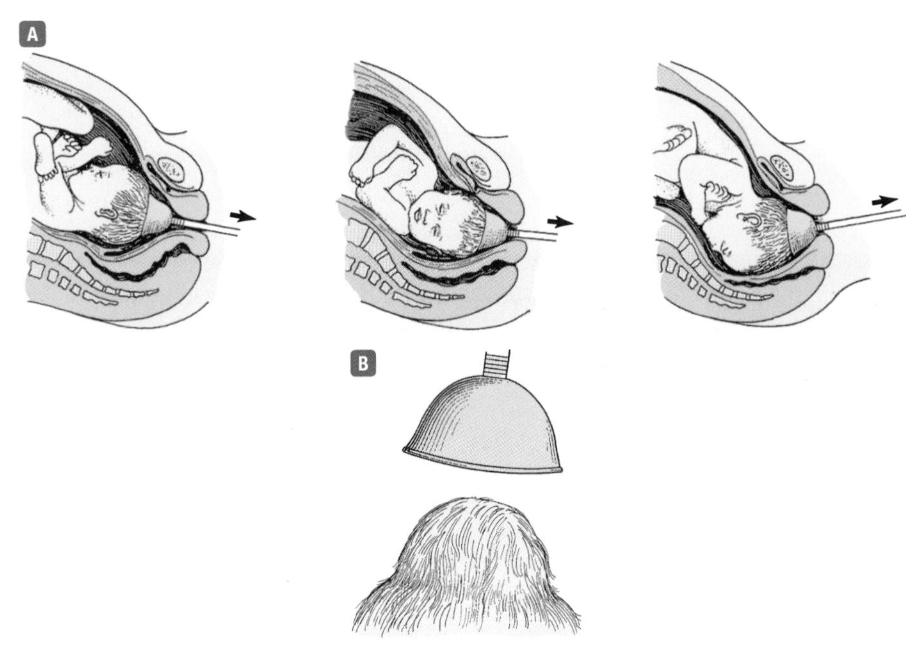

FIGURE 22.9
Utilisation de la ventouse obstétricale pour favoriser la rotation de la tête et la descente. A La traction s'effectue dans la direction illustrée par la flèche. B Bosse sérosanguine formée par la coupe à vide.

Le céphalhématome, des lacérations du cuir chevelu, la paralysie du nerf facial, l'hémorragie sous-aponévrotique, les fractures du crâne, l'hémorragie intracrânienne, l'hémorragie rétinienne et l'hyperbilirubinémie sont les risques associés à cette technique pour le nouveau-né (SOGC, 2004). Il est possible de réduire au minimum les complications néonatales en respectant à la lettre les directives du fabricant quant au mode d'application, à la quantité de pression générée et à la durée de l'application. Au chapitre des risques maternels figurent des lacérations périnéales, vaginales ou cervicales et l'hématome des tissus mous.

SOINS ET TRAITEMENTS INFIRMIERS

Accouchement assisté avec ventouse obstétricale

Les fonctions de l'infirmière en cas d'accouchement assisté avec ventouse obstétricale sont principalement de l'ordre du soutien et de l'enseignement. Dans bien des cas, la tâche importante de documenter l'intervention dans le dossier médical de la cliente lui revient **ENCADRÉ 22.21**. Les prestataires de soins néonataux devraient être informés du mode d'accouchement. Le nouveau-né est soumis à une surveillance afin de détecter les signes de traumatisme ou d'infection au site d'application et d'irritation cérébrale (p. ex., une succion difficile, l'apathie). Le nouveau-né peut également être à risque d'ictère néonatal lorsque les ecchymoses se résorbent. L'infirmière rassure les parents au sujet de la bosse sérosanguine en leur disant qu'elle disparaît habituellement après trois à cinq jours (Gilbert, 2007).

ENCADRÉ 22.21 Rôle de l'infirmière durant l'accouchement assisté avec ventouse obstétricale

- Évaluer fréquemment la F.C.F. et les contractions durant l'intervention.
- Encourager la cliente à pousser durant les contractions.
- S'il lui incombe de générer la pression négative, ne pas dépasser la « zone verte » indiquée sur la pompe. Vérifier auprès du médecin la quantité de pression souhaitée.
- Documenter dans les notes d'évolution au dossier de la cliente :
  - l'indication de l'intervention ;
  - l'attestation de la tenue d'une discussion avec la cliente au sujet des risques, des avantages et des options ;
  - la position et la station de la tête ainsi que de la façon dont celles-ci ont été évaluées (vaginalement ou abdominalement) ;
  - l'évaluation de la F.C.F. et des contractions ;
  - le nombre de tentatives et la facilité d'application de la ventouse obstétricale ;
  - la durée de la traction et la force utilisée ;
  - la description des lésions maternelles et néonatales.

Source : SOGC (2004).

Accouchement par césarienne

L'accouchement par césarienne consiste en l'extraction du fœtus à travers l'ouverture créée par une incision de la paroi abdominale et de l'utérus. Que l'accouchement par césarienne soit prévu ou imprévu (intervention en urgence), la femme ressentira probablement un sentiment de perte, celle de ne pas avoir accouché naturellement, qui peut ternir l'image qu'elle se fait d'elle-même. Par conséquent, il importe d'insister sur la naissance de l'enfant, non pas sur l'intervention.

Le médecin pratique la césarienne dans le but de préserver la vie ou la santé de la mère et du nouveau-né ; ce mode d'accouchement peut être la meilleure option en présence de signes de complications maternelles ou fœtales. Grâce aux percées chirurgicales et à l'antibiothérapie, la morbidité et la mortalité maternelles et fœtales liées à cette intervention ont diminué. En outre, l'incision est habituellement effectuée dans le segment utérin inférieur plutôt que dans la partie centrale musculaire, ce qui favorise la cicatrisation. Malgré ces progrès cependant, l'accouchement par césarienne comporte toujours des risques pour la mère et l'enfant.

Au Canada, le taux d'accouchement par césarienne a grimpé en flèche pour s'établir à 26,9 % des naissances en 2008, le plus haut taux de l'histoire du pays ; au Québec, ce taux s'établissait à 23,1 % en 2008, ce qui constitue une légère diminution depuis 2006 (Institut canadien d'information sur la santé, 2009). Cette hausse est due en partie à la fréquence accrue de facteurs de risque qui incitent à opter pour l'accouchement par césarienne, notamment la macrosomie, l'âge maternel avancé, l'obésité, le diabète gestationnel et la grossesse multiple (Thorp, 2009). Des questions de faute professionnelle entrent également en jeu dans l'augmentation de l'incidence, de même que le nombre accru de césariennes pratiquées à la demande de la mère, qui correspondraient actuellement à 1 ou 2 % des naissances vivantes au Canada selon les estimations (Dahlgren, 2008). Sur la scène internationale, le taux d'accouchement par césarienne sur demande est remarquablement plus élevé, oscillant entre 4 et 18 % (Collard, Diallo, Habinsky, Hentschell & Vezeau, 2008/2009).

L'**ENCADRÉ 22.22** présente des modes de prise en charge du travail et de l'accouchement destinés à réduire le taux d'accouchement par césarienne et à augmenter le taux d'**accouchement vaginal après césarienne (AVAC)**. Il faut savoir toutefois que le taux d'AVAC diminue. En 2004-2005, 20 % des Canadiennes enceintes ayant déjà accouché par césarienne se prêtaient à l'**épreuve du travail** dans le but d'accoucher par la voie vaginale alors que ce taux était de 35,3 % en 1995-1996 (ASPC, 2008). Ce recul des AVAC tiendrait aux préoccupations que suscite le risque de rupture utérine et d'autres complications ayant

Pratiques infirmières suggérées

ENCADRÉ 22.22 **Mesures destinées à réduire le taux d'accouchement par césarienne et à augmenter le taux d'accouchement vaginal après césarienne**

ENSEIGNEMENT À LA FEMME ENCEINTE

- Présenter les avantages et la sécurité que représente la maison au début du travail ou durant la phase de latence du premier stade du travail.
- Préciser les indicateurs de l'hospitalisation.
- Décrire les techniques qui favorisent la progression du travail.
- Expliquer les mesures non pharmacologiques d'atténuation de la douleur et du malaise et la relaxation.
- Démontrer l'innocuité et l'efficacité de l'épreuve du travail et de l'AVAC.

PRÉCISION DES CRITÈRES D'HOSPITALISATION DE LA PARTURIENTE

- Établir la distinction entre les manifestations cliniques du faux travail, celles du travail latent ou du début du travail et celles du travail actif.
- Effectuer l'évaluation en prévision de l'hospitalisation dans une autre pièce que la salle d'admission.
- Inviter la femme en faux travail, en début de travail ou en travail latent à retourner à la maison ou la faire attendre à la salle d'admission.
- Hospitaliser la femme en travail actif à l'unité de naissance.

ADOPTION DES TECHNIQUES D'ÉVALUATION APPROPRIÉES

- Déterminer l'état du groupe maternofœtal.
- Préciser la justification personnalisée des interventions axées sur le travail comme l'anesthésie épidurale, la provocation ou l'augmentation du travail, l'amniotomie, l'accouchement par césarienne.

APPLICATION D'UNE INTERVENTION DE SOUTIEN

Offrir un soutien personnalisé à la parturiente.

ÉLABORATION D'UNE DÉMARCHE DE PRISE EN CHARGE DU TRAVAIL PRÉVOYANT CERTAINES MESURES

- L'hospitalisation à la phase active du premier stade du travail.
- La mise en œuvre d'interventions justifiées pour éviter de forcément provoquer le travail dès la rupture spontanée des membranes à terme ou après terme ou de prévoir un accouchement par césarienne en cas de présentation du siège, de grossesse gémellaire, d'herpès génital ou de stagnation du travail.
- La prise en compte de l'état de la mère et du fœtus plutôt que la stricte conformité aux gammes de valeurs quant à la durée des stades et des phases du travail.
- La surveillance fœtale électronique intermittente de préférence à la surveillance continue en cas de grossesse à faible risque.
- Des mesures réputées pour leur effet favorable sur la progression du travail, comme le soutien individuel, la déambulation, la variation de la position maternelle et la gestion de la douleur non pharmacologique.
- Des critères d'accouchement par césarienne prévu et d'épreuve du travail.
- Des mesures encourageant la cliente qui a déjà accouché par césarienne à se prêter à l'épreuve du travail en prévision d'un accouchement vaginal.

des répercussions néfastes sur la santé de la mère et du nouveau-né (Landon, 2007; Thorp, 2009).

Les soins infirmiers peuvent également influer sur le taux d'accouchement par césarienne. La démarche de soins pendant le travail, qui est centrée sur le soutien individuel, la déambulation, la variation de la position maternelle et les mesures non pharmacologiques de soulagement de la douleur, favorise la progression physiologique du travail et l'accouchement vaginal naturel (Albers, 2007). Plusieurs études démontrent que le soutien personnel offert à la parturiente par une autre femme, une infirmière, une sage-femme ou une femme expérimentée, par exemple, est l'aspect de la prise en charge du travail qui contribue le plus à la diminution du taux d'accouchement par césarienne (Berghella, Baxter & Chauhan, 2008; Hodnett, Gates, Hofmeyr & Sakala, 2007).

Indications

Les indications absolues de l'accouchement par césarienne sont rares. Aujourd'hui, la césarienne est pratiquée en général lorsque l'accouchement vaginal est risqué pour la mère et le fœtus, par exemple en cas de placenta praevia ou d'hématome rétroplacentaire (Landon, 2007). Les indications courantes de l'accouchement par césarienne figurent à l'**ENCADRÉ 22.23**.

Accouchement par césarienne sur demande L'expression césarienne sur demande s'applique à l'accouchement par césarienne en dehors de toute indication médicale ou obstétricale. L'un des motifs de la césarienne sur demande repose sur la

ENCADRÉ 22.23 **Indications de l'accouchement par césarienne**

INDICATIONS MATERNELLES

- Certaines maladies cardiaques (syndrome de Marfan, coronaropathie instable)
- Certaines maladies qui affectent les voies respiratoires (syndrome de Guillain-Barré)
- Troubles caractérisés par une pression intracrânienne accrue
- Obstruction mécanique du segment utérin inférieur (tumeur, fibromyome)
- Obstruction vulvaire mécanique (condylome)
- Accouchement par césarienne antérieur
- Lésions herpétiques maternelles actives
- Mère séropositive pour le VIH dont la charge virale est > 1 000 copies/ml
- Anomalies congénitales

INDICATIONS FŒTOMATERNELLES

- Dystocie (disproportion céphalopelvienne, stagnation du travail)
- Hématome rétroplacentaire
- Placenta praevia
- Accouchement par césarienne sur demande

INDICATIONS FŒTALES

- État fœtal inquiétant
- Présentation inhabituelle (p. ex., la présentation du siège, la position transversale)

Sources : Adapté de Duff, Sweet & Edwards (2009); Landon (2007); Thorp (2009).

croyance voulant que la chirurgie permette d'éviter des problèmes futurs de soutien pelvien ou de dysfonction sexuelle. Cependant, les résultats probants actuels ne sont pas suffisamment concluants pour recommander l'accouchement par césarienne sur demande dans le but d'éviter l'incontinence urinaire ou fécale par la suite (Collard *et al.*, 2008-2009 ; Thorp, 2009). Par ailleurs, la mortalité périnatale est plus basse en cas d'accouchement par césarienne prévu qu'en cas de travail et d'accouchement vaginal (Landon, 2007). Cependant, la femme peut souhaiter accoucher par césarienne parce qu'elle connaît ainsi la date exacte de son accouchement ou qu'elle a le sentiment d'avoir une certaine emprise sur celui-ci, qu'elle peut en choisir le moment (Williams, 2005).

À l'heure actuelle, les données comparant l'accouchement par césarienne sur demande et l'accouchement vaginal prévu sont restreintes (ACOG, 2007 ; Dahlgren, 2008). Dans un avis paru en 2007, l'ACOG énumère les risques potentiels de l'accouchement par césarienne sur demande, dont l'allongement du séjour hospitalier de la mère, le risque accru de problèmes respiratoires pour le nouveau-né et l'augmentation des complications au cours des grossesses subséquentes, notamment la rupture utérine et l'implantation placentaire compromise. Par conséquent, l'organisme recommande que l'accouchement par césarienne sur demande ne soit effectué que si la grossesse compte au moins 39 semaines sur la foi de la détermination exacte de l'âge gestationnel. Il ne recommande pas ce mode d'accouchement quand la femme souhaite avoir d'autres enfants en raison des risques de placenta praevia, de placenta accreta et d'hystérectomie par césarienne qui augmentent à chaque accouchement par césarienne (ACOG, 2007). Pour sa part, la SOGC favorise l'accouchement naturel ; elle ne préconise pas l'accouchement par césarienne sur demande, mais estime que la décision quant au mode d'accouchement le plus sûr revient à la femme et à son médecin (SOGC, 2004).

Accouchement par césarienne forcé La femme enceinte qui refuse de subir une césarienne quand celle-ci est indiquée pour des motifs fœtaux déclenche un « conflit d'intérêts » entre elle et son enfant. Les professionnels de la santé sont dans l'obligation de protéger la mère et le fœtus ; une décision favorable à l'un aura des répercussions sur l'autre. Si la femme refuse de se soumettre à la césarienne en dépit des risques que court le fœtus, les professionnels de la santé doivent tout mettre en œuvre pour connaître les motifs de son refus et la convaincre de changer d'idée. Si elle persiste dans son refus, il revient aux professionnels de la santé de déterminer s'il y a lieu d'obtenir une ordonnance d'un tribunal pour pratiquer la chirurgie. Il convient d'étudier toutes les possibilités avant d'en arriver là.

Techniques chirurgicales

L'incision sera soit verticale, allant de l'ombilic au mont de Vénus, soit transversale (incision de Pfannenstiel) dans le bas de l'abdomen **FIGURE 22.10**. L'incision transversale (bikini) est plus fréquente que l'incision verticale. En général, le type d'incision cutanée est fonction de l'urgence de la chirurgie et de la présence d'incisions antérieures (Landon, 2007). L'incision cutanée et l'incision utérine ne sont pas forcément du même type.

Les deux principaux types d'incision utérine sont l'incision transversale basse et l'incision verticale, qui est soit basse, soit classique **FIGURE 22.11**. En théorie, l'incision verticale ne déborde pas du segment utérin inférieur, mais son extension à la partie contractile de l'utérus (p. ex., l'incision classique) est courante **FIGURES 22.11B** et **22.11C** (Landon, 2007). Le segment utérin inférieur sous-développé, la position fœtale transversale ou la présentation du siège prématurée, des anomalies fœtales, telle l'hydrocéphalie massive, et le placenta praevia antérieur représentent les indications de l'incision utérine verticale (Landon, 2007). Parce que l'incision utérine classique est associée avec une survenue de rupture utérine au cours des grossesses subséquentes plus élevée que celle liée à l'incision dans le segment utérin inférieur, l'accouchement vaginal après la césarienne par incision utérine classique est contre-indiqué. Les autres contre-indications à l'accouchement vaginal après une césarienne sont :

A
Incision cutanée verticale
B
Incision cutanée horizontale (premier pli cutané sous la limite de la pilosité pubienne)

FIGURE 22.10
Incisions cutanées en cas d'accouchement par césarienne. **A** Incision verticale. **B** Incision horizontale (Pfannenstiel).

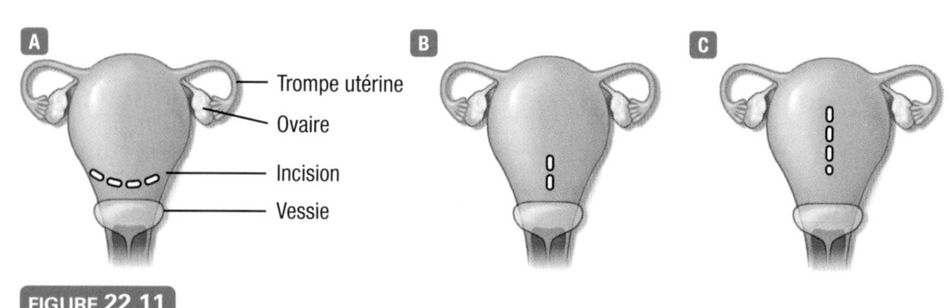

FIGURE 22.11
Incisions utérines à l'accouchement par césarienne. **A** Incision transversale basse. **B** Incision verticale basse. **C** Incision classique.

- le fait de présenter une cicatrice utérine en « T » inversé;
- le fait d'avoir déjà subi une hystérotomie ou une myomectomie accompagnée d'une intromission dans la cavité utérine;
- le fait d'avoir déjà subi une rupture utérine;
- la présence d'une contre-indication au travail, telle que le placenta praevia ou une présentation anormale (SOGC, 2005).

Dans plus de 90 % des accouchements par césarienne, l'incision utérine est l'incision transversale basse **FIGURE 22.11A**. Cette incision est préférée à l'incision verticale, car elle ne compromet pas l'état du segment utérin supérieur, elle est plus facile à pratiquer et à refermer et elle occasionne une perte de sang moindre; elle est également moins susceptible de se rompre au cours des grossesses subséquentes (Landon, 2007).

Complications et risques L'aspiration, l'hémorragie, l'atélectasie, l'endométrite, la déhiscence ou l'infection de la plaie abdominale, l'infection urinaire, des lésions vésicales ou intestinales et les complications de l'anesthésie figurent parmi les complications maternelles possibles de l'accouchement par césarienne (Thorp, 2009). Parmi les risques et les complications pour le fœtus figurent la naissance prématurée si l'âge gestationnel n'a pas été déterminé avec exactitude, l'asphyxie découlant de la circulation sanguine utérine et placentaire entravée pour cause d'hypotension maternelle due à l'anesthésie régionale (épidurale ou rachidienne) ou en raison de la position maternelle et des lésions (lacérations causées par le scalpel) (Thorp, 2009). À cela s'ajoute le fait que le rétablissement à la suite d'un accouchement par césarienne est beaucoup plus long que celui qui suit un accouchement vaginal, ce qui peut occasionner des dépenses et une perte de revenus supplémentaires.

Anesthésie L'accouchement par césarienne se fait sous anesthésie rachidienne, épidurale ou générale. L'anesthésie épidurale est prisée parce que la cliente demeure éveillée et consciente tout au long de l'accouchement. Cependant, plusieurs facteurs entrent en jeu dans le choix du mode d'anesthésie. L'anesthésiste peut devoir écarter l'anesthésie régionale en raison des antécédents médicaux ou de l'état de la mère à l'accouchement, notamment en raison d'un trauma médullaire, d'une hémorragie ou d'une coagulopathie. Le délai imparti est un autre facteur, particulièrement s'il y a urgence d'agir et que la vie de la mère ou du fœtus est en péril. En cas d'urgence, l'anesthésiste optera sans doute pour l'anesthésie générale à moins que la cliente ne soit déjà sous l'effet d'une anesthésie épidurale. En outre, il faut tenir compte de la cliente elle-même et de ses préférences. Il se peut qu'elle ne connaisse pas toutes les options, qu'elle craigne la « piqûre dans le dos » ou le fait d'être éveillée et de ressentir de la douleur. Il est essentiel de l'informer des risques et des avantages associés aux diverses formes d'anesthésie pour qu'elle soit en mesure de participer à la prise de décisions, le cas échéant.

SOINS ET TRAITEMENTS INFIRMIERS

Accouchement par césarienne

Accouchement par césarienne prévu

L'accouchement par césarienne est prévu lorsque le travail et l'accouchement vaginal sont contre-indiqués (p. ex., s'il y a placenta praevia complet, herpès génital actif, présence du VIH et charge virale élevée), lorsque l'accouchement est nécessaire, mais que le travail ne saurait être provoqué (p. ex., en cas d'hypertension qui a des effets néfastes sur le milieu intra-utérin, mettant ainsi la vie du fœtus en péril) ou lorsque le médecin et la cliente ont convenu de ce mode d'accouchement (p. ex., en cas d'accouchement par césarienne antérieur).

La femme dont l'accouchement par césarienne est prévu a le loisir de s'y préparer psychologiquement. Cependant, il faut savoir que la réaction psychologique peut varier d'une femme à une autre. Celle pour qui ce n'est pas le premier accouchement par césarienne peut conserver des souvenirs pénibles de cette expérience, plus précisément de son état avant que la décision de pratiquer une césarienne se prenne et de son rétablissement postopératoire. Elle peut en outre être préoccupée à la perspective d'avoir à prendre soin d'un nouveau-né et de ses autres enfants tout en se remettant de la chirurgie. Une autre sera heureuse de savoir à quel moment précis elle accouchera et se sentira soulagée à l'idée de ne pas éprouver de douleur pendant l'accouchement.

RAPPELEZ-VOUS...

La déhiscence est la séparation partielle ou totale des couches d'une plaie.

Accouchement par césarienne imprévu

Les répercussions psychosociales d'un accouchement par césarienne imprévu ou en urgence sont plus marquées et défavorables en général que celles de l'accouchement par césarienne prévu. La cliente et sa famille se rendent brusquement compte que leurs attentes quant à l'accouchement, à la période postnatale et à l'arrivée du nouveau-né à la maison ne tiennent plus. L'expérience peut se révéler extrêmement traumatisante pour tous.

La cliente dont le travail a commencé depuis un certain temps, mais qui se révèle inefficace et difficile sera probablement fatiguée et découragée. Par-dessus tout, elle craint pour sa sécurité et son bien-être et ceux de son enfant. Elle est peut-être déshydratée, et ses réserves de glycogène sont presque épuisées. Comme la préparation préopératoire doit s'effectuer rapidement, il y a peu de chance que quelqu'un ait le temps de l'informer de son état et de lui parler au préalable de l'intervention. Sans compter que ni la cliente ni la famille, aux prises avec une anxiété croissante, ne retiendront ou ne comprendront grand-chose de ce qui se dit. À la période postnatale, la cliente peut sentir monter en elle un sentiment de colère ou de culpabilité. Dans la plupart des cas, elle est également submergée de fatigue; elle a donc besoin d'énormément de soins de soutien.

Préparation prénatale

Les cours prénataux devraient aborder l'accouchement par césarienne. Rien ne garantit que la femme accouchera par la voie vaginale même si elle est en bonne santé et que rien ne laisse présager un danger pour le fœtus avant le début du travail. Par conséquent, la femme enceinte devrait être au fait de cette possibilité et s'y préparer.

Les éducateurs en périnatalité insistent sur l'importance de préciser les similitudes et les différences entre l'accouchement par césarienne et l'accouchement vaginal. Adoptant une perspective familiale de l'accouchement, bien des hôpitaux autorisent le père ou le conjoint et des membres de la famille à assister à l'accouchement vaginal comme à l'accouchement par césarienne. Des femmes ayant accouché par césarienne affirment que la présence et le soutien constant de leur conjoint leur ont permis de réagir favorablement à toute cette expérience.

Soins préopératoires

L'objectif consiste à offrir des soins centrés sur la famille à la cliente qui accouchera par césarienne et à sa famille. La préparation en vue d'un accouchement par césarienne est la même que celle prévue en cas d'intervention chirurgicale non urgente ou urgente. Le médecin précise à la cliente et à sa famille en quoi l'accouchement par césarienne est nécessaire et le pronostic pour la mère et le nouveau-né. Un membre de l'équipe d'anesthésie évalue l'état cardiopulmonaire de la cliente et décrit les options qui s'offrent à elle. Un membre de l'équipe médicale se charge d'obtenir le consentement éclairé de la cliente.

Les analyses sanguines sont habituellement prescrites un jour ou deux avant l'intervention ou à l'admission à l'unité de naissance. L'hémogramme, la détermination du groupe sanguin et de la présence du facteur Rhésus figurent au nombre des tests de laboratoire courants. La surveillance des signes vitaux maternels et de la F.C.F. se poursuit conformément au protocole hospitalier jusqu'à ce que l'intervention commence. L'hydratation est assurée par un apport liquidien en perfusion I.V.; le site de perfusion servira également à l'administration de médicaments ou de produits sanguins, le cas échéant. La préparation comprend en outre la vérification de l'obtention du consentement en bonne et due forme, la pose d'une sonde urinaire pour que la vessie ne se remplisse pas et l'administration des médicaments prescrits. Outre les médicaments destinés à prévenir la pneumonie par aspiration, un antibiotique est administré dans bien des cas afin de prévenir une infection postopératoire. Le médecin prescrira peut-être le rasage des poils pubiens. De nombreux protocoles prévoient le port de bas de contention afin de prévenir la formation de caillots sanguins. Selon les directives hospitalières et le mode d'anesthésie, la cliente enlève ses prothèses dentaires, son vernis à ongles et ses bijoux, s'il y a lieu. L'infirmière veillera à ce que la cliente qui porte des lunettes les ait avec elle si elle demeure éveillée durant l'intervention afin qu'elle puisse bien voir son nouveau-né.

Durant la préparation, l'équipe soignante encourage la personne accompagnatrice à demeurer avec la cliente dans la mesure du possible afin de lui offrir un soutien émotionnel constant (pour autant que cette façon de faire soit acceptable pour la cliente et cette personne). L'infirmière transmet l'information essentielle sur les soins préopératoires pendant ce temps. Même si les tâches infirmières doivent s'effectuer rapidement s'il s'agit d'un accouchement par césarienne imprévu, la communication verbale, notamment une explication, revêt beaucoup d'importance. Le silence peut être effrayant pour la cliente et l'accompagnateur. Par le toucher, l'infirmière peut rassurer la cliente. Si elle a le temps, l'infirmière précise ce à quoi peut s'attendre la mère après l'opération et lui enseigne des mesures d'atténuation de la douleur et de changement de position et les bienfaits de la toux et de la respiration profonde.

Soins peropératoires

L'accouchement par césarienne se déroule dans une salle du bloc opératoire ou à l'unité de naissance. Ce sont des membres de l'équipe de la maternité ou de l'équipe chirurgicale de l'hôpital qui accompliront les diverses tâches durant l'intervention **FIGURE 22.12**. Si cela est possible, le conjoint, revêtu de l'habillement approprié en salle d'opération, accompagne la cliente et demeure près d'elle pour la rassurer et la soutenir.

L'infirmière apporte son concours au positionnement de la cliente sur la table d'opération. Celle-ci est placée de sorte que son utérus ne comprime pas la veine cave inférieure responsable de la circulation sanguine placentaire. Le positionnement est facilité par la mise en place d'un coussin sous la hanche ou en inclinant la table d'un

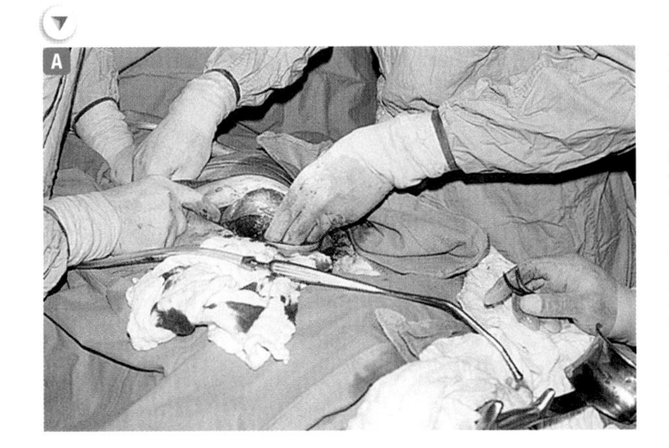

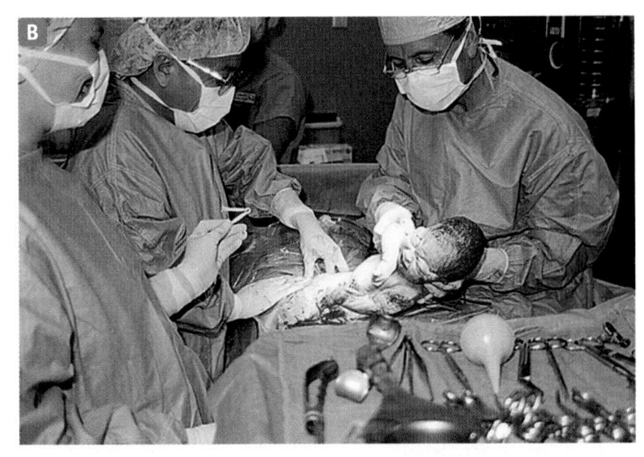

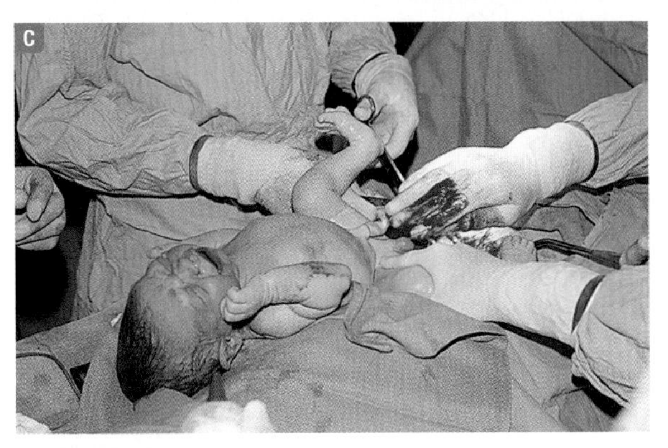

FIGURE 22.12

Accouchement par césarienne. A Incision transversale basse, séparation des tissus musculaires, ouverture de l'abdomen et pénétration dans l'utérus ; aspiration du liquide amniotique en même temps que le fœtus est extrait tête première par l'ouverture créée par l'incision ; peu de saignement. B Extraction presque complète du fœtus par l'ouverture créée par l'incision. C Brève évaluation ; moulage crânien marqué dû à la disproportion céphalopelvienne.

côté. Pour assurer la stabilité du positionnement durant l'intervention, la cliente a les jambes attachées à la table.

Si l'hôpital n'autorise pas le conjoint à être présent ou si celui-ci préfère s'en abstenir, l'infirmière peut l'informer du déroulement de l'accouchement dans la mesure du possible. Si la cliente est éveillée durant l'intervention, l'infirmière, l'anesthésiste ou les deux peuvent lui décrire ce qui se passe et la soutenir. Certaines sensations peuvent être anxiogènes pour elle, notamment la froideur du liquide désinfectant que l'on badigeonne sur son abdomen, la pression ou la traction durant l'accouchement. L'éclairage, l'équipement, les personnes portant masque et chemise d'hôpital sont des aspects qui peuvent susciter de l'appréhension. Des précisions peuvent contribuer à atténuer l'anxiété de la cliente.

Habituellement, une infirmière de l'unité de naissance est présente afin de prendre en charge le nouveau-né. En outre, un pédiatre ou une infirmière apte à procéder à la réanimation néonatale peut être présent également à la chirurgie, car l'on considère que le nouveau-né venu au monde par césarienne est à risque jusqu'à ce que des signes de stabilité physiologique écartent ce risque. Un lit de bébé muni de l'équipement de réanimation est mis à la disposition du personnel avant le début de la chirurgie. Le personnel possède de l'expertise non seulement en réanimation, mais également dans la détection des réactions normales ou anormales du nouveau-né. À la naissance, le nouveau-né peut être déposé sur la cliente (peau à peau) si celle-ci est éveillée ou dans les bras du conjoint si rien ne s'y oppose **FIGURE 22.13**. Le nouveau-né dans un état précaire est d'abord stabilisé puis est acheminé à la pouponnière aux fins d'observation et de mise en œuvre des interventions appropriées. Certains établissements autorisent le conjoint à accompagner le nouveau-né ; lorsque cela est impossible, le personnel tient la famille au courant de l'évolution de l'état de santé du nouveau-né et favorise les contacts entre les parents et celui-ci dès que possible.

Les membres de la famille qui ne peuvent accompagner la cliente à la salle d'opération attendent la fin de l'intervention dans la salle d'attente de l'unité de chirurgie ou d'obstétrique. Après l'accouchement, le médecin leur précise l'état de la cliente et du nouveau-né. Si les membres de la famille sont autorisés à accompagner le nouveau-né à la pouponnière, ils pourront le voir et l'admirer à loisir.

Soins postopératoires immédiats

Une fois la chirurgie terminée, la cliente est acheminée à la salle de réveil ou de rétablissement. En matière de soins, la femme qui vient d'accoucher par césarienne nécessite des besoins postopératoires et postnataux que l'infirmière doit combler. La cliente est à la fois une nouvelle mère et une personne qui vient de subir une intervention chirurgicale. L'évaluation infirmière dans la période postnatale immédiate se conforme au protocole de l'établissement et comprend le rétablissement de l'anesthésie, de l'intervention chirurgicale et de l'accouchement ainsi que les caractéristiques de la douleur. L'infirmière veille

RAPPELEZ-VOUS...

La douleur aiguë liée à une incision chirurgicale peut rendre une personne agitée et entraîner une modification de ses signes vitaux.

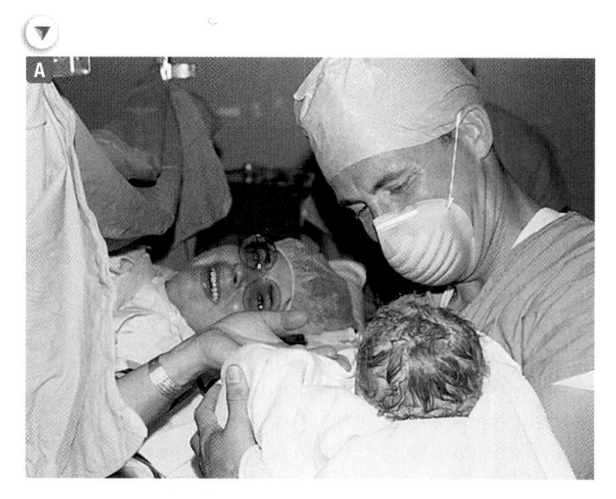

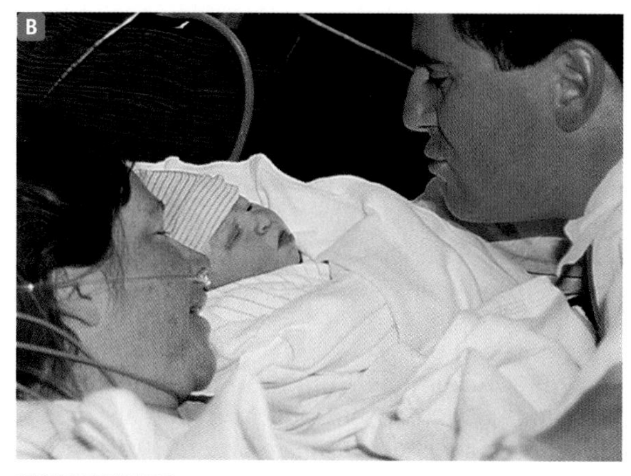

FIGURE 22.13

A Nouveau-né en compagnie de ses parents. Le médecin expulse le placenta, aspire le reste du liquide amniotique et du sang de l'utérus, et suture l'incision utérine, le péritoine, la couche musculaire, les tissus adipeux et enfin la peau, tandis que la petite famille fait connaissance. B Des parents font plus ample connaissance avec leur nouveau-né alors que la mère se repose après la chirurgie.

à la perméabilité des voies respiratoires et positionne la cliente de façon à prévenir l'aspiration. Elle surveille ses signes vitaux toutes les 15 minutes pendant 1 ou 2 heures ou jusqu'à ce que la cliente soit dans un état stable. Elle vérifie l'état du pansement, le fond utérin et la quantité de lochies, elle évalue également l'apport liquidien I.V. et le débit urinaire par l'entremise de la sonde à ballonnet. Elle aide la cliente à se tourner, à tousser, à respirer profondément et à bouger ses jambes. Elle administre l'analgésique prescrit avant que la douleur postopératoire s'intensifie.

Si le nouveau-né est toujours là, les parents sont laissés seuls avec lui afin de favoriser le lien d'attachement entre eux. La mère peut commencer à l'allaiter si elle s'y sent prête. Lorsque son état est stable et que les effets de l'anesthésie ont disparu (elle est alerte, orientée et elle ressent des sensations dans ses jambes et peut les bouger), la cliente peut être acheminée à une autre unité.

Soins postopératoires ou postnataux

L'attitude de l'infirmière et des autres membres de l'équipe soignante peut influer sur la perception que la cliente a d'elle-même après un accouchement par césarienne. L'équipe doit insister sur le fait que la femme est avant tout une nouvelle mère, pas seulement une personne qui a subi une intervention chirurgicale. Ainsi, la cliente sentira qu'elle a les mêmes problèmes et besoins que n'importe quelle autre nouvelle mère, mais qu'elle nécessite également des soins postopératoires de soutien. Le **TABLEAU 22.5** offre un aperçu des soins nécessaires.

La douleur au site de l'incision et celle due à la flatulence sont souvent les principales préoccupations physiologiques de la cliente dans les premiers jours de l'accouchement. Les formes d'analgésie courantes dans les 24 heures suivant la chirurgie sont l'administration épidurale d'un analgésique opioïde, l'analgésie contrôlée par le patient ou l'administration I.V. ou I.M. d'un analgésique. Après cette période, la douleur sera maîtrisée par un analgésique en administration P.O. La variation de la position de la cliente, le soutien de l'incision à l'aide d'oreillers, la relaxation et la respiration (selon les techniques enseignées au cours prénatal) figurent parmi les mesures de soutien à appliquer.

Dans bien des cas, la cliente est la mieux placée pour savoir ce dont son corps a besoin, ce qu'il peut tolérer, notamment en matière d'alimentation (solide et liquide) en période postopératoire. Jusqu'à la réapparition des bruits intestinaux, l'alimentation orale est bannie, seules des gorgées de liquide clair et de la glace pilée sont autorisées. Puis, le régime passera aux liquides en général. Une fois la flatuosité constatée, on rétablit le régime alimentaire habituel (Gilbert, 2007). Dès que la cliente peut boire, la perfusion I.V. est habituellement cessée. La déambulation et le bercement peuvent atténuer la douleur due à la flatulence. Les aliments producteurs de gaz et les boissons gazeuses sont à éviter, tout comme boire à la paille, afin de réduire la flatulence au minimum **ENCADRÉ 22.24**.

Les soins périnéaux, les soins mammaires et les soins d'hygiène courants constituent les soins quotidiens. Une fois le pansement enlevé, habituellement le premier jour après l'opération, la cliente peut prendre une douche (si cela est acceptable pour elle selon sa culture et ses croyances). La sonde urinaire est également enlevée le même jour. Dès que la sonde est retirée, la cliente devrait se lever et marcher à plusieurs reprises chaque jour. L'infirmière surveille les signes vitaux, l'incision, le fond utérin et les lochies conformément aux directives ou au protocole hospitaliers. Elle évalue également les bruits respiratoires, les bruits intestinaux, la circulation sanguine dans les membres inférieurs, le débit urinaire et l'élimination intestinale. En outre, elle observe l'état émotionnel de la cliente.

Dans la période postnatale, l'infirmière peut également prodiguer des services de nature psychologique ou éducative à la cliente qui vient d'accoucher par césarienne. Elle décrit les interventions postnatales afin que la cliente participe activement à son rétablissement de l'opération. Elle peut également apporter son soutien à la nouvelle mère dans la planification des soins au nourrisson et des visites de la famille et des amis de sorte que des périodes de repos sont prévues. Offrir de l'information et de l'aide quant aux soins du nouveau-né facilitera l'adaptation de la mère à son rôle parental. L'infirmière apporte son appui à la cliente qui allaite en indiquant des façons de tenir et de positionner le nouveau-né pour favoriser son bien-être ainsi que celui de son nouveau-né et faciliter l'allaitement. La présence du conjoint aux séances d'enseignement sur les soins au nouveau-né et sur le rétablissement de

Cheminement clinique

TABLEAU 22.5 Accouchement par césarienne sans complications : séjour hospitalier de 96 heures

	PÉRIODE POST-OPÉRATOIRE IMMÉDIATE	DANS LES QUATRE HEURES DE L'ARRIVÉE À L'UNITÉ POSTNATALE	DE 5 À 24 HEURES	DE 25 À 48 HEURES	AU CONGÉ
Évaluation					
Admission	• Évaluation à la salle de rétablissement ou de réveil	• Évaluation et planification des soins			
Signes vitaux	• Toutes les 15 min × 1 h, toutes les 30 min × 1 h, dans l'écart normal	• Toutes les 4 à 8 h, dans l'écart normal	• Toutes les 4 à 8 h, dans l'écart normal	• Toutes les 4 à 8 h, dans l'écart normal	• Toutes les 8 h, dans l'écart normal
Postnatale	• Toutes les 15 min × 1 h, toutes les 30 min × 1 h, dans l'écart normal	• Toutes les 4 à 8 h, dans l'écart normal	• Toutes les 4 à 8 h, dans l'écart normal	• Toutes les 8 à 12 h, dans l'écart normal	• Toutes les 8 à 12 h, dans l'écart normal
Incision abdominale	• Pansement sec et intact	• Pansement sec et intact	• Pansement sec et intact	• Pansement enlevé ou remplacé, incision intacte	• Incision intacte • Retrait des agrafes et mise en place des sutures cutanées adhésives Steri-Strips^MD • Incision à l'apparence normale
Génito-urinaire	• Débit par la sonde > 30 ml/h	• Débit par la sonde > 30 ml/h	• Débit par la sonde > 30 ml/h ; sonde enlevée après 24 h habituellement	• Sonde enlevée, débit urinaire > 100 ml par miction ou 240 ml en 8 h	• Débit urinaire > 240 ml en 8 h
Gastro-intestinale		• Bruits intestinaux absents ou faibles	• Bruits intestinaux faibles ou actifs	• Bruits intestinaux actifs + flatuosité	• Bruis intestinaux actifs + flatuosité avec ou sans défécation
Musculosquelettique	• Alerte ou aisément stimulée • Bouge ses jambes	• Alerte et orientée • Bouge ses membres	• Déambulation avec aide	• Déambulation en autonomie	• Déambulation libre
Attachement parent-enfant	• Signes manifestes d'un lien d'attachement parent-enfant • Premier allaitement si la mère le souhaite		• Approfondissement de l'attachement	• Approfondissement de l'attachement	

TABLEAU 22.5	Accouchement par césarienne sans complications : séjour hospitalier de 96 heures *(suite)*				
	PÉRIODE POST-OPÉRATOIRE IMMÉDIATE	**DANS LES QUATRE HEURES DE L'ARRIVÉE À L'UNITÉ POSTNATALE**	**DE 5 À 24 HEURES**	**DE 25 À 48 HEURES**	**AU CONGÉ**
Analyses de laboratoire			• Résultats de l'hémogramme pernatal au dossier ou à l'ordinateur • Détermination de la présence du facteur Rhésus et de la nécessité d'administrer l'anticorps anti-Rhésus • Vérification de la présence d'anticorps contre la rubéole	• Hématocrite postnatal dans l'écart normal • Administration de l'anticorps anti-Rhésus s'il y a lieu	• Administration du vaccin contre la rubéole s'il y a lieu
Interventions					
Perfusion I.V.	• Perfusion I.V.	• Perfusion I.V.	• Perfusion I.V.	• Arrêt de la perfusion I.V.	
Régime alimentaire	• Pas d'alimentation orale	• Glace pilée, gorgées de liquide clair	• Liquides clairs, progresser selon la tolérance	• Régime alimentaire ordinaire selon la tolérance	• Régime alimentaire ordinaire
Soins périnéaux		• Soins périnéaux infirmiers	• Autosoins périnéaux avec aide	• Autosoins périnéaux	
Activité	• Alitement	• Alitement	• Se lève × 3 avec de l'aide • Activités de la vie quotidienne (AVQ) avec aide • Aide au positionnement pour tenir et allaiter le nouveau-né	• Tient le nouveau-né, se déplace et exécute les AVQ sans aide	• Activité en autonomie
Soins pulmonaires	• Voies respiratoires perméables • Arrêt de l'apport en oxygène	• Peut se tourner, tousser, respirer profondément (la plaie soutenue à l'aide d'un oreiller) toutes les 2 h • Spirométrie toutes les heures si requise • Poumons clairs	• Peut se tourner, tousser, respirer profondément toutes les 2 h • Spirométrie lorsqu'éveillée si requise • Poumons clairs	• Peut se tourner, tousser, respirer profondément au besoin, poumons clairs	
Médicaments	• Ocytocine ajoutée à la perfusion I.V. • Gestion de la douleur : analgésie I.V. ou épidurale (analgésique opioïde) selon l'ordonnance	• Maintien de l'ocytocine • Gestion de la douleur : analgésie contrôlée par le patient, analgésie I.M., orale ou épidurale (analgésique opioïde) selon l'ordonnance	• Arrêt de l'ocytocine • Gestion de la douleur : P.O. ou voie I.M. ou analgésie contrôlée par le patient par un analgésique opioïde ou par un autre analgésique	• Arrêt de l'ocytocine • Gestion de la douleur : analgésie P.O. par un AINS au besoin • Arrêt de l'analgésie contrôlée par le patient • Émollient fécal, vitamines selon l'ordonnance	• Remise des médicaments prescrits ou de l'ordonnance qui sera remplie à la pharmacie

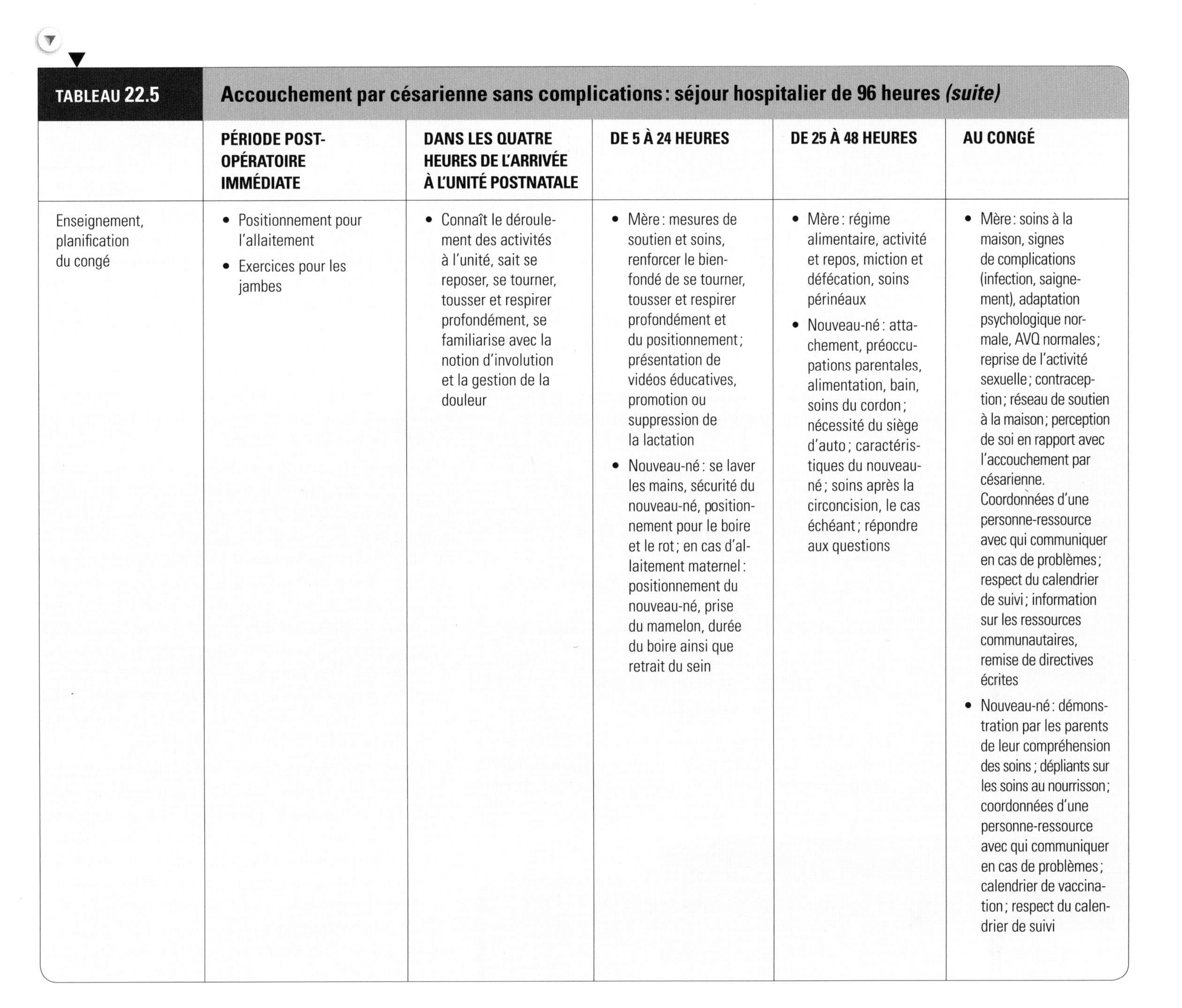

TABLEAU 22.5	Accouchement par césarienne sans complications : séjour hospitalier de 96 heures *(suite)*				
	PÉRIODE POST-OPÉRATOIRE IMMÉDIATE	**DANS LES QUATRE HEURES DE L'ARRIVÉE À L'UNITÉ POSTNATALE**	**DE 5 À 24 HEURES**	**DE 25 À 48 HEURES**	**AU CONGÉ**
Enseignement, planification du congé	• Positionnement pour l'allaitement • Exercices pour les jambes	• Connaît le déroulement des activités à l'unité, sait se reposer, se tourner, tousser et respirer profondément, se familiarise avec la notion d'involution et la gestion de la douleur	• Mère : mesures de soutien et soins, renforcer le bien-fondé de se tourner, tousser et respirer profondément et du positionnement ; présentation de vidéos éducatives, promotion ou suppression de la lactation • Nouveau-né : se laver les mains, sécurité du nouveau-né, positionnement pour le boire et le rot ; en cas d'allaitement maternel : positionnement du nouveau-né, prise du mamelon, durée du boire ainsi que retrait du sein	• Mère : régime alimentaire, activité et repos, miction et défécation, soins périnéaux • Nouveau-né : attachement, préoccupations parentales, alimentation, bain, soins du cordon ; nécessité du siège d'auto ; caractéristiques du nouveau-né ; soins après la circoncision, le cas échéant ; répondre aux questions	• Mère : soins à la maison, signes de complications (infection, saignement), adaptation psychologique normale, AVQ normales ; reprise de l'activité sexuelle ; contraception ; réseau de soutien à la maison ; perception de soi en rapport avec l'accouchement par césarienne. Coordonnées d'une personne-ressource avec qui communiquer en cas de problèmes ; respect du calendrier de suivi ; information sur les ressources communautaires, remise de directives écrites • Nouveau-né : démonstration par les parents de leur compréhension des soins ; dépliants sur les soins au nourrisson ; coordonnées d'une personne-ressource avec qui communiquer en cas de problèmes ; calendrier de vaccination ; respect du calendrier de suivi

la cliente est souhaitée. Il importe que le père se sente impliqué et qu'il soit également en mesure de prodiguer les soins. Le couple devrait se sentir libre d'exprimer ses sentiments à propos de la naissance de leur enfant. Des parents ressentiront de la colère, de la frustration ou de la déception devant l'impossibilité de l'accouchement vaginal. Certaines femmes perdront une partie de leur estime d'elles-mêmes ou auront une moins bonne image d'elles ; d'autres seront soulagées de constater que le nouveau-né est en santé et que l'accouchement s'est déroulé sans heurts. La visite de l'infirmière présente à l'accouchement qui abordera les aspects de l'expérience passés inaperçus pour la mère ou le conjoint peut être utile également.

Guide d'enseignement

ENCADRÉ 22.24 Gestion de la douleur postnatale après un accouchement par césarienne

DOULEUR À L'INCISION

- Soutenez l'incision à l'aide d'un oreiller au moment de vous déplacer ou de tousser.
- Ayez recours à des techniques de relaxation comme la musique, la respiration et l'éclairage tamisé.
- Déposez une bouillotte tiède sur votre abdomen.

DOULEUR DUE À LA FLATULENCE

- Marchez le plus fréquemment possible.
- Évitez les aliments producteurs de gaz, les boissons gazeuses et le lait entier.
- N'utilisez pas une paille pour boire.
- Prenez l'antiflatulent prescrit.
- Couchez-vous sur le côté gauche pour expulser les gaz.
- Bercez-vous.

Au Québec et au Canada, la durée de séjour hospitalier après un accouchement par césarienne est établie à 96 heures (MSSS, 2008).

Dans le peu de temps dont elle dispose, l'infirmière enseigne certaines notions à la cliente pour la préparer à prendre soin d'elle-même et de son nouveau-né tout en veillant au bien-être et au repos de celle-ci. L'enseignement et la planification du congé devraient porter sur les aspects suivants :

- l'alimentation;
- l'atténuation de la douleur et du malaise;
- l'exercice physique et les restrictions précises en matière d'activité;
- la gestion du temps qui prévoit des périodes de repos et de sommeil sans interruption;
- l'hygiène;
- les soins mammaires et de l'incision;
- les soins au nouveau-né;
- le moment de la reprise de l'activité sexuelle et la contraception;
- les signes de complications **ENCADRÉ 22.25**.

22.3.11 Accouchement vaginal après césarienne

Les motifs de l'accouchement par césarienne, telles la dystocie, la présentation du siège ou la souffrance fœtale, peuvent fort bien ne pas se représenter au cours d'une autre grossesse. Par conséquent, la femme qui a déjà accouché par césarienne peut traverser une grossesse subséquente sans qu'aucune contre-indication au travail ou à l'accouchement vaginal se présente et ainsi choisir l'AVAC. L'**ENCADRÉ 22.26** énumère les critères de sélection des candidates à ce type d'accouchement de l'ACOG et de la SOGC. Le taux d'efficacité globale de l'AVAC oscille entre 70 et 80 % (Landon, 2007). L'AVAC comporte certains avantages, notamment le séjour hospitalier maternel plus court, la perte de sang moindre, et les infections et les complications thromboemboliques moins nombreuses qu'avec l'accouchement par césarienne. Les risques qu'il comporte sont la rupture utérine, l'hystérectomie, les lésions opératoires et la morbidité néonatale (ACOG, 2004 ; SOGC, 2005).

Le travail spontané est plus susceptible d'aboutir à un AVAC réussi que le travail provoqué ou intensifié (ACOG, 2004). La meilleure candidate à ce mode d'accouchement est la femme âgée de moins de 35 ans dont le fœtus pèse moins de 4 000 g et pour qui la césarienne lors de l'accouchement précédent était indiquée pour un motif autre que l'échec de la descente au deuxième stade du travail (Thorp, 2009). L'épreuve du travail et l'AVAC ne suscitent pas l'enthousiasme de toutes les femmes. Une fois au fait des risques et des avantages, plus de 25 % des candidates optent pour un autre accouchement par césarienne (Thorp, 2009).

Il importe d'être attentif aux besoins psychologiques et physiques de la cliente qui accepte l'épreuve du travail. L'anxiété stimule la sécrétion de catécholamines et peut inhiber la sécrétion d'ocytocine et ainsi freiner la progression du travail au point de peut-être mener à un autre accouchement par césarienne. Pour chasser cette anxiété, l'infirmière encourage la cliente à mettre en pratique des techniques de respiration et de relaxation et de varier sa position pour favoriser l'évolution du travail. Elle incite le conjoint à veiller au bien-être de la mère et à lui offrir un soutien émotionnel. Grâce à la collaboration entre la cliente, son conjoint, l'infirmière et les autres membres de l'équipe soignante, il y a de fortes chances que l'accouchement soit vaginal. Si l'épreuve du travail n'aboutit pas à un accouchement vaginal, il sera sans doute nécessaire de réconforter la cliente et de l'encourager à exprimer ses sentiments à propos d'un autre accouchement par césarienne.

Guide d'enseignement

ENCADRÉ 22.25 Signes de complications postopératoires

Signes à mentionner à votre médecin :

- Température qui dépasse 38 °C
- Miction douloureuse
- Lochies plus abondantes que les menstruations
- Ouverture de la plaie
- Rougeur ou le suintement à l'incision
- Douleur abdominale intense

ENCADRÉ 22.26 Critères de sélection des candidates à l'accouchement vaginal après césarienne

- Un accouchement antérieur par césarienne transversale basse
- Un bassin conforme sur le plan clinique
- Pas d'autres cicatrices utérines ni antécédents de rupture utérine
- Un médecin prêt à intervenir tout au long du travail actif, en mesure de surveiller le travail et de pratiquer une césarienne en urgence, le cas échéant
- La présence d'un anesthésiste et du personnel nécessaire à un accouchement par césarienne en urgence

Sources : Adapté de ACOG (2004) ; SOGC (2005).

SOINS ET TRAITEMENTS INFIRMIERS

Épreuve du travail

L'épreuve du travail désigne une période d'observation raisonnable (p. ex., de quatre à six heures) de la parturiente en travail actif déclenché spontanément et du fœtus dans le but d'évaluer la sécurité de l'accouchement vaginal pour la mère et l'enfant. Le motif de loin le plus courant de l'épreuve du travail est le souhait d'un accouchement vaginal après un accouchement par césarienne. L'évaluation durant l'épreuve du travail porte sur la survenue du travail actif, notamment de contractions appropriées, de l'engagement et de la descente de la présentation, ainsi que sur l'effacement et la dilatation du col de l'utérus.

L'infirmière surveille les signes vitaux maternels, la F.C.F. ainsi que les contractions, et elle demeure à l'affût de signes de complications potentielles. En cas de complications, l'infirmière a la tâche d'entreprendre les actions appropriées, dont informer le médecin traitant, et d'évaluer et de documenter dans les notes d'évolution au dossier les réactions maternelles et fœtales aux interventions. Elle doit savoir que la parturiente et son conjoint peuvent être inquiets ou préoccupés par la santé et le bien-être maternel et fœtal. Soutenir et encourager la cliente et son conjoint, offrir de l'information sur le déroulement du travail peut atténuer leur stress, favoriser la progression du travail et faciliter l'accouchement.

22.4 Grossesse, travail et accouchement prolongés

La **grossesse prolongée** est celle dont la durée dépasse le terme des 42 semaines (ou 294 jours) depuis le premier jour du dernier cycle menstruel. Le taux des grossesses prolongées varie de 4 à 14 % selon les estimations (Resnik& Resnik, 2009). Selon les statistiques canadiennes, le taux de postmaturité en 2004 s'établissait à 0,8 % (ASPC, 2008). Pour ce qui est du Québec, le taux de naissance à 42 semaines et plus de gestation en 2008 était de 0,3 % (Institut de la statistique du Québec, 2011a). Dans bien des cas, la grossesse est diagnostiquée à tort comme étant prolongée. La pratique relativement récente de l'échographie au premier trimestre afin de déterminer le stade de la grossesse est venue confirmer que le point de repère des dernières menstruations pour déterminer le début de la grossesse est moins fiable en tant que véritable indicateur prévisionnel de l'âge gestationnel que d'autres méthodes. Par conséquent, la détermination de la durée de la grossesse selon le moment du dernier cycle menstruel tend à surestimer grandement le nombre de grossesses prolongées (Divon, 2007 ; Resnik & Resnik, 2009). Il est recommandé que l'exécution d'une échographie soit offerte au cours du premier trimestre (idéalement, entre le 11e et la 14e semaine de gestation) à toutes les femmes, puisqu'il s'agit d'un moyen de déterminer l'âge gestationnel plus précis que le recours à la date des dernières règles ; l'utilisation de l'échographie du premier trimestre donne ainsi lieu à un nombre moindre de grossesses prolongées au-delà de 41 +0 semaines (SOGC, 2008c).

L'étiologie exacte de la grossesse prolongée demeure inconnue. Toutefois, il est évident que le déclenchement du travail relève d'interactions complexes entre le fœtus, le placenta et les membranes, le myomètre et le col de l'utérus. Ainsi, l'hypoplasie surrénalienne fœtale primitive congénitale et le déficit placentaire en sulfatase entraînent une baisse de la production d'œstrogènes. La diminution du taux d'œstrogènes qui s'ensuit peut entraver la maturation cervicale et retarder le déclenchement du travail. Bien que la grossesse prolongée soit plus fréquente chez les primipares que chez les femmes qui ont déjà eu des enfants, la femme qui a eu une grossesse prolongée est plus susceptible que les autres de vivre cette expérience de nouveau à une grossesse subséquente (Divon, 2007 ; Resnik & Resnik, 2009).

22.4.1 Risques pour la mère et le fœtus

Les risques maternels tiennent souvent au travail difficile tel le risque accru de lésions périnéales dues à la macrosomie. Il est fort probable que des interventions comme la provocation du travail par une prostaglandine ou l'ocytocine, l'accouchement assisté avec forceps ou ventouse obstétricale ou l'accouchement par césarienne soient nécessaires. Ces interventions, bien entendu, comportent toutes des risques. En outre, la cliente sera vraisemblablement fatiguée, en proie à un malaise physique et à des réactions psychologiques comme la dépression, la frustration ou un sentiment d'inaptitude à mesure que le temps passe après la date d'accouchement prévue. Les relations avec les amis proches et la famille s'en ressentiront, et la future mère projettera peut-être les sentiments négatifs qu'elle nourrit à propos d'elle-même sur son enfant pour qui elle éprouvera du ressentiment (Gilbert, 2007).

La croissance fœtale anormale constitue une autre complication de la grossesse prolongée. Bien que le risque de faible poids à la naissance en fonction de l'âge gestationnel augmente, seulement de 10 à 20 % des nouveau-nés post-terme sont en état de malnutrition. La macrosomie (poids à la naissance supérieur à 4 000 g) est bien plus fréquemment associée à la grossesse prolongée. La macrosomie s'installe parce que le placenta continue de soutenir la croissance fœtale en apportant les nutriments essentiels au fœtus pendant plus de 40 semaines. La macrosomie accroît le risque de lésions néonatales dues à l'accouchement difficile assisté avec forceps et à la dystocie en raison de la présentation de l'épaule (Resnick & Resnick, 2009).

D'autres risques de la grossesse prolongée pour le fœtus ont trait à l'environnement intra-utérin.

19

L'ERF et l'évaluation du volume du liquide amniotique sont abordés dans le chapitre 19, *Évaluation de la grossesse à risque élevé.*

Après 43 à 44 semaines de grossesse, le placenta vieillit. Des zones d'infarcissement qui s'étendent et l'accumulation tissulaire de calcium et de fibrine qui va grandissante épuisent les réserves du placenta et peuvent compromettre sa capacité d'oxygéner le fœtus. L'oligoamnios (diminution de la quantité de liquide amniotique en deçà de 400 ml) constitue la complication la plus fréquente de la grossesse prolongée. Cette diminution du liquide amniotique peut se traduire par la compression du cordon ombilical qui, elle, occasionnera de l'hypoxémie fœtale (Gilbert, 2007). Le liquide amniotique taché de méconium, le risque accru d'aspiration du méconium et un indice d'Apgar bas représentent d'autres complications possibles. L'oligoamnios amplifie l'effet de la contamination par le méconium. En effet, moins il y a de liquide amniotique pour diluer le méconium, plus celui-ci est épais et visqueux (Resnik & Resnik, 2009).

La dysmaturité touche environ 20 % des nouveau-nés issus d'une grossesse prolongée. Elle se manifeste par la peau sèche et fissurée qui desquame, des ongles longs, des taches de méconium sur la peau, les ongles et le cordon ombilical et, peut-être, par une faible quantité de tissus adipeux sous-cutanés et une faible masse musculaire. Ces nouveau-nés prennent du poids rapidement après la naissance et souffrent rarement de séquelles neurologiques à long terme (Gilbert, 2007).

SOINS ET TRAITEMENTS INFIRMIERS

Grossesse, travail et accouchement prolongés

La prise en charge de la grossesse prolongée soulève encore la controverse. Cependant, comme la morbidité et la mortalité périnatales augmentent considérablement après 42 semaines, il est rare que l'on permette que la grossesse se prolonge au-delà. Au Canada, la SOGC recommande que les femmes se voient offrir un déclenchement entre la 41e +0 et la 42e +0 semaine de gestation, puisque les données actuelles indiquent que cette pratique entraîne une baisse du taux de mortalité périnatale sans hausse du risque de césarienne (SOGC, 2008c). Une autre méthode est de procéder à l'examen du fœtus au moins une fois par semaine à compter de 41 semaines de grossesse. Cet examen consiste en général en l'établissement du profil biophysique ou en l'ERF auquel s'ajoute l'évaluation du volume du liquide amniotique (SOGC, 2008c) ▶ 19. À l'heure actuelle, les données probantes sont insuffisantes pour déterminer celle des deux méthodes de prise en charge qui s'avère la meilleure (Resnik & Resnik, 2009).

Une fois dépassé le terme prévu de la grossesse, la femme évalue chaque jour l'activité fœtale, surveille les signes de travail et est fidèle aux rendez-vous avec son médecin traitant **ENCADRÉ 22.27**. La femme et sa famille devraient se sentir libres d'exprimer les sentiments (p. ex., la frustration, la colère, l'impatience, la crainte) que suscite la grossesse prolongée ; les professionnels de la santé sont là pour les réconforter et leur dire que ces sentiments sont normaux. Par moments, la tension émotionnelle et physique occasionnée par cette grossesse qui se prolonge peut devenir écrasante. Il peut y avoir lieu de diriger la cliente vers un groupe d'entraide ou une autre ressource de soutien.

Pendant le travail qui marque la fin d'une grossesse prolongée, le fœtus est soumis à une surveillance électronique continuelle afin de mesurer avec exactitude sa F.C. et d'en analyser le tracé. Le faible volume liquidien peut occasionner la compression du cordon qui, elle, provoquera l'hypoxie fœtale ; celle-ci se manifestera par un ralentissement variable ou prolongé de la F.C.F. La perfusion amniotique peut être nécessaire en cas d'oligoamnios afin de rétablir le volume de liquide amniotique pour éviter la compression du cordon ▶ 11.

11

Les interventions infirmières en cours de travail sont abordées dans le chapitre 11, *Évaluation fœtale pendant le travail.*

Guide d'enseignement

ENCADRÉ 22.27 Grossesse prolongée

- Dénombrez les mouvements du fœtus chaque jour.
- Surveillez les signes de travail.
- Communiquez avec le médecin traitant en cas de rupture des membranes, de diminution et d'absence de mouvements du fœtus.
- Demeurez fidèle aux rendez-vous aux fins d'évaluation du fœtus et du col de l'utérus.
- Rendez-vous à l'hôpital peu après le début du travail.

22.5 Urgences obstétricales

22.5.1 Liquide amniotique taché de méconium

Le liquide amniotique taché de méconium est une indication que le fœtus a évacué du méconium (première selle) avant sa naissance. Le liquide amniotique ainsi taché est vert. Sa consistance est liquide ou épaisse, selon la quantité de méconium. L'évacuation de méconium s'explique comme suit : soit qu'il s'agisse d'une fonction physiologique normale qui accompagne le développement fœtal (rare avant 23 à 24 semaines de grossesse, sa fréquence augmente après 38 semaines) ou la présentation du siège ; soit qu'elle découle du péristaltisme induit par l'hypoxie et de la relaxation du sphincter ; soit qu'elle résulte de la stimulation fœtale causée par la compression du cordon ombilical du fœtus développé.

Le syndrome d'aspiration méconiale constitue le risque majeur du liquide amniotique taché de méconium. Ce syndrome provoque une forme grave de pneumonie par aspiration le plus souvent chez le nouveau-né à terme ou post-terme qui a évacué du méconium dans l'utérus. Le courant de pensée actuel veut que ce syndrome découle d'un long processus intra-utérin plutôt que de l'aspiration de méconium à la naissance lorsque le nouveau-né se met à respirer de lui-même (Rosenberg, 2007).

La présence d'une équipe qualifiée en réanimation néonatale à l'accouchement est essentielle lorsque le liquide amniotique est taché de méconium. Le comité directeur du programme de réanimation néonatale canadien de la Société canadienne de pédiatrie (SCP), l'American Academy of Pediatrics (AAP) et le programme de réanimation néonatale de l'American Heart Association (AHA) ne recommandent plus d'aspirer les narines et la bouche du nouveau-né au moment où la tête seule est sortie, puis de procéder à l'aspiration trachéale après la naissance. Ces organismes préconisent de déterminer la prise en charge du nouveau-né en fonction de son état à la naissance. Aucune étude clinique ne justifie de fonder les lignes directrices d'aspiration trachéale tout simplement sur la consistance du méconium (AAP, CPS & AHA, 2006) **ENCADRÉ 22.28**. La SOGC soutient pleinement les lignes directrices émises par ces associations (SOGC, 2009d).

Soins d'urgence

ENCADRÉ 22.28 **Prise en charge immédiate du nouveau-né en présence de liquide amniotique taché de méconium**

AVANT L'ACCOUCHEMENT

- Après la rupture des membranes, évaluer le liquide amniotique pour savoir s'il est taché de méconium.
- Si le liquide amniotique est taché de méconium, rassembler l'équipement et les fournitures nécessaires à la réanimation néonatale.
- S'assurer qu'une personne apte à effectuer l'intubation trachéale du nouveau-né est présente à l'accouchement.

IMMÉDIATEMENT APRÈS L'ACCOUCHEMENT

- Évaluer la respiration, la F.C. et le tonus musculaire du nouveau-né.
- N'aspirer les narines et la bouche du nouveau-né, à l'aide d'un injecteur à poire ou d'un cathéter d'aspiration 12 ou 14, que si celui-ci :
  - montre une forte capacité respiratoire ;
  - a un bon tonus musculaire ;
  - a une F.C. > 100 batt./min.
- Aspirer le méconium au-delà des cordes vocales par intubation trachéale avant que le nouveau-né ait respiré spontanément plusieurs fois ou avant de procéder à la ventilation assistée si :
  - la respiration du nouveau-né est faible ;
  - le tonus musculaire du nouveau-né est affaibli ;
  - la F.C. du nouveau-né est < 100 batt./min.

Source : Adapté de AAP, CPS & AHA (2006).

22.5.2 Dystocie des épaules

La **dystocie des épaules** est une urgence obstétricale rare qui accroît le risque de morbidité et de mortalité fœtales ou maternelles durant la tentative d'accouchement vaginal. Dans cette présentation, la tête du fœtus sort, mais l'épaule ne peut passer sous la symphyse pubienne. La dystocie des épaules peut avoir pour origine la disproportion fœtopelvienne relevant de la macrosomie (poids supérieur à 4 000 g) ou une anomalie pelvienne maternelle, quoique le fœtus soit de petite taille dans près de la moitié des cas (Lanni & Seeds, 2007 ; Thorp, 2009). Le diabète maternel, des antécédents de dystocie des épaules et la prolongation du deuxième stade du travail figurent parmi les autres facteurs de risque. Cependant, aucun facteur de risque n'est présent dans la moitié des cas (Thorp, 2009). Au deuxième stade du travail, l'infirmière devrait être à l'affût de la rétraction de la tête du fœtus juste après sa sortie (à l'image de la tortue), signe avant-coureur de la dystocie des épaules (Thorp, 2009).

Les lésions fœtales sont causées en général par l'asphyxie due à la prolongation de l'accouchement ou par un trauma provoqué par les gestes de l'accouchement. Un tel trauma peut donner lieu à des complications comme des lésions du plexus brachial ou du nerf phrénique et la fracture de l'humérus ou de la clavicule. La lésion du plexus brachial (myopathie de Erb), dont la fréquence va de 10 à 20 % des naissances en cas de dystocie de l'épaule, constitue la complication la plus grave. Le taux de guérison du trauma du plexus brachial détecté rapidement et traité comme il se doit va de 80 à 90 %. Par conséquent, le trouble neurologique permanent est rare (Thorp, 2009). Les complications maternelles majeures de la dystocie de l'épaule sont l'hémorragie postpartum et les lésions rectales (Thorp, 2009).

ALERTE CLINIQUE

Une personne apte à amorcer la réanimation, dont la seule responsabilité consisterait à prendre en charge le nouveau-né, devrait être présente à l'accouchement. Cette personne, ou une autre qui peut être sur les lieux dans un bref délai, est capable d'effectuer tous les gestes de la réanimation néonatale, y compris l'aspiration trachéale du méconium.

SOINS ET TRAITEMENTS INFIRMIERS

Dystocie des épaules

De nombreuses manœuvres, dont la pression sus-pubienne et la variation de la position maternelle, ont été proposées et effectuées dans le but de libérer l'épaule antérieure. La pression sus-pubienne est appliquée dans l'espoir de faire passer le plan antérieur de l'épaule sous la symphyse pubienne (Lanni & Seeds, 2007) **FIGURE 22.14**.

La manœuvre de McRoberts veut que la parturiente replie ses jambes écartées et appuie ses genoux sur son abdomen (Lanni & Seeds, 2007) **FIGURE 22.15**. Le sacrum se positionne ainsi à plat

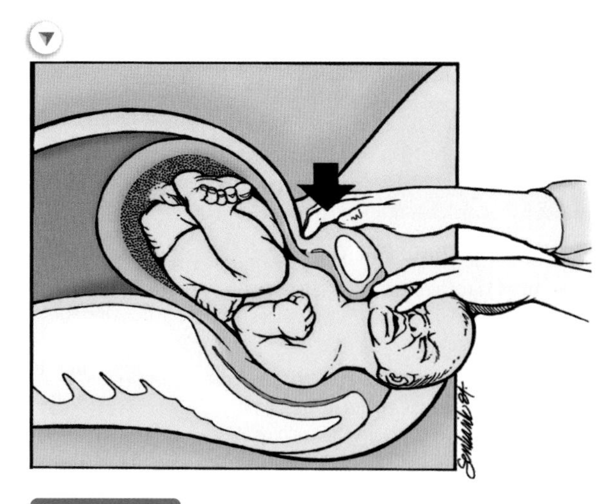

FIGURE 22.14
Application d'une pression sus-pubienne

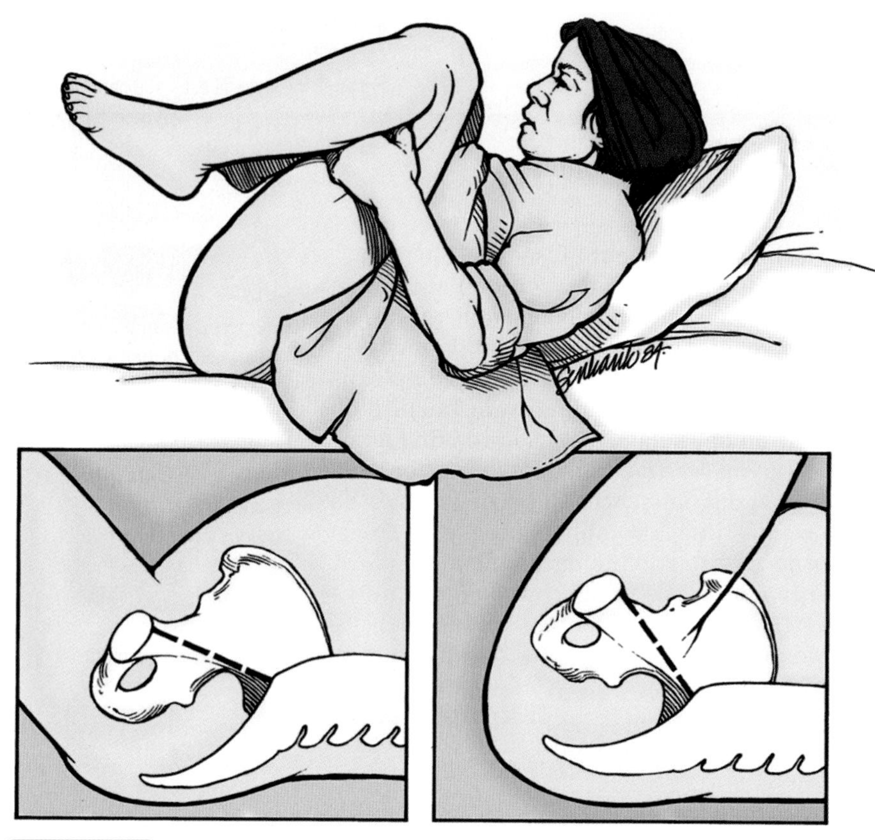

FIGURE 22.15
Manœuvre de McRoberts

entraînant à sa suite la symphyse pubienne qui s'oriente vers la tête de la parturiente. L'angle d'inclinaison pelvienne diminue, ce qui libère l'épaule coincée. On peut appliquer une pression sus-pubienne à ce moment-là. Cette manœuvre est privilégiée lorsque la parturiente a subi une anesthésie épidurale.

La manœuvre de Gaskin, qui consiste à placer la parturiente en position à « quatre pattes », la position accroupie et de décubitus latéral sont des mesures visant à régler le problème de la dystocie des épaules. Pour effectuer la manœuvre de Gaskin cependant, la parturiente doit être mobile, sa fonction motrice étant intacte et non pas affaiblie par une anesthésie régionale. En outre, il faut disposer d'une surface plane large et stable (Lanni & Seeds, 2007).

Lorsque la dystocie des épaules est diagnostiquée, l'infirmière conserve son calme et demande tout de suite de l'aide (infirmières, anesthésiste, équipe de réanimation néonatale). Puis, elle aide la parturiente à adopter la position qui facilitera le dégagement des épaules, apporte son concours au médecin dans l'exécution des manœuvres et des techniques choisies et documente celles-ci. Elle encourage et soutient la cliente afin d'apaiser son anxiété et ses craintes.

L'évaluation du nouveau-né comprend l'examen physique pour déceler la fracture de la clavicule ou de l'humérus, le trauma du plexus brachial ou l'asphyxie, le cas échéant (Thorp, 2009). L'évaluation maternelle est axée sur la détection rapide de l'hémorragie ou du trauma vaginal, périnéal ou rectal.

22.5.3 Prolapsus du cordon ombilical

Il y a prolapsus du cordon ombilical lorsque celui-ci vient se placer sous la présentation. Ce prolapsus, qui peut être occulte (il passe inaperçu), se produit n'importe quand durant le travail, sans égard à la rupture des membranes **FIGURES 22.16A** et **22.16B.** Le prolapsus franc (visible) après la rupture des membranes, lorsque la gravité entraîne le cordon devant la présentation, est plus fréquent **FIGURES 22.16C** et **22.16D**. Le cordon long (plus de 100 cm), la présentation inhabituelle (siège ou position transversale) et la présentation non engagée sont les facteurs de risque.

Si la présentation n'occupe pas tout le segment utérin inférieur (p. ex., en présence de polyhydramnios), le flot soudain de liquide amniotique à la rupture des membranes peut entraîner le cordon vers le bas. De même, le prolapsus peut survenir durant l'amniotomie si la présentation est encore haute. Enfin, le risque de prolapsus est accru lorsque le fœtus est petit et qu'il n'occupe pas toute la place dans le segment utérin inférieur.

SOINS ET TRAITEMENTS INFIRMIERS

Prolapsus du cordon ombilical

Il importe de détecter rapidement le prolapsus du cordon ombilical, car la compression prolongée du cordon (c.-à-d. l'obstruction de la circulation sanguine vers le fœtus et en provenance de celui-ci pendant plus de cinq minutes) peut causer de

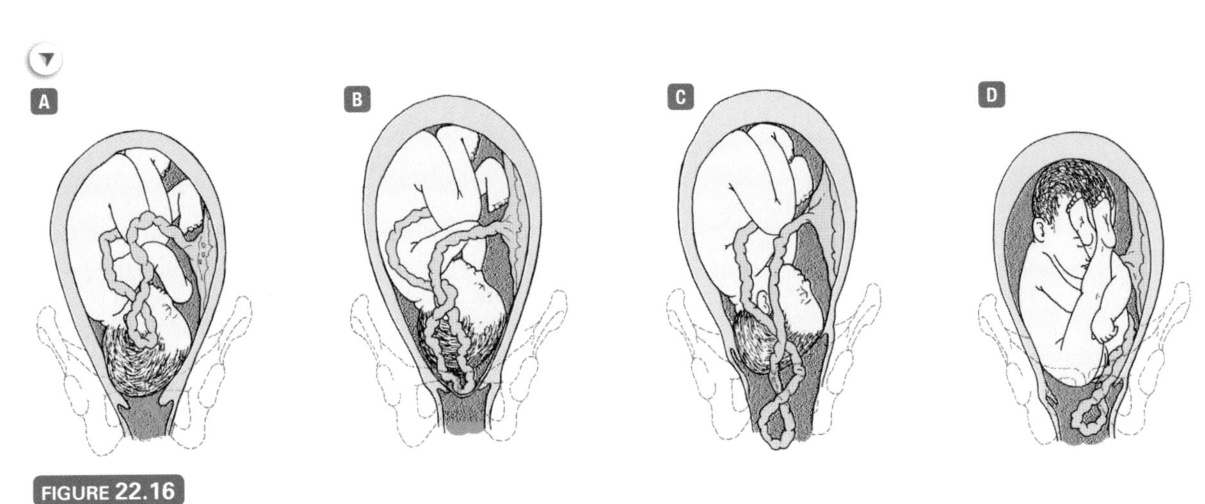

FIGURE 22.16

Prolapsus du cordon ombilical. La présentation exerce une pression sur le cordon au risque d'entraver la circulation sanguine fœtale. **A** Prolapsus occulte (invisible). **B** Prolapsus complet. Les membranes sont encore intactes. **C** Prolapsus franc : le cordon qui se présente avant la tête peut être visible du vagin. **D** Présentation du siège et prolapsus franc du cordon ombilical.

l'hypoxie fœtale pouvant entraîner des lésions du système nerveux central, voire la mort du fœtus. Si le médecin peut dégager le cordon en repoussant légèrement la présentation de sa main gantée **FIGURES 22.17A** et **22.17B**, il atténuera la compression. La cliente peut adopter une position, telles la position de Sims modifiée **FIGURE 22.17C**, la position de Trendelenburg ou la position agenouillée avec flexion avant du tronc **FIGURE 22.17D**, où la gravité empêchera la présentation d'exercer une pression sur le cordon ombilical. En cas de dilatation cervicale complète, il est possible de procéder à l'accouchement assisté avec forceps ou ventouse obstétricale s'il s'agit d'une présentation de la tête ; sinon, il y aura probablement lieu de pratiquer une césarienne. Le prolapsus du cordon ombilical peut également provoquer la fluctuation inquiétante de la F.C.F., une relaxation utérine inappropriée ou un saignement. L'**ENCADRÉ 22.29** présente les interventions immédiates et leurs indications. La mère et le fœtus sont soumis à une évaluation continuelle destinée à déterminer l'efficacité des actions entreprises. Dans la plupart des cas, la femme et sa famille sont conscients de la gravité de la situation ; l'infirmière doit les soutenir en leur décrivant les interventions et leurs effets sur le fœtus.

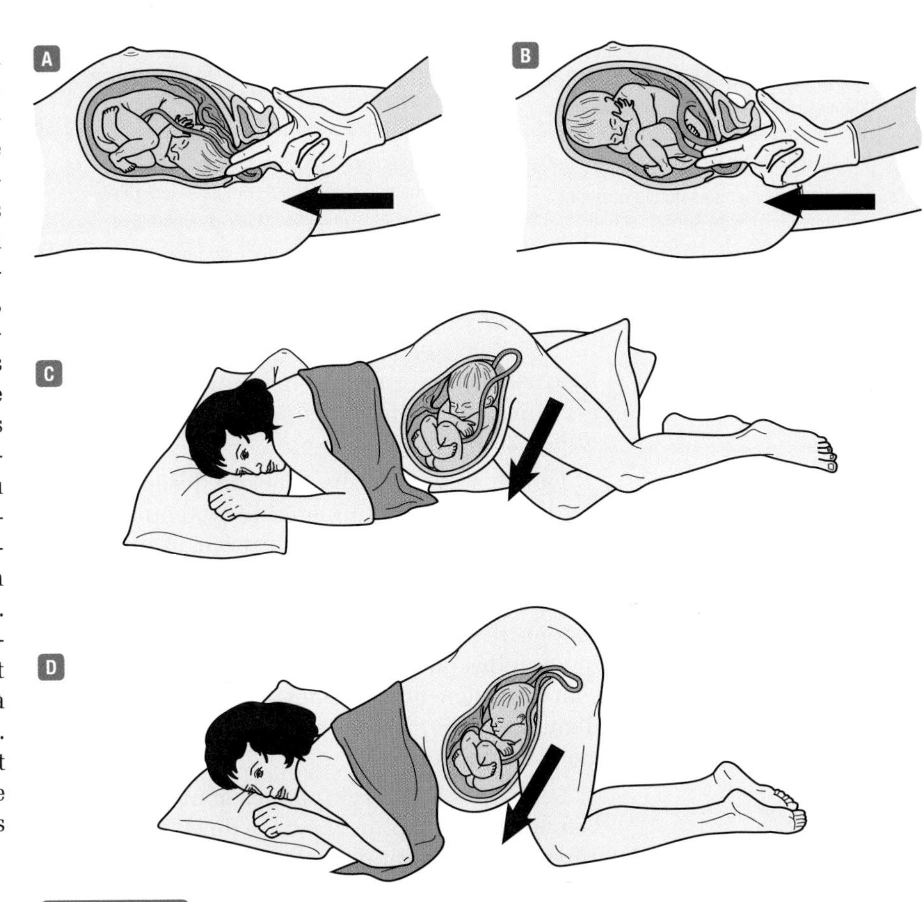

FIGURE 22.17

Les flèches indiquent la direction de la poussée sur la présentation destinée à atténuer la compression du cordon ombilical. **A** Poussée de la présentation du sommet par le médecin. **B** Poussée de la présentation du siège par le médecin. **C** La position de Sims modifiée, les hanches soulevées le plus possible à l'aide d'oreillers, fait en sorte que la gravité empêche la présentation d'exercer de la pression. **D** Position agenouillée avec flexion avant du tronc.

22.5.4 Rupture de l'utérus

La rupture de l'utérus, qui se traduit par le bris de toutes les couches tissulaires, est rare, mais très grave ; sa fréquence est de 1 pour 2 000 naissances (Francois & Foley, 2007 ; Landon, 2007). L'épreuve du travail en vue d'un AVAC constitue le principal facteur de risque pendant le travail et l'accouchement. Le type et l'emplacement de la cicatrice utérine modulent la probabilité de la rupture de l'utérus. Celle-ci est plus fréquente lorsque la césarienne antérieure a été pratiquée selon l'incision classique (Landon, 2007). La provocation du travail, plusieurs accouchements par césarienne antérieurs ou d'autres chirurgies

Soins d'urgence

ENCADRÉ 22.29 Prolapsus du cordon ombilical

SIGNES ET SYMPTÔMES

- Un ralentissement variable ou prolongé de la F.C.F. durant les contractions.
- La cliente sent la présence du cordon après la rupture des membranes.
- Le cordon est visible ou sort du vagin ou s'y fait sentir.

INTERVENTIONS

- Demander de l'aide.
- En informer le médecin traitant immédiatement.
- Se ganter la main et insérer deux doigts dans le vagin jusqu'au col. Avec les deux doigts de chaque côté du cordon ou du même côté du cordon, repousser la présentation vers le haut de façon à soulager la compression du cordon **FIGURES 22.17A** et **22.17B**. Ne pas bouger la main. Un autre professionnel de la santé placera une serviette roulée sous la hanche gauche ou droite de la cliente.
- Positionner la cliente selon la position Trendelenburg ou de Sims modifiée **FIGURE 22.17C** ou dans la position agenouillée le tronc penché en avant **FIGURE 22.17D**.
- Si le cordon sort du vagin, l'envelopper lâchement dans une serviette stérile imbibée de solution physiologique salée stérile chaude.
- Administrer de l'oxygène à la cliente à l'aide d'un masque sans recirculation au débit de 8 à 10 L/min jusqu'à la fin de l'accouchement.
- Amorcer une perfusion I.V. ou augmenter le débit de la perfusion en cours.
- Surveiller continuellement la F.C.F. au moyen d'une électrode posée sur le cuir chevelu fœtal dans la mesure du possible.
- Préciser ce qui se passe et les interventions mises en œuvre à la cliente et à la personne qui l'accompagne.
- Se préparer à un accouchement vaginal immédiat si le col est complètement dilaté ou à un accouchement par césarienne si ce n'est pas le cas.

utérines, la multiparité et le trauma utérin représentent d'autres facteurs de risque (Francois & Foley, 2007).

La déhiscence utérine, que l'on désigne parfois par l'expression rupture utérine incomplète, s'applique à l'ouverture d'une cicatrice. Cette séparation peut passer inaperçue jusqu'à ce que la cliente subisse un autre accouchement par césarienne ou une autre chirurgie utérine. Les complications maternelles ou fœtales de la déhiscence utérine sont extrêmement rares étant donné que l'ouverture d'une ancienne cicatrice n'entraîne pas d'hémorragie (Landon, 2007).

Les signes et les symptômes sont fonction de l'étendue de la rupture. Le tracé de la F.C.F. préoccupant, notamment des ralentissements variables et tardifs, la bradycardie et la fluctuation absente ou minime, représente le signe le plus courant. La hauteur de la présentation peut aussi changer. La cliente peut être aux prises avec une douleur abdominale constante et de la sensibilité utérine; l'utérus se déforme parfois, et les contractions peuvent cesser (Francois & Foley, 2007). La cliente est susceptible de manifester des signes de choc hypovolémique dû à une hémorragie (hypotension, tachypnée, pâleur et peau froide et moite). S'il y a séparation du placenta, la F.C.F. sera imperceptible. Des parties du fœtus peuvent être palpables sur l'abdomen.

SOINS ET TRAITEMENTS INFIRMIERS

Rupture de l'utérus

La prévention demeure le meilleur traitement. L'on conseille à la cliente qui a déjà accouché par césarienne avec incision classique de ne pas se rendre jusqu'au travail ni de se risquer à un accouchement vaginal aux grossesses subséquentes. La cliente à risque de rupture de l'utérus est soumise à une étroite surveillance durant le travail. Celle dont le travail est provoqué par l'ocytocine ou par une prostaglandine (surtout si elle a déjà accouché par césarienne) est surveillée pour détecter tout de suite la tachysystolie étant donné que les contractions très fréquentes ou très longues peuvent entraîner la rupture de l'utérus. En cas de tachysystolie, on cesse l'administration d'ocytocine ou l'on diminue son débit, et un tocolytique peut être administré dans l'espoir de réduire l'intensité des contractions **ENCADRÉ 22.20**. Après la naissance du nouveau-né, l'infirmière et le médecin évaluent conjointement la cliente pour savoir s'il y a saignement excessif, en particulier si le fond utérin est ferme et que des signes de choc hémorragique sont présents.

La prise en charge de la rupture de l'utérus varie selon la gravité de celle-ci. Une laparotomie et la naissance du nouveau-né, la réparation de la lacération et la transfusion sanguine viendront à bout d'une petite rupture. Lorsque la rupture est étendue et difficile à fermer ou que la cliente se trouve dans un état hémodynamique instable, l'hystérectomie peut devenir nécessaire (Francois & Foley, 2007).

Plusieurs tâches attendent l'infirmière dans cette situation, dont la mise en place de la perfusion I.V., la transfusion de produits sanguins, l'administration d'oxygène et la préparation de l'intervention chirurgicale. Elle soutient la famille et leur transmet de l'information sur le traitement. La mortalité fœtale est élevée (de 50 à 75 %), et la mortalité maternelle peut l'être également en l'absence de traitement immédiat (Cunningham *et al.*, 2005). Il peut y avoir lieu d'offrir de l'information sur des services de soutien spirituel ou de conseiller à la famille de communiquer avec son propre réseau de soutien **FIGURE 22.18**.

22.5.5 Syndrome anaphylactoïde de la grossesse

Le **syndrome anaphylactoïde de la grossesse**, que l'on appelle également embolie amniotique, est une complication rare, mais dévastatrice de la grossesse. En 2004-2005, sa fréquence était de 6,6 pour 100 000 accouchements à l'hôpital au Canada (ASPC, 2008). Il se caractérise par l'apparition soudaine d'hypoxie, d'hypotension ou d'un arrêt

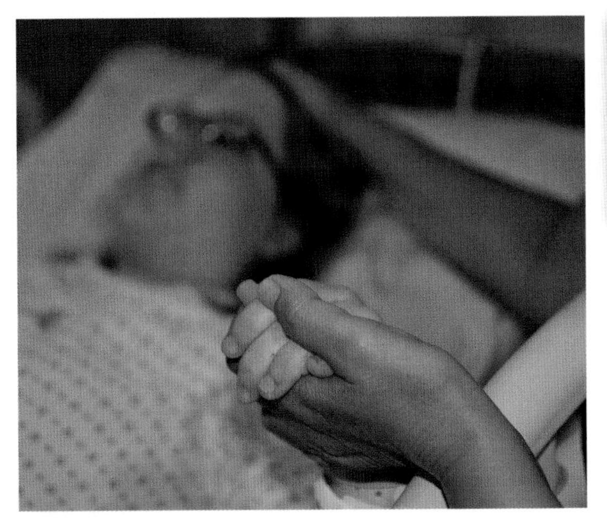

FIGURE 22.18
Le soutien de l'infirmière est essentiel dans la prise en charge d'une cliente souffrant d'une rupture de l'utérus.

cardiaque et de coagulopathie chez la mère. L'embolie survient durant le travail ou l'accouchement ou dans les 30 minutes après l'accouchement. L'association de la dépression respiratoire et de l'effondrement cardiovasculaire subits, à laquelle s'ajoute la coagulopathie, rappelle le choc anaphylactique ou septique. Dans ces deux cas, une substance étrangère pénètre dans la circulation et provoque un syndrome de coagulation intravasculaire disséminée accompagné d'hypotension et d'hypoxie (Martin & Foley, 2009).

La substance étrangère à l'origine du syndrome anaphylactoïde serait présente dans le liquide amniotique qui passe dans la circulation maternelle ; la nature exacte de l'élément en cause n'est pas connue. On a pensé longtemps que des particules fœtales (p. ex., du vernix, un cheveu, des cellules épidermiques, du méconium) flottant dans le liquide amniotique étaient la source de ce syndrome. Toutefois, on trouve de telles particules dans la circulation pulmonaire de la plupart des parturientes. De plus, ces particules sont présentes chez seulement 78 % des femmes aux prises avec ce syndrome (Martin & Foley, 2009). Bien que l'embolie amniotique soit rare, le taux de mortalité maternelle liée au syndrome demeure élevé, de l'ordre d'au moins 61 % (Martin & Foley). Près de 50 % des nouveau-nés survivants sont atteints d'un trouble neurologique (Schoening, 2006).

Des facteurs maternels, tels la multiparité, le travail mouvementé, le décollement prématuré du placenta et la provocation du travail par l'ocytocine, ainsi que des problèmes fœtaux, dont la macrosomie, le décès et le passage de méconium, accroîtraient le risque d'apparition du syndrome anaphylactoïde de la grossesse (Cunningham *et al.*, 2005).

SOINS ET TRAITEMENTS INFIRMIERS

Syndrome anaphylactoïde de la grossesse

L'**ENCADRÉ 22.30** résume les interventions immédiates en cas de syndrome anaphylactoïde de la grossesse. La prise en charge s'amorce dans l'immédiat. La réanimation cardiorespiratoire est nécessaire la plupart du temps. En cas d'arrêt cardiorespiratoire, la césarienne doit être pratiquée dans les cinq minutes pour espérer que le fœtus survive (Lu & Curet, 2007). La responsabilité immédiate de l'infirmière consiste à apporter son concours à la réanimation ▶ 21.

Si la mère survit, elle est généralement acheminée à l'unité des soins intensifs. D'autres interventions auront lieu à cette unité, notamment la transfusion de produits sanguins et de facteurs de coagulation, l'hydratation ainsi que le maintien de la P.A. La ventilation artificielle est habituellement indiquée. La surveillance cardiaque effractive peut également s'avérer nécessaire (Martin & Foley, 2009).

21

Le chapitre 21, *Grossesse à risque : états gestationnels*, explique entre autres la réanimation cardiorespiratoire adaptée à la femme enceinte.

Soins d'urgence

ENCADRÉ 22.30 Syndrome anaphylactoïde de la grossesse

SIGNES ET SYMPTÔMES

- Détresse respiratoire :
  - instabilité psychomotrice
  - dyspnée
  - cyanose
  - œdème pulmonaire
  - arrêt respiratoire
- Effondrement circulatoire :
  - hypotension
  - tachycardie
  - choc
  - arrêt cardiaque
- Hémorragie :
  - échec de la coagulation : saignement des incisions, des sites de ponction veineuse, des traumas (lacérations) ; pétéchie, ecchymoses, purpura
  - atonie utérine

INTERVENTIONS

- Assurer l'oxygénation :
  - administrer de l'oxygène par un masque sans recirculation au débit de 8 à 10 L/min ou par le ballon de réanimation à une concentration de 100 % ;
  - se préparer à l'intubation ou à la ventilation artificielle ;
  - amorcer la réanimation cardiorespiratoire ou y apporter son concours. Veiller à ce que la position de la cliente marque une inclinaison latérale de 30° afin de déplacer l'utérus.
- Maintenir le débit cardiaque et remplacer les pertes liquidiennes :
  - positionner la cliente en décubitus latéral gauche ;
  - mettre en place une perfusion I.V. en vue de l'apport liquidien ;
  - administrer les produits sanguins : concentré de globules rouges, plasma frais congelé ;
  - poser une sonde à ballonnet et mesurer le débit urinaire horaire.
- Rétablir la coagulation.
- Surveiller l'état fœtal et maternel.
- Se préparer en vue d'un accouchement en urgence une fois l'état de la mère stabilisé.
- Offrir un soutien émotionnel à la cliente, à son conjoint et à sa famille.

24

Les interventions visant à répondre aux besoins des parents et des familles endeuillées sont discutées dans le chapitre 24, *Nouveau-né à risque*.

Le conjoint et la famille ont besoin de soutien; ils seront envahis par l'anxiété et la détresse. De brèves explications durant l'urgence, suivies d'un entretien plus long une fois que la crise est jugulée, feront beaucoup pour les rassurer. En cas de décès de la mère, il sera nécessaire de leur offrir un soutien émotionnel et de faire intervenir l'équipe de soutien en cas de décès périnatal ou une autre ressource spécialisée dans le counseling sur le deuil. L'infirmière pourra les diriger vers un groupe d'entraide ▶ 24. Il se peut que le personnel infirmier ait besoin d'aide pour composer avec cette situation, exprimer les sentiments et les émotions suscités par ce décès.

Analyse d'une situation de santé

Jugement clinique

Madame Caroline Tremblay, âgée de 31 ans, est une multipare à 34 semaines de grossesse (G4 P3 A0). Elle se présente au Pavillon des naissances pour des douleurs abdominales depuis environ une heure. Elle vous mentionne que, lors de son dernier accouchement, elle n'avait complété que 36 semaines, et elle craint que cela se reproduise pour sa grossesse actuelle. ▶

MISE EN ŒUVRE DE LA DÉMARCHE DE SOINS

Collecte des données – Évaluation initiale – Analyse et interprétation

1. Quelles sont les données qui permettent de considérer très sérieusement la crainte de madame Tremblay? Justifiez votre réponse.
2. Trouvez quatre données initiales supplémentaires qui vous permettraient de faire une analyse adéquate de la situation de madame Tremblay. Justifiez votre réponse.

SOLUTIONNAIRE

www.cheneliere.ca/lowdermilk

▶ À la suite de votre évaluation confirmant la présence d'activité utérine, le médecin prescrit le repos au lit avec droit d'utiliser la salle de bain, l'amorce du protocole de nifédipine et l'administration de 2 doses de bêtaméthasone 12 mg I.M. à un intervalle de 24 heures. ▶

MISE EN ŒUVRE DE LA DÉMARCHE DE SOINS

3. En plus de vérifier l'arrêt ou non de l'activité utérine, que devez-vous évaluer à la suite de l'administration de nifédipine? Justifiez votre réponse.
4. Quelle est la pertinence de l'administration de bêtaméthasone?

▶ Madame Tremblay ne présente plus aucune contraction depuis 48 heures. Le médecin autorise son congé. ◀

MISE EN ŒUVRE DE LA DÉMARCHE DE SOINS

Planification des interventions – Décisions infirmières

5. Quels sont les conseils que vous devrez prodiguer à madame Tremblay avant son départ?

6. Selon vous, madame Tremblay peut-elle reprendre ses activités sexuelles? Justifiez votre réponse.

Extrait

CONSTATS DE L'ÉVALUATION

Date	Heure	N°	Problème ou besoin prioritaire	Initiales	RÉSOLU / SATISFAIT			Professionnels / Services concernés
					Date	Heure	Initiales	
2012-04-21	10:00	1	(G4), travail prématuré à 34 semaines de grossesse	S.A.	2012-04-23	15:00	L.R.	

Extrait des notes d'évolution

2012-04-21 10:00
Doul. abd. depuis env. 1 h.

SUIVI CLINIQUE

Date	Heure	N°	Directive infirmière	Initiales	CESSÉE / RÉALISÉE		
					Date	Heure	Initiales
2012-04-21	10:00	1	Appliquer protocole de soins pour cliente en travail prématuré.	S.A.	2012-04-23	15:00	S.A.
2012-04-23	14:00	1	Dir. verb. cliente : restreindre ses activités ad signes de travail normal.		2012-04-23	15:00	L.R.
			Dir. verb. cliente : communiquer avec professionnel de la santé ou se présenter à l'hôpital si signes de travail prématuré.	L.R.	2012-04-23	15:00	L.R.

Signature de l'infirmière	Initiales	Programme / Service	Signature de l'infirmière	Initiales	Programme / Service
Sylvie Arbec	S.A.	Pavillon des naissances	Lucie Rouillard	L.R.	Pavillon des naissances

7. Selon vous, est-il pertinent d'inscrire des directives infirmières s'adressant spécifiquement à la cliente dans le PTI? Justifiez votre réponse.

8. Madame Tremblay se rebiffe à l'idée de restreindre ses activités. Que pensez-vous de la directive infirmière portant sur la restriction de l'activité?

9. Compte tenu de l'information à votre disposition, le contenu du PTI est-il acceptable? Justifiez votre réponse.

Évaluation des résultats – Évaluation en cours d'évolution

10. Qu'est-ce qui vous permettrait de croire que madame Tremblay est rassurée devant la possibilité d'un accouchement prématuré?

APPLICATION DE LA PENSÉE CRITIQUE

Dans l'application de la démarche de soins auprès de madame Tremblay, l'infirmière a recours à un ensemble d'éléments (connaissances, expériences antérieures, normes institutionnelles ou protocoles, attitudes professionnelles) pour analyser la situation de santé de la cliente et en comprendre les enjeux. La **FIGURE 22.19** illustre le processus de pensée critique suivi par l'infirmière afin de formuler son jugement clinique. Elle résume les principaux éléments sur lesquels l'infirmière s'appuie en fonction des données de cette cliente, mais elle n'est pas exhaustive.

VERS UN JUGEMENT CLINIQUE

CONNAISSANCES

- Facteurs de risque de l'accouchement prématuré spontané
- Moyens de prévenir un accouchement prématuré
- Critères diagnostiques principaux du travail prématuré
- Signes et symptômes du travail prématuré
- Prophylaxie initiale en cas de travail prématuré
- Utilisation de tocolytiques dans la suppression de l'activité utérine avant terme
- Contre-indications maternelles et fœtales de la tocolyse
- Maturation pulmonaire du fœtus
- Risques maternels et fœtaux dans la poursuite de la grossesse
- Déroulement normal d'un accouchement
- Complications liées à la naissance d'un prématuré

EXPÉRIENCES

- Expérience auprès de femmes en travail prématuré et à risque d'accouchements prématurés
- Participation à titre de professionnelle aux ECOS AMPRO relatifs au travail et à l'accouchement prématurés
- Expérience personnelle, ou d'une femme de son entourage, de travail et d'accouchement prématuré

NORME

- Protocole de soins de l'établissement dans le cas de travail prématuré

ATTITUDES

- Être à l'écoute des besoins de la cliente
- Être calme et démontrer de l'assurance

PENSÉE CRITIQUE

ÉVALUATION

- Déroulement des accouchements précédents
- Détermination des facteurs de risque présents au cours du dernier accouchement
- Caractéristiques de l'activité utérine (fréquence, durée, intensité des contractions)
- Degré de dilatation du col
- Caractéristiques de l'activité fœtale (fréquence cardiaque fœtale, accélération intermittente, tracé de réactivité fœtale

JUGEMENT CLINIQUE

FIGURE 22.19

À retenir

VERSION REPRODUCTIBLE

www.cheneliere.ca/lowdermilk

- Le travail prématuré désigne l'apparition de contractions utérines accompagnées de la modification du col lorsque la grossesse compte de 20 à 37 semaines; l'accouchement prématuré est celui qui survient avant la fin de la 37e semaine de grossesse.
- La cause du travail prématuré est inconnue, et elle serait multifactorielle; il est donc impossible de prévoir avec certitude le travail et l'accouchement prématurés.
- Comme le travail prématuré se déclenche de façon insidieuse, que le malaise qu'il occasionne peut être jugé normal durant une grossesse, l'infirmière devrait enseigner aux femmes enceintes le dépistage des signes et symptômes avant-coureurs de travail prématuré et leur dire de communiquer avec leur médecin si de tels symptômes apparaissent.
- L'alitement, couramment prescrit en cas de travail prématuré, comporte de nombreux effets indésirables graves; rien ne démontre avec certitude que cette intervention diminue le taux d'accouchement prématuré.
- Les meilleurs motifs de la tocolyse sont de gagner du temps afin d'être en mesure d'administrer un glucocorticoïde dans l'espoir d'accélérer la maturation pulmonaire du fœtus et de réduire la gravité des complications respiratoires du prématuré, ainsi que de gagner du temps pour être en mesure de transporter la cliente sur le point d'accoucher dans un établissement spécialisé en néonatalogie.
- Si tout porte à croire que le fœtus est mort ou que le nouveau-né mourra peu après sa naissance, l'équipe soignante doit discuter de cette éventualité avec les parents avant l'accouchement et convenir de la conduite à tenir acceptable pour tous.
- En cas de rupture prématurée des membranes avant terme, le personnel infirmier est à l'affût des signes d'infection.
- La dystocie se produit lorsque la relation normale entre les cinq facteurs qui influent sur le travail est perturbée; en cas de dystocie, le travail ne progresse pas comme il se doit.
- L'ocytocine et les prostaglandines stimulent la contractilité utérine, tandis que le tocolytique la freine.
- La maturation cervicale par des moyens chimiques ou mécaniques peut faciliter la provocation du travail.
- Le couple qui attend un enfant a intérêt à en savoir davantage sur les modes d'accouchement (p. ex., accouchement assisté avec forceps ou ventouse obstétricale, accouchement par césarienne) dans la période prénatale.
- Le but fondamental de l'accouchement par césarienne consiste à préserver la vie ou la santé de la mère et du nouveau-né.
- À moins d'une contre-indication, l'accouchement vaginal est possible après un accouchement par césarienne.
- La prise en charge du travail axée sur le soutien personnel de la parturiente en travail par une autre femme (p. ex., une sage-femme, une infirmière, une accompagnatrice) peut réduire le taux d'accouchement par césarienne.
- La grossesse prolongée est risquée pour la mère et le fœtus.
- Les urgences obstétricales (p. ex., le liquide amniotique taché de méconium, la dystocie des épaules, le prolapsus du cordon ombilical, la rupture de l'utérus, l'embolie amniotique) sont rares, mais elles nécessitent une intervention immédiate afin de préserver la santé ou la vie de la mère et du fœtus ou du nouveau-né.

CHAPITRE

Complications postpartum

Écrit par:
Deitra Leonard Lowdermilk,
RNC, PhD, FAAN

Adapté par:
Linda Lemire, inf., Ph. D. (c)

OBJECTIFS

 **Guide d'études – SA23, RE07**

Après avoir étudié ce chapitre, vous devriez être en mesure:

- de reconnaître les causes, les signes et symptômes, les complications potentielles, ainsi que les interventions médicales et infirmières associées à l'hémorragie postpartum;
- de différencier les causes d'infection postpartum;
- d'expliquer les éléments d'évaluation et des soins relatifs à la femme qui présente une infection postpartum;
- de décrire la maladie thromboembolique: fréquence, facteurs étiologiques, signes et symptômes, prise en charge;
- de décrire les séquelles génito-urinaires possibles de l'accouchement;
- d'expliquer les complications postpartum d'ordre émotionnel: fréquence, facteurs de risque, signes et symptômes, prise en charge;
- d'expliquer le rôle de l'infirmière en soins à domicile en ce qui a trait à l'évaluation des problèmes potentiels et à la prestation de soins à la femme qui présente des complications postpartum.

Concepts clés

Cette carte conceptuelle illustre schématiquement les principaux concepts décrits dans le présent chapitre. Sa lecture vous permettra d'avoir une vue d'ensemble des notions qui y sont présentées.

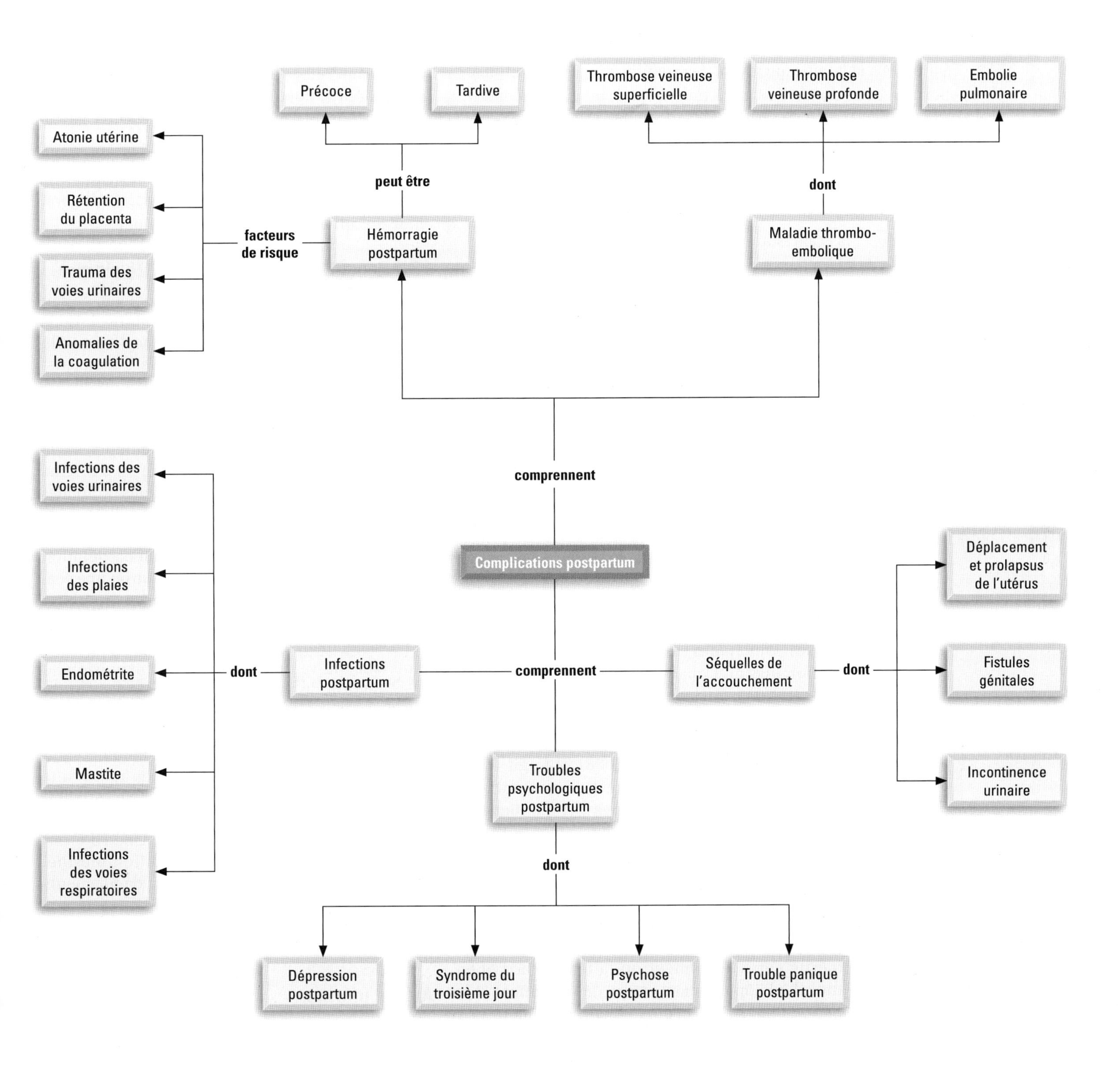

23

La collaboration des membres de l'équipe soignante est essentielle pour pouvoir offrir des soins sécuritaires et efficaces à la femme et à la famille qui vivent des complications postpartum. Que l'accouchement ait lieu à domicile ou dans une structure prévue à cet effet, c'est la plupart du temps après le retour à la maison qu'apparaissent chez la femme les éventuelles complications postpartum. C'est dire l'importance de l'information qui doit être donnée à la nouvelle accouchée et à son entourage car la surveillance attentive dans les jours qui suivent l'accouchement peut permettre le dépistage précoce de ces complications et donc en limiter les conséquences. Au Québec, la contribution de l'infirmière au suivi postnatal s'exerce par ses activités de surveillance clinique et d'évaluation. Elle est ainsi en mesure de déceler les signes précoces de complications chez la nouvelle accouchée et d'intervenir adéquatement tant en période de postpartum immédiat auprès de la mère et de la famille que plus largement dans la communauté. Elle effectue ces tâches en étroite collaboration avec le médecin, la sage-femme ou l'infirmière praticienne spécialisée en soins de première ligne (Ordre des infirmières et infirmiers du Québec, 2011). Le présent chapitre traite de l'hémorragie, des maladies thromboemboliques, des infections, des séquelles génito-urinaires de l'accouchement ainsi que des troubles psychologiques postpartum.

23.1 | Hémorragie postpartum

23.1.1 Définition et fréquence

L'**hémorragie postpartum (HPP)** demeure une des causes principales de morbidité et de mortalité maternelles au Canada et dans le monde entier. En 2004-2005, on dénombrait 49,8 cas d'HPP pour 1 000 naissances au Canada. Les données québécoises se comparent à celle du Canada (Public Health Agency of Canada, 2008). Il s'agit d'une situation constituant un danger de mort qui survient presque sans avertissement et qui demeure souvent inaperçue jusqu'à ce que la mère présente des symptômes graves. L'HPP se définit habituellement par une perte de sang de plus de 500 ml après un accouchement vaginal et de plus de 1 000 ml après une césarienne. Elle est aussi définie par une réduction de 10 % de la valeur de l'hématocrite entre le moment où la femme arrive en travail à l'hôpital ou au centre de naissances et la période qui suit l'accouchement, ou encore, par la nécessité de procéder à une transfusion de globules rouges (Francois & Foley, 2007). La définition de l'HPP n'est cependant pas simple à énoncer ; le diagnostic se fonde souvent sur des observations subjectives, où les pertes sanguines sont fréquemment sous-estimées par un facteur pouvant atteindre 50 % (Cunningham, Leveno, Bloom, Hauth, Gilstrap & Wenstrom, 2005).

En général, on distingue l'HPP précoce et l'HPP tardive en lien avec le moment de l'accouchement. L'HPP précoce, aiguë ou primaire, se produit dans les 24 heures qui suivent l'accouchement ; des saignements excessifs après cette période seront considérés comme une HPP tardive ou secondaire (American College of Obstetricians and Gynecologists [ACOG], 2006 ; Francois & Foley, 2007 ; Société des obstétriciens et gynécologues du Canada [SOGC], 2000). Le fait que les séjours hospitaliers soient aujourd'hui abrégés après un accouchement peut concourir à augmenter le risque que des épisodes aigus d'HPP se produisent à l'extérieur du milieu hospitalier traditionnel.

23.1.2 Étiologie et facteurs de risque

Il peut être utile de considérer le problème de saignement excessif selon les stades du travail. De la naissance du nouveau-né jusqu'au décollement du placenta, le volume de sang perdu et ses caractéristiques permettent de préciser la nature d'un saignement excessif. Par exemple, le sang foncé est habituellement d'origine veineuse et peut provenir de varices ou de lacérations superficielles de la filière pelvigénitale. Le sang rouge vif est d'origine artérielle et peut indiquer des lacérations profondes du col. Des jets de sang contenant des caillots peuvent indiquer un décollement placentaire partiel. L'absence ou une capacité réduite de coagulation du sang indiquent un état pathologique ou une coagulopathie, comme la **coagulation intravasculaire disséminée (CIVD)** (Francois & Foley, 2007).

Le saignement excessif peut se produire durant la période qui va du décollement à l'expulsion ou à l'extraction du placenta. Un tel saignement résulte généralement d'un décollement placentaire incomplet, d'une manipulation excessive du fond utérin ou d'une traction exagérée du cordon ombilical. Une fois le placenta expulsé ou retiré, une perte sanguine persistante ou excessive est habituellement la conséquence d'une atonie utérine ou encore d'une inversion de l'utérus. Une HPP tardive peut résulter d'une subinvolution utérine, d'une endométrite ou de la rétention de fragments placentaires (Francois & Foley, 2007). Les facteurs de risque inhérents à l'HPP sont répertoriés sous l'appellation « 4 T » dans le **TABLEAU 23.1**.

Atonie utérine

L'**atonie utérine** est une hypotonie prononcée de l'utérus. En temps normal, les contractions utérines facilitent le décollement et l'expulsion du placenta, et elles préviennent la survenue d'une hémorragie au point d'insertion. Le corps utérin ressemble essentiellement à un panier tressé, constitué de faisceaux de muscles lisses entrelacés et dans lequel circulent de nombreux gros vaisseaux sanguins maternels. Si, à la suite du décollement

TABLEAU 23.1 **Facteurs de risque de l'hémorragie postpartum (« 4 T »)**

PROBLÈME	FACTEURS DE RISQUE
Atonie utérine (tonus)	• Surdistention utérine • Macrosomie • Grossesse multiple • Grande multiparité • Polyhydramnios • Travail long, déclenchement du travail à l'aide d'ocytocine • Distension utérine avec présence de caillots • Subinvolution de l'utérus • Antécédents d'atonie utérine • Placenta praevia • Décollement prématuré du placenta • Anesthésie et analgésie/anesthésie par blocage nerveux (diminue la sensation de la vessie) • Chorioamnionite • Administration de sulfate de magnésium durant le travail ou la période postnatale (effet de relaxation utérine)
Rétention de tissus (tissu)	• Placenta accreta • Extraction manuelle du placenta
Trauma des voies génitales (trauma)	• Accouchement par ventouse • Accouchement par forceps • Césarienne • Déchirures de la filière pelvigénitale non réparées • Rupture utérine • Inversion utérine
Troubles de la coagulation (thrombine)	• Coagulopathies héréditaires • Antécédent de maladie du foie

Source : Adapté de SOGC (2000).

partiel ou complet du placenta, l'utérus demeure mou, il se produira un saignement soudain d'origine veineuse, et la coagulation normale du système vasculaire ouvert sera perturbée jusqu'à ce que l'utérus se contracte.

L'atonie utérine est la principale cause d'HPP ; elle survient dans près de 1 accouchement sur 20 (Francois & Foley, 2007). Au Canada en 2005, 77 % de toutes les HPP avaient pour cause l'atonie utérine (Public Health Agency of Canada, 2008). Elle est associée aux facteurs suivants : grande multiparité, polyhydramnios, fœtus macrosomique, grossesse multiple. Dans de telles conditions, l'utérus est trop distendu et se contracte mal après l'accouchement. L'atonie peut aussi être causée par un traumatisme lié à l'accouchement, l'utilisation d'un anesthésique halogéné (p. ex., l'halothane) ou du sulfate de magnésium, un travail rapide ou prolongé, une chorioamnionite ainsi que l'utilisation d'ocytocine pour le déclenchement ou la stimulation du travail (Francois & Foley, 2007). La survenue d'une HPP au cours d'une grossesse antérieure constitue un facteur de risque majeur de récurrence (Kominiarek & Kilpatrick, 2007).

Rétention du placenta

Rétention du placenta non adhérent

La rétention du placenta peut être causée par le décollement partiel d'un placenta normal, l'enclavement du placenta partiellement ou complètement décollé en raison de la formation d'un anneau de rétraction de l'utérus, le mauvais déroulement du troisième stade du travail ou l'adhérence anormale du placenta à la paroi utérine, en entier ou en partie. Dans les cas d'accouchement très prématuré (de 20 à 24 semaines de grossesse), la présence de rétention placentaire due à un décollement partiel du placenta est couramment observée.

Jugement clinique

Madame Alicia Duguay, âgée de 43 ans, vient de donner naissance à son cinquième enfant, un garçon de 4 500 g. L'accouchement s'est déroulé très rapidement, en 75 minutes.

Quelle est la complication postpartum la plus susceptible de se produire et de causer une hémorragie en période postnatale immédiate ? Justifiez votre réponse.

Approche thérapeutique La prise en charge de la rétention du placenta non adhérent est assurée par le médecin qui procède manuellement au décollement et à l'extraction du placenta. Au Québec, en cas d'urgence, en attente de l'intervention du médecin, la sage-femme peut pratiquer l'extraction manuelle du placenta, suivie de la révision utérine manuelle (Tôth, 2006). Aucune anesthésie supplémentaire n'est habituellement nécessaire chez la cliente qui a déjà reçu une anesthésie régionale au cours de l'accouchement. Chez les autres, l'administration d'une légère anesthésie par inhalation d'oxyde de diazote et d'oxygène, ou de thiopental par voie intraveineuse (I.V.), facilite l'exploration de l'utérus et l'extraction du placenta. À la suite de cette extraction, la femme demeure à risque d'HPP et d'infection.

Rétention du placenta adhérent

Pour des raisons inconnues, il arrive que le placenta présente une adhérence anormale (placenta accreta). Les tentatives habituelles d'extraction du placenta s'avèrent alors infructueuses et peuvent causer des déchirures ou la perforation de la paroi utérine, ce qui expose la femme à un risque élevé d'HPP grave et à l'infection (Cunningham *et al.*, 2005).

12

Le chapitre 12, *Soins infirmiers de la famille pendant le travail et l'accouchement*, présente la classification des déchirures du premier au quatrième degré.

Approche thérapeutique Aucun saignement n'a lieu tant que des tentatives de décoller le placenta ne sont pas entreprises. Lorsqu'on persiste dans les essais d'extraction, un saignement abondant est déclenché. Dans un tel cas, l'hystérectomie abdominale s'avère alors indiquée chez les deux tiers des clientes. S'il y a lieu de conserver la fertilité de la femme, on tentera de faire appel à des techniques qui permettent de sauvegarder l'utérus. Le recours à des thérapies de suppléance de composants sanguins est souvent nécessaire (Francois & Foley, 2007).

Subinvolution de l'utérus

Des saignements postpartum qui persistent peuvent être un signe de subinvolution de l'utérus. La rétention de fragments placentaires et l'infection pelvienne comptent parmi les causes connues de subinvolution.

Les signes et les symptômes comprennent un écoulement des lochies qui se prolonge et des saignements irréguliers ou excessifs, qui mènent parfois à l'hémorragie. Un examen pelvien révèle habituellement un utérus plus gros que la normale et, parfois, œdémateux.

Approche thérapeutique Le traitement de la subinvolution dépend de la cause de celle-ci. Le maléate d'ergonovine (Ergonovine^MD) à raison de 0,2 mg q.4 h durant 2 ou 3 jours ainsi que l'antibiothérapie sont les traitements les plus couramment utilisés (Cunningham *et al.*, 2005). Il peut être nécessaire d'effectuer un curetage pour éliminer la rétention de fragments placentaires ou pour débrider le site d'insertion du placenta.

Trauma des voies génitales

L'HPP peut aussi être due à des déchirures du périnée, du vagin ou du col utérin. Il faut soupçonner des déchirures des voies génitales lorsque le saignement persiste malgré un fond utérin fermement contracté. Le saignement peut se présenter sous la forme d'un mince filet de sang, d'un suintement hémorragique ou d'une hémorragie massive. Certains facteurs influent sur les causes et la fréquence des déchirures obstétricales des voies génitales inférieures, comme un accouchement assisté par instruments, un accouchement précipité, la présence d'anomalies congénitales des tissus mous maternels et la contraction des muscles pelviens. Les déchirures peuvent aussi être causées par la taille du fœtus, sa position et une présentation anormale, la taille relative de la présentation et de la filière pelvigénitale, des cicatrices résultant d'une infection, d'une blessure ou d'une opération, ainsi que par des varicosités vulvaires, périnéales et vaginales.

La très forte vascularité de la région des lèvres et périclitoridienne est souvent une cause de saignements abondants en cas de déchirures, de même que des hématomes.

Les déchirures périnéales sont les blessures les plus courantes des voies génitales inférieures ▶ 12. Une épisiotomie peut s'étendre et devenir une déchirure du troisième ou du quatrième degré.

La pression prolongée de la tête du fœtus sur la muqueuse vaginale peut entraver la circulation et causer une nécrose due à une irrigation sanguine insuffisante ou ischémique. L'état des tissus, combiné au type d'accouchement, est un facteur susceptible de donner lieu à de profondes déchirures vaginales, ce qui prédispose à des hématomes vaginaux.

Selon leur emplacement, les hématomes pelviens peuvent être vulvaires, vaginaux ou rétropéritonéaux, les premiers étant les plus communs. La douleur reste le symptôme le plus courant, et la plupart des hématomes vulvaires sont apparents. Les hématomes vaginaux sont généralement associés à un accouchement assisté par forceps, à une épisiotomie ou à la primiparité (Francois & Foley, 2007). Si, durant la période postnatale, la cliente se plaint d'une douleur périnéale ou rectale persistante, ou d'une sensation de pression dans le vagin, il est indiqué de procéder à un examen détaillé. Cependant, il arrive qu'un hématome rétropéritonéal soit presque indolore et que les premiers symptômes apparents soient des signes de choc (Francois & Foley, 2007).

Les déchirures du col se produisent habituellement sur les côtés de l'orifice externe. La plupart sont superficielles, et le saignement demeure minime. Il arrive que des déchirures plus graves atteignent le dôme vaginal ou le segment utérin inférieur.

Inversion utérine

L'inversion utérine qui suit un accouchement est une urgence obstétricale grave ; complication potentiellement mortelle, elle demeure cependant rare, à savoir environ 1 cas par 2 500 accouchements (Francois & Foley, 2007). Ce trouble est susceptible de se reproduire au moment d'une grossesse ultérieure. L'inversion utérine peut être partielle ou complète. L'inversion utérine complète est évidente : une grosse masse rouge et arrondie (parfois accompagnée du placenta qui y est fixé) avance hors de l'orifice vaginal sur environ 20 à 30 cm. L'inversion incomplète n'est pas visible, mais peut être perçue : à partir du col dilaté, il est possible de sentir et de palper une masse molle. Les facteurs contributifs de l'inversion utérine comprennent : 1) des malformations de l'utérus ; 2) l'implantation fundique du placenta ; 3) l'extraction manuelle du placenta ; 4) un cordon ombilical court ; 5) l'atonie utérine ; 6) la présence de léiomyomes ; 7) des tissus placentaires présentant une adhérence anormale (Francois & Foley, 2007). Les principaux signes d'une inversion utérine sont l'hémorragie, l'état de choc et la douleur, liés à l'impossibilité de palper le fond utérin à partir de l'abdomen.

Approche thérapeutique La prévention (le traitement toujours le plus simple, le moins coûteux et le plus efficace) est particulièrement indiquée pour l'inversion utérine : il faut éviter de tirer fortement sur le cordon ombilical tant que le placenta n'est pas complètement décollé.

L'inversion utérine constitue une urgence médicale qui requiert une attention immédiate, la remise en place de l'utérus dans la cavité pelvienne et la correction des conditions cliniques connexes. La cliente peut se voir administrer des tocolytiques (p. ex., du sulfate de magnésium, du sulfate de terbutaline) ou un anesthésique halogéné pour favoriser le relâchement de l'utérus avant de tenter de le replacer. La prise en charge médicale de ce trouble passe par le replacement de l'utérus, suivi de l'administration d'ocytocine et du traitement de l'état de choc (Francois & Foley, 2007).

Anomalies de la coagulation

Certaines anomalies de la coagulation sont également considérées comme facteur de risque de l'HPP. Lorsque le saignement est continu et qu'on ne réussit pas à en trouver la source, il se peut qu'une coagulopathie soit en cause. L'état de la coagulation de la femme doit être évalué rapidement et en continu. L'infirmière peut prélever du sang et l'envoyer au laboratoire pour y être analysé. Des résultats anormaux, comme un allongement du temps de Quick, un allongement du temps de thromboplastine partielle, une diminution du nombre de plaquettes circulantes, une baisse du taux de fibrinogène, une augmentation des produits de dégradation de la fibrine ainsi qu'un allongement du temps de saignement sont des indices de la cause.

Des conditions préexistantes comme l'hémophilie A ou la **maladie de von Willebrand** (coagulopathie héréditaire) ou d'autres anomalies acquises durant la grossesse telles que le **purpura thrombopénique idiopathique**, la trombocytopénie associée à la prééclampsie ou une CIVD associée à la prééclampsie, une mort fœtale, une infection grave, un décollement placentaire ou une embolie du liquide amniotique représentent un risque d'HPP (SOGC, 2000) ▶ 21.

21

Le chapitre 21, *Grossesse à risque : états gestationnels*, présente ces conditions plus en détail.

Maladie de von Willebrand

La maladie de von Willebrand, un type d'hémophilie, est probablement le trouble hémostatique héréditaire le plus commun (Samuels, 2007). Bien que cette maladie soit rare, elle compte parmi les anomalies congénitales de la coagulation les plus fréquentes chez les Américaines en âge de procréer. Au Canada, la maladie de von Willebrand pourrait toucher 1 personne sur 1 000, soit environ 30 000 Canadiens (Société canadienne de l'hémophilie, 2007). Comme plusieurs d'entre eux ne présentent que des symptômes bénins, 9 personnes atteintes sur 10 l'ignorent (Société canadienne de l'hémophilie, 2007). Le risque d'HPP précoce est de 16 à 22 % chez les femmes atteintes comparativement à environ 4 ou 5 % dans la population en général (SOGC, 2005). Elle découle d'une déficience ou d'une anomalie d'une protéine active dans la coagulation du sang appelée facteur von Willebrand. Le taux de facteur von Willebrand diminue dans les 24 à 48 heures après l'accouchement, ce qui augmente le risque d'HPP (Société canadienne de l'hémophilie, 2011). Cette maladie se caractérise par des épisodes de saignement récurrents (épistaxis ou hémorragie à la suite d'une extraction dentaire), une sensibilité aux ecchymoses, une prolongation du temps de saignement (le test le plus significatif), un déficit en facteur VIII (de léger à modéré) et un saignement des muqueuses (Samuels, 2007).

La femme peut être à risque de saignement jusqu'à quatre semaines après l'accouchement. Le traitement privilégié consiste à administrer de la desmopressine, qui favorise la libération du facteur von Willebrand et du facteur VIII. La desmopressine peut être administrée par voie nasale, I.V. ou orale (P.O.). On peut aussi avoir recours à la thérapeutique transfusionnelle avec des produits plasmatiques ayant été traités contre les virus et contenant le facteur VIII et le facteur von Willebrand (p. ex., le Humate-P[MD]) (Lee & Abdul-Kadir, 2005 ; Samuels, 2007 ; Société canadienne de l'hémophilie, 2007).

Purpura thrombopénique idiopathique

Le purpura thrombopénique idiopathique (PTI) est une maladie auto-immune dans laquelle des

Le sigle PTI est reconnu internationalement pour parler de purpura thrombopénique idiopathique. Au Québec, il est aussi utilisé dans un autre contexte pour désigner le plan thérapeutique infirmier.

L'utilisation d'ergonovine (Ergonovine[MD]) ou de méthylergonovine est contre-indiquée en présence d'hypertension ou de maladie cardiovasculaire. La prostaglandine F_2 alpha doit être utilisée avec précaution chez les femmes atteintes de maladie cardiovasculaire ou d'asthme.

anticorps antiplaquettaires réduisent la durée de vie des plaquettes. Les résultats de tests paracliniques comprennent la thrombocytopénie, la fragilité capillaire et l'allongement du temps de saignement. Le purpura thrombopénique idiopathique peut causer une hémorragie grave à la suite d'une césarienne ou en raison de déchirures cervicales ou vaginales. Il entraîne aussi une fréquence plus élevée de saignements utérins postpartum et d'hématomes vaginaux. Il peut parfois occasionner une thrombocytopénie néonatale, mais les saignements graves demeurent plutôt rares (Rosenberg, 2007).

Les interventions médicales sont axées sur le contrôle de la stabilité des plaquettes. Lorsque le purpura thrombopénique idiopathique est diagnostiqué durant la grossesse, la cliente est habituellement traitée à l'aide de corticostéroïdes ou d'immunoglobulines par voie I.V. En cas de saignement important, on procède généralement à des transfusions de plaquettes. Il peut être nécessaire de recourir à une splénectomie si les interventions médicales restent sans effet sur cette maladie (Samuels, 2007).

23.1.3 Approche thérapeutique

La reconnaissance rapide d'un diagnostic d'HPP, la détermination de la cause ainsi que la mise en œuvre de soins et de traitements appropriés sont essentielles à la prévention des risques de morbidité et de mortalité maternelles **TABLEAU 23.2**. À cet effet, à l'apparition des premiers symptômes après la naissance, le médecin évaluera la contractilité de l'utérus. Si celui-ci se révèle être hypotonique, les interventions viseront à augmenter la contractilité et à réduire au minimum la perte de sang.

Utérus hypotonique

Le traitement initial d'un saignement postpartum excessif consiste en un massage énergique du fond utérin (Hofmeyr, Abdel-Aleem & Abdel-Aleem, 2008).

Jugement clinique

Comme madame Duguay présente effectivement une atonie utérine, le médecin vous demande de lui administrer immédiatement 0,25 mg d'Hemabate[MD] I.V.

Quels sont les antécédents médicaux qui représentent des contre-indications à recourir à cette médication ? Justifiez votre réponse.

L'expulsion des caillots ou de produits de conception de l'utérus, la réparation de tout trauma, la correction d'anomalies de la coagulation ainsi que l'administration de médicaments utérotoniques (qui augmentent le tonus de l'utérus) constituent des interventions prioritaires dans la prise en charge de l'HPP. En outre, la Société des obstétriciens et gynécologues du Canada (SOGC, 2000) recommande l'ocytocine comme médicament à utiliser en première intention. Elle doit être administrée soit par bolus I.V. de 5 unités ou par perfusion I.V. rapide de 20 à 40 unités d'ocytocine dans 1 000 ml de soluté physiologique ou de solution de lactate Ringer (AMPRO[OB], 2010 ; Ferreira & Morin, 2003 ; SOGC, 2000). Si l'accès I.V. n'est pas disponible, l'ocytocine peut être administrée par voie intramusculaire (I.M.) La dose recommandée est de 10 unités. En cas de collapsus cardiovasculaire ou en l'absence d'accès I.V., 10 unités d'ocytocine peuvent être administrées directement dans le muscle utérin. Si l'utérus ne répond pas à l'administration d'ocytocine, on peut administrer 0,25 mg de maléate d'ergonovine (Ergonovine[MD]) I.V. ou I.M. pour provoquer des contractions utérines soutenues (ACOG, 2006). Il est courant d'administrer 0,25 mg d'un dérivé de prostaglandine F_2 alpha (trométhamine de carboprost ([Hemabate[MD]]) par voie I.M. Il s'agit d'un médicament très efficace pour augmenter le tonus utérin (Ferreira & Morin, 2003). Ce médicament peut également être administré par voie intramyométriale, au moment d'une césarienne, ou par voie intra-abdominale, après un accouchement vaginal (SOGC, 2000 ; Francois & Foley, 2007). On peut administrer de 800 à 1 000 mcg de misoprostol par voie rectale (ACOG, 2006). Le misoprostol agit plus rapidement lorsqu'il est administré P.O. (400-800 mcg). Au Canada, il est possible d'administrer une dose de 100 mcg I.V ou I.M de carbétocine (Duratocin[MD]) qui peut être efficace pour réduire le saignement attribuable à l'atonie utérine dans le cas de césarienne (Ferreira & Morin, 2003). En plus de ces mesures visant à faire contracter l'utérus, il est nécessaire de procéder rapidement à l'administration de solutions de cristalloïdes (solution saline ou de lactate Ringer), de sang ou de produits sanguins, ou d'une combinaison de ces éléments, afin de restaurer le volume intravasculaire de la femme (Francois & Foley, 2007).

On peut administrer de l'oxygène à l'aide d'un masque en vue d'augmenter la distribution d'oxygène aux cellules. Une sonde urinaire est habituellement mise en place pour gérer le débit urinaire afin d'évaluer le volume intravasculaire. En général, les analyses de laboratoire portent sur les éléments suivants : 1) l'hématogramme, incluant une numération plaquettaire ; 2) le fibrinogène ; 3) les produits de dégradation de la fibrine ; 4) le temps de Quick ; 5) le temps de thromboplastine partielle. Si cela n'a pas été fait préalablement, il faut aussi procéder à la détermination du groupe sanguin et au dépistage des anticorps (Cunningham *et al.*, 2005).

Si le saignement persiste, l'obstétricien ou la sage-femme peuvent envisager de procéder à la compression bimanuelle de l'utérus. Cette mesure consiste à introduire un poing dans le vagin et à en appuyer les jointures contre la face antérieure de l'utérus. L'autre main se place sur l'abdomen et

Pharmacothérapie

TABLEAU 23.2 **Médicaments utilisés dans le traitement de l'hémorragie postpartum**

MÉDICAMENT	ACTION	POSOLOGIE ET VOIE D'ADMINISTRATION	EFFETS INDÉSIRABLES	CONTRE-INDICATIONS	INTERVENTIONS INFIRMIÈRES
Ocytocine (Pitocin[MDPR])	Provoque la contraction de l'utérus; diminue le saignement	Voie I.M.: de 10 à 20 unités; voie I.V.: de 20 à 40 unités dans un litre de solution de lactate Ringer ou de soluté physiologique, à raison de 100 milliunités/min	Rares: intoxication hydrique, nausées et vomissements	Aucune en situation d'hémorragie postpartum; devrait être systématiquement utilisé comme prophylaxie de l'HPP à la sortie de l'épaule en bolus I.V. de 5 à 10 unités internationales	Continuer à suivre de près l'évolution du saignement vaginal et le tonus utérin.
Méthylergométrine maléate[a]	Provoque des contractions tétaniques de l'utérus (utilisé en second choix, car provoque plus d'effets maternels indésirables)	0,25 mg I.M. jusqu'à un maximum de 5 doses ou 1,25 mg; peut aussi être administrée par voie intramyométriale ou en bolus I.V.	Hypertension, vasospasme périphérique, nausées, vomissements, maux de tête	Hypertension, cardiopathie	Vérifier la pression artérielle (P.A.) avant l'administration et ne pas administrer si celle-ci est > 140/90 mm Hg; continuer à suivre de près l'évolution du saignement vaginal et le tonus utérin.
Analogue synthétique méthyl-15 de la prostaglandine $F_{2\alpha}$ (trométhamine de carboprost [Hemabate[MD]])	Provoque la contraction de l'utérus; augmente le tonus utérin	0,25 mg par voie I.M. ou intramyométriale toutes les 15 minutes, jusqu'à un maximum de 8 doses ou 2 mg	Maux de tête, nausées et vomissements, fièvre, tachycardie, hypertension, diarrhée, bronchospasme	À éviter en présence d'asthme, d'hypertension ou d'anomalies de la fonction rénale ou hépatique	Continuer à suivre de près l'évolution du saignement vaginal et le tonus utérin.
Carbétocine (Duratocin[MD]) (ocytocine longue action)	Provoque la contraction de l'utérus; diminue le saignement	100 mcg I.V. (bolus sur 1 min) en prévention de l'HPP chez une femme avec césarienne élective ou 100 mcg I.M. en prévention d'HPP chez une femme avec accouchement vaginal et un facteur de risque d'HPP	Voir ocytocine	Voir ocytocine	Continuer à suivre de près l'évolution du saignement vaginal et le tonus utérin.
Misoprostol (Cytotec[MD])	Provoque la contraction de l'utérus	Une seule dose de 400-800 mcg P.O. ou 800-1 000 mcg par voie rectale	Maux de tête, nausées et vomissements, diarrhée	Antécédents d'allergie aux prostaglandines	Continuer à suivre de près l'évolution du saignement vaginal et le tonus utérin.

[a] L'information relative à la méthylergométrine convient pour décrire l'ergonovine.

Sources: Adapté de ACOG (2006); Crane (2001); Ferreira & Morin (2003); Francois & Foley (2007).

masse la face postérieure de l'utérus. Si l'utérus ne se contracte toujours pas, il faut procéder à l'exploration manuelle de la cavité utérine, à la recherche de rétention de fragments placentaires. Si les mesures qui précèdent demeurent inefficaces, il se peut que la chirurgie soit la seule solution possible, au moyen d'interventions comme la ligature des vaisseaux (utéro-ovariens, utérins, hypogastriques), l'embolisation sélective des artères ou l'hystérectomie (Cunningham *et al.*, 2005; Francois & Foley, 2007; SOGC, 2000).

Saignement persistant

Si l'utérus est fermement contracté et que le saignement persiste, il faut continuer à chercher l'origine de ce dernier, pour y remédier. Cela peut se faire

Chez la cliente qui présente des déchirures du troisième ou du quatrième degré, on n'administre pas de suppositoires rectaux ni de lavements, et l'examen rectal digital est évité, pour ne pas abîmer la suture.

Le tableau 23.1W rappelle les caractéristiques cliniques du choc hémorragique et peut être consulté sur le site www.cheneliere.ca/lowdermilk.

RAPPELEZ-VOUS...

L'hémorragie fait partie des agents perturbateurs de la fonction rénale.

par un examen visuel ou manuel du périnée, du vagin, de l'utérus, du col et du rectum, ainsi que par des analyses de laboratoire (p. ex., l'hémoglobine, l'hématocrite, des tests de coagulation, la numérotation plaquettaire). Le traitement dépendra de la cause du saignement : les déchirures sont habituellement suturées ; les hématomes peuvent être soignés par des applications de glace, par la ligature du vaisseau rompu ou par une intervention qui permet de le vider. Il peut être nécessaire d'administrer des remplacements liquidiens et sanguins (Francois & Foley, 2007).

Choc hémorragique (hypovolémique)

L'hémorragie peut entraîner un **choc hémorragique (hypovolémique)**. Le choc hémorragique constitue une situation d'urgence au cours de laquelle l'irrigation des organes du corps devient sérieusement compromise et qui peut occasionner la mort. En réaction à l'hémorragie, certains mécanismes compensatoires s'activent. Les glandes surrénales libèrent des catécholamines, ce qui entraîne la constriction des artérioles et des veinules de la peau, des poumons, du tractus gastro-intestinal, du foie et des reins. Le flux sanguin est dérivé vers le cerveau et le cœur à partir des autres organes, dont l'utérus. Si l'état de choc se prolonge, la réduction d'oxygénation cellulaire cause une accumulation d'acide lactique et l'acidose (en raison du métabolisme anaérobique du glucose). L'acidose (pH sérique réduit) cause une vasodilatation artériolaire ; par contre, la vasoconstriction des veinules se maintient. S'installe alors un processus circulaire, à savoir la réduction de l'irrigation, l'augmentation de l'anoxie tissulaire et de l'acidose, la formation d'œdème et l'accumulation de sang qui réduisent encore plus l'irrigation. La mort cellulaire survient.

Un traitement rapide et efficace s'impose pour prévenir des séquelles fâcheuses. Les interventions médicales relatives au choc hypovolémique visent à s'assurer que les voies aériennes sont libres, à procurer une oxygénation adéquate, à restaurer le volume sanguin et à traiter la cause de l'hémorragie (p. ex., des déchirures, l'atonie ou l'inversion utérines) (SOGC, 2002). Pour restaurer le volume sanguin, on administre une perfusion I.V. rapide de soluté cristalloïde de lactate Ringer ou de soluté physiologique (NaCl 0,9 %) à raison de 1 à 2 L (SOGC, 2002). Un concentré de globules rouges est habituellement administré si la cliente continue de saigner abondamment et que son état ne s'améliore pas après avoir reçu le soluté cristalloïde. Il peut être nécessaire de préparer une perfusion de plasma congelé si les facteurs de coagulation et la numérotation plaquettaire se trouvent sous les valeurs normales (Cunningham *et al.*, 2005 ; Francois & Foley, 2007).

SOINS ET TRAITEMENTS INFIRMIERS

Hémorragie postpartum

L'HPP peut être très soudaine, voire conduire à l'**exsanguination**. L'infirmière doit donc être attentive aux symptômes d'hémorragie et de choc hypovolémique et se tenir prête à agir rapidement pour réduire au minimum la perte de sang **FIGURE 23.1** et **ENCADRÉ 23.1**.

Un processus de soins infirmiers relatif à l'HPP doit être appliqué dans l'immédiat ; il englobe la collecte des données ainsi que leur analyse et leur interprétation, la planification et la détermination des résultats escomptés, ainsi que les interventions cliniques à effectuer **ENCADRÉ 23.2**.

Une fois le saignement maîtrisé, les soins à prodiguer à la cliente qui présente des déchirures périnéales sont semblables à ceux des femmes qui ont subi une épisiotomie (analgésie contre la douleur et applications de compresses chaudes ou froides, au besoin). Il faut insister sur l'importance d'augmenter la consommation de fibres et de liquides. Le recours à des laxatifs émollients aidera la cliente à retrouver des habitudes d'élimination normales en évitant de générer de la tension ou du stress sur les sutures.

Chez la femme qui a subi une inversion utérine, les soins se concentrent sur la stabilisation immédiate de l'état hémodynamique. Cette situation exige de suivre de près la réaction de la cliente au traitement pour éviter un état de choc ou une surcharge liquidienne. Si l'utérus a été replacé manuellement, il faut prendre soin de ne pas effectuer de massage vigoureux du fond utérin.

Les instructions relatives au congé de la cliente qui a subi une HPP sont les mêmes que pour les autres femmes en période postnatale. Il faudra toutefois prévenir la cliente qu'elle se sentira probablement fatiguée, voire épuisée, et qu'elle devra limiter ses activités physiques pour conserver ses forces. Afin de reconstituer son volume de globules rouges, peut-être faudra-t-il lui fournir de l'information sur la façon d'augmenter son apport alimentaire en fer et en protéines et sur la prise de suppléments de fer. Elle pourrait avoir besoin d'aide pour prodiguer les soins au nouveau-né et pour effectuer les activités de la vie quotidienne jusqu'à ce qu'elle recouvre ses forces. Certaines femmes vivent des problèmes de retard ou d'insuffisance de lactation ainsi que de dépression postpartum. Il peut être nécessaire d'assurer un suivi en matière de soins à domicile ou d'orienter la cliente vers des ressources communautaires, comme des groupes de soutien **PSTI 23.1**.

Choc hémorragique

Le choc hémorragique peut survenir rapidement, mais les signes classiques de l'état de choc peuvent ne pas être apparents avant que la femme en période postnatale ait perdu de 15 à 25 % de son volume sanguin (SOGC, 2000). L'infirmière doit continuellement réévaluer l'état de la cliente, en se fondant sur l'importance de la perte de sang mesurée et estimée ; le cas échéant, elle mobilisera les ressources appropriées **TABLEAU 23.3.**

La plupart des interventions visent à améliorer ou à maîtriser l'irrigation tissulaire. L'infirmière doit continuer de vérifier le pouls et la P.A. de la cliente. Lorsqu'une gestion hémodynamique effractive s'avère nécessaire, l'infirmière peut assister le médecin dans l'installation d'un cathéter dans la veine centrale ou l'artère pulmonaire (Swan-Ganz) et contrôler la pression veineuse centrale, la pression artérielle pulmonaire ou la pression capillaire bloquée, selon les instructions du médecin (Gilbert, 2007).

L'infirmière doit aussi vérifier la température, la couleur et le degré de déshydratation de la peau de la cliente et évaluer l'état de ses muqueuses. Si possible, les bruits respiratoires seront auscultés avant de procéder à la suppléance liquidienne, pour que l'on bénéficie de données de référence dans les examens ultérieurs. L'examen attentif des sites d'incision ou d'injection, pour y déceler des signes de suintement, ainsi que l'évaluation de la présence de pétéchies ou d'ecchymoses dans des régions non associées à la chirurgie ou au trauma s'avèrent critiques pour la détection d'un problème de CIVD.

Pour maintenir la saturation du sang artériel en oxygène (SaO_2), de l'oxygène est administré, de préférence à l'aide d'un masque. Celle-ci doit être mesurée avec un saturomètre, quoique les mesures obtenues puissent parfois être inexactes chez la cliente qui présente une hypovolémie ou une irrigation réduite. L'état de conscience doit être évalué fréquemment ; il fournit un indice supplémentaire du volume sanguin et de la SaO_2 (Gilbert, 2007). Lorsque le débit sanguin commence à diminuer, la cliente peut dire qu'elle « voit des étoiles » ou se sentir étourdie ou nauséeuse. Elle peut devenir agitée et orthopnéique (dyspnée liée à la position couchée). À mesure que l'hypoxie cérébrale augmente, la cliente peut être désorientée et en venir à réagir lentement ou même pas du tout aux stimuli. Certaines femmes se plaignent de maux de tête (Curran, 2003). Un état de conscience amélioré est un signe d'amélioration du progrès de l'irrigation.

La surveillance électrocardiographique continue peut être indiquée chez la femme hypotendue ou tachycardique, chez celle qui continue de saigner abondamment ou celle qui est en état de choc. L'insertion d'une sonde à ballonnet munie d'un sac collecteur d'urine facilitant le dosage horaire permet de vérifier le débit urinaire toutes les heures. La mesure du débit urinaire est l'évaluation la plus objective et la moins effractive qui soit de l'irrigation et de l'oxygénation des organes. Un débit urinaire supérieur à 30 ml/h indique que celles-ci sont adéquates (Cunningham *et al.*, 2005). Un échantillon de sang peut être prélevé et envoyé au laboratoire à des fins d'analyses portant notamment sur les taux d'hémoglobine et d'hématocrite, la numérotation plaquettaire et le profil de coagulation.

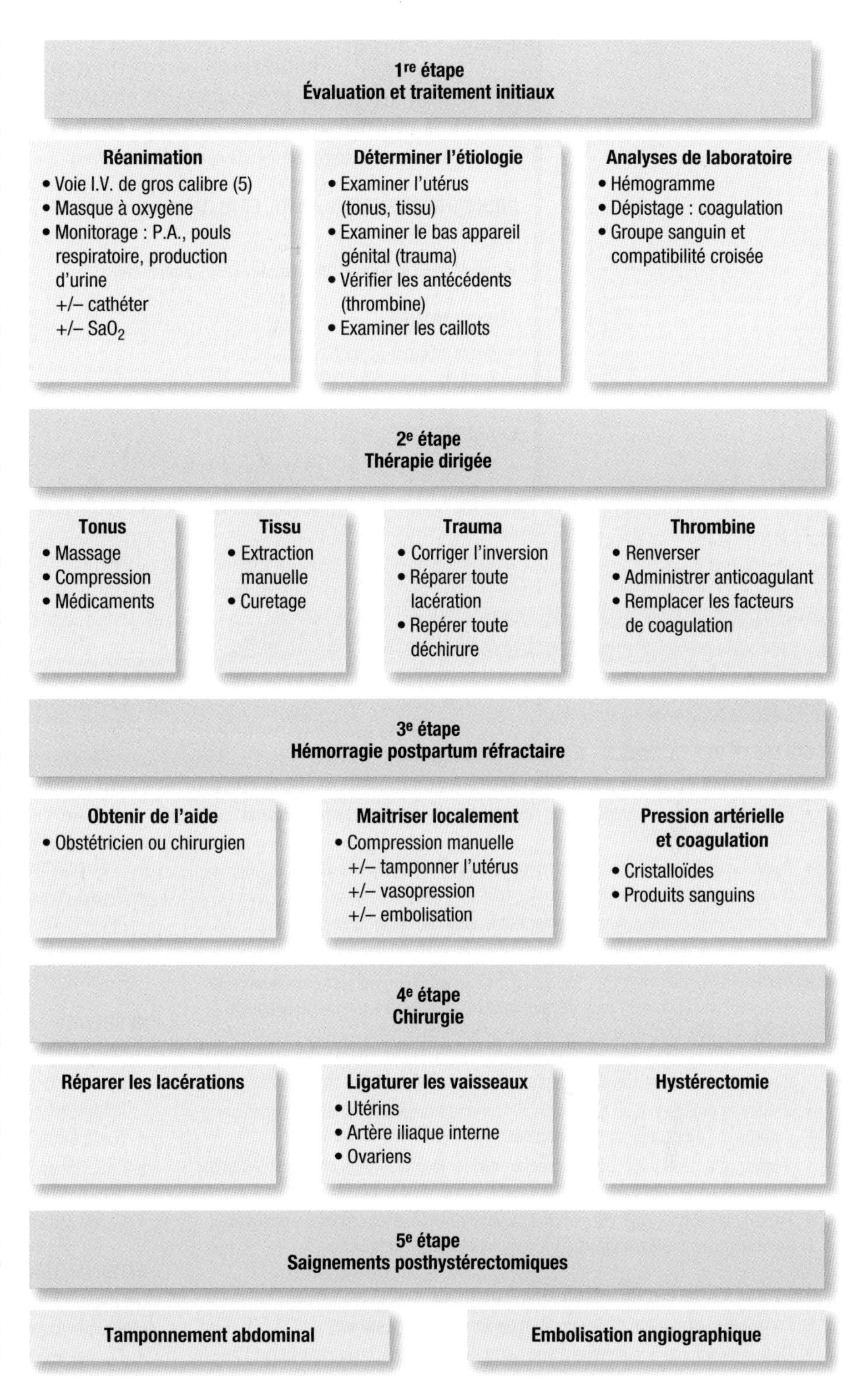

FIGURE 23.1
Approche séquentielle au traitement de l'hémorragie postpartum

23

ENCADRÉ 23.1 **Évaluations non effractives du débit cardiaque chez les clientes qui présentent un saignement en période postnatale**

Évaluer l'état de conscience (parler à la cliente et l'observer)

POULS (FRÉQUENCE, QUALITÉ, ÉGALITÉ)

- P. A.
- Respiration (fréquence respiratoire [F.R.], amplitude)

AUSCULTATION

- Bruits du cœur et souffles cardiaques
- Bruits respiratoires

EXAMENS

- Couleur et température de la peau, pli cutané
- Temps de remplissage capillaire
- Veines jugulaires
- Muqueuses

OBSERVATIONS

- Présence ou absence d'anxiété, d'appréhension, d'agitation, de désorientation

MESURES

- Débit urinaire
- Oxymétrie pulsée (saturation pulsatile en oxygène [SpO_2])

Source : Adapté de SOGC (2002).

Mise en œuvre d'une démarche de soins

ENCADRÉ 23.2 **Hémorragie postpartum**

COLLECTE DES DONNÉES – ÉVALUATION INITIALE

Les actions à entreprendre pour évaluer l'hémorragie postpartum sont les suivantes :

- Rechercher, dans les antécédents de la cliente, la présence de facteurs qui prédisposent à l'HPP.
- Palper le fond utérin pour vérifier s'il est fermement contracté et s'il se situe au niveau ou près de l'ombilic.
- Déterminer la couleur du saignement et la quantité de sang perdue.
- Rechercher la présence de signes de déchirures ou d'hématomes sur le périnée.
- Vérifier les signes vitaux toutes les 15 min durant l'heure ou les deux heures qui suivent l'accouchement pour déceler tout signe associé à une perte sanguine (p. ex., la tachycardie, la tachypnée, une baisse de la P.A.). Se rappeler toutefois que les signes vitaux ne sont pas un indicateur fiable de l'hémorragie immédiate du postpartum en raison des adaptations physiologiques que suscite cette période.
- Vérifier la présence d'un globe vésical, car une vessie distendue peut déplacer l'utérus et l'empêcher de se contracter.
- Vérifier si la peau est chaude et sèche ; vérifier la couleur des ongles et le temps de remplissage capillaire.
- Prélever les échantillons nécessaires ou passer en revue les rapports d'analyses de laboratoire, en particulier les taux d'hémoglobine et d'hématocrite.

ANALYSE ET INTERPRÉTATION DES DONNÉES

Les problèmes découlant de la situation de santé peuvent inclure :

- Déficit de volume liquidien lié à une perte sanguine excessive causée par l'atonie utérine, des déchirures ou une inversion utérine.
- Risque de déséquilibre des volumes liquidiens causé par le remplacement des volumes liquidien et sanguin.
- Risque d'infection lié à :
  - une perte sanguine excessive ou à un site d'insertion du placenta découvert ;
  - l'application de nombreuses mesures effractives.
- Risque de blessure lié à :
  - une tentative d'extraction manuelle du placenta ;
  - l'administration de produits sanguins ;
  - des interventions à l'aide d'instruments.
- Peur ou anxiété liée à :
  - un sentiment de menace personnelle ;
  - une insuffisance de connaissances en ce qui a trait aux procédures et au déroulement de l'intervention.
- Risque de perturbation dans l'exercice du rôle parental lié à la séparation d'avec le nouveau-né en raison du schéma thérapeutique.
- Irrigation tissulaire inefficace liée à une perte sanguine excessive et à la dérivation du sang vers la circulation centrale.

RÉSULTATS ESCOMPTÉS

La planification des soins est établie dans le but d'atteindre les résultats suivants :

- Maintien des signes vitaux et des valeurs de laboratoire s'y rapportant dans des limites normales.
- Aucune complication liée au saignement excessif.
- Capacité de reconnaître et de comprendre son état, le traitement et les instructions liées au congé de l'hôpital.
- Connaissance et recours au réseau de soutien, au besoin.

INTERVENTIONS INFIRMIÈRES

Les interventions infirmières requises pour l'atteinte des résultats escomptés comprennent, notamment :

- Évaluer les signes vitaux, le saignement et le fond utérin.
- Administrer les médicaments, en fonction du protocole ou des consignes reçues.
- Établir ou maintenir un accès veineux.
- Avertir le fournisseur de soins de santé primaires.
- Expliquer à la cliente et à sa famille la nature et le but des interventions.

ÉVALUATION DES RÉSULTATS – ÉVALUATION EN COURS D'ÉVOLUTION

Dans la mesure où les résultats escomptés sont atteints, l'infirmière peut être raisonnablement certaine que les soins prodigués ont été efficaces.

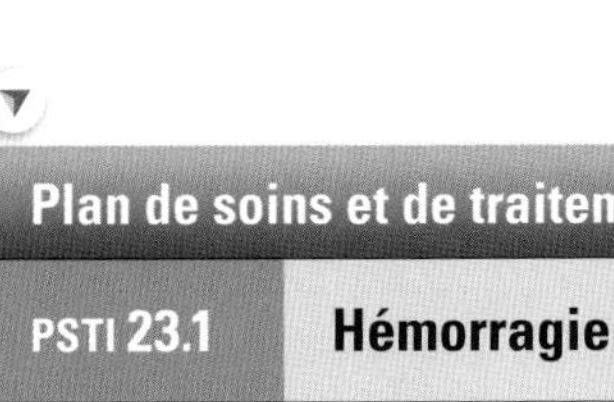

Plan de soins et de traitement infirmiers

PSTI 23.1 Hémorragie postpartum

PROBLÈME DÉCOULANT DE LA SITUATION DE SANTÉ	**Déficit de volume liquidien** lié à l'hémorragie postpartum
OBJECTIF	La cliente présentera un équilibre liquidien satisfaisant pour répondre aux besoins de l'organisme.
RÉSULTATS ESCOMPTÉS	**INTERVENTIONS INFIRMIÈRES ET JUSTIFICATIONS**
• Valeurs hémodynamiques dans les normales attendues • Temps de remplissage capillaire ≤ 2 sec. • Diurèse ≥ 30 ml/h	• Vérifier les signes vitaux, la SaO_2, la densité de l'urine et le temps de remplissage capillaire pour disposer des données de référence. • Évaluer et noter la quantité et le genre de pertes sanguines par le poids et le nombre de serviettes hygiéniques saturées. Si la femme est à la maison, lui demander de compter les serviettes et de conserver les caillots et les fragments de tissus expulsés. Si la femme est hospitalisée, conserver tous les caillots et les fragments de tissus pour examens futurs afin d'estimer le type et le volume de sang perdu, en prévision d'un remplacement liquidien. • Installer la cliente dans un environnement tranquille afin de favoriser le repos et de réduire les exigences métaboliques. • Expliquer chacune des mesures appliquées à la cliente pour diminuer son anxiété. • Installer un accès I.V. avec une aiguille de calibre 18 ou plus pour la perfusion d'un soluté isotonique comme prescrit en vue d'administrer un remplacement liquidien ou une transfusion sanguine. • Administrer les médicaments prescrits, comme l'ocytocine, le maléate d'ergonovine ou la prostaglandine $F_{2\alpha}$, afin d'augmenter la contractilité de l'utérus. • Installer une sonde urinaire à ballonnet pour obtenir une évaluation vraiment exacte de la fonction rénale et de l'hypovolémie. • Se préparer à une éventuelle intervention chirurgicale nécessaire pour maîtriser la source du saignement.
PROBLÈME DÉCOULANT DE LA SITUATION DE SANTÉ	**Irrigation tissulaire inefficace** liée à l'hypovolémie
OBJECTIF	La cliente présentera des signes d'une perfusion tissulaire suffisante.
RÉSULTATS ESCOMPTÉS	**INTERVENTIONS INFIRMIÈRES ET JUSTIFICATIONS**
• Valeurs hémodynamiques dans les normales attendues • État mental et état de conscience normaux • Mesures de la SaO_2, de la gazométrie du sang artériel (GAS), de l'hématocrite et de l'hémoglobine dans les normales attendues • Remplissage capillaire ≤ 2 sec. • Diurèse ≥ 30 ml/h	• Suivre de près les signes vitaux, la SaO_2, la GAS ainsi que les valeurs d'hématocrite et d'hémoglobine pour déceler la présence d'un choc hypovolémique et d'une irrigation tissulaire réduite. • Être attentive à toute modification de l'état de conscience pour détecter des signes d'hypoxie. • Évaluer le temps de remplissage capillaire, l'état des muqueuses et la température cutanée pour relever des signes indicateurs de vasoconstriction. • Administrer un supplément d'oxygène comme prescrit afin de fournir plus d'oxygène aux tissus. • Aspirer les sécrétions et insérer une sonde oropharyngée, au besoin, pour maintenir une voie aérienne et assurer l'oxygénation. • Vérifier la GAS pour obtenir de l'information sur l'acidose ou sur l'hypoxie. • Administrer du bicarbonate de sodium, si prescrit, pour contrer l'acidose métabolique.
PROBLÈME DÉCOULANT DE LA SITUATION DE SANTÉ	**Anxiété** liée au changement soudain de l'état de santé
OBJECTIF	La cliente exprimera une diminution de son anxiété.
RÉSULTATS ESCOMPTÉS	**INTERVENTIONS INFIRMIÈRES ET JUSTIFICATIONS**
• Verbalisation des inquiétudes • Compréhension de la situation de santé • Application de stratégies d'adaptation efficaces	• Déterminer, au moyen de techniques de communication thérapeutique, le degré de compréhension qu'a la cliente des événements en vue de clarifier toute idée fausse ou erronée. • Conserver une attitude calme et professionnelle et offrir un environnement rassurant pour aider à réduire l'anxiété de la cliente. • Expliquer chacune des mesures appliquées à la cliente pour diminuer l'anxiété liée à l'inconnu. • Permettre à la cliente d'exprimer ses inquiétudes afin de pouvoir lui fournir des précisions et de favoriser un climat de confiance. • Continuer d'évaluer les signes vitaux et les autres indicateurs cliniques de choc hypovolémique pour vérifier si la réaction psychologique d'anxiété intensifie les indicateurs physiologiques.

PSTI 23.1 Hémorragie postpartum *(suite)*

PROBLÈME DÉCOULANT DE LA SITUATION DE SANTÉ	**Risque d'infection** lié à la perte sanguine et aux mesures effractives mises en place à la suite de l'hémorragie postpartum
OBJECTIF	La cliente ne présentera aucun signe d'infection.
RÉSULTATS ESCOMPTÉS	**INTERVENTIONS INFIRMIÈRES ET JUSTIFICATIONS**
• Description des facteurs de risque et des signes et symptômes d'infection • Adoption de mesures d'hygiène adéquates • Prise en charge de l'antibiothérapie, si indiqué	• Observer les précautions de base et utiliser une bonne technique d'hygiène des mains au moment de prodiguer des soins afin de prévenir le début d'une infection ou sa propagation. • Inciter la cliente à utiliser une bonne technique d'hygiène des mains et à maintenir une hygiène scrupuleuse de la région périnéale en changeant fréquemment de serviette hygiénique et en disposant de celle-ci avec précaution pour éviter la propagation de microorganismes pathogènes. • Surveiller les signes vitaux pour déceler des indices d'infection généralisée. • Prêter attention aux éléments suivants : degré de fatigue et léthargie, frissons, perte d'appétit, nausées et vomissements, douleur abdominale, car ils sont révélateurs de l'importance d'une infection et servent d'indicateurs de l'état infectieux. • Surveiller l'évolution des lochies pour déceler l'apparition d'une odeur nauséabonde et d'écoulements abondants, qui indiquent un état de mal infectieux. • Collaborer à la collecte des prélèvements intra-utérins ou autres, nécessaires aux analyses de laboratoire, en vue de déterminer l'agent causal précis de l'infection. • Vérifier les résultats de laboratoire (leucocytémie, cultures) en tant qu'indicateurs du type et de l'importance de l'infection. • Assurer un apport liquidien et nutritionnel adéquat pour combattre l'infection. • Administrer des antibiotiques à large spectre, si prescrits, et en faire le suivi, afin de prévenir la récidive de l'infection. • Administrer les antipyrétiques prescrits, au besoin, afin de réduire l'hyperthermie.

RAPPELEZ-VOUS...

L'oligurie correspond à une diurèse inférieure à 30ml/h.

Soins d'urgence

TABLEAU 23.3 Choc hémorragique

ÉVALUATION	CARACTÉRISTIQUES
Respiration	Rapide et superficielle (tachypnée)
Pouls	Rapide, faible, irrégulier (tachycardie)
P.A.	Diminue (signe tardif)
Peau	Froide, pâle, moite, cyanosée
Débit urinaire	Diminue → oligurie → anurie
Pression veineuse centrale	Réduite
Remplissage capillaire	Retardé
État de conscience	Léthargie → coma
État mental	Anxiété, agitation → coma

INTERVENTIONS

- Demander immédiatement de l'aide et l'équipement nécessaire.
- Amorcer la perfusion I.V. selon le protocole de l'établissement ou l'ordonnance.
- S'assurer que les voies respiratoires sont dégagées ; administrer de l'oxygène selon le protocole de l'établissement ou l'ordonnance.
- Continuer à surveiller l'état général de la cliente.

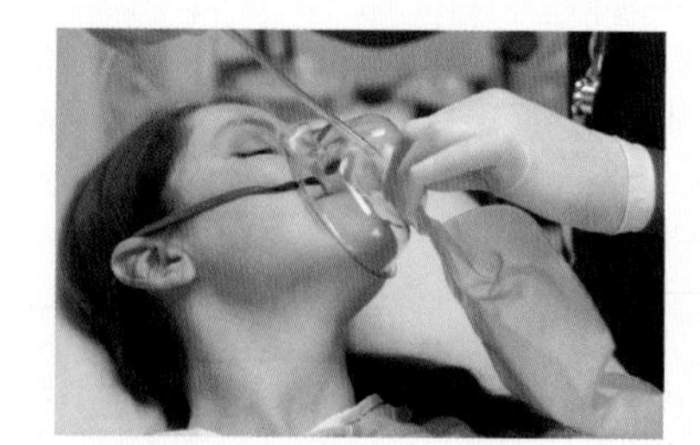

Source : Adapté de SOGC (2002).

Traitement de suppléance liquidienne ou sanguine

La mise en place d'un dispositif d'accès veineux, préférablement avec un cathéter I.V. de gros calibre (14 ou 16, si possible), est cruciale pour une prise en charge efficace de la cliente qui présente une complication hémorragique. L'installation de deux lignes I.V. facilite la réanimation liquidienne. Un processus de réanimation liquidienne énergique fait appel, entre autres, à l'administration de cristalloïdes (solution de lactate Ringer, soluté physiologique NaCl 0,9 %), de colloïdes (albumine), de sang et de composants sanguins (Francois & Foley, 2007). Un tel processus doit être étroitement surveillé, car il peut engendrer une surcharge liquidienne **ENCADRÉ 23.3**. La surcharge liquidienne intravasculaire est plus fréquente avec la colloïdothérapie qu'avec les autres traitements. L'administration de sang ou de composants sanguins, y compris les cryoprécipités, peut donner lieu à des réactions transfusionnelles. Même en situation d'urgence, il faut vérifier chaque unité de sang, conformément aux lignes directrices de sécurité transfusionnelle (Héma Québec, 2010 ; Société canadienne du sang, 2011). Les complications liées aux traitements de suppléance liquidienne ou sanguine comprennent les réactions hémolytiques, les réactions fébriles, les réactions allergiques, la surcharge circulatoire et l'embolie gazeuse.

Conseil juridique

ENCADRÉ 23.3 Norme en matière de soins pour les urgences liées au saignement

La norme en matière de soins pour les urgences obstétricales, comme l'HPP ou le choc hypovolémique, indique qu'il faut prévoir des dispositions pour que l'infirmière soit en mesure de poser des actions de façon autonome. Chaque établissement de santé où se pratiquent des accouchements doit mettre en place des politiques, des mesures ou des règlements ainsi que des directives cliniques approuvés par les fournisseurs de soins de santé qui traitent les clientes du service d'obstétrique. Au Québec, la Loi sur les infirmières et les infirmiers (L.R.Q., c. I-8, art. 36 et 37), prévoit l'utilisation d'ordonnances collectives ainsi que des règles de soins infirmiers afin d'encadrer la pratique infirmière dans différents contextes de soins comme l'HPP et le choc hémorragique.

23.2 Maladie thromboembolique

La thrombose résulte de la formation de un ou de plusieurs caillots à l'intérieur d'un vaisseau sanguin et est causée par l'inflammation (**thrombophlébite**) ou l'obstruction partielle de ce vaisseau. Trois conditions thromboemboliques **TABLEAU 23.4** sont préoccupantes pendant la période postnatale :

1. La thrombose veineuse superficielle (TVS), qui est une atteinte des veines superficielles des membres inférieurs.
2. La thrombose veineuse profonde (TVP), qui est une atteinte pouvant s'étendre du pied jusqu'à la région iliofémorale.
3. L'embolie pulmonaire (EP) est une complication liée à la TVP qui surgit lorsqu'un fragment de caillot sanguin se détache et migre vers l'artère pulmonaire et l'occlut, causant l'obstruction de la circulation sanguine vers les poumons.

TABLEAU 23.4 Principales conditions thromboemboliques préoccupantes durant la période postnatale

CONDITION THROMBOEMBOLIQUE	MANIFESTATIONS CLINIQUES	APPROCHES THÉRAPEUTIQUES
Thrombose veineuse superficielle (TVS)	• Douleur et sensibilité dans la jambe ou le pied (membres inférieurs) • Chaleur • Rougeur	• Administration d'analgésiques (anti-inflammatoires non stéroïdiens [AINS]) • Port de bas élastiques • Élévation de la jambe atteinte • Application locale de chaleur
Thrombose veineuse profonde (TVP)	• Douleur et sensibilité unilatérales à la jambe • Sensibilité au mollet • Œdème • Signe de Homans positif	• Anticoagulothérapie (héparine I.V. en continu et warfarine sodique P.O.) • Administration d'analgésiques • Port de bas élastiques • Élévation de la jambe atteinte
Embolie pulmonaire (EP)	• Dyspnée • Tachypnée • Tachycardie • Toux • Hémoptysie • Syncope • Douleur pleurétique au thorax • Appréhension	• Administration d'héparine I.V. • À la disparition des symptômes, administration d'héparine par voie sous-cutanée (S.C.) ou prise d'anticoagulothérapie P.O.

23.2.1 Fréquence et étiologie

Pendant la période postnatale, on note 1 ou 2 cas de maladie thromboembolique par 1 000 femmes (Pettker & Lockwood, 2007). La fréquence de cette affection a décliné au cours des 20 dernières années, depuis que l'ambulation précoce après l'accouchement est devenue pratique courante. Les causes majeures de maladie thromboembolique sont la stase veineuse et l'hypercoagulation, deux conditions présentes durant la grossesse et la période postnatale. Il existe de nombreux autres facteurs de risque, dont l'accouchement vaginal assisté par instruments, l'accouchement par césarienne, des antécédents de thrombose veineuse ou de varicosités, l'obésité, un âge maternel supérieur à 35 ans, la multiparité, l'infection, l'immobilité et le tabagisme. Les femmes qui présentent des facteurs génétiques de risque liée sont aussi considérées comme étant à risque (Pettker & Lockwood, 2007).

Le chapitre 17, « Déséquilibres hydroélectrolytiques et acidobasiques » (dans Lewis, S.L., *et al.* (2011), *Soins infirmiers : Médecine-Chirurgie*, Montréal : Chenelière Éducation), traite de manière détaillée les troubles du déséquilibre du volume liquidien.

23.2.2 Manifestations cliniques

La TVS est la forme la plus fréquente de thrombophlébite postnatale. Elle se caractérise par la présence de douleur et de sensibilité dans le membre inférieur atteint. L'examen physique peut révéler la présence de chaleur, de rougeur et d'une veine hypertrophiée et durcie au site de la thrombose. La TVP est plus fréquente pendant la grossesse qu'après l'accouchement et se caractérise par une douleur unilatérale à la jambe, de la sensibilité au mollet ainsi que de l'œdème **FIGURE 23.2**. L'examen physique peut révéler la présence de chaleur et de rougeur, mais nombre de femmes n'affichent que peu de ces symptômes, voire pas du tout (Pettker & Lockwood, 2007). Le signe de Homans peut être présent, mais une évaluation plus poussée demeure nécessaire : la douleur au mollet peut en effet être attribuable à d'autres causes, comme un muscle étiré par suite de la position adoptée à l'accouchement (Pettker & Lockwood, 2007). L'EP aiguë se caractérise par la présence de dyspnée et de tachypnée (fréquence respiratoire [F.R.] supérieure à 28 R/min). Les autres signes et symptômes fréquemment observés comprennent de la tachycardie (pouls supérieur à 100 batt./min), de l'appréhension, de la toux, de l'hémoptysie, une hyperthermie, une syncope ainsi qu'une douleur pleurétique au thorax (Cunningham *et al.*, 2005 ; Pettker & Lockwood, 2007).

Jugement clinique

Vous faites l'évaluation de madame Ève Léonard, âgée de 38 ans, qui a accouché hier matin. Elle vous indique ressentir une douleur à la jambe droite depuis cette nuit. Vous soupçonnez une TVS, mais vous décidez de ne pas vérifier le signe d'Homans.

Comment justifiez-vous votre décision ?

L'examen physique n'est pas un indicateur de diagnostic totalement fiable pour les cas de thrombose. La veinographie est la méthode la plus précise pour diagnostiquer une TVP. Elle constitue cependant une mesure effractive associée à de graves complications. Généralement, le recours à des méthodes de diagnostic non effractives est privilégié, comme l'échographie en temps réel et l'échographie doppler couleur.

L'auscultation du cœur peut révéler la présence de murmures associés à une EP. L'électrocardiogramme est habituellement normal. La pression partielle de l'oxygène dans le sang artériel (PaO_2) (mesurée en mm Hg) peut être inférieure à la normale (Katz, 2007a ; Pettker & Lockwood, 2007).

23.2.3 Approche thérapeutique

Le traitement de la TVS comprend le recours à des anti-inflammatoires non stéroïdiens (AINS), du repos avec la jambe atteinte surélevée, le port de bas élastiques (Cunningham *et al.*, 2005 ; Katz, 2007a), de même que l'application locale de chaleur. Le traitement initial de la TVP comprend l'administration d'une anticoagulothérapie (habituellement de l'héparine I.V. en continu), le repos au lit avec la jambe atteinte surélevée et l'administration d'analgésiques.

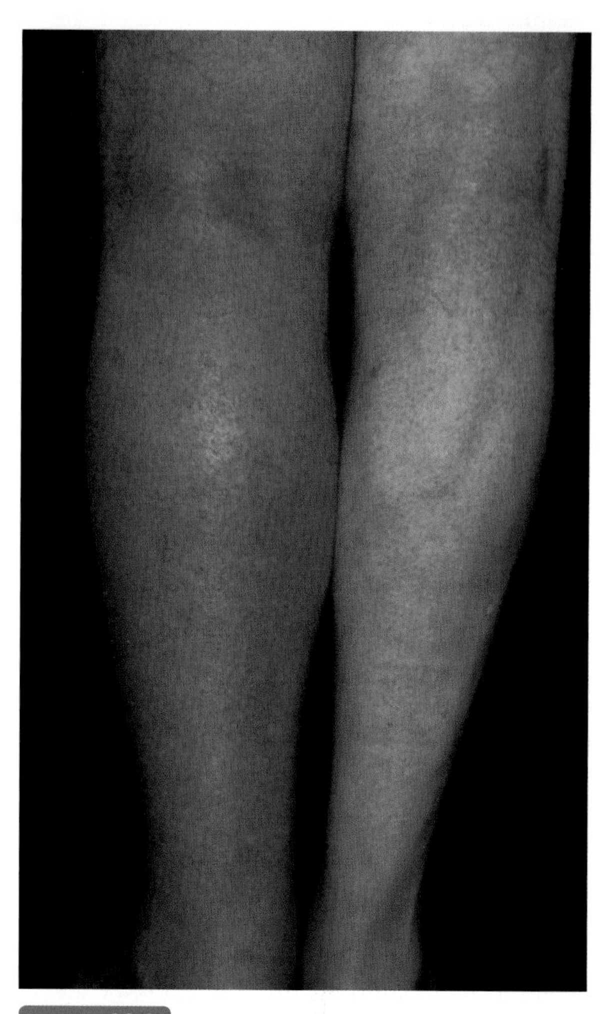

FIGURE 23.2
Thrombophlébite veineuse profonde

Une fois que les symptômes ont diminué, la cliente portera des bas élastiques quand elle pourra commencer à marcher. Le traitement d'héparine par voie I.V. dure environ cinq jours ou jusqu'à ce que les symptômes aient disparu. L'anticoagulothérapie P.O. (warfarine sodique) est amorcée à ce moment et sera maintenue durant environ trois mois. La warfarine sodique peut être administrée dès le lendemain de l'accouchement. Le dosage devra être ajusté de manière à garder le Rapport international normalisé (RIN) dans les limites thérapeutiques de deux à trois (SOGC, 2000). Les traitements avec l'héparine I.V. et la warfarine sodique devront se chevaucher pendant quatre ou cinq jours jusqu'à ce que le RIN soit supérieur à deux pendant deux jours consécutifs (SOGC, 2000). Pour traiter l'EP, on administre un traitement à l'héparine par voie I.V. jusqu'à la disparition des symptômes ; ce traitement est suivi de l'administration d'héparine par voie S.C. ou d'une anticoagulothérapie P.O. pendant une période pouvant aller jusqu'à six mois (Pettker & Lockwood, 2007).

SOINS ET TRAITEMENTS INFIRMIERS

Thrombose

En milieu hospitalier, les soins infirmiers à la femme qui présente une thrombose consistent en évaluations sur une base continue: 1) examen et palpation de la région atteinte; 2) prise des pouls périphériques; 3) vérification du signe de Homans; 4) mesure et comparaison de la circonférence des jambes (mollets); 5) recherche de signes de saignement inhabituel (saignement vaginal abondant, pétéchies généralisées, saignement des muqueuses, hématurie, écoulement à partir de sites de veinoponcture) (AMPRO^{OB}, 2010); 6) vérification des signes d'EP, notamment la présence de douleur thoracique, de toux, de dyspnée et de tachypnée; 7) évaluation de l'état respiratoire pour déceler des râles crépitants. Il faut aussi prendre connaissance des temps de prothrombine ou de thromboplastine partielle indiqués dans les rapports de laboratoire. On évalue le degré de compréhension qu'ont la cliente et sa famille du diagnostic posé et de leur capacité à gérer la situation durant cette période de récupération prolongée imprévue.

Les interventions portent également sur les explications et l'enseignement à fournir relativement au diagnostic et à son traitement. Aussi, la cliente aura besoin d'aide pour ses soins personnels tant qu'elle sera tenue de garder le lit; on encouragera la famille à prendre part aux soins, si cela correspond à leurs désirs et à ceux de la mère. Il faut motiver la femme alitée à changer de position fréquemment, mais en évitant de garder les genoux complètement fléchis, ce qui pourrait causer une accumulation de sang dans les membres inférieurs. Elle devra également prendre soin de ne pas frotter la région atteinte, car cela pourrait déloger le caillot. Lorsque la cliente sera autorisée à marcher de nouveau, on lui enseignera comment prévenir la congestion veineuse en mettant des bas élastiques avant de sortir du lit.

L'héparine et la warfarine sodique sont administrées comme prescrit, et le médecin doit être prévenu si les temps de coagulation ne respectent pas le seuil thérapeutique. Si la mère allaite, on doit l'informer que ces deux médicaments n'ont pas d'effets nuisibles sur l'allaitement (SOGC, 2000). En effet, ni l'héparine ni la warfarine sodique ne sont excrétées en quantité importante dans le lait maternel. Habituellement, le nouveau-né peut demeurer avec sa mère. On recommandera cependant à celle-ci d'avoir une personne auprès d'elle (conjoint ou personne proche) pour prendre soin du nouveau-né. Si le nouveau-né a reçu son congé, la famille sera encouragée à l'amener pour les tétées, selon la politique de l'hôpital; la mère pourra aussi tirer son lait pour usage à la maison.

La douleur peut être gérée par divers moyens. Les changements de position, la surélévation de la jambe et l'application de compresses humides et chaudes peuvent atténuer les malaises. Il peut être nécessaire d'administrer des analgésiques et des AINS.

La cliente retourne habituellement à la maison avec une ordonnance d'anticoagulants P.O. et elle aura besoin d'explications relatives au schéma thérapeutique et aux effets secondaires possibles. Si elle doit recevoir des injections S.C., on lui enseignera, ainsi qu'à sa famille, la façon d'administrer le médicament et de faire la rotation des sites d'injection. Il faut aussi montrer les pratiques sécuritaires de soins pour prévenir les saignements et les blessures durant la période où la femme reçoit l'anticoagulothérapie, comme l'emploi d'une brosse à dents souple et d'un rasoir électrique. La cliente aura également besoin d'information quant au suivi à faire auprès du médecin ou du pharmacien pour vérifier les temps de coagulation et s'assurer que le dosage de l'anticoagulothérapie demeure correct. De plus, si la femme prend de la warfarine sodique, elle devra utiliser une méthode de contraception fiable, car ce médicament est considéré comme étant tératogène. Par ailleurs, les contraceptifs oraux sont contre-indiqués puisqu'ils augmentent le risque de thrombose (Gilbert, 2007).

On ne donne pas de médicaments contenant de l'acide acéltylsalicylique aux femmes qui reçoivent une anticoagulothérapie, car ce médicament inhibe la synthèse de facteurs de coagulation et peut entraîner un allongement du temps de coagulation et un risque de saignement plus élevé.

23.3 | Infections postpartum

Selon l'Agence de la santé publique du Canada (2000), une infection puerpérale est une infection des voies génitales associée à la naissance pouvant se produire n'importe quand jusqu'à six semaines postpartum. L'infection puerpérale est probablement la cause la plus importante de morbidité et de mortalité maternelles dans le monde; l'endométrite en est la cause la plus courante. Les autres infections postpartum courantes comprennent l'infection des plaies, la mastite, l'infection des voies urinaires et celle des voies respiratoires.

Les agents infectieux les plus communs se trouvent parmi les nombreux organismes anaérobiques et streptococciques. Le *Staphylococcus aureus*, les gonocoques, les bactéries coliformes et les bactéries du genre *Clostridium* sont moins fréquents, mais ils demeurent des agents pathogènes inquiétants au regard des infections puerpérales. Les infections postpartum sont plus fréquentes chez les femmes qui présentent aussi une condition sous-jacente ou un déficit immunitaire, ou qui ont subi une césarienne ou un accouchement vaginal assisté par instruments. Les facteurs intrapartum, comme la **rupture prolongée des membranes,** un travail allongé et un monitorage fœtal ou maternel interne augmentent également le risque d'infection

Rupture prolongée des membranes: Rupture des membranes qui a eu lieu plus de 18 heures avant la naissance.

(Duff, 2007). Les facteurs qui prédisposent la cliente à une infection postpartum sont énumérés dans l'**ENCADRÉ 23.4**. Les analyses de laboratoire habituellement réalisées comprennent un hémogramme, des hémocultures et des cultures de tissus utérins.

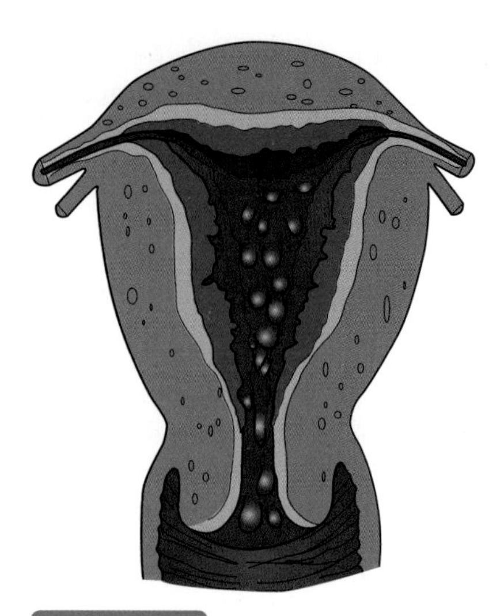

FIGURE 23.3
Endométrite

23.3.1 Endométrite

L'endométrite est la cause la plus courante d'infection puerpérale. Elle débute généralement par une infection localisée au site d'insertion du placenta, mais peut s'étendre à l'ensemble de l'endomètre **FIGURE 23.3**. Elle est plus fréquente chez les femmes qui ont eu une césarienne que chez celles qui ont accouché par voie vaginale. L'endométrite peut se manifester par les signes suivants: de la fièvre (habituellement plus de 38 °C), un pouls élevé, des frissons, de l'anorexie, des nausées, de la fatigue et de la léthargie, de la sensibilité utérine ou des lochies abondantes et nauséabondes (Duff, 2007). Une leucocytose et une nette augmentation de la vitesse de sédimentation des globules rouges constituent des résultats typiques d'analyses de laboratoire en cas d'infection postpartum. La présence d'anémie est parfois notée. Des hémocultures ou des cultures de bactéries du col ou de l'utérus (aérobies et anaérobies) révèlent l'identité des agents pathogènes en cause dans un délai de 36 à 48 heures.

23.3.2 Infection des plaies

L'infection des plaies est aussi une infection postpartum courante, mais qui se contracte et se manifeste souvent une fois que la femme est de retour à la maison. Les endroits généralement touchés sont l'incision de la césarienne, l'épisiotomie ou le site de réparation des déchirures. Les facteurs prédisposants sont semblables à ceux de l'endométrite. Les signes d'infection d'une plaie sont, entre autres, l'érythème, l'œdème, la chaleur, la sensibilité, un écoulement séropurulent ou l'ouverture de la plaie. Il y a souvent présence de fièvre et de douleur au site d'infection.

23.3.3 Infection des voies urinaires

L'infection des voies urinaires est susceptible de se produire chez certaines femmes après leur accouchement. Les facteurs de risque comprennent le cathétérisme vésical, des examens pelviens fréquents, une anesthésie épidurale, une blessure aux voies génitales, des antécédents d'infection des voies urinaires ainsi qu'une césarienne. L'infection se manifeste par les signes et les symptômes suivants: dysurie, fréquence et urgence des mictions, légère fièvre, rétention urinaire, hématurie et pyurie. Une sensibilité de l'angle costovertébral ou une douleur au flanc peuvent indiquer une infection

ENCADRÉ 23.4 Facteurs prédisposants à l'infection postpartum

FACTEURS PRÉSENTS AVANT LA CONCEPTION OU FACTEURS ANTEPARTUM

- Antécédents de thrombose veineuse, d'infection des voies urinaires, de mastite, de pneumonie
- Diabète
- Alcoolisme
- Abus de drogues
- Immunosuppression
- Anémie
- Malnutrition

FACTEURS INTRAPARTUM

- Césarienne
- Accouchement vaginal assisté par instruments
- Rupture prolongée des membranes
- Chorioamnionite
- Travail prolongé
- Cathétérisme vésical
- Monitorage interne de la pression fœtale ou utérine
- Nombreux examens vaginaux après la rupture des membranes
- Anesthésie épidurale
- Rétention de fragments placentaires
- HPP
- Épisiotomie ou déchirures
- Hématomes

des voies urinaires hautes. L'analyse des urines révèle parfois la présence de *Escherichia coli*, quoique d'autres bacilles Gram négatif peuvent également causer des infections urinaires.

23.3.4 Mastite

La mastite touche de 1 à 10 % des femmes rapidement après l'accouchement, la plupart étant des primipares qui allaitent (Newton, 2007). La mastite peut être inflammatoire ou infectieuse. Elle est presque toujours unilatérale et survient après que la lactation est dûment établie ▶ 18. L'agent infectieux est généralement le streptocoque hémolytique *S. aureus*. La lésion débute habituellement par une fissure au mamelon qui s'infecte, puis elle s'étend au tissu mammaire. L'œdème inflammatoire et l'engorgement du sein obstruent rapidement la circulation du lait dans un lobe et diminuent la circulation sanguine responsable du transport de l'ocytocine vers les cellules myoépithéliales entourant les alvéoles afin de déclencher le réflexe d'éjection du lait. Il en résulte une accumulation de lait, cause de l'engorgement. Si les symptômes persistent au-delà de 24 heures après leur apparition, malgré les traitements non pharmacologiques, il y a indication d'une antibiothérapie. En l'absence de traitement adéquat, la mastite peut évoluer vers un abcès du sein.

Les symptômes apparaissent rarement avant la fin de la première semaine après l'accouchement; ils sont plus fréquents entre la deuxième et la quatrième semaine. La mastite se manifeste tout d'abord par des frissons, de la fièvre (syndrome pseudogrippal), un malaise et une sensibilité locale au sein. Celui-ci présente une région sensible, douloureuse, enflée et rouge; la mastite peut s'accompagner d'une adénopathie axillaire.

SOINS ET TRAITEMENTS INFIRMIERS

Infections postpartum

La prévention est le traitement le plus efficace et le moins coûteux qui soit contre les infections postpartum. On ne saurait trop insister sur l'importance d'une bonne hygiène périnéale et des mains. L'application rigoureuse des techniques d'asepsie par tout le personnel pendant l'accouchement et la période postnatale est très importante. Les problèmes prioritaires relatifs aux femmes qui présentent une infection postpartum sont énumérés à l'**ENCADRÉ 23.5**.

Les interventions médicales relatives à l'endométrite consistent en l'administration I.V. d'antibiotiques à large spectre d'efficacité (p. ex., les céphalosporines, les pénicillines, la clindamycine ou la gentamicine) et en soins de soutien comme l'hydratation, le repos et le soulagement de la douleur. L'antibiothérapie est cessée habituellement 24 heures après que la femme est asymptomatique (Duff, 2007).

ENCADRÉ 23.5 Problèmes prioritaires relatifs aux femmes qui présentent une infection postpartum

- Connaissances insuffisantes en ce qui concerne :
  - la cause, le traitement et l'évolution de l'infection ;
  - la transmission et la prévention de l'infection.
- Atteinte à l'intégrité des tissus liée aux effets du processus infectieux.
- Douleur aiguë liée à :
  - la présence d'une mastite ;
  - la présence d'une infection puerpérale ;
  - la présence d'une infection des voies urinaires.
- Dynamique familiale perturbée attribuable à :
  - une complication inattendue survenant dans la période de récupération postpartum ;
  - une séparation mère-enfant ;
  - une interruption dans le processus de réorganisation relationnelle mis en œuvre à la suite de l'arrivée du nouveau membre de la famille.
- Risque de perturbation dans l'exercice du rôle parental lié à la crainte de transmettre l'infection au nouveau-né.

Les interventions infirmières se poursuivent pendant le traitement; elles comprennent l'évaluation des lochies, des signes vitaux et de tout changement dans l'état de la cliente. Les mesures de confort varient selon les symptômes : application de compresses froides, de couvertures chaudes, soins périnéaux et bain de siège. L'enseignement portera sur les effets secondaires du traitement, la prévention de la propagation de l'infection, les signes et les symptômes de dégradation de l'état de la personne, l'observance du plan de soins et de traitements infirmiers (PSTI) et les soins de suivi. La nouvelle mère peut avoir besoin d'encouragement ou d'aide pour maintenir les rapports avec son nouveau-né et poursuivre l'allaitement.

Le traitement de l'infection des plaies peut combiner l'antibiothérapie et le débridement des plaies. On peut procéder à l'ouverture et au drainage des plaies. L'infirmière effectuera des évaluations fréquentes des plaies et des signes vitaux (p. ex., l'irrigation, les changements de pansement). Les mesures de confort relatives aux plaies périnéales comprennent les bains de siège, l'application de compresses chaudes et des soins périnéaux. L'enseignement porte sur les techniques relatives à une bonne hygiène (p. ex., le changement de serviettes hygiéniques, le nettoyage du périnée de l'avant vers l'arrière, l'hygiène des mains avant et après les soins périnéaux), les soins personnels ainsi que les signes de

18

La mastite est illustrée dans le chapitre 18, *Nutrition et alimentation du nouveau-né*.

Jugement clinique

Vous prenez soin de madame Tania Reid, âgée de 27 ans. Cette cliente a subi une césarienne voilà deux jours. Elle vous révèle ressentir une brûlure à la miction depuis que la sonde vésicale a été retirée hier soir.

Afin de déterminer la possibilité d'une infection des voies urinaires, nommez au moins cinq signes et symptômes que vous devez rechercher chez la cliente.

Jugement clinique

Madame Reid a entrepris une antibiothérapie puisqu'elle présente une infection des voies urinaires. Elle vient de recevoir son congé.

Outre les conseils relatifs à la prise de la médication, identifiez trois éléments à inclure dans votre enseignement.

dégradation de l'état de la personne qu'il faut signaler au personnel soignant. Une fois que le traitement des plaies est amorcé en milieu hospitalier, la cliente reçoit habituellement son congé. À la maison, elle assurera ses soins ou bénéficiera de soins infirmiers à domicile.

Les interventions médicales relatives aux infections des voies urinaires comprennent l'antibiothérapie, l'analgésie et l'hydratation. Les femmes en période postnatale sont généralement traitées en consultation externe ; par conséquent, l'enseignement devra comporter des indications sur la manière de gérer la température, sur la fonction vésicale et l'apparence des urines. L'infirmière expliquera comment reconnaître les signes de complications potentielles et insistera sur l'importance de prendre tous les antibiotiques selon la prescription du médecin.

Comme la mastite se manifeste rarement avant que la nouvelle accouchée qui allaite ne reçoive son congé, l'enseignement devra inclure de l'information sur les signes précurseurs de cette infection et des conseils sur la prévention des gerçures aux mamelons et sur le traitement de l'engorgement. La prise en charge de l'affection comprend des applications locales de compresses chaudes (ou froides), une hydratation adéquate, l'administration d'analgésiques et une antibiothérapie si nécessaire (p. ex., la dicloxacilline ou la flucloxacilline). Il importe de bien drainer les seins souvent : toutes les deux ou trois heures par la tétée, par l'extraction manuelle ou par l'expression à l'aide d'un tire-lait (Katz, 2007b) ▶ 18.

18

L'allaitement maternel est traité dans le chapitre 18, *Nutrition et alimentation du nouveau-né*.

Les nouvelles mères reçoivent généralement leur congé moins de 48 heures après leur accouchement, alors que les signes d'infection ne sont pas toujours apparents. L'infirmière qui travaille en milieu hospitalier doit être en mesure de reconnaître la cliente à risque d'infection puerpérale ; elle lui fournira de l'enseignement et des conseils préventifs à cet effet avant son congé. Par la suite, la femme bénéficie de multiples possibilités d'interventions lui permettant de prévenir une infection postpartum ou d'en reconnaître les signes : suivi téléphonique, ligne d'assistance, groupes de soutien, conseillère en allaitement, visites à domicile par une infirmière et matériel pédagogique (vidéos, documentation écrite). L'infirmière en soins à domicile doit être capable de déceler les signes et les symptômes d'une infection puerpérale et de fournir les soins infirmiers appropriés à la mère qui nécessite un suivi de soins à domicile.

23.4 Séquelles génito-urinaires de l'accouchement

La femme est à risque de problèmes liés au système reproducteur dès l'apparition de ses premières règles et jusqu'à un âge avancé, y compris la ménopause. Les problèmes éprouvés peuvent découler de troubles morphologiques de l'utérus et du vagin liés au relâchement pelvien ou à l'incontinence urinaire. Certains problèmes peuvent faire suite à la grossesse. Par exemple, il arrive que les structures et les tissus mous du vagin et de la vessie soient abîmés au cours d'un travail prolongé, d'un accouchement précipité ou en situation de disproportion céphalopelvienne. Des problèmes peuvent aussi survenir chez des femmes sans antécédents de grossesse.

23.4.1 Déplacement et prolapsus de l'utérus

Normalement, les ligaments ronds maintiennent l'utérus en antéversion, et les ligaments utérosacraux retiennent le col vers le haut et l'arrière. Le déplacement de l'utérus consiste en une variante de cette orientation considérée comme normale. Le type de déplacement le plus courant est le déplacement vers l'arrière, ou rétroversion : l'utérus est alors incliné vers l'arrière, et le col pivote vers l'avant. La rétroflexion et l'antéflexion sont d'autres variantes du déplacement de l'utérus **FIGURE 23.4**.

Moins de deux mois après l'accouchement, les ligaments devraient être revenus à leur longueur normale, mais chez environ le tiers des femmes, l'utérus demeure rétroverti. Cet état est rarement symptomatique, mais il peut rendre la conception difficile, car le col pointe vers la paroi antérieure du vagin et en direction opposée de la portion postérieure du fornix, là où se loge le liquide séminal après le coït. Lorsque des symptômes se manifestent, ils peuvent comprendre une douleur pelvienne et une lombalgie, une **dyspareunie** (douleur au cours de rapports sexuels) et l'exagération des symptômes prémenstruels.

Le prolapsus de l'utérus est un type de déplacement plus grave. Le degré de prolapsus varie de léger à complet. Dans le cas de prolapsus complet, le col et le corps de l'utérus font saillie dans le vagin, et ce dernier se retourne **FIGURE 23.5**.

Le déplacement et le prolapsus de l'utérus peuvent être causés par une faiblesse congénitale ou acquise des structures de soutien pelviennes (souvent appelée relâchement pelvien). Dans beaucoup de cas, les problèmes peuvent être associés à une conséquence tardive, mais directe de la grossesse. Même si les lésions importantes peuvent être remarquées et soignées peu après l'accouchement, les symptômes liés au relâchement pelvien n'apparaissent souvent que durant la période de périménopause, lorsque les effets des hormones ovariennes

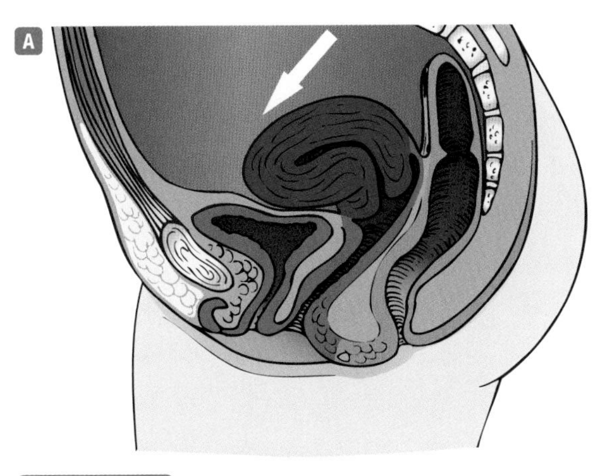

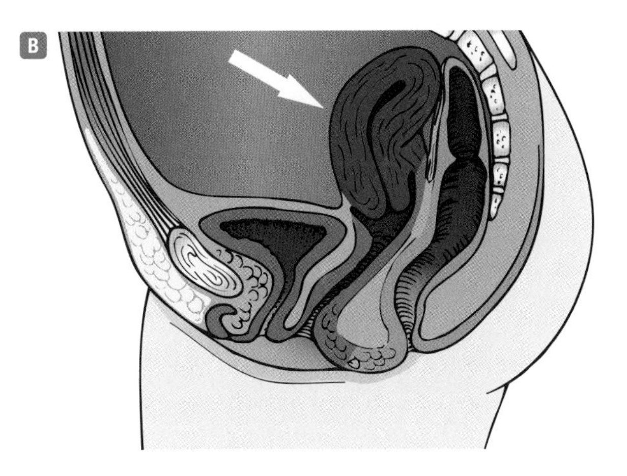

FIGURE 23.4

Types de déplacement de l'utérus. A Antéversion (déplacement de l'utérus vers l'avant). B Rétroversion (déplacement de l'utérus vers l'arrière).

sur les tissus pelviens disparaissent et que les changements atrophiques débutent. Un trauma, du stress et de la tension au niveau pelvien, le processus de vieillissement, une chirurgie du système reproducteur ainsi que l'irradiation de la zone pelvienne sont aussi des causes de relâchement pelvien.

Manifestations cliniques

En général, les symptômes de relâchement pelvien dépendent des structures touchées : urètre, vessie, utérus, vagin, cul-de-sac ou rectum. Les symptômes les plus courants que rapporte la cliente sont une sensation de lourdeur (parfois comme si la femme traînait un objet), une pression, une procidence, la fatigue, une lombalgie. Les symptômes peuvent s'accentuer après une période prolongée en position debout ou à la suite d'une pénétration pénienne profonde au cours de rapports sexuels. On peut aussi observer de l'incontinence urinaire.

Le prolapsus de l'utérus peut également s'accompagner de cystocèle ou de rectocèle, entraînant ce dernier à descendre plus bas et à se déplacer plus vers l'arrière dans le vagin .

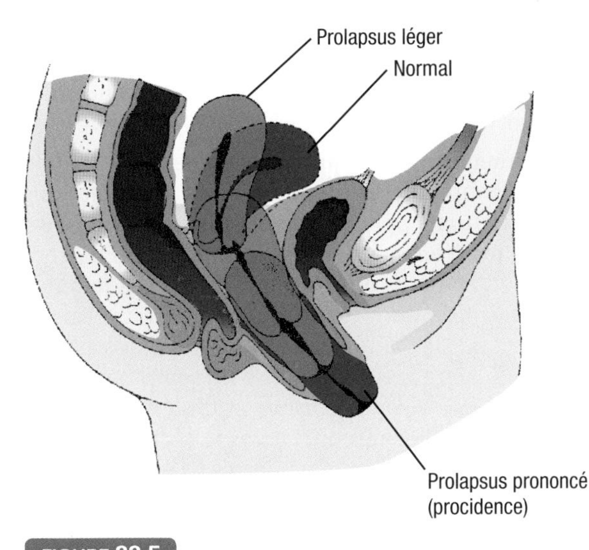

FIGURE 23.5

Prolapsus de l'utérus

23.4.2 Incontinence urinaire

L'incontinence urinaire touche les femmes jeunes et d'âge moyen et montre une prévalence qui va croissant avec l'âge de la femme (Sampselle, 2003). Même si l'on observe de l'incontinence urinaire chez les nullipares, elle est plus fréquente chez les femmes qui ont déjà accouché et elle augmente avec la multiparité (Sampselle, 2003). Plusieurs conditions occasionnent une perturbation de la maîtrise des urines : 1) l'incontinence à l'effort, qui se manifeste quand la pression intra-abdominale augmente soudainement (lorsque la personne éternue ou tousse) ; 2) l'incontinence par impériosité, causée par des troubles de la vessie et de l'urètre (urétrite, rétrécissement de l'urètre, trigonite, cystite) ; 3) certaines neuropathies (sclérose en plaques, névrite diabétique, pathologies de la moelle épinière) ; 4) des anomalies congénitales ou acquises des voies urinaires.

L'incontinence à l'effort peut découler d'une blessure occasionnée aux structures du col vésical. Il existe un mécanisme sphinctérien situé à hauteur du col vésical qui comprime le segment supérieur de l'urètre, lui impose une traction verticale en l'amenant derrière la symphyse et produit la formation d'un angle aigu entre la paroi urétrale postérieure et la base de la vessie (angle urétrovésical) **FIGURE 23.6**. Quand vient le temps de vider la vessie, le complexe sphinctérien se relâche, le trigone se contracte pour permettre l'ouverture de l'orifice urétral interne et tire vers le haut la paroi vésicale qui se contracte, ce qui force l'urine à sortir. L'angle entre l'urètre et la base de la vessie disparaît ou augmente lorsque le faisceau pubococcygéen est abîmé ; ce changement, jumelé à une urétrocèle (dilatation d'un segment de l'urètre) entraîne de l'incontinence. L'urine jaillit quand on demande à la femme de pousser ou de tousser lorsqu'elle est en **position de lithotomie (ou gynécologique)**.

Plus de renseignements sur les cystocèles et les rectocèles et leurs manifestations, sont présentés à l'annexe 23.1W, au www.cheneliere.ca/lowdermilk.

Position de lithotomie (ou gynécologique) : Décubitus dorsal avec les jambes écartées, les genoux pliés et les talons appuyés dans des étriers.

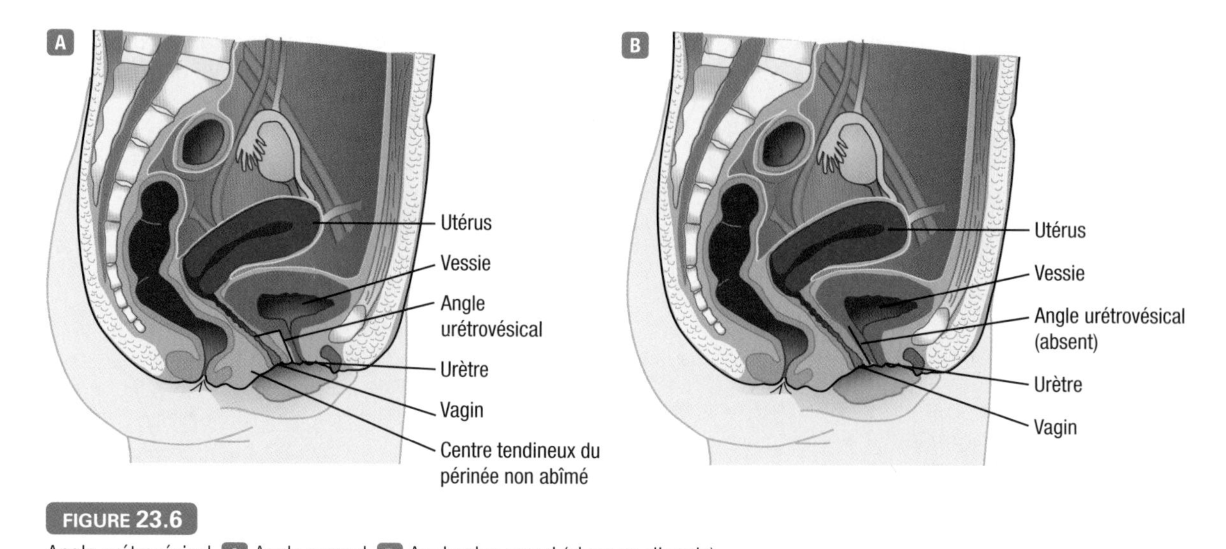

FIGURE 23.6
Angle urétrovésical. A Angle normal. B Angle plus grand (absence d'angle).

Les fuites involontaires d'urine constituent le signe principal de l'incontinence urinaire. Les épisodes de fuites urinaires sont courants lorsque la femme tousse, rit ou fait de l'exercice.

23.4.3 Fistules génitales

La fistule génitale est une communication anormale entre les voies génitales et un organe. La plupart sont localisées entre la vessie et les voies génitales (vésicovaginale), entre l'urètre et le vagin (urétrovaginale) ou entre le rectum ou le côlon sigmoïde et le vagin (rectovaginale) **FIGURE 23.7**. Les fistules génitales peuvent résulter d'une anomalie congénitale, d'une chirurgie gynécologique, d'un trauma obstétrical, d'un cancer, d'une radiothérapie, d'un trauma gynécologique ou d'une infection (p. ex., à la suite d'une épisiotomie).

Manifestations cliniques

Les signes et les symptômes des fistules vaginales diffèrent selon leur emplacement; ils se résument à la présence d'urine, de flatuosités ou de matières fécales dans le vagin, à des odeurs d'urine ou de matières fécales dans le vagin et à l'irritation des tissus vaginaux.

Vésico-utérine
Vésicocervicale
Urétrovaginale
Périnéovaginale
Vésicovaginale
Rectovaginale

FIGURE 23.7
Types de fistules qui peuvent se manifester dans le vagin, l'utérus et le rectum.

23.4.4 Approche thérapeutique

Chez les clientes qui présentent des séquelles génito-urinaires de l'accouchement, l'évaluation des problèmes liés aux troubles morphologiques de l'utérus et du vagin se concentre principalement sur les voies génito-urinaires, sur les organes reproducteurs, sur l'élimination intestinale ainsi que sur les facteurs psychosociaux et sexuels inhérents. Pour établir le diagnostic médical approprié, il faut obtenir un bilan des antécédents médicaux et effectuer un examen physique et des analyses de laboratoire. L'infirmière déterminera ce que la cliente connaît du trouble qui l'afflige, du traitement et des pronostics possibles.

Les membres de l'équipe soignante travaillent de concert pour traiter les problèmes liés aux altérations des structures pelviennes et soutenir la cliente dans la prise en charge de ses symptômes. En général, les infirmières qui travaillent avec ces femmes fournissent de l'information générale et de l'enseignement sur les autosoins pour éviter l'apparition de problèmes, traiter ou réduire les symptômes déjà présents, favoriser le confort et l'hygiène et faire savoir en quelles circonstances il faut intervenir. Cette information peut être intégrée à l'enseignement lié au congé, ou fournie au moment des visites postnatales (en consultation externe ou au bureau du médecin ou de la sage-femme), ou encore au cours des visites postnatales à domicile.

Les interventions relatives à un trouble précis varient selon les problèmes et la gravité des symptômes. Si le déplacement de l'utérus cause un malaise, on peut avoir recours à divers moyens pour y remédier. Les exercices de Kegel peuvent être pratiqués plusieurs fois par jour, en vue d'augmenter la musculature du périnée. L'adoption de la position genupectorale pendant quelques minutes plusieurs fois par jour peut corriger une légère rétroversion de l'utérus. Un dispositif particulier, appelé pessaire, peut être introduit dans le vagin, afin de soutenir l'utérus et de le maintenir dans sa position normale **FIGURE 23.8**. Le port du pessaire est habituellement limité à une courte période, car le dispositif peut causer une nécrose par pression et une vaginite. L'application de bonnes règles d'hygiène est importante ; on conseillera à certaines femmes de retirer le pessaire la nuit, de le nettoyer et de le remettre en place le lendemain matin. Après un certain temps, la plupart des femmes ne présentent plus de symptômes, et le port du pessaire devient superflu. L'intervention chirurgicale est rarement indiquée.

Le traitement du prolapsus de l'utérus dépend de l'importance du prolapsus. Dans le cas d'un prolapsus léger, un pessaire peut être utile pour soutenir l'utérus dans sa position normale. Chez les clientes plus âgées, il est possible de recourir à l'œstrogénothérapie pour améliorer la tonicité des tissus. Lorsque ces traitements classiques ne corrigent pas la situation, ou si le prolapsus est très prononcé, l'hystérectomie vaginale ou abdominale est habituellement recommandée (Lentz, 2007).

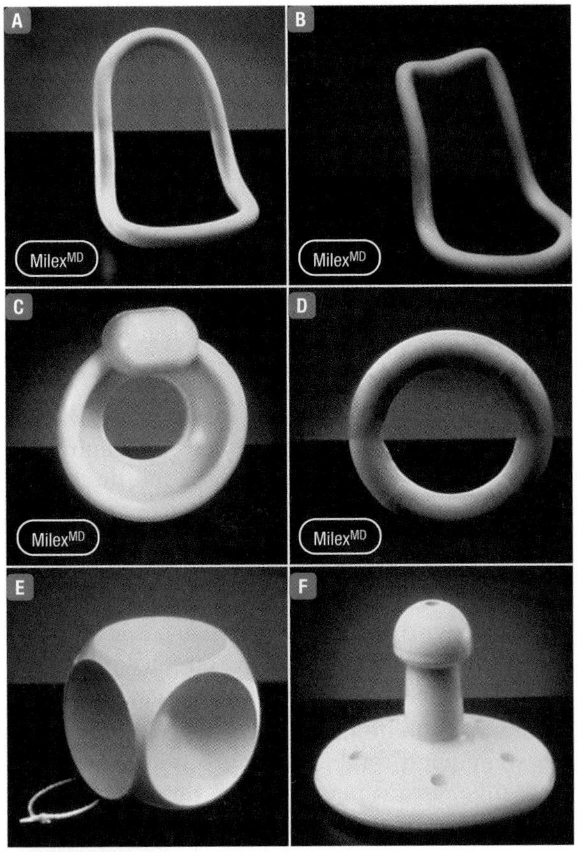

Le traitement de la cystocèle comprend l'usage d'un pessaire vaginal et la chirurgie réparatrice. La chirurgie antérieure (colporrhaphie) est l'intervention chirurgicale habituelle ; on y a recours dans les cas de cystocèles prononcées et symptomatiques. L'opération consiste à raccourcir chirurgicalement les muscles pelviens afin de mieux supporter la vessie. La colporrhaphie est souvent réalisée en combinaison avec une hystérectomie vaginale. Les exercices de Kegel peuvent s'avérer efficaces pour réduire les symptômes d'incontinence urinaire et fécale (Lentz, 2007).

Les rectocèles légères peuvent ne pas nécessiter de traitement. La femme qui présente des symptômes légers peut être soulagée par une alimentation riche en fibres et une consommation liquidienne adéquate, la prise de laxatifs émollients ou de laxatifs légers. Le port d'un pessaire vaginal peut être utile. Les rectocèles prononcées, qui causent des symptômes importants, sont habituellement corrigées au moyen de la chirurgie. La chirurgie postérieure (colporrhaphie) est l'intervention chirurgicale habituelle. Cette opération, effectuée par voie vaginale, consiste à raccourcir les muscles pelviens, afin de mieux supporter le rectum (Lentz, 2007). Les chirurgies antérieure et postérieure peuvent être réalisées concomitamment et en combinaison avec une hystérectomie vaginale.

Chez beaucoup de femmes, l'incontinence urinaire légère à modérée peut être considérablement réduite ou soulagée par la rééducation vésicale et la pratique d'exercices des muscles pelviens (exercices de Kegel : contractions des muscles pelviens, du vagin et des fesses) (Bersuk, 2007 ; Sampselle, 2003). D'autres stratégies de traitement peuvent aussi être envisagées : dispositifs de soutien des organes pelviens (pessaires), œstrogénothérapie vaginale, inhibiteurs de recaptage de sérotonine et de norépinéphrine, électrostimulation, insertion d'un sphincter urétral artificiel, chirurgie (p. ex., une chirurgie antérieure) (Dwyer & Kreder, 2005 ; Kielb, 2005 ; Lentz, 2007).

A Milex^MD B Milex^MD C Milex^MD D Milex^MD E F

FIGURE 23.8

Exemples de pessaires. **A** Étrier. **B** Hodge sans soutien. **C** Plat sans support, pour incontinence. **D** Anneau sans support. **E** Cube. **F** Gellhorn.

SOINS ET TRAITEMENTS INFIRMIERS

Incontinence urinaire

L'infirmière qui prodigue des soins à la cliente qui souffre d'incontinence urinaire sera attentive aux signes de dépression ; l'incontinence peut en effet survenir en raison de la baisse de qualité de vie et de

23

Dépression postpartum : Dépression qui survient dans les quatre semaines qui suivent l'accouchement, qui dure plus longtemps que le syndrome du troisième jour (*baby blues*) et qui se caractérise par divers symptômes qui perturbent les activités quotidiennes et les soins au nouveau-né.

l'état fonctionnel de la femme (Melville, Delaney, Newton & Katon, 2005). Celle-ci peut également avoir besoin de conseils quant aux modifications à apporter à son mode de vie (perte de poids) et d'enseignement sur la pratique d'exercices des muscles pelviens.

L'infirmière qui prend soin d'une cliente affligée d'une cystocèle, d'une rectocèle ou d'une fistule devra faire preuve de beaucoup de délicatesse, car les réactions d'une femme dans cette situation sont souvent intenses. Celle-ci peut s'isoler ou devenir hostile en raison de la gêne qu'elle éprouve à l'égard des odeurs qu'elle dégage et du fait qu'elle souille ses vêtements, sans aucune maîtrise. La cliente peut s'inquiéter de ce qui l'attend sur le plan des rapports sexuels, car elle peut penser que cela inspire de la répulsion à son partenaire. L'infirmière peut, avec tact, proposer certaines pratiques en matière d'hygiène qui réduisent les odeurs. Pour se doucher, la femme peut avoir recours à des produits de douche désodorisants du commerce ou à une solution non commerciale, comme une solution chlorée (5 ml d'eau de Javel domestique par litre d'eau). La solution chlorée peut aussi servir à l'irrigation externe du périnée. Les bains de siège et un lavage soigneux des parties génitales avec un savon doux, non parfumé et de l'eau chaude apportent aussi un certain soulagement. Une légère application de poudre désodorisante peut être utile. En cas de fistule rectovaginale, l'administration de lavements avant de quitter la maison peut interrompre temporairement le suintement des matières fécales, jusqu'à ce que l'on procède à une chirurgie correctrice. L'utilisation d'une lampe à infrarouge ou l'application d'un onguent émollient peuvent aider à soulager la peau et les tissus irrités. Les soins d'hygiène exigent beaucoup de temps et doivent être répétés plusieurs fois par jour ; la femme peut devoir porter constamment une serviette hygiénique ou une culotte protectrice. Toutes ces précautions peuvent avoir un effet déprimant sur la femme et être source de frustration pour celle-ci et sa famille.

23.5 Troubles psychologiques postpartum

Les troubles mentaux ont des répercussions non seulement sur la mère, mais aussi sur le nouveau-né et sur toute la famille. La présence de tels troubles peut nuire à l'établissement de liens avec le nouveau-né et à son intégration dans la famille, et certaines situations peuvent représenter un danger pour la sécurité et le bien-être de la mère, du nouveau-né et des autres enfants. Il est important de connaître les différences entre le syndrome du troisième jour, la **dépression postpartum** (DPP) et la psychose postpartum.

Les troubles mentaux ont des répercussions non seulement sur la mère, mais aussi sur le nouveau-né et sur toute la famille.

Le *Manuel diagnostique et statistique des troubles mentaux* (DSM-IV) contient les lignes directrices officielles de l'évaluation et du diagnostic des maladies psychiatriques (American Psychiatric Association [APA], 2000). Il ne précise cependant pas de critères propres à la DPP. Par contre, on peut qualifier de troubles psychologiques postpartum tout trouble de l'humeur, avec ou sans caractéristiques psychotiques (psychose postpartum), survenant dans les quatre semaines qui suivent l'accouchement (APA, 2000). Toutefois, les études reconnaissent que l'apparition des symptômes peut survenir beaucoup plus tard, jusqu'à un an après l'accouchement en ce qui concerne la DPP (Gauthier, 2007).

23.5.1 Syndrome du troisième jour

Les troubles de l'humeur constituent le principal problème de santé mentale de la période postnatale ; ils se manifestent généralement dans les quatre premières semaines qui suivent l'accouchement (APA, 2000). Après la naissance d'un enfant, nombre de femmes font l'expérience d'une légère dépression ou du cafard (ou *blues*) du postpartum. On l'appelle également syndrome du troisième jour (Société canadienne de pédiatrie, 2009). Ces symptômes dépressifs légers et transitoires surviennent chez environ 80 % des femmes, habituellement dans les deux premières semaines qui suivent la naissance. L'humeur est triste et variable (les pleurs sont fréquents), alternant avec des périodes d'euphorie accompagnées d'hyperémotivité. De la fatigue, de l'irritabilité et un manque de confiance en soi se manifestent aussi. Ces symptômes sont normaux et causés par une forte chute hormonale, associée à une période de fatigue et de stress accrus (Sauvageau, 2007, Société canadienne de pédiatrie, 2009) ▶ 15.

15

Dans le chapitre 15, *Adaptation au rôle de parents*, un encadré Guide d'enseignement offre des conseils pour surmonter le syndrome du troisième jour ou *baby blues*.

23.5.2 Dépression postpartum sans caractéristiques psychotiques

Cette dépression plus grave peut nuire au point de rendre la femme qui en souffre incapable de prendre soin d'elle-même ou de son nouveau-né. L'infirmière est bien placée pour offrir des conseils d'ordre préventif, évaluer l'état mental de la nouvelle mère, assurer une intervention thérapeutique et orienter la cliente vers d'autres ressources au besoin. L'omission d'intervenir dans certaines circonstances peut avoir des conséquences tragiques.

On note que l'incidence de DPP augmente progressivement durant la première année suivant la naissance, ce qui peut nuire au dépistage en raison des symptômes qui s'installent discrètement et du fait que la mère peut avoir tendance à les cacher, compte tenu des sentiments de honte qu'elle ressent (Ferreira, 2007).

Étiologie et facteurs de risque

La cause de la DPP peut être biologique, psychologique, situationnelle ou multifactorielle. Ce trouble touche de 10 à 15 % des femmes (Ferreira, 2007 ; Gagnon, 2010 ; Sauvageau, 2007). À la suite d'une analyse documentaire exhaustive, Bina (2008) a conclu que les pratiques culturelles sont susceptibles d'influencer positivement ou négativement l'apparition d'une DPP. De plus, il s'avère que des antécédents personnels ou familiaux de troubles de l'humeur, des symptômes de changement d'humeur ou d'anxiété durant la période antepartum, ainsi qu'un cafard ou *blues* postpartum sont des facteurs qui augmentent le risque de DPP (APA, 2000 ; Milgrom *et al.*, 2008). Beck (2008a, 2008b) a publié une analyse complète de 141 études portant sur la contribution des infirmières chercheuses à l'état des connaissances scientifiques sur la DPP. Un des aspects étudiés avait trait à la détermination des facteurs de risque. Cet auteur décrit au moins cinq outils qui ont été conçus depuis 1990 et qui permettent d'évaluer les facteurs de risque ou les symptômes de DPP. Les facteurs de risque les plus courants sont présentés dans l'**ENCADRÉ 23.6**.

ENCADRÉ 23.6 Facteurs de risque de dépression postpartum

- Faible estime de soi
- Stress par rapport aux soins à prodiguer au nouveau-né
- Anxiété prénatale
- Stress par rapport à la vie
- Absence de soutien social
- Problèmes de relations conjugales
- Antécédents de dépression
- Tempérament « difficile » du nouveau-né
- Cafard ou *blues* du postpartum
- Statut de célibataire
- Faible statut socioéconomique
- Grossesse non planifiée ou non désirée

Source : Adapté de Beck (2001, 2002).

Manifestations cliniques

La DPP est un état caractérisé par de la tristesse intense et envahissante et par des sautes d'humeur importantes ; elle est plus grave et persistante que le cafard ou *blues* du postpartum. La présence de peurs intenses, de colère, d'anxiété et d'abattement qui persiste au-delà des premières semaines de vie du nouveau-né ne fait pas normalement partie du cafard du postpartum. Ces symptômes, qui surviennent chez 10 à 15 % des nouvelles mères, disparaissent rarement sans aide de l'extérieur. Environ 50 % des mères touchées ne sollicitent aucune aide (Dennis & Chung-Lee, 2006). Selon Lahey (2010), une Canadienne sur sept souffre de DPP. La prévalence de DPP chez les mères adolescentes est environ 50 % plus élevée que chez les mères plus âgées (Driscoll, 2006). Les jeunes mères (âgées de moins de 20 ans) sont moins enclines à solliciter de l'aide et présentent un taux de DPP supérieur à celui des autres femmes (Mayberry, Horowitz & Declercq, 2007).

Les symptômes d'une DPP ne diffèrent pas des symptômes habituels de dépression majeure comme les troubles du sommeil, l'anxiété, l'anorexie, la culpabilité, les tendances suicidaires (Société canadienne de pédiatrie, 2009). D'autres manifestations peuvent également être présentes telles qu'une anxiété importante en lien avec la santé ou la sécurité du nouveau-né, un sentiment d'ambivalence, une tendance au retrait social pouvant aller jusqu'à l'isolement et, dans certains cas, la peur obsédante de faire mal au nouveau-né (Gauthier, 2007).

L'irritabilité est une caractéristique de la DPP. Les épisodes d'irritabilité se déclarent soudainement, sans grande provocation, et ils peuvent parfois dégénérer en accès de violence ou s'évanouir dans des sanglots non maîtrisables. Beaucoup de ces emportements sont dirigés vers une personne significative (« Il ne m'aide jamais ») ou le nouveau-né (« Elle crie sans cesse et ça me donne envie de la frapper »). Les femmes qui souffrent d'épisodes de DPP majeure présentent souvent de l'anxiété grave, des attaques de panique et des crises de larmes soudaines, longtemps après la période habituelle du cafard du postpartum (APA, 2000).

Il est utile de se référer au DSM afin de bien distinguer les symptômes de la dépression majeure et de la DPP.

Beaucoup de femmes se sentent particulièrement coupables d'éprouver des sentiments dépressifs à un moment où elles estiment devoir être heureuses. Elles peuvent être réticentes à discuter de leurs symptômes ou de leurs sentiments négatifs à l'égard du nouveau-né. Le rejet du nouveau-né est une caractéristique dominante de la DPP ; il est souvent causé par une jalousie anormale (APA, 2000). La mère peut être obsédée par l'idée que sa progéniture puisse lui voler l'affection de son partenaire. Elle peut engendrer des attitudes particulières à l'égard du nouveau-né : un manque d'intérêt, un sentiment de contrariété quant aux demandes de soins, le rejet de la responsabilité de son manque de sentiments maternels sur le dos du nouveau-né. À l'observation, cette mère peut sembler mal à l'aise dans sa façon d'agir avec le nouveau-né. Elle est très préoccupée par ses pensées obsessives de faire du mal au nouveau-né. Dans bien des cas, elle ne livre pas ces pensées, car cela la gêne. Lorsqu'elle ose le faire, les autres membres de la famille deviennent très inquiets.

Outils de dépistage de la dépression postpartum

L'échelle de dépression postnatale d'Édimbourg (EDPE), l'inventaire des indices de dépression postpartum (IIDP) et l'échelle de dépistage de dépression postpartum (EDDP) sont des exemples d'outils de dépistage. L'EDPE consiste en un questionnaire que la femme remplit elle-même ; il est conçu de manière à permettre de repérer les femmes qui vivent une DPP **FIGURE 23.9.** Son utilisation a été validée par nombre d'études, au sein de groupes culturels variés; elle est considérée comme un outil de dépistage valable pour la DPP (Lintner & Gray, 2006). Dans le questionnaire d'évaluation, on demande à la femme de se prononcer sur 10 énoncés portant sur les symptômes courants de la dépression. La femme doit choisir la proposition qui décrit le mieux comment elle se sent depuis une semaine (Cox, Holden & Sagovsky, 2003). L'EDPE est largement utilisée au Québec. La validité et la fidélité de la version française de l'échelle ont été démontrées par Des Rivières-Pigeon et ses collaborateurs (2000) auprès d'une population de femmes québécoises de statut socioéconomique faible. L'utilisation de cette échelle est également recommandée par l'Association des infirmières et infirmiers autorisés de l'Ontario (RNAO) dans un document portant sur les meilleures pratiques concernant les interventions infirmières dans le cas de DPP (RNAO, 2005).

Grâce à des recherches ciblées poursuivies depuis plus de 10 ans, Beck a élaboré et continue de perfectionner l'IIDP (IIDP-R [révisé]) (Beck, 2001, 2002) et l'EDDP (Beck & Gable, 2002). L'IIDP-R porte sur 13 facteurs de risque associés à la DPP. L'EDDP consiste en une échelle de Likert comportant 35 énoncés qui évaluent 7 aspects de la dépression: les troubles du sommeil ou de l'alimentation, la présence d'anxiété ou d'insécurité, la labilité émotionnelle, la confusion mentale, la perte d'estime personnelle, les sentiments de culpabilité ou de honte et la présence de pensées suicidaires (Beck, 2008a). Ces deux outils ont été conçus pour aider les infirmières et les autres professionnels de la santé à obtenir de l'information de la part de la femme au moment d'un entretien qui vise à évaluer le risque de DPP.

Par ailleurs, un outil tout simple, comportant deux éléments, a démontré son efficacité pour repérer les clientes à risque de DPP: il suffit à l'infirmière de poser les questions: Êtes-vous triste et déprimée? Considérez-vous avoir perdu la possibilité de profiter d'activités agréables? Une réponse positive à ces deux questions indique la probabilité d'une DPP (Jesse & Graham, 2005).

Lorsqu'une première évaluation indique que la cliente montre des signes de DPP, une autre évaluation à l'aide d'un outil officiel s'avère utile pour déterminer dans quelle mesure la femme doit être orientée vers des services spécialisés et, le cas échéant, pour choisir les types de services appropriés.

Au Canada, depuis les années 1970, les femmes amérindiennes des communautés rurales et éloignées se voient souvent contraintes de quitter leur milieu de vie vers la 36e semaine de gestation, pour donner naissance dans des centres régionaux. Même si cette pratique a permis de diminuer la mortalité et la morbidité associées aux grossesses à risque, elle a engendré de la détresse pour de nombreuses femmes. Les données indiquent que cette pratique peut contribuer à l'apparition d'une DPP (SOGC, 2007). Il faut porter une attention particulière à cette population.

Soulignez la réponse qui correspond le plus précisément à vos sentiments depuis les sept derniers jours.

1. J'ai pu rire et prendre les choses du bon côté.
Aussi souvent que d'habitude
Pas tout à fait autant
Vraiment beaucoup moins souvent ces jours-ci
Absolument pas

2. Je me suis sentie confiante et joyeuse en pensant à l'avenir.
Autant que d'habitude
Plutôt moins que d'habitude
Vraiment moins que d'habitude
Pratiquement pas

3. Je me suis reproché, sans raison, d'être responsable quand les choses allaient mal.
Oui, la plupart du temps
Oui, parfois
Pas très souvent
Non, jamais

4. Je me suis sentie inquiète ou soucieuse sans motifs.
Non, pas du tout
Presque jamais
Oui, parfois
Oui, très souvent

5. Je me suis sentie effrayée ou paniquée sans vraiment de raison.
Oui, vraiment souvent
Oui, parfois
Non, pas très souvent
Non, pas du tout

6. J'ai eu tendance à me sentir dépassée par les événements.
Oui, la plupart du temps, je me suis sentie incapable de faire face aux situations
Oui, parfois, je ne me suis pas sentie aussi capable de faire face que d'habitude
Non, j'ai pu faire face à la plupart des situations
Non, je me suis sentie aussi efficace que d'habitude

7. Je me suis sentie si malheureuse que j'ai eu des problèmes de sommeil.
Oui, la plupart du temps
Oui, parfois
Pas très souvent
Non, pas du tout

8. Je me suis sentie triste ou peu heureuse.
Oui, la plupart du temps
Oui, très souvent
Pas très souvent
Non, pas du tout

9. Je me suis sentie si malheureuse que j'en ai pleuré.
Oui, la plupart du temps
Oui, très souvent
Seulement de temps en temps
Non, jamais

10. Il m'est arrivé de penser à me faire du mal.
Oui, très souvent
Parfois
Presque jamais
Jamais

FIGURE 23.9
Extrait de l'échelle de dépression postnatale d'Édimbourg, qui permet de dépister la dépression postpartum

Approche thérapeutique

Le cours normal consiste en une amélioration graduelle au fil des six mois qui suivent l'accouchement. Dans les cas de DPP majeure, l'apport de soins de soutien seulement n'est pas suffisant; une pharmacothérapie (antidépresseurs, anxiolytiques) s'avère presque toujours nécessaire. La psychothérapie se concentre sur les peurs et les inquiétudes de la mère en lien avec ses nouveaux rôles et responsabilités, de même que sur le suivi des idées de suicide ou de meurtre. Certaines femmes doivent être hospitalisées.

Quand les femmes qui allaitent vivent des complications émotionnelles et ont besoin de prendre des médicaments psychotropes, il est préférable de s'adresser à un professionnel de soins en santé mentale spécialisé en troubles postpartum. La cliente doit être informée des risques et des avantages que comportent les médicaments à prendre, pour elle comme pour son nouveau-né. Chez la cliente dépressive, l'infirmière devra insister sur l'importance de prendre les antidépresseurs comme prescrit. Étant donné que les antidépresseurs ne montrent aucun effet avant environ deux semaines, et qu'ils prennent habituellement de quatre à six semaines pour produire leur plein effet, nombre de femmes cessent de prendre leurs médicaments de leur propre chef. L'enseignement à la cliente et à sa famille doit mettre en relief l'importance de prendre les médicaments selon un horaire qui tient compte des tétées du nourrisson et la nécessité de continuer à prendre les médicaments jusqu'à ce qu'ils commencent à faire effet.

La thérapie électroconvulsive (ou thérapie par électrochocs) est utilisée chez les femmes atteintes de DPP et dont l'état ne s'améliore pas avec la prise d'antidépresseurs. La psychothérapie, sous forme de thérapie de groupe ou de thérapie individuelle (interpersonnelle), est souvent utilisée avec succès, seule ou conjointement avec la prise d'antidépresseurs ; cependant, d'autres études demeurent nécessaires pour déterminer les types de soutien professionnel qui sont les plus efficaces (Dennis & Hodnett, 2007).

Médicaments psychotropes et allaitement

La DPP est habituellement traitée au moyen d'antidépresseurs. Si la femme atteinte de DPP n'allaite pas, on peut lui prescrire des antidépresseurs, sans avoir recours à des précautions particulières. Les antidépresseurs sont souvent divisés en quatre groupes : les inhibiteurs spécifiques du recaptage de la sérotonine (ISRS), les composés hétérocycliques (incluant les antidépresseurs imipraminiques), les inhibiteurs de la monoamine-oxydase (IMAO) et d'autres médicaments antidépresseurs non inclus dans ces groupes (ACOG, 2008).

Les bienfaits de l'allaitement maternel sont largement connus aujourd'hui. La décision d'allaiter d'une femme qui reçoit des médicaments psychotropes repose tant sur l'innocuité du médicament lui-même que sur sa propre analyse des avantages et des inconvénients qu'entraîne cette décision sur son enfant et sa famille (Ferreira, 2007). Il importe de respecter le choix de la mère d'allaiter. On reconnaît que l'allaitement maternel aide à créer des liens affectifs avec le nouveau-né alors que la relation n'est pas facilitée par la dépression (Gagnon, 2010). Les cliniciens (médecins, infirmières, sages-femmes) jouent un rôle dans la promotion et la poursuite de l'allaitement. En effet, depuis 1998, les infirmières sont interpellées par leur ordre professionnel pour soutenir les femmes dans leur décision d'allaiter (Ordre des infirmières et infirmiers du Québec [OIIQ], 1999). De plus, l'allaitement constitue une priorité de santé publique au Québec. Dans sa Politique de périnatalité 2008-2018, le ministère de la Santé et des Services sociaux (MSSS) du Québec invite les professionnels à jouer un rôle dans le démarrage et la poursuite de l'allaitement maternel (MSSS, 2008).

Plusieurs études portant sur le passage des antidépresseurs dans le lait maternel ont été publiées au cours des dernières années (Ferreira, 2007). La grande majorité des médicaments antidépresseurs sont compatibles avec l'allaitement (Gagnon, 2010 ; Ferreira, 2007). Les multiples possibilités de traitements qui peuvent être jumelés à l'allaitement permettront de respecter le souhait des mères d'allaiter ainsi que de préserver le lien mère-enfant. (Gagnon, 2010).

Jugement clinique

Madame Sophie Desautels, âgée de 22 ans, présente une DPP. Le médecin lui a prescrit de la sertraline (Zoloft). Elle vous demande si elle peut poursuivre l'allaitement maternel.

Que devez-vous lui répondre à ce sujet ?

De nos jours, on prescrit des ISRS plus souvent que tout autre groupe d'antidépresseurs : ils sont relativement sûrs et causent moins d'effets secondaires que les antidépresseurs imipraminiques. Parmi eux, la paroxétine (Paxil[MD]) et la sertraline sont ceux dont l'innocuité est la mieux documentée (Gagnon, 2010 ; Ferreira, 2007). Les effets secondaires les plus fréquents des ISRS sont des troubles gastro-intestinaux (nausées, diarrhée), des maux de tête et de l'insomnie. Chez environ le tiers des clients, les ISRS réduisent la libido, l'excitation sexuelle ou la fonction orgasmique (Keltner, 2007a).

Les antidépresseurs imipraminiques produisent de nombreux effets secondaires sur le système nerveux central (SNC) et sur le système nerveux périphérique (SNP). Un effet courant de ceux-ci sur le SNC est la somnolence qui peut, sans aucun doute, perturber la mère qui s'occupe de son nouveau-né. Par exemple, il peut arriver que la mère s'assoupisse alors qu'elle le tient et qu'elle le laisse tomber, ou encore, qu'elle ait de la difficulté à se réveiller la nuit pour s'occuper de lui. Parmi les autres effets secondaires figurent un gain de poids, des tremblements, des crises épileptiques tonicocloniques, des cauchemars, de l'agitation ou des accès maniaques, ainsi que des effets secondaires extrapyramidaux. Les effets secondaires anticholinergiques comprennent la sécheresse de la bouche, une vision trouble (habituellement temporaire), des difficultés de miction, de la constipation, de la sudation et des difficultés à atteindre l'orgasme (Keltner, 2007a). Même si leur passage dans le lait maternel est faible, les

Le tableau 23.2W énumère les médicaments psychotropes et les risques pour la lactation. Il est présenté au www.cheneliere.ca/lowdermilk.

Des renseignements supplémentaires portant sur l'interaction entre la médication et l'allaitement peuvent être trouvés sur le site du centre IMAGe (Info-Médicaments en Allaitement et Grossesse) du CHU Sainte-Justine, au www.chu-sainte-justine.org.

antidépresseurs tricycliques devraient être réservés aux femmes dont l'état ne peut être stabilisé avec d'autres antidépresseurs, compte tenu de leur potentiel d'effets indésirables et d'interactions à doses antidépressives (Ferreira, 2007). Cependant, la nortriptyline (Aventyl[MD]) serait à favoriser en période d'allaitement alors que la doxépine (Sinequan[MD]) représenterait un choix de dernier recours (Gagnon, 2010; Ferreira, 2007).

Les IMAO ne devraient pas être prescrits pendant l'allaitement, car aucune donnée n'est disponible quant à leur passage dans le lait maternel (Ferreira, 2007).

Il faut enseigner à la mère qui prend du lithium à faire vérifier le taux de celui-ci tous les six mois. Selon l'Académie américaine de pédiatrie (2001), l'utilisation du lithium en contexte d'allaitement est contre-indiquée. L'allaitement est déconseillé pour une mère qui reçoit du lithium à moins d'un suivi serré des signes et symptômes de toxicité chez l'enfant, de dosages plasmatiques réguliers et d'un suivi de la fonction thyroïdienne et rénale (Ferreira, 2007). Les femmes atteintes de syndromes psychiatriques graves, comme la schizophrénie, le trouble bipolaire ou la dépression psychotique, auront probablement besoin d'antipsychotiques. La plupart des antipsychotiques causent de la sédation et de l'hypotension orthostatique, deux effets qui nuisent à la capacité de la mère de s'occuper correctement de son nouveau-né. Ces médicaments peuvent aussi avoir des effets sur le SNP: constipation, sécheresse de la bouche, vision trouble, tachycardie, rétention urinaire, gain de poids et agranulocytose. Les effets sur le SNC sont nombreux: acathisie, dystonies, symptômes pseudoparkinsoniens, dyskinésie tardive (irréversible) et syndrome malin des neuroleptiques (potentiellement mortel) (Keltner, 2007b, 2007c).

Certains médicaments psychotropes peuvent induire des effets indésirables comme de la somnolence ou de la dépression respiratoire chez l'enfant allaité; il importe donc de se montrer prudent dans l'utilisation de ces molécules. Outre les propriétés du médicament (p. ex., la demi-vie, le ratio lait/plasma, le poids moléculaire, l'hydrosolubilité ou la liposolubilité, le pH), le prescripteur doit tenir compte de plusieurs éléments dans l'analyse du choix du médicament: l'âge gestationnel, l'âge de l'enfant au moment de la prise par la mère, son état de santé, l'exclusivité de l'allaitement, le nombre de tétées par 24 heures, le fait qu'il reçoive ou non d'autres médicaments lui-même. Le taux sérique de l'enfant demeure cependant le marqueur le plus fiable de l'exposition de celui-ci (Academy of Breastfeeding Medecine, 2008). De nos jours, on croit que, même si la plupart des médicaments diffusent dans le lait, il existe très peu de cas où l'allaitement doit être interrompu (Pigarelli, Kraus, & Potter, 2005). Plusieurs facteurs influent sur la quantité de médicaments qu'un nouveau-né ou un nourrisson reçoit par le lait maternel: la quantité de lait produit, sa composition (lait mature ou colostrum), la concentration du médicament et la mesure dans laquelle le sein a été vidé durant la tétée antérieure (Menon, 2008; Pigarelli *et al.*, 2005). Également, les nouveau-nés ont chacun leur propre capacité d'absorber, de métaboliser et d'excréter le médicament ingéré. Chez les nouveau-nés prématurés, la fonction hépatique n'est pas encore optimale, et la fonction rénale n'atteint sa maturité qu'à un âge qui varie de deux à quatre mois. Considérant la possibilité que les médicaments psychotropes puissent être excrétés dans le lait maternel et qu'ils puissent avoir des effets nuisibles pour le nouveau-né et le nourrisson, il est important d'évaluer les risques liés à leur utilisation par rapport aux avantages de l'allaitement pour la mère et l'enfant. D'ailleurs, l'Organisation mondiale de la santé (OMS) prévoit la possibilité d'une suspension temporaire de l'allaitement dans le cas où des effets secondaires comme la somnolence ou la dépression respiratoire sont possibles lorsque des médicaments psychothérapeutiques, anticonvulsivants ou opioïdes sont utilisés et qu'une solution de rechange sécuritaire est disponible (OMS/UNICEF, 2009).

23.5.3 Psychose postpartum

La **psychose postpartum** est un syndrome qui se caractérise très souvent chez la mère par de la dépression (expliquée précédemment), des idées délirantes et des pensées maternelles de violence envers le nouveau-né ou elle-même (Kaplan & Sadock, 2005). Un trouble de l'humeur postpartum avec caractéristiques psychotiques survient dans une proportion de 1 ou 2 cas par 1 000 accouchements, et il est plus fréquent chez les primipares (Kaplan & Sadock, 2005). Lorsqu'une femme a déjà vécu un épisode postpartum avec caractéristiques psychotiques, la probabilité de survenue du trouble est de l'ordre de 30 à 50 % à chaque grossesse ultérieure (APA, 2000).

Les symptômes surviennent souvent quelques jours après l'accouchement, quoique leur délai d'apparition moyen soit de deux à trois semaines et presque toujours inférieur à huit semaines (Kaplan & Sadock, 2005). Habituellement, la femme commence à se plaindre de fatigue, d'insomnie et d'agitation, elle vit des épisodes de labilité émotionnelle et traverse des périodes où elle a tendance à pleurer pour un rien **FIGURE 23.10**. Les plaintes ayant trait à l'incapacité de se déplacer, de se tenir debout ou de travailler sont courantes. Plus tard, les symptômes suivants peuvent survenir: méfiance, confusion, incohérence, discours irrationnel et préoccupations obsessives liées à la santé et au bien-être du nouveau-né (Kaplan & Sadock, 2005). La présence d'idées délirantes et d'hallucinations est notée dans respectivement 50 % et 25 % des cas. Dans les situations graves, la mère peut avoir des hallucinations auditives lui commandant de tuer le nouveau-né. Quand il y a présence d'idées délirantes, celles-ci sont souvent associées au nouveau-né : la mère peut s'imaginer que celui-ci est possédé du diable, qu'il a des pouvoirs spéciaux ou qu'il est destiné à un sort terrible (APA, 2000). Par son désintérêt du nouveau-né ou son incapacité de lui prodiguer des soins, la mère affiche un comportement totalement désorganisé. Certaines femmes affirment que quelque chose ne va pas chez le nouveau-né ou elles accusent les infirmières ou les membres de la famille de faire du mal au nouveau-né ou d'empoisonner celui-ci.

Le trouble bipolaire est une affection particulière qui fait partie des dépressions avec des caractéristiques psychotiques. Ce trouble de l'humeur est précédé ou accompagné d'accès maniaques, caractérisés par une humeur euphorique, exaltée ou irritable. Les manifestations cliniques d'un accès de manie comprennent au moins trois des symptômes qui suivent et qui se manifestent de façon notable pendant au moins une semaine : idées de grandeur, réduction du besoin de sommeil, logorrhée (flot de paroles inutiles et désordonnées), fuite des idées, distractivité, agitation psychomotrice et participation excessive à des activités agréables, sans tenir compte des conséquences négatives (APA, 2000). Comme ces femmes sont hyperactives, elles ne prennent parfois pas le temps de manger ou de dormir, ce qui les amène à présenter des signes d'alimentation inadéquate, de déshydratation et de privation de sommeil. Durant un accès maniaque, ces mères doivent être constamment surveillées lorsqu'elles s'occupent de leur nouveau-né. La plupart sont trop affairées pour leur prodiguer des soins.

Approche thérapeutique

Un dénouement favorable de la situation est associé à une bonne correction prémorbide (avant que le trouble ne se manifeste) et à un réseau familial soutenant (Kaplan & Sadock, 2005). Étant donné que les troubles de l'humeur sont habituellement épisodiques, il se peut que la femme vive un autre épisode de symptômes un ou deux ans après l'accouchement. La psychose postpartum constitue une urgence psychiatrique, et la mère doit habituellement être hospitalisée. Les antipsychotiques et les normothymiques, comme le lithium, sont les traitements de choix. Si la mère allaite son nouveau-né, des études recommandent la prudence au moment de prescrire certains médicaments (ACOG, 2008 ; Newport & Stowe, 2006). On devrait éviter les antipsychotiques et le lithium chez les mères qui allaitent, mais les autres normothymiques peuvent être compatibles avec l'allaitement. Le contact avec le nouveau-né est habituellement bénéfique pour la mère, si toutefois cela correspond à son désir. Cependant, les visites doivent être étroitement surveillées. Une psychothérapie est indiquée une fois la phase de psychose aiguë passée.

23.5.4 Trouble panique postpartum

Entre 3 et 5 % des femmes souffrent d'un trouble panique ou d'un trouble obsessivocompulsif durant la période postnatale. L'attaque de panique consiste en un événement ponctuel où se manifeste soudainement de l'appréhension, de la peur ou de la terreur, et ce, de manière intense (APA, 2000). Au nombre des symptômes qui accompagnent une attaque figurent la difficulté respiratoire, les palpitations, la douleur thoracique, une sensation de suffocation ou d'étouffement et une peur de perdre la maîtrise de la situation. La femme est envahie de pensées subversives au sujet du nouveau-né : elle craint qu'il ne lui arrive quelque chose de grave, comme d'être poignardé ou brûlé, parfois par elle-même. Il est rare que la mère fasse du mal au nouveau-né. L'infirmière doit simplement être attentive pour déceler les symptômes d'un trouble panique. En général, la femme est tellement affolée qu'elle partagera ses impressions avec le premier venu. Dans la plupart des cas, la famille tente de lui faire comprendre que ce qui se passe est normal, mais la femme voit les choses différemment.

L'infirmière doit faire preuve de vigilance pour reconnaître les mères qui montrent un comportement agité, trop actif, désorienté, méfiant ou celles qui expriment des plaintes.

Approche thérapeutique

Le traitement combine habituellement l'administration de médicaments, l'enseignement, la

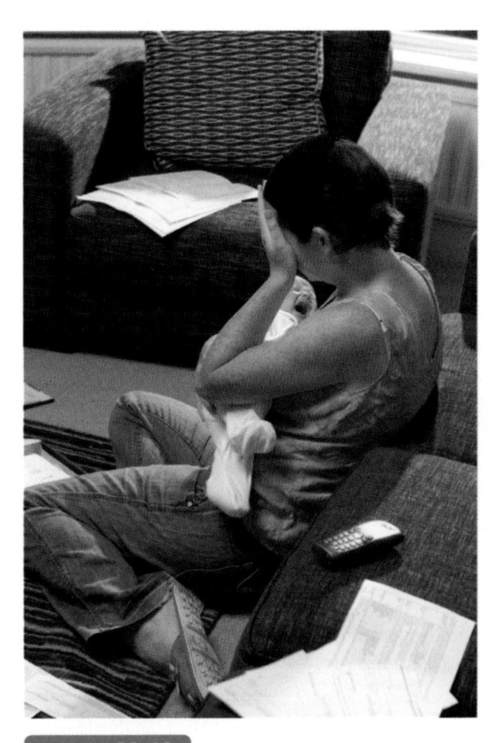

FIGURE 23.10
La dépression postpartum peut nuire au point de rendre les femmes qui en souffrent incapables de prendre soin d'elles-mêmes ou de leur nouveau-né.

psychothérapie et des interventions cognitivocomportementales, en même temps qu'on tente de circonscrire tout facteur contributif médical ou physiologique **ENCADRÉ 23.7**. Les antidépresseurs, comme les ISRS, constituent le traitement de choix (Kirkwood & Melton, 2005), et la plupart de ceux-ci sont approuvés aux États-Unis et au Canada à la fois pour le traitement du trouble panique et du trouble obsessivocompulsif.

ALERTE CLINIQUE

Le nouveau-né aura peut-être un rendez-vous pour un examen médical avant l'examen de suivi de la mère à la sixième semaine. L'infirmière qui travaille dans une clinique du nourrisson, dans un CSSS ou dans un cabinet de pédiatres doit être attentive aux signes de DPP chez les nouvelles mères et connaître les ressources communautaires offertes.

SOINS ET TRAITEMENTS INFIRMIERS

Dépression postpartum

Même si la DPP est une affection assez connue, elle passe souvent inaperçue, car les femmes hésitent à rapporter des symptômes de dépression, même à leur propre professionnel de la santé (McQueen, Montgomery, Lappan-Gracon, Evans & Hunter, 2008).

Soins infirmiers dans l'unité postpartum

L'infirmière en soins postnataux observera la nouvelle mère attentivement pour déceler chez elle toute tendance à pleurer pour un rien, et elle effectuera des évaluations plus poussées, au besoin **ENCADRÉ 23.8**. L'infirmière abordera le sujet de la DPP avec les nouveaux parents, pour les préparer à l'apparition de problèmes potentiels de la période postnatale **ENCADRÉ 23.9**. Il est important que la famille soit en mesure de reconnaître les symptômes de la DPP et qu'elle sache où s'adresser en cas de besoin. La remise de documentation écrite expliquant ce que la mère peut faire pour prévenir la dépression pourra être intégrée au processus de planification du congé.

Les mères reçoivent souvent leur congé de l'hôpital avant l'apparition du cafard ou du *blues* du postpartum ou de la dépression. Si l'infirmière en soins postnataux s'inquiète au sujet d'une mère, elle fera une demande de consultation en santé mentale avant que celle-ci ne quitte l'hôpital. Au Québec, l'infirmière pourrait également adresser une référence au CSSS d'origine de la mère avec l'accord de celle-ci. Une fiche de transmission de renseignements communément appelée fiche de continuité de soins ou fiche de périnatalité est alors utilisée. De façon systématique, l'infirmière donnera verbalement des consignes concernant la DPP à la personne qui se présentera pour ramener la mère à la maison, par exemple : Si vous remarquez que votre femme (ou fille) semble préoccupée ou qu'elle pleure souvent, communiquez rapidement avec le médecin ou l'infirmière de périnatalité de votre CSSS ; n'attendez pas au rendez-vous de la visite postnatale régulière. Au Québec, l'infirmière donnera l'information sur le service Info-Santé, qui peut être consulté, particulièrement si la situation se présente en dehors des heures d'ouverture des services habituels ou lorsque la famille ne sait pas ce qu'il faut faire.

Enseignement à la cliente et à ses proches

ENCADRÉ 23.7 Attaques de panique

L'enseignement à la cliente au moment d'attaques de panique devrait porter sur les aspects suivants.

- L'enseignement est une intervention infirmière déterminante. Les nouvelles mères doivent être sensibilisées préventivement à la possibilité de la survenue d'attaques de panique durant la période postnatale. Le fait de se préparer à celles-ci contribue à amoindrir leur caractère inattendu et terrifiant.
- Il faut rassurer la cliente sur le fait qu'il est courant de ressentir une « impression de fin du monde imminente » ou d'avoir peur d'« être folle » durant une attaque de panique. Ces craintes sont temporaires et disparaissent une fois l'attaque de panique dissipée.
- L'infirmière peut aider la cliente à cerner les éléments déclencheurs d'accès de panique qui lui sont propres. À cet effet, la tenue d'un journal peut se révéler pertinente.
- L'apport de soutien familial et social est utile. On encouragera la nouvelle mère à délaisser les corvées habituelles et à demander et à accepter de l'aide.
- Les groupes de soutien permettent à la mère d'apprivoiser ce qu'elle vit en voyant d'autres mères qui éprouvent les mêmes difficultés.
- Les interventions fondées sur les sens, comme la musicothérapie et l'aromathérapie, sont des approches non effractives et peu coûteuses.
- Les interventions comportementales, comme des exercices de respiration ou de relaxation musculaire progressive, peuvent s'avérer utiles.
- Les interventions cognitives, comme le fait de se tenir un discours positif, de recadrer et de redéfinir les priorités, d'aller chercher du réconfort, peuvent aider une cliente à modifier ses perceptions ou ses agissements, même dans des circonstances qui ne changent pas.
- L'exercice physique peut être bénéfique à certaines mères, particulièrement à celles qui ont un faible taux d'acide gamma-aminobutyrique.

Sources : Adapté de Beck (1998) ; Driscoll (2006) ; National Women's Health Resource Center (2008) ; Peeke (2008).

Mise en œuvre d'une démarche de soins

ENCADRÉ 23.8 **Dépression postpartum**

COLLECTE DES DONNÉES – ÉVALUATION INITIALE

Les actions à entreprendre pour évaluer la dépression postpartum sont les suivantes :

- Faire preuve d'écoute active et adopter une attitude bienveillante, car la cliente risque de ne pas fournir spontanément de l'information sur sa dépression à moins qu'on amène le sujet.
- Être attentive aux signes de dépression.
- Poser des questions appropriées pour caractériser les états d'âme, l'appétit, le sommeil, les niveaux d'énergie et de fatigue, ainsi que la capacité de se concentrer. Voici une façon d'amorcer une conversation : Maintenant que votre bébé est né, comment vont les choses pour vous ?
- Utiliser un outil de dépistage pour évaluer si les symptômes dépressifs du cafard ou du *blues* du postpartum ont évolué vers une DPP.
- En présence de dépression, demander à la mère si elle a déjà pensé à se faire du mal ou à faire du mal au nouveau-né.

ANALYSE ET INTERPRÉTATION DES DONNÉES

Les problèmes découlant de la situation de santé peuvent inclure :

- Risque de violence envers soi (mère) ou les autres (enfants) lié à la DPP.
- Diminution situationnelle de l'estime de soi de la mère liée à des facteurs de stress associés à l'apprentissage de nouveaux rôles.
- Stratégies d'adaptation familiale invalidantes liées à une augmentation des besoins en soins pour la mère et le nouveau-né.
- Risque de perturbation dans l'exercice du rôle parental lié à l'incapacité de la mère dépressive de créer des liens d'attachement avec son nouveau-né.
- Risque de blessure ou d'atteinte au nouveau-né lié à la dépression de la mère (négligence des besoins du nouveau-né quant à l'hygiène, l'alimentation, la sécurité) et aux médicaments psychotropes pouvant passer dans le lait maternel.

RÉSULTATS ESCOMPTÉS

On peut élaborer des critères spécifiques mesurables à partir des résultats généraux qui suivent :

- Fin de l'état dépressif de la mère.
- Maintien du bien-être physique de la mère et du nouveau-né.
- Fonctionnement efficace de la famille.
- Épanouissement des membres de la famille.
- Pleine intégration du nouveau-né dans la famille.

INTERVENTIONS INFIRMIÈRES

Les interventions infirmières requises pour l'atteinte des résultats escomptés comprennent, notamment :

- Enseigner à la cliente et à sa famille comment reconnaître les signes et les symptômes de DPP.
- Fournir de l'information sur les ressources communautaires relatives à la DPP, notamment les thérapeutes en santé mentale et les groupes de soutien ; aiguiller la cliente vers de l'aide, au besoin.
- Fournir de l'information sur les médicaments psychotropes, s'ils ont été prescrits, notamment sur les risques pour l'allaitement.
- Fournir de l'information sur les thérapies non classiques, au besoin ou selon la demande.

ÉVALUATION DES RÉSULTATS – ÉVALUATION EN COURS D'ÉVOLUTION

L'infirmière peut considérer que les soins ont été efficaces lorsque le bien-être physique de la mère et du nouveau-né se maintient, que la mère et la famille fonctionnent efficacement et que chaque membre de la famille continue de présenter une saine adaptation à la présence du nouveau membre chez elle.

Soins infirmiers à domicile et dans la communauté

Les visites postnatales à domicile peuvent réduire la fréquence ou les complications d'une dépression. Une courte visite ou un appel téléphonique, au moins une fois par semaine, jusqu'à ce que la nouvelle mère se présente à sa visite postnatale, peut sauver la vie d'une mère et de son nouveau-né. Cependant, il arrive que ce genre de suivi ne soit pas possible ou offert. La surveillance de la mère qui présente des complications émotionnelles peut devenir une préoccupation constante. Étant donné que la dépression perturbe souvent les capacités de maternage de la femme de façon importante, la famille et les amis peuvent devoir s'occuper du nouveau-né. Ce faisant, ils détermineront ce qu'il leur est possible de faire pour aider la famille ; l'infirmière collaborera avec eux pour s'assurer de la supervision adéquate de la mère et de leur juste compréhension de l'état mental de cette dernière.

Lorsqu'elle soupçonne une dépression, l'infirmière demandera à la cliente : Vous arrive-t-il de penser à vous faire du mal ? Si elle soupçonne des idées délirantes à l'égard du nouveau-né, l'infirmière lui demandera : Vous arrive-t-il de penser à faire du mal à votre bébé ? Quatre critères permettent d'évaluer le sérieux d'un projet de suicide : 1) la méthode envisagée ; 2) la disponibilité des

Guide d'enseignement

ENCADRÉ 23.9 **Moyens de prévenir la dépression postpartum**

- Avec la famille proche et les amis, discutez de ce que vous savez des problèmes émotionnels postnataux.
- Prenez soin de vous. Prenez des repas équilibrés, faites de l'exercice sur une base régulière et dormez suffisamment. Profitez des périodes de sommeil de votre bébé pour dormir ou vous reposer. Au besoin, demandez l'aide de votre conjoint ou d'une personne proche pour vous aider aux soins du bébé pendant la nuit.
- Partagez vos sentiments avec une personne proche de vous ; ne vous isolez pas à la maison.
- Ne vous engagez pas à faire trop de travail ; ne croyez pas que vous devez être une « superfemme ».
- Ne vous imposez pas des attentes irréalistes.
- N'éprouvez pas de honte à vivre des problèmes émotionnels après la naissance du bébé. La DPP peut toucher de 10 à 15 % des femmes.

Sources : Adapté de Ferreira (2007) ; Gagnon (2010) ; Sauvageau (2007).

Des idées ou des tentatives de suicide comptent parmi les symptômes les plus graves de DPP et requièrent une évaluation et une intervention immédiates.

moyens; 3) la spécificité du projet; 4) la létalité de la méthode envisagée. La femme a-t-elle mentionné une méthode particulière? Cette méthode est-elle applicable? Dans quelle mesure le projet est-il précis? Si la méthode envisagée est concrète et détaillée et que les moyens nécessaires pour la mettre à exécution sont facilement disponibles, le risque de suicide est élevé. Dans quelle mesure la méthode envisagée est-elle létale?

Lorsqu'une femme est atteinte de DPP, son partenaire manifeste souvent de la confusion, de la contrariété, du déni et de la colère, et il se sent négligé et blâmé. Chacun des conjoints doit avoir la possibilité d'exprimer ses besoins, ses peurs, ses pensées et ses sentiments, et ce, dans un contexte où il ne sera pas jugé. L'infirmière pourra discuter avec la cliente du fait que la situation est difficile aussi pour son partenaire et que ce dernier s'en fait probablement beaucoup pour elle. Il arrive souvent que les hommes se replient ou se mettent à critiquer lorsqu'ils sont profondément inquiets au sujet de leurs proches. L'infirmière offrira des possibilités au partenaire d'exprimer ses sentiments et ses inquiétudes, l'aidera à établir des stratégies d'adaptation positives et l'encouragera à soutenir sa conjointe. Même si la mère est gravement déprimée, l'hospitalisation peut être évitée lorsque des ressources adéquates sont mises en place pour assurer sa sécurité et celle du nouveau-né. L'infirmière en soins à domicile fera des appels téléphoniques fréquents ou des visites à domicile pour évaluer la situation et fournir du counseling. Il existe des ressources communautaires qui peuvent s'avérer utiles, comme la prise en charge temporaire de l'enfant ou son placement en famille d'accueil, les services d'une auxiliaire familiale, les popotes roulantes, les centres de counseling parental, les services de répit parental, des groupes de soutien téléphonique et divers programmes de soutien **FIGURE 23.11**.

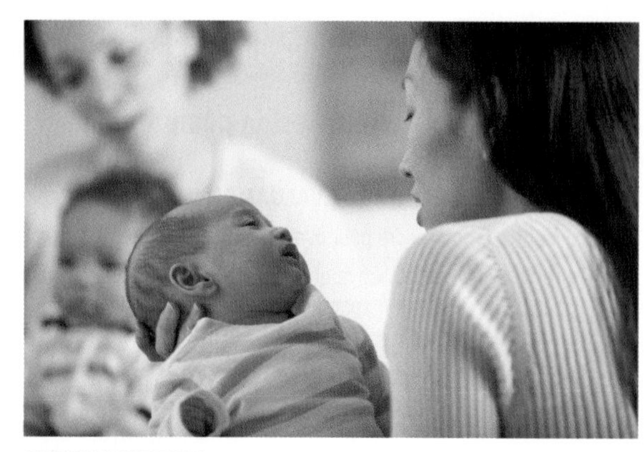

FIGURE 23.11
Les groupes de soutien peuvent s'avérer utiles au cours d'une dépression postpartum.

23.5.5 Approche interdisciplinaire

La femme qui présente une DPP modérée à grave doit être adressée à un thérapeute en santé mentale, comme une infirmière spécialisée en psychiatrie ou un psychologue, pour être évaluée et traitée. On tentera ainsi de prévenir certaines répercussions que peut avoir la DPP sur la femme et sur sa relation avec le partenaire, le nouveau-né et les autres enfants (Lintner & Gray, 2006). Il arrive que l'hospitalisation en établissement psychiatrique soit nécessaire. Cette décision est prise lorsque la sécurité de la mère ou de l'enfant se trouve menacée.

La cliente qui présente une psychose postpartum constitue une urgence psychiatrique et doit être adressée immédiatement à un psychiatre qui a de l'expérience avec les femmes atteintes de DPP; il pourra prescrire une médication et d'autres types de traitements et évaluera le besoin d'hospitalisation **ENCADRÉ 23.10**.

Si la présence du nouveau-né est permise dans l'établissement psychiatrique, on pourra le présenter de nouveau à sa mère, à un rythme qui convient à celle-ci. Un programme est alors établi au cours duquel le nombre d'heures que la mère consacre aux soins du nouveau-né va en augmentant, sur plusieurs jours, pour en arriver à ce que le nouveau-né puisse passer la nuit dans la chambre de la mère. Cette méthode permet à celle-ci de s'habituer à répondre aux besoins du nouveau-né et à se lever pour lui, une situation exigeante pour les nouvelles mères, même dans des conditions idéales. On évalue dans quelle mesure la mère est prête à recevoir son congé et à s'occuper du nouveau-né. Ses interactions avec le nouveau-né sont également surveillées et guidées attentivement. Il pourrait s'avérer judicieux de demander à une infirmière en soins postnataux de se joindre au personnel infirmier en soins psychiatriques pour l'évaluation des interactions entre la mère et son nouveau-né.

Conseil juridique

ENCADRÉ 23.10 Placement légal

Si une femme atteinte de DPP présente des idées suicidaires actives ou des idées délirantes dangereuses pour le nouveau-né et qu'elle refuse de se faire soigner, il peut être nécessaire d'avoir recours à la loi pour la faire interner dans un établissement psychiatrique et la traiter.

Analyse d'une situation de santé

Jugement **clinique**

Vous êtes l'infirmière qui s'occupe de madame Françoise Vachon, âgée de 38 ans, qui a accouché il y a quelques heures. La grossesse est à terme à 39 5/7 semaines. Vous évaluez les saignements vaginaux et constatez que, malgré le fait que l'utérus est ferme et centré, il persiste un saignement sous forme d'un mince filet continu. ▶

MISE EN ŒUVRE DE LA DÉMARCHE DE SOINS

Collecte des données – Évaluation initiale – Analyse et interprétation

1. Quelle donnée objective permettrait d'évaluer l'origine du saignement?
2. Vous prenez les signes vitaux de madame Vachon. Quelles données vous renseigneront sur l'importance de la perte sanguine?
3. Quels sont les deux éléments à évaluer par rapport aux saignements présentés par la cliente?

SOLUTIONNAIRE

www.cheneliere.ca/lowdermilk

▶ Madame Vachon présente des saignements rouge foncé. De plus, vous avez déjà changé la serviette hygiénique de madame Vachon à trois reprises au cours des 15 dernières minutes. ▶

MISE EN ŒUVRE DE LA DÉMARCHE DE SOINS

4. Qu'est-ce qui peut expliquer la couleur des saignements de la cliente?

Planification des interventions – Décisions infirmières

5. Compte tenu de la quantité de sang perdu, quel problème prioritaire, découlant de la situation de santé de madame Vachon, doit maintenant figurer dans l'extrait du PTI de la cliente?

Extrait des notes d'évolution

2012-10-05 20:15
Saignements vaginaux rouge foncé.
3 serviettes hygiéniques imbibées à 75 % en 15 min.

Extrait

CONSTATS DE L'ÉVALUATION

Date	Heure	N°	Problème ou besoin prioritaire	Initiales	RÉSOLU / SATISFAIT			Professionnels / Services concernés
					Date	Heure	Initiales	
2012-10-05	*17:30*	*1*	*Accouchement vaginal à 39 5/7 semaines de grossesse*	*N.S.*				
2012-10-05	*18:30*	*2*						

SUIVI CLINIQUE

Date	Heure	N°	Directive infirmière	Initiales	CESSÉE / RÉALISÉE		
					Date	Heure	Initiales
2012-10-05	*17:30*	*1*	*Appliquer les soins postpartum habituels.*	*N.S.*			
2012-10-05	*18:30*	*2*					

Signature de l'infirmière	Initiales	Programme / Service	Signature de l'infirmière	Initiales	Programme / Service
Nathalie Sansouci	*N.S.*	*Centre mère-enfant*			

6. En lien avec le problème prioritaire numéro 2, indiquez une directive infirmière.
7. Comment devriez-vous procéder pour évaluer la quantité de sang perdu?

▶ Le médecin demande qu'une perfusion I.V. et une sonde à ballonnet soient installées à la cliente. ◀

MISE EN ŒUVRE DE LA DÉMARCHE DE SOINS

8. Quel est le but de ces interventions?

Évaluation des résultats – Évaluation en cours d'évolution

9. Outre l'évaluation des signes vitaux et du bilan des *ingesta/excreta*, quel autre élément vous indiquera que l'état de madame Vachon se détériore? Justifiez votre réponse.

APPLICATION DE LA PENSÉE CRITIQUE

Dans l'application de la démarche de soins auprès de madame Vachon, l'infirmière a recours à un ensemble d'éléments (connaissances, expériences antérieures, normes institutionnelles ou protocoles, attitudes professionnelles) pour analyser la situation de santé de la cliente et en comprendre les enjeux. La **FIGURE 23.12** illustre le processus de pensée critique suivi par l'infirmière afin de formuler son jugement clinique. Elle résume les principaux éléments sur lesquels l'infirmière s'appuie en fonction des données de la cliente, mais elle n'est pas exhaustive.

VERS UN JUGEMENT CLINIQUE

CONNAISSANCES

- Étiologie et facteurs de risque d'hémorragie postpartum
- Soins et traitements infirmiers en présence d'hémorragie postpartum
- Soins infirmiers auprès de clientes présentant un déséquilibre hydroélectrolytique et acidobasique
- Connaissances des signes et symptômes d'hémorragie postpartum

EXPÉRIENCES

- Travail dans une unité de maternité
- Travail dans une unité de soins critiques (p. ex., l'urgence, les soins intensifs)

NORME

- Respecter les règles de soins infirmiers, les ordonnances collectives et les protocoles en vigueur dans l'établissement en cas d'hémorragie postpartum

ATTITUDES

- Capacité d'anticiper les complications possibles en présence d'un saignement vaginal continu et de couleur rouge foncé
- Attitude rassurante si la cliente a des craintes concernant l'importance des saignements
- Attitude calme dans les interactions avec la cliente et sa famille

PENSÉE CRITIQUE

ÉVALUATION

- Évaluer les signes vitaux, les saignements et le fond utérin
- Évaluer les *ingesta/excreta* des 24 heures
- Évaluer l'état de conscience et l'état mental

JUGEMENT CLINIQUE

FIGURE 23.12

À retenir

VERSION REPRODUCTIBLE

www.cheneliere.ca/lowdermilk

- L'HPP est le type le plus courant et le plus grave des cas de pertes sanguines excessives liés à l'accouchement.
- Le choc hémorragique (hypovolémique) constitue une situation d'urgence où l'irrigation des organes du corps devient gravement compromise, ce qui entraîne un risque élevé de morbidité et de mortalité maternelles.
- Les interventions thérapeutiques comportent des dangers potentiels qui risquent d'empirer l'état de la cliente qui présente un trouble hémorragique.
- La coagulopathie est associée à de nombreuses complications obstétricales.
- Le premier symptôme d'une infection puerpérale est habituellement une température supérieure à 38 °C pendant 2 jours consécutifs au cours des 10 premiers jours qui suivent l'accouchement (comptés après les 24 premières heures).
- La prévention est le traitement le plus efficace et le moins coûteux de l'infection puerpérale.
- Chez les femmes qui présentent des séquelles génito-urinaires de l'accouchement, l'évaluation se concentre principalement sur les voies génito-urinaires, les organes reproducteurs, l'élimination intestinale ainsi que sur les facteurs psychosociaux et sexuels inhérents.
- Les troubles morphologiques de l'utérus et du vagin associés au relâchement pelvien et à une infection urinaire peuvent être une conséquence tardive de la grossesse.
- La rééducation vésicale et les exercices des muscles pelviens peuvent considérablement réduire ou soulager les infections urinaires légères ou modérées.
- Les troubles de l'humeur représentent la majorité des problèmes de santé mentale durant la période postnatale.
- Le repérage des femmes à risque plus élevé de DPP est facilité par le recours à divers outils de dépistage.
- Les antidépresseurs constituent le traitement pharmacologique habituel de la DPP.
- Les pensées suicidaires ou les tentatives de suicide comptent parmi les symptômes les plus graves de DPP.

CHAPITRE

Nouveau-né à risque

Écrit par :
Shannon E. Perry, RN, CNS, PhD, FAAN

Adapté par :
Mariève Proulx, M. Sc., IPSNN

OBJECTIFS

 Guide d'études – SA24, RE08

Après avoir étudié ce chapitre, vous devriez être en mesure :

- de comparer les caractéristiques physiques des nouveau-nés prématurés, peu prématurés, à terme et post-terme ;
- de décrire le syndrome de détresse respiratoire et son traitement ;
- de comparer les méthodes d'oxygénothérapie chez le nouveau-né à risque élevé ;
- de décrire les interventions infirmières propres aux soins nutritionnels du nouveau-né prématuré ;
- d'expliquer les facteurs de risque et le mécanisme physiopathologique de la rétinopathie du prématuré et de la dysplasie bronchopulmonaire ;
- de décrire le traitement de l'aspiration méconiale chez le nouveau-né ;
- d'énoncer les facteurs de risque associés à l'accouchement et à l'adaptation à la vie extra-utérine du nouveau-né d'une mère diabétique ;
- de résumer la collecte des données et les soins au nouveau-né souffrant de lésions des tissus mous, du squelette ou du système nerveux central par suite d'un traumatisme de l'accouchement ;
- de décrire les méthodes utilisées pour reconnaître les signes cliniques d'infection chez le nouveau-né ;
- de reconnaître les effets de la consommation maternelle d'alcool, de tabac et de drogues sur le fœtus et le nouveau-né ;
- de décrire la collecte des données chez un nouveau-né exposé à des drogues *in utero* ;
- de comparer les caractéristiques de l'incompatibilité Rh et ABO néonatale ;
- d'élaborer un plan de soins approprié en fonction du développement du nouveau-né à risque élevé ;
- de concevoir un plan d'enseignement pour répondre aux besoins précis des parents d'un nouveau-né à risque élevé ;
- de décrire les réactions émotionnelles, comportementales, cognitives et physiques couramment associées au processus de deuil dans le cas d'un décès périnatal ;
- d'énoncer les interventions infirmières précises visant à répondre aux besoins particuliers des parents et des familles endeuillés.

Concepts clés

Cette carte conceptuelle illustre schématiquement les principaux concepts décrits dans le présent chapitre. Sa lecture vous permettra d'avoir une vue d'ensemble des notions qui y sont présentées.

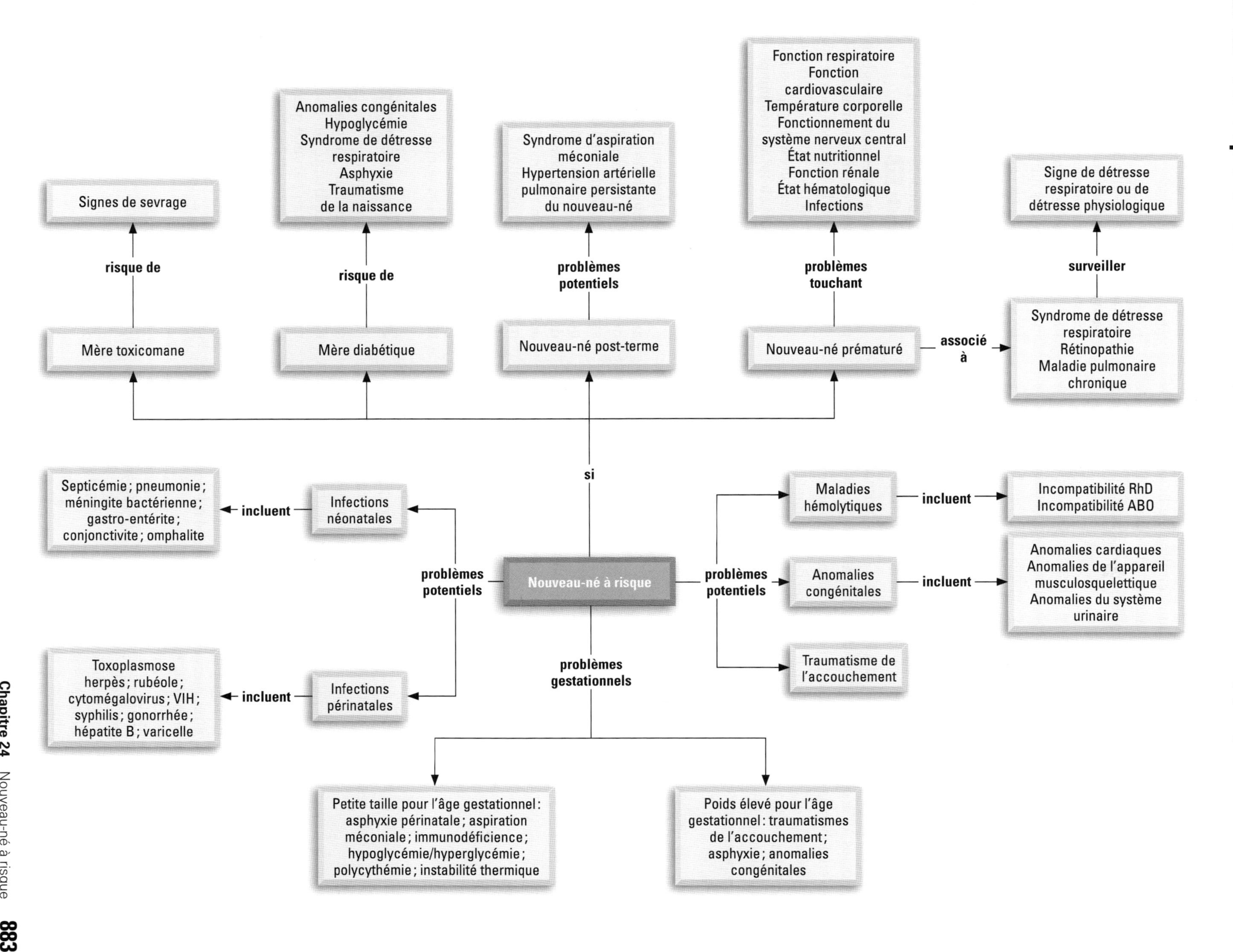

24

La technologie moderne et les soins infirmiers spécialisés ont grandement contribué à l'amélioration de la santé et de la survie globale des nouveau-nés à risque élevé. Toutefois, les grands prématurés qui survivent sont particulièrement sujets à présenter certaines séquelles.

Les nouveau-nés à risque élevé sont classés selon leur poids à la naissance, leur âge gestationnel et leurs principaux problèmes physiopathologiques. La croissance intra-utérine varie selon les nouveau-nés; de plus, la croissance intra-utérine et le poids à la naissance subissent l'influence de facteurs tels que l'hérédité, l'insuffisance utéroplacentaire et la présence de maladies chez la mère. Le système de classification présenté dans cet ouvrage tient compte du poids à la naissance et de l'âge gestationnel.

D'autres nouveau-nés sont exposés à un risque dès la naissance en raison de maladies ou de situations qui se superposent au cours normal des événements associés à l'accouchement et à l'adaptation à la vie extra-utérine. Ces situations englobent les traumatismes de l'accouchement, les anomalies congénitales, l'infection et la consommation d'alcool ou de stupéfiants par la mère. Les traumatismes de l'accouchement incluent des blessures physiques subies par le nouveau-né durant le travail et l'accouchement. Les anomalies congénitales comprennent des problèmes comme les malformations gastro-intestinales, les anomalies du tube neural, les anomalies de la paroi abdominale et les malformations cardiaques.

L'infirmière est parfois en mesure de prévoir les problèmes, par exemple lorsqu'une femme est admise en travail prématuré ou lorsqu'une anomalie congénitale est diagnostiquée à l'échographie, avant l'accouchement. Mais il arrive que la naissance d'un nouveau-né à risque élevé soit imprévisible. Dans un cas comme dans l'autre, il faut disposer du personnel et du matériel nécessaires pour administrer les soins immédiats que requiert le nouveau-né.

24.1 Nouveau-né prématuré

Jugement clinique

Sally est née à 38 4/7 semaines de gestation, et elle pèse 2 000 g.

S'agit-il d'un nouveau-né à risque élevé ? Justifiez votre réponse.

Les nouveau-nés prématurés, nés avant 37 semaines de gestation, sont exposés à un risque en raison de l'immaturité de leurs organes et d'un manque de réserves physiologiques adéquates pour leur permettre de fonctionner hors de l'utérus. Le poids à la naissance et les problèmes physiologiques varient considérablement d'un nouveau-né prématuré à l'autre. Ceux dont le poids est inférieur à 1 000 g ont de meilleures chances de survie qu'auparavant. Toutefois, plus le poids et l'âge gestationnel sont bas, plus les chances de survie sont minces chez les nouveau-nés prématurés **ENCADRÉ 24.1**. La prématurité est responsable de près des deux tiers des cas de mortalité infantile. La cause de celle-ci demeure en grande partie inconnue. Toutefois, une incidence de prématurité plus élevée est notée dans les populations à faible revenu, ce qui résulte fort probablement de l'absence de soins de santé prénataux globaux (Institut canadien d'information sur la santé, 2009). Parmi les autres facteurs associés à la prématurité figurent l'hypertension gestationnelle, l'infection chez la mère, les grossesses multiples, le syndrome HELLP (pour *hemolysis, elevated liver enzymes, and low platelet count* – hémolyse, augmentation des enzymes hépatiques et thrombopénie associées à la prééclampsie), la dilatation prématurée du col et les problèmes qui touchent le placenta ou le cordon ombilical et qui nuisent ainsi à l'apport nutritionnel chez le fœtus ▶ 21.

21

Le chapitre 21, *Grossesse à risque : états gestationnels*, traite en détail du syndrome HELLP.

Une incidence de prématurité plus élevée est notée dans les populations à faible revenu, ce qui résulte fort probablement de l'absence de soins de santé prénataux globaux.

Les problèmes potentiels et les besoins thérapeutiques du nouveau-né prématuré pesant 2 000 g diffèrent de ceux du nouveau-né de poids équivalent né à terme ou post-terme. La présence de troubles et d'anomalies physiologiques influera sur la réponse du nouveau-né au traitement. Ces anomalies comprennent l'entérocolite nécrosante, le retard de croissance, la dysplasie bronchopulmonaire, l'hémorragie intraventriculaire-périventriculaire et la rétinopathie du prématuré **TABLEAU 24.1**.

Les opinions divergent quant à la faisabilité et au caractère éthique de la réanimation chez les nouveau-nés d'extrêmement faible poids à la naissance (EFPN) (c.-à-d., de 1 000 g ou moins). Les questions éthiques soulevées par les manœuvres de réanimation chez ces nouveau-nés sont entre autres : Faut-il ou non réanimer le nouveau-né ? À qui revient cette décision ? Le coût de la réanimation est-il justifié ? Les avantages de la technologie surclassent-ils les conséquences de la réanimation pour le nouveau-né, sa famille et la société, en tenant compte de sa qualité de vie ?

24.1.1 Nouveau-né peu prématuré

Depuis quelques années, les gestionnaires des soins de santé mettent en place des mesures afin de réduire les coûts qui leur sont associés. Les nouveau-nés en apparence quasi « à terme » ont commencé à recevoir les mêmes traitements que les nouveau-nés à terme, réduisant ainsi les coûts excédentaires associés aux soins intensifs néonataux pour des nouveau-nés qui semblaient en bonne santé. Les nouveau-nés peu prématurés (nés entre 34 0/7 et 36 6/7 semaines de gestation) peuvent effectuer une transition efficace vers la vie extra-utérine. Toutefois, en raison de leur prématurité, ces nouveau-nés

ENCADRÉ 24.1 **Classification des nouveau-nés à risque élevé**

CLASSIFICATION SELON LA TAILLE ET LE POIDS

Nouveau-né de faible poids à la naissance (FPN): nouveau-né dont le poids à la naissance est inférieur à 2 500 g, indépendamment de l'âge gestationnel.

Nouveau-né de très faible poids à la naissance (TFPN): nouveau-né dont le poids à la naissance est inférieur à 1 500 g.

Nouveau-né d'extrêmement faible poids à la naissance (EFPN): nouveau-né dont le poids à la naissance est inférieur à 1 000 g.

Nouveau-né de poids approprié pour l'âge gestationnel (PAAG): nouveau-né dont le poids à la naissance se situe entre le 10e et le 90e centile de la courbe de croissance intra-utérine.

Nouveau-né petit pour l'âge gestationnel (PAG): nouveau-né dont la croissance intra-utérine a été limitée et dont le poids à la naissance est inférieur au 10e centile sur les courbes de croissance intra-utérine.

Nouveau-né de petite taille pour l'âge gestationnel (PTAG): nouveau-né dont le poids à la naissance est inférieur au 10e centile comparativement à celui d'un nouveau-né à terme ou qui présente un retard de croissance intra-utérin (RCIU).

Nouveau-né de poids élevé pour l'âge gestationnel (PÉAG): nouveau-né dont le poids à la naissance est supérieur au 90e centile de la courbe de croissance intra-utérine.

RCIU: s'observe chez les nouveau-nés dont la croissance intra-utérine est limitée (parfois utilisé comme qualificatif plus descriptif du nouveau-né PAG).

RCIU symétrique: retard de croissance qui influe sur le poids, la taille et la circonférence de la tête.

RCIU asymétrique: retard de croissance caractérisé par une circonférence normale de la tête, alors que le poids à la naissance se trouve inférieur au 10e centile.

CLASSIFICATION SELON L'ÂGE GESTATIONNEL

Nouveau-né prématuré (avant terme): nouveau-né venu au monde avant la fin de la 37e semaine de gestation, indépendamment du poids à la naissance.

Nouveau-né peu prématuré: nouveau-né venu au monde entre 34 0/7 et 36 6/7 semaines de gestation, indépendamment du poids à la naissance[a].

Nouveau-né à terme: nouveau-né venu au monde entre le début de la 38e semaine et la fin de la 42e semaine de gestation, indépendamment du poids à la naissance.

Nouveau-né post-terme: nouveau-né venu au monde après 42 semaines d'âge gestationnel, indépendamment du poids à la naissance.

CLASSIFICATION SELON LA MORTALITÉ

Naissance vivante: naissance d'un nouveau-né qui a des pulsations cardiaques, qui respire ou bouge spontanément, indépendamment de l'âge gestationnel.

Mortalité fœtale: décès du fœtus après 20 semaines de gestation et avant l'accouchement; absence de tout signe de vie après la naissance.

Mortalité néonatale: décès survenant au cours des 27 premiers jours de vie; la mortalité néonatale précoce survient au cours de la première semaine de vie; la mortalité néonatale tardive survient dans les 7 à 27 jours suivant la naissance.

Mortalité périnatale: nombre total de morts fœtales ou néonatales précoces par 1 000 naissances vivantes.

[a] Les définitions de nouveau-né peu prématuré ou presque à terme varient selon les experts, mais Engle (2006) suggère la définition donnée ci-haut qui correspond à la période allant du 239e au 259e jour suivant le premier jour des dernières règles.

restent plus à risque de problèmes de thermorégulation, d'hypoglycémie, d'hyperbilirubinémie, de **septicémie** et de troubles respiratoires (Bakewell-Sachs, 2007). Les experts recommandent donc désormais d'appeler nouveau-nés peu prématurés les nouveau-nés venus au monde entre 34 0/7 et 36 6/7 semaines de gestation, plutôt que de les qualifier de nouveau-nés presque à terme ou de prématuré tardif (Engle, 2006; Engle, Tomashek & Wallman, 2007). Les nouveau-nés peu prématurés représentent environ 5,7 % des naissances vivantes au Canada (Statistique Canada, 2009), leur taux de mortalité est significativement plus élevé que celui des nouveau-nés à terme, et il est 4,5 fois plus élevé que celui des nouveau-nés uniques à terme (Statistique Canada, 2009). Étant donné que le poids à la naissance des nouveau-nés peu prématurés varie souvent de 2 000 à 2 500 g et qu'ils semblent relativement à maturité comparativement aux nouveau-nés plus petits et prématurés, on pourrait les soigner à la pouponnière; dans ce contexte, les facteurs de risque pour les nouveau-nés peu prématurés pourraient faire l'objet d'une surveillance. L'Association of Women's Health, Obstetric, and Neonatal Nurses (AWHONN) a publié un guide d'évaluation intitulé *Late-Preterm Assessment Guide* (Santa-Donato, Medoff-Cooper, Bakewell-Sachs, Frazer Askin & Rosenberg, 2007) destiné à la formation des infirmières en soins périnataux; ce guide aborde les facteurs de risque chez le nouveau-né peu prématuré, de même que les soins et le suivi appropriés **TABLEAU 24.2** ▶ 18. De plus, la Société canadienne de pédiatrie (SCP) a produit un document de principes intitulé *Le congé sécuritaire du nourrisson peu prématuré* (Whyte, 2010) visant à souligner les pratiques assurant un congé sécuritaire.

24.1.2 Troubles potentiels du nouveau-né prématuré

Chez le nouveau-né à risque élevé, une collecte rigoureuse des données portant sur l'âge gestationnel aidera sans contredit l'infirmière à reconnaître les problèmes potentiels ▶ 17. La réponse des nouveau-nés prématurés, peu prématurés et post-terme à la vie extra-utérine diffère de celle

18

Les soins liés à la nutrition du nouveau-né peu prématuré sont traités dans le chapitre 18, *Nutrition et alimentation du nouveau-né.*

17

La collecte des données portant sur l'âge gestationnel est abordée dans le chapitre 17, *Évaluation et soins du nouveau-né et de la famille.*

TABLEAU 24.1 Complications de la prématurité

FACTEURS DE RISQUE	PHYSIOPATHOLOGIE	SIGNES	TRAITEMENT
Syndrome de détresse respiratoire (SDR)			
• Prématurité • Asphyxie périnatale • Hypovolémie • Sexe masculin • Nouveau-né blanc • Diabète maternel • Jumeau né en second • Prédisposition familiale • Hypotension maternelle • Accouchement par césarienne sans travail • Anasarque fœtoplacentaire • Hémorragie au 3e trimestre (Hagedorn, Gardner, Dickey & Abman, 2006)	• Conséquences d'un déficit de surfactant : atélectasie progressive, perte de capacité résiduelle fonctionnelle et déséquilibre ventilation-perfusion avec distribution inégale de la ventilation • ↓ de l'oxygénation, cyanose centrale, acidose respiratoire ou métabolique, ↑ de la résistance vasculaire pulmonaire • Shunt droite-gauche et réouverture du canal artériel et du foramen ovale (Hagedorn *et al.*, 2006)	• Tachypnée • Geignements expiratoires • Battements des ailes du nez • Tirage intercostal ou sous-costal • Hypercapnie • Acidose respiratoire ou mixte • Pâleur • Hypotension et choc • Crépitements • Hypoxémie • Apnée occasionnelle	• Les manifestations du SDR s'estompent habituellement après 72 heures de traitement (surfactant et/ou ventilation assistée). • Instaurer et maintenir une ventilation et une oxygénation adéquates pour prévenir un déséquilibre ventilation-perfusion et l'atélectasie. • Procéder à la prise en charge médicale : – administrer un surfactant exogène à la naissance ou peu après ; – utiliser une ventilation assistée en pression positive continue, une pression positive continue (CPAP) et l'oxygénothérapie au besoin. • Prodiguer les soins infirmiers de soutien : – maintenir un environnement thermique neutre (ETN) ; – surveiller les gaz artériels sanguins (GAS) ou capillaires **TABLEAU 24.3** ; – maintenir l'équilibre hydrique et nutritionnel ; – offrir un soutien aux parents.
Persistance du canal artériel (PCA)			
• Prématurité	• Conséquence de l'absence de prostanglines circulantes, d'une baisse de l'oxygénation et de l'influence de certaines cathécolamines et cytokines (bradikinine et acétylcholine) chez le prématuré	• Souffle systolique, région précordiale active, pouls périphérique bondissant, tachycardie, tachypnée, crépitements et hépatomégalie • Souffle systolique plus audible au niveau du deuxième ou troisième espace intercostal, au rebord sternal supérieur gauche • Région précordiale active causée par une ↑ du volume systolique ventriculaire gauche	• Procéder à la prise en charge médicale : – soutien ventilatoire ; – restriction des liquides ; – diurétiques ; – ibuprofène ; – indométhacine. • La ligature chirurgicale est effectuée lorsque la PCA est cliniquement significative et que le traitement médical a échoué. • Prodiguer les soins infirmiers de soutien : – ETN ; – oxygénation adéquate ; – équilibre liquidien strict ; – soutien parental.
Hémorragie périventriculaire-intraventriculaire (HPV-IV)			
• Trauma • Asphyxie • Prématurité • Hypoglycémie • Acidose • Expansion volémique rapide • Transfusion sanguine	• Hémorragie sous-épendymaire de la matrice germinale ; peut s'étendre aux ventricules latéraux	• Parfois asymptomatique • Observations chez certains nouveau-nés : – ↓ de l'hématocrite – instabilité du glucose – acidose respiratoire – apnée – hypotonie – état stuporeux – teint cendré – détresse respiratoire – convulsions	• Reconnaître les facteurs qui ↑ le risque d'HPV-IV. • Intervenir pour ↓ le risque hémorragique : – minimiser les procédures douloureuses et stressantes ; – surveiller les signes d'instabilité hémodynamique ; – favoriser un ETN ; – ↓ sources de surstimulation (Maddalena & Gibbins, 2008 ; McLendon *et al.*, 2003). • Fournir les soins de soutien aux nouveau-nés qui présentent des épisodes hémorragiques.
Entérocolite nécrosante			
• Prématurité • Peut survenir aussi chez les nouveau-nés à terme ayant comme facteurs de risque :	• Maladie inflammatoire aiguë de la muqueuse gastro-intestinale, souvent compliquée par une perforation	• Signes non spécifiques : – activité moindre – hypotonie – pâleur	• Axer les soins sur le soutien et la prévention de la perforation intestinale.

TABLEAU 24.1 Complications de la prématurité *(suite)*

FACTEURS DE RISQUE	PHYSIOPATHOLOGIE	SIGNES	TRAITEMENT
– anomalies intestinales – anomalies cardiaques congénitales – asphyxie périnatale – exposition à des substances illicites *in utero* (Martinez-Tallo, Claure & Bancalari, 1997 ; Neu & Walker, 2011)	• Ischémie intestinale, colonisation par des bactéries pathogènes et substrat (préparation commerciale pour nourrissons [PCN]) dans la lumière intestinale • Majorité des cas surviennent après l'introduction des boires	– apnée et bradycardie récurrentes – ↓ saturation du sang artériel en oxygène (SaO_2) – détresse respiratoire – acidose métabolique – oligurie – hypotension – ↓ perfusion – cyanose – instabilité de la température (T°) • Signes et symptômes gastro-intestinaux : – distension abdominale – ↑ ou coloration biliaire des résidus gastriques aspirés – vomissements (bile ou sang) – selles sanguinolentes – sensibilité abdominale et érythème à la paroi abdominale (Roaten, Bensard & Price, 2006)	• Cesser l'alimentation orale (P.O.) ou par sonde de gavage pour faire reposer le tractus gastro-intestinal. • Insérer une sonde nasogastrique placée sous aspiration douce. • Procéder au traitement parentéral (souvent par alimentation parentérale totale). • Prodiguer une antibiothérapie systémique. • Évaluer et soulager la douleur (perfusion de fentanyl ou de morphine), procéder à la résection chirurgicale et à l'anastomose en cas de perforation ou de détérioration clinique.
Rétinopathie du prématuré			
• Prématurité, particulièrement chez les TFPN et les EFPN • Hyperoxie causée par des suppléments en oxygène trop élevés	• Pressions en oxygène souvent trop élevées pour le degré de maturité rétinienne causent initialement une vasoconstriction • Après l'arrêt de l'oxygénothérapie, observation d'une néovascularisation dans la rétine et le corps vitré, avec hémorragie capillaire, fibrose et décollement possible de la rétine • Entraîne la formation de tissu cicatriciel et une atteinte visuelle	• Aucun signe externe • Diagnostic repose sur l'examen de la rétine et la dépression sclérale	• Faire la prévention et le dépistage rapide de l'accouchement prématuré. • Procéder au monitorage par saturométrie afin d'éviter l'hyperoxie et l'hypoxie. • Effectuer le dépistage systématique des nouveau-nés de 26 6/7 semaines d'âge gestationnel ou moins à la naissance (premier dépistage à 31 semaines d'âge postmenstruel). • Procéder au dépistage systématique des nouveau-nés de 27 semaines d'âge gestationnel ou plus à la naissance (premier dépistage à 4 semaines d'âge gestationnel). • Durant l'examen, administrer des anesthésiques topiques, favoriser le confort par l'emmaillotement, par l'utilisation de la suce (sucette d'amusement) et par l'administration de sucrose P.O. (SCP, 2010). • La prise en charge médicale comprend notamment : – faire une cryopexie circonférentielle ; – effectuer une photocoagulation au laser ; – injecter des anticorps du facteur de croissance endothélial antivasculaire dans le corps vitré (bevacizumab) (Mintz-Hittner, Kennedy & Chuang, 2011).
Dysplasie bronchopulmonaire (maladie pulmonaire chronique)			
• Prématurité • Faible poids à la naissance • Moins de 28 semaines de gestation • Ventilation assistée et oxygénothérapie	• Atteinte pulmonaire chez les nouveau-nés qui ont besoin de ventilation assistée et d'oxygénothérapie (Dudell & Stoll, 2007)	• Tachypnée • Tirage • Battements des ailes du nez • Travail respiratoire accru • Intolérance à l'effort (manipulation et alimentation) • Tachycardie (Hagedorn *et al.*, 2006)	• Procéder à l'oxygénothérapie. • Veiller à assurer une alimentation adéquate. • Veiller à maintenir une restriction liquidienne. • Administrer les médicaments (p. ex., des diurétiques, des corticostéroïdes et des bronchodilatateurs).

TABLEAU 24.2 Collecte des données et interventions chez le nouveau-né peu prématuré

COLLECTE DES DONNÉES	INTERVENTIONS[a]
Détresse respiratoire	
• Vérifier les signes cardinaux de détresse respiratoire (battements des ailes du nez, geignements expiratoires, tachypnée, cyanose centrale, tirage) et déceler la présence d'apnée, surtout durant les boires, et les périodes d'hypothermie et d'hypoglycémie.	• Procéder d'abord à l'évaluation initiale du nouveau-né faisant de l'apnée (Whyte, 2010) • Effectuer une collecte des données de l'âge gestationnel. • Observer les signes de détresse respiratoire. • Surveiller l'oxygénation par oxymétrie pulsée. • Fournir un supplément d'oxygène au besoin.
Instabilité thermique	
• Vérifier la T° axillaire toutes les 30 min durant le postpartum immédiat jusqu'à stabilité ; par la suite, toutes les 1 à 4 h, selon l'âge gestationnel et la capacité de maintenir une stabilité thermique.	• Favoriser le contact peau à peau du nouveau-né stable avec la mère pendant la période postnatale immédiate. • Appliquer les mesures de prévention des pertes de chaleur excessives : – régler la température ambiante ; – éviter les courants d'air. • Donner un bain uniquement après que la stabilité thermique a été maintenue pendant 1 h (T° centrale minimale de 36,5 °C).
Hypoglycémie	
• Surveiller les signes et symptômes d'hypoglycémie : – tremblements ; – irritabilité ; – détresse respiratoire ; – apnée ; – cyanose ; – hypothonie ; – léthargie ; – instabilité thermique. • Évaluer la capacité de s'alimenter (réflexe de fouissement et succion). • Vérifier la glycémie au chevet chez les nouveau-nés présentant des facteurs de risque additionnels : – mère diabétique ; – travail prolongé ; – détresse respiratoire ; – piètre alimentation ; – PAG ; – PÉAG.	• Instaurer les premiers boires (lait maternel ou PCN). • Surveiller la glycémie à 2 h de vie. • Éviter les boires à base d'eau et de dextrose ou d'eau seulement. • Des suppléments entéraux peuvent être administrés aux nouveaux-nés asymptomatiques ayant une glycémie entre 1,8 et 2,5 mmol/L afin d'augmenter leur apport calorique ; la glycémie doit être vérifiée après 60 min. • La SCP recommande que les nouveau-nés hypoglycémiques et symptomatiques ainsi que les nouveau-nés hypoglycémiques et asymptomatiques n'ayant pas répondu à une ↑ des apports entéraux reçoivent un apport dextrosé par voie intraveineuse (I.V.).
Ictère	
• Surveiller les signes d'ictère : – teint ictérique ; – léthargie ; – hypotonie ; – mauvaise succion. • Les signes cliniques peuvent s'aggraver, et l'on constatera une hypertonie, des pleurs aigus, de la fièvre, des convulsions, un coma au cours des premières 24 h. • Évaluer les antécédents maternels et fœtaux pour tout facteur de risque additionnel susceptible d'accroître l'hémolyse et les taux circulants de bilirubine non conjuguée (Rh, ABO, sphérocytose, ecchymoses, RCIU). • Évaluer la méthode d'alimentation, l'élimination urinaire et intestinale.	• Surveiller la bilirubine sérique totale ou transcutanée et noter la zone à risque sur un nomogramme en fonction de l'heure.
Problèmes alimentaires	
• Évaluer la succion-déglutition et la respiration. • Surveiller les signes de détresse respiratoire, d'hypoglycémie, ainsi que la stabilité thermique. • Évaluer le réflexe de fouissement, les sentiments de la mère quant à la méthode d'alimentation. • Surveiller une perte de poids ≤ 10 % du poids à la naissance.	• Instaurer les premiers boires (lait maternel ou PCN). • S'assurer des connaissances de la mère au sujet de la méthode d'alimentation et des signes d'une alimentation inadéquate (somnolence, léthargie, changements de teint durant le boire, apnée durant le boire, débit urinaire diminué ou absent).

[a] Cette liste d'interventions infirmières n'est pas exhaustive ; d'autres interventions sont abordées plus loin dans ce chapitre.

Sources : Adapté de Santa-Donato *et al.* (2007) ; SCP (2004a, 2007a).

des nouveau-nés à terme. En comprenant les fondements physiologiques de ces différences, l'infirmière peut évaluer les nouveau-nés, déterminer la réponse du nouveau-né prématuré, peu prématuré ou post-terme et anticiper les problèmes potentiels.

Les nouveau-nés qui ne sont pas soumis à un stress indu établissent rapidement un cycle respiratoire efficace.

Fonction respiratoire

En général, les nouveau-nés qui ne sont pas soumis à un stress indu établissent rapidement un cycle respiratoire efficace, comme en témoignent une activité vigoureuse, une perfusion tissulaire adéquate et un teint rosé ou l'acrocyanose. Toutefois, les nouveau-nés à risque de souffrir d'une détresse respiratoire à la naissance en raison d'une asphyxie, d'une analgésie ou d'une pathologie chez la mère, d'une immaturité pulmonaire ou de malformations congénitales peuvent présenter les manifestations suivantes : cyanose, respiration haletante ou inefficace, diminution de la perfusion tissulaire, tirage, battements des ailes du nez, tachypnée, diminution du tonus musculaire ou toute combinaison de ces problèmes.

De nombreux troubles peuvent perturber le système respiratoire des nouveau-nés prématurés, notamment :

- une baisse du nombre d'alvéoles fonctionnelles ;
- un taux insuffisant de surfactant ;
- une lumière rétrécie des voies respiratoires ;
- une diminution du cartilage trachéal ;
- une obstruction plus importante des voies respiratoires ;
- une calcification insuffisante des os du thorax ;
- un effet potentiellement négatif des hormones circulantes (prostaglandines) sur la fonction cardiovasculaire ;
- une immaturité et une fragilité des vaisseaux pulmonaires ;
- une distance entre les alvéoles fonctionnelles et le lit capillaire, particulièrement chez les nouveau-nés EFPN.

Ensemble, ces déficits entravent gravement les efforts respiratoires du nouveau-né et peuvent entraîner une détresse ou une insuffisance respiratoire. Les premiers signes de la détresse respiratoire sont notamment la tachypnée, les battements des ailes du nez et les geignements expiratoires. Selon la gravité de la détresse respiratoire et sa cause, le tirage peut commencer au niveau souscostal, intercostal ou suprasternal. L'augmentation des efforts respiratoires (p. ex., des cycles respiratoires paradoxaux, du tirage, des battements des ailes du nez, des geignements expiratoires, une tachypnée ou de l'apnée) signale une détresse croissante. Par suite de l'immaturité pulmonaire et de la fonction résiduelle, certains nouveau-nés TFPN et EFPN progressent rapidement de la détresse respiratoire à l'insuffisance respiratoire complète. Au début, chez le nouveau-né atteint, une cyanose centrale ou une pâleur peut être notée. L'acrocyanose est un signe normal chez le nouveau-né, mais la cyanose centrale indique une mauvaise oxygénation.

La respiration périodique est un cycle respiratoire souvent observé chez les nouveau-nés prématurés. Ceux-ci présentent des pauses respiratoires de 5 à 10 secondes, suivies de respirations rapides compensatoires pendant 10 à 15 secondes. Il ne faut pas confondre cette respiration périodique avec l'apnée, qui se définit par un arrêt des respirations pendant 20 secondes ou plus. L'infirmière doit se préparer à fournir une oxygénothérapie et une ventilation assistée au besoin lorsque le nouveau-né se révèle incapable de déclencher ou de maintenir une fonction respiratoire adéquate.

Jugement clinique

Sally a maintenant quatre heures de vie. Ses mains et ses pieds demeurent bleutés.

Est-ce un signe alarmant quant à son état respiratoire ? Justifiez votre réponse.

Fonction cardiovasculaire

L'évaluation de la fréquence et du rythme cardiaques, du teint, de la pression artérielle (P.A.), de la perfusion, du pouls, de la SaO_2 et du statut acidobasique procure des renseignements sur l'état cardiovasculaire. L'infirmière doit intervenir en présence de symptômes d'hypovolémie, de choc ou des deux. Ces symptômes incluent un retard du remplissage capillaire (supérieure à trois secondes), un teint pâle, un piètre tonus musculaire, la léthargie, la tachycardie initialement, suivie d'une bradycardie et de la persistance de la détresse respiratoire en dépit d'une oxygénothérapie et d'une ventilation adéquates. Au début, l'hypotension s'observe ou peut survenir chez certains nouveau-nés comme un signe tardif de choc.

L'infirmière surveille d'emblée la P.A. chez le nouveau-né malade par des moyens électroniques ou mécaniques. L'enregistrement direct au moyen de cathéters artériels est souvent utilisé, mais il comporte les risques inhérents à toute intervention au cours de laquelle un cathéter est inséré dans une artère pour surveiller la pression veineuse centrale du nouveau-né. L'oscillométrie (moniteur Dinamap^{MD}) constitue une méthode non effractive efficace pour dépister les variations de la P.A. systémique (hypotension ou hypertension) et pour reconnaître la nécessité d'instaurer un traitement approprié afin de maintenir la fonction cardiovasculaire.

RAPPELEZ-VOUS…

Chez le nouveau-né, les processus de gestion de la température corporelle ne sont pas encore au point, et les variations de température peuvent avoir une grave incidence sur sa santé.

17

L'évaluation neurologique du nouveau-né est traitée en détail dans le chapitre 17, *Évaluation et soins du nouveau-né et de la famille.*

16

La stabilisation de la température du nouveau-né et les mécanismes de transfert de la chaleur sont abordés dans le chapitre 16, *Adaptations physiologiques et comportementales du nouveau-né.*

Température corporelle

Les nouveau-nés prématurés sont sujets à une instabilité thermique découlant de plusieurs facteurs, notamment :

- une surface importante par rapport au poids corporel ;
- des tissus adipeux sous-cutanés (pouvant servir d'isolant) minimes ;
- des réserves limitées de graisse brune (source interne de chaleur présente chez les nouveau-nés normaux à terme) ;
- une baisse ou l'absence de vasoconstriction des capillaires cutanés ;
- une activité inadéquate de la masse musculaire ;
- un piètre tonus musculaire, contribuant à faire augmenter la surface exposée aux effets refroidissants de l'environnement ;
- l'immaturité du centre thermorégulateur cérébral ;
- une hausse des pertes hydriques insensibles ;
- l'incapacité d'accroître la consommation d'oxygène ;
- une réduction de l'apport calorique.

L'objectif de la thermorégulation vise l'établissement d'un environnement thermique neutre (ETN), à savoir une température ambiante qui permet une consommation d'oxygène minimale, tout en évitant un état de déséquilibre du métabolisme, mais adéquate pour maintenir la température corporelle (Blackburn, 2007). L'éventail des valeurs d'ETN pour les nouveau-nés prématurés de moins de 1 000 g est très étroit, et il est impossible de déterminer à l'avance l'ETN qui répondra aux besoins de chaque nouveau-né. Les grands prématurés peuvent nécessiter des températures ambiantes égales à la température cutanée et centrale, ou même supérieure, pour atteindre la **thermoneutralité** (Blackburn, 2007). Si elle connaît les quatre grands mécanismes de transfert de la chaleur (convection, conduction, radiation, évaporation), l'infirmière peut créer un environnement qui promeut la stabilité de la température du nouveau-né prématuré ▶ 16. Étant donné que l'excès de chaleur engendre une augmentation de la consommation d'oxygène et de calories, l'état du nouveau-né est également compromis si celui-ci devient hyperthermique. Les indicateurs de l'hyperthermie sont l'apnée, la tachycardie et une rougeur de la peau. Le nouveau-né prématuré est incapable de transpirer et ainsi de dissiper sa chaleur.

Fonctionnement du système nerveux central

Le système nerveux central (SNC) du nouveau-né prématuré demeure très fragile, car il peut être perturbé par les facteurs suivants :

- un traumatisme de l'accouchement responsable d'une atteinte des structures intracrâniennes immatures ;
- un saignement des capillaires fragiles ;
- une coagulation imparfaite, comprenant un temps de prothrombine prolongé ;
- des épisodes récurrents d'hypoxie et d'hyperoxie ;
- une prédisposition à l'hyperglycémie ;
- une P.A. systémique variable concomitante avec des variations du débit et de la pression de la circulation sanguine cérébrale.

Chez le nouveau-né prématuré, la fonction neurologique dépend de l'âge gestationnel, des facteurs pathologiques associés et de certains facteurs prédisposants, tels que l'asphyxie intra-utérine susceptible de causer une atteinte neurologique. Les signes cliniques d'une dysfonction neurologique sont parfois subtils, spécifiques ou non. Il faut évaluer avec grand soin cinq catégories de manifestations cliniques chez le nouveau-né prématuré : l'activité convulsivante, l'hyperirritabilité, la dépression du SNC, l'augmentation de la pression intracrânienne et les mouvements anormaux, tels que les mouvements de décérébration. La présence des réflexes primaires et tendineux est généralement observée chez les nouveau-nés prématurés à partir de la 28e semaine de la gestation ; il faut intégrer l'évaluation de ces réflexes dans l'évaluation neurologique ▶ 17. L'infirmière veillera en outre à une collecte et à une consignation continues des données relatives à ces signes neurologiques, tant dans le but de faire un enseignement au moment du congé que de formuler les recommandations en vue du suivi.

État nutritionnel

L'alimentation du nouveau-né prématuré a pour but initial de prévenir le catabolisme et les pertes hydriques excessives. Une fois les fonctions respiratoire et cardiaque du nouveau-né stabilisées, l'alimentation aura pour objectif de promouvoir une croissance et un développement optimaux. Les fonctions métaboliques des nouveau-nés prématurés reposent malheureusement sur des réserves nutritives limitées, une capacité moindre de digérer les protéines et d'absorber les nutriments, ainsi que sur des systèmes enzymatiques immatures.

L'infirmière doit surveiller en permanence le statut nutritionnel du nouveau-né. Les nouveau-nés prématurés requièrent souvent une alimentation par gavage ou par voie I.V. plutôt que des boires, selon l'âge gestationnel, le poids à la naissance et certains facteurs liés à des comorbidités, telle la détresse respiratoire.

Fonction rénale

Le système rénal immature du nouveau-né prématuré se révèle incapable d'excréter adéquatement les métabolites et les médicaments, de concentrer l'urine ou de maintenir un équilibre acidobasique, hydrique ou électrolytique adéquat. Par conséquent, l'infirmière procédera au dosage des *ingesta* et des *excreta* (I/E) et mesurera la densité urinaire. Des analyses de laboratoire sont effectuées pour évaluer l'équilibre acidobasique et électrolytique. Il faut en outre surveiller les taux de médicaments chez les nouveau-nés prématurés en raison du métabolisme par voie rénale et hépatique qui laisse à désirer. Étant donné la grande variabilité du métabolisme des médicaments, on en mesurera les taux sériques de manière à les maintenir à l'intérieur d'un éventail de valeurs thérapeutiques, tout en prévenant la toxicité.

État hématologique

Le nouveau-né prématuré est plus sujet à éprouver des problèmes hématologiques en raison des facteurs suivants :

- une fragilité capillaire accrue ;
- une tendance accrue aux saignements (prolongation du temps de prothrombine et du temps de céphaline) ;
- une production réduite des globules rouges entraînant une baisse physiologique rapide de l'érythropoïèse après la naissance ;
- un taux d'hémoglobine fœtale élevé (jusqu'à 80 % du volume total) ;
- des pertes sanguines attribuables aux fréquents prélèvements sanguins pour analyses de laboratoire ;
- l'abrègement de la survie des globules rouges associé à leur taille relativement plus volumineuse et à leur perméabilité accrue au sodium et au potassium ;
- une baisse des taux d'albumine circulante.

L'infirmière sera à l'affût du moindre signe de saignement à partir des points de ponction, du tractus digestif et du système pulmonaire des nouveau-nés. Elle vérifiera en outre les signes d'anémie (baisse du taux d'hémoglobine et de l'hématocrite, pâleur, apnée croissante, léthargie, tachycardie, faible gain pondéral). Chez les nouveau-nés à risque élevé, il faut surveiller la quantité de sang prélevé pour les analyses de laboratoire.

Prévention des infections

Bien que la prévention des infections fasse partie intégrante des mesures associées aux soins prodigués à tous les nouveau-nés, les nouveau-nés prématurés et malades se révèlent particulièrement vulnérables aux agents pathogènes infectieux. Comme dans tous les aspects des soins, une hygiène des mains rigoureuse constitue la mesure la plus importante pour prévenir la transmission des infections nosocomiales. Les membres du personnel porteurs de maladies infectieuses connues n'auront pas accès à l'unité néonatale tant que le risque de contamination n'aura pas été écarté. Il importe d'instaurer les précautions standard dans toute la pouponnière comme méthode de lutte contre les infections pour protéger les nouveau-nés et le personnel.

Les nouveau-nés sont très vulnérables aux infections par suite d'un affaiblissement non spécifique (inflammatoire) et spécifique (humoral) de leur immunité, par exemple, la phagocytose incomplète, le retard de la réponse chimiotactique, un taux minime, voire absent d'immunoglobuline A (IgA) et d'immunoglobuline M (IgM) et une diminution des taux de protéines du complément. En raison de la piètre réponse du nouveau-né aux agents pathogènes, dans la plupart des cas, aucune réaction inflammatoire locale n'est observée au point d'entrée qui signalerait une infection, et les symptômes qui en résultent ont tendance à être vagues et non spécifiques. Cela cause parfois le retard du diagnostic et du traitement. Les nouveau-nés prématurés et à terme manifestent des signes et des symptômes non spécifiques divers en présence d'infection **ENCADRÉ 24.2**. Il est indispensable de reconnaître et de traiter sans délai la septicémie.

SOINS ET TRAITEMENTS INFIRMIERS

Nouveau-né prématuré

Interventions

Le milieu le plus propice à la croissance et au développement du fœtus est bien sûr l'utérus d'une femme en bonne santé et bien nourrie. Les soins au nouveau-né prématuré ont pour objectif de fournir un environnement extra-utérin semblable à celui de l'utérus d'une telle femme, afin de promouvoir sa croissance et son développement normaux. Le

ENCADRÉ 24.2 Signes et symptômes des infections néonatales

INSTABILITÉ THERMIQUE
- Hypothermie (le plus courant)
- Hyperthermie (rare)

ANOMALIES DU SYSTÈME NERVEUX CENTRAL
- Léthargie
- Irritabilité
- Modifications de l'état de conscience

CHANGEMENTS DE TEINT
- Cyanose, pâleur
- Marbrures
- Ictère

INSTABILITÉ CARDIOVASCULAIRE
- Piètre perfusion
- Hypotension
- Bradycardie ou tachycardie
- Ralentissement du remplissage capillaire (> 3 sec.)

DÉTRESSE RESPIRATOIRE
- Tachypnée ou bradypnée
- Apnée
- Tirage, battements des ailes du nez, geignements expiratoires

SYMPTÔMES GASTRO-INTESTINAUX
- Intolérance alimentaire, augmentation des résidus gastriques (si le nouveau-né est nourri par gavage)
- Vomissements
- Diarrhée
- Présence de sang dans les selles (visible ou occulte)
- Distension abdominale

INSTABILITÉ MÉTABOLIQUE
- Instabilité glycémique
- Acidose métabolique

FONCTION RÉNALE
- Déséquilibre électrolytique
- Oligurie ou anurie

personnel médical et infirmier, les inhalothérapeutes, les ergothérapeutes et physiothérapeutes, les nutritionnistes, les travailleurs sociaux, ainsi que les pharmaciens travaillent en interdisciplinarité pour fournir les soins intensifs requis.

L'admission d'un nouveau-né prématuré dans une unité de soins intensifs néonataux représente généralement une situation d'urgence. Au besoin, les manœuvres de réanimation débutent dans la salle d'accouchement, tandis que chaleur et oxygène sont fournis durant le transport vers la pouponnière. L'infirmière effectuera une rapide collecte des données initiale pour déterminer si le nouveau-né a besoin de traitements d'urgence.

Soins physiques

Sur le plan de l'environnement, les soins au nouveau-né prématuré nécessitent le matériel suivant et reposent sur ces interventions :

- un incubateur ou un lit à chauffage radiant pour réguler la température corporelle ;
- une oxygénothérapie, selon l'état pulmonaire et circulatoire du nouveau-né ;
- une surveillance électronique des fonctions respiratoires et cardiaques ;
- des dispositifs d'aide pour le positionnement du nouveau-né ;
- le regroupement des soins et la réduction des stimuli et des manipulations.

Sur le plan métabolique, les mesures de soutien susceptibles d'être instaurées sont les suivantes :

- l'administration de liquides parentéraux pour assurer l'alimentation, l'hydratation et l'équilibre hydrique et électrolytique ;
- l'installation d'un accès I.V. pour l'administration de liquides, de l'alimentation parentérale et des médicaments, selon le cas ;
- des analyses sanguines pour vérifier les GAS, la glycémie, les électrolytes et d'autres paramètres diagnostiques (protéine C réactive, numération leucocytaire avec différentielle et taux d'hémoglobine et hématocrite), selon le besoin.

Maintien de la température corporelle

Le nouveau-né prématuré est sujet aux pertes de chaleur et à ses complications. De plus, les nouveau-nés FPN se révèlent incapables de stimuler leur métabolisme en raison d'échanges gazeux imparfaits, de restrictions de leur apport calorique par rapport à leur dépense énergétique élevée ou d'une piètre thermorégulation. Une perte hydrique transépidermique plus grande que chez les nouveau-nés à terme est observée en raison de l'immaturité du système tégumentaire chez le nouveau-né EFPN et TFPN (c.-à-d., de moins de 1 000 g et 1 500 g, respectivement), ce qui peut contribuer à l'instabilité thermique. Il faut déposer le nouveau-né prématuré dans un incubateur préchauffé lorsqu'il quitte la salle d'accouchement ; le nouveau-né de moins de 28 semaines d'âge gestationnel sera placé dans un sac de polyéthylène (sauf sa tête) pour prévenir les pertes de chaleur et d'eau **FIGURE 24.1**. Comme option d'interaction, le contact peau à peau (méthode kangourou) est envisagé entre la mère ou le père et le nouveau-né prématuré stable pour que celui-ci maintienne une température corporelle appropriée.

> **Jugement clinique**
>
> Dès son arrivée à la pouponnière, vous avez installé Sally dans un incubateur préchauffé.
>
> Quel est le but de cette intervention ?

Les nouveau-nés prématurés et les autres nouveau-nés à risque élevé reçoivent leurs soins dans un environnement rendu thermoneutre par une source de chaleur externe. Une sonde relie le nouveau-né à une source de chaleur externe fournie par un incubateur à chauffage radiant ou un incubateur à servocommande. Il est difficile de prédire la thermoneutralité qui répondra de façon optimale aux besoins spécifiques de chaque nouveau-né prématuré. L'American Academy of Pediatrics (AAP), le Neonatal Resuscitation Program de l'American Heart Association, ainsi que la SCP recommandent de ne pas laisser la première température axillaire descendre sous 36,5 °C (Kattwinkel, 2006). Des lignes directrices standard ont été établies pour le maintien de l'ETN du nouveau-né FPN (Blake & Murray, 2006). Il faudra approfondir la recherche pour définir les paramètres de l'ETN optimal chez le nouveau-né EFPN.

Soins au nouveau-né hypothermique

Toute variation rapide de la température corporelle peut occasionner de l'apnée et de l'acidose chez le nouveau-né. Par conséquent, il faudra veiller à réchauffer le nouveau-né hypothermique en l'espace de quelques heures. S'il est trop rapide, le réchauffement peut provoquer de l'apnée ; s'il est trop lent, il peut accroître la détresse métabolique et la consommation d'oxygène. Ainsi,

FIGURE 24.1
Un nouveau-né prématuré est placé dans un sac de polyéthylène pour le protéger contre la perte de chaleur et d'eau.

le réchauffement de chaque nouveau-né est individualisé selon ses pathologies et sa capacité à produire de la chaleur. Pour ce faire, le nouveau-né est placé sous un appareil radiant ou dans un incubateur à servocommande. Les experts suggèrent de procéder au réchauffement à raison de 1 à 2 °C par heure. Pour les plus grands prématurés, l'humidification de l'incubateur joue également un rôle important dans le réglage de la température. Il faut consulter les lignes directrices appropriées au sujet du réchauffement du nouveau-né hypothermique pour plus de renseignements.

Oxygénothérapie

L'oxygénothérapie a pour but d'assurer une oxygénation adéquate aux tissus, de prévenir l'accumulation d'acide lactique résultant de l'hypoxie, tout en évitant les effets négatifs potentiels de l'hyperoxie et des radicaux libres. De nombreuses méthodes ont été mises au point pour améliorer l'oxygénation. Toutes ces méthodes reposent sur le réchauffement et l'humidification préalables des gaz avant leur arrivée dans les voies respiratoires. Si le nouveau-né ne requiert pas de ventilation assistée, mais qu'il a besoin d'oxygène après les 90 premières secondes de vie, on peut fournir l'oxygène par l'intermédiaire d'une lunette nasale ou par CPAP nasale **FIGURE 24.2**. Ces mesures fourniront des concentrations variables d'oxygène humidifié. Puisque l'oxygénothérapie comporte des risques, il faut surveiller étroitement chaque nouveau-né pour prévenir l'hyperoxie et l'hypoxie.

La ventilation assistée (soutien respiratoire fournissant une quantité d'oxygène prédéterminée au moyen d'un tube endotrachéal) s'impose si aucune autre méthode ne permet de corriger les problèmes d'oxygénation. Les réglages du respirateur dépendent des besoins particuliers du nouveau-né. Le respirateur sera réglé de façon à lui fournir une quantité prédéterminée d'oxygène durant les respirations spontanées et une ventilation assistée en l'absence de respiration spontanée. Les nouvelles technologies en matière de ventilation offrent une oxygénation à des pressions moindres et en mode assisté, ce qui permet d'éviter que l'appareil supplante la respiration spontanée du nouveau-né, de fournir des pressions d'expansion qui se situent à l'intérieur des valeurs physiologiques, de réduire les risques de barotraumatisme et d'autres complications associées, telles que le pneumothorax et l'emphysème interstitiel pulmonaire.

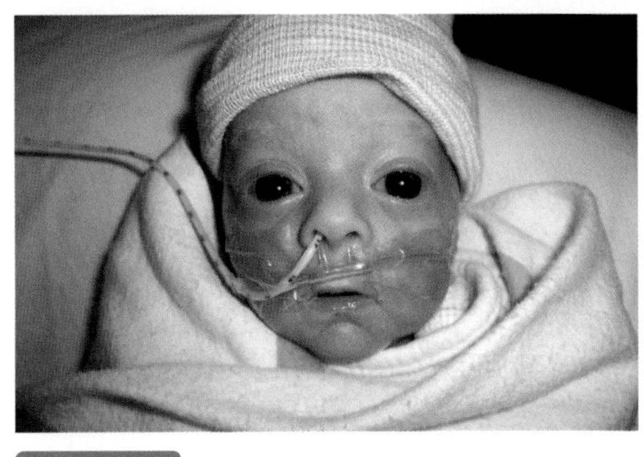

FIGURE 24.2
Un nouveau-né porte une lunette nasale.

Réanimation néonatale

En 2010, l'American Heart Association (AHA) a mis à jour ses lignes directrices de réanimation néonatale publiées en 2005 (AHA, 2005, 2010). Plusieurs experts canadiens ont étroitement participé à l'élaboration de ces lignes directrices et du manuel du Programme de réanimation néonatale (PRN) de l'AAP. Pour cette raison, la formation en réanimation néonatale est fondée sur ce programme, mais il s'est avéré nécessaire d'élaborer des lignes directrices propres à la pratique canadienne (Canadian Peadiatric Society [CPS]), 2010. Une collecte rapide des données sur les nouveau-nés permet de reconnaître ceux qui ne requièrent pas de réanimation, c'est-à-dire les nouveau-nés à terme, dont le liquide amniotique ne présente aucun signe de **méconium** ou d'infection, qui respirent ou qui pleurent et qui ont un bon tonus musculaire. En l'absence de l'une ou l'autre de ces caractéristiques, il faut appliquer en séquence les étapes suivantes chez le nouveau-né :

1. Les étapes initiales de stabilisation consistent à fournir de la chaleur en plaçant le nouveau-né sur un lit ou une table à chauffage radiant, à placer la tête de façon à libérer les voies respiratoires, à dégager les voies respiratoires au besoin au moyen d'une poire ou d'un cathéter à succion, à assécher le nouveau-né, à stimuler sa respiration et à le repositionner.
2. Procéder à la ventilation.
3. Faire des compressions thoraciques.
4. Administrer de l'adrénaline ou une solution de remplissage vasculaire ou les deux. La décision de passer d'une catégorie de mesures à la suivante se fonde sur la collecte des données, telles que la fréquence respiratoire (F.R.), la fréquence cardiaque (F.C.) et le teint. Les décisions doivent se prendre rapidement. Trente secondes sont allouées à chaque étape. L'état du nouveau-né est réévalué, et l'on décide s'il faut procéder à l'étape suivante **FIGURE 24.3**.

La réanimation des nouveau-nés en asphyxie au moyen d'oxygène à 21 % plutôt qu'à 100 % se révèle prometteuse. Selon les défenseurs de cette réanimation à l'air ambiant, celle-ci serait associée à un moins grand nombre de complications dues au stress oxydatif et à l'hyperoxie. Les lignes directrices

Jugement clinique

Le petit Alexandre vient de naître après une grossesse à terme. Vous procédez à son évaluation et constatez qu'il n'a aucun tonus musculaire et qu'il ne pleure pas.

Quelles devraient être vos interventions prioritaires ?

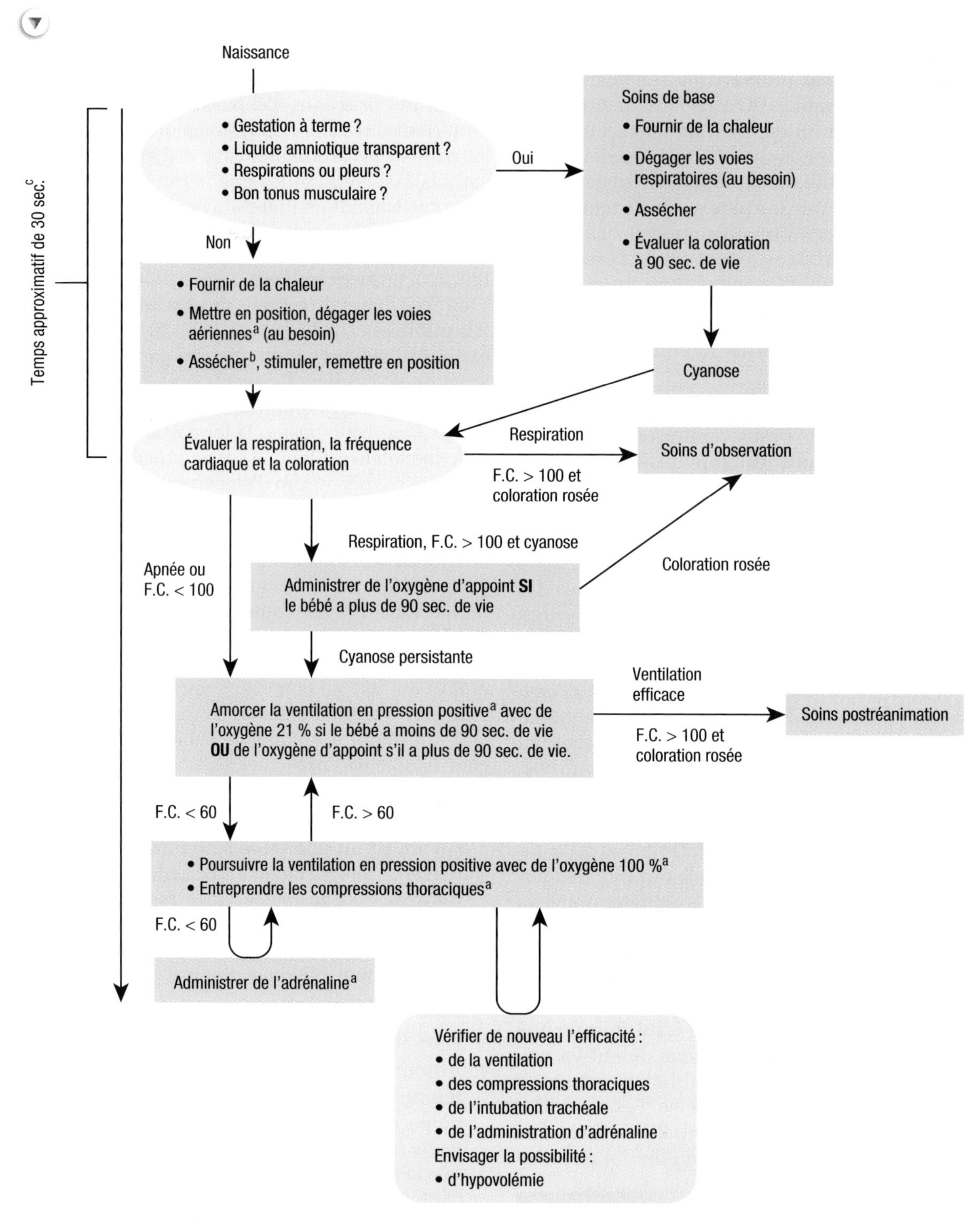

[a] L'intubation trachéale peut être envisagée à diverses étapes.
[b] Il ne faut pas assécher les bébés de moins de 28 semaines ; il faut les glisser encore mouillés jusqu'au cou dans un sac de polyéthylène de qualité alimentaire.
[c] Évaluer la respiration, la fréquence cardiaque et la coloration toutes les 30 sec.

FIGURE 24.3
Algorithme du PRN 2006 – (adaptation canadienne)

de réanimation néonatale de 2010 de l'AHA et de la SCP (2006a) soulignent que la réanimation peut débuter sans administrer de supplément d'oxygène (c.-à-d. à 21 % ou à l'air ambiant), mais que si le nouveau-né demeure cyanosé ou que sa F.C. reste inférieure à 100 battements par minute (batt./min) dans les 90 secondes, il faut pouvoir lui administrer de l'oxygène (Pearlman *et al.*, 2010). Cette mesure a pour objectif de réduire les radicaux libres de l'oxygène en prévenant l'hyperoxie à l'aide de suppléments d'oxygène à des taux inférieurs à 100 % (AHA, 2010). Une revue de plusieurs études indique que la mortalité néonatale diminue de 30 à 40 % lorsque l'air ambiant est utilisé plutôt que de l'oxygène à 100 % pour la réanimation néonatale (Saugstad, 2007). Les fluctuations de la SaO_2 sont également jugées nuisibles. Les experts recommandent de maintenir la SaO_2 des nouveau-nés EFPN entre 85 et 93 %, tout en n'excédant pas 95 % (Saugstad, 2007). Les taux de rétinopathie du prématuré et de dysplasie bronchopulmonaire diminuent chez les nouveau-nés dont la SaO_2 se maintient entre 93 et 95 %.

Traitement par surfactant exogène

Le surfactant est un phospholipide activé en surface et sécrété par l'épithélium alvéolaire. Agissant comme un détergent, cette substance réduit la tension de surface des liquides qui tapissent les alvéoles et les voies respiratoires, d'où une expansion pulmonaire uniforme et son maintien à des pressions intraalvéolaires faibles. Sans surfactant, les nouveau-nés sont incapables de maintenir leurs poumons gonflés, et la réexpansion des alvéoles à chaque respiration demande beaucoup d'efforts. En s'épuisant, les nouveau-nés ont de plus en plus de difficulté à dilater leurs alvéoles. Cette incapacité d'assurer une expansion pulmonaire entraîne une importante atélectasie.

Des surfactants peuvent être administrés comme mesure d'appoint à l'oxygénothérapie et à la ventilation **ENCADRÉ 24.3**. En général, les nouveau-nés de moins de 32 semaines de gestation ne disposent pas de quantité adéquate de surfactant pulmonaire pour survivre à la vie extra-utérine. La décision d'administrer du surfactant pour un nouveau-né se fait en fonction de son évolution clinique et radiologique, de son âge gestationnel et de sa pathologie. La SCP (2005) a émis plusieurs recommandations sur le sujet. Par exemple, les nouveau-nés de 26 semaines d'âge gestationnel ou moins devraient recevoir un traitement prophylactique par surfactant quelques minutes après l'intubation si leur stabilité le permet. Les nouveau-nés intubés atteints du SDR devraient recevoir un traitement par surfactant.

L'administration de corticostéroïdes prénataux à la mère et de suppléments de surfactant réduit l'incidence du SDR et des comorbidités.

Autres traitements

L'oxyde nitrique par inhalation (INO pour *inhaled nitric oxide*), l'oxygénation par membrane extracorporelle (ECMO pour *extracorporeal membrane oxygenation*) et la ventilation liquide peuvent aussi servir au traitement de la détresse respiratoire et de l'insuffisance respiratoire chez les nouveau-nés. L'INO est utilisé chez les nouveau-nés à terme et les nouveau-nés peu prématurés qui présentent entre autres des problèmes d'hypertension pulmonaire persistante, un syndrome d'aspiration méconiale, une pneumonie, une septicémie ou une hernie diaphragmatique congénitale pour réduire

Jugement clinique

À la suite de vos interventions, Alexandre respire spontanément, et sa F.C. est supérieure à 100 batt./min.

Devriez-vous amorcer les compressions thoraciques? Justifiez votre réponse.

Pharmacothérapie

ENCADRÉ 24.3 Surfactant exogène

MÉDICAMENT
- Extrait pulmonaire bovin (béractant [Survanta^MD])
- Surfactant extrait de lipides bovins (BLES^MD)

ACTION

En présence d'immaturité pulmonaire, ces médicaments procurent un surfactant exogène pour corriger une carence.

INDICATION
- Les surfactants servent à prévenir et à traiter le SDR chez les nouveau-nés prématurés.
- En prévention, le médicament s'administre dans les 15 minutes qui suivent la naissance des nouveau-nés qui présentent des manifestations cliniques de carence en surfactant ou dont le poids à la naissance est inférieur à 1 250 g. Il faut noter que BLES^MD n'est pas indiqué en prévention, mais en traitement seulement.
- En traitement, le médicament s'administre aux nouveau-nés qui présentent un diagnostic confirmé de SDR, préférablement dans les huit heures qui suivent la naissance ou le plus rapidement possible dès que le diagnostic est confirmé.

POSOLOGIE ET VOIE D'ADMINISTRATION
- La posologie dépend du médicament utilisé. Il est administré par voie endotrachéale.
- Les fioles doivent être réchauffées dans la main ou à la température ambiante, selon les recommandations du fabricant. Les doses peuvent être répétées jusqu'à un total de quatre.

EFFETS INDÉSIRABLES
- Les effets indésirables incluent la détresse respiratoire immédiatement après leur administration, la bradycardie et la désaturation en oxygène.
- L'hémorragie pulmonaire survient chez 2 à 4 % des nouveau-nés ayant reçu un traitement par surfactant (Young & Mangum, 2006).
- L'hyperoxie peut également se produire dans les minutes suivant l'administration.

INTERVENTIONS INFIRMIÈRES
- Observer tout changement de l'état du nouveau-né.
- Veiller à changer les réglages du respirateur à mesure que le nouveau-né arrive à mieux s'oxygéner.
- Surveiller une diminution de la diurèse ou une hématurie possible.

Source : Adapté de Association des pharmaciens du Canada (2011).

ou inverser l'hypertension pulmonaire, la vasoconstriction pulmonaire, l'acidose et l'hypoxémie. L'oxyde nitrique est un gaz incolore hautement diffusible qu'il est possible d'administrer mélangé à l'oxygène par le circuit du respirateur. La vasodilatation pulmonaire sélective qu'il provoque permet d'améliorer l'oxygénation en augmentant le flux sanguin aux alvéoles les mieux ventilées. On peut avoir recours à un traitement par INO en conjonction avec un surfactant exogène, une ventilation de haute fréquence ou l'ECMO.

L'ECMO sert parfois dans la prise en charge des nouveau-nés à terme qui souffrent d'une insuffisance respiratoire aiguë grave. Ce traitement fait appel à un appareil cœur-poumons modifié. Dans l'ECMO, le cœur n'est pas arrêté, et le sang ne contourne pas entièrement les poumons. La dérivation du sang se fait par gravité, au moyen d'un cathéter inséré dans l'oreillette droite ou la veine jugulaire interne droite, jusqu'à une pompe de transfert à servorégulation, à travers une membrane qui oxygène le sang, un petit échangeur thermique qui le réchauffe, avant son retour à la circulation systémique par une grosse artère, par exemple, la carotide ou l'aorte. L'ECMO oxygène la circulation et permet aux poumons de se reposer, ce qui réduit l'hypertension pulmonaire et l'hypoxie en présence de problèmes tels que l'hypertension pulmonaire persistante du nouveau-né, la hernie diaphragmatique congénitale, la septicémie, l'aspiration méconiale et la pneumonie grave. L'ECMO n'est pas utilisée chez les nouveau-nés prématurés de moins de 34 semaines de gestation parce qu'elle nécessite un traitement anticoagulant pour la pompe et les circuits, ce qui accroît leur risque hémorragique intraventriculaire. Dans certains centres, le succès de la ventilation de haute fréquence et de l'INO a considérablement réduit la demande et l'utilisation de l'ECMO (Hintz, Suttner, Sheehan, Rhine & Van Meurs, 2000).

Sevrage de l'assistance respiratoire

Le nouveau-né peut être sevré de l'assistance respiratoire lorsque ses GAS et sa SaO_2 se maintiennent à l'intérieur des limites de la normale et qu'il peut assez bien respirer spontanément pour maintenir son équilibre acidobasique **TABLEAU 24.3**. Le nouveau-né doit être capable de fournir un effort respiratoire spontané adéquat et manifester une amélioration de son tonus musculaire lorsqu'il devient plus actif. Le sevrage est effectué graduellement, ce qui suppose dans certains cas d'extuber le nouveau-né, de le placer sous CPAP nasale, puis de sevrer l'oxygène au moyen d'une lunette nasale standard ou d'une lunette nasale à haut débit. Tout au long du processus de sevrage, l'infirmière surveillera les taux d'oxygène au moyen de l'oxymétrie pulsée, de la pression partielle transcutanée de l'oxygène et des GAS.

L'infirmière procédera à une fréquente collecte des données cutanées des nouveau-nés sous oxygénothérapie, peu importe la méthode utilisée, et particulièrement chez les nouveau-nés qui présentent une piètre perfusion ou dont l'appareil se trouve en contact continu avec leur peau (p. ex., un appareil CPAP nasal, une lunette nasale, une sonde à oxymétrie). Une fréquence plus élevée que la normale des lésions cutanées est observée chez les nouveau-nés et les enfants chez qui l'on utilise des appareils médicaux (Noonan, Quigley & Curley, 2006). Lorsqu'un nouveau-né est sous CPAP nasale, il faut porter une attention particulière à l'intégrité de la peau du nez et des joues (Mc Coskey, 2008).

Le masque peut causer des lésions sur l'arrête du nez, au septum et au philtrum. Les canules de l'appareil CPAP semblent être plus associées à des lésions au septum (Young, Chen & Boo, 2005).

Il arrive qu'il soit impossible de sevrer des nouveau-nés de l'oxygène lorsqu'ils reçoivent leur congé de l'hôpital. Ils nécessitent alors une oxygénothérapie à domicile pendant quelques mois. La dysplasie bronchopulmonaire ou des anomalies congénitales, comme la hernie diaphragmatique congénitale (réparée), une anomalie trachéale ou encore une lésion entraînant une dysfonction neurologique rendent parfois le sevrage impossible.

Il faut veiller à renseigner régulièrement les parents et à les rassurer quant aux progrès respiratoires du nouveau-né. L'infirmière doit aussi inclure les décisions relatives au choix des interventions continues dans un plan de soins interdisciplinaires et fréquemment expliquer le traitement à la famille.

TABLEAU 24.3 Gaz artériels sanguins chez le nouveau-né

MESURE	VALEURS NORMALES
pH	7,35-7,45
Pression partielle de l'oxygène dans le sang artériel (PaO_2)	60-80 mm Hg
Pression partielle du gaz carbonique dans le sang artériel ($PaCO_2$)	35-45 mm Hg
Bicarbonate (HCO_3^-)	22-26 mEq/L
Excès de base	−4 à +4
SaO_2	92-94 %

Source : Adapté de Parry & Zimmer (2006).

Soins nutritionnels

La prise en charge des nouveau-nés prématurés et FPN doit inclure une alimentation optimale, mais il est parfois difficile de répondre à leurs besoins nutritionnels. Les divers mécanismes requis pour l'ingestion et la digestion des aliments ne sont pas entièrement au point. Plus le nouveau-né est prématuré, plus le problème est grand. En outre, les besoins nutritionnels de ce groupe de nouveau-nés n'ont pas encore été établis avec certitude. Tous les nouveau-nés prématurés sont à risque en raison de leurs faibles réserves nutritionnelles et de plusieurs particularités physiques et développementales.

Même les nouveau-nés prématurés de faible poids de naissance peuvent être allaités si leurs réflexes de succion et de déglutition sont adéquats et s'il n'y a pas d'autres contre-indications.

Il faut répondre aux besoins de croissance rapide et de maintien quotidien des nouveau-nés en présence de plusieurs anomalies anatomiques et physiologiques. Bien qu'un certain degré de succion et de déglutition s'observe avant la naissance et chez les nouveau-nés prématurés, la coordination de ces mécanismes ne survient pas avant environ 32 à 34 semaines de gestation, et ils ne sont pleinement synchronisés qu'à la fin de 36 ou 37 semaines. Au début, la succion ne s'accompagne pas de déglutition, et la coordination des contractions œsophagiennes n'est pas adéquate. Parfois, le réflexe pharyngé ne se développe pas avant la 36e semaine, ce qui expose les nouveau-nés à un risque d'aspiration et aux problèmes qui s'ensuivent. À mesure que les nouveau-nés se développent, la coordination succion-déglutition s'installe, mais elle est lente et inefficace, sans compter que ces réflexes s'affaiblissent aisément.

La quantité d'aliments et la méthode d'alimentation dépendent de la taille et de l'état du nouveau-né. Il peut être nourri par voie parentérale ou entérale ou par une combinaison des deux. Les nouveau-nés EFPN et TFPN ou gravement malades reçoivent souvent une alimentation initiale exclusivement parentérale en raison de leur incapacité de digérer et d'absorber quoi que ce soit par voie entérale. Des facteurs pathologiques associés à l'hypoxie ou une grande immaturité organique empêchent en outre le recours à une alimentation entérale tant que l'état du nouveau-né n'est pas stabilisé. Des cas d'entérocolite nécrosante associée à l'alimentation entérale ont été rapportés chez les nouveau-nés en phase aiguë de leur maladie ou en détresse **TABLEAU 24.1**.

La nutrition parentérale totale (NPT) peut être utilisée avec succès chez les nouveau-nés gravement malades; il s'agit de solutions I.V. commerciales, spécialement conçues pour répondre à leurs besoins nutritionnels par leur teneur en protéines, en acides aminés, en oligominéraux, en vitamines, en glucides (dextrose) et en lipides (émulsion). Résultats probants à l'appui, la nutrition parentérale sera introduite sans retard (dans les heures qui suivent la naissance), en particulier les acides aminés, les protéines, le dextrose, les lipides, en plus d'une alimentation entérale minime (trophique) au cours des cinq premiers jours de vie. Ces interventions améliorent les résultats neurodéveloppementaux et préviennent les retards de croissance souvent observés chez les nouveau-nés EFPN (Anderson & Gardner, 2006; Ehrenkranz, 2007).

Type de préparations

Le type, le mode, le volume et l'horaire d'administration dépendent des diverses données recueillies: poids du nouveau-né, mode de gain ou de perte pondérale, présence ou absence des réflexes de succion et de déglutition, capacité de s'alimenter P.O., état de santé physique, résidus des boires précédents s'il est nourri par gavage, malformations (particulièrement de l'appareil digestif) et fonction rénale, incluant le débit urinaire et les résultats des analyses de laboratoire.

Le lait maternel reste le meilleur aliment pour les nouveau-nés à terme et prématurés ▶ 18. Même les nouveau-nés prématurés de faible poids de naissance (de 28 à 36 semaines) peuvent être allaités si leurs réflexes de succion et de déglutition sont adéquats et s'il n'y a pas d'autres contre-indications, telles que des complications respiratoires ou d'autres comorbidités. Les nouveau-nés prématurés allaités plutôt que nourris au biberon avec une PCN manifestent moins de désaturation en oxygène, ne présentent pas de bradycardie, ont une température cutanée plus chaude que la normale et présentent une meilleure coordination respiration-succion-déglutition (Gardner, Snell & Lawrence, 2006). Les mères qui souhaitent allaiter sont encouragées à extraire leur lait jusqu'à ce que leur nouveau-né prématuré soit suffisamment stable pour tolérer l'allaitement. Il faut appliquer les lignes directrices en vigueur dans l'établissement pour la conservation du lait maternel afin d'en prévenir la contamination, car cela risquerait d'annuler ses bienfaits (Jones & Tully, 2006).

Les préparations pour nouveau-nés prématurés vendues sur le marché sont faites à partir de lait de vache où prédomine le lactosérum; elles contiennent une concentration plus forte de protéines, de calcium et de phosphore que les PCN, de manière à répondre aux besoins particuliers du nouveau-né prématuré (AAP Committee on Nutrition, 2004). La plupart des préparations pour prématurés contiennent 22 ou 24 calories/35 ml. La dilution des préparations en poudre pour nouveau-nés prématurés doit se faire au moyen d'une technique aseptique rigoureusement stricte, préférablement en pharmacie; la préparation sera bien réfrigérée pour prévenir l'infection (AAP Committee on

18

Les banques de lait maternel pourraient être une solution pour les femmes qui désirent allaiter, mais qui en sont incapables. Ce sujet est abordé dans le chapitre 18, *Nutrition et alimentation du nouveau-né*.

Jugement clinique

Louisa est née à 32 2/7 semaines de gestation.

Cela peut-il avoir un impact sur ses besoins nutritionnels? Justifiez votre réponse.

Jugement clinique

À la suite de l'évaluation que vous avez faite de Louisa, vous constatez que le réflexe de succion et de déglutition sont présents. Elle peut s'alimenter P.O.

Que pourriez-vous dire à la mère quant au type d'alimentation à privilégier?

La contamination nosocomiale par *Enterobacter sakazakii* des PCN a été associée à de graves infections néonatales, à l'entérocolite nécrosante et à la mortalité. Idéalement, on choisira d'autres solutions que les préparations en poudre, faute de quoi, l'infirmière mélangera ces préparations avec grand soin par technique aseptique dans une pièce réservée à cet effet. La durée des perfusions de préparations en poudre ne devrait pas excéder quatre heures.

Nutrition, 2004; Santé Canada, 2002). Le lait maternel enrichi (protéines, phosphore et calcium) est recommandé pour les nouveau-nés prématurés FPN parce qu'il accroît le gain pondéral et améliore la minéralisation osseuse plus efficacement que le lait maternel non enrichi (Lawrence & Lawrence, 2005). L'administration de suppléments de vitamine D doit débuter lorsque le nouveau-né prématuré reçoit exclusivement du lait maternel. Un supplément quotidien de 400 unités internationales de vitamine D est recommandé, jusqu'à ce que l'alimentation du nouveau-né lui fournisse cette valeur à partir d'autres aliments ou que le nourrisson exclusivement allaité atteigne l'âge de un an (Santé Canada, 2010). Les nouveau-nés prématurés ont besoin d'un supplément en fer de 4 à 4,5 mg/1 000 g/jour afin de prévenir l'apparition d'une anémie tardive (SCP, 1991).

Hydratation

Les nouveau-nés prématurés reçoivent souvent des suppléments de liquide par voie parentérale pour combler un déficit calorique, électrolytique ou hydrique. Ils ont particulièrement besoin d'une bonne hydratation, parce que leur teneur en eau extracellulaire est plus élevée que celle des nouveau-nés à terme (70 % chez les nouveau-nés à terme, contre 90 % chez les nouveau-nés prématurés), leur surface corporelle dépasse relativement celle des nouveau-nés à terme, et la capacité de diurèse osmotique de leurs reins immatures laisse à désirer. Par conséquent, ces nouveau-nés présentent un risque élevé de déshydratation. Les infirmières surveilleront l'équilibre hydrique des nouveau-nés en les pesant quotidiennement (ou plus fréquemment) et en dosant avec précision les I/E, ce qui inclut les médicaments et les produits sanguins.

Visionnez la vidéo *Alimentation par gavage*, au www.cheneliere.ca/lowdermilk.

Les modifications du comportement, de la vigilance ou du degré d'activité des nouveau-nés qui reçoivent des liquides I.V. peuvent signaler un déséquilibre électrolytique, une hypoglycémie ou une hyperglycémie. L'infirmière surveillera aussi la présence de tremblements ou de convulsions chez le nouveau-né TFPN ou EFPN, parce que ces signes neurologiques peuvent indiquer une hyponatrémie ou une hypernatrémie. Le gain pondéral dû à une surcharge liquidienne chez le prématuré malade résulte parfois d'un problème de rétention liquidienne (insuffisance rénale), d'une administration inappropriée de liquides (parentéraux) ou d'une insuffisance cardiaque congestive. Un apport liquidien accru peut entraîner l'ouverture du canal artériel alors qu'il était refermé, ce qui exacerbera les maladies associées. L'infirmière évaluera tout gain pondéral rapide chez les nouveau-nés prématurés en croissance qui reçoivent des suppléments d'électrolytes oraux, surtout chez ceux qui souffrent de dysplasie bronchopulmonaire (maladie pulmonaire chronique), car un tel gain pondéral pourrait entraîner une congestion pulmonaire, l'ouverture du canal artériel et un déséquilibre électrolytique **TABLEAU 24.1**.

Modes d'élimination

L'infirmière évalue la fréquence des mictions, de même que leur quantité, leur couleur, leur pH et leur densité. La collecte des données portant sur l'élimination intestinale inclut la fréquence et les caractéristiques des selles, de même que la présence de constipation, de diarrhée ou de stéatorrhée (quantité anormale de graisses dans les selles). Les nouveau-nés qui présentent une distension abdominale inexpliquée sont soumis à un examen approfondi pour écarter un diagnostic d'entérocolite nécrosante ou d'obstruction du tractus gastro-intestinal.

Alimentation orale

La voie orale (P.O.) est privilégiée chez le nouveau-né qui a assez de force et une bonne fonction digestive. Le nouveau-né peut prendre le lait maternel au sein, au biberon ou par gavage, et les PCN sont administrées au biberon ou par gavage. On peut placer les nouveau-nés prématurés au sein ou leur offrir une suce pour qu'ils s'exercent à boire et à téter dès qu'ils sont stables sur le plan médical.

Alimentation par gavage

L'alimentation par gavage permet d'administrer le lait maternel ou la PCN au moyen d'une sonde nasogastrique ou orogastrique **FIGURE 24.4**. Les gavages s'administrent au moyen de sondes qui sont insérées à chaque boire (bolus) ou installées à demeure. Le lait maternel ou la préparation est administré à l'aide d'une seringue dont le débit est réglé par gravité, en gavage intermittent ou en gavage intermittent/continu à l'aide d'une pompe à perfusion. L'infirmière note au dossier le type de liquide instillé à chaque changement de seringue. Elle note le volume de l'alimentation continue chaque heure et le liquide d'aspiration gastrique résiduel avant chaque boire. Les résidus représentant moins du quart du boire peuvent être redonnés au nouveau-né, selon le protocole en vigueur dans l'unité. L'alimentation est cessée si le résidu est de plus de 2 à 4 ml/1 000 g ou s'il représente le volume administré en une heure; le gavage ne sera recommencé qu'après avoir confirmé que le nouveau-né ne présente pas d'intolérance alimentaire (Anderson & Gardner, 2006). Une suce peut être donnée au nouveau-né pendant la période de gavage ou au cours des procédures douloureuses.

La voie orogastrique est privilégiée pour les gavages parce que la plupart des nouveau-nés respirent davantage par le nez. Toutefois, certains nouveau-nés ne tolèrent pas l'insertion de la sonde. La technique d'insertion de la sonde de gavage est décrite dans l'**ENCADRÉ 24.4**.

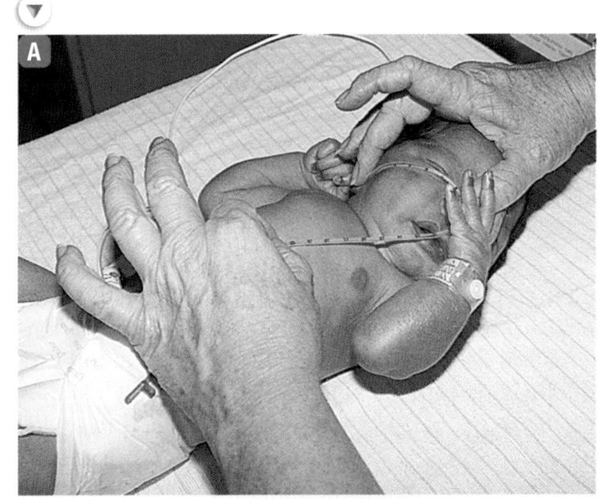

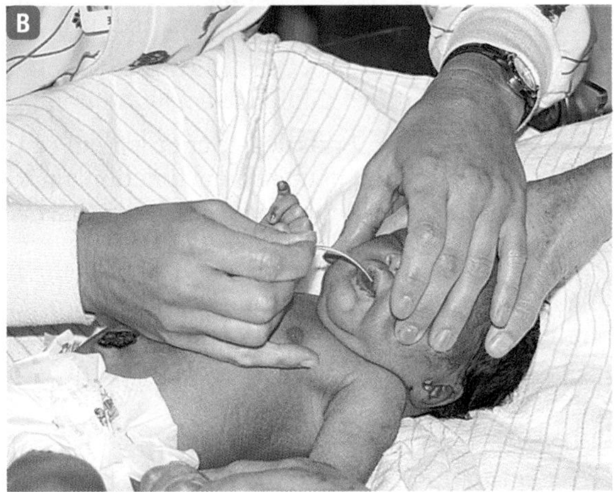

FIGURE 24.4

Insertion d'une sonde orogastique. A Mesure de la longueur de la sonde de gavage, de l'extrémité du nez jusqu'au lobe de l'oreille, puis jusqu'à mi-distance entre la pointe du sternum et l'ombilic. Marquer l'emplacement sur la sonde de gavage au moyen de diachylon. B Insertion de la sonde de gavage par voie orogastique.

Alimentation par gastrostomie

L'alimentation par gastrostomie suppose l'insertion chirurgicale d'une sonde gastrique à travers la peau de l'abdomen. Dans les cas de gastrostomie percutanée, les périodes d'alimentation débutent souvent dans les heures qui suivent la pose de la sonde. On administre alors les boires par gravité, lentement, sur une période de 20 à 30 minutes. L'infirmière sera particulièrement attentive à éviter l'administration de liquides en bolus rapides pour prévenir tout risque de distension abdominale, de reflux gastro-intestinal vers l'œsophage, de diarrhée avec malabsorption ou de problèmes respiratoires. Elle veillera à prodiguer des soins de la peau méticuleux au point d'insertion de la sonde afin de réduire les risques de lésions ou l'infection. Il faut procéder à une collecte précise des données sur les I/E pour surveiller la fonction rénale et s'assurer que l'apport liquidien et calorique est adéquat.

Évolution de l'alimentation du nouveau-né

L'alimentation passe d'une forme passive (voie parentérale et gavage) à une forme active (allaitement maternel et biberon) selon l'état de santé physique du nouveau-né et sa capacité de tolérer les boires. L'infirmière peut également se fier aux réflexes de succion et à la présence d'un état de vigilance tranquille pour déterminer s'il est prêt à être alimenté au sein. Son mode d'alimentation évoluera de façon lente et prudente. Si la transition est trop rapide, elle pourrait donner lieu à des vomissements, à de la diarrhée, à une distension abdominale et à des épisodes d'apnée. Il faut encourager les parents à interagir avec leur nouveau-né, à lui parler et à établir un contact oculaire durant les boires.

Succion non nutritive

Pour le nouveau-né qui requiert un gavage ou des allaitements parentéraux, la succion non nutritive (au moyen d'une suce) durant le gavage pourrait améliorer l'oxygénation et faciliter une transition plus rapide vers le sein ou le biberon. La succion non nutritive peut réduire la dépense énergétique et l'agitation (Harding, 2009).

Pratiques infirmières suggérées

ENCADRÉ 24.4 Insertion de la sonde de gavage

1. Mesurer la longueur de la sonde de gavage à partir de l'extrémité du nez jusqu'au lobe de l'oreille, puis jusqu'au point central entre la pointe du sternum et l'ombilic **FIGURE 24.4A**. Marquer l'emplacement sur la sonde au moyen d'un morceau de diachylon.
2. Lubrifier l'extrémité de la sonde avec de l'eau stérile et l'insérer délicatement par le nez ou la bouche **FIGURE 24.4B** jusqu'à la marque. L'insertion de la sonde dans la trachée provoquera un haut-le-cœur, de la toux ou de la cyanose chez le nouveau-né.
3. Vérifier le positionnement de la sonde comme suit :
   a) Retirer le piston pour aspirer le contenu gastrique. L'absence de liquide d'aspiration gastrique n'est pas nécessairement une preuve de mauvais positionnement. Des sécrétions bronchiques peuvent être prises à tort pour du contenu gastrique. Toutefois, le pH du contenu gastrique est beaucoup plus bas (plus acide) que celui des sécrétions bronchiques.
   b) Injecter une petite quantité d'air (de 1 à 3 ml) dans la sonde tout en écoutant les bruits au moyen d'un stéthoscope placé sur l'estomac. S'assurer que la sonde est insérée jusqu'à la marque ; en pénétrant dans l'estomac, l'air émettra un bruit, même si la sonde se trouve au-dessus du sphincter gastro-œsophagien (cardia).
   c) La radiographie abdominale permet de déterminer à 100 % le positionnement de la sonde gastrique chez les nouveau-nés. La capnographie et le pH du liquide d'aspiration sont d'autres mesures de validation qui sont étudiées chez les nouveaux-nés prématurés (Ellett, Woodruff & Stewart, 2007 ; Ellet, Croffie, Cohen & Perkins, 2005).
4. Fixer la sonde en place au moyen d'un diachylon sur la joue pour prévenir tout déplacement accidentel ou un positionnement incorrect.
   a) Évaluer l'intégrité de la peau du nouveau-né avant de fixer la sonde.
   b) Il faut placer une barrière de pectine sous le ruban chez les nouveau-nés très prématurés ou œdémateux pour prévenir les abrasions ou utiliser un adhésif hydrocolloïde pour éviter les déchirures épidermiques (Houska-Lund & Durand, 2011).
5. Il faut revérifier le positionnement de la sonde avant chaque boire.

RAPPELEZ-VOUS...

L'état de la peau, des cheveux, des yeux, des oreilles, du nez, de la bouche, des mains, des pieds ainsi que des ongles peut avoir des répercussions sur la santé physique et requiert une attention dans la prévention des infections.

Il faut encourager les mères de nouveau-nés prématurés à laisser leur nouveau-né téter le sein lorsqu'elles utilisent la méthode kangourou; chez certains nouveau-nés, les réflexes de succion et de déglutition sont coordonnés dès la 32e semaine de gestation. Si ce n'est pas le cas, le nouveau-né comblera tout de même son besoin de succion non nutritive.

Plusieurs études ont démontré que le niveau de bruit généré par les appareils de surveillance, les alarmes et l'activité générale de l'USIN avait des effets directs sur la stabilité physiologique des nouveaux-nés.

Soins de la peau

La peau des nouveau-nés prématurés présente une immaturité caractéristique comparativement à celle des nouveau-nés à terme. En raison de sa sensibilité et de sa fragilité accrues, il faut éviter les savons alcalins susceptibles de détruire la protection acide de la peau. Le vernix caseosa comporte des avantages pour la peau du nouveau-né prématuré. Cet enduit agit comme barrière épidermique, réduit la contamination bactérienne de la peau grâce à ses protéines et à ses peptides antimicrobiens et prévient la perte hydrique transépidermique (Lund *et al.*, 2007). Les experts recommandent d'utiliser un outil de collecte des données cutanées validé, comme l'échelle Braden Q ou l'échelle NSCS (*Neonatal Skin Condition Score*), une fois par jour pour évaluer l'état de la peau des nouveau-nés à risque élevé et d'appliquer les interventions nécessaires qui préviendront les lésions cutanées (Curley, Razmus, Roberts & Wypij, 2003; Lund & Osborne, 2004).

L'encadré 24.1W présente l'échelle NSCS pour l'évaluation de la peau du nouveau-né. Vous pouvez le consulter au www.cheneliere.ca/lowdermilk.

Préoccupations relatives au milieu

Les nouveau-nés des unités de soins intensifs néonataux (USIN) se trouvent exposés à d'importants stimuli auditifs provenant des alarmes d'appareils, ce qui peut avoir des effets négatifs **FIGURE 24.5**.

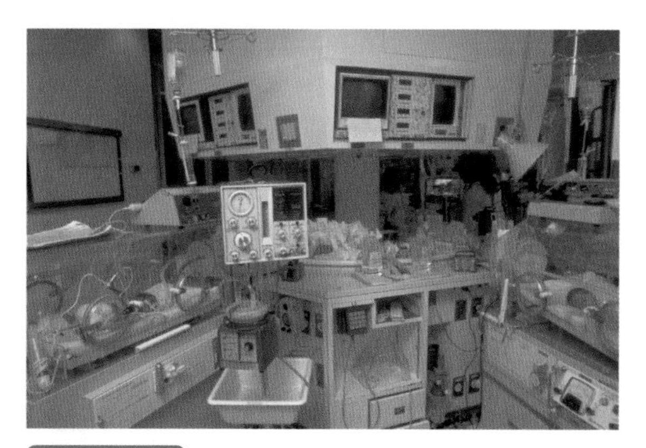

FIGURE 24.5

Même s'ils sont indispensables, les appareils des unités de soins intensifs néonataux sont une source importante de stimulation dans le milieu ambiant. Noter le lit, les prises murales pour l'oxygène, le moniteur, le ventilateur, l'incubateur et les pompes à perfusion, tous dotés de systèmes d'alarme.

Le niveau de bruit dans une USIN est de 20 dB supérieur à celui d'une pouponnière pour nouveau-nés en santé. Les experts recommandent de maintenir le niveau global de bruit continu à moins de 55 dB (Haubrich, 2007). L'ouïe du nouveau-né peut être endommagée s'il est exposé à un niveau constant de 90 dB ou à des variations fréquentes de décibels de plus de 100 dB.

Plusieurs études ont démontré que le niveau de bruit généré par les appareils de surveillance, les alarmes et l'activité générale de l'USIN avait des effets directs sur la stabilité physiologique des nouveaux-nés (Bryers, 2003; Martel & Milette, 2006). La possibilité d'un lien avec des anomalies du développement cérébral est actuellement étudié (Brown, 2009). Le personnel doit faire attention à toute activité générant du bruit, par exemple la fermeture des portes (y compris les hublots des incubateurs), le dépôt d'équipement sur l'incubateur, le volume de la radio, les échanges verbaux à voix haute et la manipulation de l'équipement (p. ex., les paniers à ordures). Byers, Waugh et Lowman (2006) suggèrent de gérer les niveaux sonores dans les pouponnières pour prévenir ce problème.

La surveillance jour et nuit des nouveau-nés malades suppose une visibilité maximale et, dans bien des cas, une lumière vive. Le personnel des unités doit néanmoins tenter d'établir un cycle de sommeil nuit-jour en assombrissant la pièce, en recouvrant les lits de couvertures ou en plaçant des pansements oculaires sur les yeux des nouveau-nés pendant la nuit. Les nouveau-nés ont besoin de périodes de repos fixes durant lesquelles on tamise les lumières, on recouvre les incubateurs de couvertures et l'on s'abstient de les déranger en les manipulant (Holditch-Davis, Blackburn & VandenBerg, 2007). Il faut respecter des périodes de sommeil d'au moins 50 minutes pour permettre des cycles complets. L'infirmière doit aussi protéger les yeux des nouveau-nés de la lumière vive au cours de ses interventions pour prévenir un endommagement possible. Selon de nombreux experts, le visage humain, surtout celui d'un parent, constitue le meilleur stimulus visuel. Il est important de maintenir un minimum de stimuli visuels au début du développement du nouveau-né.

Certains médicaments utilisés pour traiter les nouveau-nés peuvent potentialiser les effets des risques environnementaux. Les diurétiques (entre autres, le furosémide [Lasix MD]), les antibiotiques ototoxiques, comme la gentamicine et la kanamycine, peuvent aggraver la perte auditive induite par le bruit.

Actuellement, il n'existe pas encore de politique canadienne uniforme de dépistage universel systématique de la surdité néonatale. Quelques provinces ont mis sur pied de tels programmes: le Nouveau-Brunswick, l'Alberta, l'Ontario et l'Île-du-Prince-Édouard (Institut national de santé publique du Québec [INSPQ], 2007). En 2007, l'INSPQ a produit le rapport *Le dépistage de la surdité chez le nouveau-né: évaluation des avantages, des inconvénients et des coûts de son implantation au Québec*. Après l'évaluation de ce rapport, le programme de dépistage universel canadien a été lancé à l'Association canadienne des orthophonistes et audiologistes en 2011 pour de premiers projets d'implantation et la formation des intervenants au cours de l'année 2012. Le dépistage auditif de tous les nouveau-nés devrait être établi en 2013-2014.

En y apportant certaines modifications, les infirmières peuvent rendre le milieu ambiant plus favorable sur le plan neurodéveloppemental. De cette façon, elles répondront mieux aux besoins neurocomportementaux et physiologiques du nouveau-né, elles soutiendront l'organisation de son développement et favoriseront sa croissance. Une liste des complications de la prématurité est présentée au **TABLEAU 24.1**.

Effets sur le plan du développement

Une grande attention a été accordée aux effets des interventions précoces sur le développement, tant chez les nouveau-nés normaux que chez les prématurés. Les nouveau-nés réagissent à la diversité des stimuli ambiants et au climat qui les entoure; le milieu des USIN procure des stimuli excessifs. Il expose donc les nouveau-nés à une stimulation inappropriée et possiblement nuisible. Les interventions infirmières, telles que la prise des signes vitaux, les changements de position, la pesée et les changements de couche, sont associées à de fréquentes périodes d'hypoxie, de désaturation en oxygène et d'augmentation de la pression intracrânienne. Plus le nouveau-né est prématuré, moins il parvient à s'habituer aux interventions, comme la mesure de la P.A. par technique oscillométrique, sans être surstimulé. Le personnel soignant se basera sur le comportement et le fonctionnement physiologique du nouveau-né pour planifier les soins et appliquer les interventions: une observation attentive lui permettra de reconnaître ses forces, ses seuils de désorganisation et ses zones de vulnérabilité.

Les soins de soutien au développement consolident la capacité unique du nouveau-né d'atteindre une organisation comportementale. Ils s'adaptent au stade de son développement et à son seuil de tolérance individuel, sur la base de l'ensemble des données recueillies sur son comportement (National Association of Neonatal Nurses [NANN] 2007, 2010). À l'aide du modèle de soins de soutien au développement (théorie synactive du développement) (Als, 1982), l'infirmière surveille étroitement les signes physiologiques et comportementaux pour promouvoir l'organisation et le bien-être du nouveau-né prématuré. En effet, par sa théorie synactive du développement, le Dr Als a démontré que, chez le nouveau-né, cinq sous-systèmes majeurs sont imbriqués les uns dans les autres (les sous-systèmes autonome, moteur, veille-sommeil, de l'attention et d'autorégulation). Ceux-ci doivent être en harmonie pour permettre l'équilibre du nouveau-né et son bien-être. Il faut manipuler les nouveau-nés avec lenteur et retenue et limiter leurs mouvements aléatoires en maintenant leurs membres en flexion, près du corps, durant les changements de position ou autres manipulations. L'infirmière peut également utiliser cette forme d'immobilisation avant les interventions effractives (p. ex., une piqûre au talon) pour atténuer leur détresse. Les nouveau-nés conserveront plus facilement une position fléchie lorsqu'ils sont en décubitus ventral ou latéral si on leur fabrique un « nid » au moyen de couvertures roulées sous le drap du lit.

Bien qu'il faille l'adapter au cas par cas, le contact peau à peau (méthode kangourou) et de courtes périodes de massages délicats (NANN, 2006a, 2006b) permettent de réduire le stress chez les nouveau-nés prématurés **FIGURE 24.6**. Le parent porte un vêtement ample, ouvert sur le devant. Le nouveau-né nu (à l'exception de sa couche) est placé à la verticale contre le thorax nu du parent, ce qui permet un contact oculaire direct, la sensation peau à peau et une étroite proximité. Le contact peau à peau entre le parent et le nouveau-né, en plus de se révéler une méthode sécuritaire et efficace pour tisser des liens entre le nouveau-né TFPN et son parent, exercerait un effet thérapeutique pour la mère qui a connu une grossesse à risque élevé.

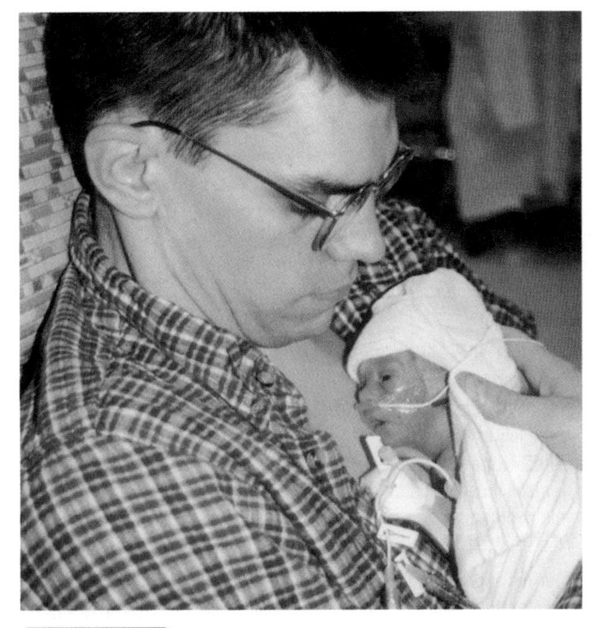

FIGURE 24.6
Un père applique la méthode kangourou (contact peau à peau).

Parmi les autres avantages des soins peau à peau figurent un contact hâtif avec les nouveau-nés ventilés mécaniquement, le maintien de la stabilité thermique et de la SaO_2 du nouveau-né, une tétée plus vigoureuse pendant l'allaitement, le maintien de son organisation, une diminution de la perception de la douleur au cours des douloureuses piqûres au talon et une minimisation des effets négatifs de l'étreinte (Conde-Agudelo & Belizan, 2003; Dodd, 2005). La NANN a mis au point des lignes directrices de pratique clinique pour le nouveau-né prématuré en santé et stable de 30 semaines ou plus de gestation (Ludington-Hoe, Morgan & Abouelfettoh, 2008) **ENCADRÉ 24.5**.

Le partage des incubateurs par deux jumeaux (ou plus) a été préconisé comme mesure favorable au développement dans les pouponnières et les USIN pour fournir aux nouveau-nés un milieu plus propice à leur croissance et à leur développement. Chez les jumeaux placés dans un même incubateur, on observe une thermorégulation améliorée et un nombre significativement moindre d'épisodes d'apnée et de bradycardie, comparativement aux nouveau-nés non soumis à cette mesure. Ils prennent du poids plus rapidement que les nouveau-nés seuls, et leur séjour à l'unité est moins long. Les parents tirent également une satisfaction beaucoup plus grande lorsque leurs nouveau-nés partagent le

Pratique fondée sur des résultats probants

ENCADRÉ 24.5 **Contact peau à peau (méthode kangourou) pour les nouveau-nés prématurés et à terme**

QUESTION CLINIQUE

Quels sont les avantages de la méthode kangourou (contact peau à peau)?

RÉSULTATS PROBANTS

- Stratégies de recherche: lignes directrices des organisations professionnelles, méta-analyses, revue systématique, essais contrôlés aléatoires, études prospectives non aléatoires et études rétrospectives depuis 2006.
- Bases de données consultées: CINAHL, Cochrane, Medline, National Guideline Clearinghouse, TRIP Database Plus et les sites Web de l'Academy of Breastfeeding Medicine, de l'Association of Women's Health, Obstetric and Neonatal Nurses, de Centers for Disease Control and Prevention et de Lamaze International.

ANALYSE CRITIQUE ET SYNTHÈSE DES DONNÉES

- La méthode kangourou (contact peau à peau) s'est révélée significativement bénéfique pour le nouveau-né et la mère ou le père, ou les deux, au point où la plupart des organisations professionnelles qui se consacrent aux soins à la mère et au nouveau-né le mentionnent (American Academy of Pediatrics, Academy of Breastfeeding Medicine, Association of Women's Health, Obstetric and Neonatal Nurses, Lamaze, National Institute for Health and Clinical Excellence et Joanna Briggs Institute). Dans une revue systématique rapportée par la base de données Cochrane, il a été révélé qu'en plaçant le nouveau-né bien au sec sur l'abdomen nu de la mère à la naissance, recouvert d'une serviette-éponge chaude, et qu'en lui administrant rapidement des boires fréquents, sa température se régule mieux, les hormones du stress et les pleurs sont réduits, l'établissement des liens est favorisé et la durée de l'allaitement exclusif est allongée (Moore, Anderson & Bergman, 2007). Comme il a été noté dans ce chapitre, le contact peau à peau et des allaitements fréquents (de 10 à 12 boires en 24 heures) permettent une régulation de la glycémie chez la plupart des nouveau-nés à terme en l'espace de quelques minutes à quelques heures.
- Chez les nouveau-nés prématurés vulnérables, ces bienfaits exerceraient une protection encore plus grande. Un essai contrôlé aléatoire comparant la méthode kangourou aux soins usuels pour les nouveau-nés prématurés de 32 à 36 semaines de gestation a fait état de résultats significatifs avec l'allaitement exclusif jusqu'à six mois (Hake-Brooks & Anderson, 2008). Outre l'allaitement et la thermorégulation, un autre essai contrôlé aléatoire a conclu qu'un contact peau à peau régulier aide les nouveau-nés prématurés à mieux organiser leur cycle veille-sommeil, qui gagne ainsi en maturité (Ludington-Hoe *et al.*, 2006).
- Les interventions douloureuses font parfois augmenter les hormones du stress chez le nouveau-né prématuré déjà fragile. Un essai aléatoire à simple insu avec permutation des groupes ayant regroupé 61 nouveau-nés très prématurés (âge gestationnel de 28 à 32 semaines) a comparé leurs scores à l'échelle PIPP (*Premature Infant Pain Profile*) (F.C., mouvements du visage et SaO_2) durant une période de contact peau à peau au moment d'une piqûre au talon, à ceux de nouveau-nés emmaillotés dans des incubateurs. Les nouveau-nés très prématurés soumis à la méthode kangourou ont présenté des scores moindres à l'échelle PIPP comparativement aux nouveau-nés témoins (Johnston *et al.*, 2008).

RECOMMANDATIONS POUR LA PRATIQUE INFIRMIÈRE

- Le contact peau à peau entre parents et nouveau-nés, même prématurés, constitue désormais une façon de promouvoir le bien-être, de favoriser l'établissement des liens, d'encourager l'allaitement et de faciliter la maturation. En participant à cette intervention très bénéfique, les parents se sentent utiles et plus à l'aise (Johnson, 2007). Les nouveau-nés prématurés qui reçoivent le lait de leur mère par gavage ou au biberon ne bénéficient pas du contact peau à peau naturel; dans de tels cas, les infirmières peuvent proposer la méthode kangourou selon la tolérance. Même si les nouveau-nés très prématurés tolèrent mal la stimulation, les nouveau-nés prématurés tardifs peuvent grandement bénéficier de la méthode kangourou.
- Il ne faut jamais laisser la mère et son nouveau-né prématuré seuls durant une période de contact peau à peau, surtout durant les premières heures de vie, et il faut aussi procéder à une collecte fréquente des données pour relever tout signe d'instabilité.

RÉFÉRENCES

Hake-Brooks, S.J., & Anderson, G.C. (2008). Kangaroo care and breastfeeding of mother-preterm infant dyads 0-18 months: A randomized, controlled trial. *Neonatal Network, 27*(3), 151-159.

Johnson, A.N. (2007). The maternal experience of kangaroo holding. *J Obstet Gynecol Neonatal Nurs, 36*(6), 568-573.

Johnston, C.C., Filion, F., Campbell-Yeo, M., Gouley, C., Bell, L., McNaughton, K., *et al.* (2008). Kangaroo mother care diminishes pain from heel lance in very preterm neonates: A crossover trial. *BMC Pediatrics, 8*, 13.

Ludington-Hoe, S.M., Johnson, M.W., Morgan, K., Lewis, T., Gutman, J., Wilson, P.D., *et al.* (2006). Neurophysiological assessment of neonatal sleep organization: Preliminary results of a randomized, controlled trial of skin contact with preterm infants. *Pediatrics, 117*(5), e909-e923.

Moore, E.R., Anderson, G.C., & Bergman, N. (2007). Early skin-to-skin contact for mothers and their healthy newborn infants. *Cochrane Database of Systematic Reviews, 3*, CD 003519.

même berceau ou un seul incubateur. Il faut toutefois s'inquiéter principalement du risque de transmission des infections d'un nouveau-né à l'autre, bien que cette mesure n'ait donné lieu à aucun accroissement du taux d'infection (LaMar & Dowling, 2006).

Lorsque le développement des nouveau-nés a atteint un taux d'organisation et de stabilité suffisant, les interventions sont axées de façon qu'elles consolident leurs capacités grandissantes. Les infirmières et les parents arrivent de mieux en mieux à interpréter les signaux comportementaux des nouveau-nés afin d'effectuer les interventions appropriées. Ces signaux incluent les comportements d'approche et d'évitement. Les comportements d'approche, appuyés et encouragés, comprennent l'extension de la langue, le réflexe préhensile, les mouvements main-bouche, la succion, les regards et les gazouillis. Les signes de stress ou de fatigue, qui indiquent que le nouveau-né a besoin d'une pause, comportent notamment les éléments suivants : peau marbrée, rouge, foncée, pâle ou grise, tachypnée, respiration haletante, soupirs, tremblements, soubresauts et secousses musculaires, hoquets, haut-le-cœur, accès de suffocation, crachements, geignements expiratoires, efforts de défécation, toux, éternuements, bâillements, extension des bras ou des jambes, ou de l'un ou des deux bras, les doigts vers l'extérieur en un geste de salutation, et désaturation en oxygène.

Lorsque le nouveau-né devient stable et suffisamment mature pour supporter une intervention développementale, les activités sont individualisées selon ses signaux ou son tempérament, son état de santé, son organisation comportementale et ses besoins particuliers. Il faut limiter la durée des interventions (p. ex., deux ou trois minutes pour la voix, cinq minutes pour une musique douce). Les interventions auditives et vestibulaires sont instaurées avant la stimulation visuelle. Les interventions sont faites une à la fois pour permettre la collecte des données et l'évaluation de la tolérance et des réactions du nouveau-né. Entre autres rôles importants, l'infirmière de l'USIN doit enseigner aux parents à répondre aux signaux individuels du nouveau-né. Les parents, les frères et sœurs ainsi que les professionnels de la santé doivent adhérer au plan de soins de soutien au développement établi pour éviter de perturber les cycles veille-sommeil et réduire les stimuli inappropriés.

L'échelle NNNS (*NICU Network Neurobehavioral Scale*), mise au point par les National Institutes of Health, suggère une méthode de collecte des données relatives aux fonctions neurologiques et comportementales et aux signes de sevrage et de stress chez le nouveau-né à risque. Ce test combine des éléments tirées d'autres échelles, telles que l'échelle NBAS (*Neonatal Behavioral Assessment Scale*), des éléments liés au sevrage et au stress mis au point par Finnegan (1985) et un examen neurologique complet, qui inclut les réflexes primaires et le tonus actif et passif (Law *et al.*, 2003) **FIGURE 24.11**.

24.1.3 Croissance et potentiel de développement

En dépit de l'impossibilité de prédire avec une parfaite exactitude le potentiel de croissance et de développement de chaque nouveau-né prématuré, selon certains auteurs, une issue favorable peut être prévue en l'absence de séquelles médicales permanentes perturbant la croissance, comme la dysplasie bronchopulmonaire, l'entérocolite nécrosante et les problèmes du SNC. Plus le poids à la naissance est faible, plus le risque de séquelles augmente. Les étapes de la croissance et du développement (p. ex., l'étape du développement moteur, la vocalisation et la croissance physique) sont fonction de l'âge gestationnel jusqu'à ce que l'enfant ait environ trois ans.

L'âge du nouveau-né prématuré est calculé en soustrayant de son âge chronologique le nombre de semaines en moins qu'il avait à sa naissance par rapport aux 40 semaines d'une gestation normale. Ainsi, un nouveau-né de 6 mois (d'âge chronologique) né à 32 semaines de gestation aurait un **âge corrigé** de quatre mois. On évalue en conséquence les réactions du nouveau-né par rapport à la norme prévue pour un nouveau-né de quatre mois.

Âge corrigé : Âge qui tient compte de la prématurité au moment d'évaluer le développement de l'enfant.

Au moment de la préparation d'un plan efficace pour le congé, il faut inclure des suivis fréquents en consultation externe avec un pédiatre et un spécialiste du développement afin de surveiller la croissance et les stades du développement du nourrisson. La démarche de soins infirmiers relative au nouveau-né peu prématuré et au nouveau-né prématuré est présentée dans l'**ENCADRÉ 24.6**.

24.1.4 Adaptation parentale à un nouveau-né prématuré

Les parents dont le nouveau-né est prématuré vivent une expérience bien différente de celle des parents d'un nouveau-né à terme. C'est pourquoi l'attachement et l'adaptation au rôle parental risquent aussi de différer.

Tâches parentales

Les parents doivent s'acquitter de plusieurs tâches psychologiques afin d'adapter leurs comportements relationnels et parentaux. Voici quelques-unes de ces tâches.

- Composer avec une douleur d'anticipation à l'idée de perdre éventuellement le nouveau-né. Le parent vit un deuil d'anticipation lorsqu'il envisage que le nouveau-né pourrait mourir, bien qu'il se raccroche à l'espoir qu'il survive. Cette forme de deuil peut débuter dès le travail et persister même lorsque des signes de survie sont manifestes.

- Pour la mère, accepter de ne pas avoir donné naissance à un nouveau-né à terme et en bonne santé. La douleur et la dépression accompagnent typiquement cette phase, qui peut persister jusqu'à ce que le nouveau-né soit hors de danger et qu'on s'attende à ce qu'il survive.
- Reprendre le processus d'attachement au nouveau-né. À mesure que l'état de celui-ci commence à s'améliorer et qu'il prend du poids, s'alimente (au sein ou au biberon) et se sèvre de l'incubateur, le parent peut commencer le processus d'attachement au nouveau-né qui a été suspendu en raison de son état de santé précaire à la naissance.
- Apprendre en quoi ce nouveau-né est différent sur le plan de ses besoins, de son mode de croissance, des soins qu'il requiert et des attentes sur le plan de la croissance et du développement.
- Adapter le domicile aux besoins du nouveau-né. Les parents doivent parfois restreindre les visites afin de réduire le risque d'exposition à des agents pathogènes et modifier la température ambiante pour répondre à ses besoins.

Mise en œuvre d'une démarche de soins

ENCADRÉ 24.6 Soins au nouveau-né peu prématuré et au nouveau-né prématuré

COLLECTE DES DONNÉES – ÉVALUATION INITIALE

Il faut soumettre le nouveau-né peu prématuré ou prématuré à une collecte des données physiques initiale pour repérer les problèmes menaçant son potentiel vital. L'infirmière procède à une collecte de données rapide adaptée à l'âge gestationnel du nouveau-né stable afin de repérer les facteurs de risque potentiels.

ANALYSE ET INTERPRÉTATION DES DONNÉES

Les problèmes découlant de la situation de santé du nouveau-né et de ses parents peuvent inclure :

- Cycle respiratoire inefficace lié à :
  - un nombre réduit d'alvéoles fonctionnelles ;
  - une carence en surfactant ;
  - l'immaturité des centres de contrôle de la respiration ;
  - un accroissement de la résistance vasculaire pulmonaire.
- Thermorégulation inefficace liée à :
  - l'immaturité des centres de contrôle thermorégulateurs du SNC ;
  - l'accroissement des pertes de chaleur vers le milieu ambiant et à l'incapacité à produire de la chaleur ;
  - l'accroissement de la surface corporelle exposée au milieu ambiant ;
  - la réduction des réserves de graisse brune aptes à produire la chaleur corporelle.
- Risque infectieux lié à :
  - des interventions effractives ;
  - la faiblesse du système immunitaire ;
  - l'inefficacité de la barrière cutanée.
- Anxiété (parentale) liée :
  - au manque de connaissances sur l'état du nouveau-né ;
  - au manque de connaissances sur le pronostic du nouveau-né (issue incertaine) ;
  - à l'incapacité d'effectuer les tâches attendues sur le plan des soins à prodiguer ;
  - au bruit et aux soins ultraspécialisés caractéristiques d'une USIN.

RÉSULTATS ESCOMPTÉS

La planification des soins est établie dans le but d'atteindre les résultats suivants tant chez le nouveau-né que chez ses parents.

Nouveau-né

- Maintien d'un fonctionnement physiologique adéquat (voies respiratoires, respiration, circulation).
- Alimentation adéquate pour assurer sa croissance.
- Maintien d'une température corporelle stable.
- Prévention efficace des infections.
- Interactions parents–nouveau-né appropriées.

Parents

- Acceptation du nouveau-né dans la cellule familiale.
- Assurance et compétence dans la prestation des soins au nouveau-né.
- Fierté et satisfaction à l'égard des soins prodigués au nouveau-né.
- Gestion du temps et de l'énergie nécessaires pour répondre aux besoins d'amour, d'attention et de soins des autres membres de la famille et à leurs propres besoins.

INTERVENTIONS INFIRMIÈRES

Les interventions infirmières requises pour l'atteinte des résultats escomptés comprennent, notamment :

- Maintenir un environnement thermique neutre (ETN).
- Maintenir un état nutritionnel approprié P.O., par gavage ou par voie I.V., selon le cas.
- Surveiller la quantité de sang prélevée pour les analyses de laboratoire.
- Assurer les précautions universelles.
- D'autres interventions seraient nécessaires à l'atteinte des résultats escomptés.

ÉVALUATION DES RÉSULTATS - ÉVALUATION EN COURS D'ÉVOLUTION

L'infirmière pourra raisonnablement constater l'efficacité des soins dans la mesure où les résultats escomptés ont été obtenus.

Les grands-parents et les frères et sœurs réagissent aussi à la naissance du nouveau-né prématuré. Les parents doivent composer avec la peine qu'éprouvent les grands-parents et la perplexité ou la colère des frères et sœurs du nouveau-né, étant donné le temps considérable que les parents lui consacrent.

Les parents franchissent certaines étapes en interagissant avec leur nouveau-né prématuré, d'abord en se mettant face à lui, en le caressant et en le touchant, puis en assumant certains soins comme l'alimentation, le bain et le changement de couche **FIGURE 24.7**.

Mésadaptation parentale

Une augmentation de l'incidence de la maltraitance physique et émotionnelle est notée à l'égard des nouveau-nés qui, en raison de leur prématurité et de leur fragilité, ont été séparés de leurs parents pendant une certaine période après leur naissance. La maltraitance physique comprend, à divers degrés, une nutrition et une hygiène qui laissent à désirer et des sévices corporels. La maltraitance émotionnelle va d'un subtil désintérêt à un rejet franc du nouveau-né. L'infirmière doit avoir accès aux ressources appropriées afin de faire évaluer les sentiments des parents à l'égard de la naissance du nouveau-né prématuré. De plus, elle prévoira un counseling et une forme de thérapie appropriés, y compris au moment du congé, afin d'aider les familles à s'adapter. L'objectif ultime est que la famille accepte le nouveau-né et l'intègre en tant que nouveau membre de la cellule familiale.

Certains facteurs entourant la naissance prédisposent les parents à une forme de rejet, inconscient ou non, du nouveau-né. Ces facteurs peuvent inclure l'anxiété des parents, leurs attentes déçues entourant l'expérience de l'accouchement, les dépenses supplémentaires associées aux soins du nouveau-né, un deuil d'anticipation non résolu, une piètre estime de soi, une mésentente conjugale ou le fait que le nouveau-né soit le fruit d'une grossesse non désirée. Les professionnels de la santé doivent reconnaître sans retard ces difficultés d'adaptation et ce risque de dysfonctionnement parental pour prévenir d'éventuels problèmes et fournir un accès rapide aux services nécessaires.

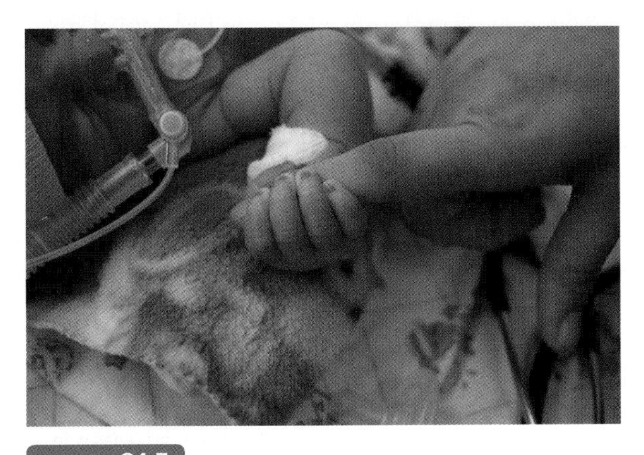

FIGURE 24.7
Les parents interagissent avec leur nouveau-né prématuré.

24.2 Nouveau-né post-terme

Les nouveau-nés post-terme sont ceux dont la gestation a duré plus de 42 semaines, indépendamment de leur poids à la naissance. Certains parlent alors de nouveau-nés post-terme. Ces nouveau-nés peuvent être gros ou petits pour leur âge gestationnel, mais le plus souvent, leur poids est proportionnel à leur âge gestationnel. L'infirmière doit être en mesure de déceler les signes de postmaturité chez le nouveau-né, et elle doit en surveiller les complications potentielles. La raison de la prolongation de certaines grossesses est inconnue. La postmaturité est parfois associée à une **insuffisance utéroplacentaire**. Dans ce cas, le nouveau-né a un aspect frêle et émacié (dysmature) à la naissance, en raison d'une fonte des graisses sous-cutanées et de la masse musculaire. On note parfois des traces de méconium sur les ongles et les cheveux; les ongles sont parfois longs, et le vernix caseosa est absent. Il arrive que la peau pèle, mais les nouveau-nés post-terme ne manifestent pas tous des signes de dysmaturité; certains continuent de croître dans l'utérus et sont tout simplement gros à leur naissance.

La mortalité périnatale augmente significativement chez le fœtus postmature et le nouveau-né post-terme. Durant le travail et l'accouchement, il arrive que les demandes accrues en oxygène du fœtus postmature ne soient pas comblées. L'insuffisance des échanges gazeux dans le placenta postmature accroît la probabilité d'hypoxie intra-utérine qui peut conduire à une expulsion du méconium dans l'utérus et accroître ainsi le risque de syndrome d'aspiration méconiale. De tous les décès chez les nouveau-nés post-terme, environ le tiers se produit avant le déclenchement du travail, la moitié, pendant le travail et l'accouchement, et le sixième, durant la période néonatale.

24.2.1 Syndrome d'aspiration méconiale

La contamination du liquide amniotique par le méconium signale que le fœtus est en danger, surtout dans les cas de présentation par le sommet. Cette contamination survient dans 10 à 15 % de tous les accouchements et, principalement, chez les nouveau-nés à terme ou post-terme (Dudell & Stoll, 2007). De nombreux nouveau-nés présentant des traces de méconium dans les voies respiratoires ne manifestent aucun signe de dépression à la naissance, mais la présence de méconium dans

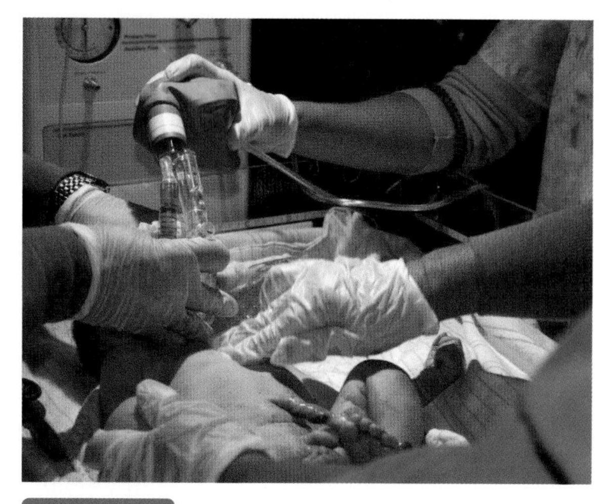

FIGURE 24.8

Un nouveau-né est réanimé à la naissance. Du méconium était présent sur l'abdomen, sur le cordon ombilical et sur l'incubateur radiant. Le nouveau-né ne respirait pas, et sa fréquence cardiaque était à 65 batt./min à la naissance. La respiration et la fréquence cardiaque étaient normales après deux minutes.

5

La circulation sanguine fœtale est abordée dans le chapitre 5, *Génétique, conception et développement fœtal.*

le liquide amniotique demande une surveillance étroite du travail et du bien-être fœtal. Il faut s'assurer de la présence d'une équipe de réanimation néonatale qualifiée au moment de l'accouchement, dès que du méconium est détecté dans le liquide amniotique **FIGURE 24.8**. On ne procède plus d'emblée à l'aspiration des sécrétions qui pourraient obstruer la bouche et les narines du nouveau-né quand sa tête passe le périnée, avant sa première respiration. Toutefois, chez les nouveau-nés qui ont des traces de méconium dans les voies respiratoires et qui manquent de vigueur, une succion endotrachéale vigoureuse est immédiatement effectuée (AHA, 2005, 2010; SCP, 2006a).

Si le méconium n'est pas éliminé des voies respiratoires au moment de l'accouchement, il peut migrer vers les voies respiratoires terminales et occasionner une obstruction mécanique pouvant causer le syndrome d'aspiration méconiale (SAM). Certains fœtus auront aspiré du méconium *in utero*, ce qui cause une pneumonie chimique. Une hypertension artérielle pulmonaire persistante du nouveau-né (HTAPPN) peut se développer chez ces nouveau-nés, ce qui compliquera davantage leur prise en charge. Les nouveau-nés victimes d'un SAM qui ont reçu du surfactant ont présenté une oxygénation améliorée, une insuffisance respiratoire moins grave; ils ont eu moins besoin de l'ECMO et ont présenté moins de pneumothorax (Engle & AAP Committee on Fetus and Newborn, 2008). Selon les recommandations de la SCP, les nouveau-nés intubés souffrant d'un SAM et nécessitant un apport en oxygène de plus de 50 % devraient bénéficier d'un traitement par surfactant exogène (SCP, 2005).

Jugement clinique

Karianne est née après 43 semaines de gestation. Le liquide amniotique est d'aspect méconial, et Karianne ne respire pas spontanément à la naissance.

Devriez-vous stimuler cette nouveau-née à respirer? Justifiez votre réponse.

24.2.2 Hypertension artérielle pulmonaire persistante du nouveau-né

L'HTAPPN désigne la présence concomitante d'une hypertension pulmonaire, d'un shunt droite-gauche et d'un cœur structurellement normal. L'HTAPPN peut survenir seule ou comme caractéristique principale du SAM, de la hernie diaphragmatique congénitale, du SDR, du syndrome d'hyperviscosité, de la pneumonie ou de la septicémie néonatale. L'HTAPPN est aussi appelée circulation fœtale persistante parce que ce syndrome inclut un retour à la circulation sanguine fœtale ▶ 5.

Après la naissance, le foramen ovale et le canal artériel se ferment en réponse à divers processus biochimiques, aux changements de pression intracardiaque et à la dilatation des vaisseaux pulmonaires. Cette dilatation permet à l'ensemble du débit cardiaque (D.C.) d'entrer dans les poumons et de s'y oxygéner pour acheminer un sang riche en oxygène aux tissus en vue d'un métabolisme normal. Tout processus qui entrave la transition de la circulation fœtale à la circulation néonatale peut déclencher l'HTAPPN. Celle-ci amorce typiquement une spirale délétère caractérisée par une hypoxie exacerbée et une vasoconstriction pulmonaire. Il faut reconnaître ce processus rapidement et intervenir de manière énergique afin de le corriger.

Le nouveau-né qui présente une HTAPPN est généralement né à terme ou post-terme et présente de la tachycardie et de la cyanose. En l'espace de quelques minutes ou de quelques heures, l'état du nouveau-né se détériore jusqu'à la détresse respiratoire importante, avec acidose concomitante qui compromet davantage la perfusion pulmonaire et l'oxygénation. La prise en charge dépend des facteurs étiologiques sous-jacents de l'hypertension pulmonaire persistante. L'utilisation de l'oxyde nitrique par inhalation (INO), de l'ECMO et de la ventilation de haute fréquence améliore les chances de survie chez ces nouveau-nés.

24.3 Autres problèmes gestationnels

24.3.1 Petite taille pour l'âge gestationnel et retard de croissance intra-utérin

Les nouveau-nés de petite taille pour leur âge gestationnel (PTAG), c'est-à-dire dont le poids est inférieur au 10e centile comparativement à celui d'un nouveau-né à terme, ou qui présentent un RCIU, c'est-à-dire un rythme de croissance qui ne correspond pas aux valeurs prévues, sont considérés à risque élevé et présentent un taux de périmortalité de 5 à 20 fois supérieur à ce qu'on observe chez les nouveau-nés en bonne santé nés à terme (Kliegman, 2006). En 2008, Statistique Canada démontrait que le taux de nouveau-nés PTAG était environ de l'ordre de 5 pour 100 naissances vivantes simples (Statistique Canada, 2008). Il existe une grande variation dans les taux de nouveau-nés PTAG entre les provinces. Celles-ci pourraient s'expliquer par des différences ethniques, socioéconomiques, démographiques ou par le datage de l'échographie (Agence de la santé publique du Canada [ASPC], 2008).

Diverses affections peuvent compromettre, voire empêcher la croissance du fœtus en développement. Les facteurs présents au cours du premier trimestre, qui influent tous sur les aspects de la croissance fœtale (p. ex., les infections, les agents tératogènes, les anomalies chromosomiques), ou les facteurs extrinsèques survenant tôt au cours de la grossesse donnent lieu à un RCIU symétrique (c.-à-d. que la circonférence de la tête, la longueur et le poids sont tous inférieurs au 10e centile). Les facteurs responsables d'un retard de croissance symétrique donnent un nouveau-né PTAG qui présente habituellement une circonférence de la tête plus petite que celle d'un nouveau-né à terme et une dimension de structures cérébrales réduites. Le retard de croissance survenant plus tard au cours de la grossesse en raison de facteurs maternels ou placentaires est asymétrique (par rapport à l'âge gestationnel, le poids sera inférieur au 10e centile, tandis que la longueur et la circonférence de la tête seront supérieures au 10e centile). Les nouveau-nés qui présentent un RCIU asymétrique peuvent connaître une croissance et un développement normaux. La taille anormale du fœtus pourrait être un signe de réponse adaptative, avec une croissance des structures cérébrales qui se fait au détriment de la prise de poids.

Les soins aux nouveau-nés PTAG se fondent sur les signes cliniques présents et sont les mêmes que pour les nouveau-nés prématurés présentant des problèmes similaires. L'infirmière veillera à la qualité des échanges gazeux en maintenant la perméabilité des voies respiratoires et en évitant le stress dû au froid. Elle corrigera l'hypoglycémie au moyen d'une alimentation P.O. (lait maternel ou préparation) ou à l'aide de dextrose I.V. selon ce que permet l'état du nouveau-né. Une source externe de chaleur (lit ou incubateur à chauffage radiant) servira jusqu'à ce que le nouveau-né puisse maintenir une température corporelle adéquate. Le soutien infirmier aux parents est le même que celui offert aux parents de nouveau-nés prématurés.

Parmi les problèmes courants qui touchent les nouveau-nés PTAG ou RCIU, il faut noter l'asphyxie périnatale, l'aspiration méconiale (décrite précédemment), l'immunodéficience, l'hypoglycémie, la **polycythémie** et l'instabilité thermique.

Polycythémie : Augmentation du nombre de globules rouges circulant avec un taux d'hémoglobine normal.

Asphyxie périnatale

En général, les nouveau-nés qui présentent un RCIU auront souffert d'hypoxie chronique pendant des périodes variables avant le travail et l'accouchement. Le travail est un facteur de stress pour le fœtus normal, qui se trouve exacerbé pour le fœtus qui connaît un retard de croissance. L'hypoxie chronique chez le nouveau-né l'expose à un risque important au cours du travail normal, et il a de la difficulté à compenser cette insuffisance après la naissance. En cas d'hypoxie fœtale prolongée, le nouveau-né a caractéristiquement l'aspect alerte et les yeux grands ouverts. Il faut instaurer un traitement et des manœuvres de réanimation appropriés chez le nouveau-né en détresse.

La naissance d'un nouveau-né PTAG souffrant d'asphyxie périnatale est parfois associée à des antécédents maternels de tabagisme important, d'hypertension gestationnelle, aux grossesses multiples, aux infections gestationnelles, comme la rubéole, l'infection à cytomégalovirus (CMV) et la toxoplasmose, au diabète de type 2 avancé et à des problèmes cardiaques. Les séquelles de l'asphyxie périnatale incluent le SAM et l'hypoglycémie.

Hypoglycémie et hyperglycémie

L'infirmière doit rester à l'affût de l'hypoglycémie qui guette tous les nouveau-nés à risque élevé. Les nouveau-nés qui subissent un stress physiologique peuvent présenter une hypoglycémie par suite d'un apport moindre en glycogène, d'une gluconéogenèse inadéquate ou d'une surutilisation des réserves de glycogène durant la vie fœtale et les premiers jours de vie. Les nouveau-nés prématurés peuvent aussi présenter une hypoglycémie en raison d'un apport inadéquat et de demandes métaboliques accrues dues à des facteurs pathologiques. Les preuves manquent à l'appui de l'hypothèse selon laquelle les nouveau-nés prématurés ou à risque élevé toléreraient l'hypoglycémie mieux que les nouveau-nés à terme et en santé (Blackburn, 2007) ▶ 17. Le nouveau-né PTAG, comme le nouveau-né prématuré, court un risque accru d'hypoglycémie par suite d'une diminution de ses réserves et d'un ralentissement de la gluconéogenèse.

17

Le traitement de l'hypoglycémie est traité dans le chapitre 17, *Évaluation et soins du nouveau-né et de la famille*.

L'hyperglycémie se définit par une glycémie supérieure à 7 mmol/L (sang entier) ou par un taux de glucose plasmatique de 11,1 mmol/L (Wilson, 2010). Cette anomalie s'observe principalement chez les nouveau-nés EFPN et TFPN qui reçoivent une nutrition parentérale avec des concentrations de dextrose à 5 % ou plus. L'hyperglycémie peut se révéler tout aussi nuisible que l'hypoglycémie pour le nouveau-né prématuré. L'augmentation des taux circulants de glucose peut entraîner des changements osmotiques, augmenter le débit urinaire et les échanges liquidiens dans le SNC déjà affaibli du nouveau-né prématuré. L'hyperglycémie peut avoir pour résultat net la déshydratation cellulaire et l'hémorragie intraventriculaire. Les nouveau-nés prématurés exposés à un stress, comme une intervention chirurgicale, peuvent aussi devenir hyperglycémiques en raison d'une libération accrue de catécholamines qui inhibent la sécrétion d'insuline et l'utilisation du glucose (Blackburn, 2007). Par conséquent, tout en recevant une nutrition parentérale, les nouveau-nés EFPN et TFPN doivent faire l'objet d'une surveillance étroite, tant à l'égard de l'hypoglycémie qu'à l'égard de l'hyperglycémie.

Perte thermique

L'instabilité thermique guette particulièrement les nouveau-nés PTAG parce que leurs réserves de graisse brune sont faibles, qu'ils ont peu de tissus adipeux, que leur surface corporelle exposée est plus grande et que, dans bien des cas, ils ont du mal à adopter une position fléchie et qu'ils présentent des taux insuffisants de glycogène dans leurs principaux organes, comme le foie et le cœur. L'infirmière accordera donc une attention particulière à maintenir un ETN. Les soins infirmiers s'attarderont au maintien de la thermoneutralité pour promouvoir un rétablissement optimal et minimiser l'exacerbation de l'hypoglycémie, de la perte pondérale et des besoins en oxygène de ces nouveau-nés.

24.3.2 Nouveau-né de poids élevé pour l'âge gestationnel

Les nouveau-nés PÉAG se définissent par un poids de 4 000 g ou plus à la naissance. Un nouveau-né est considéré PÉAG lorsque son poids dépasse le 90e centile de la courbe de croissance ou excède de deux écarts-types le poids moyen pour l'âge gestationnel. Ces nouveau-nés sont exposés à un risque plus grand de morbidité que les nouveau-nés PTAG et prématurés. Ils présentent une incidence accrue de traumatismes de l'accouchement, d'asphyxie et d'anomalies congénitales, notamment cardiaques (Stoll & Adams-Chapman, 2007).

Toutes les grossesses se situant entre 41 et 42 semaines de gestation doivent faire l'objet d'une évaluation approfondie. On surveillera tous les gros fœtus durant un examen de réactivité fœtale et par une évaluation du volume du liquide amniotique (Société des obstétriciens et gynécologues du Canada [SOGC], 2008). Si l'état du fœtus est inquiétant ou si le travail se déroule mal, il faut se préparer pour une césarienne. Les nouveau-nés PÉAG seront prématurés, à terme ou post-terme; il peut s'agir de nouveau-nés dont la mère est diabétique ou de nouveau-nés postmatures. Chacun de ces problèmes s'accompagne de difficultés particulières. Indépendamment des comorbidités, le nouveau-né PÉAG est exposé à un risque inhérent à sa taille.

L'infirmière vérifie chez le nouveau-né les signes d'hypoglycémie (hypotonie, tremblements, léthargie, apnée, tachypnée, cyanose) et de traumatisme occasionné par l'accouchement par voie naturelle ou par césarienne. Elle veille ensuite à reconnaître et à traiter les traumatismes propres à l'accouchement.

24.3.3 Nouveau-né dont la mère est diabétique

Tous les nouveau-nés de mères diabétiques (NMD) courent un risque de complications. Le degré de risque dépend de la gravité et de la durée de la maladie chez la mère.

Physiopathologie

Les mécanismes responsables des problèmes observés chez les NMD demeurent mal compris. Les anomalies congénitales seraient causées par des fluctuations de la glycémie et par les épisodes d'acidocétose au début de la grossesse. Plus tard au cours de celle-ci, lorsque le pancréas de la mère n'arrive pas à sécréter suffisamment d'insuline pour répondre à ses besoins croissants, une hyperglycémie est observée chez la mère. Les taux élevés de glucose franchissent la barrière placentaire et stimulent le pancréas fœtal à sécréter plus d'insuline. Ensemble, cet apport accru en glucose maternel et autres nutriments, l'incapacité de l'insuline maternelle à franchir la barrière placentaire et l'accroissement de l'insuline fœtale entraînent une croissance fœtale excessive appelée macrosomie (décrite plus loin).

L'hyperinsulinémie explique de nombreux problèmes chez le fœtus ou le nouveau-né. Ajoutée à la fluctuation des glycémies, la présence de problèmes vasculaires ou infectieux chez la mère nuit au fœtus. En temps normal, le sang maternel a un pH plus alcalin que le sang fœtal riche en gaz carbonique. Ce phénomène encourage l'échange d'oxygène et de gaz carbonique à travers la membrane placentaire. Lorsque le sang maternel est plus acidosique que le sang fœtal, comme durant l'acidocétose, cela nuit aux échanges de gaz carbonique ou d'oxygène au niveau placentaire. Le taux de mortalité chez les fœtus par suite d'épisodes d'acidocétose maternelle pourrait s'élever à 50 % ou plus (Kalhan & Parimi, 2006).

Le plus important facteur qui influe sur le bien-être fœtal est le statut euglycémique de la mère. Selon certaines indications, il serait possible d'éliminer ou de réduire le nombre de cas de certaines maladies néonatales (macrosomie, hypoglycémie, polyhydramnios, prématurité et peut-être immaturité pulmonaire fœtale), en assurant une gestion stricte de la glycémie maternelle à l'intérieur de limites étroites. Une maîtrise glycémique resserrée se définit par le maintien des glycémies entre 3,5 et 6 mmol/L chez la mère.

Parmi les problèmes observés chez les NMD figurent les suivants.

- Des anomalies congénitales, chez 7 à 10 % des NMD ; l'incidence est plus forte chez les nouveau-nés PTAG. Les anomalies les plus courantes concernent l'appareil cardiaque, l'appareil musculosquelettique et le système nerveux central. Les anomalies du SNC incluent l'anencéphalie, l'encéphalocèle, le méningomyélocèle et l'hydrocéphalie **TABLEAU 24.10**. Le syndrome de régression caudale (c.-à-d., agenèse sacrée avec faiblesse ou difformités des membres inférieurs, malformation et fixation des articulations de la hanche, fémurs courts ou difformes) affecte parfois l'appareil musculosquelettique.
- Macrosomie : à la naissance, le nouveau-né PÉAG typique présente un visage rond de chérubin (« en forme de tomate » ou cushingoïde), un corps trapu et un teint pléthorique ou rouge **FIGURE 24.9**. Une hypertrophie des organes internes est notée (c.-à-d. une hépatosplénomégalie, une splanchnomégalie, une cardiomégalie) et une augmentation des tissus adipeux corporels, surtout autour des épaules. Le placenta et le cordon ombilical sont plus gros que la moyenne. Le cerveau est le seul organe à ne pas être hypertrophié. Les NMD ont parfois un poids élevé pour leur âge gestationnel, mais ils sont physiologiquement immatures. Le nouveau-né macrosomique est exposé à un risque de SDR, d'hypoglycémie, d'hypocalcémie et d'hypomagnésémie, de cardiomyopathie, de polycythémie et d'hyperbilirubinémie. Chez ces nouveau-nés, la taille excessive des épaules entraîne souvent une dystocie. Les nouveau-nés macrosomiques nés par voie naturelle ou par césarienne après l'essai du travail subissent parfois un traumatisme durant l'accouchement.

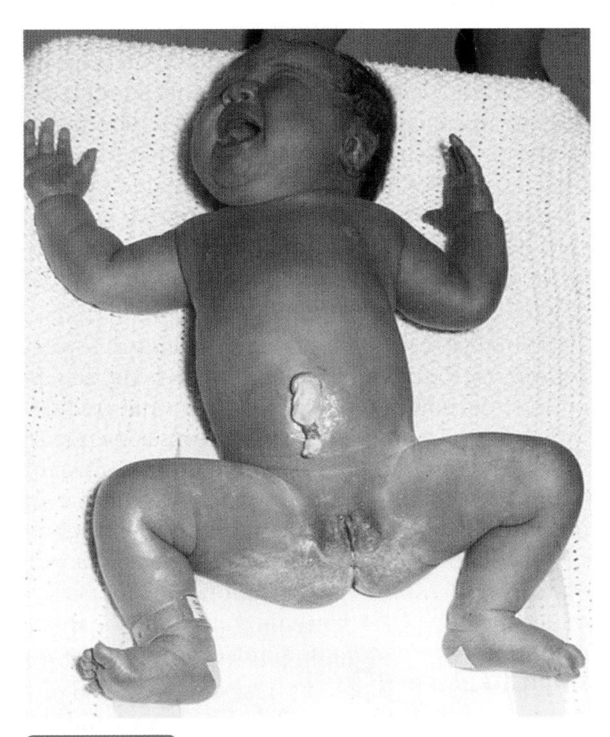

FIGURE 24.9
Nouveau-née atteinte de macrosomie

Jugement clinique

Karianne pèse 4 545 g. Vous procédez à son évaluation physique au cours des soins d'admission à la pouponnière. Vous portez une attention particulière à l'examen des épaules.

Dans quel but faites-vous cela ?

- Les traumatismes de l'accouchement (résultant de la macrosomie ou de la méthode d'accouchement) et l'asphyxie périnatale surviennent chez 20 % des nouveau-nés de mères atteintes de diabète de grossesse et chez 35 % des NMD. Parmi les exemples de traumatismes subis à la naissance figurent le céphalhématome, la paralysie du nerf facial (septième nerf crânien), la fracture de la clavicule ou de l'humérus, la paralysie du plexus brachial, en général une paralysie d'Erb-Duchenne (avant-bras droit), et une paralysie du nerf phrénique, toujours associée à une paralysie diaphragmatique **TABLEAU 24.10**.
- SDR : les NMD courent un risque de quatre à six fois plus grand que les autres nouveau-nés de souffrir de SDR. Chez le fœtus exposé à des taux élevés de glucose maternel, la synthèse de surfactant prend du retard en raison des taux élevés d'insuline sérique fœtale. Chez le NMD, la présence de phosphatidylglycérol dans le liquide amniotique constitue le meilleur prédicteur d'une fonction respiratoire néonatale normale.
- L'hypoglycémie touche de nombreux NMD. Après une exposition constante à des taux circulants élevés de glucose, on observe une hyperplasie du pancréas fœtal entraînant une hyperinsulinémie. Le clampage du cordon ombilical provoque une interruption de l'apport fœtal en glucose. La glycémie du nouveau-né chute rapidement par suite de l'hyperinsulinisme fœtal.
- Cardiomyopathie : il existe deux types de cardiomyopathie. La cardiomyopathie hypertrophique se caractérise par un myocarde hypercontractile et épaissi. L'épaississement des parois ventriculaires et du septum occasionne, dans les cas graves, une obstruction de la voie d'éjection. La valvule mitrale fonctionne mal. Dans la cardiomyopathie non hypertrophique, le myocarde manifeste une piètre contractilité et une surdistension. La taille des ventricules

augmente, mais le débit n'est pas obstrué. La plupart des nouveau-nés ne présentent aucun symptôme, mais une obstruction grave de la voie d'éjection peut entraîner une insuffisance cardiaque ventriculaire gauche. On traitera la cardiomyopathie hypertrophique au moyen d'un bêtabloquant (p. ex., le propranolol) afin de réduire la contractilité et de ralentir la F.C. Un agent cardiotonique sera utilisé pour traiter la cardiomyopathie non hypertrophique (p. ex., la digoxine) pour accroître la contractilité et ralentir la F.C. L'anomalie est généralement corrigée en l'espace de 3 à 12 mois.

- Hyperbilirubinémie et polycythémie : les NMD sont exposés à un risque accru d'hyperbilirubinémie. De nombreux NMD souffrent aussi de polycythémie, à savoir une augmentation de la viscosité sanguine qui nuit à la circulation. De plus, cet accroissement du nombre de globules rouges à hémolyser accroît la charge potentielle de bilirubine que le nouveau-né doit éliminer. Les ecchymoses associées à l'accouchement chez un nouveau-né macrosomique contribueront à faire augmenter les taux de bilirubine.

Soins infirmiers

Idéalement, chez le NMD, la planification débute dès la période prénatale. Le personnel des unités de soins intensifs néonataux et pédiatriques assiste à l'accouchement. Les soins prodigués dépendent des problèmes individuels du nouveau-né. En présence d'une glycémie maternelle bien maîtrisée tout au long de la grossesse, le nouveau-né pourrait ne nécessiter qu'une surveillance. Étant donné que l'euglycémie n'est pas toujours possible, l'infirmière doit rapidement reconnaître et traiter toute complication susceptible de découler du diabète maternel.

24.4 Troubles acquis et troubles congénitaux

L'infirmière doit relever le défi que pose la naissance d'un nouveau-né à risque en raison de conditions ou de circonstances particulières qui viennent compliquer le déroulement de l'accouchement et la transition vers la vie extra-utérine. Le nouveau-né est parfois considéré à risque en raison d'un traumatisme subi durant l'accouchement, de problèmes de toxicomanie chez la mère ou d'infections ou d'anomalies congénitales. Les traumatismes de l'accouchement incluent des lésions physiques subies par le nouveau-né durant le travail et l'accouchement. Les anomalies congénitales comprennent des maladies telles que des malformations gastro-intestinales et des anomalies du tube neural, de la paroi abdominale et du cœur **TABLEAU 24.10**.

Parfois, l'infirmière arrive à anticiper les problèmes, par exemple si une femme est admise pour déclenchement prématuré du travail ou si une anomalie congénitale est diagnostiquée à l'échographie prénatale. Il arrive aussi que la naissance d'un nouveau-né à risque ne soit pas prévue. Dans un cas comme dans l'autre, on aura veillé à la disponibilité du personnel et du matériel nécessaires pour prodiguer des soins d'urgence au nouveau-né **TABLEAU 24.10**.

24.4.1 Traumatismes de l'accouchement

Les traumatismes de l'accouchement sont des blessures physiques subies par le nouveau-né durant le travail et l'accouchement ; ils demeurent une importante source de morbidité néonatale.

La plupart des traumatismes de l'accouchement peuvent être évités, surtout par une collecte minutieuse des données concernant les facteurs de risque et par une planification appropriée de l'accouchement. L'échographie fœtale permet le diagnostic prénatal de certaines maladies fœtales qu'il est possible de traiter *in utero* ou peu après l'accouchement. On peut opter pour une césarienne dans certaines grossesses, afin de prévenir un traumatisme important au cours de l'accouchement. Un faible pourcentage de traumatismes graves de l'accouchement demeure inévitable malgré des soins obstétricaux spécialisés, particulièrement si le travail se prolonge ou se complique ou dans le cas d'une présentation fœtale anormale. Il est impossible de prévoir ou de déceler certaines blessures chez le nouveau-né jusqu'à ce que des circonstances précises les révèlent plus tard durant l'enfance. Une césarienne pratiquée d'urgence permet un sauvetage de dernière minute, mais dans certaines circonstances, le traumatisme peut être inévitable. Une même blessure découle parfois de plusieurs causes, par exemple un céphalhématome résulte dans certains cas de la technique obstétricale, comme l'application de forceps ou d'une ventouse obstétricale, ou de la pression exercée sur le crâne du fœtus par le bassin de la mère.

De nombreuses blessures sont mineures et guérissent facilement, sans traitement, durant la période périnatale. D'autres traumatismes requièrent un certain degré d'intervention, et peu sont fatals. La contribution infirmière au bien-être du nouveau-né débute par une observation des tout premiers stades de la transition ▶ 17. L'infirmière signalera rapidement tout écart par rapport à la normale afin d'assurer l'instauration sans retard du traitement approprié. Une vue d'ensemble des traumatismes de l'accouchement est présentée au **TABLEAU 24.4** ▶ 16.

Les parents ont besoin d'aide pour apprendre à manipuler leur nouveau-né, car ils craignent souvent de lui faire mal. L'infirmière encouragera les

17

Les blessures touchant les tissus mous qui surviennent souvent durant l'accouchement sont abordées dans le chapitre 17, *Évaluation et soins du nouveau-né et de la famille*.

16

La bosse sérosanguine, le céphalhématome et l'hémorragie sous-galéale sont décrits et illustrés dans le chapitre 16, *Adaptations physiologiques et comportementales du nouveau-né*.

TABLEAU 24.4 **Types de traumatismes liés à l'accouchement**

SIÈGE DE LA LÉSION	TYPE DE LÉSION	SOINS ET TRAITEMENTS INFIRMIERS
Cuir chevelu	• Bosse sérosanguine	• Aucun traitement n'est nécessaire.
	• Céphalhématome	• Aucun traitement n'est nécessaire.
	• Hémorragie sous-galéale	• Remplacer les pertes sanguines et les facteurs de coagulation.
Crâne	• Fracture linéaire	• Aucun traitement n'est nécessaire.
	• Fracture par enfoncement	• Corriger la zone enfoncée (à l'aide d'un tire-lait), si possible.
Lésion intracrânienne	• Hématome épidural • Hématome sous-dural (lacération de la faux, de la tente ou des veines superficielles) • Hémorragie sous-arachnoïdienne • Contusion cérébrale • Contusion cérébelleuse • Hématome intracérébelleux	• Fournir des soins de soutien. • Surveiller les signes neurologiques. • Établir un accès I.V., observer et traiter les convulsions. • Prévenir toute ↑ de la pression intracrânienne.
Moelle épinière (cervicale)	• Lésion de l'artère vertébrale • Hémorragie intrarachidienne • Section ou lésion de la moelle épinière	• Fournir des soins de soutien.
Plexus brachial	• Syndrome de Duchenne-Erb 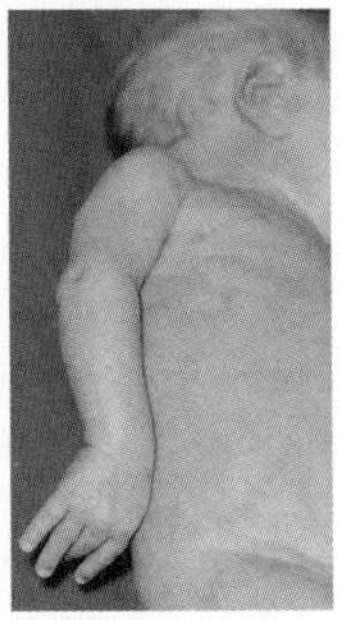 Paralysie de type Duchenne-Erb du nouveau-né. Le réflexe de Moro est absent au membre supérieur droit. Le rétablissement a été complet.	• Procéder à l'abduction du bras à 90° avec rotation externe de l'épaule, avant-bras en supination et extension au niveau du poignet, la paume faisant face au visage du nouveau-né (Stoll & Adams-Chapman, 2007). • Instaurer des exercices d'amplitude de mouvement passifs de l'épaule, du poignet, du coude et des doigts vers la fin de la première semaine. • Placer le poignet en attelle avec protection au niveau du poing. • Si le nouveau-né ne présente pas de signes de récupération complète après le premier mois, il faut diriger la famille vers une équipe interdisciplinaire du plexus brachial (SCP, 2006b).
Nerfs crâniens et périphériques	• Atteinte du nerf facial (paralysie faciale causée par une pression exercée sur le nerf facial, souvent par un forceps) 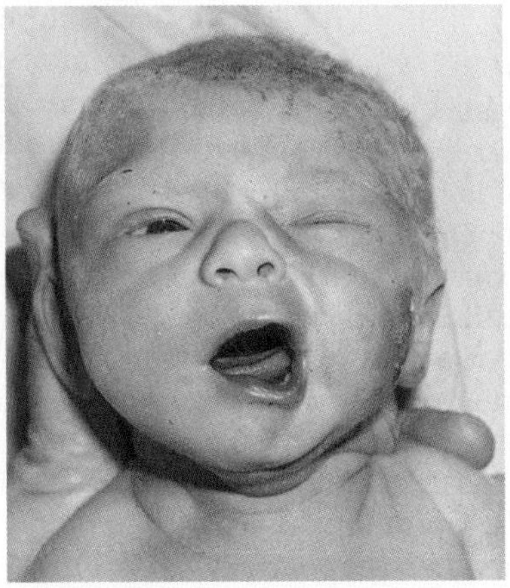 Paralysie faciale 15 minutes après un accouchement par forceps. L'absence de mouvements du côté atteint est particulièrement perceptible lorsque le nouveau-né pleure.	• Instiller des larmes artificielles tous les jours pour prévenir l'assèchement de la conjonctive, de la sclérotique et de la cornée. • Fermer l'œil au moyen d'un pansement oculaire pour prévenir toute blessure accidentelle. • Aider le nouveau-né à téter ; enseigner les techniques appropriées à la mère. • Procéder à une chirurgie en cas de déchirure des fibres nerveuses.

TABLEAU 24.4	Types de traumatismes liés à l'accouchement *(suite)*	
SIÈGE DE LA LÉSION	**TYPE DE LÉSION**	**SOINS ET TRAITEMENTS INFIRMIERS**
Squelette		
Clavicule	• Fracture la plus fréquente durant l'accouchement; se produit habituellement au tiers médian de la clavicule Fracture de la clavicule après dystocie de l'épaule	• Manipuler le nouveau-né avec délicatesse. • Évaluer et soulager la douleur de façon systématique (SCP, 2007b).
Humérus	• Fracture durant un accouchement difficile	• Manipuler le nouveau-né avec délicatesse; immobiliser le bras contre la poitrine. • Évaluer et soulager la douleur de façon systématique (SCP, 2007b).
Fémur	• Fracture durant un accouchement difficile	• Immobiliser le membre au moyen de bandages, d'attelles ou de langes. • Évaluer et soulager la douleur de façon systématique (SCP, 2007b).

Source: Adapté de Paige & Moe (2006).

Phagocytose: Processus par lequel les phagocytes absorbent des particules étrangères et les détruisent dans leur cytoplasme.

parents à s'exercer à manipuler, à changer et à nourrir leur nouveau-né sous la supervision du personnel de la pouponnière, ce qui les rassure, les renseigne et facilite l'attachement. Il faut planifier un traitement de suivi avec les parents qui leur sera acceptable sur le plan logistique.

24.5 Infections néonatales

24.5.1 Septicémie

La septicémie (présence de microorganismes pathogènes ou de leurs toxines dans le sang ou d'autres tissus) continue d'être l'une des plus importantes causes de morbidité et de mortalité néonatales. Les immunoglobulines M (IgM) maternelles ne franchissent pas la barrière placentaire. Les taux d'immunoglobulines G (IgG) chez les nouveau-nés à terme correspondent à ceux de la mère. Toutefois, chez les nouveau-nés prématurés, la quantité d'IgG est directement proportionnelle à l'âge gestationnel (Stoll & Adams-Chapman, 2007). Les immunoglobulines A (IgA) et les IgM requièrent du temps pour atteindre des taux optimaux après la naissance. Il y a présence de neutrophiles chez le nouveau-né à terme, mais ils ne fonctionnent pas à pleine capacité. La réponse aux infections laisse à désirer. Le système immunitaire des prématurés est moins efficace que celui des nouveau-nés à terme; la **phagocytose** s'améliore avec l'âge. Tant chez les nouveau-nés à terme que chez les nouveau-nés prématurés, il y a immaturité initiale de la barrière muqueuse intestinale. Cette barrière se construit par l'ingestion du colostrum maternel doté de propriétés anti-infectieuses.

Les facteurs de risque à l'égard de la septicémie néonatale font l'objet du **TABLEAU 24.5**. L'infirmière veillera à appliquer des précautions spéciales pour la prévention des infections et pour leur reconnaissance rapide afin de prodiguer des soins optimaux au nouveau-né. Les infections néonatales s'acquièrent *in utero*, au moment de l'accouchement ou peu après et par transmission nosocomiale.

La septicémie précoce s'acquiert durant la période périnatale; elle peut résulter d'un contact direct avec des agents pathogènes provenant du tractus gastro-intestinal ou des voies génito-urinaires de la mère. L'agent infectieux le plus répandu demeure le streptocoque du groupe B (SCP, 2007c; Verani, McGee Schrag, 2010). L'incidence des septicémies précoces par *Escherichia coli* est demeurée stable et même inférieure par rapport à la prévalence des septicémies précoces causées par le streptocoque du groupe B (Verani *et al.*, 2010). Il faut toutefois mentionner que

TABLEAU 24.5	Facteurs de risque de septicémie chez le nouveau-né
SOURCE	**FACTEURS DE RISQUE**
Maternelle	• Faible statut socioéconomique • Piètres soins prénataux • Piètre alimentation • Alcoolisme ou toxicomanie
Intrapartum	• Rupture prématurée des membranes amniotiques • Fièvre chez la mère • Chorioamnionite • Travail prolongé • Rupture des membranes amniotiques > 12-18 h • Travail prématuré • Infection urinaire chez la mère
Postpartum	• Gestation double ou multiple • Sexe masculin • Asphyxie à la naissance • Aspiration méconiale • Anomalies congénitales de la peau ou des muqueuses • Galactosémie • Asplénie • Faible poids à la naissance ou prématurité • Malnutrition • Hospitalisation prolongée

depuis l'élaboration de lignes directrices visant à prévenir les septicémies à streptocoque du groupe B et endossées par différentes associations (p. ex., l'AAP, la SOGC, la SCP), le taux d'infection par cet agent pathogène a grandement diminué (Verani *et al.*, 2010). Le streptocoque du groupe B est un organisme extrêmement virulent chez les nouveau-nés. Il s'accompagne d'un taux de mortalité élevé (50 %) chez les nouveau-nés touchés. Ces types de septicémie sont associées à un déclenchement prématuré du travail, à une rupture des membranes prolongée (supérieure à 18 heures), à un épisode fébrile chez la mère durant le travail et à la chorioamnionite (Venkatesh, Merenstein, Adams & Weisman, 2006).

La septicémie tardive qui survient entre le 7e et le 30e jour de vie découle parfois d'une infection provenant de la mère ou d'une infection nosocomiale. On l'attribue à des agents pathogènes appartenant aux genres suivants : staphylocoques, *Klebsiella*, entérocoques, *E. coli* et *Pseudomonas* ou *Candida* (Stoll & Adams-Chapman, 2007). Les staphylocoques coagulase-négatifs causent souvent la septicémie chez les nouveau-nés EFPN et TFPN. Il y a en outre lieu de s'inquiéter des infections causées par des souches de *Staphylococcus aureus* méthicillino-résistantes, par des entérocoques résistants à la vancomycine et par des agents pathogènes à Gram négatif multirésistants (Stoll & Adams-Chapman, 2007). L'invasion bactérienne se produit à partir de sites tels que le cordon ombilical, la peau, les muqueuses de l'œil, du nez, du pharynx et de l'oreille, les organes internes, comme le système respiratoire, le système nerveux, les voies urinaires et le système digestif.

Les infections virales (acquises pendant la grossesse) causent parfois des fausses couches, la mort fœtale, l'infection intra-utérine, des malformations congénitales et une maladie néonatale aiguë. D'autres infections virales surviennent aussi dans les USIN, telles que des infections causées par le virus syncytial respiratoire, le rotavirus et les virus de l'herpès, de la grippe et de la varicelle. On s'inquiétera davantage des infections fongiques chez le nouveau-né immunodéprimé ou prématuré. À l'occasion, ces infections, comme la candidose (muguet), frappent par ailleurs des nouveau-nés en bonne santé nés à terme.

La pneumonie, la plus répandue des infections néonatales, représente l'une des principales causes de mortalité périnatale. La méningite bactérienne survient dans environ 0,2 à 0,4 cas par 1 000 naissances vivantes, ce taux étant plus élevé chez les prématurés. La gastro-entérite survient de manière sporadique selon les éclosions qui ont cours. Les infections locales, telles que la conjonctivite et l'omphalite, s'observent fréquemment.

SOINS ET TRAITEMENTS INFIRMIERS

Septicémie

L'infirmière passe en revue le dossier prénatal pour y déceler les facteurs de risque d'infection et les signes et symptômes d'un problème infectieux. Une infection vaginale ou périnéale chez la mère peut se transmettre directement au nouveau-né au cours d'un accouchement par voie naturelle. Des antécédents de problèmes psychosociaux ou d'infection transmissible sexuellement devraient soulever des soupçons à l'égard d'une infection par le virus de l'immunodéficience humaine (VIH), par le virus *herpes simplex* (VHS), par le virus de l'hépatite B (VHB) ou d'une infection à CMV.

L'infirmière revoit également l'histoire périnatale. Une infection ascendante pourrait survenir si les membranes amniotiques sont rompues prématurément et depuis un certain temps, si le travail s'est prolongé ou si la surveillance fœtale intra-utérine a été utilisée. Des antécédents d'épisodes fébriles chez la mère durant le travail ou un liquide amniotique malodorant indiquent, dans certains cas, la présence d'infection. Il faut vérifier si une antibiothérapie a été entreprise durant le travail. L'âge gestationnel, la maturité, le poids à la naissance et le sexe du nouveau-né influent sur les conséquences de l'infection. La septicémie survient environ deux fois plus souvent et entraîne une mortalité plus élevée chez les nouveau-nés de sexe masculin que chez les nouveau-nés de sexe féminin. L'infirmière examine le nouveau-né pour détecter tout signe de détresse respiratoire, d'abcès ou d'éruptions cutanés, ainsi que d'autres symptômes d'infection.

Les signes cliniques avant-coureurs d'une septicémie néonatale se caractérisent par une absence de spécificité. Les signes non spécifiques comprennent la léthargie, une diminution de la consommation alimentaire, un piètre gain pondéral et de l'irritabilité. L'infirmière ou le parent noteront simplement que le nouveau-né n'est pas aussi bien qu'à l'habitude. Le diagnostic différentiel se révèle parfois difficile à établir parce que les signes de septicémie ressemblent aux signes d'autres problèmes néonataux non infectieux, comme l'hypoglycémie et la détresse respiratoire. Les signes cliniques de la septicémie néonatale font l'objet du **TABLEAU 24.6**.

Les analyses de laboratoire sont importantes. Les spécimens mis en culture incluent des échantillons de sang, de liquide céphalorachidien (LCR), de selles et d'urine. On obtient une formule sanguine complète avec différentiel pour déterminer la présence d'infections bactériennes ou une augmentation ou une baisse de la numération des globules blancs (cette dernière est un signe alarmant). La numération totale des neutrophiles est parfois utilisée, de même que le rapport neutrophiles immatures : totaux, la numération absolue des neutrophiles et le taux de protéine C réactive pour déterminer la présence de septicémie. Le dépistage de l'ADN ou des anticorps viraux par amplification génique dans des échantillons de liquides de l'organisme se révèle aussi un important outil diagnostique (Frenkel, 2005). L'antibiothérapie débute après l'obtention des spécimens pour hémocultures chez les nouveau-nés ; chez les nouveau-nés à risque élevé gravement malades, le traitement antibiotique ou antiviral peut être entrepris une fois les prélèvements pour cultures effectués, quitte à le modifier lorsque l'agent pathogène aura été identifié.

On a établi un lien entre le port d'ongles artificiels ou d'ongles naturels d'une longueur inappropriée chez les infirmières et le nombre de cas d'infections néonatales graves et de morbidité associées à *P. æruginosa* et au genre *Klebsiella* dans les USIN. Il est préconisé de donner au nouveau-né le lait de sa mère, au sein ou au biberon. Le lait maternel confère une protection contre ces infections.

Interventions infirmières

Le personnel infirmier est directement ou indirectement responsable de réduire ou d'éliminer les sources environnementales d'agents infectieux dans la pouponnière. Les mesures à appliquer comprennent une hygiène rigoureuse des mains, les précautions universelles, un nettoyage en profondeur de tout le matériel contaminé, le remplacement fréquent des fournitures utilisées (p. ex., le changement des tubulures I.V. ou nasogastriques, conformément au protocole hospitalier, et la désinfection du matériel de réanimation et de ventilation, des pompes à perfusion I.V. et des incubateurs) et la mise au rebut appropriée de la lingerie et des couches contaminées. Il faut éviter la surpopulation des pouponnières. Il existe des lignes directrices publiées en ce qui concerne les lieux physiques, les droits de visite et les mesures générales de lutte contre l'infection dans les secteurs où les nouveau-nés sont soignés (AAP & American College of Obstetricians and Gynecologists [ACOG], 2007).

Pour la prévention et le traitement de la septicémie néonatale, il faut aussi envisager des interventions telles que l'administration de médicaments, la prise de précautions appropriées pendant les traitements et le respect des règles d'isolement.

TABLEAU 24.6 Signes de septicémie néonatale[a]

SYSTÈME	SIGNES
Respiratoire	• Apnée • Bradycardie • Tachypnée • Geignements expiratoires • Battements des ailes du nez • Tirage • Baisse de la SaO_2
Cardiovasculaire	• Réduction du D.C. • Tachycardie • Hypotension • Baisse de la perfusion
Nerveux central	• Instabilité thermique • Léthargie • Hypotonie • Irritabilité, convulsions
Gastro-intestinal	• Intolérance alimentaire – ↓ de la succion et de la consommation – ↑ des résidus • Distension abdominale • Vomissements, diarrhée
Tégumentaire	• Ictère • Pâleur • Pétéchies • Marbrures

[a] Les résultats d'analyses de laboratoire se rapportent à la neutropénie, à la hausse du nombre de neutrophiles non segmentés, à l'hypoglycémie ou à l'hyperglycémie, à l'acidose métabolique et à la thrombocytopénie.

Source : Adapté de Fraser Askin (1995).

L'infirmière procédera avec précaution à l'aspiration des sécrétions de l'oropharynx ou de la trachée chez le nouveau-né. L'aspiration n'est pas recommandée d'emblée, car elle pourrait fragiliser l'immunité du nouveau-né en plus de causer l'hypoxie et d'accroître la pression intracrânienne. Les règles d'isolement seront appliquées conformément au protocole hospitalier. Les protocoles d'isolement changent rapidement; l'infirmière est donc invitée à participer aux programmes de formation continue et d'enseignement en milieu de travail pour garder ses connaissances à jour.

Infections périnatales

Certaines infections chez la mère en début de grossesse sont associées à des malformations et maladies congénitales, dont celles de l'acronyme TORCH, qui signifie **t**oxoplasmose, autre (***o**ther*) (gonorrhée, hépatite B, syphilis, virus varicelle-zona [VZV], parvovirus B19 et VIH), **r**ubéole, **c**ytomégalovirus et virus ***h**erpes simplex*) **TABLEAU 24.7**. Grâce à de nouvelles méthodes diagnostiques, il est possible de confirmer ces infections virales *in utero* et de planifier des interventions selon la disponibilité des traitements intra-utérins.

TABLEAU 24.7 Infections néonatales

INFECTION	AGENT CAUSAL	TRAITEMENT	EFFETS/COMPLICATIONS
Infections TORCH			
T			
Toxoplasmose	Protozoaire, *Toxoplasma gondii*, présent dans les selles des chats et la viande crue d'animaux qui paissent dans des champs contaminés	• Pyriméthamine et sulfadiazine orales • Acide folique pour prévenir l'anémie	• Asymptomatique chez plus de 70 % des nouveau-nés atteints • Prématurité, RCIU, microcéphalie, hydrocéphalie, microphthalmie, choriorétinite, calcification du SNC, thrombocytopénie, ictère, fièvre, pétéchies et érythème maculopapulaire • Décès chez 10 à 15 % des nouveau-nés atteints, problèmes psychomoteurs ou de retard intellectuels graves vers l'âge de deux à quatre ans pour 85 % des cas, et troubles visuels à l'âge de un an pour 50 % d'entre eux
O Autres (*others*)			
Gonorrhée	*Neisseria gonorrhoeae*: acquise par infection ascendante ou durant l'accouchement	• Prophylaxie oculaire (p. ex., un onguent d'érythromycine à 0,5 %) à la naissance pour prévenir l'ophtalmie néonatale • En cas d'infection légère, une seule dose intramusculaire (I.M.) ou I.V. de ceftriaxone	• Conjonctivite néonatale, arthrite gonococcique, septicémie, méningite, vaginite et abcès au cuir chevelu • Décès causé par une infection foudroyante chez certains nouveau-nés
Syphilis Lésions syphilitiques néonatales aux mains et aux pieds	Spirochète, tréponème pâle: infestation fœtale par le spirochète emprisonné par la couche sous-chorionique de Langhans jusqu'à la 16e ou 18e semaine de gestation	• Pénicilline G cristalloïde aqueuse, 50 000 unités internationales/1 000 g/dose I.V. q.12 h pendant les 7 premiers jours de vie, puis q.8 h en tout pendant 10 jours ; ou pénicilline procaïne, 50 000 unités internationales/1 000 g/dose, en une seule dose I.M. quotidienne pendant 10 jours • Pénicilline G ou pénicilline G procaïne • Érythromycine en cas d'allergie du nouveau-né à la pénicilline	• Travail prématuré; neurosyphilis, surdité, dents de Hutchinson (incisives échancrées en demi-lune), tibias en lame de sabre, atteinte articulaire, nez en pied de marmite (affaissement de l'arête du nez), gommes (nodules spongieux) touchant la peau et d'autres organes et kératite interstitielle (inflammation de la cornée), rhinite (écoulement nasal abondant, clair, sanguinolent), anasarque, anémie, hépatosplénomégalie, érythème dermique maculopapulaire de couleur cuivrée à la paume des mains, à la plante des pieds, à la région fessière, autour de la bouche et de l'anus • Condylomes autour de l'anus; rhagades (cicatrices en rayons autour de la bouche)
Varicelle	VZV	• Immunoglobuline dirigée contre le VZV (VariZIGMD) à la naissance pour les nouveau-nés dont les mères ont contracté la varicelle entre 5 jours avant et 48 h après l'accouchement	• Première moitié de la grossesse: – atrophie des membres – anomalies neurologiques et oculaires – RCIU

TABLEAU 24.7	Infections néonatales *(suite)*		
INFECTION	**AGENT CAUSAL**	**TRAITEMENT**	**EFFETS/COMPLICATIONS**
		• Acyclovir pour les nouveau-nés présentant une atteinte généralisée et une pneumonie (Myers, Seward & LaRussa, 2007) • Acyclovir ou VariZIG[MD] pour les nouveau-nés prématurés exposés à la varicelle (AAP Committee on Infectious Diseases, 2006)	• Derniers jours de la grossesse : – varicelle clinique – mortalité néonatale 30 % (Sauerbrei & Wutzler, 2007)
Hépatite B	VHB	• Si la mère a des anticorps contre l'antigène de surface du virus de l'hépatite B (HBsAg) ou si elle contracte une hépatite durant la grossesse ou la période postnatale, administration d'une immunoglobuline antihépatite B (HBIg) au nouveau-né au cours des premières 12 h de vie et d'un vaccin antihépatite B, avec doses de rappel à 1, puis à 6 mois • Administration du vaccin aux nouveau-nés exposés au VHB maternel avant leur congé de l'hôpital • Allaitement autorisé	• Accouchement avant terme : – Taux de transmission du VHB au nouveau-né varie de 70 à 90 % lorsque la mère est séropositive à la fois à l'égard de l'HBsAg et de l'HBeAg (AAP Committee on Infectious Diseases, 2006) – Troubles pouvant survenir des années plus tard : > hépatite aiguë (mortalité dans 75 % des cas graves) > hépatite chronique > cirrhose du foie > cancer du foie
Parvovirus B19 humain (cinquième maladie ou érythème infectieux aigu)	Parvovirus B19	• Transfusion intra-utérine pour traiter l'anémie (De Jong *et al.*, 2006)	• Fausse couche, anasarque fœtoplacentaire, RCIU • Épanchements péricardiques, pleuraux et péritonéaux fréquents et fatals si non traités immédiatement, avec insuffisance cardiaque consécutive à l'anémie comme cause la plus fréquente du décès
Infection au VIH et sida	VIH ; transmission de la mère à l'enfant par voie transplacentaire (de 13 à 39 % des cas) ou par le lait maternel (14 % des cas) (AAP Committee on Infectious Diseases, 2006)	• Zidovudine avant, pendant et après l'accouchement (réduit la transmission à 5 à 8 %) ; traitement antirétroviral hautement actif (réduit la transmission à 1 à 2 %) (AAP Committee on Infectious Diseases, 2006) • Dose néonatale : 2 mg/1 000 g/dose P.O. q.6 h ou 1,5 mg/1 000 g par voie I.V. q.6 h	• Retard de croissance, parotidite et infections respiratoires supérieures récurrentes ou persistantes ; immunodéficience fatale. Au cours de la première année de vie, lymphadénopathie et hépatosplénomégalie fréquentes • Fièvre, diarrhée et dermatite chroniques, pneumonie interstitielle, candidose (muguet) persistant et infections opportunistes associées au diagnostic du syndrome d'immunodéficience acquise (pneumonie à *Candida* et à *Pneumocystis carinii*), infection à CMV, cryptosporidiose, VHS ou zona et varicelle disséminée
R			
Rubéole (rougeole allemande ou rougeole des trois jours)	Virus de la rubéole	• Vaccin contre la rubéole pour les mères non immunisées avant la grossesse • Traitement du nouveau-né atteint selon les symptômes	• Anomalies plus graves si la mère contracte la maladie au cours du premier trimestre • Perte auditive, cataractes ou glaucome, hypogammaglobulinémie, diabète de type 1, hépatosplénomégalie, lymphœdème, RCIU, ictère, hépatite, purpura thrombocytopénique avec pétéchies et manifestations cutanées typiques à l'aspect de muffin aux bleuets (microphtalmie dermique)

TABLEAU 24.7	Infections néonatales *(suite)*		
INFECTION	**AGENT CAUSAL**	**TRAITEMENT**	**EFFETS/COMPLICATIONS**
C			
Infections à CMV Infection néonatale à cytomégalovirus : éruption cutanée typique observée chez le nouveau-né gravement atteint	Infection à CMV *in utero* ; lait maternel	• Ganciclovir : réduit la réplication virale et la gravité de l'atteinte neurologique et auditive ; médicament toxique pour la moelle osseuse ; emploi d'emblée non recommandé par l'AAP Committee on Infectious Diseases (2006)	• Fausse couche, mort fœtale, maladie congénitale, RCIU, microcéphalie, éruption cutanée, ictère, hépatosplénomégalie, anémie, choriorétinite, microcéphalie, retard intellectuel, déficits neuromusculaires, thrombocytopénie, hyperbilirubinémie, calcification périventriculaire intracrânienne, corps d'inclusion dans les cellules sédimentées d'urine fraîche ou dans les spécimens de biopsies hépatiques, atteinte auditive neurosensorielle, troubles d'apprentissage
H			
Virus *herpes simplex* Lésions herpétiques orales	VHS ; infection transplacentaire, infection ascendante, transmise directement par la mère durant l'accouchement par voie naturelle, par un membre du personnel soignant ou un proche	• Onguent oculaire topique prophylactique (vidarabine, iododésoxyuridine ou trifluridine) administré pendant cinq jours pour prévenir la kératoconjonctivite • Acyclovir parentéral pour l'herpès néonatal	• Fœtus : RCIU, prématurité • Nouveau-né : maladie systémique grave, souvent fatale, encéphalite, choriorétinite, restriction psychomotrice grave avec calcifications intracrâniennes, microcéphalie, hypertonicité et convulsions, atteinte oculaire y compris microphtalmie, cataractes, choriorétinite, cécité et dysplasie rétinienne • Lésions orales, PCA, anomalies aux membres et vésicules cutanées récurrentes avec une brève espérance de vie chez certains nouveau-nés
Infections bactériennes			
Streptocoques	Streptocoques du groupe B	• Pénicilline avec un aminoside (AAP Committee on Infectious Diseases, 2006)	• Maladie respiratoire semblable au SDR grave ; septicémie et méningite néonatales, choc septique, atteinte neurologique
E. coli	*E. coli*	• Aminosides ou céphalosporines de troisième génération (Lott, 2007)	• Septicémie, méningite, infection d'autres systèmes de l'organisme (p. ex., des voies urinaires)
Tuberculose	*Mycobacterium tuberculosis*	• Nouveau-nés à risque à l'égard de la tuberculose : administration du vaccin BCG (bacille Calmette-Guérin) • Nouveau-nés jusqu'à 12 à 14 mois : isoniazide, rifampine, pyrazinamide et streptomycine ou kanamycine ; la pyridoxine doit toujours être administrée avec l'isoniazide ou aux nouveau-nés allaités dont les mères sont traitées par isoniazide (Venkatesh *et al.*, 2006)	• Congénitale : otite moyenne, pneumonie, hépatosplénomégalie, hypertrophie des ganglions ou maladie disséminée • Acquise après la naissance : pneumonie, nécrose du parenchyme pulmonaire, décès
Chlamydia	*Chlamydia trachomatis*	• Érythromycine orale (AAP Committee on Infectious Diseases, 2006) ou sulfamide pendant deux ou trois semaines (accroissement du risque de sténose hypertrophique du pylore avec l'érythromycine)	• Conjonctivite néonatale et pneumonie ; si non traitée, risque de trachome

TABLEAU 24.7 **Infections néonatales *(suite)***

INFECTION	AGENT CAUSAL	TRAITEMENT	EFFETS/COMPLICATIONS
Infections fongiques			
Candida	*C. albicans*	• Application topique de 1 ml de nystatine sur les surfaces de la cavité buccale, une heure avant ou après les boires, quatre fois par jour • Amphotéricine B (Fungizone MD), clotrimazole, fluconazole (Diflucan MD) ou miconazole (Monistat MD, Micatin MD) administrés P.O., par voie I.V. ou topique • Fongicide topique à chaque changement de couche en cas d'érythème fessier du nouveau-né • Mère allaitante : possibilité de devoir être traitée au moyen d'un antifongique systémique	• Candidose orale (muguet ou stomatite mycotique, plaques blanches sur la muqueuse buccale, les gencives et la langue) • Érythème fessier du nouveau-né (rebords très érythémateux, nettement délimités et festonnés) à la région périanale, aux plis inguinaux et à la portion inférieure de l'abdomen

24.6 Toxicomanie

RAPPELEZ-VOUS...

La toxicomanie est causée par l'abus de substances comme l'alcool, les drogues douces et dures ainsi que les médicaments.

Certains comportements maternels s'accompagnent d'un risque périnatal. La consommation de stupéfiants, de produits du tabac et d'alcool figure parmi les comportements maternels à risque pour le fœtus et le nouveau-né. Toutes ces substances franchissent la barrière placentaire et passent dans le lait maternel. Outre l'alcool et le tabac, la cocaïne et la marijuana font partie des substances les plus couramment utilisées chez les femmes enceintes. Des signes physiologiques de sevrage ont été rapportés chez les nouveau-nés de mères qui font un emploi excessif de médicaments tels que les barbituriques, les opioïdes ou les amphétamines, ainsi que d'alcool. Les analgésiques opioïdes vendus sur ordonnance, comme l'oxycodone (OxyContin MD), font partie des stupéfiants de plus en plus populaires susceptibles de causer des symptômes de sevrage chez les nouveau-nés (Sander & Hays, 2005). Les mères traitées pour toxicomanie avec de la méthadone peuvent donner naissance à un nouveau-né qui manifestera des symptômes de sevrage et qui nécessitera un traitement. Près de 50 % des grossesses chez des femmes dépendantes des opioïdes donnent des nouveau-nés FPN, sans nécessairement être prématurés. L'alcool a des propriétés tératogènes dont les effets sur le SNC ne se détectent qu'après des années, dans certains cas. La consommation d'alcool par la mère durant la gestation peut entraîner un syndrome d'alcoolisation fœtale rapidement identifiable, une anomalie congénitale liée à l'alcool ou une constellation de problèmes neurocomportementaux et cognitifs que seuls peuvent révéler une anamnèse et un questionnaire sur les comportements maternels, ainsi qu'un désordre neurologique lié à l'alcool. Il faut souligner qu'au Canada, le syndrome d'alcoolisation fœtale s'observe de façon marquée au sein des communautés inuites et amérindiennes (SCP, 2002).

La consommation de stupéfiants, de produits du tabac et d'alcool figure parmi les comportements maternels à risque pour le fœtus et le nouveau-né.

Il est important de noter que les nouveau-nés exposés à des drogues *in utero* ne souffrent pas d'une dépendance au sens comportemental, mais ils peuvent manifester des signes physiologiques de sevrage allant de légers à marqués par suite d'une telle exposition. Un terme plus descriptif qualifie ces nouveau-nés, à savoir le nouveau-né exposé aux drogues, ce qui implique une exposition intra-utérine aux drogues.

Les effets indésirables de l'exposition du fœtus à des drogues varient ; nombre de ces effets ne s'observent qu'au moment où l'enfant entre à l'école. Parmi les facteurs cruciaux de l'effet des drogues sur le fœtus figurent la nature même des drogues, leur dose, leur voie d'administration, le génotype de la mère ou du fœtus et le moment de l'exposition aux drogues. Les périodes cruciales de l'embryogenèse humaine et les effets tératogènes des drogues sont illustrés dans la **FIGURE 24.10**. Les effets des stupéfiants d'usage courant sur le fœtus et le nouveau-né sont résumés dans le **TABLEAU 24.8**.

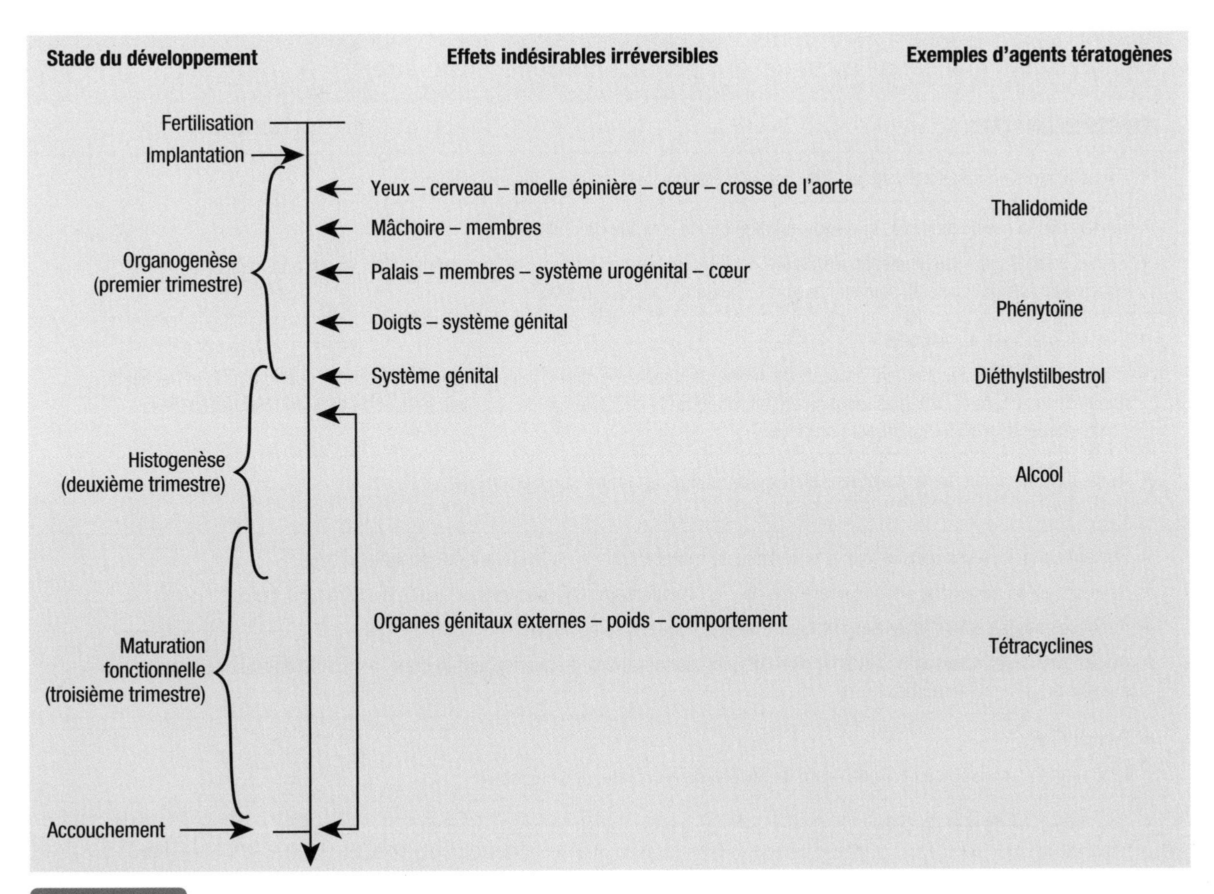

FIGURE 24.10

Périodes cruciales de l'embryogenèse humaine

TABLEAU 24.8 Sommaire des effets néonataux de l'alcool et des stupéfiants communs

SUBSTANCE	EFFETS NÉONATAUX
Alcool	• Syndrome d'alcoolisation fœtale : variations des caractéristiques crâniofaciales – rétrécissement de la fente des paupières – aplatissement de la portion médiane du visage – sillon nasolabial aplati – lèvre supérieure mince – microcéphalie, hyperactivité – retard du développement – déficit de l'attention • Désordre neurologique lié à l'alcool : formes diverses de syndrome d'alcoolisation fœtale, troubles cognitifs, comportementaux et psychosociaux sans caractéristiques physiques typiques Nouveau-né atteint du syndrome d'alcoolisation fœtale
Cocaïne	• Stimulant du SNC et sympathomimétique périphérique • Accouchement prématuré, PTAG, microcéphalie, faible alimentation, cycles de sommeil irréguliers, diarrhée, troubles de l'attention visuelle, hyperactivité, nouveau-né difficile à consoler, hypersensibilité aux bruits et stimuli externes, irritabilité, retard du développement, anomalies congénitales telles que aplasie congénitale de la paroi abdominale (ou *prune belly syndrome* : abdomen distendu, flasque et plissé dû aux muscles abdominaux sous-développés)
Héroïne	• Taux accru de mort fœtale, FPN, PTAG, aspiration méconiale, microcéphalie, troubles neurocomportementaux, irritabilité, tachypnée, difficultés alimentaires, pleurs aigus, convulsions, syndrome de mort subite du nourrisson (SMSN) 74 fois plus élevé (Minozzi, Amato, Vecchi & Davoli, 2008) • Dépendance physique chez le fœtus et risque accru d'exposition aux infections, dont l'hépatite B, l'hépatite C et l'infection par le VIH

TABLEAU 24.8	Sommaire des effets néonataux de l'alcool et des stupéfiants communs *(suite)*
SUBSTANCE	**EFFETS NÉONATAUX**
Marijuana	• Tremblements néonataux possibles, FPN, retard de croissance, présence de méconium
Méthadone (traitement de la dépendance à l'héroïne)	• Sevrage de la méthadone plus grave et prolongé que le sevrage de l'héroïne • Signes de sevrage: tremblements, irritabilité, labilité de l'état, hypertonicité, hypersensibilité, vomissements, marbrures et congestion nasale; cycle de sommeil perturbé, incidence accrue de SMSN
Méthamphétamine	• Effets liés à la dose absorbée • PTAG, prématurité, décollement placentaire, mortalité périnatale, piètre gain pondéral, léthargie, fissure palatine et bec de lièvre, anomalies cardiaques, troubles émotionnels et retard de la coordination des mouvements et de la motricité fine, troubles comportementaux plus tard durant l'enfance
Phencyclidine (PCP ou «poussière d'ange»)	• Anomalies du comportement moteur, telles qu'irritabilité, agitation et hypertonicité
Phénobarbital	• Présent en taux élevés dans le foie et le cerveau du fœtus en raison de la lenteur de son métabolisme. • Sevrage: ne se déclenche généralement que de 2 à 14 jours après l'accouchement; durée d'environ 2 à 4 mois • Réponse initiale caractérisées par irritabilité, pleurs, hoquets, somnolence • Au second stade: nouveau-né extrêmement affamé, régurgitations, fréquents haut-le-cœur, irritabilité épisodique, diaphorèse et cycle de sommeil perturbé
Tabac	• Prématurité • FPN, retard de croissance et risque accru de SMSN, de bronchite, de pneumonie
Caféine	• Consommation de plus de 150 mg de caféine (environ une tasse) par jour associée à un RCIU et à un FPN

SOINS ET TRAITEMENTS INFIRMIERS

Toxicomanie

Les soins infirmiers aux nouveau-nés touchés par la toxicomanie et à toute autre forme de dépendances de la mère reposent sur la même collecte des données et les mêmes observations que pour tout nouveau-né à risque élevé. Les stratégies visant à individualiser les soins liés au développement ont pour objectifs de réduire les stimuli environnementaux nuisibles et d'aider le nouveau-né à atteindre un état d'autorégulation. L'infirmière mettra l'accent sur la surveillance du gain pondéral, l'analyse des comportements alimentaires et l'établissement de stratégies axées sur l'apport nutritionnel.

Jugement clinique

Dale a deux jours de vie. Sa mère consommait de la cocaïne durant la grossesse, et le nouveau-né présente un syndrome d'abstinence néonatale. Il pleure constamment et tremble.

Quelle serait l'intervention prioritaire à effectuer pour calmer Dale?

Le syndrome d'abstinence néonatale désigne l'ensemble des comportements du nouveau-né qui a été exposé à des stupéfiants *in utero* **TABLEAU 24.9**. Un exemple de système de classification de ce syndrome d'abstinence néonatale pour l'évaluation des symptômes de sevrage est présenté à la **FIGURE 24.11**. Étant donné qu'il arrive souvent que les femmes toxicomanes consomment plusieurs types de stupéfiants, le nouveau-né peut manifester des signes de sevrage divers.

L'échelle d'évaluation neurocomportementale NNNS, conçue par les National Institutes of Health, fournit un outil pour la collecte des données portant sur le fonctionnement neurologique, comportemental et lié au stress ou à l'abstinence. Cet outil combine les éléments d'autres tests, tels que l'échelle NBAS, de même que de l'échelle de mesure des signes de stress et de sevrage, mis au point par Finnegan **FIGURE 24.11**, ainsi qu'un examen neurologique complet, ce qui inclut les réflexes primaires et le tonus actif et passif (Law *et al.*, 2003; Lester & Tronick, 2004).

Les soins infirmiers au nouveau-né exposé à des drogues reposent sur un traitement de soutien visant l'équilibre hydrique et électrolytique, la

TABLEAU 24.9	Signes du syndrome d'abstinence néonatale
SYSTÈME	**SIGNES**
• Gastro-intestinal	Piètre alimentation, vomissements, régurgitation, diarrhée, succion excessive
• Nerveux central	Irritabilité, tremblements, pleurs stridents, pleurs incessants, hyperactivité, brièveté du sommeil, excoriations au visage, convulsions
• Métabolique • Vasomoteur • Respiratoire	Congestion nasale, tachypnée, diaphorèse, bâillements fréquents, accélération de la F.R. > 60 R/min, T° > 37,2 °C

SYSTÈME D'ÉVALUATION DU SYNDROME D'ABSTINENCE NÉONATALE

SYSTÈME	SIGNES ET SYMPTÔMES	SCORE	Avant-midi					Après-midi								COMMENTAIRES
TROUBLES DU SYSTÈME NERVEUX CENTRAL	Pleurs stridents excessifs (ou autre) Pleurs stridents continus (ou autre)	2 3														Poids quotidien
	Dort < 1 h après les boires Dort < 2 h après les boires Dort < 3 h après les boires	3 2 1														
	Réflexe de Moro hyperactif Réflexe de Moro nettement hyperactif	2 3														
	Tremblements légers lorsque dérangé Tremblements de modérés à graves lorsque dérangé	1 2														
	Tremblements légers lorsque non dérangé Tremblements de modérés à graves lorsque non dérangé	3 4														
	Tonus musculaire accru	2														
	Excoriation (région précise)	1														
	Myoclonies	3														
	Convulsions généralisées	5														
TROUBLES MÉTABOLIQUES, VASOMOTEURS, RESPIRATOIRES	Diaphorèse	1														
	T° 37,2-38,2 °C T° ≥ 38,4 °C	1 2														
	Bâillements fréquents (> 3-4 fois/intervalle)	1														
	Marbrures	1														
	Congestion nasale	1														
	Éternuements (> 3-4 fois/intervalle)	1														
	Battements des ailes du nez	2														
	F.R. > 60 R/min F.R. > 60 R/min avec tirage	1 2														
TROUBLES GASTRO-INTESTINAUX	Succion excessive	1														
	Piètre alimentation	2														
	Régurgitation Vomissements en jet	2 3														
	Selles molles Selles liquides	2 3														
	SCORE TOTAL															
	SIGNATURE DE L'INFIRMIÈRE															

FIGURE 24.11

Système d'évaluation du syndrome d'abstinence néonatale mis au point par L. Finnegan

nutrition, la prévention des infections, les soins individualisés liés au développement et les soins respiratoires. Pour faciliter le sevrage, il peut être utile, au besoin, d'emmailloter le nouveau-né, de le tenir, d'atténuer les stimuli environnementaux et de le nourrir. Des suggestions particulières de soins à prodiguer aux nouveau-nés qui manifestent des signes de sevrage sont offertes dans l'**ENCADRÉ 24.7**.

17
L'hyperbilirubinémie, l'ictère physiologique, l'ictère pathologique et l'ictère nucléaire (kernictère) sont expliqués dans le chapitre 17, *Évaluation et soins du nouveau-né et de la famille*.

ENCADRÉ 24.7 Soins au nouveau-né manifestant des signes de sevrage

- Tamiser les lumières, réduire les niveaux sonores pour réduire les stimuli.
- Organiser les interventions infirmières de manière à réduire les stimulations exogènes.
- Procurer une nutrition et une hydratation adéquates ; surveiller les I/E.
- Placer le nouveau-né en position assise, le menton vers le bas au moment des boires.
- Encourager l'allaitement (si la mère n'est pas porteuse du VIH).
- Peser le nouveau-né quotidiennement pour faire le suivi des pertes hydriques ou de l'apport calorique.
- Promouvoir des liens d'attachement entre la mère et le nouveau-né.
- Placer le nouveau-né éveillé en décubitus latéral, colonne vertébrale et jambes fléchies.
- Réunir les mains du nouveau-né sur son ventre, les bras de chaque côté.
- Tenir le nouveau-né en position fléchie.
- Protéger les nouveau-nés hyperactifs des abrasions cutanées aux genoux, aux orteils et aux joues causées par la friction contre la literie lorsqu'ils sont en décubitus ventral et qu'ils sont éveillés ; le décubitus dorsal est privilégié pour le sommeil.
- Au cours des interactions avec le nouveau-né, présenter un stimulus à la fois si le nouveau-né est alerte et calme. Surveiller les signaux de détresse ou de repli (p. ex., un regard détourné, des bâillements, des éternuements, un hoquet, un arc-boutement ou des marbrures).
- Lorsque le nouveau-né est en état de détresse, l'emmailloter en position fléchie et le bercer lentement de façon rythmique.
- Surveiller et noter le degré d'activité du nouveau-né.
- Administrer le traitement pharmacologique associé aux signes de sevrage : phénobarbital, morphine, teinture d'opium diluée (parégorique) ou méthadone.

24.7 Maladies hémolytiques

24.7.1 Maladie hémolytique du nouveau-né

La maladie hémolytique survient lorsque les groupes sanguins de la mère et du nouveau-né sont différents. Il s'agit dans la majorité des cas d'incompatibilité RhD et ABO. Les troubles hémolytiques surviennent lorsque des anticorps maternels sont déjà présents naturellement ou se forment, en réaction à un antigène du sang fœtal qui franchit la barrière placentaire et entre dans la circulation maternelle. Les anticorps maternels de la classe des IgG franchissent à leur tour la barrière placentaire, provoquent l'hémolyse des globules rouges fœtaux, ce qui entraîne une anémie chez le fœtus et, souvent, l'ictère et l'hyperbilirubinémie néonataux ▶ 17.

Amniocentèse : Examen paraclinique qui consiste à insérer une aiguille à travers les parois de l'abdomen et de l'utérus afin d'aspirer un échantillon de liquide amniotique ; utilisée pour évaluer la santé et la maturité fœtales.

Incompatibilité Rh

L'incompatibilité Rh s'observe lorsqu'une mère RhD négative porte un fœtus RhD positif qui hérite du gène Rh positif dominant du père. Le groupe sanguin Rh se compose de plusieurs antigènes. Étant donné que D est l'antigène Rh le plus prévalent, la section qui suit s'attarde à l'iso-immunisation RhD. Si la mère est Rh négative et que le père est Rh positif et homozygote à l'égard du facteur Rh, tous leurs enfants seront Rh positifs. Si le père est hétérozygote pour le facteur, il y a alors 50 % de chances que chacun des enfants nés de leur union soit Rh positif ou Rh négatif. Dans ce cas, un fœtus Rh négatif n'est pas en danger parce qu'il a le même facteur Rh que la mère. Un fœtus Rh négatif dont la mère est Rh positive ne court pas de danger non plus. Seuls les fœtus Rh positifs d'une mère Rh négative sont à risque. De 10 à 15 % de tous les couples blancs et environ 5 % des couples d'origine africaine présentent une incompatibilité Rh. L'incompatibilité est rare chez les couples asiatiques. La fréquence de la sensibilisation Rh et de la maladie hémolytique qui en résulte chez le nouveau-né a considérablement diminué depuis la mise au point de l'immunoglobuline Rho(D) en 1968.

La pathogenèse de l'incompatibilité Rh s'explique comme suit : chez le fœtus, l'hématopoïèse (formation des cellules sanguine) débute vers la 8e semaine de gestation ; dans presque 40 % des grossesses, ces cellules franchissent la barrière placentaire vers la circulation maternelle. Lorsque le fœtus est Rh positif et que la mère est Rh négative, celle-ci fabrique des anticorps dirigés contre les cellules sanguines fœtales : tout d'abord, des anticorps IgM, trop volumineux pour franchir la barrière placentaire, puis des anticorps IgG, qui la franchissent. Le processus de fabrication des anticorps est appelé sensibilisation maternelle. La sensibilisation peut survenir durant la grossesse, au moment de l'accouchement, au cours d'un avortement ou d'une fausse couche, ou pendant une **amniocentèse**. Habituellement, les femmes deviennent sensibilisées au cours de leur première grossesse lorsqu'elles sont porteuses d'un fœtus Rh positif, mais elles ne fabriquent pas suffisamment d'anticorps pour entraîner une lyse (destruction) des cellules sanguines fœtales. Au cours de grossesses ultérieures, les anticorps se forment en réaction aux contacts répétés avec l'antigène du sang fœtal, et il en résulte une lyse. Le taux global de l'iso-immunisation chez les mères Rh négatives exposées à un risque est inférieur à 10 %, et seulement 5 % des mères présentant une iso-immunisation ont des nouveau-nés atteints de maladie hémolytique (Stoll, 2007). Les grossesses multiples, le décollement placentaire, le placenta praevia, l'extraction manuelle du placenta et la césarienne accroissent la fréquence de l'hémorragie transplacentaire et le risque d'iso-immunisation.

Une grave incompatibilité Rh entraîne une anémie hémolytique fœtale marquée, parce que les érythrocytes fœtaux se trouvent détruits par les anticorps Rh positifs de la mère. Bien que le placenta élimine habituellement la bilirubine générée par la dégradation des globules rouges, dans les cas extrêmes, les taux de bilirubine fœtaux augmentent. Le fœtus compense l'anémie en fabriquant des érythrocytes immatures en grande quantité pour remplacer les érythrocytes hémolysés, ce qui donne son nom à la maladie: érythroblastose fœtale. Dans l'**anasarque fœtoplacentaire**, la forme la plus grave de cette maladie, le fœtus présente une anémie marquée de même qu'une décompensation cardiaque, une **cardiomégalie** et une **hépatosplénomégalie**. L'anémie grave entraîne de l'hypoxie. De plus, en raison d'une baisse de pression oncotique intravasculaire, des liquides fuient l'espace intravasculaire et entraînent un œdème généralisé, de même que des épanchements dans le péritoine (ascite), le péricarde et la plèvre (hydrothorax). Le placenta devient souvent œdémateux, ce qui, avec l'œdème du fœtus lui-même peut entraîner une rupture utérine.

Dans certains cas, l'anasarque fœtoplacentaire occasionne la mortalité intra-utérine ou néonatale précoce, quoique des transfusions intra-utérines et un accouchement anticipé permettent de prévenir cette issue fatale. La transfusion intra-utérine repose sur l'administration de sang de type O, Rh négatif, en perfusion par la veine ombilicale. La fréquence des transfusions intra-utérines varie selon les établissements et l'état hydropique du fœtus, mais elles sont répétées parfois toutes les 3 ou 4 semaines, jusqu'à 35 semaines de gestation (Moise, 2007).

Incompatibilité ABO

L'incompatibilité ABO est plus fréquente que l'incompatibilité Rh, mais elle provoque des problèmes relativement moins graves chez le nouveau-né. Elle survient si le type sanguin fœtal est A, B ou AB et que le type maternel est O. L'incompatibilité ABO s'observe rarement chez les nouveau-nés dont le type sanguin est B et naissant de mères dont le type sanguin est A. L'incompatibilité découle de la formation naturelle d'anticorps anti-A et anti-B qui franchissent la barrière placentaire vers le fœtus. Contrairement à la situation qui s'observe dans l'incompatibilité Rh, les premiers-nés peuvent être touchés parce que les mères de type O ont déjà des anticorps anti-A et anti-B dans leur sang. Le nouveau-né pourrait avoir un **test de Coombs direct** légèrement positif (aussi appelé test direct à l'antiglobuline). Le taux de bilirubine du sang de cordon reste habituellement sous les 4 mg/dl, et toute hyperbilirubinémie résultante peut généralement être traitée par photothérapie. L'exsanguinotransfusion ne s'impose qu'occasionnellement. Bien que l'incompatibilité ABO soit une cause fréquente d'hyperbilirubinémie, elle déclenche rarement une anémie importante par suite de l'hémolyse des globules rouges.

Autres troubles hémolytiques

Une présentation complète des nombreuses causes potentielles de l'ictère hémolytique infantile déborde le cadre de cette section. Il faut toutefois mentionner que, dans certaines populations (africaine, moyen-orientale, Sud-Est asiatique, méditerranéenne [SCP, 2007c]), une forte fréquence de déficit en glucose-6-phosphate déshydrogénase (G6PD) s'observe et peut causer un ictère excessif chez le nouveau-né dans les 24 à 48 heures qui suivent sa naissance. Les globules rouges déficients en G6PD s'hémolysent plus que les globules rouges sains, et le foie immature du nouveau-né est incapable de conjuguer la bilirubine indirecte. Parmi les déclencheurs qui potentialisent l'hémolyse figurent la vitamine K, l'acétaminophène, l'acide acétylsalicylique, la septicémie et l'exposition à certaines substances (Reiser, 2004). La **sphérocytose héréditaire** peut aussi occasionner une anémie hémolytique néonatale grave par suite de fortes quantités d'hémoglobine fœtale. L'ictère se développe parfois rapidement et requiert un traitement de photothérapie (Luchtman-Jones, Schwartz & Wilson, 2006). Le traitement est le même que pour tout autre nouveau-né qui présente une élévation rapide de ses taux de bilirubine sérique. D'autres maladies métaboliques et héréditaires peuvent accroître l'hémolyse et causer l'ictère chez le nouveau-né, soit la galactosémie, le syndrome de Crigler-Najjar et l'hypothyroïdie.

Anasarque fœtoplacentaire: Expression la plus grave de l'érythroblastose fœtale (hémolyse des globules rouges fœtaux) qui s'accompagne d'un taux élevé de mortalité; séquelle possible d'une iso-immunisation Rh maternelle.

Hépatosplénomégalie: Augmentation conjointe du volume du foie et de la rate.

Sphérocytose héréditaire: Anémie hémolytique constitutionnelle liée à une anomalie de la membrane érythrocytaire.

SOINS ET TRAITEMENTS INFIRMIERS

Maladies hémolytiques du nouveau-né

À l'occasion de la première visite prénatale d'une femme Rh négative porteuse d'un fœtus susceptible d'être Rh positif, il faut procéder à un **test de Coombs indirect** pour déterminer si la mère a des anticorps dirigés contre l'antigène Rh. Au cours de ce test, le sérum maternel est mélangé à des globules rouges Rh positifs. Si les globules rouges Rh positifs s'agglutinent ou adhèrent les uns aux autres, c'est que la mère possède des anticorps ou qu'elle a été sensibilisée. La dilution du spécimen sanguin à laquelle l'adhésion se produit détermine le titre ou taux d'anticorps maternels. Ce titre indique le degré de sensibilisation maternelle. Un taux de 1:8 compromet rarement la sécurité du fœtus.

Si le titre atteint 1:16, on procédera à une amniocentèse pour déterminer la densité optique différentielle (ou delta) du liquide amniotique, ce qui permet d'estimer le processus hémolytique fœtal. L'augmentation des taux de bilirubine rend parfois nécessaire la transfusion intra-utérine. Quant aux tests génétiques, ils révèlent la zygosité paternelle et le locus du gène RhD, ce qui permet un dépistage plus hâtif du risque d'iso-immunisation et permet d'éviter les tests supplémentaires chez la mère ou le fœtus (Moise, 2007).

L'exsanguinotransfusion consiste à retirer en alternance une petite quantité de sang du nouveau-né et à le remplacer par une quantité égale de sang provenant d'un donneur.

Le test de Coombs indirect est répété à 24 semaines. Si les résultats restent négatifs, c'est-à-dire que la sensibilisation ne s'est pas produite, la femme reçoit une injection I.M. d'immunoglobuline Rho(D). Si les résultats du test sont positifs, attestant la sensibilisation, on le répète toutes les quatre à six semaines pour vérifier les titres d'anticorps maternels.

Au moment de l'accouchement, un échantillon de sang de cordon du nouveau-né est envoyé au laboratoire afin de déterminer son type sanguin et son statut Rh. Un test de Coombs direct sur le sang de cordon est effectué afin de déterminer la présence d'anticorps maternels dans le sang fœtal. S'ils sont effectivement présents, on en mesure le titre, qui indique le degré de sensibilisation maternelle. La SOGC a émis des directives cliniques pour la prévention de l'allo-immunisation fœtomaternelle Rh (SOGC, 2003).

La prévention ou le traitement rapide de l'asphyxie périnatale, de l'acidose, du stress thermique, de la septicémie et de l'hypoglycémie réduiront le risque de maladie hémolytique grave chez le nouveau-né et sa propension à l'ictère nucléaire. L'alimentation chez le nouveau-né stable est également entreprise sans délai afin de stimuler la production de selles et ainsi de faciliter l'élimination de la bilirubine.

En présence d'ictère, il faut en déterminer la cause avant d'instaurer le traitement approprié. La photothérapie permet de réduire l'augmentation rapide des taux de bilirubine sérique.

Dans certains cas, l'exsanguinotransfusion est le traitement choisi, mais elle demeure assez rarement utilisée en raison de la faible incidence des cas de maladie hémolytique grave due à l'iso-immunisation chez les nouveau-nés. L'exsanguinotransfusion consiste à retirer en alternance une petite quantité de sang du nouveau-né et à le remplacer par une quantité égale de sang provenant d'un donneur. Il faut aussi toujours tenir compte d'autres facteurs, particulièrement de l'état clinique du nouveau-né, parce que cette intervention peut entraîner des complications. Les lignes directrices pour l'instauration de l'exsanguinotransfusion en lien avec les taux de bilirubine sérique chez les nouveau-nés de 35 semaines de gestation ou plus figurent dans les lignes directrices pour la détection et la prise en charge et la prévention de l'hyperbilirubinémie (SCP, 2007a).

Si le nouveau-né présente une incompatibilité Rh, le groupe O Rh négatif est utilisé pour la transfusion. Ainsi, les anticorps maternels toujours présents chez le nouveau-né n'hémolyseront pas le sang transfusé. Selon la taille, la maturité et l'état du nouveau-né, de 5 à 20 ml de sang sont retirés et remplacés par du sang de donneur préchauffé. La quantité totale de sang échangé équivaut à environ 170 ml/1 000 g de poids corporel ou de 75 à 85 % du volume sanguin total du nouveau-né. La présence d'agents de conservation dans le sang du donneur abaisse le taux de calcium sérique du nouveau-né ; par conséquent, du gluconate de calcium est souvent administré durant l'exsanguinotransfusion. L'infirmière surveille étroitement le nouveau-né pour déceler tout signe de réaction transfusionnelle et d'hypotension, d'instabilité thermique et électrolytique ou de détresse cardiorespiratoire.

24.8 | Anomalies congénitales

Des anomalies congénitales sont signalées dans 2 à 3 % des naissances vivantes (Bay, Steele & Davis, 2007), mais cette proportion passe à environ 6 % lorsque les enfants atteignent l'âge de 5 ans et que d'autres diagnostics sont mis au jour. Au Canada en 2004, des anomalies congénitales ont été observées dans 4,8 % des naissances. Les anomalies congénitales les plus fréquentes au Canada sont les anomalies cardiaques congénitales, les anomalies du système musculosquelettique et les anomalies du système urinaire (ASPC, 2008). En 2004, les anomalies congénitales majeures représentaient un taux de mortalité infantile de 1,2 pour 1 000 naissances vivantes au Canada, et la principale cause de décès en période néonatale était attribuable à l'immaturité ; les anomalies congénitales représentaient la principale cause de décès en période postnatale (ASPC, 2008).

Les méthodes de dépistage et de prévention de certaines de ces anomalies s'améliorent sans cesse, tout comme les techniques chirurgicales pour le traitement des fœtus qui en sont porteurs. La

Pour une explication plus précise du traitement et des soins infirmiers auprès des enfants atteints d'anomalies congénitales, consultez le manuel de Hockenberry, M.J., & Wilson, D. (2012). *Soins infirmiers : pédiatrie.* Montréal : Chenelière Éducation.

promotion de ces services auprès des populations à risque impose un fardeau au système de soins de santé. Une approche interdisciplinaire est indispensable à la prestation de soins holistiques, à savoir le traitement chirurgical, la réadaptation et l'enseignement à l'enfant, de même qu'une aide psychosociale et financière aux parents. La déception et la désillusion des parents ajoutent à la complexité des soins infirmiers requis chez ces nouveau-nés. Une description des anomalies congénitales et de leur traitement est présentée dans le **TABLEAU 24.10**.

TABLEAU 24.10 Anomalies congénitales

ANOMALIE	DESCRIPTION	TRAITEMENT
Anomalies du système nerveux central		
Encéphalocèle	• Hernie du cerveau et des méninges hors de la boîte crânienne, habituellement à la base du cou.	• Procéder à la correction chirurgicale et poser une dérivation ventriculaire (aussi appelée shunt) pour soulager l'hydrocéphalie.
Anencéphalie	• Absence des deux hémisphères cérébraux et du crâne. • Incompatible avec la vie.	• Prodiguer des mesures de confort jusqu'au décès du nouveau-né par suite d'instabilité thermique et d'insuffisance respiratoire.
Spina bifida	• Défaut de fermeture du tube neural.	
• Spina bifida occulta	• Défaut de fusion de la partie postérieure des lames, mais sans saillie de la moelle épinière ou des méninges. • Habituellement asymptomatique.	• Habituellement, aucun traitement nécessaire. • Peut ne pas être diagnostiqué à moins de problèmes connexes.
• Spina bifida cystica	• Inclut le méningocèle et le myéloméningocèle.	
Méningocèle	• Enveloppe externe des méninges et LCR faisant saillie par un défaut de fermeture de la colonne vertébrale.	• Prévoir une césarienne en fonction du diagnostic prénatal.
Myéloméningocèle A Myéloméningocèle. Noter l'absence d'arcs vertébraux. B Myéloméningocèle (rupture de l'enveloppe qui expose l'anomalie).	• Similaire au méningocèle, inclut aussi les nerfs; le nouveau-né souffre de déficits moteurs et sensoriels en aval de la lésion. • Visible à la naissance, le plus souvent à la région lombosacrée. • Habituellement recouvert d'une membrane mince et très fragile, qui peut se déchirer facilement et laisser fuir le LCR. • Constitue une porte d'entrée pour les agents infectieux vers le SNC. • Hydrocéphalie chez 90 % des nouveau-nés atteints.	• Protéger la hernie contre toute blessure, rupture et infection du SNC. • Placer le nouveau-né en décubitus latéral ou ventral. • Couvrir la lésion d'un pansement stérile humide non adhérent; utiliser une technique stérile. • Procéder à la réparation chirurgicale dans les 24 à 48 premières heures. • Une dérivation ventriculaire peut être nécessaire pour prévenir l'aggravation de l'hydrocéphalie. • Fournir soutien et information aux parents.

TABLEAU 24.10 Anomalies congénitales *(suite)*

ANOMALIE	DESCRIPTION	TRAITEMENT
Hydrocéphalie 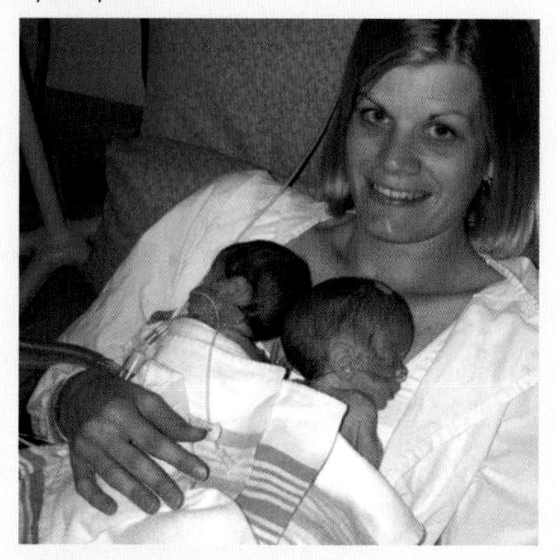 Une mère applique la méthode kangourou à ses jumeaux ; le jumeau de droite souffre d'hydrocéphalie.	• Hypertrophie des ventricules cérébraux par suite d'un déséquilibre entre la production et l'absorption du LCR. • Découle habituellement d'une malformation du cerveau ou d'une infection intra-utérine. • Bombement de la fontanelle antérieure et de la circonférence de la tête à une vitesse anormale.	• Procéder à une dérivation ventriculaire peu après la naissance. • Prodiguer des soins semblables à ceux du nouveau-né à risque élevé. • Mesurer la circonférence de la tête et procéder à une collecte fréquente des données neurologiques. • Si la tête du nouveau-né est volumineuse, installer un matelas sensible à la pression sous le nouveau-né et le changer fréquemment de position pour protéger sa peau.
Microcéphalie	• Circonférence de la tête de plus de trois écarts-types sous la moyenne pour l'âge et le sexe. • Croissance du cerveau généralement limitée ; le retard intellectuel est donc fréquent.	• Il n'existe aucun traitement. • Prodiguer des soins infirmiers de soutien et procéder à une observation médicale pour déterminer l'ampleur du retard psychomoteur qui accompagne presque toujours cette anomalie. • Fournir du soutien aux parents lorsqu'ils se familiarisent avec les soins à donner à un nouveau-né souffrant d'une atteinte cognitive.
Anomalies du système cardiovasculaire		
Communication interventriculaire (CIV) 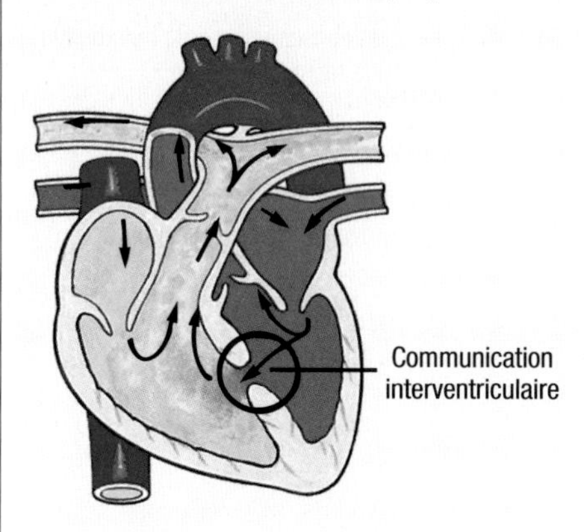 	• Ouverture anormale entre les ventricules droit et gauche. • Les CIV varient en taille et peuvent toucher soit la portion membranaire, soit la portion musculaire du septum ventriculaire. • Comme la pression est plus élevée dans le ventricule gauche, un shunt sanguin du ventricule gauche au ventricule droit est observé durant la systole. • Si la résistance vasculaire pulmonaire engendre une hypertension pulmonaire, le shunt est renversé du ventricule droit au ventricule gauche, et il en résulte une cyanose.	• Administrer de l'oxygène et des médicaments cardiotoniques pour ↑ le D.C. • Administer des médicaments empêchant la fermeture du canal artériel (prostaglandines) et des diurétiques au besoin en cas d'insuffisance cardiaque congestive. • Maintenir un ETN. • Nourrir le nouveau-né par la méthode la moins exigeante possible. • Procéder à l'échocardiographie et au cathétérisme cardiaque pour obtenir des données précises sur l'anomalie et le bien-fondé d'une correction chirurgicale.

TABLEAU 24.10 Anomalies congénitales *(suite)*

ANOMALIE	DESCRIPTION	TRAITEMENT
Tétralogie de Fallot 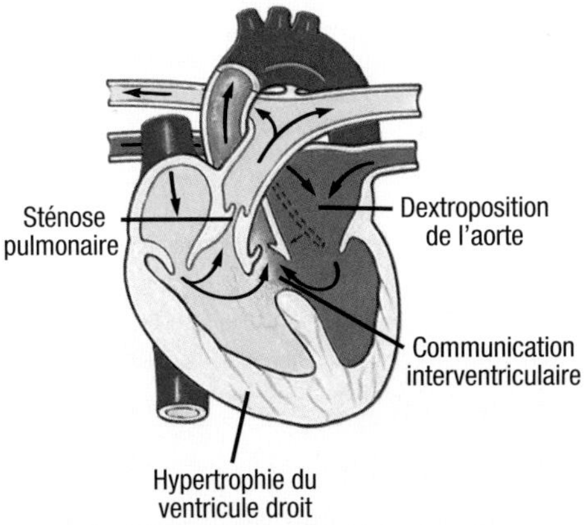	• Conjonction de quatre malformations : – sténose pulmonaire ; – aorte à cheval sur le septum interventriculaire ; – communication interventriculaire (CIV) ; – hypertrophie du ventricule droit. • Anomalie la plus fréquente à causer la cyanose chez les nouveau-nés qui survivent au-delà de deux ans. • Gravité des symptômes dépend : – du degré de sténose pulmonaire ; – de la taille de la CIV ; – du degré de chevauchement de l'aorte par rapport à l'anomalie septale.	
Transposition des gros vaisseaux 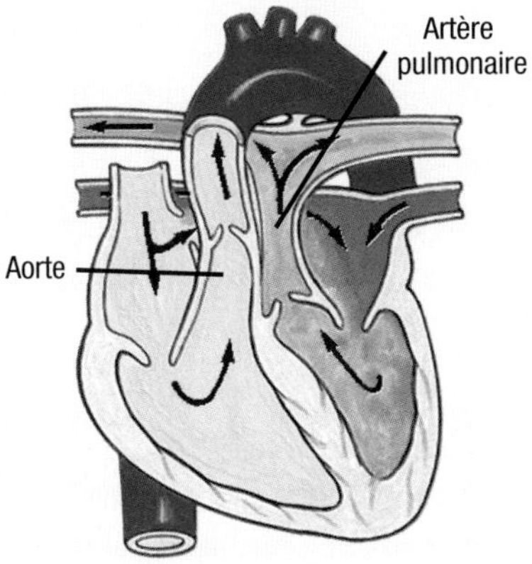	• Artère pulmonaire naissant du ventricule gauche, et aorte naissant du ventricule droit, sans communication entre les circulations systémique et pulmonaire. • Une communication « anormale » entre les deux circulations est alors nécessaire à la vie.	• Médical : administrer de la prostaglandine E_1 par voie I.V. pour accroître temporairement le mélange sanguin. • Chirurgical : procéder à l'intervention de détransposition des gros vaisseaux (« switch »).
Persistance du canal artériel 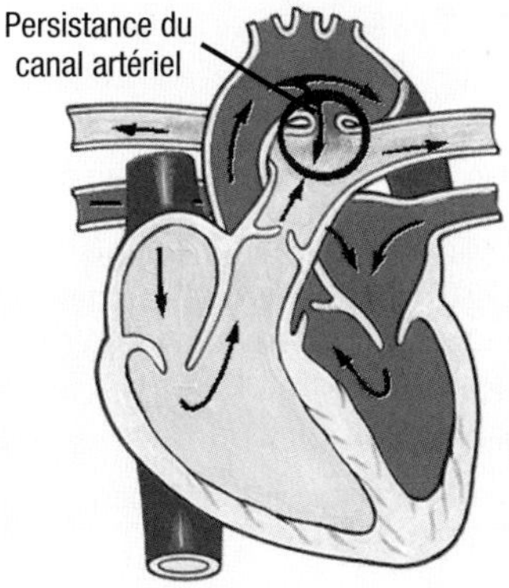	• Connexion vasculaire qui, durant la vie fœtale, contourne le lit vasculaire pulmonaire et dirige le sang de l'artère pulmonaire vers l'aorte. • Fermeture fonctionnelle du canal survenant normalement peu après la naissance. • Si le canal reste ouvert après la naissance, la direction de la circulation du sang dans le canal est inversée par la pression supérieure dans l'aorte.	• Médical : administrer de l'ibuprofène ou de l'indométacine. • Chirurgical : procéder à la division ou à la ligature du vaisseau perméable.

TABLEAU 24.10 Anomalies congénitales *(suite)*

ANOMALIE	DESCRIPTION	TRAITEMENT
Anomalies du système respiratoire		
Atrésie choanale	• Cloison osseuse ou membraneuse entre le nez et le pharynx ; peut être unilatérale ou bilatérale, associée à de l'apnée et à de la cyanose. • Diagnostiquée lorsqu'un cathéter nasal ne peut être inséré.	• Prodiguer des soins de soutien par oxygénothérapie jusqu'à la chirurgie correctrice.
Hernie diaphragmatique congénitale	• Malformation du diaphragme, permettant la remontée des organes abdominaux vers la cavité thoracique.	• Dans certains établissements de recherche, procéder à la réparation par chirurgie fœtale. • Assurer un soutien respiratoire jusqu'à la correction chirurgicale, par la ventilation oscillatoire de haute fréquence, la ventilation assistée classique et l'ECMO.
Anomalies du système gastro-intestinal		
Fissure labiale et palatine Un nouveau-né présente une fissure labiale unilatérale complète.	• Fissure ou ouverture médiane de la lèvre ou du palais (ou des deux) résultant d'un défaut de fusion du palais primaire.	• Procéder à la réparation chirurgicale de la fissure labiale (bec-de-lièvre) à l'âge d'environ 3 mois, du palais dur à l'âge de 14 à 16 mois et du palais mou à partir de l'âge de 18 mois.
Atrésie œsophagienne	• Œsophage se terminant dans un cul-de-sac ou se rétrécissant en un cordon étroit et ne formant pas un conduit continu vers l'estomac.	• Prodiguer des soins de soutien jusqu'à la chirurgie. • Placer un cathéter double lumière dans le cul-de-sac œsophagien proximal pour le drainage des sécrétions avalées afin de réduire les risques d'aspiration.
Fistule trachéo-œsophagienne	• Connexion anormale entre l'œsophage et la trachée.	• Veiller au maintien de la thermorégulation, de l'équilibre liquidien, électrolytique et acidobasique. • Procéder à la correction chirurgicale par ligature de la fistule et anastomose des deux segments de l'œsophage.
Omphalocèle	• Anomalie recouverte, caractérisée par un défaut de fermeture de l'anneau ombilical par lequel les organes abdominaux peuvent faire saillie à divers degrés.	• Placer le nouveau-né dans un sac de plastique stérile imperméable clair pour réduire les pertes hydriques et recouvrir la zone avec des compresses humidifiées de NaCl 0,9 % stériles. • Maintenir la thermorégulation. • Prévenir la contamination des viscères exposés (Roaten *et al.* 2006). • Administrer des antibiotiques, des suppléments de liquides et d'électrolytes et assurer une décompression gastrique et la thermorégulation. • Une correction chirurgicale est généralement effectuée peu après la naissance.

TABLEAU 24.10 Anomalies congénitales *(suite)*

ANOMALIE	DESCRIPTION	TRAITEMENT
Gastroschisis 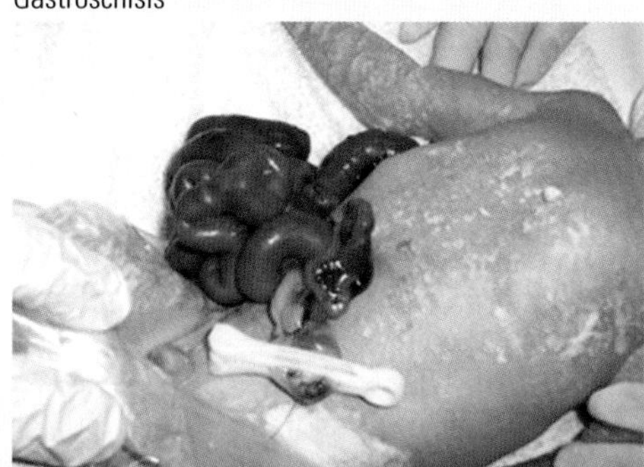	• Hernie intestinale faisant saillie par un défaut de la paroi abdominale, à la droite du cordon ombilical. • Aucune membrane ne recouvre le contenu.	• Voir Omphalocèle ; la plupart des nouveau-nés ont besoin de ventilation assistée et de nutrition parentérale.
Obstruction intestinale	• Peut toucher n'importe quelle portion du tractus digestif. • Inclut : – l'atrésie (oblitération complète du passage) ; – l'obstruction partielle ; – la malrotation intestinale.	• Prodiguer des soins de soutien jusqu'à l'intervention chirurgicale pour éliminer l'obstruction. • Éviter toute alimentation P.O. • Placer une sonde nasogastrique pour succion et administrer un traitement par voie I.V. • La chirurgie consiste à réséquer la zone obstruée de l'intestin et à l'anastomoser à la portion non touchée.
Malformation anorectale 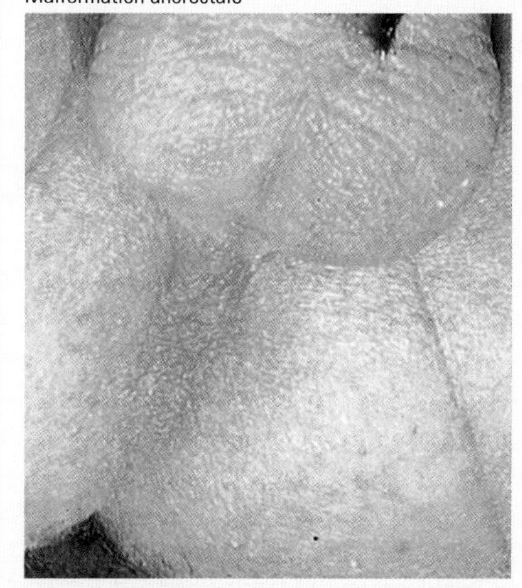 Imperforation anale	• Vaste gamme d'anomalies congénitales touchant l'anus, le rectum et le système génito-urinaire dans de nombreux cas. • Survient plus souvent chez les nouveau-nés de sexe masculin que de sexe féminin. • Varie de l'absence de perforation anale à une fistule du rectum vers le péritoine ou vers le système génito-urinaire. • Peut comprendre des zones sténosées ou, dans certains cas, le recouvrement de l'ouverture anale par une membrane mince et translucide.	• Informer les parents de l'importante réparation chirurgicale souvent requise en plusieurs étapes pour les types plus complexes de malformations anorectales.
Anomalies du système musculosquelettique		
Dysplasie congénitale de la hanche	• Éventail d'anomalies liées au développement anormal de la hanche, pouvant survenir à n'importe quel moment durant la vie fœtale, les premiers mois de vie ou la petite enfance. • Caractérisée par une laxité, une subluxation ou une dislocation de l'articulation de la hanche.	• Le traitement varie selon l'âge du nouveau-né et l'importance de la dysplasie. • Maintenir l'articulation de la hanche au moyen d'une attelle dynamique, avec fémur proximal centré dans le cotyle en position de flexion. • Le harnais de Pavlik est le plus utilisé et avec le temps, la mobilité et la gravité, la hanche fonctionne en position réduite et en abduction.

TABLEAU 24.10	Anomalies congénitales *(suite)*	
ANOMALIE	**DESCRIPTION**	**TRAITEMENT**
Pied bot	• Déformation complexe du pied et de la cheville incluant: – adduction de l'avant-pied; – supination du milieu du pied; – varus de l'arrière-pied; – varus équin (cheville en extension). • Les variations comprennent: – pied bot varus (appui sur le bord externe du pied); – pied bot valgus (appui sur le bord interne); – pied bot équin (appui sur la pointe); – pied bot talus (appui sur le talon).	• Commencer la pose de plâtres en série peu après la naissance. • Répéter les manipulations et les poses de plâtres fréquemment (toutes les semaines) pendant 8 à 12 semaines. • Utiliser un appareil de mobilité passive continue pour étirer et renforcer les groupes de muscles touchés (Faulks & Luther, 2005). • L'attelle de Browne peut être utilisée pour le maintien des pieds corrigés au moyen de plâtres et de manipulations.
Polydactylie	• Présence de doigts ou d'orteils en surnombre.	• Si l'atteinte osseuse est minime ou nulle, on peut suturer le doigt surnuméraire avec un fil de soie peu après la naissance. Le doigt tombe en quelques jours et laisse une cicatrice discrète. • Si l'os est présent, une correction chirurgicale s'impose.
Anomalies du système génito-urinaire		
Hypospadias 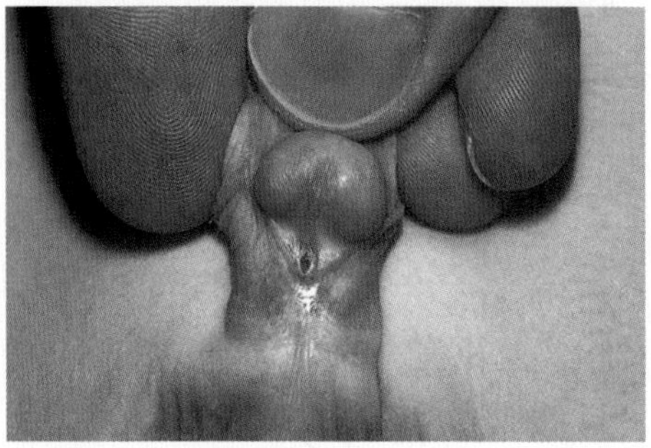	• Anomalies du pénis associées à la localisation anormale du méat urinaire. Le méat peut s'ouvrir sous le gland ou à n'importe quel endroit le long de la face ventrale du pénis, du scrotum ou du périnée.	• Les cas légers d'hypospadias sont souvent corrigés pour des raisons esthétiques au moyen d'une intervention simple. • Consulter un urologue avant la circoncision pour vérifier si le prépuce doit être réparé.
Épispadias (rare)	• Nouveau-nés de sexe masculin présentant une symphyse pubienne élargie et un pénis élargi, l'urètre s'ouvrant sur la face dorsale. • Nouveau-nés de sexe féminin présentant un urètre élargi et un clitoris bifide.	• Procéder à la correction chirurgicale. • Ne pas circoncir les nouveau-nés de sexe masculin atteints.
Exstrophie de la vessie 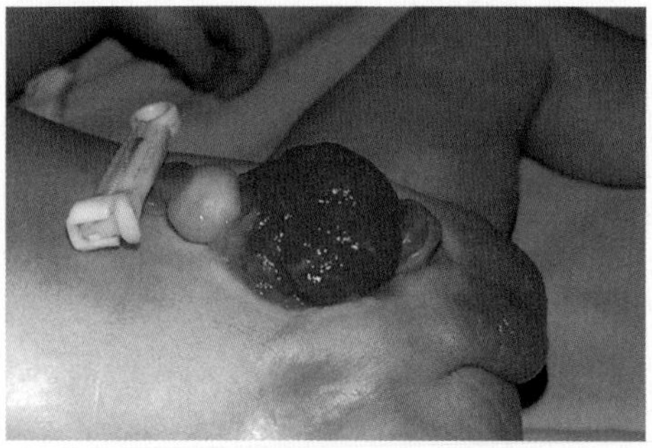	• Anomalie vésicale résultant d'un développement anormal de la vessie, de la paroi abdominale et de la symphyse pubienne qui donne lieu à une exposition de la vessie, de l'urètre et des orifices urétéraux.	• Immédiatement après la naissance, couvrir la vessie au moyen d'un pansement non adhérent stérile pour la protéger jusqu'à ce qu'on puisse procéder à la fermeture. • Il est préférable de replacer la vessie durant le premier ou le second jour de vie.

TABLEAU 24.10 Anomalies congénitales *(suite)*

ANOMALIE	DESCRIPTION	TRAITEMENT
Hermaphrodisme 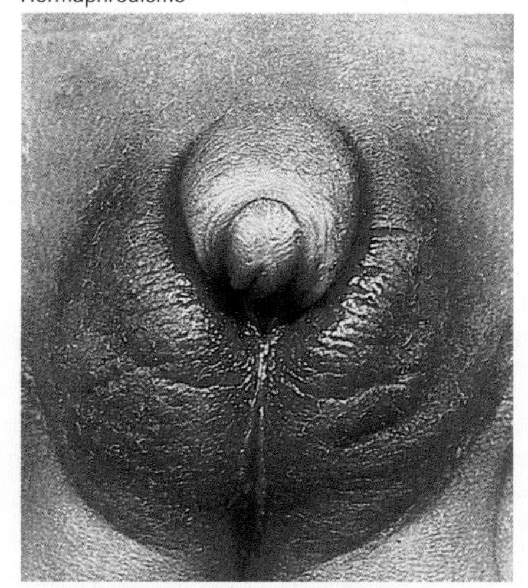 Hermaphrodisme (c.-à-d., parfois hypertrophie du gland clitoridien et du clitoris ou micropénis et scrotum bifide)	• Différenciation sexuelle ambiguë ou anormale.	• Entreprendre l'intervention thérapeutique le plus rapidement possible. • Il faut assigner le sexe, mais ne pas effectuer de chirurgie irréversible. • Des consultations avec les équipes de génétique, d'urologie et d'endocrinologie font partie intégrale de la prise en charge de ces nouveau-nés.
Tératome	• Tumeur embryonnaire parfois solide, kystique ou mixte. • Composée d'au moins deux et habituellement de trois types de tissu embryonnaire : ectoderme, mésoderme et endoderme. • Chez les nouveau-nés, peut toucher : – crâne ; – médiastin ; – abdomen ; – région sacrée. • Plus de la moitié des cas sont situés à la région sacrococcygienne.	• Procéder à la résection chirurgicale complète pendant la période néonatale (traitement de choix).

SOINS ET TRAITEMENTS INFIRMIERS

Anomalies congénitales

Nouveau-né

Les soins au nouveau-né atteint d'une anomalie congénitale requièrent une approche de soins en collaboration regroupant des spécialistes et des représentants des services communautaires. Il est parfois nécessaire de procéder à une intervention chirurgicale durant la période néonatale chez un nouveau-né qui a besoin d'une correction immédiate ou d'une intervention palliative pour soulager les symptômes de l'anomalie, en attendant de pouvoir procéder à une réparation plus définitive. Les taux de morbidité et de mortalité sont également plus élevés chez les nouveau-nés que chez les enfants plus âgés ou que chez les adultes soumis à des interventions similaires. Toutefois, malgré ces problèmes particuliers aux nouveau-nés, les progrès enregistrés au chapitre des techniques chirurgicales, de la gestion liquidienne et électrolytique, de l'anesthésie, de la gestion de la douleur et des soins infirmiers dans les USIN ont permis de réduire le risque de chirurgie chez les nouveau-nés.

L'équipe de soins détiendra des compétences spécialisées pour répondre aux besoins de ces nouveau-nés, qui sont similaires à ceux d'autres nouveau-nés à risque élevé. En plus de la stabilisation de l'état du nouveau-né (oxygénation et perfusion des tissus), d'autres interventions préopératoires, comme l'installation d'une sonde nasogastrique pour la décompression abdominale, la gestion de la douleur et le maintien de l'équilibre liquidien et électrolytique, sont effectuées pour la prise en charge de certains problèmes précis.

En période postopératoire, le nouveau-né retourne habituellement à l'USIN où il est soumis

L'organisme Solidarité de parents de personnes handicapées offre notamment des services aux proches de nouveau-nés et d'enfants handicapés : www.spph.net.

Le Regroupement québécois des maladies orphelines offre de l'information et du soutien aux parents d'enfants atteints : www.rqmo.org.

à une surveillance continue et étroite. Son travail respiratoire est souvent soutenu au moyen d'une ventilation assistée. Une observation constante s'impose pour détecter toute complication respiratoire consécutive à l'anesthésie. L'infirmière mesure l'oxymétrie pulsée pour évaluer la SpO_2 et l'oxygénothérapie, au besoin. Une sonde gastrique est parfois placée à demeure pour retirer les sécrétions gastriques et prévenir ainsi l'aspiration et la distension abdominale. L'infirmière surveille l'équilibre hydrique, électrolytique et acidobasique du nouveau-né, et elle procède aux ajustements nécessaires, en plus de suivre le débit urinaire, qui devrait correspondre à 1 ou 2 ml/1 000 g/h. Les autres interventions infirmières englobent le soin des plaies chirurgicales, le maintien de la thermorégulation, la gestion de la douleur et les mesures de confort.

Parents et famille

Les infirmières côtoient et traitent souvent des enfants atteints d'un trouble génétique et des familles touchées par une maladie héréditaire transmissible à l'enfant. Parmi leurs responsabilités, elles doivent rester à l'affût de situations qui pourraient nécessiter un counseling génétique, informer les personnes concernées des ressources locales dans ce domaine, aider les familles à trouver ces services et offrir du soutien et des soins aux enfants et aux familles touchés par une maladie génétique.

RAPPELEZ-VOUS...

Le stress causé par un problème de santé peut s'avérer néfaste pour une famille qui éprouve de la difficulté à mobiliser les ressources nécessaires pour y faire face.

Pendant que le nouveau-né reçoit des soins optimaux, les parents ont aussi des besoins qu'il faut combler, car la naissance d'un nouveau-né souffrant d'une anomalie constitue une situation de crise. Il faut évaluer leurs réactions qui, pour la plupart, seront typiquement celles d'un deuil. Une intervention infirmière cruciale consistera à s'assurer qu'ils comprennent l'information qui leur est transmise au sujet de l'état du nouveau-né. Le diagnostic d'une maladie requiert souvent la mise en place d'un schéma thérapeutique. Par exemple, la maladie peut être liée à une erreur innée du métabolisme, comme la phénylcétonurie, qui requiert l'observance stricte d'un régime alimentaire. La famille peut avoir besoin d'aide pour se procurer la préparation prescrite et pour consulter une nutritionniste. L'infirmière soulignera à la famille l'importance de respecter le régime prescrit, de conserver des stocks suffisants de cette préparation spéciale et d'éviter d'utiliser des produits de substitution non autorisés. Ces maladies imposent souvent un changement draconien au style de vie et au fonctionnement des familles, qui dépendront alors dans bien des cas d'une aide extérieure ; leur capacité d'adaptation et leurs ressources seront lourdement mises à l'épreuve en présence d'un diagnostic de phénylcétonurie, de galactosémie, d'hypothyroïdie ou de syndrome de Down ▶ 5.

5

La phénylcétonurie, la galactosémie, l'hypothyroïdie et le syndrome de Down sont abordés dans le chapitre 5, *Génétique, conception et développement fœtal*.

La prise en charge du suivi comporte, entre autres éléments essentiels, une orientation vers les ressources appropriées. Les infirmières doivent informer les parents de toutes les sources d'aide possibles, qu'il s'agisse de documentation spécialisée, de groupes de parents ou d'organisations nationales. De nombreuses associations et fondations offrent des services et un counseling aux familles d'enfants handicapés. Il existe en outre de nombreux groupes d'entraide pour les parents. Dans ce contexte, ceux-ci peuvent partager leur expérience et se soutenir mutuellement pour faire face à leurs problèmes communs. Les infirmières doivent connaître les services offerts dans leur collectivité pour aider et renseigner les familles touchées.

L'infirmière a pour rôle majeur de fournir un soutien émotionnel à la famille pour tous les aspects des soins à prodiguer au nouveau-né venu au monde avec une anomalie ou une maladie. Devant la menace réelle ou perçue d'une anomalie congénitale, il peut y avoir autant de sentiments et de réactions qu'il y a de personnes : apathie, déni, colère, hostilité, crainte, gêne, deuil et piètre estime de soi.

Il est parfois utile de montrer aux parents des photos « avant-après » d'autres enfants nés avec la même anomalie. Alliée à des soins de soutien d'autres types, verbaux et non verbaux, cette mesure de réconfort visuel peut calmer leurs inquiétudes.

Les familles ont un important besoin d'être guidées et soutenues au moment de prendre des décisions quant aux soins à prodiguer à leur nouveau-né. Une fois qu'elles connaissent les faits et leurs conséquences possibles et qu'elles ont reçu toute l'aide dont elles ont besoin pour surmonter leurs problèmes, la décision quant aux mesures à prendre leur revient. Les professionnels de la santé doivent ensuite appuyer cette décision.

Soutien aux parents d'un nouveau-né à risque élevé

En tant qu'aidante et enseignante, l'infirmière prépare l'environnement de soins et adapte ceux-ci aux besoins des parents et du nouveau-né. Les infirmières aident les parents à apprendre à connaître leur nouveau-né et à interpréter ses signaux comportementaux au cours de son développement.

Lorsqu'un accouchement à risque élevé est prévu, la famille peut visiter au préalable l'USIN ou visionner une vidéo pour se préparer aux scènes qui l'attendent et aux activités de l'unité. Après la naissance, l'infirmière peut remettre aux parents une brochure ou une vidéo ou elle peut leur décrire ce qu'ils voient lorsqu'ils se présentent à l'unité pour visiter leur nouveau-né. Les parents doivent pouvoir voir et toucher leur nouveau-né le plus rapidement possible pour commencer à absorber la réalité de la naissance, l'aspect du nouveau-né et sa maladie **FIGURE 24.1**. Ils ont besoin d'encouragement pour amorcer les tâches psychologiques exigées par la prématurité. Une infirmière et un pédiatre accueilleront préférablement les parents au moment de leur première visite auprès du nouveau-né pour effectuer les interventions suivantes.

- Les aider à « voir » le nouveau-né plutôt que les appareils (il faut leur expliquer l'importance et le fonctionnement des appareils qui entourent le nouveau-né).
- Leur expliquer les caractéristiques normales d'un nouveau-né de l'âge gestationnel de leur enfant (de cette façon, les parents ne comparent pas leur nouveau-né avec un nouveau-né à terme et en bonne santé).
- Les encourager à exprimer leurs sentiments au sujet de la grossesse, du travail, de l'accouchement et de l'expérience de la prématurité.
- Évaluer leurs perceptions du nouveau-né et déterminer le moment approprié pour qu'ils prennent part activement aux soins.

L'infirmière encouragera les deux parents, mais surtout la mère, à visiter la pouponnière à leur convenance, et elle les aidera à prendre soin du nouveau-né. Si la famille ne peut pas être présente physiquement, le personnel utilisera les méthodes appropriées pour maintenir un contact fréquent entre la famille et le nouveau-né, par exemple, des appels téléphoniques quotidiens, des notes écrites au nom du nouveau-né, des vidéos ou des photographies de celui-ci.

Les groupes de soutien pour parents de nouveau-nés hospitalisés dans des USIN procurent souvent du réconfort et des encouragements aux parents qui vivent un certain isolement en raison de la prématurité du nouveau-né. Ces groupes aident les parents à exprimer leurs sentiments d'anxiété et à faire leur deuil. Dans bien des cas, un parent qui connaît bien les USIN prend contact avec un nouveau parent et le soutient. Ainsi, les anciens appuient les nouveaux, par exemple, en les accompagnant à l'occasion des visites à l'hôpital, en leur téléphonant ou en les visitant à domicile.

Des parents de nouveau-nés hospitalisés dans des USIN ont établi les quatre grands thèmes centraux suivants, et ils estiment que le personnel devrait les avoir à l'esprit lorsqu'ils s'occupent du nouveau-né et de sa famille : 1) prendre soin des parents ; 2) fournir des renseignements justes et cohérents ; 3) clarifier les politiques relatives au traitement du nouveau-né et aux interactions avec la famille ; 4) aider les parents de nouveau-nés à établir des liens avec d'autres parents de nouveau-nés hospitalisés à l'USIN et survivants (Woodwell, 2002). Ward (2001) a colligé un répertoire des 20 besoins des familles de nouveau-nés des USIN pour faciliter leur reconnaissance chez les parents concernés. Les besoins perçus qui ont été relevés dans le cadre de l'étude initiale comprenaient la transmission des renseignements sur l'état du nouveau-né et son plan de traitement, des réponses franches aux questions des parents, une écoute active de leurs craintes et de leurs préoccupations, une aide pour qu'ils comprennent les réactions du nouveau-né, ainsi que du réconfort.

Certains nouveau-nés à risque élevé reçoivent leur congé plus tôt que prévu. Les critères d'un congé précoce s'énoncent comme suit : le nouveau-né doit présenter une stabilité physiologique, recevoir une alimentation adéquate, prendre du poids tous les jours et présenter une température corporelle stable dans un berceau ouvert. De plus, il faut vérifier la présence d'hyperbilirubinémie, de problèmes de nature métabolique et hématologique chez le nouveau-né et la sécurité de son transport (vérification du siège d'auto) ; des tests audiologiques sont aussi prévus. Il est essentiel de vérifier le milieu de vie et les ressources accessibles au domicile de la famille, de même que de veiller au suivi médical approprié. Les parents ou d'autres personnes aidantes doivent démontrer les capacités physiques et psychologiques et les connaissances nécessaires pour prendre soin du nouveau-né. Idéalement, le milieu de vie permet de répondre à ses besoins. Les parents doivent montrer qu'ils savent comment prendre sa température, reconnaître les signes et symptômes à signaler et comprendre ses besoins alimentaires.

Éducation des parents

Réanimation cardiorespiratoire

Le **syndrome de mort subite du nourrisson (SMSN)** survient plus souvent chez les nouveau-nés prématurés que chez les nouveau-nés à terme (Kinney, 2009). Les nouveau-nés qui reçoivent leur congé d'une USIN sont exposés à un risque deux fois plus grand de mourir de façon inattendue au cours de leur première année de vie, comparativement aux autres enfants (Matthews, 2008). Le personnel compétent doit enseigner aux parents des nouveau-nés les plus à risque les principes de la réanimation cardiorespiratoire (RCR) ▶ 17. Les facteurs de risque incluent les épisodes d'apnée et de bradycardie confirmées par un enregistrement sur moniteur (SMART), l'immaturité neurologique et une tendance à la suffocation. Avant de ramener le nouveau-né à la maison, les parents doivent savoir comment pratiquer la RCR. Il faut encourager certains parents à suivre une formation en ce sens à l'hôpital, au bureau local de la Croix-Rouge, à la Fondation des maladies du cœur ou auprès d'autres ressources communautaires. Il faut en outre leur rappeler que le fait de connaître la technique

Syndrome de mort subite du nourrisson (SMSN) : Décès brutal et inattendu d'un nourrisson jusque-là bien portant. Il survient vers le troisième mois et souvent avant le cinquième mois.

17

La RCR telle qu'elle doit être enseignée aux parents de tout nouveau-né est décrite en détail dans le chapitre 17, *Évaluation et soins du nouveau-né et de la famille*.

de RCR n'est pas une raison pour ne pas veiller au bon positionnement du nouveau-né dans son berceau (c.-à-d. en décubitus dorsal) lorsqu'ils le couchent, à moins d'avis contraire de la part du médecin traitant. De plus, le lit doit être doté d'un matelas ferme et libre de couvertures, de peluches ou de jouets qui pourraient entraver et étouffer le nouveau-né. La SCP a émis des recommandations afin de créer un environnement de sommeil sécuritaire (SCP, 2004b).

24.9 | Planification du congé

La planification du congé du nouveau-né à risque élevé commence tôt au cours de son hospitalisation. Pendant la durée de celle-ci, l'infirmière recueille des renseignements sur le nouveau-né auprès de l'équipe soignante et de la famille. Ces renseignements servent à déterminer si le nouveau-né et sa famille sont prêts à quitter l'hôpital. Au moment du congé, l'enseignement à la famille d'un nouveau-né à risque élevé est complexe, il requiert du temps et de la planification, et ne peut se faire adéquatement le jour même du congé. L'infirmière doit fournir des renseignements sur les soins au nouveau-né, surtout en ce qui a trait à ses besoins particuliers lorsqu'il sera à la maison (p. ex., l'oxygénothérapie, l'alimentation par gastrostomie, les visites médicales de suivi). Il faut donner aux parents l'occasion de passer une nuit ou deux avec le nouveau-né à l'hôpital, dans une chambre prévue à cette fin à l'extérieur de l'USIN, avant le congé. Cette période d'essai ou de transition leur permet de se préparer à bien prendre soin du nouveau-né et de poser leurs questions au sujet des soins à donner à domicile. L'enseignement additionnel aux parents portera sur le bain et les soins de la peau, la capacité de répondre aux besoins nutritionnels du nouveau-né après son congé, la sécurité du domicile, y compris la position en décubitus dorsal pour le sommeil et la prévention des infections (p. ex., celle des voies respiratoires supérieures) et l'administration des médicaments.

Il faut faire livrer au domicile le matériel nécessaire et les fournitures médicales requises à long terme pour les soins du nouveau-né avant même le congé hospitalier. Les parents et l'équipe soignante doivent avoir eu l'occasion de se familiariser avec l'utilisation du matériel en question. Les parents de nouveau-nés qui obtiennent leur congé et qui ont des besoins particuliers (p. ex., le gavage ou l'alimentation par gastrostomie, l'administration d'oxygène par canule nasale, les soins de trachéotomie ou de colostomie) doivent recevoir plusieurs jours de formation dûment planifiée pour chacune des techniques nécessaires avant le congé. Les nouveau-nés prématurés présentent un taux élevé de consultations aux services des urgences et de réadmission vers des centres de soins aigus. La famille doit absolument pouvoir communiquer avec un professionnel de la santé si elle a des questions au sujet des soins ou du comportement du nouveau-né lorsqu'ils reviennent à la maison. Les parents se seront procuré un siège d'auto approprié pour le poids du nouveau-né avant de quitter l'hôpital avec celui-ci et savoir comment l'utiliser. Ils doivent recevoir de l'enseignement adéquat (soutien, bonne position) et être supervisés lorsqu'ils installent leur nouveau-né dans le siège d'auto pour la première fois (SCP, 2011). La sécurité du siège d'auto représente un aspect essentiel de la planification du congé, et les nouveau-nés de moins de 37 semaines de gestation doivent demeurer en observation dans un siège d'auto approprié pour qu'on vérifie les risques d'apnée, de bradycardie ou de diminution de la SaO_2.

Au moment du congé, l'enseignement à la famille d'un nouveau-né à risque élevé est complexe, il requiert du temps et de la planification, et ne peut se faire adéquatement le jour même du congé.

Avant le congé, tous les nouveau-nés à risque élevé ou prématurés doivent recevoir les vaccins appropriés et subir un dépistage des désordres métaboliques, une collecte de données hématologiques (risque d'hyperbilirubinémie selon le cas) et un examen audiologique. La réussite du transfert à la maison des nouveau-nés à risque élevé requiert une approche interdisciplinaire. Médecins, infirmières, travailleurs sociaux et autres professionnels de la santé (physiothérapeutes, ergothérapeutes, spécialistes du suivi développemental) jouent un rôle crucial dans le transfert en douceur de ces nouveau-nés et de leurs familles vers la vie en collectivité et à la maison. S'il faut ramener le nouveau-né à un autre hôpital que celui qui a originalement traité la mère avant l'accouchement ou le nouveau-né après l'accouchement, les établissements devront communiquer entre eux pour assurer la continuité des soins.

24.10 | Transport vers un centre régional de soins

Si un hôpital ne possède pas l'équipement nécessaire pour soigner une mère et son fœtus à risque élevé ou un nouveau-né à risque élevé, il faut organiser le transport vers un centre périnatal spécialisé ou un établissement de soins tertiaires régional. Le transport de la mère s'effectuera idéalement alors que le fœtus est toujours dans l'utérus, ce qui comporte deux avantages distincts : 1) la morbidité et la mortalité néonatales s'en trouvent réduites ; 2) la mère et le nouveau-né ne sont pas séparés à la naissance. Toutefois, les médecins et les infirmières de tous les établissements doivent posséder les compétences et disposer du matériel nécessaires pour poser un diagnostic exact et effectuer les interventions d'urgence qui s'imposent pour stabiliser l'état du nouveau-né jusqu'au moment du transfert (Pettett, Pallotto & Merenstein, 2006).

Dès qu'on reconnaît être en présence d'un nouveau-né à risque élevé, il importe de prendre les dispositions pour son transfert vers un établissement qui dispose d'une unité de soins intensifs. Il faut garder le nouveau-né au chaud et bien l'oxygéner (ce qui inclut l'intubation et le traitement par surfactant, selon le cas), mesurer les signes vitaux, vérifier la SaO_2 et administrer une perfusion I.V., au besoin. Le nouveau-né est transporté dans un incubateur de conception spéciale doté d'un système complet de maintien des fonctions vitales et d'autres dispositifs d'urgence, transportable par ambulance, en hélicoptère ou en avion. Le transport néonatal est d'autant plus nécessaire au Québec en raison de l'éloignement géographique de certaines régions des grands centres périnataux spécialisés.

L'équipe de transport se compose de médecins, d'infirmières praticiennes spécialisées (IPS) en néonatalogie, d'infirmières et d'inhalothérapeutes. L'équipe doit maîtriser les techniques de réanimation, de stabilisation et d'administration des soins critiques durant le transport. Elle renseigne les parents au sujet du centre de soins tertiaires **ENCADRÉ 24.8**.

Il faut parfois ramener le nouveau-né vers l'établissement demandeur ; toutefois, dans la plupart des cas, le nouveau-né reçoit son congé du centre de soins tertiaires pour retourner à la maison. Le nouveau-né prématuré qui requiert des interventions de thermorégulation ou une alimentation par gavage pourra recevoir ses soins dans un hôpital local, situé plus près du domicile des parents, ce qui leur permet de le visiter plus facilement et de travailler avec le médecin traitant pour obtenir les résultats escomptés à long terme. Des incubateurs spécialisés permettent d'effectuer de tels transports. Toutefois, les parents peuvent être ambivalents à propos de ces transferts et manifester une réticence à s'adapter à un autre établissement et à une autre équipe soignante. Pour aplanir cette difficulté, il est important de donner aux parents des renseignements très clairs au sujet du déroulement du transfert au moment de la planification initiale du congé.

24.11 | Deuil d'un nouveau-né

La grossesse et l'accouchement sont généralement considérés comme des événements heureux, mais il arrive que l'issue soit négative ; les parents vivent alors une perte ou un deuil. Par exemple, un travail et un accouchement prématurés ou une naissance par césarienne peuvent décevoir les attentes qu'entretenaient les parents quant à la grossesse et à l'accouchement. Certains parents sont déçus du sexe ou de l'aspect physique de leur nouveau-né. D'autres doivent faire le deuil d'un nouveau-né en bonne santé s'il est porteur d'une anomalie congénitale, d'un trouble génétique ou d'une maladie chronique. Il arrive aussi que l'infertilité bouleverse les plans d'un couple ; c'est une épreuve extrêmement douloureuse pour quiconque souhaite devenir parent ▶ 21.

21

Le deuil vécu par les parents à la suite d'une interruption de grossesse spontanée est abordé au chapitre 21, *Grossesse à risque : états gestationnels*.

La mort d'un jumeau dans les cas de grossesse multiple, au cours de la gestation, durant le travail ou l'accouchement ou après, exige des parents qu'ils assument leur rôle parental alors qu'ils traversent un deuil. Ils se sentiront déchirés sur le plan émotionnel. Ils pourraient éprouver de la difficulté à exercer leur rôle auprès du nouveau-né survivant et à profiter des plaisirs et de l'émerveillement qu'éprouvent tous les nouveaux parents, parce que l'enfant survivant leur rappelle celui qu'ils ont perdu. Paradoxalement, ils éprouveront aussi de la difficulté à vivre pleinement ce deuil, parce que le nouveau-né survivant a besoin d'eux.

Il arrive que des proches ou amis, pourtant bien intentionnés, tentent de réconforter les parents endeuillés en insistant sur la chance qu'un des nouveau-nés ait survécu. Cela peut donner l'impression aux parents qu'ils ne devraient pas ressentir de la douleur ou que leurs proches sont insensibles à leur malheur. Ils doivent se sentir autorisés à leur répondre : Ce n'est pas ce que je ressens. Le fait d'établir simplement leurs limites émotionnelles les aidera à accepter la perte du nouveau-né décédé et à exprimer leurs sentiments s'ils choisissent de le faire.

ENCADRÉ 24.8 Renseignements à fournir aux parents au sujet des centres de soins tertiaires

- Localisation exacte de l'unité de soins spéciaux : adresse, plan, salle d'attente pour les parents et amis
- Heures des visites et règlements de l'hôpital
- Numéros de téléphone
- Noms des personnes susceptibles de s'occuper du nouveau-né (p. ex., l'infirmière, le néonatalogiste, le gestionnaire de cas clinique)
- Précisions sur l'unité de soins spéciaux : type d'unité, ce qu'on y fait
- Localisation des stationnements, hébergement à proximité et règlements sur les jeunes visiteurs (frères et sœurs)
- Règlements ou consignes particulières de l'unité de soins spéciaux

Source : Adapté de Pettett *et al.* (2006).

Les infirmières exercent une influence importante sur la façon dont les parents vivent le deuil périnatal et s'y adaptent. Les infirmières rencontrent ces parents dans divers contextes : unités prénatales, salles de travail et d'accouchement, unités néonatales, postnatales et gynécologiques des hôpitaux et des cliniques de consultation d'obstétrique, de gynécologie et d'infertilité, ou en clinique de médecine générale. Dans les unités hospitalières, les infirmières auront souvent à affronter ce type de situations où il faut soutenir des parents endeuillés. Dans de tels contextes, les infirmières ont la possibilité d'individualiser leurs interventions pour mieux aider les parents. Des parents ont confirmé le rôle important de leurs infirmières en tant qu'intervenantes capables de les aider à composer avec leur douleur **FIGURE 24.12**.

On s'entend généralement pour dire que le deuil est un processus lent, qui s'échelonne parfois sur des mois, voire des années.

24.11.1 Réactions de deuil

La souffrance suscitée par un deuil prend toujours de multiples facettes pour toute personne qui perd un proche, un parent ou un ami cher (Lindemann, 1944). Le deuil parental comporte trois phases qui se chevauchent (Miles, 1984) **ENCADRÉ 24.9**. Il y a d'abord le choc, suivi d'une période de détresse aiguë, puis d'une période d'intense douleur qui se manifeste par des réactions émotionnelles, cognitives, comportementales et physiques. Après quoi arrive la phase de réorganisation, lorsque les parents retrouvent un degré plus normal de fonctionnement en société, même si la douleur persiste. La durée de ce chagrin varie selon chaque personne, mais on s'entend généralement pour dire que le deuil est un processus lent, qui s'échelonne parfois sur des mois, voire des années. Si les liens avec la personne disparue étaient très étroits, par exemple avec un enfant, certains aspects de la douleur ne quitteront plus jamais la personne endeuillée.

ENCADRÉ 24.9 Modèle conceptuel du deuil parental

PHASE DE DÉTRESSE AIGUË
- Choc
- Stupeur
- Pleurs intenses
- Dépression

PHASE DE PROFONDE TRISTESSE
- Sentiment de solitude, de vide et de manque
- Culpabilité
- Colère, ressentiment, amertume, irritabilité
- Crainte et anxiété (surtout crainte d'une autre grossesse)
- Désorganisation
- Troubles des processus cognitifs
- Affliction et dépression
- Symptômes physiques

RÉORGANISATION
- Quête de sens
- Atténuation de la détresse
- Reprise des activités normales avec plus d'enthousiasme
- Plans d'avenir, y compris une éventuelle nouvelle grossesse

Sources : Adapté de Miles (1980, 1984).

24.11.2 Deuil et famille

Grands-parents et fratrie

L'infirmière qui prend soin de ces clients doit expressément garder à l'esprit qu'elle a une famille entière sous ses soins, ce qui inclut notamment les grands-parents et les frères et sœurs du nouveau-né. La douleur des grands-parents se complique souvent du fait qu'ils ont énormément de chagrin à voir et à sentir l'immense souffrance de leur enfant et de leur impuissance relative à le réconforter et à soulager sa peine. À l'occasion, certains grands-parents éprouvent un fort sentiment de « culpabilité du survivant » : ils trouvent injuste que la mort ait frappé un innocent enfant plutôt que de les avoir emportés.

Les frères et sœurs qui attendaient la venue du nouveau-né éprouvent aussi un profond sentiment de perte. La plupart se seront préparés à l'arrivée de ce petit frère ou de cette petite sœur dans la famille, une fois la grossesse confirmée. Il s'agit d'enfants de tout âge et de tous les stades du développement. Ces éléments entrent en ligne de compte dans la façon de comprendre comment ils perçoivent l'événement et vivent leur deuil. Un jeune enfant aura tendance à réagir au désarroi de ses parents ; il se rendra compte que leur comportement a changé et qu'ils éprouvent une extrême tristesse. Entre autres réactions, il cherchera plus de contact physique, il ne s'alimentera pas de la même façon, son sommeil et son comportement seront perturbés, alors que les parents auront moins de disponibilité pour répondre à ses besoins. Les frères et sœurs plus âgés comprennent mieux la situation. Les enfants d'âge scolaire éprouveront de la peur devant l'événement, tandis que les adolescents le comprendront peut-être bien, mais ils seront mal à l'aise et ne sauront pas comment réagir. Les infirmières doivent aider les parents à reconnaître la douleur des frères et sœurs en les incluant dans la cérémonie funèbre familiale et en veillant à ce que le nouveau-né reste vivant dans la mémoire de la famille.

Les infirmières secondent les parents pour trouver les ressources susceptibles de les aider à traverser cette épreuve. En plus des membres de leur famille, les parents souhaiteront peut-être la présence de leur ministre du culte ou de l'aumônier de l'hôpital, ou celle d'un psychologue.

Pensées et sentiments actuels entourant votre deuil

		Entièrement d'accord	D'accord	Ni d'accord ni en désaccord	En désaccord	Entièrement en désaccord
1.	Je me sens déprimé.	1	2	3	4	5
2.	J'ai de la difficulté à m'entendre avec certaines personnes.	1	2	3	4	5
3.	Je ressens un vide intérieur.	1	2	3	4	5
4.	Je n'arrive pas à m'acquitter de mes tâches normales.	1	2	3	4	5
5.	Je sens le besoin de parler du bébé.	1	2	3	4	5
6.	Le bébé me manque.	1	2	3	4	5
7.	J'ai peur.	1	2	3	4	5
8.	J'ai envisagé le suicide depuis le décès.	1	2	3	4	5
9.	Je prends des médicaments pour mes nerfs.	1	2	3	4	5
10.	Je m'ennuie beaucoup du bébé.	1	2	3	4	5
11.	Je sens que je suis bien adapté à la perte.	1	2	3	4	5
12.	Les souvenirs du bébé sont douloureux.	1	2	3	4	5
13.	Je me sens bouleversé quand je pense au bébé.	1	2	3	4	5
14.	Je pleure quand je pense au bébé.	1	2	3	4	5
15.	Je me sens coupable quand je pense au bébé.	1	2	3	4	5
16.	Je me sens physiquement malade quand je pense au bébé.	1	2	3	4	5
17.	Je me sens sans défense dans un monde dangereux depuis le décès.	1	2	3	4	5
18.	J'essaie de rire, mais plus rien ne m'amuse.	1	2	3	4	5
19.	Le temps passe plus lentement depuis le décès.	1	2	3	4	5
20.	La meilleure partie de moi est morte avec le bébé.	1	2	3	4	5
21.	J'ai négligé les gens depuis le décès.	1	2	3	4	5
22.	Je me sens inutile depuis le décès.	1	2	3	4	5
23.	Je me sens responsable de la mort du bébé.	1	2	3	4	5
24.	Je m'impatiente avec mes amis et mes proches plus que je devrais le faire.	1	2	3	4	5
25.	J'ai l'impression que j'aurais besoin de suivre une thérapie pour m'aider à retrouver ma vie d'antan.	1	2	3	4	5
26.	J'ai l'impression d'exister plutôt que de vivre depuis le décès.	1	2	3	4	5
27.	Je me sens si seul depuis le décès.	1	2	3	4	5
28.	Je me sens isolé et éloigné même parmi mes amis.	1	2	3	4	5
29.	C'est moins dangereux de ne pas aimer.	1	2	3	4	5
30.	J'ai de la difficulté à prendre des décisions depuis le décès.	1	2	3	4	5
31.	Je m'inquiète pour mon avenir.	1	2	3	4	5
32.	Être un parent endeuillé, c'est « être un citoyen de seconde zone ».	1	2	3	4	5
33.	C'est formidable d'être en vie.	1	2	3	4	5

Chacun des éléments suivants est un énoncé concernant les pensées et les sentiments qu'éprouvent les gens qui vivent un deuil comme le vôtre. Il n'y a pas de bonne ou de mauvaise réponse à ces énoncés. Pour chacun d'entre eux, encerclez le chiffre qui indique le mieux si vous êtes en accord ou en désaccord avec l'énoncé à l'heure actuelle. En cas de doute, vous pouvez utiliser la catégorie « Ni – ni ». Veuillez essayer de n'utiliser cette catégorie que lorsque vous n'avez réellement aucune opinion.

Instructions pour l'évaluation

Pour en arriver au score de deuil périnatal total, il faut d'abord renverser tous les éléments (1 devient 5, 2 devient 4, etc.), sauf les éléments 11 et 33. En renversant les éléments, les scores plus élevés sont le reflet d'une peine plus intense. On additionne ensuite les scores. Le résultat donne une échelle totale comportant 33 éléments et un éventail de valeurs possibles allant de 33 à 165.

Les trois sous-échelles se composent de la somme des scores de 11 éléments chacune, comportant un éventail de valeurs possibles allant de 11 à 55.

Sous-échelle 1	Sous-échelle 2	Sous-échelle 3
Deuil actif	Difficulté d'adaptation	Désespoir
1	2	9
3	4	15
5	8	16
6	11[a]	17
7	21	18
10	24	20
12	25	22
13	26	23
14	28	29
19	30	31
27	33[a]	32

[a] Ne pas inverser

FIGURE 24.12
Échelle du deuil périnatal (version courte en 33 éléments)

SOINS ET TRAITEMENTS INFIRMIERS

 Deuil périnatal

Les soins infirmiers pour les mères et les pères vivant un deuil périnatal commencent dès qu'on évoque pour la première fois la possibilité que la grossesse connaisse une issue négative ou que le nouveau-né décède. Il est important de mettre de l'avant les interventions de soutien au moment du deuil et après le retour des parents à la maison **ENCADRÉ 24.10**.

Interventions infirmières

Faciliter l'actualisation de la perte

Lorsqu'une perte ou un décès surviennent, l'infirmière doit s'assurer que le médecin ou un autre membre de l'équipe soignante ont clairement expliqué la situation aux parents. Il est important que leur infirmière les accompagne durant cette étape.

Mise en œuvre d'une démarche de soins

ENCADRÉ 24.10 Deuil et perte

COLLECTE DES DONNÉES – ÉVALUATION INITIALE

La collecte des données portera sur les aspects suivants.

- Explorer la nature de l'attachement parental à la grossesse ou au nouveau-né, le sens donné à la grossesse et au nouveau-né par les parents et les deuils qui s'y rattachent. Le sens donné au deuil dépend des systèmes familiaux et ethnoculturels des parents.
- Relever les circonstances entourant le deuil, y compris le degré de préparation et de compréhension des parents quant à la cause de la perte ou du décès et tout autre vœu non exaucé.
- Recueillir les réactions immédiates de la mère et du père quant au deuil, qu'elles soient convergentes ou divergentes, et noter la concordance de leur réponse avec leurs expériences passées, leur personnalité et leur bagage comportemental et culturel.
- Déterminer le degré et le type de soutien souhaité par le couple ; certains préfèrent traverser la tragédie seuls pendant un temps. D'autres veulent de l'aide et souhaitent s'entourer de leur famille, de leurs aînés et de leur conseiller spirituel afin qu'ils les soutiennent dans leurs décisions.

ANALYSE ET INTERPRÉTATION DES DONNÉES

Les problèmes découlant de la situation de santé peuvent être de nature physiologique et psychosociale chez la mère ou le père individuellement, ou affecter le couple ou la famille par suite de la perte et du deuil qui en découle. Les problèmes potentiels peuvent inclure :

- Mésadaptation de la famille liée :
  - à l'incapacité de prendre des décisions englobant la famille ;
  - aux difficultés de communication au sein de la cellule familiale ;
  - aux modes d'adaptation conflictuels entre la mère et le père.
- Sentiment d'impuissance lié à :
  - la grossesse et à l'accouchement à risque élevé ;
  - une césarienne imprévue ;
  - l'impuissance devant la mort du nouveau-né.
- Interruption de la dynamique familiale liée :
  - à la dépression chez la mère entraînant des changements de rôles ;
  - à la difficulté des parents endeuillés à communiquer adéquatement leurs sentiments ;
  - au manque de soutien de la part des proches ;
  - aux réactions comportementales et émotionnelles des frères et sœurs ;
  - à la douleur perturbant la dynamique familiale, incluant les grands-parents et les autres proches.
- Fatigue et troubles du sommeil liés à :
  - l'incapacité de s'endormir en raison du chagrin ;
  - l'éveil nocturne et à la rumination sur la perte ;
  - à la perte de sommeil.
- Deuil dysfonctionnel lié :
  - au déni prolongé ou à la fuite par rapport à la perte ;
  - à la culpabilité intense devant la perte ;
  - à la colère persistante à l'égard de la perte ;
  - aux symptômes graves de dépression ou de désespoir ;
  - à la perte d'estime de soi ;
  - au deuil intense qui persiste plus de une année ;
  - à l'isolement social lié au chagrin.
- Détresse spirituelle liée à :
  - la colère contre Dieu ;
  - la confusion quant aux prières qui n'ont pas été exaucées.

RÉSULTATS ESCOMPTÉS

L'infirmière établit les résultats escomptés des soins et assigne les priorités du point de vue des clients, en fonction d'objectifs mutuellement convenus par elle et les clients, ce qui peut vouloir dire que la femme ou la famille franchiront les étapes suivantes :

- Actualiser la perte.
- Sentir le soutien du personnel infirmier tout au long du séjour hospitalier et des visites à la clinique.
- Comprendre les réactions de deuil normales chez les parents et la famille au moment du décès et par la suite.
- Recenser les ressources capables de fournir une aide familiale, spirituelle, médicale et communautaire.

INTERVENTIONS INFIRMIÈRES

Les interventions infirmières requises pour l'atteinte des résultats escomptés comprennent, notamment :

- Individualiser les soins pour chaque parent et famille. Les interventions et le soutien aux parents prodigués par le personnel infirmier et médical après la mort périnatale ou le décès d'un nouveau-né revêtent une importance extrême dans le processus de guérison. Prendre en compte les croyances et les pratiques ethnoculturelles et spirituelles des parents et des familles. Les interventions mentionnées donnent une idée de ce qui peut aider les parents.
- Veiller à noter les principales observations, les réactions de deuil, l'enseignement effectué et l'assistance prodiguée en matière de santé et de soins et toute demande de consultation pour la mère et les autres membres de la famille, afin d'assurer la continuité et la constance des soins.

ÉVALUATION DES RÉSULTATS – ÉVALUATION EN COURS D'ÉVOLUTION

Le choc et l'hébétement qui accompagnent le deuil et les diverses autres réactions des parents et de leurs proches durant l'hospitalisation compliquent l'évaluation des résultats des soins infirmiers. L'atteinte des résultats escomptés est assurée lorsque la famille peut témoigner d'une intégration positive de la perte périnatale.

À la mort d'un nouveau-né, il faut encourager l'équipe soignante à utiliser les mots « mort » et « décédé » plutôt que « perdu » ou « parti » afin d'aider les proches endeuillés à accepter la réalité. Les parents ont besoin de pouvoir faire le récit des événements, de leurs expériences et de leurs sentiments entourant cette perte. Cela peut faciliter leur acceptation de la réalité du décès. Il est important de les écouter exprimer leur douleur et de leur laisser le temps d'absorber l'information qui leur est transmise.

L'infirmière peut entre autres aider les parents à actualiser la perte en leur révélant le sexe du nouveau-né et en leur donnant la possibilité de nommer le fœtus ou le nouveau-né décédé. Le choix d'un nom fait en sorte qu'il devient un membre à part entière de la famille.

Des mères et des pères auront plus de facilité à intégrer la réalité du décès et à accepter la séparation s'ils peuvent voir le fœtus ou le nouveau-né. De nombreux professionnels sont d'avis qu'ainsi, les parents intégreront plus facilement la perte, éviteront la tentation d'entretenir de douloureuses illusions et pourront faire leur deuil. Toutefois, il ne convient pas d'encourager les parents réticents à tenir ou à voir leur enfant décédé sous prétexte que s'ils ne le font pas, ils auraient plus de mal à faire leur deuil. L'infirmière optera pour une question telle que: Certains parents ont trouvé utile de voir leur nouveau-né. Aimeriez-vous prendre le temps d'y penser? Étant donné que le besoin ou la volonté de voir l'enfant varie aussi entre la mère et le père, il sera extrêmement important de déterminer ce que chacun des deux parents souhaite réellement. Il ne s'agit pas d'une décision commune, ni imposée par une personne, ou d'une décision prise par les grands-parents ou d'autres personnes à la place des parents.

Pour se préparer à voir le nouveau-né, les parents seront reconnaissants qu'on leur explique ce à quoi ils peuvent s'attendre. L'infirmière veillera à décrire l'apparence du nouveau-né. Par exemple, certains nouveau-nés ont la peau rouge, qui desquame, un peu comme sous l'effet d'un coup de soleil. Ils peuvent présenter des taches foncées qui ressemblent à des ecchymoses. La forme de leur tête peut la faire paraître molle et enflée ou ils peuvent présenter des anomalies congénitales. L'infirmière fera en sorte que le nouveau-né paraisse le plus normal possible et se rappellera que les parents voient leur nouveau-né différemment des professionnels de la santé. Un bain aura été donné au nouveau-né, on lui appliquera de la lotion, ses cheveux seront coiffés, ses bracelets d'identification seront placés au bras et à la jambe, il sera habillé d'une couche ou d'un vêtement spécial, un peu de poudre de talc sera ajoutée sur sa couverture, et il sera emmailloté pour montrer aux parents qu'il a été traité avec grand soin **FIGURE 24.13**. Si le nouveau-né arrive

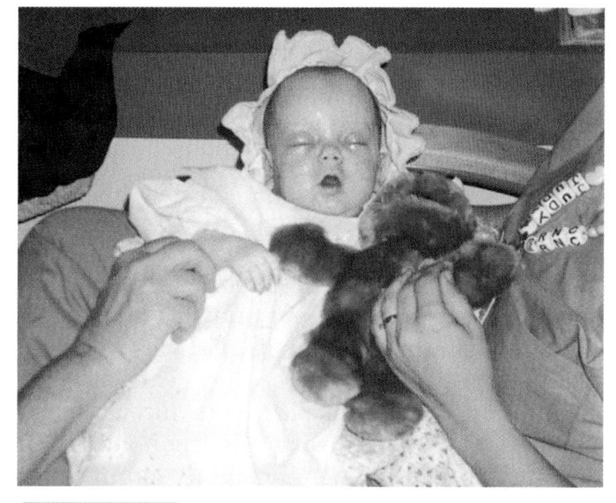

FIGURE 24.13
Laura

de la morgue, il peut être placé sous une lampe chauffante pendant 20 à 30 minutes puis emmailloté dans une couverture chaude avant de l'amener aux parents. L'application de cold-cream sur les articulations raidies peut faciliter le positionnement du nouveau-né. L'utilisation de poudre et de lotion stimule les sens des parents et leur fournit des souvenirs agréables du nouveau-né.

Lorsque le nouveau-né est apporté aux parents, il faut le traiter comme s'il était vivant. L'infirmière le tiendra serré en touchant sa main ou sa joue, en utilisant son nom et en parlant aux parents de ses traits particuliers pour leur montrer qu'ils peuvent faire de même. En présence d'une anomalie congénitale, l'infirmière peut atténuer le choc en faisant ressortir tous les aspects normaux du nouveau-né. Elle peut aider les parents à explorer le corps de celui-ci. Comme ils le souhaitent souvent, les parents chercheront à reconnaître une ressemblance familiale. Il serait approprié de poser une question telle que: À qui Laura ressemble-t-elle dans votre famille?

Certaines familles aimeront avoir la possibilité de donner son bain au nouveau-né et de l'habiller. Bien que la peau semble fragile, les parents peuvent appliquer de la lotion au moyen de boules d'ouate, saupoudrer de la poudre de talc, attacher des rubans, mettre la couche et placer des amulettes, des médailles, des rosaires ou des jouets particuliers, ou encore des souvenirs, dans les mains du nouveau-né ou à côté de lui. Partout dans les collectivités au Canada, des bénévoles fabriquent des vêtements d'enterrement spéciaux qu'ils remettent aux parents quand surviennent de telles situations difficiles.

Il faut laisser les parents seuls avec leur nouveau-né s'ils le souhaitent. L'infirmière leur dira à quel moment elle reviendra et de quelle façon la demander s'ils ont besoin de quoi que ce soit. Dans la mesure du possible, il faut laisser la famille dans

RAPPELEZ-VOUS...

La relation de confiance établie entre l'infirmière et les clients lui permet de réaliser une évaluation approfondie et complète, et elle aide les parents à comprendre l'expérience subjective et objective de la perte et du deuil.

Il est important de faire preuve de délicatesse en ce qui concerne le nom du nouveau-né. Il s'agit d'un choix individuel qui ne doit jamais être imposé aux parents. Les croyances et les besoins de chacun varient grandement, en plus de subir l'influence de facteurs ethnoculturels et religieux. Les tabous culturels et les règles de certaines religions interdisent de donner un nom à un nouveau-né décédé.

une chambre privée dotée d'un fauteuil berçant pour les parents qui souhaitent s'asseoir en tenant leur nouveau-né dans leurs bras. Cela permet à la mère et au père de passer un moment privilégié avec leur enfant et les autres membres de la famille **FIGURE 24.14**. L'infirmière accrochera un écriteau à cet effet à la porte de la chambre pour rappeler au personnel que cette famille vit un deuil.

Il est difficile de prédire la durée et le nombre de visites des parents à leur nouveau-né décédé. Certains n'ont besoin que de quelques minutes, d'autres ont besoin d'heures. Il est extrêmement déchirant pour certains parents de dire adieu au nouveau-né. Ils feront savoir de façon verbale et non verbale à l'infirmière lorsqu'ils seront prêts. L'infirmière doit rester à l'affût des indices qui témoignent que les parents ont eu suffisamment de temps avec leur nouveau-né, par exemple, lorsqu'ils ne le tiennent plus collé contre eux et qu'ils l'ont replacé dans le berceau. L'infirmière veillera à aider de façon personnelle les parents à accepter la perte et à s'adapter à la réalité de la mort pour faciliter leur deuil. La même possibilité sera offerte aux grands-parents de tenir, de bercer, d'emmailloter et d'aimer leur petit-enfant pour que leur deuil débute de façon saine.

Aider les parents à prendre des décisions

Alors qu'ils éprouvent une grande détresse associée à une perte périnatale, et particulièrement s'il s'agit de celle d'un nouveau-né, les parents ont de nombreuses décisions à prendre. La mère, le père et les membres de la famille élargie se fient au personnel médical et infirmier pour obtenir un accompagnement lorsque vient le temps de faire des choix et de comprendre les options offertes **ENCADRÉ 24.11** et **TABLEAU 24.11**. L'aumônier de l'hôpital, le ministre du culte ou un travailleur social sauront donner leur appui à la famille dans leur prise de décision.

Indépendamment de leur âge gestationnel, on disposera de tous les nouveau-nés identifiables par enterrement ou par crémation. Selon les politiques du cimetière, il est possible de procéder à l'enterrement des nouveau-nés placés dans des cercueils ou des cendres de nouveau-nés incinérés dans un secteur particulier réservé aux nouveau-nés, près d'un proche décédé, dans un lot distinct ou dans un mausolée. Les renseignements quant aux règles, aux codes et règlements au sujet des naissances vivantes, aux conditions d'enterrement, de transport de la dépouille par les parents et de la crémation peuvent être obtenus auprès d'un entrepreneur de pompes funèbres local ou du Directeur de l'état civil.

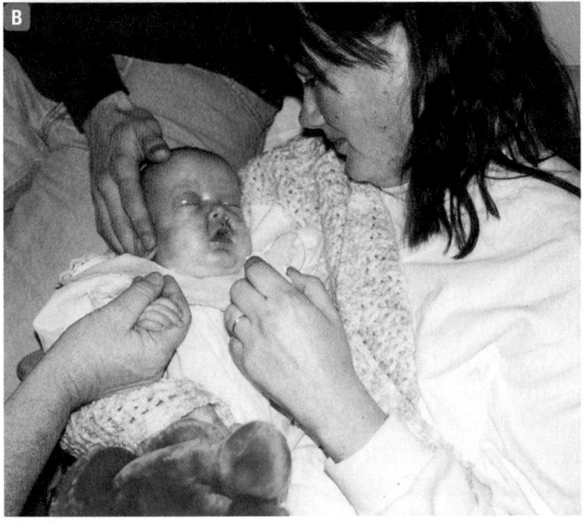

FIGURE 24.14
Les membres de sa famille disent un dernier adieu à Laura.

Quand ils décident des arrangements finaux concernant le nouveau-né, les parents voudront peut-être organiser des funérailles spéciales. Ils pourraient choisir un service funéraire à la chapelle de l'hôpital, une cérémonie dans un salon funéraire ou à leur propre domicile, des funérailles à l'église ou au cimetière. Les parents peuvent faire de ces funérailles un événement aussi spécial, personnel et mémorable qu'ils le souhaitent. Ils peuvent choisir de faire entendre de la musique, de la poésie ou de la prose écrite de leur main ou par d'autres auteurs.

Si la famille a décidé de procéder à des funérailles et à un enterrement, elle doit choisir le salon funéraire et l'endroit où le nouveau-né sera enterré.

Conseil juridique

ENCADRÉ 24.11 Lois relatives aux naissances vivantes

Au Canada, la naissance vivante est définie comme étant « l'expulsion ou extraction complète du corps de la mère, indépendamment de la durée de la gestation, d'un produit de conception qui, après cette séparation, respire ou manifeste tout autre signe de vie, tel que battement du cœur, pulsation du cordon ombilical ou contraction effective d'un muscle soumis à l'action de la volonté, que le cordon ombilical ait été coupé ou non, et que le placenta soit ou non demeuré attaché ». Les infirmières doivent être au courant des lois en vigueur dans leur province quant à ce qui constitue une naissance vivante et connaître les formulaires à remplir et à soumettre dans le cas d'une mort fœtale ou du décès d'un nouveau-né.

Source : Statistique Canada (2009).

TABLEAU 24.11	Décisions que doivent prendre les parents	
DÉCISION	**POUR**	**CONTRE**
Autopsie	• Elle peut fournir une réponse à la question « pourquoi ». • Elle aide au processus de deuil et peut prévenir d'autres pertes. • Une autopsie peut être demandée pour des raisons légales, indépendamment du désir des parents.	• Les autopsies sont coûteuses (sauf lorsqu'exigées par la loi). • Les parents peuvent estimer que le nouveau-né a subi suffisamment d'épreuves et préférer ne pas le soumettre à une autopsie qui permettrait d'élucider la cause du décès. • Certaines religions interdisent ou limitent la pratique de l'autopsie.
Don d'organe ou de tissus (le plus souvent, la cornée)	• Il facilite le deuil. • Il aide la famille à donner un sens positif à son épreuve.	• Les parents préfèrent que le nouveau-né reste intact.
Rites funéraires	• Ils procurent le soutien du clergé : – baptême selon le cas ; – autres rituels tels que bénédiction, onction, derniers sacrements, funérailles ou prières.	• La famille préfère ne pas recourir à un rituel religieux ou autre.
Disposition de la dépouille	• Dans la plupart des juridictions, si le fœtus est âgé d'au moins 20 semaines et 1 jour d'âge gestationnel ou s'il est né vivant, les dernières dispositions reviennent aux parents en ce qui concerne la dépouille de leur nouveau-né. • Ils ont le choix entre un enterrement ou une crémation. • Un fœtus de moins de 20 semaines de gestation est considéré comme un produit de la conception, tandis que les embryons, les trompes de Fallope excisées au cours d'une grossesse ectopique et les produits d'une grossesse obtenus après une dilatation et un curetage sont tous considérés comme des tissus. De nombreux hôpitaux prendront des dispositions pour une crémation gratuite de ces embryons ou tissus.	• Les parents doivent assumer le coût de l'enterrement ou de la crémation. • Ils doivent prendre la responsabilité des arrangements. • Si l'hôpital prévoit la crémation, la famille ne recevra pas les cendres.

De nombreux couples vivent parfois éloignés de leurs proches et pourraient souhaiter enterrer leur enfant dans leur ville natale ou au cimetière familial. Si la famille choisit la crémation, elle pourrait décider de reprendre les cendres. Il est important de déterminer si cette étape sera prise en main par l'établissement responsable de la crémation (p. ex., les hôpitaux qui incinèrent les produits de la conception disposent également des cendres).

Aider les personnes endeuillées à comprendre et à exprimer leurs sentiments

L'infirmière a pour tâche importante de valider l'expérience et les sentiments des parents en les encourageant à faire le récit de ce qu'ils vivent et en les écoutant avec compassion. L'infirmière doit à tout le moins reconnaître la perte au moyen d'un énoncé simple, mais sincère comme : Je suis désolée à propos du nouveau-né. La prochaine étape consiste à aider les parents à s'exprimer au sujet de leur perte et du sens qu'ils peuvent lui donner et à partager leur souffrance émotionnelle, en leur disant : Racontez-moi ce qui est arrivé. Étant donné que les infirmières ont tendance à se concentrer beaucoup sur les besoins physiques et émotionnels de la mère, il devient particulièrement important de s'informer directement de ce que ressent le père.

L'infirmière doit écouter patiemment le récit du deuil, mais ce n'est pas une tâche facile ; les sentiments et les émotions exprimés sont aussi déchirants pour les professionnels de la santé. Accorder son attention à une personne extrêmement triste, qui pleure ou qui sanglote, s'avère particulièrement exigeant. Le sentiment d'impuissance de la personne qui écoute la pousse peut-être à dire ou faire quelque chose pour tenter de consoler son interlocuteur endeuillé. Si ce réflexe paraît utile sur le coup, il a l'inconvénient de susciter une émotion encore plus vive. Il est arrivé que la réaction des professionnels de la santé, des proches ou des amis bien intentionnés nuise aux parents plutôt que de les aider. L'infirmière doit résister à la tentation de donner des conseils ou d'énoncer des clichés en présence de personnes endeuillées. Être présent et attentif est souvent la meilleure des interventions **ENCADRÉ 24.12**.

Les parents endeuillés ont de nombreuses questions autour de la perte qu'ils vivent, et ils en éprouvent de la culpabilité. Cela s'applique particulièrement aux mères. En voici quelques exemples : Qu'est-ce que j'ai fait ? Pourquoi est-ce arrivé ? Est-ce que j'aurais pu ou dû faire autrement ? Une partie du processus de deuil chez les parents est de comprendre ce qui est arrivé, leur rôle dans

ENCADRÉ 24.12 **Phrases à dire et à ne pas dire à des parents endeuillés**

À DIRE

- Je suis triste pour vous.
- Comment vous sentez-vous dans tout ça ?
- Cela doit être difficile pour vous.
- Que puis-je faire pour vous ?
- Je suis désolée.
- Je suis là, je peux vous écouter.

À NE PAS DIRE

- Dieu avait d'autres plans pour elle.
- Comptez-vous chanceux d'avoir un autre enfant.
- La vie continue.
- Je sais ce que vous ressentez.
- C'est la volonté de Dieu.
- Il faut continuer pour elle.
- Vous êtes jeunes, vous pouvez avoir d'autres enfants.
- Nous vous reverrons ici l'an prochain et vous serez plus heureux.
- Vous avez maintenant un ange au ciel.
- C'est mieux comme ça.
- C'est mieux que ce soit arrivé maintenant avant que vous ne connaissiez le nouveau-né.
- Le nouveau-né n'allait pas bien de toute façon.

Source : Reproduction autorisée par Bereavement Services.

la perte, la raison de cette épreuve et pourquoi est-ce arrivé à leur nouveau-né. L'infirmière doit comprendre que c'est aux personnes endeuillées elles-mêmes de répondre à ces questions. Cela fait partie de la guérison. Par exemple, une mère endeuillée peut demander : Croyez-vous que cela a pu être causé parce que j'ai peint la chambre du nouveau-né ? Une réponse appropriée serait : Je vois votre besoin de comprendre pourquoi votre nouveau-né est décédé, mais nous en ignorons la raison. À quoi d'autre avez-vous pensé ?

Normaliser le processus de deuil et faciliter l'adaptation

En restant à l'écoute de leur peine, l'infirmière aidera également les parents à comprendre leurs réactions de deuil et à ne pas se sentir seuls dans cette situation. La plupart des parents sont mal préparés à la violence des sentiments qu'ils éprouvent ou au fait que ces sentiments douloureux et complexes et d'autres réactions comportementales persistent pendant plusieurs semaines ou mois. L'infirmière les rassurera en leur disant que leurs réactions sont normales et les préparera au fait que cette souffrance pourrait durer longtemps.

L'infirmière peut aider les parents à se préparer aux sentiments qui se rattachent généralement au processus de deuil : vide, solitude et manque, impuissance génératrice de colère, culpabilité, anxiété, problèmes cognitifs, désorganisation et indécision, de même que tristesse et dépression. Il existe des livres et des brochures sur le deuil, généralement courts et bien adaptés. L'infirmière peut les remettre aux parents. Au cours des mois qui suivent le décès, de nombreux parents disent craindre de devenir fous tant l'intensité de leurs réactions émotionnelles et comportementales leur donne l'impression de perdre totalement la maîtrise de la situation.

Les livres suivants sont de bonnes références pour les parents qui vivent un deuil périnatal.

CHU Ste-Justine (2001). *À vous qui venez de perdre un bébé*, Montréal : Éditions CHU Ste-Justine.

Fréchette-Piperni, S. (2004). *Les rêves envolés : traverser le deuil d'un tout petit bébé*, Boucherville, Qc : Éditions de Mortagne.

Les infirmières peuvent soutenir les mécanismes d'adaptation des parents et tenter de prévenir les réactions négatives (Abboud & Liamputtong, 2005) en leur rappelant d'être patients et indulgents envers eux-mêmes dans cette épreuve. Parmi les autres suggestions, elles peuvent aussi les encourager dans leurs tentatives de reprendre leurs activités normales, renforcer et cultiver leurs souvenirs positifs de la grossesse ou du nouveau-né tout en effectuant un lâcher-prise et les aider à concevoir un plan d'activités quotidiennes, au besoin. Les infirmières mettront particulièrement les parents en garde contre toute tentative de trouver refuge dans les drogues et l'alcool susceptibles de mener à une dépendance.

Répondre aux besoins physiques de la mère endeuillée durant la période postnatale

Les besoins physiques de la mère endeuillée sont les mêmes que pour toute autre femme qui a accouché. La réalité cruelle de nombreuses mères endeuillées est associée au fait qu'elles peuvent présenter des symptômes de montées laiteuses sans avoir de nouveau-né à allaiter. Les douleurs du postpartum ravivent la sensation de vide. Les maux de ventre dus à des ballonnements donnent l'impression à la mère que le nouveau-né bouge encore en elle. L'infirmière doit s'assurer que la mère reçoit les médicaments appropriés pour atténuer ses symptômes physiques. Il faut lui offrir un repos approprié, une alimentation équilibrée et une hydratation suffisante pour qu'elle reprenne ses forces physiques.

Les mères doivent recevoir des instructions pour leurs soins postpartum au moment de leur congé. L'infirmière les aidera également à composer avec les problèmes de sommeil (p. ex., en réduisant la consommation d'alcool et de nicotine ou d'aliments ou de boissons qui renferment de la caféine, en faisant régulièrement de l'exercice et en utilisant d'autres stratégies propices au repos, comme prendre des bains chauds, boire du lait chaud au coucher, effectuer des exercices de relaxation, écouter de la musique calme ou s'offrir des séances de massothérapie). En outre, le couple a besoin qu'on l'encourage et qu'on l'aide à préserver le lien conjugal, ainsi qu'à maintenir la communication ouverte. L'homme et la femme ont en outre besoin de se préparer à répondre aux questions qui se rattachent à la reprise de leurs activités sexuelles après le deuil.

Aider les personnes endeuillées à communiquer avec leur famille et à établir un climat d'entraide

Fournir des soins adaptés aux parents endeuillés signifie inclure leur famille dans le processus de deuil. Les grands-parents ainsi que les frères et sœurs sont des figures particulièrement importantes lorsque survient une perte périnatale. Toutefois, il revient aux parents de décider dans quelle mesure ils veulent impliquer la famille dans leur processus de deuil. Si les parents le souhaitent, les enfants, les grands-parents, la famille élargie et les amis doivent pouvoir participer au rituel funéraire, par exemple voir et tenir le nouveau-né. Ces visites donnent aux proches l'occasion de faire la connaissance de celui-ci, de comprendre la perte des parents, de leur offrir leur soutien et de faire leurs adieux **FIGURE 24.14**. Cette expérience aide les parents à expliquer aux enfants survivants qui était ce petit frère ou cette petite sœur et ce que signifie la mort. Elle leur permet de répondre aux questions des enfants de façon concrète et aide ces derniers à exprimer leur tristesse (Wilson, 2001). Inclure la famille élargie et les amis dans le processus de deuil permet aux parents de mobiliser leur réseau social, qui viendra en aide à la famille, non seulement durant l'épreuve, mais également plus tard.

Créer des souvenirs que les parents rapporteront chez eux

Les parents peuvent vouloir conserver des souvenirs tangibles de leur nouveau-né, ce qui les aidera à actualiser leur perte. Certains souhaiteront rapporter l'album pour bébé qu'ils s'étaient procuré. Des organisations nationales qui se consacrent au deuil périnatal vendent des livres, des cartes souvenirs et des recueils d'information spécialisés sur le deuil à l'intention des parents, des hôpitaux ou des cliniques **ENCADRÉ 24.13**.

Se préoccuper des besoins ethnoculturels et spirituels des parents

Selon la culture, l'origine ethnique et la religion des personnes, l'infirmière notera des différences complexes quant au sens donné à la descendance et à la parentalité, au rôle des femmes et des hommes, aux croyances et aux connaissances sur la médecine moderne, à la perception de la mort, aux rituels et traditions funéraires et à l'expression de la tristesse (Bennett, Litz, Lee & Shira, 2005). Ainsi, l'infirmière doit demeurer réceptive aux réactions et aux besoins des parents selon leur bagage culturel et leur appartenance religieuse. À cette fin, elle doit être bien consciente de ses propres valeurs et croyances et reconnaître l'importance de comprendre et d'accepter celles d'autrui, parfois différentes, voire à l'opposé des siennes (Chichester, 2005). En outre, il est crucial de comprendre que les réactions individuelles et uniques d'un parent devant une perte périnatale ne sauraient être entièrement déterminées par son bagage culturel ou spirituel. Il faut considérer chaque mère et chaque père d'abord comme un être humain qui a besoin de soutien pour traverser une épreuve extrêmement difficile et douloureuse.

ENCADRÉ 24.13 Création de souvenirs

- Donner le poids, la taille et la circonférence de la tête du nouveau-né à sa famille.
- Fournir les empreintes des pieds et des mains. Il est parfois difficile d'obtenir de bonnes empreintes. L'application d'alcool ou d'acétone dans la paume des mains ou à la plante des pieds permet à l'encre d'adhérer plus facilement et rend les empreintes plus claires. Pour réaliser des empreintes, il faut placer la feuille de papier sur laquelle on veut imprimer sur une surface dure. On applique le pied ou la main du nouveau-né en commençant par le talon ou la paume, jusqu'aux orteils ou aux doigts en extension. Il faut parfois avoir de l'aide. On peut aussi faire un trait autour des mains et des pieds du nouveau-né, bien que cela modifie la taille réelle. Du plâtre de Paris peut être utilisé pour obtenir une empreinte de la main ou du pied du nouveau-né.
- Remettre les articles qui ont été en contact avec le nouveau-né ou qui ont servi à ses soins, comme le ruban à mesurer, les lotions pour bébé, les peignes, les vêtements, les chapeaux, les couvertures, les cartons d'identification pour lit de bébé et les bracelets d'identification. Demander d'abord aux parents s'ils souhaitent recevoir ces articles avant de les leur remettre.
- Donner une mèche de cheveux. Il faut demander l'autorisation aux parents avant de couper une mèche de cheveux qu'on peut prendre à la nuque, où cela ne se verra pas.
- Prendre des photos, qui sont des souvenirs importants. Des photographies sont généralement prises lorsqu'un nouveau-né est identifiable et lorsque c'est acceptable pour la famille sur le plan culturel, peu importe sa petite taille, son apparence ou le temps écoulé depuis sa mort. Les photos doivent inclure des gros plans du visage du nouveau-né, de ses mains et de ses pieds, vêtu et emmailloté dans une couverture, puis nu. En présence d'anomalies congénitales, il faut aussi photographier les anomalies en gros plan. Des fleurs, des blocs, des peluches ou des jouets peuvent être placés en arrière-plan pour donner du caractère à la photo. Les parents peuvent demander qu'on prenne des photos du nouveau-né dans leurs bras. Le fait d'avoir un appareil photo à proximité et de prendre des photos lorsque les parents passent des moments spéciaux avec leur enfant leur permettra de conserver des souvenirs précis. Certains parents peuvent apporter leur propre appareil photo ou vidéo et demander à l'infirmière de les filmer pendant qu'ils donnent son bain au nouveau-né, qu'ils l'habillent, le tiennent ou le langent. D'autres parents ne voudront pas de photos au moment du décès. L'infirmière peut prendre des photos et les placer dans le dossier médical pour les parents au cas où ils les réclameraient un jour.

La culture et les croyances religieuses influent souvent sur les prises de décision entourant la mort fœtale ou le décès d'un nouveau-né. Certains groupes religieux interdisent les autopsies ou les crémations, sauf en des circonstances particulières. La décision de suspendre les mesures de maintien des fonctions vitales est plus difficile pour les membres de certains groupes. La prise de photographies entre parfois en conflit avec les croyances de certaines cultures, par exemple chez les Amérindiens, les Inuits, les amish, les hindous et les musulmans. Dans de nombreuses cultures, les décisions ne reviennent pas uniquement à la femme ou au couple, mais à la famille élargie. Dans plusieurs familles musulmanes, les décisions sont prises par le père.

Fournir des soins adaptés au moment du congé et après celui-ci

La femme qui quitte l'hôpital après sa grossesse sans son nouveau-né dans les bras éprouvera un grand sentiment de vide et de chagrin. La situation est particulièrement éprouvante si elle voit d'autres mères tenir leur nouveau-né blotti dans leurs bras au moment de leur congé. Ainsi, le congé des mères et des pères qui vivent un deuil périnatal doit se faire avec compassion à l'égard de ce qu'ils ressentent. Une attention délicate consistera à remettre une fleur à la mère lorsqu'elle quitte l'hôpital.

La douleur de la mère et de sa famille ne se termine pas au moment du congé hospitalier. Au contraire, la peine se poursuit intensément au retour à la maison, lorsque la vie reprend sans le nouveau-né. Il existe de nombreux programmes de soins de suivi aux parents après le congé. Ces programmes offrent le service d'équipes hospitalières pour les familles endeuillées, qui fournissent un soutien durant l'hospitalisation et des contacts de suivi.

Les appels téléphoniques après un deuil procurent un certain soutien aux parents. Il faut toutefois vérifier auprès d'eux s'ils souhaitent ou non bénéficier de ce type de suivi. On fera coïncider ces appels avec des périodes qui s'annoncent difficiles, c'est-à-dire une semaine après le retour à la maison, puis quatre à six semaines plus tard, quatre à six mois après le décès et à l'anniversaire de celui-ci. Les familles qui font l'expérience d'une fausse couche, d'une grossesse ectopique ou du décès d'un nouveau-né prématuré peuvent apprécier recevoir un appel téléphonique à la date prévue de l'accouchement. Cet appel constitue pour les parents une occasion de poser des questions, d'exprimer leurs sentiments, de demander conseil et de se renseigner, ce qui les aidera à faire leur deuil.

Un membre de l'équipe soignante peut organiser une rencontre sur le deuil lorsque les parents reviennent pour un rendez-vous avec leur médecin, leur infirmière ou une autre personne de l'équipe. Il est recommandé que le membre de l'équipe soignante s'étant le plus engagé auprès de la famille pendant l'hospitalisation assure ce suivi (SCP, 2001). À l'occasion de cette rencontre, la perte ou le décès du nouveau-né sont abordés en détail, les parents reçoivent les conclusions du rapport de l'autopsie réalisée sur le nouveau-né et les résultats des analyses génétiques, le cas échéant; ils ont ensuite la possibilité de poser les questions qui leur sont venues depuis la mort du nouveau-né. Les parents apprécient cette façon de faire un retour sur les événements et l'hospitalisation, de récapituler le dossier du nouveau-né ou de la mère auprès du médecin traitant et de parler avec le personnel qui les a tous soignés durant l'hospitalisation. Il s'agit d'une rencontre marquante: elle aide les parents à comprendre la cause du décès ou à accepter qu'on ne la connaisse jamais. Cela donne aux professionnels de la santé l'occasion de vérifier comment la famille s'adapte à cette perte et de fournir des renseignements additionnels sur le deuil.

Prodiguer les soins postmortem

La préparation du corps du nouveau-né et son transport à la morgue dépendent des directives et des protocoles de chaque établissement. Pour les infirmières, les soins postmortem revêtent parfois un caractère émouvant, à la limite du supportable, mais elles sont nombreuses à estimer qu'ils les aident à faire leur propre deuil de la perte périnatale. Cela serait particulièrement le cas des infirmières des USIN qui soignent leurs petits clients pendant plusieurs heures, jours ou semaines. Dans ce genre d'épreuve, il est important de prendre un moment afin de faire un bilan et de permettre à chacun des membres de l'équipe soignante d'extérioriser ses sentiments et ses émotions (SCP, 2001).

Analyse d'une situation de santé

Jugement clinique

Madame Liliane Dorais, âgée de 25 ans, se présente à la salle d'accouchement. Elle ressent des contractions régulières depuis 3 h cette nuit, qui augmentent en intensité et en fréquence. Elle en est à 24 5/7 semaines de gestation. Il s'agit de sa première grossesse, laquelle se déroulait normalement depuis le début. Elle est accompagnée de son conjoint. Environ une heure après son admission, son enfant naît. Il ne présente aucune respiration spontanée et aucun autre signe de vie. Madame Dorais est sous le choc et pleure intensément, au point d'en être inconsolable. ▶

SOLUTIONNAIRE

www.cheneliere.ca/lowdermilk

MISE EN ŒUVRE DE LA DÉMARCHE DE SOINS

Collecte des données – Évaluation initiale – Analyse et interprétation

1. À quelle phase du deuil madame Dorais se situe-t-elle?
2. Devez-vous considérer les réactions du conjoint dans votre collecte des données? Expliquez votre réponse.
3. Vous demandez à madame Dorais et à son conjoint s'ils souhaitent voir leur nouveau-né. Ils refusent et se montrent très peinés de votre proposition. Est-ce un signe de déni de la perte de l'enfant?

▶ En soirée, vous êtes responsable de madame Dorais. À chacune de vos visites, vous constatez qu'elle est seule dans sa chambre et qu'elle pleure sans arrêt. Elle vous dit: C'est ma faute si mon bébé est mort. Je n'aurais pas dû faire le grand ménage à la maison. Les produits chimiques ont sûrement déclenché le travail. Je suis certaine que mon mari m'en veut d'avoir agi ainsi. ▶

MISE EN ŒUVRE DE LA DÉMARCHE DE SOINS

4. La réaction de madame Dorais est-elle normale? Justifiez votre réponse.
5. Quel est le problème prioritaire qui devrait être inscrit dans l'extrait du plan thérapeutique infirmier (PTI) de madame Dorais?

Planification des interventions – Décisions infirmières

Extrait

CONSTATS DE L'ÉVALUATION								
Date	Heure	N°	Problème ou besoin prioritaire	Initiales	RÉSOLU / SATISFAIT			Professionnels / Services concernés
					Date	Heure	Initiales	
2013-01-25	18:30	2						

SUIVI CLINIQUE							
Date	Heure	N°	Directive infirmière	Initiales	CESSÉE / RÉALISÉE		
					Date	Heure	Initiales

Signature de l'infirmière	Initiales	Programme / Service	Signature de l'infirmière	Initiales	Programme / Service

6. Vous rencontrez madame Dorais et l'invitez à verbaliser les émotions qu'elle vit quant à la mort de son enfant. Elle cherche sans arrêt à comprendre ce qui s'est passé. Elle veut trouver une cause précise: efforts physiques, fatigue, grand ménage, effets des produits ménagers. Que devriez-vous lui répondre lorsqu'elle vous demande votre avis sur la cause de la fausse couche?

▶ Au moment de la préparation de son congé, le lendemain, madame Dorais vous indique qu'elle ne souhaite toujours pas voir son enfant, mais qu'elle aimerait garder un souvenir de celui-ci. ▶

MISE EN ŒUVRE DE LA DÉMARCHE DE SOINS

7. Donnez trois moyens de créer des souvenirs de l'enfant pour répondre à la demande de la cliente.

▶ Au moment de son départ, madame Dorais est toujours seule. Son conjoint n'est pas revenu au centre hospitalier. ◀

MISE EN ŒUVRE DE LA DÉMARCHE DE SOINS

Évaluation des résultats – Évaluation en cours d'évolution

8. Qu'est-ce qui indiquerait que madame Dorais amorce la phase de réorganisation à la suite de la perte de son nouveau-né ?

APPLICATION DE LA PENSÉE CRITIQUE

Dans l'application de la démarche de soins auprès de madame Dorais, l'infirmière a recours à un ensemble d'éléments (connaissances, expériences antérieures, normes institutionnelles ou protocoles, attitudes professionnelles) pour analyser la situation de santé de la cliente et en comprendre les enjeux. La **FIGURE 24.15** illustre le processus de pensée critique suivi par l'infirmière afin de formuler son jugement clinique. Elle résume les principaux éléments sur lesquels l'infirmière s'appuie en fonction des données de cette cliente, mais elle n'est pas exhaustive.

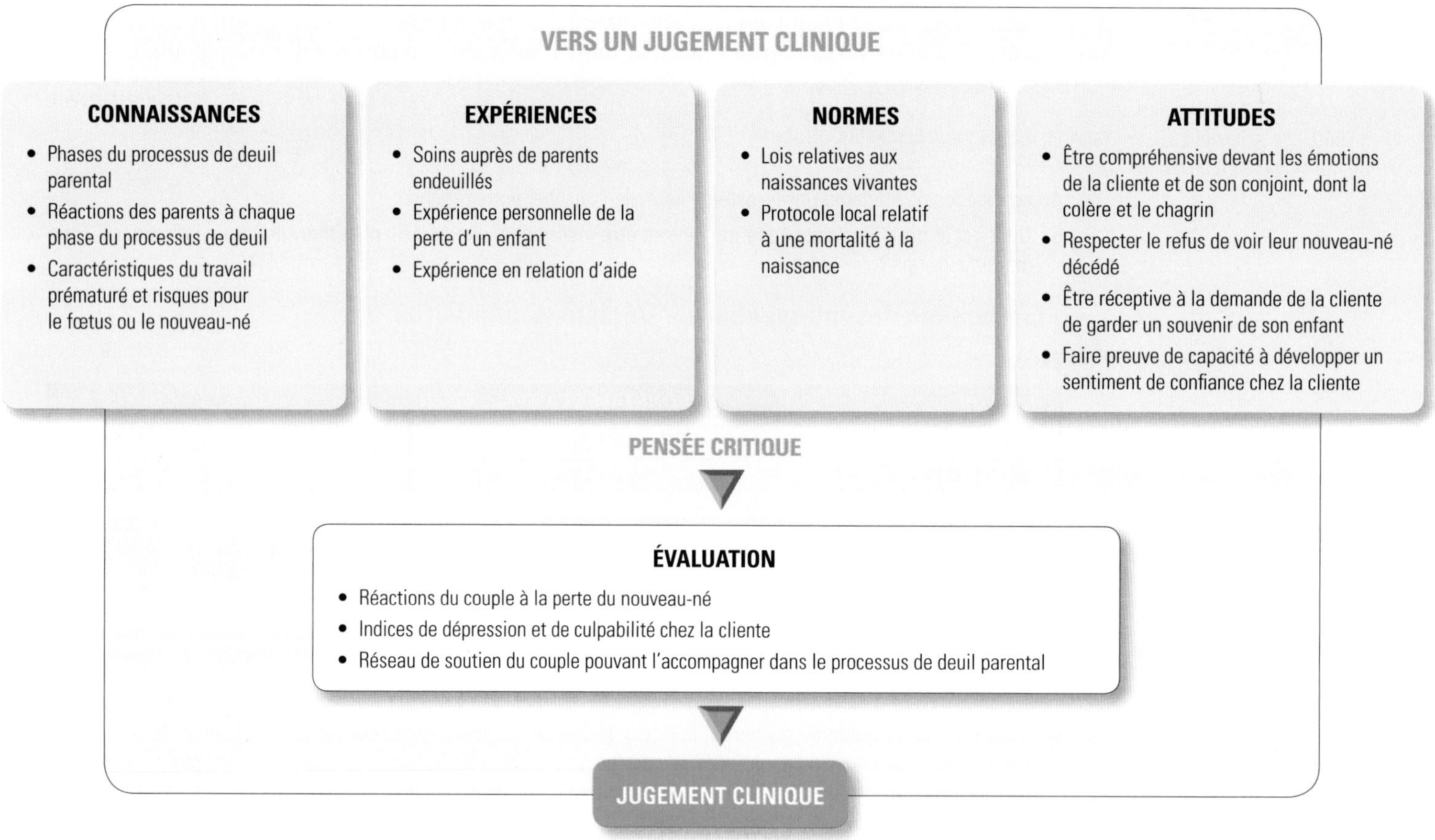

VERS UN JUGEMENT CLINIQUE

CONNAISSANCES
- Phases du processus de deuil parental
- Réactions des parents à chaque phase du processus de deuil
- Caractéristiques du travail prématuré et risques pour le fœtus ou le nouveau-né

EXPÉRIENCES
- Soins auprès de parents endeuillés
- Expérience personnelle de la perte d'un enfant
- Expérience en relation d'aide

NORMES
- Lois relatives aux naissances vivantes
- Protocole local relatif à une mortalité à la naissance

ATTITUDES
- Être compréhensive devant les émotions de la cliente et de son conjoint, dont la colère et le chagrin
- Respecter le refus de voir leur nouveau-né décédé
- Être réceptive à la demande de la cliente de garder un souvenir de son enfant
- Faire preuve de capacité à développer un sentiment de confiance chez la cliente

PENSÉE CRITIQUE

ÉVALUATION
- Réactions du couple à la perte du nouveau-né
- Indices de dépression et de culpabilité chez la cliente
- Réseau de soutien du couple pouvant l'accompagner dans le processus de deuil parental

JUGEMENT CLINIQUE

FIGURE 24.15

À retenir

VERSION REPRODUCTIBLE

www.cheneliere.ca/lowdermilk

- Les nouveau-nés prématurés sont exposés à un risque de problèmes liés à l'immaturité de leurs systèmes et organes.
- La prématurité est associée au SDR, à la rétinopathie du prématuré et à la dysplasie bronchopulmonaire.
- Il faut surveiller les nouveau-nés à risque élevé pour déceler tout signe de détresse respiratoire et d'autres indices précoces de détresse physiologique.
- L'adaptation des parents à un nouveau-né prématuré ou à risque élevé diffère de celle des parents d'un nouveau-né à terme.
- Les parents peuvent avoir besoin d'une formation spéciale (p. ex., sur la RCR, l'oxygénothérapie, l'aspiration, les soins liés au développement) avant de ramener leur nouveau-né à risque élevé à domicile.
- Les nouveau-nés de mères atteintes de diabète (gestationnel ou autre) se trouvent exposés à un risque d'anomalies congénitales, d'hypoglycémie, de SDR et d'asphyxie et de traumatisme de la naissance.
- Les nouveau-nés PTAG sont considérés à risque en raison de leur retard de croissance fœtale.
- Chez le nouveau-né post-terme, un lien est établi entre un état fœtal précaire et l'insuffisance utéroplacentaire progressive caractéristique d'une grossesse prolongée.
- Il est essentiel de reconnaître les facteurs de risque maternels et fœtaux pendant les périodes prénatales et périnatales pour effectuer une planification adéquate des soins chez les nouveau-nés à risque élevé.
- Un faible pourcentage de traumatismes de l'accouchement graves peut survenir malgré des soins obstétricaux experts et compétents.
- Le nouveau-né peut contracter une infection *in utero* durant l'accouchement, durant l'allaitement, à la pouponnière ou à l'USIN.
- Parmi les infections maternelles les plus courantes du début de la grossesse associées à diverses anomalies congénitales figurent la toxoplasmose, l'herpès, l'infection à CMV, la rubéole, l'infection à parvovirus B19 et la varicelle.
- La transmission du VIH de la mère au nouveau-né se produit par voie transplacentaire aux différents stades de la gestation, durant la période périnatale par le sang et les sécrétions maternelles et au cours de l'allaitement.
- L'incompatibilité Rh et ABO fœto-maternelle peut occasionner une importante hémolyse et de l'ictère durant la période néonatale.
- L'injection de l'immunoglobuline Rho(D) chez les femmes Rh négatives dont le test de Coombs est négatif réduit le risque d'iso-immunisation.
- L'infirmière peut observer des signes de sevrage d'alcool ou de stupéfiants chez le nouveau-né (syndrome d'abstinence néonatale); elle recueille des renseignements à ce sujet à partir de l'histoire maternelle.
- Les anomalies congénitales représentent désormais une des principales causes de mortalité au cours de la première année de vie.
- Les problèmes associés au traitement et à la réadaptation d'un nouveau-né atteint d'un trouble congénital sont souvent complexes et nécessitent une approche interdisciplinaire.
- Les soins de soutien aux parents de nouveau-nés atteints d'anomalies congénitales ou d'erreurs innées du métabolisme doivent débuter en période prénatale, à la naissance ou au moment du diagnostic, et ils s'échelonnent sur de nombreuses années.
- Lorsqu'un nouveau-né décède, tous les membres de sa famille sont affectés, chacun à sa façon; il y a autant de façon de vivre un deuil qu'il y a de personnes endeuillées dans une famille.
- L'infirmière peut, au moyen de techniques d'écoute et de communication, aider les familles à reconnaître les sentiments qu'elles éprouvent, à exprimer plus aisément leur douleur et à comprendre le processus de deuil.
- Le suivi après le congé est un aspect important des soins aux familles endeuillées.

GLOSSAIRE

Accélération: Augmentation de la fréquence cardiaque fœtale, d'au moins 15 battements par minute pendant au moins 15 secondes. La présence d'accélérations est une observation normale.

Accouchement assisté avec ventouse obstétricale: Accouchement vaginal à l'aide d'une ventouse de la forme d'une cupule appliquée sur la tête fœtale (occiput) et reliée à une pompe aspirante permettant de créer une pression négative, utilisée pour faciliter l'extraction du fœtus.

Accouchement prématuré: Accouchement qui survient avant la fin de la 37e semaine de grossesse.

Accouchement prématuré tardif: Accouchement qui survient dans la période entre 34 0/7 et 36 6/7 semaines de grossesse.

Accouchement vaginal après césarienne (AVAC): Accouchement par la voie vaginale d'une femme qui a déjà accouché par césarienne.

Acétonurie: État pathologique caractérisé par la présence d'acétone dans l'urine[1].

Acidocétose: Accumulation de corps acides dans le sang par suite d'hyperglycémie; entraîne une acidose métabolique.

Acrocyanose: Cyanose périphérique; coloration bleue des mains et des pieds de la plupart des enfants à la naissance, pouvant persister jusqu'à 7 à 10 jours.

Âge corrigé: Âge qui tient compte de la prématurité au moment d'évaluer le développement de l'enfant.

Agent tératogène: Substance susceptible de causer des malformations fœtales.

Alimentation à la demande: Alimentation offerte uniquement en fonction des signes de faim ou de satiété manifestés par le nouveau-né.

Allaitement en tandem: Allaitement de deux enfants d'âge différent[2].

Allégement: Sensation de réduction de la distension abdominale produite par la descente de l'utérus dans la cavité pelvienne quand la partie du fœtus qui se présente s'installe dans le bassin.

Alphafœtoprotéine (AFP): Antigène fœtal; la présence de taux élevés d'AFP dans le liquide amniotique et le sang maternel est associée à des anomalies du tube neural.

Aménorrhée: Absence des règles.

Amniocentèse: Examen paraclinique qui consiste à insérer une aiguille à travers les parois de l'abdomen et de l'utérus afin d'aspirer un échantillon de liquide amniotique; utilisée pour évaluer la santé et la maturité fœtales.

Amniotomie: Rupture artificielle des membranes fœtales à l'aide d'un instrument chirurgical appelé amniotome (perce-membrane).

Amylase: Molécule qui provient du pancréas et des glandes salivaires[3].

Analgésie: Suppression de la douleur.

Analgésique agoniste des opioïdes: Médicament analgésique qui agit en stimulant différents récepteurs opioïdes.

Analgésique agoniste-antagoniste des opioïdes: Médicament analgésique qui agit à la fois en stimulant (agoniste) et en inhibant (antagoniste) différents récepteurs opioïdes.

Anamnèse: Ensemble des données recueillies au sujet des antécédents médicaux et de l'histoire de santé de la cliente.

Anasarque fœtoplacentaire: Expression la plus grave de l'érythroblastose fœtale (hémolyse des globules rouges fœtaux) qui s'accompagne d'un taux élevé de mortalité; séquelle possible d'une iso-immunisation Rh maternelle.

Anesthésie: Suppression complète ou partielle de la sensibilité.

Anesthésie épidurale (blocage): Anesthésie régionale produite par l'injection d'un anesthésique local, seul ou combiné à un analgésique opioïde, dans l'espace péridural.

Anesthésie rachidienne (blocage): Anesthésie régionale provoquée par l'injection d'un anesthésique local, seul ou combiné à un analgésique opioïde, dans l'espace sous-arachnoïdien au niveau du troisième, du quatrième ou du cinquième espace lombaire.

Anoxie: Absence ou diminution importante de la quantité d'oxygène que le sang distribue aux tissus.

Antagoniste des opioïdes: Médicament qui annule l'action des opioïdes; utilisé pour renverser les effets indésirables des opioïdes sur le système nerveux central, notamment la dépression respiratoire.

Apport maximal tolérable (AMT): Apport nutritionnel quotidien et continu le plus élevé qui n'entraîne vraisemblablement pas de risques d'effets indésirables pour la plupart des membres d'un groupe donné établi en fonction de l'étape de la vie[4].

Apport nutritionnel recommandé (ANR): Apport recommandé d'éléments nutritifs estimé nécessaire pour satisfaire les besoins de presque toutes les personnes bien portantes de la population (97 ou 98 %)[5].

Apports nutritionnels de référence (ANREF): Recommandations nutritionnelles pour la population canadienne, comprenant les apports nutritionnels recommandés (ANR), les apports suffisants (AS) et les apports maximaux tolérables (AMT)[5].

Arthralgie: Douleur située dans les articulations sans modification de l'apparence de la jointure. Cette douleur est intensifiée quand le client mobilise l'articulation en cause[3].

Asphyxie: Difficulté ou arrêt de la respiration entraînant l'arrêt plus ou moins long de la circulation d'oxygène dans le corps.

Asynclitisme: Mouvement d'inclinaison latérale de la tête du fœtus au moment de franchir le détroit supérieur du bassin; les plans pelviens et ceux de la tête du fœtus ne sont pas parallèles.

Athétose: Syndrome caractérisé par des mouvements spasmodiques involontaires de grande amplitude, touchant surtout les extrémités des membres et le visage[1].

Atonie utérine: Relâchement du tonus musculaire de l'utérus; peut causer une hémorragie postnatale.

Atrésie: Fermeture complète ou incomplète, congénitale ou acquise, d'un orifice ou d'un conduit de l'organisme ou de la lumière d'un organe (p. ex., l'intestin).

Attachement: Expérience qu'une personne vit lorsqu'elle se trouve en situation de détresse, de vulnérabilité ou de danger, et manière dont elle utilise ses relations avec les membres de son entourage pour retrouver sa stabilité interne[6].

Atteinte inflammatoire pelvienne (AIP): Infection des voies génitales supérieures féminines et des annexes (endomètre, trompes de Fallope, péritoine pelvien et structures contigües) habituellement secondaire à une infection transmissible sexuellement.

Attitude: Relation des parties du corps du fœtus entre elles dans l'utérus (p. ex., en flexion ou en extension). La position dite fœtale représente une attitude de flexion.

Auscultation intermittente (A.I.): Écoute des bruits du cœur du fœtus à intervalles réguliers à l'aide d'un appareil non électronique ou d'un appareil à ultrasons placé sur l'abdomen de la mère.

Autosomique récessif: Mode de transmission d'une maladie génétique où un gène doit être présent chez les deux parents pour que la maladie soit transmise à l'enfant.

Axe hypophysosurrénalien: Système hormonal caractérisé par la régulation de la sécrétion d'hormones par des mécanismes de rétroaction entre l'hypophyse et les glandes surrénales[7].

***Baby blues*:** Sentiment de déception ou de tristesse accompagné d'irritabilité et d'anxiété qui commence généralement deux ou trois jours après la naissance et qui disparaît en l'espace de une semaine ou deux; à distinguer de la dépression postpartum.

Ballottement: Technique de diagnostic utilisant la palpation; le fœtus qui flotte, s'il reçoit un léger coup ou s'il est poussé, s'éloigne puis revient toucher la main de la personne qui fait la palpation.

Biorythme: Changement cyclique qui se produit selon un certain rythme, tels les habitudes alimentaires et le sommeil.

Blastocyste: Nom donné à l'œuf fécondé au moment de son implantation utérine (embryon de 5 à 10 jours).

Blocage du nerf honteux interne: Anesthésie régionale produite par l'injection d'un anesthésique local à la racine du nerf honteux interne afin de désensibiliser les régions génitale et périanale.

Bosse sérosanguine: Tuméfaction des tissus sous-cutanés du crâne du nouveau-né, causée par la pression subie durant le travail et l'accouchement.

Bouchon muqueux: Amas de sécrétions cervicales, généralement sanguinolent, qui scelle le col de l'utérus pendant la grossesse et qui aide à prévenir l'infection de l'utérus.

Bradycardie: Fréquence cardiaque fœtale de base inférieure à 110 battements par minute pendant plus de 10 minutes.

Caduque basale: Portion maternelle du placenta composée de vaisseaux sanguins utérins, de parenchyme endométrial et de glandes; évacuée dans les lochies après l'accouchement.

Cardiomégalie: Hypertrophie du cœur.

Caryotype: Disposition schématique des chromosomes d'une cellule pour illustrer leur nombre et leurs caractéristiques morphologiques.

Catabolisme : Dégradation de composés organiques produisant une libération d'énergie.

Catécholamine : Substance sympathomimétique, c'est-à-dire capable d'entraîner une réponse semblable à celle observée au moment de l'activation du système nerveux sympathique[8].

Céphalhématome : Épanchement sanguin entre un os du crâne (généralement les pariétaux) et son enveloppe externe, le périoste ; la tuméfaction est limitée par les sutures en marge de l'os touché.

Césarienne : Incision chirurgicale au travers de l'abdomen et de l'utérus permettant d'extraire le fœtus de l'utérus maternel.

Chambre intervilleuse : Espace situé dans le placenta et contenant de petits lacs sanguins où se produisent les échanges de gaz (oxygène et gaz carbonique) et d'aliments entre la mère et le fœtus.

Changement épisodique : Changement dans la fréquence cardiaque fœtale de base qui n'a pas de lien avec les contractions utérines.

Changement périodique : Changement dans la fréquence cardiaque fœtale de base qui accompagne les contractions utérines.

Chloasma : Accroissement de la pigmentation de la racine du nez et des joues chez les femmes enceintes et chez certaines femmes qui prennent des contraceptifs oraux ; aussi connu sous le nom de masque de grossesse.

Choc hémorragique (hypovolémique) : État clinique où le volume sanguin périphérique est insuffisant pour permettre au cœur d'accomplir sa fonction normale, en particulier le transport d'oxygène aux organes et aux tissus.

Chorioamnionite : Réaction inflammatoire des membranes fœtales due à la présence de bactéries ou de virus dans le liquide amniotique où s'infiltrent des polynucléaires neutrophiles.

Chorion frondosum : Partie du placenta où se trouvent les villosités placentaires.

Chromosome : Élément du noyau cellulaire qui contient les gènes ; composé d'acide désoxyribonucléique (ADN) et de protéines.

Chromosome sexuel : Chromosome associé à la détermination du sexe ; ce sont les chromosomes X (féminin) et Y (masculin) ; la femme normale possède deux chromosomes X, et l'homme normal, un chromosome X et un chromosome Y.

Circulaire du cordon : Boucle formée par le cordon ombilical autour du cou du fœtus ou d'une autre partie de son corps.

Clairance hépatique : Pourcentage d'une substance (médicament ou hormone) dégradée et rendue inactive au cours de son passage hépatique.

Climatère : Période de vie au cours de laquelle la femme passe de la fertilité à l'infertilité en raison du déclin de sa fonction ovarienne ; cycle des changements endocriniens, physiques et psychosociaux qui accompagnent la fin de la période procréative ; elle inclut la préménopause, la ménopause et la postménopause.

Coagulation intravasculaire disséminée (CIVD) : Syndrome caractérisé par la formation anormale de caillots de fibrine dans la circulation, accompagnée de fibrinolyse hémorragique[9].

Colostrum : Liquide laiteux, riche en anticorps, présent dans les cellules acineuses des seins, du début de la grossesse jusqu'aux premiers jours de la période postnatale.

Compétence culturelle : Conscience, acceptation et connaissance des différences culturelles et adaptation des services afin de reconnaître et soutenir la culture du client.

Conception : Processus séquentiel qui comprend la formation des gamètes (ovules et spermatozoïdes), l'ovulation, la fécondation, qui conduit à la formation du zygote et à l'implantation de celui-ci dans l'utérus.

Conceptus : Produit de conception. Ovule fécondé et, plus tard, embryon, fœtus, placenta et membranes[10].

Continuum de soins : Divers services cliniques offerts à une personne ou à un groupe qui reflètent les soins prodigués pendant une seule hospitalisation ou les soins offerts pour des problèmes de santé multiples tout au long de la vie.

Contraception : Ensemble des moyens employés pour provoquer une infécondité temporaire, empêchant la conception d'un enfant.

Contraction de Braxton-Hicks : Légère contraction utérine intermittente et indolore qui se produit pendant la grossesse ; la fréquence augmente à mesure que la grossesse avance, mais elle ne représente pas un vrai travail ; il faut toutefois la distinguer du travail prématuré.

Contraction utérine : Principale force du travail, de nature involontaire, qui agit pour effacer et dilater le col, expulser le fœtus, faciliter la séparation du placenta et prévenir l'hémorragie.

Contrepression : Pression appliquée sur la région lombosacrée pendant les contractions utérines pour diminuer la douleur.

Cordocentèse : Accès à un vaisseau sanguin du cordon ombilical fœtal qui permet d'effectuer des prélèvements ou d'administrer des transfusions. Aussi appelée prélèvement percutané de sang ombilical.

Corps cétonique : Produit issu du catabolisme, résultant de la dégradation des graisses et des protéines. Il est éliminé dans l'urine.

Cotation de Bishop : Méthode de cotation destinée à évaluer la possibilité de provoquer le travail selon l'état du col ; plus le score est élevé, plus les conditions sont propices à la provocation du travail.

Cryptorchidie : Migration incomplète du testicule.

Cyanose : Coloration bleutée de la peau, du lit unguéal et des muqueuses, causée par la présence d'hémoglobine désaturée dans les capillaires ; elle constitue un signe tardif d'hypoxie.

Cycle de la réaction sexuelle : Ensemble des transformations physiques se produisant en réaction à la stimulation sexuelle et au soulagement de la tension sexuelle.

Cycle de la violence : Épisode de violence comptant généralement quatre stades : climat de tension, crise, justification et lune de miel.

Cycle menstruel : Ensemble complexe d'interactions entre des événements intervenant simultanément dans l'endomètre, l'hypothalamus, l'hypophyse et les ovaires et permettant la préparation des ovaires et de l'utérus en vue d'une grossesse éventuelle.

Débit systolique : Quantité de sang expulsée par la contraction de chaque ventricule du cœur à chaque systole.

Débris décidual et trophoblastique : Fragment issu de la membrane déciduale (partie de la muqueuse utérine qui se détache pour être expulsée avec le placenta après l'accouchement) ou du trophoblaste (couche superficielle du placenta).

Décélération : Ralentissement de la fréquence cardiaque fœtale attribué à une réaction parasympathique et qui est souvent décrit en fonction des contractions utérines. Elle peut être précoce, prolongée, tardive ou variable.

Décélération précoce : Diminution graduelle visuellement apparente de la fréquence cardiaque fœtale avant le pic d'une contraction et un retour à la fréquence cardiaque fœtale de base à la fin de la contraction ; causée par la compression de la tête du fœtus.

Décélération prolongée : Diminution visuellement apparente (qui peut être graduelle ou abrupte) par rapport à la fréquence cardiaque fœtale de base d'au moins 15 battements par minute et pouvant durer plus de 2 minutes, mais moins de 10 minutes.

Décélération tardive : Diminution graduelle visuellement apparente de la fréquence cardiaque fœtale, où le point le plus bas de la décélération est atteint après le pic de la contraction, et où le retour à la fréquence cardiaque fœtale de base se produit à la fin de la contraction ; causée par une insuffisance utéroplacentaire.

Décélération variable : Brusque diminution visuellement apparente par rapport à la fréquence cardiaque fœtale de base qui se produit à n'importe quel moment pendant la phase de contraction utérine ou même en l'absence de contraction ; majoritairement causée par la compression du cordon ombilical.

Décompensation cardiaque : Incapacité du muscle cardiaque de maintenir une circulation cardiovasculaire suffisante.

Décubitus : Position du corps au repos lorsqu'il est allongé sur un plan horizontal[1].

Dégagement de la tête : Phase de la descente du fœtus où le sommet de la tête apparaît à l'orifice externe du vagin quand la partie la plus large de la tête (diamètre bipariétal) distend la vulve juste avant la naissance.

Demi-vie plasmatique (d'un médicament) (T½) : Temps nécessaire pour que la concentration plasmatique d'un médicament diminue de moitié (p. ex., de 100 à 50 mg/L)[11].

Dépression postpartum : Dépression qui survient dans les quatre semaines qui suivent l'accouchement, qui dure plus longtemps que le syndrome du troisième jour (*baby blues*) et qui se caractérise par divers symptômes qui perturbent les activités quotidiennes et les soins au nouveau-né.

Desquamation : Chute de la partie superficielle de l'épiderme sous forme de lamelles cornées ou de lambeaux[1].

Deuxième stade du travail : Étape du travail qui s'étend de la dilatation complète du col de l'utérus jusqu'à la venue au monde du nouveau-né.

Diabète antérieur à la grossesse : Diabète de type 1 ou 2 qui est présent avant la grossesse.

Diabète gestationnel : Intolérance au glucose se manifestant pour la première fois pendant la grossesse.

Diamètre bipariétal : Diamètre transversal le plus grand de la tête fœtale ; mesuré d'un os pariétal à l'autre.

Diamètre sous-occipito-bregmatique : Diamètre antéro-postérieur de la tête fœtale, mesuré de la base de l'occiput au milieu de la fontanelle antérieure (située entre les os frontaux et pariétaux).

Diaphorèse : Transpiration abondante.

Diastase des muscles grands droits de l'abdomen : Séparation des deux muscles grands droits le long de la ligne médiane de la paroi abdominale souvent observée chez les femmes qui ont eu des accouchements répétés (multipares) ou des grossesses multiples (p. ex., des triplés).

Dilatation : Étirement de l'orifice externe du col de l'utérus d'une ouverture de quelques millimètres à une ouverture suffisamment grande pour permettre le passage du fœtus.

Disproportion céphalopelvienne : Expression qui désigne la situation où la tête du fœtus ne peut passer le long de la filière pelvigénitale en raison de sa forme, de sa taille ou de sa position, ou le fait que le bassin de la mère, trop petit, d'une forme inhabituelle ou déformé, empêche le passage d'un fœtus de taille moyenne.

Doula : Assistante ou accompagnante d'expérience engagée pour offrir un soutien à la parturiente et à sa famille pendant le travail et l'accouchement.

Dynamique familiale : Interactions et communication entre les membres de la famille.

Dyschromie : Trouble de la pigmentation de la peau[1].

Dysfonction utérine hypertonique : Contractions utérines fréquentes, douloureuses et désordonnées qui ne provoquent pas la dilatation ou l'effacement cervical ; travail difficile primaire.

Dysfonction utérine hypotonique : Contractions utérines faibles, inefficaces, se produisant habituellement dans la phase active du travail ; fréquente en cas de disproportion céphalopelvienne ou de mauvaise position du fœtus ; inertie utérine secondaire.

Dysménorrhée : Douleur ressentie avant ou pendant la menstruation.

Dyspareunie : Douleur au cours des rapports sexuels.

Dyspareunie profonde : Douleur au cours des rapports sexuels. Cette douleur est qualifiée de profonde lorsqu'elle engendre une douleur dans le bas-ventre, à la fin de la pénétration.

Dysphorie : État persistant de malaise, d'angoisse[1].

Dystocie : Travail long, douloureux et difficile de causes diverses réunissant l'un ou l'autre des cinq facteurs influant sur le travail (puissance, passage, passager, position et émotions maternelles).

Dystocie des épaules : Absence d'engagement des épaules après expulsion de la tête du fœtus parce que l'épaule antérieure demeure bloquée derrière la symphyse pubienne.

Échographie transvaginale : Échographie servant à détecter toute anomalie du vagin, de l'utérus, des trompes de Fallope, des ovaires ou de la vessie, au moyen d'une image créée par ordinateur à partir des ondes sonores émises par un transducteur inséré dans le vagin[12].

Éclampsie : Ensemble de manifestations convulsives présentées par la femme en fin de grossesse ou en travail, accompagnant certains états pathologiques[1].

Effacement : Amincissement et raccourcissement du col de l'utérus qui se produit en fin de grossesse ou pendant le travail, ou les deux.

Effet émétique : Se dit de toute substance qui provoque un vomissement[13].

Effleurage : Léger massage superficiel.

Embryon : Nom donné au produit de la conception du 15e jour de développement jusqu'à la 8e semaine environ après la fécondation.

Endométriose : Présence de tissu endométrial en dehors de la cavité utérine.

Endométrite : Inflammation de la muqueuse endo-utérine[1].

Engagement : Descente de la présentation au-delà du détroit supérieur de la filière pelvigénitale.

Engorgement mammaire : Enflure douloureuse du tissu mammaire due à une augmentation rapide de la production de lait et à la congestion veineuse causant l'œdème du tissu interstitiel. L'écoulement insuffisant de lait cause l'accumulation de celui-ci dans les seins ; se produit généralement entre le troisième et le cinquième jour après la naissance ou dans le cas d'un sevrage brusque.

Enzyme glucuronidase beta : Enzyme lysosomale chez l'homme, qui casse les liaisons osidiques des glucuronides[14].

Éosinophile : Leucocyte responsable de la défense immunitaire, particulièrement contre les parasites.

Épisiotomie : Incision chirurgicale du périnée effectuée à la fin du deuxième stade du travail visant à faciliter la naissance et à prévenir les déchirures du périnée.

Épreuve à l'ocytocine (ÉO) : Test visant à provoquer des contractions utérines afin d'évaluer la réponse fœtale ; un fœtus en bonne santé ne réagit pas aux contractions, tandis qu'un fœtus en détresse manifeste des décélérations cardiaques tardives indicatrices d'une insuffisance utéroplacentaire.

Épreuve de l'arborisation cervicale : Examen du liquide amniotique qui permet de confirmer la rupture des membranes amniotiques.

Épreuve du travail : Période d'observation de la femme en travail dans le but d'évaluer la probabilité de réussite de l'accouchement vaginal.

Épulis de grossesse : Tumeur bénigne observée sur les gencives des femmes enceintes.

Érythème palmaire : Rougeur cutanée parfois observée sur les paumes pendant la grossesse.

Ethnocentrisme : Tendance d'une personne ou d'une société à considérer son modèle de culture comme supérieur à celui d'autres groupes sociaux ou ethniques. Contraire de relativisme culturel.

Euglycémie : Valeur normale du taux de glucose dans le sang[15].

Examen de la réactivité fœtale (ERF) : Évaluation de la réponse fœtale (fréquence cardiaque fœtale) à l'activité utérine contractile naturelle ou à une augmentation de l'activité fœtale.

Examen doppler : Utilisation de l'échographie pour mesurer le flux sanguin dans l'unité fœtoplacentaire de manière non effractive.

Excoriation de la cornée : Abrasion de la membrane bombée qui se trouve devant l'œil.

Exercices de Kegel : Exercices des muscles du périnée (plancher pelvien) permettant de renforcer le faisceau musculaire pubococcygien.

Expulsion du bouchon muqueux : Pertes vaginales formées de sang et de mucus provenant du col de l'utérus. Voir **Bouchon muqueux**.

Exsanguination : Soustraction de la totalité du sang, souvent dans un contexte de transfusion.

Famille binucléaire : Après le divorce, famille dans laquelle l'enfant est membre des ménages nucléaires maternel et paternel.

Famille élargie : Famille qui comprend la famille nucléaire et les autres personnes apparentées par le sang.

Famille monoparentale : Famille dans laquelle un enfant vit avec un seul parent ; famille comprenant un parent célibataire qui met au monde un enfant ou qui en adopte un.

Famille nucléaire : Famille composée de deux parents et de leurs enfants à charge.

Fécondation : Union d'un ovule et d'un spermatozoïde.

Fibroadénome : Tumeur mammaire bénigne, ferme, mobile, solitaire et pleine.

Filtration glomérulaire : Passage d'un ultrafiltrant de plasma sanguin au travers de la paroi des capillaires des glomérules rénaux pour former l'urine primitive, que son passage dans les tubules rénaux transformera en urine définitive[16].

Fœtus : Nom donné à l'être humain en développement dans l'utérus de la neuvième semaine environ après la fécondation jusqu'à la naissance.

Fréquence cardiaque fœtale de base : Fréquence cardiaque fœtale moyenne pendant une période de 10 minutes qui ne tient pas compte des changements périodiques et épisodiques, et des périodes de grande variabilité ; la fréquence cardiaque fœtale de base varie entre 110 et 160 battements par minute.

Fundus : Partie d'un organe creux qui est la plus éloignée de son ouverture[17].

Gamète : Cellule germinale mâle ou femelle mature ; spermatozoïde ou ovule mature.

Génétique : Étude des gènes isolés ou de groupes de gènes et de leurs effets sur les organismes.

Génogramme : Représentation graphique des relations familiales et des antécédents médicaux.

Génome : Ensemble du matériel génétique d'un organisme.

Génomique : Étude de la structure complète de l'ADN de tous les gènes d'un organisme, y compris les fonctions et les interactions des gènes.

Glaire cervicale : Sécrétion muqueuse alcaline, translucide et filante des glandes du col utérin, apparaissant périodiquement au moment de l'ovulation sous l'influence de la folliculine et disparaissant sous celle de la progestérone (ou des norstéroïdes contraceptifs), protégeant les spermatozoïdes de l'acidité vaginale et indispensable à leur ascension[16].

Glossite : Inflammation de la langue[1].

Glucuronyl-transférase : Enzyme détoxifiante se situant dans le tissu hépatique. Elle sert principalement à la transformation de la bilirubine non conjuguée (ou libre) en bilirubine conjuguée[14].

Glycogène hépatique : Forme sous laquelle les hydrates de carbones sont présents dans le foie, où ils constituent une réserve destinée à se transformer en glucose suivant les besoins de l'organisme.

Glycosurie : Présence anormale de glucose dans les urines. La glycosurie est le reflet d'un taux trop élevé de sucre dans le sang[18].

Goitre : Tumeur grosse et spongieuse sur la partie antérieure du cou, entre la peau et la trachée-artère, formée par une augmentation du corps thyroïde[1].

Gonadotrophine chorionique humaine (hCG) : Hormone produite par les villosités choriales ; marqueur biologique des tests de grossesse.

Gravide : Dans lequel se développe un embryon ou un fœtus[1].

Grossesse multiple : Grossesse durant laquelle plus de un fœtus se forment simultanément dans l'utérus ; gestation multiple.

Grossesse prolongée : Grossesse qui s'étire au-delà de 42 semaines.

Habituation : Phénomène psychologique et physiologique par lequel la réaction à un stimulus constant ou répétitif diminue graduellement.

Hauteur de la presentation : Franchissement des détroits supérieur, moyen et inférieur du bassin par la partie de la tête du fœtus ayant le plus grand diamètre.

Hémoglobine glyquée A_{1c} : Fraction de l'hémoglobine ayant fixé le glucose ; reflète la glycémie moyenne des deux mois précédent le prélèvement[19].

Hémopéritoine : Épanchement sanguin dans la cavité péritonéale[16].

Hémorragie postpartum (HPP) : Saignement excessif qui fait suite à un accouchement, défini habituellement par une perte de sang de plus de 500 ml après un accouchement vaginal et de plus de 1 000 ml après une césarienne.

Hémostase : Processus permettant d'arrêter une hémorragie à la suite d'une lésion d'un vaisseau sanguin. L'hémostase fait appel aux facteurs vasculaires et plasmatiques de la coagulation, de même qu'aux plaquettes.

Hépatocytes : Cellules endocrines et exocrines du foie.

Hépatosplénomégalie : Augmentation conjointe du volume du foie et de la rate[10].

Homéostasie des glucides : Capacité de l'organisme à maintenir la glycémie dans les limites des valeurs normales.

Hyperémèse gravidique : Vomissements importants et persistants durant la grossesse, entraînant une perte de poids, la déshydratation et des déséquilibres électrolytiques.

Hyperesthésie: Sensibilité excessive.

Hyperglycémie: Augmentation de la concentration de glucose dans le sang.

Hyperthyroïdie: Exagération de l'activité de la glande thyroïde.

Hypoglycémie: Quantité insuffisante de glucose dans le sang pour combler les besoins de l'organisme.

Hypoménorrhée: Écoulement menstruel très peu abondant.

Hypotension orthostatique: Baisse de la pression artérielle survenant quand une personne passe soudainement en position debout.

Hypothyroïdie: Insuffisance de l'activité de la glande thyroïde avec une sous-production de thyroxine.

Hypovolémie: Diminution du volume sanguin total[16].

Hypoxémie: Diminution de la pression partielle de l'oxygène dans le sang artériel et de la saturation du sang artériel en oxygène.

Hypoxie: Diminution de la concentration d'oxygène dans les tissus à un niveau insuffisant pour répondre aux besoins métaboliques des tissus du corps.

Hystérosalpingographie: Examen radiologique de la cavité utérine et des lumières tubaires qui permet d'évaluer la perméabilité tubaire et de visualiser les altérations de la cavité utérine et de la muqueuse tubaire, grâce à l'injection d'un produit de contraste par voie cervicale.

Ictère: Coloration jaune de la peau due à une augmentation de la quantité de bilirubine dans les tissus corporels.

Ictère physiologique du nouveau-né: Bilirubinémie non conjuguée élevée qui donne un ictère des sclérotiques, des muqueuses et de la peau, chez un nouveau-né normal qui évolue sans complication[20].

Imagerie par résonance magnétique (IRM): Technique de visualisation nucléaire non effractive des tissus à forte teneur en graisses et en eau; en obstétrique, ses indications incluent l'évaluation des structures fœtales, du placenta et du volume de liquide amniotique.

Implantation: Enfouissement (nidation) de l'ovule fécondé dans la muqueuse utérine.

Indice de liquide amniotique (ILA): Estimation de la quantité de liquide amniotique par un appareil d'échographie.

Indice de masse corporelle (IMC): Méthode qui permet de calculer un indicateur de risque lié à l'insuffisance ou à l'excès pondéral. Le calcul se fait en déterminant le rapport entre la taille et la masse de la personne (IMC = poids en kg/taille en m^2).

Infection vaginale à levure: Infection des muqueuses du vagin causée par un champignon. Le *candida albicans* est le champignon le plus fréquemment en cause, d'où le nom de candidose souvent utilisé pour désigner cette infection.

Infertilité: Incapacité pour un couple de concevoir après un an de relations sexuelles non protégées[21].

Injection intra-amniotique: Injection d'une solution saline ou de lactate de Ringer au moyen d'un cathéter intra-utérin inséré dans la cavité utérine dans le but d'accroître la quantité de fluide autour du cordon ombilical et d'empêcher la compression de celui-ci pendant les contractions utérines.

Insuffisance utéroplacentaire: Baisse de la fonction placentaire entraînant une diminution de l'apport d'oxygène au fœtus et potentiellement l'hypoxie et l'acidose fœtale. Pendant le travail, elle se manifeste par des décélérations tardives de la fréquence cardiaque fœtale en réponse aux contractions utérines.

Involution: Retour de l'utérus à son état non gravide après l'accouchement.

Ischémie: Diminution ou arrêt de la circulation artérielle dans une région plus ou moins étendue d'un organe ou d'un tissu.

Jonction pavimentocylindrique: Zone du canal endocervical où se rejoignent l'épithélium pavimenteux et l'épithélium prismatique; également appelée jonction vaginocervicale.

Labilité émotionnelle: Changement rapide et important de l'humeur qui peut être suscité facilement et disparaître rapidement[22].

Lactogénèse: Synthèse des constituants organiques du lait par la glande mammaire[10].

Lanugo: Poils très fins qui recouvrent l'ensemble du corps du fœtus entre la 12e et la 33e semaine de gestation.

Léiomyome: Tumeur bénigne formée de cellules musculaires lisses.

Leucorrhée: Écoulement muqueux blanc ou jaunâtre venant du canal endocervical ou du vagin, dont la présence peut être physiologiquement normale ou être causée par des états pathologiques du vagin et de l'endocol.

Ligne brune abdominale: Ligne de pigmentation plus foncée qui apparaît au centre de l'abdomen chez certaines femmes dans la dernière partie de la grossesse et qui s'étend de la symphyse pubienne vers l'ombilic.

Ligne innominée: Crête oblique s'étendant sur la face interne de l'os coxal; elle commence en avant de la surface auriculaire et se termine par la crête pectinéale. Elle marque la limite inférieure de la fosse iliaque interne.

Lipase: Enzyme contenue principalement dans le suc pancréatique, qui catalyse l'hydrolyse des lipides[10].

Lochies: Écoulement vaginal puerpéral composé de sang, de tissus et de mucus.

Lochies blanches: Écoulement vaginal clair, de jaunâtre à blanc, qui suit les lochies séreuses et qui peut se prolonger jusqu'à six semaines.

Lochies rouges: Écoulement vaginal rouge, distinctement teinté de sang, qui suit l'accouchement et qui dure de deux à quatre jours.

Lochies séreuses: Écoulement vaginal séreux, aqueux, d'un brun rosâtre, qui suit les lochies rouges jusqu'à la deuxième ou troisième semaine après l'accouchement environ.

Macrosomie: Grand poids à la naissance des nouveau-nés de mères souffrant de diabète antérieur à la grossesse ou de diabète gestationnel.

Maison de naissance: Endroit où peut se faire un suivi complet de maternité d'une femme enceinte, depuis le début de la grossesse jusqu'à plusieurs semaines après l'accouchement.

Maladie auto-immune: Maladie dans laquelle le système immunitaire de l'organisme sécrète des anticorps (autoanticorps) contre ses propres antigènes qu'il considère comme étrangers[7].

Maladie de von Willebrand: Famille de maladies héréditaires caractérisées par un ralentissement de la coagulation[23].

Mamelons invaginés: Mamelons enfouis vers l'intérieur du sein.

Manœuvre de Léopold: Quatre manœuvres d'évaluation de la position fœtale par palpation externe de l'abdomen de la mère.

Manœuvre de Ritgen: Technique utilisée pour maîtriser le dégagement de la tête du fœtus pendant l'accouchement et prévenir les déchirures périnéales; une pression est exercée sous le coccyx, vers le haut, pour permettre l'extension de la tête pendant la naissance.

Manœuvre de Valsalva: Effort d'expiration forcée contre des voies respiratoires fermées, en retenant son souffle et en resserrant les muscles abdominaux; aide à la poussée pendant le deuxième stade du travail.

Mastectomie radicale modifiée: Ablation complète du sein et d'une partie des ganglions lymphatiques de l'aisselle avec la peau et l'aponévrose du grand pectoral.

Mastectomie totale élargie: Ablation du sein par exérèse complète de la glande mammaire et des muscles grand et petit pectoraux.

Méconium: Première selle du nouveau-né, visqueuse et noir verdâtre, se formant pendant la vie fœtale à partir du liquide amniotique et de ses constituants, des sécrétions intestinales (dont la bilirubine) et de cellules détachées de la muqueuse.

Méiose: Mécanisme par lequel les cellules germinales se divisent et réduisent de moitié le nombre de leurs chromosomes.

Ménarche: Déclenchement de la fonction menstruelle.

Ménométrorragie: Hémorragie utérine sans cause organique manifeste.

Ménopause: Du grec *mensis* (mois) et *pausis* (arrêt): cessation permanente des cycles menstruels; se détermine rétrospectivement après 12 mois consécutifs sans menstruations.

Ménorragie: Règles anormalement abondantes et prolongées.

Mesures anthropométriques: Ensemble des mesures constituant les mensurations du corps humain, dont la taille, le poids et leurs proportions.

Méthode de contraception naturelle: Méthode n'utilisant pas de moyens extérieurs chimiques ou physiques pour réguler la fertilité naturelle[24].

Métrorragie: Hémorragie utérine survenant de façon anormale entre les règles.

Mitose: Mécanisme de division des cellules somatiques par lequel les deux nouvelles cellules produites ont le même nombre de chromosomes que la cellule mère.

Monitorage électronique du fœtus: Surveillance électronique de la fréquence cardiaque fœtale au moyen de méthodes internes et externes.

Monosomie: Aberration chromosomique caractérisée par l'absence d'un chromosome dans le jeu diploïde normal.

Morula: Étape de développement de l'ovule fécondé avant son implantation; la morula est un amas de cellules ressemblant à une mûre.

Mosaïcisme: Condition dans laquelle certaines cellules somatiques sont normales alors que d'autres sont porteuses d'aberrations chromosomiques.

Multipare: Terme qualifiant une femme qui a eu plusieurs enfants[17].

Myocardiopathie périnatale: Insuffisance cardiaque congestive maternelle qui se produit pendant la période périnatale.

Myoglobine: Protéine musculaire contenant le même groupe prosthétique que l'hémoglobine, elle se comporte comme une réserve d'oxygène pour le muscle à action lente[1].

Narcose: Sommeil provoqué artificiellement par des médicaments[1].

Narcose néonatale: Dépression du système nerveux central du nouveau-né causée par un analgésique opioïde; la dépression respiratoire, l'hypotonie, la léthargie et le retard de la régulation de la température en sont des signes.

Neurofibromatose (maladie de von Recklinghausen): Maladie héréditaire qui se caractérise par la présence de petites tumeurs ou de petits kystes sur la peau et dans le système nerveux[25].

Neutrophilie: Augmentation d'une variété de globules blancs, appelés polynucléaires neutrophiles, au-dessus de 10 000 par microlitre[3].

Nouveau-né ayant un poids insuffisant à la naissance: Nouveau-né qui pèse moins de 2 500 g à la naissance.

Nulligeste: Terme qualifiant une femme qui n'a pas eu de grossesse.

Nullipare: Terme qualifiant une femme qui n'a pas eu d'enfants.

Nutrigénétique: Étude de l'impact du code génétique d'une personne sur sa réponse à divers nutriments.

Nystagmus: Mouvement d'oscillation rythmique et involontaire des yeux.

Ocytocine: Hormone provenant du lobe postérieur de l'hypophyse et stimulant les contractions de l'utérus et la sécrétion de lait par les glandes mammaires (réflexe d'éjection); le médicament, ocytocine synthétique, exerce la même action de stimulation utérine.

Ocytocique: Médicament qui stimule les contractions du muscle lisse utérin.

Œdème: Gonflement d'un tissu organique dû à l'infiltration anormale de liquide dans l'espace interstitiel.

Œdème à godet: Persistance de l'empreinte des doigts lorsqu'une pression est exercée sur la peau d'un membre œdémateux.

Œdème déclive: Œdème touchant la partie la plus basse du corps, généralement les membres inférieurs[26].

Œdème périphérique: Œdème observable à l'extrémité des membres inférieurs et supérieurs.

Œstrogènes: Groupe d'hormones sexuelles stéroïdiennes impliquées entre autres dans le développement des follicules des ovaires, du corps jaune et du placenta.

Oligohydramnios: Présence de moins de 200 ml de liquide amniotique dans la cavité amniotique intacte pendant les derniers mois de la grossesse[27].

Oligoménorrhée: Diminution de la quantité ou de la fréquence des règles.

Oligurie: Diminution ou insuffisance (physiologique ou pathologique) de la sécrétion urinaire[1].

Omphalocèle: Hernie ombilicale causée par un défaut de repliement des plis latéraux de la collerette embryonnaire lors de la formation de la paroi ventrale.

Orientation: Rapport existant entre le grand axe du fœtus (colonne vertébrale) et le grand axe de la mère; dans le cas d'une présentation longitudinale, le fœtus est couché sur le long ou sur la verticale, tandis que dans une présentation transversale, le fœtus se présente en diagonale ou à l'horizontale dans l'utérus.

Ostéochondrite nécrosante: Décalcification progressive et nécrosante des cartilages formateurs de certains os (hanche, talon, genoux) ou de leurs épiphyses.

Ovogenèse: Processus de formation des ovules qui débute pendant la vie fœtale de la femme.

Ovulation: Arrivée à maturation et libération d'un ovule par un ovaire; intervient généralement 14 jours avant le début du flux menstruel.

Palpation abdominale (manœuvres de Léopold): Techniques de palpation de l'abdomen employées pour déterminer la position et l'orientation du fœtus dans l'utérus.

Pansement sanguin épidural: Injection de quelques millilitres de sang de la parturiente dans le site d'une ponction péridurale. Cela permet de colmater les fuites de liquide céphalorachidien qui entraînent des céphalées importantes.

Parodontopathie: Atteinte des tissus de soutien de la dent (gencive, os et racine).

Parturiente: Nom donné à la femme pendant les quatre stades du travail, incluant l'accouchement.

Pemphigus: Terme générique désignant les maladies de la peau et des muqueuses caractérisées par la formation de bulles liquides (phlyctènes).

Périménopause: Période de transition et de modification de l'activité ovarienne commençant avant la ménopause et se terminant quelques années après le début de l'aménorrhée (absence de menstruations).

Période de transition: Période allant de la naissance à quatre à six heures plus tard, pendant laquelle le nouveau-né traverse une période de réactivité, une période de sommeil, puis une seconde période de réactivité.

Période pernatale: Période correspondant au travail et à l'accouchement.

Période postnatale: Période débutant à la naissance et allant jusqu'à quatre à six semaines après celle-ci.

Période prénatale: Période correspondant à la grossesse, allant de la conception au travail.

Phagocytose: Processus par lequel les phagocytes absorbent des particules étrangères et les détruisent dans leur cytoplasme[16].

Pharmacogénétique/pharmacogénomique: Étude de l'impact de facteurs héréditaires sur le métabolisme des médicaments (génétique) et sur la réaction individuelle aux médicaments (génomique).

Phase active: Phase du premier stade du travail où la dilatation du col de l'utérus atteint de 4 à 7 cm.

Phase de latence: Phase du premier stade du travail où le col de l'utérus se dilate de 0 à 3 cm.

Phase de transition: Phase du premier stade du travail où la dilatation du col de l'utérus passe de 8 à 10 cm.

Phénylcétonurie: Trouble héréditaire du métabolisme de la phénylalanine, dû à un déficit enzymatique et transmis selon le mode récessif[1].

Pica: Trouble du comportement alimentaire caractérisé par l'ingestion de substances non nutritives (p. ex., de la terre, de la craie, du sable, du papier).

Placenta praevia: Placenta qui se développe de façon irrégulière sur le segment inférieur de l'utérus, entraînant lors de l'accouchement la présentation du placenta avant celle du fœtus[16].

Plainte visuelle: Trouble (tel que la vision double, les maux de tête, les étourdissements, les nausées, les brûlements ou les picotements des yeux) associé aux problèmes oculovisuels.

Polycythémie: Augmentation du nombre de globules rouges circulant avec un taux d'hémoglobine normal[10].

Polyhydramnios: Présence d'une quantité excessive de liquide amniotique (plus de 2 000 ml) dans la cavité qui entoure le fœtus[11].

Position de lithotomie (ou gynécologique): Décubitus dorsal avec les jambes écartées, les genoux pliés et les talons appuyés dans des étriers.

Position modifiée de Sims: Position où la personne est couchée sur le côté gauche, jambe gauche non fléchie, jambe droite fléchie et croisée devant la gauche, bras gauche placé sous la tête.

Pouvoir oxyphorique: Capacité de l'hémoglobine de fixer et de transporter l'oxygène vers les diverses parties du corps.

Prélèvement de villosités choriales: Prélèvement de tissu fœtal à partir du placenta pour examens paracliniques génétiques.

Prématuré: Enfant né avant la 37e semaine de gestation.

Prématurité iatrogène: Naissance prématurée provoquée par un acte médical, un traitement ou un médicament, par exemple.

Premier stade du travail: Étape du travail qui s'étend des premières contractions utérines régulières jusqu'à l'effacement total et la dilatation complète du col de l'utérus.

Présentation: Partie du corps du fœtus qui apparaît en premier au détroit supérieur du bassin, avant l'engagement (p. ex., la présentation céphalique, du siège, de l'épaule).

Primigeste: Terme qualifiant une femme enceinte pour la première fois[28].

Primipare: Terme qualifiant une femme qui accouche pour la première fois.

Processus de revendication: Processus par lequel les parents reconnaissent leur nouveau-né en établissant les ressemblances et les différences avec les autres membres de la famille et reconnaisssent son caractère unique.

Procidence du cordon: Position anormale du cordon au moment de la descente du fœtus, ce qui risque de comprimer le cordon et de diminuer le flot sanguin vers le fœtus.

Profil biophysique (PBP): Évaluation non effractive du fœtus et de son environnement à l'aide de l'échographie et du monitorage fœtal; elle inclut les mouvements respiratoires, les mouvements corporels globaux, le tonus, ainsi que la réactivité de la fréquence cardiaque fœtale et le volume de liquide amniotique.

Progestérone: Hormone stéroïde principalement sécrétée par le corps jaune des ovaires et impliquée dans le cycle menstruel féminin, la grossesse et l'embryogenèse.

Prolapsus du cordon ombilical: Forme de procidence du cordon ombilical qui entraîne l'expulsion du cordon avant celle du fœtus.

Prostaglandine (PG): Substance présente dans de nombreux tissus corporels, intervenant dans plusieurs fonctions du système reproducteur, dont la fécondation et l'accouchement.

Protéinurie: Présence de protéines provenant du sérum sanguin en quantité anormalement élevée dans l'urine.

Psychose postpartum: Syndrome caractérisé par des signes de dépression, des idées délirantes et des pensées amenant la mère à représenter un danger pour elle-même ou son nourrisson.

Ptyalisme: Salivation excessive.

Puberté: Période de transition entre l'enfance et la maturité sexuelle.

Purpura thrombopénique: Purpura pétéchial ou ecchymotique en rapport avec une thrombopénie.

Purpura thrombopénique idiopathique: Maladie auto-immune dans laquelle des anticorps antiplaquettaires réduisent la durée de vie des plaquettes.

Pyrosis (brûlures d'estomac): Sensation de brûlure dans les régions épigastrique et sternale due à l'acide gastrique.

Quatrième stade du travail: Première heure ou deux premières heures après la naissance.

Réciprocité: Apparition chez l'enfant de réactions de plus en plus organisées en réponse aux comportements des personnes qui interagissent avec lui.

Réflexe de Ferguson: Hypersécrétion d'ocytocine déclenchée par la descente du fœtus et de sa présentation dans le vagin, qui augmente la fréquence et la force des contractions pour faciliter l'expulsion.

Réflexe des points cardinaux : Réflexe qui se déclenche lorsqu'on stimule l'un des coins de la bouche ou la joue de l'enfant : celui-ci oriente sa tête du côté de la zone excitée, en cherchant à téter le « sein » évoqué par la stimulation[29].

Règle de Naegele : Méthode de calcul de la date approximative de l'accouchement.

Relâchement pelvien : Relâchement des muscles et des éléments fibroligamentaires pelviens qui se traduit par une chute en avant et vers le bas des organes pelviens (vessie, rectum) ; conséquence possible de l'accouchement[30].

Relativisme culturel : Fait de chercher à connaître les normes d'une autre culture et de les appliquer aux activités qui la concernent. Contraire d'ethnocentrisme.

Repère de presentation : Structure anatomique fœtale qui détermine la présentation (p. ex., l'occiput, le menton, la fontanelle antérieure, le sacrum, l'acromion).

Restructuration cognitive : Concept qui se base sur le modèle du traitement cognitif de l'information selon lequel, devant une situation donnée, chaque individu interprète l'événement de manière très personnelle et réagit en fonction de cette interprétation[31].

Retard de croissance intra-utérin (RCIU) : Retard de la croissance fœtale attribuable à diverses causes.

Rupture des membranes (RM) : Bris spontané ou artificiel par amniotomie de l'intégrité des membranes amniotiques.

Rupture prématurée des membranes : Rupture de la poche amniotique et écoulement du liquide amniotique avant le déclenchement du travail, quel que soit le stade de la grossesse.

Rupture prématurée des membranes avant terme : Rupture prématurée des membranes avant la fin de la 37e semaine de grossesse.

Rupture prolongée des membranes : Rupture des membranes qui a eu lieu plus de 18 heures avant la naissance.

Sensibilité annexielle : Sensibilité ou douleur ressentie dans les structures extra-utérines (trompes, ligaments, ovaires).

Sensibilité parentale : Capacité des parents à détecter les signaux émis par leur enfant, de leur donner une signification juste et d'y répondre de manière appropriée dans des délais raisonnables ; déterminante dans le développement de l'attachement.

Septicémie : Réponse inflammatoire généralisée due à la prolifération dans le sang de bactéries pathogènes, accompagnée de dysfonctions touchant plus de un organe.

Signe de Chadwick : Coloration violette de la muqueuse vaginale visible à partir de la quatrième semaine de la grossesse environ, causée par l'accroissement de la vascularisation.

Signe de Goodell : Ramollissement du col utérin, signe probable de grossesse survenant pendant le deuxième mois.

Signe de Hegar : Ramollissement du segment inférieur de l'utérus classifié comme signe probable de grossesse ; il peut être présent pendant le deuxième et le troisième mois de la grossesse et il est reconnaissable à la palpation au cours d'un examen bimanuel.

Soins de santé à domicile : Soins fournis à la maison.

Soins mère-enfant : Prestation de soins dits intégraux, où une infirmière prodigue à la fois des soins à la mère et au nouveau-né (désignée aussi sous le nom de soins mère-enfant en cohabitation).

Souffle funiculaire : Bruit du sang qui s'engouffre dans les vaisseaux ombilicaux, synchronisé avec la fréquence cardiaque fœtale.

Souffle utérin : Bruit produit par le sang dans les artères utérines, synchronisé avec la fréquence cardiaque maternelle.

Spermogramme : Examen qui mesure le nombre, la motilité, la taille, la forme et le volume des spermatozoïdes, ainsi que le dosage de certaines substances normalement présentes[7].

Sphérocytose héréditaire : Anémie hémolytique constitutionnelle liée à une anomalie de la membrane érythrocytaire[22].

Splanchnique : Qui appartient ou qui se rapporte aux viscères[1].

Stimulation vagale : Stimulation du nerf vague au moyen d'une électrode implantée et connectée à une neurostimulateur[32].

Stress oxydatif : Dommage causé par une augmentation des radicaux libres de l'oxygène, qui peut avoir des effets au niveau moléculaire, cellulaire ou sur l'organisme entier. Selon certaines hypothèses, le phénomène du stress oxydatif aurait un rôle à jouer dans le vieillissement et pourrait être associé aux maladies dégénératives[16].

Subinvolution : Incapacité de l'utérus à reprendre sa taille et son état normal après l'accouchement.

Surfactant : Substance de revêtement des alvéoles pulmonaires, de nature chimique complexe, qui les empêche d'être collabées en fin d'expiration[10].

Synchronie : Correspondance entre la réponse du parent et les signaux émis par le nouveau-né.

Syndrome anaphylactoïde de la grossesse : Complication rare de la grossesse caractérisée par l'apparition soudaine d'hypoxie, d'hypotension, de coagulopathie ou par l'arrêt cardiaque qui peuvent survenir durant le travail ou l'accouchement ou immédiatement après la naissance ; appelé également embolie amniotique.

Syndrome d'aspiration méconiale : Aspiration (ou inhalation) du méconium par le nouveau-né ; il est défini par la présence de méconium en dessous des cordes vocales du nouveau-né[18].

Syndrome de compression aortocave : Chute de la pression artérielle causée par un retour veineux inadéquat lorsque l'utérus gravide exerce une pression sur la veine cave ascendante, alors que la femme est en décubitus dorsal.

Syndrome de Couvelaire : Ensemble de symptômes, appelé également apoplexie utéro-placentaire, qui se caractérise par l'apparition d'un hématome (collection de sang) qui décolle le placenta de la paroi de l'utérus.

Syndrome de mort subite du nourrisson (SMSN) : Décès brutal et inattendu d'un nourrisson jusque-là bien portant. Il survient vers le troisième mois et souvent avant le cinquième mois.

Syndrome de Sturge-Weber : Malformation vasculaire congénitale qui affecte la peau, les yeux et le système nerveux central[33].

Syndrome du canal carpien : Syndrome dans lequel l'œdème comprime le nerf médian sous le ligament annulaire du poignet, causant fourmillement, sensation de brûlure ou engourdissement de la moitié interne de la main atteinte.

Syndrome prémenstruel (SPM) : Ensemble de symptômes physiques, psychologiques ou comportementaux qui peuvent survenir pendant la phase lutéale du cycle ovulatoire et qui disparaissent au moment de l'apparition des menstruations.

Tache mongolique : Zone pigmentée gris-bleu ou foncée, non surélevée, généralement observée sur le bas du dos et les fesses ; présente à la naissance chez certains enfants, surtout non blancs ; habituellement estompée à l'âge scolaire ; aussi appelée tache bleue sacrée.

Tachycardie : Fréquence cardiaque fœtale de base supérieure à 160 battements par minute, pendant au moins 10 minutes.

Tachysystole utérine : Moment du travail où plus de 5 contractions utérines en 10 minutes se produisent en moyenne à l'intérieur d'une période de 30 minutes.

Ténesme : Contracture spasmodique douloureuse du sphincter anal ou vésical, s'accompagnant de brûlures, de tension et d'un besoin impérieux et continu d'aller à la selle ou d'uriner[1].

Tératogène : Se dit d'une substance ou d'un procédé qui provoque des malformations fœtales lorsque la mère y est exposée[7].

Tératogenèse : Production pathologique de malformations fœtales.

Test à la nitrazine : Évaluation du pH des liquides corporels à l'aide d'un papier tournesol ou d'un écouvillon enduit de nitrazine ; l'urine donne un résultat acide, et le liquide amniotique produit un résultat alcalin.

Test de Coombs direct : Détermination des anticorps Rh positifs maternels dans le sang de cordon fœtal ; un test positif indique la présence d'anticorps (on parle alors de titre d'anticorps).

Test de Coombs indirect : Détermination des anticorps Rh positifs dans le sang maternel ; un test positif indique la présence d'anticorps.

Test de décompte des mouvements fœtaux (TDMF) : Évaluation par la mère de l'activité fœtale ; elle calcule le nombre de mouvements fœtaux perçus durant une période donnée.

Test de Papanicolaou (test Pap ou frottis vaginaux) : Examen au microscope de cellules prélevées par grattage sur le col de l'utérus, la membrane endocervicale ou une autre muqueuse ; permet de repérer avec un degré élevé de certitude la présence de cellules malignes (cancéreuses) ou précancéreuses.

Test de stimulation vibroacoustique : Test prénatal visant à susciter une réponse cardiaque fœtale au bruit ; consiste à appliquer une source sonore (larynx artificiel) sur l'abdomen de la mère à la hauteur de la tête du fœtus.

Test du pincement : Test qui permet de déterminer si les mamelons sont saillants ou invaginés ; on place le pouce et l'index sur l'aréole en pressant vers l'intérieur ; le mamelon saillira ou s'invaginera.

Théorie du portillon : Capacité neurophysiologique de moduler la perception de la douleur par l'activation d'interneurones inhibiteurs en utilisant diverses techniques pharmacologiques et non pharmacologiques (p. ex., la distraction, la stimulation cutanée).

Thermogénèse : Création ou production de chaleur, en particulier dans l'organisme.

Thermoneutralité : État d'équilibre entre les caractéristiques physiologiques liées au métabolisme et à la thermorégulation de la personne et les caractéristiques thermiques de l'environnement. Dans cet état n'intervienent ni sudation ni frisson[34].

Thermorégulation : Régulation de la température visant l'équilibre entre la déperdition et la production de chaleur.

Thromboembolie veineuse (TEV) : Obstruction d'une veine (embolie) par un caillot sanguin (thrombose)[35].

Thrombophlébite : Inflammation de la paroi d'une veine accompagnée de la formation secondaire d'un caillot.

Tirage : Phénomène où les tissus mous de la cage thoracique sont « aspirés » vers l'intérieur de celle-ci au moment de l'inspiration. Il s'observe chez les clients atteints d'une pathologie respiratoire et est un signe d'augmentation importante du travail respiratoire[14].

Tissu adipeux brun : Source de chaleur propre au nouveau-né, dotée d'une plus grande activité thermogène que la graisse ordinaire ; on en trouve des dépôts jusqu'à plusieurs semaines après la naissance autour des glandes surrénales et des reins, dans le cou, entre les omoplates et derrière le sternum ; aussi appelé graisse brune.

Tocolyse : Inhibition des contractions utérines.

Tonus utérin de repos : Tension du muscle utérin entre les contractions ; détente de l'utérus.

Traitement martial : Administration de fer[14].

Tranchées utérines : Douloureuses crampes utérines qui apparaissent de façon intermittente pendant deux ou trois jours après l'accouchement et qui sont dues aux contractions de l'utérus qui retourne à son état normal d'involution.

Travail précipité : Travail rapide ou soudain qui, du début des contractions à la naissance, dure moins de trois heures.

Travail prématuré : Contractions utérines occasionnant un changement de l'état du col dans la période allant de la 20e à la fin de la 37e semaine de grossesse.

Trisomie : Anomalie génétique produite de l'union d'un gamète normal avec un gamète contenant un chromosome surnuméraire.

Troisième stade du travail : Étape du travail qui s'étend de la naissance de l'enfant jusqu'à la séparation et à l'expulsion du placenta.

Troubles auto-immuns : Ensemble d'affections qui perturbent le système immunitaire et qui font en sorte que le corps produit des anticorps qui causent des dommages aux tissus.

Tubercules de Montgomery : Petites protubérances nodulaires (glandes sébacées) présentes sur l'aréole entourant le mamelon des seins et qui grossissent pendant la grossesse et la lactation.

Tumorectomie : Résection de la tumeur mammaire et d'une grande bande circonférentielle de tissu sain.

Urobilinogène : Produit de la dégradation de la bilirubine précurseur de l'urobiline, éliminé en faible quantité dans les urines et en quantité plus importante dans les matières fécales[1].

Variabilité : Irrégularité normale du rythme cardiaque fœtal ou fluctuations de la fréquence cardiaque fœtale de base de deux cycles ou plus.

Vergetures : Lignes rougeâtres luisantes causées par l'étirement de la peau, souvent observées sur l'abdomen, les cuisses et les seins pendant la grossesse ; avec le temps, ces stries deviennent blanches ou argentées chez les femmes à la peau claire et brunâtres chez les femmes dont la peau est plus foncée.

Vernix caseosa : Enduit sébacé blanc, caséeux, qui protège la peau du fœtus et du nouveau-né dans les premiers jours de vie.

Version céphalique externe : Changement de position imposé au fœtus, pour qu'il se présente par la tête, par la manipulation externe de l'abdomen maternel.

Villosités choriales : Minuscules extensions vasculaires à la surface du chorion qui se projettent dans les sinus sanguins maternels de l'utérus ; elles contribuent à la formation du placenta et sécrètent la gonadotrophine chorionique humaine.

Virus respiratoire syncytial : Virus de la famille des paramyxovirus (*paramyxoviridæ*), responsable d'infections respiratoires chez le nourrisson et le jeune enfant.

Voie intrathécale : Utilisation de l'espace sous-arachnoïdien pour injecter une médication.

Volet costal : Portion de la paroi thoracique désolidarisée de l'ensemble du squelette par une ou plusieurs lignes de fractures costales et qui entraîne une respiration paradoxale[16].

Zygote : Ovule fécondé produit par l'union d'un spermatozoïde et d'un ovule.

1. www.cnrl.fr
2. www.allaitement.ca
3. www.vulgaris-medical.com
4. www.msss.gouv.qc.ca
5. www.hc-sc.gc.ca
6. De Montigny, F., & Lacharité, C. (2007). Accompagner la famille lors de la naissance d'un enfant. Dans F. Duhamel (dir.). *La santé et la famille*. Montréal : Chenelière Éducation.
7. www.doctissimo.fr
8. www.infirmiers.com
9. www.soins-infirmiers.com
10. www.termiumplus.gc.ca
11. www.pharmacorama.com
12. www.cancer.ca
13. www.futura-sciences.com
14. www.wikipedia.org
15. www.sante-guerir.notrefamille.com
16. www.granddictionnaire.com
17. www.mediadico.com
18. www.santepratique.fr
19. www.macirculation.com
20. www.chu-sainte-justine.org
21. www.gynecomedic.com
22. www.med.univ-rennes1.fr
23. www.hemophilia.ca/fr
24. www.pathol08.com
25. www.docteurclic.com
26. http://umvf.univ-nantes.fr
27. http://dictionnaire.sensagent.com
28. http://dictionnaire.reverso.net
29. www.larousse.fr
30. www.med.uottawa.ca
31. http://www.tastout.ulg.ac.be/
32. www.chuv.ch
33. http://asso.orpha.net
34. www.medecine-des-arts.com
35. www.chu-rouen.fr

SOURCES ICONOGRAPHIQUES

Chapitre 1

p. 9 (figure 1.1): Reproduction autorisée par Darren et Julie Nelson, Loveland, Colo., **(figure 1.2):** Institut canadien d'information sur la santé (2007). *Donner naissance au Canada : tendances régionales de 2001-2002 à 2005-2006.* [En ligne]. http://secure.cihi.ca/cihiweb/fr/downloads/Childbirth_AiB_FINAL_F.pdf (page consultée le 15 septembre 2011) ; **p. 10:** Ministère de la Santé et des Services sociaux (MSSS) (2010). *État de santé de la population québécoise : quelques repères (2010).* [En ligne]. http://publications.msss.gouv.qc.ca/acrobat/f/documentation/2010/10-228-01.pdf (page consultée le 16 septembre 2011) ; **p. 12:** Agence de la santé publique du Canada (ASPC) (2008). *Rapport sur la santé périnatale au Canada – Édition 2008.* [En ligne]. www.phac-aspc.gc.ca/publicat/2008/cphr-rspc/behaviours-comportements-fra.php (page consultée le 16 septembre 2011) ; **p. 17 (figure 1.5):** Reproduction autorisée par Cheryl Briggs, IA, Annapolis, Md., **(figure 1.6):** © RonTech2000/iStockphoto ; **p. 22:** Centre de santé et de services sociaux de la Montagne (2007). *Cahiers de l'équipe METISS du Centre de recherche et de formation.* [En ligne]. www.csssdelamontagne.qc.ca/fileadmin/csss_dlm/Publications/Publications_CRF/Cahiers-metiss_2_en_ligne.pdf (page consultée le 19 septembre 2011) ; **p. 23:** Adapté de Association canadienne des infirmières et infirmiers en santé communautaire (2008). *Normes canadiennes de pratique des soins infirmiers en santé communautaire.* [En ligne]. www.chnc.ca/documents/chn_standards_of_practice_mar08_french.pdf (page consultée le 21 février 2012) ; **p. 27:** Ashley Cooper / MaXx Images ; **p. 28:** © Jacob Wackerhausen / iStockphoto.

Chapitre 2

p. 40: Adapté de Seidel, H., Ball, J., Dains, J., Flynn, J., Solomon, B. & Stewart, R. (2010). *Mosby's Guide to Physical Examination* (7th ed.). St. Louis, Mo. : Mosby ; **p. 45:** © Stefanie Grewel / Corbis ; **p. 48:** © Gabriel Blaj / Dreamstime.com ; **p. 56:** Adaptation de Regroupement provincial des maisons d'hébergement et de transition pour femmes victimes de violence conjugale (2006). *La violence conjugale… C'est quoi au juste*? [En ligne]. www.violenceconjugale.gouv.qc.ca/comprendre_cycle.php (page consultée le 21 février 2012) ; **p. 57:** © Medicimage / PhototakeUSA.com ; **p. 58:** Marc Tellier ; **p. 60, 63:** Extrait de Wilson, S.F., & Giddens, J.F. (2009). *Health assessment for nursing practice* (4th ed.). St. Louis, Mo. : Mosby ; **p. 64:** Adapté de Seidel, H., Ball, J., Dains, J., & Benedict, G. (2006). *Mosby's guide to physical examination* (6th ed.). St. Louis, Mo. : Mosby ; **p. 65:** Kzenon / Shutterstock.com ; **p. 69:** © Andrea Carolina Sanchez Gonzalez / iStockphoto.

Chapitre 3

p. 75: Adam Gregor / Shutterstock ; **p. 79:** Adapté de Lobo, R. (2007b). Endometriosis. In V. Katz, G. Lentz, R. Lobo & D. Gershenson (Eds.). *Comprehensive gynecology* (5th ed.). Philadelphia : Mosby ; **p. 88:** ©MAY / BSIP ; **p. 93:** Dr P. Marazzi / Science Photo Library ; **p. 94:** Dr M.A. Ansary / Science Photo Library ; **p. 96:** AMI Images / Science Photo Library ; **p. 107:** Astier - CHRU Lille / Science Photo Library ; **p. 108:** Adapté de National Women's Health Resource Center (1995). Breast health. *National Women's Health Report, 13*(5), 3 ; **p. 111:** © Jameswimsel / Dreamstime.com.

Chapitre 4

p. 116: ©La / Jondoh.Annette / BSIP ; **p. 123:** Stephanie Colvey ; **p. 124 (A):** Reproduction autorisée par Dee Lowdermilk, Chapel Hill, N.C., **(B):** Reproduction autorisée par Allendale Pharmaceuticals, inc., Allendale, N.J. ; **p. 131:** Adapté de Institut national de santé publique du Québec (INSPQ) (2007). *Avis du Comité d'experts en planning familial.* [En ligne]. www.inspq.qc.ca/aspx/docs/contraceptionhormonale/OCC-ALGOdecisionnel.pdf (page consultée le 20 février 2012) ; **p. 132 (A):** Reproduction autorisée par Fédération du Québec pour le planning des naissances, **(B):** © Peter Andrews / Corbis ; **p. 154:** © Monkey Business Images / Dreamstime.com.

Chapitre 5

p. 172 (A): Springer Images, **(B):** Wikipedia Common ; **p. 173 (A):** Springer Images, **(B):** Nami-ja / Wikipedia Common ; **p. 176:** Adapté de Moore, K., & Persaud, T. (2008). *Before we are born : Essentials of embryology and birth defects* (7th ed.). Philadelphia : Saunders ; **p. 179 (figure 5.9A):** Adapté de Carlson, B. (2009). *Human embryology and developmental biology* (4th ed.). St. Louis, Mo. : Mosby, **(figure 5.9B):** Adapté de Langley, L., Telford, I.R., & Christenson, J.B. (1980). *Dynamic human anatomy and physiology* (5th ed.). New York : McGraw-Hill ; **p. 180 (haut):** Adapté de © Legger / Dreamstime.com ; **p. 183:** Reproduction autorisée par Marjorie Pyle, RNC, Lifecircle, Costa Mesa, Calif. ; **p. 186:** Adapté de Moore, K., & Persaud, T. (2008). *Before we are born : Essentials of embryology and birth defects* (7th ed.). Philadelphia : Saunders ; **p. 189:** Jellyfish Pictures / Science Photo Library ; **p. 192:** © Daniel Laflor / iStockphoto.

Chapitre 6

p. 198: Stéphanie Colvey ; **p. 200 (figure 6.3):** Adapté de Seidel, H., Ball, J., Dains, J., & Benedict, G. (2006). *Mosby's guide to physical examination* (6th ed.). St. Louis, Mo. : Mosby ; **p. 204:** © M.I. Walker / BSIP ; **p. 206:** Reproduction autorisée par Marjorie Pyle, RNC, Lifecircle, Costa Mesa, Calif. ; **p. 210:** © Kupicoo / iStockphoto ; **p. 211:** Reproduction autorisée par Shannon Perry, Phoenix, Ariz. ; **p. 217:** Olga Sapegina / Shutterstock.

Chapitre 7

p. 224: © Patrick Lane Photography / Corbis ; **p. 226:** Pavzyuk Svitlana / Shutterstock.com ; **p. 227:** Wavebreakmedia ltd / Shutterstock.com ; **p. 228:** © WpN / Photoshot ; **p. 230:** Aurora Photos / Masterfile ; **p. 234:** Lincoln Clarkes ; **p. 239:** Reproduction autorisée par Chris Rozales, San Francisco, Calif. ; **p. 240 (A):** © Podius / Dreamstime.com, **(B):** Reproduction autorisée par Dee Lowdermilk, Chapel Hill, NC, **(C):** © Monkey Business Images / Dreamstime.com ; **p. 243:** © Martinao / Dreamstime.com ; **p. 244 (figure 7.11):** Lawrence, R., & Lawrence, R. (2005). *Breastfeeding : A guide for the medical profession* (6th ed.). Philadelphia : Mosby, **(figure 7.12):** Reproduction autorisée par Michael S. Clement, MD, Mesa, Ariz. ; **p. 246 (encadré 7.6):** © Photoshot / TIPS ; **p. 247 (figure 7.14):** Reproduction autorisée par Michael S. Clement, MD, Mesa, Ariz., **(figure 7.15):** Reproduction autorisée par Julie Perry Nelson, Loveland, Colo. ; **p. 248 (figure 7.16):** Reproduction autorisée par Michael S. Clement, MD, Mesa, Ariz., **(figure 7.17):** Reproduction autorisée par Dale Ikuta, San Jose, Calif. ; **p. 250 (figure 7.18):** Reproduction autorisée par Shannon Perry, Phoenix, Ariz., **(figure 7.19):** © Imagebrokers / Photoshot ; **p. 262:** © Nick M. Do / iStockphoto ; **p. 268:** Masterfile ; **p. 270:** © Jochem Wijnands / MaXx Images ; **p. 271:** Gundersen Lutheran Health System ; **p. 272:** Reproduction autorisée par Dee lowdermilk, Chapel Hill, NC. Lieu de la photo : The Women's Birth and Wellness Center ; **p. 273:** © Chris Schmidt / iStockphoto.

Chapitre 8

p. 285: iStockphoto / Thinkstock ; **p. 288:** OtnaYdur / Shutterstock.com ; **p. 296:** ©Sa Majesté la Reine du Chef du Canada, représentée par le ministre de Santé Canada, 2007 ; **p. 299:** © Juanmonino / iStockphoto ; **p. 301:** © Tracy Whiteside / Dreamstime.com.

Chapitre 9

p. 313 (figure 9.9): Adapté de Barkauskas, V., Baumann, L., & Darling-Fisher, C. (2000). *Health and physical assessment* (3rd ed.). St. Louis, Mo. : Mosby ; **p. 319:** Marc Tellier ; **p. 325:** Michelle Del Guercio / Getty Images ; **p. 326:** © Joey Boylan / iStockphoto.

Chapitre 10

p. 331 (figure 10.2): Adapté de Tournaire, M., & Theau-Yonneau, A. (2007). Complementary and alternative approaches to pain relief during labor. *Evid Based Complement Alternat Med, 4*(4), 409-417 ; **p. 335:** © Jan Lombard / iStockphoto ; **p. 336:** Hans Neleman / Getty Images ; **p. 337 (A, B):** Reproduction autorisée par Marjorie Pyle, RNC, Lifecircle, Costa Mesa, Calif., **(C):** Stephen Simpson / Getty images ; **p. 338 (figure 10.6):** Marc Tellier, **(figure 10.7):** Bonapace, J. (2009a). *Accoucher sans stress avec la méthode Bonapace* (2e éd.). Montréal : Les Éditions de l'Homme ; **p. 340:** Adapté de Leeman, L., Fontaine, P., King, V., Klein, M., & Ratcliffe, S. (2003). The nature and management of labor pain, Part 1 : Nonpharmacologic pain relief. *Am Fam Physician, 68*(6), 1109-1110 ; **p. 349 (B, C):** Reproduction autorisée par Michael S. Clement, MD, Mesa, Ariz. ; **p. 357:** Reproduction autorisée par Julie Perry Nelson, Loveland, CO ; **p. 358:** © Alexander Makhal / Dreamstime.com.

Chapitre 11

p. 366: Reproduction autorisée par Michael S. Clement, MD, Mesa, Ariz. ; **p. 368 (B):** BSIP /

Phototake; **p. 369-370-371-372-373:** Adapté de Tucker, S.M., Miller, L.A., & Miller, D.A. (2009). *Mosby's pocket guide to fetal monitoring: A multidisciplinary approach* (6th ed.). St. Louis, Mo: Mosby.; **p. 374-375:** Adapté de Tucker, S.M. (2004). *Pocket guide to fetal monitoring and assessment* (5th ed.). St. Louis, Mo.: Mosby.; **p. 376:** Adapté de Tucker, S.M., Miller, L.A., & Miller, D.A. (2009). *Mosby's pocket guide to fetal monitoring: A multidisciplinary approach* (6th ed.). St. Louis, Mo: Mosby.; **p. 382:** © MENDIL / BSIP; **p. 384:** © Lana Langlois / Dreamstime.com.

Chapitre 12

p. 391: Reproduction autorisée par Dee lowdermilk, Chapel Hill, NC; **p. 393:** Marc Tellier; **p. 401 (figures 12.3A, C):** Reproduction autorisée par Ross Laboratories, Columbus, Ohio.; **p. 410 (figure 12.7):** Reproduction autorisée par Marjorie Pyle, RNC, Lifecircle, Costa Mesa, Calif., **(figure 12.8):** © Ocean / Corbis; **p. 411 (figure 12.9A):** © Raguet H. / BSIP, **(figure 12.9B):** Reproduction autorisée par Marjorie Pyle, RNC, Lifecircle, Costa Mesa, Calif., **(figure 12.10):** © Raguet H. / BSIP; **p. 413:** Reproduction autorisée par Marjorie Pyle, RNC, Lifecircle, Costa Mesa, Calif.; **p. 422 (A):** Reproduction autorisée par Michael S. Clement, MD, Mesa, Ariz., **(B):** Reproduction autorisée par Marjorie Pyle, RNC, Lifecircle, Costa Mesa, Calif.; **p. 423 (figure 12.13):** Reproduction autorisée par Hill-Rom, Batesville, IN., **(figure 12.14):** Reproduction autorisée par Julie Perry Nelson, Loveland, CO, **p. 425 (figure 12.15):** Reproduction autorisée par Marjorie Pyle, RNC, Lifecircle, Costa Mesa, Calif.; **(figure 12.16):** Reproduction autorisée par Dee Lowdermilk, Chapel Hill, NC; **p. 433:** Reproduction autorisée par Michael S. Clement, MD, Mesa, Ariz.; **p. 434:** Reproduction autorisée par Marjorie Pyle, RNC, Lifecircle, Costa Mesa, Calif.; **p. 437:** © Imagery Majestic / Dreamstime.com.

Chapitre 13

p. 445 (B, C, D): Reproduction autorisée par Marjorie Pyle, RNC, Lifecircle, Costa Mesa, Calif.; **p. 447:** Reproduction autorisée par Jodi Brackett, Phoenix, Ariz.; **p. 452 (figure 13.13):** Firstlight, **(figure 13.14):** © CID / Phototake inc.; **p. 453:** © mm88 / iStockphoto.

Chapitre 14

p. 459: Julie Phipps / Shutterstock.com; **p. 464:** © Blend_Images / iStockphoto; **p. 468:** ©Kermoal / BSIP; **p. 474:** ©Edwige / BSIP; **p. 480:** Felix Mizioznikov / Shutterstock.com.

Chapitre 15

p. 485: BSIP / Photoshot; **p. 486:** © Dan Eckert / iStockphoto; **p. 489:** © Jasper Cole / Blend Images / Corbis; **p. 490:** © Najlah Feanny / Corbis; **p. 491:** © Shawn Gearhart / iStockphoto; **p. 496:** © A. Inden / Corbis; **p. 499:** © Eduardo Jose Bernardino / iStockphoto; **p. 501:** © iStock inhouse; **p. 504:** © Glowimages / Corbis; **p. 505:** Photobac / Shutterstock.com; **p. 507:** © Jose Luis Pelaez Inc. / MaXx Images.

Chapitre 16

p. 519: Marc Tellier; **p. 520:** Reproduction autorisée par Cheryl Briggs, RN, Annapolis, Md.; **p. 524 (figure 16.5):** Marc Tellier; **p. 525 (A, B):** Adapté de Seidel, H.M., Ball, J.W., Dains, J.E., & Benedict, G.W. (2006). *Mosby's guide to physical examination* (6th ed.). St. Louis, Mo.: Mosby; **p. 426:** Reproduction autorisée par Mead Johnson & Co., Evansville, Ind.; **p. 527:** Reproduction autorisée par Marjorie Pyle, RNC, Lifecircle, Costa Mesa, Calif.; **p. 529 (figure 16.11):** Reproduction autorisée par Kim Molloy, Knoxville, Iowa, **(figure 16.12):** Reproduction autorisée par Cheryl Briggs, RN, Annapolis, Md.; **p. 531:** Reproduction autorisée par Marjorie Pyle, RNC, Lifecircle, Costa Mesa, Calif.; **p. 532:** Reproduction autorisée par Julie et Darren Nelson, Loveland, Colo.; **p. 534:** © Hongqi Zhang / Dreamstime.com.

Chapitre 17

p. 542: Reproduction autorisée par Cheryl Briggs, RN, Annapolis, Md.; **p. 545:** Reproduction autorisée par Marjorie Pyle, RNC, Lifecircle, Costa Mesa, Calif.; **p. 547 (figure 17.3):** Reproduction autorisée par Cheryl Briggs, RN, Annapolis, Md., **(figure 17.4):** Reproduction autorisée par Cheryl Briggs, RN, Annapolis, Md.; **p. 549:** Adapté de Ballard, J., Khoury, J., Wedig, K., Wang, L., Eilers-Walsman, B., & Lipp, R. (1991). New Ballard score, expanded to include extremely premature infants. *J Pediatr, 119*(3), 417-423; **p. 551:** Adapté de Alexander, G., Himes, J., Kaufman, R., Mor, J., & Kogan, M. (1996). A United States national reference for fetal growth. *Obstet Gynecol, 87*(2), 163-168; **p. 552:** Adapté de Hockenberry, M.J., & Wilson, D. (2007). *Wong's nursing care of infants and children* (8th ed.). St. Louis, Mo.: Mosby; **p. 553:** Marc Tellier; **p. 555 (haut):** © Fergs25 / Dreamstime.com, **(bas):** © Chassenet / BSIP; **p. 556:** Reproduction autorisée par Marjorie Pyle, RNC, Lifecircle, Costa mesa, Calif.; **p. 559:** Reproduction autorisée par Mead Johnson Nutritionals, Evansville, Ind.; **p. 566:** Adapté de Hockenberry, M.J., & Wilson, D. (2009). *Wong's essentials of pediatric nursing* (8th ed.). St. Louis, Mo.: Mosby; **p. 567:** Zitelli, B.J., & Davis, H.W. (2007). *Atlas of pediatric physical diagnosis* (6th ed.). St. Louis, Mo.: Mosby; **p. 568:** Reproduction autorisée par Marjorie Pyle, RNC, Lifecircle, Costa Mesa, Calif.; **p. 569:** Adapté de Dickason, E., Silverman, B. & Kaplan, J. (1998). *Maternal-infant nursing care* (3rd ed.). St. Louis, Mo.: Mosby; **p. 570 (haut):** Reproduction autorisée par Marjorie Pyle, RNC, Lifecircle, Costa Mesa, Calif., **(bas):** Adapté de Hockenberry, M.J., & Wilson, D. (2007). *Wong's nursing care of infants and children* (8th ed.). St. Louis, Mo.: Mosby; **p. 571 (haut):** Reproduction autorisée par Marjorie Pyle, RNC, Lifecircle, Costa Mesa, Calif., **(bas):** Reproduction autorisée par Michael S. Clement, M. D. Mesa, Ariz.; **p. 573:** Adapté de O'Doherty, N. (1986). *Neonatology: Micro atlas of the newborn.* Nutley, N.J.: Hoffman-LaRoche; **p. 574:** Adapté de Société canadienne de pédiatrie (SCP) (2011b). *Lignes directrices pour la détection, la prise en charge et la prévention de l'hyperbilirubinémie chez les nouveau-nés à terme et peu prématurés (35 semaines d'âge gestationnel ou plus).* [En ligne]. www.cps.ca/francais/enonces/FN/FN07-02-resume.pdf (page consultée le 16 novembre 2011); **p. 576:** Reproduction autorisée par Cheryl Briggs, RN, Annapolis, Md.; **p. 578:** Société canadienne de pédiatrie (SCP) (2004). *Des lignes directrices pour le dépistage des nouveau-nés vulnérables à l'hypoglycémie.* [En ligne]. www.cps.ca/francais/enonces/fn/fn04-01.htm (page consultée le 20 février 2012); **p. 582, 583:** Reproduction autorisée par Cheryl Briggs, RN, Annapolis, Md.; **p. 584 (figure 17.15):** Adapté de Hockenberry, M.J., & Wilson, D. (2007). *Wong's nursing care of infants and children* (8th ed.). St. Louis, Mo.: Mosby, **(figure 17.16):** Reproduction autorisée par Cheryl Briggs, RN, Annapolis, Md.; **p. 586 (figure 17.17):** Reproduction autorisée par Freida Belding, Munfordville, Ky., **(figure 17.18):** Reproduction autorisée par Rebekah Vogel, Fort Collins, Colo.; **p. 588:** Reproduction autorisée par Marjorie Pyle, RNC, Lifecircle, Costa Mesa, Calif.; **p. 589:** Reproduction autorisée par Cheryl Briggs, RN, Annapolis, Md.; **p. 590:** © Karen Mower / iStockphoto; **p. 596 (A):** Reproduction autorisée par Kim Molloy, Knoxville, Iowa; **p. 596 (B, C, D), 597:** Reproduction autorisée par Julie Perry Nelson, Loveland, Colo.; **p. 598:** Reproduction autorisée par Brian and Mayannyn Sallee, Las Vegas, Nev.; **p. 599:** Reproduction autorisée par Julie Perry Nelson, Loveland, Colo.; **p. 600:** Reproduction autorisée par Marjorie Pyle, RNC, Lifecircle, Costa Mesa, Calif.; **p. 609:** Rommel / Masterfile.

Chapitre 18

p. 619: Reproduction autorisée par Shannon Perry, Phoenix, Ariz.; **p. 620:** BSIP / MaXx Images; **p. 623, 630 (figure 18.8):** Reproduction autorisée par Medela, Inc.; **p. 629, 630 (figure 18.9):** Reproduction autorisée par Marjorie Pyle, RNC, Lifecircle, Costa Mesa, Calif.; **p. 637:** age fotostock / MaXx Images; **p. 638 (figure 18.12):** © Seth Resnick / Science Faction / Corbis, **(figure 18.13):** Reproduction autorisée par Marjorie Pyle, RNC, Lifecircle, Costa Mesa, Calif.; **p. 645:** Dr P. Marazzi / Science Photo Library; **p. 647 (figure 18.16):** © Paul Kline / iStockphoto, **(figure 18.17):** Reproduction autorisée par Julie Perry Nelson, Loveland, Colo.; **p. 651:** Masterfile.

Chapitre 19

p. 660: Bilderlounge / MaXx Images; **p. 662:** Vladislav Gajic / Shutterstock.com; **p. 672 (figure 19.7A), 674, 675 (figure 19.10):** Marc Tellier; **p. 675 (figure 19.11):** Reproduction autorisée par Advanced Technology Laboratories, Bothell, Wash.; **p. 678:** Adapté de Gabbe, S., Niebyl, J., & Simpson, J. (2007). *Obstetrics: Normal and problem pregnancies* (5th ed.). Philadelphia: Churchill Livingstone; **p. 680:** © Shelly Perry / iStockphoto.

Chapitre 20

p. 692: © Anette Romanenko / iStockphoto; **p. 695:** ©KEENE / BSIP; **p. 697:** Société des gynécologues et obstétriciens du Canada (SOGC) (2007b). *Surveillance du bien-être fœtal. Directive consensus d'antepartum et intrapartum.* [En ligne]. www.sogc.org/guidelines/documents/gui197CPG0709f.pdf (page consultée le 26 octobre 2011); **p. 700:** Association canadienne du diabète (ACD) (2008). *Lignes directrices de pratique clinique 2008 de l'Association canadienne du diabète pour la prévention et le traitement du diabète au Canada.* [En ligne]. www.diabetes.ca/documents/about-diabetes/CPG_FR.pdf (page consultée le 25 octobre 2011); **p. 706:** Cultura / Getty Images; **p. 714:** Françoise Rachez Photographie / Getty Images; **p. 716:** © Ana Abejon / iStockphoto; **p. 720:** Reproduction autorisée par Shannon Perry, Phoenix, Ariz.; **p. 722:** Inserm / Frédérique Koulikoff; **p. 723:** Dr P. Marazzi / Science Photo Library; **p. 725:** © Martin Hospach / MaXx Images; **p. 728:** © Factoria Singular / iStockphoto.

Chapitre 21

p. 739: Adapté de Gilbert, E. (2007). *Manual of high risk pregnancy & delivery* (4th ed.). St. Louis, Mo.: Mosby; **p. 742:** Adapté de Seidel, H., Ball, J., Dains, J., & Benedict, G. (2006). *Mosby's guide to physical examination* (6th ed.). St. Louis, Mo.: Mosby; **p. 772, 774:** Creasy, R., Resnik, R., & Iams, J. (2009). *Creasy & Resnik's maternal-fetal medicine: Principles and practice* (6th ed.). Philadelphia: Saunders; **p. 789:** American Heart Association (AHA) (2005). American

Heart Association guidelines for cardiopulmonary resuscitation and emergency cardiovascular care. Part 10.8 : Cardiac arrest associated with pregnancy. *Circulation, 112*(suppl. 24), IV-150-IV-153 ; **p. 790 :** iStockphoto / Thinkstock.

Chapitre 22

p. 802 : Fotosearch ; **p. 803 :** © Zoonar.com / Alamy ; **p. 813 :** Gilbert, E., (2007). *Manual of high risk pregnancy and delivery* (4th ed.). St. Louis, Mo. : Mosby ; **p. 822 :** Reproduction autorisée par Michael S. Clement, MD, Mesa, Ariz. ; **p. 828 (figure 22.11) :** Marc Tellier ; **p. 831, 832 :** Reproduction autorisée par Marjorie Pyle, RNC, Lifecircle, Costa Mesa, Calif. ; **p. 840 :** Adapté de Gabbe, S., Niebyl, J., & Simpson, J. (2007). *Obstetrics : Normal and problem pregnancies* (5th ed.). Philadelphia : Churchill Livingstone ; **p. 843 :** Jeff R. Clow / Getty Images ; **p. 844 :** © Mustafa Deliormanli / iStockphoto.

Chapitre 23

p. 857 : Société des obstétriciens et gynécologues du Canada (SOGC) (2000). Prévention et prise en charge de l'hémorragie postpartum. Directive clinique de la Société des obstétriciens et gynécologues du Canada nº 88. *J Obstet Gynaecol Can, 22*(4), 282-294 ; **p. 860 :** PhotoAlto / Michele Constantini / Getty images ; **p. 862 :** PhotoResearcherssa3923 ; **p. 868 :** Adapté de Monahan, F., Sands, J.K., Neighbors, M., Marek, J.F., & Green, C.J. (2007). *Phipps' medical-surgical nursing : Health and illness perspectives* (8th ed.). St. Louis, Mo. : Mosby ; **p. 869 :** Reproduction autorisée par Milex Products Inc., une division de Cooper Surgical, Trumbull, CT. ; **p. 872 :** Adapté de Des Rivières-Pigeon, C., Séguin, L., Brodeur, J.M., Perreault, M., Boyer, G., *et al.* (2000). L'Échelle de dépression postnatale d'Édimbourg : validité au Québec auprès de femmes de statut socio-économique faible. *Revue Canadienne de Santé Mentale Communautaire, 19,* 201-214 ; **p. 875 :** © Sturti / iStockphoto ; **p. 878 :** Ariel Skelley / Getty images ; **p. 879 :** Oliveromg / Shutterstock.com.

Chapitre 24

p. 892, 893 : Reproduction autorisée par Cheryl Briggs, RN, Annapolis, Md. ; **p. 894 :** Société canadienne de pédiatrie (SCP) (2006a). *Addenda au Manuel du moniteur du PRN 2006. Révisions au Programme de réanimation néonatale (PRN) 2006 : un bref résumé pour des Canadiens occupés.* [En ligne]. www.cps.ca/prn-canada/PRNRevisions.pdf (page consultée le 1er décembre 2011) ; **p. 899 :** Reproduction autorisée par Marjorie Pyle, RNC, Lifecircle, Costa Mesa, Calif. ; **p. 900 :** © Ken Sherman / Phototake ; **p. 901 :** Reproduction autorisée par Judy Meyr, St. Louis, Mo. ; **p. 905 :** © Alison Conklin / iStockphoto ; **p. 906 :** Reproduction autorisée par Shannon Perry, Phoenix, Ariz. ; **p. 909, 911, 912 :** O'Doherty, N. (1986). *Neonatology : Micro atlas of the newborn.* Nutley, N.J. : Hoffman-LaRoche ; **p. 915 :** Reproduction autorisée par Mahesh Kotwal, MD, Phoenix, Ariz. ; **p. 917 :** Reproduction autorisée par David A. Clarke, Philadelphia, Pa. ; **p. 919 (figure 24.10) :** Adapté de Reed, M.D., Aranda, J.V., & Hales, B.F. (2006). Developmental pharmacology. In R.J. Martin, A.A. Fanaroff & M.C. Walsh (Eds.). *Fanaroff and Martin's neonatal-perinatal medicine : Diseases of the fetus and infant* (8th ed.). Philadelphia : Saunders, **(tableau 24.8) :** Markiewicz, M., & Abrahamson, E. (1999). *Diagnosis in color : Neonatology.* St. Louis, Mo. : Mosby ; **p. 921 :** Adapté de Nelson, N. (1990). *Current therapy in neonatal-perinatal medicine* (2nd ed.). St. Louis, Mo. : Mosby ; **p. 925 :** Zitelli, B.J., & Davis, H.W. (2002). *Atlas of pediatric physical diagnosis* (4th ed.). St. Louis, Mo. : Mosby. ; **p. 926 (haut) :** Reproduction autorisée par Cheryl Briggs, RN, Annapolis, Md. ; **p. 926 (bas), 927 :** Adapté de Hockenberry, M. (2003). *Wong's nursing care of infants and children* (7th ed.). St. Louis, Mo. : Mosby ; **p. 928 (haut) :** Dickson, E., Silverman, B., & Kaplan, J. (1998). *Maternal-infant nursing care* (3rd ed.). St. Louis, Mo. : Mosby, **(bas) :** O'Doherty, N. (1986). *Neonatology : Micro atlas of the newborn.* Nutley, N.J. : Hoffmann-La Roche. ; **p. 929 (haut) :** Reproduction autorisée par Cheryl Briggs, RN, Annapolis, Md. **(bas) :** Chessell, G., Jamieson, M.J., Morton, R., Petrie, J., & Towler, H. (1984). *Diagnostic picture tests in clinical medicine* (Vol. 2). St. Louis, Mo. : Mosby ; **p. 930 :** Reproduction autorisée par H. Gil Rushton, MD, Children's National Medical Center, Washington, D.C. ; **p. 931 :** Reproduction autorisée par Edward S. Tank, MD, Division of Urology, Oregon Health Sciences University, Portland, Ore. ; **p. 937 :** Adapté de Toedter, L., Lasker, L., & Janssen, H. (2001). International comparison of studies using the Perinatal Grief Scale : A decade of research on pregnancy loss. *Death Studies, 25*(3), 205-228 ; **p. 939 :** Reproduction autorisée par Amy and Ken Turner, Cary, N.C. ; **p. 940 :** Reproduction autorisée par Amy and Ken Turner, Cary, N.C. ; **p. 945 :** Gabi Moisa / Shutterstock.com.

RÉFÉRENCES

Chapitre 1

Références de l'édition française

Agence canadienne pour le développement international (ACDI) (2011). *Objectifs du Millénaire pour le développement.* [En ligne]. www.acdi-cida.gc.ca/odm (page consultée le 29 septembre 2011).

Agence de la santé publique du Canada (ASPC) (2004a). *Réduire les disparités en santé – Rôles du secteur de la santé : Orientations et activités stratégiques recommandées.* [En ligne]. www.phac-aspc.gc.ca/ph-sp/disparities/dr_policy-fra.php (page consultée le 15 septembre 2011).

Agence de la santé publique du Canada (ASPC) (2004b). *Rapport spécial sur la mortalité maternelle et la morbidité maternelle grave au Canada. Surveillance accrue : la voie de la prévention.* [En ligne]. www.phac-aspc.gc.ca/rhs-ssg/srmm-rsmm/index-fra.php (page consultée le 16 septembre 2011).

Agence de la santé publique du Canada (ASPC) (2004c). *Système canadien de surveillance périnatale.* [En ligne]. www.phac-aspc.gc.ca/rhs-ssg/overview-apercu-fra.php (page consultée le 18 septembre 2011).

Agence de la santé publique du Canada (ASPC) (2007). *En action ! Mobilisation communautaire et participation des jeunes en vue de réduire le taux de grossesse au Canada.* [En ligne]. www.phac-aspc.gc.ca/hp-ps/dca-dea/prog-ini/funding-financement/npf-fpn/tp-ga/index-fra.php (page consultée le 15 septembre 2011).

Agence de la santé publique du Canada (ASPC) (2008). *Rapport sur la santé périnatale au Canada : édition 2008.* [En ligne]. www.phac-aspc.gc.ca/publicat/2008/cphr-rspc/behaviours-comportements-fra.php (page consultée le 16 septembre 2011).

Agence de la santé publique du Canada (ASPC) (2009). *Ce que disent les mères : l'Enquête canadienne sur l'expérience de la maternité.* [En ligne]. www.phac-aspc.gc.ca/rhs-ssg/pdf/survey-fra.pdf (page consultée le 18 septembre 2011).

Agence de la santé publique du Canada (ASPC) (2011). *Programme d'action communautaire pour les enfants (PACE).* [En ligne]. www.phac-aspc.gc.ca/hp-ps/dca-dea/prog-ini/capc-pace/index-fra.php (page consultée le 26 septembre 2011).

Association canadienne des infirmières et infirmiers en périnatalité et en santé des femmes (CAPWHN) (2011). *Actualités : message de la présidente.* [En ligne]. www.capwhn.ca/fr/capwhn/Actualits_p2469.html (page consultée le 15 septembre 2011).

Association canadienne des infirmières et infirmiers en santé communautaire (2008). *Normes canadiennes de pratique des soins infirmiers en santé communautaire.* [En ligne]. www.chnc.ca/documents/chn_standards_of_practice_mar08_french.pdf (page consultée le 21 février 2012).

Auger, N., Daniel, M., Platt, R.W., Luo, Z.C., Wu, Y., *et al.* (2008). The joint influence of marital status, interpregnancy interval, and neighborhood on small for gestational age birth: A retrospective cohort study. *BMC Pregnancy Childbirth, 8*, 7.

Boivin, J.F., Roy, E., Haley, N., & Galbaud du Fort, G. (2005). The health of street youth: A Canadian perspective. *Can J Public Health, 96*(6), 432-437.

Carnevale, F.A., Vissandjee, B., Nyland, A., & Vinet-Bonin, A. (2009). Ethical considerations in cross-linguistic nursing. *Nurs Ethics,16*(6), 813-826.

Centre de santé et de services sociaux de la Montagne (2007). *Cahiers de l'équipe METISS du Centre de recherche et de formation.* [En ligne]. www.csssdelamontagne.qc.ca/fileadmin/csss_dlm/Publications/Publications_CRF/Cahiers-metiss_2_en_ligne.pdf (page consultée le 19 septembre 2011).

Contoyannis, P., & Li, J. (2011). The evolution of health outcomes from childhood to adolescence. *J Health Econ, 30*(1), 11-32.

De Montigny, F., & Lacharité, C. (2008). Modeling parents and nurses' relationships. *West J Nurs Res, 30*(6), 743-758.

Éco-Santé Québec (2010). *Taux de mortalité infantile.* [En ligne]. www.ecosante.fr/QUEBFRA/902070.html (page consultée le 26 septembre 2011).

Garcia, C. (2010). *Analyse du Régime québécois d'assurance parentale.* [En ligne]. www.iedm.org/fr/33600-analyse-du-regime-quebecois-dassurance-parentale (page consultée le 15 septembre 2011).

Gervais, C., & Robichaud, F. (2009). Intervenir auprès des familles immigrantes : un partage des réalités observées par les intervenants. *L'infirmière clinicienne, 6*(2), 6-10.

Hudon, C., Fortin, M., Haggerty, J.L., Lambert, M., & Poitras, M.E. (2011). Measuring patients' perceptions of patient-centered care: A systematic review of tools for family medicine. *Ann Fam Med, 9*(2), 155-164.

Institut canadien d'information sur la santé (2007). *Donner naissance au Canada : tendances régionales de 2001-2002 à 2005-2006.* [En ligne]. http://secure.cihi.ca/cihiweb/fr/downloads/Childbirth_AiB_FINAL_F.pdf (page consultée le 15 septembre 2011).

Institut canadien d'information sur la santé (2009). *Nés trop vite et trop petits : étude sur les bébés de faible poids au Canada.* [En ligne]. http://secure.cihi.ca/cihiweb/products/too_early_too_small_fr.pdf (page consultée le 15 septembre 2011).

Institut de la statistique du Québec (2006). *Recueil statistique sur l'allaitement maternel au Québec, 2005-2006.* [En ligne]. www.stat.gouv.qc.ca/publications/sante/allaitement2006.htm (page consultée le 14 septembre 2011).

Institut de la statistique du Québec (2011a). *Naissances et taux de natalité, Québec, 1900-2010.* [En ligne]. www.stat.gouv.qc.ca/donstat/societe/demographie/naisn_deces/naissance/401.htm (page consultée le 15 septembre 2011).

Institut de la statistique du Québec (2011b). *Taux de fécondité selon le groupe d'âge de la mère, indice synthétique de fécondité et âge moyen à la maternité, Québec, 1951-2010.* [En ligne]. www.stat.gouv.qc.ca/donstat/societe/demographie/naisn_deces/naissance/402.htm (page consultée le 15 septembre 2011).

Institut de la statistique du Québec (2011c). *Naissances et taux de fécondité selon l'âge de la mère, indice synthétique de fécondité et âge moyen à la maternité, Québec, 2002-2010.* [En ligne]. www.stat.gouv.qc.ca/donstat/societe/demographie/naisn_deces/naissance/403.htm (page consultée le 15 septembre 2011).

Institut de la statistique du Québec (2011d). *Naissances selon le type (simple ou multiple), Québec, 1988-2010.* [En ligne]. www.stat.gouv.qc.ca/donstat/societe/demographie/naisn_deces/naissance/450_type.htm (page consultée le 16 septembre 2011).

Institut de la statistique du Québec (2011e). *Naissances selon le poids à la naissance, l'âge de la mère et le sexe, Québec 2007 et 2008.* [En ligne]. www.stat.gouv.qc.ca/donstat/societe/demographie/naisn_deces/naissance/409.htm (page consultée le 16 septembre 2011).

Institut de la statistique du Québec (2011f). *Évolution des naissances selon le lieu de naissance des parents, Québec, 1980, 1985, 1990, 1995, 2000-2010.* [En ligne]. www.stat.gouv.qc.ca/donstat/societe/demographie/naisn_deces/naissance/425.htm (page consultée le 19 septembre 2011).

Institut de la statistique du Québec (2011g). *Naissances selon l'état matrimonial des parents, Québec, 1951-2010.* [En ligne]. www.stat.gouv.qc.ca/donstat/societe/demographie/naisn_deces/naissance/410.htm (page consultée le 19 septembre 2011).

Institut national de santé publique du Québec (INSPQ) (2008). *Unité des infections transmissibles sexuellement et par le sang (ITSS).* [En ligne]. www.inspq.qc.ca/groupes/ITSS/unite_itss.asp?Dom=60&Axe=62 (page consultée le 20 septembre 2011).

Institut national de santé publique du Québec (INSPQ) (2009). *Taux de grossesse chez les adolescentes de 14-17 ans et 18-19 ans selon l'issue, Québec, 1985 à 2001-2003.* [En ligne]. www.inspq.qc.ca/Santescope/element.asp?NoEle=147 (page consultée le 20 septembre 2011).

Institut national de santé publique du Québec (INSPQ) (2010). *Avis scientifique sur l'efficacité de type « Services intégrés en périnatalité et pour la petite enfance » en fonction des différentes clientèles.* [En ligne]. www.inspq.qc.ca/pdf/publications/1141_EfficaciteInterventionsSIPPE.pdf (page consultée le 16 septembre 2011).

Instituts de recherche en santé du Canada, Conseil de recherches en sciences naturelles et en génie du Canada & Conseil de recherches en sciences humaines du Canada (1998, avec les modifications de 2000, 2002 et 2005). *Énoncé de politique des trois Conseils : Éthique de la recherche avec des êtres humains.* [En ligne]. www.pre.ethics.gc.ca/francais/pdf/TCPS%20octobre%202005_F.pdf (page consultée le 19 septembre 2011).

International Conference on Harmonization (2005). *ICH Guidelines.* [En ligne]. www.ich.org/products/guidelines.html (page consultée le 19 septembre 2011).

Le Réseau canadien pour la santé des femmes (2011). *Nouveau : l'Association canadienne des infirmières et infirmiers en périnatalité et en santé des femmes.* [En ligne]. www.cwhn.ca/fr/node/43007 (page consultée le 15 septembre 2011).

Ministère de la Famille et des Aînés (2011). *Portrait statistique des familles au Québec.* [En ligne]. www.mfa.gouv.qc.ca/fr/Famille/portrait-famille-quebecoise/statistique/pages/index.aspx (page consultée le 19 septembre 2011).

Ministère de la Santé et des Services sociaux (MSSS) (2001). *L'allaitement maternel au Québec : lignes directrices.* [En ligne]. http://msssa4.msss.gouv.qc.ca/fr/document/publication.nsf/0/134a35e195595a84852

56acb0053a12f?OpenDocument (page consultée le 14 septembre 2011).

Ministère de la Santé et des Services sociaux (MSSS) (2007a). *Guide d'intervention auprès des familles d'immigration récente : naître ici et venir d'ailleurs.* [En ligne]. http://publications.msss.gouv.qc.ca/acrobat/f/documentation/2006/06-836-01.pdf (page consultée le 19 septembre 2011).

Ministère de la Santé et des Services sociaux (MSSS) (2007b). *Services Info-Santé et Info-Social : cadre de référence sur les aspects cliniques des volets santé et social des services de consultation téléphonique 24 heures, 7 jours à l'échelle du Québec.* [En ligne]. http://publications.msss.gouv.qc.ca/acrobat/f/documentation/2007/07-925-01F.pdf (page consultée le 19 septembre 2011).

Ministère de la Santé et des Services sociaux (MSSS) (2008a). *Programme national de santé publique 2003-2012. Mise à jour 2008.* [En ligne]. http://publications.msss.gouv.qc.ca/acrobat/f/documentation/2008/08-216-01.pdf (page consultée le 14 septembre 2011).

Ministère de la Santé et des Services sociaux (MSSS) (2008b). *Politique de périnatalité 2008-2018. Un projet porteur de vie.* [En ligne]. http://publications.msss.gouv.qc.ca/acrobat/f/documentation/2008/08-918-01.pdf (page consultée le 14 septembre 2011).

Ministère de la Santé et des Services sociaux (MSSS) (2010a). *Procréation assistée. Services couverts par le régime québécois.* [En ligne]. www.msss.gouv.qc.ca/sujets/santepub/procreation.php#services (page consultée le 16 septembre 2011).

Ministère de la Santé et des Services sociaux (MSSS) (2010b). *État de santé de la population québécoise : quelques repères (2010).* [En ligne]. http://publications.msss.gouv.qc.ca/acrobat/f/documentation/2010/10-228-01.pdf (page consultée le 16 septembre 2011).

Ministère de la Santé et des Services sociaux (MSSS) (2010c). *Stratégies de mise en œuvre de la Politique de périnatalité 2009-2012.* [En ligne]. http://publications.msss.gouv.qc.ca/acrobat/f/documentation/2010/10-918-01.pdf (page consultée le 18 septembre 2011).

Ministère de la Santé et des Services sociaux (MSSS) (2010d). *Au féminin… à l'écoute de nos besoins. Plan d'action en santé et bien-être des femmes, 2010-2013.* [En ligne]. http://publications.msss.gouv.qc.ca/acrobat/f/documentation/2010/10-730-01.pdf (page consultée le 19 septembre 2011).

Ministère de la Santé et des Services sociaux (MSSS) (2011). *Comptes de la santé 2008-2009 à 2010-2011.* [En ligne]. http://publications.msss.gouv.qc.ca/acrobat/f/documentation/2010/10-614-01.pdf (page consultée le 15 septembre 2011).

Munoz, M. & Chirgwin, J.C. (2007). Les immigrants et demandeurs d'asile. *Le Médecin du Québec, 42*(2), 33-43. www.fmoq.org/Lists/FMOQDocumentLibrary/fr/Le Médecin du Québec/Archives/2000-2009/033-043Munoz-Chirgwin0207.pdf

Ordre des infirmières et infirmiers du Québec (OIIQ) (2010). *Lignes directrices. L'exercice infirmier en santé communautaire soutien à domicile, 2e édition.* [En ligne]. www.oiiq.org/uploads/publications/autres_publications/295ld_soutien_domicile.pdf (page consultée le 19 septembre 2011).

Ordre des infirmières et infirmiers du Québec (OIIQ) (2011). *Contribuer au suivi de grossesse, à la pratique des accouchements et au suivi postnatal.* [En ligne]. www.oiiq.org/pratique-infirmiere/activite-reservees/contribuer-au-suivi-de-grossesse (page consultée le 18 septembre 2011).

Ordre des infirmières et infirmiers du Québec (OIIQ) & Collège des médecins du Québec (2006). *Étendue des activités médicales exercées par l'infirmière praticienne spécialisée en néonatalogie.* [En ligne]. www.oiiq.org/publications/repertoire/etendue-des-activites-medicales-exercees-par-linfirmiere-praticienne-speci-1 (page consultée le 18 septembre 2011).

Ordre des sages-femmes du Québec (2011a). *Rapport annuel 2009-2010.* [En ligne]. www.osfq.org/data_source/fichiers/Rapann_0910.pdf (page consultée le 15 septembre 2011).

Ordre des sages-femmes du Québec (2011b). *Maisons de naissance.* [En ligne]. www.osfq.org/maisons_naiss.php (page consultée le 15 septembre 2011).

Organisation mondiale de la santé (OMS) (2006). *Mutilations génitales féminines et devenir obstétrical : étude prospective dans six pays africains.* [En ligne]. www.who.int/reproductivehealth/publications/fgm/fgm-obstetric-outcome-study/fr/ (page consultée le 30 septembre 2011).

Organisation mondiale de la santé (OMS) (2007). *Pour une grossesse à moindre risque. Mortalité maternelle.* [En ligne]. www.who.int/making_pregnancy_safer/topics/maternal_mortality/fr/index.html (page consultée le 29 septembre 2011).

Ressources humaines et Développement des compétences Canada (RHDCC) (2006). *Les femmes dans la population canadienne.* [En ligne]. www.hrsdc.gc.ca/fra/pt/ot/ntemt/emt/outils_eme/donnees/rseme/annuel/2001/profilgd/profilfemmes.shtml (page consultée le 20 septembre 2011).

Saint Pierre, C., & Vinit, F. (2006). *Le toucher dans les soins infirmiers : regard croisé entre la discipline infirmière et l'anthropologie.* [En ligne]. http://w3.uqo.ca/giresss/docs/cahier8_toucher.pdf (page consultée le 19 septembre 2011).

Santé Canada (2001). *La sécurité des patients et les erreurs médicales dans le système de santé canadien : un examen et une analyse systématiques des principales initiatives prises dans le monde.* [En ligne]. www.hc-sc.gc.ca/hcs-sss/pubs/qual/2001-patient-securit-rev-exam/index-fra.php (page consultée le 18 septembre 2011).

Santé Canada (2010). *Aliments et nutrition : recommandations canadiennes relatives au gain de poids durant la grossesse.* [En ligne]. www.hc-sc.gc.ca/fn-an/nutrition/prenatal/qa-gest-gros-qr-fra.php (page consultée le 16 septembre 2011).

Semenic, S. (2011). L'implantation de l'Initiative Amis des Bébés, le Québec chef de file. *Periscoop, 15*(1), 31-33.

Smid, M., Bourgois, P., & Auerswald, C.L. (2010). The challenge of pregnancy among homeless youth: Reclaiming a lost opportunity. *J Health Care Poor Underserved, 21*(suppl. 2), 140-156.

Société des obstétriciens et gynécologues du Canada (SOGC) (2010a). *Rapport annuel 2009-2010.* [En ligne]. www.sogc.org/about/pdf/2009-2010_AnnualReportFR_low-res_sample.pdf (page consultée le 16 septembre 2011).

Société des obstétriciens et gynécologues du Canada (SOGC) (2010b). *Renseignements sur la santé des femmes. Grossesse. Naissances multiples.* [En ligne]. www.sogc.org/health/pregnancy-multiple_f.asp (page consultée le 18 septembre 2011).

Société des obstétriciens et gynécologues du Canada (SOGC) (2011a). *Renseignements sur la santé des femmes. Grossesse. Accouchement vaginal chez une patiente ayant déjà subi une césarienne (AVAC).* [En ligne]. www.sogc.org/health/pregnancy-vbac_f.asp (page consultée le 15 septembre 2011).

Société des obstétriciens et gynécologues du Canada (SOGC) (2011b). Déclaration de principe commune de la SOGC. Santé, droits, réalités et accès aux services en matière de sexualité et de reproduction chez les Premières Nations, les Inuits et les Métis du Canada. *J Obstet Gynaecol Can, 33*(6), 638-642.

Statistique Canada (2007a). *Taux de mortalité infantile, par province et territoire (Les deux sexes).* [En ligne]. www40.statcan.ca/l02/cst01/health21a-fra.htm (page consultée le 16 septembre 2011).

Statistique Canada (2007b). *Toutes les données : appartenance à une minorité visible.* [En ligne]. www12.statcan.ca/english/profil01/CP01/Details/Page.cfm?Lang=F&Geo1=PR&Code1=24&Geo2=PR&Code2=01&Data=Count&SearchText=Qu%E9bec&SearchType=Begins&SearchPR=01&B1=All&GeoLevel=&GeoCode=24 (page consultée le 20 septembre 2011).

Statistique Canada (2008). *Naissances vivantes, selon les caractéristiques de la mère et de l'enfant, Canada : indicateurs de poids à la naissance.* [En ligne]. www.statcan.gc.ca/pub/84f0210x/2008000/t027-fra.htm (page consultée le 16 septembre 2011).

Statistique Canada (2011). *Naissances.* [En ligne]. www.statcan.gc.ca/daily-quotidien/110427/dq110427a-fra.htm (page consultée le 29 septembre 2011).

Vissandjee, B., Desmeules, M., Cao, Z., Abdool, S., & Kazanjian, A. (2004). Integrating Ethnicity and Migration As Determinants of Canadian Women's Health. *BMC Womens Health, 25*(4 suppl. 1), 32.

Wright, L.M.L. (2009). Nurses and families: A guide to family assessment and intervention (5th ed.). Philadelphia : F.A. Davis.

Références de l'édition originale

Association of Women's Health, Obstetric, and Neonatal Nurses (AWHONN) (2009). *Standards for professional nursing practice in the care of women and newborns* (7th ed.). Washington, D.C. : AWHONN.

Banks, E., Meirik, O., Farley, T., Akande, O., Bathija, H., Ali, M. (2006). Female genital mutilation and obstetric outcome: WHO collaborative prospective study in six African countries. *Lancet, 367*(9525), 1835-1841.

Chu, S.Y., Bachman, D.J., Callaghan, W.M., Whitlock, E.P., Dietz, P.M., Berg, C.J., *et al.* (2008). Association between obesity during pregnancy and increased use of health care. *N Engl J Med, 358*(14), 1444-1453.

Clemen-Stone, S. (2002). Community assessment and diagnosis. In S. Clemen-Stone, S. McGuire, & D. Eigsti (Eds.). *Comprehensive community health nursing: Family, aggregate, and community practice* (6th ed.). St. Louis, Mo. : Mosby.

Cottrell, R., Girvan, J., & McKenzie, J. (2006). *Health promotion and education* (3rd ed.). San Francisco : Pearson Benjamin Cummings.

Ferguson, B. (2008). Health literacy and health disparities. The role they play in maternal and child health. *Nurs Womens Health, 12*(4), 286-298.

Johnson, B., Abraham, M., Conway, J., Simmons, L., Edgman-Levitan, S., Sodomka, P., *et al.* (2008). *Partnering with patients and families to design a patient-and family-centered health care system.* Bethesda, Md. : Institute for Family-Centered Care.

Rempel, G., Neufeld, A., & Kushner, K. (2007). Interactive use of genograms and ecomaps in family caregiving research. *Family Nursing, 13*(4), 403-419.

Tiedje, L.B., Price, E., & You, M. (2008). Childbirth is changing. What now? *Am J Matern Child Nurs, 33*(3), 144-150.

Chapitre 2

Références de l'édition française

Agence de la santé publique du Canada (ASPC) (2008). *Santé sexuelle et les infections transmises sexuellement.* [En ligne]. www.santepublique.gc.ca/its/ (page consultée le 26 mai 2011).

American College of Obstetricians and Gynecologists (ACOG), Société des obstétriciens et gynécologues du Canada (SOGC), Central American Federation of Associations and Societies of Obstetrics and Gynecology, Société des gynécologues oncologues du Canada, Société canadienne des colposcopistes *et al.* (2004). Déclaration de principe commune. Prévention du cancer du col au sein de milieux à faibles ressources. *J Obstet Gynaecol Can, 26*(3), 207-208.

Auto-examen des seins (2003). [En ligne]. www.breastselfexam.ca/french/ (page consultée le 24 mai 2011).

DiSaia, P., & Creasman, W. (2007). *Clinical gynecologic oncology* (7th ed.). Philadelphia : Mosby.

Gudmundsdottir, B.R., Hjaltalin, E.F., Bragadottir, G., Hauksson, A., Geirsson, R.T., *et al.* (2009). Quantification of menstrual flow by weighing protective pads in women with normal, decreased or increased menstruation. *Acta Obstet Gynecol Scand, 88*(3), 275-279.

Karrigan, A., & Kingdon, C. (2010). Maternal obesity and prenancy : A retrospective study. *Midwifery, 26*, 138-146.

Le Réseau canadien pour la santé des femmes (2010). *Les jeunes femmes et l'abus d'alcool.* [En ligne]. www.cwhn.ca/fr/node/42158 (page consultée le 26 mai 2011).

London Safeguarding Children Board (2009). *London Female Genital Mutilation Resource Pack.* [En ligne]. www.londonscb.gov.uk/files/2010/resources/fgm/london_fgm_resource_pack.pdf (page consultée le 25 mai 2011).

Maisonneuve, E., & Rey, E. (2011). Obésité et grossesse: revue des risques et de la prise en charge obstétricale. *Revue de médecine périnatale, 3*(1), 11-18.

Marques, A., Stothers, L., & Macnab, A. (2010). The status of pelvic floor muscle training for women. *Can Urol Assoc J, 4*(6), 419-424.

Ministère de la Santé et des Services sociaux (MSSS) (2008a). *Politique de périnatalité 2008-2018 – Un projet porteur de vie.* [En ligne]. http://publications.msss.gouv.qc.ca/acrobat/f/documentation/2008/08-918-01.pdf (page consultée le 26 mai 2011).

Ministère de la Santé et des Services sociaux (MSSS) (2008b). *Dépression diagnostiquée.* [En ligne]. www.guidesante.gouv.qc.ca/fr/fiche/8003-01.shtml (page consultée le 27 mai 2011).

Ministère de la Santé et des Services sociaux (MSSS) (2011). *Protocole d'immunisation du Québec.* [En ligne]. http://publications.msss.gouv.qc.ca/acrobat/f/documentation/piq/09-283-02.pdf (page consultée le 27 mai 2011).

Momoh, C. (2010). *Trends in Urology Gynaecology & Sexual Health. Female genital mutilation.* [En ligne]. http://onlinelibrary.wiley.com/doi/10.1002/tre.142/pdf (page consultée le 25 mai 2011).

Ordre des infirmières et infirmiers du Québec (OIIQ) (2006). *Garantir l'accès : un défi d'équité, d'efficience et de qualité.* [En ligne]. www.oiiq.org/uploads/publications/memoires/GarantirAccesResume.pdf (page consultée le 25 mai 2011).

Organisation mondiale de la santé (OMS) (1986). *Charte d'Ottawa.* [En ligne]. www.euro.who.int/__data/assets/pdf_file/0003/129675/Ottawa_Charter_F.pdf (page consultée le 25 mai 2011).

Organisation mondiale de la santé (OMS) (2006a). *Dépranocytose.* [En ligne]. http://apps.who.int/gb/ebwha/pdf_files/WHA59/A59_9-fr.pdf (page consultée le 26 mai 2011).

Organisation mondiale de la santé (OMS) (2006b). *Thalassémie et autres hémoglobinopathies.* [En ligne]. http://apps.who.int/gb/ebwha/pdf_files/EB118/B118_5-fr.pdf (page consultée le 26 mai 2011).

Organisation mondiale de la santé (OMS) (2009). *Plate-forme d'action pour l'abandon de l'excision/mutilation génitale féminine (E/MGF).* [En ligne]. www.who.int/reproductivehealth/publications/fgm/platform_action_fgm_fr.pdf (page consultée le 25 mai 2011).

Organisation mondiale de la santé (OMS) (2010). *Mutilations sexuelles féminines.* [En ligne]. www.who.int/mediacentre/factsheets/fs241/fr/ (page consultée le 25 mai 2011).

Organisation mondiale de la santé (OMS) (2011). *Genes and human disease. Tay sachs disease.* [En ligne]. www.who.int/genomics/public/geneticdiseases/en/index2.html#ts (page consultée le 26 mai 2011).

Regroupement provincial des maisons d'hébergement et de transition pour femmes victimes de violence conjugale (2006). *La violence conjugale… C'est quoi au juste?* [En ligne]. www.violenceconjugale.gouv.qc.ca/comprendre_cycle.php (page consultée le 21 février 2012).

Santé Canada (2008a). *Tendances selon le sexe - Une enquête nationale sur la consommation d'alcool et d'autres drogues par les Canadiens - Enquête sur les toxicomanies au Canada (ETC).* [En ligne]. www.hc-sc.gc.ca/hc-ps/pubs/adp-apd/cas_gender-etc_sexe/chap4-fra.php (page consultée le 14 juin 2011).

Santé Canada (2008b). *Meilleures pratiques - Intervention précoce, services d'approche et liens communautaires pour les femmes ayant des problèmes attribuables à la consommation d'alcool et d'autres drogues. Différences entre les sexes.* [En ligne]. www.hc-sc.gc.ca/hc-ps/pubs/adp-apd/early-intervention-precoce/literature-22-documentation-fra.php (page consultée le 26 mai 2011).

Santé Canada (2008c). *L'usage de la cocaïne : recommandations en matière de traitement et de réadaptation.* [En ligne]. www.hc-sc.gc.ca/hc-ps/pubs/adp-apd/cocaine_use-usage_cocaine/effects-fra.php (page consultée le 14 juin 2011).

Santé Canada (2009). *Renoncement et grossesse.* [En ligne]. www.hc-sc.gc.ca/hc-ps/tobac-tabac/quit-cesser/fact-fait/preg-gros-fra.php (page consultée le 15 juin 2011).

Santé Canada (2010a). *Le tabagisme et votre corps. Effets de la cigarette sur la santé.* [En ligne]. www.hc-sc.gc.ca/hc-ps/tobac-tabac/body-corps/index-fra.php (page consultée le 26 mai 2011).

Santé Canada (2010b). *Statistiques sur la consommation de drogues et d'alcool. Principales constatations de l'Enquête de surveillance canadienne de la consommation d'alcool et de drogues (ESCCAD) 2009.* [En ligne]. www.hc-sc.gc.ca/hc-ps/drugs-drogues/stat/index-fra.php (page consultée le 26 mai 2011).

Société canadienne de pédiatrie (2011). *La grossesse à l'adolescence.* [En ligne]. www.cps.ca/francais/enonces/am/ah06-02.htm (page consultée le 25 mai 2011).

Société canadienne de physiologie de l'exercice (SCPE) (2011). *Directives canadiennes en matière d'activité physique.* [En ligne]. www.csep.ca/CMFiles/directives/CSEP%20-%20Directives%20National%20Release%20FR%20corrected.pdf (page consultée le 27 mai 2011).

Société canadienne du cancer (2009). *Contraceptifs oraux et réduction du risque de cancer.* [En ligne]. www.combatpourlavie.ca/outlink.asp?iframe=www.cancer.ca/ (page consultée le 14 juin 2011).

Société canadienne du cancer (2010). *Cancer du col de l'utérus.* [En ligne]. www.cancer.ca/Canada-wide/Prevention/Getting%20checked/Cervical%20cancer%20NEW.aspx?sc_lang=fr-CA (page consultée le 15 juin 2011).

Société canadienne du cancer (2011a). *Encyclopédie canadienne du cancer. Stratégies de réduction des risques pour le cancer du sein.* [En ligne]. http://info.cancer.ca/cce-ecc/SearchDetails.aspx?Lang=F&lf=recommandations%2520sein&cceid=192 (page consultée le 24 mai 2011).

Société canadienne du cancer (2011b). *Viande rouge et viande transformée.* [En ligne]. www.cancer.ca/Canada-wide/Prevention/Nutrition%20and%20fitness/Red%20and%20processed%20meat.aspx?sc_lang=fr-CA (page consultée le 15 juin 2011).

Statistique Canada (2004a). *Répartition en pourcentage de l'indice de masse corporelle (IMC), selon le sexe, population à domicile âgée de 18 ans et plus, Canada, territoires non compris, 2004.* [En ligne]. www.statcan.gc.ca/pub/82-620-m/2005001/t/adults-adultes/4144181-fra.htm (page consultée le 26 mai 2011).

Statistique Canada (2004b). *Mesure de la violence faite aux femmes.* [En ligne]. www.semainedesvictimes.gc.ca/2010/res/r52.html (page consultée le 26 mai 2011).

Statistique Canada (2008). *Rapport sur l'état de la population du Canada, 2005-2006.* [En ligne]. www.statcan.gc.ca/pub/91-209-x/91-209-x2004000-fra.pdf (page consultée le 14 juin 2011).

Statistique Canada (2011). *La violence familiale au Canada : un profil statistique.* [En ligne]. www.statcan.gc.ca/pub/85-224-x/85-224-x2010000-fra.pdf (page consultée le 15 juin 2011).

Références de l'édition originale

Agency for Healthcare Research and Quality (2005). *Women's health care in the United States. Selected findings from the 2004 national healthcare quality and disparities report.* [En ligne]. www.ahrq.gov (page consultée le 27 mai 2011).

American Cancer Society (ACS) (2009). *Cancer facts and figures 2009.* New York : ACS.

American College of Obstetricians and Gynecologists (2005). ACOG Committee Opinion N° 316, October, 2005. Smoking cessation during pregnancy. *Obstetrics and Gynecology, 106*(4), 883-888.

American Heart Association (2009). *Physical activity and cardiovascular health: Questions and answers.* [En ligne]. www.americanheart.org (page consultée le 27 mai 2010).

Atrash, H., Johnson, K., Adams, M., Cordero, J., & Howse, J. (2006). Preconception care for improving perinatal outcomes: The time to act. *Matern Child Health J, 10*(suppl. 5), S3-S11.

Bernstein, I., Mongeon, J., Badger, G., Solomon, L., Heil, S., & Higgins, S. (2005). Maternal smoking and its association with birth weight. *Obstetrics and Gynecology, 106*(5 Part 1), 986-991.

Berzuk, K. (2007). A strong pelvic floor: How nurses can spread the word. *Nurs Womens Health, 11*(1), 54-62.

Callister, L. (2005). What has the literature taught us about culturally competent care of women and children? *Am J Matern Child Nurs, 30*(6), 380-388.

Centers for Disease Control and Prevention (CDC) (2008). *Alcohol and Public Health. Fac Sheets : Alcohol Use and Health.* [En ligne]. www.cdc.gov/alcohol/quickstats/general_info.htm (page consultée le 27 mai 2011).

Centers for Disease Control and Prevention (CDC), Workowski, K., & Berman, S. (2006). Sexually transmitted diseases treatment guidelines 2006. *Morbidity and Mortality Weekly Report. Recommendations and Reports, 55*(RR11), 1-94.

Family Violence Prevention Fund (2009). *Get the Facts: The Facts on Domestic, Dating and Sexual Violence.* [En ligne]. www.futureswithoutviolence.org/content/action_center/detail/754 (page consultée le 27 mai 2011).

Fehring, R., Schneider, M., & Raviele, K. (2006). Variability in the phases of the menstrual cycle. *J Obstet Gynecol Neonatal Nurs, 35*(3), 376-384.

Geddes, D. (2007). Inside the lactating breast: The latest anatomy research. *J Midwifery Womens Health, 52*(6), 556-563.

Gingrich, P. (2004). Management and follow-up of abnormal Papanicolaou tests. *J Am Med Womens Assoc, 59*(1), 54-60.

Goldberg, L. (2005-2006). Understanding the lesbian experience: What perinatal nurses should know to promote women's health. *AWHONN Lifelines, 9*(6), 463-467.

Huff, M., Abuzz, G., & Omar, H. (2007). Detecting and treating depression among adolescents presenting for reproductive care: Realizing opportunities. *J Pediatr Adolesc Gynecol, 20*(6), 371-376.

Johnson, K., Posner, S., Biermann, J., Cordero, J., Atrash, H., Parker, C., *et al.* (2006). Recommendations to improve preconception health and health care United States. A report of the CDC/ATSDR preconception care work group and the select panel on preconception care. *Morbidity and Mortality Weekly Report. Recommendations and Reports, 55*(RR06), 1-23.

Kliegman, R. (2006). Intrauterine growth restriction. In R. Martin, A. Fanaroff, & M. Walsh (Eds). *Fanaroff and Martins's neonatal–perinatal medicine: Diseases of the fetus and infant.* Philadelphia : Mosby.

Krieger, C. (2008). Intimate partner violence: A review for nurses. *Nursing for Women's Health, 12*(3), 224-233.

Kung, H., Hoyert, D., Xu J., & Murphy, S. (2008). Deaths: Final data for 2005. *National Vital Statistics Reports, 56*(10), 1-120.

Love, S., & Barsky, S. (2004). Anatomy of the nipple and breast ducts revisited. *Cancer, 101*(9), 1947-1957.

March of Dimes Foundation (2006a). *Illicit drug use in pregnancy.* [En ligne]. www.marchofdimes.com/professionals/14332_1169.asp (page consultée le 27 mai 2011).

March of Dimes Foundation (2006b). *Pregnancy after 35.* [En ligne]. www.marchofdimes.com/printableArticles/14322_1155.asp (page consultée le 4 juin 2009).

Martin, J., Kung, H., Mathews, T., Hoyert, D., Strobino, D., Guyer, B., *et al.* (2008). Annual summary of vital statistics: 2006. *Pediatrics, 121*(4), 788-801.

Mattson, S. (2000). Striving for cultural competence: Providing care for the changing face of the U.S. *AWHONN Lifelines, 4*(3), 48-52.

Moos, M. (2006). Preconception care: Every woman, every time. *AWHONN Lifelines, 10*(4), 332-334.

National Women's Health Resource Center (2006a). *Depression.* [En ligne]. www.healthywomen.org. healthtopics/depression (page consultée le 5 juin 2009).

National Women's Health Resource Center (2006b). Women and obesity. *Natl Womens Health Rep, 28*(4), 1-7.

National Women's Health Resource Center (2008). Pregnancy & women age 35+. *Natl Womens Health Rep, 30*(2), 1-4.

National Women's Law Center (2007). *Making the grade on women's health: A national and state-by-state report card, 2007.* [En ligne]. www.nwlc.org (page consultée le 27 mai 2011).

Ogden, C., Carroll, M., Curtin, L., McDowell, M., Tabak, C., & Flegal, M. (2006). Prevalence of overweight and obesity in the US 1999-2004. *JAMA, 295*(13), 1549-1555.

Patchias, E., & Waxman, J. (2007). Women and health coverage: The affordability gap. *Issue Brief (Commonw Fund), 25*, 1-12.

Piotrowski, K., & Snell, L. (2007). Health needs of women with disabilities across the life span. *J Obstet Gynecol Neonatal Nurs, 36*(1), 79-87.

Ramsay, D., Kent, J., Hartmann, R., & Hartmann, P. (2005). Anatomy of the lactating breast redefined with ultrasound imaging. *J Anatomy, 206*(6), 525-534.

Roberts, S. (2006). Health care recommendations for lesbian women. *J Obstet Gynecol Neonatal Nurs, 35*(5), 583-591.

Seidel, H., Ball, J., Dains, J., & Benedict, G. (2006). *Mosby's guide to physical examination* (6th ed.). St. Louis, Mo. : Mosby.

Seidel, H., Ball, J., Dains, J., Flynn, J., Solomon, B. & Stewart, R. (2010). *Mosby's Guide to Physical Examination* (7th ed.). St. Louis, Mo. : Mosby.

Smith, S., Hulsey, T., & Goodnight, W. (2008). Effects of obesity on pregnancy. *J Obstet Gynecol Neonatal Nurs, 37*(2), 176-184.

Speroff, L., & Fritz, M. (2005). *Clinical gynecologic endocrinology and infertility* (7th ed.). Philadelphia : Lippincott Williams & Wilkins.

Stenchever, M., Droegemueller, W., Herbst, A., & Mishell, D. (2001). *Comprehensive gynecology* (4th ed.). St. Louis, Mo. : Mosby.

Stuart, G., & Laraia, M. (2005). *Principles and practices of psychiatric nursing* (8th ed.). St. Louis, Mo. : Mosby.

Trussell, J. (2007). The cost of unintended pregnancies in the United States. *Contraception, 75*(3), 168-170.

Turner, D. (2007). Female genital cutting: Implications for nurses. *Nurs Womens Health, 11*(4), 366-372.

U.S. Department of Health and Human Services & U.S. Department of Agriculture (2005). *Dietary guidelines for Americans 2005.* Hyattsville, Md. : U.S. Department of Agriculture.

Walker, L. (1984). *The battered woman syndrome* (vol. 6). New York : Springer.

Weng, X., Odouli, R., & Li, D. (2008). Maternal caffeine consumption during pregnancy and the risk of miscarriage: A prospective cohort study. *Am J Obstet Gynecol, 198*(3), 279.e1-279.e8.

Wilson, S.F., & Giddens, J.F. (2009). *Health assessment for nursing practice* (4th ed.). St. Louis, Mo. : Mosby.

Wolfe, B. (2005). Reproductive health in women with eating disorders. *J Obstet Gynecol Neonatal Nurs, 34*(2), 255-263.

Chapitre 3

Références de l'édition française

Agence de la santé publique du Canada (ASPC) (2006). *VIH et la consultation : Politique en transition ? Rapport de recherche rédigé pour le Dialogue international sur la santé publique concernant les tests de dépistage du VIH et la consultation.* [En ligne]. www.phac-aspc.gc.ca/aids-sida/publication/hivtest/pdf/hivtest_f.pdf (page consultée le 7 février 2012).

Agence de la santé publique du Canada (ASPC) (2007a). *Bref rapport sur les infections transmissibles sexuellement au Canada, 2007.* [En ligne]. www.phac-aspc.gc.ca/publicat/2009/sti-its/pdf/sti_brief-its_bref_2009-fra.pdf (page consultée le 19 octobre 2011).

Agence de la santé publique du Canada (ASPC) (2007b). *Modélisation de l'incidence et de la prévalence de l'hépatite C et de ses séquelles au Canada, 2007.* [En ligne]. http://origin.phac-aspc.gc.ca/sti-its-surv-epi/model/results-fra.php (page consultée le 20 octobre 2011).

Agence de la santé publique du Canada (ASPC) (2007c). Dépistage du VIH dans les points de services à l'aide de trousses de dépistage rapide : guide à l'intention des professionnels de la santé. *Relevé des maladies transmissibles au Canada, 33*(S2), 1-23.

Agence de la santé publique du Canada (ASPC) (2009). *Renseignements sur la mammographie à l'intention des femmes de 40 ans et plus : un outil d'aide à la prise de décision pour le dépistage du cancer du sein au Canada.* [En ligne]. www.phac-aspc.gc.ca/cd-mc/pdf/Renseignements_sur_la_mammographie-fra.pdf (page consultée le 22 octobre 2011).

Agence de la santé publique du Canada (ASPC) (2010a). *Lignes directrices canadiennes sur les infections transmissibles sexuellement.* [En ligne]. www.phac-aspc.gc.ca/std-mts/sti-its/index-fra.php (page consultée le 20 octobre 2011).

Agence de la santé publique du Canada (ASPC) (2010b). *Quels sont vos risques du cancer du sein ?* [En ligne]. www.phac-aspc.gc.ca/cd-mc/breast-cancer-cancer-du-sein-fra.php (page consultée le 21 octobre 2011).

Agence de la santé publique du Canada (ASPC) (2011). *Ce qu'il faut savoir sur le virus du papillome humain (VPH) : questions et réponses.* [En ligne]. www.phac-aspc.gc.ca/std-mts/hpv-vph/hpv-vph-qaqr-fra.php (page consultée le 20 octobre 2011).

Benhaberou-Brun, D. (2010). Boissons énergisantes : en boire ou ne pas en boire... La controverse perdure. *Perspective Infirmière, 7*(1), 35-39.

Boucher, M., & Gruslin, A. (2000). Directives cliniques de la SOGC sur les soins de santé en reproduction pour les femmes vivant avec l'hépatite C. *Journal SOGC, 96*, 30-56.

Brown, J., O'Brien, P., Marjoribanks, J., & Wyatt, K. (2009). Selective serotonin reuptake inhibitors for premenstrual syndrome. *Cochrane Database Syst Rev, 2*, CD 001396.

Clauson, K., Shields, K., McQueen, C., & Persad, N. (2008). Safety issues associated with commercially available energy drinks. *J Am Pharm Assoc, 48*(3), e55.

Fédération du Québec pour le planning des naissances (2010). *Condom féminin.* [En ligne]. www.fqpn.qc.ca/contenu/contraception/methodes/barrieres/condomfeminin.php (page consultée le 2 novembre 2011).

Fondation canadienne du foie (2006). *Hépatite virale. Ce que vous devez savoir : hépatite A.* [En ligne]. www.liver.ca/fr/hepatitis/hepatitis-a.aspx (page consultée le 20 octobre 2011).

Freedman, A.N., Yu, B., Gail, M.H., Costantino, J.P., Graubard, B.I., *et al.* (2011). Benefit/Risk assessment for breast cancer chemoprevention with raloxifene or tamoxifen for women age 50 years or older. *J Clin Oncol, 29*(17), 2327-2333.

Heidi, D.N., Fu, R., Griffin, J. C., Nygren, P., Smith, B., *et al.* (2009). Systematic review: Comparative effectiveness of medications to reduce risk for primary breast cancer. *Ann Intern Med, 151*(10), 703.

Khalid, K., Abdul-Razzak, K.K., Ayoub, N.M., Abu-Taleb, A.A., & Obeidat, B.A. (2010). Influence of dietary intake of dairy products on dysmenorrhea. *J Obstet Gynaecol Res, 36*(2), 377-383.

Meczekalski, B., Podfigurna-Stopa, A., Warenik-Szymankiewicz, A., & Genazzani, A.R. (2008). Functional hypothalamic amenorrhea: Current view on neuroendocrine aberrations. *Gynecol Endocrinol, 24*(1), 4-11.

Mercier, J.C., Fortin, C., & Santerre, M.J. (2010). *Guide pratique en allaitement pour les médecins.* Québec, Qc :

Agence de la Santé et des Services sociaux de la Capitale-Nationale, Direction régionale de santé publique.

Ministère de la Santé et des Services sociaux (MSSS) (2006). *Guide québécois de dépistage des infections transmissibles sexuellement et par le sang.* [En ligne]. http://msssa4.msss.gouv.qc.ca/fr/document/publication.nsf/LienParId/C5AF2DBDCE1F35FC8525714200586B0D?opendocument (page consultée le 19 octobre 2011).

Ministère de la Santé et des Services sociaux (MSSS) (2009a). *Portrait des infections transmissibles sexuellement et par le sang (ITSS) au Québec : année 2008 (et projections 2009).* [En ligne]. http://msssa4.msss.gouv.qc.ca/fr/document/publication.nsf/fb143c75e0c27b69852566aa0064b01c/83698a50f774f1328525767400700174?OpenDocument (page consultée le 19 octobre 2011).

Ministère de la Santé et des Services sociaux (MSSS) (2009b). *Protocole d'immunisation du Québec (PIQ)* (5e éd.). [En ligne]. http://msssa4.msss.gouv.qc.ca/fr/document/publication.nsf/4b1768b3f849519c852568fd0061480d/6335dde40226af59852575cc0048804d?OpenDocument (page consultée le 19 octobre 2011).

Ministère de la Santé et des Services sociaux (MSSS) (2010). *L'épidémie silencieuse. Les infections transmissibles sexuellement et par le sang : quatrième rapport national sur l'état de la population du Québec.* [En ligne]. http://publications.msss.gouv.qc.ca/acrobat/f/documentation/2010/10-228-02.pdf (page consultée le 19 octobre 2011).

Ministère de la Santé et des Services sociaux (MSSS) (2011a). *Programme québécois de dépistage du cancer du sein (PQDCS).* [En ligne]. www.msss.gouv.qc.ca/sujets/santepub/pqdcs/index.php?accueil (page consultée le 21 octobre 2011).

Ministère de la Santé et des Services sociaux (MSSS) (2011b). *Avantages et inconvénients de la mammographie.* [En ligne]. www.msss.gouv.qc.ca/sujets/santepub/pqdcs/index.php?avantages-limites-inconvenients-mammographie (page consultée le 21 octobre 2011).

Pruthi, S., Wahner-Roedler, D.L., Torkelson, J.C., Cha, S.S., Thicke, L.S., Hazelton, J.H., *et al.* (2010). Vitamin E and evening primrose oil for management of cyclical mastalgia: A randomized pilot study. *Altern Med Rev, 15*(1), 59-67.

Santé Canada (1998). *Lignes directrices pour les programmes de dépistage du cancer du col utérin au Canada.* [En ligne]. www.phac-aspc.gc.ca/cd-mc/pdf/depistage.pdf (page consultée le 20 octobre 2011).

Service d'information en contraception et sexualité de Québec (SICSQ) (2008). *Facteurs de risque spécifique selon l'ITSS.* [En ligne]. www.sicsq.org/itss/facteurs.htm (page consulté le 19 octobre 2011).

Société canadienne du cancer (2011a). *Cancer du sein : comprendre le diagnostic.* [En ligne]. www.cancer.ca/canada-wide/publications/alphabetical%20list%20of%20publications/breast%20cancer%20understanding%20your%20diagnosis.aspx?sc_lang=fr-CA (page consultée le 21 octobre 2011).

Société canadienne du cancer (2011b). *Cancer du sein : lignes directrices pour le dépistage du cancer du sein.* [En ligne]. www.cancer.ca/Canada-wide/Prevention/Getting checked/Breast cancer NEW.aspx?sc_lang=fr-CA (page consultée le 22 octobre 2011).

Société canadienne du cancer (2011c). *Encyclopédie canadienne du cancer : stratégies de réduction des risques pour le cancer du sein.* [En ligne]. http://info.cancer.ca/cce-ecc/default.aspx?cceid=192&toc=10&lf=stomach&Lang=F (page consultée le 21 octobre 2011).

Références de l'édition originale

American Academy of Pediatrics Committee on Pediatric AIDS (2008). HIV testing and prophylaxis to prevent mother-to-child transmission in the United States. *Pediatrics, 122*(5), 1127-1134.

American Cancer Society (ACS) (2009a). *Breast cancer.* [En ligne]. www.cancer.org (page consultée le 21 octobre 2011).

American Cancer Society (ACS) (2009b). *Cancer facts and figures, 2009.* New York : ACS.

American Cancer Society (ACS) (2009c). *Detailed guide: Breast cancer. What should you ask your doctor about breast cancer?* [En ligne]. www.cancer.org/Cancer/BreastCancer/DetailedGuide/breast-cancer-talking-with-your-doctor (page consultée le 3 novembre 2011).

American College of Nurse-Midwives (ACNM) (2002). Abnormal and dysfunctional uterine bleeding. ACNM Clinical Bulletin N° 6. *J Midwifery Womens Health, 47*(3), 207-213.

American College of Obstetricians and Gynecologists (ACOG) (2000). *Premenstrual syndrome.* ACOG Practice Bulletin N° 15. Washington, D.C. : ACOG.

American College of Obstetricians and Gynecologists (ACOG) (2005). Endometriosis in adolescents. ACOG Committee Opinion N° 310. *Obstetrics and Gynecology, 105*(4), 921-927.

American College of Obstetricians and Gynecologists (ACOG) (2008). *ACOG patient education: How to prevent STDs.* Washington, D.C. : ACOG.

American Psychiatric Association (APA) (2000). *Diagnostic and statistical manual of mental disorders* (4th ed., text revision). Washington, D.C. : APA.

Association of Women's Health, Obstetric and Neonatal Nurses (AWHONN) (2003). *Evidence-based clinical practice guideline: Nursing management for cyclic perimenstrual pain and discomfort.* Washington, D.C. : AWHONN.

Bascom, A. (2002). *Incorporating herbal medicine into clinical practice.* Philadelphia : F.A. Davis.

Beaumont, H., Augood, C., Duckitt, K., & Lethaby, A. (2007). Danazol for heavy menstrual bleeding. *Cochrane Database Syst Rev, 3,* CD 001017.

Branson, B., Handsfield, H., Lampe, M., Janssen, R., Taylor, A., Lyss, S., *et al.* (2006). Revised recommendations for HIV testing of adults, adolescents, and pregnant women in health-care settings. *Morbidity and Mortality Weekly Report Recommendations and Reports, 55*(RR-14), 1-17.

Centers for Disease Control and Prevention (CDC) (2006). Sexually transmitted diseases treatment guidelines 2006. *Morbidity and Mortality Weekly Report Recommendations and Reports, 55*(RR-11), 1-94.

Centers for Disease Control and Prevention (CDC) (2007a). *STD Surveillance 2006 : Racial and ethnic minorities.* [En ligne]. www.cdc.gov/std/stats06/minorities.htm (page consultée le 22 octobre 2011).

Centers for Disease Control and Prevention (CDC) (2007b). *Trends in reportable sexually transmitted diseases in the United States, 2006: National surveillance data for chlamydia, gonorrhea, and syphilis.* [En ligne]. www.cdc.gov/std/stats07/trends.htm (page consultée le 22 octobre 2011).

Centers for Disease Control and Prevention (CDC) (2007c). *Updated recommended treatment regimens for gonococcal infections and associated conditions.* [En ligne]. www.cdc.gov/std/treatment/2006/GonUpdateApril2007.pdf (page consultée le 22 octobre 2011).

Centers for Disease Control and Prevention (CDC) (2008a). *Genital HPV infection–CDC fact sheet.* [En ligne]. www.cdc.gov/std/HPV/STDfact-HPV.htm#common (page consultée le 22 octobre 2011).

Centers for Disease Control and Prevention (CDC) (2008b). *HIV Surveillance in Women.* [En ligne]. www.cdc.gov/hiv/topics/women/resources/factsheets/women.htm (page consultée le 22 octobre 2011).

Centers for Disease Control and Prevention Divisions of HIV/AIDS Prevention (2008). *FDA-approved rapid HIV antibody screening tests.* [En ligne]. www.cdc.gov/hiv/topics/testing/rapid/rt-comparison.htm (page consultée le 22 octobre 2011).

Collins Sharp, B., Taylor, D., Thomas, K., Killeen, M., & Dawood, M. (2002). Cyclic perimenstrual pain and discomfort: The scientific basis for practice. *AWHONN, 31*(6), 637-649.

Crochetiere, C. (2005). Breast pain: Diagnosis & treatment. *AWHONN Lifelines, 9*(4), 298-304.

Deapen, D. (2007). Breast implants and breast carcinoma: Review of incidence, detection, mortality, and survival. *Plast Reconstr Surg, 120*(7 suppl. 1), 70S-80S.

Dehlin, L., & Schuiling, K. (2006). Chronic pelvic pain. In K. Schuiling & F. Lokis (Eds.). *Women's gynecologic health.* Boston : Jones & Bartlett.

DiSaia, P., & Creasman, W. (2007). *Clinical gynecologic oncology* (7th ed.). Philadelphia : Mosby.

Djohan, R., Gage, E., & Bernard, S. (2008). Breast reconstruction options following mastectomy. *Cleve Clin J Med, 75*(suppl. 1), S17-S23.

Dog, L. (2001). Conventional and alternative treatments for endometriosis. *Alternative Therapies, 7*(6), 50-56.

Eckert, L., & Lentz, G. (2007a). Infections of the lower genital tract. In V. Katz, G. Lentz, R. Lobo & D. Gershenson (Eds.). *Comprehensive gynecology* (5th ed.). Philadelphia : Mosby.

Eckert, L., & Lentz, G. (2007b). Infections of the upper genital tract. In V. Katz, G. Lentz, R. Lobo & D. Gershenson (Eds.). *Comprehensive gynecology* (5th ed.). Philadelphia : Mosby.

Facts and Comparisons (2009). *Nonsteroidal antiinflammatory drugs.* [En ligne]. www.factsandcomparisons.com (page consultée le 18 octobre 2011).

Fraley, S. (2002). Psychosocial outcomes in individuals living with genital herpes. *J Obstet Gynecol Neonatal Nurs, 31*(5), 508-513.

Fugh-Berman, A., & Awang, D. (2001). Black cohosh. *Alternative Therapies in Women's Health, 39*(11), 81-85.

Katz, V. (2007). Benign gynecologic lesions: Vulva, vagina, cervix, uterus, oviducts and ovary. In V. Katz, G. Lentz, R. Lobo & D. Gershenson (Eds.). *Comprehensive gynecology* (5th ed.). Philadelphia : Mosby.

Lachat, M., Scott, C., & Relf, M. (2006). HIV and pregnancy: Considerations for nursing practice. *Am J Matern Child Nurs, 31*(4), 233-240.

Lebrun, C. (2007). The female athlete triad: What's a doctor to do? *Current Sports Medicine Reports, 6*(6), 397-404.

Lentz, G. (2007a). Differential diagnosis of major gynecologic problems by age group: Vaginal bleeding, pelvic pain, and pelvic mass. In V. Katz, G. Lentz, R. Lobo & D. Gershenson (Eds.). *Comprehensive gynecology* (5th ed.). Philadelphia : Mosby.

Lentz, G. (2007b). Primary and secondary dysmenorrhea, premenstrual syndrome, and premenstrual dysphoric disorder: Etiology, diagnosis, and management. In V. Katz, G. Lentz, R. Lobo & D. Gershenson (Eds.). *Comprehensive gynecology* (5th ed.). Philadelphia : Mosby.

Lethaby, A., Irvine, G., & Cameron, I. (2008). Cyclical progestogens for heavy menstrual bleeding. *Cochrane Database Syst Rev, 1,* CD 001016.

Lobo, R. (2007a). Abnormal uterine bleeding: Ovulatory and anovulatory dysfunctional uterine bleeding: Management of acute and chronic excessive bleeding. In V. Katz, G. Lentz, R. Lobo & D. Gershenson (Eds.). *Comprehensive gynecology* (5th ed.). Philadelphia : Mosby.

Lobo, R. (2007b). Endometriosis. In V. Katz, G. Lentz, R. Lobo & D. Gershenson (Eds.). *Comprehensive gynecology* (5th ed.). Philadelphia : Mosby.

Lobo, R. (2007c). Hyperprolactinemia, galactorrhea, and pituitary adenomas: Etiology, differential diagnosis, natural history, management. In V. Katz, G. Lentz, R. Lobo & D. Gershenson (Eds.). *Comprehensive gynecology* (5th ed.). Philadelphia : Mosby.

Lobo, R. (2007d). Primary and secondary amenorrhea and precocious puberty. In V. Katz, G. Lentz, R. Lobo & D. Gershenson (Eds.). *Comprehensive gynecology* (5th ed.). Philadelphia : Mosby.

Mayo Foundation for Medical Education and Research (2008). *Mammary duct ectasia.* [En ligne]. www.mayoclinic.com/health/mammary-duct-ectasia/DS00751 (page consultée le 22 octobre 2011).

Mishell, D. (2007). Family planning: Contraception, sterilization, and abortion. In V. Katz, G. Lentz, R. Lobo & D. Gershenson (Eds.). *Comprehensive gynecology* (5th ed.). Philadelphia : Mosby.

National Cancer Institute (NCI) (2006). *Probability of breast cancer in American women.* [En ligne]. http://cis.nci.nih.gov/fact/5_6.htm (page consultée le 8 juin 2009).

National Women's Health Resource Center (1995). Breast health. *National Women's Health Report, 13*(5), 3.

National Women's Health Resource Center (2000). Genetic testing and women's health. *National Women's Health Report, 22*(6), 1-8.

Nelson, N. (2000). Silicone breast implants not linked to breast cancer risk. *J Natl Cancer Inst, 92*(21), 1714-1715.

Perinatal HIV Guidelines Working Group (2008). *Public Health Service Task Force recommendations: Use of antiretroviral drugs in pregnant HIV-infected women for maternal health and interventions to reduce perinatal HIV transmission in the United States.* [En ligne]. http://aidsinfo.nih.gov/contentfiles/PerinatalGL.pdf (page consultée le 22 octobre 2011).

Quillin, J., & Lyckholm, L. (2006-2007). A principle-based approach to ethical issues in predictive genetic testing for breast cancer. *Breast Disease, 27*(1), 137-148.

Ravin, C. (2007). Preventing STIs: Ask the questions. *Nurs Womens Health, 11*(1), 88-91.

U.S. Food and Drug Administration (FDA) (2006). *FDA News: FDA approves silicone gel-filled breast implants after in-depth evaluation. Agency requiring 10 years of patient follow-up.* [En ligne].www.fda.gov/bbs/topics/news/2006/new01512.html (page consultée le 22 octobre 2011).

U.S. Food and Drug Administration (FDA) (2008a). *HIV testing.* [En ligne]. www.fda.gov/oashi/aids/test.html (page consultée le 1er mai 2009).

U.S. Food and Drug Administration (FDA) (2008b). *Medication guide for non-steroidal anti-inflammatory drugs (NSAIDs).* [En ligne]. www.fda.gov/CDER/drug/infopage/COX2/NSAIDmedguide.htm (page consultée le 2 mai 2009).

Valea, F. & Katz, V. (2007). Breast disease: Diagnosis and treatment of benign and malignant disease. In V. Katz, G. Lentz, R. Lobo & D. Gershenson (Eds.). *Comprehensive gynecology* (5th ed.). Philadelphia : Mosby.

Volmink, J., Siegfried, N., van der Merwe, L., & Brocklehurst, P. (2006). Antiretrovirals for reducing the risk of mother-to-child transmission of HIV infection. *Cochrane Database Syst Rev, 1,* CD 003510.

World Health Organization (WHO) (2004). *Medical eligibility criteria for contraceptive use* (3rd ed.). Geneva : WHO.

Chapitre 4

Références de l'édition française

Association canadienne pour la liberté de choix (ACLC) & Fédération du Québec pour le planning des naissances (FQPN) (2010). *Le point sur les services d'avortement au Québec.* [En ligne]. www.fqpn.qc.ca/contenu/pdf/RechercheACLCFQPN2010.pdf (page consultée le 26 juillet 2011).

Association des infirmières et infirmiers du Canada (AIC) (2008). *Code de déontologie des infirmières et infirmiers. Édition du centenaire 2008.* [En ligne]. www.cna-nurses.ca/CNA/documents/pdf/publications/Code_of_Ethics_2008_f.pdf (page consultée le 26 juillet 2011).

Collège des médecins du Québec (CMQ) (2004). *L'interruption volontaire de grossesse : lignes directrices du Collège des médecins du Québec.* [En ligne]. www.cmq.org/fr/Public/Profil/Commun/Nouvelles/2009/~/media/C50E47943E934F619215E2F4BCBBD83C.ashx?61119 (page consultée le 26 juillet 2011).

Cour suprême du Canada (1988). *Jugement de la Cour suprême du Canada. R.* c. *Morgentaler,* [1988] 1 R.C.S. 30. [En ligne]. http://csc.lexum.org/fr/1988/1988rcs1-30/1988rcs1-30.html (page consultée le 23 août 2011).

Cour suprême du Canada (1989). *Jugement de la Cour suprême du Canada. Tremblay* c. *Daigle,* [1989] 2 R.C.S. 530. [En ligne]. http://csc.lexum.org/fr/1989/1989rcs2-530/1989rcs2-530.html (page consultée le 23 août 2011).

Desaulniers, G. (2004). *La grossesse ectopique.* [En ligne]. www.gynecomedic.com/php/ectopique.php (page consultée le 25 juillet 2011).

Dunn, M. (2008). *L'avortement, un droit menacé.* [En ligne]. www.ababord.org/spip.php?rubrique69 (page consultée le 14 septembre 2011).

Fédération canadienne pour la santé sexuelle (FCSS) (2008). *Les spermicides.* [En ligne]. www.cfsh.ca/fr/Your_Sexual_Health/Contraception-and-Safer-Sex/Contraception-and-Birth-Control/Spermicides.aspx (page consultée le 21 juillet 2011).

Institut de la statistique du Québec (2006). *La situation démographique au Québec : bilan 2006.* [En ligne]. www.stat.gouv.qc.ca/publications/demograp/pdf2006/Bilan2006.pdf (page consultée le 26 juillet 2011).

Institut Guttmacher & Organisation mondiale de la santé (OMS) (2011). *Facts on induce abortion worldwide.* Genève, Washington, D.C. & New York : Institut Guttmacher et OMS.

Institut national de santé publique du Québec (INSPQ) (2007). *Avis du Comité d'experts en planning familial.* [En ligne]. www.inspq.qc.ca/aspx/docs/contraceptionhormonale/OCC-ALGOdecisionnel.pdf (page consultée le 20 février 2012).

Lewis, S.L., Dirksen, S.R., Heitkemper, M., Bucher, L, & Camera, I.M. (2011). *Soins infirmiers* : médecine Chirurgie. Montréal : Chenelière Éducation.

Ministère de la Santé et des Services sociaux (MSSS) (2010). *Procréation assistée.* [En ligne]. www.msss.gouv.qc.ca/sujets/santepub/procreation.php (page consultée le 23 août 2011).

Ordre des infirmières et infirmiers du Québec (OIIQ) (2010). *Outiller les infirmières et les infirmiers du Québec en matière de contraception hormonale : une nouvelle formation en ligne.* [En ligne]. www.oiiq.org/salle-de-presse/communiques/outiller-les-infirmieres-et-les-infirmiers-du-quebec-en-matiere-de-contr (page consultée le 20 juillet 2011).

Organisation mondiale de la santé (OMS) (2004). *Avortement médicalisé : directives techniques et stratégiques à l'intention des systèmes de santé.* Genève : OMS.

Potter, A.P., & Perry, A.G. (2010). *Soins infirmiers : fondements généraux.* Montréal : Chenelière Éducation.

Prittis, E.A. (2010). Letrozole for ovulation induiction and controlled ovarian hyperstimulation. *Obstet Gynecol, 22,* 289-294.

Procréation assistée Canada (2011). *Évaluation des résultats de la procréation assistée au Canada.* [En ligne]. www.ahrc-pac.gc.ca/v2/pubs/moc-erc-fra.php (page consultée le 26 juillet 2011).

Santé Canada (2010). *Condoms.* [En ligne]. www.hc-sc.gc.ca/hl-vs/iyh-vsv/prod/condom-fra.php (page consultée le 21 juillet 2011).

Société des obstétriciens et gynécologues du Canada (SOGC) (2003). *Directives cliniques de la SOGC : Contraception d'urgence.* [En ligne]. www.sogc.org/guidelines/public/131F-CPG-Aout2003.pdf (page consultée le 25 juillet 2011).

Société des obstétriciens et gynécologues du Canada (SOGC) (2004a). *Directives cliniques de la SOGC : Concensus canadien sur la contraception* (3e partie de 3). [En ligne]. www.sogc.org/guidelines/public/143F-CPG3-Avril2004.pdf (page consultée le 15 janvier 2011).

Société des obstétriciens et gynécologues du Canada (SOGC) (2004b). *Directives cliniques de la SOGC : Concensus canadien sur la contraception* (2e partie de 3). [En ligne]. www.sogc.org/guidelines/public/143E-CPG2-March2004.pdf (page consultée le 1er juillet 2011).

Société des obstétriciens et gynécologues du Canada (SOGC) (2010). *Contraception.* [En ligne]. www.masexualite.ca/fr/birth-control (page consultée le 22 juillet 2011).

Speroff, L., & Fritz, M. (2005). *Clinical gynecologic endocrinology and infertility* (7th ed.). Philadelphia : Lippincott Williams & Wilkins.

Statistique Canada (2006). *Avortements provoqués en milieu hospitalier et en clinique.* [En ligne]. www5.statcan.gc.ca/cansim/a05?lang=fra&id=1069005 (page consultée le 23 août 2011).

Steben, M. (2007). Directive clinique canadienne de consensus sur le virus du papillome humain, Prévention. *J Obstet Gynaecol Can, 29*(8 suppl. 3), 27-30.

Weiner, C., & Buhimschi, C. (2009). *Drugs for pregnant and lactating women* (2nd ed.). Philadelphia : Saunders.

Références de l'édition originale

American College of Obstetricians and Gynecologists (ACOG) (2005). Emergency contraception: ACOG Practice Bulletin No 69, *Obstet Gynecol, 106*(6), 1443-1452.

American Society for Reproductive Medicine (ASRM) (2006a). *Adoption: A guide for patients.* [En ligne]. www.asrm.org (page consultée le 26 juillet 2011).

American Society for Reproductive Medicine (ASRM) (2006b). *Medications for inducing ovulation: A patient guide.* [En ligne]. www.asrm.org (page consultée le 26 juillet 2011).

American Society for Reproductive Medicine (ASRM) (2009a). *Frequently asked questions about infertility.* [En ligne]. www.asrm.org (page consultée le 26 juillet 2011).

American Society for Reproductive Medicine (ASRM) (2009b). *Frequently asked questions: The psychological component of infertility.* [En ligne]. www.asrm.org (page consultée le 26 juillet 2011).

Association of Women's Health, Obstetric and Neonatal Nurses (AWHONN) (1999). *Nurses' rights and responsibilities related to abortion and sterilization. Policy position statement.* [En ligne]. www.awhonn.org (page consultée le 26 juillet 2011).

Cates, W., & Raymond, E. (2007). Vaginal barriers and spermicides. In R. Hatcher, J. Trussell, A. Nelson, W. Cates, F. Stewart & D. Kowal (Eds.). *Contraceptive technology* (19th ed.). New York: Ardent Media.

Centers for Disease Control and Prevention (2006). Sexually transmitted disease treatment guidelines. *MMWR Morb Mortal Wkly Rep, 55*(RR-11), 1-94.

Cheng, L., Gülmezoglu, A., Piaggo, G., Ezcurra, E., & Van Look, P. (2008). Interventions for emergency contraception. *Cochrane Database Syst Rev, 1,* CD 001324.

Courtney, K. (2006). The contraceptive patch: Latest developments. *AWHONN Lifelines, 10*(3), 250-254.

Cunningham, F., Leveno, K., Blooms, S., Hauth, J., Gilstrap, L., & Wenstrom, K. (2005). *Williams obstetrics* (22nd ed.). New York: McGraw-Hill.

CycleBeads (2007). *Frequently asked questions.* [En ligne]. http://cyclebeads.com (page consultée le 26 juillet 2011).

D'Avanzo, C. (2008). *Mosby's pocket guide to cultural health assessment* (4th ed.). St. Louis, Mo.: Mosby.

Dennehy, C. (2006). The use of herbs and dietary supplements in gynecology: An evidenced-based review. *J Midwifery Womens Health, 51*(6), 402-409.

Essure (2009). *Risks and benefits of the Essure procedure.* [En ligne]. www.essure.com (page consultée le 26 juillet 2011).

Fehring, R., Schneider, M., Raviele, K., & Barron, M. (2007). Efficacy of cervical mucus observations plus electronic hormonal fertility monitoring as a method of natural family planning. *J Obstet Gynecol Neonatal Nurs, 36*(2), 152-160.

Female Health Company (2008). *Female condom: The product.* [En ligne]. www.femalehealth.com/theproduct.html (page consultée le 26 juillet 2011).

Fischer, M. (2008). Implanon: A new contraceptive implant. *J Obstet Gynecol Neonatal Nurs, 37*(3), 361-368.

Forbus, S. (2005). Age-related infertility: Tuning in to the ticking clock. *AWHONN Lifelines, 9*(2), 127-132.

Gabelnick, H., Schwartz, J., & Darrock, J. (2007). Contraceptive research and development. In R. Hatcher *et al.* (Eds.). *Contraceptive technology* (19th ed.). New York: Ardent Media.

Germano, E., & Jennings, V. (2006). New approaches to fertility awareness-based methods: Incorporating the Standard Days and Two Day methods into practice. *J Midwifery Womens Health, 51*(5), 471-477.

Goldberg, A., & Grimes, D. (2007). Injectable contraceptives. In R. Hatcher *et al.* (Eds.). *Contraceptive technology* (19th ed.). New York: Ardent Media.

Grimes, D. (2007). Intrauterine devices (IUDs). In R. Hatcher *et al.* (Eds.). *Contraceptive technology* (19th ed.). New York: Ardent Media.

Hatcher, E., Zieman, M., Hatcher, R., Cwiak, C., Darney, P., *et al.* (2007). *A pocket guide to managing contraception, 2007-2009.* Tiger, Ga.: Bridging the Gap Foundation.

Jennings, V., & Arevalo, M. (2007). Fertility awareness-based methods. In R. Hatcher *et al.* (Eds.). *Contraceptive technology* (19th ed.). New York: Ardent Media.

Jones, R., Zolna, M., Henshaw, S., & Finer, L. (2008). Abortion in the United States: Incidence and access to services, 2005. *J Perspect Sex Reprod Health, 40*(1), 6-16.

Kennedy, K., & Trussell, J. (2007). Postpartum contraception and lactation. In R. Hatcher *et al.* (Eds.). *Contraceptive technology* (19th ed.). New York: Ardent Media.

Kowal, D. (2007). Coitus interruptus (withdrawal). In R. Hatcher *et al.* (Eds.). *Contraceptive technology* (19th ed.). New York: Ardent Media.

Kulier, R., Gülmezoglu, M., Hofmeyr, G., Cheng, L., & Campana, A. (2004). Medical versus surgical methods for first trimester termination of pregnancy. *Cochrane Database Syst Rev, 1,* CD 002855.

Kulier, R., O'Brien, P., Helmerhorst, F., Usher-Patel, M., & d'Arcangues, C. (2007). Copper containing, framed intra-uterine devices for contraception. *Cochrane Database Syst Rev, 3,* CD 005347.

Kuliev, A., & Verlinsky, Y. (2008). Preimplantation genetic diagnosis: Technological advances to improve accuracy and range of applications. *Reprod Biomed Online, 16*(4), 532-538.

Lever, K. (2005). Emergency contraception: Nurses can empower women. *AWHONN Lifelines, 9*(3), 218-227.

Lobo, R. (2007). Infertility: Etiology, diagnostic evaluation, management, prognosis. In V. Katz, G. Lentz, R. Lobo & D. Gershenson (Eds.). *Comprehensive gynecology* (5th ed.). Philadelphia: Mosby.

Marchbanks, P., McDonald, J., Wilson, H., Folger, S., Mandel, M., Daling, J., *et al.* (2002). Oral contraceptives and the risk of breast cancer. *N Engl J Med, 346*(26), 2025-2032.

Nanda, K. (2007). Contraceptive patch and vaginal contraceptive ring. In R. Hatcher *et al.* (Eds.). *Contraceptive technology* (19th ed.). New York: Ardent Media.

National Abortion Federation (2008). *Clinical policy guidelines.* Washington, D.C.: National Abortion Federation.

Nelson, A. (2007). Combined oral contraceptives. In R. Hatcher *et al.* (Eds.). *Contraceptive technology* (19th ed.). New York: Ardent Media.

Nelson, A., & Marshall, J. (2007). Impaired fertility. In R. Hatcher *et al.* (Eds.). *Contraceptive technology* (19th ed.). New York: Ardent Media.

Newberry, Y. (2007). Implanon: A new implantable contraceptive. *Nurs Womens Health, 11*(6), 607-611.

Office of Population Research and Association of Reproductive Health Professionals (2009). *Questions and answers about emergency contraception.* [En ligne]. www.not-2-late.com (page consultée le 26 juillet 2011).

Paterno, M. (2008). Families of two: Meeting the needs of couples experiencing male infertility. *Nurs Womens Health, 12*(4), 300-306.

Paul, M., & Stewart, F. (2007). Abortion. In R. Hatcher *et al.* (Eds.). *Contraceptive technology* (19th ed.). New York: Ardent Media.

Planned Parenthood (2008). *Diaphragms.* [En ligne]. www.plannedparenthood.org/health-topics/birth-control/diaphragm-4244.htm (page consultée le 26 juillet 2011).

Pollack, A., Thomas, L., & Barone, M. (2007). Female and male sterilization. In R. Hatcher *et al.* (Eds.). *Contraceptive technology* (19th ed.). New York: Ardent Media.

Raymond, E. (2007). Progestin-only pills. In R. Hatcher *et al.* (Eds.). *Contraceptive technology* (19th ed.). New York: Ardent Media.

Royal College of Obstetricians & Gynaecologists (2007). *Clinical guidance: Intrauterine contraception.* [En ligne]. www.fsrh.org/pdfs/CEUGuidanceIntrauterineContraceptionNov07.pdf (page consultée le 28 janvier 2012).

Sampey, A., Bourque, J., & Wren, K. (2004). Learning scope: Herbal medicines. *J Adv Nurs, 6*(25), 13-19.

Santoro, D. (2004). *A short summary of the criminal law surrounding abortion.* [En ligne]. www.ncln.ca/articles.php?id=2&article=55 (page consultée le 26 juillet 2011).

Sheweita, S., Tilmisany, A., & Al-Sawaf, H. (2005). Mechanisms of male infertility: Role of antioxidants. *Curr Drug Metab, 6*(5), 495-501.

Simmonds, K., & Likis, F. (2005). Providing options: Counseling women with unwanted pregnancies. *J Obstet Gynecol Neonatal Nurs, 34*(3), 373-379.

Speroff, L., & Fritz, M. (2005). *Clinical gynecologic endocrinology and infertility* (7th ed.). Philadelphia: Lippincott Williams & Wilkins.

Statistics Canada (2008). *Induced abortions by province and territory of report.* [En ligne]. www40.statcan.ca/l01/cst01/health40a-eng.htm (page consultée le 26 juillet 2011).

Stewart, F., Trussell, J., & Van Look, P. (2007). Emergency contraception. In R. Hatcher *et al.* (Eds.). *Contraceptive technology* (19th ed.). New York: Ardent Media.

Strauss, L., Gamble, S. Parker, W., Cook, D., Zane, S., *et al.* (2007). Abortion surveillance–United States, 2004. *MMWR Surveill Summ, 56*(9), 1-33.

The Joint Commission (2009). Human resources. In *Comprehensive accreditation manual for hospitals: The official handbook.* Oakbrook Terrace, Ill.: The Joint Commission.

Theroux, T. (2008). The hysteroscopic approach to sterilization. *J Obstet Gynecol Neonatal Nurs, 37*(3), 356-360.

Tiran, D., & Mack, S. (2000). *Complementary therapies for pregnancy and childbirth.* Edinburgh, R.-U.: Bailliere Tindall.

Tomlinson, C., Marshall, J., & Ellis, J.E. (2008). Comparison of accuracy and certainty of results of six home pregnancy tests available over-the-counter. *Curr Med Res Opin, 24*(6), 1645-1649.

Trussell, J. (2007). Contraceptive efficacy. In R. Hatcher *et al.* (Eds.). *Contraceptive technology* (19th ed.). New York: Ardent Media.

U.S. Food and Drug Administration (FDA) (2009). *Birth control guide.* [En ligne]. www.fda.gov/womens/healthinformation/birthcontrol.html (page consultée le 26 juillet 2011).

Warner, L., & Steiner, M. (2007). Male condoms. In R. Hatcher *et al.* (Eds.). *Contraceptive technology* (19th ed.). New York: Ardent Media.

Weed, S. (1986). *Wise woman herbal for the childbearing years.* Woodstock, N.Y.: Ash Tree Publishing.

World Health Organization (WHO) (1999). *Laboratory manual for the examination of semen and sperm-cervical mucus interaction* (4th ed.). Geneva: WHO.

World Health Organization (WHO) (2009). *Medical criteria for contraceptive use* (4th ed.). Geneva: WHO.

Wright, V., Chang, J., Jeng, G., Macaluso, M., & Centers for Disease Control and Prevention (CDC). (2008). Assisted reproductive technology surveillance–United States, 2005. *MMWR Surveill Summ, 57*(5), 1-23.

Chapitre 5

Références de l'édition française

American College of Obstetricians and Gynecologists (ACOG) (2005). Questionnaire for identifying couples having increased risk for offspring with genetic disorders. *Genetic disorders*, Washington, D.C. : ACOG.

Association des infirmières et infirmiers du Canada (AIIC) (2005). La profession infirmière et la génétique : sommes-nous prêts ? *Zoom sur les soins infirmiers. Enjeux et tendances dans la profession infirmière au Canada, 20*, 1-6.

De Braekeleer, M., Giasson, M., Mathieu, J., Roy, M., Bouchard, J.-P., & Morgan, K. (1993). Genetic epidemiology of autosomal recessive spastic ataxia of Charlevoix-Saguenay in northeastern Quebec. *Genetic Epidemiology, 10*(1), 17-25.

Duplantie, A. (2010). Saguenay-Lac-St-Jean : Tests génétiques. Un projet pilote pour dépister quatre maladies héréditaires récessives pendant la grossesse. L'importance du soutien de l'infirmière. *Perspective infirmière, 7*(1), 32-34.

Dystrophie musculaire Canada (2007). *L'ataxie de Charlevoix-Saguenay (ARSACS)*. [En ligne]. www.muscle.ca/fileadmin/National/Muscular_Dystrophy/Disorders/435F_L_ataxie_de_Charlevoix_Saguenay_f.pdf (page consultée le 12 octobre 2011).

Engert, J.C., Bérubé, P., Mercier, J., Doré, C., Lepage, P., *et al.* (2000). ARSACS, a spastic ataxia common in northeastern Québec, is caused by mutations in a new gene encoding an 11.5-kb ORF. *Nat Genet, 24*(2), 120-125.

Harris, P., Nagy, S., Vardaxis, N.J., & Vardaxis, N. (2009). *Mosby's dictionary of medicine, nursing & health professions* (8th ed.). St. Louis, Mo. : Mosby.

Ministère de la Justice du Canada. *Loi sur la procréation assistée*. L.C., 2004, c. 2, art. 5(1)e, à jour au 18 janvier 2012. Ottawa, Ont. : Ministère de la Justice du Canada.

Ministère de la Santé et des Services sociaux (MSSS) (2010). *Programme OLO (aide alimentaire aux femmes enceintes)*. [En ligne]. www4.gouv.qc.ca/FR/Portail/Citoyens/Evenements/DevenirParent/Pages/progr_olo_fem_encent.aspx (page consultée le 14 octobre 2011).

Ministère de la Santé et des Services sociaux (MSSS) (2011). *Programme québécois de dépistage prénatal de la trisomie 21*. [En ligne]. www.msss.gouv.qc.ca/sujets/santepub/depistage-prenatal/index.php? Documentation (page consultée le 13 octobre 2011).

Procréation assistée Canada (2011). *Prévention des naissances multiples associées aux traitements contre l'infertilité : cadre canadien*. [En ligne]. www.ahrc-pac.gc.ca/v2/pubs/framework-mult-births-cadre-naiss-mult-fra.php (page consultée le 2 novembre 2011).

Richter, A., Rioux, J.D., Bouchard, J.-P., Mercier, J., Mathieu, J., *et al.* (1999). Location score and haplotype analyses of the locus for autosomal recessive spastic ataxia of Charlevoix-Saguenay, in chromosome region 13q11. *Am J Hum Genet, 64*(3), 768-775.

Société des obstétriciens et gynécologues du Canada (SOGC) (2011). Considérations génétiques pour ce qui est de l'évaluation préconceptionnelle chez la femme. *Journal d'obstétrique et gynécologie du Canada, 253*, 67.

Références de l'édition originale

American Academy of Pediatrics (2001). Ethical issues with genetic testing in pediatrics. *Pediatrics, 107*(6), 1451-1455.

Beattie, M.S., Crawford, B., Lin, F., Vittinghoff, E., & Ziegler, J. (2009). Uptake, time course, and predictors of risk-reducing surgeries in BRCA carriers. *Genetic Testing and Molecular Biomarkers*, 13(1), 51-56.

Benirschke, K. (2009). Multiple gestation. The biology of twinning. In R. Creasy, R. Resnik, J. Iams, C.J. Lockwood & T.R. Moore (Eds.). *Maternal, fetal, and neonatal physiology: A clinical perspective* (3rd ed.). St. Louis, Mo. : Saunders.

Canadian College of Medical Geneticists (2003). Guidelines for genetic testing of healthy children. *Paediatrics & Child Health, 8*(1), 42-45.

Carlson, B. (2009). *Human embryology and developmental biology* (4th ed.). St. Louis, Mo. : Mosby.

Creasy, R.K., Resnik, R., Iams, J.D., Lockwood C.J., & Moore, T.R. (Eds.) (2009). *Creasy and Resnik's Maternal-fetal medicine: Principles and practice* (6th ed.). Philadelphia : Saunders.

Cunningham, F., Leveno, K., Bloom, S., Hauth, J., Gilstrap, L., & Wenstrom, K. (2005). *Williams obstetrics* (22nd ed.). New York : McGraw-Hill.

Hamilton, B., & Wynshaw-Boris, A. (2009). Basic genetics and patterns of inheritance. In R. Creasy, R. Resnik, J. Iams, C.J. Lockwood & T.R. Moore (Eds.). *Creasy and Resnik's maternal-fetal medicine: Principles and practice* (6th ed.). Philadelphia : Saunders.

Hudgins, L., & Cassidy, S. (2006). Congenital anomalies. In A. Fanaroff, R. Martin & M.C. Walsh (Eds.). *Fanaroff and Martin's neonatal-perinatal medicine: Diseases of the fetus and infant* (8th ed.). St. Louis, Mo. : Mosby.

International Human Genome Sequencing Consortium (2001). Initial sequencing and analysis of the human genome. *Nature, 409*(6822), 860-921.

Katz, V.L. (2007). Postpartum care. In S. Gabbe, J. Niebyl & J. Simpson (Eds.). *Obstetrics: Normal and problem pregnancies* (5th ed.). Philadelphia : Churchill Livingstone.

Langley, L., Telford, I.R., & Christenson, J.B. (1980). *Dynamic human anatomy and physiology* (5th ed.). New York : McGraw-Hill.

Lashley, F. (2005). *Clinical genetics in nursing practice* (3rd ed.). New York : Springer.

Lawrence, R.M., & Lawrence, R.A. (2009). The breast and the physiology of lactation. In R.K. Creasy, R. Resnik, J.D. Iams, C.J. Lockwood & T.R. Moore (Eds). *Creasy and Resnik's maternal-fetal medicine: Principles and practice* (6th ed.). Philadelphia : Saunders.

McInerney, J. (2008). *Behavioral Genetics*. [En ligne]. www.ornl.gov/sci/techresources/Human_Genome/elsi/behavior.shtml (page consultée le 14 octobre 2011).

Metcalfe, K.A., Foulkes, W.D., Kim-Sing, C., Ainsworth, P., Rosen, B., Armel, S., *et al.* (2008). Family history as a predictor of uptake of cancer preventive procedures by women with a BRCA1 or BRCA2 mutation. *Clinical Genetics*, 73(5), 479-499.

Metcalfe, K.A., Lubinski, J., Ghadirian, P., Lynch, H., Kim-Sing, C., Friedman, E., *et al.* (2008). Predictors of contralateral prophylactic mastectomy in women with a BRCA1 or BRCA2 mutation: The Hereditary Breast Cancer Clinical Group Study Group. *J Clin Oncol*, 26(7), 1093-1097.

Moore, K., & Persaud, T. (2008). *Before we are born: Essentials of embryology and birth defects* (7th ed.). Philadelphia : Saunders.

National Down Syndrome Society (2006). *About Down syndrome. Incidences and maternal age*. [En ligne]. www.ndss.org/index.php?option=com_content&view=category&id=35&itemid=57 (page consultée le 13 octobre 2011).

Peach, E., & Hopkin, R. (2007). Advances in prenatal genetic testing: Current options, benefits, and limitations. *Newborn & Infant Nursing Reviews, 7*(4), 205-210.

Sivell, S., Iredale, R., Gray, J., & Coles, B. (2007). Cancer genetic risk assessment for individuals at risk of familial cancer. *Cochrane Database Syst Rev, 2*, CD 003721.

Solomon, B.D., Jack, B.W., & Feero, G. (2008). The clinical content of preconception care: Genetics and genomics. *Am J Obstet Gynecol, 199*(6 Suppl. 2), S340-S344.

Wapner, R.J., Jenkins, T.M., & Khalek, N. (2009). Prenatal diagnosis of congenital disorders. In R. Creasy, R. Resnik, J. Iams, C.J. Lockwood & T.R. Moore (Eds.). *Creasy and Resnik's maternal-fetal medicine: Principles and practice* (6th ed.). Philadelphia : Saunders.

Chapitre 6

Références de l'édition française

Arsenault, M.Y., & Lane, C.A. (2002). The management of nausea and vomiting of pregnancy. *J Obstet Gynaecol Can, 24*(10), 817-823.

Colin, C. (2004). Naître égaux – Grandir en santé : un exemple de la contribution des infirmières en prévention et en promotion de la santé en périnatalité. *Santé publique, 2*(16), 287-290.

Geerts, W.H., *et al.* (2008). Prevention of Venous Thromboembolism: ACCP Evidence-Based Clinical Practice Guidelines (8th ed.). *Chest, 133*(6), 381S-453S.

Leclerc, C., Grégoire, J., & Rheault, C. (2008). *Mémo-périnatalité*. Québec, Qc : Université Laval.

Ordre des infirmières et infirmiers du Québec (OIIQ) (2011). *Contribuer au suivi de grossesse, à la pratique des accouchements et au suivi postnatal*. [En ligne]. www.oiiq.org/pratique-infirmiere/activite-reservees/contribuer-au-suivi-de-grossesse (page consultée le 30 septembre 2011).

Références de l'édition originale

Beebe, K. (2005). The perplexing parity puzzle. AWHONN *Lifelines, 9*(5), 394-399.

Blackburn, S. (2007). *Maternal, fetal, & neonatal physiology: A clinical perspective* (3rd ed.). St. Louis, Mo. : Saunders.

Burton, G., Sibley, C., & Jauniaux, E. (2007). Placental anatomy and physiology. In S. Gabbe, J. Niebyl & J. Simpson (Eds.). *Obstetrics: Normal and problem pregnancies* (5th ed.). Philadelphia : Churchill Livingstone.

Cappell, M. (2007). Hepatic and gastrointestinal diseases. In S. Gabbe, J. Niebyl & J. Simpson (Eds.). *Obstetrics: Normal and problem pregnancies* (5th ed.). Philadelphia : Churchill Livingstone.

Cole, L., Sutton-Riley, J., Khanlian, S., Borkovskaya, M., Rayburn, B., & Rayburn, W. (2005). Sensitivity of over-the-counter pregnancy tests: Comparison of utility and marketing messages. *J Am Pharm Assoc, 45*(5), 608-615.

Copeland, L., & Landon, M. (2007). Malignant diseases and pregnancy. In S. Gabbe, J. Niebyl & J. Simpson (Eds.). *Obstetrics: Normal and problem pregnancies* (5th ed.). Philadelphia : Churchill Livingstone.

Cunningham, F., Leveno, K., Bloom, S., Hauth, J., Gilstrap, L., & Wenstrom, K. (2005). *Williams obstetrics* (22nd ed.). New York: McGraw-Hill.

Duff, W., Sweet, R., & Edwards, R. (2009). Maternal and fetal infections. In R. Creasy, R. Resnik J. Iams, C.J. Lockwood & T.R. Moore (Eds.). *Creasy & Resnik's maternal-fetal medicine: Principles and practice* (6th ed.). Philadelphia: Saunders.

Gordon, M. (2007). Maternal physiology. In S. Gabbe, J. Niebyl & J. Simpson (Eds.). *Obstetrics: Normal and problem pregnancies* (5th ed.). Philadelphia: Churchill Livingstone.

Katz, V. (2007). Spontaneous and recurrent abortions. In V. Katz, G. Lentz, R. Lobo & D. Gershenson (Eds.). *Comprehensive gynecology* (5th ed). Philadelphia: Mosby.

Pagana, K., & Pagana, T. (2006). *Mosby's manual of diagnostic and laboratory tests* (3rd ed.). St. Louis, Mo.: Mosby.

Papoutsis, J., & Kroumpouzos, G. (2007). Dermatologic disorders In S. Gabbe, J. Niebyl & J. Simpson (Eds.). *Obstetrics: Normal and problem pregnancies* (5th ed.). Philadelphia: Churchill Livingstone.

Pickering, T., Hall, J., Appel, L., Falkner, B., Graves, J., Hill, M., *et al.* (2005). Recommendations for blood pressure measurement in humans and experimental animals: Part 1: Blood pressure measurement in Humans: A statement for professionals from the Subcommittee of Professional and Public Education of the American Heart Association Council on High Blood Pressure Research. *Hypertension, 45*(1), 142-161.

Samuels, P. (2007). Hematologic complications of pregnancy. In S. Gabbe, J. Niebyl & J. Simpson (Eds.). *Obstetrics: Normal and problem pregnancies* (5th ed.). Philadelphia: Churchill Livingstone.

Samuels, P., & Niebyl, J. (2007). Neurologic disorders. In S. Gabbe, J. Niebyl & J. Simpson (Eds.). *Obstetrics: Normal and problem pregnancies* (5th ed.). Philadelphia: Churchill Livingstone.

Seidel, H., Ball, J., Dains, J., & Benedict, G. (2006). *Mosby's guide to physical examination* (6th ed.). St. Louis, Mo.: Mosby.

Sibai, B. (2007). Hypertension. In S. Gabbe, J. Niebyl & J. Simpson (Eds.). *Obstetrics: Normal and problem pregnancies* (5th ed.). Philadelphia: Churchill Livingstone.

Tomlinson, C., Marshall, J., & Ellis, J. (2008). Comparison of accuracy and certainty of results of six home pregnancy tests available over-the-counter. *Curr Med Res Opin, 24*(6), 1645-1649.

Chapitre 7

Références de l'édition française

Agence de la santé publique du Canada (ASPC) (2008). *Le guide pratique d'une grossesse en santé.* [En ligne]. www.phac-aspc.gc.ca/hp-gs/pdf/hpguide-fra.pdf (page consultée le 4 octobre 2011).

Association des obstétriciens et gynécologues du Québec (AOGQ) (2011a). *Suivi de grossesse normale.* [En ligne]. www.gynecoquebec.com/gynecologie/santedelafemme/sujets-1-suivi-de-grossesse-normale.php (page consultée le 18 juillet 2011).

Association des obstétriciens et gynécologues du Québec (AOGQ) (2011b). *Activités et exercices physiques durant la grossesse.* [En ligne]. www.gynecoquebec.com/gynecologie/santedelafemme/sujets-12-activites-et-exercices-physiques-durant-la-grossesse.php (page consultée le 14 juillet 2011).

Berthiaume, S. (2010). En première ligne: nouvelles du comité d'accessibilité pour les soins de première ligne aux femmes enceintes et aux enfants de 0 à 5 ans. *Le Cordon, 19*(2), 6-8.

Cunningham, F.G., & Williams, J.W. (2005). *Williams obstetrics* (22nd ed.). New York: McGraw Hill.

Gouvernement du Québec (2009). *Loi sur les activités cliniques et de recherche en matière de procréation assistée (projet de loi n° 26).* Québec, Qc: Publications du Québec. Reproduction autorisée par les Publications du Québec.

Gruslin, A., Steben, M., Money, D.M., & Yudin, M.H. (2008). Immunisation pendant la grossesse. *Journal d'obstétrique et gynécologie du Canada, 220*, 1155-1162.

Institut national de la santé publique du Québec (2011). *Mieux vivre avec notre enfant de la grossesse à deux ans.* [En ligne]. www.inspq.qc.ca/mieuxvivre (page consultée le 18 juillet 2011).

Leclerc, C., Grégoire, J., & Rheault, C. (2008). *Mémo-périnatalité: guide pratique, période prénatale, travail et accouchement, période post-partum, nouveau-né.* Québec, Qc: Université Laval.

Ministère de la Santé et des Services sociaux (MSSS) (2008). *Politique de périnatalité 2008-2018. Un projet porteur de vie.* [En ligne]. http://publications.msss.gouv.qc.ca/acrobat/f/documentation/2008/08-918-01.pdf (page consultée le 19 juillet 2011).

Ministère de la Santé et des Services sociaux (MSSS) (2009). *Protocole d'immunisation du Québec.* [En ligne]. http://publications.msss.gouv.qc.ca/acrobat/f/documentation/piq/09-283-02.pdf (page consultée le 17 juillet 2011).

Money, D.M., & Dobson, S. (2004). Prévention de l'infection néonatale à streptocoques du groupe B à début précoce. *Journal d'obstétrique et gynécologie du Canada, 149*, 833-840.

Ordre des sages-femmes du Québec (2008a). *Maisons de naissance.* [En ligne]. www.osfq.org/maisons_naiss.php (page consultée le 19 juillet 2011).

Ordre des sages-femmes du Québec (2008b). *L'accouchement à domicile: un libre-choix éclairé.* [En ligne]. www.osfq.org/accouchement.htm (page consultée le 19 juillet 2011).

Organisation mondiale de la santé (OMS) (2011). *Alimentation au sein exclusive pendant 6 mois pour les nourrissons du monde entier.* [En ligne]. www.who.int/mediacentre/news/statements/2011/breastfeeding_20110115/fr/index.html (page consultée le 3 octobre 2011).

Robert, E., *et al.* (2008). Adaptation à la maternité: évolution discontinue de l'anxiété en pré- et post-partum et valeur prédictive des différents types d'anxiété. *Devenir 2*(20), 151-171.

Santé Canada (2004). *Durée de l'allaitement maternel exclusif: recommandation de Santé Canada, 2004.* [En ligne]. www.hc-sc.gc.ca/fn-an/nutrition/infant-nourisson/excl_bf_dur-dur_am_excl-fra.php (page consultée le 17 juillet 2011).

Santé Canada (2007). *Bien manger avec le Guide alimentaire canadien.* [En ligne]. www.hc-sc.gc.ca/fn-an/alt_formats/hpfb-dgpsa/pdf/food-guide-aliment/view_eatwell_vue_bienmang-fra.pdf (page consultée le 17 juillet 2011).

Seuntjens, L. (2008). *Recommandations de bonne pratique: suivi de la grossesse.* [En ligne]. www.ssmg.be/new/files/RBP_SuiviGrossesse.pdf (page consultée le 16 janvier 2012).

Société des obstétriciens et gynécologues du Canada (SOGC) (2010a). *Renseignements sur la santé des femmes. Grossesse. Test de dépistage du VIH pendant la grossesse.* [En ligne]. www.sogc.org/health/pregnancy-hiv_f.asp (page consultée le 16 juillet 2011).

Société des obstétriciens et gynécologues du Canada (SOGC) (2010b). *Renseignements sur la santé des femmes. Grossesse. Alimentation saine, exercices physiques et gain pondéral avant et pendant la grossesse.* [En ligne]. www.sogc.org/health/healthy-eating_f.asp (page consultée le 18 juillet 2011).

Stephen, T. (2009). *Canadian Bates' Guide to Health Assessment for Nurses.* Philadelphia: Lippincott, Williams & Wilkins.

Références de l'édition originale

Alto, W. (2005). No need for glycosuria/proteinuria screen in pregnant women. *J Fam Pract, 54*(11), 978-983.

American Academy of Pediatrics and American College of Obstetricians and Gynecologists (2007). *Guidelines for perinatal care* (6th ed.). Washington, D.C.: American Academy of Pediatrics.

American College of Obstetricians and Gynecologists (ACOG) (2002). Exercise during pregnancy and the postpartum period. ACOG Committee on Obstetric Practice Opinion N° 267. *Obstet Gynecol, 77*(1), 79-81.

American College of Obstetricians and Gynecologists Committee on Health Care for Underserved Women (2006). Psychosocial risk factors: Perinatal screening and intervention. ACOG Committee Opinion N° 343. *Obstet Gynecol, 108*(2), 469-477.

American College of Obstetricians and Gynecologists Committee on Obstetric Practice (2004). Prenatal and perinatal human immunodeficiency virus testing: Expanded recommendations. ACOG Committee Opinion N° 304. *Obstet Gynecol, 104*(5 Part 1), 1119-1124.

American College of Obstetricians and Gynecologists Committee on Obstetric Practice (2005). Smoking cessation during pregnancy. ACOG Committee Opinion N° 316, October 2005. *Obstet Gynecol, 106*(4), 883-888.

American Dental Association (2009). *Oral health topics: Pregnancy.* [En ligne]. www.ada.org/3019.aspx (page consultée le 29 janvier 2012).

American Dietetic Association (2008). Position of the American Dietetic Association: Nutrition and lifestyle for a healthy pregnancy outcome. *J Am Diet Assoc, 108*(3), 553-561.

Association of Women's Health, Obstetric and Neonatal Nurses (AWHONN) (2008). *HIV screening procedures for pregnant women and infants. Policy Position Statement.* Washington, D.C.: AWHONN.

Barakat, R., Stirling, J.R., & Lucia, A. (2008). Does exercise training during pregnancy affect gestational age? A randomized, controlled trial. *Br J Sports Med*, 42(8), 674-678.

Boggess, K., & Edelstein, B. (2006). Oral health in women during preconception and pregnancy: Implications for birth outcomes and infant oral health. *Maternal Child Health Journal, 10*(suppl. 5), S169-S174.

Bonzini, M., Coggon, D., & Palmer, K.T. (2007). Risk of prematurity, low birthweight, and pre-eclampsia in relation to working hours and physical activities: A systematic review. *Occup Environ Med,* 67, 228-243.

Born, D., & Barron, M. (2005). Herb use in pregnancy: What nurses should know. *Am J Matern Child Nurs, 30*(3), 201-208.

Centers for Disease Control and Prevention (2008). *ACIP: Guidance for vaccine recommendations in pregnant and breastfeeding women.* [En ligne]. www.cdc.gov/vaccines (page consultée le 19 juillet 2011).

Cesario, S. (2007). Seat belt use in pregnancy: History, misconceptions, and the need for education. *Nurs Womens Health, 11*(5), 474-481.

Chedraui, P. (2008). Pregnancy among young adolescents: trends, risk factors, and maternal-perinatal outcome. *J Perinat Med, 36*(3), 256-259.

Cleary-Goldman, J., Chitkara, U., & Berkowitz, R. (2007). Multiple gestation. In S. Gabbe, J. Niebyl & J. Simpson (Eds.). *Obstetrics: Normal and problem pregnancies* (5th ed.). Philadelphia : Churchill Livingstone.

Coalition for Improving Maternity Services (CIMS) (2000). *Having a baby? Ten questions to ask.* [En ligne]. www.motherfriendly.org (page consultée le 19 juillet 2011).

Cooper, M., Grywalski, M., Lamp, J., Newhouse, L., & Studlien, R. (2007). Enhancing cultural competence: A model for nurses. *Nurs Womens Health, 11*(2), 148-159.

Cunningham, F., Leveno, K., Bloom, S., Hauth, J., Gilstrap, L., & Wenstrom, K. (2005). *Williams obstetrics* (22nd ed.). New York : McGraw-Hill.

Daniels, P., Noe, G., & Mayberry, R. (2006). Barriers to prenatal care among Black women of low socio-economic status. *Am J Health Behav, 30*(2), 188-198.

Darby, S. (2007). Pre- and perinatal care of Hispanic families. *Nurs Womens Health, 11*(2), 160-169.

Dasanayake, A., Gennaro, S., Hendricks-Munoz, K., & Chhun, N. (2008). Maternal periodontal disease, pregnancy, and neonatal outcomes. *Am J Matern Child Nurs, 33*(1), 45-49.

Dawley, K., & Beam, R. (2005). "My nurse taught me how to have a healthy baby and be a good mother." Nurse home visiting with pregnant women 1888 to 2005. *Nurs Clin North Am, 40*(4), 803-815.

Doulas of North America (DONA) (2008a). Doulas of North America Position Paper: *The doula's contribution to modern maternity care.* [En ligne]. www.dona.org/PDF/BDPositionPaper.pdf (page consultée le 19 juillet 2011).

Doulas of North America (DONA) (2008b). *Questions To Ask A Doula.* [En ligne]. www.dona.org/PDF/QuestionsToAskADoula.pdf (page consultée le 19 juillet 2011).

Family Violence Prevention Fund (2009). *The facts on teens and dating violence.* [En ligne]. www.endabuse.org/userfiles/file/Teens/teens_facts.pdf (page consultée le 19 juillet 2011).

Fries, M., Bashford, M., & Nunes, M. (2005). Implementing prenatal screening for cystic fibrosis in routine obstetric practice. *Am J Obstet Gynecol, 192*(2), 527-534.

Gavard, J.A., & Artal, R. (2008). Effect of exercise on pregnancy outcome. *Clin Obstet Gynecol*, 51(2), 467-480.

Gilbert, E. (2007). *Manual of high risk pregnancy & delivery* (4th ed.). St. Louis, Mo. : Mosby.

Harris, L., & Paltrow, L. (2003). The status of pregnant women and fetuses in U.S. criminal law. *JAMA, 289*(13), 1697-1699.

Himmelberger, S. (2002). Preventing group B strep in newborns. *AWHONN Lifelines, 6*(4), 339-342.

Hodnett, E., Gates, S., Hofmeyr, G., & Sakala, C. (2007). Continuous support for women during childbirth. *Cochrane Database Syst Rev, 3,* CD 003766.

Jepson, R., & Craig, J. (2008). Cranberries for preventing urinary tract infections. *Cochrane Database Syst Rev, 1,* CD 001231.

Johnson, A., Hatcher, B., El-Khorazaty, M., Milligan, R., Bhakar, B., Rodan, M., *et al.* (2007). Determinants of inadequate prenatal care utilization by African American women. *J Health Care Poor Underserved, 18*(3), 620-636.

Johnson, K., & Daviss, B. (2005). Outcomes of planned home births and certified professional midwives: Large prospective study in North America. *BMJ, 330*(7505), 1416.

Johnson, T., Gregory, K., & Niebyl, J. (2007). Preconception and prenatal care: Part of the continuum. In S. Gabbe, J. Niebyl & J. Simpson (Eds.). *Obstetrics: Normal and problem pregnancies* (5th ed.). Philadelphia : Churchill Livingstone.

Kehringer, K. (2003). Informed consent: Hospitals must obtain informed consent prior to drug testing pregnant patients. *J Law Med Ethics, 32*(3), 455-457.

King-Jones, T. (2008). Caring for the pregnant adolescent: Perils and pearls of communication. *Nurs Womens Health, 12*(2), 114-119.

Kliegman, R. (2006). Intrauterine growth restriction. In R. Martin, A. Fanaroff & M. Walsh (Eds.). *Fanaroff and Martins's neonatal–perinatal medicine: Diseases of the fetus and infant.* Philadelphia : Mosby.

Kramer, M., & McDonald, S. (2006). Aerobic exercise for women during pregnancy. *Cochrane Database Syst Rev, 2,* CD 000180.

Krieger, C. (2008). Intimate partner violence: A review for nurses. *Nurs Womens Health, 12*(3), 224-234.

Lawrence, R., & Lawrence, R. (2005). *Breastfeeding: A guide for the medical profession* (6th ed.). Philadelphia : Mosby.

Lederman, R. (1996). *Psychosocial adaptation in pregnancy* (2nd ed.). New York : Springer.

March of Dimes Birth Defects Foundation (2008). *Drinking alcohol during pregnancy.* [En ligne]. www.marchofdimes.com/pregnancy/alcohol_indepth.html (page consultée le 19 juillet 2011).

Martin, J., Hamilton, B., Sutton, P., Ventura, S., Menacker, F., Kirmeyer, S., *et al.* (2007). Births: Final data for 2005. *National vital statistics reports, 56*(6). Hyattsville, Md. : National Center for Health Statistics.

Martin, J., Kung, H., Mathews, T., Hoyert, D., Strobino, D., Guyer, B., *et al.* (2008). Annual summary of vital statistics–2006. *Pediatrics, 121*(4), 788-801.

Massey, Z., Rising, S., & Ickovics, J. (2006). Centering Pregnancy group prenatal care: Promoting relationship-centered care. *J Obstet Gynecol Neonatal Nurs, 35*(2), 286-294.

May, K. (1982). Three phases of father involvement in pregnancy. *Nursing Research, 31*(6), 337-342.

Mercer, R. (1995). *Becoming a mother.* New York : Springer.

Moos, M. (2006). Prenatal care: Limitations and opportunities. *J Obstet Gynecol Neonatal Nurs, 35*(2), 278-285.

National High Blood Pressure Education Program (2003). *Seventh Report of the Joint National Committee on Prevention, Detection, Evaluation, and Treatment of High Blood Pressure*, Bethesda, Md. : National Institutes of Health, National Heart, Lung, & Blood Institute.

Reid, J. (2007). CenteringPregnancy®: A model for group prenatal care. *Nurs Womens Health, 11*(4), 382-388.

Rubin, R. (1975). Maternal tasks in pregnancy. *Matern Child Nurs J, 4*(3), 143-153.

Rubin, R. (1984). *Maternal identity and the maternal experience.* New York : Springer.

Russell, S., & Mayberry, L. (2008). Pregnancy and oral health: A review and recommendation to reduce gaps in practice and research. *Am J Matern Child Nurs, 33*(1), 32-37.

Seidel, H., Ball, J., Dains, J., & Benedict, G. (2006). *Mosby's guide to physical examination* (6th ed.). St. Louis, Mo. : Mosby.

Smeltzer, S. (2007). Pregnancy in women with physical disabilities. *J Obstet Gynecol Neonatal Nurs, 36*(1), 88-96.

Smith, C., Crowther, C., Willson, K., Hotham, N., & McMillian, V. (2004). A randomized controlled trial of ginger to treat nausea and vomiting in pregnancy. *Obstet Gynecol, 103*(4), 639-645.

Suplee, P., Dawley, K., & Bloch, J. (2007). Tailoring peripartum nursing care for women of advanced maternal age. *J Obstet Gynecol Neonatal Nurs, 36*(6), 616-623.

Tiran, D., & Mack, S. (2000). *Complementary therapies for pregnancy and childbirth* (2nd ed.). Edinburgh, R.-U. : Baillière Tindall.

Villar, J., Carroli, G., Khan-Neelofur, D., Piaggio, G., & Gulmezoglu, M. (2001). Patterns of routine antenatal care for low-risk pregnancy. *Cochrane Database Syst Rev, 4,* CD 000934.

Walker, D., McCully, L., & Vest, V. (2001). Evidence-based prenatal care visits: When less is more. *J Midwifery Womens Health, 46*(3), 146-151.

Weng, X., Odouli, R., & Li, D. (2008). Maternal caffeine consumption during pregnancy and the risk of miscarriage: A prospective cohort study. *Am J Obstet Gynecol, 198*(3), 279e1-279e8.

Westheimer, R., & Lopater, S. (2005). *Human sexuality: A psychosocial perspective* (2nd ed.). Philadelphia : Lippincott Williams & Wilkins.

Yeo, S., Davidge, S., Ronis, D.L., Antonakos, C.L., Hayashi, R., & O'Leary, S. (2008). A comparison of walking versus stretching exercises to reduce the incidence of preeclampsia: A randomized clinical trial. *Hypertension in Pregnancy*, 27(2), 113-130.

Chapitre 8

Références de l'édition française

Agence de la santé publique du Canada (ASPC) (2008a). *Rapport sur la santé périnatale au Canada : édition 2008.* [En ligne]. www.phac-aspc.gc.ca/publicat/2008/cphr-rspc/pdf/cphr-rspc08-fra.pdf (page consultée le 1er août 2011).

Agence de la santé publique du Canada (ASPC) (2008b). *Grossesse en santé : caféine.* [En ligne]. www.phac-aspc.gc.ca/hp-gs/know-savoir/caffeine-fra.php (page consultée le 2 août 2011).

Agence de la santé publique du Canada (ASPC) (2008c). *Grossesse en santé : l'enflure (œdème).* [En ligne]. www.phac-aspc.gc.ca/hp-gs/know-savoir/edema-fra.php (page consultée le 2 août 2011).

Agence de la santé publique du Canada (ASPC) (2009). *Ce que disent les mères : l'Enquête canadienne sur l'expérience de la maternité.* [En ligne]. www.phac-aspc.gc.ca/rhs-ssg/pdf/survey-fra.pdf (page consultée le 1er août 2011).

Agence de la santé publique du Canada (ASPC) (2011). *Grossesse en santé : l'activité physique durant la grossesse.* [En ligne]. www.phac-aspc.gc.ca/hp-gs/know-savoir/phys-fra.php (page consultée le 2 août 2011).

Association canadienne de la maladie cœliaque (2006). *L'intolérance au lactose.* [En ligne]. www.celiac.ca/FrenchCCA/fceliac.html#lactose (page consultée le 2 août 2011).

Bailit, J.L. (2005). Hyperemesis gravidarum: Epidemiologic findings from a large cohort. *Am J Obstet Gynecol, 193,* 811-814.

Beaulac-Baillargeon, L. (2008). *La prise d'alcool pendant la grossesse et l'allaitement.* [En ligne]. www.professionsante.ca/files/2009/11/qp_mere_juillet_aout08.pdf (page consultée le 3 août 2011).

Crane, J.M.G., White, J., Murphy, P., Burrage, L., & Hutchens, D. (2009). The effect of gestational weight gain by body mass index on maternal and neonatal outcomes. *J Obstet Gynaecol Can, 31*(1), 28-35.

Davies, G.A., Maxwell, C., McLeod, L., Gagnon, R., Basso, M., Bos, H., *et al.* (2010). Obesity in pregnancy. *J Obstet Gynaecol Can, 32*(2),165-173.

De Wals P., Tairou, F., Van Allen, M.I., Uh, S.H., Lowry, R.B., Sibbald, B., *et al.* (2007). Reduction in Neural-Tube Defects after Folic Acid Fortification in Canada. *N Engl J Med, 357*,135-142. www.nejm.org/doi/full/10.1056/NEJMoa067103#t=article

Denguezli, W., Faleh, R., Hajjaji, A., Saidani, Z., Letaief, M., Haddad, A., *et al.* (2007). Alimentation maternelle et poids fœtal : rôle des oligoéléments et vitamines. *Journal de Gynécologie Obstétrique et Biologie de la Reproduction, 36*(5), 473-478.

Erdem, G., Hernandez, X., Kyono, M., Chan-Nishina, C., & Klwaishi, L., (2004). In-utero lead exposure after maternal ingestion of Mexican pottery: Inadequacy of the lead exposure questionnaire. *Clin Pediatr, 43*(2), 185-188.

Fricker, J. (2007). L'alimentation de la femme enceinte. *Médecine et nutrition, 43*(1), 27-33.

Giglia, R.C. (2010). Alcohol and lactation: An updated systematic review. *Nutrition & Dietetics, 67*(4), 237-243.

Halldorsson, T., Strøm, M., Petersen, S., & Olsen, S. (2010). Intake of artificially sweetened soft drinks and risk of preterm delivery: A prospective cohort study of Danish pregnant women. *Am J Clin Nutr, 92*, 1540-1546.

Hamada, H., Zaki, A., Nejjar, H., Filali, A., Chraibi, C., Bezad, R., *et al.* (2004). Grossesse et accouchement chez l'adolescente : caractéristiques et profil. *Journal de Gynécologie Obstétrique et Biologie de la Reproduction, 33*(7), 607-614.

Hinkle, S.N., Sharma, A.J., & Dietz, P.M. (2010). Gestational weight gain in obese mothers and associations with fetal growth. *Am J Clin Nutr, 92*(3), 644-651.

La Ligue La Leche (2009). *L'alimentation durant l'allaitement.* [En ligne]. www.allaitement.ca/docs/depl/L_alimentation durant l_allaitement.pdf (page consultée le 3 août 2011).

Lee, A.I., & Okam, M.M. (2011). Anemia in pregnancy. *Hematol Oncol Clin North Am, 25*(2), 241-259.

López, L.B., Langini, S.H., & Pita de Portela, M.L. (2007). *Maternal iron status and neonatal outcomes in women with pica during pregnancy.* [En ligne]. www.fmed.uba.ar/depto/nutrinormal/ijgo.pdf (page consultée le 14 septembre 2011).

Matthews, A., Dowswell, T., Haas, D.M., Doyle, M., & O'Mathúna, D.P. (2010). Interventions for nausea and vomiting in early pregnancy. *Cochrane Database Syst Rev, 9*, CD 007575.

Mills, M.E. (2007). Craving more than food: the implications of pica in pregnancy. *Nursing for Women's Health, 11*(3), 266-273.

Milman, N. (2008). Prepartum anaemia: Prevention and treatment. *Ann Hematol, 87*(12), 949-959.

Ministère de la Santé et des Services sociaux (MSSS) (2011). *Suppléments de vitamines et minéraux.* [En ligne]. www.msss.gouv.qc.ca/sujets/santepub/nutrition/index.php?supplements-de-vitamines-et-mineraux (page consultée le 4 août 2011).

Oken, E., Kleinman, K.P., Blefort, M.B., Hammitt, J.K., & Gillman, M.W. (2009). Associations of gestational weight gain with short- and longer-term maternal and child health outcomes. *Am J Epidemiol, 170*(2), 173-180.

Ross, C.A., Abrams, S.A., Aloia, J.F., Brannon, P.M., Clinton, S.K., Durazo-Arvizu, R.A., *et al.* (2010). *Dietary Reference Intakes for Vitamin D and Calcium.* [En ligne]. www.iom.edu/~/media/Files/Report%20Files/2010/Dietary-Reference-Intakes-for-Calcium-and-Vitamin-D/Vitamin%20D%20and%20Calcium%202010%20Report%20Brief.pdf (page consultée le 13 septembre 2011).

Rumbold, A., Duley, L., Crowther, C.A., & Haslam, R.R. (2008). Antioxidants for preventing pre-eclampsia. *Cochrane Database Syst Rev, 1*, CD 004227.

Santé Canada (2004). *Enquête sur la santé dans les collectivités canadiennes, cycle 2.2, Nutrition : guide d'accès et d'interprétation des données.* [En ligne]. http://dsp-psd.pwgsc.gc.ca/Collection/H164-20-2006F.pdf (page consultée le 1er août 2011).

Santé Canada (2006a). *Traitements contre l'acné.* [En ligne]. www.hc-sc.gc.ca/hl-vs/iyh-vsv/med/acne-fra.php (page consultée le 2 août 2011).

Santé Canada (2006b). *Bienfaits potentiels des suppléments de vitamine E.* [En ligne]. www.hc-sc.gc.ca/hl-vs/iyh-vsv/food-aliment/vitam-fra.php#bien (page consultée le 13 septembre 2011).

Santé Canada (2008). *Soins aux adultes, chapitre 10 : hématologie, métabolisme et endocrinologie.* [En ligne]. www.hc-sc.gc.ca/fniah-spnia/services/nurs-infirm/clini/adult/hemo-endo-immuno-fra.php (page consultée le 3 août 2011).

Santé Canada (2009a). *Lignes directrices sur la nutrition pendant la grossesse à l'intention des professionnels de la santé : poisson et acides gras oméga-3.* [En ligne]. www.hc-sc.gc.ca/fn-an/alt_formats/hpfb-dgpsa/pdf/pubs/omega3-fra.pdf (page consultée le 1er août 2011).

Santé Canada (2009b). *Lignes directrices sur la nutrition pendant la grossesse à l'intention des professionnels de la santé : fer.* [En ligne]. www.hc-sc.gc.ca/fn-an/alt_formats/hpfb-dgpsa/pdf/pubs/iron-fer-fra.pdf (page consultée le 13 septembre 2011).

Santé Canada (2009c). *Les adolescents Canadiens comblent-ils leur besoins en nutriments uniquement grâce à l'alimentation ?* [En ligne]. www.hc-sc.gc.ca/fn-an/alt_formats/pdf/surveill/nutrition/commun/art-nutr-adol-fra.pdf (page consultée le 2 août 2011).

Santé Canada (2010a). *Tableaux des ANREF.* [En ligne]. www.hc-sc.gc.ca/fn-an/nutrition/reference/table/index-fra.php (page consultée le 1er août 2011).

Santé Canada (2010b). *Fichier canadien sur les éléments nutritifs (FCÉN).* [En ligne]. http://webprod3.hc-sc.gc.ca/cnf-fce/index-fra.jsp (page consultée le 1er août 2011).

Santé Canada (2010c). *Lignes directrices sur la nutrition pendant la grossesse à l'intention des professionnels de la santé : gain de poids pendant la grossesse.* [En ligne]. www.hc-sc.gc.ca/fn-an/alt_formats/pdf/nutrition/prenatal/ewba-mbsa-fra.pdf (page consultée le 1er août 2011).

Santé Canada (2010d). *Foire aux questions « FAQ » sur le stévia.* [En ligne]. www.hc-sc.gc.ca/fn-an/securit/addit/sweeten-edulcor/stevia-faq-fra.php (page consultée le 2 août 2011).

Santé Canada (2010e). *La vitamine D et le calcium* : révision des apports nutritionnels de référence. [En ligne]. www.hc-sc.gc.ca/fn-an/nutrition/vitamin/vita-d-fra.php (page consultée le 2 août 2011).

Santé Canada (2010f). *Stratégie de réduction du sodium pour le Canada.* [En ligne]. www.hc-sc.gc.ca/fn-an/nutrition/sodium/strateg/index-fra.php (page consultée le 2 août 2011).

Santé Canada (2010g). *Recommandations pour la qualité de l'eau potable au Canada : document technique : fluorure.* [En ligne]. www.hc-sc.gc.ca/ewh-semt/pubs/water-eau/2011-fluoride-fluorure/index-fra.php (page consultée le 13 septembre 2011).

Santé Canada (2010h). *Alimentation et nutrition : supplémentation plus élevée en acide folique - questions et réponses destinées aux professionnels de la santé.* [En ligne]. www.hc-sc.gc.ca/fn-an/nutrition/prenatal/fol-qa-qr-fra.php (page consultée le 2 août 2011).

Santé Canada (2010i). *Aliments et nutrition : le Fichier canadien sur les éléments nutritifs.* [En ligne]. www.hc-sc.gc.ca/fn-an/nutrition/fiche-nutri-data/cnf_aboutus-aproposdenous_fcen-fra.php (page consultée le 2 août 2011).

Santé Canada (2010j). *Santé Canada rappelle aux Canadiens de gérer leur consommation de caféine.* [En ligne]. www.hc-sc.gc.ca/ahc-asc/media/advisories-avis/_2010/2010_40-fra.php (page consultée le 3 août 2011).

Santé Canada (2010k). *Aliments et nutrition : alcool, tabagisme.* [En ligne]. www.hc-sc.gc.ca/fn-an/consult/infant-nourrisson/recommendations/recom3-fra.php#a3 (page consultée le 3 août 2011).

Santé Canada (2011). *Questions et réponses sur la présence de mercure dans le poisson.* [En ligne]. www.hc-sc.gc.ca/fn-an/securit/chem-chim/environ/mercur/merc_fish_qa-poisson_qr-fra (page consultée le 1er août 2011).

Sen, S., & Simmons, R.A. (2010). Maternel anti-oxydant supplementation prevents adiposity in the offspring of western diet-fed rats. *Diabetes, 59*(12), 3058-3065.

Société des obstétriciens et gynécologues du Canada (SOGC) (2010). *Obésité et grossesse. Directive clinique de la SOGC. N° 239, février 2010.* [En ligne]. www.sogc.org/jogc/abstracts/full/201002_SOGCClinicalPracticeGuidelines_2.pdf (page consultée le 1er août 2011).

Soffritti, M., Belpoggi, F., Tibaldi, E., Esposti, D., & Lauriola, M. (2007). Life-Span Exposure to Low Doses of Aspartame Beginning during Prenatal Life Increases Cancer Effects in Rats. *Environ Health Perspect, 115*(9), 1293-1297.

Tsatsaris, V., Fournier, T., & Winer, N. (2010). Physiopathologie de la prééclampsie. *Annales Françaises d'Anesthésie et de Réanimation, 29*(3), 13-18.

Wilson, R.D. (2007). Pre-conceptional Vitamin/Folic Acid Supplementation 2007: The use of folic acid in combination with a multivitamin supplement for the prevention of neural tube defects and other congenital anomalies. *J Obstet Gynaecol Can, 29*(12), 1003-1026.

Young, S.L. (2010). Pica in Pregnancy: New Ideas About an Old Condition. *Annu Rev Nutr, 30*, 403-422.

Références de l'édition originale

Allen, L. (2005). Multiple micronutrients in pregnancy and lactation: An overview. *Am J Clin Nutr, 81*(5), 1206S-1212S.

Corbett, R., Ryan, C., & Weinrich, S. (2003). Pica in pregnancy: Does it affect pregnancy outcomes? *Am J Matern Child Nurs, 28*(3), 183-189.

Cornel, M., Smit, D., & de Jong-van den Berg, L. (2005). Folic acid–the scientific debate as a base for public health policy. *Reproductive Toxicology, 20*(3), 411-415.

Gardiner, P.M., Nelson, L., Shellhaas, C.S., Dunlop, A.L., Long, R., Andrist, S., *et al.* (2008). The clinical content of preconception care: Nutrition and dietary supplements. *Am J Obstet Gynecol, 199*(suppl. 6), S345-S356.

Grotegut, C.A., Dandolu, V., Katari, S., Whiteman, V.E., Geifman-Holtzman, O., & Teitelman, M. (2006). Baking soda pica: A case of hypokalemic metabolic alkalosis and rhabdomyolysis in pregnancy. *Obstet Gynecol, 107*(2 Pt 2), 484-486.

Hofmeyr, G.J., Duley, L., & Atallah, A. (2007). Dietary calcium supplementation for prevention of pre-eclampsia and related problems: A systematic review and commentary. *BJOG*, 1114, 933-943.

Institute of Medicine of the National Academies (2003). *Dietary reference intakes: Applications in dietary planning*. Washington, D.C. : National Academies Press.

Institute of Medicine of the National Academies (2004). *Dietary reference intakes for water, potassium, sodium, chloride, and sulfate.* Washington, D.C. : National Academies Press.

Institute of Medicine of the National Academies (2009). *Weight gain during pregnancy: Reexamining the guidelines.* [En ligne]. www.iom.edu/?ID=68004 (page consultée le 4 août 2011).

Jewell, D., & Young, G. (2003). Interventions for nausea and vomiting in early pregnancy. *Cochrane Database Syst Rev, 4,* CD 000125.

Johansen, A.M., Lie, R.T., Wilcox, A.J., Andersen, L.F., & Drevon, C.A. (2008). Maternal dietary intake of vitamin A and risk of orofacial clefts: A population-based case-control study in Norway. *Am J Epidemiol,* 167(10), 1164-1170.

Klitzman, S., Sharma, A., Nicaj, L., Vitkevich, R., & Leighton, J. (2002). Lead poisoning among pregnant women in New York City: Risk factors and screening practices. *Journal of Urban Health, 79*(2), 225-237.

Mahomed, K., Bhutta, Z., & Middleton, P. (2007). Zinc supplementation for improving pregnancy and infant outcome. *Cochrane Database Syst Rev, 1,* CD 000230.

Malone, F.D., & D'Alton, M.E. (2009). Multiple gestation: Clinical characteristics and management. In R. Creasy, R. Resnik, J. Iams, C. J. Lockwood, & T.R. Moore (Eds.). *Creasy & Resnick's maternal-fetal medicine: Principles and practice* (6th ed.). Philadelphia : Saunders.

Mathews, T.J., & MacDorman, M.F. (2008). Infant mortality statistics from the 2005 period linked birth/infant death data set. *National Vital Statistics Report, 57*(2), 1-32.

National Institute for Health and Clinical Excellence (NICE). (2008). *Antenatal care: Routine care for the healthy pregnant woman. NICE Clinical Guideline 62.* London : NICE. www.nice.org.uk/nicemedia/pdf/CG062NICEguideline.pdf

National Institutes of Health, Office of Dietary Supplements (2007). *Dietary supplement fact sheet: Iron.* [En ligne]. http://dietary-supplements.info.nih.gov/factsheets/iron.asp (page consultée le 4 août 2011).

Ngozi, P.O. (2008). Pica practices of pregnant women in Nairobi, Kenya. *East Afr Med J, 85*(2), 72-79.

Paul, A.M. (2008). *Too fat and pregnant.* [En ligne]. www.nytimes.com/2008/07/13/magazine/13wwln-essay-t.html?pagewanted=print (page consultée le 4 février 2012).

Rumbold, A., Duley, L., Crowther, C.A., & Haslam R.R. (2008). Antioxidants for preventing pre-eclampsia. *Cochrane Database Syst Rev, 1,* CD 004227.

Walker, L., Sterling, B., & Timmerman, G. (2005). Retention of pregnancy-related weight in the early postpartum period: Implications for women's health services. *J Obstet Gynecol Neonatal Nurs, 34*(4), 418-427.

Chapitre 9

Références de l'édition française

AMPRO[OB] (2010). *Approche multidisciplinaire en prévention des risques obstétricaux : documents de formation.* London, Ont. : Corporation Salus Global.

Cunningham, F., Bloom, S., Gilstrap, L., Leveno, K., Hauth, J., *et al.* (2009). *Williams obstetrics* (23rd ed.). New York : McGraw-Hill.

De Jonge, A., Van Diem, M.T., Scheepers, P.L., Buitendijk, S.E., & Lagro-Janssen, A.L.M. (2010). Risk of perineal damage is not a reason to discourage a sitting birthing position: A secondary analysis. *Int J Clin Pract, 65*(5), 611-618.

Fisher, R. (2011). *Breech presentation.* [En ligne]. http://emedicine.medscape.com/article/262159-overview (page consultée le 12 février 2012).

Lawrence, A., Lewis, L., Hofmeyr, G.J., Dowswell, T., & Styles, C. (2009). Maternal positions and mobility during first stage labour. *Cochrane Database Syst Rev, 2,* CD 003934.

Magann, E.F., Evans, S., Chauhan, S.P., Lanneau, G., Fisk, A.D., *et al.* (2005). The lenght of the third stage of labor and the risk of postpartum hemorrhage. *Obstet Gynecol, 105*(2), 290-293.

Ministère de la Santé et des Services sociaux (MSSS) (2008). *Politique de périnatalité 2008-2018 : un projet porteur de vie.* [En ligne]. http://publications.msss.gouv.qc.ca/acrobat/f/documentation/2008/08-918-01.pdf (page consultée le 2 juin 2011).

Norwitz, E.R., Robinson, J.N., & Repke, J.T. (2003). Labor and delivery. In S.G Gabbe, J.R. Niebyl & J.L. Simpson (Eds.). *Obstetrics: Normal and problem pregnancies* (3rd ed.). New York : Churchill Livingstone.

Santé Canada (2006). *Radiographies et grossesse.* [En ligne]. www.hc-sc.gc.ca/hl-vs/iyh-vsv/med/xray-radiographie-fra.php (page consultée le 6 juin 2011).

Société des obstétriciens et gynécologues du Canada (SOGC) (2007). Surveillance du bien-être fœtal : directives consensus d'antepartum et intrapartum. *J Obstet Gynaecol Can, 29*(9 suppl. 4), S3-S64.

Wang, F., Shen, X., Guo, X., Peng, Y., & Gu, X. (2009). Epidural analgesia in the latent phase of labor and the risk of Cesarean delivery: A five-year randomized controlled trial. *Anesthesiology, 111*(4), 871-880.

Wright, L.M., & Leahey, M. (2007). *L'infirmière et la famille : guide d'évaluation et d'intervention.* Montréal : ERPI.

Références de l'édition originale

Barkauskas, V., Baumann, L., & Darling-Fisher, C. (2000). *Health and physical assessment* (3rd ed.). St. Louis, Mo. : Mosby.

Battista, L., & Wing, D. (2007). Abnormal labor and induction of labor. In S. Gabbe, J. Niebyl & J. Simpson (Eds.). *Obstetrics: Normal and problem pregnancies* (5th ed.). Philadelphia : Churchill Livingstone.

Blackburn, S. (2007). *Maternal, fetal, and neonatal physiology: A clinical perspective* (3rd ed.). St. Louis, Mo. : Saunders.

Brancato, R., Church, S., & Stone, P. (2008). A meta-analysis of passive descent versus immediate pushing in nulliparous women with epidural analgesia in the second stage of labor. *J Obstet Gynecol Neonatal Nurs, 37*(1), 4-12.

Cunningham, F., Bloom, S., Gilstrap, L., Leveno, K., Hauth, J., & Wenstrom, K. (2005). *Williams obstetrics* (22nd ed.). New York : McGraw-Hill.

Gennero, S., Mayberry, L., & Kafulafula, U. (2007). The evidence supporting nursing management of labor. *J Obstet Gynecol Neonatal Nurs, 36*(6), 598-604.

Gordon, M. (2007). Maternal physiology. In S. Gabbe, J. Niebyl & J. Simpson (Eds.). *Obstetrics: Normal and problem pregnancies* (5th ed.). New York : Churchill Livingstone.

Greenberg, M., Cheng, Y., Hopkins, L., Stotland, N., Bryant, A., & Caughey, A. (2006). Are there ethnic differences in the length of labor? *Am J Obstet Gynecol, 195*(3), 743-748.

Gross, M., Drobnic, S., & Keirse, M. (2005). Influence of fixed and time-dependent factors on duration of normal first stage labor. *Birth, 32*(1), 27-33.

Gupta, J., Hofmeyr, G., & Smyth, R. (2004). Position in the second stage of labor of women with epidural analgesia. *Cochrane Database Syst Rev, 1,* CD 002006.

Hunter, S., Hofmeyr, G., & Kulier, R. (2007). Hands and knees posture in late pregnancy or labour for fetal malposition (lateral or posterior). *Cochrane Database Syst Rev, 4,* CD 001063.

Jacobson, P., & Turner, L. (2008). Management of the second stage of labor in women with epidural analgesia. *J Midwifery Womens Health, 53*(10), 82-85.

Liao, J., Buhimschi, D., & Norwitz, E. (2005). Normal labor: Mechanism and duration. *Obstet Gynecol Clin North Am, 32*(2), 145-164.

Roberts, C., Algert, C., Cameron, C., & Torvaldsen, S. (2005). A meta-analysis of upright positions in the second stage to reduce instrumental deliveries in women with epidural analgesia. *Acta Obstet Gynecol Scand, 84*(8), 794-798.

Roberts, J. (2002). The "push" for evidence: Management of the second stage. *J Midwifery Womens Health, 47*(1), 2-15.

Rosenberg, A. (2007). The neonate. In S. Gabbe, J. Niebyl & J. Simpson (Eds.). *Obstetrics: Normal and problem pregnancies* (5th ed.). New York : Churchill Livingstone.

Salim, R., Nachum, Z., Moscovici, R., Lavee, M., & Shalev, E. (2005). Continuous compared with intermittent epidural infusion on progress of labor and patient satisfaction. *Obstet Gynecol, 106*(2), 301-306.

Schaffer, J., Bloom, S., Casey, B., McIntire, D., Nihira, M., & Leveno, K. (2005). A randomized trial of the effects of coached vs uncoached maternal pushing during the second stage of labor on postpartum pelvic floor structure and function. *Am J Obstet Gynecol, 192*(5), 1692-1696.

Schiessl, B., Janni, W., Jundt, K., Rammel, G., Peschers, U., & Kainer, F. (2005). Obstetrical parameters influencing the duration of second stage labor. *Eur J Obstet Gynecol Reprod Biol, 118*(1), 17-20.

Seidel, H.M., Balls, J.W., Dains, J.E., Flynn, J.A., Solomon, B.S., & Stewart, R.W. (2011). *Mosby's guide to physical examination* (7th ed.). St. Louis, Mo. : Mosby.

Simpson, K., & James, D. (2005). Effects of immediate versus delayed pushing during second-stage labor on fetal well-being: A randomized clinical trial. *Nursing Research, 54*(3), 149-157.

Tucker, S., Miller, L., & Miller, D. (2009). *Mosby's pocket guide to fetal monitoring: A multidisciplinary approach* (6th ed.). St. Louis, Mo. : Mosby.

VandeVusse, L. (1999). The essential forces of labor revisited: 13 *Ps* reported in women's birth stories. *Am J Matern Child Nurs, 24*(4), 176-184.

Yildirim, G., & Beji, N. (2008). Effects of pushing techniques in birth on mother and fetus: A randomized study. *Birth, 35*(10), 25-30.

Chapitre 10

Références de l'édition française

Abbinante, C., Lauta, E., Di Venosa, N., Ribezzi, M., Colamaria, A., *et al.* (2010). Acute subdural intracranial hematoma after combined spinal-epidural analgesia in labor. *Minerva Anestesiol, 76*(12), 1091-1094.

Arnaout, L., Ghiglione, S., Figueiredo, S., & Mignon, A. (2008). Effects of maternal analgesia and anesthesia on the fetus and the newborn. *J Gynaecol Obstet, Biol Reprod, 37*(suppl. 1), S46-S55.

Agence de la santé publique du Canada (ASPC) (2009). *Ce que disent les mères : l'Enquête canadienne sur l'expérience de la maternité.* [En ligne]. www.phac-aspc.gc.ca/rhs-ssg/pdf/survey-fra.pdf (page consultée le 21 septembre 2011).

Agence de la santé publique du Canada (ASPC) (2010). *Les soins à la mère et au nouveau-né dans une perspective familiale : lignes directrices nationales. Configuration des chambres de naissance.* [En ligne]. www.phac-aspc.gc.ca/hp-ps/dca-dea/publications/fcm-smp/fcmc-smpf-10-fra.php#config (page consultée le 21 septembre 2011).

Bonapace, J. (2009a). *Accoucher sans stress avec la méthode Bonapace* (2e éd.). Montréal : Les Éditions de l'Homme.

Bonapace, J. (2009b). *Accoucher sans stress avec la méthode Bonapace. La douleur.* [En ligne]. www.bonapace.com/page.php#douleur (page consultée le 21 septembre 2011).

Brogly, N., Schiraldi, R., Vazquez, B., Perez, J., Guash, E., *et al.* (2011). A randomized control trial of patient-controlled epidural analgesia (PCEA) with and without a background infusion using levobupivacaine and fentanyl. *Minerva Anestesiol, 77*(12), 1149-1154.

Canadian Perinatal Programs Coalition (CPPC) (2009). *Fundamentals of fetal health surveillance: A self-leaning manual* (4th ed.). Vancouver : British Columbia Perinatal Health Program.

Capogna, G., Camorcia, M., Stirparo, S., Valentini, G., Garassino, A., *et al.* (2010). Multidimensional evaluation of pain during early and late labor: A comparison of nulliparous and multiparous women. *Int J Obstet Anesth, 19*(2), 167-170.

De Gasquet, B. (2009). *Bien-être et maternité.* Paris : Éditions Albin Michel.

Gagné, J.P. (2010). *L'Initiative internationale pour la naissance MèrEnfant (IMBCI). Dix conditions pour des soins de maternité optimaux axés sur la dyade MèrEnfant.* [En ligne]. www.aspq.org/documents/file/26-11-10_13h10_gp-gagne_sy-initiative-internationale-pour-la-naissance-merenfant.pdf (page consultée le 21 septembre 2011).

Ghaleb, A. (2010). Postdural puncture headache. *Anesthesiol Res Pract*, p. 1-6.

Halpern, S.H., & Abdallah, F.W. (2010). Effect of labor analgesia on labor outcome. *Curr Opin Anaesthesiol, 23*(3), 317-322.

Institut de la statistique du Québec (2010a). *Naissances selon le rang et le lieu de naissance de la mère, Québec, 2003-2010.* [En ligne]. www.stat.gouv.qc.ca/donstat/societe/demographie/naisn_deces/naissance/420.htm (page consultée le 21 septembre 2011).

Institut de la statistique du Québec (2010b). *Naissances et taux de natalité, Québec, 1900-2010.* [En ligne]. www.stat.gouv.qc.ca/donstat/societe/demographie/naisn_deces/naissance/401.htm (page consultée le 21 septembre 2011).

Institut national de santé publique du Québec (INSPQ) (2000). *Recommandations sur le nettoyage et la désinfection des équipements d'hydrothérapie des établissements de soins au Québec.* [En ligne]. www.inspq.qc.ca/publications/notice.asp?E=p&NumPublication=568 (page consultée le 6 février 2012).

International Association for the Study of Pain (IASP) (2007). *Global Year Against Pain in Women. Obstetric pain.* [En ligne]. www.iasp-pain.org/AM/Template.cfm?Section=Home&Template=/CM/ContentDisplay.cfm&ContentID=4494 (page consultée le 21 septembre 2011).

Ley, L., Ikhouane, M., Staiti, G., & Benhamou, D. (2007). Neurological complication after the «tailor posture» during labour with epidural analgesia. *Ann Fr Anesth Reanim, 26*(7-8), 666-669.

Marchand, S. (2009). *Le phénomène de la douleur : comprendre pour soigner* (2e éd.) Issy-les-Moulineaux, Fr. : Masson.

Melzack, R., & Wall, P.D. (1965). Pain mechanisms: A new theory. *Science, 19*(150), 971-979.

Ministère de la Santé et des Services sociaux (MSSS) (2002). *Pourcentage des accouchements par voie vaginale selon le type d'anesthésie et la région de résidence de la mère, Québec 2000-2001.* [En ligne]. http://msssa4.msss.gouv.qc.ca/fr/statisti/accounais.nsf/ea9e66b765eebb2a852567d900586c7c/f494f6f381bbf33685256a78004bee91?OpenDocument (page consultée le 22 septembre 2011).

Ministère de la Santé et des Services sociaux (MSSS) (2008). *Politique de périnatalité 2008-2018 : un projet porteur de vie.* [En ligne]. http://publications.msss.gouv.qc.ca/acrobat/f/documentation/2008/08-918-01.pdf (page consultée le 21 septembre 2011).

Nicolet, J., Miller, A., Kaufman, I., Guertin, M.C., & Deschamps, A. (2008). Maternal factors implicated in fetal bradycardia after combined spinal epidural for labour pain. *Eur J Anaesthesiol, 25*(9), 721-725.

Organisation mondiale de la santé (OMS) (2011). *Anesthésie rachidienne ou péridurale en cas de césarienne.* [En ligne]. http://apps.who.int/rhl/pregnancy_childbirth/childbirth/caesarean/wkcom/fr/ (page consultée le 2 septembre 2011).

Phaneuf, M. (2009). *L'approche interculturelle, une nécessité actuelle. 1re partie : Regard sur la situation des immigrants au Québec et sur leurs difficultés.* [En ligne]. www.infiressources.ca/fer/depotdocuments/Approche_interculturelle_une_necessite_actuelle-Regard_sur_la_situation_des_immigrants-1repartie.pdf (page consultée le 23 septembre 2011).

Rooks, J.P. (2007). Use of Nitrous Oxide in Midwifery Practice-Complementary, Synergistic, and Needed in the United States. *J Midwifery Women's Health,* 52(3), 186-189.

Samain, E., & Diemunsch, P. (2009). *Anesthésie-réanimation obstétricale.* Paris : Elsevier Masson.

Société des obstétriciens et gynécologues du Canada (SOGC) (2007). Intrapartum fetal surveillance. *J Obstet Gynaecol Can, 29*(9), S25-S44.

Société des obstétriciens et gynécologues du Canada (SOGC) (2008a). Déclaration de principe commune sur l'accouchement normal. *J Obstet Gynaecol Can, 30*(12), 1166-1168.

Société des obstétriciens et gynécologues du Canada (SOGC) (2008b). Diagnostic, évaluation et prise en charge des troubles hypertensifs de la grossesse. *J Obstet Gynaecol Can, 30*(3), S1-S6.

Valentini, H. (2010). Notre force de changements : trente ans de transformation en périnatalité au Québec. *Le Périscoop,* 14(1), 4-7.

Références de l'édition originale

Aghabati, N., Mohammadi, E., & Pour Esmaiel, Z. (2008). The effect of therapeutic touch on pain and fatigue of cancer patients undergoing chemotherapy. *Evidence-based complementary and alternative medicine.* [En ligne]. http://ecam.oxfordjournals.org/cgi/content/abstract/nen006 (page consultée le 24 mai 2009).

Albers, L.L. (2007). The evidence for physiologic management of the active phase of the first stage of labor. *J Midwifery Women's Health, 52*(3), 207-215.

American Academy of Pediatrics (AAP) & American College of Obstetricians and Gynecologists (ACOG) (2007). *Guidelines for perinatal care* (6th ed.). Washington, D.C. : ACOG.

American Society of Anesthesiologists Task Force on Obstetric Anesthesia (2007). Practice guidelines for obstetric anesthesia: An updated report. *Anesthesiology, 106*(4), 843-863.

Anim-Somuah, M., Smyth, R., & Howell, C. (2005). Epidural versus non-epidural or no analgesia in labour. *Cochrane Database Syst Rev, 4,* CD 000331.

Association of Women's Health, Obstetric and Neonatal Nurses (AWHONN) (2007). *The role of the registered nurse (RN) in the care of pregnant women receiving analgesia/anesthesia by catheter techniques (epidural, intrathecal, spinal, PCEA catheters).* Clinical Position Statement. [En ligne]. www.awhonn.org (page consultée le 23 septembre 2011).

Berghella,V., Baxter, J.K., & Chauhan, S.P. (2008). Evidence-based labor and delivery management. *Am J Obstet Gynecol, 199*(5), 445-454.

Blackburn, S.T. (2007). *Maternal, fetal, and neonatal physiology: A clinical perspective* (3rd ed.). St. Louis, Mo. : Saunders.

Bradley, R. (1965). *Husband-coached childbirth.* New York : Harper Collins.

Brancato, R.M., Church, S., & Stone, P.W. (2008). A meta-analysis of passive descent versus immediate pushing in nulliparous women with epidural analgesia in the second stage of labor. *J Obstet Gynecol Neonatal Nurs, 37*(1), 4-10.

Bucklin, B., Hawkins, J., Anderson, J., & Ullrich, F. (2005). Obstetric anesthesia workforce survey. *Anesthesiology, 103*(3), 645-653.

Cunningham, F., Leveno, K., Bloom, S., Hauth, J., Gilstrap, L., & Wenstrom, K. (2005). *Williams obstetrics* (22nd ed.). NewYork : McGraw-Hill.

Fogarty, V. (2008). Intradermal sterile water injections for the relief of low back pain in labour: A systematic review of the literature. *Women and Birth, 21,* 157-163.

Gilbert, E.S. (2007). *Manual of high risk pregnancy and delivery* (4th ed.). St. Louis, Mo. : Mosby.

Hawkins, J.L., Goetzl, L., & Chestnut, D.H. (2007). Obstetric anesthesia. In S. Gabbe, J. Niebyl & J. Simpson (Eds.). *Obstetrics: Normal and problem pregnancies* (5th ed.). Philadelphia : Churchill Livingstone.

Hodnett, E.D., Gates, S., Hofmeyr, G.J., & Sakala, C. (2007). Continuous support for women during childbirth. *Cochrane Database Syst Rev, 3,* CD 003766.

Leeman, L., Fontaine, P., King, V., Klein, M., & Ratcliffe, S. (2003). The nature and management of labor pain, Part 1: Nonpharmacologic pain relief. *Am Fam Physician, 68*(6), 1109-1110.

Lothian, J., & Devries, C. (2005). *The official Lamaze guide: Giving birth with confidence.* New York : Meadowbrook Press.

National Institute for Health and Clinical Excellence (NICE) (2007). *Intrapartum care. NICE clinical guideline 55.* London : NICE.

Simmons, S.W., Cyba, A.M., Dennis, A.T., & Hughes, D. (2007). Combines spinal-epidural versus epidural analgesia in labour. *Cochrane Database Syst Rev, 3,* CD 003401.

Stark, M.A., Rudell, B., & Haus, G. (2008). Observing position and movements in hydrotherapy: A pilot study. *J Obstet Gynecol Neonatal Nurs, 37*(1), 116-102.

Tournaire, M., & Theau-Yonneau, A. (2007). Complementary and alternative approaches to pain relief during labor. *Evid Based Complement Alternat Med, 4*(4), 409-417.

Chapitre 11

Références de l'édition française

Canadian Institute for Health Information (2007). *Giving birth in Canada: Regional trends from 2001-2002 to 2005-2006.* Ottawa, Ont. : Canadian Institute for Health Information.

Canadian Perinatal Programs Coalition (CPPC) (2009). *Fundamentals of fetal health surveillance: A self-leaning manual* (4th ed.). Vancouver : British Columbia Perinatal Health Program.

Canadian Perinatal Regionalization Coalition, Society of Obstetricians and Gynaecologists of Canada, Perinatal Education Programs across Canada (2001). *Fundamentals: Fetal health surveillance in labour: workshop prereading manual.* Vancouver : British Columbia Reproductive Care Program.

Feinstein, N., Sprague, A., & Trépanier, M.J. (2009). *Fetal heart rate auscultation* (2nd ed.), Updated. Washington, D.C. : Association of Women's Health, Obstetric and Neonatal Nurses.

Lewis, S.L., Dirksen, S.R., & Heitkemper, M.M. (2011). *Soins infirmiers – Médecine Chirurgie.* Montréal : Chenelière Éducation.

Royal Australian and New Zealand College of Obstetricians and Gynaecologists (RANZCOG) (2006). *Intrapartum fetal surveillance clinical guidelines* (2nd ed.). Melbourne, Austr. : Royal Australian and New Zealand College of Obstetricians and Gynaecologists.

Société des obstétriciens et gynécologues du Canada (SOGC) (2000). *La présence du personnel médical au moment du travail et de l'accouchement : lignes directrices sur les soins obstétricaux.* [En ligne]. www.sogc.org/guidelines/public/89F-PS-Mai2000.pdf (page consultée le 29 septembre 2011).

Société des obstétriciens et gynécologues du Canada (SOGC) (2007). Surveillance du bien-être fœtal : directive consensus d'antepartum et intrapartum. *J Obstet Gynaecol Can, 29*(9 suppl. 4), S3-S64.

Références de l'édition originale

Albers, L.L. (2007). The evidence for physiologic management of the active phase of the first stage of labor. *J Midwifery Womens Health, 52*(3), 207-215.

American Academy of Pediatrics (AAP) & American College of Obstetricians and Gynecologists (ACOG) (2007). *Guidelines for perinatal care* (6th ed.). Washington, D.C. : American Academy of Pediatrics (AAP) and American College of Obstetricians and Gynecologists.

American College of Obstetricians and Gynecologists (ACOG). (2006a). ACOG Committee Opinion No. 346: Amnioinfusion does not prevent meconium aspiration syndrome. *Obstet Gynecol, 108*(4), 1053-1055.

American College of Obstetricians and Gynecologists (ACOG) (2006b). ACOG Committee Opinion No. 348: Umbilical cord blood gas and acid-base analysis. *Obstet Gynecol, 108*(5), 1319-1322.

American College of Obstetricians and Gynecologists (ACOG) (2009). *Intrapartum fetal heart rate monitoring: Nomenclature, interpretation, and general management principles.* Washington, D.C. : ACOG.

Collard, T.D., Diallo, H., Habinsky, A., *et al.* (2008). Elective cesarean section: Why women choose it and what nurses need to know. *Nurs Womens Health, 12*(6), 480-488.

Fraser, W.D., Hofmeyr, J., Lede, R., *et al.* (2005). Amnioinfusion for the prevention of the meconium aspiration syndrome. *N Engl J Med, 353*(9), 909-917.

Garite, T.J. (2007). Intrapartum fetal evaluation. In S.G. Gabbe, J.R. Niebyl, J.L. Simpson *et al.* (Eds.). *Obstetrics: Normal and problem pregnancies* (5th ed.). Philadelphia : Churchill Livingstone.

Gilbert, E.S. (2007). *Manual of high risk pregnancy and delivery* (4th ed.). St. Louis, Mo. : Mosby.

Macones, G.A., Hankins, G.D.V., Spong, C.Y., *et al.* (2008). The 2008 National Institute of Child Health and Human Development workshop report on electronic fetal monitoring: Update on definitions, interpretation, and research guidelines. *J Obstet Gynecol Neonatal Nurs, 37*(5), 510-515.

Nageotte, M.P., & Gilstrap, L.C. (2009). Intrapartum fetal surveillance. In R.K. Creasy, R. Resnik, J.D. Iams *et al.* (Eds.). *Creasy and Resnik's maternal-fetal medicine: Principles and practice* (6th ed.). Philadelphia : Saunders.

National Institute of Child Health and Human Development (NICHD) Research Planning Workshop (1997). Electronic fetal heart rate monitoring: Research guidelines for interpretation. *Am J Obstet Gynecol, 177*(6), 1385-1390.

Simpson, K.R., & James, D.C. (2005). Efficacy of intrauterine resuscitation techniques in improving fetal oxygen status during labor. *Obstet Gynecol, 105*(6), 1362-1368.

Tucker, S.M. (2004). *Pocket guide to fetal monitoring and assessment* (5th ed.). St. Louis, Mo. : Mosby.

Tucker, S.M., Miller, L.A, & Miller, D.A. (2009). *Mosby's pocket guide to fetal monitoring: A multidisciplinary approach* (6th ed.). St. Louis, Mo. : Mosby.

Chapitre 12

Références de l'édition française

Association of Women's Health, Obstetric and Neonatal Nurses (AWHONN) (2009). *Standards for perinatal nursing and certification in Canada – Second edition.* Washington, D.C. : AWHONN.

Chandler, S., & Field, P.A. (2010). Becoming a father: First-time fathers' experience of labor and delivery. *J Midwifery Womens Health, 42*(1), 17-24.

Cherniak, D., Grant, L., Mason, R., Moore, B., & Pellizzari, R. (2005). *Déclaration de consensus sur la violence exercée par le partenaire intime.* [En ligne]. www.sogc.org/guidelines/public/157F-CPG-Avril2005.pdf (page consultée le 10 novembre 2011).

Fraser, D.M., & Cooper, M.A. (Eds.) (2009). *Myles textbook for midwives.* Edinburgh, R.-U. : Churchill Livingstone Elsevier.

Gilbert, E.S. (2010). *Manual of high risk pregnancy and delivery* (5th ed.). St. Louis, Mo. : Mosby.

Lawrence, A., Lewis, L., Hofmeyr, G.J., Dowswell, T., & Styles, C. (2009). Maternal positions and mobility during first stage labour. *Cochrane Database Syst Rev, 2*, CD 003934.

Merchant, R., Bosenberg, C., Brown, K., Chartrand, D., Dain S., *et al.* (2011). Guide d'exercice de l'anesthésie – Édition révision 2011. Supplément au *Journal canadien d'anesthésie, 58*(1), 74-107.

Murray, M., & Huelsmann, G.M. (2009). *Labor and delivery nursing: A guide to evidence-based practice.* New York : Springer.

Ordre des infirmières et infirmiers du Québec (OIIQ) (2011). *Contribuer au suivi de grossesse, à la pratique des accouchements et au suivi postnatal : travail et accouchement.* [En ligne]. www.oiiq.org/pratique-infirmiere/activite-reservees/contribuer-au-suivi-de-grossesse#travail_accouchement (page consultée le 7 novembre 2011).

Wilkins, K.K., Greenfield, M.L., Polley, L.S., & Mhyre, J.M. (2009). A survey of obstetric perianesthesia care unit standards. *Anesth Analg, 108*, 1869-1875.

Références de l'édition originale

Albers, L.L. (2007). The evidence for physiologic management of the active phase of the first stage of labor. *J Midwifery Womens Health, 52*(3), 207-215.

Albers, L., Sedler, K., Bedrick, E., Teaf, D., & Peralta, P. (2005). Midwifery care measures in the second stage of labor and reduction of genital tract trauma at birth: A randomized trial. *J Midwifery Womens Health, 50*(5), 365-372.

American Academy of Pediatrics (AAP) & American College of Obstetricians and Gynecologists (ACOG) (2007). *Guidelines for perinatal care* (6th ed.). Washington, D.C. : ACOG.

Angelini, D., & Mahlmeister, L. (2005). Liability in triage: Management of EMTALA regulations and common obstetric risks. *J Midwifery Womens Health, 50*(6), 472-478.

Battista, L.R., & Wing, D.A. (2007). Abnormal labor and induction of labor. In S. Gabbe, J. Niebyl & J. Simpson (Eds.). *Obstetrics: Normal and problem pregnancies* (5th ed.). Philadelphia : Churchill Livingstone.

Berghella, V., Baxter, J.K., & Chauhan, S.P. (2008). Evidence-based labor and delivery management. *Am J Obstet Gynecol, 199*(5), 445-454.

Brancato, R.M., Church, S., & Stone, P.W. (2008). A meta-analysis of passive descent versus immediate pushing in nulliparous women with epidural analgesia in the second stage of labor. *J Obstet Gynecol Neonatal Nurs, 37*(1), 4-12.

Callister, L. (2005). What has the literature taught us about culturally competent care of women and children. *Am J Matern Child Nurs, 30*(6), 380-388.

D'Avanzo, C.E. (2008). *Mosby's pocket guide to cultural health assessment* (4th ed.). St. Louis, Mo. : Mosby.

Gilbert, E.S. (2007). *Manual of high risk pregnancy & delivery* (4th ed.). St. Louis, Mo. : Mosby.

Hodnett, E.D., Gates, S., Hofmeyr, G.J., & Sakala, C. (2007). Continuous support for women during childbirth. *Cochrane Database Syst Rev, 3*, CD 003766.

MacKinnon, K., McIntyre, M., & Quance, M. (2005). The meaning of the nurse's presence during childbirth. *J Obstet Gynecol Neonatal Nurs, 34*(1), 28-36.

Mayberry, L., Wood, S.H., Strange, L.B., Lee, L., Heisler, D.R., & Nielsen-Smith K. (2000). *Second stage labor management: Promotion of evidence-based practice and a collaborative approach to patient care.* Washington, D.C. : Association of Women's Health, Obstetric and Neonatal Nurses.

Reveiz, L., Gaitan, H.G., & Cuervo, L.G. (2007). Enemas during labour. *Cochrane Database Syst Rev, 4*, CD 000330.

Roberts, J. (2002). The "push" for evidence: Management of the second stage. *J Midwifery Womens Health, 47*(1), 2-15.

Roberts, J., & Hanson, L. (2007). Best practices in second stage labor care: Maternal bearing down and positioning. *J Midwifery Womens Health, 52*(3), 238-245.

Sampselle, C., Miller, J., Luecha, Y., Fischer, K., & Rosten, L. (2005). Provider support of spontaneous pushing during the second stage of labor. *J Obstet Gynecol Neonatal Nurs, 34*(6), 695-702.

Schaffer, J.L., Bloom, S.L., Casey, B.M., McIntire, D.D., Nihira, M.A., & Leveno, K.J. (2005). A randomized control trial of the effects of coached vs uncoached maternal pushing during the second-stage of labor on postpartum pelvic floor structure and function. *Am J Obstet Gynecol, 192*(5), 1692-1696.

Simkin, P., & Ancheta, R. (2000). *The labor progress handbook*. Malden, Mass. : Blackwell Science.

Simpson, K., & James, D. (2005). Effects of immediate versus delayed pushing during second-stage labor on fetal well-being: A randomized clinical trial. *Nursing Research*, *54*(3), 149-157.

Tucker, S.M., Miller, L.A, & Miller, D.A. (2009). *Mosby's pocket guide to fetal monitoring: A multidisciplinary approach* (6th ed.). St. Louis, Mo. : Mosby.

Zwelling, E., Johnson, K., & Allen, J. (2006). How to implement complementary therapies for laboring women. *Am J Matern Child Nurs*, *31*(6), 364-372.

Chapitre 13

Références de l'édition française

Cunningham, F., Leveno, K., Bloom, S., Hauth, J., & Gilstrap, L. (2010). *Williams obstetrics* (23rd ed.). New York : McGraw-Hill.

Ferreira, E. (2007). *Grossesse et allaitement*. Montréal : CHU Sainte-Justine.

Lipscomb, K., & Novy, M.J. (2007). The Normal Puerperium. In A.H. Decherney, T.M. Goodwin, L. Nathan & N. Laufer (Eds.). *Obstetrics & Gynecology: Current Diagnostic & Treatment (*10th ed.). New York : McGraw-Hill.

Références de l'édition originale

Blackburn, S.T. (2007). *Maternal, fetal, and neonatal physiology: A clinical perspective* (3rd ed.). St. Louis, Mo. : Saunders.

Cunningham, F., Leveno, K., Bloom, S., Hauth, J., Gilstrap, L., & Wenstrom, K. (2005). *Williams obstetrics* (22nd ed.). New York : McGraw-Hill.

Katz, V.L. (2007). Postpartum care. In S. Gabbe, J. Niebyl & J. Simpson (Eds.). *Obstetrics: Normal and problem pregnancies* (5th ed.). Philadelphia : Churchill Livingstone.

Lawrence, R.M., & Lawrence, R.A. (2009). The breast and the physiology of lactation. In R.K. Creasy, R. Resnik & J.D. Iams (Eds.). *Creasy and Resnik's maternal-fetal medicine: Principles and practice* (6th ed.). Philadelphia : Saunders.

Chapitre 14

Références de l'édition française

De Montigny, F., & Lacharité, C. (2004). Fathers' perceptions of the immediate postpartal period. *J Obstet Gynecol Neonatal Nurs*, *33*(3), 328-339.

Fung Kee, F.K, *et al.* (2003). Prevention of (Rh) alloimmunization. *J Obstet Gynaecol Can*, *25*(9), 765-773.

Harden, B.J. (2010). Home visitation with psychologically vulnerable families. *Zero To Three*, July, 44-51.

Klass, C.S. (2003). *The Home Visitor's Guidebook: Promoting Optimal Parent and Child Development* (2nd ed). Baltimore : Brookes.

Institut national de santé publique du Québec (INSPQ) (2011). *Mieux vivre avec notre enfant de la grossesse à deux ans*. Québec, Qc : INSPQ. www.inspq.qc.ca/MieuxVivre

Ministère de la Santé et des Services sociaux (2011). *Protocole d'immunisation du Québec*. [En ligne]. http://publications.msss.gouv.qc.ca/acrobat/f/documentation/piq/09-283-02.pdf (page consultée le 27 septembre 2011).

Organisation mondiale de la santé (OMS) & UNICEF (2009). *Baby-friendly Hospital Initiative. BFHI Section 3: Breastfeeding Promotion and Support in a Baby-friendly Hospital, a 20-hour course for maternity staff*. [En ligne]. http://whqlibdoc.who.int/publications/2009/9789241594981_eng.pdf (page consultée le 28 septembre 2011).

Rychnovsky, J. (2007). Postpartum fatigue in the active-duty military woman. *J Obstet Gynecol Neonatal Nurs*, *36*, 28-37.

Santé Canada (2009). *Lignes directrices sur la nutrition pendant la grossesse à l'intention des professionnels de la santé :enseignements relatifs au Guide alimentaire canadien. Besoins nutritionnels pendant l'allaitement*. [En ligne]. www.hc-sc.gc.ca/fn-an/pubs/nutrition/guide-prenatal-fra.php (page consultée le 23 août 2011).

Société des obstétriciens et gynécologues du Canada (SOGC) (2003). *L'exercice physique pendant la grossesse et le postpartum*. Directive clinique conjointe de la SOGC et de la SCPE nº 129. [En ligne]. www.sogc.org/guidelines/public/129F-JCPG-Juin2003.pdf (page consultée le 25 novembre 2011).

Société des obstétriciens et gynécologues du Canada (SOGC) (2007). *Renvoi à domicile de la mère et du nouveau-né à la suite de l'accouchement*. Déclaration de principe de la SOGC nº 190. [En ligne]. www.sogc.org/guidelines/documents/190f-ps-avril2007.pdf (page consultée le 25 novembre 2011).

Références de l'édition originale

American Academy of Pediatrics (AAP) & Committee on Fetus and Newborn (2004). Hospital stay for healthy term infants. *Pediatrics*, *113*(5), 1434-1436.

American College of Obstetricians and Gynecologists (ACOG) (2002). Rubella vaccine. ACOG Committee Opinion Nº 281. *Obstet Gynecol*, *100*(6), 1417.

Association of Women's Health, Obstetric, and Neonatal Nurses (AWHONN) (2006). *The compendium of postpartum care*. Washington, D.C. : AWHONN.

Baby Friendly Hospital Initiative USA (2004). *The ten steps to successful breastfeeding*. [En ligne]. http://babyfriendlyusa.org/eng/10steps.html.

Becker, G., & Scott, M. (2008). Nutrition for lactating women. In R. Mannel, P.J. Martens & M. Walker (Eds.). *Core curriculum for lactation consultant practice* (2nd ed.). Sudbury, Mass. : Jones and Bartlett.

Cargill, Y., Martel, M.J., & Society of Obstetricians and Gynaecologists of Canada (2007). Postpartum maternal and newborn discharge. SGOC Policy Statement Nº 190. *J Obstet Gynaecol Can*, *29*(4), 357-363.

Centers for Disease Control and Prevention (CDC) (1998). Measles, mumps, and rubella–vaccine use and strategies for elimination of measles, rubella, and congenital rubella syndrome and control of mumps: Recommendations of the Advisory Committee on Immunization Practices (ACIP). *Morbidity and Mortality Weekly Recommendations and Report*, *47*(RR-8), 1-58.

Centers for Disease Control and Prevention (CDC) (2001). Notice to readers: Revised ACIP recommendation for avoiding pregnancy after receiving a rubella-containing vaccine. *Morbidity and Mortality Weekly Recommendations and Report*, *50*(49), 1117.

Centers for Disease Control and Prevention (CDC) (2007). Prevention of varicella: Recommendations of the Advisory Committee on Immunization Practices (ACIP). *Morbidity and Mortality Weekly Recommendations and Report*, *56*(RR-4), 1-40.

Centers for Disease Control and Prevention (CDC) (2008). Prevention of pertussis, tetanus, and diphtheria among pregnant and postpartum women and their infants: Recommendations of the Advisory Committee on Immunization Practices (ACIP). *Morbidity and Mortality Weekly Recommendations and Report*, *57*(RR-4), 1-51.

Cheung, C., Fowles, E.R., & Walker, L.O. (2006). Postpartum maternal health care in the United States: A critical review. *J Perinat Educ*, *15*(3), 34-42.

Cooper, M., Grywalski, M., Lamp, J., Newhouse, L., & Studlien, R. (2007). Enhancing cultural competence: A model for nurses. *Nurs Womens Health*, *11*(2), 148-160.

Corwin, E.J., & Arbour, M. (2007). Postpartum fatigue and evidence-based interventions. *Am J Matern Child Nurs*, *32*(4), 215-220.

Corwin, E.J., Brownstead, J., Barton, N., Heckard, S., & Morin, K. (2005). The impact of fatigue on the development of postpartum depression. *J Obstet Gynecol Nurs*, *34*, 577-586.

De La Rosa, I.A., Perry, J., & Johnson, V. (2009). Benefits of increased home-visitation services: Exploring a case management model. *Fam Community Health*, *32*(10) 58-75.

Declercq, E., Cunningham, D.K., Johnson, C., & Sakala, C. (2008). Mothers' reports of postpartum pain associated with vaginal and cesarean deliveries: Results of a national survey. *Birth*, *35*(1), 16-24.

Frank, B.J., Lane, C., & Hokanson, H. (2009). Designing a postepidural fall risk assessment score for the obstetric patient. *J Nurs Care Qual*, *24*(1), 50-54.

Goulet, L., D'Amour, D., Pineault, R. (2007). Type and timing of services following postnatal discharge: Do they make a difference? *Women & Health*, *45*(4), 19-39.

Institute of Medicine of the National Academies (2005). *Dietary reference intakes for energy, carbohydrate, fiber, fatty acids, cholesterol, protein, and amino acids*. Washington, D.C.: National Academies Press.

Mannan, I., Rahman, S.M., Sania, A., Seraji, H.R., Arifeen, S.E., Winch, P.J., *et al.* (2008). Can early postpartum visits by trained community health workers improve breastfeeding of newborns? *J Perinatol*, *28*(9), 632-640.

Runquist, J. (2007). Persevering through postpartum fatigue. *J Obstet Gynecol Neonatal Nurs*, *36*(1), 28-37.

Shaw, E., Levitt, C., Wong, S., Kaczorowski, J. (2006). Systematic review of the literature on postpartum care: Effectiveness of postpartum support to improve maternal parenting, mental health, quality of life, and physical health. *Birth*, *33*(3), 210-220.

Chapitre 15

Références de l'édition française

Directeur de santé publique de Montréal (2011). *Services intégrés en périnatalité et pour la petite enfance*. [En ligne]. www.dsp.santemontreal.qc.ca/dossiers_thematiques/tout_petits/thematique/services_integres_en_perinatalite_et_pour_la_petite_enfance_sippe/activites.html (page consultée le 17 février 2012).

Agence de la Santé et des Services sociaux du Québec (2005). *Les services intégrés en périnatalité et pour la petite enfance à l'intention des familles vivant en contexte de vulnérabilité. Guide pour soutenir le développement de l'attachement sécurisant de la grossesse à 1 an*. [En ligne]. http://publications.msss.gouv.qc.ca/acrobat/f/documentation/2005/05-836-01.pdf (page consultée le 23 juin 2011).

Agence de la santé publique du Canada (ASPC) (2009). *Ce que disent les mères : l'Enquête canadienne sur l'expérience de la maternité*. [En ligne]. www.phac-aspc.gc.ca/rhs-ssg/pdf/survey-fra.pdf (page consultée le 20 juin 2011).

Bédard, A.M. (2007). *Désirer ou avoir un enfant à l'adolescence: mieux saisir le sens et les enjeux. Ça s'exprime.* [En ligne]. http://publications.msss.gouv.qc.ca/acrobat/f/documentation/2006/06-314-02.pdf (page consultée le 21 juin 2011).

Bell, L., Goulet, St-Cyr Tribble, D., Paul, D., & Polomeno, V. (1999). Une analyse du concept d'attachement parent-enfant. *Recherche en soins infirmiers, 58*, 19-28.

Bessin, M. (2006). Aspects sociologiques de la paternité tardive. *Gynécologie, Obstétrique et Fertilité, 34*(9), 860-872.

Bowlby, J. (1969). *Attachment and Loss, Vol. 1: Attachment.* New York: Basic Books.

Carolan, M. (2005). The Experience of First Mothering Over 35 Years'. *Health Care Women Int, 26*(9), 764-787.

Conley-Jung, C., & Olkin, R. (2001). Mothers with visual impairments or blindness raising young children. *Journal of Visual Impairment & Blindness,* 95(1), 14-29.

De Montigny, F., & Lacharité, C. (2004). Fathers' perceptions of the immediate postpartal period: What do we need to know. *Obstet Gynecol Neonatal Nurs, 33*(3), 328-340.

De Montigny, F., & Lacharité, C. (2005). Devenir père: un portrait des premiers moments. *Enfances, familles, générations, 3.*

De Montigny, F., & Lacharité, C. (2007). Accompagner la famille lors de la naissance d'un enfant. Dans F. Duhamel (dir.). *La santé et la famille.* Montréal: Chenelière Éducation.

De Montigny, F., & Lacharité, C. (2008). Modeling Parents and Nurses Relationships. *West J Nurs Res, 30*(6), 743-758.

De Montigny, F., Lacharité, C., & Amyot, E. (2006a). Transição para o papel de pai: contribuição das estruturas de apoio formal e informal no período pós-natal natal (La transition au rôle de parent: la contribution des structures de soutien formel et informel en période postnatale). *Texto & Contexto Enfermagem, 15*(4), 601-609.

De Montigny, F., Lacharité, C., & Amyot, E. (2006b). Tornar-se pai: modelo da experiência dos pais em período pós-natal. *Paidéia*, 16.

De Montigny, F., Lacharité, C., Devault, A., Miron, J.M., Gervais, C., & Baker, M. (sous presse). Fathers' beliefs and involvement in regards to breastfeeding. *J Obstet Gynecol Neonatal Nurs.*

Doumont, D., & Renard, F. (2004). *Parentalité: nouveau concept, nouveaux enjeux?* [En ligne]. www.uclouvain.be/cps/ucl/doc/reso/documents/Dos31.pdf (page consultée le 15 février 2012).

Dun, T. (2010). Turning points in parent-grandparent relationships during the start of a new generation. *J Fam Comm, 10*, 194-210.

Gervais, C. (2008). *Paternité et immigration: développement de la relation père-nourrisson dans un contexte d'allaitement maternel chez des pères récemment immigrés du Maghreb.* Rapport d'essai de maîtrise en sciences infirmières. Gatineau, Qc: Université du Québec en Outaouais.

Hamlyn, C. (2002). Teenage pregnancy and Sex Education. *J Fam Health Care, 12*, 71-73.

Hermann, J.W. (2008). Adolescent perceptions of teen births. *Obstet Gynecol Neonatal Nurs, 37*(1), 42-50.

Igartua, K.J. (1998). Oui, ma mère est lesbienne, et alors? Défis et stratégies des familles lesbiennes. *PRISME, 8*, 208-221.

Index Santé (2010). *La dépression post-partum.* [En ligne]. www.indexsante.ca/articles/article-28.html (page consultée le 20 juin 2011).

Institut national de santé publique du Québec (INSPQ) (2011). *Mieux vivre avec notre enfant de la grossesse à deux ans.* Québec, Qc: INSPQ.

Lacharité, C. (2003). Parental sensitivity: Its role in the prevention of child maltreatment and the promotion of child well-being. *Texte & Context in Nursing, 12*, 275-279.

Ouellet, F., Milcent, M-P., & Devault, A. (2006). Jeunes pères vulnérables: trajectoires de vie et paternité. *Nouvelles pratiques sociales, 18*(2), 156-171.

Santé Canada (2008). *Lignes directrices canadiennes pour l'éducation en matière de santé sexuelle.* [En ligne]. www.phac-aspc.gc.ca/publicat/cgshe-ldnemss/pdf/guidelines-fra.pdf (page consultée le 20 juin 2011).

Secco, M.L., Ateah, C., Woodgate, R., & Moffatt, M.E.K. (2002). Perceived and performed infant care competence of younger and older adolescent mothers. *Issues Compr Pediatr Nurs, 25*(2), 97-112.

Sevil, U., & Ozkan, S. (2009). Fathers' functional status during pregnancy and the early postnatal period. *Midwifery, 25*(6), 665-672.

Volling, B.L, McElwain, N.L., & Miller, A.L. (2002). Emotion regulation in context: The jealousy complex between young siblings and its relations with child and family characteristics. *Child Development, 73*(2), 581-600.

Références de l'édition originale

Brotherson, S. (2007). From partners to parents: Couples and the transition to parenthood. *Int J Childbirth Educ, 22*(2), 7-12.

Bulechek, G.M., Butcher, H.K., & Dochterman, J.M. (2008). *Nursing interventions classification (NIC)* (5th ed.). St. Louis, Mo.: Mosby.

Corwin, E.J., & Arbour, M. (2007). Postpartum fatigue and evidence-based interventions. *Am J Matern Child Nurs, 32*(4), 215-220.

D'Avanzo, C. (2008). *Mosby's pocket guide to cultural health assessment* (4th ed.). St. Louis, Mo.: Mosby.

Deave, T., Johnson, D., & Ingram, J. (2008). Transition to parenthood: The needs of parents in pregnancy and early parenthood. *BMC Pregnancy and Childbirth, 8*(30), 1-11.

Fletcher, R., Vimpani, G., Russell, G., & Sibbritt, D. (2008). Psychosocial assessment of expectant fathers. *Arch Womens Ment Health, 11*(1), 27-32.

Gerson, E. (1973). Infant behavior in the first year of life. New York: Raven Press.

Goodman, J. (2005). Becoming an involved father of an infant. *J Obstet Gynecol Neonatal Nur, 34*(2), 190-200.

Halle, C., Dowd, T., Fowler, C., Rissel, K., Hennessy, K., MacNevin, R., *et al.* (2008). Supporting fathers in the transition to parenthood. *Contemporary Nurse, 31*(1), 57-70.

Klaus, M., & Kennell, J. (1976). *Maternal-infant bonding.* St. Louis, Mo.: Mosby.

Klaus, M., & Kennell, J. (1982). *Parent-infant bonding* (2nd ed.). St. Louis, Mo.: Mosby.

Lutz, K., & May, K.A. (2007). The impact of high-risk pregnancy on the transition to parenthood. *Int J Childbirth Educ, 22*(3), 20-22.

Mercer, R. (1983). Parent-infant attachment. In L. Sonstegard, K. Kowalski & B. Jennings (Eds.). *Women's health* (vol. 2). *Childbearing.* New York: Grune & Stratton.

Mercer, R. (2004). Becoming a mother versus maternal role attainment. *J Nurs Scholarsh, 36*(3), 226-232.

Mercer, R., & Walker, L. (2006). A review of nursing interventions to foster becoming a mother. *J Obstet Gynecol Neonatal Nur, 35*(5), 568-582.

Rubin, R. (1961). Basic maternal behavior. *Nursing Outlook, 9*, 683-686.

Sangalang, B., & Rounds, K. (2005). Differences in health behaviors and parenting knowledge between pregnant adolescents and parenting adolescents. *Soc Work Health Care, 42*(2), 1-22.

Shin, H., Park, Y., Ryu, H., & Seomun, G. (2008). Maternal sensitivity: A concept analysis. *J Adv Nurs, 64*(3), 304-314.

St. John, W., Cameron, C., & McVeigh, C. (2005). Meeting the challenge of new fatherhood during the early weeks. *J Obstet Gynecol Neonatal Nurs, 34*(2), 180-189.

Suplee, P., Dawley, K., & Bloch, J. (2007). Tailoring peripartum nursing care for women of advanced maternal age. *J Obstet Gynecol Neonatal Nurs, 36*(6), 616-623.

Chapitre 16

Références de l'édition française

Alberta College of Speech-Language Pathologists and Audiologists (ACLSPA) (2008). *Endorsement of Universal Newborn Hearing Screening (UNHS) in Alberta.* [En ligne]. www.acslpa.ab.ca/public/data/documents/UNHS_-_single_sided_&_electronic.pdf (page consultée le 12 novembre 2011).

Chang, H.Y., Peng, C.C., Kao, H.A., Hsu, C.H., Hung, H.Y., *et al.* (2007). Neonatal subgaleal hemorrhage: Clinical presentation, treatment, and predictors of poor prognosis. *Pediatr Int, 49*(6), 903-907.

Cordisco, M. (2009). An update on lasers in children. *Curr Opin Pediatr, 21*, 499-504.

Crossland, D., Furness, J., Abu-Harb, M., Sadagopan, S., & Wren, C. (2004). Variability of four limb blood pressure in normal neonates. *Arch Dis Child Fetal Neonatal, 89*(4), F325-F327.

Davis, V. (1980). The structure and function of brown adipose tissue in the neonate. *JOGN Nurs, 9*(6), 368-372.

Greene, A.K. (2011). Management of hemangiomas and other vascular tumors. *Clin Plast Surg, 38*(1), 45-63.

Guide de Référence Santé (2009). *Les ministres Yves Bolduc et Lise Thériault annoncent la mise en place d'un programme de dépistage universel de la surdité chez les nouveau-nés.* [En ligne]. www.guidesanteenligne.com/news_detail.asp?ID=115673 (page consultée le 12 novembre 2011).

Korver, A.M., Konings, S., Dekker, F.W, Beers, M., Wever, C.C., *et al.* (2010). Newborn hearing screening vs. later hearing screening and developmental outcomes in children with permanent childhood hearing impairment. *JAMA, 304*, 1701-1708.

McCann, D.C., Worsfold, S., Law, C.M., Mullee, M., Petrou, S., *et al.* (2009). Reading and communication skills after universal newborn hearing screening for permanent childhood hearing loss. *Arch Dis Child, 94*, 293.

McLaughlin, M.R., O'Connor, N.R., & Ham, P. (2008). Newborn skin, Part II. Birthmarks. *Am Fam Physician, 77*(1), 56-60.

Plantin, P. (2010). Érythème toxique du nouveau-né. *Annales de dermatologie et de vénéréologie, 137*, 150-152.

Société canadienne de pédiatrie (SCP) (2007). *Lignes directrices pour la détection, la prise en charge et la prévention de l'hyperbilirubinémie chez les nouveau-nés à terme et peu prématurés (35 semaines d'âge gestationnel ou plus).* Document de principes (FN

2007-02). [En ligne]. www.cps.ca/francais/enonces/FN/fn07-02.pdf (page consultée le 12 novembre 2011).

Yoshinaga-Itano, C., Coulter, D., & Thomson, V. (2000). The Colorado Newborn Hearing Screening Project: Effects on speech and language development for children with hearing loss. *J Perinatol, 20*(8 Pt 2), S132-S137.

Références de l'édition originale

American Academy of Pediatrics (1999). Task Force on Newborn and Infant Hearing. Newborn and infant hearing loss: Detection and intervention. *Pediatrics, 103*(2), 527-530.

Armentrout, D.C., & Huseby, V. (2003). Polycythemia in the newborn. *Am J Matern Child Nurs, 28*(4), 234-239.

Blackburn, S.T. (2007). *Maternal, fetal, and neonatal physiology: A clinical perspective* (3rd ed.). St. Louis, Mo.: Saunders.

Boo, N.Y., Foong, K.W., Mahdy, Z.A., Yong, S.C., & Jaafar, R. (2005). Risk factors associated with subaponeurotic haemorrhage in full-term infants exposed to vacuum extraction. *BJOG, 112*, 1516-1521.

Brazelton, T. (1999). Behavioral competence. In G. Avery, M. Fletcher & M. MacDonald (Eds.). *Neonatology: Pathophysiology and management of the newborn* (5th ed.). Philadelphia: Lippincott Williams & Wilkins.

Brazelton, T., & Nugent, K. (1996). *Neonatal behavioural assessment scale* (3rd ed.). London: MacKeith.

Chang, Z.M., & Heaman, M.I. (2006). Epidural analgesia during labor and delivery: Effects on the initiation and continuation of effective breastfeeding. *J Hum Lact, 21*(3), 305-314.

Cunningham, F., Leveno, K., Bloom, S., Hauth, J., Gilstrap, L., & Wenstrom, K. (2005). *Williams obstetrics* (22nd ed.). New York: McGraw-Hill.

Doumouchtsis, S.K., & Arulkumaran, S. (2006). Head injuries after instrumental vaginal deliveries. *Curr Opin Obstet Gynecol, 18*(2), 129-134.

Hutton, E.K., & Hassan, E.S. (2007). Late vs early clamping of the umbilical cord in full-term neonates: Systematic review and meta-analysis of controlled trials. *JAMA, 297*(11), 1241-1252.

Katz, V.L. (2007). Postpartum care. In S. Gabbe, J. Niebyl & J. Simpson (Eds.). *Obstetrics: Normal and problem pregnancies* (5th ed.). Philadelphia: Churchill Livingstone.

Lawrence, R.M., & Lawrence, R.A. (2009). The breast and the physiology of lactation. In R.K. Creasy, R. Resnik & J.D. Iams (Eds.). *Creasy and Resnik's maternal-fetal medicine: Principles and practice* (6th ed.). Philadelphia: Saunders.

Ransjö-Arvidson, A.B., Matthiesen, A.S., Lilja, G., Nissen, E., Widström, A.M., & Uvnäs-Moberg, K. (2001). Maternal analgesia during labor disturbs newborn behavior: Effects on breastfeeding temperature, and crying. *Birth, 28*(1), 5-12.

Razmus, I.J., & Lewis, L. (2006). Using four limb blood pressures as a screening tool in normal newborns. *Soc Pediatr Nurs News, 15*(6), 5-7.

Seidel, H.M., Ball, J.W., Dains, J.E., & Benedict, G.W. (2006). *Mosby's guide to physical examination* (6th ed.). St. Louis, Mo.: Mosby.

Taylor, M.L. (2005). Coarctation of the aorta: Critical catch for newborn wellbeing. *Nurse Pract, 30*(12), 34-43.

Thomas, A., Birch, H.G., Chess, S., & Robbins, L.C. (1961). Individuality in responses of children to similar environmental situations. *Am J Psychiatry, 117*, 798-803.

Thomas, A., Chess, S., & Birch, H.G. (1970). The origin of personality. *Scientific American, 223*(2), 102-109.

Uchil, D., & Arulkumaran, S. (2003). Neonatal subgaleal hemorrhage and its relationship to delivery by vacuum extraction. *Obstet Gynecol Survey, 58*(10), 687-693.

Visscher, M.O., Narendran, V., Pickens, W.L., LaRuffa, A.A., Meinzen-Derr, J., Allen, K., *et al.* (2005). Vernix caseosa in neonatal adaptation. *J Perinatol, 25*(7), 440-446.

Chapitre 17

Références de l'édition française

Agence de santé publique du Canada (ASPC) (2000). *Les soins à la mère et au nouveau-né dans une perspective familiale: lignes directrices nationales.* [En ligne]. www.phac-aspc.gc.ca/hp-ps/dca-dea/stages-etapes/childhood-enfance_0-2/fcmc1-fra.php (page consultée le 16 février 2012).

Agence de la santé publique du Canada (ASPC) (2011). *Énoncé conjoint sur le sommeil sécuritaire: prévenir les décès subits des nourrissons au Canada.* [En ligne]. www.phac-aspc.gc.ca/hp-ps/dca-dea/stages-etapes/childhood-enfance_0-2/sids/index-fra.php (page consultée le 2 septembre 2011).

Bhutani, V.K., Johnson, L., & Sivieri, E.M. (1999). Predictive ability of a predischarge hour-specific serum bilirubin for subsequent significant hyperbilirubinemia in healthy term and near-term newborns. *Pediatrics, 103*(1), 6-14.

Cummimgs, C. (2011). *La plagiocéphalie positionnelle.* [En ligne]. www.cps.ca/francais/enonces/CP/PlagiocephaliePositionnelle.htm (page consultée le 16 novembre 2011).

Gazette du Canada (2010). *Règlement sur les lits d'enfant, berceaux et moïses.* [En ligne]. www.gazette.gc.ca/rp-pr/p2/2010/2010-12-08/html/sor-dors261-fra.html (page consultée le 16 février 2012).

Hazinski, M.F., Chameides, L., Hemphill, R., Samson, R.A., Schexnayder, S.M., *et al.* (2010). *Points saillants des Lignes directrices 2010 en matière de réanimation cardiorespiratoire et de soins d'urgence cardiovasculaire de l'American Heart Association.* [En ligne]. www.fmcoeur.com/atf/cf/%7B3CB49E24-0FB7-4CEE-9404-67F4CEE1CBC0%7D/CPR-HighlightsFrenchFINAL.pdf (page consultée le 12 février 2012).

Howlin, F., & Brenner, M. (2010). Cardiovascular assessment in children: Assessing pulse and blood pressure. *Paediatr Nurs, 22*(1), 25-35.

Institut national de santé publique du Québec (INSPQ) (2005). *La prévention de l'hépatite B par l'immunisation au Québec.* [En ligne]. www.inspq.qc.ca/pdf/publications/397-PreventionHepatiteBImmunisation.pdf (page consultée le 16 novembre 2011).

Institut national de santé publique du Québec (INSPQ) (2011). *Mieux vivre avec notre enfant de la grossesse à deux ans.* Québec, Qc: Institut national de santé publique du Québec.

Johnston, C., Fernandes, A., & Campbell-Yeo, M. (2011). Pain in neonates is different. *PAIN, 152*(suppl. 3), S65-S73.

Lefrak, L., *et al.* (2006). Sucrose Analgesia: Identifying Potentially Better Practices. *Pediatrics,* 118(suppl. 2), S197-S202.

Martel, M.J., & Milette, I. (2006). Le bain emmailloté pour le nouveau-né prématuré. *Revue Bébé, 8*(6), 44-46.

Ministère de la Santé et des Services sociaux (MSSS) (2011). *Protocole d'immunisation du Québec.* [En ligne]. http://publications.msss.gouv.qc.ca/acrobat/f/documentation/piq/09-283-02.pdf (page consultée le 1er septembre 2011).

Munroe, M., Shah, C.P., Badgley, R. & Bain, H.W. (1984). Birth weight, length, head circumference and bilirubin level in Indian newborns in the Sioux Lookout Zone, northwestern Ontario. *J Can Med Assoc, 131*(5), 453-456.

Outerbridge, E. (1996). *La circoncision néonatale revisitée.* [En ligne]. www.cps.ca/francais/enonces/fn/fn96-01.htm#Comit%C3%A9%20d%27%C3%A9tude%20du%20foetus%20et%20du%20nouveau-n%C3%A9 (page consultée le 14 novembre 2011).

Santé Canada (1998). *Lignes directrices canadiennes pour les MTS: ophtalmie néonatale.* [En ligne]. http://publications.gc.ca/collections/Collection/H49-119-1998F.pdf (page consultée le 16 février 2012).

Société canadienne de pédiatrie (SCP) (1996). *La circoncision néonatale revisitée.* Révision en cours en février 2009. [En ligne]. www.cps.ca/francais/enonces/fn/fn96-01.htm (page consultée le 16 novembre 2011).

Société canadienne de pédiatrie (SCP) (2004). *Des lignes directrices pour le dépistage des nouveau-nés vulnérables à l'hypoglycémie.* [En ligne]. www.cps.ca/francais/enonces/fn/fn04-01.htm (page consultée le 20 février 2012).

Société canadienne de pédiatrie (SCP) (2006). *Révisions au Programme de réanimation néonatale (PRN) 2006: un bref résumé pour des Canadiens occupés.* Ottawa, Ont.: SCP.

Société canadienne de pédiatrie (SCP) (2007). *La prévention et la prise en charge de la douleur chez le nouveau-né: une mise à jour.* [En ligne]. www.cps.ca/francais/enonces/FN/fn07-01.htm (page consultée le 16 novembre 2011).

Société canadienne de pédiatrie (SCP) (2010). *Des recommandations pour prévenir l'ophtalmie néonatale.* [En ligne]. www.cps.ca/francais/enonces/ID/ID02-03.htm (page consultée le 16 novembre 2011).

Société canadienne de pédiatrie (SCP) (2011a). *L'administration systématique de vitamine K aux nouveau-nés.* [En ligne]. www.cps.ca/francais/enonces/FN/fn97-01.htm (page consultée le 16 novembre 2011).

Société canadienne de pédiatrie (SCP) (2011b). *Lignes directrices pour la détection, la prise en charge et la prévention de l'hyperbilirubinémie chez les nouveau-nés à terme et peu prématurés (35 semaines d'âge gestationnel ou plus).* [En ligne]. www.cps.ca/francais/enonces/FN/FN07-02-resume.pdf (page consultée le 16 novembre 2011).

Société canadienne de pédiatrie (SCP) (2011c). *Des recommandations pour créer des environnements de sommeil sécuritaires pour les nourrissons et les enfants.* [En ligne]. www.cps.ca/francais/enonces/cp/cp04-02.htm (page consultée le 16 novembre 2011).

Société canadienne de pédiatrie (SCP) (2011d). *Les recommandations sur l'usage des sucettes.* [En ligne]. www.cps.ca/francais/enonces/cp/cp03-01.htm (page consultée le 16 novembre 2011).

Société canadienne de pédiatrie (SCP) (2011e). *Un calendrier de vaccination harmonisé au Canada: un appel à l'action.* [En ligne]. http://cps.ca/Francais/enonces/ID/ID11-01.pdf (page consultée le 16 novembre 2011).

White, R.D. (2007). Recommended standards for the newborn ICU. *J Perinatol, 27*, S4-S19.

Whyte, R.K. (2010). *Le congé sécuritaire du nourrisson peu prématuré.* [En ligne]. www.cps.ca/francais/enonces/FN/fn10-01.htm#Comit%C3%A9 (page consultée le 14 novembre 2011).

Références de l'édition originale

Albers, S., & Levy, H. (2005). Newborn screening. In H. Taeusch, R. Ballard & C. Gleason (Eds.). *Avery's diseases of the newborn* (8th ed.). Philadelphia: Saunders.

Alexander, G., Himes, J., Kaufman, R., Mor, J., & Kogan, M. (1996). A United States national reference for fetal growth. *Obstet Gynecol, 87*(2), 163-168.

American Academy of Pediatrics (AAP) (1999). Circumcision policy statement. *Pediatrics, 103*(3), 686-693.

American Academy of Pediatrics (AAP) (2004). Clinical practice guideline: Management of hyperbilirubinemia in the newborn infant 35 or more weeks of gestation. *Pediatrics, 114*(1), 297-316.

American Academy of Pediatrics (AAP) (2005a). AAP publications retired and reaffirmed. *Pediatrics, 116*(3), 796.

American Academy of Pediatrics (AAP) (2005b). The changing concept of sudden infant death syndrome: Diagnostic coding shifts, controversies regarding the sleeping environment, and new variables to consider in reducing risk. *Pediatrics, 116*(5), 1245-1255.

American Academy of Pediatrics (AAP) (2005c). Breastfeeding and the use of human milk, Policy Statement. *Pediatrics, 115*(23), 496-506.

American Academy of Pediatrics (AAP) (2006). *Red book: 2006 report of the committee on infectious diseases* (27th ed.). Elk Grove Village, Ill.: AAP.

American College of Obstetricians and Gynecologists (ACOG) (2001). Circumcision. ACOG Committee Opinion N° 260. *Obstet Gynecol, 98*(4), 707-708.

American Academy of Pediatrics (AAP) & American College of Obstetricians and Gynecologists (ACOG) (2007). *Guidelines for perinatal care* (6th ed.). Elk Grove Village, Ill.: AAP.

American Heart Association (2005). 2005 American Heart Association guidelines for cardiopulmonary resuscitation and emergency cardiovascular care. *Circulation, 112*(24), IV12-IV18.

American Medical Association Council on Scientific Affairs (2005). *Report 10 of the Council on Scientific Affairs (1-99): Neonatal circumcision.* [En ligne]. www.ama-assn.org/ama/no-index/about-ama/13585.shtml (page consultée le 31 juillet 2009).

Arbuckle, T., Wilkins, R., & Sherman, G. (1993). Birth weight percentiles by gestational age in Canada. *Obstet Gynecol, 81*(1), 39-48.

Association of Women's Health, Obstetric, and Neonatal Nurses (AWHONN) (2007). *Neonatal skin care: Evidence-based clinical practice guideline* (2nd ed.). Washington, D.C.: AWHONN.

Bakewell-Sachs, S. (2007). Near-term/late preterm infants. *Newborn & Infant Nursing Reviews, 7*(2), 67-71.

Ballard, J., Khoury, J., Wedig, K., Wang, L., Eilers-Walsman, B., & Lipp, R. (1991). New Ballard score, expanded to include extremely premature infants. *J Pediatr, 119*(3), 417-423.

Ballard, J., Novak, K., & Driver, M. (1979). A simplified score for assessment of fetal maturity of newly born infants. *J Pediatr, 95*(5 Pt 1), 769-774.

Battaglia, F. & Lubchenco, L. (1967). A practical classification of newborn infants by weight and gestational age. *J Pediatr, 71*(2), 159-163.

Blackburn, S. (2007). *Maternal, fetal, and neonatal physiology: A clinical perspective* (3rd ed.). St. Louis, Mo.: Saunders.

Brady-Fryer, B., Wiebe, N., & Lander, J.A. (2004). Pain relief for neonatal circumcision. *Cochrane Database Syst Rev, 3*, CD 004217.

Brazelton, T.B. (1995). Working with families: Opportunities for early intervention. *Pediatr Clin North Am, 42*(1), 1.

Clifford, P., Stringer, M., Christensen, H., & Mountain, D. (2004). Pain assessment and intervention for term newborns. *Journal of Midwifery & Women's Health, 49*(6), 514-519.

Cornblath, M., Hawdon, J.M., Williams, A.F., Aynsley-Green, A., Ward-Platt, M.P., Schwartz, R., *et al.* (2000). Controversies regarding definition of neonatal hypoglycemia: Suggested operational thresholds. *Pediatrics, 105*(5), 1141-1145.

D'Avanzo, C.E. (2008). *Mosby's pocket guide to cultural health assessment* (4th ed.). St. Louis, Mo.: Mosby.

DeBaun, M.R., & Vichinsky, E. (2007). Hemoglobinopathies. In R.M. Kliegman, R.E. Behrman, H.B. Jenson & B.F. Stanton (Eds.). *Nelson textbook of pediatrics* (18th ed.). Philadelphia: Saunders.

Dickason, E., Silverman, B. & Kaplan, J. (1998). *Maternal-infant nursing care* (3rd ed.). St. Louis, Mo.: Mosby.

Engle, W.D., Jackson, G.L., Sendelbach, D., Manning, D., & Frawley, W.H. (2002). Assessment of a transcutaneous device in the evaluation of neonatal hyperbilirubinemia in a primarily Hispanic population. *Pediatrics, 110*(1 Pt 1), 61-67.

Furdon, S., Eastman, M., Benjamin, K., & Horgan, M. (1998). Outcome measures after standardized pain management strategies in postoperative patients in the NICU. *J Perinat Neonatal Nurs, 12*(1), 58-69.

Hagedorn, M.E. (2006). Respiratory distress. In G.B. Merenstein & S.L. Gardner (Eds.). *Handbook of neonatal intensive care* (6th ed.). St. Louis, Mo.: Mosby.

Hockenberry, M.J., & Wilson, D. (2007). *Wong's nursing care of infants and children* (8th ed.). St. Louis, Mo.: Mosby.

Hockenberry, M.J., & Wilson, D. (2009). *Wong's essentials of pediatric nursing* (8th ed.). St. Louis, Mo.: Mosby.

Hoseth, E., Joergensen, A., Ebbesen, F., & Moeller, M. (2000). Blood glucose levels in a population of healthy, breast fed, term infants of appropriate size for gestational age. *Arch Dis Child Fetal Neonatal, 83*(2), F117-F119.

Keren, R., Luan, X., Friedman, S., Saddlemire, S., Cnaan, A., & Bhutani, V.K. (2008). A comparison of alternative risk-assessment strategies for predicting significant neonatal hyperbilirubinemia in term and near-term infants. *Pediatrics, 121*(1), e170-e179.

Kramer, M.S., Platt, R.W., Wen, S.W., Joseph, K.S., Allen, A., Abrahamowicz, M., *et al.* (2001). A new and improved population-based Canadian reference for birth weight for gestational age. *Pediatrics, 108*(2), e35.

Krebs, T. (1998). Cord care: Is it necessary? *Mother Baby Journal, 3*(2), 5-12, 18-20.

Krechel, S., & Bildner, J. (1995). CRIES: A new neonatal postoperative pain measurement score–initial testing of validity and reliability. *Paediatr Anaesth, 5*(1), 53-61.

LaFranchini, S. (2007). Disorders of the thyroid gland. In R.M. Kliegman, R.E. Behrman, H.B. Jenson & B.F. Stanton (Eds.). *Nelson textbook of pediatrics* (18th ed.). Philadelphia: Saunders.

Lashley, F.R. (2002). Newborn screening: New opportunities and new challenges. *Newborn & Infant Nursing Reviews, 2*(4), 228-242.

Lawrence, J., Alcock, D., McGrath, P., Kay, J., MacMurray, S., & Dulberg, C. (1993). The development of a tool to assess neonatal pain. *Neonatal Network, 12*(6), 59-66.

Leduc, D. & Woods, S. (2011) *La mesure de la température en pédiatrie.* [En ligne]. www.cps.ca/francais/enonces/cp/cp00-01.htm (page consultée le 15 décembre 2011).

Madan, A., Holland, S., Humbert, J.E., & Benitz, W.E. (2002). Racial differences in birth weight of term infants in a northern California population. *J Perinatol, 22*(3), 230-235.

Maisels, M.J. (2005). Jaundice. In M.G. MacDonald, M.D. Mullett & M.M. Seshia (Eds.). *Neonatology: Pathophysiology and management of the newborn* (6th ed.). Philadelphia: Lippincott Williams & Wilkins.

McConnell, T.P., Lee, C.W., Couillard, M., & Sherrill, W.W. (2004). Trends in umbilical cord care: Scientific evidence for practice. *Newborn & Infant Nursing Reviews, 4*(4), 211-222.

Mincey, H. & Gonzaba, G. (2007). End tidal carbon monoxide: A new method to detect hyperbilirubinemia in newborns. *Newborn & Infant Nursing Reviews, 7*(2), 122-128.

O'Doherty, N. (1986). *Neonatology: Micro atlas of the newborn.* Nutley, N.J.: Hoffman-LaRoche.

Pagana, K. & Pagana, T. (2006). *Mosby's manual of diagnostic and laboratory tests* (3rd ed.). St. Louis, Mo.: Mosby.

Pasero, C. (2002). Pain assessment in infants and young children: Neonates. *Am J Nurs, 102*(8), 61-65.

Razmus, I., Dalton, M., & Wilson, D. (2004). Pain management for newborn circumcision. *Pediatr Nurs, 30*(5), 414-417.

Rezvani, I. (2007). Metabolic diseases. In R.M. Kliegman, R.E. Behrman, H.B. Jenson & B.F. Stanton (Eds.). *Nelson textbook of pediatrics* (18th ed.). Philadelphia: Saunders.

Sharfstein, J.M., North, M.N., & Serwint, J.R. (2007). Over the counter but no longer under the radar–pediatric cough and cold medications. *N Engl J Med, 357*(23), 2321-2324.

Steffensrud, S. (2004). Hyperbilirubinemia in term and near-term infants: Kernicterus on the rise? *Newborn & Infant Nursing Reviews, 4*(4), 191-200.

Stevens, B., Johnston, C., Petryshen, P., & Taddio, A. (1996). Premature infant pain profile: Development and initial validation. *Clin J Pain, 12*(1), 13-22.

Stevens, B., Yamada, J., & Ohlsson, A. (2004). Sucrose for analgesia in newborn infants undergoing procedures. *Cochrane Database Syst Rev, 3*, CD 001069.

Stoll, B.J. (2007). The fetus and the neonatal infant. In R.M. Kliegman, R.E. Behrman, H.B. Jenson & B.F. Stanton (Eds.). *Nelson textbook of pediatrics* (18th ed.). Philadelphia: Saunders.

Thomas, P., Peabody, J., Turnier, V., & Clark, R.H. (2000). A new look at intrauterine growth and the impact of race, altitude, and gender. *Pediatrics, 106*(2), e21.

Visscher, M.O., Narendran, V., Pickens, W.L., LaRuffa, A.A., Meinzen-Derr, J., Allen, K., *et al.* (2005). Vernix caseosa in neonatal adaptation. *J Perinatal, 25*(7), 440-446.

Walden, M., & Franck, L. (2003). Identification, management, and prevention of newborn/infant pain. In C. Kenner & J. Lott (Eds.). *Comprehensive neonatal nursing: A physiologic perspective* (3rd ed.). St. Louis,Mo.: Saunders.

Walden, M., & Gibbins, S. (2008). *Pain assessment & management guideline for practice* (2nd ed.). Glenview, Ill.: National Association of Neonatal Nurses.

Zitelli, B.J., & Davis, H.W. (2007). *Atlas of pediatric physical diagnosis* (6th ed.). St. Louis, Mo.: Mosby.

Zupan, J, Garner, P., & Omari, A.A. (2004). Topical umbilical cord care at birth. *Cochrane Database Syst Rev, 3*, CD 00105.

Chapitre 18

Références de l'édition française

Agence de la santé publique du Canada (ASPC) (2008). *Rapport sur la santé périnatale au Canada : édition 2008.* [En ligne]. www.phac-aspc.gc.ca/publicat/2008/cphr-rspc/index-fra.php (page consultée le 8 août 2011).

Agence de la santé publique du Canada (ASPC) (2009a). *10 bonnes raisons d'allaiter votre bébé. L'allaitement est la meilleure solution pour vous et votre bébé.* [En ligne]. www.phac-aspc.gc.ca/hp-ps/dca-dea/stages-etapes/childhood-enfance_0-2/nutrition/pdf/reasons-raisons-fra.pdf (page consultée le 5 août 2011).

Agence de la santé publique du Canada (ASPC) (2009b). *Pratique du partage du lit : Examen systématique des publications et des politiques.* [En ligne]. www.phac-aspc.gc.ca/hp-ps/dca-dea/stages-etapes/childhood-enfance_0-2/sids/pbs-ppl-fra.php (page consultée le 10 août 2011).

Association des infirmières et infirmiers autorisés de l'Ontario (AIIAO) (2006). *L'allaitement maternel : concepts fondamentaux.* [En ligne]. www.rnao.org/Page.asp?PageID=924&ContentID=2031 (page consultée le 8 août 2011).

Association des infirmières et infirmiers du Canada (AIIC) (2008). *Énoncé commun sur l'allaitement maternel.* [En ligne]. www.cna-nurses.ca/CNA/documents/pdf/publications/JPS94_Breastfeeding_March_2008_f.pdf (page consultée le 5 août 2011).

Ateah, C.A., & Hamelin, K.J. (2008). Maternal bed-sharing practices, experiences, and awareness of risks. *J Obstet Gynaecol, 37*, 274-281.

Blair, P.S., Ward Platt, M., Smith, I.J., Fleming, P.J., & CESDI SUDI Research Group (2006). Sudden infant death syndrome and sleeping position in pre-term and low birth weight infants: An opportunity for targeted intervention. *Arch Dis Child, 91*, 101-106.

Briggs, G.G., Friedman, R.K., & Yaffe, S.J. (2008). *Drugs in pregnancy and lactation: A reference guide to fetal and neonatal risk* (8th ed.). Baltimore : Williams & Wilkins.

Canadian Foundation for the Study of Infant Deaths (CFSID) (2010). *Pacifiers.* [En ligne]. www.sidscanada.org/safesleep/pacifiers.html (page consultée le 10 août 2011).

Chalmers, B., Levitt, C., Heaman, M., O'Brien, B., Sauvé, R., & Kaczorowski, J. (2009) Breastfeeding rates and hospital breastfeeding practices in Canada: A national survey of women. *Birth Jun, 36*(2), 122-132.

Comité canadien pour l'allaitement (CCA) (2009). *BFI in Canada.* www.breastfeedingalberta.ca/bfi_in_canada.htm (page consultée le 5 août 2011).

Davidson, M.R., London, M.L., & Ladewig, P.A. (2008) *Maternal-Newborn Nursing Women's Health Across the Lifespan* (8th ed.). Upper Saddle River, N.J. : Pearson Prentice Hall.

Ferreira, E., *et al.* (2007). *Grossesse et allaitement : guide thérapeutique.* Montréal : Éditions du CHU Sainte-Justine.

Gartner, L., Morton, J., Lawrence, R., Naylor, A., O'Hare, D., *et al.* (2005). Breastfeeding and the use of human milk. *Pediatrics, 115*(2), 496-506.

Hale, T.W. (2010). *Medications and mothers'milk* (14th ed.). Amarillo, Tex. : Hale Publishing.

Héma-Québec (2010). *Projet de banque de lait maternel à l'étude.* [En ligne]. www.hema-quebec.qc.ca/publications/actualites-2/banque-de-lait-maternel.fr.html (page consultée le 10 septembre 2011).

Horta, B.L., Bahl, R., Martines, J. C., & Victora, C.G. (2007). *Evidence of the long-term effects of breastfeeding.* Geneva, Switzerland : World Health Organization.

Institut national de santé publique du Québec (INSPQ) (2011). *Mieux vivre avec notre enfant de la grossesse à deux ans.* [En ligne]. www.inspq.qc.ca/MieuxVivre (page consultée le 9 août 2011).

Kim, J.H., & Unger, S. (2010). *Les banques de lait humain.* [En ligne]. www.cps.ca/francais/enonces/N/N10-01.htm (page consultée le 11 août 2011).

Kramer, M.S., Aboutd, F., Mironova, E., Vanilovich, I., Platt, R.W., *et al.* (2008). Breastfeeding and child cognitive development: New evidence from a large randomized trial. *Arch Gen Psychiatry, 65*(5), 578-584.

Kramer, M.S., & Kakuma, R. (2004). The optimal duration of exclusive breastfeeding: A systematic review. *Adv Exp Med Biol, 554*, 63-77.

Ministère de la Justice du Canada (2011). *Règlement sur les aliments et drogues.* C.R.C., chap. 870. [En ligne]. http://laws-lois.justice.gc.ca/fra/reglements/C.R.C.%2C_ch._870/index.html (page consultée le 15 février 2012).

Morin, C., & Ferreira, E. (2010). Quels médicaments peuvent être problématiques durant l'allaitement ? *Québec Pharmacie, 57*(6), 15-20.

Nathoo, T., & Ostry, A. (2009). *The One Best Way? Breastfeeding History, Politics, and Policy in Canada.* Waterloo, Ont. : Wilfrid Laurier University Press.

Newman, J. (2005). How Breastmilk Protects Newborns. *Scientific American, 273*(6), 76-79.

Newman, J., & Pitman, T. (2006). *L'allaitement : comprendre et réussir avec Dr Jack Newman.* Rawdon, Qc : Jack Newman Communications.

Organisation mondiale de la santé (OMS) (1981). *Code international de commercialisation des substituts du lait maternel.* [En ligne]. www.who.int/nutrition/publications/code_french.pdf (page consultée le 9 septembre 2011).

Organisation mondiale de la santé (OMS) & UNICEF (2003). *Stratégie mondiale pour l'alimentation du nourrisson et du jeune enfant.* Genève, Suisse : OMS.

Organisation mondiale de la santé (OMS) & UNICEF (2010). *WHO/UNICEF Baby-Friendly Hospital Initiative (BFHI).* [En ligne]. http://tensteps.org/breastfeeding-bfhi.shtml (page consultée le 9 septembre 2011).

Otten, J.J., Pitzi Hellwig, J., & Meyers, L.D. (2006). *Les apports nutritionnels de référence : le guide essentiel des besoins en nutriments.* Washington, D.C. : National Academies Press.

Palda, V.A., Guise, J.M., Wathen, C.N., & Groupe d'étude canadien sur les soins de santé préventifs (GECSSP) (2004). Interventions visant à promouvoir l'allaitement maternel : application des données probantes à la pratique clinique. *Journal de l'Association médicale canadienne, 170* (6).

Palda, V.A., Guise, J.M., Wathen, C.N., & The Canadian Task Force on Preventive Health Care (2003). *Interventions to Promote Breastfeeding: Updated Recommendations from the Canadian Task Force on Preventive Health Care. CTFPHC Technical Report N° 03-6.* London, Ont. : Canadian Task Force.

Purnell, L.D., Paulanka, B.J. (2008). *Transcultural Health Care. A Culturally Competent Approach* (3rd ed.). Philadelphia : F.A. Davis.

Reid, J., Schmied, V., & Beale, B. (2010). «I only give advice if I am asked»: Examining the grandmother's potential to influence infant feeding decisions and parenting practices of new mothers. *Women and Birth, 23*, 74-80.

Santé Canada (2000). *Les soins à la mère et au nouveau-né dans une perspective familiale : lignes directrices nationales.* [En ligne]. www.phac-aspc.gc.ca/hp-ps/dca-dea/publications/fcm-smp/index-fra.php (page consultée le 8 août 2011).

Santé Canada (2001). *Codification ministérielle de la Loi sur les aliments et drogues et du Règlement sur-les aliments et drogues avec modifications jusqu'au 19 décembre 2001.* [En ligne]. http://publications.gc.ca/site/fra/117117/publication.html (page consultée le 12 septembre 2011).

Santé Canada (2005). *Apports nutritionnels de référence.* [En ligne]. www.hc-sc.gc.ca/fn-an/nutrition/reference/index-fra.php (page consultée le 12 septembre 2011).

Santé Canada (2009.) *Lignes directrices sur la nutrition pendant la grossesse à l'intention des professionnels de la santé – Renseignements relatifs au Guide alimentaire canadien.* [En ligne]. www.hc-sc.gc.ca/fn-an/pubs/nutrition/guide-prenatal-fra.php (page consultée le 11 août 2011).

Seréna Québec (2008). *Puis-je me fier à l'allaitement comme contraception ?* [En ligne]. www.fr.serena.ca/index.php?option=com_k2&view=item&id=127:puis-je-me-fier-à-l'allaitement-comme-contraception?&lang=fr (page consultée le 11 août 2011).

Société canadienne de pédiatrie (SCP) (2006). *Programme canadien de surveillance pédiatrique : l'ictère nucléaire et le nouveau-né en santé.* [En ligne]. www.cps.ca/francais/surveillance/PCSP/Ressource/IctereNucleaire.htm (page consultée le 16 février 2012).

Société canadienne de pédiatrie (SCP) (2007). Position Statement (FN 2007-02). Guidelines for detection, management and prevention of hyperbilirubinemia in term and late preterm newborn infants (35 or more weeks'gestation). *Paediatric Child Health, 12*(suppl. B), 1-12.

Société canadienne de pédiatrie (SCP) (2009). Concerns for the use of soy-based formulas in infant nutrition. *Paediatr Child Health*, 14, 109-113.

Société canadienne de pédiatrie (SCP) (2011). *L'administration systématique de vitamine K aux nouveau-nés. Un document de principes conjoint avec le Comité d'étude du fœtus et du nouveau-né de la Société canadienne de pédiatrie (SCP) et le Comité pour la santé des enfants et des adolescents du Collège des médecins de famille du Canada.* [En ligne]. www.cps.ca/francais/enonces/FN/fn97-01.htm (page consultée le 12 août 2011).

Société canadienne de pédiatrie (SCP), Les diététistes du Canada & Santé Canada (2005). *Nutrition du nourrisson en santé né à terme.* [En ligne]. www.hc-sc.gc.ca/fn-an/pubs/infant-nourrisson/nut_infant_nourrisson_term-fra.php (page consultée le 8 août 2011).

Statistique Canada (2006). *Enquête auprès des peuples autochtones (EAPA).* [En ligne]. www.statcan.gc.ca/search-recherche/index-fra.htm (page consultée le 8 août 2011).

UNICEF (2004). *Repères : Dix conditions pour le succès de l'allaitement maternel.* [En ligne]. www.unicef.org/french/sowc98/r051.htm (page consultée le 9 septembre 2011).

Références de l'édition originale

Academy of Breastfeeding Medicine (ABM) (2004). *Clinical protocol N° 8: Human milk storage information for home use for healthy full-term infants.* New Rochelle, N.Y. : ABM.

Academy of Breastfeeding Medicine (ABM) (2006). Clinical protocol No 13: Contraception during breastfeeding. *Breastfeeding Med, 1*(1), 43-51.

Academy of Breastfeeding Medicine (ABM) (2008). Clinical Protocol N° 4: Mastitis. *Breastfeeding Med, 3*(3), 177-180.

American Academy of Pediatrics (AAP) (2004). *Pediatric nutrition handbook* (5th ed.). Elk Grove Village, Ill. : AAP.

American Academy of Pediatrics (AAP) (2005). Breastfeeding and the use of human milk. Policy Statement. *Pediatrics, 115*(23), 496-506.

American Academy of Pediatrics Task Force on Sudden Infant Death Syndrome (2005). The changing concept of sudden infant death syndrome: Diagnostic coding shifts, controversies regarding the sleeping environment, and new variables to consider in reducing risk. *Pediatrics, 116*(5), 1245-1255.

Association of Women's Health, Obstetric and Neonatal Nurses (AWHONN) (2007). *Breastfeeding and the role of the nurse in the promotion of breastfeeding.* Washington, D.C. : AWHONN.

Becker, G., & Scott, M. (2008). Nutrition for lactating women. In R. Mannel, P.J. Martens & M. Walker (Eds.). *Core curriculum for lactation consultant practice* (2nd ed.). Sudbury, Mass. : Jones & Bartlett.

Bhatia, J., Greer, F., & American Academy of Pediatrics Committee on Nutrition (2008). Use of soy protein-based formulas in infant feeding. *Pediatrics, 121*(5), 1062-1068.

Blackburn, S. (2007). *Maternal, fetal, and neonatal physiology: A clinical perspective* (3rd ed.). St. Louis, Mo. : Saunders.

Bunik, M., Clark, L., Zimmer, L.M., Jimenez, L.M., O'Connor, M.E., Crane, L.A., *et al.* (2006). Early infant feeding decisions in low-income Latinas. *Breastfeeding Med, 1*(4), 225-235.

Clifford, J., & McIntyre, E. (2008). Who supports breastfeeding? *Breastfeeding Rev, 16*(2), 9-19.

Dell, K.M., & Davis, I.D. (2006). Fluid, electrolyte, and acid-base homeostasis. In R.J. Martin, A.A. Fanaroff & M.C. Walsh (Eds.). *Fanaroff and Martin's neonatal-perinatal medicine: Diseases of the fœtus and infant* (8th ed.). Philadelphia : Mosby.

Dollberg, S., Botzer, E., Grunis, E., & Mimouni, F.B. (2006). Immediate nipple pain relief after frenotomy in breast-fed infants with ankyloglossia: A randomized, prospective study. *J Pediatr Surg, 41*(9), 1598-1600.

Geddes, D.T. (2007). Inside the lactating breast: The latest anatomy research. *J Midwifery Womens Health, 52*(6), 556-563.

Hale, T.W. (2008). *Medications and mothers' milk* (13th ed.). Amarillo, Tex. : Hale Publishing.

Heird, W.C. (2007). The feeding of infants and children. In R.M. Kliegman, R.E. Behrman, H.B. Jenson & B.F. Stanton (Eds.). *Nelson textbook of pediatrics* (18th ed.). Philadelphia : Saunders.

Hernandez, I.F. (2006). Promoting exclusive breastfeeding for Hispanic women. *Am J Matern Child Nurs, 31*(5), 318-324.

Hohmann, H., & Creinin, M.D. (2007). The contraceptive implant. *Clin Obstet Gynecol, 50*(4), 907-917.

Horta, B.L., Bahl, R., Martines, J.C., & Victora, C.G. (2007). *Evidence of the long-term effects of breastfeeding.* Geneva, Switzerland : World Health Organization.

Institute of Medicine (IOM) (2005). *Dietary reference intakes for energy, carbohydrate, fiber, fatty acids, cholesterol, protein, and amino acids.* Washington, D.C. : National Academies Press.

International Lactation Consultant Association (ILCA) (1999). *Evidence-based guidelines for breastfeeding management during the first fourteen days.* Raleigh, N.C. : ILCA.

Ip, S., Chung, M., Raman, G., Chew, P, Magula, N., DeVine, D., *et al.* (2007). *Breastfeeding and maternal and infant health outcomes in developed countries. Evidence Report/Technology Assessment No 153.* (Prepared by Tufts-New England Medical Center Evidence-based Practice Center under Contract No. 290-02-0022). *AHRQ Publication No 07-E007.* Rockville, Md. : Agency for Healthcare Research and Quality.

Jones, F., & Tully, M.R. (2006). *Best practices for expressing, storing, and handling human milk in hospitals, homes, and child care settings* (2nd ed.). Raleigh, N.C. : Human Milk Banking Association of America.

Labiner-Wolfe, J., Fein, S.B., Shealy, K.R., & Wang, C. (2008). Prevalence of breast milk expression and associated factors. *Pediatrics, 122*(suppl. 2), S63-S68.

Lanese, M.G., & Cross, M. (2008). Breastfeeding a preterm infant. In R. Mannel, P.J. Martens & M. Walker (Eds.). *Core curriculum for lactation consultant practice* (2nd ed.). Sudbury, Mass. : Jones and Bartlett.

Laroia, N., & Sharma, D. (2006). The religious and cultural bases for breastfeeding practices among the Hindus. *Breastfeeding Med, 1*(2), 94-98.

Lauwers, J., & Swisher, A. (2005). *Counseling the nursing mother.* Sudbury, Mass. : Jones and Bartlett.

Lawrence, R., & Lawrence, R. (2005). *Breastfeeding: A guide for the medical profession* (6th ed.). Philadelphia : Mosby.

Lewallen, L.P., Dick, M.J., Flowers, J., Powell, W., Zickefoose, K.T., Wall, Y.G., *et al.* (2006). Breastfeeding support and early cessation. *J Obstet Gynecol Neonatal Nurs, 35*(2), 166-172.

Mannel, R. (2008). Milk expression, storage, and handling. In R. Mannel, P.J. Martens & M. Walker (Eds.). *Core curriculum for lactation consultant practice* (2nd ed.). Sudbury, Mass. : Jones & Bartlett.

McDowell, M.M., Wang, C., & Kennedy-Stephenson, J. (2008). Breastfeeding in the United States: Findings from the national health and nutrition examination surveys, 1999-2006. *NCHS Data Brief, 5*, 1-8.

O'Brien, M., Buikstra, E., & Hegney, D. (2008). The influence of psychological factors on breastfeeding duration. *J Adv Nurs, 63*(4), 397-408.

Page-Goertz, S. (2008). Hyperbilirubinemia and hypoglycemia. In R. Mannel, P.J. Martens & M. Walker (Eds.). *Core curriculum for lactation consultant practice* (2nd ed.). Sudbury, Mass. : Jones and Bartlett.

Ramsay, D.T., Kent, J.C., Hartmann, R.A., & Hartmann, P.E. (2005). Anatomy of the lactating human breast redefined with ultrasound imaging. *J Anat, 206*, 525-534.

Renfrew, M., & Hall, D. (2008). Enabling women to breastfeed. *BMJ, 337*, 1066-1067.

Riordan, J. (2005). *Breastfeeding and human lactation* (3rd ed.). Boston : Jones & Bartlett.

Rosen, I.M., Krueger, M.V., Carney, L.M., & Graham, J. A. (2008). Prenatal breastfeeding education and breastfeeding outcomes. *Am J Matern Child Nurs, 33*(5), 315-319.

Scott, J.A., Binns, C.W., Graham, K.I., & Oddy, W.H. (2006). Temporal changes in the determinants of breastfeeding initiation. *Birth, 33*(1), 37-45.

Shaikh, U., & Ahmed, O. (2006). Islam and infant feeding. *Breastfeeding Med, 1*(3), 164-167.

Shealy, K.R., Scanlon, K.S., Labiner-Wolfe, J., Fein, S.B., & Grummer-Strawn, L.M. (2008). Characteristics of breastfeeding practice among U.S. mothers. *Pediatrics, 122*(2), S50-S55.

Simmer, K., Patole, S., & Rao, S.C. (2008). Long-chain polyunsaturated fatty acid supplementation in infants born at term. *Cochrane Database Syst Rev, 1*, CD 000376.

Taylor, J.S., Geller, L., Risica, P.M., Kirtania, U., & Cabral, H.J. (2008). Birth order and breastfeeding initiation: Results of a national survey. *Breastfeeding Med, 3*(1), 20-27.

U.S. Department of Health and Human Services (2000). *Healthy People 2010.* (Conference edition, *vol. 2*). Washington, D.C. : Department of Health and Human Services.

Wagner, C.L., Grier, F.R., Section on Breastfeeding & Committee on Nutrition (2008). Prevention of rickets and vitamin D deficiency in infants, children and adolescents. *Pediatrics, 122*(5), 1142-1152.

Walker, M. (2006). *Breastfeeding management for the clinician: Using the evidence.* Sudbury, Mass. : Jones & Bartlett.

Walker, M. (2008a). Breastfeeding the late preterm infant. *J Obstet Gynecol Neonatal Nurs, 37*(6), 692-701.

Walker, M. (2008b). Conquering common breastfeeding problems. *J Perinat Neonatal Nurs, 22*(4), 267-274.

Weissinger, D. (1998). A breastfeeding teaching tool using a sandwich analogy for latch-on. *J Hum Lact, 14*(1), 51-56.

World Health Organization (WHO) & UNICEF (2003). *Global strategy for infant and young child feeding.* [En ligne]. http://whqlibdoc.who.int/publications/2003/9241562218.pdf (page consultée le 16 février 2012).

Chapitre 19

Références de l'édition française

Agence de la santé publique du Canada (ASPC) (2007). *Programme canadien de nutrition prénatale. Une décennie de promotion de la santé des mères, des bébés et des communautés.* [En ligne]. www.phac-aspc.gc.ca/hp-ps/dca-dea/publications/pdf/mb_f.pdf (page consultée le 17 novembre 2011).

Agence de la santé publique du Canada (ASPC) (2008). *Rapport sur la santé périnatale au Canada. Édition 2008.* [En ligne]. www.phac-aspc.gc.ca/publicat/2008/cphr-rspc/pdf/cphr-rspc08-fra.pdf (page consultée le 18 novembre 2011).

Auger, N., Daniel, M., Platt, RW., Lou, Z.C, Wu, Y., *et al.* (2008). The joint influence of marital status, interpregnancy interval, and neighborhood on small for gestational age birth: A retrospective cohort study. *BMC Pregnancy Childbirth, 8*(7), 1-9.

Baschat, A.A., Galan, H.L., Ross, M.G., & Gabbe, S.G. (2007). Intrauterine growth restriction. In S. Gabbe, J. Niebyl & J. Simpson (Eds.). *Obstetrics: Normal and problem pregnancies* (5th ed.). Philadelphia : Churchill Livingstone.

Bly, S., & Van den Hof, M.C. (2005). *Effets biologiques et innocuité de l'échographie obstétricale. Directive clinique de la SOGC n°160.* [En ligne]. www.sogc.org/guidelines/public/160F-CPG-Juin2005.pdf (page consultée le 19 novembre 2011).

Cargill, Y., & Morin, L. (2009). *Tenue systématique d'un examen échographique obstétrical au cours du deuxième trimestre : contenu d'un examen et d'un rapport exhaustifs. Directive clinique de la SOGC n° 223.* [En ligne].www.sogc.org/guidelines/documents/gui223CPG0903f.pdf (page consultée le 19 novembre 2011).

Carson, G., Vitale Cox, L., Crane, J., Croteau, P., Graves, L., *et al.* (2010). *Directive clinique de consensus sur la consommation d'alcool et la grossesse. Directive clinique de la SOGC n° 245.* [En ligne]. http://sogc.org/guidelines/documents/gui245CPG1008F.pdf (page consultée le 18 novembre 2011).

Centre hospitalier universitaire de Sherbrooke (2009). *Quand la nature a besoin d'aide.* [En ligne]. www.chus.qc.ca/fileadmin/doc_chus/Centre_des_medias/

Publireportages/26mars09.pdf (page consultée le 17 novembre 2011).

Chodirker, B.N., *et al.* (2001). *Canadian Guidelines for Prenatal Diagnosis. Genetic Indications for Prenatal Diagnosis. SOCG Clinical Practice Guideline n°105.* [En ligne].www.sogc.org/guidelines/public/105E-CPG1-June2001.pdf (page consultée le 21 novembre 2011).

Corporation de recherche et d'action sur les maladies héréditaires (2011). *Maladies héréditaires récessives.* [En ligne]. www.coramh.org/pages.php?p=3 (page consultée le 18 novembre 2011).

Davies, G.A.L. (2000). *Évaluation prénatale du bien-être fœtal. Directive clinique de la SOGC n° 90.* [En ligne]. www.sogc.org/guidelines/public/90F-CPG-Juin2000.pdf (page consultée le 22 novembre 2011).

Demianczuk, N.N., & Van der Hof, M.C. (2003). *Utilisation de l'échographie du premier trimestre. Directive clinique de la SOGC n° 135.* [En ligne]. www.sogc.org/guidelines/public/135F-CPG-Octobre2003.pdf (page consultée le 21 novembre 2011).

De Wals, P., *et al.* (2007). Reduction in Neural-Tube Defects after Folic Acid Fortification in Canada. *N Eng J Med, 357*(2), 135-142.

Duquette, M.P., Payette, H., Moutquin, J.M., Demmers, T., & Desrosiers-Choquette, J. (2008) Validation of a Screening Tool to Identify the Nutrionally at-Risk Pregnancy. *J Obstet Gynaecol Can, 30*(1), 29-37.

Fondation OLO (2011). *Fondation OLO pour naître en santé : mission.* [En ligne]. www.olo.ca/fr/apropos/Mission.html (page consultée le 17 novembre 2011).

Fung Kee Fung, K., & Eason, E. (2003). *Prévention de l'allo-immunisation fœto-maternelle Rh. Directive clinique de la SOGC n° 133.* [En ligne]. www.sogc.org/guidelines/public/133F-CPG-Septembre2003.pdf (page consultée le 21 novembre 2011).

Gabbe, S., Niebyl, J., & Simpson, J. (2007). *Obstetrics: Normal and problem pregnancies* (5th ed.). Philadelphia : Churchill Livingstone.

Gagnon, A., & Wilson, R.D. (2008). *Complications obstétricales associées aux analytes anormaux des marqueurs sériques maternels. Mise à jour technique de la SOGC n° 217.* [En ligne]. www.sogc.org/guidelines/documents/gui217CPG0810f.pdf (page consultée le 22 novembre 2011).

Garcia-Bournissen, F., Shrim, A., & Koren, G., (2006). Motherisk Update : Safety of gadolinium during pregnancy. *Canadian Family Physician, 52*, 309-310.

Gracey, M., & King, M. (2009). Indigenous health care part 1: Determinants and disease patterns. *Lancet, 374*, 65-75.

Institut canadien d'information sur la santé (ICIS) (2011). *Analyse en bref : facteurs qui influent sur la santé. Le moment propice : pourquoi l'âge de la mère est déterminant.* [En ligne]. http://secure.cihi.ca/cihiweb/products/AIB_InDueTime_WhyMaternalAgeMatters_F.pdf (page consultée le 18 novembre 2011).

Institut de la statistique du Québec (2011a). *Naissances et taux de natalité, Québec, 1900-2009.* [En ligne]. www.stat.gouv.qc.ca/donstat/societe/demographie/naisn_deces/naissance/401.htm (page consultée le 17 novembre 2011).

Institut de la statistique du Québec (2011b). *Naissances selon le rang et le groupe d'âge de la mère, Québec, 2001-2010.* [En ligne]. www.stat.gouv.qc.ca/donstat/societe/demographie/naisn_deces/naissance/406.htm (page consultée le 17 novembre 2011).

Lisonkova, S., Janssen, A.P., Sheps. S.B., Lee, S.K., & Dahlgren, L. (2010). The Effect of Maternal Age on Adverse Birth Outcomes: Does Parity Matter? *J Obstet Gynaecol Can, 32*(6), 541-548.

Liston, R., Sawchuck, D., & Young, D. (2007). *Surveillance du bien-être fœtal : Directive consensus d'antepartum et intrapartum.* [En ligne]. www.sogc.org/guidelines/documents/gui197CPG0709f.pdf (page consultée le 17 novembre 2011).

Liu, N., Wen, S.W., Katherine, W., Bottomley, J., Yang, Q., *et al.* (2010). Neighbourhood Family Income and Adverse Birth Outcomes Among Singleton Deliveries. *J Obstet Gynaecol Can, 32*(11), 1042-1048.

Manning, F.A. (1992). Biophysical profile scoring. In J. Nijhuis (Ed.). *Fetal behavior.* New York : Oxford University Press.

Manning, F.A., Harman, C.R, Morrison, I., Menticoglou, S.M., Lange, I.R., & Johnson, J.M. (1990). Fetal assessment based on fetal biophysical profile scoring. *Am J Obstet Gynecol, 162*, 703.

Milne, J.K. (2010) *Amélioration des performances en matière de sécurité des patients et de réduction des risques grâce à la participation au Programme MoreOB.* [En ligne]. www.amproob.com/assets/Annexe4.pdf (page consultée le 12 décembre 2011).

Odaschy, A., Kazmin, A., & Koren, G. (2009). Nicotine Remplacement Therapy During Pregnancy: Recommended or Not Recommended? *J Obstet Gynaecol Can, 31*(8), 744-747.

Resnik, R., & Creasy, R.K. (2009). Intrauterine growth restriction. In R.K. Creasy, R. Resnik & J.D. Iams (Eds.). *Creasy and Resnik's maternal-fetal medicine: Principles and practice* (6th ed.). Philadelphia : Saunders.

Roy-Matton, N., Moutquin, J.M., Brown, C., Carrier, N., & Bell, L. (2011) The Impact of Perceived Maternal Stress and Other Psychosocial Risk Factors on Pregnancy Complications. *J Obstet Gynaecol Can; 33*(4), 344-352.

Sayers, S.M. (2009). Indigenous Newborn Care. *Pediatr clin North Am, 56*(6), 1243-1261.

Simpson, J.L., & Otano, L. (2007). Prenatal genetic diagnosis. In S. Gabbe, J. Niebyl & J. Simpson (Eds.). *Obstetrics: Normal and problem pregnancies* (5th ed.). Philadelphia : Churchill Livingstone.

Statistique Canada (2011a). *Naissances, estimations par province et territoire.* [En ligne]. www40.statcan.ca/l02/cst01/demo04a-fra.htm (page consultée le 17 novembre 2011).

Statistique Canada (2011b). *Âge moyen de la mère selon la géographie.* [En ligne]. lwww.statcan.gc.ca/pub/84f0210x/2008000/t004-fra.htm (page consultée le 22 novembre 2011).

Summers, A.M., Langlois, S., Wyatt, P., & Wilson, R.D. (2007): *Dépistage prénatal de l'aneuploïdie fœtale. Directive clinique de la SOGC n° 187.* [En ligne]. www.sogc.org/guidelines/documents/187F-CPG-February2007.pdf (page consultée le 21 novembre 2011).

Van der Hof, M.C., & Bly, S. (2007). *Utilisation non médicale de l'échographie fœtale. Déclaration de principe de la SOGC n°191.* [En ligne]. www.sogc.org/guidelines/documents/191F-PS-Avril2007.pdf (page consultée le 21 novembre 2011).

Van der Hof, M.C., & Wilson, R.D. (2005). *Marqueurs faibles fœtaux en échographie obstétricales. Directive clinique de la SOGC n° 162.* [En ligne]. www.sogc.org/guidelines/public/162F-CPG-Juin2005.pdf (page consultée le 12 décembre 2011).

Weng, X., Odouli, R., & Li, D-K. (2008) Maternal caffeine consumption during pregnancy and the risk of miscarriage: A prospective cohort study. *Am J Obstet Gynecol, 198*, 279.e1-279.e8.

Wilson, R.D. (2005) *Lignes directrices canadiennes modifiées sur le diagnostic prénatal (2005) : techniques de diagnostic prénatal. Directive clinique de la SOGC n° 168.* [En ligne]. www.sogc.org/guidelines/public/168F-CPG-Novembre2005.pdf (page consultée le 21 novembre 2011).

Wilson, R.D., Langlois, S., & Johnson, J. (2007). *Taux de perte fœtale associée à l'amniocentèse menée au cours du deuxième trimestre. Opinion de comité n° 194.* [En ligne]. www.sogc.org/guidelines/documents/gui194CPG0707f.pdf (page consultée le 21 novembre 2011).

Références de l'édition originale

American College of Obstetricians and Gynecologists (ACOG) (2004). *Ultrasonography in pregnancy. Practice Bulletin n° 58.* Washington, D.C. : ACOG.

American College of Obstetricians and Gynecologists (ACOG) (2007). *Screening for fetal chromosomal abnormalities. Practice Bulletin n° 77.* Washington, D.C. : ACOG.

Druzin, M., Smith, J., Gabbe, S., & Reed, K. (2007). Antepartum fetal evaluation. In S. Gabbe, J. Niebyl & J. Simpson (Eds.). *Obstetrics: Normal and problem pregnancies* (5th ed.). Philadelphia : Churchill Livingstone.

Francois, K.E., & Foley, M.R. (2007). Antepartum and postpartum hemorrhage. In S. Gabbe, J. Niebyl & J. Simpson (Eds.). *Obstetrics: Normal and problem pregnancies* (5th ed.). Philadelphia : Churchill Livingstone.

Gilbert, E.S. (2007a). *Manual of high risk pregnancy & delivery* (4th ed.). St. Louis, Mo. : Mosby.

Gilbert, W.M. (2007b). Amniotic fluid disorders. In S. Gabbe, J. Niebyl & J. Simpson (Eds.). *Obstetrics: Normal and problem pregnancies* (5th ed.). Philadelphia : Churchill Livingstone.

Harman, C.R. (2009). Assessment of fetal health. In R.K. Creasy, R. Resnik & J.D. Iams (Eds.). *Creasy and Resnik's maternal-fetal medicine: Principles and practice* (6th ed.). Philadelphia : Saunders.

Manning, F.A. (2009). Imaging in the diagnosis of fetal anomalies. In R.K. Creasy, R. Resnik & J.D. Iams (Eds.). *Creasy and Resnik's maternal-fetal medicine: Principles and practice* (6th ed.). Philadelphia : Saunders.

Mercer, B.M. (2009). Assessment and induction of fetal pulmonary maturity. In R.K. Creasy, R. Resnik & J.D. Iams (Eds.). *Creasy and Resnik's maternal-fetal medicine: Principles and practice* (6th ed.). Philadelphia : Saunders.

Richards, D.S. (2007). Ultrasound for pregnancy dating, growth, and the diagnosis of fetal malformations. In S. Gabbe, J. Niebyl & J. Simpson (Eds.). *Obstetrics: Normal and problem pregnancies* (5th ed.). Philadelphia : Churchill Livingstone.

Silbergeld, E., & Patrick, T. (2005). Environmental exposures, toxicologic mechanisms, and adverse pregnancy outcomes. *Am J Obstet Gynecol, 192*(5), S11-121.

Simpson, J.L., & Otano, L. (2007). Prenatal genetic diagnosis. In S. Gabbe, J. Niebyl & J. Simpson (Eds.). *Obstetrics: Normal and problem pregnancies* (5th ed.). Philadelphia : Churchill Livingstone.

Tucker, S.M., Miller, L.A, & Miller, D.A. (2009). *Mosby's pocket guide to fetal monitoring: A multidisciplinary approach* (6th ed.). St. Louis, Mo. : Mosby.

Wapner, R.J., Jenkins, T.M., & Khalek, N. (2009). Prenatal diagnosis of congenital disorders. In R.K. Creasy, R. Resnik & J.D. Iams (Eds.). *Creasy and Resnik's maternal-fetal medicine: Principles and practice* (6th ed.). Philadelphia : Saunders.

Chapitre 20

Références de l'édition française

Abarientos, C., Sperber, K., Shapiro, D.L., Aronow, W.S., Chao, C.P., & Ash, J.Y. (2011). Hydroxychloroquine in systemic lupus erythematosus and rheumatoid arthritis and its safety in pregnancy. *Expert Opin Drug Saf, 10*(5), 705-714.

Abboud, J., Murad, Y., Chen-Scarabelli, C., Saravolatz, L., & Scarabelli, T.M. (2007). Peripartum cardiomyopathy: A comprehensive review. *Int J Cardiol, 118*(3), 295-303.

Abeinhaim, H.A., & Benjamin, A. (2011). Higher caesarean Section Rates in women with higher body mass index: Are we managing labour differently. *J Obstet Gynaecol Can, 33*(5), 443-448.

Agence de la santé publique du Canada (ASPC) (2005). *Santé avant la grossesse et acide folique.* [En ligne]. www.phac-aspc.gc.ca/fa-af/backgrounder-fra.php (page consultée le 31 octobre 2011).

Agence de la santé publique du Canada (ASPC) (2008). *Rapport sur la santé périnatale au Canada : édition 2008. Un aperçu de la santé périnatale au Canada. Partie B : comportements et habitudes pendant la grossesse.* [En ligne]. www.phac-aspc.gc.ca/publicat/2008/cphr-rspc/behaviours-comportements-fra.php (page consultée le 31 octobre 2011).

Ananaba, I.E., Hare, J.Y., & Franklin, W.J. (2011). The pregnant patient with congenital heart disease. *Methodist Debakey Cardiovasc J, 7*(2), 9-12.

Association canadienne du diabète (ACD) (2008). *Lignes directrices de pratique clinique 2008 de l'Association canadienne du diabète pour la prévention et le traitement du diabète au Canada.* [En ligne]. www.diabetes.ca/documents/about-diabetes/CPG_FR.pdf (page consultée le 25 octobre 2011).

Bhakta, P., Biswas, B.K., & Banerjee, B. (2007). Peripartum cardiomyopathy: Review of the literature. *Yonsei Med J., 48*(5), 731-747.

Beydoun, H.A., Beydoun, M.A., & Tamim, H. (2009). How does gestational diabetes affect postpartum contraception in nondiabetic primiparous women? *Contraception, 79*(4), 290-296.

Bonnema, R.A., McNamara, M.C., & Spencer, A.L. (2010). Contraception choices in women with underlying medical conditions. *Am Fam Physician, 82*(6), 621-628.

Bowater, S.E., & Thorne, S.A. (2010). Management of pregnancy in women with acquired and congenital heart disease. *Postgrad Med J, 86*(1012), 100-105.

Breton, M.C., Beauchesne, M.F., Lemière, C., Rey, E., Forget, A., & Blais, L. (2009). Risk of perinatal mortality associated with asthma during pregnancy. *Thorax, 64*(2), 101-106.

Culwell, K.R., Curtis, K.M., & del Carmen Cravioto, M. (2009). Safety of contraceptive method use among women with systemic lupus erythematosus: A systematic review. *Obstet Gynecol, 114*(2 Pt 1), 341-353.

Delissaint, D., & McKyer, E.L. (2011). A Systematic Review of Factors Utilized in Preconception Health Behavior Research. *Health Educ Behav, 38*(6), 603-616.

De Valk, H.W., & Visser, G.H. (2011). Insulin during pregnancy, labour and delivery. *Best Pract Res Clin Obstet Gynaecol, 25*(1), 65-77.

Diabète Québec (2009). *Qu'est-ce que le diabète?* [En ligne]. www.diabete.qc.ca/html/le_diabete/questcequedia.html (page consultée le 25 octobre 2011).

Doran, F., & Davis, K. (2011). Factors that influence physical activity for pregnant and postpartum women and implications for primary care. *Aust J Prim Health, 17*(1), 79-85.

Drews, K., & Seremak-Mrozikiewicz, A. (2011). The optimal treatment of thyroid gland function disturbances during pregnancy. *Curr Pharm Biotechnol, 12*(5), 774-780.

Fadl, H.E., Ostlund, I.K., Magnuson, A.F., & Hanson U.S. (2010). Maternal and neonatal outcomes and time trends of gestational diabetes mellitus in Sweden from 1991 to 2003. *Diabet Med, 27*(4), 436-441.

Ferrara, A., Hedderson, M.M., Albright, C.L., Ehrlich, S.F., Quesenberry, *et al.* (2011). A Pregnancy and Postpartum Lifestyle Intervention in Women With Gestational Diabetes Mellitus Reduces Diabetes Risk Factors: A feasibility randomized control trial. *Diabetes Care, 34*(7),1519-1525.

Fondation canadienne de la fibrose kystique (2008). *Rapport du Registre canadien de données sur les patients fibrokystiques.* [En ligne]. www.cysticfibrosis.ca/assets/files/pdf/RCDP_Presentation.pdf (page consultée le 31 octobre 2011).

Garabedian, C., & Deruelle, P. (2010). Delivery (timing, mode, glycemic control) in women with gestational diabetes. *J Gynecol Obstet Biol Reprod, 39*(8 suppl. 2), S274-S280.

Grant, S.M., Wolever, T.M., O'Connor, D.L., Nisenbaum, R., & Josse, R.G. (2011). Effect of a low glycaemic index diet on blood glucose in women with gestational hyperglycaemia. *Diabetes Res Clin Pract, 91*(1), 15-22.

Guo, R.X., Yang, L.Z., Li, L.X., & Zhao, X.P. (2008). Diabetic ketoacidosis in pregnancy tends to occur at lower blood glucose levels: Case-control study and a case report of euglycemic diabetic ketoacidosis in pregnancy. *J Obstet Gynaecol Res, 34*(3), 324-330.

Harvey, M.G. (1992). Diabetic ketoacidosis during pregnancy. *J Perinat Neonatal Nurs, 6*(1), 1-13.

Hawkins, J.S. (2010). Glucose monitoring during pregnancy. *Curr Diab Rep, 10*(3), 229-234.

Hawthorne, G. (2011). Maternal complications in diabetic pregnancy. *Best Pract Res Clin Obstet Gynaecol, 25*(1), 77-90.

Horvath, K., Koch, K., Jeitler, K., Matyas, E., Bender, R., *et al.* (2010). Effects of treatment in women with gestational diabetes mellitus: Systematic review and meta-analysis. *BMJ, 340,* 1395.

Hutcheon, J.A., Lisonkova, S., Magee, L.A., Von Dadelszen, P., Woo, H.L., *et al.* (2011a). Optimal timing of delivery in pregnancies with pre-existing hypertension. *BJOG, 118*(1), 49-54.

Hutcheon, J.A., Lisonkova, S., & Joseph, K.S. (2011b). Epidemiology of pre-eclampsia and the other hypertensive disorders of pregnancy. *Best Pract Res Clin Obstet Gynaecol, 25*(4), 391-403.

Idris, N., Wong, S.F., Thomae, M., Gardener, G., & McIntyre, D.H. (2010). Influence of polyhydramnios on perinatal outcome in pregestational diabetic pregnancies. *Ultrasound Obstet Gynecol, 36*(3), 338-343.

Inoue, M., Arata, N., Koren, G., & Ito, S. (2009). Hyperthyroidism during pregnancy. *Can Fam Physician, 55*(7), 701-703.

Institut canadien d'information sur la santé (ICIS) (2008). *Donner naissance au Canada : Tendances régionales de 2001-2002 à 2005-2006.* [En ligne]. http://secure.cihi.ca/cihiweb/fr/downloads/Childbirth_AiB_FINAL_F.pdf (page consultée le 27 octobre 2011).

Institut national de santé publique (INSPQ) (2005). *Rapport d'évaluation du Programme québécois de dépistage sanguin des maladies génétiques chez le nouveau-né.* [En ligne]. www.inspq.qc.ca/pdf/publications/484-RapportDepistageSanguin.pdf (page consultée le 23 novembre 2011).

Jentink, J., Dolk, H., Loane, M.A., Morris, J.K., Wellesley, D., *et al.* (2010). Intrauterine exposure to carbamazepine and specific congenital malformations: Systematic review and case-control study. *BMJ, 2,* 341-347.

Karras, S., Tzotzas, T., Kaltsas, T., & Krassas, G.E. (2010). Pharmacological treatment of hyperthyroidism during lactation: Review of the literature and novel data. *Pediatr Endocrinol Rev, 8*(1) 25-33.

Kealey, A. (2010). Coronary artery disease and myocardial infarction in pregnancy: A review of epidemiology, diagnosis, and medical and surgical management. *Can J Cardiol, 26*(6), 185-189.

Kim, C. (2010). Gestational diabetes: Risks, management, and treatment options. *Int J Womens Health, 2,* 339-351.

Kulaga, S., Sheehy, O., Zargarzadeh, A.H., Moussally, K., & Bérard, A (2011). Antiepileptic drug use during pregnancy: Perinatal outcomes. *Seizure, 20*(9), 667-672.

La Fondation canadienne de la Thyroïde (2009). *Les maladies thyroïdiennes, la grossesse et la fertilité.* [En ligne]. www.thyroid.ca/fr/pregnancy_fertility.php (page consultée le 31 octobre 2011).

Lazarus, J.H. (2011). Screening for thyroid dysfunction in pregnancy: is it worthwhile? *J Thyroid Res, 2011,* 397012.

Lieberman, L., Kirby, M., Ozolins, L., Mosko, J., & Friedman, J. (2009). Initial presentation of unscreened children with sickle cell disease: The Toronto experience. *Pediatr Blood Cancer, 53*(3), 397-400.

Louvigné, C. (2006). Les troubles thyroïdiens durant la grossesse et l'allaitement. *Québec Pharmacie, 53*(5), 255-259.

McNamara, J.M., & Odibo, A.O. (2011). Sonographic evaluation and the pregnancy complicated by diabetes. *Curr Diab Rep, 11*(1), 13-19.

Mersereau, P., Williams, J., Collier, S.A., Mulholland, C., Turay, K., *et al.* (2011). Barriers to managing diabetes during pregnancy: The perceptions of health care practitioners. *Birth, 38*(2), 142-149.

Ministère de la Santé et des Services sociaux (MSSS) (2011a). *Le ministre Yves Bolduc annonce la mise sur pied d'un programme de dépistage néonatal de l'anémie falciforme.* [En ligne]. http://communiques.gouv.qc.ca/gouvqc/communiques/GPQF/Mars2011/26/c6745.html (page consultée le 31 octobre 2011).

Ministère de la Santé et des Services sociaux (MSSS) (2011b). *Avis sur les mères toxicomanes.* [En ligne]. http://publications.msss.gouv.qc.ca/biblio/CPLT/publications/99meres.pdf (page consultée le 12 janvier 2011).

Mitanchez, D. (2010). Foetal and neonatal complications in gestational diabetes: Perinatal mortality, congenital malformations, macrosomia, shoulder dystocia, birth injuries, neonatal complications. *Diabetes Metab, 36*(6 Pt 2), 617-627.

Mottola, M.F. (2008). The role of exercise in the prevention and treatment of gestational diabetes mellitus. *Curr Diab Rep, 8*(4), 299-304.

Mozurkewich, E., Chilimigras, J., Koepke, E., Keeton, K., King, V.J. (2009). Indications for induction of labour: A best-evidence review. *BJOG, 116*(5), 626-636.

Origa, R., Piga, A., Quarta, G., Forni, G.L., Longo, F., *et al.* (2010). Pregnancy and beta-thalassemia: An Italian multicenter experience. *Haematologica, 95*(3), 376-381.

Regitz-Zagrosek, V., Seeland, U., Geibel-Zehender, A., Gohlke-Bärwolf, C., Kruck, I., *et al.* (2011). Cardiovascular diseases in pregnancy. *Dtsch Arztebl Int, 108*(16), 267-273.

Retnakaran, R., Hanley, A.J., Connelly, P.W., Sermer, M., & Zinman, B. (2006). Ethnicity modifies the effect of obesity on insulin resistance in pregnancy: A comparison of Asian, South Asian, and Caucasian women. *J Clin Endocrinol Metab, 91*(1), 93-97.

Rey, E., & Boulet, L.P. (2007). Asthma in pregnancy. *BMJ, 334*(7593), 582-585.

Robitaille, N., Delvin, E.E., & Hume, H.A. (2006). Newborn screening for sickle cell disease: A 1988–2003 Quebec experience. *Paediatr Child Health, 11*(4), 223-227.

Rocklin, R.E. (2011). Asthma, asthma medications and their effects on maternal/fetal outcomes during pregnancy. *Reprod Toxicol, 32*(2), 189-197.

Ryan, E.A. (2010). Diagnosing gestational diabetes. *Diabetologia, 54*(3), 480-486.

Santé Canada (2010). *Aliments et nutrition. Recommandations canadiennes relatives au gain de poids pendant la grossesse.* [En ligne]. www.hc-sc.gc.ca/fn-an/nutrition/prenatal/qa-gest-gros-qr-fra.php (page consultée le 26 octobre 2011).

Shawe, J., Mulnier, H., Nicholls, P., & Lawrenson, R. (2008). Use of hormonal contraceptive methods by women with diabetes. *Prim Care Diabetes, 2*(4), 195-199.

Silversides, C.K., Kiess, M., Beauchesne, L., Bradley, T., Connelly, M., *et al.* (2010). Canadian Cardiovascular Society 2009 Consensus Conference on the management of adults with congenital heart disease: Outflow tract obstruction, coarctation of the aorta, tetralogy of Fallot, Ebstein anomaly and Marfan's syndrome. *Can J Cardiol, 26*(3), e80-e97.

Silversides, C.K., Sermer, M., & Siu, S.C. (2009). Choosing the best contraceptive method for the adult with congenital heart disease. *Curr Cardiol Rep, 11*(4), 298-305.

Société canadienne de la sclérose en plaques (2011). *À propos de la SP.* [En ligne]. http://mssociety.ca/fr/informations/default.htm (page consultée le 31 octobre 2011).

Société des gynécologues et obstétriciens du Canada (SOGC) (2007a). *Tératogénicité associée aux diabètes gestationnel et préexistant. Directive clinique de la SOGC, n° 200.* [En ligne]. www.sogc.org/guidelines/documents/guiJOGC200CPG0711f.pdf (page consultée le 26 octobre 2011).

Société des gynécologues et obstétriciens du Canada (SOGC) (2007b). *Surveillance du bien-être fœtal. Directive consensus d'antepartum et intrapartum.* [En ligne]. www.sogc.org/guidelines/documents/gui197CPG0709f.pdf (page consultée le 26 octobre 2011).

Société des gynécologues et obstétriciens du Canada (SOGC) (2010b). *Antibioprophylaxie dans le cadre d'interventions obstétricales. Directive clinique de la SOGC n° 247.* [En ligne]. www.sogc.org/guidelines/documents/gui247CPG1009F_000.pdf (page consultée le 31 octobre 2011).

Société des obstétriciens et gynécologues du Canada (SOGC) (2011a). *L'acide folique : pour la préconception et la grossesse.* [En ligne]. www.sogc.org/health/pregnancy-folic_f.asp (page consultée le 31 octobre 2011).

Société des obstétriciens et gynécologues du Canada (SOGC) (2011b). *Médicaments et drogues : avant et pendant la grossesse.* [En ligne]. www.sogc.org/health/pregnancy-medicationsanddrugsduring_f.asp (page consultée le 24 novembre 2011).

Society of Obstetricians and Gynaecologists of Canada (SOGC) (2010a). *Recurrent urinary tract infection. Clinical Practice Guideline n° 250.* [En ligne]. www.sogc.org/guidelines/documents/gui250CPG1010E.pdf (page consultée le 31 octobre 2011).

Sullivan, S.D., Umans, J.G., & Ratner, R. (2011). Hypertension complicating diabetic pregnancies: Pathophysiology, management, and controversies., *J Clin Hypertens,13*(4), 275-284.

Thiebaugeorges, O., & Guyard-Boileau, B. (2010). Obstetrical care in gestational diabetes and management of preterm labor. *J Gynecol Obstet Biol Reprod, 39*(8 suppl 2), S264-S273.

Tiemstra, J.D., & Khatkhate, N. (2007). Bell's palsy: Diagnosis and management. *Am Fam Physician, 76*(7), 997-1002.

Tiesler, C.M., Chen, C.M., Sausenthaler, S., Herbarth, O., Lehmann, I., *et al.*(2011). Passive smoking and behavioural problems in children: Results from the LISAplus prospective birth cohort study. *Environ Res, 111*(8), 1173-1179.

Tomson, T., Battino, D., Bonizzoni, E., Craig, J., Lindhout, D., *et al.* (2011). Dose-dependent risk of malformations with antiepileptic drugs: An analysis of data from the EURAP epilepsy and pregnancy registry. *Lancet Neurol, 10*(7), 609-617.

Van der Kop, M.L., Pearce, M.S., Dahlgren, L., Synnes, A., Sadovnick, D., *et al.* (2011). Neonatal and delivery outcomes in women with multiple sclerosis. *Ann Neurol, 70*(1), 41-50.

Wang, H., Zhang, W., & Liu, T. (2011). Experience of managing pregnant women with Eisenmenger's syndrome: maternal and fetal outcome in 13 cases. *J Obstet Gynaecol Res, 37*(1), 64-70.

Yan Yuen, S., Krizova, A., Ouimet, J.M., & Pope, J.E. (2008). Pregnancy Outcome in Systemic Lupus Erythematosus (SLE) is Improving: Results from a Case Control Study and Literature Review. *Open Rheumatol J, 2*, 89-98.

Références de l'édition originale

Aminoff, M. (2009). Neurologic disorders. In R. Creasy, R. Resnik & J. Iams (Eds.). *Creasy and Resnik's maternal-fetal medicine: Principles and practice* (6th ed.). Philadelphia : Saunders.

Anderson, J., Waller, D., Canfield, M., Shaw G., Watkins, M., & Werler, M. (2005). Maternal obesity, gestational diabetes, and central nervous system birth defects. *Epidemiology, 16*(1), 87-92.

Blackburn, S. (2007). *Maternal, fetal, and neonatal physiology: A clinical perspective* (3rd ed.). St. Louis, Mo. : Saunders.

Blanchard, D., & Shabetai, R. (2009). Cardiac diseases. In R. Creasy, R. Resnik & J. Iams (Eds.). *Creasy and Resnik's maternal-fetal medicine: Principles and practice* (6th ed.). Philadelphia : Saunders.

Brady, T., & Ashley, O. (2005). *Women in substance abuse treatment: Results from alcohol and drug services study (ADSS).* [En ligne]. http://oas.samhsa.gov/womenTX/womenTX.pdf (page consultée le 19 février 2012).

Cappell, M. (2007). Hepatic and gastrointestinal diseases. In S. Gabbe, J. Niebyl & J. Simpson (Eds.). *Obstetrics: Normal and problem pregnancies* (5th ed.). Philadelphia : Churchill Livingstone.

Chan, P., & Johnson, S. (2006). *Gynecology and obstetrics: Current clinical strategies.* Laguna Hills, Calif. : CCS Publishing.

Cianni, G., Volpe, L., Lencioni, C., Chatzianagnostou, K., Cuccuru, J., Ghio, A., *et al.* (2005). Use of insulin glargine during the first weeks of pregnancy in five type 1 diabetic women. *Diabetes Care, 28*(4), 982-983.

Cunningham, F., Leveno, K., Bloom, S., Hauth, J., Gilstrap, L., & Wenstrom, K. (Eds.). (2005). *Williams obstetrics* (22nd ed.). New York : McGraw-Hill.

Easterling, T., & Stout, K. (2007). Heart disease. In S. Gabbe, J. Niebyl & J. Simpson (Eds.). *Obstetrics: Normal and problem pregnancies* (5th ed.). Philadelphia : Churchill Livingstone.

Gilbert, E. (2007). *Manual of high risk pregnancy & delivery* (4th ed.). St. Louis, Mo. : Mosby.

Holmgren, C., & Branch, D. (2007). Collagen vascular diseases. In S. Gabbe, J. Niebyl & J. Simpson (Eds.). *Obstetrics: Normal and problem pregnancies* (5th ed.). Philadelphia : Churchill Livingstone.

Iams, J., Romero, R., & Creasy, R. (2009). Preterm labor and birth. In R. Creasy, R. Resnik & J. Iams (Eds.). *Creasy and Resnik's maternal-fetal medicine: Principles and practice* (6th ed.). Philadelphia : Saunders.

Kilpatrick, S. (2009). Anemia and pregnancy. In R. Creasy, R. Resnik & J. Iams (Eds.). *Creasy and Resnik's maternal-fetal medicine: Principles and practice* (6th ed.). Philadelphia : Saunders.

Klein, L., & Galan, H. (2004). Cardiac disease in pregnancy. *Obstet Gynecol Clin North Am, 31*(2), 429-459.

Landon, M., Catalano, P., & Gabbe, S. (2007). Diabetes mellitus complicating pregnancy. In S. Gabbe, J. Niebyl & J. Simpson (Eds.). *Obstetrics: Normal and problem pregnancies* (5th ed.). Philadelphia : Churchill Livingstone.

Lawrence, R., & Lawrence, R. (2005). *Breastfeeding: A guide for the medical profession* (6th ed.). St. Louis, Mo. : Mosby.

Lindsay, C. (2006). Pregnancy complicated by diabetes mellitus. In R. Martin, A. Fanaroff & M. Walsh (Eds.). *Fanaroff and Martin's neonatal-perinatal medicine: Diseases of the fetus and infant* (8th ed.). Philadelphia : Mosby.

Mestman, J. (2007). Thyroid and parathyroid diseases in pregnancy. In S. Gabbe, J. Niebyl & J. Simpson (Eds.). *Obstetrics: Normal and problem pregnancies* (5th ed.). Philadelphia : Churchill Livingstone.

Moore, T., & Catalano, P. (2009). Diabetes in pregnancy. In R. Creasy, R. Resnik & J. Iams (Eds.). *Creasy and Resnik's maternal-fetal medicine: Principles and practice* (6th ed.). Philadelphia : Saunders.

Nader, S. (2009). Thyroid disease and pregnancy. In R. Creasy, R. Resnik & J. Iams (Eds.). *Creasy and Resnik's maternal-fetal medicine: Principles and practice* (6th ed.). Philadelphia : Saunders.

Paidas, M., & Hossain, N. (2009). Embryonic and fetal demise. In R. Creasy, R. Resnik & J. Iams (Eds.). *Creasy and Resnik's maternal-fetal medicine: Principles and practice* (6th ed.). Philadelphia : Saunders.

Papoutsis, J., & Kroumpouzos, G. (2007). Dermatologic disorders of pregnancy. In S. Gabbe, J. Niebyl & J. Simpson (Eds.). *Obstetrics: Normal and problem pregnancies* (5th ed.). Philadelphia : Churchill Livingstone.

Rapini, R. (2009). The skin and pregnancy. In R. Creasy, R. Resnik & J. Iams (Eds.). *Creasy and Resnik's maternal-fetal medicine: Principles and practice* (6th ed.). Philadelphia : Saunders.

Riordan, J. (2005). *Breastfeeding and human lactation* (3rd ed.). Boston : Jones & Bartlett.

Samuels, P. (2007). Hematologic complications of pregnancy. In S. Gabbe, J. Niebyl & J. Simpson (Eds.). *Obstetrics: Normal and problem pregnancies* (5th ed.). Philadelphia : Churchill Livingstone.

Samuels, P., & Niebyl, J. (2007). Neurological disorders. In S. Gabbe, J. Niebyl & J. Simpson (Eds.). *Obstetrics: Normal and problem pregnancies* (5th ed.). Philadelphia : Churchill Livingstone.

Wapner, R., Jenkins, T., & Khalek, N. (2009). Prenatal diagnosis of congenital disorders. In R. Creasy, R. Resnik & J. Iams (Eds.). *Creasy and Resnik's maternal-fetal medicine: Principles and practice* (6th ed.). Philadelphia : Saunders.

Weiner, C., & Buhimschi, C. (2004). *Drugs for pregnant and lactating women.* New York : Churchill Livingstone.

Whitty, J., & Dombrowski, M. (2007). Respiratory diseases in pregnancy. In S. Gabbe, J. Niebyl & J. Simpson (Eds.). *Obstetrics: Normal and problem pregnancies* (5th ed.). Philadelphia : Churchill Livingstone.

Whitty, J., & Dombrowski, M. (2009). Respiratory diseases in pregnancy. In R. Creasy, R. Resnik & J. Iams (Eds.). *Creasy and Resnik's maternal-fetal medicine: Principles and practice* (6th ed.). Philadelphia : Saunders.

Williamson, C., & Mackillop, L. (2009). Diseases of the liver, biliary system, and pancreas. In R. K. Creasy, R. Resnik & J. D. Iams (Eds.). *Creasy and Resnik's maternal-fetal medicine: Principles and practice* (6th ed.). Philadelphia : Saunders.

Wisner, K., Sit, D., Reynolds, S., Altemus, M., Bogen, D., Sunder, K., *et al.* (2007). Psychiatric disorders. In S. Gabbe, J. Niebyl & J. Simpson (Eds.). *Obstetrics: Normal and problem pregnancies* (5th ed.). Philadelphia : Churchill Livingstone.

Chapitre 21

Références de l'édition française

Agence de la santé publique du Canada (ASPC) (2008). *Rapport sur la santé périnatale au Canada : édition 2008.* [En ligne]. www.phac-aspc.gc.ca/publicat/2008/cphr-rspc/pdf/cphr-rspc08-fra.pdf (page consultée le 4 juillet 2011).

Agence de la santé publique du Canada (ASPC) (2010). *Lignes directrices canadiennes sur les infections transmissibles sexuellement : édition 2008* (Mise à jour juillet 2010). [En ligne]. www.phac-aspc.gc.ca/std-mts/sti-its/pdf/sti-its-fra.pdf (page consultée le 8 juillet 2011).

Ananth, C.V., Demissie, K., Smulian, J.C., & Vintzileos, A.M. (2003). Placenta previa in singleton and twin births in the United States, 1989 through 1998: A comparison of risk factor profiles and associated conditions. *Am J Obstet Gynecol, 188*, 275-281.

Ashcraft, J., Hazinski, M.F., Samson, R., & Schexnayder, S. (2010). *Guide des soins d'urgence cardiovasculaire 2010 à l'intention des dispensateurs de soins.* Ottawa, Ont. : Fondation des maladies du cœur du Canada.

Berkowitz, R.S., & Goldstein, D.P. (1996). Chorionic tumours. *N Engl J Med, 335*, 1740-1748.

Caetano, M., Ornstein, M.P., von Dadelszen, P., Hannah, M.E., Logan, A.G., *et al.* (2004). A Survey of Canadian Practitioners Regarding Diagnosis and Evaluation of the Hypertensive Disorders of Pregnancy. *Hypertens Pregnancy, 23*(2), 197-209.

De Montigny, F., Verdon, C., Lacharité, C., & Baker, M. (2010). Décès périnatal : portrait des services aux familles au Québec. *Perspectives infirmières, 17*(5), 24-27.

Dildy, G. (2004). Complications of preeclampsia. In G. Dildy, M. Belfort, G. Saade, J. Phelan, G. Hankins & S. Clark (Eds.). *Critical care obstetrics* (4th ed.). Malden, Mass. : Blackwell Science.

Fondation des maladies du cœur du Canada (2010). *Points saillants des lignes directrices 2010 en matière de réanimation cardiorespiratoire et de soins d'urgence cardiovasculaire de l'American Heart Association.* [En ligne]. www.fmcoeur.com/atf/cf/%7B3CB49E24-0FB7-4CEE-9404-67F4CEE1CBC0%7D/CPR-HighlightsFrenchFINAL.pdf (page consultée le 4 février 2012).

Hajenius, P.J., Mol, F., Mol, B.W.J., Bossuyt, P.M.M., Ankum, W.M., & Van der Veen, F. (2007). Interventions for tubal ectopic pregnancy. *Cochrane Database Syst Rev, 1*, CD 000324.

Jolley, J.A., & Wing, D.A. (2010). Pyelonephritis in pregnancy: An update on treatment options for optimal outcomes. *Drugs, 70*(13), 1643-1655.

Oyelese, Y., & Ananth, C.V. (2006). Placental abruption. *Obstet Gynecol, 108*, 1005-1016.

Potter, A.P., & Perry, A.G. (2010). *Soins infirmiers : fondements généraux.* Montréal : Chenelière Éducation.

Santé Canada (2004). *Rapport spécial sur la mortalité maternelle et la morbidité maternelle grave au Canada. Surveillance accrue : la voie de la prévention.* [En ligne]. www.phac-aspc.gc.ca/rhs-ssg/srmm-rsmm/index-fra.php (page consultée le 4 juillet 2011).

Sermer, D.A., & MacFee, M.S. (1995). Gestational trophoblastic disease: epidemiology. *Seminars in Oncology, 22*, 109-113.

Société des obstétriciens et gynécologues du Canada (SOGC) (2002a). Maladie trophoblastique gravidique. *J Obstet Gynaecol Can, 24*(5), 441-446.

Société des obstétriciens et gynécologues du Canada (SOGC) (2002b). Prise en charge des nausées et vomissements durant la grossesse. *J Obstet Gynaecol Can, 24*(10), 824-831.

Société des obstétriciens et gynécologues du Canada (SOGC) (2004). Prévention de l'infection néonatale à streptocoques du groupe B à début précoce. *J Obstet Gynaecol Can, 149*, 833-840.

Société des obstétriciens et gynécologues du Canada (SOGC) (2007). Diagnostic et prise en charge du placenta praevia. *J Obstet Gynaecol Can, 189*, 267-273.

Société des obstétriciens et gynécologues du Canada (SOGC) (2008a). Diagnostic, évaluation et prise en charge des troubles hypertensifs de la grossesse. *J Obstet Gynaecol Can, 30*(3 suppl. 1 N 206), S1-S56.

Société des obstétriciens et gynécologues du Canada (SOGC) (2008b). Immunisation pendant la grossesse. *J Obstet Gynaecol Can, 220*, 1155-1162.

Société des obstétriciens et gynécologues du Canada (SOGC) (2008c). Rubéole au cours de la grossesse. *J Obstet Gynaecol Can, 203*, 159-166.

Société des obstétriciens et gynécologues du Canada (SOGC) (2008d). Directive clinique sur la prise en charge du virus de l'herpès simplex pendant la grossesse. *J Obstet Gynaecol Can, 208*, 520-526.

Société des obstétriciens et gynécologues du Canada (SOGC) (2009). Directive clinique sur la prise en charge de vasa praevia. *J Obstet Gynaecol Can, 231*, 754-760.

Statistique Canada (2007). *Issues de la grossesse 2004.* [En ligne]. hwww.statcan.gc.ca/pub/82-224-x/82-224-x2004000-fra.pdf (page consultée le 6 juillet 2011).

Walker, M., Whittle, W., Keating, S., & Kingdom, J. (2010). Sonographic Diagnosis of Chronic Abruption: Case Report. *J Obstet Gynaecol Can,* 1056-1058.

Wilson, D. (2010). *Examens paracliniques.* Montréal : Chenelière Éducation.

Références de l'édition originale

American College of Obstetricians and Gynecologists (ACOG) (2002). *Diagnosis and management of preeclampsia and eclampsia. ACOG Practice Bulletin n° 33.* Washington, D.C. : ACOG.

American College of Obstetricians and Gynecologists (ACOG) & American Academy of Pediatrics (AAP) (2007). *Guidelines for perinatal care* (6th ed.). Washington, D.C. : ACOG.

American Heart Association (AHA) (2005). American Heart Association guidelines for cardiopulmonary resuscitation and emergency cardiovascular care. Part 10.8: Cardiac arrest associated with pregnancy. *Circulation, 112*(suppl. 24), IV-150-IV-153.

Bess, K., & Wood, T. (2006). Understanding gestational trophoblastic disease: How nurses can help those dealing with a diagnosis. *AWHONN Lifelines, 10*(4), 320-326.

Blackburn, S. (2007). *Maternal, fetal, & neonatal physiology: A clinical perspective* (3rd ed.). St. Louis, Mo. : Saunders.

Butler, C., Kelsberg, G., St. Anna, L., & Crawford, P. (2005). How long is expectant management safe in first-trimester miscarriage? *J. Fam Pract, 54*(10), 889-890.

Chan, P., & Winkle, C. (2006). *Gynecology and obstetrics: Current clinical strategies.* Laguna Hills, Calif. : CCS Publishing.

Cockey, C. (2005). Predicting preclampsia. *AWHONN Lifelines, 9*(1), 25-26.

Cohn, D., Ramaswamy, B., & Blum, K. (2009). Malignancy and pregnancy. In R.K. Creasy, R. Resnik & J.D. Iams (Eds.). *Creasy and Resnik's maternal-fetal medicine: Principles and practice* (6th ed.). Philadelphia : Saunders.

Colombo, D., & Samuels, P. (2007). Renal disease. In S. Gabbe, J. Niebyl & J. Simpson (Eds.). *Obstetrics: Normal and problem pregnancies* (5th ed.). Philadelphia : Churchill Livingstone.

Conde-Agudelo, A., Villar, J., & Lindheimer, M. (2008). Maternal infections and risk of preeclampsia: Systematic review and metaanalysis. *Am J Obstet Gynecol, 198*(1), 7-22.

Creasy, R., Resnik, R., & Iams, J. (2009). *Creasy & Resnik's maternal-fetal medicine: Principles and practice* (6th ed.). Philadelphia : Saunders.

Cunningham, F., Leveno, K., Bloom, S., Hauth, J., Gilstrap, L., & Wenstrom, K. (2005). *Williams obstetrics* (22nd ed.). New York : McGraw-Hill.

Davis, M. (2004). Nausea and vomiting of pregnancy: An evidence-based review. *J Perinat Neonatal Nurs, 18*(4), 312-328.

Duckitt, K., & Harrington, D. (2005). Risk factors for pre-eclampsia at antenatal booking: Systematic review of controlled studies. *BMJ, 330*(7491), 565.

Duff, P., Sweet, R., & Edwards, R. (2009). Maternal and fetal infections. In R. Creasy, R. Resnik & J. Iams (Eds.). *Creasy and Resnik's maternal-fetal medicine: Principles and practice* (6th ed.). Philadelphia : Saunders.

Emery, S. (2005). Hypertensive disorders of pregnancy: Overdiagnosis is appropriate. *Cleve Clin J Med, 72*(4), 345-352.

Farquhar, C. (2005). Ectopic pregnancy. *Lancet, 366*(9485), 583-591.

Francois, K., & Foley, M. (2007). Antepartum and postpartum hemorrhage. In S. Gabbe, J. Niebyl & J. Simpson (Eds.). *Obstetrics: Normal and problem pregnancies* (5th ed.). Philadelphia : Churchill Livingstone.

Gilbert, E. (2007). *Manual of high risk pregnancy & delivery* (4th ed.). St. Louis, Mo. : Mosby.

Gordon, M. (2007). Maternal physiology. In S. Gabbe, J. Niebyl & J. Simpson (Eds.). *Obstetrics: Normal and problem pregnancies* (5th ed.). Philadelphia : Churchill Livingstone.

Hull, A., & Resnik, R. (2009). Placenta previa, placenta accrete, abruptio placentae, and vasa previa. In R. Creasy, R. Resnik & J. Iams (Eds.). *Creasy and*

Resnik's maternal-fetal medicine: Principles and practice (6th ed.). Philadelphia : Saunders.

Hutti, M. (2005). Social and professional support needs of families after perinatal loss. *J Obstet Gynecol Neonatal Nurs, 34*(5), 630-638.

Iams, J. (2009). Cervical insufficiency. In R. Creasy, R. Resnik & J. Iams (Eds.). *Creasy and Resnik's maternal-fetal medicine: Principles and practice* (6th ed.). Philadelphia : Saunders.

Kelly, T., & Savides, T. (2009). Gastrointestinal disease in pregnancy. In R. Creasy, R. Resnik & J. Iams (Eds.). *Creasy and Resnik's maternal-fetal medicine: Principles and practice* (6th ed.). Philadelphia : Saunders.

Labelle, C., & Kitchens, C. (2005). Disseminated intravascular coagulation: Treat the cause, not the lab values. *Cleve Clin J Med, 72*(5), 377-397.

Longo, S., Dola, C., & Pridjian, G. (2003). Preeclampsia and eclampsia revisited. *South Med J, 96*(9), 891-898.

Lu, E., & Curet, M. (2007). Surgical procedures in pregnancy. In S. Gabbe, J. Niebyl & J. Simpson (Eds.). *Obstetrics: Normal and problem pregnancies* (5th ed.). Philadelphia : Churchill Livingstone.

Ludmir, J., & Owen, J. (2007). Cervical incompetence. In S. Gabbe, J. Niebyl & J. Simpson (Eds.). *Obstetrics: Normal and problem pregnancies* (5th ed.). Philadelphia : Churchill Livingstone.

Lutz, K. (2005). Abused pregnant women's interactions with health care providers during the childbearing year. *J Obstet Gynecol Neonatal Nurs, 34*(2), 151-162.

Mattox, K., & Goetzl, L. (2005). Trauma in pregnancy. *Crit Care Med, 33*(10S), S385-S389.

Moodliar, S., Bagratee, J., & Moodley, J. (2005). Medical versus surgical evacuation of first-trimester spontaneous abortion. *Int J Gynaecol Obstet, 91*(1), 21-26.

Murray, H., Baakdah, H., Bardell, T., & Tulandi, T. (2005). Diagnosis and treatment of ectopic pregnancy. *CMAJ, 173*(8), 905-912.

Nader, S. (2009). Thyroid disease and pregnancy. In R. Creasy, R. Resnik & J. Iams (Eds.). *Creasy and Resnik's maternal-fetal medicine: Principles and practice* (6th ed.). Philadelphia : Saunders.

National High Blood Pressure Education Program Working Group on High Blood Pressure in Pregnancy (2000). Report of the national high blood pressure education program working group on high blood pressure in pregnancy. *Am J Obstet Gynecol, 183*(1), S1-S22.

Pandey, M., Rani, R., & Agrawal, S. (2005). An update in recurrent spontaneous abortion. *Arch Gynecol Obstet, 272*(2), 95-108.

Peters, R. (2008). High blood pressure in pregnancy. *Nursing for Women's Health, 12*(5), 410-421.

Pickering, T., Hall, J., Appel, L., Falkner, B., Graves, J., Hill, M., *et al.* (2005). Recommendations for blood pressure measurement in humans and experimental animals. Part I: Blood pressure measurement in humans: A statement for professionals from the subcommittee of professional and public education of the American Heart Association Council on High Blood Pressure Research. *Hypertension, 45*, 142-161.

Roberts, J., & Funai, E. (2009). Pregnancy-related hypertension. In R. Creasy, R. Resnik & J. Iams (Eds.). *Creasy and Resnik's maternal-fetal medicine: Principles and practice* (6th ed.). Philadelphia : Saunders.

Rumbold, A., Duley, L., Crowther, C.A., & Haslam, R.R. (2008). Antioxidants for preventing pre-eclampsia. *Cochrane Database Syst Rev,* 1, CD 004227.

Rust, O., Atlas, R., Kimmel, S., Roberts, W., & Hess, L. (2005). Does the presence of a funnel increase the risk of adverse perinatal outcome in a patient with a short cervix? *Am J Obstet Gynecol, 192*(4), 1060-1066.

Rust, O., & Roberts, W. (2005). Does cerclage prevent preterm birth? *Obstet Gynecol Clin North Am, 32*(3), 441-456.

Rustveld, L.O., Kelsey, S.F., & Sharma, R. (2008). Association between maternal infections and preeclampsia: A systematic review of epidemiological studies. *Matern Child Health J, 12*(2), 223-242.

Seidel, H., Ball, J., & Dains, J. (2011). *Mosby's guide to physical examination* (7th ed.). St. Louis, Mo. : Mosby.

Seidel, H., Ball, J., Dains, J., & Benedict, G. (2006). *Mosby's guide to physical examination* (6th ed.). St. Louis, Mo. : Mosby.

Sibai, B. (2007). Hypertension. In S. Gabbe, J. Niebyl & J. Simpson (Eds.). *Obstetrics: Normal and problem pregnancies* (5th ed.). Philadelphia : Churchill Livingstone.

Sibai, B., Dekker, G., & Kupferminc, M. (2005). Preeclampsia. *Lancet, 365*(9461), 785-799.

Simpson, J., & Jauniaux, E. (2007). Pregnancy loss. In S. Gabbe, J. Niebyl & J. Simpson (Eds.). *Obstetrics: Normal and problem pregnancies* (5th ed.). Philadelphia : Churchill Livingstone.

Simpson, K., & James, D. (2005). *Postpartum care.* White Plains, N.Y. : March of Dimes.

Velayuthaprabhu, S., & Archunan, G. (2005). Evaluation of anticardiolipin antibodies and antiphosphatidylserine antibodies in women with recurrent abortion. *Indian J Med Sci, 59*(8), 347-352.

Wolfberg, A., Berkowitz, R., Goldstein, D., Feltmate, C., & Lieberman, E. (2005). Postevacuation hCG levels and risk of gestational trophoblastic neoplasia in women with complete molar pregnancy. *Obstet Gynecol, 106*(3), 548-552.

Zhang, J., Gilles, J., Barnhart, K., Creinin, M., Westhoff, C., Frederick, M., *et al.* (2005). A comparison of medical management with misoprostol and surgical management for early pregnancy failure. *N Engl J Med, 353*(8), 761-769.

Chapitre 22

Références de l'édition française

Agence de la santé publique du Canada (ASPC) (2008). *Rapport sur la santé périnatale au Canada : édition 2008.* [En ligne]. www.phac-aspc.gc.ca/publicat/2008/cphr-rspc/pdf/cphr-rspc08-fra.pdf (page consultée le 17 août 2011).

American Academy of Pediatrics (AAP), Canadian Pediatric Society (CPS) & American Heart Association (AHA) (2006). *Textbook of Neonatal Resuscitation* (5th ed.). Elk Grove Village, Ill. : AAP & Dallas, Tex. : AHA.

Association des infirmières et infirmiers du Canada (2008). *Code de déontologie des infirmières et infirmiers : édition du Centenaire 2008.* [En ligne]. www.cna-nurses.ca/cna/documents/pdf/publications/Code_of_Ethics_2008_f.pdf (page consultée le 17 août 2011).

Association des pharmaciens du Canada (2011a). *Compendium des produits et spécialités pharmaceutiques (CPS).* Ottawa, Ont. : Association des pharmaciens du Canada.

Association des pharmaciens du Canada (2011b). *Monographie Oxytocine USP injectable.* [En ligne]. www.e-therapeutics.ca/cps.showMonograph.action?simpleMonographId=m413201#m413201n00019 (page consultée le 7 octobre 2011).

Bonapace, J. (2009). *Accoucher sans stress avec la méthode Bonapace.* Montréal : Éditions de l'Homme.

Conde-Agudelo, A., Romero, R., & Kusanovic J.P. (2011). Nifedipine in the management of preterm labor: A systematic review and metaanalysis. *Am J Obstet Gynecol, 204*(2), 134.e1-20.

Crane, J. (2003). Traitement prénatal aux corticostéroïdes pour stimuler la maturation fœtale. *J Obstet Gynaecol Can, 25*(1), 49-52.

Dahlgren, L. (2008). *Cesarean Birth by Maternal Request.* [En ligne]. www.cmnh.ca/Cesarean%20presentations/M%20-%20Dahlgren%20-%20BC%20Consensus%20conference%20jan%2008.pdf (page consultée le 18 août 2011).

Di Renzo, G.C., Roura, L.C., & Association of Perinatal Medicine-Study Group on "Preterm Birth" (2006). Guidelines for the management of spontaneous preterm labour. *J Perinat Med, 34*, 359-366.

Institut canadien d'information sur la santé (2009). *Rapports de l'ICIS sur les indicateurs. Césariennes, année 2008.* [En ligne]. http://secure.cihi.ca/hireports/search.jspa?language=fr&healthIndicatorSelection=Csec (page consultée le 18 août 2011).

Institut de la statistique du Québec (2011a). *Naissances selon la durée de la grossesse et le poids à la naissance, Québec, 1980-2008.* [En ligne]. www.stat.gouv.qc.ca/donstat/societe/demographie/naisn_deces/naissance/418.htm (page consultée le 14 août 2011).

Institut de la statistique du Québec (2011b). *Naissances selon le type (simple ou multiple), Québec, 1988-2010.* [En ligne]. www.stat.gouv.qc.ca/donstat/societe/demographie/naisn_deces/naissance/450_type.htm (page consultée le 14 août 2011).

King, J.F., Flenady, V., Cole, S., & Thornton, S. (2010). Cyclo-oxygenase (COX) inhibitors for treating preterm labour. *Cochrane Database Syst Rev, 2*, CD 001992.

King, J.F., Flenady, V., Papatsonis, D., Dekker, G., & Carbonne, B. (2011). Calcium channel blockers for inhibiting preterm labour. *Cochrane Database Syst Rev, 2*, CD 002255.

Klam, S.L., & Leduc, L. (2004). Management options for preterm labour in Canada, *J Obstet Gynaecol Can, 26*(4), 339-345.

Luo, Z.C., Senéchal, S., Simonet, F., Guimond, E., Penney, C., *et al.* (2010). Birth outcomes in the Inuit-inhabited areas of Canada. *CMAJ, 182*(3), 235-242.

Maloni, J.A. (2010). Antepartum bed rest for pregnancy complications: Efficacy and safety for preventing preterm birth. *Biol Res Nurs, 12*(2), 106-124.

Ministère de la Santé et des Services sociaux (MSSS) (2008). *Politique de périnatalité 2008-2018.* [En ligne]. http://publications.msss.gouv.qc.ca/acrobat/f/documentation/2008/08-918-01.pdf (page consultée le 15 août 2011).

Patricot, M.C., Pallant-Delaroa, A. & Mathian, B. (1997). Étude de la fibronectine comme marqueur de la menace d'accouchement prématuré. *Immunoanalyse & Biologie Spécialisée, 12*(2), 81-84.

Pfizer (2009). *Prepidil® Gel. Dinoprostone cervical gel.* [En ligne]. www.pfizer.com/files/products/uspi_prepidil.pdf (page consultée le 17 août 2011).

Réseau Néonatal Canadien (2010). *Le Réseau Néonatal Canadien : rapport annuel 2009.* [En ligne]. www.canadianneonatalnetwork.org/Portal/LinkClick.aspx?fileticket=QleibWI8d10%3d&tabid=39 (page consultée le 14 août 2011).

Skoll, A., St. Louis, P., Amiri, N., Delisle, M.F., & Lalji, S. (2006). The evaluation of the fetal fibronectintest for prediction of preterm delivery in symptomatic patients. *J Obstet Gynaecol Can, 28*(3), 206-213.

Société des obstétriciens et gynécologues du Canada (SOGC) (2000). La prise en charge des grossesses gémellaires (Première partie). Déclaration de consensus n° 91. *J Obstet Gynaecol Can, 22*(7), 532-542.

Société des obstétriciens et gynécologues du Canada (SOGC) (2001a). Comité d'imagerie diagnostique : évaluation par échographie cervicale pour la prédiction d'une naissance prématurée. Directive clinique n° 102. *J Obstet Gynaecol Can, 23*(5), 422-426.

Société des obstétriciens et gynécologues du Canada (SOGC) (2001b). Comité de médecine fœto-maternelle : le déclenchement du travail à terme. Directive clinique n° 107. *J Obstet Gynaecol Can, 23*(8), 729-741.

Société des obstétriciens et gynécologues du Canada (SOGC) (2003a). Comité de médecine fœto-maternelle : traitement prénatal aux corticostyéroïdes pour stimuler la maturation fœtale. Opinion de comité n° 122. *J Obstet Gynaecol Can, 25*(1), 49-52.

Société des obstétriciens et gynécologues du Canada (SOGC) (2003b). Comité de médecine fœto-maternelle : prévention de l'allo-immunisation fœto-maternelle Rh. Directive clinique n° 133. *J Obstet Gynaecol Can, 25*(9), 774-783.

Société des obstétriciens et gynécologues du Canada (SOGC) (2004). Comité pratique clinique-obstétrique : directive clinique sur l'accouchement vaginal opératoire. Directive clinique n° 148. *J Obstet Gynaecol Can, 26*(8), 754-761.

Société des obstétriciens et gynécologues du Canada (SOGC) (2005). Comité pratique clinique-obstétrique : directive clinique sur l'accouchement vaginal chez les patientes ayant déjà subi une césarienne. Directive clinique n° 155. *J Obstet Gynaecol Can, 27*(2), 175-188.

Société des obstétriciens et gynécologues du Canada (SOGC) (2008a). Comité de médecine fœto-maternelle : utilisation de progestérone pour la prévention de l'accouchement prématuré. Directive clinique n° 202. *J Obstet Gynaecol Can, 30*(1), 72-77.

Société des obstétriciens et gynécologues du Canada (SOGC) (2008b). Comité de la directive clinique sur l'hypertension : diagnostic, évaluation et prise en charge des troubles hypertensifs de la grossesse. Directive clinique n° 206. *J Obstet Gynaecol Can, 30*(3), S1-S52.

Société des obstétriciens et gynécologues du Canada (SOGC) (2008c). Comité de pratique clinique-obstétrique : directive clinique sur la prise en charge de la grossesse entre la 41e +0 et la 42e +0 semaine de gestation. Directive clinique n° 214. *J Obstet Gynaecol Can, 30*(9), 811-823.

Société des obstétriciens et gynécologues du Canada (SOGC) (2009a). Comité des maladies infectieuses : antibiothérapie et rupture prématurée des membranes préterme. Directive clinique n° 233. *J Obstet Gynaecol Can, 31*(9), 863-867.

Société des obstétriciens et gynécologue du Canada (SOGC) (2009b). Comité de médecine fœto-maternelle : accouchement du siège par voie vaginale. Directive clinique n° 226. *J Obstet Gynaecol Can, 31*(6), 567-578.

Société des obstétriciens et gynécologues du Canada (SOGC) (2009c). Comité de pratique clinique-obstétrique : prise en charge active du troisième stade du travail : prévention et prise en charge le l'hémorragie post-partum. Directive clinique n° 235. *J Obstet Gynaecol Can, 31*(11), 1068-1084.

Société des obstétriciens et gynécologues du Canada (SOGC) (2009d). Comité de médecine fœto-maternelle : prise en charge du méconium à la naissance. Mise à jour technique n° 224. *J Obstet Gynaecol Can, 31*(4), 355-357.

Soraisham, A.S., Dalgeish, S., & Singhal, N. (2010). Antenatal indomethacin tocolysis is associated with an increased need for surgical ligation of patent ductus arterious in preterm infants. *J Obstet Gynaecol Can, 32*(5), 435-432.

Sprague, A.E., O'Brien, B., Newburn-Cook, C., Heaman, M., & Nimrod, C. (2008). Bed rest and activity restriction for women at risk for preterm birth: A survey of Canadian prenatal care providers. *J Obstet Gynaecol Can, 30*(4), 317-326.

Statistique Canada (2009). *Naissances vivantes, selon les semaines de gestation et la géographie : les deux sexes.* [En ligne]. www.statcan.gc.ca/pub/84f0210x/2007000/t017-fra.htm (page consultée le 14 août 2011).

Références de l'édition originale

Albers, L. (2007). The evidence for physiologic management of the active phase of the first stage of labor. *J Midwifery Womens Health, 52*(3), 207-215.

American Academy of Pediatrics (AAP) & American College of Obstetricians and Gynecologists (ACOG) (2007). *Guidelines for perinatal care* (6th ed.). Washington, D.C. : ACOG.

American Academy of Pediatrics (AAP) & American Heart Association (AHA) (2006). *Textbook of Neonatal Resuscitation* (5th ed.). Elk Grove Village, Ill. : AAP & Dallas, Tex. : AHA.

American College of Obstetricians and Gynecologists (ACOG) (1999). *Induction of labor. ACOG Practice Bulletin N° 10.* Washington, D.C. : ACOG.

American College of Obstetricians and Gynecologists (ACOG) (2003). *Management of preterm labor. ACOG Practice Bulletin N° 43.* Washington, D.C. : ACOG.

American College of Obstetricians and Gynecologists (ACOG) (2004). *Vaginal birth after a previous cesarean delivery. ACOG Practice Bulletin N° 54.* Washington, D.C. : ACOG.

American College of Obstetricians and Gynecologists (ACOG) (2007). *Cesarean delivery on maternal request. ACOG Committee Opinion N° 394.* Washington, D.C. : ACOG.

American College of Obstetricians and Gynecologists (ACOG). (2009). *Intrapartum fetal heart rate monitoring: Nomenclature, interpretation, and general management principles. ACOG Practice Bulletin N° 106.* Washington, D.C. : ACOG.

Battista, L.R., & Wing, D.A. (2007). Abnormal labor and induction of labor. In S. Gabbe, J. Niebyl & J. Simpson (Eds.). *Obstetrics: Normal and problem pregnancies* (5th ed.). Philadelphia : Churchill Livingstone.

Berghella,V., Baxter, J., & Chauhan, S. (2008). Evidence-based labor and delivery management. *Am J Obstet Gynecol, 199*(5), 445-454.

Cherouny, P., Federico, F., Haraden, C., Leavitt Gullo, S., & Resar, R. (2005). *Idealized design of perinatal care. IHI Innovation Series white paper.* Cambridge, Mass. : Institute for Healthcare Improvement.

Clark, S., Simpson, K., Knox, G., & Garite, T. (2009). Oxytocin: New perspectives on an old drug. *Am J Obstet Gynecol, 200*(35), e1-35, e6.

Cleary-Goldman, J., Chitkara, U., & Berkowitz, R. (2007). Multiple gestations. In S. Gabbe, J. Niebyl & J. Simpson (Eds.). *Obstetrics: Normal and problem pregnancies* (5th ed.). Philadelphia : Churchill Livingstone.

Collard, T., Diallo, H., Habinsky, A., Hentschell, C., & Vezeau, T. (2008/2009). Elective cesarean section: Why women choose it and what nurses need to know. *Nurs Womens Health, 12*(6), 480-488.

Cunningham, F., Leveno, K., Bloom, S., Hauth, J., Gilstrap, L., & Wenstrom, K. (2005). *Williams obstetrics* (22nd ed.). New York : McGraw-Hill.

Divon, M. (2007). Prolonged pregnancy. In S. Gabbe, J. Niebyl & J. Simpson (Eds.). *Obstetrics: Normal and problem pregnancies* (5th ed.). Philadelphia : Churchill Livingstone.

Duff, P., Sweet, R., & Edwards, R. (2009). Maternal and fetal infections. In R. Creasy, R. Resnik & J. Iams (Eds.). *Creasy and Resnik's maternal-fetal medicine: Principles and practice* (6th ed.). Philadelphia : Saunders.

Francois, K., & Foley, M. (2007). Antepartum and postpartum hemorrhage. In S. Gabbe, J. Niebyl & J. Simpson (Eds.). *Obstetrics: Normal and problem pregnancies* (5th ed.). Philadelphia : Churchill Livingstone.

Freda, M. (2006). It's time for preconception health! *Am J Matern Child Nurs, 31*(6), 346.

Friedman, E. (1989). Normal and dysfunctional labor. In W. Cohen, D. Ackers & E. Friedman (Eds.). *Management of Labor* (2nd ed). Rockville, Md. : Aspen.

Gabbe, S., Niebyl, J., & Simpson, J. (2007). *Obstetrics: Normal and problem pregnancies* (5th ed.). Philadelphia : Churchill Livingstone.

Gennaro, S., Shults, J., & Garry, D. (2008). Stress and preterm labor and birth in black women. *J Obstet Gynecol Neonatal Nurs, 37*(5), 538-545.

Gilbert, E., (2007). *Manual of high risk pregnancy and delivery* (4th ed.). St. Louis, Mo. : Mosby.

Hodnett, E., Gates, S., Hofmeyr, G., & Sakala, C. (2007). Continuous support for women during childbirth. *Cochrane Database Syst Rev, 3*, CD 003766.

Iams, J. & Romero, R. (2007). Preterm birth. In S. Gabbe, J. Niebyl & J. Simpson (Eds.). *Obstetrics: Normal and problem pregnancies* (5th ed.). Philadelphia : Churchill Livingstone.

Iams, J., Romero, R., & Creasy, R. (2009). Preterm labor and birth. In R. Creasy, R. Resnik & J. Iams (Eds.). *Creasy and Resnik's maternal-fetal medicine: Principles and practice* (6th ed.). Philadelphia : Saunders.

Landon, M. (2007). Cesarean delivery. In S. Gabbe, J. Niebyl & J. Simpson (Eds.). *Obstetrics: Normal and problem pregnancies* (5th ed.). Philadelphia : Churchill Livingstone.

Lanni, S., & Seeds, J. (2007). Malpresentations. In S. Gabbe, J. Niebyl & J. Simpson (Eds.). *Obstetrics: Normal and problem pregnancies* (5th ed.). Philadelphia : Churchill Livingstone.

Lu, E., & Curet, M.J. (2007). Surgical procedures in pregnancy. In S. Gabbe, J. Niebyl & J. Simpson (Eds.). *Obstetrics: Normal and problem pregnancies* (5th ed.). Philadelphia : Churchill Livingstone.

Macones, G., Hankins, G., Spong, C., Hauth, J., & Moore, T. (2008). The 2008 National Institute of Child Health and Human Development Workshop Report on Electronic Fetal Monitoring: Update on definitions, interpretation, and research guidelines. *J Obstet Gynecol Neonatal Nurs, 37*(5), 510-515.

Mahlmeister, L. (2008). Best practices in perinatal care: Evidence-based management of oxytocin induction and augmentation of labor. *J Perinat Neonatal Nurs, 22*(4), 259-263.

Malone, F., & D'Alton, M. (2009). Multiple gestation: Clinical characteristics and management. In R. Creasy, R. Resnik & J. Iams (Ed.). *Creasy and Resnik's maternal-fetal medicine: Principles and practice* (6th ed.). Philadelphia : Saunders.

Maloni, J., & Park, S. (2005). Postpartum symptoms after antepartum bedrest. *J Obstet Gynecol Neonatal Nurs, 34*(2), 163-171.

Martin, J., Hamilton, B., Sutton, P., Ventura, S., Menacker, F., Kirmeyer, S., *et al.* (2009). *Births: Final data for 2006. National Vital Statistics Reports* (Vol. 57, N° 7). Hyattsville, Md. : National Center for Health Statistics.

Martin, S., & Foley, M. (2009). Intensive care monitoring of the critically ill pregnant patient. In R. Creasy, R. Resnik & J. Iams (Eds.). *Creasy and Resnik's maternal-fetal medicine: Principles and practice* (6th ed.). Philadelphia : Saunders.

Meis, P., & Society for Maternal-Fetal Medicine (2005). 17 hydroxyprogesterone for the prevention of preterm delivery. *Obstet Gynecol, 105*(5 Pt 1), 1128-1135.

Mercer, B. (2007). Premature rupture of the membranes. In S. Gabbe, J. Niebyl & J. Simpson (Eds.). *Obstetrics: Normal and problem pregnancies* (5th ed.). Philadelphia : Churchill Livingstone.

Mercer, B. (2009a). Assessment and induction of fetal pulmonary maturity. In R. Creasy, R. Resnik & J. Iams (Eds.). *Creasy and Resnik's maternal-fetal medicine: Principles and practice* (6th ed.). Philadelphia : Saunders.

Mercer, B. (2009b). Premature rupture of the membranes. In R. Creasy, R. Resnik & J. Iams (Eds.). *Creasy and Resnik's maternal-fetal medicine: Principles and practice* (6th ed.). Philadelphia : Saunders.

Moleti, C.A. (2009). Trends and controversies in labor induction. *Am J Matern Child Nurs, 34*(1), 40-47.

Nielsen, P., Galan, H., Kilpatrick, S., & Garrison, E. (2007). Operative vaginal delivery. In S. Gabbe, J. Niebyl & J. Simpson (Eds.). *Obstetrics: Normal and problem pregnancies* (5th ed.). Philadelphia : Churchill Livingstone.

Resnik, J., & Resnik, R. (2009). Post-term pregnancy. In R. Creasy, R. Resnik & J. Iams (Eds.). *Creasy and Resnik's maternal-fetal medicine: Principles and practice* (6th ed.). Philadelphia : Saunders.

Rideout, S. (2005). Tocolytics of pre-term labor: What nurses need to know. *AWHONN Lifelines, 9*(1), 56-61.

Roberts, J., & Hanson, L. (2007). Best practices in second stage labor care: Maternal bearing down and positioning. *J Midwifery Womens Health, 52*(3), 238-245.

Romero, R., & Lockwood, C. (2009). Pathogenesis of spontaneous preterm labor. In R. Creasy, R. Resnik & J. Iams (Eds.). *Creasy and Resnik's maternal-fetal medicine: Principles and practice* (6th ed.). Philadelphia : Saunders.

Rosenberg, A. (2007). The neonate. In S. Gabbe, J. Niebyl & J. Simpson (Eds.). *Obstetrics: Normal and problem pregnancies* (5th ed.). Philadelphia : Churchill Livingstone.

Schoening, A. (2006). Amniotic fluid embolism: Historical perspectives and new possibilities. *J Matern Child Nurs, 31*(2), 78-83.

Simpson, K., & Knox, G. (2009). Oxytocin as a high-alert medication: Implications for perinatal patient safety. *Am J Matern Child Nurs, 34*(1), 8-15.

Society of Obstetricians and Gynaecologists of Canada (SOGC) (2004). News. C-sections on demand–SOGC's position. *Birth, 31*(2), 154.

Stremler, R., Hodnett, E., Petryshen, P., Stevens, B., Weston, J., & Willan, A. (2005). Randomized controlled trial of hands-and-knees positioning for occipito-posterior position in labor. *Birth, 32*(4), 243-251.

Thorp, J. (2009). Clinical aspects of normal and abnormal labor. In R. Creasy, R. Resnik & J. Iams (Eds.). *Creasy and Resnik's maternal-fetal medicine: Principles and practice* (6th ed.). Philadelphia : Saunders.

Williams, D. (2005). The top 10 reasons elective cesarean section should be on the decline. *AWHONN Lifelines, 9*(1), 23-24.

Chapitre 23

Références de l'édition française

Academy of Breastfeeding Medecine (2008). Utilisation des antidépresseurs chez les femmes qui allaitent. Protocole clinique n° 18. *Breastfeed Med, 3*(1), 44-52.

Agence de la santé publique du Canada (ASPC) (2000). *Soins à la mère et au nouveau-né dans une perspective familiale : lignes directrices nationales.* [En ligne]. www.phac-aspc.gc.ca/hp-ps/dca-dea/stages-etapes/childhood-enfance_0-2/fcmc1-fra.php (page consultée le 10 juin 2011).

AMPRO^OB (2010). *Approche multidisciplinaire en prévention des risques obstétricaux : documents de formation.* London, Ont. : Corporation Salus Global.

Cox, J.L., & Holden, J. (2003). *Perinatal Mental Health: A guide to the Edimburg Posnatal Depression Scale.* Londres : Gaskell.

Crane, J. (2001). *Le déclenchement du travail à terme. Directive clinique de la SOGC n°107.* [En ligne]. www.sogc.org/guidelines/public/107F-CPG-Aout2001.pdf (page consultée le 21 février 2012).

Dansereau, J., Joshi, A.K., Helewa, M.E., Doran, T.A., Lange, I.R., Luther, E.R., *et al.* (1999). Double-blind comparison of carbetocin versus oxytocin in the prevention of uterine atony after cesarean section. *AM J Obstet Gynecol, 180*(3 Pt 1), 670-676.

Des Rivières-Pigeon, C., Séguin, L., Brodeur, J.M., Perreault, M., Boyer, G., *et al.* (2000). L'Échelle de dépression postnatale d'Édimbourg : validité au Québec auprès de femmes de statut socio-économique faible. *Revue Canadienne de Santé Mentale Communautaire, 19,* 201-214.

Ferreira, E., & Morin, C. (2003). L'utilisation du carboprost (HémabateMD) chez une patiente asthmatique. *Pharmactuel, 36*(5), 278-280.

Ferreira, E. (2007). *Grossesse et allaitement : guide thérapeutique.* Montréal : Éditions du CHU Ste-Justine.

Gagnon, N. (2010). Dépression post-partum en contexte d'allaitement. *Québec pharmacie, 57*(5), 7-8.

Gauthier, L. (2007). La dépression postnatale chez les mères : plus qu'un simple baby blues. *Psychologie Québec, 24*(3), 28-31.

Héma-Québec (2010). *La gestion du sang au Québec.* [En ligne]. www.hema-quebec.qc.ca/comprendre/mesures-de-securite/gestion-du-sang.fr.html (page consultée le 9 juin 2011).

Hopkins, J., & Campbell, S.B. (2008). Development and validation of a scale to access social support in postpartum period. *Arch Women Ment Health, 11*(1), 57-65.

Lahey, A. (2010). *Aider les mères à combattre la dépression postpartum.* [En ligne]. www.innovationcanada.ca/fr/articles/postpartum-relief (page consultée le 13 juin 2011).

Martin, B., & St-André, M. (2007). Dépression et troubles anxieux. Dans E. Ferreira (dir.). *Grossesse et allaitement : guide thérapeutique.* Montréal : Éditions du CHU Ste-Justine.

Ministère de la Santé et des Services sociaux (MSSS) (2008). *Politique de périnatalité 2008-2018 : un projet porteur de vie.* [En ligne]. http://publications.msss.gouv.qc.ca/acrobat/f/documentation/2008/08-918-01.pdf (page consultée le 13 juin 2011).

Ordre des infirmières et infirmiers du Québec (OIIQ) (1999). *Allaitement maternel. Prise de position.* [En ligne]. www.oiiq.org/sites/default/files/150-allaitement.pdf (page consultée le 13 juillet 2011).

Ordre des infirmières et infirmiers du Québec (OIIQ) (2011). *Contribuer au suivi de grossesse, à la pratique des accouchements et au suivi postnatal.* [En ligne]. www.oiiq.org/pratique-infirmiere/activite-reservees/contribuer-au-suivi-de-grossesse#post_partum (page consultée le 13 juillet 2011).

Organisation mondiale de la santé (OMS) (2009). *Baby-Friendly Hospital Initiative. Revised, updated and expanded for integrated care.* [En ligne]. www.who.int/nutrition/publications/infantfeeding/9789241594950/en/index.html (page consultée le 13 juin 2011).

Public Health Agency of Canada (2008). *Canadian perinatal health report.* [En ligne]. www.phac-aspc.gc.ca/publicat/2008/cphr-rspc/pdf/cphr-rspc08-eng.pdf (page consultée le 13 juillet 2011).

Registered Nurses' Association of Ontario (RNAO) (2005). *Interventions for postpartum depression. Nursing Best Practice Guidelines.* Toronto : RNAO.

Sauvageau, G. (2007). Baby Blues. Quand l'accouchement devient source de stress et de tristesse. *Psychologie Québec, 24*(3), 18-21.

Société canadienne de l'hémophilie (2007). *La maladie de von Willerbrand.* [En ligne]. www.hemophilia.ca/fr/troubles-de-la-coagulation/la-maladie-de-von-willebrand/ (page consultée le 8 juin 2011).

Société canadienne de l'hémophilie (2011). *Soins d'urgence pour les personnes atteintes de la maladie de von Willebrand : manuel à l'intention des professionnels de la santé.* [En ligne]. www.hemophilia.ca/files/VWDEmergencyManualFR.pdf (page consultée le 8 juin 2011).

Société canadienne de pédiatrie (SCP) (2009). La dépression de la mère et le développement de l'enfant. *Paediatr Child Health, 9*(8), 589-598.

Société canadienne du sang (2011). *Guide de la pratique transfusionnelle.* [En ligne]. www.transfusionmedicine.ca/fr/ressources/guide-de-la-pratique-transfusionnelle (page consultée le 13 juillet 2011).

Société des obstétriciens et gynécologues du Canada (SOGC) (2000). Prévention et prise en charge de l'hémorragie postpartum. Directive clinique de la SOGC n° 88. *J Obstet Gynaecol Can, 22*(4), 282-294.

Société des obstétriciens et gynécologues du Canada (SOGC) (2002). Choc hémorragique. Directive clinique de la SOGC n° 115. *J Obstet Gynaecol Can, 24*(6), 512-520.

Société des obstétriciens et gynécologues du Canada (SOGC) (2005). Prise en charge gynécologique et obstétricale des femmes présentant une coagulopathie héréditaire. Directive clinique de la SOGC n° 163. *J Obstet Gynaecol Can, 27*(7), 719-732.

Société des obstétriciens et gynécologues du Canada (SOGC) (2007). Rapport sur les pratiques optimales en ce qui concerne le retour de l'accouchement au sein des communautés autochtones rurales et éloignées. Rapport de la SOGC n° 188. *J Obstet Gynaecol Can, 29*(3), 255-260.

Tôth, F. (2006). *La responsabilité civile des sages-femmes.* [En ligne]. www.usherbrooke.ca/droit/fileadmin/sites/droit/documents/RDUS/volume_36/36-12-toth.pdf (page consultée le 10 juillet 2011).

Références de l'édition originale

American Academy of Pediatrics (AAP) Committee on Drugs (2001). The transfer of drugs and other chemicals into human milk. *Pediatrics, 108*(3), 776-789.

American College of Obstetricians and Gynecologists (ACOG) (2006). *Postpartum hemorrhage. ACOG Practice Bulletin N° 76.* Washington, D.C. : ACOG.

American College of Obstetricians and Gynecologists (ACOG) (2008). *Use of psychiatric medications during pregnancy and lactation. ACOG Practice Bulletin Nº 92.* Washington, D.C. : ACOG.

American Psychiatric Association (APA) (2000). *Diagnostic and statistical manual of mental disorders* (4th ed., text revision). Washington, D.C. : APA.

Beck, C. (1998). Postpartum onset of panic disorder. *J Nurs Scholarsh, 30*(2), 131-135.

Beck, C. (2001). Predictors of postpartum depression: An update. *Nurs Res, 50*(5), 275-282.

Beck, C. (2002). Revision of the postpartum depression predictors inventory. *J Obstet Gynecol Neonatal Nurs, 31*(4), 394-402.

Beck, C. (2008a). State of the science on postpartum depression: What nurse researchers have contributed–part 1. *Am J Matern Child Nurs, 33*(2), 122-126.

Beck, C. (2008b). State of the science on postpartum depression: What nurse researchers have contributed–part 2. *Am J Matern Child Nurs, 33*(3), 151-156.

Beck, C., & Gable, R. (2002). *Postpartum depression screening scale manual.* Los Angeles : Western Psychological Services.

Bersuk, K. (2007). A strong pelvic floor: How nurses can spread the word. *Nurs Womens Health, 11*(1), 54-62.

Bina, R. (2008). The impact of cultural factors upon postpartum depression: A literature review. *Health Care Women Int, 29*(6), 568-592.

Born, D., & Barron, M. (2005). Herbal use in pregnancy: What nurses need to know. *Am J Matern Child Nurs, 30*(3), 201-208.

Cox, J., Holden, J., & Sagovsky, R. (1987). Detection of postnatal depression. Development of the 10-item Edinburgh Postnatal Depression Scale. *Br J Psychiatry, 150*, 782-786.

Cunningham, F.G., Leveno, K., Bloom, S., Hauth, J., Gilstrap, L., & Wenstrom, K. (2005). *Williams obstetrics* (22nd ed.). New York : McGraw-Hill.

Curran, C. (2003). Intrapartum emergencies. *J Obstet Gynecol Neonatal Nurs, 32*(6), 802-813.

Dennis, C., & Chung-Lee, L. (2006). Postpartum depression helpseeking barriers and maternal treatment preferences: A qualitative systematic review. *Birth, 33*(4), 323-331.

Dennis, C., & Hodnett, E. (2007). Psychosocial and psychological interventions for treating postpartum depression. *Cochrane Database Syst Rev, 4*, CD 006116.

Driscoll, J. (2006). Postpartum depression: How nurses can identify and care for women grappling with this disorder. *AWHONN Lifelines, 10*(5), 400-409.

Duff, P. (2007). Maternal and perinatal infection-bacterial. In S. Gabbe, J. Niebyl & J. Simpson (Eds.). *Obstetrics: Normal and problem pregnancies* (5th ed.). Philadelphia : Churchill Livingstone.

Dwyer, N., & Kreder, K. (2005). Conservative strategies for the treatment of stress urinary incontinence. *Current Urology Report, 6*(5), 371-375.

Francois, K., & Foley, M. (2007). Antepartum and postpartum hemorrhage. In S. Gabbe, J. Niebyl & J. Simpson (Eds.). *Obstetrics: Normal and problem pregnancies* (5th ed.). Philadelphia : Churchill Livingstone.

Gilbert, E. (2007). *Manual of high risk pregnancy & delivery* (4th ed.). St. Louis, Mo. : Mosby.

Hofmeyr, G., Abdel-Aleem, H., & Abdel-Aleem, M. (2008). Uterine massage for preventing postpartum haemorrhage. *Cochrane Database Syst Rev, 3*, CD 006431.

Jesse, D., & Graham, M. (2005). Are you sad and depressed? Brief measures to identify women at risk for depression in pregnancy. *Am J Matern Child Nurs, 30*(1), 40-45.

Johnson, T., Gregory, K., & Niebyl, J. (2007). Preconception and prenatal care: Part of the continuum. In S. Gabbe, J. Niebyl & J. Simpson (Eds.). *Obstetrics: Normal and problem pregnancies* (5th ed.). Philadelphia : Churchill Livingstone.

Kaplan, H., & Sadock, B. (2005). *Kaplan & Sadock's comprehensive textbook of psychiatry.* Philadelphia : Lippincott Williams & Wilkins.

Katz, V. (2007a). Postoperative counseling and management. In V. Katz, G. Lentz, R. Lobo & D. Gershenson (Eds.). *Comprehensive gynecology* (5th ed.). Philadelphia : Mosby.

Katz, V. (2007b). Postpartum care. In S. Gabbe, J. Niebyl & J. Simpson (Eds.). *Obstetrics: Normal and problem pregnancies* (5th ed.). Philadelphia : Churchill Livingstone.

Keltner, N. (2007a). Antianxiety drugs. In N. Kelter, L. Schwecke & C. Bostrum (Eds.). *Psychiatric nursing* (5th ed.). St. Louis, Mo. : Mosby.

Keltner, N. (2007b). Antidepressant drugs. In N. Kelter, L. Schwecke & C. Bostrum (Eds.). *Psychiatric nursing* (5th ed.). St. Louis, Mo. : Mosby.

Keltner, N. (2007c). Antimanic drugs. In N. Kelter, L. Schwecke & C. Bostrum (Eds.). *Psychiatric nursing* (5th ed.). St. Louis, Mo. : Mosby.

Kielb, S. (2005). Stress incontinence: Alternatives to surgery. *Int J Fertil Womens Med, 50*(1), 24-29.

Kirkwood, C., & Melton, S. (2005). Anxiety disorders. I: Generalized anxiety, panic, and social anxiety disorders. In J. DiPiro *et al.* (Eds.). *Pharmacotherapy: A pathophysiologic approach* (6th ed.). New York : McGraw-Hill.

Kominiarek, M., & Kilpatrick, S. (2007). Postpartum hemorrhage: A recurring pregnancy complication. *Seminars in Perinatology, 31*(3), 159-166.

Lawrence, R., & Lawrence, R. (2005). *Breastfeeding: A guide for the medical profession* (6th ed.). Philadelphia : Mosby.

Lee, C., & Abdul-Kadir, R. (2005). Von Willebrand disease and women's health. *Seminars in Hematology, 42*(1), 42-48.

Lentz, G., (2007). Anatomic defects of the abdominal wall and pelvic floor. In V. Katz, G. Lentz, R. Lobo & D. Gershenson (Eds.). *Comprehensive gynecology* (5th ed.). Philadelphia : Mosby.

Lintner, N., & Gray, B. (2006). Childbearing and depression: What nurses need to know. *AWHONN Lifelines, 10*(1), 50-57.

Mayberry, L., Horowitz, J., & Declercq, E. (2007). Depression symptom prevalence and demographic risk factors among U.S. women during the first 2 years postpartum. *J Obstet Gynecol Neonatal Nurs, 36*(6), 542-549.

McQueen, K., Montgomery, P., Lappan-Gracon, S., Evans, E., & Hunter, J. (2008). Evidence-based recommendations for depressive symptoms in postpartum women. *J Obstet Gynecol Neonatal Nurs, 37*(2), 127-136.

Melville, J., Delaney, K., Newton, K., & Katon, W. (2005). Incontinence severity and major depression in incontinent women. *Obstet Gynecol, 106*(3), 585-592.

Menon, S. (2008). Psychotropic medication during pregnancy and lactation. *Arch Gynecol Obstet, 277*(1), 1-13.

Milgrom, J., Gemmill, A., Bilszta, J., Hayes, B., Barnett, B., Brooks, J., *et al.* (2008). Antenatal risk factors for postnatal depression: A large prospective study. *J Affect Disord, 108*(1-2), 147-157.

Monahan, F., Sands, J.K., Neighbors, M., Marek, J.F., & Green, C.J. (2007). *Phipps' medical-surgical nursing: Health and illness perspectives* (8th ed.). St. Louis, Mo. : Mosby.

National Headache Foundation (2009). *Tyramine.* [En ligne]. www.headaches.org/education/Headache_Topic_Sheets/Tyramine (page consultée le 13 juin 2011).

National Women's Health Resource Center (2008). Women and anxiety disorders. *National Women's Health Report, 30*(1), 1-7.

Newport, D., & Stowe, Z. (2006). Psychopharmacology during pregnancy and lactation. In A. Schatzberg & C. Nemeroff (Eds.). *Essentials of clinical psychopharmacology* (2nd ed.). Washington, D.C. : American Psychiatric Publishing.

Newton, E. (2007). Breastfeeding. In S. Gabbe, J. Niebyl & J. Simpson (Eds.). *Obstetrics: Normal and problem pregnancies* (5th ed.). Philadelphia : Churchill Livingstone.

Peeke, P. (2008). Anxiety: Things you can do to beat it. *National Women's Health Report, 30*(1), 8.

Pettker, C., & Lockwood, C. (2007). Thromboembolic disorders. In S. Gabbe, J. Niebyl & J. Simpson (Eds.). *Obstetrics: Normal and problem pregnancies* (5th ed.). Philadelphia : Churchill Livingstone.

Pigarelli, D., Kraus, C., & Potter, B. (2005). Pregnancy and lactation: Therapeutic considerations. In J. DiPiro *et al.* (Eds.). *Pharmacotherapy: A pathophysiologic approach* (6th ed.). New York : McGraw-Hill.

Rosenberg, A. (2007). The neonate. In S. Gabbe, J. Niebyl & J. Simpson (Eds.). *Obstetrics: Normal and problem pregnancies* (5th ed.). Philadelphia : Churchill Livingstone.

Sampselle, C. (2003). Behavior interventions in young and middle-aged women: Simple interventions to combat a complex problem. *Am J Nurs, 103*(March, suppl.), 9-19.

Samuels, P. (2007). Hematologic complications of pregnancy. In S. Gabbe, J. Niebyl & J. Simpson (Eds.). *Obstetrics: Normal and problem pregnancies* (5th ed.). Philadelphia : Churchill Livingstone.

Tiran, D., & Mack, S. (Eds.) (2000). *Complementary therapies for pregnancy and childbirth* (2nd ed.). Edinburgh, R.-U. : Baillière Tindall.

Weier, K., & Beal, M. (2004). Complementary therapies and adjuncts in the treatment of postpartum depression. *J Midwifery Womens Health, 49*(2), 96-104.

Chapitre 24

Références de l'édition française

Agence de la santé publique du Canada (ASPC) (2008). *Rapport sur la santé périnatale au Canada : Édition 2008.* [En ligne]. www.phac-aspc.gc.ca/publicat/2008/cphr-rspc/index-fra.php (page consultée le 9 décembre 2011).

Als, H. (1982). Toward a synactive theory of development: Promise for the assessment and support of infant individuality. *Infant Mental Health Journal, 3*(4), 229-243.

American Heart Association (AHA) (2010). 2010 American Heart Association Guidelines for Cardiopulmonary Resuscitation and Emergency Cardiovascular Care Science. Part 15: Neonatal Ressuscitation. *Circulation*, 122.

Association des pharmaciens du Canada (2011). *Compendium des produits et spécialités pharmaceutiques (CPS).* Ottawa, Ont. : Association des pharmaciens du Canada.

Brown, G. (2009). NICU noise and the preterm infant. *Neonatal Network, 28*(3), 165-173.

Byers, J.F. (2003). Components of developmental care and the evidence for their use in the NICU. *Am J Matern Child Nurs, 28*(3), 174-180.

Canadian Peadiatric Society (CPS) (2010). *Addendum to the NRP Provider Textbook 6th Edition. Recommendations for specific modifications in the Canadian context.* [En ligne]. www.cps.ca/nrp/Addendum.pdf (page consultée le 9 janvier 2012).

Harding, C. (2009). An evaluation of the benefits of non-nutritive sucking for premature infants as described in the literature. *Arch Dis Child, 94*, 636-640.

Hintz, S.R., Suttner, D.M., Sheehan, A.M., Rhine, W.D., & Van Meurs, K.P. (2000). Decreased Use of Neonatal Extracorporeal Membrane Oxygenation (ECMO): How New Treatment Modalities Have Affected ECMO Utilization. *Pediatrics, 106*(6), 1339-1343.

Institut canadien d'information du la santé (ICIS) (2009). *Nés trop vite et trop petits : étude sur les bébés de faible poids au Canada.* Ottawa, Ont. : ICIS.

Institut national de santé publique du Québec (INSPQ) (2007). *Le dépistage de la surdité chez le nouveau-né : Évaluation des avantages, des inconvénients et des coûts de son implantation au Québec.* [En ligne]. www.inspq.qc.ca/pdf/publications/722-LeDepistageSurdite.pdf (page consultée le 6 décembre 2011).

Kinney, H.C., & Thach, B.T. (2009). The Sudden Infant Death Syndrome. *N Engl J Med, 361*, 795-805.

Maddalena, P., & Gibbins, S. (2008). Cerebellar Hemorrhage in Extremely Low Birth Weight Infants: Incidence, Risk Factors, and Impact on Long-Term Outcomes. *Neonatal Network, 27*, 387-396.

Martel, M.J., & Milette, I. (2006). Les soins du développement : des soins sur mesure pour les nouveau-nés prématurés. *Revue Bébé, 8*(2), 8-9.

Martinez-Tallo, E., Claure, N., & Bancalari, E. (1997). Necrotizing enterocolitis in full-term or near-term infants: Risk factors. *Biol Neonate, 71*, 292-298.

Mathews, T.J., & MacDorman, M.F. (2008). Infant Mortality Statistics from the 2005 Period Linked Birth/Infant Death Data Set. *Natl Vital Stat Rep, 57*(2), 1-32.

Mc Coskey, L. (2008). Nursing Care Guidelines for Prevention of Nasal Breakdown in neonates Receiving Nasal CPAP. *Ad Neonatal Care, 8*(2), 116-124.

Mc Lendon, D., Check, J., Carteaux, P., Michael, L., Moehring, J., *et al.* (2003). Implementation of potentially better practices for the prevention of brain injury in very low birth weight infants. *Pediatrics, 111*, 497-503.

Mintz-Hittner, H.A., Kennedy, K.A, & Chuang, A.Z. (2011). Efficacy of Intravitreal Bevacizumab for Stage 3+ Retinopathy of Prematurity. *N Engl J Med, 364*(7), 603-615.

National Association of Neonatal Nurses (NANN) (2006a). *Kangouroo Care. NANN Guidelines.* Glenview, Ill. : NANN.

National Association of Neonatal Nurses (NANN) (2006b). *Massage for infants in the NICU. NANN Guidelines.* Glenview, Ill. : NANN.

National Association of Neonatal Nurses (NANN) (2007). *Developmental care. NANN Guidelines.* Glenview, Ill. : NANN.

National Association of Neonatal Nurses (NANN) (2010). *Developmental Care of Newborns and Infants: A guide for health care professionnals* (2nd ed.) Glenview, Ill. : NANN.

Neu, J., Walker, W.A. (2011). Necrotizing enterocolitis. *N Engl J Med, 364*(3), 255-26.

Pearlman, J.M., Wyllie, J., Kattwinkel, J., Atkins, D.L., Chameides, L., *et al.* (2010). On behalf of the Neonatal Resuscitation Chapter Collaborators. Part 11: Neonatal resuscitation. 2010 International Consensus on Cardiopulmonary Resuscitation and Emergency Cardiovascular Care Science With Treatment Recommendations. *Circulation, 122*(suppl. 2), S516-S538.

Pinelli, J., & Symington, A.J. (2005). Non-nutritive sucking for promoting physiologic stability and nutrition in preterm infants (Revised 2008). *Cochrane Database Syst Rev, 4*, CD 001071.

Santé Canada (2002). *Préparation du lait maternisé : lignes directrices à l'intention des établissements de soins de santé.* [En ligne]. www.canadiensensante.gc.ca/init/kids-enfants/care-soins/formula-nourrissons/index-fra.php (page consultée le 18 février 2012).

Santé Canada (2010). *Les suppléments de vitamine D chez les nourrissons allaités au sein : recommandation de Santé Canada.* [En ligne]. http://hc-sc.gc.ca/fn-an/nutrition/infant-nourrisson/vita_d_supp-fra-php (page consultée le 10 janvier 2012).

Société canadienne de pédiatrie (SCP) (1991). *Répondre aux besoins en fer des nouveau-nés et des jeunes enfants : Une mise à jour.* Ottawa, Ont. : SCP.

Société canadienne de pédiatrie (SCP) (2001). *Des directives pour les professionnels de la santé qui soutiennent des familles après un décès périnatal.* Réapprouvé en février 2011. [En ligne]. www.cps.ca/francais/enonces/FN/fn01-02.htm (page consultée le 9 décembre 2011).

Société canadienne de pédiatrie (SCP) (2002). *Le syndrome d'alcoolisme fœtal.* Réapprouvé en octobre 2010. [En ligne]. www.cps.ca/francais/enonces/II/ii02-01.htm (page consultée le 9 décembre 2011).

Société canadienne de pédiatrie (SCP) (2004a). *Des lignes directrices pour le dépistage des nouveau-nés vulnérables à l'hypoglycémie.* [En ligne]. www.cps.ca/francais/enonces/FN/fn04-01.pdf (page consultée le 30 novembre 2011).

Société canadienne de pédiatrie (SCP) (2004b). *Des recommandations pour créer des environnements de sommeil sécuritaires pour les nourrissons et les enfants.* Réapprouvé en février 2011. [En ligne]. www cps.ca/francais/enonces/cp/cp04-02.htm (page consultée le 9 décembre 2011).

Société canadienne de pédiatrie (SCP) (2005). *Des recommandations pour le traitement néonatal par surfactant exogène.* Révision en cours en février 2009. [En ligne]. www.cps.ca/francais/enonces/FN/fn05-01.htm (page consultée le 2 décembre 2011).

Société canadienne de pédiatrie (SCP) (2006a). *Addenda au Manuel du moniteur du PRN 2006. Révisions au Programme de réanimation néonatale (PRN) 2006 : un bref résumé pour des Canadiens occupés.* [En ligne]. www.cps.ca/prn-canada/PRNRevisions.pdf (page consultée le 1er décembre 2011).

Société canadienne de pédiatrie (SCP) (2006b). *La paralysie périnatale du plexus brachial.* Réapprouvé en février 2011. [En ligne]. www.cps.ca/francais/enonces/FN/fn06-01.htm (page consultée le 9 décembre 2011).

Société canadienne de pédiatrie (SCP) (2007a). *Lignes directrices pour la détection, la prise en charge et la prévention de l'hyperbilirubinémie chez les nouveau-nés à terme et peu prématurés (35 semaines d'âge gestationnel ou plus).* [En ligne]. www.cps.ca/francais/enonces/FN/fn07-02.pdf (page consultée le 1er décembre 2011).

Société canadienne de pédiatrie (2007b). *La prévention et la prise en charge de la douleur chez le nouveau-né : une mise à jour.* [En ligne]. www.cps.ca/francais/enonces/FN/fn07-01.htm (page consultée le 9 décembre 2011).

Société canadienne de pédiatrie (SCP) (2007c). La prise en charge du nourrisson plus vulnérable à la septicémie. *Paediatr Child Health, 12*(10), 899-905.

Société canadienne de pédiatrie (SCP) (2010). *La rétinopathie des prématurés : Les recommandations de dépistage.* [En ligne]. www.cps.ca/francais/enonces/FN/RetinopathieDesPrematures.htm (page consultée le 9 décembre 2011).

Société canadienne de pédiatrie (SCP) (2011). *L'évaluation de la sécurité des bébés dans leur siège d'auto avant leur congé de l'hôpital.* [En ligne]. www.cps.ca/Français/enonces/FN/fn00-02.htm (page consultée le 9 décembre 2011).

Société des obstétriciens et gynécologues du Canada (SOGC) (2003). *Prévention de l'allo-immunisation fœto-maternelle Rh. Directive clinique de la SOGC n° 133.* [En ligne]. www.sogc.org/guidelines/documents/gui133FCPG0309F.pdf (page consultée le 9 décembre 2011).

Société des obstétriciens et gynécologues du Canada (SOGC) (2008). *Directive clinique sur la prise en charge de la grossesse entre la 41e +0 et la 42e +0 semaine de gestation. Directive clinique de la SOGC n° 241.* [En ligne]. www.sogc.org/guidelines/documents/gui214CPG0809f.pdf (page consultée le 9 décembre 2011).

Statistique Canada (2008). *Naissances vivantes, selon le poids à la naissance et la géographie : les deux sexes.* [En ligne]. www.statcan.gc.ca/pub/84f0210x/2008000/t009-fra.htm (page consultée le 10 janvier 2012).

Statistique Canada (2009). *Naissances 2007.* [En ligne]. www.statcan.gc.ca/pub/84f0210x/84f0210x2007000-fra.pdf (page consultée le 10 janvier 2012).

Verani, J.R., McGee, L., & Schrag, S.J. (2010). Division of Bacterial Disease National Centers for Immunization and Respiratory Diseases, Centers for Diseases Control and Prevention. Prevention of perinatal group B streptococcal disease revised guidelines from CDC. *MMVVR Recomm Rep, 19*(59 RR-10), 1-36.

Whyte, R.K. (2010). *Le congé sécuritaire du nourrisson peu prématuré.* [En ligne]. www.cps.ca/francais/enonces/FN/fn10-01.htm (page consultée le 30 novembre 2011).

Wilson, D. (2010). *Examens paracliniques.* Montréal : Chenelière Éducation.

Young, S.C., Chen, S.J., & Boo, N.Y. (2005). Incidence of nasal trauma with nasal prongs versus nasal mask during continuous positive airway pressure treatment in VLBW infants: A randomized control study. *Arch Dis Child Fetal Neonatal, 90*, 480-483.

Young, T.E., & Mangum, B. (2006). *Neofax: A manual of Drugs Used in Neonatal Care* (19th). Raleigh, N.C. : Acorn Publishing.

Références de l'édition originale

Abboud, L., & Liamputtong, P. (2005). When pregnancy fails: Coping strategies, support networks and experiences with health care of ethnic women and their partners. *J Reprod Infant Psychol, 23*(1), 3-18.

American Academy of Pediatrics (AAP) and American College of Obstetricians and Gynecologists (2007). *Guidelines for perinatal care* (6th ed.). Elk Grove Village, Ill. : AAP.

American Academy of Pediatrics (AAP) Committee on Fetus and Newborn (2004). Age terminology during the perinatal period. *Pediatrics, 114*(5), 1362-1364.

American Academy of Pediatrics (AAP) Committee on Infectious Diseases (2006). *Red book: 2006 report of the committee on infectious diseases* (27th ed.). Elk Grove Village, Ill. : AAP.

American Academy of Pediatrics (AAP) Committee on Nutrition (2004). *Pediatric nutrition handbook* (5th ed.). Elk Grove Village, Ill. : AAP.

American Academy of Pediatrics (AAP) Subcommittee on Hyperbilirubinemia (2004). Clinical practice guideline: Management of hyperbilirubinemia in the newborn infant 35 or more weeks of gestation. *Pediatrics, 114*(1), 297-316.

American Heart Association (AHA) (2005). 2005 American Heart Association guidelines for cardiopulmonary resuscitation (CPR) and emergency cardiovascular care (ECC) of pediatric and neonatal patients: Pediatric basic life support. *Circulation, 112*(suppl. 24), 1-203.

Anderson, M.S., & Gardner, S.L. (2006). Enteral nutrition. In G.B. Merenstein & S.L. Gardner (Eds.). *Handbook of neonatal intensive care* (6th ed.). St. Louis, Mo.: Mosby.

Bakewell-Sachs, S. (2007). Near-term/late preterm infants. *Newborn Infant Nurs Rev, 7*(2), 67-71.

Bay, C.A., Steele, M.W., & Davis, H. (2007). Genetic disorders and dysmorphic conditions. In B. Zitelli & H. Davis (Eds.). *Atlas of pediatric physical diagnosis* (5th ed.). St. Louis, Mo.: Mosby.

Bennett, S., Litz, B., Lee, B., & Shira, M. (2005). The scope and impact of perinatal loss: Current status and future directions. *Profess Psychol, Res Pract 36*(2), 180-187.

Blackburn, S.T. (2007). *Maternal, fetal, and neonatal physiology: A clinical perspective* (3rd ed.). St. Louis, Mo.: Saunders.

Blake, W.W., & Murray, J.A. (2006). Heat balance. In G.B. Merenstein & S.L. Gardner (Eds.). *Handbook of neonatal intensive care* (6th ed.). St. Louis, Mo.: Mosby.

Byers, J.F., Waugh, W.R., & Lowman, L.B. (2006). Sound level exposure of high-risk infants in different environmental conditions. *Neonat Network, 25*(1), 25-32.

Chichester, M. (2005). Multicultural issues in perinatal loss. *AWHONN Lifelines, 9*(4), 312-320.

Conde-Agudelo, A., & Belizan, J.M. (2003). Kangaroo mother care to reduce morbidity and mortality in low birthweight infants. *Cochrane Database Syst Rev, 2*, CD 002771.

Curley, M.A.Q., Razmus, I.S., Roberts, K.E., & Wypij, D. (2003). Predicting pressure ulcer risk in pediatric patients: The Braden Q scale. *Nurs Res, 52*(1), 22-33.

De Jong, E.P., de Haan, T.R., Kroes, A.C.M., Beersma, M.F.C., Oepkas, D., & Walther, F.J. (2006). Parvovirus B19 infection in pregnancy. *J Clin Virol, 36*(1), 1-7.

Dodd, V.L (2005). Implications of kangaroo care for growth and development in preterm infants. *J Obstet Gynecol Neonatal Nurs, 34*(2), 218-232.

Dudell, G., & Stoll, B.J. (2007). Respiratory tract disorders. In R.M. Kliegman, R.E. Behrman, H.B. Jenson & B.F. Stanton (Eds.). *Nelson textbook of pediatrics* (18th ed.). Philadelphia: Saunders.

Ehrenkranz, R.A. (2007). Early, aggressive nutritional management for very low birth weight infants: What is the evidence? *Seminars in Perinatology, 31*(2), 48-55.

Ellett, M.L., Croffie, J.M., Cohen, M.D., & Perkins, S.M. (2005). Gastric tube placement in young children. *Clin Nurs Res, 14*(3), 238-252.

Ellett, M.L., Woodruff, K.A., & Stewart, D.L. (2007). The use of carbon dioxide monitoring to determine orogastric tube placement in premature infants: A pilot study. *Gastroenterol Nurs, 30*(6), 414-417.

Engle, W.A. (2006). A recommendation for the definition of "late preterm" (near-term) and the birth weight-gestational age classification system. *Seminars in Perinatology, 30*(1), 2-7.

Engle, W.A., & American Academy of Pediatrics Committee on Fetus and Newborn (2008). Surfactant replacement therapy for respiratory distress in the preterm and term neonate. *Pediatrics, 121*(2), 419-432.

Engle, W.A., Tomashek, K.M., & Wallman, C. (2007). Late-preterm infants: A population at risk, *Pediatrics, 120*(6), 1390-1401.

Faulks, S., & Luther, B. (2005). Changing paradigm for the treatment of clubfeet. *Orthop Nurs, 24*(1), 25-30.

Finnegan, L.P. (1985). Neonatal abstinence. In N. Nelson (Ed.). *Current therapy in neonatal perinatal medicine 1985-1986.* Toronto: BC Decker.

Fraser Askin, D. (1995). Bacterial and fungal in the neonate. *J Obstet Gynecol Neonatal Nurs, 24*(7), 635-643.

Frenkel, L. (2005). Challenges in the diagnosis and management of neonatal herpes simplex virus encephalitis. *Pediatrics, 115*(3), 795-797.

Gardner, S.L., Snell, B.J., & Lawrence, R.A. (2006). Breastfeeding the neonate with special needs. In G.B. Merenstein & S.L. Gardner (Eds.). *Handbook of neonatal intensive care* (6th ed.). St. Louis. Mo.: Mosby.

Gupta, A., Della-Latta, P., Todd, B., San Gabriel, P., Haas, J., Wu, F., *et al.* (2004). Outbreak of extended-spectrum beta-lactamase-producing Klebsiella pneumoniae in a neonatal intensive care unit linked to artificial nails. *Infec Control Hosp Epidemiol, 25*(3), 210-215.

Hagedorn, M.I.E., Gardner, S.L., Dickey, L.A., & Abman, S.H. (2006). Respiratory diseases. In G.B. Merenstein & S.L. Gardner (Eds.). *Handbook of neonatal intensive care* (6th ed.). St. Louis, Mo.: Mosby.

Haubrich, K. (2007). Auditory system. In C. Kenner & J.W. Lott (Eds.). *Comprehensive neonatal nursing care: An interdisciplinary approach* (4th ed.). Philadelphia: Saunders.

Holditch-Davis, D., Blackburn, S.T., & VandenBerg, K. (2007). Newborn and infant neurobehavioral development. In C. Kenner & J. Lott (Eds.). *Comprehensive neonatal care: An interdisciplinary approach* (4th ed.). St. Louis, Mo.: Saunders.

Houska-Lund, C.H., & Durand, D.J. (2011). Skin and skin care. In S.L. Gardner *et al. Handbook of neonatal intensive care* (7th ed.). St. Louis, Mo.: Mosby.

Jones, F., & Tully, M.R. (2006). *Best practices for expressing, storing and handling human milk.* Raleigh, N.C.: Human Milk Banking Association of North America.

Kalhan, S.C., & Parimi, P.S. (2006). Disorders of carbohydrate metabolism. In R.J. Martin, A.A. Fanaroff & M.C. Walsh (Eds.). *Fanaroff and Martin's neonatal-perinatal medicine: Diseases of the fetus and infant* (8th ed.). Philadelphia: Saunders.

Kattwinkel, J. (Ed.). (2006). *Textbook of neonatal resuscitation* (5th ed.). Elk Grove Village, Ill.: American Academy of Pediatrics & American Heart Association.

Kliegman, R.M. (2006). Intrauterine growth restriction. In R.J. Martin, A.A. Fanaroff & M.C. Walsh (Eds.). *Fanaroff and Martin's neonatal-perinatal medicine: Diseases of the fetus and infant* (8th ed.). Philadelphia: Saunders.

LaMar, K., & Dowling, D.A. (2006). Incidence of infection for preterm twins cared for in cobedding in the neonatal intensive-care unit. *J Obstet Gynecol and Neonatal Nurs, 35*(2), 193-198.

Law, K.L., Stroud, L.R., LaGasse, L.L., Niaura, R., Liu, J., & Lester, B.M. (2003). Smoking during pregnancy and newborn neurobehavior. *Pediatrics, 111*(6), 1318-1323.

Lawrence, R.A., & Lawrence, R.M. (2005). *Breastfeeding: A guide for the medical profession* (6th ed.). Philadelphia: Saunders.

Lester, B.M., & Tronick, E.Z. (2004). History and description of the Neonatal Intensive Care Unit Network Neurobehavioral Scale. *Pediatrics, 113*(3), 634-640.

Lindemann, E. (1944). Symptomatology and management of acute grief. *Am J Psychiatry, 101*(2), 141-148.

Lott, J.W. (2007). Immune system. In C. Kenner & J. Lott (Eds.). *Comprehensive neonatal care: An interdisciplinary approach* (4th ed.). St. Louis, Mo.: Saunders.

Luchtman-Jones, L., Schwartz, A.L., & Wilson, D.B. (2006). The blood and hemopoietic system. In R.J. Martin, A.A. Fanaroff & M.C. Walsh (Eds.). *Fanaroff and Martin's neonatal-perinatal medicine: Diseases of the fetus and infant* (8th ed.). Philadelphia: Saunders.

Ludington-Hoe, S.M., Morgan, K., & Abouelfettoh, A. (2008). A clinical guideline for implementation of kangaroo care with premature infants of 30 or more weeks' postmenstrual age. *Adv Neonatal Care, 8*(suppl. 3), S3-S23.

Lund, C.H., Kuller, J., Raines, D.A., Ecklund, S., Archambault, M.É., & O'Flaherty, P. (2007). *Neonatal Skin Care* (2nd ed.). Washington, D.C.: Association of Women's Health, Obstetric and Neonatal Nurses.

Lund, C.H., & Osborne, J.W. (2004). Validity and reliability of the Neonatal Skin Condition Score. *J Obstet Gynecol Neonatal Nurs, 33*(3), 320-327.

Markiewicz, M., & Abrahamson, E. (1999). *Diagnosis in color: Neonatology.* St. Louis, Mo.: Mosby.

Miles, M. (1980). *The grief of parents... when a child dies.* Oak Brook, Ill.: Compassionate Friends.

Miles, M. (1984). Helping adults mourn the death of a child. In H. Wass & C. Corr (Eds.). *Childhood and death.* New York: Hemisphere.

Minozzi, S., Amato, L., Vecchi, S., & Davoli, M. (2008). Maintenance agonist treatments for opiate dependent pregnant women. *Cochrane Database Syst Rev, 2*, CD 006318.

Moise, K.J. (2007). Red cell alloimmunization. In S.B. Gabbe, J.R. Niebyl & J.L. Simpson (Eds.). *Obstetrics: Normal and problem pregnancies* (5th ed.). Philadelphia: Churchill Livingstone.

Moolenaar, R.L., Crutcher, J.M., San Joaquin, V.H., Sewell, L.V., Hutwagner, L.C., Carson, L.A., *et al.* (2000). A prolonged outbreak of *Pseudomonas aeruginosa* in a neonatal intensive care unit: Did staff fingernails play a role in disease transmission? *Infect Control Hosp Epidemiol, 21*(2), 80-85.

Myers, M.G., Seward, J.F., & LaRussa, P.S. (2007). Varicella-zoster virus. In R.M. Kliegman, R.E. Behrman, H.B. Jenson & B.F. Stanton (Eds.). *Nelson textbook of pediatrics* (18th ed.). Philadelphia: Saunders.

Neal, J.L. (2008). RhD isoimmunization and current management modalities. *J Obstet Gynecol Neonatal Nurs, 30*(6), 589-606.

Nelson, N. (1990). *Current therapy in neonatal-perinatal medicine* (2nd ed.). St. Louis, Mo.: Mosby.

Noonan, C., Quigley, S., & Curley, M.A.Q. (2006). Skin integrity in hospitalized infants and children: A prevalence survey. *J Pediatr Nurs, 21*(6), 445-453.

Paige, P.L., & Moe, P.C. (2006). Neurologic disorders. In G.B. Merenstein & S.L. Gardner (Eds.). *Handbook of neonatal intensive care* (6th ed.). St. Louis, Mo.: Mosby.

Parry, W.H., & Zimmer, J. (2006). Acid-base homeostasis and oxygenation. In G.B. Merenstein & S.L. Gardner (Eds.). *Handbook of neonatal intensive care* (6th ed.). St. Louis, Mo.: Mosby.

Pettett, G., Pallotto, E.K., & Merenstein, G.B. (2006). Regionalization and transport in perinatal care. In G.B. Merenstein & S.L. Gardner (Eds.). *Handbook of neonatal intensive care* (6th ed.). St. Louis, Mo. : Mosby.

Reed, M.D., Aranda, J.V., & Hales, B.F. (2006). Developmental pharmacology. In R.J. Martin, A.A. Fanaroff & M.C. Walsh (Eds.). *Fanaroff and Martin's neonatal-perinatal medicine: Diseases of the fetus and infant* (8th ed.). Philadelphia : Saunders.

Reiser, D.J. (2004). Neonatal jaundice: Physiologic variation or pathologic process. *Crit Care Nurs Clin North Am, 16*(2) 257-269.

Roaten, J.B., Bensard, D.D., & Price, F.N. (2006). Neonatal surgery. In G.B. Merenstein & S.L. Gardner (Eds.). *Handbook of neonatal intensive care* (6th ed.). St. Louis, Mo. : Mosby.

Sander, S.C., & Hays, L.R. (2005). Prescription opioid dependence and treatment with methadone in pregnancy. *J Opioid Manag, 1*(2), 91-97.

Santa-Donato, A., Medoff-Cooper, B., Bakewell-Sachs, S., Frazer Askin, D., & Rosenberg, S. (2007). *Late preterm infant assessment guide.* Washington, D.C. : Association of Women's Health, Obstetric and Neonatal Nurses.

Sauerbrei, A., & Wutzler, P. (2007). Herpes simplex and varicella-zoster virus infections during pregnancy: Current concepts of prevention, diagnosis and therapy, part 2, Varicella-zoster virus. *Med Microbiol Immunol, 196*(2), 95-103.

Saugstad, O.D. (2007). Optimal oxygenation at birth and in the neonatal period. *Neonatology, 91*(4), 319-322.

Stoll, B.J. (2007). Blood disorders. In R.M. Kliegman, R.E. Behrman, H.B. Jenson & B.F. Stanton (Eds.). *Nelson textbook of pediatrics* (18th ed.). Philadelphia : Saunders.

Stoll, B.J., & Adams-Chapman, I. (2007). The high-risk infant. In R.M. Kliegman, R.E. Behrman, H.B. Jenson & B.F. Stanton (Eds.). *Nelson textbook of pediatrics* (18th ed.). Philadelphia : Saunders.

Stoll, B.J., Hansen, N.I., Higgins, R.D., Fanaroff, A.A., Duara, S., Goldberg, R., *et al.* (2005). Very low birth weight preterm infants with early onset neonatal sepsis: The predominance of gram-negative infections continues in the National Institute of Child Health and Human Development Neonatal Research Network, 2002-2003. *Pediatr Infect Dis J, 24*(7), 635-639.

Toedter, L., Lasker, L., & Janssen, H. (2001). International comparison of studies using the Perinatal Grief Scale: A decade of research on pregnancy loss. *Death Studies, 25*(3), 205-228.

Tomashek, K.M., Shapiro-Mendoza, C., Davidoff, M., & Petrini, J.R. (2007). Differences in mortality between late-preterm and term singleton infants in the United States, 1995-2002. *J Pediatr, 151*(5), 450-456.

Venkatesh, M., Merenstein, G.B., Adams, K., & Weisman, L.E. (2006). Infection in the neonate. In G.B. Merenstein & S.L. Gardner (Eds.). *Handbook of neonatal intensive care* (6th ed.). St Louis, Mo.: Mosby.

Ward, K. (2001). Perceived needs of parents of critically ill infants in a neonatal intensive care unit (NICU). *Pediatr Nurs, 27*(3), 281-286.

Wilson, R. (2001). Parents' support of their other children after a miscarriage or perinatal death. *Early Hum Dev, 61*(2), 55-65.

Woodwell, W.H. (2002). Perspectives on parenting in the NICU. *Adv Neonatal Care, 2*(3), 161-169.

INDEX

A

D

E

G

H

N

S

T